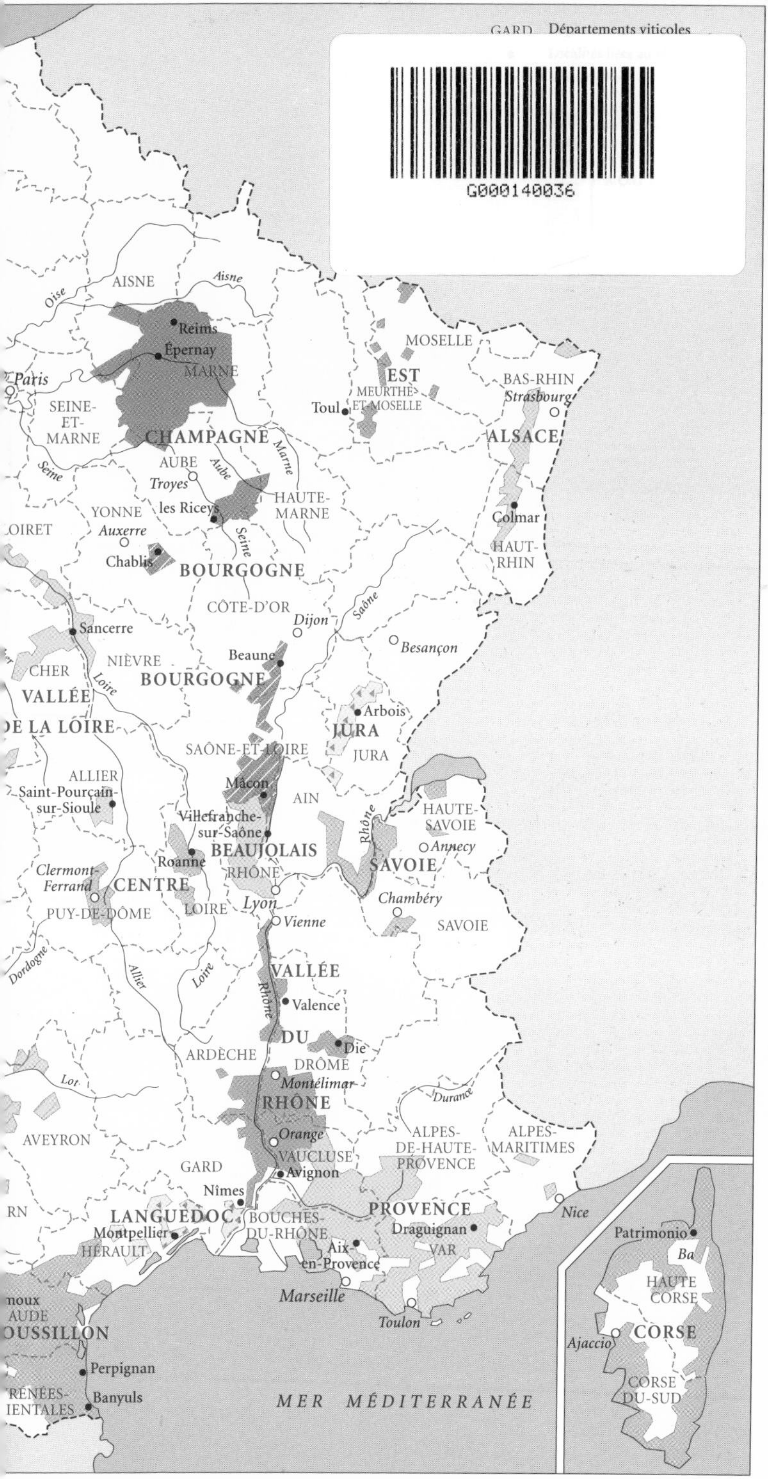
GARD Départements viticoles
AISNE
Aisne
Oise
Reims
Épernay
MARNE
Paris
SEINE-ET-MARNE
CHAMPAGNE
MOSELLE
EST
MEURTHE-ET-MOSELLE
Toul
BAS-RHIN
Strasbourg
ALSACE
Colmar
HAUT-RHIN
AUBE
Aube
Marne
Seine
Troyes
les Riceys
HAUTE-MARNE
YONNE
Auxerre
LOIRET
Chablis
Seine
BOURGOGNE
CÔTE-D'OR
Dijon
Saône
Besançon
Sancerre
NIÈVRE
CHER
Beaune
BOURGOGNE
Loire
VALLÉE
DE LA LOIRE
Arbois
JURA
JURA
SAÔNE-ET-LOIRE
ALLIER
Saint-Pourçain-sur-Sioule
Mâcon
AIN
HAUTE-SAVOIE
Villefranche-sur-Saône
BEAUJOLAIS
Rhône
Annecy
SAVOIE
Roanne
Clermont-Ferrand
CENTRE
RHÔNE
Lyon
Chambéry
PUY-DE-DÔME
LOIRE
Vienne
SAVOIE
Dordogne
Allier
Loire
VALLÉE
Rhône
Valence
DU
Die
ARDÈCHE
DRÔME
Lot
Montélimar
RHÔNE
Durance
AVEYRON
Orange
ALPES-DE-HAUTE-PROVENCE
ALPES-MARITIMES
VAUCLUSE
GARD
Avignon
Nîmes
PROVENCE
Nice
LANGUEDOC
BOUCHES-DU-RHÔNE
Draguignan
Montpellier
HÉRAULT
Aix-en-Provence
VAR
Marseille
Toulon
AUDE
OUSSILLON
Perpignan
Banyuls
MER MÉDITERRANÉE
Patrimonio
HAUTE CORSE
Ajaccio
CORSE
CORSE DU-SUD

LE GUIDE HACHETTE DES VINS 2000

GUIDE HACHETTE DES VINS

Directeur Hachette Pratique : Jean Arcache.

Direction de l'ouvrage : Catherine Montalbetti.

Ont collaboré : Christian Asselin, INRA, *Unité de recherche vigne et vin ;* Jean-François Bazin ; Claude Bérenguer ; Richard Bertin, *œnologue ;* Pierre Bidan, *professeur à l'ENSA de Montpellier ;* Jean Bisson, *ancien directeur de station viticole de l'INRA ;* Jean-Pierre Callède, *œnologue ;* Pierre Casamayor, *maître-assistant à la Faculté des Sciences de Toulouse ;* Béatrice de Chabert, *œnologue ;* Robert Cordonnier, *directeur de recherche à l'INRA ;* Jean-Pierre Deroudille ; Michel Dovaz ; Michel Feuillat, *professeur à la Faculté des Sciences de Dijon ;* Pierre Huglin, *directeur de recherche à l'INRA ;* Robert Lala, *œnologue ;* Antoine Lebègue ; Michel Le Seac'h ; Jean-Pierre Martinez, *chambre d'Agriculture du Loir-et-Cher ;* Mariska Pezzutto, *œnologue ;* Jacques Puisais, *président honoraire de l'Union française des œnologues ;* Pascal Ribéreau-Gayon, *ancien doyen de la faculté d'œnologie de l'université de Bordeaux II ;* André Roth, *ingénieur des travaux agricoles ;* Alex Schaeffer, INRA, *directeur Station de recherche vigne et vin ;* Anne Seguin ; Bernard Thévenet, *ingénieur des travaux agricoles ;* Pierre Torrès, *directeur de la station vitivinicole en Roussillon.*

Ainsi que : Sarah Boulanger ; Sylvie Chambadal ; Nicole Chatelier ; Nicole Crémer ; Sylvie Hano ; Yolande Le Douarin ; Anne Le Meur ; Micheline Martel ; François Merveilleau ; Diane Meur ; Evelyne Werth.

Secrétaire d'édition : Christine Cuperly.

Informatique éditoriale : Marie-Line Gros-Desormeaux ; Pascale Ocherowitch ; Michèle Boucher ; Martine Lavergne.

Nous exprimons nos très vifs remerciements aux 800 membres des commissions de dégustation réunies spécialement pour l'élaboration de ce guide, et qui, selon l'usage, demeurent anonymes, ainsi qu'aux organismes qui ont bien voulu apporter leur appui à l'ouvrage ou participer à sa documentation générale : l'Institut National des Appellations d'Origine, INAO ; l'Institut National de la Recherche Agronomique, INRA ; la Direction de la Consommation et de la Répression des Fraudes ; l'Office National interprofessionnel des Vins et ses Délégations régionales, ONIVINS ; la SOPEXA ; la Fédération Nationale des Vins délimités de qualité supérieure ; les Comités, Conseils, Fédérations et Unions interprofessionnels ; l'Institut des Produits de la Vigne de Montpellier et l'ENSAM ; l'Université Paul Sabatier de Toulouse ; les Syndicats viticoles et associations de viticulteurs ; les Unions et Fédérations de Grands Crus ; les Syndicats des Maisons de négoce ; la Confédération des Caves Particulières et ses fédérations régionales ; la Confédération nationale des Caves coopératives et les Fédérations des Caves coopératives ; les Chambres d'agriculture ; les laboratoires départementaux d'analyse ; Les lycées agricoles d'Amboise, d'Avize, de Blanquefort, de Bommes, de Montagne-Saint-Emilion et de Montreuil-Bellay, le lycée hôtelier de Tain l'Hermitage, le CFPPA d'Hyères ; les Maisons des Vins ; l'Union française des œnologues et les Fédérations régionales d'œnologues ; les Syndicats des Courtiers de vins ; l'Union de la Sommellerie française et les Associations régionales de Sommeliers ; la Chartreuse de Villeneuve-lès-Avignon ; pour la Suisse, l'Office fédéral de l'agriculture, la Commission fédérale du Contrôle du commerce des vins, les responsables des Services de la viticulture cantonaux, l'OVV, l'OPAV, l'OPAGE ; pour le Grand-Duché du Luxembourg, l'institut viti-vinicole luxembourgeois ; la Marque nationale du vin luxembourgeois ; le Fonds de solidarité.

Couverture : Calligram (création) ; Graph'm (réalisation). – **Maquette et mise en page :** François Huertas. – **Cartographie :** Fabrice Le Goff. – **Illustrations :** Véronique Chappée. – **Production :** Gérard Piassale. – **Régie :** André Magniez. – **Composition :** M.I.C. – **Photogravure :** Packédit. – **Impression :** Aubin Imprimeur à Ligugé. – **Façonnage :** SIRC, Marigny-le-Châtel. **Papier :** Lacopaque ivoire des Papeteries Bolloré.

Crédits iconographiques : 4e de couverture : © Hachette/D.R.
Photos p. 9 : © Roger Viollet ; p. 22 : © Scope/M. Guillard ; pp. 25, 27, 28, 31, 35, 36 : Scope/J. Guillard ; pp. 30, 32 : © Scope/J.-L. Barde.

Imprimé en France. N° d'impression 58794 – Dépôt légal n° 6126/09/1999 – Collection n° 74
Édition n° 01 – 23.6426.3. – ISBN 2.01.236426.8

LE GUIDE HACHETTE DES VINS 2000

SOMMAIRE

TABLEAU DES SYMBOLES
6

AVERTISSEMENT
7

CENT ANS DE VITICULTURE
9

QUOI DE NEUF ?
19

LE VIN

Les différents types de vins
37

Les travaux de la vigne
40

Les différentes vinifications
43

L'élevage des vins
45

Le contrôle de la qualité
46

LE GUIDE DU CONSOMMATEUR

Comment lire une étiquette ?
48

Comment acheter son vin ?
52

Comment conserver son vin ?
57

Comment déguster le vin ?
61

Comment servir le vin ?
66

Tableau des millésimes
69

LES METS ET LES VINS
73

SÉLECTION DES MEILLEURS VINS DE FRANCE
79

SÉLECTION DES MEILLEURS VINS DU LUXEMBOURG
1080

SÉLECTION DES MEILLEURS VINS DE SUISSE
1086

GLOSSAIRE
1112

INDEX

des appellations
1118

des communes
1120

des producteurs
1130

des vins
1151

TABLE DES CARTES

L'Alsace p 80
Le Beaujolais p 127
Le Bordelais pp 186-187
- BLAYAIS ET BOURGEAIS p 227
- LIBOURNAIS p 237
- RÉGION DE SAINT-ÉMILION p 257
- ENTRE DORDOGNE ET GARONNE p 303
- RÉGION DES GRAVES p 315
- MÉDOC ET HAUT-MÉDOC p 337
- MOULIS ET LISTRAC p 359
- MARGAUX p 363
- PAUILLAC p 373
- SAINT-ESTÈPHE p 377
- SAINT-JULIEN p 383
- LES VINS BLANCS LIQUOREUX p 387

La Bourgogne p 403
- LE CHABLISIEN p 445
- CÔTE DE NUITS (NORD 1) p 461
- CÔTE DE NUITS (NORD 2) p 467
- CÔTE DE NUITS (CENTRE) p 477
- CÔTE DE NUITS (SUD) p 499
- CÔTE DE BEAUNE (NORD) p 501
- CÔTE DE BEAUNE (CENTRE-NORD) p 529
- CÔTE DE BEAUNE (CENTRE-SUD) p 545
- CÔTE DE BEAUNE (SUD) p 561
- CHÂLONNAIS ET MÂCONNAIS p 569

La Champagne pp 598-599
Le Jura p 659
La Savoie et le Bugey p 673
Le Languedoc pp 680-681
Le Roussillon p 721
La Provence pp 734-735
La Corse p 763
Le Sud-Ouest p 771
- CAHORS p 773
- GAILLAC p 777
- BERGERAC p 799

La vallée de la Loire et le Centre pp 818-819
- PAYS NANTAIS p 825
- ANJOU-SAUMUR p 843
- TOURAINE p 883
- VINS DU CENTRE p 929

La vallée du Rhône
- NORD p 953
- SUD pp 956-957

Les vins doux naturels p 1014
Les vins de pays pp 1048-1049
Le Luxembourg p 1081
La Suisse pp 1088-1089

SOMMAIRE

Sélection des meilleurs vins de France

L'ALSACE
79

LE BEAUJOLAIS
126

LE BORDELAIS
184

LE BLAYAIS ET LE BOURGEAIS 224
LE LIBOURNAIS 236
ENTRE GARONNE ET DORDOGNE 303
LA RÉGION DES GRAVES 314
LE MÉDOC 334
LES VINS BLANCS LIQUOREUX 386

LA BOURGOGNE
401

LE CHABLISIEN 443
LA CÔTE DE NUITS 460
LA CÔTE DE BEAUNE 500
LA CÔTE CHALONNAISE 567
LE MÂCONNAIS 581

LA CHAMPAGNE
597

LE JURA
657

LA SAVOIE ET LE BUGEY
673

LE LANGUEDOC
680

LE ROUSSILLON
686

LA PROVENCE
731

LA CORSE
760

LE SUD-OUEST
769

LA VALLÉE DE LA LOIRE ET LE CENTRE
817

LA RÉGION NANTAISE 824
ANJOU-SAUMUR 840
LA TOURAINE 880
LES VIGNOBLES DU CENTRE 927

LA VALLÉE DU RHÔNE
951

LES VINS DOUX NATURELS
1014

LES VINS DE LIQUEUR
1034

LES VINS DE PAYS
1045

SÉLECTION DES MEILLEURS VINS DU LUXEMBOURG
1080

SÉLECTION DES MEILLEURS VINS DE SUISSE
1086

SYMBOLES

SYMBOLES UTILISÉS DANS LE GUIDE

La reproduction d'une étiquette signale un « coup de cœur » de la commission

- ★★★ vin exceptionnel
- ★★ vin remarquable
- ★ vin très réussi

1996 millésime ou année du vin dégusté

- □ vin « tranquille » blanc
- ◪ vin « tranquille » rosé
- ■ vin « tranquille » rouge
- ○ vin effervescent blanc
- ◑ vin effervescent rosé
- ● vin effervescent rouge

50 000, 12 500... nombre moyen de bouteilles du vin présenté

4 ha superficie de production du vin présenté

- élevage en cuve
- élevage en fût
- thermorégulation
- adresse
- ☑ vente à la propriété
- condition de visite ou de dégustation (r.-v. = sur rendez-vous)
- nom du propriétaire, si différent de celui figurant dans l'adresse

n.c. information non communiquée

LES PRIX

LES PRIX (prix moyen de la bouteille en France par carton de 12) sont donnés sous toutes réserves. Ci-dessous leur équivalent en euro.

– 20 F - 3,04 €	20 à 29 F 3,04 - 4,57 €	30 à 49 F 4,57 - 7,62 €	50 à 69 F 7,62 - 10,67 €	70 à 99 F 10,67 - 15,24 €
100 à 149 F 15,24 - 22,87 €	150 à 199 F 22,87 - 30,49 €	200 à 249 F 30,49 - 38,11 €	250 à 299 F 38,11 - 45,73 €	300 à 499 F 45,73 - 76,07 €
+ 500 F + 76,22 €				

Le fond rouge indique un bon rapport qualité/prix – 30 F

LES MILLÉSIMES (82) **83** |(85)| |**86**| **89** (90) 91 |92| 93 **95** **96** |97| **98**

83 91	les millésimes en rouge sont à boire
93 95	les millésimes en noir sont à garder
|**86**|92|	les millésimes en noir entre deux traits verticaux sont à boire pouvant attendre
83 95	les meilleurs millésimes sont en gras
(90)	le millésime exceptionnel est dans un cercle

Les millésimes indiqués n'impliquent pas une disponibilité à la vente chez le producteur mais chez les cavistes ou restaurateurs.

AVERTISSEMENT

Une sélection des vins entièrement nouvelle

Vous trouverez décrits dans ce Guide les 8 000 meilleurs vins de France, de Suisse et du Luxembourg, tous dégustés en 1999. Il s'agit d'une sélection entièrement nouvelle, portant sur le dernier millésime mis en bouteilles. Ces vins ont été élus pour vous par 800 experts au cours des commissions de dégustation à l'aveugle du Guide Hachette des Vins, parmi plus de 25 000 vins de toutes les appellations. Quelque mille vins, sans faire l'objet d'un article, sont mentionnés en caractères gras dans la notice consacrée au vin le mieux noté du producteur.

Un guide objectif

L'absence de toute participation publicitaire et financière des producteurs, négociants ou coopératives cités assure l'impartialité de l'ouvrage, dont l'unique ambition est d'être un guide d'achat au service des consommateurs. Les notes de dégustation, qui attribuent de zéro à trois étoiles à chacun des vins répertoriés, doivent être comparées au sein d'une même appellation : il est en effet impossible de juger des appellations différentes avec le même barème.

Un classement par étoiles

Mis sous cache afin de préserver l'anonymat, chaque vin est examiné par un jury qui décrit sa couleur, ses qualités olfactives et gustatives et lui attribue une note de 0 à 5.

0 vin à défaut, il est éliminé ;
1 petit vin et vin moyen, il est éliminé ;
2 vin réussi, typique, il est cité sans étoile ;
3 vin très réussi, **une étoile** ;
4 vin remarquable par sa structure, **deux étoiles** ;
5 vin exceptionnel, modèle de l'appellation, **trois étoiles**.

Les coups de cœur

Les vins dont l'étiquette est reproduite constituent les « coups de cœur », librement choisis et élus par les dégustateurs du Guide ; ils sont particulièrement recommandés aux lecteurs.

Une lecture claire

L'organisation de cet ouvrage est très simple.
– **Un chapitre spécial est consacré à l'histoire des vignobles français depuis cent ans.**
– L'actualité de la France viticole est présentée dans la rubrique « Quoi de neuf », qui analyse le millésime 98 et fournit des données économiques régionales.
– Une partie pratique, « Le Vin », expose les techniques de culture de la vigne et de l'élaboration des vins.
– Un « Guide du consommateur » fournit des conseils pour acheter, conserver et déguster les vins ; il propose les meilleurs accords mets-vins.

– Les vins sélectionnés sont ensuite répertoriés :
• par régions, classées alphabétiquement ; puis trois sections sont consacrées aux vins doux naturels, aux vins de liqueur et aux vins de pays. Un chapitre offre une sélection de vins du Luxembourg, un autre une sélection de vins suisses ;
• par appellations, présentées géographiquement à l'intérieur de chaque région ;
• par ordre alphabétique à l'intérieur de chaque appellation.
– Quatre index en fin d'ouvrage permettent de retrouver les appellations, les communes, les producteurs et les vins.
– Les 49 cartes originales permettent de visualiser l'implantation géographique des vignobles.

Les raisons de certaines absences

Des vins connus, parfois même réputés, peuvent être absents de cette édition : soit parce que les producteurs ne les ont pas présentés ; soit parce qu'ils ont été éliminés lors des dégustations. Pour certains vins dégustés et retenus, la mention « n.c. » remplace des informations non communiquées.
Par ailleurs, on ne s'étonnera pas de l'absence de millésime ou d'année pour les vins d'assemblage (champagnes non millésimés, par exemple), pour les vins de liqueur ou pour quelques vins doux naturels ; ni de celle des surfaces de production pour les vins de négoce ou de coopératives, issus de différentes propriétés.

Le guide de l'acheteur

L'objet de ce guide étant **d'aider le consommateur à choisir ses vins** selon ses goûts et à découvrir les meilleurs rapports qualité/prix (signalés par une fourchette de prix en rouge), tout a été fait pour en rendre la lecture facile et pratique.
– une lecture attentive des introductions générales, régionales et de chaque appellation est indispensable : certaines informations communes à l'ensemble des vins ne sont pas répétées pour chacun d'eux.
– le **signet**, placé en vis-à-vis de n'importe quelle page, donne immédiatement **la « clé » des symboles** et rappelle, au dos, la structure de l'ouvrage ; consultez également les pages 4, 5 et 6.
– certains vins sélectionnés pour leur qualité ont parfois une diffusion quasi confidentielle. L'éditeur ne peut être tenu pour responsable de leur non-disponibilité à la propriété, mais invite les amateurs à les rechercher chez les cavistes, négociants ou sur les cartes des vins des restaurants ;
– un conseil enfin : la dégustation chez le producteur est bien souvent gratuite. N'en abusez pas : elle représente un coût non négligeable pour le producteur qui ne pourra vous ouvrir ses vieilles bouteilles.

Important : le prix des vins

Les prix (prix moyen de la bouteille par carton de 12), présentés sous forme de « fourchette », sont soumis à **l'évolution des cours** et donnés **sous toutes réserves**. Les prix des vins de Suisse et du Luxembourg sont donnés en francs français.

Numérotation téléphonique

En France, tous les numéros ont 10 chiffres. Pour joindre de Suisse ou du Luxembourg un producteur français, on composera le 00.33 suivi des 9 derniers chiffres de son numéro. Pour téléphoner en Suisse, on composera le 00.41 suivi immédiatement de l'indicatif régional (ex. : 27). Pour les communications nationales à l'intérieur de la Suisse, on fera précéder l'indicatif d'un zéro lorsque le correspondant habite dans une autre zone (indicatif différent). L'indicatif du Luxembourg est le 352.

CENT ANS DE VITICULTURE

La viticulture française a tous les atouts en mains. Prospère, bien enracinée, elle fait aujourd'hui partie d'une culture mondialisée dont elle est un des fleurons. Au-delà des ajustements conjoncturels, elle jouit d'une situation comme rarement on n'en a connu dans l'histoire.

Jamais autant qu'à la fin de ce XXe siècle, la viticulture n'aura été aussi prospère et le vin aussi unanimement reconnu et apprécié comme boisson de plaisir et, surtout, comme produit de culture. Jamais autant de consommateurs éclairés n'auront acheté et dégusté d'aussi bons vins en y attachant l'intérêt que suscite une connaissance délibérément acquise. La baisse des prix à la production observée dans certaines régions et l'intensification de la concurrence mondiale ne sont qu'un ajustement nécessaire après quelques années d'une surchauffe alimentée par la bonne tenue des exportations et la spéculation.
On pourra sans doute trouver quelque âge d'or à opposer à cette affirmation, de la Bourgogne de Philippe le Bon au Médoc du comte de Ségur en passant par la Champagne de la Belle Époque. Mais ceux qui en partageaient la prospérité étaient alors une poignée. A peine plus nombreux étaient les élus qui accédaient aux plaisirs de ces grands vins ; quant aux millésimes remarquables du passé, c'étaient la plupart du temps d'heureux accidents que la nature concédait à des vignerons certes pétris d'empirisme et de bon sens, mais trop souvent ignorants des lois de la nature et incapables de les utiliser régulièrement à leur profit. Les millésimes 1899 et 1900 furent justement deux de ces brillants hasards. Alliant quantité et qualité, ils ont laissé de fabuleuses bouteilles, notamment dans les grands crus du Médoc. Mais ce serait une erreur de faire d'exceptions mémorables une généralité.

OIDIUM, MILDIOU ET PHYLLOXERA : LES TROIS FLEAUX

En 1899, la viticulture française était en pleine crise. Le phylloxéra, le plus grave fléau auquel elle ait jamais dû faire face, avait dévasté la quasi-totalité du vignoble et s'apprêtait à achever son ouvrage l'année suivante avec la Champagne, dernier bastion de résistance. La mévente commençait à toucher le Languedoc, mais aussi le Bordelais, les Charentes, les vallées de la Garonne et du Rhône, la Provence. Quant au vignoble du Bassin parisien, il avait été pratiquement rayé de la carte, à l'exception, une fois de

plus, de la Champagne. Tout s'était ligué pour accomplir cette métamorphose de la carte viticole qui n'avait guère duré plus que la seconde moitié du XIXe siècle.

Deux autres fléaux avaient accompagné le phylloxéra : l'oïdium dès 1851, puis le mildiou, encore plus redoutable, en 1878. Dès 1900, on savait combattre ces trois parasites. L'oïdium avec le soufre, le mildiou avec le sulfate de cuivre et le phylloxéra en replantant des cépages européens greffés sur des vignes américaines tolérantes à l'insecte. Mais ces traitements étaient chers et exigeaient des soins nombreux – la vigne reste d'ailleurs aujourd'hui l'une des plantes les plus coûteuses à cultiver, aucun de ces parasites n'étant éradiqué.

L'immense effort financier nécessaire alors que la viticulture était en crise fut très lourd à supporter. Les vignobles dont le vin n'était pas assez coté pour supporter ces frais disparurent, et les agriculteurs qui le purent se reconvertirent définitivement vers d'autres productions. Les autres furent affaiblis pour longtemps. Dans l'*Histoire de la France rurale* (1), Gabriel Désert et Robert Specklin ont pris la mesure de ce bouleversement. Par grands bassins viticoles, ils ont calculé la diminution des superficies de 1870 à 1912. Le Midi méditerranéen (Provence et Languedoc) a perdu 22 % de ses surfaces, le Bassin aquitain 38 %, la vallée de la Loire 17 %, la Bourgogne et la vallée du Rhône 20 %, les Charentes 72 % et la Champagne, qui n'a été touchée qu'à partir de 1900, 58 %. Au total, la France ne cultivait plus « que » 1 624 000 ha en 1912 contre 2 874 000 ha à son apogée en 1874, selon les très fiables statistiques des contributions indirectes. Plus de la moitié de la production était concentrée dans les quatre départements languedociens, contre moins de 20 % en 1874.

Les répercussions de cette crise ont été sensibles presque jusqu'à nos jours. Une grande partie du vignoble, même dans les meilleures appellations, est restée plantée en hybrides de vignes américaines, plus robustes et plus productifs mais de piètre qualité, jusque dans les années 60. On évoque encore dans certaines régions le noah, tandis que le bacco, distillé pour obtenir l'armagnac, en est le dernier vestige. Par ailleurs, des appellations comme cahors, aujourd'hui à la mode, avaient été rayées de la carte ou, comme gaillac, transformées en zones de vin de table. Ce bouleversement n'était pas dû qu'à des catastrophes naturelles, mais celles-ci l'ont accentué et accéléré. Sous l'influence de la technologie et de l'industrie, les conditions de production avaient changé, comme avaient changé les conditions de consommation par suite de l'urbanisation et de l'enrichissement général, malgré les crises.

Specialisations regionales

L'extension du chemin de fer à l'ensemble du territoire avait donné des avantages comparatifs nouveaux aux vignobles méridionaux, avant que la chaptalisation soit généralisée. Le Languedoc, plus ensoleillé, moins propice aux grandes cultures industrielles, avait ruiné les viticulteurs du Nord, à l'exception des points d'ancrage de la qualité : Champagne, Bourgogne, Val de Loire. L'Alsace, qui faisait partie à l'époque de l'Empire allemand, n'a pas connu cette concurrence.

Mais à son tour, le Midi fut concurrencé par de nouveaux vignobles, encore mieux placés géographiquement. La défaite de 1870 avait relancé la colonisation et l'Algérie, pays neuf pour la viticulture, s'était lancée à corps perdu dans cette nouvelle spéculation. En 1904, elle exportait déjà 7 millions d'hectolitres vers la métropole, d'un vin de plus fort degré et de meilleure qualité que la plupart des productions nationales. Bordeaux n'hésitait pas à en importer pour améliorer ses vins de négoce qui réclamaient des qualités constantes alors qu'à l'époque, on restait tributaire du climat de l'année.

Ces importations répondaient à une nécessité, la France n'arrivant plus à satisfaire sa demande intérieure, attisée par l'industrialisation, aussi bien pour la table de l'ouvrier que pour celle du bourgeois. Les boissons locales, cidres, bières ou autres, cédaient du terrain. Mais le grand concurrent des vignobles, c'était la fraude, organisée ou non.

La fraude contre le vin

On était prêt à fabriquer du vin à partir de n'importe quels succédanés, d'autant plus que les progrès de la chimie donnaient des recettes aisées pour produire des ersatz à partir de sucre, d'acides choisis et d'arômes industriels. On les baptisait bourgognes, bordeaux, côtes du rhône, à la demande. La fraude, qui nie la qualité et le travail du vigneron, qui répudie l'origine, était devenue le principal ennemi du vin. Quand on s'émeut aujourd'hui à juste titre si un propriétaire a la main un peu lourde sur le sucre ou mélange deux appellations, on n'imagine plus quelles « bistrouilles » innommables étaient servies dans les petits « bistrots 1900 » au ravissant décor.

Pourtant, cette fin de siècle apparemment sombre, avec ses deux grands millésimes, 1899 et 1900, portait en elle tous les remèdes qui allaient permettre le renouveau de l'œnologie et de l'économie viticole. Il fallut malheureusement encore compter avec de nombreuses décennies de malheur. Il est vrai que le XXe siècle a réservé bien d'autres soucis aux hommes que l'accomplissement de la viticulture.

LES PROGRES DE L'ŒNOLOGIE

Facteurs de renaissance, la science et la technologie avaient déjà suffisamment progressé pour régler la grande majorité des problèmes techniques. On savait déjà traiter les principales maladies de la vigne. Cela faisait exactement cent ans que Chaptal avait montré comment la fermentation transforme le sucre en alcool et comment pallier ainsi les défaillances de maturité du raisin. Pasteur, à la demande de Napoléon III, s'était penché sur les maladies du vin et avait mis en évidence qu'il s'agissait d'un milieu vivant où les micro-organismes étaient responsables aussi bien du meilleur que du pire. La biologie allait permettre la maîtrise des processus de fermentation qui apparaissaient encore bien mystérieux. Dès les années 1880, les bienfaits du sulfitage pour se débarrasser des bactéries indésirables ou clarifier le vin avaient été prouvés de façon expérimentale et codifiée.

Les analyses chimiques auront leur rôle dans la lutte contre la fraude, que ce soit le dosage de l'acide tartrique ou, bien plus tard à partir des années 90, la détermination de l'origine du sucre par résonance magnétique nucléaire. Toutes ces techniques avaient besoin d'être diffusées. Autant cette diffusion fut rapide quand il s'agissait de sauver la vigne, autant elle fut longue et délicate pour le travail du chai. Dans son livre *Le vin et les jours* (2), Emile Peynaud rappelle plaisamment quelles réticences il a dû vaincre pour faire pénétrer la réflexion scientifique et rationnelle dans les chais, et cela jusque dans les années 60 !

FAITS ET MEFAITS DES BACTERIES

Héritier de Pasteur, le Bordelais Ulysse Gayon (1845-1929) a fondé la station œnologique de Bordeaux, devenue depuis faculté, que ses fils Jean et petit-fils Pascal ont successivement dirigée. C'est là qu'on a peu à peu codifié la vinification des vins fins, validant par la recherche les pratiques traditionnelles justifiées et éliminant celles que l'expérimentation révélait néfastes. Un autre chercheur, suisse celui-là, Hermann Müller, connu pour ses travaux de sélection de cépages, a montré à partir de 1900 l'intérêt du sulfitage des vendanges. Il a mis aussi en évidence l'action des bactéries : piqûre, maladie de la graisse, fermentation lactique de l'acide tartrique et du glycérol, et surtout fermentation malique. Ce n'est qu'à partir des années 50 et 60 que s'est imposée l'idée de faire accomplir la fermentation malolactique à tous les vins rouges, avec de nombreuses résistances, principalement en Languedoc. Le vin y gagnait en souplesse, perdait en acidité. Plus tard, les travaux du professeur Denis Dubourdieu sur les vins blancs éclaircirent les phénomènes biochimiques dont dépendent leurs arômes et leur qualité.

Au total, ces découvertes débouchaient sur de meilleures méthodes de travail. Hygiène de plus en plus exigeante qui se traduisait par de nouveaux matériels vinaires (cuves en acier inoxydable) et de nouvelles pratiques (tri des raisins, foulage, détermination précise de la date de maturité, usage de levures sélectionnées, traitements moins brutaux comme la stabilisation par le froid, etc). Mais en 1900, on ne se préoccupait encore que marginalement de cette quête de la qualité.

UN BESOIN DE REGLEMENTATION

La prise de conscience des viticulteurs, de moins en moins soumis au négoce expéditeur, ou en accord avec lui lorsque ce dernier était clairvoyant, se faisait surtout sur le terrain de la revendication. Elle allait leur donner la force d'exiger la protection de l'origine. Le syndicat viticole de Saint-Emilion était créé dès 1885 et il se lança très vite dans la défense de l'appellation. En 1900, 79 vignerons de Chablis se regroupèrent pour garantir l'origine de leur vin et, en 1901, les propriétaires des grands crus classés du Médoc créèrent leur propre union syndicale. La pression commençait à monter pour que soit élaborée une réglementation capable de protéger les viticulteurs et les consommateurs, tout en assainissant le marché. L'Ancien Régime qui avait disparu avec la Révolution de 1789 avait su maintenir en effet un certain nombre de règles qui encadraient la viticulture et le commerce. En Bourgogne, Philippe le Hardi avait codifié la production. Dans le Bordelais, les jurades fixaient le ban des vendanges, ailleurs c'étaient les seigneurs. Ces règles, perçues comme symboles d'un pouvoir arbitraire, étaient tombées en désuétude, de la même manière que la loi Le Chapelier avait supprimé les corporations, vues comme un instrument d'oppression des maîtres-artisans sur leurs compagnons. La France était devenue libre – et libérale. De même qu'il fallut plusieurs dizaines d'années pour rétablir la liberté de créer des syndicats et imposer quelques lois protégeant les travailleurs, on ne comprit que plus tard la nécessité de réglementer la concurrence et de protéger le consommateur.

Plus récemment, l'urbanisation qui a coupé les Français de leurs racines rurales (en 1900, on comptait en France 80 % de ruraux pour 20 % de citadins, proportion inverse aujourd'hui) leur a fait réclamer authencité et origine. Ils la trouvent en visitant en voiture les contrées viticoles, *Guide Hachette des vins* dans la boîte à gants ; mais aussi dans les grandes surfaces qui dominent aujourd'hui la distribution et qui mettent à leur portée, dans leurs linéaires et leurs foires aux vins, des milliers de références. Un choix comme aucun prince de l'Ancien Régime ou aucun bourgeois du XIXe siècle, aussi riches fussent-ils, n'en eurent jamais, du premier grand cru au plus modeste vin de pays. Tout cela n'alla pas sans mal.

Le long chemin vers l'AOC

La fraude touchait tout le monde, on l'a vu. Mais elle était encore plus gravement ressentie en Languedoc où le cours du vin avait chuté à partir de 1900 bien en dessous des coûts de production, à 10 FF l'hectolitre, alors qu'il revenait à 15 FF.

La loi du 1er août 1905 sur la répression des fraudes fut la première réponse. Aujourd'hui encore, elle constitue le cadre de tout l'appareil répressif français en la matière et la base de tous les textes qui ont été votés ou rédigés depuis. Mais elle était encore trop imprécise pour permettre l'action des Pouvoirs publics sur le terrain.

En septembre 1907, un décret définit le vin comme provenant « exclusivement de la fermentation alcoolique du raisin frais ou du jus de raisin frais ». Formule tellement simple que nul n'avait pensé à l'écrire noir sur blanc auparavant, et que l'Office international du vin (OIV), puis l'Union européenne l'ont inscrite également comme définition du vin.

Ce n'était pas suffisant pour faire remonter les cours. Le bon « vin naturel » du Languedoc n'était pas non plus unanimement apprécié et ce n'est pas seulement pour lui nuire que le négoce le coupait avec du vin d'Algérie. La fraude avait certes brouillé les cartes, mais les consommateurs urbains demandaient aussi des vins de meilleure qualité.

Revolte dans le Midi…

L'agitation avait commencé à prendre de l'ampleur dès 1906 autour d'un cafetier d'Argeliers (Aude), Marcelin Albert, et d'Antoine Marty. Leur journal, *Le Tocsin*, sonna la révolte et un comité de défense organisa manifestation sur manifestation dans toutes les villes du Midi. Leur point culminant fut celle de Montpellier, le 9 juin 1907, qui rassembla au moins 500 000 personnes. Difficile d'affronter davantage un pouvoir politique qui n'avait à l'époque guère de moyens d'intervenir sur les marchés et auquel cette idée était encore étrangère, sauf à taxer les importations, ce qui était déjà fait depuis longtemps.

Les maires et conseillers municipaux de 300 communes démissionnèrent, tandis que le député-maire socialiste de Narbonne, le docteur Ferroul, prenait le relais. C'est à Narbonne que se déroulèrent d'ailleurs des émeutes qui firent cinq morts. Un peu plus tard, un régiment de territoriaux originaires du Languedoc, le 17e de ligne, caserné à Béziers, mit la crosse en l'air au cours de manœuvres pour ne pas avoir à réprimer une manifestation viticole.

Le radical Clemenceau, alors président du Conseil, arriva à faire retomber la tension en discréditant Marcelin Albert après l'avoir reçu à Matignon, mais le gouvernement comprit qu'il fallait se hâter de produire une

législation anti-fraude efficace. La définition du vin en était le début, mais il fallut encore trente ans pour la parfaire.
Une nouvelle loi du 5 août 1908 prévit la délimitation par décret des régions viticoles, en se fondant « sur les usages locaux, loyaux et constants ». Si la loi de 1905 et ses décrets de 1907 réprimaient la fabrication de faux vin, celle de 1908 allait permettre de sanctionner l'usurpation d'appellation. Son premier décret d'application, concernant la Champagne, parut dès le 17 décembre 1908. Pour une fois, le gouvernement était allé vite en besogne. Il ne faiblit pas. En 1909, ce fut le tour du cognac, de l'armagnac, du banyuls et, en 1910, de la clairette de die. On s'apprêtait à faire de même pour le bordeaux quand l'orage s'abattit où on ne l'attendait pas.

… ET EN CHAMPAGNE

En 1910, après une récolte catastrophique, des manifestations de masse furent déclenchées dans la Marne, entraînant des voies de fait contre des maisons de champagne. Les barriques étaient éventrées, les bouteilles brisées et le champagne coulait dans les rues d'Aÿ. Certaines maisons et même des vignes furent incendiées. Il fallut 40 000 hommes de troupe pour rétablir l'ordre. Les viticulteurs de la Marne et de l'Aisne reprochaient au négoce de continuer à s'approvisionner illégalement dans l'Aube, département qui avait été exclu de la zone délimitée administrativement, mais où celui-ci s'approvisionnait depuis longtemps. Dès le printemps 1911, les viticulteurs de l'Aube répliquaient par des émeutes violentes, n'admettant pas d'avoir été interdits de champagne.

DEBATS AUTOUR DE LA DELIMITATION

La délimitation administrative avait montré ses limites. A Bordeaux, elle faillit avoir des résultats qui sembleraient curieux aujourd'hui. Dès 1907, une commission était réunie autour du préfet, mais elle comptait, au-delà des représentants de la Gironde, ceux de la Dordogne et du Lot-et-Garonne. On n'était guère persuadé à l'époque que les vignobles de Bergerac, Duras, Marmande ou Buzet ne devaient pas faire partie de l'appellation bordeaux telle qu'on la préparait. Les vins du haut-pays n'avaient-ils pas été de tous temps commercialisés par la place de Bordeaux ? L'argument portait, puique la première délimitation, approuvée par le Conseil d'Etat en avril 1909, comptait 41 communes de la Dordogne et 22 du Lot-et-Garonne !
Devant l'agitation naissante, le gouvernement décida de revoir sa copie, et une nouvelle commission, restreinte pour plus de sérénité, recommanda de limiter l'appellation au département de la Gironde. Le décret du 18 février 1911 entérina cette sage proposition avant qu'on n'en arrivât aux mêmes désordres qu'en Champagne.
Pour couper court à ces débats, le ministre de l'Agriculture Jules Pams déposa à la chambre des députés, le 30 juin 1911, un projet de loi visant à modifier le mode de délimitation des appellations. D'administrative, celle-ci devait devenir judiciaire, tenant compte non seulement des usages, mais aussi de la qualité du vin. Ainsi elle serait définitivement incontestable après un éventuel appel. Voté par la chambre après d'âpres discussions, le projet ne fut jamais adopté, car au moment où il arrivait enfin sur le bureau du Sénat, la guerre était déclarée. Le gouvernement et le Parlement eurent alors bien d'autres soucis ; les viticulteurs aussi, qui furent des multitudes à mourir dans les tranchées, ce conflit ayant fauché en priorité la jeunesse rurale.

LA GRANDE GUERRE LIQUIDE LES EXCEDENTS

Les propriétaires qui n'étaient pas au front oublièrent pour un temps les problèmes d'origine et de débouchés. L'armée fut leur meilleure cliente, distribuant généreusement les rations à ceux qui montaient en ligne. Les cours étaient gentiment remontés. C'est dans les tranchées que le vin rouge, le « pinard », devint définitivement la boisson nationale des Français, même dans les régions où il n'était pas traditionnellement consommé, comme en Bretagne ou en Normandie. Entre 1900 et 1926, la consommation nationale de vin passa de 100 à 135 litres par Français et par an. Le prix de l'hectolitre dans le Midi atteignit 98 FF en 1921 et même 190 FF en 1926 (10 FF en 1900).
Cependant, dès le 24 avril 1919, une loi sur les appellations d'origine fut adoptée en reprenant les bases du projet Pams. Le viticulteur qui avait contribué à la victoire en donnant son sang et en remontant le moral

des troupes n'était pas oublié. La loi, promulguée le 6 mai 1919, reste encore une des bases du dispositif actuel, et les délimitations judiciaires qu'elle a entraînées sont toujours en vigueur. Elle définit l'appellation comme une propriété collective des personnes intéressées, ce qui est la base du droit français, opposé en cela au droit anglo-saxon par exemple. Elle reconnaît également les syndicats de défense de l'appellation comme représentants légaux des viticulteurs et impose de mentionner l'appellation dans la déclaration de récolte pour ceux qui entendent la revendiquer. Enfin, au-delà d'une zone géographique, elle commence à définir des pratiques culturales et œnologiques dans le cas du champagne. On approchait de l'appellation d'origine contrôlée.

C'est à partir de cette époque qu'intervint le sénateur girondin Joseph Capus, véritable « père » du système de l'AOC. Agronome, professeur d'agriculture, directeur de la station de pathologie végétale de Cadillac (Gironde), il avait eu, pendant sa carrière professionnelle, tout le temps de mesurer les inconvénients des différentes réponses législatives apportées depuis 1905 à cette double demande de protection de l'origine et de la qualité. Député de 1919 à 1928, puis sénateur de 1930 à 1941, il réussit à faire passer la loi du 22 juillet 1927.

Celle-ci impose que l'usage d'une appellation soit lié à la culture de cépages consacrés par les usages locaux, loyaux et constants, et proscrit les hybrides producteurs directs. Donc plus de gamay en Bourgogne – comme l'avait déjà édicté Philippe le Hardi en 1395 ! Elle stipule également que même à l'intérieur de l'aire ainsi définie par les tribunaux, seuls les terrains aptes à produire le vin de l'appellation seront retenus. On franchit un pas de plus vers une délimitation parcellaire que l'Institut national des appellations d'origine (INAO) n'a achevée que très récemment.

Mais une fois encore, le but n'était pas atteint, malgré un progrès substantiel. Faute de définir précisément les règles de production, on laissait la porte ouverte au laxisme.

La crise des annees 30

Pas étonnant que dans un tel contexte de flou réglementaire, la crise économique des années 30 ait frappé aussi durement les grandes appellations que les vins de table du Midi dont les prix baissèrent à 154 FF l'hectolitre en 1929, à 128 FF en 1932 et à 64 FF en 1935. Mais dans le cas du « vin de consommation courante », comme on disait à l'époque, le gouvernement avait commencé à intervenir en distillant les excédents et en encourageant la constitution de coopératives. Celles-ci naquirent aussi à cette période dans le Bordelais, la première y étant signalée au début des années 30.

Dans cette région, certains des plus grands châteaux étaient à vendre pour une bouchée de pain. Le propriétaire d'un grand cru classé de Pauillac rappelle volontiers comment son grand-père boulanger a acquis le domaine familial. Les négociants d'origine corrézienne achetèrent alors les plus beaux fleurons du vignoble et c'est aussi au creux de cette crise, en 1935, que Haut-Brion passa aux mains d'un richissime financier américain, Clarence Dillon.

En Bourgogne, les grands propriétaires vendirent leurs domaines parcelle par parcelle aux vignerons qui les exploitaient. Déjà morcelé, le vignoble de cette région y trouva sa physionomie actuelle où l'on voit l'exemple caricatural du clos de Vougeot – 51 ha d'un seul tenant – appartenir à quelque 80 propriétaires (les différents auteurs ne se risquent plus à donner un chiffre exact).

Certains réagirent en tentant de protéger coûte que coûte leur marque. Ce fut le cas du courageux Philippe de Rothschild qui décida dès 1924 d'imposer la mise en bouteilles au château pour les premiers grands crus classés. On ne peut mieux défendre l'appellation.

Les decrets-lois de 1935 : la naissance de l'AOC

Bref, chacun essayait de survivre, mais la situation restait bloquée. En mars 1935, Joseph Capus, encore lui, déposa une proposition de loi au Sénat pour en sortir. A cette même époque, Pierre Laval, celui qui deviendrait sept ans plus tard le principal ministre de Philippe Pétain, venait de former un gouvernement d'urgence pour tenter de sortir le pays de la crise. Il avait obtenu du Parlement de légiférer par décrets-lois, afin de gagner du temps, et c'est ainsi que la proposition de Joseph Capus s'est trouvée immédiatement applicable sans être passée une nouvelle fois devant la représentation nationale.

Le décret-loi du 30 juillet 1935 créa le Comité national des appellations d'origine (CNAO, devenu Institut – l'actuel INAO – à partir de juillet 1947), organe interprofessionnel qui servit de modèle pour organiser la plupart des branches de l'agriculture (céréales, lait, viande bovine, fleurs, etc.). C'est cet organisme qui doit instruire toutes les demandes de création d'appellation et son instance plénière qui soumet ensuite les propositions de décret de contrôle au ministre de l'Agriculture, sans qu'il puisse en changer la teneur. Toutes les professions y sont représentées et toutes les régions viticoles, par l'intermédiaire des syndicats de défense des diverses appellations. Le principe de fonctionnement n'a pas été modifié à ce jour. Le même décret-loi crée les appellations d'origine contrôlée, résultat ultime de tous les tâtonnements réglementaires ou législatifs depuis 1935. Il régit toujours la viticulture française aujourd'hui, à quelques ajustements près. Les décrets instituant ces diverses appellations définissaient non seulement une aire de production, mais aussi l'encépagement, les techniques culturales (taille notamment) et, pour la première fois, le rendement, la teneur naturelle minimale en sucre des raisins, ainsi qu'une fourchette de degré alcoolique pour le vin, minimum et maximum.

Dès le 17 mai 1936, de nombreuses appellations d'origine contrôlée furent consacrées par la parution au Journal officiel de leur décret de contrôle : arbois, cassis, châteauneuf-du-pape et monbazillac. A la fin de l'année, 70 AOC étaient déjà créées et l'essentiel du paysage viticole était ainsi défini en 1939.

Ce système allait se révéler viable. Faisant confiance à la profession pour la définition des règles de production, il laissait cependant à l'Etat sa fonction régalienne de contrôle et de répression.

La guerre et l'occupation n'allaient guère être l'occasion de mettre le nouveau système à l'épreuve, cette sombre époque étant exempte de toute surproduction. Les occupants se chargeaient de prélever les quantités qu'ils voulaient. En revanche, les AOC échappèrent au rationnement et à la taxation des prix décidés pour les vins de consommation courante. Leurs prix remontèrent rapidement sur un marché libre déficitaire. C'est pendant l'occupation, en 1942, qu'apparut la catégorie des « vins de qualité » ou « vins réglementés » qui, sans être des AOC, pouvaient prétendre à une typicité et à une qualité minimales. Ils échappaient aussi à la taxation et devinrent en 1945 des « vins délimités de qualité supérieure » ou VDQS, puis AOVDQS. Les VDQS se sont appuyés avec succès sur la responsabilité des syndicats viticoles.

Un système étendu au Marché commun

En 1970, quand le marché du vin fut enfin organisé à l'échelle communautaire, huit ans après celui des céréales, les pays membres de la CEE reconnurent la spécificité du régime français des appellations et durent s'en inspirer pour rédiger les deux règlements. L'un, le 816/70, s'appliquait exclusivement au vin de table, organisant distillations préventives et obligatoires pour soutenir le marché, le second, le 817/70, instituait des VQPRD (Vins de qualité produits dans des régions déterminées) et s'appliquait parfaitement aux AOC et VDQS, laissant leur marché parfaitement libre. Le 817/70 a subi de nombreuses modifications. La dernière en date remonte à 1999 ; l'Organisation commune du marché (OCM), adoptée par les quinze pays de l'Union, y respecte toujours l'autonomie chèrement conquise des appellations d'origine. La seule concession qu'ont dû faire les viticulteurs français, c'est de ne plus être libres de distribuer des droits nouveaux de plantation, ce qui n'est pas toujours confortable lorsque la demande croît régulièrement et rapidement, comme ce fut le cas dans la dernière décennie. La tension sur les prix qui en a résulté n'a pas toujours été bien perçue, mais sans doute est-ce grande prudence que d'accorder les droits de plantation au compte-goutte. La vigne se plante pour trente ans, et les aléas du marché touchent des périodes bien plus courtes. Durant ces trente dernières années, Bordeaux à lui seul a connu une grave crise de mévente au milieu de la décennie 70, après la fraude sur les origines qui avait entaché la société Cruse, puis une nouvelle petite crise en 1987 après l'envolée des prix de 1985, et une nouvelle période morose après le gel de 1991 qui avait propulsé les cours à des sommets, en pleine crise économique mondiale. Cependant, la tendance à long terme va vers l'augmentation constante de la production d'AOC, à cause d'une demande constamment à la hausse.

UN GOUT NOUVEAU POUR LA QUALITE

En 1926, la consommation annuelle moyenne de vin par Français représentait 135 l. Elle atteignit 140 l en 1955 pour baisser à 103 l en 1973 puis à 60 l aujourd'hui, ce qui constitue toujours un record mondial. Mais la structure de cette consommation a complètement changé. Le vin de table sans aucune indication de provenance autre que le ou les pays de production est devenu minoritaire, détrôné par les vins de pays et les appellations d'origine. En France, en 1998, sur 11 millions d'hectolitres vendus en grandes surfaces (65 % du marché total), le vin de table n'a représenté que 30,5 % du volume et 15 % de la valeur. Les vins affichant une provenance ont donc dépassé les deux tiers de la consommation, dont 19,5 % pour les vins de pays et 48,5 % pour les AOC et AOVDQS (72 % en valeur), le reste, 1,5 %, étant constitué de vins étrangers vendus comme tels. Si l'on ajoute cavistes, restaurants et ventes directes, les Français consomment en cette fin de siècle davantage de vins d'appellation que de vins de table et de vins de pays réunis, un renversement qui s'est produit il y a moins de dix ans.

A BAISSE DE LA CONSOMMATION, BAISSE DES SURFACES

Globalement, la consommation a baissé et les rendements étant devenus réguliers, en s'alignant sur ceux des meilleures années, la superficie de la vigne a continué à baisser régulièrement, comme à la fin du XIXe siècle. En 1912, on comptait 1 624 000 ha (sans l'Alsace !) et encore 1 340 000 ha en 1965, mais seulement 872 773 ha à la déclaration de récolte de 1998. Entre-temps, plusieurs centaines de milliers d'hectares ont été arrachés avec des primes communautaires. Au début des années 80, il n'y a pas si longtemps, 30 % environ du revenu brut de la production de vin de table méridional étaient constitués des recettes de la distillation européenne. Au moins deux décennies, 60 et 70, ont été nécessaires pour prendre la mesure de la baisse et de la modification de la consommation, et pour opérer les ajustements nécessaires. En 1976, à Montredon (Aude), les dernières grandes jacqueries viticoles ont fait deux morts et ont sonné l'heure du renouveau. Dans un premier temps, on a subventionné la destruction des excédents, puis on a aidé la reconversion vers une meilleure qualité avant de pousser massivement aux arrachages. La Commission européenne, dans son Agenda 2000, rédigé en 1998 pour proposer une réforme de la politique agricole commune et des fonds structurels, reconnaissait que l'équilibre interne du marché de l'Union était atteint.

Le litre en verre normalisé AFNOR, orné de six étoiles et capsulé, qui constituait le symbole du vin de consommation courante en 1960, a pratiquement disparu. La bouteille d'un litre et demi en polychlorure de vinyle (PVC) qui l'a remplacé un temps n'est plus guère un objet de convoitise, même si elle est désormais en PET (polythylène téréphtalate). La brique en complexe (carton, aluminium, polyéthylène) jouit d'une meilleure image, mais son succès n'est que d'estime. Aujourd'hui, le vin a une provenance, fût-il de « pays », et il est vendu en bouteille de 75 cl bouchée de liège, même si c'est de l'aggloméré. C'est son avantage par rapport au poulet, cela fait près d'un siècle que les viticulteurs et l'Etat travaillent à sa « traçabilité », mot nouveau, mais concept ancien en viticulture. L'exemple du baron Philippe de Rothschild qui décida d'embouteiller toute sa production au château a été largement suivi. Si le négoce peut encore acheter du vin en citerne et l'assembler pour créer ses propres marques, il est bien rare qu'il le fasse hors de la zone de production. Le schéma traditionnel qui rassemblait un négoce expéditeur de place de production vendant en vrac à un négoce distributeur de place de consommation est désormais rompu.

NOUVEAU NEGOCE, NOUVELLES MARQUES

Le plus important négociant français est désormais Castel frères, une société bordelaise qui a repris il y a une dizaine d'années le plus important « faiseur » de vin de tables, la Société des vins de France (SVF), basée à Châteauneuf-lès-Martigues (Bouches-du-Rhône) et Gennevillliers. C'était un aboutissement après le long grignotage en une vingtaine d'années de la plupart des petites sociétés de négoce qui tenaient un marché infrarégional ou départemental. Les grandes entreprises de négoce sont aujourd'hui dans les zones de production ; en Champagne dès l'origine, mais aussi à Bordeaux (La Baronnie, Ginestet, CVBG, GVG, Yvon Mau), en Bourgogne et dans le Val de Loire. Des négociants nouveaux sont apparus en Bourgogne où le plus important, Jean-Claude Boisset, a émergé en quelques décennies, au grand dam des maisons traditionnelles. Même phénomène en Champagne où des sociétés comme Vranken ou Paillard ont accédé récemment au gotha. En Languedoc, les nouveaux venus ont joué d'abord sur les vins d'origine ou de cépage, comme Jeanjean ou Skalli. Partout les groupes coopératifs ont créé des marques ou des filiales. Le Val d'Orbieu, dans l'Aude, Jacquard en Champagne, Producta en Bordelais, Sieur d'Arques à Limoux, Wolfberger en Alsace sont présents dans le monde entier, au contact du consommateur, pour mieux rémunérer les sociétaires et ne pas laisser les coopératives sur le seul marché du vrac.

Le négoce embouteilleur de place de consommation a presque disparu puisque sa fonction d'assembleur de vins de table n'a plus d'objet. Seules quelques centrales d'achat pratiquent encore ce métier, mais elles travaillent aussi sur des vins étrangers, des vins de pays et des vins d'appellation achetés en vrac.

Les mutations du commerce exterieur

Cette métamorphose de la consommation française a également influé sur le commerce extérieur de la France. En 1900, elle importait des quantités importantes de vin de table de coupage pour améliorer ses propres productions, de l'ordre de 7 à 10 millions d'hectolitres par an, et elle exportait quelques vins à des amateurs éclairés, champagnes et grands crus de Bordeaux représentant à eux seuls 80 % de ces ventes à l'étranger.

La définition des AOC et les efforts du négoce ont permis une évolution, à mesure que les exportateurs arrivaient à convaincre le monde entier du plaisir raffiné que l'on peut trouver à déguster de bons vins, alors que les Français continuaient à engloutir de la « bibine », selon le mot de Christian Bonnet, ministre de l'Agriculture en 1975. Ainsi, entre 1965 et 1997, la consommation *per capita* est passée de 17 à 23 l en Allemagne, de 3,35 l à 17,5 l aux Pays-Bas, de 2,2 l à 14,3 l au Royaume-Uni, de 11,2 l à 25 l en Belgique, de 3,7 l à 7,4 l aux Etats-Unis, de 0,3 l à 1,1 l au Japon, pays qui sont les principaux importateurs de vins français (3).

En 1950-1951, la France importait toujours 9,8 millions d'hectolitres de vin d'Algérie ; alors que sa propre production avait augmenté, 14,3 millions d'hectolitres traversaient la Méditerranée en 1957-1958. L'instauration du Marché commun changea l'origine mais n'affecta pas d'emblée les quantités. En 1974-1975, la France importait toujours 8 millions d'hectolitres de vin de table, dont 7 en provenance d'Italie, chiffre qui est passé à 4,1 en 1985-1986. Depuis une dizaine d'années, la situation est beaucoup plus brillante.

Des records d'exportation

En 1998, la France a exporté pour 34,7 milliards de francs de vins (6,5 %), soit bien plus que la vente de 100 Airbus, et en a importé pour 3 milliards de francs. Sur ce total, les ventes de champagne comptent pour 9,3 milliards, les autres AOC pour 19 milliards, les vins de table et de pays pour 5,6 milliards. Plus remarquable encore, les exportations de vins ne se limitent plus aux pays voisins d'Europe mais se développent dans le monde entier, parallèlement à la courbe des revenus dans les pays émergents, comme si l'accession à l'univers du vin était le signe d'une appartenance à une culture mondiale dont cette boisson fait désormais partie, grâce à l'aide éclairée des Anglais, puis des Américains qui l'ont adoptée.

Les importations de vin de table ont tout de même atteint 4,4 millions d'hectolitres (la moitié en provenance d'Italie, le reste d'Espagne et du Portugal) mais elles représentent seulement 1,45 milliard de francs. Le phénomène est cependant résiduel, et on envisage plutôt aujourd'hui un développement des importations de VQPRD, lié à une curiosité croissante des Français. Leurs pratiques de loisirs, notamment en matière de voyages, les amènent en effet à adopter de nouveaux produits alimentaires qui s'accompagnent des boissons complémentaires. Ils sont parfois curieux de découvrir leurs propres cépages cultivés aux antipodes : Nouvelle-Zélande, Australie, Chili, etc.

L'ENVIRONNEMENT, UNE PREOCCUPATION

La production française est aujourd'hui bien installée. S'appuyant sur des exploitations familiales de plus en plus professionnelles, elle s'est spécialisée et ses coûts de production, à part le prix de la terre dans les grands vignobles, sont largement compétitifs. Sa réputation de qualité et de fiabilité, chèrement acquise tout au long de ce siècle, est désormais établie. Elle sait également réagir à la demande. On a vu apparaître une exigence écologique mondiale au cours des années 80, et la viticulture, avec ses multiples traitements de protection et son désherbage chimique, ne constituait guère un exemple. Des exploitants ont commencé à se reconvertir dans l'agriculture biologique, tandis que les laboratoires et les stations expérimentales de la profession tentaient de prendre en compte ces problèmes qui sont réels. Depuis une décennie, les conseils en faveur de traitements raisonnés, effectués seulement quand ils sont nécessaires, sont régulièrement donnés et l'on aboutira à une approche globale des questions d'environnement – y compris dans les chais où l'on a vu que les produits chimiques de protection des charpentes pouvaient migrer dans le vin.

La recherche scientifique, axée principalement sur la qualité, est au meilleur niveau mondial. Le négoce, fortement restructuré depuis vingt ans, constitue une force de frappe internationale. Évidemment, rien ne met le vin français à l'abri des aléas du marché. Quand un déséquilibre se crée, ainsi qu'on l'a vu en cette fin de décennie, des corrections s'imposent et le consommateur sait le rappeler. Quelques points de ventes en moins, et les prix reviennent à l'acceptable. Le millésime 2000 s'annonce donc bien. Il sera peut-être médiocre ou épouvantable, car c'est toujours la nature qui décide de la qualité. Les hommes ne peuvent que réduire les risques pour en tirer le meilleur parti. Le XXe siècle, quoi qu'en disent les esprits chagrins ou rétrogrades, aura été un moment privilégié de cette quête, comme on n'en connut sans doute jamais. C'est d'ailleurs bien ce qui a conquis les nouveaux adeptes de cette civilisation du vin. Un produit toujours différent dont on peut apprécier et commenter les nuances *ad libitum*, mais évidemment toujours meilleur, si possible.

Jean-Pierre Deroudille

1. *Histoire de la France rurale*, Seuil, 1976.
Sous la direction de Georges Duby et de Armand Wallon.
2. *Le vin et les jours*, Dunod, 1988.
3. Source : Centre français du commerce extérieur.

QUOI DE NEUF EN ALSACE ?

Un millésime complexe et une récolte généreuse ont marqué l'année 1998. Parallèlement, le marché a connu un développement notable.

Un mois de mai chaud et sec avait lancé le millésime, puis un temps froid l'avait bloqué dans son élan. On a observé quinze jours de retard pour la seconde vague de floraison, vers le 20 juin. Peu de joie dans le ciel en juillet, un mois d'août extraordinairement ensoleillé, caniculaire, allant jusqu'à brûler parfois les grappes. Des pluies sont tombées en septembre, puis durant la première quinzaine d'octobre et à nouveau quelques jours plus tard. Les vendanges ont été souvent très précoces (à partir du 15 septembre pour le crémant, du 24 septembre pour les vins tranquilles), mais fortement soumises à ces aléas.

Une recolte genereuse

Avec un volume de 1 256 650 hl (5 % de la production nationale), supérieur à celui de 1997, et en augmentation de près de 5 % par rapport à la moyenne quinquennale, la récolte 98 est généreuse. La plupart des spécialistes jugent excessive une moyenne de 84 hl par ha. Or les vendanges tardives et sélections de grains nobles, qui ont des rendements plus faibles, sont pris en compte dans cette moyenne. Ici comme ailleurs, les meilleurs producteurs signent de belles bouteilles.

Récoltés très tôt, les muscats sont souples et francs, notamment à Bergheim et à Ribeauvillé. Le riesling, en particulier à Eguisheim, tire fort bien son épingle du jeu, de même que le sylvaner. Le gewurztraminer est parfois honorable. Le pinot gris et ses frères pinots n'ont pas eu beaucoup de chance en 1998. Les crémants connaissent l'appel de l'an 2000… Leur production pour 1998 est de 169 839 hl. A noter, le renforcement cette année de la part de riesling dans les assemblages pour préserver l'équilibre acide. Les grands crus représentent 44 445 hl.

Sans atteindre bien sûr les chiffres records de l'année précédente, les volumes de vendanges tardives et de sélections de grains nobles s'élèvent à un niveau honorable. Pour la première fois, les secondes (10 929 hl) dépassent les premières (10 856 hl), illustrant ainsi l'intensité des phénomènes de concentration liée au développement de la pourriture noble en arrière-saison.

Percee en Amerique du Nord

En 1998 les ventes de vins d'Alsace ont progressé de 3 % en volume, avec 150 millions de bouteilles et un chiffre d'affaires de 2,7 milliards de francs. Les ventes en France représentent 836 000 hl (+ 2,4 %), les exportations 285 000 hl, avec des percées au Canada (+ 29 %), aux Etats-Unis (+ 24 %), en Grande-Bretagne, en Norvège et en Suède (+ 18 %). En baisse : la Suisse. Le marché allemand (premier en volume, second en valeur) tend à se stabiliser après une régression. Il boude les vins d'assemblages présentés sous le nom d'Edelzwicker, jadis en vogue, mais manifeste un intérêt accru pour les vins de terroirs.

Une reaction de l'interprofession

En avril 1999, le Conseil interprofessionnel des vins d'Alsace a proposé une démarche d'amélioration qualitative marquée par les orientations suivantes : l'instauration d'un rendement butoir par groupe de cépages, permettant de limiter les phénomènes de compensation entre cépages dans le cadre du rendement autorisé de l'appellation alsace ; l'instauration d'un rendement différencié pour le pinot noir, dans le cadre de la production de vins rouges ou rosés, et d'un degré minimum d'objectif adapté à la production qualitative de chaque cépage ou groupe de cépages ; le renforcement de la rigueur des conditions de dégustation dans le cadre de l'agrément ; l'obligation de récolter toutes les parcelles de l'exploitation sous peine de voir déduite la surface non récoltée de la surface en production ; la révision des textes de 1965 relatifs à la taille de la vigne en Alsace.

Aucune réglementation de l'étiquetage n'a été prise en ce qui concerne les vins qui ne sont ni vendanges tardives ni sélections de grains nobles et qui pourtant contiennent un taux de sucre résiduel ne leur permettant pas d'être assimilés à des vins secs. Il est donc important, pour le consommateur soucieux de réussir ses accords gourmands, de bien lire les textes descriptifs des vins sélectionnés dans le Guide.

QUOI DE NEUF EN BEAUJOLAIS ?

Un bon et honnête millésime 98, mais aussi la récolte la plus abondante de l'histoire. Le beaujolais consolide sa place à l'exportation, et le beaujolais nouveau prend ses assises en AOC beaujolais-villages.

L'année 1998 a été assez précoce. Comme en 1993, le débourrement a commencé début avril. Si la floraison a accusé un léger retard par rapport à 1997, la véraison a été proche de celle de l'année précédente. Durant la nuit du 13 au 14 avril et après une chute de neige pascale, le Beaujolais a subi un gel de printemps important. L'été fut très chaud, mais rarement orageux. Quelques chutes de grêle affectèrent néanmoins la partie centrale le 27 juin, puis le nord, le 2 juillet.

Le ban des vendanges a été fixé dès le 2 septembre. Depuis 1981, seules deux années (1976 et 1997) avaient connu des récoltes aussi précoces. On n'a déploré que peu de dégâts dus au mildiou, et peu de pourriture grise. En revanche, l'oïdium, le vers de la grappe et des acariens sont apparus, mais ils ont été bien combattus, de sorte que le raisin se présentait en général fort bien : des grappes dodues et courtes, compactes, pas de millerandage. On a observé quelques pluies durant la seconde semaine des vendanges mais, comme on dit, les raisins mûrs ne gonflent pas. La suite a été ensoleillée pour les récoltes les plus tardives.

RECORD D'ABONDANCE ET QUALITE

Le vin apparaît généralement d'une discrétion aromatique de bon goût. Moins tapageur que souvent dans le passé ! Sa robe, plus vive que dans le millésime précédent, a des éclats violines. Les tanins sont fondus et fermes, le fruité agréable. Bref, un bon beaujolais. La production totale (5,6 % de la production nationale) s'élève à 1 403 062 hl (presque identique à celle de 1997) : 662 890 hl en beaujolais, 361 389 hl en beaujolais-villages (rouge surtout et rosé). Les crus représentent 366 741 hl, sensiblement le même volume que dans le millésime précédent. Les blancs restent infimes (12 042 hl). Brouilly vient en tête parmi les crus avec 75 017 hl. A l'opposé, chénas offre, avec 16 266 hl, la production la plus modeste en volume. Cette récolte globale est la plus importante de l'histoire de ce vignoble, le record en volume de 1997 ayant été légèrement dépassé, comme déjà en 1997 celui de 1996…

LES PRIMEURS, ENCORE ET TOUJOURS...

Après des hauts et des bas, et une certaine réflexion entre l'image « primeur » du beaujolais (la moitié de sa production part ainsi en coup de vent) et les qualités plus durables des crus, le marché se stabilise sur une tonalité assez active. Sur le marché de gros, le beaujolais nouveau 98 a franchi un cap jamais atteint : 399 300 hl de beaujolais (62 % de la récolte : + 9 % par rapport à 1997) et 191 566 hl de beaujolais-villages (54 % de la récolte : + 42 %) avaient été achetés par le négoce au 15 novembre 1998. L'exportation a battu un nouveau record avec près de 800 000 hl vendus sur les marchés extérieurs et une troisième place française au sein des vins tranquilles. En un an, l'accroissement a été de + 16,6 % en volume et de + 27 % en valeur. La Suisse vient en deuxième position et le Japon en troisième après un bond en avant spectaculaire.

BREVES DU VIGNOBLE

Le fameux moulin à vent de Romanèche-Thorins-Chénas, qui avait perdu ses ailes en 1910 à la suite d'une tempête, les a retrouvées depuis le le 12 juin 1999. L'édifice, propriété de la famille Chastel-Sauzet depuis 1853, est classé monument historique ; il a été peint par Utrillo en 1923. Georges Dubœuf a modifié le nom de son Hameau du Vin à Romanèche-Thorins, qui devient le Hameau du Beaujolais. Disparition de Louis Orizet à l'âge de 86 ans. Cet écrivain du vin et pilier de l'INAO avait été viticulteur et maire de Denicé en Beaujolais. Une fête des Beaux Jours est à l'étude pour l'an 2000. La vente des vins des Hospices de Beaujeu a connu une augmentation de 18,22 % par rapport à l'année précédente. Pour la première fois, le cru régnié a dépassé la barre de 4 000 FF la pièce. Curieux débats devant la cour d'appel de Lyon qui confirme un jugement favorable à la SA Roland Château (Montagny-lès-Beaune) : celle-ci contestait en effet à la maison Quinson (Fleurie) le droit de disposer d'un modèle exclusif de « pot lyonnais » dès lors que, comme l'a dit son avocat : « Le pot lyonnais est ici ce que le béret et la baguette de pain sont à la nation ! ».

QUOI DE NEUF EN BORDELAIS ?

Un excellent millésime qui coûtera nettement moins cher : deux bonnes nouvelles pour terminer le siècle ! Pendant la baisse, la vente des châteaux a continué de plus belle avec Yquem, Cheval Blanc et Cos d'Estournel.

Au-delà de toutes les caractéristiques d'ensoleillement, de précipitations et de températures, le millésime 1998 présente un avantage capital sur son prédécesseur, il est particulièrement homogène. Cela tient précisément à des conditions climatiques suffisamment stables pendant les périodes de la floraison et de la véraison, alors que 1997 avait été sujet à la coulure, au millerandage et à de nouveaux départs de la fleur à la fin juin, posant ainsi quelques semaines plus tard de redoutables problèmes aux viticulteurs pour déterminer la date de leurs vendanges.

Comme cela devient désormais une habitude, l'hiver avait été doux, le débourrement précoce avec une semaine d'avance sur la moyenne, avril pluvieux et mai chaud et sec, relèvent Pascal Ribéreau-Gayon et Guy Guimberteau de la faculté d'Œnologie de Bordeaux (Université Victor-Segalen) dans leur note sur le millésime 1998.

Pascal Ribereau-Gayon : la science dans les chais

Au passage, il faut saluer le professeur Ribéreau-Gayon, dont c'est la dernière signature sur un tel document, puisqu'il a pris sa retraite en juin 1998 après une carrière universitaire commencée il y a plus de quarante ans. Sa contribution à l'œnologie moderne aura été capitale. Après avoir adapté les techniques de la chromatographie à la détection des vins issus de cépages hybrides au moment où ceux-ci infestaient les meilleurs vignobles d'appellation, il a été parmi ceux qui ont imposé l'œnologie comme une discipline scientifique reconnue par l'université. Pendant toute sa carrière, il n'aura eu de cesse que de l'orienter davantage vers le fondamental, faisant de Bordeaux un centre au rayonnement mondial en matière de formation et de recherche. La qualité et la prospérité d'un vignoble de cette dimension dépendent aussi de ceux qui travaillent bien en amont, sans que leur signature apparaisse jamais sur les étiquettes.

La totalité de leurs notes, accumulées sur plusieurs décennies, constitue également un corpus historique extraordinaire sur les millésimes bordelais, à la disposition des chercheurs futurs. Comme ils l'expriment modestement, « il est toujours intéressant d'essayer d'interpréter les caractéristiques d'un millésime à travers l'évolution des conditions climatiques pendant le cycle végétatif de la vigne ».

Pour revenir à l'année 1998, la demi-floraison, notée au 4 juin, a été précoce sans excès (dix jours d'avance sur la moyenne, mais douze de retard sur 1997), ce qui a permis l'homogénéité déjà signalée, malgré un mois de juin plutôt maussade.

Par la suite, le climat est resté modéré. Les précipitations ont été nettement supérieures à la moyenne, l'insolation inférieure et la somme des températures relativement conforme. La demi-véraison au 7 août confirme la tendance générale à la précocité de la dernière décennie, puisqu'une telle date est à peu près la norme depuis 1990, mais elle a eu lieu plus de dix jours en avance sur la moyenne des quarante-cinq dernières années.

La vigne et le raisin se trouvaient donc en pleine croissance au moment des plus fortes canicules, ce qui ne manqua pas d'influer sur la suite des événements. En effet, le mois d'août a été très chaud et très sec. On a relevé quinze jours où la température a dépassé les 30 °C, vingt-quatre jours au-dessus de 25 °C, et 10 mm seulement de précipitations. La croissance de la végétation s'est donc trouvée bloquée alors que le raisin connaissait une maturation et une concentration accélérées. Contrairement à 1997, les grappes sont restées de taille modeste et les maladies cryptogamiques (mildiou, botrytis) ont été bloquées.

Une bonne surprise aux vendanges

Comme le raisin était dans un excellent état sanitaire lorsque, à partir de la deuxième décade de septembre, sont apparues les pluies, accompagnées d'une chute des températures, il n'a guère souffert de cette dégradation climatique. Celle-ci a surtout affecté le moral des viticulteurs, anxieux de mettre à l'abri une récolte qui s'annonçait si bien. Les derniers prélèvements ont montré cependant qu'après une vingtaine de jours de pluie à la fin

septembre, merlots et cabernets étaient toujours de très bonne qualité. Ce fut une bonne surprise, puisque l'on craignait le pire. Ce n'est pas la première fois que l'on a pu noter une bonne qualité malgré des vendanges peu confortables. Les grains n'étaient pas trop gros, ce qui empêchait la pluie de les faire éclater, ils étaient riches en sucre et conservaient une acidité satisfaisante. Même en octobre, le temps ne s'est guère amélioré, sauf à partir de la troisième décade, ce qui a eu son importance pour les liquoreux.

Les blancs secs, qui ont été dans l'ensemble récoltés de façon précoce au début et à la mi-septembre, étaient mûrs et sains. Les premiers vendangés, en pessac-léognan, devraient même être exceptionnels. Les merlots également, qui sont restés très équilibrés, ce qui est synonyme d'aptitude au vieillissement, dans les zones du pomerol et du saint-émilion. Les merlots plus tardifs seront sans doute un peu moins réussis, tandis que les vins de cabernets seront de grande garde.

DES CONDITIONS IDEALES POUR LES LIQUOREUX

L'amélioration des conditions météorologiques en fin de période, avec l'arrêt des pluies, a permis des dernières tries botrytisées, mais asséchées, ce qui est toujours l'idéal pour les liquoreux.

Le bon état sanitaire des raisins, l'absence d'accident climatique et la pluie pendant les vendanges ont tout de même conduit à une grosse récolte, avec environ 6 583 034 hl d'AOC, soit seulement 100 000 hl de moins que l'année précédente – qui était la seconde de la décennie après 1990. On compte 50 000 hl d'AOC rouge en moins et la même baisse pour les blancs. Seul le groupe des vins blancs doux a augmenté sa production par rapport à 1997 avec 129 652 hl, mais à un niveau inférieur aux deux précédents records de 1995 et 1996. Le Bordelais représente toujours plus du quart (25,98 %) de la production nationale.

PRIX : RENVERSEMENT DE TENDANCE

Cette nouvelle récolte abondante devait bien finir par peser sur les cours dans un vignoble où tout le monde s'étonnait de voir les prix se maintenir à des niveaux très élevés sans que jouent les habituelles corrections.

Contre toute attente, la baisse des prix n'est pas intervenue après les vendanges quand on a bien dû constater l'abondance des disponibilités, alors que le marché international commençait à envoyer des signaux de détresse. Sur l'ensemble de l'année 1998, les ventes à l'exportation ont continué de progresser de 3,3 % (22,3 % en 1997), mais le renversement de tendance eut lieu avant la fin du premier semestre 1999.

En France même, les ventes de bordeaux en grande distribution ont reculé de 9 % en volume pour l'année 1998 (– 6 % pour les médoc et graves).

Le marché de place n'en a pas tenu compte immédiatement. Au contraire, puisque les transactions sur le vin de l'appellation régionale bordeaux ont continué à grand train sur la base d'environ 9 500 FF par tonneau de 900 l pendant plus de six mois.

Le conseil interprofessionnel a enregistré un prix moyen des transactions de 9 355 FF à la fin mai, soit plus que pendant la campagne précédente. Toutefois, le prix de marché a brusquement décroché à partir du début du mois d'avril pour s'établir autour de 6 500 FF dès le début juin. Soit environ 30 % de baisse, ce qui a évidemment réduit le volume des transactions, la plupart des viticulteurs préférant attendre. Mais une vieille règle, qui veut que le prix du bordeaux d'appellation régionale ne puisse s'écarter durablement de celui des côtes du rhône, se trouvait ainsi vérifiée après une échappée un peu plus longue que d'habitude. Et dès la mi-juin, une grande chaîne d'hypermarchés proposait du bordeaux à moins de 9 FF la bouteille !

Les primeurs donnent le signal

C'étaient d'ailleurs les crus qui avaient donné le signal attendu par les acheteurs, avec la campagne des primeurs. Le château Cos d'Estournel a ouvert le bal avec une baisse de 25 %, réussissant à vendre d'emblée les deux tiers de sa récolte. Les premiers grands crus du Médoc ont réussi pour leur part à maintenir les prix de l'année précédente (430 FF), et certains, rive droite, à Pomerol et à Saint-Émilion, sont même parvenus à les augmenter. Château Cheval Blanc a trouvé son marché à 550 FF la bouteille, sur la renommée des merlots précoces du Libounais, et Ausone a même dépassé 600 F.

Le très rare est donc resté très cher, mais la petite armée des grands crus classés et des bourgeois exceptionnels a tout de même sagement baissé pavillon de 25 à 30 %, ce qui lui vaudra la fidélité durable de sa clientèle. Celle-ci fait une bonne affaire pour la première fois depuis longtemps, puisque le vin était meilleur que l'année précédente.

D'autres affaires se sont faites, sur les propriétés, cette fois-ci. Chaque fois que le vin est hors de prix, à la veille d'une baisse, il se trouve toujours des acheteurs pour miser gros sur les étiquettes les plus renommées.

Grands crus en vente

A tout seigneur tout honneur, Yquem a définitivement changé de main. Bernard Arnault, patron du puissant groupe LVMH, avait entamé les hostilités en novembre 1996 en annonçant qu'il avait acquis pour 500 millions 51 % du capital auprès de certains membres de la famille de Lur-Saluces, propriétaire du cru le plus prestigieux au monde. Une affaire. Le comte Alexandre de Lur Saluces, minoritaire (11 %) mais combatif, avait alors lancé une bataille de procédure sans doute perdue d'avance, mais promise à durer très longtemps. Il a finalement cédé en avril en acceptant de vendre ses propres parts. Bernard Arnault s'est engagé à conserver tout ce qui faisait le prestige et la qualité d'Yquem, à commencer par la direction très personnelle que lui a imprimée le comte Alexandre de Lur-Saluces.

Autre vente d'importance, celle de Château Cheval Blanc où Bernard Arnault n'apparaît qu'en tant que partenaire du banquier belge Albert Frère. La vente a d'ailleurs été l'objet d'une compétition avec Liliane Bettencourt, la plus grosse fortune de France (principale actionnaire de L'Oréal). La vente se serait faite à 860 millions de francs pour les 37 ha, soit 23,5 millions de francs l'hectare, environ le double d'Yquem.

Enfin, il faut signaler la vente de Prieuré Lichine (margaux) à la société Ballande, et celle de Cos d'Estournel (saint-estèphe). C'est le groupe Bernard Taillan du Bordelais Jacques Merlaut qui en a fait l'acquisition auprès de la famille Prats, deux ans après avoir pris le contrôle d'un autre prestigieux second, Gruaud Larose à Saint-Julien. Les groupes viticoles restent ainsi capables de garder un pied dans le vignoble, malgré la pression des sociétés financières. Jean-Guillaume Prats est confirmé comme directeur du domaine et de la société de négoce Prats frères.

Le reconfort de Vinexpo

Vinexpo, le salon mondial des vins et spiritueux qui a eu lieu du 14 au 18 juin à Bordeaux, avec toujours le même succès et une vocation toujours plus internationale, a mis du baume au cœur des professionnels. La baisse des cours est une chose parfois nécessaire pour ranimer un marché asphyxié par des altitudes excessives, mais l'intérêt pour le bon vin existe toujours partout dans le monde, et il se développe.

La clientèle est attentive, intéressée, la crise du Sud-Est asiatique bientôt un mauvais souvenir, jusqu'au Japon, un moment déprimé, qui retrouve son tonus (quatrième client du bordeaux derrière l'Allemagne, la Belgique et le Royaume-Uni, avec un taux de progression de 125 %). Les quelque six millions d'hectolitres de production bordelaise ne manqueront pas de sitôt de consommateurs.

QUOI DE NEUF EN BOURGOGNE ?

Mieux que 97, sans toutefois valoir 96 : ainsi se dessine le millésime 98. Le résultat d'ensemble est tout à fait correct, avec une réussite particulière en Côte de Nuits.

La végétation a pris en 1998 un départ assez rapide, un départ de sprinter. Mais en matière de viticulture, il s'agit toujours d'une course de fond. Juillet fut assez bougon. En août, on vit une pleine semaine au-delà des 30 °C, suivie de coups de fraîcheur et de pluie à la fin du mois. Les premiers jours de septembre ont été assez frais, sous un vent du nord. Contrairement à de nombreux vignobles, la Bourgogne a été plutôt épargnée par le mildiou. Assez précoces, les vendanges ont débuté dès le 10 septembre et se sont échelonnées au long de ce mois selon les appellations. Retour du soleil à la mi-septembre, à nouveau de la pluie à partir du 26 septembre : juste le temps de vendanger en paix, en visant juste...

DU CORPS ET DU TONUS

Par rapport aux 97, aimables mais souvent fluides, les 98 ont davantage de corps et de tonus. Chablis a souffert de la grêle du 14 mai, depuis Les Clos jusqu'à Mont de Milieu, mais les déclarations de récolte ne signalent guère cet accident. Il est vrai que dans l'Yonne la maturité est satisfaisante. Les meilleurs producteurs ont fait un excellent 98, le reste étant généralement léger, agréable pour une consommation rapide et sans trait marquant. En Côte-d'Or, la Côte de Nuits réussit un sans-faute. Le pinot noir y exprime une profondeur et une sensibilité qui se retrouvent dans chaque village, de Marsannay à Premeaux. La Côte de Beaune paraît un peu moins heureuse, à l'exception de certaines communes, Volnay par exemple. Il est vrai que le millésime est ici meilleur et plus homogène en rouge qu'en blanc, et que Meursault a été victime du gel et de la grêle.

En Saône-et-Loire, la Côte chalonnaise présente des 98 plus agréables en rouge qu'en blanc, à boire sans trop tarder. Le vin se ressent de la pluie, mais il avait acquis dès le mois d'août une bonne maturité. En rully et givry, les bouteilles réussies ne sont pas rares. Le Mâconnais a été frappé par le gel et par la grêle à quelques mois d'intervalle, mais on pourra y trouver des vins pleins de vigueur et de personnalité. Les pouilly-fuissé et saint-véran bien travaillés ont beaucoup de charme.

PROGRES DES CREMANTS

La récolte 1998 (1 403 861 hl, soit environ 5,5 % de la production nationale), supérieure de près de 3 % à celle de 1997, est conforme à la moyenne des cinq dernières années. En rouge, elle représente 550 500 hl, en blanc 854 400 hl. On compte davantage de rouges qu'en 1997, mais il s'agissait alors d'une petite récolte. La production apparaît stable en blanc, avec un tassement de la récolte dû aux intempéries du printemps en Côte de Beaune et en Côte chalonnaise mais à l'inverse une progression du chardonnay chablisien. Par ailleurs, on a beaucoup moins déclaré de mâcon (- 15 %) au profit des autres appellations régionales. Le crémant de bourgogne progresse en volume (+ 47 % pour les vins de base revendiqués ainsi), en raison de la demande des négociants-élaborateurs pour les fêtes de l'an 2000.

L'ANNEE DU JAPON

La situation à l'export a été satisfaisante en 1998, et 60 % de la commercialisation des vins de Bourgogne s'est faite à l'étranger. Soit 104 millions de bouteilles, un volume record de 777 000 hl (+ 6,5 % en volume et + 16 % en valeur par rapport à 1997). Le vrac (Suisse surtout) représente une part infime du volume exporté. En blanc, près des deux tiers de la production annuelle sont vendus à l'étranger, pour 2 milliards de francs. Les principaux clients sont le Royaume-Uni, l'Allemagne et les Etats-Unis, mais en valeur le Japon prend le troisième place. On observe un tassement aux Etats-Unis et en Allemagne. En rouge, les exportations représentent un peu plus de la moitié de la récolte, pour 1,6 milliard de francs. Le Japon constitue le premier marché, tant en volume qu'en valeur, suivi du Royaume-Uni, de la Suisse et des Etats-Unis.

Aux Hospices de Beaune, la vente 1998 a atteint un montant de 24,7 millions de francs, ce qui correspond à une hausse de 12 %, avec une reprise en rouge. Le prix moyen de la pièce (300 bouteilles) s'est établi à 39 949 FF en rouge (+ 15,1 %) et à 55 798 FF (+ 5,2 %) en blanc.

DE NOUVELLES APPELLATIONS

Baptême de la nouvelle AOC communale viré-clessé en Mâconnais, le 24 avril 1999. Naissance de la nouvelle AOC communale irancy dans l'Yonne le 28 février 1999 : on la fêtera (millésime 98) le 7 mai 2000. Quoi de neuf encore ? La naissance de l'AOC régionale bourgogne-vézelay. La Bourgogne totalise ainsi 98 appellations. Le sauvignon de saint-bris souhaite passer de VDQS en AOC et le Couchois entend devenir bourgogne côtes du couchois. Cela ferait cent appellations !

BREVES DU VIGNOBLE

Maurice Large (Beaujolais) succède à Hubert Camus (Gevrey-Chambertin) comme président du Comité régional de l'INAO. Bertrand Devillard (Antonin Rodet) devient président de la Fédération des exportateurs de vins et spiritueux de France. André Porcheret quitte ses fonctions de régisseur des Hospices de Beaune (1978-1988 et 1994-1999) pour accéder à la retraite. Marc Jambon prend la présidence des Grands Jours de Bourgogne (du 19 au 26 mars 2000).

Cottin Frères (Labouré-Roi, Vaucher, etc.) à Nuits-Saint-Georges entre au second marché de la Bourse de Paris, de même que François Frères, la tonnellerie de Saint-Romain. Laroche à Chablis s'y prépare, et développe sa présence en Languedoc-Roussillon. La Garantie mutuelle des Fonctionnaires (GMF) vend pour 62 millions de francs le domaine du Château de Bligny-lès-Beaune qu'elle possédait avec le groupe japonais Suntory. Les vignes (23 ha) sont cédées par la SAFER à huit vignerons en phase d'installation et à 27 autres heureux bénéficiaires. Le château proprement dit est acquis pour 4,6 millions de francs par la cave coopérative de Sainte-Marie-la-Blanche qui souhaite développer sa vente directe. Le Pr. Jean-Louis Laplanche (Château de Pommard) conclut un accord avec Vincent Girardin (Santenay) pour la gestion de ce vignoble de 20 ha. Joseph Henriot (Bouchard Père et Fils en Bourgogne) acquiert la maison de négoce-éleveur William Fèvre à Chablis et commercialisera les vins du domaine (celui-ci restant la propriété de la famille Fèvre). La maison Jean-Baptiste Béjot (Meursault) grandit avec la reprise du domaine Roland Sounit (Rully).
Parmi les disparitions, celles de la comtesse Georges de Vogüé (à l'origine du célèbre musigny blanc) à l'âge de 102 ans ; de Charles Quittanson, l'un des pères fondateurs des AOC, auteur de nombreux ouvrages sur le vin et collaborateur du Guide, à l'âge de 87 ans ; de Jean Dubois, qui avait reconstitué les vignobles dijonnais (Plombières et Talant), à l'âge de 67 ans ; de Louis Orizet, fondateur de l'Ordre mondial des Gourmets et de l'Académie Rabelais, très attaché au Mâconnais, inspecteur général honoraire de l'INAO et écrivain du vin, à l'âge de 86 ans. Prochaine Saint-Vincent tournante à Gevrey Chambertin : les 29 et 30 janvier 2000. Puis à Meursault en 2001.

QUOI DE NEUF EN CHAMPAGNE ?

Le bogue informatique du premier janvier 2000 n'est rien à côté de l'explosion prévue cette nuit-là des bouchons de champagne ! Le millésime 98 est pourtant la sagesse même, avec une production nettement supérieure à celle du millésime précédent. Mais il est vrai qu'il ne pourra être vendu millésimé qu'en janvier 2002.

L'hiver 98 a été doux, sec, ensoleillé malgré quelques nuits de gelées, avec un peu de neige. En revanche, avril s'est montré pluvieux, venteux, et des gelées les 13 et 14 ont endommagé 2 000 ha (2 % du vignoble). Mai et juin ont joué le chaud (près de 32 °C le 13 mai) et le froid (gel encore le 23 mai). On était en pleine fleur à la mi-juin. La pluie s'est installée pour longtemps. D'où des attaques d'oïdium et de botrytis. En août, la canicule a parfois grillé le raisin. Septembre s'annonçait pluvieux. Les vendanges se sont pourtant déroulées sous le soleil, dès le 14 septembre.

RECOLTE ABONDANTE ET PINOT DE QUALITE

Le vin apparaît droit et franc ; le pinot noir structuré, ample et fort, le meunier fruité et rond. En revanche, le chardonnay semble mince. L'assemblage fera les meilleurs vins sous ce millésime. Le volume total atteint 2 444 203 hl, soit 9,67 % de la production nationale (dont 721 hl de coteaux champenois et 471 hl de rosé des riceys). Les amateurs couronnent Avize, Cramant et surtout à Verzenay. Le rendement moyen est de 12 936 kg/ha (9 423 en 1997, le plus faible depuis 1985). La production totale, qui représentait 855 000 pièces en 1997, est beaucoup plus élevée en 1998.

DES EXPORTATIONS TOUJOURS CROISSANTES

Les stocks sont de l'ordre de 1 000 millions de cols. Le chiffre d'affaires global 1998 du vignoble s'élève à près de 20 milliards de francs, dont 8,6 à l'export. Les maisons ont réalisé 70 % des ventes et les coopératives et récoltants, 30 % ; la part de ces deux derniers est passée à 42,4 % sur le marché français, tandis que les maisons ont assuré 90 % des exportations. Sur un total de 292 500 000 cols vendus en 1998, la France en a absorbé 179 000 000 (61 %) et les marchés d'exportation 113 500 000. La Grande-Bretagne vient en tête des pays clients avec 24,2 millions de cols, suivie de l'Allemagne (19,3 millions de cols), des Etats-Unis (16,9 millions de cols), de la Belgique, de la Suisse, de l'Italie, du Japon (2,9 millions de cols). Le marché canadien émerge avec + 50 % d'achats sur un an. On bat les records de 1997, et largement : le nombre de cols vendus est passé de 268 à 293 millions, et de 104 à 113 millions pour les exportations.

BREVES DU VIGNOBLE

Joseph Henriot acquiert la maison de négoce-éleveur chablisienne William Fèvre et la distribution des vins de son important vignoble. On sait qu'il dirige déjà Bouchard Père et Fils à Beaune. Bruno Paillard achète la marque De Venoge au groupe LVMH puis reprend Alexandre Bonnet. L'Alliance Champagne (trois coopératives) reprend la marque Jacquart pour 22 millions de francs à la suite des difficultés de la coopérative rémoise. LVMH reprend la marque Krug et ses 18 ha de vigne au groupe Rémy-Cointreau, les descendants des fondateurs restant à la direction de la maison. Seagram a mis en vente les marques Mumm et Perrier-Jouët, reprises par Hicks, Muse, Tate & First avec Jean-Jacques Frey en juin 1999. Olivier de La Giraudière et Pierre Martin rachètent la maison Bricout (Avize). Alain Thiénot prend le contrôle de la maison Joseph-Perrier dirigée par son cousin Jean-Claude Fourmon, redonnant un caractère familial à cette maison. Le groupe Alain Thiénot représente désormais un chiffre d'affaires consolidé de 300 millions de francs, avec 3,5 millions de bouteilles de champagne et 1,3 million de bouteilles d'AOC du Bordelais. Pommery gagne sa certification ISO 9001 et 14001 pour la norme environnementale, une première. Le champagne Charles de Cazanove entre au marché libre de la Bourse tandis que Laurent-Perrier (10,4 millions de cols en 1998) entre au second marché de la Bourse de Paris. La société, qui commercialise également les marques de Castellane, Delamotte et Salon a réussi ce pas en avant en juin dernier. Hervé Augustin quitte Castellane dont il fut le brillant P.-D.G.

La famille Lebrun cède la maison portant son nom (Champagne Albert Lebrun) au fonds d'investissement américain Plantagenet

Capital Fund. Philippe Pascal (Veuve-Clicquot Ponsardin) quitte la présidence de la Fédé-ration des exportateurs de vins et spiritueux de France, tandis que Claude Taittinger transmet à Dominique Hériard Dubreuil la présidence de Vinexpo. Patrice Noyelle, qui dirigeait en Bourgogne Mommessin et Thorin, prend la direction de Pol Roger. Arnould d'Hautefeuille est nommé président de la holding familiale Jacques Bollinger, succédant à Christian Bizot, tandis que Guislain de Montgolfier dirige désormais le champagne Bollinger. Le groupe Vranken Monopole acquiert auprès du groupe Frey le Champagne H. Germain et Fils. Paul-François Vranken s'associe à Alain Senderens pour reprendre le restaurant parisien Lucas-Carton.

QUOI DE NEUF DANS LE JURA ?

Alors qu'accidents climatiques et attaques parasitaires avaient amputé la récolte précédente d'un tiers, 1998 marque un retour à la moyenne. Le cépage trousseau est en vedette.

Un avril pluvieux a retardé la végétation, ce qui a permis au gel des 13 et 14 avril d'être sans conséquence. En revanche, l'inquiétude fut vive aux vendanges (commencées au 10 septembre, ouvertes le 1er octobre pour le château-chalon) en raison des pluies et d'un orage de grêle autour de Montigny-lés-Arsures. Mais le ciel s'est remis au beau, le vent a séché le raisin et comme il y avait de la quantité, les viticulteurs ont pu trier soigneusement les récoltes où était apparue la pourriture, notamment en savagnin de plaine. Des difficultés sont apparues à la fin des vendanges en château-chalon, où l'on a déploré une dégradation de l'état sanitaire du raisin dans les parcelles les plus chargées. Le tri fait alors le moût ! L'acidité est bonne, le degré naturel convenable (jusqu'à 12° en chardonnay). Le trousseau à bonne maturité donne de belles cuvées, souvent les plus fines et intenses. Le pinot est assez pâle, le poulsard inégal et plus fruité que gras, le chardonnay hétérogène. Quant au savagnin, les rendements varient de 30 hl à 60 hl à l'hectare en fonction du tri réalisé et de la date des vendanges (la qualité et la concentration seront évidemment du côté du premier des deux chiffres). Le crémant du jura devrait tirer une jolie carte du millésime. Ce millésime 98 s'avère satisfaisant dans le Jura avec un volume de 100 875 hl, alors qu'en 1997 les accidents climatiques avaient réduit la récolte d'un tiers. On a pu ainsi reconstituer les stocks. En arbois – près de la moitié de la production jurassienne –, la production s'élève à 24 140 hl en rouge et en rosé, 24 647 hl en blanc. Viennent ensuite les côtes du jura (près de 26 262 hl en blanc et jaune, 7 105 hl en rouge et rosé). Le château-chalon représente 1 803 hl, le macvin 1 539 hl, le crémant du jura 15 000 hl environ. Malgré la reconnaissance de l'AOC crémant du jura, les mousseux ne disparaissent pas : on en produit encore 5 000 hl, surtout en côtes du jura blanc. Quant au vin de paille, il maintient la tradition avec 800 hl, surtout en arbois et côtes du jura. L'étoile enfin brille en blanc et jaune pour près de 4 583 hl.

BREVES DU VIGNOBLE

Le Jura s'organise. Il a accueilli le Concours national des crémants, ce qui a donné un coup de pouce au jeune crémant local. La Percée du Vin jaune continue sa... percée. Cette « Saint-Vincent tournante » du Jura aura lieu les 5 et 6 février 2000 au village de L'Etoile. Le groupe Henri Maire a cédé au groupe Castel la Cave des Pises (ex-Les Fils de Henri Ramel) à Charnoz (Ain) et recentre son activité sur le Jura tout en gardant ses filiales à l'export (Dherbey et Bachey-Sète).

QUOI DE NEUF EN SAVOIE ?

La Savoie a fêté en 1998 les vingt-cinq ans de l'AOC, mais le soleil n'a pas été de la partie ! Si les cépages précoces et la mondeuse ont pu tirer leur épingle du jeu, les producteurs attendent le prochain millésime...

En Savoie, l'année n'a pas été de tout repos : floraison précoce, coulure fréquente, oïdium et pourriture grise comme dans le Jura, grêle de juillet sur Jongieux et Crépy. Les vendanges 98 ont été difficiles, se déroulant souvent sous la pluie. Les cépages précoces comme l'altesse, le gamay, le pinot ont donné les meilleurs vins, quand les rendements ont été corrects et les traitements efficaces. Bien maîtrisée, la mondeuse, un cépage plus tardif, réussit parfois de bonnes cuvées dans le millésime 98. La récolte s'élève à 130 495 hl, à peu près stable par rapport aux dernières années. L'AOC vin-de-savoie représente 123 234 hl, soit près de 95 % de l'ensemble. Les blancs sont majoritaires (69,4 %). La production des autres appellations est confidentielle (roussette-de-savoie : 1 881 hl, seyssel : 2 602 hl, auxquels il faut ajouter 575 hl de mousseux). Quant au Bugey, il a donné 28 610 hl, dont une légère majorité de blancs (15 517 hl).

La bouteille « Savoie », qui habille 80 % de la production, a dix ans. Une bouteille de teinte antique est venue compléter la gamme.

QUOI DE NEUF EN LANGUEDOC ET ROUSSILLON ?

Avec une année chaude et sèche presque partout, le Languedoc et le Roussillon retrouvent le sourire, avec un millésime 98 béni des dieux dans une grande partie du vignoble ! Si le rivesaltes poursuit sa reconversion, la région attire de nouveaux opérateurs venus de toute la France.

En Languedoc et en Roussillon, le millésime 98 est tout le contraire du précédent. Autant l'année 1997 avait été triste et maussade, autant 1998 a connu de beaux rayons de soleil. Le débourrement a été plutôt précoce et le printemps plein de sève. Le gel, durant la nuit du 14 au 15 avril, a frappé l'Aude, l'Hérault et une partie du Roussillon. La suite a été plus heureuse, à l'exception de quelques orages de grêle. Les faibles rendements, liés localement aux gels de printemps, à une petite sortie et surtout à la sécheresse – mais sans stress hydrique – ont permis d'obtenir des raisins de qualité, mûrs et très sains. Avec un temps resté dans l'ensemble très chaud et sec, les vendanges ont été parfaites. Les coteaux du languedoc sont particulièrement réussis, avec des vins rouges aux arômes complexes, aux tanins puissants et fins, des blancs tout en rondeur et en finesse, et des rosés généreux. Le millésime 98 est comparable aux 82, 85, 88, 90 et 95.

La production, avec 1 824 957 hl pour toutes les AOC du Languedoc, progresse par rapport à celle de l'année précédente. Cette augmentation s'observe notamment pour les corbières – appellation qui fournit les plus gros volumes de vins AOC en Languedoc (553 365 hl) –, coteaux du languedoc (428 153 hl), ou minervois (206 282 hl). Les AOC saint-chinian, fitou et faugères ont donné respectivement 130 123 hl, 93 582 hl et 75 559 hl, les côtes de la malepère 41 062 hl, cabardès 19 038 hl. La blanquette de limoux représente 37 407 hl, le crémant de limoux 19 525 hl. Les vins blancs (138 869 hl) comptent pour moins de 8 % de la production. En vins doux naturels, le chiffre est de 48 129 hl.

Le developpement des investissements

Le Languedoc serait-il une nouvelle Californie ? De toute la France, de nouveaux opérateurs arrivent dans cette région. De Bourgogne par exemple, avec le domaine Laroche (Chablis) qui a acquis en 1999 sur le piémont des Cévennes 35 ha de terrains viticoles qui seront plantés en syrah, mourvèdre, merlot et cabernet-sauvignon. Cet achat s'ajoute aux investissements réalisés ici depuis 1995 (La Chevalière). De même Jean-Claude Boisset (Nuits-Saint-Geor-ges) développe son site de Mudaison près de Montpellier.

AOC : la hierarchisation en marche ?

Après vingt cinq années d'attente, le cabardès a accédé à l'AOC le 4 novembre 1998. Cette petite appellation audoise est justement récompensée de ses efforts. Elle couvre 2 000 ha sur 18 communes qui étaient reconnues VDQS depuis 1973. En tout 20 000 hl, dont 90 % en rouge.

Après la reconnaissance de La Livinière en minervois, les Corbières positionnent leur appellation sur quatre terroirs : Boutenac, Lagrasse, Sigean et Durban avec une charte qualité. Dans l'AOC des coteaux du languedoc (11 600 ha, 168 communes), une étude a été engagée, sous l'expertise de l'INAO, pour déterminer d'autres niveaux d'appellations : appellation régionale, AOC sous-régionales, AOC communales : Clape et Picpoul de Pinet sont déjà entrés dans l'ère de décrets règlementant plus sévèrement les conditions de production ; Quatourze, Pic Saint-Loup, Péze-nas et Cabrières, Terrasses du Larzac, Terres de Sommières, Grès de Montpellier et Terrasses de Béziers suivront peut-être cet exemple.

Cote Roussillon : petits volumes et qualite

En Roussillon, l'année s'est déroulée sous le signe de la sécheresse, avec un hiver doux, un printemps venteux et un été très chaud. Le soleil a pris en main le millésime 98, avec un net déficit hydrique et donc peu de problèmes sanitaires.

La vendange ? De petites baies, une forte concentration, quelques blocages de maturité, une acidité satisfaisante et beaucoup de diversité selon les cépages et les parcelles. La récolte du muscat à petits grains est excellente à tous égards cette année, celle du muscat d'Alexandrie est faible en quantité, mais de qualité. Excellent comportement du mourvèdre et du carignan, beaucoup de concentration sur le grenache, et une syrah qui a marqué le pas en fin de maturité. Beaucoup de cuvées de carignan ont été réalisées en macération carbonique, avec un résultat satisfaisant. En résumé, un superbe millésime pour les vins secs.

Avec quelque 679 423 hl d'AOC produits en 1998, le Roussillon signe presque partout sa récolte la moins importante en volume depuis cinq ans : de l'ordre de 28 hl/ha en moyenne. Mais la qualité est là ! En ce qui concerne les vins secs, les rosés déclinent fortement en volume (25 500 hl, soit moitié moins en un an). En blanc, les côtes-du-roussillon (10 000 hl) se stabilisent après une période de recul, alors qu'elles progressent en rouge. Les côtes-du-roussillon-villages (89 891 hl) confirment leurs acquis et sont en hausse. A Collioure, le marché reste assis sur ses rosés et ses rouges, dans un secteur qui a peu souffert de la sécheresse (près de 12 000 hl, en retrait des dernières vendanges sauf en 1996).

Rivesaltes : la recolte la plus modique depuis 1951

Il faut remonter à 1951 pour constater une récolte aussi modique en rivesaltes : 17 hl/ha de rendement en 1998, 153 000 hl seulement.

Un recul dû à la sécheresse, au gel d'avril, mais plus encore aux effets de la mévente de ce vin malgré le Plan Rivesaltes lancé il y a trois ans (9 200 ha revendiqués aujourd'hui, et un volume de production réduit de moitié sur cinq ans). La progression des superficies en muscat de rivesaltes continue et l'objectif des 5 000 ha reste d'actualité. Le marché est toujours porteur et, avec 135 000 hl revendiqués, cette AOC est en passe de devenir la plus importante production de vin doux naturel.

Maury demeure constant en volume avec ses 48 000 hl. De nouvelles structures, notamment coopératives, se sont lancées dans cette production ou la développent. Banyuls (24 000 hl) semble retrouver son équilibre et sa dynamique.

Arrachages et plantations

Les arrachages se sont stabilisés en Roussillon au niveau de l'année précédente (1 240 ha). Dans les départements voisins, le solde plantations-arrachages est positif : une grande nouveauté. Le Languedoc a gagné ainsi un peu plus de 1 400 ha de vignes. Les Pyrénées-Orientales sont le seul département où la tendance reste négative. Depuis quinze ans, 14 300 ha de vignes ont disparu. Cette perte correspond à un CA de 250 millions de francs par an. Les arrachages ont engendré des friches, surtout dans les zones arides. Le macabeu est en tête des cépages arrachés, passant pour la première année devant le carignan. Le grenache noir arrive en troisième position. Toutefois, les actions du Plan Rivesaltes se font sentir sur le terrain. Dans les plantations, le grenache noir et la syrah se partagent la première place depuis quelques années. Le muscat à petits grains est toujours en troisième place. La palette de cépages plantés, plus large que celle ces variétés arrachées, traduit une diversification de la production en Roussillon.

QUOI DE NEUF EN PROVENCE ET CORSE ?

Si la Provence reste le royaume du rosé, le rouge se sent pousser des ailes. Et quand le mistral et le soleil sont ses complices...

Absence de gel – à la différence de l'année précédente –, climat ensoleillé et sec, la Provence a bénéficié en 1998 des conditions climatiques les plus favorables. Les quelques pluies de septembre ont été suivies de mistral, lequel a concentré à la fois couleur et arômes. Les vendanges se sont déroulées du 20 août à la mi-septembre. Elles ont permis de récolter 1 048 678 hl, toutes AOC confondues (dont 43 500 hl de blancs), soit un peu plus de 4 % de la production nationale. Les côtes de provence, la plus importante AOC en volume représente 870 588 hl, soit 83 % de la production régionale. L'appellation est dominée par les rosés (79 %), mais le rouge progresse très sensiblement, passant de 108 000 hl à

148 000 hl en un an ; il représente aujourd'hui 17 % de la production, tandis que les blancs se limitent à 4 %.

Des conditions climatiques favorables aux rouges

La belle maturité se prêtait en effet à des vinifications en rouge. Par ailleurs, cette couleur offre de bons débouchés. Le 98 rouge est bien coloré, puissant et chaleureux, d'une honnête capacité de garde. Les petits fruits se mêlent à la violette et à la garrigue pour peupler le bouquet. Les tanins des cuvées de syrah, mourvèdre et cabernet-sauvignon donnent à ces vins une robe haute couture et une solide charpente. Les assemblages à base de grenache ont de l'élégance ; les carignans de la race. Les rosés 98 sont assez aromatiques, entre la groseille et la mangue, et équilibrés entre l'alcool et l'acidité, d'une bonne persistance en bouche. Les rendements, très généreux dans l'arrière-pays, ont été plus modestes sur le littoral.

En coteaux d'aix et baux-de-provence (respectivement 82 083 hl et 8 648 hl), le millésime est excellent ; certains domaines produisent un vin de garde ; les conditions climatiques, avec un temps très sec et très chaud, ont favorisé les rouges ; les coteaux d'aix blancs ont peu d'acidité. En coteaux varois (31 624 hl), la syrah, d'une belle maturité, tient la vedette. Cassis dispose d'un bon millésime, mais comme aux Baux, le soleil et la sécheresse ont limité le rendement (5 587 hl).

Bandol (47 464 hl) a connu une journée entière de pluie (4 août), puis le même déluge un mois plus tard (7 septembre), avec des retours de mistral et de soleil : complexe, le millésime 98 apparaît réussi et de garde. Bellet (1 224 hl) est classique et honorable.

Les affaires sont plutôt bonnes. La campagne des côtes de provence 1997-1998 s'est achevée sur un stock de 367 000 hl, moins de la moitié de la production annuelle. Le marché est donc stable, ferme. En 1998, cette AOC a exporté 85 000 hl.

Cotes de provence : le grand chantier des delimitations

L'année 1998 a encore été celle des problèmes de délimitation. Rappelons que le syndicat des côtes de provence a demandé il y a quelques années à l'INAO de revoir complètement la délimitation parcellaire qui avait été déterminée par jugement du tribunal de manière quelque peu imprécise. C'est le grand chantier de ces dernières années. En 1996 ont été déposés les projets de 40 communes du massif des Maures et de la dépression permienne. 1998 a vu le dépôt officiel des projets pour les 44 autres communes. Les experts de l'INAO travaillent d'arrache-pied à cette tâche considérable qui devrait s'achever en l'an 2000, et qui consiste à examiner les réclamations déposées par les producteurs.

M. Martel a quitté la présidence du syndicat des côtes de provence à la suite de tensions entre les secteurs de production. M. Gasperini, producteur en cave particulière à La Crau, lui a succédé avec la volonté de continuer dans le sens de l'équipe précédente.

Une demande de reconnaissance de l'appellation côtes de provence-fréjus a fait suite, en février 1999, à celle déposée l'année précédente pour l'appellation côtes de provence sainte-victoire. La même commission d'enquête de l'INAO étudie les deux dossiers, qui pourraient être acceptés en 2000 ou 2001.

En Corse

La Corse vit des heures agitées. Son vin conserve-t-il sa sérénité ? Il semble que oui. Jolis muscats du cap corse 98, légers et frais (2 142 hl). Le patrimonio (15 638 hl) et l'ajaccio (10 347 hl) montrent une personnalité intéressante. Blancs et rouges sont agréables. L'AOC vin de corse a également progressé avec une production de 76 210 hl, dont 6 929 hl en vin blanc.

QUOI DE NEUF DANS LE SUD-OUEST ?

Malgré la pluie pendant les vendanges, le millésime 98 apparaît comme supérieur à 97. Contrairement à ceux des bordeaux, les prix des appellations régionales n'ont pas baissé au printemps 1999. Ils devraient tout de même finir par s'aligner. En attendant, la rentabilité des exploitations étant alléchante, c'est la compétition pour acheter des domaines.

Dans l'ensemble du Bassin aquitain, où se disséminent les vignobles du Sud-Ouest, le climat est relativement homogène à quelques variantes près, liées à l'altitude ou à l'influence océanique. C'est dire qu'en 1998 où les conditions météorologiques ont été assez tranchées, on retrouve les mêmes constantes : un nouvel hiver doux – cela devient une habitude –, un débourrement précoce, un mois d'avril diluvien et un mois de mai chaud et sec débouchant sur une floraison en avance, mais nettement moins qu'en 1997, année qui restera comme un record dans les tablettes de la viticulture ; un mois de juin et un début de juillet relativement maussades laissant la place à un début d'été « normal », relativement chaud et ensoleillé.

UNE VENDANGE MURE, SAINE ET ABONDANTE

En revanche, une canicule d'enfer s'est abattue sur tout le Sud-Ouest dès le mois d'août, accélérant la véraison qui s'est produite aux dates des meilleurs millésimes récents, mais plus tard qu'en 1997. Les pluies ont également été générales presque partout dès le début de septembre, mais se sont abattues sur des raisins sains, pas trop gros et presque mûrs. Elles ont entamé le moral des vendangeurs plus que la qualité du vin. On le constate aujourd'hui. La température ayant fraîchi, la fin de la maturation n'a guère posé de problèmes sanitaires.

Les pluies de septembre, une quasi-absence d'attaques parasitaires, contrairement à 1997, ont favorisé l'augmentation des rendements et de la production. Cela n'empêche pas le millésime 98 de mieux se goûter que son prédécesseur. La réussite semble générale. En madiran par exemple, où la maturité est toujours une inquiétude, les degrés potentiels à la récolte se situaient autour de 12°, avec de bonnes acidités, tandis que pour le jurançon on compare le potentiel du millésime à celui de 1995. À Gaillac, la production d'AOC a augmenté d'environ 20 %, passant de 130 102 hl à 165 714 hl, et celle du Tarn dans son ensemble est passée de 502 916 hl à 613 571 hl. Le vignoble voisin, Cahors, a dépassé son niveau de 1996 avec 248 228 hl, soit 14 % de plus. Les Côtes du Frontonnais ont produit 116 661 hl.

Plus proche de Bordeaux, l'AOC bergerac a subi une évolution parallèle à celle du vignoble girondin avec une légère baisse de production : de 625 221 hl d'AOC à 620 805 hl, soit 3 % de moins.

La production globale du Sud-Ouest a atteint 1 713 050 hl (dont 6 196 hl pour le floc), soit 6,8 % de la production nationale.

DES VENTES SUPERIEURES A LA PRODUCTION

Comme le bordeaux a continué de se vendre de façon euphorique pratiquement toute l'année, sauf sur le marché de détail, où les foires aux vins de la rentrée ont donné le signal d'alerte, l'ensemble des appellations du Sud-Ouest en a profité. À commencer par

celle qui en est la plus proche : bergerac. Il s'est ainsi vendu durant la campagne 1997-1998 un total de 641 022 hl de bergerac rouge et blanc, soit plus que la production 1997, qui était pourtant importante ! Une situation dangereuse, puisqu'elle déséquilibre le marché, mais qui a été couramment vécue l'année précédente.
La coopérative des vignerons de Buzet a écoulé durant cette campagne 118 300 hl pour une production de 108 000 hl, dont 104 000 hl d'AOC. Il s'est vendu 119 637 hl de gaillac rouge en 1997-1998 pour une récolte 1997 de 97 205 hl. Dans le Tursan, la coopérative de Geaune regrettait également de ne pouvoir conserver assez de bouteilles à faire vieillir pour sa clientèle particulière. C'est un problème, puisque le syndicat viticole de Tursan a demandé le classement de l'AOVDQS en AOC et que le processus, enclenché en 1998, devrait aboutir en 2000 ou 2001. Malgré cet envol de la consommation, les prix sont restés fermes avec une tendance à la hausse. Le tonneau de bergerac rouge a monté de 10 % durant la campagne 1997-1998 et il s'est maintenu jusqu'au printemps de 1999. Le prix de l'hectolitre de gaillac à la production est passé de 556 FF en 1996-1997 à 582 FF à la campagne suivante, et jusqu'à 630 FF en 1999, rejoignant ainsi le prix du bordeaux au début de l'été.

342 000 FF L'HECTARE, DU JAMAIS VU

Une telle situation ne passe pas inaperçue des investisseurs qui n'ont pas tous le besoin d'un achat de prestige. La région attire ceux qui préfèrent la rentabilité tout en étant attachés à l'élaboration d'un bon vin. C'est ainsi que la chronique locale du madiran s'est émue de constater la flambée des prix des vignes. Alain Brumont, célébrissime propriétaire de Château Montus et de Bouscassé a acquis des vignes au tribunal pour 300 000 FF l'hectare, du jamais vu sur les coteaux gascons et béarnais où l'on pouvait en acheter à 70 000 FF il y a quinze ans. L'hectare à 300 000 FF est déjà chose courante dans la petite appellation cahors et ce n'est pas excessif, puisque la moyenne des vignes AOC en France, relevée en 1998 par la Fédération des SAFER, s'est établie à 342 000 FF l'hectare. Un argument supplémentaire pour ceux qui contestaient la nouvelle organisation commune du marché (OCM) européenne et la quasi-interdiction d'octroyer de nouveaux droits de plantation.
Cette hausse du foncier n'est pas générale : à Gaillac, l'hectare d'appellation ne dépasse pas les 150 000 FF, malgré un prix de la bouteille désormais aligné sur les autres appellations du Sud-Ouest. Les investisseurs s'y rendent toujours discrètement et n'ébruitent pas trop les bonnes affaires qu'ils y font en mettant la main sur de beaux domaines en pleine production et pourtant bon marché.

BREVES DU VIGNOBLE

François Gérardin, viticulteur à Pomport, dans l'appellation monbazillac, a été élu président de la Confédération nationale des caves particulières, il en avait créé la fédération départementale de Dordogne en 1986.

QUOI DE NEUF EN VAL DE LOIRE ?

Après trois belles années, le Val de Loire a connu en 1998 une année complexe, plus difficile. Cependant, la qualité paie et les viticulteurs les plus exigeants signent un bon millésime 98, cependant très hétérogène selon les régions.

DANS LA REGION NANTAISE

Réussi dans l'ensemble, le muscadet 98 se situe tout de même un cran au-dessous du superbe millésime 97 : les pluies de septembre ont remis en cause une année jusque-là très prometteuse. Il a fallu trier le raisin. La technicité des producteurs a fait la différence : certains ont mieux réussi que d'autres leur vinification. Globalement, c'est un vin frais, léger, agréable, mais pas très long et rarement destiné à être conservé plus de quelques mois. Les quantités sont moyennes (689 227 hl) en raison des gelées qui ont affecté une partie du vignoble en avril.
Les prix ont continué à se raffermir, tout en demeurant à un niveau modeste ; seuls ceux du « sur lie » tendent désormais à plafonner. La diminution des stocks se poursuit : à la fin du mois d'avril, ils étaient inférieurs à 450 000 hl, soit huit ou neuf mois de ventes

seulement. Pour le gros-plant du pays nantais, on constate les mêmes tendances.

La restructuration de la profession se poursuit également. Évolution significative dans cette région individualiste où les viticulteurs assurent traditionnellement l'ensemble du processus de production, les négociants achètent de plus en plus de vendanges fraîches et de moûts. Certains viennent d'ailleurs de réaliser d'importants investissements en vendangeoirs.

La profession réfléchit à une nouvelle hiérarchisation et les viticulteurs les plus ambitieux multiplient les efforts pour créer des cuvées de grande expression. On en trouve d'ailleurs un clair témoignage dans cette édition du Guide : les muscadets « millésimés » de prestige, naguère considérés comme des curiosités, voire des anomalies, tendent à se multiplier et obtiennent parfois des notes élogieuses. Les muscadets élevés en fût de chêne relèvent du même phénomène, même si l'on peut soupçonner aussi un effet de mode. La « charte de qualité » adoptée par de nombreux professionnels, viticulteurs et négociants, donne désormais lieu à des visites de contrôle chez des signataires tirés au sort, avec des résultats satisfaisants. Compte tenu de l'amélioration technique des chaînes d'embouteillage, la période de mise en bouteille « sur lie » a été légèrement étendue : elle va du 1er mars à fin novembre.

Le conseil interprofessionnel des vins de Nantes, dont l'adhésion à la FIVAL (Fédération interprofessionnelle Val de Loire) a été mise entre parenthèses au bout de quelques mois seulement, développe habilement ses opérations de promotion. Certains avaient craint que le thème « Muscadet, les années guinguettes », adopté en 1997, ne réduise le muscadet au « petit vin blanc » de la chanson. Mais, en 1999, la campagne a pris pour thématique « Muscadet, les moments impressionnistes », en rappelant que Manet, Monet et Renoir appréciaient le muscadet. Après la médiatique remontée de la Loire sur des gabares (1997) et l'extension du parcours à l'Angleterre et à la Hollande (1998), le muscadet aura cette année affronté l'Atlantique sur un « vieux gréement » avant d'accoster en Louisiane et au Canada.

En Anjou et a Saumur

Les conditions climatiques du millésime 98 ont été moins favorables que pour le 97 : le printemps a été très humide et frais, le débourrement moyennement précoce, l'été contrasté avec un mois de juillet peu ensoleillé et un mois d'août extrêmement chaud, grillant le raisin. Puis l'arrière-saison s'est montrée très humide sous de bonnes températures. La concentration en sucre est moins élevée que durant les années précédentes. Les vignes de chenin à gros rendements ont souffert. Le cabernet s'est toutefois bien comporté, ainsi que le grolleau, qui était dans un bon état sanitaire. Dans le vignoble d'Anjou-Saumur, la récolte est de 642 532 hl pour la production d'AOC. Le saumur mousseux connaît une reprise (78 967 hl). Les fêtes de l'an 2000 n'y sont sans doute pas étrangères.

Les meilleurs moelleux sont datés de novembre. Les volumes de sélections de grains nobles sont toutefois infimes : 242 hl en 1998, soit dix fois moins que l'année précédentes. Dans l'ensemble, tous ces vins ne sont pas aussi brillants que les 97, qui avaient bénéficié d'une belle arrière-saison. Cependant, le niveau est plus qu'honorable.

Plus de 200 000 hl ont été exportés en 1998, soit le quart de la production, avec une progression de 17,5 % en un an pour les vins tranquilles, le Royaume-Uni venant en tête. Les rosés représentent 60 % du total exporté. On ne retrouve cependant pas encore les performances de la décennie précédente.

En Touraine

La Touraine a connu des conditions météorologiques proches de celles de l'Anjou avec une fleur début juin et un peu de millerandage, des records de température en août et des alternances de pluie et de beau temps pendant les vendanges. La pourriture grise a sévi localement. Dans les AOC touraine, cheverny et l'AOVDQS valençay, les cépages précoces ont pu être récoltés à temps.

Les rouges sont plus tanniques et moins riches en couleur que dans le millésime précédent, les blancs moins structurés. Le cot s'exprime bien en rouge. Les chinon, bourgueil et saint-nicolas-de-bourgueil sont d'une maturité correcte mais ont donné beaucoup de soucis aux vendanges. Les AOC montlouis et vouvray ont souffert de la pourriture : les acidités et la concentration sont assez faibles : l'année a été plus propice aux mousseux et aux pétillants après trois millésimes favorables aux vins tranquilles. On pourra aussi trouver quelques bons secs et demi-secs. En coteaux du loir, jasnières, coteaux du vendômois, la récolte a été

peu abondante. En revanche, elle est supérieure à la moyenne dans le VDQS orléanais, compensant le gel sévère de 1997.
Les diverses appellations régionales touraine représentent 201 030 hl en rouge, 125 285 hl en blanc. La production est de 111 119 hl en chinon rouge, 71 186 hl en bourgueil, 53 572 hl en saint-nicolas-de-bourgueil, 46 387 hl en vouvray sec et doux. A noter, les volumes concernant les mousseux et les pétillants (en effervescent, 72 159 hl pour les vouvray, 36 569 hl pour les touraine, 8 609 hl pour les montlouis). L'appellation touraine-noble joué est en cours de délimitation, mais celle-ci doit composer avec l'urbanisation de la région de Tours.

Dans le Centre

Dans les vignobles du Centre, le débourrement a été précoce, mais le développement végétatif perturbé par le mauvais temps ; le gel a fait quelques dégâts dans le Sancerrois et l'AOC menetou-salon. La floraison a été rapide et le mois d'août caniculaire, ce qui a eu pour effet de griller les raisins. Cependant, l'état sanitaire des raisins était très bon. Les vins ont été de bonne tenue, et le récolte supérieure de 5 % par rapport à celle de 1997. Les sancerre, quincy, reuilly sont homogènes et de qualité.
La production atteint en sancerre 158 016 hl, dont 126 649 hl de blanc ; en menetou-salon, 22 384 hl, dont les deux tiers en blanc ; en quincy, 10 257 hl, en reuilly, 8 625 hl. La récente AOC coteaux du giennois a donné 8 132 hl, dont un peu plus de la moitié en rouge. L'exportation se porte bien. Ainsi le secteur Centre-Loire a-t-il vu ses ventes à l'étranger progresser de 19 % en un an (10 % en France), avec un record de 26 millions de bouteilles commercialisées.

QUOI DE NEUF DANS LA VALLÉE DU RHONE ?

Millésime 98, année de tous les bonheurs ? Cela y ressemble. Sera-t-il exceptionnel ? Seul le temps dévoilera ses secrets. Mais il est réellement grand.

Plus abondante que l'année précédente, la récolte 1998 atteint les 3 630 600 hl pour l'ensemble de la vallée du Rhône, dont 2 255 762 hl en côtes du rhône, 273 379 hl en côtes du rhône-villages, 110 146 hl en châteauneuf-du-pape, 43 988 hl en gigondas, 39 790 hl en vacqueyras, 43 374 hl en tavel, 4 829 hl en hermitage, 57 152 hl en crozes-hermitage, 23 578 hl en saint-joseph, 2 549 hl en condrieu, 6 287 hl en cornas, 6 929 hl en côte-rôtie et, en VDN, 14 575 hl en beaumes-de-venise et 3 029 hl en rasteau.

Un developpement harmonieux de la vegetation

Les conditions climatiques qui ont accompagné ce millésime ont fait apparaître des températures très douces qui ont amené à débuter les vendanges dès la fin du mois d'août. On a bien observé quelques gelées (13 et 14 avril), mais celles-ci n'ont pas eu d'effet catastrophique sur la production. Le débourrement a accusé un certain retard. Après des pluies en avril, le mois de mai a été très chaud. La floraison a été très rapide (du 23 mai au 1er juin), et les températures sont restées élevées jusqu'aux vendanges. Les réserves du sol étaient suffisantes pour que la canicule n'entraîne pas une sécheresse nuisible à la maturation. La véraison s'est produite début août et la persistance du mistral a permis de garantir un état sanitaire satisfaisant et de limiter le nombre de traitements. Les vendanges se sont déroulées de la mi-août au 15 octobre. Les degrés étaient naturellement élevés, même pour le cinsault. Les rouges sont hauts en couleur et ont une note très prononcée de fruits rouges. Les tanins sont bien mûrs, serrés et fondus : tout pour faire un grand millésime. L'obtention de tels vins résulte souvent de vinifications plus longues de la part des maîtres de chai qui ont cherché à extraire au maximum le potentiel de ce millésime.

Des rouges puissants et de garde

La partie nord du vignoble a fourni des vins d'un taux alcoolique supérieur à la moyenne et d'une structure tannique suffisante. Les blancs, comme dans l'ensemble de la vallée du Rhône, ont eu plus de difficultés à s'affirmer ; ils sont souvent fermés, et leur

expression aromatique est pour le moment moins intéressante. Il faudra probablement les boire plus rapidement. La côte-rôtie a bien réussi ses syrah et joue dans le haut de gamme. Condrieu, touché par le gel, a peu produit ; ses vins sont faciles à boire, tout comme les saint-joseph blancs. Les hermitages sont remarquables, et les crozes-hermitage leur emboîtent le pas. La marsanne de saint-péray montre plus de diversité. Quant aux cornas, ils sont d'une belle concentration. Dans la partie méridionale, les rouges se distinguent particulièrement. 1998 n'est ni un millésime de blancs ni un millésime de rosés. Tavel, avec des vins tout feu tout flamme, est une exception qui confirme la règle. Lirac a bien joué sur le mourvèdre et la syrah, Gigondas a le moral, Vacqueyras prend de l'ascendant. Châteauneuf-du-Pape, comme ailleurs, réussit des rouges magnifiques tandis que les blancs nous font rester sur notre soif. Quant aux appellations périphériques de la vallée du Rhône, les côtes du ventoux continuent à progresser en qualité, alors que l'AOC coteaux-du-tricastin, comme l'année précédente, est plus disparate, se résumant aux meilleurs producteurs. Les exportations des vins de la vallée du Rhône représentent 28 % de la production, en côtes du rhône principalement. En 1998, les exportations ont enregistré une augmentation de 9 % en volume et de 15 % en valeur. Le premier pays importateur est le Royaume-Uni, suivi de la Belgique et des Pays-Bas.

Breves du vignoble

Les femmes sont à la barre : Monique Bouteiller a pris la présidence de l'AOC vaqueyras, succédant à Edouard Dusser. Jacqueline Tacussel devient présidente de l'AOC lirac, succédant à J.-J. Verda qui a vendu son domaine, le château La Gardine, à des Châteauneuvois.

Gustave Aybram, ancien président du syndicat des côtes du rhône et qui avait été l'artisan de la réunification syndicale, nous a quittés. L'Interprofession change de nom en le simplifiant : ce sera désormais Inter Rhône, pour un budget de 88 millions de francs.

Naissance d'une nouvelle maison de négoce, les Vins de Vienne à Seyssuel (Isère), spécialisée dans les crus septentrionaux de la vallée du Rhône. Le domaine de Bonserine à Ampuis (Rhône), spécialisé en côte-rôtie, se lance dans le négoce. La cave coopérative de Tain-l'Hermitage investit 14 millions de francs dans de nouveaux chais d'élevage et de stockage.

L'environnement est un sujet sensible dans la vallée du Rhône. Une polémique agite le vignoble, liée au projet de contournement autoroutier ouest de Lyon. Le nouvel axe traverserait l'AOC côte-rôtie et impliquerait l'aménagement d'un énorme viaduc qui porterait atteinte à l'image de cette appellation. A Châteauneuf-du-Pape, c'est aussi le projet d'une déviation qui agite le vignoble.

Ce débat s'ajoute à la bataille pour l'utilisation de la bouteille de châteauneuf-du-pape arborant les armoiries pontificales. Celle-ci fait-elle ou non partie intégrante de l'appellation ? Dans cette même appellation, Château Rayas reste toujours dirigé par un Raynaud, le neveu. La clé de la réussite : un petit rendement et surtout pas de bois neuf. Seule nouveauté dans ce domaine en 1998, le remplacement du groupe de froid.

En matière réglementaire, les côtes du vivarais sont enfin AOC : il n'y a plus de VDQS dans la vallée du Rhône.

Un nouveau décret pour les côtes du rhône-villages est paru, affirmant dans ses conditions de production la prépondérance du grenache.

LE VIN

Par définition, le vin est « le produit obtenu exclusivement par la fermentation alcoolique, totale ou partielle, de raisins frais, foulés ou non, ou de moûts de raisin ».
Toutes les définitions légales imposent aux vins une teneur en alcool minimum, 8,5 % vol. ou 9,5 % vol. selon les zones viticoles. La teneur en alcool (d° alcoolique) est exprimée en pourcentage du volume du vin constitué par de l'alcool pur ; il faut 17 g de sucre dans le moût pour produire 1 % vol. d'alcool par la fermentation.

LES DIFFERENTS TYPES DE VINS

— La réglementation européenne, entérinant les usages français, distingue les *vins de table* et les VQPRD. Les Vins de qualité produits dans une région déterminée (VQPRD) sont soumis à des règlements de contrôle. En France, ils correspondent aux *Appellations d'origine vins délimités de qualité supérieure* (AOVDQS) et aux *Vins d'appellation d'origine contrôlée* (AOC). Il faut noter que les jeunes vignes sont exclues de l'appellation jusqu'à quatre ans (vins trop légers).
— Les *vins secs et les vins sucrés* (demi-secs, moelleux et doux) sont caractérisés par des taux de sucre variables. La production des vins sucrés suppose des raisins très mûrs, riches en sucre, dont une partie seulement est transformée en alcool par la fermentation. Les sauternes par exemple sont des vins particulièrement riches; ils sont obtenus à partir de raisins très concentrés par la pourriture noble. On les désigne volontiers par l'expression « grands vins liquoreux » qu'il ne faut pas confondre avec « vins de liqueurs » définit par la législation européenne (voir ci-dessous).
— Les *vins mousseux* s'opposent aux *vins tranquilles*, par la présence, au débouchage de la bouteille, d'un dégagement de gaz carbonique provenant d'une seconde fermentation (prise de mousse). Dans la méthode traditionnelle, autrefois dite « champenoise », celle-ci est effectuée dans la bouteille définitive. Si elle est effectuée en cuve, on parle de méthode en « cuve close ».
— Les *vins mousseux gazéifiés* présentent aussi un dégagement de gaz carbonique qui provient, totalement ou partiellement, d'une addition de gaz. Les *vins pétillants* possèdent, eux, une pression de gaz carbonique comprise entre 1 et 2,5 bars. Leur degré alcoolique doit être supérieur à 7 % vol. seulement. Le *pétillant de raisin* est obtenu par fermentation partielle du moût de raisin ; le titre alcoolique est faible; il peut être inférieur à 7 % vol., mais doit être supérieur à 1 % vol.
— Les *vins de liqueur* sont obtenus par addition, avant, pendant et après la fermentation, d'alcool neutre, d'eau-de-vie de vin, de moût de raisin concentré ou d'un mélange de ces produits. L'expression *« mistelle »* ne fait pas partie de la réglementation européenne qui parle de « moût de raisin frais muté à l'alcool », résultat de l'addition d'alcool ou d'eau-de-vie de vin à du moût de raisin (la fermentation est exclue) ; le pineau des charentes, le floc de gascogne et le macvin du jura appartiennent à cette catégorie.

LA VIGNE ET SA CULTURE

La vigne appartient au genre *Vitis* dont il existe de nombreuses espèces. Traditionnellement, le vin est produit à partir de différentes variétés de *Vitis vinifera*, originaire du continent européen. Mais il existe d'autres espèces provenant du continent américain. Certaines sont infertiles, d'autres donnent des produits doués d'un caractère organoleptique très particulier, appelé « foxé », et peu appréciés. Mais ces variétés, dites américaines, possèdent des caractéristiques de résistance aux maladies supérieures à celles de *Vitis vinifera*. Dans les années 1930, on a donc cherché à créer, par hybridation, de nouvelles variétés résistant aux maladies, comme les espèces américaines, mais produisant des vins de même qualité que ceux de *Vitis vinifera* ; ce fut un échec qualitatif.

— *Vitis vinifera* est sensible à un insecte, le phylloxéra, qui attaque les racines, et dont on sait les dévastations qu'il produisit à la fin du XIXe s. Le développement d'un greffon de *Vitis vinifera* sur un porte-greffe de vigne américaine résistant au phylloxéra conduit désormais à un cep ayant les propriétés de l'espèce, mais dont les racines ne sont pas infectées par l'insecte.

— L'espèce *Vitis vinifera* comprend de nombreuses variétés, appelées *cépages*. Chaque région viticole a sélectionné les mieux adaptés, mais les conditions économiques et l'évolution du goût des consommateurs peuvent aussi intervenir dans la modification de l'encépagement. Certains vignobles produisent des vins issus d'un seul cépage (pinot et chardonnay en Bourgogne ou riesling en Alsace). Dans d'autres régions (Champagne, Bordelais), les plus grands vins résultent de l'association de plusieurs cépages ayant des caractéristiques complémentaires. Les cépages sont eux-mêmes constitués d'un ensemble « d'individus » (clones) ne présentant pas des caractéristiques identiques (productivité, maturité, infection par les maladies à virus) ; aussi la sélection des meilleures souches a-t-elle toujours été recherchée. Des recherches sont actuellement en cours pour définir les résistances des vignes par modifications génétiques.

— Les conditions de culture de la vigne ont une incidence décisive sur la qualité du vin. On peut modifier considérablement son rendement en agissant sur la fertilisation, la densité des plants, le choix du porte-greffe, la taille. Mais on sait aussi que l'on ne peut pas augmenter exagérément les rendements sans affecter la qualité. Celle-ci n'est pas compromise lorsque la quantité est obtenue par la conjonction de facteurs naturels favo-

REGIONS	CEPAGES	CARACTERES
Toutes les AOC de bourgogne rouge	pinot	vins fins de garde
Toutes les AOC de bourgogne blanc	chardonnay	vins fins de garde
Beaujolais	gamay	vins de primeur ou de consommation rapide
Rhône Nord rouge	syrah	vins fins de garde
Rhône Nord blanc	marsanne, roussanne	garde variable
Rhône Nord blanc	viognier	vins fins de garde
Rhône Sud, Languedoc, Côtes de Provence	grenache, cinsault, mourvèdre, syrah	vins plantureux de moyenne ou petite garde
Alsace (chaque cépage, vinifié seul, donne son nom au vin)	riesling, pinot gris, gewurztraminer, sylvaner, muscat...	vins aromatiques à boire rapidement sauf les grands crus, vendanges tardives ou sélections de grains nobles
Champagne	pinot, chardonnay	à boire dès l'achat
Loire blanc	sauvignon	vins aromatiques à boire rapidement
Loire blanc	muscadet	à boire rapidement
Loire blanc	chenin	se bonifient longuement
Loire rouge	cabernet franc (breton)	petite à grande garde
Toutes les AOC de bordeaux rouges, bergerac et Sud-Ouest	cabernet-sauvignon, cabernet franc et merlot	vins fins de garde
Madiran	tannat, cabernets	vins fins de garde
Bordeaux blanc, bergerac, montravel, monbazillac, duras...	sémillon, sauvignon, muscadelle	secs : de petite à longue garde ; liquoreux : longue garde
Jurançon	petit manseng, gros manseng	secs : petite garde ; moelleux : longue garde

rables ; certains grands millésimes sont aussi des récoltes abondantes. L'augmentation des rendements, au cours des années récentes, est en fait surtout liée à l'amélioration des conditions de culture. La limite à ne pas dépasser dépend de la qualité du produit : le rendement maximum se situe entre 45 et 60 hl/ha pour les grands vins rouges, un peu plus pour les vins blancs secs. Pour produire de bons vins, il faut en outre des vignes suffisamment âgées (trente ans et plus), ayant parfaitement développé leur système racinaire.
— La vigne est une plante sensible à de nombreuses maladies, mildiou, oïdium, blackrot, pourriture, etc., compromettant la récolte et communiquant aux raisins de mauvais goûts susceptibles de se retrouver dans le vin. Les viticulteurs disposent de moyens de traitement efficaces, facteurs certains de l'amélioration générale de la qualité. Probablement, dans le passé, la viticulture a un peu abusé, dans un souci de recherche de la sécurité, de l'emploi des pesticides chimiques. Aujourd'hui, une réflexion s'est imposée. D'une part, l'ensemble de la viticulture se sent impliquée dans la recherche d'une culture raisonnée qui fait appel aux traitements uniquement lorsqu'ils sont nécessaires. D'autre part, l'agrobiologie, s'appuyant sur une biodynamique du sol, cherche à créer des conditions naturelles rendant la vigne moins sensible aux maladies.

TERROIR VITICOLE : ADAPTATION DES CEPAGES AU SOL ET AU CLIMAT

Prise dans son sens le plus large, la notion de « terroir viticole » regroupe de nombreuses données d'ordre biologique (choix du cépage), géographique, climatique, géologique et pédologique. Il faut ajouter aussi des facteurs humains, historiques, commerciaux : par exemple, il est sûr que l'existence du port de Bordeaux et son trafic important avec les pays nordiques ont incité, dès le XVIIIe s., les viticulteurs à améliorer la qualité de leur production.
— La vigne est cultivée dans l'hémisphère Nord entre le 35e et le 50e parallèle ; elle est donc adaptée à des climats très différents. Cependant, les vignobles septentrionaux, les plus froids, permettent seulement la culture des cépages blancs, que l'on choisit précoces et dont les fruits peuvent mûrir avant les froids de l'automne ; sous des climats chauds sont cultivés les cépages tardifs, qui autorisent des productions importantes. Pour faire du bon vin, il faut un raisin bien mûr, mais il ne faut pas une maturation trop rapide et trop complète, qui entraîne une perte des éléments aromatiques : on choisit donc les cépages pour lesquels la maturation est atteinte de justesse. Une difficulté, pour les grands vignobles des zones climatiques marginales, est l'irrégularité, d'une année à l'autre, des conditions climatiques pendant la période de maturation.
— Des excès, de sécheresse ou d'humidité, peuvent également intervenir. Le sol du vignoble joue alors un rôle essentiel pour régulariser l'alimentation en eau de la plante : il apporte de l'eau au printemps, lors de la croissance ; il élimine les excès éventuels de pluie pendant la maturation. Les sols graveleux et calcaires assurent particulièrement bien ces régulations ; mais on connaît aussi des crus réputés sur des sols sableux, et même argileux. Éventuellement, un drainage artificiel complète la régulation naturelle. Ce phénomène rend compte de l'existence de crus de haute réputation sur des sols en apparence différents, comme de la présence, côte à côte, de vignobles de qualité variable sur des sols en apparence voisins.
— On sait aussi que la couleur ou les caractères aromatiques et gustatifs des vins, d'un même cépage et sous un même climat, peuvent présenter des différences selon la nature du sol et du sous-sol ; ainsi en est-il selon qu'ils proviennent de sols formés sur des calcaires, sur des molasses argilo-calcaires, sur des sédiments argileux, sableux ou gravelo-sableux. L'augmentation de la proportion d'argile dans les graves donne des vins plus acides, plus tanniques et corsés, au détriment de la finesse ; le sauvignon blanc, lui, prend des notes odorantes plus ou moins puissantes sur calcaire, sur graves ou sur marnes. En tout état de cause, la vigne est une plante particulièrement peu exigeante, qui pousse sur des sols pauvres. Cette pauvreté est d'ailleurs un élément de la qualité des vins, car elle favorise des rendements limités qui évitent la dilution des colorants, des arômes et des constituants sapides.

LE CYCLE DES TRAVAUX DE LA VIGNE

Destinée à équilibrer la production des fruits, en évitant le développement exagéré du bois, la taille annuelle s'effectue normalement entre décembre et mars. La longueur des sarments, choisie en fonction de la vigueur de la plante, commande directement l'importance de la récolte. Les labours de printemps « déchaussent » la plante, en ramenant la terre vers le milieu du rang, et créent une couche meuble qui restera aussi sèche que possible. Le décavaillonnage consiste à enlever la terre qui reste, sous le rang, entre les ceps.

— En fonction des besoins, les travaux du sol sont poursuivis pendant toute la durée du cycle végétal ; ils détruisent la végétation adventice, maintiennent le sol meuble et évitent les pertes d'eau par évaporation. Le désherbage peut être effectué chimiquement ; s'il est total, il est effectué à la fin de l'hiver, et les travaux aratoires sont complètement supprimés ; on parle alors de non-culture, qui constitue une économie substantielle. Cependant, certains producteurs soucieux de l'environnement préfèrent les vignes enherbées qui permettent de limiter la vigueur de la plante.

— Pendant toute la période végétative, on procède à différentes opérations pour limiter la prolifération végétale : l'épamprage, suppression de certains rameaux ; le rognage, raccourcissement de leur extrémité ; l'effeuillage, qui permet une meilleure exposition des raisins au soleil, l'accolage, pour maintenir les sarments dans les vignes palissées. Le viticulteur doit également protéger la vigne des maladies : le Service de la protection des végétaux diffuse des informations qui permettent de prévoir les traitements nécessaires, faits par pulvérisation de produits actifs, qu'ils soient naturels (agrobiologie) ou issus de la chimie industrielle.

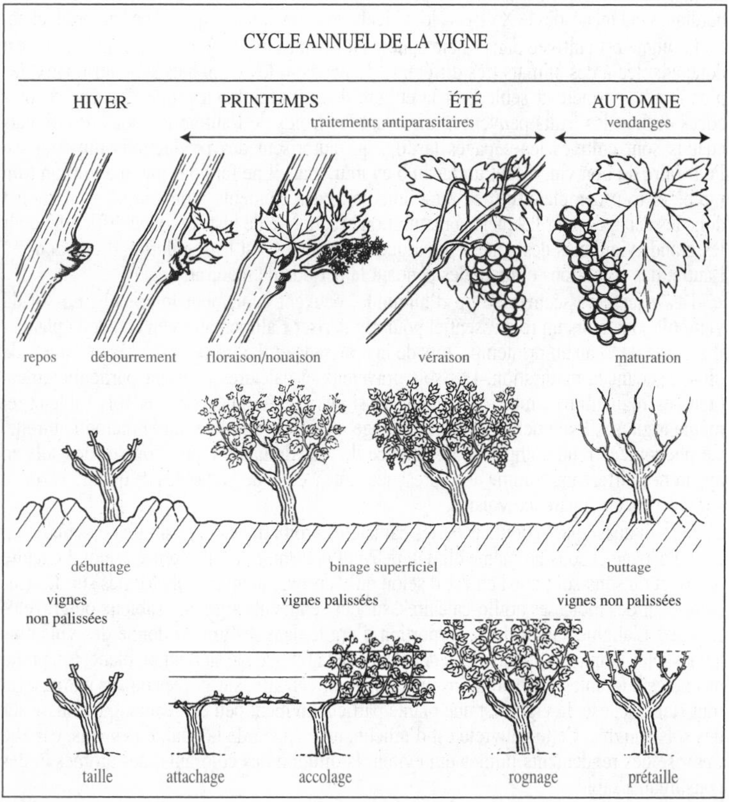

CALENDRIER DU VIGNERON

JANVIER

Si la taille s'effectue de décembre à mars, c'est bien « à la Saint-Vincent que l'hiver s'en va ou se reprend ».

FEVRIER

Le vin se contracte avec l'abaissement de la température. Surveiller les tonneaux pour l'ouillage qui se fait périodiquement toute l'année. Les fermentations malolactiques doivent être terminées.

MARS

On « débutte ». On finit la taille (« taille tôt, taille tard, rien ne vaut la taille de mars »). On met en bouteilles les vins qui se boivent jeunes.

AVRIL

Avant le phylloxéra, on plantait les paisseaux. Maintenant on palisse sur fil de fer, sauf à l'Hermitage, Côte Rôtie et Condrieu.

MAI

Surveillance et protection contre les gelées de printemps. Binage.

JUIN

On « *accole* » les vignes palissées et commence à rogner les sarments. La « nouaison » (= donner des baies) ou la « coulure » vont commander le volume de la récolte.

JUILLET

Les traitements contre les parasites continuent ainsi que la surveillance du vin sous les fortes variations de température !

AOUT

Travailler le sol serait nuisible à la vigne, mais il faut être vigilant devant les invasions possibles de certains parasites. On prépare la cuverie dans les régions précoces.

SEPTEMBRE

Étude de la maturation par prélèvement régulier des raisins pour fixer la date des vendanges ; elles commencent en région méditerranéenne.

OCTOBRE

Les vendanges ont lieu dans la plupart des vignobles et la vinification commence. Les vins de garde vont être mis en fût pour y être élevés.

NOVEMBRE

Les vins primeurs sont mis en bouteilles. On surveille l'évolution des vins nouveaux. La prétaille commence.

DECEMBRE

La température des caves doit être maintenue pour assurer les fermentations alcooliques et malolactiques.

— Enfin, en automne, après les vendanges, un dernier labour ramène la terre vers les ceps et les protège des gelées hivernales; la formation d'une rigole au centre du rang permet d'évacuer les eaux de ruissellement. Ce labour est éventuellement utilisé pour enfouir des engrais.

LES RAISINS ET LES VENDANGES

L'état de maturité du raisin est un facteur essentiel de la qualité du vin. Mais dans une même région, les conditions climatologiques sont variables d'une année à l'autre, entraînant des différences de constitution des raisins, qui déterminent les caractéristiques propres de chaque millésime. Une bonne maturation suppose un temps chaud et sec : la date des vendanges doit être fixée avec beaucoup de discernement, en fonction de l'évolution de la maturation et de l'état sanitaire du raisin.

— De plus en plus, les vendanges manuelles laissent place au ramassage mécanique. Les machines, munies de batteurs, font tomber les grains sur un tapis mobile ; un ventilateur élimine la plus grande partie des feuilles. La brutalité de l'action sur le raisin n'est pas *a priori* favorable à la qualité, surtout pour les vins blancs : les crus de haute réputation seront les derniers à faire appel à ce procédé de ramassage, malgré des progrès considérables dans la conception et la conduite de ces machines. Dans le cas de maturité excessive lors des vendanges, l'acidité trop basse peut être compensée par addition d'acide tartrique. Si la maturité est insuffisante, on peut au contraire diminuer l'acidité par le carbonate de calcium. Dans ce cas, le raisin insuffisamment sucré pourrait donner un vin d'un degré alcoolique insuffisant. La concentration du moût peut intervenir. Enfin, dans des conditions bien précises, la législation permet d'augmenter la richesse saccharine du moût par addition de sucre : c'est la chaptalisation.

LA « NAISSANCE » DU VIN

Le phénomène microbiologique essentiel qui donne naissance au vin est la fermentation alcoolique ; le développement d'une espèce de levure *(Saccharomyces cerevisae)*, à l'abri de l'air, décompose le sucre en alcool et en gaz carbonique; de nombreux produits secondaires apparaissent (glycérol, acide succinique, esters, etc.), qui participent à l'arôme et au goût du vin. La fermentation dégage des calories qui provoquent l'échauffement de la cuve, ce qui peut nécessiter une réfrigération.

— Après la fermentation alcoolique peut intervenir, dans certains cas, la fermentation malolactique : sous l'influence de bactéries, l'acide malique est décomposé en acide lactique et en gaz carbonique. La conséquence est une baisse d'acidité et un assouplissement du vin, avec affinement de l'arôme ; simultanément, le vin acquiert une meilleure stabilité pour sa conservation. Les vins rouges en sont toujours améliorés ; l'avantage est moins systématique pour les vins blancs. Mais levures et bactéries lactiques existent sur le raisin ; elles se développent à l'occasion des manipulations de la vendange dans le chai : au remplissage de la cuve, l'inoculation peut être suffisante ; mais on effectue de plus en plus un levurage avec des levures sèches fournies par le commerce. Cette opération permet un meilleur déroulement de la fermentation ; elle évite certains défauts liés à des levures particulières (odeurs de réduction) et, dans certains cas, une souche adaptée permet une meilleure révélation des arômes spécifiques d'un cépage (sauvignon), à partir de précurseurs non aromatiques existant dans le raisin. En tout état de cause, la qualité et la typicité du vin reposent sur la qualité du raisin, donc sur des facteurs naturels (crus et terroirs).

— Les levures se développent toujours avant les bactéries, dont la croissance commence lorsque les levures ont cessé de fermenter. Si cet arrêt intervient avant que la totalité du sucre ait été transformée en alcool, le sucre résiduel peut être décomposé par les bactéries avec production d'acide acétique (acide volatile) ; il s'agit d'un accident grave, connu sous le nom de « piqûre » ; un procédé récemment découvert permet d'éliminer les substances toxiques qui se forment alors à partir des levures elles-mêmes. Au cours de la conservation, il reste toujours des populations bactériennes dans le vin, qui peuvent provoquer des accidents graves : décomposition de certains constituants du vin ; oxydation et formation d'acide acétique (processus de fabrication du vinaigre) ; les soins apportés aujourd'hui à la vinification peuvent éviter ces risques.

LES DIFFERENTES VINIFICATIONS

Vinification en rouge

Dans la majorité des cas, le raisin est d'abord égrappé ; les grains sont ensuite foulés et le mélange de pulpe, de pépins et de pellicules est envoyé dans la cuve de fermentation, après légère addition d'anhydride sulfureux pour assurer une protection contre les oxydations et les contaminations microbiennes. Dès le début de la fermentation, le gaz carbonique soulève toutes les particules solides qui forment, à la partie supérieure de la cuve, une masse compacte appelée « chapeau » ou « marc ».

— Dans la cuve, la fermentation alcoolique se déroule en même temps que la macération des pellicules et des pépins dans le jus. La fermentation complète du sucre dure en général de cinq à huit jours; elle est favorisée par l'aération, pour augmenter la croissance de la population de levures, et par le contrôle de la température (aux environs de 30 °C) pour éviter la mort de ces levures. La macération apporte essentiellement au vin rouge sa couleur et sa structure tannique. Les vins destinés à un long vieillissement doivent être riches en tanin, et subissent donc une longue macération (deux à trois semaines) de 25 à 30 °C. En revanche, les vins rouges à consommer jeunes, de type primeur, doivent être fruités et peu tanniques: leur macération est réduite à quelques jours.

— L'écoulage de la cuve est la séparation du jus, appelé « vin de goutte » ou « grand vin », et du marc. Par pressurage, le marc donne le vin de presse : son assemblage éventuel avec le vin de goutte dépend de critères gustatifs et analytiques. Vins de goutte et vins de presse sont remis en cuve séparément pour subir les fermentations d'achèvement : disparition des sucres résiduels et fermentation malolactique. Pour les grands vins, de plus en plus, l'écoulage se fait directement en fûts de chêne, dans lesquels s'effectue la fermentation malolactique. Les vins rouges acquièrent ainsi un caractère boisé plus harmonieux.

— Cette technique est la méthode de base, mais il existe d'autres procédés de vinification qui présentent un intérêt particulier dans certains cas (thermovinification, vinification continue, macération carbonique).

Vinification en rosé

Les vins clairets, rosés ou gris, sont obtenus par macérations d'importance variable de raisins à peine rosés ou fortement colorés. Le plus généralement, ils sont vinifiés par pressurage direct de raisins noirs ou par saignées. Dans ce dernier cas, la cuve est remplie, comme pour une vinification en rouge classique ; au bout de quelques heures, on tire une certaine proportion du jus qui fermente séparément ; et la cuve est remplie à nouveau pour faire du vin rouge. Celui-ci est alors plus concentré.

Vinification en blanc

En matière de vin blanc, il existe une grande diversité de types : à chacun d'eux correspondent une technique de vinification et une qualité de vendange appropriées. Le plus souvent, le vin blanc résulte de la fermentation d'un pur jus de raisin ; le pressurage précède donc la fermentation. Dans certains cas, cependant, on effectue une courte macération pelliculaire préfermentaire pour extraire leurs arômes ; il faut alors des raisins parfaitement sains et mûrs, afin d'éviter des défauts gustatifs (amertume) et olfactifs (mauvaise odeur). L'extraction du jus est faite par foulage, égouttage et, enfin, pressurage ; les jus de presse sont fermentés séparément, car de moins bonne qualité. Le moût blanc, très sensible à l'oxydation, est immédiatement protégé par addition d'anhydride sulfureux. Dès l'extraction du jus, on procède à sa clarification par débourbage. En outre, pendant la fermentation, la cuve est en permanence maintenue à une température de l'ordre de 20 à 24 °C pour protéger les arômes.

VINIFICATION DES VINS ROUGES

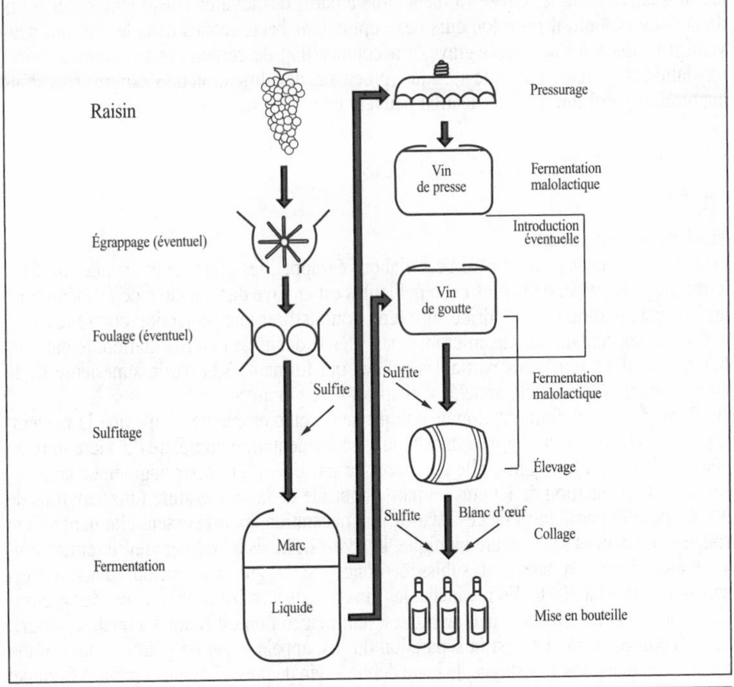
Raisin
Pressurage
Vin
de presse
Fermentation
malolactique
Introduction
éventuelle
Égrappage (éventuel)
Vin
de goutte
Foulage (éventuel)
Sulfite
Sulfite
Fermentation
malolactique
Sulfitage
Élevage
Sulfite
Blanc d'œuf
Collage
Marc
Fermentation
Liquide
Mise en bouteille

VINIFICATION DES VINS BLANCS

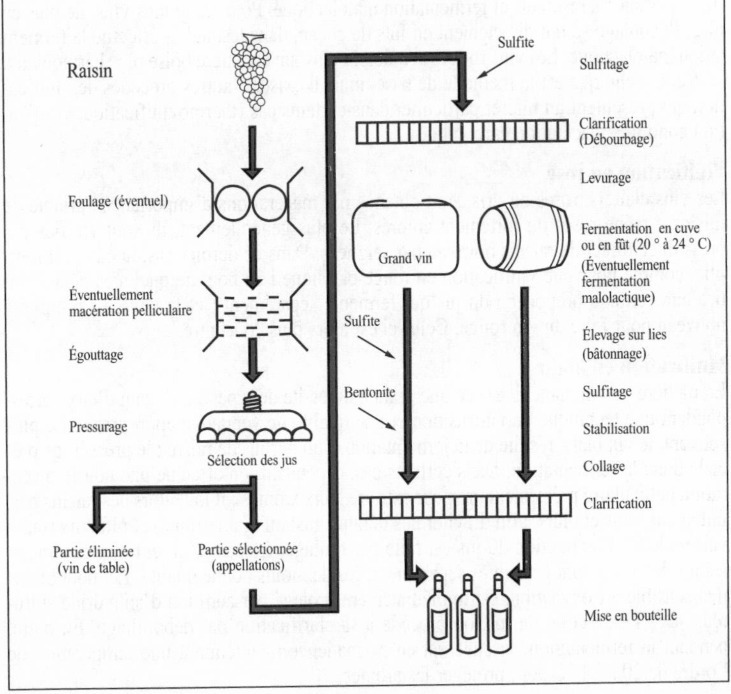
Sulfite
Raisin
Sulfitage
Clarification
(Débourbage)
Levurage
Foulage (éventuel)
Grand vin
Fermentation en cuve
ou en fût (20 ° à 24 ° C)
(Éventuellement
fermentation
malolactique)
Éventuellement
macération pelliculaire
Sulfite
Élevage sur lies
(bâtonnage)
Égouttage
Bentonite
Sulfitage
Pressurage
Stabilisation
Sélection des jus
Collage
Clarification
Partie éliminée
(vin de table)
Partie sélectionnée
(appellations)
Mise en bouteille

Les grands vins blancs sont vinifiés en barrique ; ils acquièrent ainsi un caractère boisé fondu. Cette pratique permet en outre un élevage sur lies de levures qui augmente les sensations de gras et de moelleux ; cette évolution est accentuée par le bâtonnage des vins qui assure la remise en suspension des lies.

— Dans de nombreux cas, la fermentation malolactique n'est pas recherchée, les vins blancs supportant bien une fraîcheur acide et cette fermentation secondaire faisant diminuer les arômes typiques de cépages. Les vins blancs qui, cependant, la subissent trouvent du gras et du volume lorsqu'ils sont élevés en fûts et destinés à un long vieillissement (Bourgogne); elle assure en outre la stabilisation biologique des vins en bouteille.

— La vinification des vins doux suppose des raisins riches en sucre ; une partie est transformée en alcool, mais la fermentation est arrêtée, avant son achèvement, par l'addition de dioxyde de soufre et l'élimination des levures par soutirage ou centrifugation, ou encore par pasteurisation. Particulièrement riches en alcool (13 à 16 % vol.) et en sucre (50 à 100 g/l), les sauternes et barsac réclament donc des raisins d'une grande richesse qui ne peut pas être obtenue par la simple maturation du raisin ; elle nécessite l'intervention de la « pourriture noble » qui correspond au développement particulier, sur le raisin, d'un champignon, le *Botrytis cinerea*, et à la cueillette par tries successives au fur et à mesure du développement de la « pourriture noble ».

L'ELEVAGE DES VINS : LES DIFFERENTES ETAPES

Le vin nouveau est brut, trouble et gazeux ; la phase d'élevage (clarification, stabilisation, affinement de la qualité) va le conduire jusqu'à la mise en bouteilles. Elle est plus ou moins longue selon les types de vin : les « primeurs » sont mis en bouteilles quelques semaines, voire quelques jours après la fin de la vinification ; les grands vins de garde, eux, sont élevés pendant deux ans et plus.

— La clarification peut être obtenue par simple sédimentation et décantation (soutirage) si le vin est conservé en récipients de petite capacité (fût de bois). Il faut faire appel à la centrifugation ou aux différents types de filtration lorsque le vin est conservé en cuve de grand volume.

— Compte tenu de sa complexité, le vin peut donner lieu à des troubles et dépôts ; il s'agit de phénomènes tout à fait naturels, d'origine microbienne ou chimique. Ces accidents sont extrêmement graves lorsqu'ils ont lieu en bouteille ; pour cette raison, la stabilisation doit avoir lieu avant le conditionnement.

— Les accidents microbiens (piqûre bactérienne ou refermentation) sont évités en conservant le vin à l'abri de l'air en récipient plein ; l'ouillage consiste justement à faire régulièrement le plein des récipients pour éviter le contact avec l'air. En outre, le dioxyde de soufre est un antiseptique et un antioxydant d'un emploi courant. Son action peut être complétée par celle de l'acide sorbique (antiseptique) ou de l'acide ascorbique (antioxydant).

— Les traitements des vins résultent d'une nécessité ; les produits de traitement utilisés sont relativement peu nombreux; on connaît bien leur mode d'action qui n'affecte pas la qualité, et leur innocuité est bien démontrée. Des tests de laboratoire permettent de prévoir les risques d'instabilité et de limiter les traitements à ceux qui sont nécessaires. Cependant, la tendance moderne consiste à agir dès la vinification de façon à limiter autant que possible les traitements ultérieurs des vins et les manipulations qu'ils nécessitent.

— Le dépôt de tartre est évité par le froid, avant la mise en bouteilles; inhibiteur de cristallisation, l'acide métatartrique a un effet immédiat, mais sa protection n'est pas indéfinie. Le collage consiste à ajouter au vin une matière protéique (albumine d'œuf, gélatine) ; celle-ci flocule dans le vin en éliminant les particules en suspension ainsi que des constituants susceptibles de le troubler à la longue. Le collage des vins rouges (au blanc d'œuf) est une pratique ancienne, indispensable pour éliminer l'excès de matière colorante qui floculerait en tapissant l'intérieur de la bouteille. La gomme arabique a un effet similaire ; elle est utilisée pour les vins de table consommés rapidement après la mise en bouteilles. La coagulation des protéines naturelles dans les vins blancs (casse protéique) est évitée en les éliminant par fixation sur une argile colloïdale, la bentonite. L'excès de certains métaux (fer et cuivre) donne également lieu à des troubles ; leur élimination peut être effectuée par le ferrocyanure de potassium.

— L'élevage comprend aussi une phase d'affinage. Elle comporte d'abord l'élimination du gaz carbonique en excès provenant de la fermentation ; son réglage dépend du style : il donne de la fraîcheur aux vins blancs secs et aux vins jeunes ; en revanche, il durcit les vins de garde, particulièrement les grands vins rouges. L'introduction ménagée d'oxygène assure également une transformation indispensable des tanins des vins rouges jeunes; elle est indispensable à leur vieillissement ultérieur en bouteilles. L'oxydation ménagée se produit spontanément en fût de chêne ; les techniques dites de « microbullage » permettent d'introduire, de façon régulière, les quantités d'oxygène juste nécessaire.

— Le fût de bois de chêne apporte aux vins des arômes vanillés qui s'harmonisent parfaitement avec ceux du fruit, surtout lorsque le bois est neuf; le chêne de l'Allier (forêt de Tronçais) convient mieux que le chêne du Limousin ; le bois doit être fendu et séché à l'air pendant trois ans avant son utilisation. Ce type d'élevage fait partie de la tradition des grands vins, mais il est très onéreux (prix d'achat des fûts, travail manuel, perte par évaporation). En outre, lorsqu'ils sont un peu vieux, les fûts peuvent être des sources de contamination microbienne et apporter au vin plus de défauts que de qualités. Ce type d'élevage doit être réservé à des vins suffisamment riches afin que le caractère boisé ne domine pas le fruité du raisin et ne banalise pas la typicité ; l'importance du boisé doit être dosée (en jouant sur la durée d'élevage et sur la proportion de barriques neuves), en fonction de la structure du vin, afin qu'il ne sèche pas au cours du vieillissement. Des tentatives ont été faites en vue de simplifier l'acquisition du caractère boisé, en particulier par la macération de copeaux de bois de chêne, pratique interdite pour les vins d'AOC.

CONDITIONNEMENT - VIEILLISSEMENT

L'expression « vieillissement » est spécifiquement réservée aux transformations lentes du vin conservé en bouteille, à l'abri complet de l'oxygène de l'air. La mise en bouteille demande beaucoup de soin et de propreté; il faut éviter que le vin, parfaitement clarifié, soit contaminé par cette opération. Des précautions doivent en outre être prises pour respecter le volume indiqué. Le liège reste le matériau de choix pour l'obturation des bouteilles ; grâce à son élasticité, il assure une bonne herméticité. Cependant, ce matériau est dégradable ; il est recommandé de changer les bouchons tous les vingt-cinq ans. En outre, on connaît les deux risques du bouchage liège : les « bouteilles couleuses » et les « goûts de bouchon ».

— Les transformations du vin en bouteilles sont multiples et fort complexes. Il intervient d'abord une modification de la couleur, parfaitement mise en évidence dans le cas des vins rouges ; rouge vif dans les vins jeunes, elle évolue vers des nuances plus jaunes, responsables d'une teinte évoquant la tuile ou la brique. Dans les vins très vieux, la nuance rouge a complètement disparu ; le jaune et le marron sont les couleurs dominantes. Ces transformations sont responsables des dépôts de matière colorante dans les très vieux vins. Elles agissent sur le goût des tanins en provoquant un assouplissement de la structure générale du vin.

— Au cours du vieillissement en bouteilles interviennent également un développement des arômes et l'apparition du « bouquet » spécifique du vin vieux ; il s'agit de transformations complexes dont les fondements chimiques restent obscurs (les phénomènes d'estérification n'interviennent pas).

CONTRÔLE DE LA QUALITÉ

Le bon vin n'est pas forcément un grand vin; par ailleurs, lorsque l'on parle d'un « vin de qualité », on évoque la hiérarchie qui va des vins de table aux grands crus, avec tous les intermédiaires. Derrière ces deux idées se retrouve la distinction entre les « facteurs naturels » et les « facteurs humains » de la qualité. Les seconds sont indispensables pour avoir un « bon vin » ; mais un « grand vin » nécessite en plus des conditions de milieu (sol, climat) particulières et exigeantes...

— Si l'analyse chimique permet de déceler des anomalies et de mettre en évidence certains défauts du vin, ses limites pour définir la qualité sont bien connues ; en dernier ressort, la dégustation est le critère essentiel d'appréciation de la qualité. Des progrès considérables ont été accomplis depuis une vingtaine d'années dans les techniques d'analyse sensorielle permettant de mieux en maîtriser les aspects subjectifs ; ils tiennent compte du développement des connaissances en matière de physiologie de l'odorat et du goût, et des conditions pratiques de la dégustation. L'expertise gustative intervient de plus en plus dans le contrôle de la qualité, pour l'agréage des vins d'appellation d'origine contrôlée ou dans le cadre d'expertises judiciaires.

— Le contrôle réglementaire de la qualité du vin s'est en effet imposé depuis longtemps. La loi du 1er août 1905 sur la loyauté des transactions commerciales constitue le premier texte officiel. Mais la réglementation a été progressivement affinée au fur et à mesure que progressaient les connaissances de la constitution du vin et de ses transformations. En s'appuyant sur l'analyse chimique, la réglementation définit une sorte de qualité minimale en évitant les principaux défauts. Elle incite en outre la technique à améliorer ce niveau minimum. La Direction de la consommation et de la répression des fraudes est responsable de la vérification des normes analytiques ainsi établies.

— Cette action est complétée par celle de l'Institut national des appellations d'origine, chargé, après consultation des syndicats intéressés, de déterminer les conditions de production et d'en assurer le contrôle; aire de production, nature des cépages, mode de plantation et de taille, pratiques culturales, techniques de vinification, constitution des moûts et du vin, rendement. Cet organisme assure également la défense des vins d'appellation d'origine en France et à l'étranger.

— Dans chaque région, enfin, les syndicats viticoles participent à la défense des intérêts des viticulteurs adhérents, en particulier dans le cadre des différentes appellations. Cette action est souvent coordonnée par des conseils, bureaux ou comités interprofessionnels, qui rassemblent les représentants des différents syndicats, de producteurs et de négociants, et différentes personnalités du monde professionnel et de l'administration.

Pascal Ribéreau-Gayon

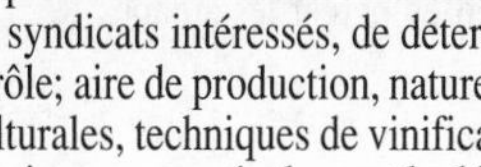

LE GUIDE DU CONSOMMATEUR

Acheter un vin est la chose la plus facile du monde, le choisir à bon escient est la chose la plus difficile. Si l'on considère la totalité de l'offre, c'est à quelques centaines de milliers de vins différents qu'est confronté l'amateur.
La France, à elle seule, produit plusieurs dizaines de milliers de vins qui ont tous une spécificité et des caractères propres. Ce qui les distingue apparemment, outre leur couleur, c'est l'étiquette. D'où son importance et le souci des pouvoirs publics et des instances professionnelles de réglementer son usage et sa présentation. D'où également pour l'acheteur la nécessité d'en percer les arcanes.

L'ETIQUETTE

L'étiquette remplit plusieurs fonctions.
— La première est d'un caractère légal : indiquer le responsable du vin en cas de contestation. Ce peut être un négociant ou un propriétaire-récoltant. Dans certains cas ces renseignements seront confirmés par les mentions portées au sommet de la capsule de surbouchage.
— La seconde fonction de l'étiquette est d'une extrême importance, elle fixe la catégorie à laquelle appartient le vin : vin de table, vin de pays, Appellation d'origine vin délimité de qualité supérieure ou Appellation d'origine contrôlée, ou plus brièvement, pour les deux dernières, AOVDQS et AOC, celles-ci étant assimilées dans la terminologie européenne au Vin de qualité produit dans des régions déterminées, dit VQPRD.

Appellation d'origine contrôlée
C'est la classe reine, celle de tous les grands vins. L'étiquette porte obligatoirement la mention « XXXX appellation contrôlée » ou « appellation XXXX contrôlée ». Cette mention désigne expressément une région, un ensemble de communes, une commune ou même parfois un cru (ou climat) dans lequel le vignoble est implanté. Il est sous-entendu que, pour avoir droit à l'appellation d'origine contrôlée, un vin doit avoir été élaboré suivant « les usages locaux, loyaux et constants », c'est-à-dire à partir de cépages nobles homologués plantés dans des terrains choisis, et vinifié selon les traditions régionales. Rendement à l'hectare et degré alcoolique (minimum, parfois maximum également) sont fixés par la loi. Les vins sont agréés chaque année par une commission de dégustation.
— Ces règles nationales sont complétées par l'application institutionnalisée de coutumes locales. Ainsi, en Alsace, l'appellation régionale est pratiquement toujours doublée de la mention du cépage; en Bourgogne, seuls les premiers crus peuvent être mentionnés en caractères d'imprimerie de dimension égale à ceux employés pour l'appellation communale, les climats non classés dans la première catégorie ne pouvant figurer qu'en petits caractères dont la dimension ne peut être supérieure à la moitié de celle employée pour désigner l'appellation... En outre, sur l'étiquette des grands crus ne figure pas l'origine communale, les grands crus bénéficiant d'une appellation propre.

COMMENT LIRE UNE ETIQUETTE ?

L'étiquette doit permettre l'identification du vin et de son responsable légal. Le dernier intervenant dans l'élaboration du vin est celui qui le met en bouteilles ; c'est obligatoirement son nom qui figure sur l'étiquette. Chaque dénomination catégorielle est astreinte à des règles d'étiquetage spécifiques. Le premier devoir de l'étiquette est d'informer le consommateur et d'indiquer l'appartenance du vin à l'une des quatre catégories suivantes :

– vin de table (mention d'origine, degré alcoolique, volume, nom et adresse de l'embouteilleur sont obligatoires ; le millésime, interdit) ;
– vin de pays ;
– appellation d'origine vin délimité de qualité supérieure (AOVDQS) ;
– appellation d'origine contrôlée (AOC).

degré (obligatoire)

AOC Alsace

timbre fiscal (capsule) vert

dénomination catégorielle (obligatoire)

indication du cépage (autorisée seulement en cas de cépage pur)

volume (obligatoire)

toutes mentions obligatoires

exigé pour l'exportation vers certains pays

degré (obligatoire)

AOC Bordelais

timbre fiscal vert

assimilé à une marque (facultatif)

millésime (facultatif)

classement (facultatif)

dénomination catégorielle (obligatoire)

nom et adresse de l'embouteilleur (obligatoire)

le mot « propriétaire » (facultatif) fixe le statut de l'exploitation

facultatif

volume (obligatoire)

exigé pour l'exportation vers certains pays

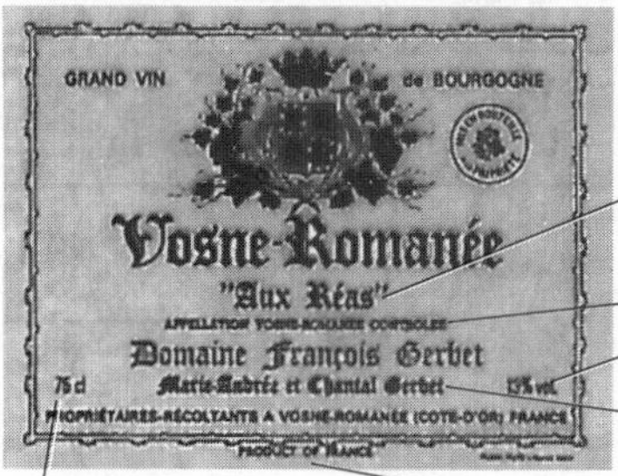

volume (obligatoire)

AOC Bourgogne

timbre fiscal vert

souvent sur une collerette, le millésime est facultatif

nom du cru (facultatif) ; la même dimension de caractères que l'appellation indique qu'il s'agit d'un 1er cru

dénomination catégorielle (obligatoire)

degré (obligatoire)

nom et adresse de l'embouteilleur (obligatoire) ; indique en outre la mise en bouteilles à la propriété, et qu'il ne s'agit pas d'un vin de négoce

exigé pour l'exportation vers certains pays

AOC Champagne

timbre fiscal vert

sans grande signification (facultatif)

obligatoire

tout champagne est AOC : la mention ne figure pas ; c'est la seule exception à la règle exigeant la mention de la dénomination catégorielle

marque et adresse (obligatoire ; sous-entendu « mis en bouteille par… »)

volume (obligatoire)

type de vin, dosage (obligatoire)

statut de l'exploitation et n° du registre professionnel (facultatif)

AOVDQS

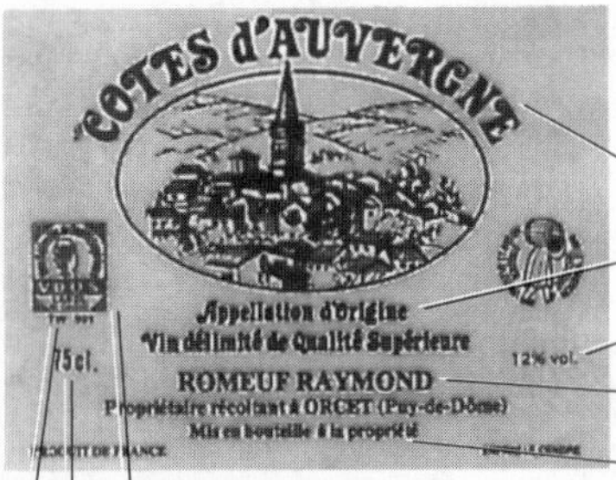

timbre fiscal vert

millésime (facultatif)

cépage (facultatif ; autorisé uniquement en cas de cépage pur)

nom de l'appellation (obligatoire)

dénomination catégorielle (obligatoire)

degré (obligatoire)

nom et adresse de l'embouteilleur (obligatoire)

mention « à la propriété » (facultatif)

vignette (obligatoire)

volume (obligatoire)

n° de contrôle (obligatoire en France)

Vins de pays

timbre fiscal bleu

vins de table, ils sont astreints aux mêmes obligations. Les mots « vin de pays » doivent être suivis de l'unité géographique (obligatoire)

« au domaine » : mention facultative

unité géographique (obligatoire)

nom et adresse de l'embouteilleur (obligatoire)

degré (obligatoire)

volume (obligatoire)

Appellation d'origine vin délimité de qualité supérieure

« Antichambre » de la classe précédente, cette catégorie est sensiblement astreinte aux mêmes règles. Les AOVDQS sont labellisés après dégustation. L'étiquette comporte obligatoirement la mention « Appellation d'origine vin délimité de qualité supérieure » et une vignette AOVDQS. Ce ne sont pas des vins de garde, mais quelques-uns d'entre eux gagnent pourtant à être encavés.

Vins de pays

L'étiquette des vins de pays précise la provenance géographique du vin. On lira donc « Vin de pays de... » suivi d'une mention régionale.

— Ces vins sont issus de cépages plus ou moins nobles dont la liste est légalement définie, et qui sont complantés dans une aire assez vaste mais néanmoins limitée. En outre, leur degré alcoolique, leur acidité, leur acidité volatile font l'objet de contrôles. Ces vins frais, fruités et gouleyants, se boivent jeunes ; il est inutile, sinon nuisible, de les encaver.

— D'autres textes, d'autres informations peuvent compléter les étiquettes. Ils ne sont pas obligatoires comme les précédents mais sont néanmoins soumis à la réglementation. Les termes clos, château, cru classé par exemple ne peuvent être employés que s'ils correspondent à un usage ancien, à une réalité. Ce que les étiquettes perdent en fantaisie, elles le gagnent en vérité; l'acheteur ne s'en plaindra pas puisqu'elles sont de plus en plus crédibles.

Millésime et mise en bouteilles

Deux mentions non obligatoires mais très importantes retiendront l'attention de l'amateur : le millésime, soit porté sur l'étiquette – c'est le cas le meilleur – soit sur une collerette collée au haut du flacon, et la précision du lieu de mise en bouteilles.

— L'amateur exigeant ne tolérera que les mises en bouteilles au (ou du) domaine, à (ou de) la propriété, au (ou du) château. Toute autre mention, c'est-à-dire toute indication n'entraînant pas un lien absolu et étroit entre le lieu exact où est vinifié le vin et celui où il est mis en bouteilles, est sans intérêt. Les formules « mis en bouteilles dans la région de production, mis en bouteilles par nos soins, mis en bouteilles dans nos chais, mis en bouteilles par xx (xx étant un intermédiaire) », pour exactes qu'elles soient, n'apportent pas la garantie d'origine que procure la « mise à la propriété ».

— Le souci des pouvoirs publics et des comités interprofessionnels a toujours été double : d'abord inciter les producteurs à améliorer la qualité, et contrôler celle-ci par la labellisation après dégustation ; ensuite faire en sorte que ce vin labellisé soit bien celui qui est vendu dans la bouteille portant le label, sans mélange, sans coupage, sans possibilité de substitution. Or, en dépit de toutes sortes de précautions, y compris la possibilité de contrôle du cheminement des vins, la meilleure garantie d'authenticité du produit demeure la mise en bouteilles à la propriété ; car un propriétaire-récoltant n'a pas le droit d'acheter du vin pour l'entreposer dans son chai, celui-ci ne devant contenir que le vin qu'il produit lui-même.

— A noter que les mises en bouteilles effectuées à la coopérative par celle-ci au bénéfice du coopérateur peuvent être qualifiées de « mise en bouteilles à la propriété ».

Les capsules

La plupart des bouteilles sont coiffées d'une capsule de surbouchage. Cette capsule porte parfois une vignette fiscale, c'est-à-dire la preuve que l'on a acquitté les droits de circulation la concernant, appelés familièrement « congé ». C'est pour cela que ces capsules sont dites « capsules congé ». Lorsque les bouteilles ne sont pas ainsi « fiscalisées », elles doivent être accompagnées d'un acquit (ou congé) délivré par la perception la plus proche (voir le chapitre « Le transport du vin », ci-dessous).

— Cette vignette permet de déterminer le statut du producteur (propriétaire ou négociant) et la région de production. Les capsules de surbouchage peuvent être fiscalisées ou non, personnalisées ou non, mais elles sont généralement l'un et l'autre.

L'étampage des bouchons

Les producteurs de vins de qualité ont éprouvé le besoin de confirmer leurs étiquettes en marquant les bouchons. Une étiquette peut se décoller alors que le bouchon demeure : c'est pour cela que l'origine du vin et le millésime y sont étampés. C'est aussi une façon de décourager les fraudeurs éventuels qui ne peuvent plus se contenter de remplacer simplement des étiquettes. Notez que pour les vins mousseux à appellation, l'indication de l'appellation sur le bouchon est obligatoire.

COMMENT ACHETER, A QUI ACHETER ?

Les circuits de distribution du vin sont complexes et variés, du plus court au plus tortueux, chacun présentant des avantages et des inconvénients. D'autre part, les modes de commercialisation du vin prennent des formes différentes selon la présentation (en vrac, en bouteilles) et sa période d'achat (en primeur).

Vins à boire, vins à encaver

L'achat de vins à boire ou de vins à encaver ne procède pas de la même démarche. A but opposé, choix opposé. Les vins destinés à la consommation immédiate seront prêts à boire, c'est-à-dire de primeur, de pays, de petite ou moyenne origine, de millésime facile à évolution rapide ou il s'agira de grands vins à leur apogée, mais introuvables ou presque, sur le marché.

— Dans tous les cas, plus encore évidemment pour les grands vins, un temps de repos de deux à quinze jours est nécessaire entre l'achat, donc le transport, et la consommation. Les vieilles bouteilles seront déplacées avec d'infinies précautions, verticalement et sans heurts, afin d'éviter tout brassage du dépôt.

— Les vins à encaver seront achetés jeunes, dans le dessein de les faire vieillir. Choisir toujours les plus grands possibles dans de grands millésimes. Toujours des vins qui non seulement résistent à l'usure du temps mais qui se bonifient avec les années.

L'achat en vrac

Est dit achat « en vrac » l'achat de vin non logé en bouteilles. L'expression achat de vin « en cercle » est réservée à l'achat en tonneaux, alors que le « vrac » peut être transporté en citernes de toute nature, du wagon de 220 hl en acier au cubitainer de plastique d'une contenance de 5 litres, en passant par la bonbonne de verre.

— La vente en vrac est pratiquée par les coopératives, par certains propriétaires, par quelques négociants, et même par des détaillants; c'est ce que l'on baptise « vin vendu à la tireuse ». Cette commercialisation concerne les vins ordinaires et de qualité moyenne. Il est rare de parvenir à acquérir un vin de haute qualité en vrac. Dans certaines régions, ce type de commercialisation est interdit ; c'est le cas pour les crus classés du Bordelais.

— Il faut prévenir l'amateur que, même lorsqu'un vigneron prétend que le vin qu'il vend en vrac est identique à celui qu'il vend en bouteilles, cela n'est pas tout à fait exact ; il sélectionne toujours les meilleures cuves pour le vin qu'il met en bouteilles lui-même.

— L'achat du vin en vrac permet cependant une économie de l'ordre de 25 %, puisqu'il est d'usage de payer au maximum pour un litre de vin le prix facturé pour une bouteille (de 0,75 l).

— L'acheteur réalise également une économie sur les frais de transport, mais doit acheter des bouchons et des bouteilles s'il n'en a pas. Il faut aussi compter les frais (peu élevés) de retour du fût si la transaction s'est faite « en cercle ».

Voici les contenances les plus usitées :

– Barrique bordelaise	225 litres
– Pièce bourguignonne	228 litres
– Pièce mâconnaise	216 litres
– Pièce de Chablis	132 litres
– Pièce champenoise	205 litres

— La mise en bouteilles, opération plaisante si on la réalise à plusieurs, ne pose pas, quoi qu'on en dise, de gros problèmes, pourvu que l'on se conforme à quelques règles élémentaires définies plus loin.

L'achat en bouteilles

L'achat en bouteilles peut se faire chez le vigneron, à la coopérative, chez le négociant et au travers des circuits de distribution habituels.

— Où l'amateur doit-il acheter pour réaliser la meilleure affaire ? Chez le propriétaire pour des vins peu ou pas diffusés, et ils sont légion; directement dans les coopératives afin d'éviter pour les petites quantités les frais d'expédition de plus en plus élevés. Dans tous les autres cas, cela est moins simple qu'il n'y paraît. Il faut se souvenir que les producteurs et les négociants sont tenus de ne pas concurrencer déloyalement leurs diffuseurs ; autrement dit, de ne pas commercialiser des bouteilles moins chères qu'eux. Ainsi nombre de châteaux bordelais, peu portés sur la vente au détail, proposent même leurs flacons à des prix supérieurs à ceux pratiqués par les détaillants, afin de dissuader les acheteurs qui s'obstinent malgré tout, par ignorance ou pour d'inexplicables raisons... D'autant plus que les revendeurs obtiennent, à la suite de commandes massives, des prix infiniment plus intéressants que le particulier qui n'achète qu'une caisse.

— Dans ces conditions, on peut émettre un principe général : les vins de domaines ou de châteaux notoires largement diffusés ne seront pas acquis sur place, sauf s'il s'agit de millésimes rares ou de cuvées spéciales.

L'achat en primeur

Cette formule de vente de vin, développée depuis quelques années par les Bordelais, a connu un joli succès au cours des années 80. Il serait d'ailleurs préférable de parler de ventes ou d'achats par souscription. Le principe est simple : acquérir un vin avant qu'il soit élevé et mis en bouteilles à un prix très inférieur à celui qu'il atteindra lorsqu'il sera livrable.

— Les souscriptions sont ouvertes pour un temps limité et pour un volume contingenté, généralement au printemps et au début de l'été qui suit les vendanges. L'acheteur verse la moitié du prix convenu à la commande et s'engage à solder sa dette à la livraison des flacons, c'est-à-dire douze à quinze mois plus tard. Ainsi le producteur touche-t-il rapidement de l'argent frais et l'acheteur peut réaliser une bonne opération lorsque les cours des vins augmentent. Ce fut le cas des années 1974-1975 jusqu'à la fin des années 80. Ce type de transaction s'apparente à ce que l'on nomme, à la Bourse, le marché à terme.

— Que se passe-t-il si les cours s'effondrent (surproduction, crise, etc.) entre le moment de la souscription et celui de la livraison ? Les souscripteurs paient leurs bouteilles plus cher que ceux qui n'ont pas souscrit. Cela s'est déjà vu, cela se revoit. A ce jeu spéculatif et dans le but d'assurer leur approvisionnement, de grands négociants se sont ruinés. Il est vrai que leur contrat était d'autant plus risqué qu'il portait sur plusieurs années.

— Lorsque tout va bien, la vente en primeur est sans doute la seule façon de payer un vin en dessous de son cours (20 à 40 % environ). Les ventes en primeur sont organisées directement par les propriétaires, mais elles sont également pratiquées par des sociétés de négoce et des clubs de vente de vin.

L'achat chez le producteur

Outre les aspects presque techniques décrits ci-dessus, la visite rendue au producteur, indispensable si son vin n'est pas (ou peu) diffusé, apporte à l'amateur des satisfactions d'une nature tout autre que la réalisation d'un bon achat. C'est par la fréquentation des producteurs, véritables pères de leur vin, que les œnophiles peuvent comprendre ce qu'est un terroir et sa spécificité, saisir ce qu'est l'art de la vinification, à savoir l'art de tirer la quintessence d'un raisin, et enfin, établir les relations étroites qui existent entre un vigneron et son vin, c'est-à-dire entre un créateur et sa création. Le « bien boire », le « mieux boire », passe par cette démarche. La fréquentation des vignerons est irremplaçable.

L'achat en cave coopérative

La qualité des vins livrés par les coopératives progresse constamment. Ces organismes sont équipés pour une commercialisation facile de vins en vrac et en bouteilles, à des prix généralement légèrement inférieurs à ceux pratiqués par les autres canaux de vente à qualité égale.

— On connaît le principe des coopératives vinicoles : les adhérents apportent leur raisin, et les responsables techniques – dont généralement un œnologue – se chargent du pressurage, de la vinification, dans certaines appellations, de l'élevage et de la commercialisation.

— La production de plusieurs types de vins donne aux coopératives la possibilité soit d'exploiter les meilleurs raisins (en les isolant) soit de donner sa chance à tel ou tel terroir par des vinifications séparées. Des systèmes de primes accordées aux raisins nobles et aux raisins les plus mûrs, la possibilité d'élaborer et de commercialiser des vins selon la qualité spécifique de chaque livraison de raisin ouvrent aux meilleures coopératives le secteur des vins de qualité voire de garde. Les autres demeurent fournisseurs de vins de table et de vins de pays qui ne gagnent rien à une garde prolongée en cave.

L'achat chez le négociant

Le négociant, par définition, achète des vins pour les revendre. En outre, il est souvent lui-même propriétaire de vignobles. Il peut donc agir en producteur et commercialiser sa production, il peut vendre le vin de producteurs indépendants sans autre intervention que le transfert – cas des négociants bordelais qui ont à leur catalogue des vins mis en bouteilles au château ; il peut même signer un contrat de monopole de vente avec une unité de production. Il peut être négociant-éleveur, c'est-à-dire élever des vins dans ses chais en assemblant des vins de même appellation fournis par divers producteurs ; il devient alors créateur du produit à double titre : par le choix de ses achats et par l'assemblage qu'il exécute. Les négociants sont installés dans les grandes zones viticoles, mais bien entendu, rien n'empêche un négociant bourguignon de commercialiser du vin de Bordeaux – ou inversement. Le propre d'un négociant est de diffuser, donc d'alimenter les réseaux de vente de détail qu'il ne doit pas concurrencer en vendant chez lui ses vins à des prix très inférieurs.

L'achat aux cavistes et aux détaillants

C'est l'achat le plus facile et le plus rapide, le plus sûr également lorsque le caviste est qualifié ; depuis quelques années, nombre de boutiques spécialisées dans la vente de vins de qualité ont vu le jour. Qu'est-ce qu'un bon caviste ? Celui qui est équipé pour entreposer les vins dans de bonnes conditions, mais aussi celui qui sait choisir des vins originaux de producteurs amoureux de leur métier. En outre, le bon détaillant, le bon caviste saura conseiller l'acheteur, lui faire découvrir des vins que celui-ci ignore et l'inciter à marier mets et vins pour valoriser les uns et les autres.

Les grandes surfaces

Acheter des vins de qualité en grande surface est devenu pratique courante, alors que c'était exceptionnel dans les années 1970. Parfois, ce type de commerce présente des déficiences dans la présentation : chaleur, lumière crue des néons, bouteilles rangées à la verticale. Heureusement, ces lacunes deviennent de plus en plus rares. Aujourd'hui, nombre d'établissements possèdent un rayon spécialisé bien équipé, où les bouteilles sont couchées et classées par appellation. L'amateur trouve dans les grandes surfaces non seulement des vins courants, mais aussi des crus prestigieux. Seuls les appellations confidentielles et les vins de petites propriétés sont moins représentés. Contrairement à une idée assez répandue, il peut être très avantageux d'acheter une bouteille prestigieuse en grande surface.

Les clubs

Quantité de flacons, livrés en cartons ou en caisses, arrivent directement chez l'amateur grâce à l'activité de clubs qui offrent à leurs adhérents un certain nombre d'avantages, à commencer par le service de revues sérieuses et informées. Les vins proposés sont sélectionnés par des œnologues et des personnalités connues et compétentes. Le choix

bordeaux

champagne

bourgogne

alsace

côtes du rhône

« clavelin » (jura)

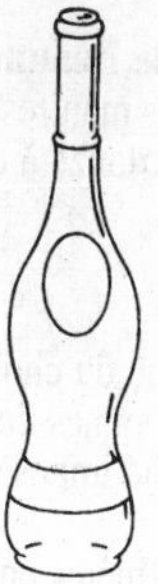

provence

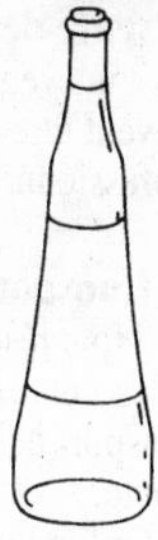

bourgogne

bordeaux

champagne

alsace

« INAO »

la série des impitoyables

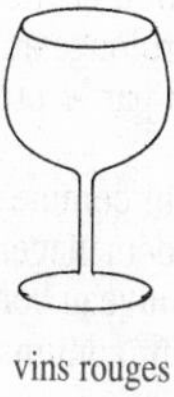

vins rouges

effervescents

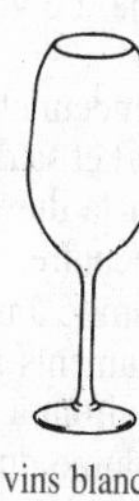

vins blancs

rouges jeunes et rosés

rouges vieux

est assez vaste et comporte parfois des vins peu courants. Il faut toutefois noter que beaucoup de « clubs » sont des négociants.

Les ventes aux enchères

De plus en plus à la mode et de plus en plus fréquentées, ces ventes sont organisées par des commissaires-priseurs assistés d'un expert. Il est de la première importance de connaître l'origine des bouteilles. Si elles proviennent d'un grand restaurant ou de la riche cave d'un amateur qui s'en dessaisit (renouvellement d'une cave, succession, etc.), il est probable que leur conservation est parfaite. Si elles constituent un regroupement de petits lots divers, rien ne prouve que leur garde ait été satisfaisante.

— Seule la couleur du vin peut renseigner l'acheteur. L'amateur averti ne surenchérira jamais lorsque se présentent des bouteilles dont le niveau n'est pas parfait, ni lorsque la teinte des vins blancs vire au bronze plus ou moins foncé ou que la robe des vins rouges est visiblement « usée ».

— Il est rare de pouvoir réaliser de bonnes affaires dans les grandes appellations qui intéressent des restaurateurs pour meubler leur carte ; en revanche, les appellations marginales moins recherchées par les professionnels sont parfois très abordables.

La vente des Hospices de Beaune et autres similaires

Les vins vendus lors de ces manifestations à but charitable sont logés en pièces (fûts) et doivent être élevés durant douze à quatorze mois. Ils sont donc réservés de ce fait aux professionnels.

Le transport du vin

Une fois résolu le problème du choix des vins, et sachant que l'on pourra les accueillir et les conserver dans de bonnes conditions (voir plus loin), il faut les transporter. Le transport des vins de qualité impose quelques précautions et obéit à une réglementation stricte.

— Qu'on le transporte soi-même en voiture ou qu'on use des services d'un transporteur, le gros de l'été et le cœur de l'hiver ne sont pas favorables au voyage du vin. Il faut préserver le vin des températures extrêmes, surtout des températures élevées qui ne l'affectent pas temporairement mais définitivement, quelle que soit la période de repos (même des années...) qu'on lui accorde ultérieurement, quels que soient sa couleur, son type et son origine.

— Arrivé à domicile, on déposera tout de suite les bouteilles en cave. Si l'on a acquis du vin en vrac, on entreposera les récipients directement au lieu de la mise en bouteilles, en cave si la place le permet, afin de n'avoir plus à les déplacer. Les cubitainers seront déposés à 80 cm du sol (la hauteur d'une table), les fûts à 30 cm, pour permettre de tirer le vin jusqu'à la dernière goutte sans modifier sa position, ce qui est essentiel.

La réglementation du transport des vins en France

Le transport des boissons alcoolisées est soumis à un régime particulier et fait l'objet de taxes fiscales matérialisées par un document d'accompagnement qui peut prendre deux formes : soit la *capsule fiscalisée*, ou *capsule congé*, apposée au sommet de chaque bouteille, soit un congé délivré par la recette-perception proche du point de vente ou par le vigneron s'il dispose d'un carnet à souche. Le vin en vrac doit toujours être accompagné du congé le concernant.

— Sur ce document figurent le nom du vendeur et le cru, le volume et le nombre de récipients, le destinataire, le mode de transport et sa durée. Si le voyage se prolonge au-delà de ce qui est prévu, il faut faire modifier la durée de validité du congé par le premier bureau de recette-perception que l'on rencontre.

— Transporter du vin sans congé est assimilé à une fraude fiscale et puni comme telle. Il est recommandé de conserver ces documents fiscaux, car en cas de déménagement, donc de nouveau transport du vin, ils serviront à l'établissement d'un nouveau congé.

— La taxation est proportionnelle au volume du vin et à son classement administratif limité à deux catégories: vin de table et vin d'appellation.

L'exportation du vin

Le vin comme tout ce qui est produit ou manufacturé en France subit un certain nombre de taxes. Lorsque ces matières ou objets sont exportés, il est possible d'en obtenir l'exemption ou le remboursement. Dans le cas du vin, cette exonération porte sur la TVA et la taxe de circulation (mais pas sur la taxe parafiscale destinée au Fonds national de développement agricole). Lorsqu'un voyageur veut bénéficier de la détaxe à l'exportation, il faut que le vin qu'il achète soit accompagné de son titre de mouvement (N° 8102 vert pour les vins d'appellation, N° 8101 bleu pour les vins de table) qui sera « déchargé » par le bureau de douane qui constate la sortie de la marchandise. Si les bouteilles sont tributaires de *capsules congé* (vignette fiscale), leur détaxation est impossible ; il convient donc, au moment de l'achat, de préciser au vendeur que l'on entend exporter son acquisition et bénéficier de détaxation. Il est prudent de se renseigner sur les conditions d'importation des vins et alcools dans le pays d'accueil, chacun d'entre eux ayant sa propre réglementation, qui s'étend de la taxation douanière au contingentement, voire à l'interdiction pure et simple.

CONSERVER SON VIN

Constituer une bonne cave tient du casse-tête chinois ; aux principes énoncés jusqu'ici s'ajoutent en effet des exigences subtiles... Il convient ainsi de tenter d'acquérir des vins de même usage et de même style, mais dont les évolutions ne seront pas semblables, afin qu'ils n'atteignent pas tous en même temps leur apogée. On tentera de trouver des vins dont la période d'apogée soit la plus étendue possible, afin de n'être pas tenu de les consommer tous dans un bref laps de temps. On panachera le plus possible, pour ne pas être contraint à boire toujours les mêmes vins, fussent-ils les meilleurs, et pouvoir les adapter à toutes les circonstances de la vie et à toutes les préparations culinaires. Enfin, on ne peut échapper à deux paramètres qui conditionnent l'application de tous les principes : le budget dont on dispose et la capacité de sa cave.

— Une bonne cave est un lieu clos, sombre, à l'abri des trépidations et du bruit, exempte de toutes odeurs, protégée des courants d'air mais néanmoins ventilée, ni trop sèche ni trop humide, d'un degré hygrométrique de 75%, et surtout d'une température stable la plus proche possible de 11 °C.

— Les caves citadines réunissent rarement de telles caractéristiques. Il faut donc, avant d'encaver du vin, tenter d'améliorer le local ; établir une légère aération ou au contraire obstruer un soupirail trop ouvert ; humidifier l'atmosphère en déposant une bassine d'eau contenant un peu de charbon de bois ou l'assécher par du gravier et en augmentant la ventilation ; tenter de stabiliser la température par des panneaux isolants ; éventuellement, monter les casiers sur des blocs caoutchouc pour neutraliser les vibrations. Si une chaudière se trouve à proximité, si des odeurs de mazout se répandent, il n'y a pas grand-chose à espérer.

— Il se peut que l'on n'ait pas de cave ou qu'elle soit inutilisable. Deux solutions sont possibles : acheter une « cave d'appartement », c'est-à-dire une unité de stockage de vin, d'une capacité de 50 à 500 bouteilles, dont température et hygrométrie sont automatiquement maintenues ; ou encore construire de toutes pièces, en retrait dans son appartement, un lieu de stockage dont la température se modifie sans à-coups et ne dépasse pas, si possible, 16 °C, tout en se souvenant que plus la température est élevée, plus le vin évolue rapidement. Il faut se garder d'une erreur commune : ce n'est pas parce qu'un vin atteint rapidement son apogée dans de mauvaises conditions de garde qu'il peut rivaliser avec le niveau de qualité qu'il aurait atteint lentement dans une bonne cave fraîche. On s'abstiendra donc de faire vieillir de très grands vins à évolution lente dans une cave ou un local trop chaud. Il appartient aux amateurs de moduler leurs achats et le plan d'encavement en fonction des conditions particulières imposées par les locaux dont ils disposent.

Une bonne cave : son aménagement

L'expérience prouve qu'une cave est toujours trop petite. Le rangement des bouteilles doit être rationnellement organisé. Le casier à bouteilles, à un ou deux rangs, offre bien des avantages : il est peu coûteux, installé immédiatement, et donne accès aisément à l'ensemble des flacons encavés. Malheureusement, il est volumineux au regard du nombre de bouteilles logées. Pour gagner de la place, une seule méthode : l'empilement des bouteilles. Afin de séparer les piles pour avoir accès aux différents vins, il faut construire ou faire construire – ce n'est pas compliqué – des casiers en parpaings pouvant contenir 24, 36 ou 48 bouteilles en pile, sur deux rangs.

Si la cave le permet, si le bois ne pourrit pas, il est possible d'élever des casiers en planches. Il faudra alors les surveiller car ils peuvent donner asile aux insectes qui attaquent les bouchons.

Deux appareils compléteront l'aménagement de la cave : un thermomètre à maxima et minima, et un hygromètre. Des relevés réguliers permettront de corriger les défauts détectés et de jauger les facultés de bonification apportées par le vieillissement en cave.

La mise en bouteilles

Si le vin à mettre en bouteilles a été transporté en cubitainer, il doit être mis en bouteilles très rapidement ; s'il a voyagé dans un tonneau, il faut – c'est impératif – le laisser reposer une quinzaine de jours avant de le loger dans les flacons. Cette donnée théorique doit être tempérée par les conditions atmosphériques régnant le jour choisi pour la mise en bouteilles. Il convient que le temps soit clément, un jour de haute pression, un jour sans pluie ni orage. Dans la pratique, l'amateur composera entre ce principe et ses obligations personnelles. En revanche, il ne composera aucunement avec le matériel nécessaire. Tout d'abord, des bouteilles adaptées au type de vin. Sans tomber dans le purisme, il réunira des bouteilles bordelaises pour tous les vins du Sud-Ouest et peut-être du Midi, et réservera celles de type bourgogne pour le Sud-Est, le Beaujolais et la Bourgogne, sachant qu'il existe également d'autres bouteilles régionales réservées à certaines appellations.

Si l'on range les bouteilles en pile, on prendra garde au fait que, tant bordelaises que bourguignonnes, elles existent en versions plus ou moins légères (bouteilles à fond plat ou presque plat) et en version lourde. Outre le poids, hauteur et diamètre différencient ces deux catégories de bouteilles.

Elles sont toutes également aptes à garder le vin, mais les plus légères sont moins aptes à la mise en stockage en pile pour la conservation de longue durée. De plus, ces dernières peuvent, lorsqu'elles sont trop remplies, éclater quand on enfonce énergiquement le bouchon.

D'une façon générale, mieux vaut user de bouteilles lourdes. Il est presque incongru d'embouteiller un grand vin dans du verre léger, de même qu'on s'abstiendra de loger un vin rouge dans des bouteilles blanches, c'est-à-dire incolores. L'usage veut qu'on réserve ces dernières à certains vins blancs, « pour voir leur robe », dit-on. Les vins blancs étant particulièrement sensibles à la lumière, cet usage est à proscrire. Cette sensibilité à la lumière est si grande que les maisons de champagne qui proposent des vins en bouteilles blanches (incolores) les protègent toujours par un papier opaque ou un carton.

Quel que soit le type de bouteilles choisi, on vérifiera avant la mise que l'on dispose bien du nombre suffisant de bouteilles et de bouchons, puisqu'une fois l'opération engagée, elle doit être achevée rapidement. On ne peut laisser le fût ou le cubitainer « en vidange » ; ce qui aurait pour effet d'oxyder le vin restant, voire de lui infliger une acescence qui le rendrait impropre à toute consommation. On veillera également à la rigoureuse propreté des bouteilles qui doivent être parfaitement rincées et séchées.

Les bouchons

En dépit de nombreuses recherches, le liège demeure le seul matériau apte à obturer les bouteilles. Les bouchons de liège ne sont pas tous identiques; ils diffèrent en diamètre, en longueur et en qualité.

— Dans tous les cas, le diamètre du bouchon sera supérieur de 6 mm à celui du goulot.

— Meilleur est le vin, plus long sera le bouchon ; à la fois nécessaire à une longue garde et hommage rendu au vin et à ceux qui le boivent.

— La qualité du liège est plus difficile à déceler. Il faut qu'il ait une dizaine d'années pour avoir toute la souplesse désirée. Les beaux bouchons ne présentent pas ou peu de ces petites fissures que l'on obstrue parfois avec de la poudre de liège ; dans ce cas, les bouchons sont dits « améliorés ». On peut également acheter des bouchons étampés (ou les faire étamper), portant le millésime du vin à embouteiller.

— Aujourd'hui on vend des bouchons prêts à l'emploi, stérilisés à l'ozone, proposés en emballages stériles. On ne les humidifie plus. Désormais, on bouche « à sec ». L'avantage de cette méthode a été démontré.

Le vin dans la bouteille

La tireuse est l'appareil idéal pour remplir la bouteille. Des tireuses à amorçage et à vanne commandée par contact avec la bouteille se vendent dans les grandes surfaces à des prix très modiques.

On veillera à faire couler le vin le long de la paroi de la bouteille, maintenue légèrement oblique, afin de limiter le brassage et l'oxydation. Cette précaution est encore plus nécessaire pour les vins blancs. En aucun cas une écume ne doit apparaître à la surface du liquide. Les bouteilles seront remplies le plus possible afin que le bouchon soit en contact avec le vin (bouteille verticale). Le bouchon sera introduit dans la bouteille à l'aide d'une boucheuse, qui le comprimera latéralement avant l'introduction. Il existe une vaste gamme d'appareils, à tous les prix, destinés à cet usage.

L'étiquette

On préparera de la colle de tapissier ou un mélange d'eau et de farine, ou, encore plus simplement, on humectera les étiquettes avec du lait pour les coller sur le bas de la bouteille, à 3 cm de son pied.

— Les perfectionnistes habillent le goulot de capsules préformées posées grâce à un petit appareil manuel, ou cirent les goulots en les trempant dans de la cire de couleur fondue achetée chez le marchand de bouchons.

Le vin en cave

Le rangement des bouteilles en cave est un casse-tête, car l'œnophile ne dispose jamais de toute la place souhaitée. Dans la mesure du possible, on respectera les principes suivants : les vins blancs près du sol ; les vins rouges au-dessus ; les vins de garde dans les rangées (ou casiers) du fond, les moins accessibles ; les bouteilles à boire, en situation frontale.

— Les flacons achetés ou livrés en carton ne doivent pas demeurer dans ce type d'emballage, contrairement à ceux livrés en caisse de bois. Ceux qui envisagent de revendre leur vin le laisseront en caisse, les autres s'en abstiendront pour deux raisons : elles occupent beaucoup de place et sont la proie favorite des pilleurs de caves. Dans tous les cas, un système de notation (algébrique par exemple) permettra de repérer casiers et bouteilles. Ces notations seront exploitées dans l'auxiliaire le plus utile de la cave : le livre de cave.

Trois propositions de cave

Chacun garnit sa cave selon ses goûts. Les ensembles décrits ne sont que des propositions à interpréter. La recherche de la diversité en est le fil conducteur. Les vins de primeur, les vins qui ne gagnent rien à être encavés ne figurent pas dans ces suggestions. Plus le nombre de bouteilles est restreint, plus leur renouvellement sera surveillé. Les valeurs indiquées entre parenthèses ne sont bien sûr que des ordres de grandeur.

CAVE DE 50 BOUTEILLES (4 000 FRANCS)

25 bouteilles de bordeaux	17 rouges (graves, saint-émilion, médoc, pomerol, fronsac) 8 blancs : 5 secs (graves) 3 liquoreux (sauternes-barsac)
20 bouteilles de bourgogne	12 rouges (crus de la Côte de Nuits, crus de la Côte de Beaune) 8 blancs (chablis, meursault, puligny)
10 bouteilles vallée du Rhône	7 rouges (côte-rôtie, hermitage, châteauneuf-du-pape) 3 blancs (hermitage, condrieu)

CAVE DE 150 BOUTEILLES (ENVIRON 13 000 FRANCS)

Région		Rouge	Blanc
40 Bordeaux	30 rouges 10 blancs	Fronsac Pomerol Saint-Émilion Graves Médoc (crus classés crus bourgeois)	5 grands secs 5 { Sainte-Croix-du-Mont Sauternes-Barsac
30 Bourgogne	15 rouges 15 blancs	crus de la Côte de Nuits crus de la Côte de Beaune vins de la Côte chalonnaise	Chablis Meursault Puligny-Montrachet
25 Vallée du Rhône	19 rouges 6 blancs	Côte-rôtie Hermitage rouge Cornas Saint-Joseph Châteauneuf-du-Pape Gigondas Côtes-du-Rhône Villages	Condrieu Hermitage blanc Chateauneuf-du-Pape blanc
15 Vallée de la Loire	8 rouges 7 blancs	Bourgueil Chinon Saumur-Champigny	Pouilly Fumé Vouvray Coteaux du Layon
10 Sud-Ouest	7 rouges 3 blancs	Madiran Cahors	Jurançon (secs et doux)
8 Sud-Est	6 rouges 2 blancs	Bandol Palette rouge	Cassis Palette blanc
7 Alsace	(blancs)		Gewurztraminer Riesling Tokay
5 Jura	(blancs)		Vins jaunes Côtes du Jura-Arbois
10 Champagnes et mousseux (pour en avoir à disposition : ces vins ne se bonifiant pas en vieillissant).			Crémant de { Loire Bourgogne Alsace Divers types de champagnes

CAVE DE 300 BOUTEILLES

La création d'une telle cave suppose un investissement d'environ 25 000 francs. On doublera les chiffres de la cave de 150 bouteilles, en se souvenant que plus le nombre de flacons augmente, plus la longévité des vins doit être grande. Ce qui se traduit malheureusement (en général) par l'obligation d'acquérir des vins de prix élevé…

Le livre de cave
C'est la mémoire, le guide et le « juge de paix » de l'œnophile. On doit y trouver les renseignements suivants : date d'entrée, nombre de bouteilles de chaque cru, identification précise, prix, apogée présumé, localisation dans la cave ; et, éventuellement, l'accord avec le plat idéal et un commentaire de dégustation.

L'ART DE BOIRE

Si boire est une nécessité physiologique, boire du vin est un plaisir... ce plaisir peut être plus ou moins intense selon le vin, selon les conditions de dégustation, selon la sensibilité du dégustateur.

La dégustation
Il existe plusieurs types de dégustation, adaptés à des finalités particulières : dégustation technique, analytique, comparative, triangulaire, etc., en usage chez les professionnels. L'œnophile, lui, pratique la dégustation hédoniste, celle qui lui permet de tirer la quintessence d'un vin, mais aussi de pouvoir en parler tout en contribuant à développer l'acuité de son nez et de son palais.
— La dégustation, et plus généralement la consommation d'un vin, ne saurait se faire n'importe où et n'importe comment. Les locaux doivent être agréables, bien éclairés (lumière naturelle ou éclairage ne modifiant pas les couleurs, dit « lumière du jour »), de couleur claire de préférence, exempts de toutes odeurs parasites telles que parfum, fumée (tabac ou cheminée), odeurs de cuisine ou de bouquets de fleurs, etc. La température doit être moyenne (18 à 20 °C).
— Le choix d'un verre adéquat est extrêmement important. Il doit être incolore afin que la robe du vin soit bien visible, et si possible fin ; sa forme sera celle d'une fleur de tulipe, c'est-à-dire ne s'évasant pas comme c'est souvent le cas, mais au contraire se refermant légèrement. Le corps du verre doit être séparé du pied par une tige. Cette disposition évite de chauffer le vin lorsqu'on tient le verre à la main (par son pied) et facilite sa mise en rotation, opération destinée à activer son oxygénation (et même son oxydation) et à exhaler son bouquet.
— La forme du verre est si importante et a une telle influence sur l'appréciation olfactive et gustative du vin, que l'Association française de normalisation (AFNOR) et les instances internationales de normalisation (ISO) ont adopté, après étude, un verre qui offre toutes garanties d'efficacité au dégustateur et au consommateur; ce type de verre, appelé communément « verre INAO » n'est pas réservé aux professionnels. Il est en vente dans quelques maisons spécialisées. Depuis quelques années, les verriers français, allemands et autrichiens proposent un vaste choix de verres tout à fait remarquables.

Technique de la dégustation
La dégustation fait appel à la vue, à l'odorat, au goût et au sens tactile, non par l'intermédiaire des doigts bien sûr, mais par l'entremise de la bouche, sensible aux effets « mécaniques » du vin – température, consistance, gaz dissous, etc.

L'ŒIL
Par l'œil, le consommateur prend un premier contact avec le vin. L'examen de la robe (ensemble des caractères visuels), marquée en outre par le cépage d'origine, est riche d'enseignement. C'est un premier test. Quelles que soient sa couleur et sa teinte, le vin doit être limpide, sans trouble. Des traînées ou des brouillards sont signes de maladies, le vin doit être rejeté. Seuls sont admissibles de petits cristaux de bitartrates (insolubles) : la gravelle, précipitation dont sont atteints les vins victimes d'un coup de froid ; leur

qualité n'en est pas altérée. L'examen de la limpidité se pratique en interposant le verre entre l'œil et une source lumineuse placée si possible à même hauteur ; la transparence (vin rouge), elle, est déterminée en examinant le vin sur un fond blanc, nappe ou feuille de papier ; cet examen implique que l'on incline son verre. Le disque (la surface) devient elliptique et son observation informe sur l'âge du vin et sur son état de conservation ; on examine alors la nuance de la robe. Tous les vins jeunes doivent être transparents, ce qui n'est pas toujours le cas des vins vieux de qualité.

Vin	Nuance de la robe	Déduction
Blanc	Presque incolore	Très jeune, très protégé de l'oxydation Vinification moderne en cuve
	Jaune très clair à reflets verts	Jeune à très jeune. Vinifié et élevé en cuve
	Jaune paille, jaune or	La maturité. Peut-être élevé dans le bois
	Or cuivre, or bronze	Déjà vieux
	Ambré à noir	Oxydé, trop vieux
Rosé	Blanc taché, œil-de-perdrix à reflets rosés	Rosé de pressurage et vin gris jeune
	Rose saumon à rouge très clair franc	Rosé jeune et fruité à boire
	Rose avec nuance jaune à pelure d'oignon	Commence à être vieux pour son type
Rouge	Violacé	Très jeune. Bonne teinte de gamay de primeur et des beaujolais nouveaux (6 à 18 mois)
	Rouge pur (cerise)	Ni jeune ni évolué. L'apogée pour les vins qui ne sont ni primeurs ni de garde (2-3 ans)
	Rouge à franges orangées	Maturité de vin de petite garde. Début de vieillissement (3-7 ans)
	Rouge brun à brun	Seuls les grands vins atteignent leur apogée vêtus de cette robe. Pour les autres, il est trop tard

— L'examen visuel s'intéresse encore à l'éclat, ou brillance, du vin. Un vin qui a de l'éclat est gai, vif ; un vin terne est probablement triste... Cette inspection visuelle de la robe s'achève par l'intensité de la couleur, qu'on se gardera de confondre avec la nuance (le ton) de celle-ci.

— C'est l'intensité de la robe des vins rouges, la plus facilement perceptible, qui « parle » le plus.

Vin	Nuance de la robe	Déduction
Robe trop claire	Manque d'extraction Année pluvieuse Rendement excessif Vignes jeunes Raisins insuffisamment mûrs Raisins pourris Cuvaison trop courte Fermentation à basse température	Vins légers et de faible garde Vins de petits millésimes
Robe foncée	Bonne extraction Rendement faible Vieilles vignes Vinification réussie	Bons ou grands vins Bel avenir

— C'est encore l'œil qui découvre les « jambes » ou les « larmes », écoulements que le vin forme sur la paroi du verre quand on l'anime d'un mouvement rotatif pour humer le bouquet du vin (voir ci-après) ; celles-ci rendent compte du degré alcoolique : le cognac en produit toujours, les vins de pays rarement.

Exemple de vocabulaire se rapportant à l'examen visuel :

Nuances : pourpre, grenat, rubis, violet, cerise, pivoine.
Intensité : légère, soutenue, foncée, profonde, intense.
Éclat : mat, terne, triste, éclatant, brillant.
Limpidité et transparence : opaque, louche, voilée, cristalline, parfaite.

LE NEZ

L'examen olfactif est la deuxième épreuve que le vin dégusté doit subir. Certaines odeurs sont éliminatoires, telles l'acidité volatile (acescence, vinaigre), l'odeur du liège (goût de bouchon) ; mais dans la plupart des cas, le bouquet du vin – l'ensemble des odeurs se dégageant du verre – procure des découvertes toujours renouvelées.

— Les composants aromatiques du bouquet s'expriment selon leur volatilité. C'est en quelque sorte une évaporation du vin, et c'est pour cela que la température de service est si importante. Trop froid, pas de bouquet ; trop chaud, vaporisation trop rapide, combinaison, oxydation, destruction des parfums très volatils, et extraction d'éléments aromatiques lourds anormaux.

— Le bouquet du vin rassemble donc un faisceau de parfums en mouvance permanente ; ils se présentent successivement selon la température et l'oxydation. C'est pour cela que le maniement du verre est important. On commencera par humer ce qui se dégage du verre immobile, puis on imprimera au vin un mouvement de rotation : l'air fait alors son effet et d'autres parfums apparaissent.

— La qualité d'un vin est fonction de l'intensité et de la complexité du bouquet. Les petits vins n'offrent que peu – ou pas – de bouquet ; simplistes, monocordes, ils se décrivent en un mot. Au contraire, les grands vins se caractérisent par des bouquets amples, profonds, dont la complexité se renouvelle constamment.

— Le vocabulaire relatif au bouquet est infini, car il ne procède que par analogie. Divers systèmes de classification des parfums ont été proposés ; pour simplifier, retenons ceux qui présentent un caractère floral, fruité, végétal (ou herbacé), épicé, balsamique, animal, boisé, empyreumatique (en référence au feu), chimique.

Exemple de vocabulaire se rapportant à l'examen olfactif :

Fleurs : violette, tilleul, jasmin, sureau, acacia, iris, pivoine.
Fruits : framboise, cassis, cerise, griotte, groseille, abricot, pomme, banane, pruneau.
Végétal : herbacé, fougère, mousse, sous-bois, terre humide, crayeux, champignons divers.
Épicé : toutes les épices, du poivre au gingembre en passant par le clou de girofle et la muscade.
Balsamique : résine, pin, térébinthe.
Animal : viande, viande faisandée, gibier, fauve, musc, fourrure.
Empyreumatique : brûlé, grillé, pain grillé, tabac, foin séché, tous les arômes de torréfaction (café, etc.).

LA BOUCHE

Après avoir triomphé des deux épreuves de l'œil et du nez, le vin subit un dernier examen « en bouche ».

Une faible quantité de vin est mise en bouche, où on le garde. Un filet d'air est aspiré afin de permettre sa diffusion dans l'ensemble de la cavité buccale. A défaut, il est simplement mâché. Dans la bouche, le vin s'échauffe, il diffuse de nouveaux éléments aromatiques recueillis par voie rétronasale, étant entendu que les papilles de la langue ne sont sensibles qu'aux quatre saveurs élémentaires : amer, acide, sucré et salé ; voilà pourquoi une personne enrhumée ne peut goûter un vin (ou un aliment), la voie rétronasale étant alors inopérante.

— Outre les quatre saveurs précisées ci-dessus, la bouche est sensible à la température du vin, à sa viscosité, à la présence – ou à l'absence – de gaz carbonique et à l'astringence (effet tactile : absence de lubrification par la salive et contraction des muqueuses sous l'action des tanins).

— C'est en bouche que se révèlent l'équilibre, l'harmonie ou, au contraire, le caractère de vins mal bâtis qui ne doivent pas être achetés.

Les vins blancs, gris et rosés se caractérisent par un bon équilibre entre acidité et moelleux.

Trop d'acidité : le vin est agressif ; pas assez, il est plat.
Trop de moelleux : le vin est lourd, épais ; pas assez, il est mince, terne.

Pour les vins rouges, l'équilibre tient compte de l'acidité, du moelleux et des tanins.

Excès d'acidité :	vin trop nerveux, souvent maigre.
Excès de tanins :	vin dur, astringent.
Excès de moelleux (rare) :	vin lourd.
Carence en acidité :	vin mou.
Carence en tanins :	vin sans charpente, informe.
Carence en moelleux :	vin qui sèche.

Un bon vin se situe au point d'équilibre des trois composantes ci-dessus. Ces éléments supportent sa richesse aromatique ; un grand vin se distingue d'un bon vin par sa construction rigoureuse et puissante, quoique fondue, et par son ampleur dans la complexité aromatique.

Exemple de vocabulaire relatif au vin en bouche :

Critique : informe, mou, plat, mince, aqueux, limité, transparent, pauvre, lourd, massif, grossier, épais, déséquilibré.
Laudatif : structuré, construit, charpenté, équilibré, corpulent, complet, élégant, fin, qui a du grain, riche.

Après cette analyse en bouche, le vin est avalé. L'œnophile se concentre alors pour mesurer sa persistance aromatique, familièrement appelée « longueur en bouche ». Cette estimation s'exprime en caudalies, unité savante valant tout simplement... une seconde. Plus un vin est long, plus il est estimable. Cette longueur en bouche, à elle seule, permet de hiérarchiser les vins, du plus petit au plus grand.

— Cette mesure en secondes est à la fois très simple et très compliquée ; elle ne porte que sur la longueur aromatique, à l'exclusion des éléments de structure du vin (acidité, amertume, sucre et alcool) qui ne doivent pas être perçus comme tels.

L'identification d'un vin

La dégustation, comme la consommation, est appréciative. Il s'agit de goûter pleinement un vin et de déterminer s'il est grand, moyen ou petit. Très souvent, il est question de savoir s'il est conforme à son type ; mais encore faut-il que son origine soit précisée.

— La dégustation d'identification, c'est-à-dire de reconnaissance, est un sport, un jeu de société ; mais c'est un jeu injouable sans un minimum d'informations. On peut reconnaître un cépage, par exemple un cabernet-sauvignon. Mais est-ce un cabernet-sauvignon d'Italie, du Languedoc, de Californie, du Chili, d'Argentine, d'Australie ou d'Afrique du Sud ? Si l'on se limite à la France, l'identification des grandes régions est possible ; mais lorsqu'on veut être plus précis, d'ardus problèmes surviennent : si l'on propose six verres de vin en précisant qu'ils représentent les six appellations du Médoc (listrac, moulis, margaux, saint-julien, pauillac, saint-estèphe), combien y aura-t-il de sans fautes ?

— Une expérience classique que chacun peut renouveler prouve la difficulté de la dégustation : le dégustateur, les yeux bandés, goûte en ordre dispersé des vins rouges peu tanniques et des vins blancs non aromatiques, de préférence élevés dans le bois. Il doit simplement distinguer le blanc du rouge (et inversement) : il est très rare qu'il ne se trompe pas ! Paradoxalement, il est beaucoup plus facile de reconnaître un vin très typé dont on a encore en tête et en bouche le souvenir ; mais combien a-t-on de chances que le vin proposé soit justement celui-là ?

Déguster pour acheter

Lorsque l'on se rend dans le vignoble et que l'on a l'intention d'acheter du vin, il faut choisir, donc déguster. Il s'agit alors de pratiquer des dégustations appréciatives et comparatives. La dégustation comparative de deux ou trois vins est facile ; elle se complique dès que l'on fait interférer le prix des vins. Dans un budget fixe – ils le sont malheureusement tous – certains achats sont facilement éliminés. Cette dégustation se complique davantage si l'on tient compte de l'usage des vins, de leur mariage avec des mets. Deviner ce que l'on mangera dans dix ans, et par conséquent acheter aujourd'hui le vin nécessaire à cette occasion-là, tient du tour de magie... La dégustation comparative, simple et facile dans son principe, devient extrêmement délicate, puisque l'acheteur doit présumer de l'évolution de divers vins, et supputer leur période d'apogée. Les vignerons eux-mêmes se trompent parfois lorsqu'ils tentent d'imaginer l'avenir de leur vin. On a vu certains d'entre eux racheter leur propre vin qu'ils avaient bradé, car ils avaient estimé faussement que leur bonification était compromise...

— Quelques principes peuvent néanmoins fournir des éléments d'appréciation. Pour se bonifier, les vins doivent être solidement construits. Ils doivent avoir un degré alcoolique suffisant, et l'ont en fait toujours : la chaptalisation (ajout de sucre réglementé par la loi) y contribue si nécessaire ; il faut donc porter son attention ailleurs, sur l'acidité et les tanins. Un vin trop souple, qui peut être cependant très agréable, dont l'acidité est faible, voire trop faible, sera fragile, et sa longévité ne sera pas assurée. Un vin faible en tanins n'aura guère plus d'avenir. Dans le premier cas, le raisin aura souffert d'un excès de soleil et de chaleur, dans le second, d'un manque de maturité, d'attaques de pourriture ou encore d'une vinification inadaptée.

— Ces deux constituants du vin, acidité et tanins, se mesurent : l'acidité s'évalue en équivalence d'acide sulfurique – en grammes par litre, à moins que l'on préfère le pH –, et les tanins, selon l'indice de Folain, mais il s'agit là d'un travail de laboratoire.

— L'avenir d'un vin qui ne comporte pas au moins 3 grammes d'acidité n'est pas assuré ; quant à l'estimation du seuil de tanin en dessous duquel la longue garde est problématique, elle n'est pas rigoureuse. Cependant, la connaissance de cet indice est utile, car des tanins très mûrs, doux, enrobés, sont parfois sous-évalués à la dégustation, où ils ne se révèlent pas toujours.

— Dans tous les cas, on dégustera le vin dans de bonnes conditions, sans se laisser prendre par l'atmosphère de la cave du vigneron. On évitera de le goûter au sortir d'un repas, après l'absorption d'eau-de-vie, de café, de chocolat ou de bonbons à la menthe, ou encore après avoir fumé. Si le vigneron propose des noix, méfiance ! Car elles améliorent tous les vins. Méfiance également à l'égard du fromage, qui modifie la sensibilité du palais ; tout au plus, si l'on y tient, mangera-t-on un morceau de pain, nature.

S'exercer à la dégustation

De même que toute autre technique, celle de la dégustation s'apprend. On peut la pratiquer chez soi en suivant les quelques énoncés ci-dessus. On peut aussi, si l'on est passionné, suivre des stages, de plus en plus nombreux. On peut encore s'inscrire à des cycles d'initiation proposés par divers organismes privés dont les activités sont très diverses : étude de la dégustation, étude de l'accord des mets et des vins, exploration par la dégustation des grandes régions de production françaises ou étrangères, analyse de l'influence des cépages, des millésimes, des sols, incidence des techniques de vinification, dégustations commentées en présence du propriétaire, etc.

Le service des vins

Au restaurant, le service du vin est l'apanage du sommelier. Chez soi, c'est le maître de maison qui devient sommelier et doit en avoir les capacités. Celles-ci sont nombreuses à mettre en œuvre, à commencer par le choix des bouteilles les mieux adaptées aux plats composant le repas, et qui ont atteint leur apogée.

— Le goût de chacun intervient bien sûr dans le mariage des mets et des vins ; néanmoins, des siècles d'expérience ont permis de dégager des principes généraux, des alliances idéales et des incompatibilités majeures.

— L'évolution des vins est très dissemblable. Seul leur apogée intéresse l'œnophile, qui désire le meilleur. Selon l'appellation, et donc selon le cépage, le sol et la vinification, celui-là peut survenir dans des périodes s'échelonnant entre un et vingt ans. Selon le millésime porté par la bouteille, le vin peut évoluer deux ou trois fois plus rapidement. On peut cependant établir des moyennes, qui peuvent servir de base et que l'on modulera en fonction de sa cave et des informations sur les cartes de millésimes.

Apogée (en années)

B = blanc ; R = rouge	
Alsace (B) : dans l'année	Vallée du Rhône Sud (B) : 2 ; (R) : 4-8
Alsace Grand Cru (B) : 1-4	Loire (B) : 1-5 ; (R) : 3-10
Alsace Vendanges tardives (B) : 8-12	Loire moelleux, liquoreux (B) : 10-15
Jura (B) : 4 ; (R) : 8	Vins du Périgord (B) : 2-3 ; (R) : 3-4
Jura rosé : 6	Vins du Périgord liquoreux (B) : 6-8
Vin jaune (B) : 20	Bordeaux (B) : 2-3 ; (R) : 6-8
Savoie (B) : 1-2 ; (R) : 2-4	Grands bordeaux (B) : 4-10 ; (R) : 10-15
Bourgogne (B) : 5 ; (R) : 7	Bordeaux liquoreux (B) : 10-15
Grand bourgogne (B) : 8-10 ; (R) : 10-15	Jurançon sec (B) : 2-4
Mâcon (B) : 2-3 ; (R) : 1-2	Jurançon moelleux, liquoreux (B) : 6-10
Beaujolais (R) : dans l'année	Madiran (R) : 5-12
Crus du Beaujolais (R) : 1-4	Cahors (R) : 3-10
Vallée du Rhône Nord (B) : 2-3 ; (R) : 4-5	Gaillac (B) : 1-3 ; (R) : 2-4
Côte-rôtie, hermitage, etc. (B) : 8 ; (R) : 8-15	Languedoc (B) : 1-2 ; (R) : 2-4
	Côtes-de-provence (B) : 1-2 ; (R) : 2-4
	Corse (B) : 1-2 ; (R) : 2-4

Remarque :
- Ne pas confondre l'apogée avec la longévité maximale.
- Une cave chaude ou à température variable accélère l'évolution des vins.

Modalités du service

Rien ne doit être négligé dans la conduite de la bouteille, de son enlèvement en cave jusqu'au moment où le vin parvient dans le verre. Plus un vin est âgé, plus il exige de soins. La bouteille sera prise sur pile et redressée lentement pour être amenée sur les lieux de sa consommation, à moins qu'on ne la dépose directement dans un panier verseur.

— Les vins de peu d'ambition seront servis de la façon la plus simple ; pour les vins très fragiles, donc de grand âge, on les fera couler de la bouteille amoureusement déposée sur le panier dans l'exacte position qu'elle occupait sur pile ; les vins plus jeunes ou jeunes, les vins robustes, seront décantés, soit pour les aérer parce qu'ils contiennent encore quelques traces de gaz, souvenir de leur fermentation, soit pour amorcer une oxydation bénéfique pour la dégustation, soit encore pour isoler le vin clair des sédiments déposés au fond de la bouteille. Dans ce cas, le vin sera transvasé avec soin, et on le versera devant une source lumineuse, traditionnellement une bougie – une habitude qui date d'avant l'éclairage électrique et qui n'apporte aucun avantage – pour laisser dans la bouteille le vin trouble et les matières solides.

Quand déboucher, quand servir ?

Le professeur Peynaud soutient qu'il est inutile d'enlever le bouchon longtemps avant de consommer le vin, la surface en contact avec l'air (le goulot et la bouteille) étant trop petite. Cependant, le tableau ci-dessous résume des usages qui, s'ils n'améliorent pas toujours le vin dans tous les cas, ne l'abîment jamais.

Vins blancs aromatiques Vins de primeur rouges et blancs Vins courants rouges et blancs Vins rosés	Déboucher, boire sans délai. Bouteille verticale.
Vins blancs de la Loire Vins blancs liquoreux	Déboucher, attendre une heure. Bouteille verticale.
Vins rouges jeunes Vins rouges à leur apogée	Décanter une demi-heure à deux heures avant consommation.
Vins rouges anciens fragiles	Déboucher en panier verseur, et servir sans délai : éventuellement décanter et consommer tout de suite.

Déboucher

La capsule doit être coupée en dessous de la bague ou au milieu de celle-ci. Le vin ne doit pas entrer en contact avec le métal de la capsule. Dans le cas où le goulot est ciré, donner de petits coups afin d'écailler la cire. Mieux encore, essayer d'enlever la cire avec un couteau sur la partie supérieure du col, cette méthode ayant l'avantage de ne pas ébranler la bouteille et le vin.

— Pour extraire le bouchon, seul le tire-bouchon, à vis en queue de cochon donne satisfaction (avec le tire-bouchon à lames, d'un maniement délicat). Théoriquement, le bouchon ne doit pas être transpercé. Une fois extrait, il est humé : il ne doit présenter aucune odeur parasite et ne pas sentir le liège (goût de bouchon). Ensuite, le vin est goûté pour une ultime vérification, avant d'être servi aux convives.

À quelle température ?

On peut tuer un vin en le servant à une température inadéquate, ou, au contraire, l'exalter en le servant à la température appropriée. Il est très rare que celle-ci soit atteinte, d'où l'utilité du thermomètre à vin, de poche si l'on va au restaurant ou à plonger dans la bouteille lorsque l'on opère chez soi. La température de service d'un vin dépend de son appellation (c'est-à-dire de son type), de son âge et, dans une faible proportion, de la température ambiante. On n'oubliera pas que le vin se réchauffe dans le verre.

Grands vins rouges de Bordeaux	16-17°
Grands vins rouges de Bourgogne	15-16°
Vins rouges de qualité, grands vins rouges avant leur apogée	14-16°
Grands vins blancs secs	14-16°
Vins rouges légers, fruités, jeunes	11-12°
Vins rosés, vins de primeur	10-12°
Vins blancs secs, vins de pays rouges	10-12°
Petits blancs, vins de pays blancs	8-10°
Champagne, mousseux	7-8°
Liquoreux	6°

Ces températures doivent être augmentées d'un ou deux degrés lorsque le vin est vieux.

— On a tendance à servir légèrement plus frais les vins qui jouent le rôle d'apéritif, et à boire les vins qui accompagnent le repas légèrement chambrés. De même, on tiendra compte du climat de la région ou de la température qui règne dans la pièce : sous un climat torride, un vin bu à 11 degrés paraîtra glacé, il conviendra donc de le porter à 13 voire à 14 degrés.

— Néanmoins, on se gardera de dépasser 20 degrés car, au-delà, des phénomènes physico-chimiques indépendants de l'environnement, donc absolus, altèrent les qualités du vin et le plaisir qu'on peut en attendre.

Les verres

A chaque région son verre. Dans la pratique, à moins de tomber dans un purisme excessif, on se contentera soit d'un verre universel (de style verre à dégustation), soit de deux types les plus usités, le verre à bordeaux et le verre à bourgogne. Quel que soit le verre choisi, il sera rempli modérément, plus près du tiers que de la moitié.

Au restaurant

Au restaurant, le sommelier s'occupe de la bouteille, hume le bouchon, mais fait goûter le vin à celui qui l'a commandé. Auparavant, il aura suggéré des vins en fonction des mets.

— La lecture de la carte des vins est instructive, non parce qu'elle dévoile les secrets de la cave, ce qui est sa fonction, mais parce qu'elle permet de situer le niveau de compétence du sommelier, du caviste ou du patron. Une carte correcte doit impérativement comporter, pour chaque vin, les informations suivantes: appellation, millésime, lieu de la mise en bouteilles, nom du négociant ou du propriétaire auteur et responsable du vin. Ce dernier point est très souvent omis, on ne sait pourquoi.

— Une belle carte doit présenter un éventail large, tant sur le plan du nombre d'appellations proposées que sur celui de la diversité et de la qualité des millésimes (nombre de restaurateurs ont la fâcheuse habitude de toujours proposer les petites années...). Une carte intelligente sera particulièrement adaptée au style ou à la spécialisation de la cuisine, ou encore fera la part belle aux vins régionaux.

— Parfois, il est proposé la « cuvée du patron » ; il est en effet possible d'acheter un vin agréable qui ne bénéficie pas d'appellation d'origine, mais ce ne sera jamais un grand vin.

Bistrots à vin

Depuis longtemps, il existe des « bistrots à vin » ou « bars à vin », vendant au verre des vins de qualité, bien souvent des vins « de propriétaires » sélectionnés par le patron lui-même au cours des visites de vignobles. Des assiettes de cochonnaille et de fromages sont également proposées aux clients.

Dans les années 1970, une nouvelle génération de bistrots à vin fréquemment baptisés « wine bar » s'est développée. La mise au point d'un appareil protégeant le vin dans les bouteilles ouvertes par une couche d'azote – le *cruover* – a permis à ces établissements de proposer aux clients de très grands vins de millésimes prestigieux. Parallèlement, une restauration moins rudimentaire a complété leur carte.

LES MILLESIMES

Tous les vins de qualité sont millésimés. Seuls quelques vins et certains champagnes, leur élaboration particulière par mélange de plusieurs années le justifiant, font exception à cette règle.

— Cela étant admis, que penser d'un flacon non millésimé ? Deux cas sont possibles ; soit le millésime est inavouable car sa réputation est détestable dans l'appellation ; soit il ne peut être millésimé car il contient le produit de l'assemblage de « vins de plusieurs années », selon la formule en usage chez les professionnels. La qualité du produit dépend du talent de l'assembleur ; généralement, le vin assemblé est supérieur à chacun de ses composants mais il est déconseillé de faire vieillir ce type de bouteille. Le vin portant un grand millésime est concentré et équilibré. Il est généralement issu, mais pas obligatoirement, de petites récoltes (en volume) et de vendanges précoces.

— Dans tous les cas, les grands millésimes ne naissent que de raisins parfaitement sains, totalement exempts de pourriture. Pour obtenir un grand millésime, peu importe le temps qu'il fait au début du cycle végétatif : on peut même soutenir que quelques mésaventures, telles que gel ou coulure (chute de jeunes baies avant maturation), sont favorables, puisqu'elles vont diminuer le nombre de grappes par pied, ce qui est préjudiciable au volume. En revanche, la période qui s'étend du 15 août aux vendanges (fin septembre) est capitale : un maximum de chaleur et de soleil est alors nécessaire. 1961, qui demeure jusqu'à nouvel avis « l'année du siècle », est exemplaire : tout s'est passé comme il fallait. *A contrario*, les années 1963, 1965, 1968 furent désastreuses, parce qu'elles cumulèrent froid et pluie, d'où absence de maturité et fort rendement, les raisins se gorgeant d'eau. Pluie et chaleur ne valent guère mieux, car l'eau tiédie favorise la pourriture. C'est l'écueil sur lequel a buté un grand millésime potentiel dans le Sud-Ouest en 1976. Les progrès des traitements de protection du raisin, particulièrement destinés à s'opposer au ver de la grappe et au développement de la pourriture, permettent des récoltes de qualité qui eussent été autrefois très compromises. Ces traitements permettent également d'attendre avec une relative sérénité, même si les conditions météorologiques momentanées ne sont pas encourageantes, le plein mûrissement du raisin, d'où un important gain de qualité. Dès 1978, on note l'apparition d'excellents millésimes vendangés tardivement.

— On a l'habitude de résumer la qualité des millésimes dans des tableaux de cotation. Ces notes ne représentent que des moyennes : elles ne prennent pas en compte les microclimats, pas plus que les efforts... héroïques de tris de raisins à la vendange, ou les sélections forcenées des vins en cuve. C'est ainsi par exemple, que le vin de Graves, domaine de Chevalier 1965 – millésime par ailleurs épouvantable – démontre que l'on peut élaborer un grand vin dans une année cotée zéro !

Propositions de cotation (de 0 à 20)

	Bordeaux R	Bordeaux B liquoreux	Bordeaux B sec	Bourgogne R	Bourgogne B	Champagne	Loire	Rhône	Alsace
1900	19	19	17	13		17			Alsace allemande
1901	11	14							
1902									
1903	14	7	11						
1904	15	17		16		19		18	
1905	14	12							
1906	16	16		19	18				
1907	12	10		15					
1908	13	16							
1909	10	7							
1910									
1911	14	14		19	19	20	19	19	
1912	10	11							
1913	7	7							
1914	13	15				18			
1915		16		16	15	15	12	15	
1916	15	15		13	11	12	11	10	
1917	14	16		11	11	13	12	9	
1918	16	12		13	12	12	11	14	
1919	15	10		18	18	15	18	15	15
1920	17	16		13	14	14	11	13	10
1921	16	20		16	20	20	20	13	20
1922	9	11		9	16	4	7	6	4

	Bordeaux R	Bordeaux B liquoreux	Bordeaux B sec	Bourgogne R	Bourgogne B	Champagne	Loire	Rhône	Alsace
1923	12	13		16	18	17	18	18	14
1924	15	16		13	14	11	14	17	11
1925	6	11		6	5	3	4	8	6
1926	16	17		16	16	15	13	13	14
1927	7	14		7	5	5	3	4	
1928	19	17		18	20	20	17	17	17
1929	20	20		20	19	19	18	19	18
1930							3	4	3
1931	2	2		2	3		3	5	3
1932				2	3	3	3	3	7
1933	11	9		16	18	16	17	17	15
1934	17	17		17	18	17	16	17	16
1935	7	12		13	16	10	15	5	14
1936	7	11		9	10	9	12	13	9
1937	16	20		18	18	18	16	17	17
1938	8	12		14	10	10	12	8	9
1939	11	16		9	9	9	10	8	3
1940	13	12		12	8	8	11	5	10
1941	12	10		9	12	10	7	5	5
1942	12	16		14	12	16	11	14	14
1943	15	17		17	16	17	13	17	16
1944	13	11	12	10	10		6	8	4
1945	20	20	18	20	18	20	19	18	20
1946	14	9	10	10	13	10	12	17	9
1947	18	20	18	18	18	18	20	18	17
1948	16	16	16	10	14	11	12	16	15
1949	19	20	18	20	18	17	16	17	19
1950	13	18	16	11	19	16	14	15	14
1951	8	6	6	7	6	7	7	8	8
1952	16	16	16	16	18	16	15	16	14
1953	19	17	16	18	17	17	18	14	18
1954	10			14	11	15	9	13	9
1955	16	19	18	15	18	19	16	15	17
1956	5						9	12	9
1957	10	15		14	15		13	16	13
1958	11	14		10	9		12	14	12
1959	19	20	18	19	17	17	19	15	20
1960	11	10	10	10	7	14	9	12	12
1961	20	15	16	18	17	16	16	18	19
1962	16	16	16	17	19	17	15	16	14
1963					10				
1964	16	9	13	16	17	18	16	14	18

	Bordeaux R	Bordeaux B liquoreux	Bordeaux B sec	Bourgogne R	Bourgogne B	Champagne	Loire	Rhône	Alsace
1965			12				8		
1966	17	15	16	18	18	17	15	16	12
1967	14	18	16	15	16		13	15	14
1968									
1969	10	13	12	19	18	16	15	16	16
1970	17	17	18	15	15	17	15	15	14
1971	16	17	19	18	20	16	17	15	18
1972	10		9	11	13		9	14	9
1973	13	12		12	16	16	16	13	16
1974	11	14		12	13	8	11	12	13
1975	18	17	18		11	18	15	10	15
1976	15	19	16	18	15	15	18	16	19
1977	12	7	14	11	12	9	11	11	12
1978	17	14	17	19	17	16	17	19	15
1979	16	18	18	15	16	15	14	16	16
1980	13	17	18	12	12	14	13	15	10
1981	16	16	17	14	15	15	15	14	17
1982	18	14	16	14	16	16	14	13	15
1983	17	17	16	15	16	15	12	16	20
1984	13	13	12	13	14	5	10	11	15
1985	18	15	14	17	17	17	16	16	19
1986	**17**	17	12	12	15	9	13	10	10
1987	13	11	16	12	11	10	13	8	13
1988	**16**	**19**	18	16	14	15	16	18	17
1989	**18**	**19**	18	16	18	16	20	16	16
1990	**18**	**20**	17	**18**	16	19	17	17	18
1991	13	14	13	14	15	11	12	13	13
1992	12	10	14	15	17	12	14	12	12
1993	13	8	15	**14**	13	12	13	13	13
1994	14	14	17	**14**	16	12	14	14	12
1995	**16**	**18**	17	**14**	**16**	16	17	16	12
1996	**15**	**18**	16	**17**	**18**	19	17	14	12
1997	**14**	**18**	14	**14**	**17**	15	16	14	13
1998	**15**	**16**	14	**15**	**15**	13	14	**18**	13

Les zones cernées d'un trait épais indiquent les vins à mettre en cave.
Les liquoreux de la Loire sont notés 20 pour le millésime 90.

Quels millésimes boire maintenant ?

Les vins évoluent différemment selon qu'ils sont nés d'une année maussade ou ensoleillée, mais aussi selon leur appellation, leur hiérarchie au sein de cette appellation, leur vinification, leur élevage ; leur vieillissement dépend également de la cave où ils sont entreposés.

— Le tableau de cotation des millésimes concerne des vins de bonne facture, de millésimes récents, donc disponibles, s'ils sont encavés convenablement. Il ne concerne ni les vins ni les cuvées exceptionnels. Les vins sont cotés à leur apogée. Cette cotation n'intègre pas l'évolution actuelle des millésimes anciens.

LA CUISINE AU VIN

La cuisine au vin ne date pas d'aujourd'hui. Apicius déjà donne la recette du porcelet à la sauce au vin (c'était du vin de paille). Pourquoi user du vin en cuisine ? Pour les saveurs qu'il apporte et pour les vertus digestives qu'il ajoute aux plats grâce à la glycérine et aux tanins. L'alcool, considéré par certains comme un maléfice, a presque totalement disparu à la cuisson.

— On pourrait retracer une histoire de la cuisine à travers le vin : les marinades ont été inventées pour conserver des pièces de viande, aujourd'hui on les perpétue pour l'apport d'éléments sapides. La cuisson, donc la réduction des marinades, est à l'origine des sauces. Parfois, on a cuit la viande avec la marinade, et l'on a inventé les civets, les daubes et les courts-bouillons, y compris les œufs en meurette.

Conseils

– ne jamais gaspiller de vieux millésimes pour la cuisine. C'est coûteux, inutile et même nuisible.
– ne jamais user en cuisine de vins ordinaires ou de vins trop légers, leur réduction ne concentre que leur manque de présence.
– le « goût de bouchon » disparaît à la cuisson. Réserver les bouteilles présentant ce défaut à cet usage.
– boire avec le plat le vin de cuisson ou de la même origine.

LE VINAIGRE AU VIN

Le vin est l'ami de l'homme, le vinaigre est l'ennemi du vin. Doit-on conclure que le vinaigre est l'ennemi de l'homme ? Non, vins et vinaigres jouent chacun leur partie dans l'orchestre des saveurs dont l'homme se régale. Jeter des vins de qualité un peu éventés, bouchonnés, ou oxydés serait regrettable. Le vinaigrier est là pour les accueillir. Un vinaigrier domestique est un récipient de 3 à 5 litres en bois, ou mieux, en terre vernissée, généralement muni d'un robinet. L'acidité du vinaigre est un adjuvant, un révélateur. C'est un contrepoint, pas un solo. Pour contenir ses ardeurs, le gourmet a inventé le vinaigre aromatisé. Nombre de hauts goûts se fondent en une harmonie de timbres : ail, échalote, petits oignons, estragon, graines de moutarde, grains de poivre, clous de girofle, fleurs de sureau, de capucine, pétales de roses, feuilles de laurier, branches de thym, de perce-pierre, etc.

Conseils

– ne jamais déposer un vinaigrier dans une cave.
– chaque fois que se développe dans le vinaigrier ce que l'on appelle la « mère du vinaigre » (masse visqueuse), l'éliminer.
– placer le vinaigrier dans un lieu tempéré (20 °C).
– ne jamais le boucher hermétiquement car l'air contribue à la vie des bactéries acétiques qui transforment l'alcool du vin en acide acétique.
– ne jamais placer les aromates dans le vinaigrier. Il faut extraire le vinaigre du vinaigrier et conserver le vinaigre aromatisé dans un autre récipient, de préférence hermétique.
– ne jamais introduire dans le vinaigrier de vin sans origine.
– le vinaigrier doit vivre. Chaque fois que l'on retire du vinaigre, ajouter un volume équivalent de vin.
– un vinaigre laissé en souffrance dans un vinaigrier plus de deux ou trois mois (maximum) n'est plus qu'acétique. Il perd son goût de vin, il n'a plus d'intérêt.

LES METS ET LES VINS

Rien n'est plus difficile que de trouver « le » vin idéal pour accompagner un plat. D'ailleurs, peut-il y avoir un vin idéal ? Au chapitre du mariage des mets et des vins, la monogamie n'a pas de place ; il faut profiter de l'extrême variété des vins français et faire des expériences : une bonne cave permet par approximations successives d'approcher de la vérité…

HORS-D'ŒUVRE, ENTREES

ANCHOÏADE
- côtes du roussillon rosé
- coteaux d'aix-en-provence rosé
- alsace sylvaner

ARTICHAUTS BARIGOULE
- coteaux d'aix-en-provence rosé
- rosé de loire
- bordeaux rosé

ASPERGES SAUCE MOUSSELINE
- alsace muscat

AVOCAT
- champagne
- bugey blanc
- bordeaux sec

CUISSES DE GRENOUILLE
- corbières blanc
- entre-deux-mers
- touraine sauvignon

ESCARGOTS À LA BOURGUIGNONNE
- bourgogne aligoté
- alsace riesling
- touraine sauvignon

FOIE GRAS AU NATUREL
- barsac
- corton-charlemagne
- listrac
- banyuls rimage

FOIE GRAS EN BRIOCHE
- alsace tokay sélection de grains nobles
- montrachet
- pécharmant

FOIE GRAS GRILLÉ
- jurançon
- graves rouge
- condrieu

POIVRONS ROUGES GRILLÉS VINAIGRETTE
- clairette de bellegarde
- muscadet
- mâcon lugny blanc

SALADE NIÇOISE
- alsace sylvaner
- côtes du rhône rouge
- coteaux d'aix-en-provence rosé

SALADE DE SOJA
- alsace tokay
- clairette du languedoc
- muscadet

CHARCUTERIE

JAMBON BRAISÉ
- alsace tokay
- côtes du rhône rouge
- côtes du roussillon rosé

JAMBON PERSILLÉ
- chassagne montrachet blanc
- coteaux du tricastin rouge
- beaujolais rouge

JAMBON DE BAYONNE
- côtes du rhône-villages
- bordeaux clairet
- corbières rosé

JAMBON DE SANGLIER FUMÉ
- côtes de saint-mont rouge
- bandol rouge
- sancerre blanc

PÂTÉ DE LIÈVRE
- côtes de duras rouge
- saumur-champigny
- moulin à vent

RILLETTES
- bourgogne rouge
- alsace pinot noir
- touraine gamay

RILLONS
- touraine cabernet
- beaujolais-villages
- rosé de loire

SAUCISSON
- côtes du rhône-villages
- beaujolais
- côtes du roussillon rosé

TERRINE DE FOIE BLOND
- meursault-charmes
- saint-nicolas de bourgueil
- morgon

COQUILLAGE ET CRUSTACES

BOUQUET MAYONNAISE
- bourgone blanc
- alsace riesling
- haut-poitou sauvignon

BROCHETTES DE SAINT-JACQUES
- graves blancs
- alsace sylvaner
- beaujolais-villages rouge

CALMARS FARCIS
- mâcon-villages
- premières côtes de bordeaux
- gaillac rosé

CASSOLETTE DE MOULES AUX ÉPINARDS
- muscadet
- bourgogne aligoté bouzeron
- coteaux champenois blanc

CLOVISSES AU GRATIN
- pacherenc du vic-bilh
- rully blanc
- beaujolais blanc

COCKTAIL DE CRABE
- jurançon sec
- fiefs vendéens blanc
- bordeaux sec sauvignon

ECREVISSES À LA NAGE
- sancerre blanc
- côtes du rhône blanc
- gaillac blanc

HOMARD À L'AMÉRICAINE
- arbois jaune
- juliénas

HOMARD GRILLÉ
- hermitage blanc
- pouilly-fuissé
- savennières

HUÎTRES DE MARENNES
- muscadet
- bourgogne aligoté
- alsace sylvaner
- chablis
- beaujolais primeur rouge

HUÎTRES AU CHAMPAGNE
- bourgone hautes-côtes de nuit blanc
- coteaux champenois blanc
- rousette de savoie

LANGOUSTE MAYONNAISE
- patrimonio blanc
- alsace riesling
- savoie apremont

LANGOUSTINES AU COGNAC
- chablis premier cru
- graves blanc
- muscadet de sèvres-et-maine

MOUCLADE DES CHARENTES
- saint-véran
- bergerac sec
- haut-poitou chardonnay

Moules (crues) de Bouzigues
- coteaux du langedoc blanc
- muscadet de sèvre-et-maine
- coteaux d'aix-en-provence blanc

Moules marinières
- bourgone blanc
- alsace pinot
- bordeaux sec sauvignon

Palourdes farcies
- graves blanc
- montagny
- anjou blanc

Plateau de fruits de mer
- chablis
- muscadet
- alsace sylvaner

Salade de coquillages au concombre
- graves blanc
- muscadet
- alsace klevner

POISSONS

Anguille poêlée persillade
- corbières rosé
- gros plant du pays nantais
- blaye blanc

Alose à l'oseille
- anjou blanc
- rosé de loire
- haut-poitou chardonnay

Bar (loup) grillé
- auxey-duresses blanc
- bellet blanc
- bergerac sec

Barbue à la dieppoise
- graves blanc
- puligny-montrachet
- coteaux du languedoc blanc

Barquettes girondines
- bâtard-montrachet
- graves supérieurs
- quincy

Baudroie en gigot de mer
- mâcon-villages
- châteauneuf-du-pape blanc
- bandol rosé

Bouillabaisse
- côtes du roussillon blanc
- côteaux d'aix-en-provence blanc
- muscadet des coteaux de la loire

Bourride
- coteaux d'aix-en-provence rosé
- rosé de loire
- bordeaux rosé

Brandade
- haut-poitou rosé
- bandol rosé
- corbières rosé

Carpe farcie
- montagny
- touraine azay-le-rideau blanc
- alsace pinot

Colin froid mayonnaise
- pouilly-fuissé
- savoie
- chignin
- bergeron
- alsace klevner

Coquilles de poissons
- saint-aubin blanc
- saumur sec blanc
- crozes-hermitage blanc

Darnes de saumon grillées
- chassagne-montrachet blanc
- cahors
- côtes du rhône rosé

Filets de sole bonne femme
- graves blanc
- chablis grand cru
- sancerre blanc

Feuilleté de blanc de turbot
- chevalier-montrachet
- crozes-hermitage blanc

Gravettes d'Arcachon à la bordelaise
- graves blanc
- bordeaux sec
- jurançon sec

Koulibiak de saumon
- pouilly-vinzelles
- graves blanc
- rosé de loire

Lamproie à la bordelaise
- graves rouges
- bergerac rouge
- bordeaux rosé

Lisettes au vin blanc
- alsace sylvaner
- haut-poitou sauvignon
- quincy

Matelote de l'Ill
- chablis premier cru
- arbois blanc
- alsace riesling

Merlan en colère
- alsace gutedel
- entre-deux-mers
- seyssel

Morue à l'aïoli
- coteaux d'aix-en-provence rosé
- bordeaux rosé
- haut-poitou rosé

Morue grillée
- gros plant du pays nantais
- rosé de loire
- coteaux d'aix-en-provence rosé

Œufs de saumon
- haut-poitou rosé
- graves rouge
- côtes du rhône rouge

Petite friture
- beaujolais blanc
- béarn blanc
- fiefs vendéens blanc

Petits rougets grillés
- chassagne-montrachet blanc
- hermitage blanc
- bergerac

Pochouse
- meursault
- l'étoile
- mâcon-villages

Quenelle de brochet lyonnaise
- montrachet
- pouilly-vinzelles
- beaujolais-villages rouge

Rouille sétoise
- clairette du langedoc
- côtes du roussillon rosé
- rosé de loire

Sandre au beurre blanc
- muscadet
- saumur blanc
- saint-joseph blanc

Sardines grillées
- clairette de bellegarde
- jurançon sec
- bourgogne aligoté

Saumon fumé
- puligny-montrachet premier cru
- pouilly-fumé
- bordeaux sec sauvignon

Sole meunière
- meursault blanc
- alsace riesling
- entre-deux-mers

Soufflé Nantua
- bâtard-montrachet
- crozes-hermitage blanc
- bergerac sec

Thon rouge aux oignons
- coteaux d'aix blanc
- coteaux du langedoc blanc
- côtes de duras sauvignon

Thon (germon) basquaise
- graves blanc
- pacherenc de vic-bilh
- gaillac blanc

Tourteau farci
- premières côtes de bordeaux blanc
- bourgogne blanc
- muscadet

Truite aux amandes
- chassagne-montrachet blanc
- alsace klevner
- côtes du roussillon

Turbot sauce hollandaise
- graves blanc
- saumur blanc
- hermitage blanc

VIANDES ROUGES ET BLANCHES

Agneau

Baron d'agneau au four
- haut-médoc
- savoie-mondeuse
- minervois

Carre d'agneau Marly
- saint-julien
- ajaccio
- coteaux du lyonnais

Epaule d'agneau boulangere
- hermitage rouge
- côtes de bourg rouge
- moulin à vent

Filet d'agneau en croute
- pomerol
- mercurey
- coteaux du tricastin

Ragout d'agneau au thym
- châteauneuf-du-pape rouge
- saint-chinian
- fleurie

Saute d'agneau provençale
- gigondas
- côtes de provence rouge
- bourgogne passetoutgrain rouge

Selle d'agneau aux herbes
- vin de corse rouge
- côtes du rhône rouge
- coteaux du giennois rouge

Mouton

Curry de mouton
- montagne saint-émilion
- alsace tokay
- côtes du rhône

Daube de mouton
- patrimonio rouge
- côtes du rhône-villages rouge
- morgon

Gigot à la ficelle
- morey-saint-denis
- saint-émilion
- côte de provence rouge

Gigot froid mayonnaise
- saint-aubin blanc
- bordeaux rouge
- entre-deux-mers

Mouton en carbonade
- graves de vayres rouge
- fitou
- crozes-hermitage rouge

Navarin
- anjou rouge
- bordeaux côtes-de-francs rouge
- bourgogne marsannay rouge

Poitrine de mouton farcie
- côtes du jura rouge
- graves rouge
- haut-poitou gamay

Bœuf

Bœuf bourguignon
- rully rouge
- saumur rouge
- côte du marmandais rouge

Chateaubriand
- margaux
- alsace pinot
- coteaux du tricastin

Daube
- buzet rouge
- côtes du vivarais rouge
- arbois rouge

Entrecote bordelaise
- saint-julien
- saint-joseph rouge
- côtes du roussillon-villages

Filet de bœuf duchesse
- côte rôtie
- gigondas
- graves rouge

Fondue bourguignonne
- bordeaux rouge
- côtes du ventoux rouge
- bourgogne rosé

Gardiane
- lirac rouge
- côtes du luberon rouge
- costières de nîmes rouge

Pot-au-feu
- anjou rouge
- bordeaux rouge
- beaujolais rouge

Rosbif chaud
- moulis
- aloxe-corton
- côtes du rhône rouge

Rosbif froid
- madiran
- beaune rouge
- cahors

Steack maître d'hôtel
- bergerac rouge
- arbois rosé
- chénas

Tournedos bearnaise
- listrac
- saint-aubin rouge
- touraine amboise rouge

Porc

Andouillette a la creme
- touraine blanc
- bourgogne blanc
- saint-joseph blanc

Andouillette grillee
- coteaux champenois blanc
- petit chablis
- beaujolais rouge

Baeckeoffe
- alsace riesling
- alsace sylvaner

Cassoulet
- côtes du frontonnais rouge
- minervois rouge
- bergerac rouge

Chou farci
- côtes du rhône rouge
- touraine gamay
- bordeaux sec sauvignon

Choucroute
- alsace riesling
- alsace sylvaner

Cochon de lait en gelee
- graves de vayres blanc
- costières du gard rosé
- beaujolais-villages rouge

Confit
- tursan rouge
- corbières rouge
- cahors

Cote de porc charcutiere
- bourgogne blanc
- côtes d'auvergne rouge
- bordeaux clairet

Palette au sauvignon
- bergerac sec
- menetou-salon
- bordeaux rosé

Potee
- côtes du luberon
- côte de brouilly
- bourgogne aligoté

Roti de porc a la sauge
- rully blanc
- côtes du rhône rouge
- minervois rosé

Roti de porc froid
- bourgogne blanc
- lirac rouge
- bordeaux sec

Saucisse de Toulouse grillee
- saint-joseph ou bergerac rouges
- côtes du frontonnais rosé

Veau

BROCHETTES DE ROGNONS
- cornas
- beaujolais-villages
- coteaux du languedoc rosé

BLANQUETTE DE VEAU A L'ANCIENNE
- arbois blanc
- alsace grand cru riesling
- côtes de provence rosé

COTE DE VEAU GRILLEE
- côtes du rhône rouge
- anjou blanc
- bourgogne rosé

ESCALOPE PANEE
- côtes du jura blanc
- corbières blanc
- côtes du ventoux rouge

FOIE DE VEAU A L'ANGLAISE
- médoc
- coteaux d'aix-en-provence rouge
- haut-poitou rosé

NOIX DE VEAU BRAISEE
- mâcon-villages blanc
- côtes de duras rouge
- brouilly

PAUPIETTES DE VEAU
- anjou gamay
- minervois rosé
- costières de nîmes blanc

RIS DE VEAU AUX LANGOUSTINES
- graves blanc
- alsace tokay
- bordeaux rosé

ROGNONS SAUTES AU VIN JAUNE
- arbois blanc
- gaillac vin de voile
- bourgogne aligoté

ROGNONS DE VEAU A LA MOELLE
- saint-émilion
- saumur-champigny
- coteaux d'aix-en-provence rosé

VEAU MARENGO
- côtes de duras merlot
- alsace klevner
- coteaux du tricastin rosé

VEAU ORLOFF
- chassagne montrachet blanc
- chiroubles
- lirac rosé

VOLAILLES, LAPIN

BARBARIE AUX OLIVES
- savoie-mondeuse rouge
- canon-fronsac
- anjou cabernet rouge

BROCHETTES DE CŒURS DE CANARD
- saint-georges-saint-émilion
- chinon
- côtes du rhône-villages

CANARD A L'ORANGE
- côtes du jura jaune
- cahors
- graves rouge

CANARD FARCI
- saint-émilion grand cru
- bandol rouge
- buzet rouge

CANARD AUX NAVETS
- puisseguin saint-émilion
- saumur-champigny
- coteaux d'aix-en-provence rouge

CANETTE AUX PECHES
- banyuls
- chinon rouge
- graves rouge

CHAPON ROTI
- bourgogne blanc
- touraine-mesland
- côtes du rhône rosé

COQ AU VIN ROUGE
- ladoix
- côte de beaune
- châteauneuf-du-pape rouge
- touraine cabernet

CURRY DE POULET
- montagne saint-émilion
- alsace tokay
- côtes du rhône

DINDE AUX MARRONS
- saint-joseph rouge
- sancerre rouge
- meursault blanc

DINDONNEAU A LA BROCHE
- monthélie
- graves blanc
- châteaumeillant rosé

ESCALOPES DE DINDE AU ROQUEFORT
- côtes du jura blanc
- bourgogne aligoté
- coteaux d'aix-en-provence rosé

FRICASSEE DE LAPIN
- touraine rosé
- côtes de blaye blanc
- beaujolais-villages rouge

LAPIN ROTI A LA MOUTARDE
- sancerre rouge
- tavel
- côtes de provence blanc

MAGRET AU POIVRE VERT
- saint-joseph rouge
- bourgueil rouge
- bergerac rouge

OIE FARCIE
- anjou cabernet rouge
- côtes du marmandais rouge
- beaujolais-villages

PIGEONNEAUX A LA PRINTANIERE
- crozes-hermitage rouge
- bordeaux rouge
- touraine gamay

PINTADEAU A L'ARMAGNAC
- saint-estèphe
- chassagne-montrachet rouge
- fleurie

POULARDE DEMI-DEUIL
- chevalier-montrachet
- arbois blanc
- juliénas

POULARDE EN CROUTE DE SEL
- listrac
- mâcon-villages blanc
- côtes du rhône rouge

POULET AU RIESLING
- alsace grand cru riesling
- touraine sauvignon
- côtes du rhône rosé

POULET BASQUAISE
- côtes de duras sauvignon
- bordeaux sec
- coteaux du languedoc rosé

POULET SAUTE AU MORILLES
- savigny-lès-beaune rouge
- arbois blanc
- sancerre blanc

POUSSIN DE LA WANTZENAU
- côtes de toul gris
- alsace gutedel
- beaujolais

GIBIER

BECASSE FLAMBEE
- pauillac
- musigny
- hermitage

BROCHETTE DE MAUVIETTES
- pernand-vergelesses rouge
- pomerol
- côtes du ventoux rouge

CIVET DE LIEVRE
- canon-fronsac
- bonnes-mares
- minervois rouge

COTELETTES DE CHEVREUIL CONTI
- lalande-de-pomerol
- côtes de beaune rouge
- crozes-hermitage rouge

CUISSOT DE SANGLIER SAUCE VENAISON
- chambertin
- montage saint-émilion
- corbières rouge

FAISAN EN CHARTREUSE
- moulis
- pommard
- saint-nicolas de bourgueil

FILET DE SANGLIER BORDELAISE
- pomerol
- bandol
- gigondas

GIGUE DE CHEVREUIL GRAND VENEUR
- hermitage rouge
- corton rouge
- côtes du roussillon rouge

GRIVES AU GENIEVRE
- échezeaux
- coteaux du tricastin rouge
- chénas

HALBRAN ROTI
- saint-émilion grand cru
- côte rotie
- faugères

JAMBON DE SANGLIER BRAISE
- fronsac
- châteauneuf-du-pape rouge
- moulin-à-vent

LAPEREAU ROTI
- auxey-duresses rouge
- puisseguin saint-émilion
- crozes-hermitage rouge

LIEVRE A LA ROYALE
- saint-joseph rouge
- volnay
- pécharmant

MERLES A LA FACON CORSE
- ajaccio rouge
- côtes de provence rouge
- coteaux du languedoc rouge

PERDREAU ROTI
- haut-médoc
- vosne-romanée
- bourgueil

PERDRIX AUX CHOUX
- bourgogne irancy
- arbois rosé
- cornas

PERDRIX A LA CATALANE
- maury
- côtes du roussillon rouge
- beaujolais-villages

RABLE DE LIEVRE AU GENIEVRE
- chambolle musigny
- savoie-mondeuse
- saint-chinian

SALMIS DE COLVERT
- côte rôtie
- chinon rouge
- bordeaux supérieur

SALMIS DE PALOMBE
- saint-julien
- côte de nuits-villages
- patrimonio

LEGUMES

BEIGNETS D'AUBERGINES
- bourgogne rouge
- beaujolais rouge
- bordeaux sec

CELERI BRAISE
- côtes du ventoux rouge
- alsace pinot noir
- touraine sauvignon

CHAMPIGNONS
- beaune blanc
- alsace tokay
- coteaux de giennois rouge

GRATIN DAUPHINOIS
- bordeaux côtes de castillon
- châteauneuf-du-pape blanc
- alsace riesling

GRISETS SAUTES PERSILLADE
- beaune blanc
- alsace tokay
- coteaux du giennois rouge

HARICOTS VERTS
- côte de beaune blanc
- sancerre blanc
- entre-deux-mers

PATES
- côtes du rhône rouge
- coteaux d'aix rosé

PETITS POIS
- saint-romain blanc
- côtes du jura blanc
- touraine sauvignon

POIS GOURMANDS
- graves blanc
- côtes du rhône rouge
- alsace riesling

POIVRONS FARCIS
- mâcon-villages
- côtes du rhône rosé
- alsace tokay

FROMAGES

Au lait de vache

BEAUFORT
- arbois jaune
- meursault
- vin de savoie
- chignin
- bergeron

BLEU D'AUVERGNE
- côtes de bergerac moelleux
- beaujolais
- touraine sauvignon

BLEU DE BRESSE
- côtes du jura blanc
- macon rouge
- côtes de bergerac blanc

BRIE
- beaune rouge
- alsace pinot noir
- coteaux du languedoc rouge

CAMEMBERT
- bandol rouge
- côtes du roussillon-villages
- beaujolais-villages

CANTAL
- coteaux du vivarais rouge
- côtes de provence rosé
- lirac blanc

CARRE DE L'EST
- saint-joseph rouge
- coteaux d'aix-en-provence rouge
- brouilly

CARRE FRAIS
- cahors
- côtes du roussillon rosé
- côtes du rhône blanc

CHAOURCE
- montagne saint-émilion
- cadillac
- chénas

CITEAUX
- aloxe-corton
- coteaux champenois rouge
- fleurie

COMTE
- château-chalon, graves blanc
- côtes du luberon blanc

EDAM DEMI-ETUVE
- pauillac
- fixin
- costières de nîmes rouge

EPOISSES
- savigny
- côtes du jura rouge
- côte de brouilly

FOURME D'AMBERT
- l'étoile jaune
- cérons
- banyuls rimage

GOUDA DEMI-ETUVE
- saint-estèphe
- chinon
- coteaux du tricastin

LIVAROT
- bonnezeaux
- sainte-croix-du-mont
- alsace gewurztraminer

MAROILLES
- jurançon
- alsace gewurztraminer vendanges tardives

MIMOLETTE DEMI-ETUVE
- graves rouge
- santenay
- côtes du rhône rouge

MORBIER
- gevrey-chambertin
- madiran
- côtes du ventoux rouge

MUNSTER
- coteaux du layon-villages
- loupiac
- alsace gewurztraminer

PATE FONDUE (FROMAGES A)
- alsace riesling
- haut-poitou sauvignon
- côtes du rhône-villages

PONT-L'EVEQUE
- côtes de saint-mont
- bourgueil
- nuit saint-georges

RACLETTE
- vin de savoie
- apremont
- côtes de duras sauvignon
- juliénas

REBLOCHON
- mercurey
- lirac rouge
- touraine gamay

RIGOTTE
- bourgogne hautes-côtes de nuits rouge
- côte du forez
- saint-amour

SAINT-MARCELLIN
- faugères
- tursan rouge
- chiroubles

SAINT-NECTAIRE
- fronsac
- bourgogne rouge
- mâcon-villages blanc

VACHERIN
- corton
- premières côtes de bordeaux
- barsac

Au lait de chèvre

CABECOU
- bourgogne blanc
- tavel
- gaillac blanc

CROTTIN DE CHAVIGNOL
- sancerre blanc
- bordeaux sec
- côte roannaise

CHEVRE FRAIS
- champagne
- montlouis demi-sec
- crémant d'alsace

CORSE (FROMAGE DE CHEVRE DE)
- patrimonio blanc
- cassis blanc
- costières de nîmes blanc

PELARDON
- condrieu
- roussette de savoie
- coteaux du lyonnais rouge

SAINTE-MAURE
- rivesaltes blanc
- alsace tokay
- cheverny gamay

SELLES-SUR-CHER
- coteaux de l'aubance
- cheverny
- romorantin
- sancerre rosé

VALENCAY
- vouvray moelleux
- haut-poitou rosé
- valençay gamay

Au lait de brebis

CORSE (FROMAGE DE BREBIS DE)
- bourgogne irancy
- ajaccio
- côtes du roussillon rouge

EISBARECH
- lalande-de-pomerol
- cornas
- marcillac

LARUNS
- bordeaux côtes de castillon
- gaillac rouge
- côtes de provence rouge

ROQUEFORT
- côtes du jura jaune
- sauternes
- muscat de rivesaltes

DESSERTS

BRIOCHE
- rivesaltes rouge
- muscat de beaumes-de-venise
- alsace vendanges tardives

BUCHE DE NOEL
- champagne demi-sec
- clairette de die tradition

CREME RENVERSEE
- coteaux du layon-villages
- sauternes
- muscat de saint-jean de minervois

FAR BRETON
- pineau des charentes
- anjou coteaux de la loire
- cadillac

FRAISIER
- muscat de rivesaltes
- maury

GATEAU AU CHOCOLAT
- banyuls grand cru
- pineau des charentes rosé

GLACE A LA VANILLE AU COULIS DE FRAMBOISE
- loupiac
- coteaux du layon

ILE FLOTTANTE
- loupiac
- rivesaltes blanc
- muscat de rivesaltes

KOUGLOF
- quarts de chaume
- alsace vendanges tardives
- muscat de mireval

PITHIVIERS
- maury
- bonnezeaux
- muscat de lunel

SALADE D'ORANGES
- sainte-croix-du-mont
- rivesaltes blanc
- muscat de rivesaltes

TARTE AU CITRON
- alsace sélection de grains nobles
- cérons
- rivesaltes blanc

TARTE TATIN
- pineau des charentes
- arbois vin de paille
- jurançon

L'ALSACE ET L'EST

L'Alsace

La plus grande partie du vignoble d'Alsace est implantée sur les collines qui bordent le massif vosgien et qui prennent pied dans la plaine rhénane. Les Vosges, qui se dressent entre l'Alsace et le reste du pays, donnent à la région son climat spécifique, car elles captent la grande masse des précipitations venant de l'Océan. C'est ainsi que la pluviométrie moyenne annuelle de la région de Colmar, avec moins de 500 mm, est la plus faible de France ! En été, cette chaîne fait obstacle à l'influence rafraîchissante des vents atlantiques, mais ce sont surtout les différents microclimats, nés des nombreuses sinuosités du relief, qui jouent un rôle prépondérant dans la répartition et la qualité des vignobles.

Une autre caractéristique de ce vignoble est la grande diversité de ses sols. Alors que dans un passé considéré comme récent par les géologues, même s'il remonte à quelque cinquante millions d'années, Vosges et Forêt-Noire formaient un seul ensemble, issu d'une succession de phénomènes tectoniques (immersions, érosions, plissements...), à partir de l'ère tertiaire, la partie médiane de ce massif a commencé à s'affaisser pour donner naissance, bien plus tard, à une plaine. Par suite de ce tassement, presque toutes les couches de terrain qui s'étaient accumulées au cours des différentes périodes géologiques ont été remises à nu sur la zone de rupture. Or, c'est surtout là que sont localisés les vignobles. C'est ainsi que la plupart des communes viticoles sont caractérisées par au moins quatre ou cinq formations de terrains différents.

L'histoire du vignoble alsacien se perd dans la nuit des temps, et les populations préhistoriques ont sans doute déjà dû tirer parti de la vigne, dont la culture proprement dite ne semble cependant dater que de la conquête romaine. L'invasion des Germains, au Ve s., entraîna un déclin passager de la viticulture, mais des documents écrits nous révèlent que les vignobles ont assez rapidement repris de l'importance, sous l'influence déterminante des évêchés, des abbayes et des couvents. Des documents antérieurs à l'an 900 mentionnent déjà plus de cent soixante localités où la vigne était cultivée.

Cette expansion se poursuivit sans interruption jusqu'au XVIe s., qui marqua l'apogée de la viticulture en Alsace. Les magnifiques maisons de style Renaissance que l'on rencontre encore dans maintes communes viticoles témoignent indiscutablement de la prospérité de ce temps, où de grandes quantités de vins d'Alsace étaient déjà exportées dans toute l'Europe. Mais la guerre de Trente Ans, période de dévastation par les armes, le pillage, la faim et la peste, eut des conséquences catastrophiques pour la viticulture, comme pour les autres activités économiques de la région.

Alsace

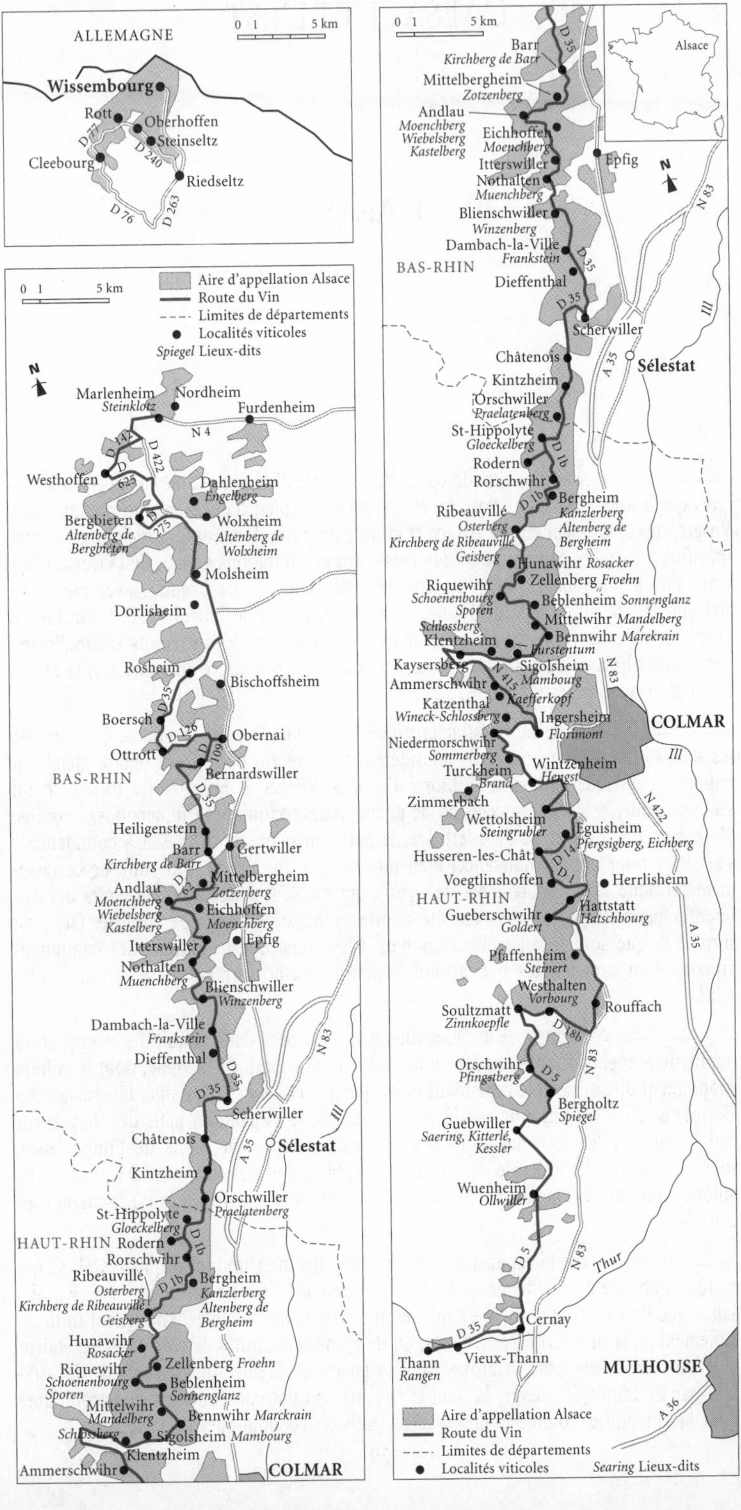
ALLEMAGNE
0 1 5 km
Wissembourg
Rott
Oberhoffen
Steinseltz
Cleebourg
Riedseltz
D 77
D 240
D 76
D 263
Aire d'appellation Alsace
Route du Vin
Limites de départements
Localités viticoles
Spiegel Lieux-dits
N
Marlenheim
Steinklotz
Nordheim
Furdenheim
N 4
D 142
D 422
D 625
Westhoffen
Dahlenheim
Engelberg
Bergbieten
Altenberg de Bergbieten
D 275
Wolxheim
Altenberg de Wolxheim
Molsheim
Dorlisheim
Rosheim
Bischoffsheim
D 35
Boersch
D 126
Obernai
Ottrott
D 109
BAS-RHIN
Bernardswiller
Heiligenstein
Barr
Kirchberg de Barr
Gertwiller
Mittelbergheim
Zotzenberg
Andlau
Moenchberg
Wiebelsberg
Kastelberg
Eichhoffen
Moenchberg
Epfig
Itterswiller
Nothalten
Muenchberg
Blienschwiller
Winzenberg
Dambach-la-Ville
Frankstein
Dieffenthal
N 83
Scherwiller
Ill
Châtenois
A 35
Sélestat
Kintzheim
Orschwiller
Praelatenberg
St-Hippolyte
Gloeckelberg
HAUT-RHIN
Rodern
D 1b
Rorschwihr
Ribeauvillé
Osterberg
Kirchberg de Ribeauvillé
Geisberg
Bergheim
Kanzlerberg
Altenberg de Bergheim
Hunawihr
Rosacker
Zellenberg
Froehn
Riquewihr
Schoenenbourg
Sporen
Beblenheim
Sonnenglanz
Mittelwihr
Mandelberg
Bennwihr
Marckrain
Schlossberg
Sigolsheim
Mambourg
Klentzheim
Ammerschwihr
COLMAR
Alsace
Kirchberg de Barr
Epfig
Marekrain
Furstentum
Kaysersberg
N 415
Kaefferkopf
Katzenthal
Wineck-Schlossberg
Ingersheim
Florimont
Niedermorschwihr
Sommerberg
Wintzenheim
Hengst
Turckheim
Brand
Zimmerbach
N 422
Wettolsheim
Steingrubler
Eguisheim
Pfergsigberg, Eichberg
Husseren-les-Chât.
D 14
Voegtlinshoffen
D 1
Herrlisheim
Hattstatt
Hatschbourg
Gueberschwihr
Goldert
Pfaffenheim
Steinert
Westhalten
Vorbourg
Rouffach
Soultzmatt
Zinnkoepfle
D 18b
Orschwihr
Pfingstberg
D 5
Bergholtz
Spiegel
Guebwiller
Saering, Kitterlé, Kessler
Wuenheim
Ollwiller
Thur
Cernay
Vieux-Thann
Thann
Rangen
MULHOUSE
A 36
Searing Lieux-dits

La paix revenue, la culture de la vigne reprit peu à peu son essor, mais l'extension des vignobles se fit principalement à partir de cépages communs. Un édit royal de 1731 tenta bien de mettre fin à cette situation, mais sans grand succès. Cette tendance s'accentua encore après la Révolution, et la superficie du vignoble passa de 23 000 ha en 1808 à 30 000 ha en 1828. Il s'instaura une surproduction, aggravée par la disparition totale des exportations et par une diminution de la consommation du vin au profit de la bière. Par la suite, la concurrence des vins du Midi, facilitée par l'avènement des chemins de fer, ainsi que l'apparition et l'extension des maladies cryptogamiques, des vers de la grappe et du phylloxéra ne firent qu'augmenter toutes les difficultés. Il s'ensuivit à partir de 1902 une diminution de la superficie du vignoble qui continua jusque vers 1948, année qui le vit tomber à 9 500 ha, dont 7 500 en appellation alsace.

L'essor économique de l'après-guerre et les efforts de la profession influèrent favorablement sur le développement du vignoble alsacien, qui possède actuellement, sur une superficie de quelque 14 400 ha, un potentiel de production annuel moyen de l'ordre de 1 170 000 hl - dont 35 000 hl en grands crus et 140 000 hl en crémant d'Alsace -, commercialisés en France et à l'étranger, les exportations atteignant plus du quart des ventes totales. Ce développement a été l'œuvre de l'ensemble des diverses branches professionnelles qui mettent chacune sur le marché des quantités plus ou moins identiques de vin. Il s'agit des viticulteurs producteurs, des coopératives et des négociants (souvent eux-mêmes producteurs), qui achètent des quantités importantes à des viticulteurs ne vinifiant pas eux-mêmes leur récolte.

Tout au long de l'année, de nombreuses manifestations vinicoles se déroulent dans les diverses localités qui bordent la route du Vin. Celle-ci est un des attraits touristiques et culturels majeurs de la province. Le point culminant de ces manifestations est sans doute la Foire annuelle du vin d'Alsace qui a lieu en août à Colmar, précédée par celles de Guebwiller, d'Ammerschwihr, de Ribeauvillé, de Barr et de Molsheim. Mais il convient également de citer celle, particulièrement prestigieuse, de la confrérie Saint-Etienne, née au XIVe s. et restaurée en 1947.

Le principal atout des vins d'Alsace réside dans le développement optimal des constituants aromatiques des raisins, qui s'effectue souvent mieux dans des régions à climat tempéré frais, où la maturation est lente et prolongée. Leur spécificité dépend naturellement de la variété, et l'une des particularités de la région est la dénomination des vins d'après la variété qui les a produits, alors qu'en règle générale les autres vins français d'appellation d'origine contrôlée portent le nom de la région ou d'un site géographique plus restreint qui leur a donné naissance.

Les raisins, récoltés courant octobre, sont transportés le plus rapidement possible au chai pour y subir un foulage, parfois un égrappage, puis le pressurage. Le moût qui s'écoule du pressoir est chargé de « bourbes » qu'il importe d'éliminer le plus vite possible par sédimentation ou par centrifugation. Le moût clarifié entre ensuite en fermentation, phase au cours de laquelle on veille tout particulièrement à éviter un excès de température. Par la suite, le vin jeune et trouble demande de la part du viticulteur toute une série de soins : soutirage, ouillage, sulfitage raisonné, clarification. La conservation en cuves ou en fûts se poursuit ensuite jusque vers le mois de mai, époque à laquelle le vin subit son conditionnement final en bouteilles. Cette façon de procéder concerne la vendange destinée à l'obtention des vins blancs secs, c'est-à-dire plus de 90 % de la production alsacienne.

Les alsaces « vendanges tardives » et « sélection de grains nobles », eux, sont des productions issues de vendanges surmûries et ne constituent des appellations officielles que depuis 1984. Ils sont soumis à des conditions de production extrêmement rigoureuses, les plus exigeantes de toutes pour ce qui concerne le taux de sucre des raisins. Il s'agit évidemment de vins de classe exceptionnelle, qui ne peuvent être obtenus tous les ans et dont le prix de revient est très élevé. Seul le gewurztraminer, le pinot gris, le riesling et plus rarement le muscat peuvent bénéficier de ces mentions spécifiques.

Dans l'esprit des consommateurs, le vin d'Alsace doit se boire jeune, ce qui est en grande partie vrai pour le sylvaner, le chasselas, le pinot blanc et l'edelzwicker ; mais cette jeunesse est loin d'être éphémère, et riesling, gewurztraminer, pinot gris ont souvent intérêt à n'être consommés qu'après deux ans d'âge. Il n'existe en réalité aucune règle fixe à cet égard, et certains grands vins, nés au cours des années de grande maturité des raisins, se conservent beaucoup plus longtemps, des dizaines d'années parfois.

L'appellation alsace, applicable dans l'ensemble des cent dix aires de production communales, est subordonnée à l'utilisation de onze cépages : gewurztraminer, riesling rhénan, pinot gris, muscats blanc et rose à petits grains, muscat ottonel, pinot blanc vrai, auxerrois blanc, pinot noir, sylvaner blanc, chasselas blanc et rose.

Alsace klevener de heiligenstein

Le klevener de heiligenstein n'est autre que le vieux traminer (ou savagnin rose) connu depuis des siècles en Alsace.

Il a fait place progressivement à sa variante épicée ou « gewurztraminer » dans l'ensemble de la région, mais est resté vivace à Heiligenstein et dans cinq communes voisines.

Il constitue une originalité par sa rareté et son élégance. Ses vins sont en effet à la fois très bien charpentés et discrètement aromatiques.

ANDRE DOCK Cuvée Tentation 1997

☐ 0,2 ha 1 200 ▮ 70 à 99 F

De couleur jaune cuivré, ce 97 offre un nez intense de pamplemousse et de coing nuancé d'épice. La bouche se montre ample, souple, encore un peu trop douce pour certains. A attendre.

André et Christian Dock, 20, rue Principale, 67140 Heiligenstein, tél. 03.88.08.02.69, fax 03.88.08.19.72 ☑ Y t.l.j. 8h-12h 13h-18h

CH. WANTZ 1997

☐ n.c. 6 000 ▮ 30 à 49 F

Cette maison très anciennement établie à Barr a toujours eu dans sa gamme de vins le klevener de heiligenstein. Jaune citron à reflets verts, ce 97 se distingue par l'intensité de son nez évoquant la brioche et la noisette. On retrouve ce registre aromatique en bouche, où dominent des notes épicées et des nuances de beurre et de noisette à l'olfaction. La finale est puissante et d'une belle vivacité.

SA Charles Wantz, 36, rue Saint-Marc, 67140 Barr, tél. 03.88.08.90.44, fax 03.88.08.54.61 ☑ Y r.-v.

Alsace sylvaner

Les origines du sylvaner sont très incertaines, mais son aire de prédilection a toujours été limitée au vignoble allemand et à celui du Bas-Rhin en France. En Alsace même, c'est un cépage extrêmement intéressant grâce à son rendement et à sa régularité de production.

Son vin est d'une remarquable fraîcheur, assez acide, doté d'un fruité discret. On trouve en réalité deux types de sylvaner sur le marché. Le premier, de loin supérieur, provient de terroirs bien exposés et peu enclins à la surproduction. Le second est apprécié par ceux qui aiment un type de vin sans prétention, agréable et désaltérant. Le sylvaner accompagne volontiers choucroute, hors-d'œuvre et entrées, de même que les fruits de mer, tout spécialement les huîtres.

LAURENT BANNWARTH 1997*

☐ 0,35 ha 2 780 30 à 49 F

Laurent Bannwarth a créé son exploitation en 1957. Il travaille depuis douze ans avec son fils. Leur science et leur passion ne se sont jamais émoussées. Ce sylvaner originaire d'un terroir argilo-calcaire révèle une maturité exceptionnelle. Il est marqué par des notes d'agrumes et de fruits confits au nez. D'une belle attaque en bouche, il termine sur une pointe de rondeur et sur une longue finale.

🔑 Laurent Bannwarth et Fils, 9, rte du Vin, 68420 Obermorschwihr, tél. 03.89.49.30.87, fax 03.89.49.29.02 ☑ 𝐈 r.-v.

EBLIN-FUCHS Vieilles vignes 1997*

☐ 1 ha 2 500 ▮▮ 20 à 29 F

Deux très anciennes familles, les Eblin et les Fuchs, ont uni leurs destinées en 1956 pour constituer un domaine de 8 ha. Originaire d'une vieille vigne située sur un terroir marno-calcaire, ce sylvaner est déjà très expressif au nez avec des notes d'agrumes et de fruits exotiques. D'une attaque franche et vive au palais, il préserve une finale plus arrondie. C'est un vin riche et prometteur.

🔑 Christian et Joseph Eblin, 75, rte des Vins, Schlossreben, 68340 Zellenberg, tél. 03.89.47.91.14, fax 03.89.49.05.12 ☑ 𝐈 r.-v.

ARMAND GILG Brandluft 1997*

☐ 0,38 ha 4 500 ▮🌡 30 à 49 F

D'origine autrichienne, la famille Gilg est établie à Mittelbergheim depuis 1572. Elle propose un sylvaner au nez fin et fruité, aux arômes typés du cépage. Marqué par son origine calcaire, ce vin est, certes, encore très jeune, mais sa structure et sa persistance laissent présager une bonne capacité de vieillissement.

🔑 Dom. Armand Gilg et Fils, 2, rue Rotland, 67140 Mittelbergheim, tél. 03.88.08.92.76, fax 03.88.08.25.91 ☑ 𝐈 r.-v.

JEAN-MARIE HAAG Vallée Noble Vieilles vignes 1997*

☐ 0,4 ha 3 000 ▮🌡 30 à 49 F

Jean-Marie Haag est à la tête d'un domaine de 6 ha depuis 1988. Son sylvaner Vallée Noble est né dans un terroir magnifiquement exposé, où les cépages riesling, gewurztraminer, muscat et pinot gris donnent des vins d'appellation alsace grand cru. Issu d'une vigne cinquantenaire, il affiche une belle maturité. Marqué au nez par des notes d'agrumes et des nuances mentholées, il se caractérise par une attaque très franche et un palais bien structuré. Des notes de pêche et d'agrumes se retrouvent en finale, qu'il a très longue.

🔑 Jean-Marie Haag, 17, rue des Chèvres, 68570 Soultzmatt, tél. 03.89.47.02.38, fax 03.89.47.64.79 ☑ 𝐈 t.l.j. 9h-12h 14h-18h; dim. et groupes sur r.-v.; f. vendanges

DOM. LANDMANN Zellberg 1997**

☐ 1 ha 8 000 ▮▮ 20 à 29 F

Armand Landmann a changé de profession en 1992 pour reprendre les propriétés familiales. Grand bien lui en a pris, car, en quelques années, il a atteint le faîte de la notoriété. Il cherche, dit-il, à redonner au sylvaner ses lettres de noblesse. Voilà qui est fait. Originaire d'un terroir argilo-sableux particulièrement indiqué, ce vin est très expressif au nez avec ses arômes citronnés et exotiques. D'une attaque franche et nerveuse au palais, il révèle une grande complexité. C'est le fruit d'une matière assurément exceptionnelle.

🔑 Armand Landmann, 74, rte du Vin, 67680 Nothalten, tél. 03.88.92.41.12, fax 03.88.92.41.12 ☑ 𝐈 r.-v.

ALBERT SELTZ Zotzenberg Vieilles vignes 1997**

☐ 2 ha n.c. ▮ 50 à 69 F

Mittelbergheim n'est pas seulement ce bourg si pittoresque. C'est aussi un haut lieu du vignoble alsacien. Les Seltz y sont installés depuis des générations et exploitent actuellement 11 ha de vignes. Le sylvaner trouve incontestablement ici un de ses terroirs de prédilection. Dominé par la surmaturation, celui-ci développe au nez des arômes de coing et d'abricot sec. Très gras au palais, tout en restant équilibré, c'est un vin complexe et concentré, d'une persistance remarquable. Le 96 et le 93 du même terroir ont eu un coup de cœur.

🔑 Albert Seltz, 21, rue Principale, 67140 Mittelbergheim, tél. 03.88.08.91.77, fax 03.88.08.52.72 ☑ 𝐈 r.-v.

BERNARD WEBER 1997*

☐ 1,5 ha 6 000 ▮🌡 20 à 29 F

A la tête de la propriété depuis 1974, Bernard Weber fait partie d'une génération qui ne laisse rien au hasard et s'est doté de tous les moyens techniques. D'une grande maturité, son sylvaner se caractérise par des arômes d'amande grillée avec des nuances vanillées. Très élégant en bouche, il a une bonne structure qui supporte une pointe de douceur. Un vin agréable et très long.

🔑 Bernard Weber, 49, rue de Saverne, 67120 Molsheim, tél. 03.88.38.52.67, fax 03.88.38.58.81, e-mail berweber@club-internet.fr ☑ 𝐈 r.-v.

A. WITTMANN ET FILS Zotzenberg 1997*

☐ 0,3 ha 3 780 ▮▮ 20 à 29 F

Comment ne pas être attaché à l'histoire de ce vignoble d'Alsace quand on habite Mittelbergheim, et quand on possède, comme André Wittmann une cave de 1558 ! Issu de son terroir argilo-calcaire de prédilection, ce sylvaner est déjà très expressif au nez avec ses nuances de fleurs blanches et ses fragrances végétales. D'une belle attaque au palais, c'est un vin nerveux, bien structuré et très persistant.

🔑 EARL André Wittmann et Fils, 7-9, rue Principale, 67140 Mittelbergheim, tél. 03.88.08.95.79, fax 03.88.08.53.81 ☑ 𝐈 t.l.j. 9h-12h 18h-20h; dim. 9h-12h

Alsace pinot ou klevner

Sous ces deux dénominations (la seconde étant un vieux nom alsacien), le vin de cette appellation peut provenir de plusieurs cépages : le pinot blanc vrai et l'auxerrois blanc. Ce sont deux variétés assez peu exigeantes, capables de donner des résultats remarquables dans des situations moyennes, car leurs vins allient agréablement fraîcheur, corps et souplesse. En une dizaine d'années, leur superficie a presque doublé, passant de 10 à 18 % de l'ensemble du vignoble.

Dans la gamme des vins d'Alsace, le pinot blanc représente le juste milieu, et il n'est pas rare qu'il surclasse certains rieslings. Du point de vue gastronomique, il s'accorde avec de nombreux plats, à l'exception des fromages et des desserts.

A.L. BAUR 1997★

□ n.c. n.c. ▮ 30 à 49 F

Ancienne possession de l'évêque de Strasbourg puis des Habsbourg, Voegtlinshoffen a gardé d'intéressantes maisons de vignerons. Né de vignes de plus de trente-cinq ans implantées sur un sol argileux, ce vin est typé du cépage. D'une couleur or soutenu, il offre un nez confit où l'abricot sec domine ; après une belle attaque il se révèle complexe et harmonieux. Jolie persistance fruitée.

⊶ A. L. Baur, 4, rue Roger-Frémeaux, 68420 Voegtlinshoffen, tél. 03.89.49.30.97, fax 03.89.49.21.37 ☑ Y r.-v.

CLAUDE BLEGER DOM. WINDMUEHL 1997★

□ 0,5 ha 3 500 ▮ 🌡 30 à 49 F

Ce domaine regroupe 6,5 ha de vignoble, situés au pied du château du Haut-Koenigsbourg. Agrémenté de notes fruitées et légèrement grillées, ce pinot blanc s'affirme par sa belle structure et par son équilibre en bouche où l'on décèle un peu de sucre résiduel. Jolie longueur.

⊶ Claude Bléger, Dom. du Windmuehl, 92, rte du Vin, 68590 Saint-Hippolyte, tél. 03.89.73.00.21, fax 03.89.73.04.22 ☑ Y r.-v.

CAVE DE CLEEBOURG Keimberg 1997★

□ 54 ha 12 000 ▮ 🌡 30 à 49 F

Cette cave, née en 1946, regroupe quelque 165 ha, majoritairement plantés en pinots gris et blanc, répartis sur les cinq communes de la partie septentrionale de la route du vin d'Alsace. Cette cuvée du Keimberg s'exprime par un beau fruité. L'attaque est franche, la suite est équilibrée et la fraîcheur la rend agréable en finale.

⊶ Cave vinicole de Cleebourg, rte du Vin, 67160 Cleebourg, tél. 03.88.94.50.33, fax 03.88.94.57.08 ☑ Y t.l.j. 8h-12h 14h-18h; groupe sur r.-v.

DOM. EINHART Westerberg 1997★

□ 1,5 ha 12 000 20 à 29 F

L'étiquette de cette bouteille présente une aquarelle d'André Jost qui suggère les lumières de l'automne et l'alchimie de la transformation du raisin en vin. En robe jaune pâle, ce klevner est d'abord discret, puis au deuxième nez il affiche son fruité. En bouche, il est frais, fin et de bon équilibre.

⊶ Nicolas Einhart, 15, rue Principale, 67560 Rosenwiller, tél. 03.88.50.41.90, fax 03.88.50.29.27 ☑ Y r.-v.

HUBER ET BLEGER 1997★★

□ n.c. n.c. 20 à 29 F

Claude et Marc Huber dirigent ce domaine familial créé par l'association en GAEC dès 1967 de Robert Bleger et Marcel Huber. D'un jaune pâle à reflets verts, ce clevner né sur un sol marno-sableux présente des arômes frais, légers. Au palais, il est d'une remarquable souplesse et d'une vivacité suffisante qui contribue à l'expression du fruité. Très séduisant pour fin 99.

⊶ Huber et Bléger, 6, rte du Vin, 68590 Saint-Hippolyte, tél. 03.89.73.01.12, fax 03.89.73.00.81 ☑ Y t.l.j. sf dim. 8h-12h 13h30-18h30

KLEE FRERES 1997★

□ 0,3 ha 1 200 (|) 20 à 29 F

Trois frères, François Klée, œnologue, Laurent, informaticien, et Gérard, anesthésiste, ont repris en 1991 la propriété familiale. Ce pinot blanc, né sur sol limoneux, a été élevé sur lies fines. Le flacon recèle un vin plaisant par sa typicité et son élégance. Après un nez floral (aubépine), la bouche continue sur le même registre. Le fruité est fin, riche, avec quelques notes de surmaturation. La finale est de bonne tenue. « Très bien vinifié », note un dégustateur.

⊶ Klée Frères, 18, Grand-Rue, 68230 Katzenthal, tél. 03.89.47.17.90 ☑ Y r.-v.

DOM. FRANCOIS LICHTLE 1997★★

□ 0,18 ha 1 200 (|) 30 à 49 F

Cette famille de vignerons a développé son domaine depuis 1885. Ces raisins, nés sur un sol argilo-gréseux, ont été vinifiés pendant huit mois en foudre. Très fruité - nuances de fruits confits, de raisins secs, ce vin est issu d'une belle matière. La bouche confirme l'expression aromatique du nez après une attaque puissante et franche. Son harmonie a séduit le jury. A deux doigts du coup de cœur.

⊶ Dom. François Lichtlé, 17, rue des Vignerons, 68420 Husseren-les-Châteaux, tél. 03.89.49.31.34, fax 03.89.49.37.52 ☑ Y r.-v.

MADER Cuvée Théophile 1997★★★

□ 0,5 ha 4 000 ▮ 30 à 49 F

Jean-Luc Mader a quitté en 1981 la coopérative fondée par son père. Il habite le village de Hunawihr dont l'église fortifiée dominant le vignoble, appartient aux images d'Alsace, comme les cigognes qui peuplent le parc du village. Né sur argilo-calcaire, ce vin peut s'inscrire dans les annales de cette appellation. D'emblée l'or pâle séduit, tout comme le nez floral. Franche, équilibrée, la bouche évolue sur des notes épicées. La finale, longue, reste fidèle à la dominante aromatique (pain d'épice).

EARL Jean-Luc Mader, 13, Grand-Rue, 68150 Hunawihr, tél. 03.89.73.80.32, fax 03.89.73.31.22 r.-v.

RUHLMANN-DIRRINGER 1997*

☐ 0,7 ha 6 000 20 à 29 F

Un domaine de 12,5 ha bien connu de nos lecteurs, non seulement pour les vins qu'il produit mais aussi pour son caveau datant de 1578. Ce pinot plaît par la fraîcheur de ses arômes, son équilibre et sa typicité ; c'est un vin fringant et désaltérant.

Ruhlmann-Dirringer, 3, rue de Mullenheim, 67650 Dambach-la-Ville, tél. 03.88.92.40.28, fax 03.88.92.48.05 r.-v.

SCHERER
Auxerrois Elevé en barrique 1997*

☐ 0,5 ha 1 800 30 à 49 F

Suivre la route du Vin, monter jusqu'à Husseren-les-Châteaux pour bénéficier d'un remarquable panorama sur le vignoble. Ce vin a fermenté en barriques dont un tiers sont neuves. La robe vieil or pâle annonce une bonne matière, les arômes sont complexes même si le boisé reste dominant. Au palais, le vin est souple, gras, fruité, bien boisé, avec des notes d'épices en finale. Une bouteille à servir avec des poissons fins les jours de fête.

Vignoble A. Scherer, 12, rte du Vin, B.P. 4, 68420 Husseren-les-Châteaux, tél. 03.89.49.30.33, fax 03.89.49.27.48 t.l.j. sf dim. 8h-12h 14h-18h

MICHEL SCHOEPFER 1997**

☐ 0,5 ha 4 000 20 à 29 F

A Eguisheim, le visiteur côtoie un millénaire d'histoire. Cette propriété a son siège dans une ancienne cour dîmière dont les origines se situent au début du XIIIes. Son pinot blanc, né sur argilo-calcaire, est issu d'une vinification traditionnelle en fût de chêne. Sa matière est de qualité et s'affirme par un fruité intense et complexe, et par un grand équilibre. Un vin ample et persistant.

Michel Schoepfer, 43, Grand-Rue, 68420 Eguisheim, tél. 03.89.41.09.06, fax 03.89.23.08.50 r.-v.

SPITZ ET FILS 1997*

☐ 7,8 ha 4 600 30 à 49 F

Cette exploitation familiale est référencée dans le Guide depuis une dizaine d'années. Cette année encore, elle est reconnue pour ce vin dont l'étiquette représente la chapelle Saint-Erasme. A la fois fin et intense, ce pinot est franc, élégant et d'un équilibre plaisant. A servir sur des salades d'automne.

Spitz et Fils, 2, rte du Vin, 67650 Blienschwiller, tél. 03.88.92.61.20, fax 03.88.92.61.26 r.-v.

Dominique et M.-Cl. Spitz

CH. WAGENBOURG 1997**

☐ 1 ha 7 000 20 à 29 F

La vallée Noble comptait sept châteaux. Il ne reste plus que le Wagenbourg dont les origines remontent à 1506. Depuis 1905, il est propriété de la famille Klein. Ce pinot en robe d'or pâle s'impose par ses arômes fins, fruités, épicés, agrémentés d'une note de fraîcheur. La belle matière se développe en souplesse, avec ampleur et persistance. Fin et riche à la fois, un joli vin né sur un sol argilo-calcaire, que ne déparera pas une quiche bien faite.

EARL Joseph et Jacky Klein, Ch. agenbourg, 68570 Soultzmatt, tél. 03.89.47.01.41, fax 03.89.47.65.61 t.l.j. sf dim. 8h-12h 13h30-19h

ALBERT ZIEGLER 1997*

☐ 1 ha 4 000 30 à 49 F

Les vignes de ce domaine construit en 1722 sont situées sur les coteaux du Bollenberg et du Pfingstberg. Des notes fruitées affirment le type de ce pinot qui, en bouche, se révèle équilibré.

EARL Albert Ziegler, 10, rue de l'Eglise, 68500 Orschwihr, tél. 03.89.76.01.12, fax 03.89.74.91.32 t.l.j. 8h-12h 13h-19h

Alsace edelzwicker

Parmi les appellations alsaciennes, une place particulière est occupée par l'edelzwicker. Cette dénomination extrêmement ancienne désigne les vins issus d'un mélange de cépages. N'oublions pas qu'il y a un siècle les parcelles du vignoble alsacien implantées avec une seule variété étaient rares. Les cépages qui entrent dans la composition de l'edelzwicker sont essentiellement les pinot blanc, auxerrois, sylvaner et chasselas. A côté d'une proportion relativement faible d'edelzwicker sans grande qualité et qui a tendance à jeter le discrédit sur cette appellation, cette production est particulièrement appréciée par les Alsaciens, et la plupart des restaurants et des cafés mettent un point d'honneur à en servir de très agréables en carafe. Il s'agit d'une appellation qui mériterait qu'on revalorise sa réputation.

COMTE D'ANDLAU-HOMBOURG
Château d'Ittenwiller Grande Réserve 1997★★

☐	n.c.	8 100	◫	30 à 49 F

D'origine monastique, ce domaine viticole dépendit ensuite de l'évêché de Strasbourg jusqu'à sa vente comme bien national en 1792. Il est dans la même famille depuis 1806. L'edelzwicker est un vin d'assemblage. Celui-ci est issu d'auxerrois, de pinot gris et de muscat. Très intense au nez, marqué par des notes de surmaturation, ce 97 révèle un équilibre remarquable au palais. Ampleur, gras, fraîcheur, longueur : un vin paré de toutes les qualités !
☛ Comte d'Andlau-Hombourg, Dom. d'Ittenwiller, 67140 Saint-Pierre, tél. 03.88.08.92.63, fax 03.88.08.13.30 ☑ 🍷 r.-v.

Alsace riesling

Le riesling est le cépage rhénan par excellence, et la vallée du Rhin est son berceau. Il s'agit d'une variété tardive pour la région, et sa production est régulière et bonne. Il occupe près de 22 % du vignoble avec 3 294 ha en 1996.

Le riesling alsacien est un vin sec, ce qui le différencie de façon générale de son homologue allemand. Ses atouts résident dans l'harmonie entre son bouquet et son fruité délicats, son corps et son acidité assez prononcée mais extrêmement fine. Mais pour atteindre cet apogée, il devra provenir d'une bonne situation.

Le riesling a essaimé dans de nombreux autres pays viticoles, où la dénomination riesling, sauf si l'on précise « riesling rhénan », n'est pas totalement fiable : une dizaine d'autres cépages ont, de par le monde, été baptisés de ce nom ! Du point de vue gastronomique, le riesling convient tout particulièrement aux poissons, aux fruits de mer et, bien entendu, à la choucroute garnie à l'alsacienne ou au coq au riesling ; chaque fois qu'il ne contient pas de sucres résiduels les sélections de grains nobles et vendanges tardives se prêtent aux accords des vins liquoreux.

J.B. ADAM
Kaefferkopf Cuvée Jean-Baptiste 1997★

☐	1,5 ha	9 000	◫	50 à 69 F

Producteurs et négociants, les Adam ont pignon sur rue à Ammerschwihr depuis 1614. Ils sont fiers de posséder l'une des plus anciennes étiquettes d'Alsace, celle d'un Kaefferkopf 1834. Quant à ce Kaefferkopf 97, il apparaît déjà très ouvert au nez, en dépit de son origine argilo-calcaire, et s'annonce par des notes grillées et minérales. D'une belle vivacité en bouche, il se montre parfaitement équilibré et persistant. Il s'accordera avec le poisson, qu'il soit de mer ou de rivière.
☛ Jean-Baptiste Adam, 5, rue de l'Aigle, 68770 Ammerschwihr, tél. 03.89.78.23.21, fax 03.89.47.35.91 ☑ 🍷 t.l.j. sf dim. 8h-12h 14h-18h30; groupes sur r.-v.

AMBERG Vieilles vignes 1997★

☐	1 ha	3 000	50 à 69 F

Installé à Epfig depuis 1985, Yves Amberg exploite un domaine de 10 ha. Son riesling Vieilles vignes est né de ceps de quarante-cinq ans d'âge. Marqué par un terroir sablonneux, il affiche déjà un nez expressif avec ses nuances d'agrumes et d'amande. D'une belle attaque au palais, c'est un vin structuré et harmonieux qui supporte bien une petite pointe de rondeur en finale. Il se montre fort persistant.
☛ Yves Amberg, 19, rue Fronholz, 67680 Epfig, tél. 03.88.85.51.28 ☑ 🍷 r.-v.

ANDRE ANCEL 1997

☐	0,27 ha	2 400	◫	50 à 69 F

A la tête de ce domaine de près de 9 ha depuis 1982, André Ancel a présenté un riesling marqué par son origine granitique : le nez est déjà bien ouvert et dominé par des notes d'agrumes. D'une belle attaque au palais, c'est un vin structuré et persistant.
☛ André Ancel, 3, rue du Collège, 68240 Kaysersberg, tél. 03.89.47.10.76, fax 03.89.78.13.78 ☑ 🍷 r.-v.

FREDERIC ARBOGAST
Geierstein Vendanges tardives 1995★★

☐	0,45 ha	3 000	🍷	70 à 99 F

Cette exploitation, qui a effectué sa première mise en bouteille en 1971, est passée en trente ans de 1 ha à 14 ha. Elle a élaboré une remarquable vendange tardive, jaune à reflets verts très brillants. Elégant, d'une grande finesse, le nez révèle une palette aromatique complexe, où se mêlent les fruits confits, les fleurs et des notes minérales. Ces dernières marquent le palais riche, gras et d'un excellent équilibre. Un vin de garde.
☛ Frédéric Arbogast, 135, pl. de l'Eglise, 67310 Westhoffen, tél. 03.88.50.30.51 🍷 t.l.j. sf dim. 8h-12h 13h-19h30

BERNARD BECHT
Husaren Vendanges Tardives 1996★

☐	0,18 ha	1 800	🍷◫	100 à 149 F

Les terroirs argilo-calcaires sont particulièrement adaptés à l'élaboration des vins de vendanges tardives. Conservant l'humidité, ils permet-

tent à la vigne d'avoir une alimentation en eau constante et de poursuivre ainsi une maturation régulière. Jaune à reflets verts, ce 96 se montre intensément riche au nez avec des parfums de fleurs séchées et de fruits confits nuancés d'anis. Riche et concentré au palais, gras et moelleux, d'une belle complexité aromatique, il offre une longue finale où l'on retrouve les fruits confits.
Bernard Becht, 84, Grand-Rue, 67120 Dorlisheim, tél. 03.88.38.20.37, fax 03.88.38.88.00 ☑ Y r.-v.

BESTHEIM Rebgarten Réserve 1997★★★

☐ 12 ha n.c. 30 à 49 F

Le groupe Bestheim est né tout récemment de la fusion des deux caves vinicoles de Bennwihr et Westhalten. Il appartient aussi au peloton de tête du vignoble d'Alsace. Le Rebgarten, terroir marno-calcaire a toujours été réputé pour ses rieslings. La réussite de celui-ci est éclatante ! Tout à la fois subtil et intense au nez avec ses notes de fleurs blanches et de sous-bois, ce vin révèle une ampleur extraordinaire au palais, sans pour autant que l'équilibre soit rompu. Un riesling typique et de haute lignée !
Bestheim, 3, rue du Gal-de-Gaulle, 68630 Bennwihr, tél. 03.89.49.09.29, fax 03.89.49.09.20 ☑ Y t.l.j. 9h-12h 14h-18h

JOSEPH BINNER
Sélection de grains nobles 1995★★

☐ 1,75 ha 8 000 200 à 249 F

Soucieux de perfectionnements techniques, Joseph Binner a mis au point un mode de stockage des bouteilles en caisses, des systèmes d'extraction du moût ou encore - sa dernière invention - un verre à dégustation à double paroi. C'est aussi un excellent vigneron, témoin ce 95 d'un jaune franc à reflets dorés, au nez complexe, fumé, légèrement anisé avec des notes d'acacia et de vanille. La bouche, tout en douceur, met en valeur le cépage tout au long de la dégustation. Un monument d'équilibre, de concentration et de finesse.
Joseph et Christian Binner, 2, rue des Romains, 68770 Ammerschwihr, tél. 03.89.78.23.20, fax 03.89.78.14.17 ☑ Y t.l.j. 9h-12h30 13h30-20h

FRANCOIS BLEGER
Le Bouquet de Clémence 1997

☐ 0,55 ha 2 000 30 à 49 F

Christophe et François Bleger se sont lancés dans la mise en bouteilles en 1996. Très vite ils ont donné le ton en confiant le soin de créer leur étiquette à Corinne Ungerer. Ce riesling d'origine granitique développe des parfums fruités mêlés à des notes minérales. Ample et souple au palais, c'est un vin d'une belle persistance aromatique.
François Bléger, 63, rte du Vin, 68590 Saint-Hippolyte, tél. 03.89.73.06.07, fax 03.89.73.06.07 ☑ Y r.-v.

CLOS DES CHARTREUX 1997★

☐ 2 ha 15 000 50 à 69 F

Si Molsheim a brillé de mille éclats au milieu de ce siècle grâce à Ettore Bugatti, elle a aujourd'hui renoué avec une très vieille tradition vinique héritée de la Chartreuse. Originaire d'un terroir argilo-calcaire, ce riesling fin et délicat au nez est encore dominé par une touche très « fleurs blanches ». Sec et bien structuré au palais, c'est un vin puissant et tout en harmonie.
Robert Klingenfus, 60, rue de Saverne, 67120 Molsheim, tél. 03.88.38.07.06, fax 03.88.49.32.47 ☑ Y r.-v.

COMTE D'ANDLAU-HOMBOURG
1997★★

☐ 0,95 ha 6 500 30 à 49 F

Le château d'Ittenwiller est décidément devenu incontournable. Déjà cité avec beaucoup d'éloges dans une rubrique précédente de ce Guide, il revient avec brio pour le riesling ! Portant la marque de son origine graveleuse, ce 97 est intense et très typé au nez avec ses nuances citronnées. D'une attaque assez vive au palais, il est parfaitement structuré et très persistant. Un vin de grande race !
Comte d'Andlau-Hombourg, Dom. d'Ittenwiller, 67140 Saint-Pierre, tél. 03.88.08.92.63, fax 03.88.08.13.30 ☑ Y r.-v.

COMTE DE BEAUMONT 1997★

☐ 5 ha 42 000 50 à 69 F

Difficile de manquer la maison Preiss-Zimmer : elle a pignon sur la rue principale d'une des cités les plus visitées de l'Hexagone ! Originaire d'un terroir calcaire graveleux, son riesling Comte de Beaumont associe au nez les agrumes, les fleurs blanches et le cassis. On retrouve ces arômes au palais, renforcés par sa vivacité et sa persistance.
SARL Preiss-Zimmer, 40, rue du Gal-de-Gaulle, 68340 Riquewihr, tél. 03.89.47.86.91, fax 03.89.27.35.33 ☑ Y r.-v.

DANY DIETRICH
Cuvée du Vigneron 1997★

☐ 0,9 ha 8 600 30 à 49 F

Partisan de la vinification traditionnelle, Dany Dietrich exploite près de 10 ha de vignes à Ingersheim et dans les environs immédiats de la ville de Colmar. Sa cuvée du Vigneron est un riesling d'origine graveleuse. Le nez apparaît très expressif avec ses notes florales et minérales mêlées de fruits confits. D'une belle attaque, le palais est ample et complexe. Un grand vin de garde !
EARL Dany Dietrich, 19, rue du Gal-Pau, 68040 Ingersheim, tél. 03.89.27.05.19, fax 03.89.27.54.91 ☑ Y t.l.j. sf dim. 13h30-19h; groupes sur r.-v.

LAURENT ET MICHEL DIETRICH
1997*

□ 1 ha 8 000 ◧ 30 à 49 F

Vignerons de père en fils depuis deux cent cinquante ans, Laurent et Michel Dietrich accueillent les visiteurs dans une cave datée de 1620, située au cœur du bourg médiéval. Reflétant son origine granitique, leur riesling est déjà très ouvert au nez, avec des notes minérales et épicées. D'une attaque vive au palais, il révèle une excellente structure en bouche. Une finale complexe de fruits confits conclut la dégustation.

Laurent et Michel Dietrich, 3, rue des Ours, 67650 Dambach-la-Ville, tél. 03.88.92.41.31, fax 03.88.92.62.88 ☑ Y t.l.j. sf dim. 9h-12h 13h-19h

DISCHLER
Riesling de Wolxheim Rothstein 1997*

□ 0,75 ha 4 900 ◧ 20 à 29 F

Charles et André Dischler exploitent 8 ha de vignes à Wolxheim, sous la protection de la célèbre statue du Horn. Issu d'un terroir argilo-calcaire, ce riesling est né sous le signe de la surmaturation, témoin son nez où le citron côtoie les fruits confits. Après une belle attaque, le palais finit dans un équilibre harmonieux.

EARL Dischler, 23, rte de Soultz-les-Bains, 67120 Wolxheim-le-Canal, tél. 03.88.38.22.55, fax 03.88.49.86.80 ☑ Y r.-v.

DREYER 1997*

□ 1,2 ha 4 000 ◧ 30 à 49 F

Ceinte de remparts du XIII^{e}s. et ornée d'une mer de vignes, Eguisheim illustre à la fois l'architecture défensive du Moyen Age, et la politique offensive du vignoble alsacien. Le GAEC Dreyer y exploite 9 ha de vignes. D'origine sablo-limoneuse, son riesling est dominé au nez par des nuances florales. D'une attaque assez souple au palais, c'est un vin équilibré, complexe et persistant : le produit d'une grande matière première.

GAEC Robert Dreyer et Fils, 17, rue de Hautvillers, 68420 Eguisheim, tél. 03.89.23.12.18, fax 03.89.41.61.45 ☑ Y r.-v.

DOM. ANDRE DUSSOURT
Riesling de Scherwiller 1997*

□ 0,5 ha 4 600 ◧ 50 à 69 F

Descendant d'une longue lignée de vignerons de Blienschwiller, André Dussourt a préféré s'installer à Scherwiller en 1964. Il possède une remarquable série de foudres de bois. Marqué par son origine granitique, son riesling de Scherwiller, très floral de prime abord, développe des notes minérales dans un deuxième temps. D'une belle attaque au palais, c'est un vin frais, équilibré, qui termine sur une agréable touche de réglisse.

Dom. André Dussourt, 2, rue de Dambach, 67750 Scherwiller, tél. 03.88.92.10.27, fax 03.88.92.18.44 ☑ Y t.l.j. sf dim. 8h-12h 13h30-19h

DOM. ANDRE EHRHART ET FILS
Herrenweg 1997**

□ 0,4 ha 2 500 ◧ 30 à 49 F

La vigne est ici chez elle depuis l'Antiquité - d'importants vestiges de l'époque romaine ont été découverts à Wettolsheim, près de Colmar. André Ehrhart et son fils en ont tiré ce grand riesling. D'origine granitique, ce 97 développe un bouquet extraordinaire où se côtoient miel, fleurs blanches, épices et même quelques notes minérales. Cette complexité est confirmée au palais, puissant et parfaitement structuré. Un vin racé et d'une longévité assurée.

André Ehrhart et Fils, 68, rue Herzog, 68920 Wettolsheim, tél. 03.89.80.66.16, fax 03.89.79.44.20 ☑ Y t.l.j. sf dim. 8h-12h 14h-18h

DOM. ENGEL Cuvée Zollstoeckel 1996*

□ 0,3 ha 3 000 30 à 49 F

Le domaine Engel a été fondé en 1958. Il est exploité aujourd'hui par la troisième génération et rassemble 15 ha de vignes, ce qui n'est pas négligeable en Alsace. Originaire d'un terroir argilo-calcaire, ce riesling est déjà très expressif au nez avec ses arômes vanillés. D'une belle attaque au palais, c'est un vin riche et persistant, le résultat d'une grande matière.

Dom. Christian et Hubert Engel, 1, rte des Vins, 67600 Orschwiller, tél. 03.88.92.01.83, fax 03.88.82.25.09 ☑ Y r.-v.

ANDRE FALLER Fruehmess 1997*

□ 0,65 ha 4 000 30 à 49 F

André Faller est à la tête de ce domaine de 7,5 ha depuis 1995, mais il n'a rien renié de l'expérience acquise par son père et son grand-père. Reflétant son origine sablonneuse, son riesling Fruehmess offre un nez intense, dominé par des senteurs florales. D'une fraîcheur agréable en bouche, c'est un vin riche et persistant.

EARL André Faller, 2, rte du Vin, 67140 Itterswiller, tél. 03.88.85.53.55, fax 03.88.85.51.13 ☑ Y r.-v.

LUCIEN GANTZER 1997*

□ 0,4 ha 4 000 30 à 49 F

Lucien Gantzer a passé le relais à sa fille aînée en 1995. Passionnée par son exploitation, elle a très vite cherché à étoffer sa gamme de vins d'Alsace. D'origine argilo-calcaire, son riesling est encore relativement fermé au nez. C'est au palais qu'il révèle toute sa complexité : il apparaît à la fois souple et structuré, ample et racé. A servir avec du poisson.

Lucien Gantzer, 9, rue du Nord, 68420 Gueberschwihr, tél. 03.89.49.31.81, fax 03.89.49.23.34 ☑ Y t.l.j. 9h-12h 13h30-18h

JEAN GEILER Vendanges tardives 1996*

□ 1,1 ha 2 500 70 à 99 F

Cette importante cave coopérative vinifie la vendange de 300 ha de vignes situées à Ingersheim et dans les communes voisines. D'un jaune brillant dans le verre, son riesling offre un nez intense et riche, avec une petite note de réglisse. Le palais est puissant, gras et moelleux. D'une bonne persistance, il montre beaucoup de fraîcheur et a du nerf en finale.

⊶ Cave vinicole Jean Geiler, 45, rue de la République, 68040 Ingersheim, tél. 03.89.27.05.96, fax 03.89.27.51.24 ☑ Y r.-v.

DOM. ROLAND GEYER

Nothalten Vieilles vignes 1997★★

☐ 0,3 ha 1 200 30 à 49 F

Village-rue situé entre Sélestat et Barr, Nothalten possède des terroirs propices au riesling. Roland Geyer y exploite un domaine de 9 ha. Né de ceps vieux de cinquante ans, ce 97 est une petite merveille d'arômes : on y décèle aussi bien les notes florales du cépage que les nuances épicées et vanillées de la surmaturation. D'une très belle tenue, ample et harmonieuse, la bouche révèle une matière première remarquable.

⊶ Dom. Roland Geyer, 148, rte du Vin, 67680 Nothalten, tél. 03.88.92.46.82, fax 03.88.92.63.19 ☑ Y r.-v.

W. GISSELBRECHT

Réserve spéciale 1997★

☐ 3 ha 30 000 30 à 49 F

La maison Willy Gisselbrecht compte parmi les noms les plus célèbres du négoce local. Elle continue d'exploiter un domaine de 17 ha de vignes. Reflétant son origine granitique, son riesling Réserve spéciale est très floral au nez. Une note minérale apparaît au palais, venant renforcer sa complexité. Un vin équilibré et prometteur qui devrait s'accorder avec une salade gourmande ou un poisson.

⊶ Willy Gisselbrecht et Fils, 5, rte du Vin, 67650 Dambach-la-Ville, tél. 03.88.92.41.02, fax 03.88.92.45.50, e-mail W.Gisselbrecht@wanadoo.fr ☑ Y t.l.j. sf dim. 8h-12h 14h-18h

DOM. HENRI HAEFFELIN ET FILS

Cuvée Paul 1997★

☐ 0,3 ha 2 000 30 à 49 F

Viticulteurs de père en fils depuis 1670, les Haeffelin exploitent aujourd'hui 15 ha de vignes, répartis dans plusieurs contrées des environs de Colmar. Ce riesling, d'origine granitique, livre des senteurs d'agrumes très intenses. Cette impression aromatique se confirme au palais, qu'il a vif et bien équilibré. C'est un vin qui affiche déjà une belle évolution.

⊶ Dom. Henri Haeffelin et Fils, 13, rue d'Eguisheim, 68920 Wettolsheim, tél. 03.89.80.76.81, fax 03.89.79.67.05 ☑ Y r.-v.

⊶ Guy Haeffelin

BERNARD ET DANIEL HAEGI

Brandluft Cuvée Prestige 1997★

☐ 0,4 ha 2 600 30 à 49 F

Avec ses riches maisons anciennes et son imposant hôtel de ville du XVIe s., Mittelbergheim mérite un détour. Les visiteurs peuvent parcourir un sentier viticole qui explique la vigne par la bande dessinée. Provenant d'un terroir argilo-calcaire, ce riesling est déjà très intense au nez, marqué par des arômes de citron et de fruits confits. Révélant une attaque équilibrée, c'est un vin racé qui s'accordera avec le poisson en sauce.

⊶ Bernard et Daniel Haegi, 33, rue de la Montagne, 67140 Mittelbergheim, tél. 03.88.08.95.80, fax 03.88.08.91.20 ☑ Y t.l.j. 8h-12h 13h-19h; dim. sur r.-v.

ANDRE HARTMANN

Armoirie Hartmann 1997★★

☐ 0,66 ha n.c. 50 à 69 F

Cette famille enracinée dans le vignoble depuis le XVIIe s. comble régulièrement l'amateur avec des vins d'élite, notamment cette cuvée Armoirie (voir les millésimes 93 et 95...). Ce riesling d'origine marno-calcaire offre un nez intense et complexe, associant des arômes de surmaturation à des notes florales et mentholées. D'une belle fraîcheur au palais, c'est un vin ample et harmonieux, que l'on pourra servir avec des coquilles Saint-Jacques.

⊶ André Hartmann, 11, rue Roger-Frémeaux, 68420 Voegtlinshoffen, tél. 03.89.49.38.34, fax 03.89.49.26.18 ☑ Y t.l.j. 9h-12h 13h30-18h; dim. sur r.-v.

HAULLER Cuvée Saint-Sébastien 1997

☐ 9 ha 90 000 30 à 49 F

Vignerons depuis 1830, les Hauller ont par la suite développé une grosse activité de négoce, tout en continuant à exploiter un domaine de 20 ha de vignes. Marqué par son origine granitique, ce riesling est déjà très ouvert au nez, avec des notes d'agrumes. Vif et bien équilibré au palais, il est bien typé du cépage.

⊶ J. Hauller et Fils, 3, rue de la Gare, 67650 Dambach-la-Ville, tél. 03.88.92.40.21, fax 03.88.92.45.41 ☑ Y r.-v.

⊶ René Hauller

LOUIS HAULLER

La Cave du Tonnelier 1997

☐ 2 ha 8 000 30 à 49 F

Descendants d'une longue lignée de tonneliers, les Hauller se sont lancés dans la viticulture au début de ce siècle. Louis et Claude entretiennent jalousement leur cave traditionnelle qui accueille chaque année la récolte de 9 ha de vignes. Issu d'un terroir argilo-calcaire, leur riesling révèle déjà une belle complexité au nez, qui trahit la surmaturation. D'une attaque assez vive au palais, c'est un vin bien structuré, à servir avec des fruits de mer.

⊶ Louis et Claude Hauller, La Cave du Tonnelier, 88, rue Foch, 67650 Dambach-la-Ville, tél. 03.88.92.41.19, fax 03.88.92.47.10 ☑ Y t.l.j. sf lun. 9h-11h45 14h-18h; f. jan.

LEON HEITZMANN

Vendanges tardives 1996★★

☐ 0,45 ha 1 800 100 à 149 F

Obtenu par tries successives, ce 96 est un riesling vendanges tardives d'anthologie. D'un jaune soutenu très brillant, il laisse déjà présager au nez sa grande classe : les raisins en surmaturation côtoient les arômes de fruits confits. Au palais, rondeur, ampleur et longueur se conjuguent dans une très belle harmonie.

⊶ Léon Heitzmann, 2, Grand-Rue, 68770 Ammerschwihr, tél. 03.89.47.10.64, fax 03.89.78.27.76 ☑ Y t.l.j. sf dim. 8h-12h 13h-18h

HUNOLD Côtes de Rouffach 1997*

□ 0,21 ha 2 000 ▮♁ 30 à 49 F

La ville de Rouffach, où est installé Bruno Hunold, possède un lycée viticole qui a formé bon nombre de vignerons de la région. Ce riesling, originaire d'un terroir argilo-calcaire, est déjà très intense au nez et d'une rare élégance. Gras et puissant au palais, c'est le produit d'une grande matière. A servir avec du poisson cuisiné.

🔑 EARL Bruno Hunold , 29, rue aux Quatre-Vents, 68250 Rouffach, tél. 03.89.49.60.57, fax 03.89.49.67.66 ☑ Y t.l.j. 8h30-12h 14h-19h; dim. 8h30-12h

JEAN HUTTARD 1997*

□ 1 ha 5 000 ▮♁ 30 à 49 F

Zellenberg, petite bourgade où Jean Huttard est établi, est traversée par la route des Vins d'Alsace. Vous ne pouvez donc pas manquer son domaine ! Malgré une origine marneuse, ce riesling est déjà très expressif au nez. Fin et fruité, c'est un vin charmeur, qui ne déçoit pas au palais. Plutôt vif et croquant en bouche, il est promis au plus bel avenir.

🔑 EARL Jean Huttard, 10, rte du Vin, 68340 Zellenberg, tél. 03.89.47.90.49, fax 03.89.47.90.32 ☑ Y r.-v.

🔑 Jean-Claude Huttard

CH. D'ISENBOURG 1997*

□ 0,46 ha 5 700 ▮♁ 50 à 69 F

L'un des rares et authentiques châteaux du vignoble alsacien, le château d'Isenbourg et son domaine appartinrent jadis à l'évêché de Strasbourg. Il dépend aujourd'hui de la maison Dopff et Irion. Issu d'un terroir marno-calcaire, ce riesling développe au nez des arômes épicés qui trahissent une légère surmaturation. Bien équilibré au palais, c'est un vin qui devrait s'accorder avec poissons et crustacés.

🔑 Dopff et Irion, Dom. du château de Riquewihr, 68340 Riquewihr, tél. 03.89.47.92.51, fax 03.89.47.98.90 ☑ Y r.-v.

L. KIRMANN Cuvée Prestige 1997

□ 0,8 ha 6 000 ◖◗ 30 à 49 F

Olivier Kirmann ne se contente pas d'exploiter ses 6 ha de vignes. Il aime surtout accueillir la clientèle dans son restaurant d'Epfig. Originaire d'un terroir sablonneux, ce riesling révèle un nez de fleurs blanches. D'une bonne attaque au palais, c'est un vin sec et racé.

🔑 Olivier Kirmann, 6, rue des Alliés, 67680 Epfig, tél. 03.88.85.59.07, fax 03.88.57.80.61, e-mail olivierkir@aol.com ☑ Y t.l.j. 9h-20h; f. 23 déc.-5 jan.

LES COLOMBAGES 1997**

□ n.c. n.c. 30 à 49 F

La cave vinicole d'Eguisheim a su en quelques années, sous l'impulsion de ses dirigeants, construire un groupe coopératif qui compte parmi les plus importants du vignoble d'Alsace, le groupe Wolfberger. Bien typé au nez par ses arômes minéraux mêlés de notes de fleurs blanches, ce riesling, d'une belle attaque en bouche, révèle un excellent équilibre au palais. C'est un vin riche et structuré, d'une grande harmonie.

🔑 Wolfberger, 6, Grand-Rue, 68420 Eguisheim, tél. 03.89.22.20.20, fax 03.89.23.47.09 ☑ Y r.-v.

JEROME LORENTZ FILS
Cuvée du Cent Cinquantenaire 1997*

□ n.c. 40 000 50 à 69 F

Fondée en 1836, la maison de négoce Jérôme Lorentz exploite en propre l'un des principaux domaines de la région (32 ha). Issu d'un terroir argilo-calcaire, ce riesling est marqué au nez par des nuances de pamplemousse. D'une attaque assez vive au palais, il supporte bien une petite pointe de sucre restant qui contribue à l'harmonie de la finale.

🔑 Jérôme Lorentz, 1-3, rue des Vignerons, 68750 Bergheim, tél. 03.89.73.22.22, fax 03.89.73.30.49 ☑ Y t.l.j. sf dim. 9h-12h 14h-18h30

🔑 Charles Lorentz

HUBERT METZ Réserve de la Dîme 1997*

□ 2 ha 15 000 ◖◗ 30 à 49 F

Jusqu'à la Révolution, les vignerons s'acquittaient en nature de l'impôt au clergé. Le produit de la vendange était entreposé dans des cours dîmières comme celle de Blienschwiller où Hubert Metz est aujourd'hui établi. Originaire d'un terroir granitique, son riesling Réserve de la Dîme est rehaussé par une pointe de surmaturation qui lui apporte tout un cortège de nuances grillées et d'arômes de fruits secs. Equilibré au palais, c'est un vin de grande structure et d'une longueur remarquable.

🔑 Hubert Metz, 3, rue du Winzenberg, 67650 Blienschwiller, tél. 03.88.92.43.06, fax 03.88.92.62.08 ☑ Y t.l.j. sf dim. 8h-18h

JOS. MOELLINGER ET FILS
Sélection 1997**

□ 0,75 ha 8 000 ◖◗ 20 à 29 F

Joseph Moellinger s'était lancé dans la mise en bouteilles en 1945. Aujourd'hui, ses fils et petit-fils travaillent ensemble au maintien de ce domaine de 14 ha de vignes. Portant la marque de son origine graveleuse, ce riesling est déjà très expressif au nez, fait de nuances citronnées et de notes de coing et fruits confits qui révèlent une pointe de surmaturation. Très ample au palais, il présente un équilibre idéal qui le fera recommander sur un poisson en sauce.

🔑 SCEA Jos. Moellinger et Fils, 6, rue de la 5e-D.-B., 68920 Wettolsheim, tél. 03.89.80.62.02, fax 03.89.80.04.94 ☑ Y t.l.j. 8h-12h 13h30-19h; dim. sur r.-v.; f. vendanges

CAVE D'OBERNAI 1997*

□ n.c. 50 000 ▮♁ 30 à 49 F

Située au pied du mont Sainte-Odile, lieu emblématique de l'Alsace, la cave d'Obernai a uni sa destinée à la cave de Turckheim pour former l'un des principaux groupes du vignoble alsacien. Fin et fruité au nez, ce riesling est encore dans sa phase de jeunesse. Franc et vif en attaque, c'est un vin équilibré qui possède un bon potentiel de vieillissement.

🔑 Cave vinicole d'Obernai, 30, rue du Gal-Leclerc, 67210 Obernai, tél. 03.88.47.60.20, fax 03.88.47.60.22 ☑ Y r.-v.

OTTER Vendanges tardives 1996★

☐ 0,36 ha 1 800 ▮ 70 à 99 F

Au sud de Colmar, le territoire viticole de Hattstatt s'étend à l'ouest de la RN 83, sur les contreforts des collines sous-vosgiennes. L'exposition et la nature du sol conviennent parfaitement à l'élaboration des grands vins de vendanges tardives tels que ce riesling. D'un jaune brillant, ce 96 révèle un nez frais, rehaussé par des épices et de la cannelle. L'attaque est riche, le palais puissant et d'une harmonie délicate.

⊶ Dom. François Otter et Fils, 4, rue du Muscat, 68420 Hattstatt, tél. 03.89.49.33.00, fax 03.89.49.38.69, e-mail ottjef@nucleuv.fr ☒ Y r.-v.

PIERRE ET JEAN-PIERRE RIETSCH
Stein 1997★★★

☐ 0,38 ha 3 000 ▮🌡 30 à 49 F

Pénétrer dans Mittelbergheim, c'est remonter le cours du temps. On découvre des demeures du XVIes., comme celle où le GAEC Rietsch (11 ha) est établi, et qui date de 1576. La cave recèle de belles cuvées, souvent décrites dans le Guide. Ce riesling d'origine argilo-calcaire a été particulièrement salué. Le nez, très séduisant, associe les notes florales du cépage aux nuances concentrées de la surmaturation. Le palais très ample révèle une charpente exceptionnelle qui lui permet d'équilibrer une pointe de sucre restant et de conserver une harmonie remarquable. A servir avec un poisson en sauce.

⊶ Pierre et Jean-Pierre Rietsch, 32, rue Principale, 67140 Mittelbergheim, tél. 03.88.08.00.64, fax 03.88.08.40.91 ☒ Y r.-v.

RUHLMANN
Coteau du Blettig Vieilles vignes 1997★★

☐ 1,2 ha 6 000 ▮🌡 30 à 49 F

Les ancêtres des Ruhlmann étaient déjà au service du vin à l'époque du Roi-Soleil. Leurs descendants sont à la tête de la maison (15 ha) depuis 1993. Leur mot d'ordre : « Qualité et tradition ». Le jury a particulièrement apprécié ce riesling au nez confit révélant une vieille vigne vendangée en début de surmaturation. Cette grande matière est confirmée au palais qui apparaît à la fois nerveux, ample et persistant. Un vin racé à marier avec les poissons en sauce.

⊶ Ruhlmann, 34, rue du Mal-Foch, 67650 Dambach-la-Ville, tél. 03.88.92.41.86, fax 03.88.92.61.81 ☒ Y t.l.j. 9h-12h 13h30-19h

ANNICK ET MICHEL SCHERB 1997★★

☐ 1 ha n.c. ▮ 30 à 49 F

Située au pied d'une falaise de grès et dominée par son magnifique clocher roman, Gueberschwihr, centre viticole de premier plan, ne peut laisser le visiteur indifférent. Tout comme ce riesling, remarquable d'élégance et de finesse ! Intense et floral au nez, il se révèle ample et équilibré au palais. C'est le produit d'une grande matière, qui n'a rien perdu de son harmonie.

⊶ Michel Scherb, 16, rue Haute, 68420 Gueberschwihr, tél. 03.89.49.26.82, fax 03.89.49.39.06 ☒ Y r.-v.

SIFFERT
Coteaux du Haut-Kœnigsbourg Vendanges tardives 1996★★

☐ n.c. 3 200 ⦀ 70 à 99 F

Etabli sur les coteaux du Haut-Kœnigsbourg - le château le plus visité d'Alsace -, le domaine Siffert bénéficie d'une excellente exposition. Il se distingue par la qualité régulière de ses vins. Celui-ci s'annonce par une robe d'un jaune soutenu très brillant et par un nez de fruits confits et de fleurs blanches. Tout en rondeur, ample, de grande puissance, très structuré, le palais finit sur des notes de petits fruits confits légèrement poivrés. (bouteilles de 50 cl)

⊶ SCEA Dom. Siffert, 16, rte du Vin, 67600 Orschwiller, tél. 03.88.92.02.77, fax 03.88.92.70.02, e-mail Siffert@rmcnet.fr ☒ Y t.l.j. 9h-12h 13h30-19h; dim. sur r.-v.; f. 15 janv.-15 fév.

JEAN-PAUL SIMONIS ET FILS
Kaefferkopf 1997★

☐ 0,17 ha 1 500 ⦀ 30 à 49 F

Comme tous les producteurs d'Ammerschwihr, Jean-Paul Simonis appartient à une vieille famille viticole qui a toujours montré un attachement sans faille au célèbre lieu-dit Kaefferkopf. Il propose un riesling très élégant au nez avec ses nuances fruitées et grillées. Enveloppant au palais, ce vin affiche une belle nervosité et une longueur persistante. A servir avec du poisson.

⊶ EARL Jean-Paul Simonis et Fils, 1, rue du Chasseur-M.-Besombes, 68770 Ammerschwihr, tél. 03.89.47.13.51, fax 03.89.47.13.51 ☒ Y t.l.j. sf sam. dim. 8h-19h

DOM. SIPP-MACK Vieilles vignes 1997★

☐ 1,8 ha 12 000 30 à 49 F

Hunawihr n'est pas connue uniquement pour son église fortifiée du XIVes. Elle accueille aussi des exploitations viticoles réputées comme le domaine Sipp-Mack qui en est à la neuvième génération. Originaire d'un terroir argilo-sableux, ce riesling affiche déjà une certaine évolution, des notes minérales venant se mêler aux senteurs florales. Frais et bien équilibré au palais, c'est le produit d'une belle matière première.

⊶ Dom. Sipp-Mack, 1, rue des Vosges, 68150 Hunawihr, tél. 03.89.73.61.88, fax 03.89.73.36.70, e-mail sippmarck@rmcnet.fr ☒ Y t.l.j. sf dim. 9h-12h 14h-18h

BERNARD STAEHLE
Cuvée Jean-Bernard 1997★★

| ☐ | 0,5 ha | n.c. | ◫ 30 à 49 F |

Depuis trois ans, cette exploitation se situe à un excellent niveau. Malgré son origine argilo-calcaire, ce 97 affiche déjà une intensité extraordinaire au nez, qui mêle des arômes de miel et de fleurs blanches à des notes de surmaturation. On retrouve cette complexité dans un palais vif, puissant et toujours élégant. Un vin de grande facture, à réserver aux meilleures occasions.
☛ Bernard Staehlé, 15, rue Clemenceau, 68920 Wintzenheim, tél. 03.89.27.39.02, fax 03.89.27.59.37 ☑ ☂ r.-v.

CHARLES STOEFFLER
Cuvée Prestige 1997★★

| ☐ | 0,8 ha | 5 000 | ◫ 30 à 49 F |

Œnologues tous les deux, Martine et Vincent Stoeffler conduisent avec brio cette exploitation de 12 ha de vignes. Malgré son origine marno-calcaire, ce riesling est déjà très ouvert au nez. Il développe des arômes floraux mêlés à de subtiles notes de sous-bois. Vif et équilibré au palais, c'est un vin racé promis au plus bel avenir.
☛ Martine et Vincent Stoeffler, 1, rue des Lièvres, 67140 Barr, tél. 03.88.08.52.50, fax 03.88.08.17.09 ☑ ☂ r.-v.

CHARLES STOEFFLER
Muhlforst Vendanges tardives 1996★

| ☐ | 0,5 ha | 3 000 | ◫ 70 à 99 F |

Martine et Vincent Stoeffler élaborent des vins typiques qui reflètent la diversité des terroirs de leurs domaines. D'un jaune vert lumineux, celui-ci exhale des senteurs florales mêlées d'épices et d'agrumes. Au palais, il est bien structuré et de bonne vivacité, moelleux à souhait, avec une légère tendance minérale, nuancée d'épices en finale. Bonne harmonie.
☛ Martine et Vincent Stoeffler, 1, rue des Lièvres, 67140 Barr, tél. 03.88.08.52.50, fax 03.88.08.17.09 ☑ ☂ r.-v.

STRUSS Cuvée particulière 1997★

| ☐ | 0,43 ha | 4 400 | ▤ 30 à 49 F |

André Struss, qui s'est installé en 1973, exploite maintenant avec son fils plus de 5 ha de vignes. Il propose un riesling d'origine calcaire, au nez très élégant, associant touches minérales et notes de miel. La bouche séduit par son attaque, son équilibre et sa persistance.
☛ André Struss et Fils, 16, rue Principale, 68420 Obermorschwihr, tél. 03.89.49.36.71, fax 03.89.49.37.30 ☑ ☂ r.-v.

ANDRE THOMAS ET FILS
Vieilles vignes 1997★

| ☐ | 0,5 ha | 4 000 | ◫ 50 à 69 F |

André et François Thomas sont aujourd'hui à la tête de 6 ha de vignes. Ils ont pour devise : « N'est de valeur sûre que le fruit d'une passion ! » Tout un programme ! Originaire d'un terroir granitique et de vignes âgées de quarante ans, ce riesling est né sous le signe de la surmaturation, comme en témoignent des arômes d'agrumes et de fruits confits. D'une attaque franche et nerveuse au palais, c'est un vin très bien structuré et d'une persistance extraordinaire ! Pour un poisson au four ou à la crème.
☛ André Thomas et Fils, 3, rue des Seigneurs, 68770 Ammerschwihr, tél. 03.89.47.16.60, fax 03.89.47.37.22 ☑ ☂ r.-v.

ANDRE WANTZ
Mittelbergheim Brandluft Vieilles vignes 1997★

| ☐ | 0,2 ha | 2 000 | ◫ 30 à 49 F |

Les Wantz sont établis à Mittelbergheim depuis 1575. Ils y exploitent 10 ha de vignes harmonieusement distribués sur les différents terroirs de la contrée. Originaire d'un terroir argilo-calcaire, mais issu de vieilles vignes de quarante ans, ce riesling affiche déjà une belle expression florale au nez. D'une attaque franche au palais, c'est un vin parfaitement structuré, long et harmonieux.
☛ André Wantz, 1, rue Neuve, 67140 Mittelbergheim, tél. 03.88.08.46.32, fax 03.88.08.46.32 ☑ ☂ t.l.j. 9h30-11h30 13h30-18h

JEAN-PAUL WASSLER Pflintz 1997★★

| ☐ | 0,8 ha | 6 000 | ◫ 30 à 49 F |

Jean-Paul et Marc Wassler exploitent aujourd'hui plus de 12 ha de vignes à Blienschwiller. C'est seulement en 1960 que l'exploitation s'est lancée dans la mise en bouteilles. Bien lui en a pris, comme en témoigne ce 97. Très typique au nez avec ses notes de citron et de tilleul, ce riesling possède assurément un grand caractère. A la fois puissant, structuré et d'une belle harmonie au palais, il sera l'allié de la haute gastronomie.
☛ GAEC Jean-Paul et Marc Wassler, 2 bis, rte d'Epfig, 67650 Blienschwiller, tél. 03.88.92.41.53, fax 03.88.92.63.11 ☑ ☂ r.-v.

DOM. WEINBACH
Cuvée Sainte-Catherine 1997★

| ☐ | 1,2 ha | 7 300 | ⚖ 100 à 149 F |

Nul besoin de présenter le domaine Weinbach. Il a fêté son centième anniversaire en 1998, mais il est l'héritier d'un vénérable vignoble monastique qui remonte au IXᵉs. Animé par le célèbre trio formé par Colette Faller et ses filles, il a fait connaître ses vins au-delà de nos frontières. Très élégante au nez, la cuvée Sainte-Catherine, riesling d'origine granitique, exhale des arômes citronnés et mentholés. D'une belle attaque au palais, c'est un vin ample et racé, qui séduit par sa longue persistance.
☛ Colette Faller et ses Filles, Dom. Weinbach, Clos des Capucins, 68240 Kaysersberg, tél. 03.89.47.13.21, fax 03.89.47.38.18 ☑ ☂ r.-v.

JEAN WEINGAND 1997★

| ☐ | 6 ha | n.c. | ◫ 30 à 49 F |

Le domaine Jean Weingand a été repris par Jacques et Jean-Marie Cattin en 1990 et intégré dans leur société de négoce. Malgré une origine argilo-calcaire, ce riesling affiche déjà une belle personnalité au nez. L'intensité et la puissance se prolongent au palais. Un vin tout en finesse et harmonie.
☛ Jean Weingand, 19, rue Roger-Frémeaux, 68420 Voegtlinshoffen, tél. 03.89.49.30.21, fax 03.89.49.26.02 ☑ ☂ r.-v.

ALSACE WILLM 1997*

□ n.c. n.c. 30 à 49 F

La maison Willm est devenue l'une des références du vignoble alsacien. A l'origine, son propriétaire était surtout restaurateur. C'est en 1918 qu'il s'est orienté résolument vers le vin. Cette société appartient aujourd'hui au groupe Wolfberger. Très expressif au nez avec ses nuances minérales et ses notes d'agrumes, ce riesling présente une belle attaque au palais. C'est un vin long et parfaitement équilibré, promis au plus bel avenir.

⊶ Alsace Willm SA, 32, rue du Dr-Sultzer, 67140 Barr, tél. 03.88.08.19.11, fax 03.88.08.56.21 ☑ Y r.-v.

FERNAND ZIEGLER
Muhlforst Vieilles vignes 1997*

□ 0,15 ha 3 300 ◍ 30 à 49 F

Installé à Hunawihr, non loin de la célèbre église fortifiée, Fernand Ziegler n'en est plus à son coup d'essai puisqu'il a commercialisé sa première bouteille en 1963, mais il n'a rien perdu de la passion des premiers jours. On retrouve son riesling Muhlforst, originaire d'un terroir argilo-calcaire. Le nez, déjà très ouvert, livre des arômes d'agrumes et d'épices. D'une belle vivacité, la bouche révèle un vin structuré et harmonieux, très bien armé pour se bonifier avec le temps.

⊶ EARL Fernand Ziegler et Fils, 7, rue des Vosges, 68150 Hunawihr, tél. 03.89.73.64.42, fax 03.89.73.71.38 ☑ Y t.l.j. sf dim. 8h30-12h 13h30-18h30

MAISON ZOELLER
Riesling de Wolxheim 1997**

□ 1,2 ha n.c. ◍ 30 à 49 F

Enracinés dans l'Alsace viticole depuis le XVIIes., les Zoeller sont aujourd'hui à la tête de 10 ha de vignes qu'ils exploitent dans le respect de l'environnement : ils pratiquent l'enherbement total, la lutte raisonnée et n'ont pas recours aux engrais minéraux. Wolxheim est sans conteste un grand terroir de riesling ! Celui-ci, très floral au nez avec ses touches de violette et de bergamote, se révèle gras et racé au palais. Un vin très long, issu d'une matière première d'exception.

⊶ GAEC Maison Zoeller, 14, rue de l'Eglise, 67120 Wolxheim, tél. 03.88.38.15.90, fax 03.88.38.15.90, e-mail vins.Zoeller@wanadoo.fr ☑ Y r.-v.

Alsace muscat

Deux variétés de muscat servent à élaborer ce vin sec et aromatique qui donne l'impression que l'on croque du raisin frais. Le premier, dénommé de tout temps muscat d'Alsace, n'est rien d'autre que celui que l'on connaît mieux sous le nom de muscat de Frontignan. Comme il est tardif, on le réserve aux meilleures expositions. Le second, plus précoce et de ce fait plus répandu, est le muscat ottonel. Ces deux cépages occupent 340 ha, soit 2,40 % du vignoble. Le muscat d'Alsace doit être considéré comme une spécialité aimable et étonnante, à boire en apéritif et lors de réceptions avec, par exemple, du kugelhopf ou des bretzels.

DOM. ALLIMANT-LAUGNER 1997*

□ 0,5 ha 4 000 ▮ 30 à 49 F

Habitant au pied du château du Haut-Kœnigsbourg, ce vigneron a pris l'habitude de figurer dans ce Guide ! Son terroir argilo-calcaire lui permet d'élaborer des vins de muscat très expressifs. Celui-ci est jaune-vert brillant à l'œil ; son nez est particulièrement floral. Son attaque nerveuse en bouche révèle la présence de quelques parfums de fruits exotiques. Il se montre corsé, ample et persistant. Sa légère rondeur en finale le rend flatteur.

⊶ Allimant-Laugner, 10, Grand-Rue, 67600 Orschwiller, tél. 03.88.92.06.52, fax 03.88.82.76.38 ☑ Y t.l.j. sf dim. 8h-19h

⊶ Hubert Laugner

FRANCOIS BRAUN 1997

□ 0,5 ha 4 800 ▮ 🌡 30 à 49 F

Située dans la partie sud du vignoble alsacien, cette exploitation compte 20 ha. Elle est remarquable par l'expression originale de ses vins. D'aspect clair et brillant, celui-ci, bien qu'encore un peu sur sa réserve, s'exprime finement au nez. Souple au palais, avec des arômes exotiques, il est typé, d'un bon équilibre et persistant. Sa douceur bien marquée le rend flatteur.

⊶ EARL François Braun et Fils, 19, Grand-Rue, 68500 Orschwihr, tél. 03.89.76.95.13, fax 03.89.76.10.97 ☑ Y t.l.j. sf dim. 8h-11h30 13h30-18h

GEIGER-KOENIG 1997*

□ 0,19 ha 2 000 ▮ 30 à 49 F

Bernardvillé est une charmante petite bourgade qui se blottit dans un cirque granitique fermé. Le microclimat qui s'y développe est tout à fait intéressant et permet l'élaboration de vins floraux et fruités d'une grande originalité. D'un jaune vert assez clair, nuancé litchi au nez, d'une grande finesse, ce muscat a une attaque vive, un fruité très citronnelle. Il est typé, vigoureux et persistant. La pointe sucrée finale lui apporte une touche flatteuse.

⊶ Simone et Richard Geiger-Koenig, 21, rue Principale, 67140 Bernardvillé, tél. 03.88.85.56.84, fax 03.88.85.57.74 ☑ Y r.-v.

DOM. KEHREN Cuvée Patricia 1997*

□ 0,32 ha 2 500 ◍ 30 à 49 F

Voegtlinshoffen est un des hauts lieux réputés pour la production de grands vins de muscat. Denis Meyer participe à cette renommée. Son vin, d'un jaune pâle à reflet vert, se révèle fin au nez, avec des parfums qui, cependant, se cherchent encore un peu. En bouche, en revanche, il est ample et d'une grande fraîcheur. Ses arômes,

intenses et persistants, font penser à une corbeille de fruits exotiques.
🔑 Denis Meyer, 2, rte du Vin, 68420 Voegtlinshoffen, tél. 03.89.49.38.00, fax 03.89.49.26.52 ☑ Y r.-v.

KIRSCHNER 1997*

☐ 0,35 ha 2 800 🛢 30 à 49 F

Etablie depuis des générations, cette exploitation élaborait autrefois des vins de paille dont on peut admirer une étiquette portant le millésime 1825. Le 1997 est d'une présentation jaune-paille parfaite, avec des reflets verts qui lui communiquent beaucoup de noblesse. Ses arômes de fleurs blanches sont déjà très ouverts. Agréable et facile à boire, ce vin d'une bonne vivacité, bien flatteur et harmonieux, fera un très bel apéritif.
🔑 Pierre Kirschner, 26, rue Théophile-Bader, 67650 Dambach-la-Ville, tél. 03.88.92.40.55, fax 03.88.92.62.54, e-mail kirschner@reperes.com ☑ Y t.l.j. sf dim. 8h-12h 13h-19h

SCHALLER Cuvée Charles 1997*

☐ 0,6 ha 5 000 🌡 30 à 49 F

Appartenant au cercle des grands noms du muscat d'Alsace, cette exploitation élabore des vins tout de finesse et d'élégance. Celui-ci illustre bien cette tendance. D'aspect jaune à reflets verts brillants, il s'exprime au nez par des parfums floraux très intenses. Vif et frais en bouche, il est croquant comme le raisin qui lui a donné naissance. La fin de bouche est persistante : un muscat pimpant, sapide, sec et d'une grande finesse, idéal sur les asperges.
🔑 Edgard Schaller et Fils, 1, rue du Château, 68630 Mittelwihr, tél. 03.89.47.90.28, fax 03.89.49.02.66 ☑ Y t.l.j. 9h-18h

SEILLY Schenkenberg 1997*

☐ n.c. n.c. 🌡 30 à 49 F

Œnologue, Marc Seilly aime les fermentations à basse température et l'élevage sur lies fines. Ce muscat, né sur un sol argilo-calcaire, se montre brillant, de teinte claire à reflets vert-jaune. Il exhale des parfums de fleurs blanches (acacia). Franc et typé, le palais est ample, croquant comme le raisin, de bonne persistance. C'est un vin qui peut être consommé dès maintenant.
🔑 Dom. Seilly, 18, rue du Gal-Gouraud, 67210 Obernai, tél. 03.88.95.55.80, fax 03.88.95.54.00, e-mail info@seilly.fr ☑ Y r.-v.
🔑 Jean-Paul et Marc Seilly

Alsace gewurztraminer

Le cépage qui est à l'origine de ce vin est une forme particulièrement aromatique de la famille des traminer. Un traité publié en 1551 le désigne déjà comme une variété typiquement alsacienne. Cette authenticité, qui s'est de plus en plus affirmée à travers les siècles, est sans doute due au fait qu'il atteint dans ce vignoble un optimum de qualité. Ce qui lui a conféré une réputation unique dans la viticulture mondiale.

Son vin est corsé, bien charpenté, en général sec mais parfois moelleux, et caractérisé par un bouquet merveilleux, plus ou moins puissant selon les situations et les millésimes. Le gewurztraminer, qui a une production relativement faible et irrégulière, est un cépage précoce aux raisins très sucrés. Il occupe environ 2 526 ha, c'est-à-dire près de 17,6 % de la superficie du vignoble alsacien. Souvent servi en apéritif, lors de réceptions ou sur des desserts, il accompagne aussi, surtout lorsqu'il est puissant, les fromages à goût relevé comme le roquefort et le munster.

J.B. ADAM
Kaefferkopf Réserve particulière
Cuvée Jean-Baptiste 1997*

☐ 1,8 ha 10 000 🛢 70 à 99 F

Le Kaefferkopf ? Un lieu-dit renommé, témoin une étiquette de 1834 exposée au musée du Vin d'Alsace à Kientzheim, qui atteste aussi l'ancienneté de la maison, fondée en 1614. Ses vins sont régulièrement mentionnés dans le Guide. Séduisant à l'œil par sa robe dorée, ce gewurztraminer ne l'est non moins au nez, avec ses arômes floraux et épicés déjà très présents. Au palais, une note de réglisse vient soutenir la charpente. Un vin équilibré et persistant.
🔑 Jean-Baptiste Adam, 5, rue de l'Aigle, 68770 Ammerschwihr, tél. 03.89.78.23.21, fax 03.89.47.35.91 ☑ Y t.l.j. sf dim. 8h-12h 14h-18h30; groupes sur r.-v.

LUCIEN ALBRECHT
Cuvée Martine Albrecht 1997*

☐ n.c. n.c. 🛢 70 à 99 F

Cette famille de vignerons, présente à Orschwihr depuis 1772, a développé récemment une activité de négoce pour satisfaire une importante clientèle. Sa cuvée Martine Albrecht est régulièrement décrite dans le Guide. Marqué par la surmaturation, ce gewurztraminer d'origine argilo-calcaire développe au nez des arômes de rose et de coing, mêlés à des senteurs exotiques. Plutôt souple au palais, c'est un vin ample et très persistant.
🔑 Lucien Albrecht, 9, Grand-Rue, 68500 Orschwihr, tél. 03.89.76.95.18, fax 03.89.76.20.22 ☑ Y t.l.j. sf dim. 8h-19h
🔑 Jean Albrecht

AMBERG
Sélection de grains nobles 1996***

☐ n.c. n.c. 🌡 200 à 249 F

Un « vin de glace », dirait-on en Allemagne ou au Canada. Il est issu de raisins botrytisés, vendangés deux jours après Noël par une température de -10 °C. Ce froid extrême a permis une concentration exceptionnelle des sucres. D'un jaune orangé très soutenu, ce vin offre un nez extraordinairement puissant, confit avec une pointe de fruits exotiques (litchi). Remarquable par sa matière et sa longueur, la bouche présente une finale aux arômes complexes, mêlant fruits confits et cire d'abeille. Une délicate harmonie. (bouteille de 50 cl)

🔑 Yves Amberg, 19, rue Fronholz, 67680 Epfig, tél. 03.88.85.51.28, ☑ 🍷 r.-v.

ANDRE ANCEL
Cuvée des Trois Fils 1997*

☐	0,45 ha	2 900	50 à 69 F

La famille Ancel est installée à Kaysersberg depuis plus d'un siècle. En 1928 déjà, on trouvait son nom sur les étiquettes. Aujourd'hui, c'est André qui gère le domaine de 9 ha de vignes. Ce gewurztraminer d'origine argilo-calcaire est déjà très intense au nez, qui mêle des notes épicées à des nuances de surmaturation. Très ample au palais, plutôt rond, c'est un vin persistant, d'une grande noblesse.

🔑 André Ancel, 3, rue du Collège, 68240 Kaysersberg, tél. 03.89.47.10.76, fax 03.89.78.13.78 ☑ 🍷 r.-v.

COMTE D'ANDLAU-HOMBOURG
1997

☐	0,17 ha	700	50 à 69 F

Un des rares châteaux du vignoble alsacien, Ittenwiller possède un vignoble légué par les Bénédictins, créé au XIIe s. Les comtes d'Andlau le détiennent depuis le Premier Empire. Originaire d'un terroir argilo-calcaire, leur gewurztraminer est très agréable au nez avec ses nuances florales et ses notes de fruits secs. Sec et équilibré au palais, il est assez persistant.

🔑 Comte d'Andlau-Hombourg, Château d'Ittenwiller, 67140 Saint-Pierre, tél. 03.88.08.92.63, fax 03.88.08.13.30 ☑ 🍷 r.-v.

ANSTOTZ ET FILS
Hinterkirch Vendanges tardives 1996**

☐	0,73 ha	2 600	70 à 99 F

Ce vin provient du vignoble de Balbronn, situé à quelques kilomètres à l'ouest de Strasbourg. Paré d'une robe jaune d'or, il révèle un nez intense de figue assorti de notes de pain brioché. Le miel et le coing marquent un palais plein et de bonne longueur. A attendre. (bouteille de 50 cl)

🔑 Marc Anstotz et Fils, 51, rue Balbach, 67310 Balbronn, tél. 03.88.50.30.55, fax 03.88.50.58.06 ☑ 🍷 r.-v.

FREDERIC ARBOGAST Geierstein 1997*

☐	2 ha	10 000	30 à 49 F

Frédéric Arbogast, installé en 1966, a agrandi son exploitation, qui est passée en trente ans de 1 ha à 14 ha. Très agréable au nez, avec ses arômes à la fois floraux et épicés, son gewurztraminer Geierstein révèle beaucoup de gras et de puissance au palais. Plutôt moelleux, il est fait pour accompagner le foie gras ou le dessert.

🔑 Frédéric Arbogast, 135, pl. de l'Eglise, 67310 Westhoffen, tél. 03.88.50.30.51 ☑ 🍷 t.l.j. sf dim. 8h-12h 13h-19h30

LAURENT BANNWARTH
Bildstoecklé 1997*

☐	0,79 ha	7 800	50 à 69 F

Laurent Bannwarth est entré dans le métier en 1955. Au fil des ans, il a pu élargir son exploitation sur les meilleures terres de la contrée. Son fils a maintenant pris le relais. Originaire d'un terrain argilo-calcaire, ce gewurztraminer est déjà très intense au nez, des senteurs de fruits exotiques se mêlant à des nuances épicées. Très puissant en attaque, ce vin ample et structuré devrait s'accorder avec le fromage ou la cuisine asiatique.

🔑 Laurent Bannwarth et Fils, 9, rte du Vin, 68420 Obermorschwihr, tél. 03.89.49.30.87, fax 03.89.49.29.02 ☑ 🍷 r.-v.

DOM. BARMES-BUECHER
Wintzenheim 1997**

☐	0,5 ha	1 900	70 à 99 F

Ce domaine de 16 ha résulte de l'union des familles Barmès et Buecher. Il regroupe des parcelles situées sur les meilleurs terroirs des environs de Colmar. Le Wintzenheim, aux sols marno-calcaire, a donné un gewurztraminer aux arômes subtils de fruits exotiques et de cannelle. Plutôt onctueux en attaque, c'est un vin puissant, très expressif, à déguster en apéritif, au dessert ou avec du foie gras. Le millésime précédent a eu un coup de cœur.

🔑 Dom. Barmès-Buecher, 23-30, rue Sainte-Gertrude, 68920 Wettolsheim, tél. 03.89.80.62.92, fax 03.89.79.30.80, e-mail barmesbuecher@terre-net.fr ☑ 🍷 r.-v.

HUBERT BECK
Vendanges tardives 1996**

☐	0,55 ha	3 000	100 à 149 F

Dambach-la-Ville se flatte de posséder le vignoble le plus vaste d'Alsace. Ses terroirs sont d'une grande diversité, avec des sols granitiques, argilo-calcaires ou gréseux-sablonneux. Ce gewurztraminer originaire d'un terroir gréseux est typique. Un modèle du genre. Une robe jaune d'or, un nez intense de fruits exotiques, de rose, d'épices et de confit, une bouche équilibrée, ample, très souple et d'une persistance remarquable composent un grand vin de garde.

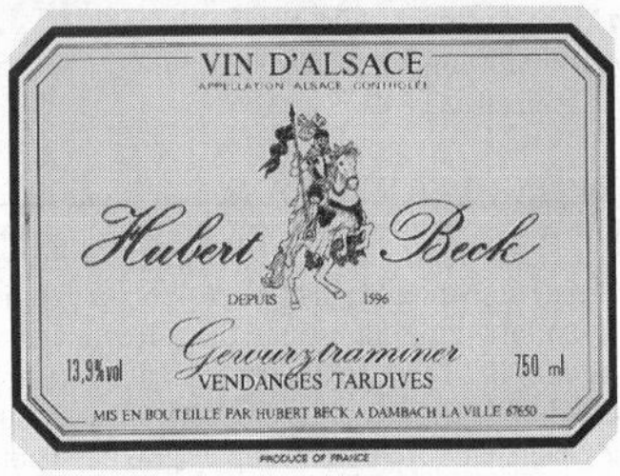

⊶ Hubert Beck, 25, rue du Gal-de-Gaulle, 67650 Dambach-la-Ville, tél. 03.88.92.45.90, fax 03.88.92.61.28 🅥 Y t.l.j. sf dim. 8h-12h 14h-18h

FRANCOIS BLEGER
Corinne Ungerer 1997★★

□ 0,4 ha 1 500 ◉ 70 à 99 F

Sur l'étiquette, un tableau signé Corinne Ungerer. Le vin ? Un gewurztraminer marqué par son terroir granitique, au nez exubérant de miel et de rose. Le palais, plutôt rond, puissant et harmonieux, finit sur une saveur épicée. Une très grande matière ! Et un excellent début pour François Bléger, qui s'est lancé dans la mise en bouteilles en 1996. On trouvera son domaine sur les pentes du Haut-Kœnigsbourg.

⊶ François Bléger, 63, rte du Vin, 68590 Saint-Hippolyte, tél. 03.89.73.06.07, fax 03.89.73.06.07 🅥 Y r.-v.

JEAN DIETRICH
Altenburg Vieilles vignes 1997★

□ 0,4 ha 2 500 ▮🌡 50 à 69 F

Kaysersberg ? Une vieille cité, de vieilles murailles, des figures emblématiques - Jean Geiler, le docteur Schweitzer. Une viticulture séculaire, mais qui sait se tourner vers l'avenir. Issu de l'Altenberg (« vieux château ») et de vieilles vignes, ce gewurztraminer d'origine argilo-calcaire se montre déjà fort intense au nez. Au palais, il allie l'élégance des arômes et la puissance de la structure. Un vin équilibré et persistant.

⊶ Jean Dietrich, 4, rue de l'Oberhof, 68240 Kaysersberg, tél. 03.89.78.25.24, fax 03.89.47.30.72 🅥 Y t.l.j. 8h-12h 14h-18h

DIRINGER Vieilles vignes 1997★

□ 0,25 ha 2 500 ◉ 70 à 99 F

Descendants d'une longue lignée de vignerons dont l'origine remonte à 1740, Sébastien et Thomas Diringer ont repris cette exploitation de 13 ha en 1982. Le gewurztraminer Vieilles vignes est issu de ceps âgés de cinquante ans. Très séduisant à l'œil par ses reflets marbrés et les jambes qu'il dessine sur le verre, ce 97 est dominé au nez par des arômes de rose et de fruits exotiques. D'une belle ampleur au palais, c'est un vin long et moelleux.

⊶ Dom. Diringer, 18, rue de Rouffach, 68250 Westhalten, tél. 03.89.47.01.06, fax 03.89.47.62.64, e-mail diringer.westhalten@wanadoo.fr 🅥 Y t.l.j. sf dim. 9h-12h 14h-19h

DOM. J.-L. DIRRINGER
Vendanges tardives Kathea 1996★

□ 0,43 ha 1 250 ◉ 70 à 99 F

Cette exploitation familiale est installée de longue date à Dambach-la-Ville : l'une de ses caves est datée de 1784. Son gewurztraminer cuvée Kathea provient d'un terroir léger d'arènes granitiques. Il est paré d'une robe jaune paille très agréable. Son nez s'ouvre à l'aération, livrant des parfums de rose et de truffe. Puissant, riche, épicé avec une note de sous-bois, le palais finit sur une note très miellée. (bouteille de 50 cl)

⊶ Dom. Jean-Louis Dirringer, 5, rue du Mal-Foch, 67650 Dambach-la-Ville, tél. 03.88.92.41.51, fax 03.88.92.62.76 🅥 Y t.l.j. 8h-12h 14h-18h

HENRI EHRHART Kaefferkopf 1997★

□ 1,55 ha 11 400 ▮🌡 50 à 69 F

Installé à Ammerschwihr depuis 1970, Henri Ehrhart a repris un vignoble dont l'origine remonte à 1720. Il propose un gewurztraminer issu du célèbre lieu-dit Kaefferkopf. Marqué au nez par des nuances épicées et florales, ce vin apparaît très typé. D'une belle étoffe, le palais se montre rond, presque moelleux. La structure de ce 97 laisse deviner une excellente aptitude au vieillissement.

⊶ Henri Ehrhart, quartier des Fleurs, 68770 Ammerschwihr, tél. 03.89.78.23.74, fax 03.89.47.32.59 🅥 Y r.-v.

ALBERT FALLER ET FILS
Vendanges tardives 1996★★

□ 0,3 ha 1 200 ▮🌡 70 à 99 F

Issu du coteau viticole d'Itterswiller magnifiquement exposé au Midi, ce gewurztraminer est paré d'une robe dorée. Son nez tout en finesse allie la mangue et le coing. On retrouve ces arômes complexes de fruits exotiques dans un palais d'une remarquable richesse et d'une grande persistance. Un superbe ensemble. (bouteille de 50 cl)

⊶ EARL André Faller, 2, rte du Vin, 67140 Itterswiller, tél. 03.88.85.53.55, fax 03.88.85.51.13 🅥 Y r.-v.

MARCEL FREYBURGER
Kaefferkopf Vendanges tardives 1996★★

□ 0,3 ha 1000 ◉ 100 à 149 F

Etape importante sur la route des Vins d'Alsace, Ammerschwihr possède un des vignobles les plus étendus de la région, exploité par de nombreux vignerons. Marcel Freyburger a remarquablement réussi ce gewurztraminer de vendanges tardives jaune à reflets or, au nez dominé par des arômes d'agrumes confits (orange surtout). On retrouve cette intensité aromatique au palais. Un vin puissant, gras, de grande complexité.

⊶ Marcel Freyburger, 13, Grand-Rue, 68770 Ammerschwihr, tél. 03.89.78.25.72 🅥 Y t.l.j. 8h-12h 14h-18h

PIERRE FRICK Rot-Murlé 1997★

□ 0,5 ha 3 800 ◉ 50 à 69 F

Attaché à la culture biologique, Pierre Frick conduit ses 12 ha de vignes en biodynamie depuis

1981. Tout le mystère du vin réside dans la qualité du raisin ! Elégant et épicé au nez, ce gewurztraminer reflète son terroir argilo-calcaire. Sa puissance au palais permet d'équilibrer la pointe de sucre restant liée à une grande maturité. Un vin d'une rare persistance.

Pierre Frick, 5, rue de Baer, 68250 Pfaffenheim, tél. 03.89.49.62.99, fax 03.89.49.73.78 t.l.j. 9h-11h30 13h30-18h30; dim. sur r.-v.

DOM. HENRI HAEFFELIN ET FILS
Cuvée Arnaud 1997★

0,5 ha 2 500 50 à 69 F

Guy Haeffelin est l'héritier d'une longue tradition - le domaine a été fondé en 1670 - mais la propriété a atteint sa taille actuelle (15 ha) au cours des quinze dernières années. Celle-ci peut aujourd'hui s'appuyer sur une belle diversité de terroirs. D'origine calcaire, ce gewurztraminer apparaît déjà très intense au nez, marqué par des arômes épicés et floraux (rose). Ample et chaleureux au palais, ce vin sec et long devrait faire merveille sur la cuisine asiatique ou le fromage.

Dom. Henri Haeffelin et Fils, 13, rue d'Eguisheim, 68920 Wettolsheim, tél. 03.89.80.76.81, fax 03.89.79.67.05 r.-v.
Guy Haeffelin

ANDRE HARTMANN
Terrasses du Hagelberg 1997★

0,3 ha n.c. 50 à 69 F

Joyau du domaine André Hartmann, les terrasses du Hagelberg ont été soigneusement restaurées entre 1989 et 1991. C'est un terroir de calcaire coquillier particulièrement propice au gewurztraminer. Encore dans sa jeunesse, celui-ci développe déjà au nez de subtiles arômes de rose et d'épices. D'un bel équilibre au palais, c'est un vin long et harmonieux. Une grande matière à savourer sur le foie gras ou sur le chocolat.

André Hartmann, 11, rue Roger-Frémeaux, 68420 Voegtlinshoffen, tél. 03.89.49.38.34, fax 03.89.49.26.18 t.l.j. 9h-12h 13h30-18h; dim. sur r.-v.

HEIM Vendanges tardives Réserve 1996

n.c. n.c. 150 à 199 F

Cette maison de Westhalten exploite son vignoble sur des coteaux où l'on peut trouver des espèces animales ou végétales méditerranéennes. Elle signe un gewurztraminer jaune clair à reflets d'or, au nez floral évoquant la rose. Bien équilibré au palais, fin et de bonne longueur, ce vin peut être dégusté dès aujourd'hui.

Heim, 52, rte de Soultzmatt, 68250 Westhalten, tél. 03.89.78.09.08, fax 03.89.78.09.07 r.-v.

HERTZOG Bildstoecklé 1997★★

0,36 ha 2 000 30 à 49 F

Cette exploitation de 7 ha est établie à Obermorschwihr, où l'on peut découvrir le seul clocher à colombage de la région. Son gewurztraminer Bildstoecklé est déjà très intense au nez, dominé par des parfums de rose et de violette. Plutôt rond au palais, il n'a rien perdu de sa fraîcheur. C'est un vin élégant et persistant, qui se bonifiera encore avec l'âge.

EARL Sylvain Hertzog, 18, rte du Vin, 68420 Obermorschwihr, tél. 03.89.49.31.93, fax 03.89.49.28.85 r.-v.

EMILE HERZOG Réserve personnelle 1997

0,22 ha 1 500 70 à 99 F

Le domaine exploité par Emile Herzog a plus de trois siècles d'existence. En revanche, ce gewurztraminer d'origine graveleuse est encore dans sa phase de jeunesse. Marqué par des arômes de fruits exotiques, il apparaît riche et bien équilibré. Sa persistance le fera recommander sur de la cuisine asiatique.

Emile Herzog, 28, rue du Florimont, 68230 Turckheim, tél. 03.89.27.08.79 r.-v.

ROGER HEYBERGER
Bildstoecklé Vendanges tardives 1996★

1 ha 6 000 100 à 149 F

La commune d'Obermorschwihr s'étend à mi-coteau entre Voegtlinshoffen et Hattstadt. Jouissant d'une excellente exposition, son vignoble peut produire de grands vins de vendanges tardives. D'un jaune doré soutenu, celui-ci révèle des arômes de fruits confits nuancés d'épices. Sa bouche, ample, riche et de bonne longueur, devrait atteindre une parfaite harmonie d'ici un certain temps.

Roger Heyberger et Fils, 5, rue Principale, 68420 Obermorschwihr, tél. 03.89.49.30.01, fax 03.89.49.22.28 t.l.j. sf dim. 8h-11h45 14h-18h

HUGEL ET FILS
Vendanges tardives 1995★★

n.c. n.c. 200 à 249 F

Présente sur les cinq continents, la maison Hugel fait le bonheur des amateurs de grands vins. Elle a largement contribué à la notoriété actuelle des vendanges tardives et des sélections de grains nobles. Ce 95 séduit d'emblée par sa couleur d'un jaune d'or très légèrement ambré. Le nez intense livre des parfums de fruits confits rehaussés de notes épicées où le poivre prédomine. En bouche, l'équilibre entre l'acidité et la douceur est parfait. Les arômes de fruits confits se retrouvent de manière très fondue avec des nuances de rose fanée. Un vin ample, harmonieux et plaisant.

Hugel et Fils, 3, rue de la 1re-Armée, 68340 Riquewihr, tél. 03.89.47.92.15, fax 03.89.49.00.10 r.-v.

JOSMEYER Les Archenets 1997★

1 ha 8 000 100 à 149 F

Fondée en 1854, la maison Josmeyer exploite un domaine de 23 ha, tout en menant une activité de négoce. Son gewurztraminer Les Archenets présente un nez intense, aux arômes floraux typiques du cépage. Ample au palais, c'est un vin puissant, long et harmonieux, issu d'une grande matière première.

Josmeyer, 76, rue Clemenceau, 68920 Wintzenheim, tél. 03.89.27.91.90, fax 03.89.27.91.99, email josmeyer@wanadoo.fr t.l.j. sf dim. 8h-12h 14h-18h; sam. 8h-12h
Jean Meyer

KLEE FRERES 1997*

☐   0,3 ha   1 200   ◫ 30 à 49 F

Les frères Klée ont repris cette petite exploitation familiale en 1987. Ils pratiquent le tri sélectif de vendanges et l'élevage sur lies fines. Ce gewurztraminer se montre particulièrement floral avec un nez dominé par la rose et la violette. Ample au palais, c'est un vin souple et moelleux, remarquable d'harmonie et plein de promesses.
☛ Klée Frères, 18, Grand-Rue,
68230 Katzenthal, tél. 03.89.47.17.90 ☑ ⏀ r.-v.

KROSSFELDER Armoirie 1997*

☐   n.c.   n.c.   70 à 99 F

Dambach-la-Ville possède le plus grand territoire viticole d'Alsace. Sa cave vinicole est donc naturellement l'une des premières de la région. Sa fondation remonte à 1904. Fin et bien typé au nez, ce gewurztraminer apparaît plutôt gras et puissant au palais. C'est un vin riche et ample recommandé à l'apéritif ou au dessert.
☛ Krossfelder, 37, rue de la Gare,
67650 Dambach-la-Ville, tél. 03.88.92.40.03,
fax 03.88.92.42.89 ☑ ⏀ r.-v.

FREDERIC MALLO ET FILS 1997*

☐   0,5 ha   2 600   ◫ 50 à 69 F

Etablie à Hunawihr, l'un des plus beaux villages de France, cette exploitation se montre très attachée à la tradition. D'origine argilo-calcaire, son gewurztraminer développe des arômes intenses et élégants. Plutôt épicé au palais, c'est un vin puissant dominé par le sucre restant. Il trouvera son harmonie après quelques années de bouteille.
☛ EARL Frédéric Mallo et Fils, 2, rue Saint-Jacques, 68150 Hunawihr, tél. 03.89.73.61.41,
fax 03.89.73.68.46 ⏀ r.-v.

GERARD METZ
Vendanges tardives Cuvée Virgil
Réserve du domaine 1996

☐   0,4 ha   1 500   70 à 99 F

Ce domaine exploite un vignoble de 10,5 ha situé sur la route du Vin, à une trentaine de kilomètres au sud de Strasbourg. Il propose un vin jaune doré, au nez très agréable par sa finesse. Le palais devrait gagner en harmonie avec le temps. (bouteille de 50 cl)
☛ Dom. Gérard Metz, 23, rte du Vin,
67140 Itterswiller, tél. 03.88.57.80.25,
fax 03.88.57.81.42 ☑ ⏀ r.-v.
☛ Eric Casimir

FRANCOIS MEYER 1997

☐   1 ha   3 000   ◫ 30 à 49 F

François Meyer est à la tête d'une exploitation de 9 ha à Blienschwiller. Dans un caveau daté de 1759, on pourra découvrir ce gewurztraminer issu d'un terroir sablonneux, qui développe au nez des arômes floraux, légèrement végétaux. Plutôt rond en attaque, le palais apparaît structuré et équilibré. Un vin qui évoluera favorablement avec le temps.
☛ François Meyer, 55, rte du Vin,
67650 Blienschwiller, tél. 03.88.92.45.67,
fax 03.88.92.45.67 ☑ ⏀ r.-v.

FREDERIC MOCHEL
Vendanges tardives 1996

☐   0,52 ha   1 500   150 à 199 F

Le vignoble de Traenheim est proche de Strasbourg. Ses terroirs gypsifères favorisent une lente maturation des raisins, ce qui permet d'élaborer des vins de vendanges tardives. D'un jaune d'or soutenu, celui-ci surprend par ses arômes d'agrumes, présents au nez (mandarine et pamplemousse) comme en bouche. Fraîcheur et vivacité sont aujourd'hui ses principales caractéristiques.
☛ Frédéric Mochel, 56, rue Principale,
67310 Traenheim, tél. 03.88.50.38.67,
fax 03.88.50.56.19 ☑ ⏀ t.l.j. sf dim. 8h30-12h 13h30-18h

CAVE D'OBERNAI 1997

☐   n.c.   50 000   ▮↧ 30 à 49 F

Située au pied du mont Sainte-Odile et à proximité du Mur païen, Obernai est sans conteste le berceau de la province. La plupart de ses producteurs ont décidé, au lendemain de la guerre, d'unir leurs forces pour former cette importante cave coopérative. Ce gewurztraminer au fruité caractéristique se révèle assez frais et léger au palais. Il mérite d'être essayé sur une cuisine épicée.
☛ Cave vinicole d'Obernai, 30, rue du Gal-Leclerc, 67210 Obernai, tél. 03.88.47.60.20,
fax 03.88.47.60.22 ☑ ⏀ r.-v.

DOM. OTTER Dorfschatz 1997*

☐   0,37 ha   1 800   ▮ 50 à 69 F

Francis Otter, qui travaille maintenant avec son fils, cherche à obtenir des vins de grande concentration. Originaire d'un terroir argilo-calcaire, ce gewurztraminer est très élégant au nez et plutôt ample au palais. Sa charpente supporte fort bien la pointe de sucre restant. Ce vin pourra accompagner tout un repas : foie gras, cuisine épicée ou dessert.
☛ Dom. François Otter et Fils, 4, rue du Muscat, 68420 Hattstatt, tél. 03.89.49.33.00,
fax 03.89.49.38.69, e-mail ottjef@nucleuv.fr ☑ ⏀ r.-v.

LES VIGNERONS DE PFAFFENHEIM ET GUEBERSCHWIHR
Cuvée Bacchus 1997**

☐   3 ha   28 000   ▮ 30 à 49 F

Fondée en 1945, la cave vinicole de Pfaffenheim a fusionné en 1968 avec celle de Gueberschwihr. La coopérative rassemble aujourd'hui la production de 235 ha de vignes. Elle a proposé ces dernières années d'excellentes cuvées. Celle-ci, appelée Bacchus, mérite bien son nom. Marqué au nez par des arômes de fruits exotiques et de surmaturation, ce gewurztraminer conserve un remarquable équilibre au palais, où la charpente contrebalance le sucre restant. D'une rare persistance, un gewurztraminer pour le foie gras ou le dessert.
☛ CVPG Pfaffenheim, 5, rue du Chai, B.P. 33,
68250 Pfaffenheim, tél. 03.89.78.08.08,
fax 03.89.49.71.65 ☑ ⏀ t.l.j. 8h-12h 14h-18h

RAYMOND RENCK 1997*

☐ 0,3 ha 2 000 50 à 69 F

Niché au pied du coteau de Sonnenberg, classé en grand cru, le village de Beblenheim bénéficie d'une situation privilégiée dans le vignoble d'Alsace. Raymond Renck a maintenu une exploitation à taille humaine (5 ha de vignes). Il nous fait découvrir un gewurztraminer d'une expression toute particulière, où la typicité du cépage cède le pas à la surmaturation. On peut ainsi déceler au nez des notes de fruits secs et de miel et au palais du gras, de la rondeur, de la charpente. Un vin très opulent.

EARL Raymond Renck, 11, rue de Hoën, 68980 Beblenheim, tél. 03.89.47.91.75, fax 03.89.47.91.75 t.l.j. sf dim. 8h-12h 14h-20h

RIEFLE

Côte de Rouffach Bergweingarten de Pfaffenheim 1997***

☐ 0,94 ha 6 500 50 à 69 F

Le domaine Rieflé, avec 22 ha de vignes, est devenu l'un des principaux domaines alsaciens. Cela ne l'a pas conduit à se désintéresser de ses produits comme l'attestent plusieurs coups de cœur obtenus récemment. Ce gewurztraminer du Bergweingarten apparaît déjà omniprésent au nez, avec des nuances de fleurs et d'épices. Très ample au palais, c'est un vin envoûtant, issu d'une matière première remarquable. Il sera en parfaite harmonie avec des spécialités exotiques ou un dessert.

Dom. Joseph Rieflé, 11, pl. de la Mairie, 68250 Pfaffenheim, tél. 03.89.78.52.21, fax 03.89.49.50.98, e-mail rieflé@riefle.com r.-v.

RINGENBACH-MOSER

Vendanges tardives 1996

☐ 1,18 ha 4 737 100 à 149 F

Cette maison de négoce est établie à Sigolsheim, à l'entrée de la vallée de Kaysersberg. Elle propose un gewurztraminer jaune paille à reflets dorés, aux arômes de fruits confits (poire sèche) assortis d'un léger fumé. Moins complexe que le nez, le palais reste agréable. (bouteille de 37,5 cl)

Ringenbach-Moser, 12, rue du Vallon, 68240 Sigolsheim, tél. 03.89.47.11.23, fax 03.89.47.32.58 r.-v.

MARTIN SCHAETZEL

Cuvée Isabelle 1997*

☐ 0,7 ha 3 500 50 à 69 F

Jean Schaetzel a repris il y a une dizaine d'années l'exploitation de son oncle (7,5 ha) tout en gardant ses fonctions au service de la formation professionnelle viticole. Sa cuvée Isabelle est un gewurztraminer d'origine granitique, marqué au nez par des notes épicées et des nuances de surmaturation. Gras et rond au palais, c'est le produit d'une très belle matière, qui affiche une persistance remarquable. On pourra le déguster pour lui-même.

Martin Schaetzel, 3, rue de la 5e -D.-B., 68770 Ammerschwihr, tél. 03.89.47.11.39, fax 03.89.78.29.77 r.-v.

Béa et Jean Schaetzel

LOUIS SCHERB ET FILS

Cuvée du Bonheur 1997*

☐ 0,45 ha 2 200 50 à 69 F

Dominé par son remarquable clocher roman du XIIe s., le village de Gueberschwihr abrite des caves plus pittoresques les unes que les autres. Les Scherb y exploitent plus de 10 ha de vignes. Leur cuvée du Bonheur est un gewurztraminer d'origine argilo-calcaire. Marqué par cette origine, ce 97 présente un nez très jeune, qui laisse cependant poindre des notes d'épices et de fruits secs. Gras et bien équilibré au palais, c'est un vin fort prometteur.

EARL Joseph et André Scherb, 1, rte de Saint-Marc, 68420 Gueberschwihr, tél. 03.89.49.30.83, fax 03.89.49.30.65 t.l.j. 8h-12h 13h-19h; dim. 9h-12h

DOM. SCHIRMER

Weingarten Cuvée Antoine 1997**

☐ 0,4 ha n.c. 30 à 49 F

Soultzmatt est niché au pied du célèbre coteau du Zinnkoepflé - classé en grand cru -, couronné d'une pelouse sèche aujourd'hui protégée. Du terroir gréseux du Weingarten, ce gewurztraminer a tiré toute l'élégance et la légèreté. Marqué au nez par des arômes de fleurs et d'épices, il se révèle souple et très enveloppant au palais. Un vin harmonieux, long et envoûtant !

EARL Lucien Schirmer et Fils, 22, rue de la Vallée, 68570 Soultzmatt, tél. 03.89.47.03.82, fax 03.89.47.02.33 t.l.j. 8h-12h 13h-20h

JEAN-LOUIS SCHOEPFER

Kirchacker 1997*

☐ 0,35 ha 3 000 30 à 49 F

Vigneron passionné, Jean-Louis Schoepfer conduit avec son fils un domaine de 9 ha de vignes. Originaire d'un terroir argilo-siliceux, son gewurztraminer Kirchacker exprime toute l'opulence du cépage. D'une grande complexité au nez avec ses arômes de coing et de fruits secs, il possède du gras et révèle beaucoup d'ampleur au palais. Tout ce qu'il faut pour conclure un repas avec fromage et dessert.

Jean-Louis Schoepfer, 35, rue Herzog, 68920 Wettolsheim, tél. 03.89.80.71.29, fax 03.89.79.61.35 r.-v.

CHRISTIAN SCHWARTZ
Vendanges tardives Collection Marine 1996

□ 0,3 ha 1 600 ▮ 🌡 70 à 99 F

D'un jaune doré intense, ce gewurztraminer de vendanges tardives est issu d'un sol léger d'arènes granitiques qui lui a légué un nez tout en finesse aux fragrances de pétales de rose. Epicé en bouche, ce vin possède un bon support acide qui lui permettra de parfaire son harmonie. A attendre. (bouteille de 50 cl)

🔑 Christian Schwartz, 107, rue de l'Ungersberg, 67650 Blienschwiller, tél. 03.88.92.41.73, fax 03.88.92.63.06 ☑ 🍸 r.-v.

SEILLY Schenkenberg 1997*

□ n.c. n.c. 30 à 49 F

Créé en 1865, le domaine Seilly est tout à fait à la page. L'ensemble de la cuverie est en effet thermorégulée. Soucieux de la qualité de ses vins, Marc Seilly les élève sur lies fines pendant huit mois. Ce gewurztraminer présente un nez floral élégant. Son origine argilo-calcaire marque le palais qui se distingue par son équilibre et par son ampleur. Un vin d'apéritif ou de repas.

🔑 Dom. Seilly, 18, rue du Gal-Gouraud, 67210 Obernai, tél. 03.88.95.55.80, fax 03.88.95.54.00, e-mail info@seilly.fr ☑ 🍸 r.-v.

🔑 Jean-Paul et Marc Seilly

JEAN-PAUL SIMONIS ET FILS
Kaefferkopf 1997*

□ 0,27 ha 2 400 🛢 50 à 69 F

Jean-Marc Simonis a repris l'exploitation familiale en 1993. Il est particulièrement fier de cette parcelle de gewurztraminer plantée il y a quarante-cinq ans par son grand-père sur le Kaefferkopf. Ce 97 possède en effet toute la concentration que peut donner une vieille vigne. Très ample au nez, marqué par des senteurs d'agrumes et de fruits exotiques, il révèle une grande complexité au palais. Un vin long et harmonieux.

🔑 EARL Jean-Paul Simonis et Fils, 1, rue du Chasseur-M.-Besombes, 68770 Ammerschwihr, tél. 03.89.47.13.51, fax 03.89.47.13.51 ☑ 🍸 t.l.j. sf sam. dim. 8h-19h

DOM. DU SONNENBERG
Kaefferkopf 1997*

□ 0,4 ha 2 950 🛢 30 à 49 F

Ce vigneron s'est installé en 1997 sur un domaine d'un peu moins de 5 ha. Son gewurztraminer du Kaefferkopf a conservé toute la noblesse de ce célèbre terroir calcaire. Floral et épicé au nez, il se révèle parfaitement équilibré au palais, ample et persistant. A servir à l'apéritif ou avec un plateau de fromage.

🔑 A. Mandres, Dom. du Sonnenberg, 5, rue du Four, 68770 Ammerschwihr, tél. 03.89.47.15.11, fax 03.89.78.16.48 ☑ 🍸 r.-v.

EUGENE SPANNAGEL ET FILS
Altenbourg Cuvée Saint-Rémy 1997*

□ 0,12 ha 1000 ▮ 50 à 69 F

Rémy Spannagel a pris la suite de son père, qui s'était lancé dans la vente directe en 1958. Originaire du célèbre coteau de l'Altenbourg, caractérisé par des sols marneux plutôt lourds, ce gewurztraminer commence à exhaler les arômes typiques du cépage relevés d'une pointe de réglisse. Très rond au palais, c'est un vin ample et chaleureux qui sera excellent avec du foie gras ou un dessert.

🔑 Rémy et Eugène Spannagel, 11, rue de Cussac, 68240 Sigolsheim, tél. 03.89.78.25.90 ☑ 🍸 t.l.j. sf dim. 8h30-12h 14h-19h

ANTOINE STOFFEL 1997*

□ 0,3 ha 2 800 🛢 30 à 49 F

Tout proche de Colmar, Eguisheim est un joyau d'architecture. C'est aussi l'un des bourgs viticoles les plus actifs de la région. Le GAEC Stoffel y exploite près de 8 ha de vignes. Malgré une origine argilo-calcaire, son gewurztraminer est déjà très expressif. Marqué au nez par des notes de violette et de grillé, il se révèle d'une belle étoffe au palais. Un vin long et harmonieux.

🔑 Antoine Stoffel, 21, rue de Colmar, 68420 Eguisheim, tél. 03.89.41.32.03, fax 03.89.24.92.07 ☑ 🍸 t.l.j. sf dim. 8h-12h 14h-18h

STRAUB Cuvée Louise 1997*

□ 0,3 ha 2 000 🛢 100 à 149 F

Marqué par son origine granitique, ce gewurztraminer développe au nez des arômes de fruits exotiques. Puissant et plutôt rond au palais, il séduit par une très longue finale. Un vin très harmonieux à déguster en apéritif ou avec un dessert ! On pourra le découvrir dans une demeure de 1715 possédant une belle cave voûtée.

🔑 Jean-Marie Straub, 126, rte du Vin, 67650 Blienschwiller, tél. 03.88.92.40.42, fax 03.88.92.40.42 ☑ 🍸 r.-v.

ANDRE THOMAS ET FILS
Vieilles vignes 1997**

□ 1 ha 6 000 🛢 50 à 69 F

Originaire d'un terroir argilo-calcaire, ce gewurztraminer est marqué par la surmaturation. Très expressif au nez, avec ses arômes de coing, de miel et d'amande grillée, il révèle une grande ampleur au palais où la rondeur se trouve contrebalancée par une charpente remarquable. Cette exploitation est décidément une valeur sûre !

🔑 André Thomas et Fils, 3, rue des Seigneurs, 68770 Ammerschwihr, tél. 03.89.47.16.60, fax 03.89.47.37.22 ☑ 🍸 r.-v.

CAVE DU VIEIL-ARMAND
Cuvée du Vieil-Armand 1997*

□ n.c. n.c. 50 à 69 F

La cave vinicole du Vieil-Armand fédère des exploitants de l'extrémité sud du vignoble d'Alsace. Depuis une quinzaine d'années, elle est devenue l'un des piliers du groupe Wolfberger. Marqué par des arômes de fruits et de roses séchées, ce gewurztraminer paraît encore très jeune au nez. A la fois puissant et élégant au palais, c'est le produit d'une excellente matière première.

🔑 Cave vinicole du Vieil-Armand, 3, rte de Cernay, 68360 Soultz-Wuenheim, tél. 03.89.76.73.75, fax 03.89.76.70.75 ☑ 🍸 t.l.j. 8h-12h 14h-18h

DOM. WEINBACH
Altenbourg Cuvée Laurence 1997★★

☐ 1,1 ha 6 000 200 à 249 F

Les vins élaborés par Colette Faller et ses filles sont régulièrement distingués dans le Guide. On les trouve sur les meilleures tables du monde entier. Leur domaine, ancien Clos des Capucins, est l'un des fleurons du vignoble alsacien avec 25 ha de vignes en production. Originaire du terroir marneux de l'Altenbourg, ce gewurztraminer possède toute la puissance du cépage. Le nez élégant est marqué par la surmaturation. La bouche est assez ronde, capiteuse, d'une longueur exceptionnelle. Un très grand vin d'apéritif ou de dessert.

Colette Faller et ses Filles, Dom. Weinbach, Clos des Capucins, 68240 Kaysersberg, tél. 03.89.47.13.21, fax 03.89.47.38.18 ☑ Ɪ r.-v.

JEAN-MICHEL WELTY
Cuvée Aurélie 1997★★

☐ 0,35 ha n.c. 70 à 99 F

A la tête de l'exploitation depuis 1984, Jean-Michel Welty a le privilège d'habiter une demeure chargée d'histoire, puisqu'il s'agit d'une ancienne cour dîmière bâtie en 1576. Il propose un gewurztraminer issu d'un terroir argilo-calcaire, au bouquet marqué par la surmaturation. La rondeur perceptible à l'attaque est très vite équilibrée par une structure d'exception. Un vin riche et puissant, à réserver aux meilleures occasions.

Jean-Michel Welty, 22-24, Grand-Rue, 68500 Orschwihr, tél. 03.89.76.09.03, fax 03.89.76.16.80 ☑ Ɪ r.-v.

WINTER Muhlforst 1997★

☐ 0,3 ha 1 600 70 à 99 F

Albert Winter exploite un modeste domaine (4 ha), mais se distingue par la qualité de ses vins. Originaire d'un terroir argilo-calcaire, ce gewurztraminer possède un bouquet magnifique. Un caractère miellé apparaît au palais. D'une grande harmonie en finale, c'est le produit d'une matière première remarquable.

Albert Winter, 17, rue Sainte-Hune, 68150 Hunawihr, tél. 03.89.73.62.95, fax 03.89.73.62.95 ☑ Ɪ r.-v.

WUNSCH ET MANN
Cuvée Saint-Rémy 1997★

☐ 3 ha 21 000 30 à 49 F

Les familles Wunsch et Mann ont uni leurs destinées en 1948. Elles ont alors étendu leur activité à l'achat de raisins, ce qui ne les empêche pas d'exploiter en propre près de 20 ha de vignes. Originaire d'un terroir marno-calcaire, ce gewurztraminer exprime déjà des arômes floraux très intenses. Ample et harmonieux au palais, c'est le fruit d'une vendange de belle maturité.

Wunsch et Mann, 2, rue des Clefs, 68920 Wettolsheim, tél. 03.89.22.91.25, fax 03.89.80.05.21 ☑ Ɪ r.-v.

Mann

ZEYSSOLFF 1997★

☐ 1,3 ha 9 600 70 à 99 F

G. Zeyssolff est établi depuis 1975 à Gertwiller, petite bourgade toute proche de Barr et de ses magnifiques coteaux. Le terroir argilo-calcaire est fort propice au gewurztraminer. Celui-ci présente déjà une intensité remarquable au nez, les arômes de fruits exotiques se mêlant aux senteurs florales. Le palais assez souple, mais bien équilibré, révèle une grande matière.

SARL G. Zeyssolff, 156, rte de Strasbourg, 67140 Gertwiller, tél. 03.88.08.90.08, fax 03.88.08.91.60 ☑ Ɪ r.-v.

ZIEGLER-FUGLER
Bollenberg Vieilles vignes 1997★★

☐ 0,4 ha 3 000 50 à 69 F

Orschwihr est la première bourgade viticole importante que l'on rencontre en remontant la route des Vins par le sud. La maison Ziegler-Fugler y a pignon sur rue. Réputé pour la flore originale de sa pelouse sèche, le Bollenberg est à l'origine de ce superbe gewurztraminer. Très intense au nez, ce 97 est dominé par des senteurs de rose et de violette. Au palais, d'une grande complexité, les arômes floraux se renforcent d'un caractère miellé. L'ampleur est remarquable.

EARL Ziegler-Fugler, 6, rue de l'Eglise, 68500 Orschwihr, tél. 03.89.76.95.30, fax 03.89.74.61.09 ☑ Ɪ t.l.j. sf dim. 9h-12h 13h-18h

ZIEGLER-MAULER
Vieilles vignes Cuvée Philippe 1997★

☐ 0,4 ha 1 300 50 à 69 F

Jean-Jacques Ziegler et son fils - qui l'a rejoint en 1993 - cultivent un domaine de 4,5 ha de vignes. Ils proposent un gewurztraminer originaire d'un terroir argilo-calcaire. Le nez, explosif et élégant, marie les fleurs blanches et les pétales de rose. Le palais, assez rond, révèle une grande matière. La finale est harmonieuse.

EARL J.-J. Ziegler-Mauler et Fils, 2, rue des Merles, 68630 Mittelwihr, tél. 03.89.47.90.37, fax 03.89.47.98.27 ☑ Ɪ r.-v.

ZIMMERMANN Cuvée Alphonse 1997★★★

☐ 0,5 ha 3 000 50 à 69 F

Héritier d'un vignoble fondé en 1693, le GAEC Zimmermann est attaché aux modes de vinification traditionnels. Il exploite aujourd'hui 16 ha sur les pentes du Haut-Kœnigsbourg. Souvent mentionnée dans le Guide, sa cuvée Alphonse est magnifique dans le millésime 97. Ce gewurztraminer est certes jeune, discret au nez, marqué par son origine argilo-calcaire. Mais quel feu d'artifice en bouche ! Une explosion d'arômes, une rondeur en équilibre avec la charpente. Superbe matière.

EARL A. Zimmermann Fils, 3, Grand-Rue, 67600 Orschwiller, tél. 03.88.92.08.49, fax 03.88.82.14.05 ☑ Ɪ r.-v.

Plus une vigne est âgée, meilleur est son vin.

Alsace tokay-pinot gris

La dénomination locale tokay d'Alsace donnée au pinot gris depuis quatre siècles est un fait étonnant, puisque cette variété n'a jamais été utilisée en Hongrie orientale... La légende dit cependant que le tokay aurait été rapporté de ce pays par le général L. de Schwendi, grand propriétaire de vignobles en Alsace. Son aire d'origine semble être, comme celle de tous les pinots, le territoire de l'ancien duché de Bourgogne.

Le pinot gris n'occupe que 1 305 ha, mais il peut produire un vin capiteux, très corsé, plein de noblesse, susceptible de remplacer un vin rouge sur les plats de viande. Lorsqu'il est somptueux comme en 83, 89 et 90, années exceptionnelles, c'est l'un des meilleurs accompagnements du foie gras.

DOM. PIERRE ADAM
Katzenstegel Cuvée Prestige 1997★★

☐ 0,7 ha 4 000 🛢 50 à 69 F

Pierre Adam a fondé l'exploitation dans les années 1960. Son fils Rémy a pris la responsabilité de la vinification de ce domaine de 10 ha en 1993. Son tokay du Katzenstegel, d'origine marneuse, offre un nez intense fait de nuances fumées et de fraise des bois. Le palais confirme cette première impression de richesse. Parfaitement structuré, il supporte très bien une pointe de sucre restant. A servir en apéritif ou sur du foie gras.

🔑 Dom. Pierre Adam, 8, rue du Lt-Louis-Mourier, 68770 Ammerschwihr, tél. 03.89.78.23.07, fax 03.89.47.39.68 ☑ 🍷 t.l.j. 8h-20h

AMBERG Sélection de grains nobles 1996★

☐ n.c. 1000 ▮ 150 à 199 F

Vendangés en janvier 1997 sous la neige par une température de -10 °C, les raisins ont donné un vin d'une concentration optimale. Jaune d'or soutenu à l'œil, ce tokay est remarquable par la puissance de son nez aux arômes intenses de pruneau, d'églantine et de pâte de coing. En bouche, il enveloppe les papilles. Riche, ample, il termine sur le coing confit. (bouteille de 50 cl)

🔑 Yves Amberg, 19, rue Fronholz, 67680 Epfig, tél. 03.88.85.51.28 ☑ 🍷 r.-v.

CAVE VINICOLE D'ANDLAU-BARR
1997

☐ n.c. 20 000 ▮ 🌡 30 à 49 F

Valeur sûre de notre Guide dans lequel elle est souvent mentionnée, la cave vinicole d'Andlau appartient au groupe DIVINAL, l'un des leaders du vignoble alsacien. Très élégant au nez avec ses arômes fruités et épicés, ce tokay présente une pointe de douceur au palais qui répond bien à la structure du vin. Il devrait gagner en harmonie avec le temps.

🔑 Cave vinicole d'Andlau et environs, 15, av. des Vosges, 67140 Barr, tél. 03.88.08.90.53, fax 03.88.47.60.22 ☑ 🍷 r.-v.

DOM. BARMES-BUECHER
Rosenberg Vendanges tardives 1996★

☐ 0,7 ha 3 400 ▮ 🌡 150 à 199 F

Ce 96 est né sur les pentes ensoleillées du Rosenberg. Terroir argilo-calcaire où les raisins les plus délicats arrivent à maturité. Sa robe est d'un jaune d'or prononcé, son nez associe des notes de confit à la vanille. Très concentré, le vin tapisse agréablement le palais. Opulence, richesse, ampleur sont les maîtres-mots de la dégustation. Un modèle d'harmonie. (bouteille de 50 cl)

🔑 Dom. Barmès-Buecher, 23-30, rue Sainte-Gertrude, 68920 Wettolsheim, tél. 03.89.80.62.92, fax 03.89.79.30.80, e-mail barmesbuecher@terre-net.fr ☑ 🍷 r.-v.

JEAN-PIERRE BECHTOLD
Vendanges Tardives 1996★★

☐ 0,3 ha 1 400 🛢 100 à 149 F

« Une vendange tardive comme le consommateur peut en rêver », écrit un dégustateur. A quoi doit-on un vin d'une telle classe ? A un terroir de coteaux bien exposés sans doute. A l'art du vigneron également. Jaune paille tirant sur l'or, ce 96 exprime des arômes de grande surmaturation : l'ananas côtoie le raisin de Corinthe et la cire d'abeille. Riche, onctueuse et délicate, la bouche mêle les fruits confits et les fleurs ; elle s'achève par une longue finale épicée.

🔑 Dom. Jean-Pierre Bechtold, 49, rue Principale, 67310 Dahlenheim, tél. 03.88.50.66.57, fax 03.88.50.67.34 ☑ 🍷 r.-v.

DOM. PIERRE BERNHARD
Vendanges tardives 1996★★

☐ 0,6 ha 1 800 ▮ 🌡 100 à 149 F

Ce domaine de 12 ha est dirigé depuis 1981 par Cécile Bernhard. Ses vins d'une grande finesse trouvent leur place dans ce Guide. Or dans le verre, ce 96 se distingue par un nez typé et complexe où se mêlent senteurs de sous-bois et fragrances florales. Au palais, le miel apporte la note de surmaturation ; il s'ajoute au sous-bois dans une harmonie très délicate. Un beau tokay bien structuré, à déguster d'ici quelque temps.

🔑 Dom. Bernhard-Reibel, 20, rue de Lorraine, 67730 Châtenois, tél. 03.88.82.04.21, fax 03.88.82.59.65, e-mail bernhard-reibel@wanadoo.fr ☑ 🍷 r.-v.

🔑 Cécile Bernhard

ANDRE BLANCK
Ancienne Cour des Chevaliers de Malte Clos Schwendi 1997★★

☐ 0,3 ha 800 50 à 69 F

Installé dans l'ancienne cour des chevaliers de Malte qui jouxte le célèbre château de la confrérie Saint-Etienne, André Blanck est à la tête d'un domaine de 11 ha de vignes. Son tokay Clos Schwendi, d'origine graveleuse, est déjà très ouvert au nez, marqué par des notes grillées et des nuances de surmaturation. D'un grand volume au palais, il montre une réelle harmonie entre douceur et charpente. La qualité est à la hauteur de la persistance.

☛ EARL André Blanck et Fils, Ancienne Cour des Chevaliers de Malte, 68240 Kientzheim, tél. 03.89.78.24.72, fax 03.89.47.17.07 ☑ ☗ t.l.j. sf dim. 8h-19h

ROBERT BLANCK Cuvée réservée 1997★

| ☐ | 0,83 ha | 4 700 | ▥ | 50 à 69 F |

Installé à Obernai, vieille cité médiévale proche du mont Sainte-Odile, Robert Blanck exploite un domaine de près de 17 ha de vignes. Il a élaboré un tokay d'origine argilo-calcaire, dont le nez, encore discret, exhale déjà des notes de miel et d'amande grillée. Encore dominé au palais par une pointe de douceur, ce 97 a la structure nécessaire pour évoluer favorablement au vieillissement. Un vin de foie gras ou de dessert.

☛ Robert Blanck, 167, rte d'Ottrott, 67210 Obernai, tél. 03.88.95.58.03, fax 03.88.95.04.03 ☑ ☗ t.l.j. 8h-12h 14h-19h

JUSTIN BOXLER
Sélection de grains nobles Cuvée Charlotte 1996★★★

| ☐ | 0,23 ha | 1 500 | ▥ | 150 à 199 F |

L'exploitation ? Elle a été fondée en 1672 par un de ces vignerons originaires de Suisse alémanique qui se sont installés dans la région à peine remise de la guerre de Trente Ans. Le vin ? Hautement recommandable : coup de cœur unanime ! Des reflets d'or dans le verre, un nez d'une grande pureté, concentré de fruits confits et de raisins de Corinthe. Une belle attaque progressive, une bouche fine et typée. « Un festival aromatique intense où le confit le dispute au terroir » selon un dégustateur. Il frise la perfection.

☛ GAEC Justin Boxler, 15, rue des Trois-Epis, 68230 Niedermorschwihr, tél. 03.89.27.11.07, fax 03.89.27.01.44 ☑ ☗ r.-v.

CAMILLE BRAUN
Vendanges tardives 1996★★

| ☐ | 0,25 ha | 1 800 | ▤♦ | 70 à 99 F |

Orschwihr est un important village viticole du sud de l'Alsace. Cette exploitation y possède un vignoble situé sur des terroirs calcaro-gréseux exposés au sud-est. Son tokay vendanges tardives fait une excellente impression : robe jaune d'or laissant de longues jambes sur le verre, nez aromatique associant le coing et la pêche. Le palais ne déçoit pas, puissant, gras, fruité, très harmonieux. « Superbe ! » s'exclame une dégustatrice. Excellent rapport qualité-prix.

☛ Camille Braun, 16, Grand-Rue, 68500 Orschwihr, tél. 03.89.76.95.20, fax 03.89.74.35.03 ☑ ☗ t.l.j. sf dim. 8h-12h 13h30-19h

PAUL BUECHER ET FILS
Réserve personnelle 1997★★

| ☐ | 1,5 ha | 12 000 | ▥ | 30 à 49 F |

Ce coquet domaine familial (25 ha) qui a pour devise « La qualité n'est pas un hasard » a signé un tokay « au superlatif ». Très ample au nez, ce vin issu d'un terroir graveleux séduit par des senteurs florales, miellées et fumées. Cette explosion d'arômes se retrouve dans un palais à la fois moelleux et bien soutenu par la vivacité, et qui fait preuve d'une grande concentration. « Tout y est », conclut un dégustateur sous le charme.

☛ Paul Buecher, 15, rue Sainte-Gertrude, 68920 Wettolsheim, tél. 03.89.80.64.73, fax 03.89.80.58.62 ☑ ☗ t.l.j. sf dim. 8h-12h 14h-18h

CAVE DE CLEEBOURG
Vendanges tardives 1996★★

| ☐ | 8 ha | 3 000 | ▤♦ | 100 à 149 F |

Le vignoble de Cleebourg est le plus septentrional d'Alsace. Il est réputé pour ses vins d'auxerrois ou de pinot gris. Jaune à reflets ambrés, ce 96 est déjà remarquablement ouvert, mêlant les fruits exotiques, le miel et l'acacia. La bouche, parfaitement équilibrée, ample, de grande persistance, finit sur des notes de litchi.

☛ Cave vinicole de Cleebourg, rte du Vin, 67160 Cleebourg, tél. 03.88.94.50.33, fax 03.88.94.57.08 ☑ ☗ t.l.j. 8h-12h 14h-18h; groupe sur r.-v.

CLAUDE DIETRICH Patergarten 1997★★

| ☐ | 0,5 ha | 3 500 | ▤♦ | 50 à 69 F |

Installé à Kientzheim, la cité du baron de Schwendi - « père du tokay d'Alsace » selon la tradition -, Claude Dietrich ne laisse rien au hasard, témoin ce 97, d'origine graveleuse. Ce pinot gris affirme une grande complexité au nez, où des notes fruitées se mêlent à des nuances plus évoluées de fruits secs. Très bien équilibré au palais, c'est un vin à la fois puissant, persistant et harmonieux, à servir sur du foie gras.

☛ Claude Dietrich, SCEA Schlossberg, 13, rte du Vin, 68240 Kientzheim, tél. 03.89.47.19.42, fax 03.89.47.36.67 ☑ ☗ r.-v.

MARCEL EBELMANN ET FILS
Cuvée Fanny 1997★★

| ☐ | 0,35 ha | 2 000 | ▣ | 70 à 99 F |

Soultzmatt est un village viticole pittoresque où règne l'émulation entre les vignerons. Cette année, cette exploitation de 6 ha s'est distinguée avec ce tokay d'origine calcaire, au nez déjà très intense, floral et élégant. Long et puissant au palais, c'est le produit d'une grande matière. Armé pour une longue garde, il séduira dès maintenant en apéritif ou sur du foie gras.

☛ Marcel et José Ebelmann, 27, rue des Chèvres, 68570 Soultzmatt, tél. 03.89.47.00.09, fax 03.89.47.65.33 ☑ ☗ r.-v.

DOM. ANDRE EHRHART ET FILS
Vendanges tardives 1996★★

□ 0,5 ha 2 500 ▮🌡 70 à 99 F

Issu de coteaux situés à l'ouest de Colmar, ce vin est un modèle de vendanges tardives. Jaune pâle à reflets or, il présente un nez extrêmement typé du cépage ; son fumet particulier, très agréable, se mêle aux fruits secs. Son palais aux arômes riches de coing termine élégamment sur une grande fraîcheur qui renforce son harmonie. Un vin complet, d'un excellent rapport qualité-prix.
🔑 André Ehrhart et Fils, 68, rue Herzog, 68920 Wettolsheim, tél. 03.89.80.66.16, fax 03.89.79.44.20 ☒ Y t.l.j. sf dim. 8h-12h 14h-18h

DOM. ANDRE EHRHART ET FILS
Cuvée Elise 1997★★★

□ 0,7 ha 4 500 ▮🌡 30 à 49 F

Toute proche de Colmar, Wettolsheim abrite une cohorte de vignerons qui rivalisent dans une saine émulation. L'année a été particulièrement favorable à cette exploitation habituée du Guide : elle récolte une abondance d'étoiles qui témoigne de son savoir-faire. Originaire d'un terroir argilo-calcaire, ce tokay offre déjà un nez puissant associant notes fruitées et raisins secs. Cette concentration admirable se retrouve dans un palais à la fois intense et enveloppant. Un vin d'une grande persistance et d'une rare harmonie !
🔑 André Ehrhart et Fils, 68, rue Herzog, 68920 Wettolsheim, tél. 03.89.80.66.16, fax 03.89.79.44.20 ☒ Y t.l.j. sf dim. 8h-12h 14h-18h

EINHART Westerberg 1997★

□ 0,8 ha 3 500 30 à 49 F

Vignerons établis à Rosenwiller depuis le début du siècle, les Einhart sont devenus incontournables dans ce Guide, où ils figurent souvent aux meilleures places. Reflétant son terroir argilo-calcaire, ce tokay est encore très jeune, mais il exprime déjà au nez un fumet délicat. Un peu rond au palais, c'est un vin bien structuré qui évoluera favorablement avec les années.
🔑 Nicolas Einhart, 15, rue Principale, 67560 Rosenwiller, tél. 03.88.50.41.90, fax 03.88.50.29.27 ☒ Y r.-v.

FERNAND ENGEL ET FILS
Cuvée Engel 1997★

□ 1,98 ha 18 200 ▮🌡 30 à 49 F

Fernand Engel gère avec son gendre, œnologue, un important domaine de 34 ha de vignes. Originaire d'un terroir marno-calcaire, cette cuvée Engel reste dans sa phase de jeunesse avec un côté très fleurs blanches. L'impression de douceur qui domine à l'attaque est vite contrebalancée par la structure de ce vin plein de promesses.
🔑 Fernand Engel et Fils, 1, rte du Vin, 68590 Rorschwihr, tél. 03.89.73.69.70, fax 03.89.73.63.70 ☒ Y r.-v.

RENE FLECK 1997★

□ n.c. 6 300 ⏺ 30 à 49 F

Installé à Soultzmatt, village très pittoresque de la vallée Noble, René Fleck a transmis les rênes de l'exploitation familiale à sa fille Nathalie en 1995. Marqué par son origine argilo-gréseuse, ce tokay est à la fois intense et élégant au nez. D'une belle attaque au palais, c'est un vin équilibré et persistant qui aura toujours sa place sur une grande table.
🔑 René Fleck et Fille, 27, rte d'Orschwihr, 68570 Soultzmatt, tél. 03.89.47.01.20, fax 03.89.47.09.24 ☒ Y r.-v.

GEIGER-KOENIG 1997

□ 0,6 ha 3 600 ▮ 30 à 49 F

Un peu en retrait de la route des Vins, le village de Bernardvillé mérite pourtant le détour. Richard Geiger y exploite 9 ha de vignes. Originaire d'un terroir argilo-calcaire, son tokay, dominé par les fleurs blanches, reste dans sa première jeunesse. Assez rond et élégant au palais, c'est un vin qui s'affirmera avec le temps.
🔑 Simone et Richard Geiger-Koenig, 21, rue Principale, 67140 Bernardvillé, tél. 03.88.85.56.84, fax 03.88.85.57.74 ☒ Y r.-v.

GOCKER Vieilles vignes 1997★★

□ 0,4 ha 2 500 ▮🌡 50 à 69 F

Charmant village célèbre par sa côte des Amandiers, Mittelwihr abrite de nombreux producteurs de renom, qui, comme Philippe Gocker, n'ont qu'un désir, celui de faire partager leur passion. D'origine argilo-calcaire, ce tokay est déjà envoûtant au nez avec ses notes fumées et ses nuances de fruits secs. D'une structure ample et généreuse en bouche, ce vin harmonieux fait preuve d'une persistance qui lui permettra d'affronter les années. Un dégustateur suggère de le servir avec des cailles au miel ou du poisson en sauce safran.
🔑 Philippe Gocker, 1, pl. des Cigognes, 68630 Mittelwihr, tél. 03.89.49.01.23, fax 03.89.49.04.72 ☒ Y r.-v.

ROBERT HAAG 1997★

□ 0,44 ha 4 152 ▮ 30 à 49 F

Descendant d'une lignée de vignerons installés depuis 1846 à Scherwiller, Robert Haag est aujourd'hui à la tête d'un domaine de près de 8 ha de vignes. Marqué par son origine granitique, son tokay affiche déjà une belle évolution, comme en témoignent des arômes fumés dominant au nez. Puissant et bien équilibré au palais, c'est un vin persistant, très typique du cépage.
🔑 EARL Robert Haag, 21, rue de la Mairie, 67750 Scherwiller, tél. 03.88.92.11.83, fax 03.88.82.15.85 ☒ Y r.-v.

ANDRE HARTMANN

Armoirie Hartmann 1997★

□ 0,28 ha n.c. ▮🌡 50 à 69 F

La famille Hartmann est établie à Voegtlinshoffen depuis le XVII^{e}s. Sa gamme Armoirie Hartmann est réservée à ses vins les plus élégants. Ce tokay d'origine marno-calcaire exprime au nez le caractère fumé du cépage. Bien vif au palais, c'est un vin harmonieux promis à un bel avenir. A recommander sur les viandes blanches.

🔑 André Hartmann, 11, rue Roger-Frémeaux, 68420 Voegtlinshoffen, tél. 03.89.49.38.34, fax 03.89.49.26.18 ☑ Y t.l.j. 9h-12h 13h30-18h; dim. sur r.-v.

HERTZOG Cuvée particulière 1997

□ 1,08 ha 6 700 ▮🌡 30 à 49 F

Sylvain Hertzog gère une entreprise de prestation de service dans le domaine de l'embouteillage tout en exploitant 7 ha de vignes. Il propose un tokay très miellé et concentré au nez. Le palais révèle une belle matière, mais présente une pointe de sucre restant. Il devrait trouver sa pleine harmonie avec le temps.

🔑 EARL Sylvain Hertzog, 18, rte du Vin, 68420 Obermorschwihr, tél. 03.89.49.31.93, fax 03.89.49.28.85 ☑ Y r.-v.

BERNARD HUMBRECHT

Sélection de grains nobles 1996

□ 0,12 ha 600 ◖◗ 100 à 149 F

Ce très ancien domaine, transmis de père en fils depuis 1620, vient de rénover ses caves de vinification. Il propose un vin de sélection de grains nobles or soutenu, au nez mêlant les fruits confits à des notes fumées et iodées. D'une bonne attaque, le palais se montre encore un peu vif. Le vieillissement lui apportera la rondeur nécessaire. (bouteille 50 cl)

🔑 Jean-Bernard Humbrecht, 10, pl. de la Mairie, 68420 Gueberschwihr, tél. 03.89.49.31.42, fax 03.89.49.20.62 ☑ Y t.l.j. 9h-18h ; dim 14 h-18h

JOSMEYER

Vieilles vignes Cuvée du centenaire 1997★

□ n.c. 8 200 ◖◗ 100 à 149 F

Est-il nécessaire de présenter une maison qui compte près de cent cinquante ans d'âge ? Elle n'a rien renié de son origine viticole puisqu'elle exploite en propre 23 ha de vignes. Derrière une belle robe dorée, ce tokay développe des arômes intenses où le miel se mêle à la surmaturation. Ample et gras au palais, il supporte parfaitement une douceur qui ne l'empêche pas de terminer sur une tonalité plus vive. Un dégustateur suggère de le servir sur du gibier en sauce.

🔑 Josmeyer, 76, rue Clemenceau, 68920 Wintzenheim, tél. 03.89.27.91.90, fax 03.89.27.91.99, email josmeyer@wanadoo.fr ☑ Y t.l.j. sf dim. 8h-12h 14h-18h; sam. 8h-12h

DOM. KEHREN-DENIS MEYER

Sélection de grains nobles 1996★★

□ 0,11 ha 1 100 ◖◗ 150 à 199 F

Une robe particulièrement attrayante, jaune d'or à reflets ambrés pour ce 96 ; un nez très ouvert sur les fruits exotiques ; un palais gras et riche révélant une grande matière, aux arômes de fruits confits et d'une longue persistance ; une très belle structure acide : autant d'atouts pour ce vin qui procure déjà beaucoup de plaisir. Le 92 avait obtenu un coup de cœur. (bouteille de 50 cl)

🔑 Denis Meyer, 2, rte du Vin, 68420 Voegtlinshoffen, tél. 03.89.49.38.00, fax 03.89.49.26.52 ☑ Y r.-v.

KLEIN AUX VIEUX REMPARTS

Geissberg 1997★★

□ 0,6 ha 4 800 ◖◗ 50 à 69 F

Vignerons et œnologues, Françoise et Jean-Marie Klein savent bien que toute la magie du vin réside dans le raisin. C'est dans cet esprit qu'ils cultivent leurs 8 ha de vignes. Reflétant son origine granitique, ce tokay est déjà très ample au nez, dominé par des arômes fumés typiques du cépage. D'une belle attaque, le palais apparaît puissant et persistant. Sa vivacité en fait un superbe vin de repas, capable de s'accorder aussi bien avec le poisson qu'avec les viandes.

🔑 Françoise et Jean-Marie Klein, rte du Haut-Kœnigsbourg, 68590 Saint-Hippolyte, tél. 03.89.73.00.41, fax 03.89.73.04.94 ☑ Y r.-v.

KUENTZ-BAS

Vendanges tardives Cuvée Caroline 1996

□ 1 ha 5 000 ◖◗ 100 à 149 F

Directeur et œnologue de la maison Kuentz-Bas, Jacques Weber a élaboré ce vin d'un jaune soutenu, au nez associant les fruits à des notes de brioche et de pain frais. Equilibré et plaisant en bouche, ce 96 très jeune termine sur des notes de fruits frais. La complexité viendra avec le temps.

🔑 Kuentz-Bas, 14, rte du Vin, 68420 Husseren-les-Châteaux, tél. 03.89.49.30.24, fax 03.89.49.23.39 ☑ Y t.l.j. sf dim. 8h-12h 14h-18h

LOBERGER

Sélection de grains nobles Cuvée Céline 1995★

□ 0,45 ha 600 ▮🌡 150 à 199 F

Récoltés sur les coteaux argilo-sableux de Bergholtz, des raisins passerillés, atteints de pourriture noble, ont donné naissance à ce vin vêtu d'or, aux arômes de pain grillé assortis d'une note de fumé et de fruits confits. Le palais ample, puissant, très épicé, possède une finale acide qui contribue à l'harmonie de ce tokay.

🔑 Dom. Joseph Loberger, 10, rue de Bergholtz-Zell, 68500 Bergholtz, tél. 03.89.76.88.03, fax 03.89.74.16.89 ☑ Y t.l.j. 8h30-12h 13h30-18h; dim. sur r.-v.

DOM. LOEW Elixir de Cormier 1997★★

□ 0,8 ha 1000 ▮🌡 70 à 99 F

Etienne Loew n'a pas perdu de temps. Son diplôme d'œnologue en poche, il a parcouru le vaste monde viticole, de la Bourgogne à l'Oregon, de la Suisse à l'Espagne, avant de reprendre, à vingt-trois ans, la petite exploitation de ses grands-parents. Trois ans plus tard, il fait son entrée dans le Guide avec un tokay qui ne passe pas inaperçu ! D'origine marno-calcaire, ce vin séduit par un nez d'une concentration remarquable, où des notes de coing se mêlent à des arômes

de surmaturation. On retrouve ces caractéristiques dans un palais puissant, long, harmonieux. Un vin racé.
⚷ Etienne Loew, 135, rue Birris, 67310 Westhoffen, tél. 03.88.50.30.34 ☑ 🍷 r.-v.

ALBERT MANN
Altenbourg Sélection de grains nobles 1996★★

□ 0,2 ha n.c. ▮🌡 300 à 499 F

Une robe profonde, vieil or, un nez intense de fruits cuits et de figue s'ouvrent sur un palais extraordinairement riche, volumineux, très concentré et liquoreux. Des arômes de sous-bois et de fruits confits agrémentent la finale. Très beau vin pouvant être dégusté dès maintenant.
⚷ Dom. Albert Mann, 13, rue du Château, 68920 Wettolsheim, tél. 03.89.80.62.00, fax 03.89.80.34.23 ☑ 🍷 r.-v.
⚷ Barthelme

JEAN-PAUL MAULER
Cuvée Alexandra 1997★

□ 0,2 ha 1 800 🛢 50 à 69 F

Descendant d'une des plus vieilles familles de Mittelwihr, Jean-Paul Mauler est à la tête d'un domaine de 5 ha depuis 1962. Il présente un tokay très agréable au nez, avec ses notes florales et grillées. D'une belle fraîcheur au palais, c'est un vin idéal pour accompagner viandes blanches ou baekehofe.
⚷ EARL Jean-Paul Mauler, 3, pl. des Cigognes, 68630 Mittelwihr, tél. 03.89.47.93.23, fax 03.89.47.88.29 ☑ 🍷 t.l.j. 8h-19h

ALBERT MAURER 1997★

□ 0,9 ha 8 000 30 à 49 F

Albert Maurer est à la tête d'un domaine de 10 ha depuis 1963. Encore jeune en raison de son origine argilo-calcaire son tokay exprime déjà les senteurs de fumé et de sous-bois caractéristiques du cépage. Frais et fruité au palais, c'est un vin très équilibré et persistant, qui s'accordera avec les viandes blanches.
⚷ Albert Maurer, 67140 Eichhoffen, tél. 03.88.08.96.75, fax 03.88.08.59.98 ☑ 🍷 r.-v.

GILBERT MEYER Prestige 1997★

□ 0,38 ha n.c. 🛢 30 à 49 F

Le joli village de Voegtlinshoffen domine la plaine du Rhin. Toute la population se consacre à la vigne et au vin. Dirigeant une exploitation à taille humaine, Gilbert Meyer propose un tokay issu d'un terroir marno-calcaire. Ce vin affiche déjà une belle évolution. Son caractère fumé, typique, est encore plus intense au palais, qui apparaît puissant et persistant. A servir avec poissons ou viandes blanches.
⚷ Gilbert Meyer, 5, rue du Schauenberg, 68420 Voegtlinshoffen, tél. 03.89.49.36.65, fax 03.89.86.42.45 ☑ 🍷 r.-v.

ERNEST MEYER ET FILS
Vieilles vignes 1997★

□ 0,3 ha 2 300 ▮ 30 à 49 F

Charmante cité médiévale à l'architecture défensive, Eguisheim abrite de nombreux vignerons, comme Ernest Meyer et son fils. Malgré une origine argilo-calcaire, ce tokay est déjà très intense au nez - dans le style aérien. D'une belle attaque au palais, il s'enrichit en bouche de parfums exotiques. Un vin long et très harmonieux.
⚷ Ernest Meyer et Fils, 4, rue des Trois-Châteaux, 68420 Eguisheim, tél. 03.89.24.53.66, fax 03.89.41.66.46 ☑ 🍷 r.-v.

MEYER-FONNE Dorfburg 1997★★★

□ 0,37 ha 2 200 🛢 50 à 69 F

Installé depuis 1961 à Katzenthal, François Meyer a su préserver la structure familiale de ce domaine. Il exploite aujourd'hui avec Félix près de 10 ha de vignes. Issu d'un terroir de calcaire oolithique, son tokay Dorfburg développe des arômes d'une rare ampleur, exacerbés par la surmaturation. Le palais est rehaussé par des notes d'agrumes et de fruits exotiques. La persistance et l'harmonie remarquables de ce vin le font recommander sur le foie gras ou sur le poisson en sauce.
⚷ Meyer-Fonné, 24, Grand-Rue, 68230 Katzenthal, tél. 03.89.27.16.50, fax 03.89.27.34.17 ☑ 🍷 r.-v.
⚷ François Meyer

ANTOINE MOLTES ET FILS
Sélection de grains nobles 1996★

□ 0,29 ha 670 ▮ 100 à 149 F

Cette exploitation d'une dizaine d'hectares, établie à Pfaffenheim depuis la fin du XVIII[e]s., a bien réussi ce tokay sélection de grains nobles qui procure déjà un grand plaisir. Or paille très soutenu, ce 96 présente un nez de miel, de sous-bois et de fruits confits. Le palais est liquoreux à souhait, puissant, concentré, harmonieux. Le fruit confit de la finale est remarquable. (bouteille de 50 cl)
⚷ GAEC Dom. Antoine Moltès et Fils, 8-10, rue du Fossé, 68250 Pfaffenheim, tél. 03.89.49.60.85, fax 03.89.49.50.43, e-mail gmoltes@terre-net.fr ☑ 🍷 t.l.j. 8h-12h 14h-19h

CLAUDE MORITZ
Vendanges tardives 1996

□ 0,35 ha 1 200 🛢 100 à 149 F

Cette exploitation établie à Andlau, non loin de Barr, possède un vignoble de plus de 11 ha, réparti sur le territoire de cinq communes avec des parcelles dans quatre grands crus. Elle fait son entrée dans le Guide avec ce pinot gris de vendanges tardives jaune clair à reflets or. Le nez franc révèle la surmaturation ; miel et coing se retrouvent au palais. Ce vin aurait pu être plus long mais il fait preuve d'une belle fraîcheur ; il aura bientôt trouvé son équilibre.

Dom. Claude Moritz, 6, rue Gal-Koenig, 67140 Andlau, tél. 03.88.08.01.43, fax 03.88.92.61.70 r.-v.

RENE MURE Lutzeltal 1997★★★

☐ 0,8 ha 6 600 70 à 99 F

Cette exploitation familiale remonte à 1648, date à laquelle Michel Huré, originaire de Suisse, vint s'installer à Rouffach. La onzième génération y cultive aujourd'hui, avec la même passion, le célèbre clos Saint-Landelin. Ce tokay d'origine argilo-calcaire offre un nez tout en finesse, dominé par des arômes de fruits mûrs. Puissant, gras et parfaitement équilibré au palais, c'est un vin d'une grande harmonie que l'on pourra servir avec du foie gras ou de la volaille.

René Muré, Clos Saint-Landelin, rte du Vin, 68250 Rouffach, tél. 03.89.78.58.00, fax 03.89.78.58.01, e-mail rene@mure.com.fr r.-v.

LES VIGNERONS DE PFAFFENHEIM ET GUEBERSCHWIHR
Cuvée Rabelais 1997★★

☐ 2 ha 18 000 30 à 49 F

Figurant au nombre des fleurons du vignoble alsacien, la cave vinicole de Pfaffenheim, fondée en 1957, a fusionné avec celle de Gueberschwihr en 1968. Elle réunit aujourd'hui la production de 235 ha. Elle nous a habitués à ces tokays très expressifs au nez, avec leurs notes grillées assorties de nuances de venaison. Ample au palais, ce 97 présente une belle harmonie entre fraîcheur et rondeur. Un vin très long et de grande race !

CVPG Pfaffenheim, 5, rue du Chai, B.P. 33, 68250 Pfaffenheim, tél. 03.89.78.08.08, fax 03.89.49.71.65 t.l.j. 8h-12h 14h-18h

PREISS-ZIMMER
Vendanges tardives 1996★★

☐ 4 ha 30 000 100 à 149 F

Les terroirs de Riquewihr, par leur exposition et la nature de leur sol, sont particulièrement adaptés à l'élaboration des vins de vendanges tardives. D'un jaune d'or intense, celui-ci présente un nez de miel et de fruits confits avec une note grillée. Son palais puissant et chaleureux se rapproche de celui d'un vin de sélection de grains nobles. Une bouteille opulente - de garde, assurément.

SARL Preiss-Zimmer, 40, rue du Gal-de-Gaulle, 68340 Riquewihr, tél. 03.89.47.86.91, fax 03.89.27.35.33 r.-v.

RAYMOND RENCK 1997★

☐ 0,2 ha 2 000 30 à 49 F

Installé à Beblenheim, village particulièrement ensoleillé comme en témoigne son fameux coteau Sonnenglanz classé en grand cru, Raymond Renck est à la tête d'un domaine de 5 ha de vignes. Reflétant la surmaturation, son tokay exhale des arômes de fruits confits très intenses. La complexité est encore plus marquée au palais, qui se distingue par un excellent équilibre entre alcool, sucre restant et fraîcheur. Un grand vin de garde.

EARL Raymond Renck, 11, rue de Hoën, 68980 Beblenheim, tél. 03.89.47.91.75, fax 03.89.47.91.75 t.l.j. sf dim. 8h-12h 14h-20h

LA CAVE DU ROI DAGOBERT
Vendanges tardives 1996

☐ 2 ha 8 000 100 à 149 F

Située non loin de Strasbourg, la cave du Roi Dagobert est établie au milieu du vignoble. Elle vinifie la vendange de 640 ha. Ses pinots gris sont un modèle d'expression du terroir. De couleur jaune d'or, ce 96 révèle un nez intense qui exprime surtout des arômes de surmaturation. La belle attaque acide laisse présager une bonne évolution. La légèreté de sa structure lui donne un côté très aérien. Un vin prometteur.

Cave du Roi Dagobert, 1, rte de Traenheim, 67310 Traenheim, tél. 03.88.50.69.00, fax 03.88.50.69.09 r.-v.

ANNICK ET MICHEL SCHERB
Vendanges tardives 1996

☐ 0,24 ha n.c. 100 à 149 F

Elevé sur les coteaux de Gueberschwihr, ce vin au nez de coing nuancé de miel présente des caractères de jeunesse : sa teinte jaune montre des reflets verts ; sa bouche dotée d'un bon support acide apparaît plutôt chaleureuse et n'a pas trouvé son harmonie. On l'attendra quelque temps pour l'apprécier pleinement.

Michel Scherb, 16, rue Haute, 68420 Gueberschwihr, tél. 03.89.49.26.82, fax 03.89.49.39.06 r.-v.

PAUL SCHERER
Réserve personnelle 1997★

☐ 0,24 ha n.c. 30 à 49 F

Les Scherer sont établis depuis cinq générations à Husseren, à l'entrée de la route des Cinq-Châteaux qui domine la plaine d'Alsace. Leurs vins sont souvent distingués dans le Guide. Originaire d'un terroir argilo-sableux, ce tokay développe au nez le caractère fumé typique du cépage. Très ample et bien équilibré, c'est un vin charpenté promis au plus bel avenir.

EARL Paul Scherer et Fils, 40, rue Principale, 68420 Husseren-les-Châteaux, tél. 03.89.49.30.34 r.-v.

DOM. SCHIRMER Vallée Noble 1997★

☐ 1 ha n.c. 30 à 49 F

Etablis à Soultzmatt, au cœur de la célèbre vallée Noble, Lucien Schirmer exploite avec son fils un domaine traditionnel de 7 ha de vignes. Il propose un tokay très élégant au nez avec ses nuances fumées et qui exprime toute l'intensité de son terroir gréseux d'origine. D'une bonne attaque en bouche, ce vin est encore dominé par une pointe de sucre restant qui devrait s'estomper avec le temps.

🔻 EARL Lucien Schirmer et Fils, 22, rue de la Vallée, 68570 Soultzmatt, tél. 03.89.47.03.82, fax 03.89.47.02.33 ☑ 🍷 t.l.j. 8h-12h 13h-20h

DOM. MAURICE SCHOECH
Vendanges tardives 1996★

| ☐ | 0,3 ha | 1 200 | ◫ | 100 à 149 F |

Ce tokay est issu d'un coteau argilo-granitique. Les vins qui naissent de ce type de terroir s'expriment rapidement. C'est le cas de celui-ci : d'un jaune très profond, il offre des arômes intenses qui demandent à s'affiner et un palais de bonne structure, ample, riche et équilibré. Il peut être consommé dès maintenant.

🔻 Maurice Schoech et Fils, 4, rte de Kientzheim, 68770 Ammerschwihr, tél. 03.89.78.25.78, fax 03.89.78.13.66 ☑ 🍷 t.l.j. sf dim. 9h-12h 13h30-18h

MICHEL SCHOEPFER 1997★★

| ☐ | 0,4 ha | 4 000 | ◫ | 30 à 49 F |

Au service du vin d'Alsace depuis le XVII⁰s., les Schoepfer sont toujours installés dans l'ancienne cour dîmière du couvent des Augustins de Marbach. Reflétant son origine argilo-calcaire, ce tokay à la belle robe dorée est encore jeune au nez. En revanche, il s'exprime au palais dont l'attaque très fleurs jaunes est soutenue par une belle vivacité. C'est un vin puissant, persistant, et plein d'avenir. « On ne s'en lasse pas », écrit un dégustateur.

🔻 Michel Schoepfer, 43, Grand-Rue, 68420 Eguisheim, tél. 03.89.41.09.06, fax 03.89.23.08.50 ☑ 🍷 r.-v.

EMILE SCHWARTZ
Vendanges tardives Cuvée Anthony 1996★★

| ☐ | 0,3 ha | 2 500 | ◫ | 100 à 149 F |

En se rendant à Husseren-les-Châteaux, on découvre un plaisant paysage de coteaux couverts de vignes. C'est sur ces hauteurs qu'est né ce vin jaune d'or dont les arômes intenses, fumés et grillés, évoluent vers les fruits exotiques. Le palais est grandiose, ample, onctueux à souhait, d'un équilibre parfait. « Difficile d'y résister », s'exclame un dégustateur.

🔻 Emile Schwartz et Fils, 3, rue Principale, 68420 Husseren-les-Châteaux, tél. 03.89.49.30.61, fax 03.89.49.27.27 ☑ 🍷 t.l.j. sf dim. 8h-12h 14h-19h; f. 30 août-12 sept.

SELIG Sélection de grains nobles 1996★★

| ☐ | 0,3 ha | 1 200 | ◫ | 150 à 199 F |

Un portail classé de 1618 signale cette maison de négoce établie dans le bourg le plus touristique de l'Alsace. Un autre monument : ce tokay sélection de grains nobles habillé de jaune d'or, au nez intense de fumé, de sous-bois, de coing et de pomme. Après cette entrée en matière remarquable, on découvre une bouche riche, confite, ample, qui garde pourtant une grande fraîcheur. Des notes de cacao viennent compléter la palette aromatique.

🔻 SARL Jean-Michel Selig, 4, rue Kilian, 68340 Riquewihr, tél. 03.89.47.96.24, fax 03.89.49.01.81 ☑ 🍷 r.-v.

ANTOINE STOFFEL
Vendanges tardives 1996

| ☐ | 0,25 ha | 2 500 | ◫ | 100 à 149 F |

Cette exploitation d'un peu moins de 8 ha est établie dans le bourg médiéval d'Eguisheim que d'aucuns considèrent comme le berceau du vin d'Alsace. Elle propose un vin d'aspect très jeune, comme l'indiquent la teinte claire de sa robe, son nez très fruité, d'une minéralité surprenante, et le caractère croquant de son palais. La complexité viendra avec l'âge.

🔻 Antoine Stoffel, 21, rue de Colmar, 68420 Eguisheim, tél. 03.89.41.32.03, fax 03.89.24.92.07 ☑ 🍷 t.l.j. sf dim. 8h-12h 14h-18h

ANDRE THOMAS ET FILS 1997★★★

| ☐ | n.c. | 5 000 | | 30 à 49 F |

Ce domaine a une devise qui invite à y entrer les yeux fermés : « N'est de valeur sûre que le fruit d'une passion. » Et ce tokay apporte la preuve qu'il ne s'agit pas d'un vain mot. Très concentré au nez, il affiche en effet des arômes de coing et de surmaturation. Des notes grillées et fumées viennent renforcer au palais cette première impression. Ample, riche et harmonieux, c'est le produit d'une matière première exceptionnelle, il est armé pour affronter avec succès les années.

🔻 André Thomas et Fils, 3, rue des Seigneurs, 68770 Ammerschwihr, tél. 03.89.47.16.60, fax 03.89.47.37.22 ☑ 🍷 r.-v.

F.E. TRIMBACH
Réserve personnelle 1996★★

| ☐ | n.c. | n.c. | | 100 à 149 F |

Une des plus anciennes maisons du vignoble qui a su s'imposer sur les meilleures tables du monde entier. Ce vin d'un vert-jaune plutôt clair présente un nez très complexe associant le coing et le miel, la noisette et le beurre. Au palais, il a une attaque vive, très jeune, où l'on retrouve les arômes de coing. L'expression, bien qu'encore un peu retenue, est élégante et tout à fait dans le type du millésime. Ce vin sec, de haute gastronomie, laisse présager une grande longévité.

🔻 F.E. Trimbach, 15, rte de Bergheim, 68150 Ribeauvillé, tél. 03.89.73.60.30, fax 03.89.73.89.04

WINTER Cuvée Sandra 1997★★

□ 0,28 ha 1 500 ⦀ 70 à 99 F

Installé à Hunawihr en 1970, Albert Winter a conservé à son exploitation une taille humaine. Sa production, modeste par les volumes, recueille beaucoup d'éloges. D'origine argilo-calcaire, ce tokay affiche déjà une vieille complexité au nez, où des notes beurrées et fumées se mêlent à des senteurs de fruits confits. D'une belle attaque au palais, c'est un vin gras et persistant, qui conviendra aussi bien en apéritif que sur du foie gras.

🔑 Albert Winter, 17, rue Sainte-Hune, 68150 Hunawihr, tél. 03.89.73.62.95, fax 03.89.73.62.95 ☒ Y r.-v.

DOM. XAVIER WYMANN
Trottacker de Ribeauvillé 1997★★

□ 0,28 ha 2 000 ▮ 50 à 69 F

Xavier Wymann s'est installé en 1996 sur le domaine de son grand-père - Wymann ? L'« homme du vin », en alsacien. On devrait pouvoir entrer les yeux fermés. Ce tokay en apporte la preuve. Très élégant au nez avec ses arômes de figue et ses nuances fumées, il est marqué par la surmaturation. Cette grande richesse se retrouve au palais où la douceur est en parfaite harmonie avec la structure. Un vin d'excellent potentiel à servir sur un foie gras.

🔑 Dom. Xavier Wymann, 41, rue de la Fraternité, 68150 Ribeauvillé, tél. 03.89.73.66.83 ☒ Y r.-v.

PAUL ZINCK Cuvée particulière 1997★

□ 1,58 ha 7 250 ▮ ⦀ 🌡 50 à 69 F

Installé à deux pas du centre historique d'Eguisheim, Paul Zinck exploite 8 ha de vignes et possède un restaurant depuis quatre ans. Marqué par son origine argilo-calcaire, son tokay Cuvée particulière est encore dans sa phase de jeunesse. D'une belle attaque au palais, c'est un vin très fruité, à la fois chaleureux et structuré, capable de s'accorder aussi bien avec les viandes blanches qu'avec le poisson.

🔑 Paul Zinck, 18, rue des Trois-Châteaux, 68420 Eguisheim, tél. 03.89.41.19.11, fax 03.89.24.12.85, e-mail phz@p-zink.fr ☒ Y r.-v.

Alsace pinot noir

L'Alsace est surtout réputée pour ses vins blancs ; mais sait-on qu'au Moyen Age les rouges y occupaient une place considérable ? Après avoir presque disparu, le pinot noir (le meilleur cépage rouge des régions septentrionales) occupe 8,5 % du vignoble couvrant 1 225 ha.

On connaît surtout le type rosé, vin agréable, sec et fruité, susceptible comme d'autres rosés d'accompagner une foule de mets. On remarque cependant une tendance qui se développe à élaborer un véritable vin rouge de pinot noir : tendance très prometteuse.

A L'ANCIENNE FORGE 1997

■ 0,55 ha 1 200 ⦀ 30 à 49 F

La cave de ce domaine a été creusée dans la roche calcaire tandis que le caveau de dégustation a pour cadre l'ancienne forge dont l'origine remonte à 1720. En robe vive et brillante, ce rouge d'Alsace ne libère pas encore tous ses arômes de fruits. Bien présent en bouche, l'équilibre satisfait, même si on attend davantage d'ampleur.

🔑 Jérôme Brandner, 51, rue Principale, 67140 Mittelbergheim, tél. 03.88.08.01.89, fax 03.88.08.94.92 ☒ Y t.l.j. 9h-20h; groupes sur r.-v.

ANSTOTZ ET FILS
Vieilli en fût de chêne 1997★

■ 0,65 ha 3 200 ⦀ 30 à 49 F

Bien que légèrement à l'écart de la route des Vins, Balbronn appartient à cette zone qui connut un développement de la viticulture à l'époque mérovingienne. Ce domaine, créé en 1947, regroupe plus d'une dizaine d'hectares. Ce pinot en robe noire offre des nuances de cassis accompagnées de notes de sous-bois. Sa belle texture, ses tanins fins, sa vinosité, sa touche de réglisse en finale lui apportent une certaine élégance.

🔑 Marc Anstotz et Fils, 51, rue Balbach , 67310 Balbronn, tél. 03.88.50.30.55, fax 03.88.50.58.06 ☒ Y r.-v.

PIERRE BECHT Cuvée Frédéric 1997★★

■ 0,35 ha 3 000 ⦀ 30 à 49 F

Installée en 1976, cette exploitation s'impose par la qualité de son travail, comme le prouve cette cuvée dont la couleur rubis aux nuances profondes annonce la richesse aromatique. Si le boisé vanillé domine quelque peu aujourd'hui le fruité du cépage, il ne montre aucune agressivité car le pinot est bien présent. La charpente accentue la franchise de ce vin franc et droit, dont la longue finale laisse présager un bel avenir.

🔑 Pierre Becht, 26, fg des Vosges, 67120 Dorlisheim, tél. 03.88.38.18.22, fax 03.88.38.87.81, e-mail pbecht@terre-net.fr ☒ Y t.l.j. 8h30-11h 14h-18h; dim. sur r.-v.

BECK DOMAINE DU REMPART
Clos du Sonnenbach 1997★

■ 1,7 ha 8 000 ⦀ 30 à 49 F

Les caves de ce domaine se cachent dans la fraîcheur des anciens remparts (XIV^e^s.) de la cité médiévale. Le clos du Sonnenbach se situe sur le terroir argilo-schisteux du Val de Villé. Par ses arômes très typés du cépage, ce vin traduit une belle maturité : attaque franche, bon équilibre, notes de fruits rouges, persistance encore moyenne.

🔑 Beck, Dom. du Rempart, 5, rue des Remparts, 67650 Dambach-la-Ville, tél. 03.88.92.62.03, fax 03.88.92.49.40 ☑ Y r.-v.
🔑 Gilbert Beck

YVETTE ET MICHEL BECK-HARTWEG
Prestige de Dambach-la-Ville Réserve 1997*

■ 0,28 ha 3 000 ⏺ 30 à 49 F

Cette petite exploitation familiale de 4,50 ha se distingue par un juste respect de l'environnement en pratiquant la culture raisonnée. Une maison à colombage de 1784 abrite le siège de la propriété. Les fruits rouges caractérisent nettement cette cuvée qui, en bouche, est agréable par sa rondeur presque féminine.
🔑 Yvette et Michel Beck-Hartweg, 5, rue Clemenceau, 67650 Dambach-la-Ville, tél. 03.88.92.40.20, fax 03.88.92.63.44 ☑ Y t.l.j. 9h-19h

JOSEPH ET CHRISTIAN BINNER
Cuvée Béatrice 1997**

■ 0,4 ha 1 800 ⏺ 70 à 99 F

Ces vignerons, père et fils, vous accueilleront dans leur exploitation dominée par une magnifique tour qui émerge du vignoble. Connaissez-vous le nouveau verre à dégustation à double paroi ? C'est une invention de Joseph Binner. Pour cette cuvée, il mettra en valeur le fruité et le boisé vanillé, qui persistent au palais. La concentration et la vivacité lui assurent une bonne longévité. Signalons le petit rendement (33 hl/ha) qui a donné naissance à ce pinot remarquable.
🔑 Joseph et Christian Binner, 2, rue des Romains, 68770 Ammerschwihr, tél. 03.89.78.23.20, fax 03.89.78.14.17 ☑ Y t.l.j. 9h-12h30 13h30-20h

FRANCOIS BLEGER
Rouge de Saint-Hippolyte 1997

■ 0,65 ha 3 000 ⏺ 30 à 49 F

Dans cette cave du XVIIe s., la tradition s'allie aux techniques modernes. L'étiquette de ce vin est l'œuvre de Corinne Ungerer. Ce Rouge de Saint-Hippolyte offre une jolie finesse aromatique avec des nuances épicées, un beau gras et une persistance remarquée. Mais laissons passer sa première jeunesse. Il s'exprimera sans doute mieux dans un an ou deux.
🔑 François Bléger, 63, rte du Vin, 68590 Saint-Hippolyte, tél. 03.89.73.06.07, fax 03.89.73.06.07 ☑ Y r.-v.

DOM. DU BOUXHOF Réserve 1997**

■ 0,63 ha 4 500 ▮⏺🌡 30 à 49 F

Le domaine du Bouxhof est riche de huit siècles d'histoire. Cette cuvée Réserve a déjà bénéficié, à juste titre, des feux de la rampe sur FR3... D'où cette robe brillante, sans doute ! Les arômes sont intenses, dans les notes cassis ; la structure est souple. Un pinot noir bien typé.
🔑 François Edel et Fils, Dom. du Bouxhof, 68630 Mittelwihr, tél. 03.89.47.90.34, fax 03.89.47.84.82 ☑ Y t.l.j. 9h-19h

CHRISTIAN DOLDER
Rouge de Mittelbergheim 1997*

■ 0,35 ha 2 600 ▮ 30 à 49 F

Christian Dolder a repris l'exploitation familiale en 1988. Depuis il l'a agrandie ; elle compte aujourd'hui plus de 6 ha et permet en outre l'accueil des touristes en chambres d'hôtes. En robe brillante, ce pinot noir s'ouvre progressivement sur des notes de fruits rouges. En bouche, l'harmonie riche et agréable se complète d'une belle longueur.
🔑 Christian Dolder, 4, rue Neuve, 67140 Mittelbergheim, tél. 03.88.08.96.08, fax 03.88.08.50.23 ☑ Y r.-v.

DONTENVILLE Hahnenberg 1997

■ n.c. n.c. ▮ 30 à 49 F

A Châtenois, les vestiges des remparts conservent une tour, porte de la ville du XVe s., et une double enceinte du château médiéval aujourd'hui disparu. La colline du Hahnenberg domine le bourg et offre un beau panorama. C'est sur ces pentes qu'a mûri ce pinot noir ; des arômes de fruits rouges, des nuances de sous-bois, une concentration intéressante et des tanins fondus lui donnent rondeur et souplesse. Il est déjà bien mûr.
🔑 Gilbert Dontenville, 2, rte de Kintzheim, 67730 Châtenois, tél. 03.88.82.03.48, fax 03.88.82.23.81 ☑ Y r.-v.

DOM. ANDRE DUSSOURT
Rouge de Blienschwiller 1997*

■ 0,48 ha 4 500 ⏺ 50 à 69 F

Située au pied du château de l'Ortenburg (XIIIe s.), cette vieille cave datée de 1794 possède des foudres centenaires qui permettent l'élevage traditionnel des vins. D'un rouge profond à reflet violacé, ce pinot est fin et délicat. Jeune et prometteur, il offre des arômes subtils, une matière intéressante qui devra se fondre. Ne penser au sanglier qui l'accompagnera que dans un an ou deux.
🔑 Dom. André Dussourt, 2, rue de Dambach, 67750 Scherwiller, tél. 03.88.92.10.27, fax 03.88.92.18.44 ☑ Y t.l.j. sf dim. 8h-12h 13h30-19h

JEAN-PAUL ECKLE
Hinterburg Vieilli en fût de chêne 1997*

■ 0,2 ha 1000 ⏺ 50 à 69 F

Au XIIIe s., les vignes de Katzenthal appartenaient aux différents couvents et abbayes et aux familles nobles de la région. L'histoire a modifié le tissu social. La qualité des terroirs demeure. Ce pinot noir est un beau classique avec un fruité appuyé par une certaine fraîcheur. Malgré une charpente un peu légère, le jury estime que le boisé est bien mené. La finale est encore marquée par les tanins qui s'arrondiront après une petite garde (six mois).
🔑 Jean-Paul Ecklé, 29, Grand-Rue, 68230 Katzenthal, tél. 03.89.27.09.41, fax 03.89.80.86.18 ☑ Y t.l.j. 8h-12h 14h-18h

DAVID ERMEL Coteaux du Helfant 1997*

■ 0,6 ha 4 600 ▮ ⚱ 30 à 49 F

Cette cité historique a connu dix siècles de viticulture. C'est également un centre touristique : parc à cigognes, serre à papillons... Mais n'oubliez pas l'attrait d'une bonne cave comme celle-ci, souvent citée dans le Guide ces dernières années. Ce pinot noir présente un brin d'exotisme : robe rubis, arômes de réglisse et de café qui se mêlent aux nuances de fruits. Au palais, il est bien équilibré, long et gouleyant. Accompagnera viandes poêlées ou tout un repas.

⊶ David Ermel, 30, rte de Ribeauvillé, 68150 Hunawihr, tél. 03.89.73.61.71, fax 03.89.73.32.56 ☒ Y t.l.j. 8h-12h 13h-19h; groupes sur r.-v.

DOM. LOUIS FREYBURGER ET FILS Rouge d'Alsace 1997

■ 0,23 ha 1 960 ▮ ⦀ 50 à 69 F

L'église gothique domine la cité médiévale serrée dans ses fortifications. La richesse historique et architecturale de cette ville a été, au cours des siècles, engendrée par l'activité viticole. Ce Rouge d'Alsace est rubis-grenat. D'abord fermé, il révèle des arômes de mûre, de fruits exotiques... Au palais, le bon équilibre et l'attaque nette lui donnent un caractère sympathique.

⊶ Dom. Louis Freyburger et Fils, 1, rue du Maire-Witzig, 68750 Bergheim, tél. 03.89.73.63.82, fax 03.89.73.37.72 ☒ Y r.-v.

PIERRE FRICK Rot-Murlé 1997*

■ 0,6 ha 3 200 ⦀ 70 à 99 F

Jean-Pierre Frick et son père Pierre se sont engagés dans la culture bio en 1970. Depuis 1981, ils ont adopté la méthode biodynamique. L'intensité du rouge pourpre de ce 97 se conjugue avec la concentration d'arômes de fruits rouges ; la matière est belle, même si son jeune âge lui laisse un caractère nerveux. A attendre trois ou quatre ans.

⊶ Pierre Frick, 5, rue de Baer, 68250 Pfaffenheim, tél. 03.89.49.62.99, fax 03.89.49.73.78 ☒ Y t.l.j. 9h-11h30 13h30-18h30; dim. sur r.-v.

DOM. FRITSCH Rouge de Marlenheim Barriques 1997**

■ n.c. n.c. ⦀ 70 à 99 F

Située au début de la route des Vins, cette bourgade permet au visiteur de découvrir un vignoble témoin et les blasons de la centaine de villages viticoles d'Alsace. Le fruité du pinot noir se marie au boisé fondu ; cette élégance se retrouve au palais ; la structure est ample, et la finale persistante s'achève sur une note vanillée. Vin de bonne garde.

⊶ EARL Romain Fritsch, 49, rue du Gal-de-Gaulle, 67520 Marlenheim, tél. 03.88.87.51.23, fax 03.88.87.51.23 ☒ Y t.l.j. 8h-19h

ARMAND GILG Vieilles vignes Elevé en fût de chêne 1997*

■ 0,5 ha 3 300 ⦀ 50 à 69 F

Etablie depuis le XVI^e^s. sur ce domaine, la famille Gilg vient de découvrir sur l'exploitation la pierre tombale d'un moine datant du XII^e^s. Elevée dix-huit mois dont quatre et demi en fût de chêne, cette cuvée Vieilles vignes affiche des notes de mûre sauvage, de noisette. L'équilibre est agréable et élégant, sans puissance excessive. A marier avec un pigeon au chou vert.

⊶ Dom. Armand Gilg et Fils, 2, rue Rotland, 67140 Mittelbergheim, tél. 03.88.08.92.76, fax 03.88.08.25.91 ☒ Y r.-v.

BERNARD ET DANIEL HAEGI 1997

◪ 0,85 ha 6 000 ⦀ 30 à 49 F

En visitant ce « beau village de France » n'oubliez pas la découverte du sentier viticole illustré en bande dessinée. Par sa robe, ce rosé offre des nuances groseille soutenues, mais les arômes sont typés du cépage. Après l'attaque fraîche, l'équilibre paraît agréable malgré la présence marquée de tanins. Encore jeune mais prometteur.

⊶ Bernard et Daniel Haegi, 33, rue de la Montagne, 67140 Mittelbergheim, tél. 03.88.08.95.80, fax 03.88.08.91.20 ☒ Y t.l.j. 8h-12h 13h-19h; dim. sur r.-v.

LOUIS HAULLER Rouge d'Alsace Elevé en barrique 1997**

■ 0,3 ha 2 000 ⦀ 50 à 69 F

Léon Hauller, le grand-père, fut le dernier tonnelier de cette famille d'artisans fondée au milieu du XVIII^e^s. Aujourd'hui, Louis et Claude Hauller se passionnent davantage pour la vigne et le vin, sans oublier cependant ce passé qui, comme en témoignent fûts et foudres, est bien présent dans cette cave. D'un grenat brillant, ce pinot affiche son élevage en bois pendant douze mois. Cependant les nuances fruitées ne sont pas supplantées. La structure est riche et complexe, d'une harmonie remarquable.

⊶ Louis et Claude Hauller, La Cave du Tonnelier, 88, rue Foch, 67650 Dambach-la-Ville, tél. 03.88.92.41.19, fax 03.88.92.47.10 ☒ Y t.l.j. sf lun. 9h-11h45 14h-18h; f. jan.

PHILIPPE HEITZ Hahnenberg 1997*

■ 0,55 ha 1 200 ▮ ⦀ 30 à 49 F

Créée en 1958, cette exploitation a été reprise en 1986 par le fils Philippe Heitz qui, depuis, a agrandi la cave et aménagé un caveau pour l'accueil où l'on peut déguster cette cuvée. La robe foncée à reflets violacés enveloppe un nez discret qui laisse pointer un peu de fruits rouges. En bouche, le vin se révèle : l'attaque est franche, puissante, puis des nuances poivrées apparaissent. Le palais harmonieux possède une riche matière. A boire chambré sur une viande rouge ou du gibier.

⊶ Philippe Heitz, 4, rue Ettore-Bugatti, 67120 Molsheim, tél. 03.88.38.25.38, fax 03.88.38.82.53 ☒ Y t.l.j. 9h-12h 14h-19h; dim. 9h-12h

LEON HEITZMANN Rouge d'Alsace 1997*

■ 0,68 ha 4 100 ⦀ 50 à 69 F

Régulièrement mentionné dans le Guide, ce Rouge d'Alsace confirme millésime après millésime le savoir-faire et la passion de ce vigneron. Le 97 se présente dans une robe rubis brillant et soutenu ; la grande matière demeure toutefois (encore) dominée par le bois dans lequel elle a été élevée onze mois. Les notes de fruits rouges s'affirment progressivement au palais et sont gage d'une bonne évolution, et d'une belle harmonie dans quatre ou cinq ans.

☛ Léon Heitzmann, 2, Grand-Rue, 68770 Ammerschwihr, tél. 03.89.47.10.64, fax 03.89.78.27.76 ☑ ⦿ t.l.j. sf dim. 8h-12h 13h-18h

DOM. HERING
Cuvée du Chat noir Vieilli en fût de chêne 1997★★

| ■ | 0,3 ha | 1 500 | ⦀ | 50 à 69 F |

Le siège de ce domaine se situe au cœur de la cité historique de Barr. La cave date de 1652, l'élevage en barriques de chêne (70 % neuves) se fait sous l'œil attentif du chat noir qui fréquente ces lieux. Ce pinot noir est marqué par le bois et les bois : des nuances de fruits des bois, des notes élégantes de sous-bois, et le boisé du chêne bien dominé. Matière et équilibre complètent l'ensemble.

☛ Pierre et Jean-Daniel Hering, 6, rue Sultzer, 67140 Barr, tél. 03.88.08.90.07, fax 03.88.08.08.54, e-mail jdh@infonie.fr ☑ ⦿ r.-v.

VICTOR HERTZ 1997★

| ◩ | 0,5 ha | 4 000 | ▮⦀ | 30 à 49 F |

Les vignobles de ce domaine se répartissent sur trois communes à l'ouest de Colmar, bénéficiant ainsi de différents terroirs. Ce pinot, produit sur un sol argilo-calcaire, est d'un rosé soutenu ; le nez fin est prometteur. Franc à l'attaque, équilibré et puissant, avec des notes subtiles de fruits rouges, ce vin est à déguster sur une grillade.

☛ Dom. Victor Hertz, 8, rue Saint-Michel, 68420 Herrlisheim, tél. 03.89.49.31.67, fax 03.89.49.22.84 ☑ ⦿ r.-v.

LUCIEN HEYDMANN
Rouge d'Alsace Elevé en fût de chêne 1997★

| ■ | 0,8 ha | 8 000 | ⦀ | 30 à 49 F |

Au-dessus du vignoble de Nordheim, le visiteur peut profiter d'un remarquable point de vue sur le Kochersberg et la plaine d'Alsace. D'un beau rouge, ce pinot révèle l'alliance aromatique des fruits rouges et du boisé. Au palais, après une attaque fraîche, la bonne structure s'affirme. La finale est encore marquée par les jeunes tanins du bois. A laisser vieillir deux ou trois ans.

☛ Vins d'Alsace Lucien Heydmann, 1, rue de la Tuilerie, 67520 Nordheim, tél. 03.88.87.77.49, fax 03.88.87.77.49 ☑ ⦿ r.-v.

KIEFFER Rouge d'Itterswiller 1996★

| ■ | 0,25 ha | 1 500 | ⦀ | 30 à 49 F |

La famille Kieffer exploite 9 ha de vignoble, et perpétue cette activité depuis 1737. La cave nouvellement restaurée permet l'élaboration de vins de qualité. Les fruits frais et une nuance vanillée caractérisent ce pinot noir, qui, par sa bonne attaque et ses notes boisées bien fondues, est très réussi.

☛ Jean-Charles Kieffer, 7, rte des Vins, 67140 Itterswiller, tél. 03.88.85.59.80, fax 03.88.57.81.44 ☑ ⦿ t.l.j. 8h-12h 14h-19h

ANDRE KLEINKNECHT
Vieilli en barrique 1997★★

| ■ | 0,12 ha | 1000 | ⦀ | 50 à 69 F |

Cette famille est installée à Mittelbergheim depuis le XVIIᵉs. Aujourd'hui, elle se soucie de l'environnement, avec comme point de mire un passage en culture biologique pour le troisième millénaire. D'un rouge profond aux nuances cassis, cette cuvée allie des notes de fruits frais à des nuances de surmaturation. En bouche, l'intensité aromatique prend davantage d'ampleur, accompagnant une matière opulente. Bonne garde en perspective.

☛ André Kleinknecht, 45, rue Principale, 67140 Mittelbergheim, tél. 03.88.08.49.46, fax 03.88.08.49.46 ☑ ⦿ t.l.j. 10h-11h30 13h-19h

DOM. DE LA TOUR Cuvée Xavière 1997★

| ■ | 0,6 ha | 4 000 | ⦀ | 30 à 49 F |

Ce vigneron vous accueille dans une maison particulièrement fleurie. Sa cave du XVIᵉs. et ses foudres en chêne lui rappellent ses ancêtres tonneliers. Bien que légèrement fermé au nez, ce rouge d'Alsace présente une belle structure accompagnée de notes de fruits rouges. Les tanins gagneront à s'arrondir au cours des mois à venir.

☛ Joseph Straub Fils, 21, rte des Vins, 67650 Blienschwiller, tél. 03.88.92.48.72, fax 03.88.92.62.90 ☑ ⦿ t.l.j. 8h-12h 14h-18h; dim. sur r.-v.
☛ Jean-François Straub

FRANCOIS LICHTLE
Elevé en pièce de chêne 1997★★★

| ■ | 0,15 ha | 1000 | ⦀ | 50 à 69 F |

Husseren se situe au pied des trois châteaux d'Eguisheim, la viticulture y avait déjà ses lettres de noblesse aux XIIIᵉ et XIVᵉs. La famille Lichtlé s'est installée en 1885. Ce vin grenat, à touches violacées, dégage des notes fruitées (mûre, cerise) et une nuance boisée qui a beaucoup de charme. Charnu, onctueux, viril mais tendre et étoffé, il est superbe ; les tanins soyeux contribuent à son élégance tout en assurant une grande garde.

☛ Dom. François Lichtlé, 17, rue des Vignerons, 68420 Husseren-les-Châteaux, tél. 03.89.49.31.34, fax 03.89.49.37.52 ☑ ⦿ r.-v.

MARZOLF 1997★

| ■ | 0,41 ha | 2 500 | ⦀ | 30 à 49 F |

Le clocher roman à trois étages du XIIᵉs. de ce charmant village viticole orne l'étiquette de ce flacon. Le vin s'exprime par des arômes de cassis et de réglisse. Les tanins ne gênent pas l'équilibre qui est apprécié.

➡ GAEC Marzolf, 9, rte de Rouffach,
68420 Gueberschwihr, tél. 03.89.49.31.02,
fax 03.89.49.20.84, e-mail vins@marzolf.fr
☑ Y r.-v.

ARTHUR METZ

Vieilli en fût de chêne 1997★

■ 5,5 ha 50 000 ▮ ⬮ 🌡 30 à 49 F

Cette maison de négoce, créée en 1905, joue un rôle de premier plan en Alsace. L'importance de ses marchés témoigne de ses succès. Voici un vin « moderne », élevé en fût de chêne : le pinot noir présente quelques notes de sous-bois complétant les arômes typés du cépage. Les tanins tendres mais présents lui confèrent un caractère intéressant ; un dégustateur le conseille sur un plat asiatique relevé.

➡ Arthur Metz, 23, rue Sainte-Marguerite,
67680 Epfig, tél. 03.88.57.85.00,
fax 03.88.85.59.77 ☑ Y r.-v.

MICHEL NARTZ 1997★★★

◪ 0,59 ha 2 000 ⬮ 30 à 49 F

C'est dans une très belle maison du XVII^e^s. que ce vigneron propose des spécialités régionales servies au caveau. Vous y dégusterez ce pinot noir plutôt rouge clair. Les arômes sont fins et nets ; en bouche, il révèle rondeur, gras et équilibre. Parfait !

➡ Michel Nartz, 12, pl. du Marché,
67650 Dambach-la-Ville, tél. 03.88.92.41.11,
fax 03.88.92.63.01 ☑ Y r.-v.

RIEFLE Côte de Rouffach 1997★

■ 0,3 ha 1 800 ⬮ 50 à 69 F

Au cours des dernières quarante années, ce domaine a gagné en importance pour se situer aujourd'hui parmi les plus en vue de la région. Succédant à leurs pères, les deux cousins Jean-Claude et Christophe assurent son évolution. Ce 97, né sur argilo-calcaire, a été bien vinifié. Le rouge rubis profond annonce la concentration aromatique aux nuances de fruits rouges avec une pointe vanillée. Ce vin très complexe est déjà harmonieux, et d'une rondeur plaisante.

➡ Dom. Joseph Rieflé, 11, pl. de la Mairie,
68250 Pfaffenheim, tél. 03.89.78.52.21,
fax 03.89.49.50.98, e-mail rieflé@riefle.com
☑ Y r.-v.

ROLLY GASSMANN

Pinot noir de Rodern 1997★★

■ 0,7 ha 3 000 ⬮ 100 à 149 F

Cette famille bien connue du monde du vin est liée à la viticulture depuis 1676. La passion de Rolly Gassmann pour la mise en valeur des terroirs est remarquable et s'exprime même par ce Rouge de Rodern, né d'un terroir granitique avec marne bleue. Le vin s'affiche dans une robe rouge sombre par des arômes de griotte, de boisé vanillé. Ensuite, il révèle une forte personnalité par sa structure ronde, concentrée, et ses tanins joliment fondus. Il gagnera encore en harmonie au cours des mois à venir. Gibier et fromages forts devraient être de la partie.

➡ Rolly Gassmann, 2, rue de l'Eglise,
68590 Rorschwihr, tél. 03.89.73.63.28,
fax 03.89.73.33.06 ☑ Y r.-v.

DOM. MAURICE SCHOECH 1997★

■ 0,6 ha 5 000 ⬮ 30 à 49 F

L'étiquette de ce flacon et l'aquarelle qui lui donne des couleurs témoignent de l'atmosphère paisible qui règne dans ce village viticole profondément marqué par l'histoire. Ce pinot noir, en robe rouge presque vermillon, affiche un beau nez aux nuances de fruits sauvages, que l'on croit croquer en bouche. Beau vin destiné à un canard grillé à la sauge.

➡ Maurice Schoech et Fils,
4, rte de Kientzheim, 68770 Ammerschwihr,
tél. 03.89.78.25.78, fax 03.89.78.13.66 ☑ Y t.l.j.
sf dim. 9h-12h 13h30-18h

EMILE SCHWARTZ ET FILS

Réserve personnelle 1997★

■ 0,6 ha 4 500 ⬮ 30 à 49 F

Cette exploitation familiale s'est développée au cours des quatre dernières générations. Elle compte près de 7 ha travaillés par Christian Schwartz et sa famille. D'un rouge très intense, riche en arômes de fruits très développés, ce pinot doté d'une belle matière est agréable et élégant. Les nuances de griotte et de prune sont particulièrement remarquées. Un vin bien élevé.

➡ Emile Schwartz et Fils, 3, rue Principale,
68420 Husseren-les-Châteaux,
tél. 03.89.49.30.61, fax 03.89.49.27.27 ☑ Y t.l.j.
sf dim. 8h-12h 14h-19h; f. 30 août-12 sept.

SEILLY

Rouge d'Obernai Schenkenberg Elevé en fût de chêne 1997★

■ n.c. n.c. ⬮ 30 à 49 F

La ville d'Obernai fut marquée par la visite de l'empereur Ferdinand 1er en 1562... C'est là seulement que vous découvrirez le vin du Pistolet et son origine pittoresque - car ce vin est réservé aux habitants de la ville. Ce n'est pas le cas pour ce pinot noir aux arômes de cerise noire. Franc à l'attaque, il est gras et de bonne ampleur au palais. Sa finale bien réussie confirme la belle tenue de ce vin.

➡ Dom. Seilly, 18, rue du Gal-Gouraud,
67210 Obernai, tél. 03.88.95.55.80,
fax 03.88.95.54.00, e-mail info@seilly.fr
☑ Y r.-v.
➡ Jean-Paul et Marc Seilly

SIFFERT

Coteaux du Haut-Kœnigsbourg 1997★★

■ n.c. 3 100 ⬮ 70 à 99 F

Le Haut-Kœnigsbourg est certainement le château médiéval le plus visité de France. Il a été restauré au début du siècle. Il a également donné son nom à une confrérie qui chante les vins de ce terroir. Ce pinot noir a été produit sur un sol issu de gneiss et de granite. Très expressif dans sa robe sombre, il marie des arômes de fruits et une note vanillée venue d'un élevage en barrique. Au palais, il poursuit sa marche avec tenue, franchise, et une expression belle et persistante. « Il a tout pour bien vieillir. »

●▪SCEA Dom. Maurice Siffert, 16, rte des
Vins, 67600 Orschwiller, tél. 03.88.92.02.77,
fax 03.88.82.70.02, e-mail siffert@rmcnet.fr
☑ ⵀ t.l.j. 9h-12h 13h30-19h; dim. sur r.-v.; f. 15
janv.-15 fév.

PIERRE SPARR Prestige 1997★★

| ▪ | 2,5 ha | 6 500 | ⵀ 50 à 69 F |

Cette famille de viticulteurs exploite un
domaine de quelque 35 ha et a créé depuis plusieurs décennies un négoce de qualité. Cette
cuvée mérite bien le qualificatif de Prestige. Sa
robe rubis sombre annonce la complexité aromatique du nez où se mêlent des notes de fruits bien
mûrs et des nuances boisées. Les fruits rouges
tapissent le palais ; le gras et la charge tannique
lui donnent une belle charpente. Charmeur,
envoûtant, tendre aussi bien que de garde.
●▪SA Pierre Sparr et ses Fils, 2, rue de la
1ʳᵉ-Armée, 68240 Sigolsheim,
tél. 03.89.78.24.22, fax 03.89.47.32.62 ☑ ⵀ r.-v.

ANDRE STENTZ Schoflit 1997★

| ▪ | 0,31 ha | 2 500 | ⵀ 70 à 99 F |

Dans cette famille, le passé repose sur trois
siècles de viticulture. En 1980, André Stentz s'est
engagé avec passion dans la culture biologique.
Ce pinot noir en est le fruit. Son fruité cassis et
groseille répond à la robe grenat. L'intensité se
retrouve en bouche dans une belle tenue, avec
chaleur et puissance. La finale est ponctuée par
des tanins délicats.
●▪André Stentz, 2, rue de la Batteuse,
68920 Wettolsheim, tél. 03.89.80.64.91,
fax 03.89.79.59.75 ☑ ⵀ r.-v.

CHARLES STOEFFLER
Lieu-dit Rotenberg 1997★★

| ▪ | 0,4 ha | 3 000 | ⵀ 30 à 49 F |

Martine et Vincent Stoeffler sont à la tête d'un
vignoble de 12 ha dont un quart se situe près de
Ribeauvillé et les trois quarts sur le secteur de
Barr. Tous les deux sont œnologues, et la recherche de la qualité est dans leur nature ; comme le
prouve cette cuvée élevée en foudre de chêne
pendant dix mois : robe cerise, nuances cassis et
notes boisées, structure ample et persistante dans
un bel équilibre tannique. Un vin issu d'un sol
calcaro-gréseux et ferrugineux qui saura attendre
un à deux ans.
●▪Martine et Vincent Stoeffler, 1, rue des
Lièvres, 67140 Barr, tél. 03.88.08.52.50,
fax 03.88.08.17.09 ☑ ⵀ r.-v.

HUGUES STROHM
Rouge d'Obernai Elevé en barrique 1997

| ▪ | 0,18 ha | 1000 | ⵀ 50 à 69 F |

Le vignoble d'Obernai est mentionné dès 788,
comme propriété appartenant à différents couvents, dont celui du mont Sainte-Odile. Ce
Rouge d'Obernai porte une robe sombre. Son nez
fin offre une pointe d'épices. Les arômes demeurent complexes au palais malgré une dominante
boisée. Il faut attendre ce 97 deux ou trois ans.
●▪EARL Hugues Strohm, 33, rue de la
Montagne, 67210 Obernai, tél. 03.88.49.93.51,
fax 03.88.49.93.51 ☑ ⵀ r.-v.

VORBURGER 1997

| ▪ | 0,41 ha | 4 000 | ▮ⵀ 30 à 49 F |

Ce village est déjà cité en 1145 pour son activité viticole. Mais c'est au XVᵉs. que celle-ci fut
réellement développée par l'abbaye de Marbach
qui était toute proche. D'un rouge profond, ce
pinot demeure discret au nez ; en bouche, malgré
une belle attaque et un équilibre apprécié, il ne
donne pas encore le fruité escompté. Sachons
attendre.
●▪EARL Jean-Pierre Vorburger et Fils, 3, rue
de la Source, 68420 Voegtlinshoffen,
tél. 03.89.49.35.52, fax 03.89.49.35.52 ☑ ⵀ t.l.j.
sf dim. 8h-12h 13h-19h

BERNARD WEBER 1997★

| ▪ | 1 ha | 7 000 | ▮⚭ 30 à 49 F |

Molsheim est une ancienne ville universitaire
et épiscopale. La viticulture y débute au IXᵉs., et
n'a cessé depuis d'y prospérer. D'un rouge pourpre sombre, ce pinot s'exprime avec complexité :
fruits frais (groseille), fruits secs, réglisse, petites
notes de cuir et d'épices. Puissance et rondeur
épousent le palais. Il faut prendre son temps pour
l'apprécier ! Un gibier lui conviendra en 2000 ou
2001.
●▪Bernard Weber, 49, rue de Saverne,
67120 Molsheim, tél. 03.88.38.52.67,
fax 03.88.38.58.81, e-mail berweber@club-
internet.fr ☑ ⵀ r.-v.

PAUL ZINCK Elevé en fût de chêne 1997★★

| ▪ | 1,05 ha | 5 500 | ⵀ 50 à 69 F |

Eguisheim, cité historique, est semble-t-il le
berceau du vignoble. La famille Zinck compte
cinq générations qui toutes ont contribué à l'évolution de l'exploitation. La dernière réalisation
fut, en 1995, la construction d'une nouvelle cave
et d'un magasin de vente. Ce 97 est issu de vignes
de trente ans nées sur argilo-calcaire. Le fruité
framboisé et vanillé se combine avec des notes
boisées, le vin est gras, bien soutenu par des
tanins déjà fondus. La finale légèrement astringente se termine sur une nuance réglisse et incite
à laisser ce pinot noir trois ans en cave. Le goûter
alors sur un jarret de porc pané.
●▪Paul Zinck, 18, rue des Trois-Châteaux,
68420 Eguisheim, tél. 03.89.41.19.11,
fax 03.89.24.12.85, e-mail phz@p-zink.fr
☑ ⵀ r.-v.

PIERRE-PAUL ZINK 1997★

■   0,62 ha   4 000   ■ ↓ 50 à 69 F

Dans cette exploitation familiale, la recherche de la qualité va de pair avec la mise en valeur du terroir des grands crus. Ce pinot noir est issu d'un sol argilo-calcaire. Sa robe grenat profond enveloppe des arômes de fruits qui ne demandent qu'à s'ouvrir. Soutenu par une bonne charpente dont les tanins devront s'intégrer au cours des mois à venir, c'est un vin concentré, de belle longueur, que l'on devra attendre même si un dégustateur note : « On a envie de le boire. »
☛ Pierre-Paul Zink, 27, rue de la Lauch, 68250 Pfaffenheim, tél. 03.89.49.60.87, fax 03.89.49.73.05 ☑ ⍲ r.-v.

ZOELLER Cuvée réserve 1997★

■   0,5 ha   n.c.   ❙❙❙ 30 à 49 F

Le pressoir du XVIIᵉs. est ici symbole de tradition. Aujourd'hui, la démarche d'une production respectueuse de l'environnement est déjà bien engagée. Cette cuvée, brillante comme un rubis, s'annonce par des notes framboisées. La bouche est riche, déjà assez harmonieuse, malgré des tanins encore dominants.
☛ GAEC Maison Zoeller, 14, rue de l'Eglise, 67120 Wolxheim, tél. 03.88.38.15.90, fax 03.88.38.15.90, e-mail vins.Zoeller@wanadoo.fr ☑ ⍲ r.-v.

Alsace grand cru

Dans le but de promouvoir les meilleures situations du vignoble, un décret de 1975 a institué l'appellation « alsace grand cru », liée à un certain nombre de contraintes plus rigoureuses en matière de rendement et de teneur en sucre, et limitée au gewurztraminer, au pinot gris, au riesling et au muscat. Les terroirs délimités produisent, parallèlement aux vins sigillés de la confrérie Saint-Etienne et à certaines cuvées de renom, le *nec plus ultra* des vins d'Alsace.

En 1983, un décret définit un premier groupe de 25 lieux-dits admis dans cette appellation, qui sera abrogé et remplacé par un nouveau décret du 17 décembre 1992. Le vignoble d'Alsace compte ainsi officiellement 50 grands crus, répartis sur 47 communes (46 dans le décret - on a oublié Rouffach !) et dont les surfaces sont comprises entre 3,23 ha et 80,28 ha, en raison du principe d'homogénéité géologique propre aux grands crus. La production des grands crus reste modeste : 37 431 hl en

1996 représentant 3,2 % de la production d'AOC alsaciennes.

Les disciplines nouvelles, déjà mises en pratique depuis la récolte 1987, concernent l'élévation de 11 ° à 12 ° du titre alcoométrique minimum naturel des gewurztraminer et des tokay-pinot gris ainsi que l'obligation de mentionner désormais le nom du lieu-dit, conjointement au cépage et au millésime, sur les étiquettes et tous les documents administratifs et commerciaux.

Le décret de 1992 met ainsi fin à une période transitoire de définition technique de l'appellation alsace grand cru.

Alsace grand cru altenberg de bergbieten

ROLAND SCHMITT
Riesling Cuvée Roland 1997★

☐   0,5 ha   3 000   ■ ↓ 70 à 99 F

Ce riesling est issu d'un terroir argilo-marneux, avec des cailloutis dolomitiques favorisant le réchauffement du sol. Son nez franc livre des arômes intenses. Des nuances de fleurs blanches s'affirment dans un palais riche, à la finale agréable.
☛ EARL Roland Schmitt, 35, rue des Vosges, 67310 Bergbieten, tél. 03.88.38.20.72, fax 03.88.38.75.84 ☑ ⍲ r.-v.
☛ Anne-Marie Schmitt

Alsace grand cru altenberg de bergheim

DOM. MARCEL DEISS
Gewurztraminer 1997★★

☐   1,71 ha   2 800   ❙❙❙ 250 à 299 F

Jean-Michel Deiss est à la tête d'un vignoble de 21 ha qu'il conduit en biodynamie. Les vins de l'exploitation sont régulièrement mentionnés dans le Guide. D'un jaune d'or très soutenu, ce gewurztraminer, issu d'un terroir argilo-calcaire et gréseux, est remarquable : très expressif, le nez de fruits secs et confits (pruneau) est nuancé de fleur d'oranger et relevé par la vanille. Le palais est extraordinaire. Un vin capiteux, d'une ample richesse aromatique - le miel domine - et d'une belle harmonie. Sa fraîcheur est gage d'un grand avenir.

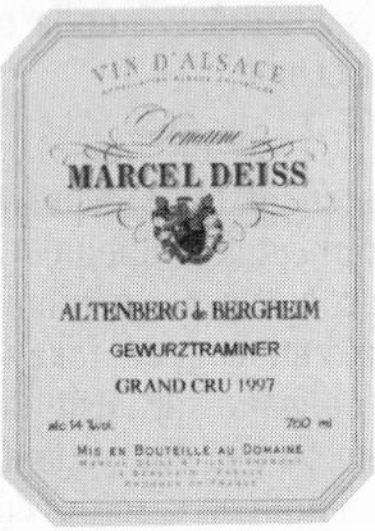

•⊣Dom. Marcel Deiss, 15, rte du Vin, 68750 Bergheim, tél. 03.89.73.63.37, fax 03.89.73.32.67 ✔ ⵏ t.l.j. sf dim. 8h-12h 14h-19h
•⊣ Jean-Michel Deiss

LORENTZ Riesling 1997

| | 2 ha | 10 000 | ▮ ⵏ 100 à 149 F |

Une exposition plein sud et un sol marno-calcaire très caillouteux pour ce grand cru dominant la commune de Bergheim. La maison Lorentz en a tiré un riesling au nez opulent, complexe, typique du cépage, avec une touche minérale. En bouche, on trouve une attaque douce, une charpente bien marquée et une longueur fruitée. Un vin à attendre de trois à cinq ans pour lui permettre de parfaire son harmonie.
•⊣Gustave Lorentz, 35, Grand-Rue, 68750 Bergheim, tél. 03.89.73.22.22, fax 03.89.73.30.49 ✔ ⵏ t.l.j. sf dim. 9h-12h 14h-18h30
•⊣ Charles Lorentz

Alsace grand cru altenberg de wolxheim

DISCHLER Riesling 1997★

| | 0,23 ha | 1 100 | ⫼ 30 à 49 F |

A Wolxheim, l'Altenberg est particulièrement favorable au riesling qui occupe plus de la moitié de la surface de ce grand cru. Le sol marno-calcaire, caillouteux, donne de grands vins de garde. Celui-ci est très expressif. Son attaque fraîche relève le fruité d'agrumes. Une note minérale accompagne le tout.
•⊣EARL Dischler, 23, rte de Soultz-les-Bains, 67120 Wolxheim-le-Canal, tél. 03.88.38.22.55, fax 03.88.49.86.80 ✔ ⵏ r.-v.

Alsace grand cru brand

FRANCOIS BAUR PETIT-FILS
Riesling Vieilles vignes Cuvée Thomas 1997★★

| | 0,5 ha | 2 800 | ⫼ 100 à 149 F |

Comme son nom le suggère, ce terroir bénéficie d'un remarquable ensoleillement qui trans-

forme le sol sablo-granitique en une véritable « terre de feu ». Rien d'étonnant à ce que sa réputation remonte au Moyen Age. Aujourd'hui, Pierre Baur contribue au renom de ce cru. On se souvient du millésime 95 de cette cuvée, salué d'un coup de cœur. Doré à l'œil, le 97 a charmé le jury : le nez, particulier mais séduisant, révèle la surmaturation avec une touche boisée ; il annonce une grande matière, que l'on retrouve en bouche, de l'attaque ronde à la finale marquée par les agrumes. Pour l'apéritif ou des viandes blanches en sauce.
•⊣ François Baur Petit-Fils, 3, Grand-Rue, 68230 Turckheim, tél. 03.89.27.06.62, fax 03.89.27.47.21 ✔ ⵏ r.-v.

ALBERT BOXLER Muscat 1997★★

| | n.c. | n.c. | ⫼ 50 à 69 F |

Régulièrement présent dans le Guide, Albert Boxler est établi à Niedermoschwihr, commune située à l'ouest de Colmar, en direction des Trois-Epis. Son muscat 97, issu d'un terroir d'arènes granitiques, est particulièrement réussi. D'un jaune brillant à reflets verts, il révèle déjà au nez des arômes finement musqués. Tout aussi expressive, la bouche allie puissance et élégance, dans une harmonie tout en dentelle, et montre une grande persistance.
•⊣EARL Albert Boxler, 78, rue des Trois-Epis, 68230 Niedermorschwihr, tél. 03.89.27.11.32, fax 03.89.27.70.14 ⵏ r.-v.

ALBERT BOXLER Gewurztraminer 1997

| | n.c. | n.c. | ⫼ 70 à 99 F |

Même terroir d'arènes granitiques pour ce gewurztraminer d'un or pâle lumineux à l'œil, aux parfums de fruits exotiques et de miel. Gras, tout en douceur mais équilibré, il remplit agréablement la bouche. Evoquant les fruits en surmaturation, il termine sur des arômes de confiture de coings. Nos dégustateurs suggèrent de le servir avec un foie gras au poivre de Mayotte, ou avec un feuilleté aux pruneaux.
•⊣EARL Albert Boxler, 78, rue des Trois-Epis, 68230 Niedermorschwihr, tél. 03.89.27.11.32, fax 03.89.27.70.14 ⵏ r.-v.

DOPFF AU MOULIN
Gewurztraminer 1997★

| | 3,3 ha | 8 433 | ⫼ 70 à 99 F |

Proposé par une maison de négoce familiale connue des amateurs (70 ha de vignes dont 13 en grand cru), ce gewurztraminer est très agréable : couleur jaune soutenu, nez de fruits confits (abricot) et de fleurs aux parfums miellés avec une nuance de violette, palais ample, équilibré, rond à point, croquant comme le raisin. Un dégustateur l'essaierait bien avec une mousse au chocolat amer.

SA Dopff Au Moulin, 2, av. Jacques-Preiss, 68340 Riquewihr, tél. 03.89.49.09.69, fax 03.89.47.83.61, e-mail domaines@dopff-au-moulin.fr ☑ 𝕐 r.-v.

DOM. SAINT-REMY
Tokay-Pinot gris 1997*

☐ 0,5 ha 2 800 50 à 69 F

Le domaine tire son nom du saint patron de Wettolsheim, importante commune viticole située à l'ouest de Colmar. Brillant, jaune soutenu, ce pinot gris attire l'œil. Le nez évoque les agrumes avec des nuances de beurre et un léger boisé. De bonne intensité, le palais se distingue par son équilibre sucre-alcool-acidité et sa longueur. Elégant, très bien structuré, ce vin accompagnera une volaille en sauce.

Dom. François Ehrhart et Fils, 6, rue Saint-Remy, 68920 Wettolsheim, tél. 03.89.80.60.57, fax 03.89.79.74.00, e-mail domaine.st-remy@wanadoo.fr ☑ 𝕐 r.-v.

GERARD WEINZORN Riesling 1997*

☐ 0,25 ha n.c. 50 à 69 F

Vaincu par le soleil, le dragon du Brand se retira dans une obscure caverne. Une légende d'antan pour évoquer le terroir granitique et ensoleillé où est né ce riesling : nez harmonieux, floral avec une touche de miel et des nuances minérales, attaque franche, bouche ronde sans lourdeur, finale fraîche, agréable. A découvrir dans une maison remontant à 1619. L'exploitation a été reprise en 1992 par Claude Weinzorn.

EARL Gérard Weinzorn et Fils, 133, rue des Trois-Epis, 68230 Niedermorschwihr, tél. 03.89.27.18.02, fax 03.89.27.04.23 ☑ 𝕐 t.l.j. 8h-12h 14h-18h

Alsace grand cru bruderthal

ALAIN KLINGENFUS
Tokay-pinot gris 1997

☐ 0,15 ha 1000 30 à 49 F

Le Bruderthal, ou « vallon des Frères », tire son nom des moines cisterciens qui le cultivaient au XIVe s. Issu d'un terroir argilo-calcaire, ce pinot gris jaune clair présente un nez de raisins secs et de fleurs, parfums qui se retrouvent en bouche. Une bonne acidité renforce sa structure. Un vin équilibré, mais à attendre.

Alain Klingenfus, 22, rue Jenner, 67120 Molsheim, tél. 03.88.38.54.54, fax 03.88.38.06.45 ☑ 𝕐 r.-v.

ANTOINE ET ROBERT KLINGENFUS Riesling 1997*

☐ 0,65 ha 5 000 70 à 99 F

Le Bruderthal a donné ce riesling jaune pâle à reflets verts, au nez discret, livrant quelques notes florales qui s'épanouissent en bouche. Un vin ample, d'une bonne charpente et d'une agréable fraîcheur.

Robert Klingenfus, 60, rue de Saverne, 67120 Molsheim, tél. 03.88.38.07.06, fax 03.88.49.32.47 ☑ 𝕐 r.-v.

GERARD NEUMEYER Riesling 1997**

☐ 0,89 ha 7 000 70 à 99 F

Un sol marno-calcaire très caillouteux confère à ce riesling un nez intense, fruité avec des nuances de sous-bois. D'une belle complexité aromatique, alliant souplesse et puissance, la bouche finit sur de longues notes épicées. Un dégustateur suggère de servir ce vin avec des spécialités orientales au curry.

Dom. Gérard Neumeyer, 29, rue Ettore-Bugatti, 67120 Molsheim, tél. 03.88.38.12.45, fax 03.88.38.11.27, e-mail domaine.neumeyer@wanadoo.fr ☑ 𝕐 t.l.j. sf dim. 9h-12h 14h-18h

GERARD NEUMEYER
Gewurztraminer 1997

☐ 0,49 ha 4 000 70 à 99 F

Situé dans le Bas-Rhin, autour de Molsheim, le grand cru de Bruderthal se caractérise par des sols de calcaire coquillier où le gewurztraminer peut donner des vins de garde. Celui-ci, de couleur or, associe les fruits confits et la gelée de coing relevés de senteurs de rose dans un nez fort élégant. En bouche, il révèle des notes d'agrumes confits et se montre ample, moelleux et de bonne longueur.

Dom. Gérard Neumeyer, 29, rue Ettore-Bugatti, 67120 Molsheim, tél. 03.88.38.12.45, fax 03.88.38.11.27, e-mail domaine.neumeyer@wanadoo.fr ☑ 𝕐 t.l.j. sf dim. 9h-12h 14h-18h

Alsace grand cru eichberg

LEON BAUR Riesling 1997

☐ 0,37 ha 2 500 30 à 49 F

Né d'un terroir argilo-calcaire, exposé au sud-est, ce riesling s'exprime par des notes fruitées, citronnées. La première bouche est intense et souple. La finale, encore courte, lui donne un peu de fraîcheur. Ce vin demande à s'épanouir.

Jean-Louis Baur, 22, rue du Rempart-Nord, 68420 Eguisheim, tél. 03.89.41.79.13, fax 03.89.41.93.72 ☑ 𝕐 r.-v.

EMILE BEYER Riesling 1997*

☐ 0,84 ha 6 000 50 à 69 F

Réputé dès le XIe s., l'Eichberg est constitué par des conglomérats marno-calcaires, enrichis d'éboulis de grès et de silice. Les vins qui en sont issus se caractérisent par leur fruité remarquable et leur structure opulente. Très représentatif, ce riesling présente un nez intense, marqué par un fruité mûr, avec des notes de menthe, de réglisse et de thym... Epicée en attaque, la bouche se montre ronde et équilibrée. Un vin typique et prometteur.

Maison Emile Beyer, 7, pl. du Château, 68420 Eguisheim, tél. 03.89.41.40.45, fax 03.89.41.64.21, e-mail info@émile-beyer.fr
☒ Y t.l.j. 9h-12h 14h-18h; groupes sur r.-v.

KUENTZ-BAS Riesling 1997*

☐ 0,4 ha 3 000 70 à 99 F

Encore jaune pâle, ce riesling s'ouvre progressivement sur des notes d'agrumes, avec un peu d'épices. Après une attaque vive, on retrouve les agrumes dans une bouche équilibrée. Bonne maturité et finale agréable.

Kuentz-Bas, 14, rte du Vin, 68420 Husseren-les-Châteaux, tél. 03.89.49.30.24, fax 03.89.49.23.39 ☒ Y t.l.j. sf dim. 8h-12h 14h-18h

PAUL SCHNEIDER Riesling 1997***

☐ 0,2 ha 1 500 50 à 69 F

A l'image du chêne qui a donné son nom à ce terroir, ce riesling est promis à une grande longévité. Nez complexe, fruité, avec une pointe musquée. Attaque fraîche, où l'on retrouve le fruité, rondeur bien fondue, enveloppant le palais. Ses autres atouts ? Une bonne longueur ; et, toujours, cette vivacité bienvenue qui contribue à son équilibre et lui garantit un bel avenir. Superbe.

Paul Schneider et Fils, 1, rue de l'Hôpital, 68420 Eguisheim, tél. 03.89.41.50.07, fax 03.89.41.30.57 ☒ Y t.l.j. 8h30-11h30 13h30-18h30; dim. sur r.-v.

PAUL ZINCK Gewurztraminer 1997

☐ 0,36 ha 3 000 50 à 69 F

L'année dernière, Paul Zinck avait obtenu un coup de cœur pour un gewurztraminer du même grand cru, aux sols argilo-calcaires. D'un or très soutenu à l'œil, le millésime suivant est, lui, plutôt léger, un peu court en bouche. Mais son équilibre et son joli nez d'une grande finesse, avec une note poivrée et épicée, lui valent de figurer ici.

Paul Zinck, 18, rue des Trois-Châteaux, 68420 Eguisheim, tél. 03.89.41.19.11, fax 03.89.24.12.85, e-mail phz@p-zink.fr
☒ Y r.-v.

> Dans ce guide, la reproduction d'une étiquette signale un vin particulièrement recommandé, un « coup de cœur » de la commission.

Alsace grand cru engelberg

DOM. JEAN-PIERRE BECHTOLD Gewurztraminer 1997

☐ 0,65 ha 3 300 50 à 69 F

Jean-Marie Bechtold est à la tête d'un vignoble de 19 ha depuis 1994. Sur son terroir marno-calcaire, il produit des vins typiques et de longue garde, qui ne se révèlent pleinement qu'après deux ou trois ans. Habillé d'or, celui-ci possède un joli nez d'agrumes et une bouche plutôt mirabelle, avec une finale de fruits à l'eau-de-vie. Intense, gras, bien équilibré, persistant, il vous régalera quelques années encore.

Dom. Jean-Pierre Bechtold, 49, rue Principale, 67310 Dahlenheim, tél. 03.88.50.66.57, fax 03.88.50.67.34 ☒ Y r.-v.
Jean-Marie Bechtold

Alsace grand cru florimont

BRUNO SORG Riesling 1997

☐ 0,45 ha 3 600 50 à 69 F

Dominant la petite ville d'Ingersheim, la butte du Florimont se caractérise par des sols marno-calcaires caillouteux et secs favorables aux cépages nobles. Ce riesling est très expressif par son fruité assorti de nuances grillées et d'une pointe minérale. Le palais est fin, équilibré avec des arômes puissants, de persistance moyenne.

Dom. Bruno Sorg, 8, rue Mgr-Stumpf, 68420 Eguisheim, tél. 03.89.41.80.85, fax 03.89.41.22.64 ☒ Y r.-v.

Alsace grand cru frankstein

PIERRE ARNOLD Riesling 1997*

☐ 0,25 ha 2 000 50 à 69 F

En 1320, le Frankstein était rattaché en partie à l'évêché de Strasbourg. Ce terroir d'arène granitique à deux micas a donné un riesling au nez de fleurs blanches, avec des nuances de fruits mûrs. La bouche onctueuse offre le croquant du raisin. Les arômes sont encore discrets, mais cette bouteille sera superbe dans deux ou trois ans.

Pierre Arnold, 16, rue de la Paix, 67650 Dambach-la-Ville, tél. 03.88.92.41.70, fax 03.88.92.62.95 ☒ Y t.l.j. 9h-19h; dim. sur r.-v.

Alsace grand cru froehn

JEAN BECKER Riesling 1997★★

□ 0,7 ha 6 000 🍷 70 à 99 F

Ce négociant-producteur exploite 18 ha de vignes. Avec ce 97, il signe un remarquable riesling, typique de son terroir argilo-marneux. Le nez complexe, fait de fruits très mûrs (agrumes, mangue, poire...) se distingue par son élégance. Les fruits persistent dans une bouche équilibrée, dotée d'une belle vivacité. Excellente harmonie.

⚷ Dom. Jean Becker, 4, rte d'Ostheim, 68340 Zellenberg, tél. 03.89.47.90.16, fax 03.89.47.99.57 ☒ Y t.l.j. 8h-12h 14h-17h; sam. dim. 10h-12h 15h-17h

CAVE VINICOLE DE HUNAWIHR Gewurztraminer 1997★

□ 1 ha 4 000 🍷 50 à 69 F

Fondée en 1954, la cave de Hunawihr vinifie les vendanges de 200 ha de vignes. Le Froehn s'étend à proximité, au pied de la pittoresque bourgade de Zellenberg, perchée sur une crête. Exposé au sud-sud-est, ce terroir argilo-marneux feuilleté de stries calcaires est très propice au gewurztraminer. D'un jaune soutenu, celui-ci séduit par son nez très ouvert, évoquant les fruits exotiques, par son palais intense, épicé, ample et corsé, à la longue finale fraîche. Un bel avenir semble promis à ce vin harmonieux.

⚷ Cave vinicole de Hunawihr, 48, rte de Ribeauvillé, 68150 Hunawihr, tél. 03.89.73.61.67, fax 03.89.73.33.95 ☒ Y t.l.j. 8h-12h 14h-18h

Alsace grand cru furstentum

ANDRE BLANCK Ancienne Cour des Chevaliers de Malte Gewurztraminer VT 1996★★

□ 0,5 ha 1 200 100 à 149 F

Ce vin a été élaboré par une des plus anciennes familles de vignerons de Kientzheim, établie dans l'ancienne propriété des chevaliers de Malte, près du château Schwendi. Le terroir est argilo-calcaire. Or vif dans le verre, ce 96 offre un nez encore discret mais complexe, associant fruits exotiques et coing séché. Sa très belle attaque le classe parmi les grands. « A boire pour la fraîcheur de ses arômes, à attendre pour la plénitude de son corps », écrit un dégustateur.

⚷ EARL André Blanck et Fils, Ancienne Cour des Chevaliers de Malte, 68240 Kientzheim, tél. 03.89.78.24.72, fax 03.89.47.17.07 ☒ Y t.l.j. sf dim. 8h-19h

JOSEPH FRITSCH Gewurztraminer 1997

□ 0,2 ha 1 100 🍷 50 à 69 F

Le village viticole de Kientzheim (Haut-Rhin) a la chance de réunir deux grands crus : le Schlossberg et le Furstentum. Ce dernier a donné un gewurztraminer dont la teinte pâle révèle une évolution ralentie ; le nez aux arômes épicés demande à s'affiner. Le palais est plus intéressant par sa fraîcheur, mais son harmonie devra se parfaire. Le millésime précédent avait obtenu un coup de cœur.

⚷ EARL Joseph Fritsch, 31, Grand-Rue, 68240 Kientzheim, tél. 03.89.78.24.27, fax 03.89.78.24.27 ☒ Y r.-v.

ALBERT MANN Gewurztraminer Vieilles vignes 1997★★

□ 0,43 ha n.c. 🍷 70 à 99 F

Jacky et Maurice Barthelmé exploitent ensemble 19 ha de vignes, avec des parcelles sur cinq grands crus. Le Furstentum bénéficie d'un microclimat qui permet la croissance d'espèces végétales méditerranéennes, et d'un sol brun calcaire très caillouteux donnant des vins d'une grande délicatesse. Celui-ci, issu de vignes de plus de cinquante ans, est d'un jaune d'or intense. Le nez est discret mais finement épicé ; le palais, qui mêle les fruits exotiques, les fruits confits, le coing et l'abricot, se montre puissant et long. Ce 97 peut être dégusté dès maintenant.

⚷ Dom. Albert Mann, 13, rue du Château, 68920 Wettolsheim, tél. 03.89.80.62.00, fax 03.89.80.34.23 ☒ Y r.-v.

⚷ Barthelmé

Alsace grand cru goldert

LUCIEN GANTZER Riesling 1997★

□ 0,2 ha 1 600 🍷 30 à 49 F

Cette exploitation familiale de quelque 5 ha, reprise en 1995 par la fille aînée de son fondateur, fait son entrée dans le Guide avec ce riesling. Une rareté dans ce grand cru voué au gewurztraminer. Le nez expressif livre d'intenses arômes fruités. Puissant et ample, marqué par la rondeur, le palais se montre plus frais en finale.

⚷ Lucien Gantzer, 9, rue du Nord, 68420 Gueberschwihr, tél. 03.89.49.31.81, fax 03.89.49.23.34 ☒ Y t.l.j. 9h-12h 13h30-18h

LUCIEN GANTZER Gewurztraminer 1997

□ 0,37 ha 3 000 🍷 50 à 69 F

Ce gewurztraminer jaune clair, aux arômes frais, relevés d'un peu de poivre, est bien structuré. Sa note de surmaturation, son bon équilibre, sa longue persistance en font un vin de garde ; à attendre quelque temps.

⚷ Lucien Gantzer, 9, rue du Nord, 68420 Gueberschwihr, tél. 03.89.49.31.81, fax 03.89.49.23.34 ☒ Y t.l.j. 9h-12h 13h30-18h

BERNARD HUMBRECHT Gewurztraminer 1997★

□ 0,7 ha 6 500 ⬮ 50 à 69 F

D'exposition sud-est, le grand cru Goldert se caractérise par des sols marno-calcaires très caillouteux où naissent de beaux gewurztraminers, tel ce 97. Jaune clair à reflets verts, il livre des parfums de fruits jaunes (pêche et abricot) relevés de réglisse et de poivre. Ce côté épicé ressort dans

un palais ample, bien équilibré et de bonne longueur.
Jean-Bernard Humbrecht, 10, pl. de la Mairie, 68420 Gueberschwihr, tél. 03.89.49.31.42, fax 03.89.49.20.62 ☑ Y t.l.j. 9h-18h ; dim 14 h-18h

CLAUDE ET GEORGES HUMBRECHT
Gewurztraminer Cuvée Nicolas 1997★★

□ 0,25 ha 2 200 100 à 149 F

Issu d'un terroir calcaire, ce vin vieil or s'annonce par un nez de fruits confits relevés par des notes de rose. Son palais complexe, à dominante de sous-bois, d'un très bel équilibre, évoque un vin de vendanges tardives. Très belle finale.
EARL Claude et Georges Humbrecht, 31, rue de Pfaffenheim, 68420 Gueberschwihr, tél. 03.89.49.31.51, fax 03.89.49.31.51 ☑ Y r.-v.

MARCEL HUMBRECHT
Gewurztraminer 1997★

□ 0,44 ha 2 800 70 à 99 F

D'origine argilo-calcaire, voici un gewurztraminer encore jeune dans sa livrée jaune à reflets verts ; au nez, il est discret, floral, relevé par une pointe d'épices ; ample, gras, capiteux, le palais se montre déjà fort plaisant. La finale est tout en douceur.
SCEA Marcel Humbrecht, 21, rue Basse, 68420 Gueberschwihr, tél. 03.89.49.31.47, fax 03.89.49.24.77 ☑ Y r.-v.

Alsace grand cru hatschbourg

A.L. BAUR Gewurztraminer 1997★★

□ n.c. n.c. 50 à 69 F

D'exposition sud, le Hatschbourg est constitué par un substrat marno-calcaire bien aéré par la présence d'un cailloutis important qui favorise une bonne maturation des vins. Celui-ci, jaune paille brillant, offre un nez poivré libérant des effluves de rose. Au palais, il est déjà complet, se distinguant par son ampleur et sa puissance, avec un côté épicé sensible en finale. Rapport qualité-prix très intéressant.
A. L. Baur, 4, rue Roger-Frémeaux, 68420 Voegtlinshoffen, tél. 03.89.49.30.97, fax 03.89.49.21.37 ☑ Y r.-v.

DOM. JOSEPH CATTIN
Tokay-pinot gris 1997★

□ 1,4 ha 10 000 50 à 69 F

Jacques et Jean-Marie Cattin ont notablement agrandi l'exploitation familiale qui compte aujourd'hui 39 ha répartis sur dix communes. Le millésime 83 de ce pinot gris du Hatschbourg, d'origine argilo-calcaire, fut salué dans la première édition du Guide, et le 90 eut un coup de cœur. Le 97, de couleur jaune d'or, offre un nez riche, au caractère de surmaturation, évoquant les fruits très mûrs. On retrouve cette richesse dans une bouche ample, puissante, marquée cependant par une sucrosité trop importante : à attendre.
Joseph Cattin, 18, rue Roger-Frémeaux, 68420 Voegtlinshoffen, tél. 03.89.49.30.21, fax 03.89.49.26.02 ☑ Y r.-v.
Jacques et Jean-Marie Cattin

THEO CATTIN ET FILS
Tokay-pinot gris 1997

□ 0,61 ha 5 000 50 à 69 F

Souvent mentionnée dans le guide, notamment pour son pinot gris né dans ce grand cru, cette exploitation possède un vignoble de près de 18 ha. D'un jaune paille limpide, ce 97 est réussi : nez très franc de fruits secs et de fleurs printanières, bouche élégante et équilibrée, longue finale puissante.
EARL Théo Cattin et Fils, 35, rue Roger-Frémeaux, 68420 Voegtlinshoffen, tél. 03.89.49.30.43, fax 03.89.49.28.80 ☑ Y r.-v.

Alsace grand cru hengst

JOSMEYER Riesling 1997★

□ n.c. 8 000 100 à 149 F

Cette maison de négoce exploite 23 ha de vignes. Elle propose un riesling discret au premier nez, qui s'ouvre sur des notes de pêche et d'abricot, avec une nuance minérale. Ces arômes se retrouvent au palais, où la structure est bien équilibrée, élégante et sans lourdeur.
Josmeyer, 76, rue Clemenceau, 68920 Wintzenheim, tél. 03.89.27.91.90, fax 03.89.27.91.99, e-mail josmeyer@wanadoo.fr ☑ Y t.l.j. sf dim. 8h-12h 14h-18h; sam. 8h-12h
Jean Meyer

ALBERT MANN Tokay-pinot gris 1997★

□ 0,27 ha n.c. 70 à 99 F

Situé à l'ouest de Colmar, le Hengst est l'un des cinq grands crus alsaciens où cette exploitation possède des vignes. Ce terroir de marnes calcaires oligocènes donne des pinots gris expressifs, tel ce 97 jaune très soutenu au nez ouvert et élégant. Concentré, souple, le palais est marqué par la douceur. Un vin fort prometteur, dont l'harmonie doit se parfaire. Le 95 avait eu un coup de cœur.
Dom. Albert Mann, 13, rue du Château, 68920 Wettolsheim, tél. 03.89.80.62.00, fax 03.89.80.34.23 ☑ Y r.-v.

JOSEPH SCHAFFAR
Gewurztraminer 1997★

□ n.c. n.c. 70 à 99 F

Une exploitation dirigée depuis 1995 par Christian Schaffar. Présente dans les premières éditions du Guide, elle reparaît après une longue absence, avec un gewurztraminer du Hengst, grand cru donnant naissance à des vins puissants et chaleureux. Celui-ci est d'un jaune d'or profond. Le nez livre de discrètes nuances épicées et

des notes de fruits exotiques. Le palais se distingue par sa rondeur, sa richesse aromatique, sa longueur et son harmonie. La finale épicée laisse envisager un vin de longue garde.
⊶ EARL Joseph Schaffar, 125, rue Clemenceau, B.P. 3, 68920 Wintzenheim, tél. 03.89.27.00.25, fax 03.89.27.96.40 ☑ Y r.-v.

BERNARD STAEHLE
Gewurztraminer 1997★★

☐ 0,27 ha n.c. (ll) 50 à 69 F

De bonne naissance - le Hengst est fort propice au gewurztraminer -, ce 97 se distingue par une couleur jaune paille intense, un nez profond et pourtant délicat, dominé par une note épicée. Le palais, marqué par des arômes de fruits confits, tout en dentelle, révèle une grande matière et persiste longuement. Un vin remarquable, à attendre quelque temps.
⊶ Bernard Staehlé, 15, rue Clemenceau, 68920 Wintzenheim, tél. 03.89.27.39.02, fax 03.89.27.59.37 ☑ Y r.-v.

DOM. AIME STENTZ ET FILS
Tokay-pinot gris Vendanges tardives Clos du Vicus Romain 1996

☐ 1 ha 2 800 (ll) 100 à 149 F

Le village de Wettolsheim, avec ses terroirs marno-calcaires, élabore des vins de tokay-pinot gris de grande typicité. Celui-ci, jaune d'or avec quelques reflets verts, présente un nez frais, marqué par le miel, les fruits confits et le sous-bois. La belle attaque fraîche augmente son harmonie : il est gras, sans excès. A attendre.
⊶ Dom. Aimé Stentz et Fils, 37, rue Herzog, 68920 Wettolsheim, tél. 03.89.80.63.77, fax 03.89.79.78.68 ☑ Y t.l.j. sf dim. 8h-12h 14h-18h

Alsace grand cru kanzlerberg

LORENTZ Riesling 1997★

☐ 1 ha 5 000 ▮🌡 100 à 149 F

Seulement 3,23 ha pour ce grand cru établi sur un sol de marnes à gypse, où le riesling s'exprime à merveille. Celui-ci apparaît discret au nez, où les notes minérales dominent le fruité. Bien équilibré, ample, il révèle en finale des nuances de pamplemousse sur un fond de légère amertume. Du terroir et du plaisir !
⊶ Gustave Lorentz, 35, Grand-Rue, 68750 Bergheim, tél. 03.89.73.22.22, fax 03.89.73.30.49 ☑ Y t.l.j. sf dim. 9h-12h 14h-18h30
⊶ Charles Lorentz

Alsace grand cru kastelberg

GUY WACH Riesling 1997★

☐ 0,6 ha 3 700 (ll) 50 à 69 F

Andlau compte trois grands crus. Le Kastelberg, le plus petit en surface (5,82 ha), est propice au riesling. Celui-ci offre un nez fruité marqué par des notes de surmaturation. Le tilleul vient compléter la gamme aromatique dans un palais riche, intense et persistant.
⊶ Guy Wach, Dom. des Marronniers, 67140 Andlau, tél. 03.88.08.93.20, fax 03.88.08.45.59 ☑ Y r.-v.

Alsace grand cru kessler

DOM. SCHLUMBERGER
Gewurztraminer 1997★

☐ 12 ha 15 000 ▮(ll) 100 à 149 F

Avec 145 ha de vignes dont 70 ha en grand cru, les domaines Schlumberger constituent la plus importante propriété d'Alsace. Ils sont réputés pour leurs vins de garde, tel ce gewurztraminer jaune doré. Des effluves de grande complexité évoquent fruits confits et épices. On retrouve les épices en bouche, dès l'attaque. Ample et harmonieux, le palais finit sur des notes réglissées et mentholées. Ce 97 reflète bien son terroir gréseux.
⊶ Domaines Schlumberger, 100, rue Théodore-Deck, 68501 Guebwiller Cedex, tél. 03.89.74.27.00, fax 03.89.74.85.75 ☑ Y r.-v.

Alsace grand cru kirchberg de Barr

ANDRE KLEINKNECHT Riesling 1997★

☐ 0,3 ha 2 600 (ll) 30 à 49 F

Le sol marno-calcaire, riche en galets, du kirchberg de Barr donne généralement de grands rieslings qu'il faut savoir attendre. Celui-ci se montre ainsi plutôt discret au nez, où l'on perçoit déjà des nuances florales et minérales. En revanche, le palais apparaît riche, avec un équilibre bien soutenu par la fraîcheur. Une belle harmonie en perspective.
⊶ André Kleinknecht, 45, rue Principale, 67140 Mittelbergheim, tél. 03.88.08.49.46, fax 03.88.08.49.46 ☑ Y t.l.j. 10h-11h30 13h-19h

KLIPFEL Clos Zisser Gewurztraminer 1997★

☐ 3 ha 8 000 (ll) 70 à 99 F

Développée par Louis Klipfel, personnalité du vignoble alsacien, cette maison est aujourd'hui dirigée par André Lorentz et ses deux fils Jean-Louis et Guy. Elle exploite 40 ha

de vignes et vinifie la récolte de petits producteurs. Elle propose un gewurztraminer jaune d'or, au nez délicat alliant nuances citronnées et minérales. La bouche est de bonne harmonie, tout en volume, avec des notes florales. Un vin prêt à boire.
🔑 Dom. Klipfel, 6, av. de la Gare, 67140 Barr, tél. 03.88.58.59.00, fax 03.88.08.53.18 ☒ Ɪ t.l.j. 10h-12h 14h-18h
🔑 A. Lorentz

Alsace grand cru kirchberg de Ribeauvillé

CAVE VINICOLE DE RIBEAUVILLE
Riesling 1997★

□ 0,59 ha 5 100 ▮ 🌡 70 à 99 F

La cave de Ribeauvillé vinifie les vendanges de 250 ha de vignes. Elle propose plusieurs grands crus. Les reflets dorés de ce riesling s'accorderont à l'étiquette bleu turquoise de son flacon. La puissance fruitée et minérale exprime le terroir. La bouche révèle une matière corsée et un bon équilibre, un brin de fraîcheur venant contrebalancer une note douce. Typique et réussi.
🔑 Cave vinicole de Ribeauvillé, 2, rte de Colmar, 68150 Ribeauvillé, tél. 03.89.73.61.80, fax 03.89.73.31.21 ☒ Ɪ r.-v.

JEAN SIPP Riesling 1997★★

□ n.c. 8 000 ⓞ 70 à 99 F

Déjà mentionné en 1328, le Kirchberg est l'un des meilleurs terroirs de Ribeauvillé. Tourné principalement vers le sud, il présente des sols argilo-calcaires propices au riesling. Cette exploitation avait présenté de fort beaux 93 et 94. Ce 97 est tout aussi remarquable. Le nez fruité, avec des nuances exotiques, est d'une grande finesse. La bouche, d'abord vive, se montre ensuite ample, un peu corsée, adoucie par des notes de miel d'acacia. La persistance annonce un vin de garde.
🔑 Dom. Jean Sipp, 60, rue de la Fraternité, 68150 Ribeauvillé, tél. 03.89.73.60.02, fax 03.89.73.82.38 ☒ Ɪ t.l.j. 9h-11h30 14h-18h; dim. sur r.-v.

LOUIS SIPP Riesling 1997★

□ 1,42 ha 10 000 ⓞ 50 à 69 F

Fondée en 1920, cette maison exploite un domaine de 32 ha. Sa cave est établie dans l'ancienne propriété des nobles de Pflixbourg. Fruit d'un excellent ensoleillement et d'un élevage en foudre durant dix mois, ce riesling se distingue par l'élégance de ses arômes fruités assortis d'une légère note minérale. Tout aussi fruitée, équilibrée, la bouche finit sur une belle fraîcheur.
🔑 Louis Sipp Grands Vins d'Alsace, 5, Grand-Rue, 68150 Ribeauvillé, tél. 03.89.73.60.01, fax 03.89.73.31.46 ☒ Ɪ r.-v.

Alsace grand cru kitterlé

DOM. SCHLUMBERGER
Tokay-pinot gris 1997★★

□ 3,71 ha 18 000 ▮ⓞ 100 à 149 F

Issu d'un terroir sablo-gréseux, ce pinot gris d'un jaune d'or très brillant s'exprime déjà magnifiquement au nez par ses notes grillées. Alliant richesse, puissance et complexité, le palais est d'une longue persistance. Remarquable.
🔑 Domaines Schlumberger, 100, rue Théodore-Deck, 68501 Guebwiller Cedex, tél. 03.89.74.27.00, fax 03.89.74.85.75 ☒ Ɪ r.-v.

Alsace grand cru mambourg

JEAN-MARC BERNHARD
Gewurztraminer Vendanges tardives 1996★

□ 0,3 ha 1000 ▮ 100 à 149 F

Katzenthal : un village au milieu des vignes, au pied du Wineck. Un cadre paisible pour cette exploitation familiale qui possède des parcelles dans deux grands crus, le Wineck-Schlossberg et le Mambourg. Ce dernier, aux sols argilo-calcaires, a donné cette vendange tardive jaune paille, dont le nez encore fermé livre cependant des notes de surmaturation. Si les arômes se précisent en bouche, ce vin ne s'exprime pas encore pleinement. A attendre.
🔑 Domaine Jean-Marc Bernhard, 21, Grand-Rue, 68230 Katzenthal, tél. 03.89.27.05.34, fax 03.89.27.58.72 ☒ Ɪ t.l.j. sf dim. 9h-12h 14h-18h

GERARD FRITSCH Riesling 1997★

□ n.c. 950 ⓞ 50 à 69 F

Ce jeune domaine, créé en 1962, compte aujourd'hui quelque 8 ha, dont cette petite parcelle de riesling dans le Mambourg au sol calci-magnésique. Ce 97 s'exprime par un fruité classique, fin et agréable. Une belle fraîcheur ouvre la bouche, racée et souple, peu charpentée. La finale, riche, est marquée par les agrumes.
🔑 EARL Gérard Fritsch et Fils, 21, rue de la 1re-Armée, 68240 Sigolsheim, tél. 03.89.78.24.98, fax 03.89.47.32.76 ☒ Ɪ r.-v.

LA CAVE DES RENARDS
Gewurztraminer Vendanges tardives 1996★

□ 0,46 ha 1000 ▮ 100 à 149 F

La cave des Fuchs, ou, en français, des Renards, est établie à Sigolsheim, célèbre par son église romane du XIIe s. Elle propose ce 96 jaune pâle à reflets or, au nez un peu lourd, fait de litchi et de poivre ; le palais, séduit par son équilibre, ses arômes complexes, plutôt floraux, et sa finale élégante. (bouteille de 50 cl)

🗝 Mme André Fuchs, 19, rue de la 1re -Armée, 68240 Sigolsheim, tél. 03.89.47.12.21, fax 03.89.47.12.21 ☒ Y r.-v.
🗝 Jacqueline Fuchs

SALZMANN Gewurztraminer 1997

☐ 0,1 ha n.c. 70 à 99 F

Cette exploitation de Kaysersberg possède des parcelles dans deux grands crus proches : le Schlossberg et le Mambourg. Né dans le second, ce gewurztraminer apparaît très jeune avec sa couleur jaune vert. Nez discret, attaque souple, puis confiture de coings en bouche. Un beau vin encore fermé qui devrait s'ouvrir d'ici deux à trois ans.
🗝 Salzmann-Thomann, Dom. de l'Oberhof, 68240 Kaysersberg, tél. 03.89.47.10.26, fax 03.89.78.13.08 ☒ Y t.l.j. 8h-12h 13h30-18h30; dim. sur r.-v.

DOM. PIERRE SCHILLE
Gewurztraminer 1997*

☐ 0,35 ha 2 800 ▮🌡 70 à 99 F

Avec son exposition plein sud et sa terre rouge de calcaire et de marne, le coteau du Mambourg donne naissance à des vins de qualité, tel ce gewurztraminer qui fait une fort bonne impression, même s'il n'a pas encore trouvé sa pleine harmonie. Jaune brillant, ce 97 s'annonce par un nez complexe, bien ouvert, évoquant les fruits confits (coing). La bouche est encore très jeune, l'attaque souple, marquée par le fruit ; la finale révèle des notes de surmaturation. Un grand vin en perspective.
🗝 Dom. Pierre Schillé et Fils, 14, rue du Stade, 68240 Sigolsheim, tél. 03.89.47.10.67, fax 03.89.47.39.12 ☒ Y r.-v.

ALBERT SCHOECH
Gewurztraminer 1997*

☐ 2,08 ha 7 100 ▮🌡 50 à 69 F

Un négociant d'Ammerschwihr que l'on retrouve cette année avec un gewurztraminer jaune ambré, au beau nez alliant notes florales (acacia), noisette et miel, relevé d'une pointe d'épices. Ample et puissante, la bouche conjugue fruits exotiques et notes poivrées. Un vin long, harmonieux, que l'on peut servir avec des plats exotiques.
🗝 Albert Schoech, pl. du Vieux-Marché, 68770 Ammerschwihr, tél. 03.89.78.23.17, fax 03.89.27.51.24

CAVE DE SIGOLSHEIM
Gewurztraminer 1997

☐ 4,93 ha 40 000 ▮🌡 70 à 99 F

La couleur, jaune paille à reflets dorés, est le présage d'un bel avenir pour ce vin au joli nez de fruits exotiques et de réglisse. Le palais, rond - trop ? - et volumineux, garantit une bonne évolution. A attendre.
🗝 La Cave de Sigolsheim, 11-15, rue Saint-Jacques, 68240 Sigolsheim, tél. 03.89.78.10.10, fax 03.89.78.21.93 ☒ Y r.-v.

PIERRE SPARR
Gewurztraminer Vendanges tardives 1996*

☐ 2,4 ha 6 000 ⏸ 150 à 199 F

Une maison renommée, dont Pierre Sparr est l'œnologue. Elle est présente dans le Guide dès les origines - souvent aux meilleures places. Beaucoup de puissance, tant au nez qu'en bouche, pour ce 96 entre jaune paille et or, au nez d'agrumes nuancés d'épices, au palais gras et ample, mais encore discret par ses arômes. Un vin de garde à déguster d'ici quelques années.
🗝 SA Pierre Sparr et ses Fils, 2, rue de la 1re -Armée, 68240 Sigolsheim, tél. 03.89.78.24.22, fax 03.89.47.32.62 ☒ Y r.-v.

MARC TEMPE
Gewurztraminer Vendanges tardives 1996*

☐ 0,4 ha 1 200 ⏸ 200 à 249 F

Vieil or, et même un peu ambré, il laisse une impression de fruits cuits au nez. En bouche, il prend un caractère presque liquoreux ; le fruit réapparaît en finale. Tout en rondeur, très agréable, c'est un vin de bonne garde.
🗝 Marc Tempé, 16, rue du Schlossberg, 68340 Zellenberg, tél. 03.89.47.85.22, fax 03.89.47.85.22 ☒ Y r.-v.

Alsace grand cru mandelberg

DOM. BOTT-GEYL Riesling 1997**

☐ 0,16 ha 1 200 ▮🌡 70 à 99 F

La côte des Amandiers (22 ha) était déjà exploitée à l'époque gallo-romaine. D'exposition sud-sud-est, elle possède un sol marno-calcaire. Du domaine Bott-Geyl, on attend de jolies bouteilles ; avec ce riesling à reflets dorés, on n'est pas déçu. Le nez est un bouquet de fruits mûrs. Après une belle attaque souple, on découvre une grande matière, où des nuances de surmaturation s'allient à une finesse remarquable. Décidément, ce vigneron sait faire parler les terroirs !
🗝 Dom. Bott-Geyl, 1, rue du Petit-Château, 68980 Beblenheim, tél. 03.89.47.90.04, fax 03.89.47.97.33 ☒ Y r.-v.
🗝 Edouard Bott

E. HORCHER ET FILS
Gewurztraminer 1997★

□ 0,27 ha 2 000 ▮ 50 à 69 F

Un beau millésime pour la côte des Amandiers (Mandelberg), terroir réputé pour sa précocité, où naissent des vins alliant puissance, ampleur et finesse. Jaune d'or à l'œil, celui-ci, signé par un habitué du Guide, présente un nez épicé mais discret. Le palais est ample, gras et harmonieux. La structure annonce un vin de garde.

⊶ Ernest Horcher et Fils, 6, rue du Vignoble, 68630 Mittelwihr, tél. 03.89.47.93.26, fax 03.89.49.04.92 ☒ Y t.l.j. sf dim. 8h-12h 14h-19h

FREDERIC MALLO ET FILS
Gewurztraminer 1997★

□ 0,2 ha 1 200 ▮ 50 à 69 F

Cette exploitation sise à Hunawihr possède aussi des parcelles dans le Mandelberg, où est né ce gewurztraminer jaune d'or, au nez profond, floral (rose, violette), tout en finesse. Le palais apparaît franc, très mûr, puissant, gras et long, avec des arômes de miel.

⊶ EARL Frédéric Mallo et Fils, 2, rue Saint-Jacques, 68150 Hunawihr, tél. 03.89.73.61.41, fax 03.89.73.68.46 ☒ Y r.-v.

CHARLES NOLL Riesling 1997★★

□ 0,16 ha 1 200 ▮ 30 à 49 F

Dès 1925, le lieu-dit Mandelberg est mentionné sur quelques bouteilles. Il est aujourd'hui exploité par une dizaine de producteurs. Avec son nez de raisin mûr, de fruits blancs assortis d'une pointe de miel, ce riesling procure un réel plaisir. En bouche, un certain manque de fraîcheur fait passer ce vin à côté du coup de cœur. Richesse et rondeur sont au rendez-vous, agrémentées de beaux arômes de pêche.

⊶ EARL Charles Noll, 2, rue de l'Ecole, 68630 Mittelwihr, tél. 03.89.47.93.21, fax 03.89.47.86.23 ☒ Y t.l.j. 9h-21h

CHARLES NOLL Gewurztraminer 1997★

□ 0,1 ha 900 ▮ 50 à 69 F

Jaune paille dans le verre, ce gewurztraminer s'annonce par un joli nez fruité évoquant la mangue et le fruit de la passion ; on retrouve ce dernier arôme en finale. L'attaque franche et fraîche rend ce vin très agréable à boire. On peut le déguster dès maintenant.

⊶ EARL Charles Noll, 2, rue de l'Ecole, 68630 Mittelwihr, tél. 03.89.47.93.21, fax 03.89.47.86.23 ☒ Y t.l.j. 9h-21h

W. WURTZ Gewurztraminer 1997★★

□ 0,17 ha 1000 ▮ 50 à 69 F

Jaune clair à reflets dorés, ce vin possède une puissance extraordinaire au nez, qui est un peu grillé avec des nuances poivrées. Mais il se révèle vraiment au palais, gras, équilibré, capiteux, terminant en queue de paon sur des notes épicées. Rapport qualité-prix exceptionnel.

⊶ GAEC Willy Wurtz et Fils, 6, rue du Bouxhof, 68630 Mittelwihr, tél. 03.89.47.93.16, fax 03.89.47.89.01 ☒ Y r.-v.

Alsace grand cru marckrain

RENE BARTH Gewurztraminer 1997★★

□ 0,9 ha n.c. ▮ 50 à 69 F

Œnologue, Michel Fonné a repris en 1989 le domaine de son oncle René Barth. Il développe les vins de terroir. Jaune clair à reflets verts brillants, celui-ci est explosif au nez, tout en nuances florales (rose, violette), avec des notes d'agrumes. On retrouve des notes florales dans un palais franc et fruité, très frais, à la longue finale marquée par les agrumes. Rapport qualité-prix fort intéressant.

⊶ Dom. René Barth succ. Michel Fonné, 24, rue du Gal-de-Gaulle, 68630 Bennwihr, tél. 03.89.47.92.69, fax 03.89.49.04.86 ☒ Y r.-v.

MARTIN SCHAETZEL
Tokay-pinot gris 1997★★

□ 0,2 ha 1000 ▮ 70 à 99 F

Vinifié et élevé en barrique avec élevage sur lies pendant dix mois, ce pinot gris fait d'emblée bonne impression, avec une belle couleur jaune doré, un nez très mûr, fin et d'une extrême élégance. Equilibre, puissance et persistance marquent le palais. Un grand vin très typé, que l'on peut servir avec un pâté chaud.

⊶ Martin Schaetzel, 3, rue de la 5e-D.-B., 68770 Ammerschwihr, tél. 03.89.47.11.39, fax 03.89.78.29.77 ☒ Y r.-v.

⊶ Béa et Jean Schaetzel

Alsace grand cru moenchberg

ANDRE ET REMY GRESSER
Riesling 1997

□ 0,5 ha 3 000 ▮ ▮ 🌡 50 à 69 F

Déjà planté en vignes à l'époque gallo-romaine, ce terroir était exploité par les bénédictins à la fin du XIe s., d'où son nom. Fermé au premier nez, ce riesling s'ouvre lentement. L'attaque est franche et vive, le palais bien sec. Un classique, pour les fruits de mer.

⊶ Dom. André et Rémy Gresser, 2, rue de l'Ecole, 67140 Andlau, tél. 03.88.08.95.88, fax 03.88.08.55.99, e-mail remy.gresser@wanadoo.fr ☒ Y t.l.j. 9h-12h 14h-19h; dim. sur r.-v.

GUY WACH Riesling 1997★

□ 0,35 ha 2 100 ▮ 50 à 69 F

Le Moenchberg, ou mont des Moines, s'étire sur les deux finages d'Andlau et d'Eichhoffen. Ses sols argilo-limoneux sont favorables au riesling. Celui-ci présente un nez fruité avec quelques notes de confit. Le palais, plutôt sec, révèle une attaque franche et une belle structure jusqu'en finale.

⊶ Guy Wach, Dom. des Marronniers, 67140 Andlau, tél. 03.88.08.93.20, fax 03.88.08.45.59 ☑ Y r.-v.

Alsace grand cru muenchberg

RENE KOCH ET FILS Riesling 1997★

☐ 0,57 ha 5 000 ▮ 30 à 49 F

Un autre mont des Moines, valorisé au XII[e]s. par les cisterciens. Ce terroir caractérisé par des sédiments du Permien est fort propice au riesling. D'abord fermé au nez, celui-ci développe des arômes très fins de fleurs blanches. Le palais est bien équilibré et bien structuré, avec une finale un peu ronde mais agréable.

⊶ GAEC René et Michel Koch, 5, rue de La Fontaine, 67680 Nothalten, tél. 03.88.92.41.03, fax 03.88.92.63.99 ☑ Y r.-v.

Alsace grand cru osterberg

KIENTZLER Riesling 1997

☐ 0,3 ha 2 000 ⏸ 70 à 99 F

Ce grand cru aux sols argileux et caillouteux reposant sur du calcaire coquillier constitue une terre d'élection pour le riesling. Celui-ci offre une structure puissante qui reflète celle, solide, du sol qui l'a vu naître. Ses arômes, d'une grande finesse, associent l'écorce de citron, une touche minérale et de légères notes épicées. Malgré un rien de sécheresse, la finale est bonne, plutôt longue.

⊶ André Kientzler, 50, rte de Bergheim, 68150 Ribeauvillé, tél. 03.89.73.67.10, fax 03.89.73.35.81 ☑ Y r.-v.

Alsace grand cru pfersigberg

PAUL GINGLINGER Riesling 1997★

☐ 0,48 ha 3 500 ⏸ 50 à 69 F

Ce grand cru, dont le nom fait référence aux nombreux pêchers qui y sont plantés, fut remis à l'honneur en 1927 lors de la première foire aux vins de Colmar. Ce riesling, après un premier nez discret, laisse découvrir des notes florales élégantes et une légère nuance minérale. En bouche, la dominante agrumes s'accorde à la vivacité, qui contribue à son équilibre typé. Un brin d'amertume accompagne la finale de bonne persistance.

⊶ Paul Ginglinger, 8 pl. Charles-de-Gaulle, 68420 Eguisheim, tél. 03.89.41.44.25, fax 03.89.24.94.88, e-mail ginglin@club-internet.fr ☑ Y t.l.j. sf dim. 8h-12h 13h30-19h

PAUL GINGLINGER
Gewurztraminer 1997★

☐ 0,6 ha 4 000 ⏸ 50 à 69 F

Paul Ginglinger a également bien réussi son gewurztraminer dans le même grand cru marno-calcaire. De couleur jaune clair, ce 97 présente un nez délicat, où les arômes de rose s'harmonisent aux notes de fruits exotiques finement épicés. Le palais est ample, puissant, onctueux, avec une douceur bien fondue.

⊶ Paul Ginglinger, 8 pl. Charles-de-Gaulle, 68420 Eguisheim, tél. 03.89.41.44.25, fax 03.89.24.94.88, e-mail ginglin@club-internet.fr ☑ Y t.l.j. sf dim. 8h-12h 13h30-19h

HENRI GSELL
Gewurztraminer Vendanges tardives 1996

☐ 0,28 ha 1 800 ⏸ 70 à 99 F

Issu d'un terroir riche en galets de calcaire coquillier, ce 96 ne s'exprime pas encore pleinement, mais il montre déjà une belle couleur dorée, un nez agréable nuancé d'épices et une bouche ronde de bonne tenue.

⊶ Henri Gsell, 22, rue du Rempart-Sud, 68420 Eguisheim, tél. 03.89.41.96.40, fax 03.89.41.58.46 ☑ Y r.-v.

KUENTZ-BAS Riesling 1997★

☐ 0,8 ha 6 000 ⏸ 70 à 99 F

Cette maison exploite un vignoble de 17 ha. Elle propose un riesling au joli nez mêlant nuances florales et notes d'agrumes intenses et fines à la fois. Souple, rond et chaleureux, le palais révèle de la fraîcheur, de la complexité et une bonne charpente. On retrouve les agrumes en finale.

⊶ Kuentz-Bas, 14, rte du Vin, 68420 Husseren-les-Châteaux, tél. 03.89.49.30.24, fax 03.89.49.23.39 ☑ Y t.l.j. sf dim. 8h-12h 14h-18h

EMILE SCHWARTZ
Gewurztraminer 1997★

☐ 0,4 ha 3 000 ⏸ 30 à 49 F

D'exposition est-sud-est et riche en galets calcaires, le pfersigberg assure une maturation lente mais régulière des raisins. Jaune à reflets verts, ce gewurztraminer présente un nez complexe mêlant fleurs, fruits (coing) et miel. Le palais, de grande intensité, est long et bien équilibré. Un vin prometteur, qui pourra être dégusté rapidement.

⊶ Emile Schwartz et Fils, 3, rue Principale, 68420 Husseren-les-Châteaux, tél. 03.89.49.30.61, fax 03.89.49.27.27 ☑ Y t.l.j. sf dim. 8h-12h 14h-19h; f. 30 août-12 sept.

FERNAND STENTZ Riesling 1997★

☐ 0,28 ha 2 400 ⏸ 50 à 69 F

Ce terroir marno-calcaire contribue à la structure généreuse et à la longévité des vins qui y naissent. Très représentatif, ce riesling est encore sur sa réserve dans le domaine aromatique. Mais il apparaît chaleureux, rond et charmeur, révé-

lant le potentiel d'un grand vin. A attendre deux ou trois ans.
⊶ Fernand Stentz, 40, rte du Vin, 68420 Husseren-les-Châteaux, tél. 03.89.49.30.04, fax 03.89.49.32.88 ☑ Y r.-v.

Alsace grand cru praelatenberg

ZIMMERMANN Riesling 1997★★

□ 0,17 ha 2 000 ⊕ 30 à 49 F

Ce très beau riesling est né dans un terroir mentionné dès le IX[e]s., aux sols siliceux sur un sous-sol de gneiss. Sa couleur dorée annonce une palette aromatique complexe où se mêlent les agrumes, le fumé, les fruits confits et des nuances minérales. Frais et puissant, riche et persistant, ce vin sera de bonne garde.
⊶ EARL A. Zimmermann Fils, 3, Grand-Rue, 67600 Orschwiller, tél. 03.88.92.08.49, fax 03.88.82.14.05 ☑ Y r.-v.

Alsace grand cru rangen de thann

CLOS SAINT-THEOBALD
Tokay-pinot gris Vendanges tardives 1996★

□ 1,5 ha 3 000 🍾🌡 200 à 249 F

Cette maison de Colmar exploite un vignoble dans le Rangen, très beau terroir où naissent des vins typés. Jaune paille intense à reflets vieil or, ce pinot gris possède un nez encore discret mais élégant, fait de coing confit et de miel. Il est riche en bouche, ample et puissant, avec une finale évoquant les agrumes confits. Un vin de connaisseur.
⊶ Dom. Schoffit , 68 Nonnenholz-Weg (par la rue des Aubépines), 68000 Colmar, tél. 03.89.24.41.14, fax 03.89.41.40.52 ☑ Y r.-v.

Alsace grand cru rosacker

CAVE VINICOLE DE HUNAWIHR
Riesling 1997★

□ 4 ha 28 000 🍾🌡 30 à 49 F

Le Rosacker est situé à quelques pas de la cave de Hunawihr. Le riesling, qui occupe près de la moitié de sa superficie, s'exprime à merveille sur ce sol marno-calcaire. Discrètement floral au premier nez, ce 97 devient charmeur après agitation. L'attaque franche est suivie d'une belle vivacité citronnée. De persistance moyenne, ce vin mérite d'attendre pour s'affirmer.
⊶ Cave vinicole de Hunawihr, 48, rte de Ribeauvillé, 68150 Hunawihr, tél. 03.89.73.61.67, fax 03.89.73.33.95 ☑ Y t.l.j. 8h-12h 14h-18h

CAVE VINICOLE DE HUNAWIHR
Gewurztraminer 1997★

□ 1 ha 4 400 🍾🌡 50 à 69 F

La coopérative a également bien réussi le gewurztraminer dans ce grand cru. D'un jaune d'or intense, ce vin présente un nez vif, puissant, alliant rose et fruits exotiques. Puissant, chaleureux, d'une grande richesse aromatique, le palais offre une longue finale délicatement épicée. Cette bouteille sera à son optimum d'expression dans un an ou deux.
⊶ Cave vinicole de Hunawihr, 48, rte de Ribeauvillé, 68150 Hunawihr, tél. 03.89.73.61.67, fax 03.89.73.33.95 ☑ Y t.l.j. 8h-12h 14h-18h

DOM. MITTNACHT FRERES
Gewurztraminer 1997★★★

□ 0,25 ha 1 500 🍾🌡 50 à 69 F

Exposé au sud-est, ce terroir de calcaire coquillier et de marnes compactes possède un excellent potentiel, que révèle ce gewurztraminer jaune d'or, au nez associant arômes épicés, miel et fruits confits. Le palais se distingue par sa complexité, son équilibre tout en finesse ; les fruits confits se fondent avec la rose. Les frères Mittnacht avaient déjà obtenu un coup de cœur dans ce grand cru (pour un riesling 92).
⊶ Dom. Mittnacht Frères, 27, rte de Ribeauvillé, 68150 Hunawihr, tél. 03.89.73.62.01, fax 03.89.73.38.10 ☑ Y t.l.j. sf dim. 10h-12h 14h-19h

Alsace grand cru schlossberg

DOM. PAUL BLANCK Riesling 1997★

□ 3,34 ha 12 000 🍾🌡 70 à 99 F

Dès 1928, les viticulteurs du Schlossberg ont défini des règles de production pour ce vin déjà réputé. Les Blanck en ont été des promoteurs de premier plan. Or brillant dans le verre, leur riesling fait preuve d'une belle complexité aromatique, avec des notes florales et fruitées. Riche de

fruits mûrs, très équilibré, le palais se distingue par sa longueur, gage d'un avenir prometteur.
Dom. Paul Blanck, 32, Grand-Rue, 68240 Kientzheim, tél. 03.89.78.23.56, fax 03.89.47.16.45, e-mail blanck-alsace@rmcnet.fr ☑ Y t.l.j. sf dim. 9h-12h 13h30-18h30; groupes sur r.-v.

ANDRE BLANCK
Riesling Ancienne Cour des Chevaliers de Malte 1997★★

☐ 1,8 ha 5 000 50 à 69 F

Essentiellement granitique, avec un sol grossier et argileux à la fois, ce terroir donne naissance à des vins aux arômes riches et fins, reflétant la diversité des minéraux qui le composent. Ce riesling en donne la meilleure expression, avec de très beaux arômes floraux accompagnés d'une pointe d'agrumes et d'une note minérale délicate. Après une attaque franche, on retrouve la même typicité dans une bouche d'une grande finesse, équilibrée et persistante.
EARL André Blanck et Fils, Ancienne Cour des Chevaliers de Malte, 68240 Kientzheim, tél. 03.89.78.24.72, fax 03.89.47.17.07 ☑ Y t.l.j. sf dim. 8h-19h

SALZMANN
Gewurztraminer Vendanges tardives 1996

☐ 0,37 ha n.c. 100 à 149 F

Terroir granitique exposé au sud, le Schlossberg a donné ce gewurztraminer au nez discret, fait de notes épicées. Bien équilibré, puissant sans grande complexité, ce 96 se fera vraiment apprécier dans un an ou deux.
Salzmann-Thomann, Dom. de l'Oberhof, 68240 Kaysersberg, tél. 03.89.47.10.26, fax 03.89.78.13.08 ☑ Y t.l.j. 8h-12h 13h30-18h30; dim. sur r.-v.

DOM. WEINBACH
Riesling Cuvée Sainte-Catherine 1997★★

☐ 1 ha 5 800 150 à 199 F

Le riesling cuvée Sainte-Catherine est l'un des fleurons de ce domaine de renom. Souvent décrit dans ce Guide, il a obtenu un coup de cœur l'an passé. Le 97 est dans la même lignée : un vin doré, aux arômes très mûrs, une grande structure, une belle matière. L'expression du terroir, encore discrète, devrait se révéler dans trois à quatre ans.
Colette Faller et ses Filles, Dom. Weinbach, Clos des Capucins, 68240 Kaysersberg, tél. 03.89.47.13.21, fax 03.89.47.38.18 ☑ Y r.-v.

ZIEGLER-MAULER
Riesling Les Murets 1997★

☐ 0,27 ha 1 500 50 à 69 F

On retrouve pour la troisième année consécutive cette cuvée, toujours bien réussie. Le nez est floral, avec une touche anisée. L'expression minérale flatte le palais, structuré, équilibré et long.
EARL J.-J. Ziegler-Mauler et Fils, 2, rue des Merles, 68630 Mittelwihr, tél. 03.89.47.90.37, fax 03.89.47.98.27 ☑ Y r.-v.

Alsace grand cru schoenenbourg

DOM. BAUMANN Riesling 1997★

☐ 0,81 ha 4 400 70 à 99 F

En 1998 J.-M. Baumann s'associe à C. Wiss afin de mieux valoriser un domaine qui compte plus de 14 ha. Ce riesling a été produit sur un terroir marneux, dolomitique et gypseux. Le nez annonce une belle maturité ; des notes florales, fruitées invitent à la découverte. L'attaque fraîche est suivie d'une expression corsée, fruitée et élégante. La petite douceur doit encore s'intégrer.
Dom. Baumann, 8, av. Méquillet, 68340 Riquewihr, tél. 03.89.47.92.14, fax 03.89.47.99.31, e-mail baumann@reperes.com ☑ Y r.-v.

HEIMBERGER Riesling 1997★

☐ 1,2 ha 9 600 50 à 69 F

Le Schoenenbourg se situe sur les coteaux dominant Riquewihr. Son exposition sud et sud-est favorise particulièrement la maturité des cépages tardifs comme le riesling. Celui-ci se révèle avec subtilité dans des nuances florales et mentholées. Des notes fruitées s'affichent dans un deuxième temps, surtout au palais. Un vin qui présente équilibre et persistance, finesse et générosité.
SICA Baron de Hoen, 20, rue de Hoen, 68980 Beblenheim, tél. 03.89.47.89.93 ☑ Y r.-v.

MARC TEMPE
Tokay-pinot gris Vendanges tardives 1996★

☐ 0,2 ha 1000 150 à 199 F

Cette jeune exploitation suit depuis 1996 les principes de la biodynamie. Elle propose un vin de vendanges tardives. D'un or profond avec quelques reflets ambrés, ce pinot gris séduit par un nez intense et complexe mariant le miel, les raisins secs et la figue. Tout aussi complexe, le palais mêle fleurs et fruits. Il fait preuve d'une fraîcheur étonnante, gage d'une bonne évolution. Un grand vin de garde dans sa jeunesse.
Marc Tempé, 16, rue du Schlossberg, 68340 Zellenberg, tél. 03.89.47.85.22, fax 03.89.47.85.22 ☑ Y r.-v.

Alsace grand cru sommerberg

ALBERT BOXLER Riesling 1997★

☐ n.c. n.c. 70 à 99 F

S'inscrivant dans un paysage pittoresque où se détache le clocher vrillé de Niedermorschwihr, le grand cru Sommerberg se caractérise par une exposition plein sud et par un sol d'arènes granitiques. Il a donné un riesling de couleur paille, au nez subtil, plutôt discret, associant des nuances florales, minérales et un soupçon d'épices. En bouche, ce vin est beaucoup plus ouvert. Fruité, ample et de bon équilibre, il gagnera en harmonie au cours des mois à venir.

EARL Albert Boxler, 78, rue des Trois-Epis, 68230 Niedermorschwihr, tél. 03.89.27.11.32, fax 03.89.27.70.14 ☑ Y r.-v.

Alsace grand cru sonnenglanz

BARON DE HOEN Tokay-pinot gris 1997

☐ 1,4 ha n.c. 50 à 69 F

Le grand cru Sonnenglanz a été délimité dès les années trente. Sur son sol assez lourd, très caillouteux, le pinot gris trouve un terroir de prédilection. D'un jaune clair très brillant, ce vin est déjà bien ouvert au nez ; il livre des arômes de fruits assortis de touches minérales agréables. Bien équilibré et typé, il accompagnera les viandes blanches (volaille).

Cave vinicole de Beblenheim, 14, rue de Hoen, 68980 Beblenheim, tél. 03.89.47.90.02, fax 03.89.47.86.85 ☑ Y t.l.j. 8h-12h 14h-18h

DOM. BOTT-GEYL
Gewurztraminer Vieilles vignes 1997★

☐ 1,05 ha 5 500 100 à 149 F

Encore un producteur qui a acquis ses lettres de noblesse. Très connue et présente sur les meilleures tables, cette maison satisfait par la qualité de ses produits les amateurs les plus difficiles. Robe jaune or soutenu, nez frais marqué par les fruits en surmaturation (fruits confits), palais extraordinairement moelleux s'apparentant à un vin de vendange tardive, harmonieux et de longue persistance, telles sont les données gustatives de ce 97. Gewurztraminer de grande garde.

Dom. Bott-Geyl, 1, rue du Petit-Château, 68980 Beblenheim, tél. 03.89.47.90.04, fax 03.89.47.97.33 ☑ Y r.-v.

Edouard Bott

Alsace grand cru spiegel

DIRLER Muscat 1997

☐ 0,21 ha 1 600 50 à 69 F

Jean-Pierre et Marthe Dirler, rejoints par leur fils Jean, affectionnent le cépage muscat. Jaune pâle à reflets verts, celui-ci offre un nez encore discret, mais aux arômes francs, nets et fins. Le palais se caractérise par un équilibre réussi et une bonne persistance. Sa fraîcheur est gage d'un bel avenir. Un vin pour ouvrir l'appétit.

EARL Dirler, 13, rue d'Issenheim, 68500 Bergholtz, tél. 03.89.76.91.00, fax 03.89.76.85.97 ☑ Y r.-v.

LOBERGER Gewurztraminer 1997★★

☐ 0,17 ha 1000 50 à 69 F

Habitué du Guide, le domaine Loberger possède des parcelles dans les grands crus Saering et Spiegel. Ce dernier, situé à l'entrée de la vallée de Guebwiller, est riche en galets gréseux. Il est dominé par le gewurztraminer. Jaune pâle dans le verre, celui-ci ne s'exprime que discrètement au nez, où des notes minérales côtoient quelques arômes de fruits confits. L'attaque est parfaite, le palais imposant, riche et puissant ; l'équilibre est déjà au rendez-vous. Un très bel ensemble qui aura une excellente évolution.

Dom. Joseph Loberger, 10, rue de Bergholtz-Zell, 68500 Bergholtz, tél. 03.89.76.88.03, fax 03.89.74.16.89 ☑ Y t.l.j. 8h30-12h 13h30-18h; dim. sur r.-v.

Alsace grand cru sporen

E. HORCHER ET FILS
Gewurztraminer 1997

☐ 0,13 ha 1000 50 à 69 F

Le grand cru Sporen constitue un cirque naturel à l'est du bourg de Riquewihr. Un sol argilo-marneux est propice à l'élaboration de vins très typés de gewurztraminer. D'un or intense à l'œil, celui-ci apparaît épicé au nez, avec une impression mentholée qui se poursuit au palais, ce qui lui confère une fraîcheur agréable. Fin, d'une bonne persistance, c'est un vin de moyenne garde.

Ernest Horcher et Fils, 6, rue du Vignoble, 68630 Mittelwihr, tél. 03.89.47.93.26, fax 03.89.49.04.92 ☑ Y t.l.j. sf dim. 8h-12h 14h-19h

ROGER JUNG ET FILS
Riesling Cuvée Arnaud 1997★

☐ 0,15 ha 1 250 70 à 99 F

Cette cuvée Arnaud porte le prénom du nouveau-né de la famille - sans doute un futur viticulteur, qui, à l'instar de son père et de son grand-père, aura la passion du sporen. Ce riesling doré conjugue fruité d'agrumes et notes minérales. Bien structuré avec un soupçon de douceur, il est typé et persistant. De bonne garde, il aura sa place dans la cave du jeune Arnaud.

Roger Jung et Fils, 23, rue de la 1re -Armée, 68340 Riquewihr, tél. 03.89.47.92.17, fax 03.89.47.87.63, e-mail rjung@terre-net.fr ☑ Y t.l.j. 10h-12h 14h-19h

ROGER JUNG ET FILS

Gewurztraminer Vendanges tardives 1996★★

☐ 0,15 ha 1 100 ▮🌡 150 à 199 F

Ce gewurztraminer du Sporen est né sur des terrains argilo-marneux qui ont assuré la parfaite maturité des raisins. De couleur or, il offre un nez de fruits cuits ou confits. Remarquable par son ampleur, sa matière et sa longueur, c'est un vin accompli mais qui pourra encore supporter un certain temps de garde.

Roger Jung et Fils, 23, rue de la 1re -Armée, 68340 Riquewihr, tél. 03.89.47.92.17, fax 03.89.47.87.63, e-mail rjung@terre-net.fr ☑ Y t.l.j. 10h-12h 14h-19h

Alsace grand cru steinert

ANTOINE MOLTES ET FILS

Tokay-pinot gris 1997★★

☐ 0,31 ha 1 600 ▮ 50 à 69 F

Cette exploitation familiale d'une dizaine d'hectares fait son entrée dans le Guide avec un très beau vin du Steinert. Ce terroir homogène, très calcaire, est recouvert d'un cailloutis qui permet aux sols de se réchauffer facilement. Il convient particulièrement au pinot gris. Celui-ci séduit d'emblée par sa robe jaune-vert limpide, d'une grande brillance, et par son nez à la fois intense et subtil de fruits confits et de fleurs. Présente et persistante, la bouche fait preuve d'un bel équilibre entre l'alcool, le sucre et l'acide.

GAEC Dom. Antoine Moltès et Fils, 8-10, rue du Fossé, 68250 Pfaffenheim, tél. 03.89.49.60.85, fax 03.89.49.50.43, e-mail gmoltes@terre-net.fr ☑ Y t.l.j. 8h-12h 14h-19h

Alsace grand cru steingrübler

JOS MOELLINGER ET FILS

Riesling 1997★★

☐ 0,2 ha 1 700 ▮▮ 30 à 49 F

Dès le XVe s., l'abbaye de Marbach possédait de nombreuses vignes dans ce terroir. Dans sa partie haute, le sol caillouteux marno-calcaire, recouvert d'éboulis et d'arènes granitiques, convient parfaitement au riesling. Assez discret par ses arômes fins d'agrumes, celui-ci présente une belle structure agrémentée d'une fraîcheur droite et persistante. Un vin typé et de caractère.

SCEA Jos. Moellinger et Fils, 6, rue de la 5e -D.-B., 68920 Wettolsheim, tél. 03.89.80.62.02, fax 03.89.80.04.94 ☑ Y t.l.j. 8h-12h 13h30-19h; dim. sur r.-v.; f. vendanges

ANDRE STENTZ

Gewurztraminer Vendanges tardives 1996

☐ 0,55 ha 2 000 ▮🌡 100 à 149 F

Le Steingrübler est situé sur le territoire de Wettolsheim. Des vins d'une grande longévité naissent sur ce terroir caractérisé par un cailloutis marno-calcaire établi sur un conglomérat calcaire. D'un jaune d'or engageant, celui-ci offre un nez tout en nuances. Au palais, il reste encore sur sa réserve. Il devrait gagner en ampleur et en harmonie.

André Stentz, 2, rue de la Batteuse, 68920 Wettolsheim, tél. 03.89.80.64.91, fax 03.89.79.59.75 ☑ Y r.-v.

STENTZ-BUECHER

Gewurztraminer 1997★

☐ 0,3 ha 1 500 ▮ 50 à 69 F

Le Steingrübler est exposé au sud-est. Ses sols caillouteux, marno-calcaires à sablo-argileux, ont une faculté de réchauffement importante. Ils sont propices aux vins chaleureux comme les gewurztraminer. La couleur vieil or de ce 97 laisse présager une grande maturité du fruit. Le nez intense est marqué par les fruits confits et les épices. La bouche allie puissance, délicatesse et longueur, avec des arômes exotiques.

Jean-Jacques Stentz-Buecher, 21, rue Kleb, 68920 Wettolsheim, tél. 03.89.80.68.09, fax 03.89.79.60.53 ☑ Y t.l.j. 8h-12h 14h-18h

Alsace grand cru steinklotz

DOM. FRITSCH Riesling Réserve 1997★

☐ n.c. n.c. 50 à 69 F

Le Steinklotz est un bloc calcaire situé en amont de Marlenheim. Les rois mérovingiens furent les premiers promoteurs de ce grand cru ! Cette cuvée présente des arômes nuancés associant de légères notes d'agrumes et de pomme. La bouche est franche, d'un bel équilibre. Une fraîcheur mature accompagne la longue finale. De belles perspectives...

EARL Romain Fritsch, 49, rue du Gal-de-Gaulle, 67520 Marlenheim, tél. 03.88.87.51.23, fax 03.88.87.51.23 ☑ Y t.l.j. 8h-19h

Alsace grand cru vorbourg

FRANCOIS BRAUN ET SES FILS
Tokay-pinot gris 1997

☐ n.c. 2 600 ▮🌡 50 à 69 F

Le Vorbourg est protégé de l'influence océanique par les hauts sommets vosgiens qui s'élèvent à proximité. Son sol marno-calcaire, aéré par des galets, convient aux grands cépages. De couleur jaune paille, ce pinot gris présente un nez d'agrumes. Elégant, d'une grande finesse, ce vin apparaît bien corsé, ce qui lui permet d'affronter les mets les plus relevés. A attendre.

🔑 EARL François Braun et Fils, 19, Grand-Rue, 68500 Orschwihr, tél. 03.89.76.95.13, fax 03.89.76.10.97 ☒ 🍷 t.l.j. sf dim. 8h-11h30 13h30-18h

HUNOLD Gewurztraminer 1997★★

☐ 0,57 ha 4 000 ▮🌡 50 à 69 F

Du Vorbourg naissent des vins fruités et floraux comme ce gewurztraminer d'un jaune d'or intense, dont le nez puissant révèle des arômes de surmaturation - miel, litchi, fruits confits. On retrouve la même puissance fruitée en attaque. Un vin persistant, qui a déjà son harmonie, faite d'une rondeur délicate et d'une belle vivacité.

🔑 EARL Bruno Hunold , 29, rue aux Quatre-Vents, 68250 Rouffach, tél. 03.89.49.60.57, fax 03.89.49.67.66 ☒ 🍷 t.l.j. 8h30-12h 14h-19h; dim. 8h30-12h

CLOS SAINT-LANDELIN
Tokay-pinot gris Sélection de grains nobles 1996★★

☐ 2,7 ha 1000 🛢 300 à 499 F

A la fin de la guerre de Trente Ans (1648), de nombreux colons suisses s'installèrent en Alsace, alors ravagée par le conflit. Michel Muré, à l'origine de l'actuel domaine, figure parmi ces pionniers. Ainsi perdure un vignoble réputé depuis le VIII^{e}s. Il a donné naissance à un pinot gris d'un vieil or brillant, au nez puissant associant arômes confits et senteurs de sous-bois. De très grande tenue, d'une belle harmonie, le palais conjugue ampleur, onctuosité, volume, élégance et finesse.

🔑 René Muré, Clos Saint-Landelin, rte du Vin, 68250 Rouffach, tél. 03.89.78.58.00, fax 03.89.78.58.01, e-mail rene@mure.com.fr ☒ 🍷 r.-v.

Alsace grand cru wineck-schlossberg

JEAN-PAUL ECKLE Riesling 1997★

☐ 0,21 ha 2 200 🛢 50 à 69 F

Le millésime précédent, dans le même grand cru, avait obtenu un coup de cœur. Sans atteindre de tels sommets, le 97 donne toute satisfaction. Habillé de jaune pâle, il offre un nez intense où les notes florales sont enveloppées par des nuances de fruits confits. La bouche est d'une belle harmonie, même si certains dégustateurs regrettent une rondeur marquée. A attendre deux ou trois ans.

🔑 Jean-Paul Ecklé, 29, Grand-Rue, 68230 Katzenthal, tél. 03.89.27.09.41, fax 03.89.80.86.18 ☒ 🍷 t.l.j. 8h-12h 14h-18h

KLUR-STOECKLE Riesling 1997★

☐ 1,2 ha 10 000 30 à 49 F

La viticulture est présente depuis au moins sept cents ans dans ce terroir. Les sols sur granite à deux micas donnent des vins typés et racés, comme ce riesling aux notes fruitées et minérales assez discrètes, qui se distingue par sa fraîcheur au palais. Des saveurs d'agrumes accompagnent la finale de bonne longueur.

🔑 Klur-Stoecklé, 68230 Katzenthal, tél. 03.89.27.24.61, fax 03.89.27.33.61, e-mail katz@newel.net ☒ 🍷 t.l.j. 8h-12h 13h30-19h; dim. 8h-12h

MEYER-FONNE
Gewurztraminer Vendanges tardives 1996★

☐ 0,2 ha 900 ▮🌡 100 à 149 F

Ce domaine est établi à Katzenthal, village attachant, lové dans son vallon au milieu des vignes. Il propose un gewurztraminer vendanges tardives de très bonne tenue. Jaune d'or, ce vin est épicé, légèrement fumé au nez. Le palais, d'un bon équilibre, laisse entrevoir un potentiel important. Ce 96 s'exprimera pleinement dans un an ou deux.

🔑 Meyer-Fonné, 24, Grand-Rue, 68230 Katzenthal, tél. 03.89.27.16.50, fax 03.89.27.34.17 ☒ 🍷 r.-v.

🔑 François Meyer

MEYER-FONNE Riesling 1997

☐ 0,34 ha 2 000 🛢 70 à 99 F

Les arômes très délicats, principalement floraux, ne se libèrent qu'après un peu de patience. En bouche, on découvre une belle matière et une rondeur sucrée - trop ? - qui traduit la surmaturation. Un riesling féminin.

🔑 Meyer-Fonné, 24, Grand-Rue, 68230 Katzenthal, tél. 03.89.27.16.50, fax 03.89.27.34.17 ☒ 🍷 r.-v.

ALBERT SCHOECH Riesling 1997★

☐ 2,4 ha 17 500 ▮🌡 50 à 69 F

Bien présent au nez par des nuances florales et quelques notes torréfiées, ce vin séduit au palais par son harmonie, son équilibre parfait et sa finale marquée par la fraîcheur.

🔑 Albert Schoech, pl. du Vieux-Marché, 68770 Ammerschwihr, tél. 03.89.78.23.17, fax 03.89.27.51.24

> Sachez ranger votre cave : les blancs près du sol, les rouges au-dessus ; les vins de garde dans les rangées du fond, les bouteilles à boire en situation frontale. Et n'oubliez pas le livre de cave....

Alsace grand cru winzenberg

RENE KIENTZ FILS Riesling 1997

☐ 0,2 ha 1 500 30 à 49 F

Ce riesling, encore discret au nez, malgré quelques touches citronnées, s'exprime mieux en bouche dans une structure équilibrée. Il aurait pu être plus long, mais ne manque pas d'agrément.

René Kientz Fils, 49, rte du Vin, 67650 Blienschwiller, tél. 03.88.92.49.06, fax 03.88.92.45.87 r.-v.

STRAUB Riesling 1997★

☐ 0,28 ha 2 500 50 à 69 F

Bénéficiant d'un microclimat grâce à son exposition au sud et au sud-est, le Winzenberg a engendré un riesling qui, tant au nez qu'en bouche, porte la marque de son terroir granitique : nez subtil, frais et élégant, avec quelques touches de fruits, bouche toujours fraîche, finale tout en dentelle.

Jean-Marie Straub, 126, rte du Vin, 67650 Blienschwiller, tél. 03.88.92.40.42, fax 03.88.92.40.42 r.-v.

Alsace grand cru zinnkoepflé

LEON BOESCH ET FILS
Gewurztraminer Vendanges tardives 1996★★

☐ 0,5 ha 3 000 100 à 149 F

Au service du vin depuis 1832, la famille Boesch a particulièrement réussi ce gewurztraminer de vendanges tardives : une livrée jaune d'or montrant un disque épais, un nez d'une extrême finesse, marqué par les épices (le cumin), un palais complexe, tout en rondeur, sans aucune aspérité, annoncent un grand vin.

Léon Boesch et Fils, 4, rue du Bois, 68570 Soultzmatt, tél. 03.89.47.01.83, fax 03.89.47.64.95 t.l.j. sf dim. 9h30-11h30 14h-18h

Gérard Boesch

JEAN-MARIE HAAG
Gewurztraminer Vendanges tardives 1996

☐ 0,26 ha 1000 100 à 149 F

Les raisins qui ont donné cette vendange tardive ont été récoltés le 10 décembre 1996. Une partie provient de très vieilles vignes, plantées en 1920 et 1921 sur le coteau calcaro-gréseux du Zinnkoepflé. Jaune intense à l'œil, ce vin apparaît discret au nez. Au palais, il laisse deviner un potentiel intéressant, avec une belle rondeur, une longueur acceptable, une fraîcheur agréable. Il peut être dégusté dès maintenant. (bouteille de 50 cl)

Jean-Marie Haag, 17, rue des Chèvres, 68570 Soultzmatt, tél. 03.89.47.02.38, fax 03.89.47.64.79 t.l.j. 9h-12h 14h-18h; dim. et groupes sur r.-v.; f. vendanges

SEPPI LANDMANN
Tokay-pinot gris 1997★

☐ 0,25 ha 1 400 70 à 99 F

Seppi Landmann est à la tête d'un domaine viticole fondé il y a plus de quatre siècles. Il cherche à élaborer des vins de longue garde. D'un jaune d'or brillant, celui-ci exprime malgré son caractère encore fermé des arômes de surmaturation. Sa bouche bien équilibrée, dominée cependant par le sucre, est d'une bonne persistance. Un vin pour l'instant assez lourd, mais qui s'affinera avec le temps.

Seppi Landmann, 20, rue de la Vallée, 68570 Soultzmatt, tél. 03.89.47.09.33, fax 03.89.47.06.99, e-mail seppi.landmann@wanadoo.fr r.-v.

ERIC ROMINGER
Riesling Les Sinneles 1997★

☐ 0,6 ha 2 500 70 à 99 F

Le calcaire coquillier de ce grand cru recèle de petits fossiles en forme de soleil, d'où la dénomination de ce terroir par ailleurs inondé de soleil grâce à son exposition sud-sud-est. Ce riesling présente un nez dominé par des notes de surmaturation : fruits confits, épices et miel. Au palais, la richesse et le gras triomphent, marquant la finale, belle mais un peu lourde. Un vin voluptueux !

Eric Rominger, 6, rue de l'Eglise, 68500 Bergholtz, tél. 03.89.76.14.71, fax 03.89.74.81.44 r.-v.

ERIC ROMINGER
Tokay-pinot gris Vendanges tardives 1996★

☐ 0,3 ha 1000 100 à 149 F

Le Zinnkoepflé produit des vins réputés pour leurs arômes délicats et complexes. Eric Rominger en tire régulièrement de remarquables cuvées. Ce pinot gris jaune d'or dévoile des parfums typiques, qui évoquent une corbeille de fruits confits. Au palais, il laisse apparaître beaucoup de fraîcheur, une grande finesse et une belle longueur.

Eric Rominger, 6, rue de l'Eglise, 68500 Bergholtz, tél. 03.89.76.14.71, fax 03.89.74.81.44 r.-v.

DOM. SCHIRMER Gewurztraminer 1997★

☐ 0,2 ha n.c. 50 à 69 F

Terroir précoce, où l'on trouve des espèces méditerranéennes, le Zinnkoepflé donne des gewurztraminer de haute expression. Jaune d'or à reflets verts, celui-ci révèle des caractères de surmaturation avec ses arômes de fruits confits qui se prolongent au palais, accompagnés d'une grande puissance. La finale est persistante. Une très belle harmonie.

EARL Lucien Schirmer et Fils, 22, rue de la Vallée, 68570 Soultzmatt, tél. 03.89.47.03.82, fax 03.89.47.02.33 t.l.j. 8h-12h 13h-20h

DOM. SCHLEGEL-BOEGLIN
Riesling 1997**

□ 0,5 ha 2 000 30 à 49 F

Quand le talent du vigneron s'allie aux atouts d'un grand terroir, l'amateur est comblé ! Le terroir ? Un massif à dominante calcaire exposé plein sud, protégé de l'humidité océanique par les plus hauts sommets des Vosges - ses pelouses sèches abritent des espèces méditerranéennes. Le vigneron, c'est Jean-Luc Schlegel, qui a repris le domaine de ses parents en 1991. De ce terroir privilégié, il a su tirer le meilleur, témoin les trois vins décrits cette année. Ce riesling affiche des notes d'agrumes très mûrs, d'orange confite, avec un léger grillé. Le fruité éclate de nouveau au palais, où l'harmonie est liée au gras et à la charpente bien mature. La finale est longue. Coup de cœur ! Un vin à boire pour lui-même.

➡ Dom. Schlegel-Boeglin, 22, rue d'Orschwihr, 68250 Westhalten, tél. 03.89.47.00.93, fax 03.89.47.65.32 ☑ Y t.l.j. sf dim. 8h-12h 14h-18h

DOM. SCHLEGEL-BOEGLIN
Riesling Réserve de la Vallée Noble 1997*

□ 0,5 ha 300 150 à 199 F

Avec sa couleur paille dorée, ce riesling n'est pas du type classique. Des fruits épicés et confits annoncent l'ampleur d'une « sacrée », d'une « formidable » matière. Dense, riche, puissant, rond et gras, ce vin n'en est pas moins élégant, malgré une petite note de marc. Un riesling pour des petits fours.

➡ Dom. Schlegel-Boeglin, 22, rue d'Orschwihr, 68250 Westhalten, tél. 03.89.47.00.93, fax 03.89.47.65.32 ☑ Y t.l.j. sf dim. 8h-12h 14h-18h

DOM. SCHLEGEL-BOEGLIN
Tokay-pinot gris Vendanges tardives 1997**

□ 0,2 ha 1 200 50 à 69 F

Il n'est pas loin du coup de cœur, ce pinot gris d'un jaune d'or très brillant, au nez intense de fruits confits, de coing, d'abricot et d'écorce d'orange, avec des nuances de rose. On retrouve des notes de coing dans un palais plein, riche, puissant et gras qui fait penser à une vendange tardive. Un vin remarquable, de grande persistance. Rapport qualité-prix particulièrement intéressant.

➡ Dom. Schlegel-Boeglin, 22, rue d'Orschwihr, 68250 Westhalten, tél. 03.89.47.00.93, fax 03.89.47.65.32 ☑ Y t.l.j. sf dim. 8h-12h 14h-18h

CH. WAGENBOURG Riesling 1997*

□ 0,18 ha 1 300 ⓘ 30 à 49 F

S'élevant jusqu'à 420 m d'altitude, ce terroir calcaro-gréseux est considéré comme le « toit » du vignoble alsacien. Une couleur or pâle pour ce riesling qui exprime un léger fruité d'agrumes, tant au nez qu'au palais. L'attaque est franche, la bouche équilibrée jusqu'en finale. Le terroir devrait s'exprimer dans deux à trois ans.

➡ EARL Joseph et Jacky Klein, Ch. Wagenbourg, 68570 Soultzmatt, tél. 03.89.47.01.41, fax 03.89.47.65.61 ☑ Y t.l.j. sf dim. 8h-12h 13h30-19h

A WISCHLEN Tokay-pinot gris 1997

□ 0,4 ha 2 600 100 à 149 F

Cette modeste exploitation familiale (5 ha) élabore des cuvées estimables, comme ce pinot gris. S'il affiche une robe jaune d'or, son nez reste discret, laissant apparaître quelques notes grillées. Sa grande puissance s'exprime de manière très capiteuse en bouche. Un vin charpenté, bien typé.

➡ François Wischlen, 4, rue de Soultzmatt, 68250 Westhalten, tél. 03.89.47.01.24, fax 03.89.47.62.90 ☑ Y r.-v.

Alsace grand cru zotzenberg

BOECKEL Riesling 1997

□ 0,55 ha 3 500 ⓘ 50 à 69 F

Ce terroir a trouvé ses lettres de noblesse grâce à l'expression toujours appréciée du sylvaner qui y était traditionnellement planté. Aujourd'hui, riesling, gewurztraminer et pinot gris prennent progressivement la place de ce cépage. Est-ce vraiment une bonne évolution ? Ce riesling est fin, encore un peu discret, mais la note minérale est déjà présente. De bonne vivacité, il est de structure correcte, sans gras. On retrouve le côté minéral en finale.

➡ Dom. Emile Boeckel, 2, rue de la Montagne, 67140 Mittelbergheim, tél. 03.88.08.91.91, fax 03.88.08.91.88 ☑ Y r.-v.

Crémant d'alsace

La création de cette appellation, en 1976, a donné un nouvel essor à la production de vins effervescents élaborés selon la méthode traditionnelle, qui existait depuis longtemps à une échelle réduite. Les cépages qui peuvent entrer dans la composition de ce produit de plus en plus apprécié sont le pinot blanc, l'auxerrois, le pinot gris, le pinot noir, le riesling et le chardonnay. La production de crémant d'Alsace a atteint 141 339 hl en 1996, représentant 12,1 % de la production d'AOC en Alsace.

RENE BARTH 1996★

○ 0,35 ha 4 000 ▮🌡 30 à 49 F

Ce domaine familial de 5 ha a été repris en 1989 par Michel Fonné, neveu de René Barth. Œnologue, il travaille sur l'expression des terroirs. 60 % de pinot auxerrois et 40 % de pinot noir, issus de graves et de sols sablonneux, composent ce crémant qui présente des arômes complexes de fruits très mûrs. Riche et bien structuré, il est à déguster sans attendre.

⊶ Dom. René Barth Succ. Michel Fonné, 24, rue du Gal-de-Gaulle, 68630 Bennwihr, tél. 03.89.47.92.69, fax 03.89.49.04.86 ☒ Y r.-v.

PIERRE BECHT 1996★

○ 2 ha 20 000 ▮ 30 à 49 F

Cette exploitation familiale n'a que vingt années d'existence mais elle s'impose déjà, tant par la qualité de ses vins que par l'engagement professionnel de son propriétaire. Ce crémant témoigne de la réussite du domaine. Finement floral, il s'annonce avec élégance. Au palais, la fraîcheur semble dominée par la douceur du dosage, mais l'harmonie est plaisante, avec beaucoup de nuances dans l'expression du fruité.

⊶ Pierre Becht, 26, fg des Vosges, 67120 Dorlisheim, tél. 03.88.38.18.22, fax 03.88.38.87.81, e-mail pbecht@terre-net.fr ☒ Y t.l.j. 8h30-11h 14h-18h; dim. sur r.-v.

BRUT DE BECKER Blanc de blancs 1996★

○ 1 ha 5 000 ▮🌡 50 à 69 F

Zellenberg, situé sur un éperon, offre un beau point de vue sur le vignoble et la plaine. Jean Becker a pris en 1980 la direction de cette maison créée au début du XVIIes. Ce crémant, né d'une forte proportion de chardonnay (80 %) et de pinot blanc, se révèle par un nez intense, très floral, et un fruité frais accompagné de quelques nuances végétales. Au palais, fleurs et fruits se mêlent avec élégance. Bien typé 96, un vrai séducteur.

⊶ Dom. Jean Becker, 4, rte d'Ostheim, 68340 Zellenberg, tél. 03.89.47.90.16, fax 03.89.47.99.57 ☒ Y t.l.j. 8h-12h 14h-17h; sam. dim. 10h-12h 15h-17h

BESTHEIM★

○ n.c. n.c. ▮🌡 30 à 49 F

Bestheim est la marque de la Coopérative des vignerons réunis de Bennwihr dont la création remonte à 1946. Depuis, la recherche qualitative, principal objectif des coopératives, a souvent été couronnée de succès. Cette cuvée sous étiquette bleue donne une mousse fine et persistante. Les arômes plutôt floraux sont fins et racés. En bouche, fraîcheur et fruité rendent ce crémant très agréable et permettent de le conseiller pour l'apéritif.

⊶ Bestheim, 3, rue du Gal-de-Gaulle, 68630 Bennwihr, tél. 03.89.49.09.29, fax 03.89.49.09.20 ☒ Y t.l.j. 9h-12h 14h-18h

EMILE BEYER Cuvée Prestige 1996★

○ 1,97 ha 13 500 30 à 49 F

Située à quelques pas du château octogonal, au centre d'Eguisheim, la cave Emile Beyer est marquée par l'histoire : Turenne y logea en 1675. Ce crémant assemblant 20 % de riesling au pinot blanc se présente avec élégance : mousse fine, robe brillante à reflets jaunes, nez léger, fin, aux nuances florales. La continuité aromatique est assurée au palais où la fraîcheur est belle et agréable en finale. Vin flatteur.

⊶ Maison Emile Beyer, 7, pl. du Château, 68420 Eguisheim, tél. 03.89.41.40.45, fax 03.89.41.64.21, e-mail info@émile-beyer.fr ☒ Y t.l.j. 9h-12h 14h-18h; groupes sur r.-v.

BLANCK 1997★★★

◐ 0,17 ha 2 400 ⦀ 50 à 69 F

Depuis 1982, Robert Blanck est à la tête de ce domaine familial qui trouve ses origines en 1732. Il a su maintenir une grande tradition viticole dans une cave exclusivement équipée de fûts de chêne. Ce crémant y a mûri durant six mois avant la mise en bouteille et la prise de mousse. La robe présente un rosé bien soutenu. Les arômes de fruits rouges étonnent par leur fraîcheur qui contraste avec l'ampleur et l'équilibre qui s'affirment en bouche. « A mettre dans sa cave » précise un dégustateur, et à servir à table sur des viandes blanches.

⊶ Robert Blanck, 167, rte d'Ottrott, 67210 Obernai, tél. 03.88.95.58.03, fax 03.88.95.04.03 ☒ Y t.l.j. 8h-12h 14h-19h

MAXIME BRAND 1997★

◐ 0,38 ha 4 300 ⦀ 30 à 49 F

Ce vignoble se situe à l'emplacement d'un village disparu en 1741 dont il ne reste qu'une petite chapelle restaurée dédiée à saint Michel, **Rimmler Kapelle**, nom de la **cuvée blanche** issue à 100 % de pinot blanc, que le jury a retenue, la citant dans le millésime **97**. Le pinot noir a donné naissance à ce rosé dont les arômes de fruits rouges sont encore discrets au nez mais s'affichent mieux au palais. L'ensemble gagnera encore en harmonie d'ici fin 99.

⊶ Maxime Brand, 15, rue Principale, 67120 Ergersheim, tél. 03.88.38.18.87, fax 03.88.49.84.44 ☒ Y r.-v.

PAUL BUECHER Cuvée Prestige 1996

○ 400 ha 40 000 ▮🌡 30 à 49 F

Ce domaine familial de 25 ha se consacre à la production de crémant depuis 1978. Celui-ci offre une mousse fine et des arômes floraux assez discrets. Il s'affirme davantage en bouche par une bonne fraîcheur, même s'il se montre un peu nerveux. On retrouve les fleurs, accompagnées d'un soupçon de fumé.

Paul Buecher, 15, rue Sainte-Gertrude, 68920 Wettolsheim, tél. 03.89.80.64.73, fax 03.89.80.58.62 t.l.j. sf dim. 8h-12h 14h-18h

FRANCOIS FLESCH ET FILS 1996

○ 0,6 ha 7 000 30 à 49 F

En 1998 Jean-Luc, fils de François Flesch, a rejoint l'exploitation familiale dont les origines remontent à plusieurs générations. Ce crémant offre une robe jaune pâle et une agréable effervescence. Les arômes délicats, plutôt floraux, se retrouvent au palais, enveloppés par une bonne fraîcheur.

GAEC François Flesch et Fils, 20, rue du Stade, 68250 Pfaffenheim, tél. 03.89.49.66.36, fax 03.89.49.74.71 t.l.j. 8h-12h 14h-19h; dim. sur r.-v.

KIEFFER Blanc de noirs 1996★★

○ 0,6 ha 4 000 30 à 49 F

Le circuit « vin et gastronomie » passe par ce village. Ces vignerons vous accueilleront dans leur restaurant familial, où vous pourrez déguster ce blanc de noirs. Il plaît par son fruité et surtout par son ampleur, son équilibre et sa belle longueur.

Jean-Charles Kieffer, 7, rte des Vins, 67140 Itterswiller, tél. 03.88.85.59.80, fax 03.88.57.81.44 t.l.j. 8h-12h 14h-19h

KLEIN-BRAND 1996★

○ 3 ha 23 000 30 à 49 F

Cette exploitation familiale se situe au cœur de la vallée Noble, là où s'expriment parfaitement les vins de terroir. Ce crémant 96 dans lequel 10 % de chardonnay complète le pinot blanc présente une mousse fine et agréable. La couleur jaune pâle annonce les arômes fruités, fins, et très balsamiques. Au palais, l'harmonie est parfaite. « Un vin typé et bien fait », note le jury.

Klein-Brand, 96, rue de la Vallée, 68570 Soultzmatt, tél. 03.89.47.00.08, fax 03.89.47.65.53 t.l.j. sf dim. 8h-12h 13h30-18h

KLUR-STOECKLE 1997★

○ 2 ha 24 000 30 à 49 F

A Katzenthal, on peut encore admirer le donjon de l'ancien château du Wineck (vers 1200). C'est dans ce coquet village que les deux cousins Clément Klur et Jean-Luc Stoecklé ont produit cette cuvée aux reflets dorés. Au nez, ce crémant paraît d'abord fermé, puis il s'ouvre sur des notes florales et fruitées. En bouche, l'attaque est ronde, ensuite le fruité s'affirme dans une fraîcheur intéressante et longue.

Klur-Stoecklé, 68230 Katzenthal, tél. 03.89.27.24.61, fax 03.89.27.33.61, e-mail katz@newel.net t.l.j. 8h-12h 13h30-19h; dim. 8h-12h

FRITZ KOBUS 1997★★

○ n.c. 80 000 30 à 49 F

Le centre historique d'Obernai est riche en édifices des XVe et XVIes. Son attrait touristique se double de l'attrait gastronomique et du bien vivre. Fritz Kobus, marque de la coopérative d'Obernai, en est tout un symbole. Une belle mousse agrémente la robe or pâle paillé. Un fruité intense et racé accompagne une fraîcheur joliment persistante au palais. A servir sur poisson froid.

Cave vinicole d'Obernai, 30, rue du Gal-Leclerc, 67210 Obernai, tél. 03.88.47.60.20, fax 03.88.47.60.22 r.-v.

KOEHLY Saint-Urbain blanc de noirs 1996

○ 0,5 ha 3 900 30 à 49 F

Cette cave se situe dans la maison de maître construite par les Compagnons du tour de France. Les pierres de taille et le colombage sont remarquables. Ce crémant étonne par son nez de fruits rouges ; mais n'est-il pas issu à 100 % de pinot noir ? Le fruité accompagne toute la dégustation.

Jean-Marie Koehly, 64, rue du Gal-de-Gaulle, 67600 Kintzheim, tél. 03.88.82.09.77, fax 03.88.82.70.49 t.l.j. 8h-19h; f. 24 déc.-3 janv.

KROSSFELDER Tokay-pinot gris 1996

○ n.c. n.c. 50 à 69 F

La cave de Dambach-la-Ville fait partie depuis quelques années du groupe Wolfberger. Son crémant est très marqué par le cépage : d'un jaune bien affirmé, il développe des arômes intenses et envahit le palais avec opulence, souplesse et persistance.

Krossfelder, 37, rue de la Gare, 67650 Dambach-la-Ville, tél. 03.88.92.40.03, fax 03.88.92.42.89 r.-v.

MOELLINGER 1997★★

○ 0,52 ha 5 500 30 à 49 F

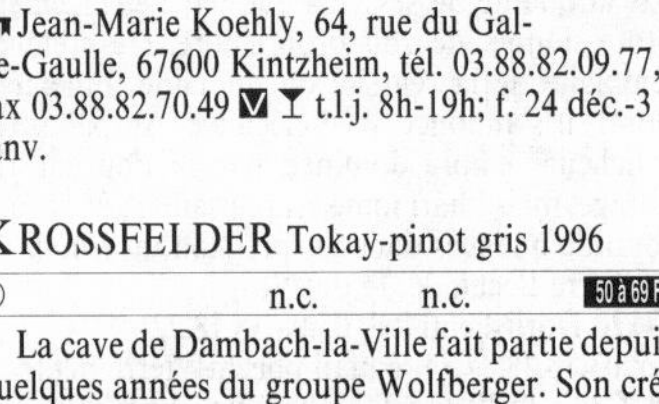

Cette exploitation familiale a bénéficié au cours des cinquante dernières années d'importants développements. Aujourd'hui elle compte près de 14 ha. Ce crémant assemble 95 % de pinot auxerrois et de pinot blanc. Or pâle, il offre des arômes délicats et fins où fleurs blanches et notes grillées se marient. Au palais, il développe une fraîcheur fruitée agréable, dans un équilibre bien élégant.

SCEA Jos. Moellinger et Fils, 6, rue de la 5e -D.-B., 68920 Wettolsheim, tél. 03.89.80.62.02, fax 03.89.80.04.94 t.l.j. 8h-12h 13h30-19h; dim. sur r.-v.; f. vendanges

GILBERT RUHLMANN FILS 1996★★

○ 0,8 ha 5 500 ■ 🌡 30 à 49 F

Guy Ruhlmann accède en 1997 à la tête de la propriété familiale. La mise en pratique de techniques récentes conduit à de bons résultats comme le prouve cette méthode traditionnelle élaborée à partir de 60 % de pinot blanc et 40 % de riesling. Les arômes sont fins, tantôt floraux, tantôt fruités. Après une bonne attaque, le vin se montre équilibré, assez nerveux. Son fruit est persistant.

⊶ Gilbert Ruhlmann Fils,
31, rue de l'Ortenbourg, 67750 Scherwiller,
tél. 03.88.92.03.21, fax 03.88.82.30.19 ☒ Y t.l.j.
8h-12h 13h-19h; dim. sur r.-v.

⊶ Guy Ruhlmann

MICHEL SCHERB 1996★

○ 0,8 ha 8 000 ■ 30 à 49 F

L'étiquette de ce crémant est ornée d'un graphisme rayonnant, à l'image du rayonnement de la fête de l'Amitié qui anime tout Gueberschwihr à la fin du mois d'août. Ce 96 se distingue par sa couleur (un doré clair) et par son fruité fin et net. Au palais, les notes florales et fruitées (pêche) sont accompagnées de nuances balsamiques. Equilibré, bien structuré et long, ce crémant est très apprécié.

⊶ Michel Scherb, 16, rue Haute,
68420 Gueberschwihr, tél. 03.89.49.26.82,
fax 03.89.49.39.06 ☒ Y r.-v.

THIERRY SCHERRER
Cuvée Thierry 1996★

○ 0,65 ha 5 000 ■ 30 à 49 F

Thierry Scherrer a repris l'exploitation familiale en 1999 après quinze années d'activité d'œnologue dans les meilleures maisons d'Alsace et de Champagne. Il n'est pas étonnant qu'il réussisse de belles cuvées de crémant. Celle-ci se présente en robe à nuances jaunes et à mousse persistante. Le nez est léger, mais en bouche, ampleur et fraîcheur se conjuguent ; les arômes y sont plus marqués, avec des notes épicées, grillées et minérales affirmées. Un vin élégant assemblant à parts égales pinot blanc et pinot auxerrois issus de terroirs divers.

⊶ Thierry Scherrer, 1, rue de la Gare,
68770 Ammerschwihr, tél. 03.89.47.15.86,
fax 03.89.47.15.86 ☒ Y r.-v.

PAUL SCHNEIDER 1996

○ 1,5 ha 10 000 ■ 🌡 30 à 49 F

Le domaine Paul Schneider a pour siège l'ancienne cour dimière située au cœur de la bourgade médiévale d'Eguisheim. Ce crémant est agréablement fruité (pomme-abricot). L'équilibre repose sur une bonne fraîcheur qui exalte le fruit.

⊶ Paul Schneider et Fils, 1, rue de l'Hôpital,
68420 Eguisheim, tél. 03.89.41.50.07,
fax 03.89.41.30.57 ☒ Y t.l.j. 8h30-11h30
13h30-18h30; dim. sur r.-v.

CHRISTIAN SCHWARTZ 1997★

○ 0,4 ha 4 500 ■ 30 à 49 F

La vocation viticole de ce village remonte au VIII[e]s. Cette activité est aujourd'hui nettement prépondérante grâce à l'implication de jeunes vignerons comme Christian Schwartz. Ce 97 est d'un beau jaune soutenu avec une mousse élégante. Les caractères du cépage dominant - le pinot gris (65 %) - s'affirment par des arômes intenses - une note fumée - et une structure bien établie en bouche. Fort agréable !

⊶ Christian Schwartz, 107, rue de l'Ungersberg,
67650 Blienschwiller, tél. 03.88.92.41.73,
fax 03.88.92.63.06 ☒ Y r.-v.

SPITZ ET FILS
Fronholz Blanc de noirs 1996★★

○ 0,54 ha 6 200 ■ 50 à 69 F

Dominique Spitz est à la tête de ce domaine d'origine familiale depuis 1983. En quinze ans, il a rénové l'équipement de sa cave ; le résultat est remarquable pour ce blanc de noirs (100 % pinot noir). Sa robe présente des reflets rosés ; ses arômes sont fins, tout en nuances de cassis. En bouche, le vin domine par l'ampleur, la fraîcheur et la longueur aromatique.

⊶ Spitz et Fils, 2, rte du Vin,
67650 Blienschwiller, tél. 03.88.92.61.20,
fax 03.88.92.61.26 ☒ Y r.-v.

⊶ Dominique et M.-Claude Spitz

STRUSS Brut de riesling 1996★

○ 0,25 ha 2 750 ■ 30 à 49 F

Si en Alsace il existe de nombreuses maisons à colombage, c'est dans ce village situé à 7 km de Colmar que vous trouverez la seule église dont le clocher présente cette caractéristique architecturale. Notons aussi que le crémant issu de 100 % de riesling est peu fréquent. Celui-ci se distingue par de discrets arômes de type agrumes. Après une belle attaque, la fraîcheur est marquée. L'ensemble est bien équilibré.

⊶ André Struss et Fils, 16, rue Principale,
68420 Obermorschwihr, tél. 03.89.49.36.71,
fax 03.89.49.37.30 ☒ Y r.-v.

⊶ Philippe Struss

VORBURGER 1996★

○ 0,46 ha 5 000 ■ 30 à 49 F

Cette exploitation familiale se fait connaître à partir de 1958 lorsque ses vins sont mis en bouteille à la propriété. Depuis plusieurs années, Jean-Pierre Vorburger s'attache à respecter l'environnement. Avec une dominante fruitée, ce crémant à base de pinot blanc (80 %) auquel s'ajoute 20 % de tokay pinot gris affiche équilibre, finesse, fraîcheur et persistance.

⊶ EARL Jean-Pierre Vorburger et Fils, 3, rue
de la Source, 68420 Voegtlinshoffen,
tél. 03.89.49.35.52, fax 03.89.49.35.52 ☒ Y t.l.j.
sf dim. 8h-12h 13h-19h

CH. WANTZ Carte noire 1996★

○ n.c. 20 000 ■ 🌡 30 à 49 F

Barr, bourgade touristique, se situe au pied du mont Sainte-Odile. On peut y admirer la tour romane de l'église, l'hôtel de ville du XVII[e]s., le musée de la Folie Marco... et visiter la cave de ce bon négociant. Ce crémant Carte noire révèle une belle effervescence dans une robe jaune pâle. Au nez il est d'abord neutre, mais franc, puis il libère des notes exotiques. La bonne fraîcheur au

palais et le fruité en retour lui donnent une bonne harmonie.
SA Charles Wantz, 36, rue Saint-Marc, 67140 Barr, tél. 03.88.08.90.44, fax 03.88.08.54.61 r.-v.

Au restaurant, il est conseillé de choisir un « petit » vin sur un menu préétabli, et de composer son menu à partir d'un grand vin ; mais en accordant les niveaux respectifs de qualité des mets et des vins.

WOLFBERGER 1996

○ n.c. n.c. 30 à 49 F

Wolfberger a été dès 1971 la première coopérative à promouvoir le vin effervescent qui accéda à l'AOC en 1975. Ce 96 issu de pinot blanc, d'un bel or pâle, offre un fin perlé et des arômes de fruits jaunes et verts. En bouche, l'harmonie repose sur la rondeur et un peu de fraîcheur. Il doit être bu dès maintenant.
Wolfberger, 6, Grand-Rue, 68420 Eguisheim, tél. 03.89.22.20.20, fax 03.89.23.47.09 r.-v.

Les vins de l'Est

Les vignobles des Côtes de Toul et de la Moselle restent les deux seuls témoins d'une viticulture lorraine autrefois florissante. Florissant, le vignoble lorrain l'était par son étendue, supérieure à 30 000 ha en 1890. Il l'était aussi par sa notoriété. Les deux vignobles connurent leur apogée à la fin du XIXe s. Dès cette époque, plusieurs facteurs se conjuguèrent pour entraîner leur déclin : la crise phylloxérique, qui introduisit l'usage de cépages hybrides de moindre qualité ; la crise économique viticole de 1907 ; la proximité des champs de bataille de la Première Guerre mondiale ; l'industrialisation de la région, à l'origine d'un formidable exode rural. Ce n'est qu'en 1951 que les pouvoirs publics reconnurent l'originalité de ces vignobles et définirent les côtes de toul et vins de moselle, les rangeant ainsi définitivement parmi les grands vins de France.

Côtes de toul

Situé à l'ouest de Toul et du coude caractéristique de la Moselle, le vignoble se trouve sur le territoire de huit communes qui s'échelonnent le long d'une côte résultant de l'érosion de couches sédimentaires du Bassin parisien. On y rencontre des sols de période jurassique, composés d'argiles oxfordiennes, avec des éboulis calcaires en notable quantité, très bien drainés et d'exposition sud ou sud-est. Le climat semi-continental qui renforce les températures estivales est favorable à la vigne. Toutefois, les gelées de printemps sont fréquentes.

Le gamay domine toujours, bien qu'il régresse sensiblement au profit du pinot noir. L'assemblage de ces deux cépages produit des vins gris caractéristiques, obtenus par pressurage direct. En outre, le décret précise l'obligation d'assembler au minimum 10 % de pinot noir au gamay en superficie pour la production de gris, ceci conférant au vin une plus grande rondeur. Le pinot noir seul, vinifié en rouge, donne des vins corsés et agréables, l'auxerrois d'origine locale, en progression constante, des vins blancs tendres.

La vigne couvre actuellement près de 100 ha, qui assurent une production parfois supérieure à 6 000 hl.

Parfaitement fléchée au départ de Toul, une route du Vin et de la Mirabelle parcourt le vignoble.

Ce vignoble vient d'accéder à l'appellation d'origine contrôlée (décret du 31 mars 1998).

VINCENT GORNY
Vin gris Cuvée sélection 1998★

◪ 1,2 ha 11 000 ▮ 20 à 29 F

Ce vin gris est composé de 85 % de gamay, complété par du pinot noir, tous deux issus d'un sol argilo-calcaire. Il s'annonce par une robe gris intense, affichant un nez harmonieux et fruité. Après une belle attaque en bouche, il révèle un réel équilibre et finit longuement. Un côtes de toul réussi.

Vincent Gorny, 22, Grand-Rue, 54200 Lucey, tél. 03.83.63.81.87, fax 03.83.63.80.41 ☑ Y r.-v.

DOM. DE LA LINOTTE Auxerrois 1998

□ 0,27 ha 2 700 ▮ 20 à 29 F

Un village accroché sur les côtes de la Meuse, un vignoble en lyre constitué par Marc Laroppe qui, en 1998, achète une maison dont les caves voûtées accueillent une clientèle intéressée. Ce vin offre une jolie couleur jaune pâle. Le nez intense est très typique de l'auxerrois. La bouche présente une vivacité qui lui confère une agréable harmonie. Son **gris 98** est également retenu par le jury : c'est un rosé très clair, dont le nez d'une grande finesse et la légèreté du palais ont enchanté les dégustateurs.

Marc Laroppe, 90, rue Victor-Hugo, 54200 Bruley, tél. 03.83.63.29.02 ☑ Y r.-v.

LAROPPE Vin gris 1998★★

◪ 12 ha 30 000 ▮🌡 30 à 49 F

Composé de 85 % de gamay et de 15 % de pinot noir, ce gris se présente dans une robe rosé clair. Le nez, d'une belle intensité, s'ouvre sur de délicates notes fruitées. Le palais est agréable et fin, avec une fraîcheur plaisante en finale. Incontestablement un vrai gris de Toul. Marcel et Michel Laroppe ont également présenté en **côtes de toul un auxerrois 98** - une étoile - au nez délicat et bien typé du cépage, ainsi qu'un **pinot noir 97** - cité - légèrement boisé, équilibré.

Marcel et Michel Laroppe, 253, rue de la République, 54200 Bruley, tél. 03.83.43.11.04, fax 03.83.43.36.92 ☑ Y t.l.j. sf dim. 8h-12h 13h-19h

ANDRE ET ROLAND LELIEVRE 1998

□ 2,6 ha 13 400 ▮ 30 à 49 F

Cette entreprise familiale s'est beaucoup développée depuis les années 70 et a joué un rôle de premier plan pour la reconnaissance de l'appellation. D'une jolie couleur jaune clair, ce vin présente un nez agréable, fruité. Au palais, il présente une belle harmonie.

André et Roland Lelièvre, 3, rue de la Gare, 54200 Lucey, tél. 03.83.63.81.36, fax 03.83.63.84.45 ☑ Y t.l.j. 9h-12h 14h-19h

Moselle AOVDQS

Le vignoble est établi sur les coteaux qui bordent la vallée de la Moselle ; ils ont pour origine les couches sédimentaires formant la bordure orientale du Bassin parisien. L'aire délimitée se concentre autour de trois pôles dont les principaux sont : le premier au sud et à l'ouest de Metz, le deuxième dans la région de Sierck-les-Bains ; le troisième pôle se situe dans la vallée de la Seille autour de Vic-sur-Seille. La viticulture est influencée par celle du Luxembourg tout proche, avec ses vignes hautes et larges et sa dominante de vins blancs secs et fruités. En volume, cette AOVDQS reste très modeste. Son expansion est contrariée par l'extrême morcellement de la région.

CDEF DE LAQUENEXY Auxerrois 1998

□ 0,61 ha 4 000 ▮ 20 à 29 F

L'auxerrois du Centre départemental d'expérimentation fruitière est une réussite. Son nez floral est intense, son palais agréable et bien équilibré.

CDEF de Laquenexy, 4, rue Bourger-et-Perrin, 57530 Laquenexy, tél. 03.87.64.40.13, fax 03.87.64.49.64 ☑ Y r.-v.

LES DOMINICAINS Pinot noir 1998

■ 0,5 ha 2 000 ▮ 30 à 49 F

L'ensemble du vignoble de Claude Gauthier est conduit en lyre. Cette cuvée des Dominicains - dont l'étiquette est illustrée d'une aquarelle représentant le cloître de l'abbaye de Vic-sur-Seille (aujourd'hui établissement d'enseignement) - est unanimement reconnue comme un beau vin, bien réussi. Le nez est très typé. Au palais on note une pointe tannique qui s'estompera avec le temps et qui permettra un développement harmonieux.

Claude Gauthier, 23, rue Principale, 57590 Manhoué, tél. 03.87.05.41.41, fax 03.87.05.41.91 ☑ Y r.-v.

MICHEL MAURICE Pinot gris 1998★

□ n.c. 1 400 ▮🌡 20 à 29 F

Michel Maurice est souvent à l'honneur. Ce pinot gris, qui affectionne les climats plutôt généreux, a également trouvé sur ces terres d'Ancy une situation idéale pour produire un vin bien typé, puissant, aux arômes fruités. Tout en rondeur, il présente un bel équilibre.

Michel Maurice, 1-3, pl. Foch, 57130 Ancy-sur-Moselle, tél. 03.87.30.90.07 ☑ Y r.-v.

MICHEL MAURICE 1998★

◪ 0,46 ha 7 200 ▮🌡 20 à 29 F

Voici un gris constitué à parts égales de pinot et de gamay mais surtout bien typé gamay. Puissant, le palais développe des notes fruitées. En fin de bouche, on note un petit goût de bonbon anglais.

🔑 Michel Maurice, 1-3, pl. Foch, 57130 Ancy-sur-Moselle, tél. 03.87.30.90.07 ☒ 𝐈 r.-v.

OURY-SCHREIBER Auxerrois 1998

□ n.c. 2 600 20 à 29 F

Installé en Moselle depuis 1991, Pascal Oury s'impose comme une véritable locomotive des vins de Moselle. Voilà un bel auxerrois, bien typé, et qui se distingue par un excellent équilibre.

🔑 Pascal Oury, 29, rue des Côtes, 57420 Marieulles-Vezon, tél. 03.87.52.09.02, fax 03.87.52.09.17 ☒ 𝐈 r.-v.

JEANNE SIMON-HOLLERICH
Muller thurgau 1998*

□ n.c. 2 200 20 à 29 F

Le muller thurgau est un vieux cépage venu d'Allemagne ; il subsiste en France en de rares endroits dont cette région de la Moselle, toute proche à la fois du Luxembourg et de l'Allemagne où il est encore très planté. Il développe un nez puissant et parfumé et se caractérise par un palais riche, aux arômes de fruits exotiques mûrs.

🔑 Jeanne Simon-Hollerich, 16, rue du Pressoir, 57480 Contz-les-Bains, tél. 03.82.83.74.81, fax 03.82.83.69.70 𝐈 t.l.j. 8h-19h

JEANNE SIMON-HOLLERICH
Pinot blanc 1998

□ n.c. 4 500 20 à 29 F

Le pinot blanc trouve des terrains de prédilection dans ce coin de la Moselle proche du Luxembourg. Celui-ci est en effet bien réussi : son nez très fin est surtout floral. Le vin se développe ensuite au palais avec beaucoup de subtilité.

🔑 Jeanne Simon-Hollerich, 16, rue du Pressoir, 57480 Contz-les-Bains, tél. 03.82.83.74.81, fax 03.82.83.69.70 𝐈 t.l.j. 8h-19h

LE BEAUJOLAIS ET LE LYONNAIS

Le Beaujolais

Officiellement - et légalement - rattachée à la Bourgogne viticole, la région du Beaujolais n'en a pas moins une spécificité largement consacrée par l'usage. Celle-ci est d'ailleurs renforcée par la promotion dynamique de ses vins, menée avec ardeur par tous ceux qui ont rendu le beaujolais célèbre dans le monde entier. Ainsi, qui pourrait ignorer, chaque troisième jeudi de novembre, la joyeuse arrivée du beaujolais nouveau ? Déjà, sur le terrain, les paysages diffèrent de ceux de l'illustre voisine ; ici, point de côte linéaire et presque régulière, mais le jeu varié de collines et de vallons, qui multiplient à plaisir les coteaux ensoleillés ; et les maisons elles-mêmes, où les tuiles romaines remplacent les tuiles plates, prennent déjà un petit air du Midi.

Extrême midi de la Bourgogne, et déjà porte du Sud, le Beaujolais s'étend sur 23 000 ha et quatre-vingt-seize communes des départements de Saône-et-Loire et du Rhône, formant une région de 50 km du nord au sud, sur une largeur moyenne d'environ 15 km. Il est plus étroit dans sa partie septentrionale. Au nord, l'Arlois semble être la limite avec le Mâconnais. A l'est, en revanche, la plaine de la Saône, où scintillent les méandres de la majestueuse rivière dont Jules César disait « qu'elle coule avec tant de lenteur que l'œil à peine peut juger de quel côté elle va », est une frontière évidente. A l'ouest, les monts du Beaujolais sont les premiers contreforts du Massif central ; leur point culminant, le mont Saint-Rigaux (1 012 m), apparaît comme une borne entre les pays de Saône et de Loire. Au sud enfin, le vignoble lyonnais prend le relais pour conduire jusqu'à la métropole, irriguée, comme chacun sait, par trois « fleuves » : le Rhône, la Saône et le... beaujolais !

Il est sûr que les vins du Beaujolais doivent beaucoup à Lyon, dont ils alimentent toujours les célèbres « bouchons », et où ils trouvèrent évidemment un marché privilégié après que le vignoble eut pris son essor au XVIIIe s. Deux siècles plus tôt, Villefranche-sur-Saône avait succédé à Beaujeu comme capitale du pays, qui en avait pris le nom. Habiles et sages, les sires de Beaujeu avaient assuré l'expansion et la prospérité de leurs domaines, stimulés en cela par la puissance de leurs illustres voisins, les comtes de Mâcon et du Forez, les abbés de Cluny et les archevêques de Lyon. L'entrée du Beaujolais dans l'étendue des cinq grosses fermes royales dispensées de certains droits pour les transports vers Paris (qui se firent longtemps par le canal de Briare) entraîna donc le développement rapide du vignoble.

Aujourd'hui, le Beaujolais produit en moyenne 1 400 000 hl de vins rouges typés (la production de blancs est extrêmement limitée), mais - et c'est là une différence essentielle avec la Bourgogne - à partir d'un cépage presque exclusif, le gamay. Cette production se répartit entre les trois appellations beaujolais, beaujolais supérieur et beaujolais-villages, ainsi qu'entre les dix « crus » : brouilly, côte de brouilly, chénas, chiroubles, fleurie, morgon, juliénas, moulin à vent, saint-amour et régnié. Les trois premières appellations peuvent être revendiquées pour les vins rouges, rosés ou blancs, les dix autres concernent uniquement des vins rouges, qui ont légalement la possibilité d'être déclarés en AOC bourgogne, à l'exception du dernier, le régnié. Géologiquement, le Beaujolais a subi successivement les effets des plissements hercynien à l'ère primaire et alpin à l'ère tertiaire. Ce dernier a façonné le relief actuel, disloquant les couches sédimentaires du secondaire et faisant surgir les roches primaires. Plus près de nous, au quaternaire, les glaciers et les rivières s'écoulant d'ouest en est ont creusé de nombreuses vallées et modelé les terroirs, faisant apparaître des îlots de roches dures résistant à l'érosion, compartimentant le coteau viticole qui, tel un gigantesque escalier, regarde le levant et vient mourir sur les terrasses de la Saône.

De part et d'autre d'une ligne virtuelle passant par Villefranche-sur-Saône, on distingue traditionnellement le Beaujolais Nord du Beaujolais Sud. Le premier présente un relief plutôt doux, aux formes arrondies, aux fonds de vallons en partie comblés par des sables. C'est la région des roches anciennes de type granite, porphyre, schiste, diorite. La lente décomposition du granite donne des sables siliceux, ou « gore », dont l'épaisseur peut varier dans certains endroits d'une dizaine de centimètres à plusieurs mètres, sous forme d'arènes granitiques. Ce sont des sols acides, filtrants et pauvres. Ils retiennent mal les éléments fertilisants en l'absence de matière organique, sont sensibles à la sécheresse mais faciles à travailler. Avec les schistes, ce sont les terrains privilégiés des appellations locales et des beaujolais-villages. Le deuxième secteur, caractérisé par une plus grande proportion de terrains sédimentaires et argilo-calcaires, est marqué par un relief un peu plus accusé. Les sols sont plus riches en calcaire et en grès. C'est la zone des « pierres dorées », dont la couleur, qui vient des oxydes de fer, donne aux constructions un aspect chaleureux. Les sols sont plus riches et gardent mieux l'humidité. C'est la zone de l'AOC beaujolais. Ces deux entités, où la vigne prospère entre 190 et 550 m d'altitude, ont comme toile de fond le haut Beaujolais, constitué de roches métamorphiques plus dures, couvert à plus de 600 m par des forêts de résineux alternant avec des châtaigniers et des fougères. Les meilleurs terroirs, orientés sud-sud-est, sont situés entre 190 et 350 m.

La région beaujolaise jouit d'un climat tempéré, résultat de trois régimes climatiques différents : une tendance continentale, une tendance océanique et une tendance méditerranéenne. Chaque tendance peut dominer, le temps d'une saison, avec des transitions brutales faisant s'affoler baromètre et thermomètre. L'hiver peut être froid ou humide ; le printemps, humide ou sec ; les mois de juillet et août, brûlants quand souffle le vent desséchant du midi, ou humides avec des pluies orageuses accompagnées de fréquentes chutes de grêle ; l'automne, humide ou chaud. La pluviométrie moyenne est de 750 mm, la température peut varier de -20 °C à +38 °C. Mais des microclimats modifient sensiblement ces données, favorisant l'extension de la vigne dans des situations *a priori* moins propices. Dans l'ensemble, le vignoble profite d'un bon ensoleillement et de bonnes conditions pour la maturation.

L'encépagement, en Beaujolais, est réduit à sa plus simple expression, puisque 99 % des surfaces sont plantées en gamay noir à jus blanc. Celui-ci est parfois désigné dans le langage courant sous le terme de « gamay beaujolais ». Banni de la Côte-d'Or par un édit de Philippe le Hardi qui, en 1395, le traitait de « très desloyault plant » (très certainement en comparaison du pinot), il s'adapte pourtant à de nombreux sols et prospère sous des climats très divers ; il couvre en France près de 33 000 ha. Remarquablement bien adapté aux sols du Beaujolais, ce cépage à port retombant doit, durant les dix premières années de sa culture, être soutenu pour se former ; d'où les parcelles avec échalas que l'on peut observer dans le nord de la région. Il est assez sensible aux gelées de printemps, ainsi qu'aux principaux parasites et maladies de la vigne. Le débourrement peut se manifester tôt (fin mars), mais le plus souvent on l'observe au cours de la deuxième semaine d'avril. Ne dit-on pas ici : « Quand la

Beaujolais

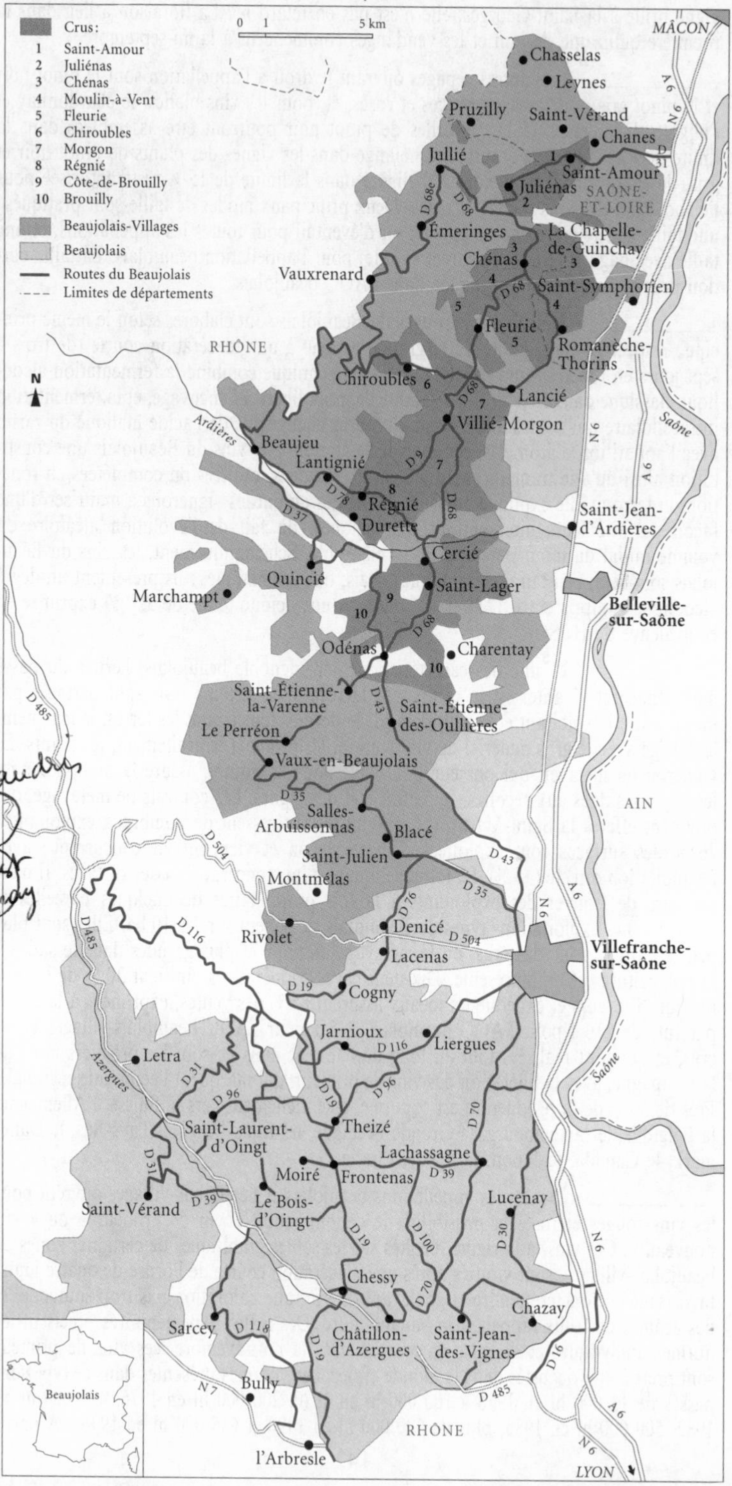

Crus :
1 Saint-Amour
2 Juliénas
3 Chénas
4 Moulin-à-Vent
5 Fleurie
6 Chiroubles
7 Morgon
8 Régnié
9 Côte-de-Brouilly
10 Brouilly
Beaujolais-Villages
Beaujolais
Routes du Beaujolais
Limites de départements
0 1 5 km
N
MÂCON
Chasselas
Leynes
Pruzilly
Saint-Vérand
Chanes
Jullié
Saint-Amour
Juliénas
SAÔNE-ET-LOIRE
Émeringes
La Chapelle-de-Guinchay
Chénas
Vauxrenard
Saint-Symphorien
Fleurie
Romanèche-Thorins
RHÔNE
Chiroubles
Lancié
Villié-Morgon
Ardières
Saône
Beaujeu
Lantignié
Régnié
Durette
Saint-Jean-d'Ardières
Cercié
Quincié
Saint-Lager
Marchampt
Belleville-sur-Saône
Odénas
Charentay
Saint-Étienne-la-Varenne
Saint-Étienne-des-Oullières
Le Perréon
Vaux-en-Beaujolais
AIN
Salles-Arbuissonnas
Blacé
Saint-Julien
Montmélas
Denicé
Rivolet
Lacenas
Villefranche-sur-Saône
Cogny
Jarnioux
Liergues
Letra
Azergues
Saint-Laurent-d'Oingt
Theizé
Lachassagne
Moiré
Frontenas
Saint-Vérand
Le Bois-d'Oingt
Lucenay
Chessy
Chazay
Sarcey
Châtillon-d'Azergues
Saint-Jean-des-Vignes
Bully
RHÔNE
l'Arbresle
LYON
Beaujolais
A 6
N 6
N 7
D 31
D 68
D 68e
D 9
D 78
D 37
D 43
D 35
D 504
D 485
D 116
D 76
D 19
D 96
D 39
D 70
D 100
D 30
D 118
D 16

vigne brille à la Saint-Georges, elle n'est pas en retard » ? La floraison a lieu dans la première quinzaine de juin et les vendanges commencent à la mi-septembre.

Les autres cépages ouvrant le droit à l'appellation sont le pinot noir et le pinot gris pour les vins rouges et rosés, et, pour les vins blancs, le chardonnay et l'aligoté. Jusqu'en 2015 les parcelles de pinot noir pourront être assemblées dans la limite de 15 % ; l'incorporation en mélange dans les vignes des plants de pinot noir et gris, de chardonnay, de melon et d'aligoté dans la limite de 15 % reste autorisée pour l'élaboration des vins rouges et rosés. Deux principaux modes de taille sont pratiqués : une taille courte en forme de gobelet ou d'éventail pour toutes les appellations, et une taille avec baguette (ou taille guyot simple) pour l'appellation beaujolais. La taille cordon peut également être pratiquée dans l'AOC beaujolais.

Tous les vins rouges du Beaujolais sont élaborés selon le même principe : respect de l'intégralité de la grappe associé à une macération courte (de trois à sept jours en fonction du type de vin). Cette technique combine la fermentation alcoolique classique dans 10 à 20 % du volume de moût libéré à l'encuvage, et la fermentation intracellulaire qui assure une dégradation non négligeable de l'acide malique du raisin avec l'apparition d'arômes spécifiques. Elle confère aux vins du Beaujolais une constitution ainsi qu'une trame aromatique caractéristiques, exaltées ou complétées en fonction du terroir. Elle explique aussi les difficultés qu'ont les vignerons à maîtriser d'une façon parfaite leurs interventions œnologiques, du fait de l'évolution aléatoire du volume initial du moût par rapport à l'ensemble. Schématiquement, les vins du Beaujolais sont secs, peu tanniques, souples, frais, très aromatiques ; ils présentent un degré alcoolique compris entre 12 % et 13 % vol., et une acidité totale de 3,5 g/l exprimée en équivalence de $H_2 SO_4$.

L'une des caractéristiques du vignoble beaujolais, héritée du passé mais tenace et vivante, est le métayage : la récolte et certains frais sont partagés par moitié entre l'exploitant et le propriétaire, ce dernier fournissant les terres, le logement, le cuvage avec le gros matériel de vinification, les produits de traitement, les plants. Le vigneron ou métayer, qui possède l'outillage pour la culture, assure la main-d'œuvre, les dépenses dues aux récoltes, le parfait état des vignes. Les contrats de métayage, qui prennent effet à la Saint-Martin (11 novembre), intéressent de nombreux exploitants ; 46 % des surfaces sont exploitées de cette façon et viennent en concurrence avec l'exploitation directe (45 %). Le fermage, quant à lui, concerne 9 % des surfaces. Il n'est pas rare de trouver des exploitants à la fois propriétaires de quelques parcelles et métayers. Les exploitations types du Beaujolais s'étendent sur 7 à 10 ha. Elles sont plus petites dans la zone des crus, où le métayage domine, et plus grandes dans le sud, où la polyculture est omniprésente. Dix-neuf caves coopératives vinifient 30 % de la production. Eleveurs et expéditeurs locaux assurent 85 % des ventes, exprimées à la pièce, par fûts de 216 l pour l'AOC beaujolais, 215 l pour l'AOC beaujolais-villages et les crus, et qui sont réalisées tout au long de l'année ; mais ce sont les premiers mois de la campagne, avec la libération des vins de primeur, qui marquent l'économie régionale. Près de 50 % de la production est exportée, essentiellement vers la Suisse, l'Allemagne, la Belgique, le Luxembourg, la Grande-Bretagne, les Etats-Unis, les Pays-Bas, le Danemark, le Canada, le Japon, la Suède, l'Italie.

Seules les appellations beaujolais et beaujolais-villages ouvrent pour les vins rouges et rosés la possibilité de dénomination « vin de primeur » ou « vin nouveau ». Ces vins, à l'origine récoltés sur les sables granitiques de certaines zones de beaujolais-villages, sont vinifiés après une macération courte de l'ordre de quatre jours, favorisant le caractère tendre et gouleyant du vin, une coloration pas trop soutenue, et des arômes de fruits rappelant la banane mûre. Des textes réglementaires précisent les normes analytiques et de mise en marché. Dès la mi-novembre, ces vins de primeur sont prêts à être dégustés dans le monde entier. Les volumes présentés dans ce type sont passés de 13 000 hl en 1956 à 100 000 hl en 1970, 200 000 hl en 1976, 400 000 hl en 1982, 500 000 hl en 1985, plus de 600 000 hl en 1990 et 655 000 hl en 1996... A partir du 15 décembre, ce sont les « crus » qui, après analyse et dégustation, commencent à être commercialisés, l'optimum de leur vente se situant après Pâques. Les vins du Beaujolais ne sont pas faits pour une très longue conservation ; mais si, dans la majorité des cas, ils sont appréciés au cours des deux années qui suivent leur récolte, de très belles bouteilles peuvent cependant être savourées au bout d'une décennie. L'intérêt de ces vins réside dans la fraîcheur et la finesse des parfums qui rappellent certaines fleurs - pivoine, rose, violette, iris - et aussi quelques fruits - abricot, cerise, pêche et petits fruits rouges.

Beaujolais et beaujolais supérieur

L'appellation beaujolais est celle de près de la moitié de la production. 10 320 ha, localisés en majorité au sud de Villefranche, fournissent en moyenne 673 800 hl dont 9 260 hl de vins blancs élaborés à partir du chardonnay et récoltés pour 20 % des volumes dans le canton de La Chapelle-de-Guinchay, zone de transition entre les terrains siliceux des crus et les terrains calcaires du Mâconnais. Dans la zone des « pierres dorées », à l'est du Bois-d'Oingt et au sud de Villefranche, on trouve des vins rouges aux arômes plus fruités que floraux, parfois avec des pointes olfactives végétales ; ces vins colorés, charpentés, un peu rustiques, se conservent assez bien. Dans la partie haute de la vallée de l'Azergues, à l'ouest de la région, on retrouve des roches cristallines qui communiquent aux vins une mâche plus minérale, ce qui les fait apprécier un peu plus tardivement. Enfin les zones plus en altitude offrent des vins vifs, plus légers en couleur, mais aussi plus frais les années chaudes. Les neuf caves coopératives implantées dans ce secteur ont fait considérablement évoluer les technologies et l'économie de cette région, dont sont issus près de 75 % des vins de primeur.

L'appellation beaujolais supérieur ne comporte pas de territoire délimité spécifique, mais une identification des vignes est réalisée chaque année. Elle peut être revendiquée pour des vins dont les moûts présentent, à la récolte, une richesse en équivalent alcool de 0,5 ° supérieure à ceux de l'appellation beaujolais. 7 100 hl sont ainsi déclarés chaque année, principalement sur le territoire de l'AOC beaujolais.

L'habitat est dispersé, et l'on admirera l'architecture traditionnelle des maisons vigneronnes : l'escalier extérieur donne accès à un balcon à auvent et à l'habitation, au-dessus de la cave située au niveau du sol. A la fin du XVIIIe s., on construisit de grands cuvages extérieurs à la maison de maître. Celui de Lacenas, à 6 km de Villefranche, dépendance du château de Montauzan, abrite la confrérie des Compagnons du Beaujolais, créée en 1947 pour servir les vins du Beaujolais, et qui a aujourd'hui une audience internationale. Une autre confrérie, les Grappilleurs des Pierres Dorées, anime depuis 1968 les nombreuses manifestations beaujolaises. Quant à déguster un « pot » de beaujolais, ce flacon de 46 cl à fond épais qui garnit les tables des bistrots, on le fera avec gratons, tripes, boudin, cervelas, saucisson et toute cochonnaille, ou sur un gratin de quenelles lyonnaises. Les primeurs iront sur les cardons à la moelle ou les pommes de terre gratinées avec des oignons.

Beaujolais

DOM. DE BALMES 1998

■ 8,71 ha 57 000 30 à 49 F

Ce domaine, acquis en 1890 par la famille de Serge Laville, propose un beaujolais gouleyant mis en bouteille par l'Eventail des vignerons producteurs de Corcelles. Le rubis léger de la robe s'allie agréablement aux timides nuances de fruits rouges et de raisin. Souple et frais, ce vin semble destiné à être apprécié dans l'année sur les comptoirs.

Serge Laville, 69220 Corcelles, tél. 04.74.06.10.10, fax 04.74.66.13.77 r.-v.

CAVE DU BEAU VALLON
Au pays des pierres dorées 1998

■ n.c. 80 000 ▮ 🌡 30 à 49 F

Non loin du château de Rochebonne, l'un des pôles œnologiques du Beaujolais, la cave réunissant deux cent dix adhérents a vinifié dans ses installations modernes une cuvée rouge vif aux parfums caractéristiques de framboise et de raisin frais. Assez fin, nerveux et fruité comme si on croquait un grain de raisin, ce vin bien typé sera apprécié à la fin de l'année.

⊶ Cave du Beau Vallon, Le Beau Vallon, 69620 Theizé, tél. 04.74.71.48.00, fax 04.74.71.84.46 ☑ Ⲩ r.-v.

BELVEDERE DES PIERRES DOREES 1997

□ 2,4 ha 7 000 ▮ (||) 🌡 20 à 29 F

La cave de Saint-Laurent-d'Oingt vinifie 310 ha. La robe jaune pâle ainsi que les parfums de fleurs blanches et de pierre à fusil de ce 97 ont beaucoup de finesse. L'attaque souple et douce annonce un vin harmonieux, honorable, à boire dès l'automne.

⊶ Cave coop. Beaujolaise, Le Gonnet, 69620 Saint-Laurent-d'Oingt, tél. 04.74.71.20.51, fax 04.74.71.23.46 ☑ Ⲩ r.-v.

CLAUDE BERNARDIN 1998

■ 3 ha 20 000 ▮ 🌡 20 à 29 F

Une cave voûtée souterraine permet d'élever ce vin issu d'un sol argilo-calcaire. La robe de ce jeune 98 est d'un rouge chatoyant. Les parfums fruités et fins s'expriment encore timidement. Assez puissant, ce beaujolais est doté d'une bonne vinosité.

⊶ Claude Bernardin, Le Genetay, 69480 Lucenay, tél. 04.74.67.02.59, fax 04.74.62.00.19 ☑ Ⲩ r.-v.

MARIE-THERESE ET JOSEPH BILLANDON 1998

■ n.c. 2 500 ▮ 20 à 29 F

C'est ici, à Denicé, que naquit Auguste Vermorel, mort en défendant la Commune contre les Versaillais en 1871. A la limite des terroirs beaujolais et beaujolais-villages, cette exploitation de 11 ha a élevé une cuvée rubis intense au bon nez de fruits rouges. L'attaque fruitée accompagne assez longuement une belle charpente. Déjà bon à boire, ce 98 peut attendre de un à deux ans. Il accompagnera tout un repas.

⊶ Joseph Billandon, Pouilly-le-Chatel, 69640 Denicé, tél. 04.74.67.36.64 ☑ Ⲩ r.-v.

DOM. DES BRUYERES 1997*

□ 0,2 ha 1 000 ▮ 🌡 20 à 29 F

C'est sur la route qui mène de La Chapelle-de-Guinchay à Saint-Amour que se trouve ce domaine cédé en 1982 par les héritiers Monmessin à Antoine Durand, dont le fils Nicolas soigne les vignes plantées à 215 m d'altitude sur un sol argileux. Doté d'une robe jaune paille brillante, ce vin exhale des parfums complexes de tilleul, de chèvrefeuille et de noisette. Après une attaque plutôt fraîche, il reste agréable. Bien fait, il est à boire dans l'année.

⊶ Antoine Durand, Les Bruyères, 71750 La Chapelle-de-Guinchay, tél. 03.85.37.19.39, fax 03.85.37.19.39 ☑ Ⲩ r.-v.

LES VIGNERONS DE LA CAVE DE BULLY 1998*

■ n.c. 800 000 ▮ 🌡 30 à 49 F

Outre le **beaujolais supérieur rouge 98** cité par le jury, la plus importante cave coopérative du Beaujolais (38 000 hl) propose un très beau vin rouge soutenu aux parfums expressifs de fruits et de fleurs, plein de chair et d'arômes. On aime son équilibre et sa finesse. Gouleyant à souhait, il est à apprécier maintenant.

⊶ Cave beaujolaise de Bully, 69210 Bully, tél. 04.74.01.27.77, fax 04.74.01.14.53 ☑ Ⲩ r.-v.

MICHEL CARRON
Coteaux de Terre Noire 1998

■ 1 ha 8 000 ▮ 🌡 20 à 29 F

Un beaujolais né sur un sol sablonneux. Des parfums bien développés de fruits rouges et de banane émanent de cette cuvée rubis intense. Les arômes de ce vin rond et charnu éclatent en finale. Bien fait, plaisant, il est à boire.

⊶ Michel Carron, Terre-Noire, 69620 Moiré, tél. 04.74.71.62.02, fax 04.74.71.62.02 ☑ Ⲩ r.-v.

DOM. DE CERCY 1998

■ 17 ha 40 000 ▮ 20 à 29 F

Remis en état par son actuel propriétaire depuis 1972, ce beau domaine de 22 ha propose un joli beaujolais. Doté d'une robe rubis clair, livrant des parfums de fruits rouges d'une intensité moyenne, équilibré, assez long, ce 98 se montre sympathique et homogène du début à la fin. Il sera apprécié au cours de l'année.

⊶ Michel Picard, Cercy, 69640 Denicé, tél. 04.74.67.34.44, fax 04.74.67.32.35 ☑ Ⲩ r.-v.

JEAN-GILLES CHASSELAY 1997

□ 0,35 ha 2 500 ▮ (||) 🌡 30 à 49 F

Ce domaine de 13 ha est situé à 1,5 km du château fort de Châtillon-d'Azergues. Son chardonnay, né sur sol argilo-calcaire, est élevé pour deux tiers en cuve et pour un tiers sous bois. Le jaune pâle de la robe laisse percevoir des reflets dorés et brillants. A la bonne intensité des arômes doux sont associées des odeurs d'amande et de chêne. La petite note boisée bien mariée à une structure souple et équilibrée est flatteuse. A boire dans l'année.

⊶ Jean-Gilles Chasselay, La Roche, 69380 Châtillon-d'Azergues, tél. 04.78.47.93.73, fax 04.78.43.94.41 ☑ Ⲩ r.-v.

DOMINIQUE CHERMETTE
Cuvée Vieilles vignes 1998*

■ 2 ha 15 000 30 à 49 F

Propriété de 8,5 ha acquise en 1958 par les parents de Dominique Chermette. Ces vieilles vignes sont plantées sur un sol argilo-calcaire. Le superbe nez de cette cuvée d'un rubis limpide et brillant associe avec bonheur et équilibre les parfums de fruits rouges à ceux des fleurs. La bouche, souple, harmonieuse, témoigne d'une belle structure où la finesse dialogue avec la richesse. Elle est plaisante dès maintenant.

🔑 Dominique Chermette, Le Barnigat, 69620 Saint-Laurent-d'Oingt, tél. 04.74.71.20.05, fax 04.74.71.20.05 ☑ 🍷 r.-v.

CLOS DES VIEUX MARRONNIERS 1998★

■ 7,5 ha 20 000 30 à 49 F

Tirant son nom d'une haie de marronniers plus que centenaires, le domaine a élaboré cette cuvée rubis limpide, aux parfums de fraise et de clou de girofle très fins. Sa belle structure ample et soyeuse ravira dès à présent les amateurs de beaujolais. Si vous visitez le domaine, vous pourrez voir plusieurs mûriers qui ont survécu à la disparition de la sériciculture.

🔑 Ghyslaine et Jean-Louis Large, 69380 Charnay, tél. 04.78.47.95.28, fax 04.78.47.95.28 ☑ 🍷 r.-v.

OLIVIER COQUARD 1998

■ 0,6 ha 2 500 20 à 29 F

Installé depuis 1998, ce jeune viticulteur élève un vin né sur un sol de sable limoneux d'origine volcanique. Grenat foncé à reflets violacés, ce 98 s'ouvre sur des nuances de cassis et de raisin bien mûr. L'ensemble, déjà rond et harmonieux, est prometteur. On patientera un an.

🔑 Olivier Coquard, Chalier, rte de Saint-Fonds, 69480 Pommiers, tél. 04.74.68.83.71 ☑ 🍷 r.-v.

ROLAND CORNU Tradition 1998

■ 1 ha 6 000 30 à 49 F

Rubis intense, cette cuvée s'exprime en une large gamme de parfums bien développés, tels le cassis, la fraise, la mûre et la banane. La bouche équilibrée et fruitée révèle en finale de jeunes tanins qui doivent s'affiner. Ce bon vin typé sera prêt à la fin de l'année.

🔑 Roland Cornu, 275, allée du Mas, 69490 Sarcey, tél. 04.74.26.86.25, fax 04.74.26.85.11 ☑ 🍷 r.-v.

DUMAS-SAPIN 1998

■ 0,7 ha 4 000 20 à 29 F

A 3 km du vieux village de Ternand « enroulé comme un escargot autour de son église » du XVe s., Létra possède des sols granitiques qu'affectionne le gamay. Les parfums de cette cuvée grenat à reflets violacés sont principalement ceux des petits fruits rouges et du bonbon anglais. Ils persistent en bouche après une attaque agréable, pleine de fraîcheur. Bien équilibré, tout en finesse, ce très beau vin est à boire maintenant.

🔑 Roger et Marie Dumas-Sapin, Le Néanne, 69620 Létra, tél. 04.74.71.34.92, fax 04.74.71.90.00 ☑ 🍷 r.-v.

DOM. DUPRE 1998★★

■ 5,8 ha 4 000 20 à 29 F

Les vignes de gamay croissent sur des sols granitiques où ce cépage excelle avec la complicité de Jean-Michel Dupré. Voyez ce 98 : l'intense robe rouge préfigure les puissantes impressions olfactives de cassis et de fruits rouges. Sa riche matière très bien structurée est un régal. Souple, charnu, aromatique et superbement équilibré, ce vin est recommandé dès à présent.

🔑 Jean-Michel Dupré, Ranfray, 69430 Les Ardillats, tél. 04.74.04.88.14, fax 04.74.04.88.14 ☑ 🍷 r.-v.

JACQUES FERRAND 1997★

□ 0,43 ha 3 000 30 à 49 F

Saint-Jean-des-Vignes possède une petite chapelle romane d'où l'on bénéficie d'un magnifique point de vue sur le sud Beaujolais. A 500 m d'un sentier botanique, vous trouverez ce domaine familial de 10 ha dont une cuvée de **beaujolais rouge 98** a été citée. Ce 97 issu de chardonnay est né sur un sol argilo-calcaire. La robe or vert est d'une pureté cristalline. De fins et délicats parfums d'agrumes et de fleurs accompagnent une bouche franche, élégante, nuancée d'arômes de glycine. A boire maintenant.

🔑 Jacques Ferrand, Porrières, 69380 Saint-Jean-des-Vignes, tél. 04.78.43.72.03 ☑ 🍷 r.-v.

PIERRE FERRAUD ET FILS 1998

◪ n.c. n.c. 30 à 49 F

Belleville est depuis le Moyen Age un centre commercial actif, porte ouverte sur les crus du Beaujolais. C'est dans cette ville que la maison de négoce Ferraud et Fils a établi son siège. La robe claire de cette sélection traduit la finesse des parfums rappelant le raisin fraîchement cueilli. Vif, plaisant et léger, ce vin de soif aux arômes caractéristiques de gamay est à boire maintenant.

🔑 Pierre Ferraud et Fils, 31, rue du Mal-Foch, 69220 Belleville, tél. 04.74.06.47.60, fax 04.74.66.05.50, e-mail ferraud@asi.fr 🍷 r.-v.

HENRY FESSY 1998★

■ 5,5 ha n.c. 30 à 49 F

Un domaine de 11 ha, dans la même famille depuis 1888, situé à quelques kilomètres du château de Pizay. Une jolie robe rouge vif à reflets violacés habille ce vin aux parfums intenses de fruits rouges qui se prolongent en bouche, associés à une structure tannique de bon aloi. Ce 98, complet et harmonieux, se montre puissant et persistant. A boire tout au long de l'année.

🔑 Les Vins Henry Fessy, Bel-Air, 69220 Saint-Jean-d'Ardières, tél. 04.74.66.00.16, fax 04.74.69.61.67 ☑ 🍷 r.-v.

VINCENT FONTAINE Cuvée Vieilles vignes 1998★★

■ 1 ha 1 000 20 à 29 F

A la tête de l'exploitation depuis deux ans, ce jeune viticulteur a élaboré un vin paré d'une robe rouge assez vif, élu coup de cœur des beaujolais

par un grand jury enthousiaste. Très souple, agrémenté de très fins arômes de cassis et de kirsch, ce 98 s'épanouit en bouche avec onctuosité, laissant en finale une note poivrée. Qualifié de « velours pour l'automne », il est à boire.
Vincent Fontaine, Les Gondoins, 69480 Pommiers, tél. 04.74.68.33.08, fax 04.74.65.97.68 r.-v.

DOM. DES FORTIERES 1998

2,8 ha 6 000 30 à 49 F

Ce domaine est situé à 2 km du prieuré de Salles-Arbuissonas, l'un des joyaux du Beaujolais, créé à la fin du Xe s. par des moines de Cluny. Après la visite du parc et des monuments, ne manquez pas cette cave. Parée d'une robe rubis assez soutenu, cette cuvée livre de fins arômes de framboise, de cassis et de raisin. Prenant le temps de s'épanouir en bouche, elle ne déçoit pas. Ce vin complet, équilibré et typé est déjà plaisant.
Daniel Texier, Les Fortières, 69460 Blacé, tél. 04.74.67.58.57, fax 04.74.67.58.57, email dtexier@vins-du-beaujolais.com r.-v.

HENRI ET BERNARD GIRIN
Cuvée Coteaux du Razet 1998**

1,5 ha 10 000 30 à 49 F

Il s'en est fallu d'un point lors de la délibération du grand jury des beaujolais pour que cette cuvée rubis intense aux parfums développés et très francs de gamay soit proclamée coup de cœur. La complémentarité des tanins et de la chair donne un superbe équilibre. Puissante, harmonieuse et prometteuse, cette bouteille est prête, mais peut encore attendre un an. A ne pas manquer !
Henri et Bernard Girin, Aucherand, 69620 Saint-Vérand, tél. 04.74.71.74.81, fax 04.74.71.85.61 r.-v.

CH. DU GRAND TALANCE 1998*

13 ha 120 000 20 à 29 F

Propriété de 42 ha, le Grand Talancé élève ses vins en cuve de ciment et foudre de bois. Des parfums prononcés de raisin frais et de banane émanent de ce 98 grenat limpide. La bonne attaque pleine de rondeur, de chair et d'arômes n'en est pas moins fine. Ce vin assez puissant, harmonieux et persistant est prêt, mais il peut attendre un an.
Jean-Marc Truchot, GFA du Grand Talancé, Ch. du Grand Talancé, 69640 Denicé, tél. 04.74.67.55.04 r.-v.

PIERRE ET JEAN-MICHEL JOMARD
1998

8 ha 15 000 20 à 29 F

Depuis l'an 1520, la famille Jomard s'est consacrée à la viticulture. Elle possède aujourd'hui 21 ha, dont une partie en AOC **coteaux du lyonnais rouge 98** qui a reçu la même note que ce beaujolais rubis à reflets violets, développant de fins parfums amyliques et des notes de cerise. Il remplit la bouche avec la rondeur d'une belle chair. D'une bonne longueur et équilibré, cet agréable vin est à boire.
Pierre et Jean-Michel Jomard, Le Morillon, 69210 Fleurieux-sur-l'Arbresle, tél. 04.74.01.02.27, fax 04.74.01.24.04 r.-v.

JEAN JOYET
Coteaux de La Roche Cuvée Vieilles vignes 1998

1 ha 8 500 20 à 29 F

Ces coteaux de La Roche sont granitiques. Le nez de fruits rouges de ce 98 rubis brillant reste discret. Aromatique, bien en chair malgré des tanins encore légèrement austères qui émergent en finale mais qui vont se fondre, ce vin sera à boire dans l'année 2000.
Jean Joyet, La Roche, 69620 Létra, tél. 04.74.71.32.77, fax 04.74.71.32.77 r.-v.

LA BAREILLE 1998

n.c. n.c. 20 à 29 F

Ce beaujolais rouge léger aux parfums discrets de bonbon anglais s'avère homogène et équilibré. Les impressions de fruits et de finesse en bouche persistent assez longuement. Un vin agréable à boire maintenant. Signalons que l'étiquette porte les mentions « élevé et mis en bouteille par Georges et Louise Reynaud, Les Mivaudières, à Quincié ».
SA Boisset, 5, quai Dumorey, 21700 Nuits-Saint-Georges, tél. 03.80.62.61.61, fax 03.80.62.61.60 r.-v.

DOM. DE LA CHAMBARDE 1998

0,9 ha 7 500 30 à 49 F

Un rosé issu de macération pelliculaire à partir d'un gamay né sur sol granitique. Le beau rose de la robe est accompagné d'élégants parfums d'églantine et de rose fanée qui se prolongent au palais. La souplesse initiale fait place à des impressions plus tanniques en finale. Bien fait, agréable, ce vin est à boire.
Robert et Dali Peigneaux, Dom. de la Chambarde, 69620 Létra, tél. 04.74.71.32.43, fax 04.74.71.37.09 r.-v.

CAVE COOPERATIVE DE LACHASSAGNE 1997**

1,2 ha 11 200 20 à 29 F

Implantée non loin d'un terroir favorable aux blancs, cette coopérative a vinifié une cuvée à la robe plutôt claire, nuancée de reflets vert doré. Les parfums très fins et expressifs du chardonnay accompagnent d'harmonieuses impressions gustatives. Ce 97, tendre sans excès, plein de matière, pouvant encore attendre trois ans, sera apprécié avec du poisson ou une viande blanche en sauce.
Cave coop. de Lachassagne, rte des Crêtes, 69480 Lachassagne, tél. 04.74.67.01.43, fax 04.74.67.21.71 r.-v.

LA MANTELLIERE 1998

7,7 ha 5 000 20 à 29 F

A la tête de l'exploitation depuis deux ans, ce producteur a élaboré un vin rouge vif aux parfums de fruits bien mûrs. Ample et équilibré, ce 98 devrait exprimer tout son potentiel à la sortie du Guide et atteindre la vendange 2000 !
Christophe Braymand, Le Bourg, 69620 Le Breuil, tél. 04.74.71.85.72, fax 04.74.71.85.72 r.-v.

DOM. DE LA TOUR DES BANS 1998

■ 3,6 ha 15 000 **20 à 29 F**

Métayage du château de Pizay, ce domaine constitué de 4,4 ha repose sur des terrains sableux. Des parfums exubérants de cassis se prolongent tout au long de la dégustation de cette cuvée virile, rouge violacé. Sa très riche matière encore à l'état brut va s'affiner. A attendre de un à deux ans.

⊶ Gilles Perez, Pizay,
69220 Saint-Jean-d'Ardières, tél. 04.74.66.24.10

CH. DE L'ECLAIR 1998

■ 7,8 ha 40 000 ▮♁ **30 à 49 F**

Ce domaine fut constitué par Victor Vermorel. Le gamay est planté sur un sol argilo-siliceux. Des parfums très expressifs de fruits rouges et de banane s'exhalent de cette cuvée d'un rouge presque violet, très franc. L'attaque charnue et aromatique persiste longuement jusqu'à une finale un peu moins souple. Rationnellement vinifié et bien structuré, ce vin est prêt à boire mais peut attendre un an.

⊶ SICAREX Beaujolais, Ch. de l'Eclair,
69400 Liergues, tél. 04.74.68.76.27,
fax 04.74.68.76.27 ☒ Ɪ r.-v.

DOM. LES TONNELIERES 1998*

■ 12 ha 15 000 ▮♁ **30 à 49 F**

Ce domaine de 25 ha, dont l'histoire remonte à 1512, a vinifié cette cuvée rubis lumineux aux parfums prononcés de groseille et de fraise bien mûres. Frais sans agressivité, ce vin friand et élégant a du charme. Séduisant, il pourra être choisi dès à présent pour accompagner un déjeuner sur l'herbe au début de l'automne.

⊶ Dom. Dupeuble Père et Fils,
69620 Le Breuil, tél. 04.74.71.68.40,
fax 04.74.71.64.22 ☒ Ɪ r.-v.

CH. DE LEYNES 1997*

□ 2 ha 10 000 ▮♁ **30 à 49 F**

Un parc centenaire entoure ce château, propriété de la famille Bernard depuis 1745. Les parfums de ce 97 jaune paille soutenu se révèlent d'une surprenante complexité. On y trouve de la rose fanée, de l'aubépine, du miel, de l'amande, du coing et de la poire, ainsi que des nuances de vanille et de sous-bois ! La belle attaque pleine de chair ne manque ni de vivacité ni de fruité. Le tout reste fin et harmonieux. Ce très beau vin est prêt, mais peut attendre de un à deux ans.

⊶ Jean Bernard, 71570 Leynes,
tél. 03.85.35.11.59, fax 03.85.35.13.94 ☒ Ɪ t.l.j. sf dim. 9h-12h 14h-18h

CAVE DES VIGNERONS DE LIERGUES 1998*

◪ 5 ha 25 000 ▮♁ **30 à 49 F**

Créée il y a soixante-dix ans et réunissant 510 ha de vignes, la Cave des Vignerons se distingue par une cuvée de **beaujolais blanc 97** citée par le jury et par ce vin rose pâle, brillant, aux parfums de banane et de poire. Très bien réussi, souple et vif à la fois, il sera apprécié pour ses arômes et pour son caractère désaltérant.

⊶ Cave des Vignerons de Liergues, Grange Gillet, 69400 Liergues, tél. 04.74.65.86.00,
fax 04.74.62.81.20 ☒ Ɪ t.l.j. sf dim. 8h-12h 14h-18h

RENE MARCHAND 1998

■ 1,5 ha 12 000 ▮ **30 à 49 F**

A l'ouest de Villefranche-sur-Saône, à 2 km de Lacenas, Cogny réunit plusieurs maisons vigneronnes, ainsi qu'une petite chapelle du XIVᵉs. René Marchand dirige son domaine de 6,7 ha depuis 1966. Associés à une robe rouge très soutenu et brillant, les parfums de fruits et de fleurs de cette cuvée montrent de la finesse. La structure bien développée, riche et puissante, imprègne assez longuement la bouche. D'une bonne harmonie, ce vin est prêt à boire.

⊶ René Marchand, Les Meules, 69640 Cogny,
tél. 04.74.67.33.25, fax 04.74.67.33.94 ☒ Ɪ t.l.j. 8h-12h 14h-19h

DOM. VITICOLE DU MARQUISON 1998*

■ 14,5 ha 10 000 ▮♁ **30 à 49 F**

Issue d'un coteau au sol argilo-calcaire et siliceux orienté plein sud, cette cuvée rubis aux reflets violacés exhale de bons parfums de petits fruits rouges. La bouche fine, aromatique est persistante et harmonieuse. Ce vin bien typé est à déguster maintenant.

⊶ Christian Vivier-Merle, Dom. viticole du Marquison, Les Verjouttes, 69620 Theizé,
tél. 04.74.71.26.66, fax 04.74.71.10.32 ☒ Ɪ r.-v.

CEDRIC MARTIN 1997

□ 1 ha 2 600 ▮♁ **30 à 49 F**

Si vous passez par Chânes, arrêtez-vous un instant pour admirer la nef du XIᵉs. de l'église. Puis allez rendre visite à ce jeune viticulteur, récemment installé, qui a vinifié un 97 jaune clair nerveux et agréable, aux parfums de fleurs et d'agrumes. Bien en chair, fruité et doté d'une bonne vivacité, c'est un vin typé qui pourra être apprécié pendant un à deux ans.

⊶ Cédric Martin, Les Verchères, 71570 Chânes,
tél. 03.85.37.42.27, fax 03.85.37.47.43 ☒ Ɪ r.-v.

DOM. MATHIAS 1997

□ 0,2 ha 1 500 ▮♁ **30 à 49 F**

Née sur un sol argilo-calcaire, cette petite production d'un domaine de 9,5 ha offre des parfums légèrement citronnés et floraux qui s'épanouissent en bouche. Bien fait, ce vin à la robe vert doré, d'une belle limpidité, est prêt.

⊶ Béatrice et Gilles Mathias, Dom. Mathias,
rue saint-Vincent, 71570 Chaintré,
tél. 03.85.27.00.50, fax 03.85.27.00.54 ☒ Ɪ r.-v.

DOM. DE MILHOMME 1998

■ 6 ha 40 000 ▮ **30 à 49 F**

La légende dit que mille hommes moururent ici en résistant à Jules César. Les Perrin aiment leur région puisqu'ils gèrent ce domaine depuis le XVIᵉs. ! Ce 98 rubis soutenu, caractérisé par des parfums de cassis mêlés à de la framboise, s'épanouit en bouche sans aspérité. A boire dans sa jeunesse.

Robert et Bernard Perrin, Dom. de Milhomme, 69620 Ternand, tél. 04.74.71.33.13, fax 04.74.71.30.87 r.-v.

CH. DE MONTAUZAN
Cuvée Chêne Curé 1998

☐ 2,5 ha 22 000 30 à 49 F

Le château de Montauzan, du XVIe s., possède une haute tour ronde et abrite un immense cuvage où se tiennent les manifestations des Compagnons du Beaujolais. Mais Lacenas est aussi à visiter pour les remarquables fresques du XIIIe s. de la chapelle Saint-Paul. Cette cuvée jaune pâle avec quelques reflets verts s'exprime plus au nez qu'en bouche. Aux notes de raisin frais se mêlent des nuances de pamplemousse et de citron très fraîches. L'impression générale est honorable.

SCI de Montauzan, Ch. de Montauzan, 69640 Lacenas, tél. 04.74.67.35.99, fax 04.74.67.46.61 r.-v.

M. MONTESSUY 1998

■ 0,8 ha 7 000 30 à 49 F

Un cep au corps de femme orne l'étiquette de ce domaine qui propose une exposition d'aquarelles de Marie-Noëlle Barbier. Les parfums expressifs de cassis, de fruits rouges et de bonbon anglais donnent à ce vin couleur rubis une touche beaujolaise typique. Sa constitution un peu légère milite en faveur d'une dégustation dans l'année.

GFA du Bois de la Gorge, La Chanal, 69640 Jarnioux, tél. 04.74.03.82.89 r.-v.

DOM. DES PERELLES 1998*

☐ 1 ha n.c. 30 à 49 F

Sur les 8,5 ha de ce domaine, 1 ha est consacré au chardonnay planté sur un sol argilo-limoneux. De fins et délicats parfums d'agrumes, accompagnés de nuances de cassis et de glycine, émanent de ce vin à la belle robe or pâle. L'élégance du fruité, en harmonie avec les premières impressions, prédispose cette excellente bouteille à une dégustation immédiate.

EARL Jean-Yves Larochette, Les Pérelles, 71570 Chânes, tél. 03.85.37.41.47, fax 03.85.37.15.25 r.-v.

DOM. PEROL 1998*

☐ 0,6 ha 3 000 20 à 29 F

De ce domaine viticole créé en 1806, on admirera le château médiéval de Châtillon. Et sur l'un des biefs de l'Azergues, l'un de ces lavoirs illustrés par l'auteur de *Clochemerle*. Ce vin jaune pâle, d'une grande jeunesse avec des reflets verts qu'animent de légères bulles, livre d'intenses et longs parfums de cassis et de fruits exotiques. Son fruité élégant d'une bonne puissance est soutenu par une agréable fraîcheur. Harmonieux et assez long, il est prêt mais peut attendre de un à deux ans.

Frédéric Pérol, La Colletière, 69380 Châtillon-d'Azergues, tél. 04.78.43.99.84, fax 04.78.43.90.06 r.-v.

CH. DE PIZAY 1997*

☐ 3,7 ha 24 000 30 à 49 F

Les équipes de football de France, de Croatie et des Etats-Unis, qui ont récemment séjourné dans l'hôtel du domaine, ont peut-être apprécié comme notre jury ce 97 jaune paille assez soutenu, aux nuances olfactives de rose, de pêche et de fougère, ponctuées de notes de miel et de grillé. Sa riche matière et sa puissance lui donnent de la consistance. Rond, équilibré et agrémenté d'une touche de café, ce vin ample et représentatif de l'AOC est prêt mais peut encore attendre de un à deux ans.

SCEA Dom. Château de Pizay, 69220 Saint-Jean-d'Ardières, tél. 04.74.66.26.10, fax 04.74.69.60.66 r.-v.

DOM. DE ROCHEBONNE 1997

☐ 0,3 ha 2 800 30 à 49 F

C'est à Theizé - dans l'ancien lavoir devenu caveau de dégustation - que siège le Syndicat des Pierres Dorées chargé de la défense du patrimoine archéologique et des paysages du Beaujolais. Le village vaut le détour, comme ce vin dont la couleur jaune d'or atteste la maturité. Ses parfums offrent des nuances florales de chèvrefeuille et de glycine. Malgré sa puissance et sa vinosité, ce vin fruité et de bonne facture est prêt à boire.

Jean-François Pein, La Roche, 69620 Theizé, tél. 04.74.71.21.47, fax 04.74.71.21.47 t.l.j. sf dim. 8h-12h 13h30-19h30

DOM. DE ROCHEBONNE 1998

■ 3,5 ha 2 000 20 à 29 F

Ce domaine de Rochebonne, constitué d'un clos attenant au château, est propriété des Pein depuis 1857. On y élève un vin grenat aux puissants parfums de fruits bien mûrs avec des notes de poivre. Souple et assez fine, la bouche laisse s'exprimer les épices, la figue et le raisin. Présentant un bon équilibre, moyennement puissant, ce 98 sera à boire au cours de l'année 2000.

GFA Pein, Le Bourg, 69620 Theizé, tél. 04.74.71.23.52 r.-v.

PATRICK ROLLET 1998

◪ 0,5 ha 2 000 20 à 29 F

Situé au sud du Beaujolais, ce village de Saint-Vérand est distinct de celui qui a donné son nom à un cru du Mâconnais. Ce gamay a poussé sur un sol sablonneux. La faible intensité de la robe est compensée par des parfums soutenus de rose fanée, de chèvrefeuille et de mandarine. La fraîcheur de sa finale complète agréablement l'attaque capiteuse. Il est à servir avec des grillades.

EARL Patrick Rollet, 69620 Saint-Vérand, tél. 04.74.71.64.21, fax 04.74.71.69.45 r.-v.

DOM. DES TERRES DOREES
Cuvée à l'ancienne 1998

■ 7 ha 40 000 30 à 49 F

En 1979, Jean-Paul Brun reprend la propriété familiale et l'agrandit : 20 ha aujourd'hui. Ses vignes de gamay sont plantées sur un sol argilo-calcaire. Cette cuvée grenat s'exprime sur des nuances de fruits rouges qui évoluent vers des notes végétales et de sous-bois. La bouche surprend par une fermeté et une fraîcheur de prime

jeunesse. Son bon potentiel lui permettra de s'ouvrir. On l'attendra un an.
☞ Jean-Paul Brun, Crière, 69380 Charnay-en-Beaujolais, tél. 04.78.47.93.45, fax 04.78.47.93.38 ☑ ⊤ r.-v.

DOM. DES TREILLES 1998★

■　　　　　1 ha　　　5 000　▤❮▯❯⬧　20 à 29 F

Un sol argilo-calcaire, des vignes de gamay d'une moyenne d'âge de quarante-cinq ans, dix jours de vinification en cuve et trois mois en fût ont donné cette jolie bouteille. Les parfums amyliques caractéristiques et assez intenses de ce vin rouge soutenu, brillant, accompagnent une bouche riche et puissante. Sa belle structure et son bon équilibre expriment assurément une technique de vinification bien raisonnée. Il est à point actuellement.
☞ Dominique Romy, 1020, rte de Saint-Pierre, 69480 Morancé, tél. 04.78.43.65.06, fax 04.78.43.65.06 ☑ ⊤ r.-v.

DOM. DES VARENNES 1998

■　　　　10 ha　　　n.c.　▤⬧　50 à 69 F

Couleur carmin limpide et brillant, cette production fleure bon la framboise et la groseille. Doté d'un bel équilibre, ce vin bien typé, gouleyant, franc et frais en finale, est prêt à être bu.
☞ Dom. Les Varennes, Exploitant Pierre André, Ch. de Corton André, 21420 Aloxe-Corton, tél. 03.80.26.44.25, fax 03.80.26.43.57, e-mail pandre@axnet.fr

Beaujolais-villages

L e mot « villages » a été adopté pour remplacer la multiplicité des noms de communes qui pouvaient être ajoutés à l'appellation beaujolais pour distinguer des productions considérées comme supérieures. La quasi-totalité des producteurs a opté pour la formule beaujolais-villages.

T rente-huit communes, dont huit dans le canton de La Chapelle-de-Guinchay, ont droit à l'appellation beaujolais-villages, mais seulement trente peuvent ajouter le nom de la commune à celui de beaujolais. Si le terme de beaujolais-villages facilite la commercialisation depuis 1950, certains noms synonymes d'un cru peuvent créer des confusions. Les 6 100 ha, dont la quasi-totalité est comprise entre la zone des beaujolais et celle des crus, ont assuré en 1998 une production de 363 800 hl de rouges et 3 000 hl de blancs.

L es vins de l'appellation se rapprochent des crus et en ont les contraintes culturales (taille en gobelet ou éventail, degré initial des moûts supérieur de 0,5 ° à ceux des beaujolais). Originaires de sables granitiques, ils sont fruités, gouleyants, parés d'une robe d'un beau rouge vif : ce sont les inimitables têtes de cuvée des vins de primeur. Sur les terrains granitiques, plus en altitude, ils apportent la vivacité requise pour l'élaboration de bouteilles consommables toute l'année. Entre ces extrêmes, toutes les nuances sont représentées, alliant finesse, arôme et corps, s'accommodant aux mets les plus variés, pour la plus grande joie des convives : le brochet à la crème, les terrines, le pavé de charolais iront bien avec un beaujolais-villages plein de finesse.

REGINE ET DOMINIQUE AUBAREAU 1998

■　　　0,75 ha　　5 000　▤　20 à 29 F

Des notes de bourgeon de cassis et de fruits très mûrs émanent de ce vin grenat. Il présente un palais où le fruité très ample s'affirme peu à peu. Equilibré et agréable, ce 98 est à boire.
☞ Dominique Aubareau, Le Carra, 69640 Montmelas, tél. 04.74.67.41.77, fax 04.74.67.41.77 ☑ ⊤ r.-v.

JEAN-FRANCOIS BERGERON Emeringes 1998

■　　　3,2 ha　　6 000　▤⬧　30 à 49 F

Emeringes remporte tous les concours des villages fleuris, raconte Jean-François Bergeron, fier de sa commune. Des parfums amyliques plutôt intenses dominent sa cuvée grenat soutenu. Riche, puissante et agréable, elle est issue d'une vinification bien maîtrisée ; elle s'approche plus d'un vin nouveau que d'un vin de garde. Ce 98 est à boire.
☞ Jean-François Bergeron, Les Rougelons, 69840 Emeringes, tél. 04.74.04.42.90, fax 04.74.04.46.09 ☑ ⊤ t.l.j. 9h-12h 13h30-18h30

CH. DU BOST 1998

■　　　13,94 ha　　90 000　▤❮▯❯⬧　20 à 29 F

Commercialisé par la maison Thorin installée à Quincié-en-Beaujolais, le 98 du château du Bost impressionne l'œil par sa couleur grenat très intense. Si les parfums de fruits rouges et les nuances poivrées sont plutôt discrets, la bouche s'avère puissante, très bien structurée et harmonieuse. On gagnera à attendre ce vin encore quelques mois avant de le redécouvrir.
☞ Diane de Geffrier, Ch. du Bost, 69460 Blacé, tél. 03.74.69.09.30, fax 03.74.69.09.28

AGNES ET DOMINIQUE BRAILLON 1998

■ 4 ha 2 000 20 à 29 F

A la tête de l'exploitation depuis deux ans, ce viticulteur a acquis durant douze années le savoir-faire vigneron. Cette cuvée rubis, brillante, encore fermée au nez, a été vinifiée pour la garde. Après une bonne attaque, des sensations tanniques se révèlent très vite. Encore dans sa gangue, ce vin s'affinera pour s'épanouir dans quelques mois.

Dominique et Agnès Braillon, Les Pasquiers, Cidex 705, 71570 Leynes, tél. 03.85.35.14.12, fax 03.85.35.14.12 ☑ Y r.-v.

Jean Chagny

SIMONE CHANAY 1998

■ 5,7 ha 6 000 20 à 29 F

Grenat profond, ce 98 laisse de belles jambes sur le verre et s'ouvre sur des notes complexes de bergamote, de citron, de rose et d'épices ; ses tanins encore jeunes impressionnent rapidement la bouche. Ne manquant pas de caractère, il doit encore s'arrondir : à attendre un an.

Simone et Jean-Louis Chanay, Le Trêve, 69460 Saint-Etienne-des-Oullières, tél. 04.74.03.43.65, fax 04.74.03.43.65 ☑ Y r.-v.

DOM. DES CHAPPES 1998

■ 3 ha 20 000 30 à 49 F

La propriété située à Lantignié est deux fois centenaire. Elle commercialise cette cuvée par l'intermédiaire de la maison Thomas La Chevalière. D'un rouge soutenu, ce vin développe d'agréables senteurs de fleurs et de pruneau. Des tanins encore jeunes marquent une bouche aromatique et de bonne longueur. Plaisant, ce 98 peut attendre un an.

Thomas La Chevalière, La Chevalière, 69430 Beaujeu, tél. 04.74.04.84.97, fax 04.74.69.29.87 ☑ Y t.l.j. sf sam. dim. 8h-12h 14h-18h

Héritiers Tezenas

CH. DU CHATELARD Lancié 1998*

■ 3,5 ha 24 000 30 à 49 F

Construit à la fin du XVIIIe s., ce château est dirigé depuis 1979 par Robert Grossot. Ce 98 résulte d'une vinification beaujolaise. La robe rubis et les parfums fruités, fins et bien développés, ont de la distinction. La bouche est longue et harmonieuse, sans fausse note. Ce vin très élégant et agréable est à boire au cours des douze prochains mois.

Robert Grossot, Ch. du Chatelard, 69220 Lancié, tél. 04.74.04.12.99, fax 04.74.69.86.17 ☑ Y r.-v.

CORINNE ET ANDRE CHAVEL Le Perréon 1998**

■ 1 ha 7 000 20 à 29 F

Dotée d'une robe grenat profond et limpide, cette cuvée s'ouvre sur la mûre, la griotte et le cassis, mais la pivoine et la violette ne sont pas loin. Grâce à une structure très harmonieuse faite de tanins souples, de rondeur et d'arômes fruités d'une grande finesse, ce vin est prêt à boire, mais il peut attendre un an.

André et Corinne Chavel, Le Glabat, 69460 Le Perréon, tél. 04.74.03.24.17 ☑ Y r.-v.

DOM. DE CLAIRANDRE 1998*

■ 1 ha 5 000 30 à 49 F

Ce domaine, bien exposé au sud-est, présente un 98 d'un rouge intense presque noir, qui développe de puissants parfums de fruits rouges bien mûrs, ponctués de notes de framboise dominant agréablement en bouche. Très bien fait, ce vin caractéristique de son appellation est à boire.

André Chavanis, Champagne, 69460 Saint-Etienne-la-Varenne, tél. 04.74.03.51.15, fax 04.74.03.53.97 ☑ Y r.-v.

DOM. ANDRE COLONGE ET FILS 1998*

■ 13 ha 60 000 20 à 29 F

Le père et le fils, unis dans le même travail, ont élaboré un vin rubis qui développe de beaux et bons parfums de raisin mûr. L'attaque souple évolue vers des sensations plus puissantes. Plein de chair et doté d'une harmonieuse structure tannique, ce vin pourra être apprécié pendant un à deux ans.

SCEA Dom. André Colonge et Fils, Les Terres-Dessus, 69220 Lancié, tél. 04.74.04.11.73, fax 04.74.04.12.68 ☑ Y r.-v.

Serge Colonge

DOM. DU COTEAU DES FOUILLOUSES 1998*

■ 2,5 ha 3 200 20 à 29 F

La propriété a appartenu à Pierre Aguetant, poète du Beaujolais. Elle propose une cuvée rubis avec des reflets bleus, au très bon nez de raisin frais et croquant, malgré une certaine rusticité. Ce vin est un beau compromis entre la finesse et la puissance, et il a du volume. Il est apte à une garde d'un à deux ans mais il peut déjà accompagner une tarte aux quetsches.

Roland Lattaud, Le Bourg, 69840 Jullié, tél. 04.74.04.43.86, fax 04.74.04.43.86 ☑ Y r.-v.

DOM. DU COTEAU DE VALLIERES 1998**

■ 6 ha 10 000 20 à 29 F

L'exploitation se distingue non seulement avec le **régnié 98** qui reçoit deux étoiles mais aussi avec cette cuvée d'intensité moyenne, au très beau nez fruité et floral, classée deuxième ex aequo par le grand jury des beaujolais-villages. Sa structure équilibrée et ses arômes de fruits sont d'une grande élégance. Charnu à souhait,

ce vin remplit totalement la bouche avec beaucoup de rondeur et de persistance. C'est maintenant qu'il convient de l'apprécier.
Lucien et Lydie Grandjean, Vallières, 69430 Régnié, tél. 04.74.69.24.92, fax 04.74.69.23.36 ☑ Y r.-v.

DOM. CROIX-CHARNAY
Cuvée Vieilles vignes 1998★

■ 0,8 ha 6 000 30 à 49 F

Cette sélection de vieilles vignes, couleur rubis, livre des parfums de violette et de fruits d'une bonne intensité. L'attaque, très souple, est suivie par une structure aux tanins fondus d'une grande finesse. Une finale longue et fruitée parachève l'agréable dégustation de ce 98, à boire dans l'année.
Jérôme Lacondemine, Dom. Croix-Charnay, 69430 Beaujeu, tél. 04.74.69.29.80, fax 04.74.69.29.80, email domcharnay@aol.com ☑ Y r.-v.
Maillot

PHILIPPE DESCHAMPS
Coteau du Cornillon 1998★

■ 7 ha 10 000 20 à 29 F

Depuis dix ans, Philippe Deschamps exploite ses vignes. Après avoir visité le musée d'Anne de Beaujeu, il faut parcourir un kilomètre pour trouver ce beaujolais-villages. Des intenses et chaudes notes confites, des arômes d'épices et de fruits mûrs se dégagent d'une robe rouge vif ; ceux-ci ont de la complexité. On les retrouve en bouche où des tanins assez fins les accompagnent jusqu'à la finale. Flatteur et plaisant, ce 98 est à boire dans l'année.
Philippe Deschamps, Morne, 69430 Beaujeu, tél. 04.74.04.82.54, fax 04.74.69.51.04 ☑ Y r.-v.

CH. D'EMERINGES 1998

■ n.c. 20 000 30 à 49 F

Reconstruit en 1856 à l'emplacement d'un château détruit pendant la Révolution, l'actuel bâtiment abrite un gîte rural. Rubis soutenu, amylique, avec des notes de framboise et de poivre, doté d'une belle structure, ce 98 est à boire.
Pierre David, Ch. d'Emeringes, 69840 Emeringes, tél. 04.74.04.44.52, fax 04.74.04.44.52 ☑ Y r.-v.

DOM. DES FOURQUIERES 1998

■ 10 ha 10 000 30 à 49 F

Les parfums complexes de cette cuvée grenat sont de bonne intensité. Ils évoquent la cerise, le cassis, mais également la pivoine, la violette et le caramel. Ses tanins puissants et ses arômes persistants lui assureront un bel avenir. Cependant, sa chair plus ténue limite cette attente à une année.
Daniel Basset, Le Fourque, 69460 Saint-Etienne-la-Varenne, tél. 04.74.03.48.79, fax 04.74.03.31.14 ☑ Y r.-v.

GERARD ET JEAN-PAUL GAUTHIER 1998

■ 17 ha 40 000 30 à 49 F

Le domaine, créé en 1936 à Lancié, village situé au nord du Beaujolais, est exploité par deux frères. Les parfums de ce 98 couleur rubis sont ceux des fruits rouges. L'attaque un peu vive évolue vers des sensations plus souples et rondes. La structure tannique, qui ressort actuellement, s'affinera après quelques mois de garde.
GAEC de La Merlatière, 69220 Lancié, tél. 04.74.04.13.29, fax 04.74.69.86.84 ☑ Y r.-v.
Gérard et Jean-Paul Gauthier

DOM. GOUILLON 1998

■ 2,5 ha 15 000 30 à 49 F

C'est ici que fut tourné le film de René Fallet *Le beaujolais nouveau est arrivé*. Cette exploitation a élaboré une cuvée rouge brillant qui livre de discrets parfums de fruits rouges. Assez bien structuré et aromatique, ce 98 est à boire avec de la charcuterie.
Danielle Gouillon, Les Grandes Granges, 69430 Quincié-en-Beaujolais, tél. 04.74.04.30.41, fax 04.74.69.00.67 ☑ Y t.l.j. 8h-12h 14h-19h

DOM. DU GRAND CHENE 1998★

■ 6,5 ha 52 000 30 à 49 F

Rubis soutenu et limpide, cette cuvée livre d'intenses parfums de fruits mûrs, voire confits. La bouche, légèrement acidulée, est équilibrée par un fond de fins tanins qui lui donnent de l'ampleur. Ce vin peut déjà se déguster mais il atteindra sa plénitude dans quelques mois et pourra se garder un à deux ans.
André Jaffre, 69220 Charentay, tél. 04.74.06.10.10, fax 04.74.66.13.77 ☑ Y r.-v.

DOM. DU GRANIT BLEU
Le Perréon 1998★

■ 5 ha 21 000 20 à 29 F

La tradition viticole de la famille remonte à 1580. Ce domaine est implanté sur un sol sablonneux reposant sur un sous-sol de porphyre et de granit bleu, qui lui a donné son nom. Ce 98, rubis violacé et au nez fruité et capiteux, remplit totalement la bouche. Charnu, puissant et aromatique, ce très beau *villages*, frais et remarquablement équilibré est prêt mais il peut également attendre de un à deux ans.
Jocelyne et Jean Favre, Dom. du Granit Bleu, Brouilly-Le Perrin, 69460 Le Perréon, tél. 04.74.03.20.90, fax 04.74.03.20.90 ☑ Y r.-v.

DOM. DE GRY-SABLON 1998★

■ 3,8 ha 15 000 20 à 29 F

Pour la deuxième année consécutive, la production du domaine a remporté le trophée Diriet attribué au meilleur beaujolais-villages, lors de la vente des Hospices de Beaujeu. Notre jury apprécie aussi ! La robe grenat profond de ce 98 constitue une belle préface. Le nez, à la fois fin et puissant, est composé de parfums de cassis, de framboise et de notes amyliques. L'attaque franche se montre friande et le développement est très harmonieux. Ce 98 bien en chair et particulièrement aromatique est à boire dans les deux années à venir.
Dominique Morel, Les Chavannes, 69840 Emeringes, tél. 04.74.04.45.35, fax 04.74.04.42.66 ☑ Y r.-v.

MICHEL GUIGNIER 1998★★

■ 3,8 ha 10 000 30 à 49 F

C'est le grand-père de Michel Guignier qui acheta ce domaine en 1947. Ce 98 représente la dixième vendange de Michel. Sa robe est rouge violacé et le vin d'une grande pureté aromatique. De fraîches et élégantes notes de violette et de fruits rouges accompagnent une attaque souple et veloutée. Harmonieusement structuré, ce vin remarquable est persistant. Il est à boire dès à présent, tout comme le **fleurie 97**, cité par le jury.

Michel Guignier, Faudon, 69820 Vauxrenard, tél. 04.74.69.91.52, fax 04.74.69.91.59 ☑ Y r.-v.

DOM. DES HAYES 1998

■ 12 ha 30 000 30 à 49 F

Pourpre profond, ce 98 au nez de fruits rouges bien mûrs, de vanille et d'épices révèle des tanins encore bien jeunes. Conservant de la fraîcheur, il est bien structuré. Il faut attendre qu'il se fasse ; dans quelques mois, il s'exprimera totalement.

Pierre Deshayes, Les Grandes Vignes, 69460 Le Perréon, tél. 04.74.03.25.47, fax 04.74.03.23.90 ☑ Y r.-v.

MICHEL JUILLARD 1998

□ 2 ha 8 000 30 à 49 F

Le chardonnay de ce domaine d'une dizaine d'hectares est planté sur un sol argilo-calcaire. Laissant de belles jambes sur le verre, ce 98 couleur or blanc livre des parfums francs et assez intenses de fleurs blanches. L'attaque pleine de chair et de grillé annonce un vin réussi dont la finale est vive et vineuse à la fois. Il est à boire dans l'année.

EARL Michel Juillard, Les Bruyères, rte de Saint-Amour, 71570 Chânes, tél. 03.85.36.53.29, fax 03.85.37.19.02 ☑ Y r.-v.

DOM. DE LA COMBE MORGUIERE 1998

■ 4 ha 30 000 20 à 29 F

Ce vin est fermé à double tour mais le jury aime ses parfums naissants, sa robe rouge vif prometteuse. Doté d'une belle attaque et d'une matière intéressante mais non assagie, il devra attendre au moins deux ans pour être apprécié.

SCI de La Combe Morguière, 69460 Salles-en-Beaujolais, tél. 04.74.09.60.00, fax 04.74.67.67.40

M. Desthieux

DOM. DE LA CROIX SAUNIER Sélection vieilles vignes 1998★

■ 3 ha 10 000 30 à 49 F

Ces vignes de gamay sont cinquantenaires. Elles sont plantées sur des arènes granitiques qui donnent de très bons beaujolais. De fins parfums de fruits rouges surmûris et une robe grenat sombre, presque violette, caractérisent cette sélection de vieilles vignes. D'emblée, des tanins généreux s'imposent en bouche, suivis du fruité. L'excellente structure de ce vin le destine à une garde de un à deux ans.

Gérard et Jean-Jacques Dulac, GAEC dom. Croix Saunier, Jean Dulac et Fils, 69460 Vaux-en-Beaujolais, tél. 04.74.03.22.46 ☑ Y r.-v.

GERARD ET JEANNINE LAGNEAU 1998★★

■ 4,5 ha 7 500 20 à 29 F

Cette cuvée carmin intense a été élue deuxième coup de cœur ex aequo par le jury. Ses notes de cassis et de fruits rouges s'attardent longuement en bouche. Moelleux, équilibré et fruité, ce beaujolais-villages harmonieux et caractéristique pourra être dégusté pendant un an. Le **régnié 98**, cité par le jury, complète la gamme de ces vignerons qui fêtent avec ce millésime les vingt ans de leur accession à la direction du domaine familial.

Gérard et Jeannine Lagneau, Huire, 69430 Quincié-en-Beaujolais, tél. 04.74.69.20.70, fax 04.74.04.89.44 ☑ Y r.-v.

DOM. DE LA MADONE Le Perréon 1998

■ 20 ha 130 000 30 à 49 F

La propriété, dont les origines remonteraient au XVIe s., a élevé une cuvée rouge intense et limpide, au nez développé de fruits rouges. La bonne chair et la rondeur de ce vin associées à des arômes fruités assez longs sont agrémentées d'une pointe de vivacité. A boire.

Jean Bérerd et Fils, Le Bourg, 69460 Le Perréon, tél. 04.74.03.21.85, fax 04.74.03.27.19 ☑ Y r.-v.

DOM. LA MAISON Leynes Vieilles vignes 1998★

■ 6 ha 4 000 20 à 29 F

L'un des chemins de Saint-Jacques-de-Compostelle passait par Leynes, commune d'où provient cette cuvée grenat violacé aux parfums capiteux de fruits rouges macérés, associés à des nuances animales et de sous-bois. Ronde, vineuse, persistante et tannique, elle ne manque pas d'avenir ! A boire ou à attendre un an ou deux pour en saisir toutes les facettes : c'est une affaire de goût personnel.

Jean Chagny, Dom. La Maison, 71570 Leynes, tél. 03.85.35.10.16, fax 03.85.35.12.09 ☑ Y t.l.j. 10h-19h

DOM. DE LA MAISON GERMAIN 1998★

■ 7 ha 8 000 20 à 29 F

Trois chambres d'hôtes s'ajoutent cette année à la formule « camping à la ferme » que propose cette exploitation qui a vinifié un 98 à la robe sombre, aux parfums développés de fruits rouges et aux nuances végétales. Sa fraîcheur et ses tanins lui confèrent un caractère sérieux. Promis

à un excellent vieillissement, ce vin authentique doit s'assouplir quelques mois pour se révéler.
🔑 Patrick et Marie-Paule Bossan, Dom. de La Maison Germain, Chapernay, rte de Salles,D20, 69460 Blacé, tél. 04.74.67.56.36, fax 04.74.67.56.36 ☑ 🍷 r.-v.

CELLIER DE LA MERLATIERE
Lancié 1998

■ 7 ha 40 000 ⓫ 20 à 29 F

Elevé en foudre, ce vin à la robe légère se caractérise par de fins parfums de fruits rouges et de cassis. Bien équilibré, agréable, il est à boire.
🔑 Paul Pariaud, La Merlatière, 69220 Lancié, tél. 04.74.04.10.16, fax 04.74.69.83.64 ☑ 🍷 r.-v.

DOM. DE LA MERLETTE 1998

■ 10 ha 10 000 ▮ 30 à 49 F

Cette cuvée rouge brillant, vinifiée par le président de la célèbre confrérie des G.O.S.I.E.R. S.E.C. de Clochemerle, s'avère discrète au nez. Plus expressive en bouche, elle laisse apprécier sa belle rondeur et des arômes de fruits rouges persistants. Elle est à boire.
🔑 René et Marie-Claire Tachon, Le Sottizon, 69460 Vaux-en-Beaujolais, tél. 04.74.03.24.80, fax 04.74.03.24.80, e-mail wine.tachon@wanadoo.fr ☑ 🍷 r.-v.

DOM. DE LA PLAIGNE 1998

■ 2 ha 16 000 ▮ 20 à 29 F

Fleurant bon la groseille et le cassis, cette cuvée rouge intense livre en bouche des notes fruitées et confites. Elle est à boire sur sa fraîcheur.
🔑 Gilles et Cécile Roux, La Plaigne, 69430 Régnié-Durette, tél. 04.74.04.80.86, fax 04.74.04.83.72 ☑ 🍷 r.-v.

DOM. DE LA TOUR DES BOURRONS 1998

■ 3,5 ha 2 500 ▮ 20 à 29 F

Bien situé à 500 m d'une église romane du XIe s. et au départ d'un sentier de randonnée, ce domaine propose un vin rouge vif qui s'affirme avec des parfums très jeunes de petits fruits rouges et des notes florales printanières. L'omniprésence des tanins n'altère pas son équilibre mais il est préférable de l'attendre quelques mois.
🔑 Bernard Guignier, Les Bourrons, 69820 Vauxrenard, tél. 04.74.69.92.05, fax 04.74.69.92.05 ☑ 🍷 r.-v.

PATRICK ET ODILE LE BOURLAY 1998

■ 2,5 ha 15 000 ▮ 20 à 29 F

Dans ce village, on a aménagé un sentier viticole qui permet de traverser les vignes et de comprendre le travail du vigneron. Le **juliénas 98** du domaine, cité par le jury, fait jeu égal avec cette cuvée d'un rouge assez intense aux séduisants parfums printaniers associés à des notes de fruits rouges et de vanille. Bien en chair, ce vin conserve de la fraîcheur. A boire dans l'année.
🔑 EARL Patrick et Odile Le Bourlay, Forétal, 69820 Vauxrenard, tél. 04.74.69.90.44, fax 04.74.69.90.44 ☑ 🍷 r.-v.

LES QUATRE CLOCHERS 1998

■ n.c. 60 000 ▮ 20 à 29 F

Gobet est une marque de AVF, Alliance des Vins Fins. Sa sélection à la robe brillante mais claire s'annonce par de délicats parfums floraux. Ce 98 friand - malgré une pointe de vivacité, et l'alcool qui domine - s'avère désaltérant et pourra accompagner dès à présent un pâté de campagne.
🔑 Gobet, Les Chers, 69840 Juliénas, tél. 04.74.06.78.00, fax 04.74.06.78.71 🍷 r.-v.

DOM. LES VILLIERS 1998*

■ 5,5 ha 6 000 ▮ 30 à 49 F

Ce domaine de 9 ha a implanté son gamay sur un sol granitique. Ce 98 est élaboré à partir de vignes trentenaires. La couleur pourpre assez foncé, caractéristique de l'appellation, est une belle entrée en matière. L'expression s'affirme sur des notes de fruits noirs bien mûrs. La bouche agréable, aromatique, conserve un peu de vivacité. Cette cuvée est à boire dans l'année.
🔑 Lucien Chemarin, Les Villiers, 69430 Marchampt, tél. 04.74.04.37.11 ☑ 🍷 t.l.j. 8h-12h 13h30-20h

DOM. DE L'OISILLON 1998*

■ 2 ha 5 000 ▮ 20 à 29 F

Un sentier viticole parcourt la commune où a été vinifié ce vin rubis au nez frais de primeur et de cassis. Souple, fruité, équilibré et persistant, ce séduisant représentant de l'AOC est encore jeune ; il peut attendre un an.
🔑 Michel Canard, Le Bourg, 69820 Vauxrenard, tél. 04.74.69.90.51, fax 04.74.69.90.51 ☑ 🍷 r.-v.

DOM. LONGERE 1998

■ 1 ha 6 500 ▮🌡 20 à 29 F

Partisan de la culture raisonnée et du respect de l'environnement, ce domaine a vinifié une cuvée rubis violacé, d'intensité moyenne mais dotée de puissants parfums de fruits mûrs et de pivoine. Ce vin bien réussi, équilibré et assez long, est déjà prêt à boire mais il peut aussi attendre un à deux ans.
🔑 Jean-Luc et Régine Longère, Le Duchamp, 69460 Le Perréon, tél. 04.74.03.27.63, fax 04.74.03.27.63 ☑ 🍷 r.-v.

DOM. JEAN-PIERRE MARGERAND 1998

■ 0,6 ha 3 400 ▮🌡 30 à 49 F

Sa robe rouge grenat et ses parfums discrets de kirsch et de fruits bien mûrs sont de bon ton. Sa structure équilibrée, agréable, destine ce vin à être bu dès maintenant.
🔑 Jean-Pierre Margerand, Les Crots, 69840 Juliénas, tél. 04.74.04.40.86, fax 04.74.04.46.54 ☑ 🍷 r.-v.

DOM. DU MARRONNIER ROSE 1998

■ 4 ha 5 000 ▮🌡 20 à 29 F

Le rouge violet de la robe est assorti aux parfums développés de cassis et de raisin mûr. L'attaque fruitée et le bon équilibre des tanins, de la chair et de l'acidité font dire à nos dégustateurs que ce vin friand, prêt à boire, a sa place dès l'apéritif.

●┐Sylvain et Nathalie Dory, Le Bourg, 69820 Vauxrenard, tél. 04.74.69.90.80, fax 04.74.69.90.80 ☑ ⵖ r.-v.

MOMMESSIN Vieilles vignes 1998★★

| ■ | n.c. | n.c. | 🍷 | 50 à 69 F |

Un sans faute pour ce négociant qui reçoit une étoile pour son **morgon 98** et son **moulin à vent** du même millésime, ainsi que le premier coup de cœur du grand jury des beaujolais-villages. Cette sélection rubis intense et limpide offre un nez bien développé de violette et de cerise. Les arômes assez puissants portés par sa chair, son harmonieuse constitution et sa longueur sont l'expression d'une belle typicité de terroir. Ce vin est prêt, mais il peut aussi se garder un à deux ans.

●┐Mommessin, Le Pont des Samsons, 69430 Quincié-en-Beaujolais, tél. 04.74.69.09.30, fax 04.74.69.09.28, e-mail mommessin@mommessin.com ⵖ r.-v.

DOM. DE MONSEPEYS 1998

| ■ | 5 ha | n.c. | 🍷 | 30 à 49 F |

Le domaine, qui dispose aussi de chambres d'hôtes, propose un 98 rouge vif au nez bien développé de senteurs naturelles d'une belle persistance. Des tanins soutenus structurent de façon harmonieuse ce vin long et équilibré. Il sera apprécié dès maintenant.

●┐Jean-Luc et Nathalie Canard, Les Benons, 69840 Emeringes, tél. 04.74.04.45.11, fax 04.74.04.45.19 ☑ ⵖ r.-v.

DOM. DES NUGUES 1998★

| ■ | 11 ha | 67 000 | 🍷 | 30 à 49 F |

Cela fait trente ans que Gérard Gelin est à la tête de cette exploitation. Sa cuvée 98, d'un rubis intense, s'ouvre sur des parfums très prometteurs de fruits rouges et de cassis, accompagnés de nuances florales. L'attaque tendre, fruitée et pleine impressionne agréablement en bouche. Un très bon vin à boire dans l'année.

●┐Gérard Gelin, Les Pasquiers, 69220 Lancié, tél. 04.74.04.14.00, fax 04.74.04.16.73 ☑ ⵖ r.-v.

LOUIS PARDON 1998

| ■ | 1 ha | 9 000 | 🍷 | 20 à 29 F |

Issue des vignes de la propriété familiale, cette cuvée d'un rouge soutenu livre des parfums flatteurs de framboise, de myrtille et de raisin macéré que l'on retrouve en bouche. Les tanins jeunes, présents tout au long de la dégustation, font un bon compromis avec le fruité. A boire cet hiver sur une volaille. Rappelons que ce pro-

ducteur a obtenu un coup de cœur pour cette même appellation dans le millésime 97.

●┐Pardon et Fils, 39, rue du Gal-Leclerc, 69430 Beaujeu, tél. 04.74.04.86.97, fax 04.74.69.24.08, e-mail pardon-fils.vins@wanadoo-fr ☑ ⵖ t.l.j. sf sam. dim. 8h-12h 14h-18h; f. août

JEAN-FRANCOIS PERRAUD 1998

| ■ | 1,2 ha | 4 000 | 🍷 | 20 à 29 F |

Une robe rubis soutenu, des parfums élégants mais discrets de fruits rouges et de poivre caractérisent ce vin bien structuré. Plutôt fait pour la garde, il devra attendre quelques mois en cave pour s'épanouir totalement.

●┐Jean-François Perraud, Les Chanoriers, 69840 Jullié, tél. 04.74.04.49.09, fax 04.74.04.49.09 ☑ ⵖ r.-v.

DOMAINES JEAN-CHARLES PIVOT 1998

| ■ | 12 ha | 90 000 | 🍷 | 30 à 49 F |

La famille Pivot a vinifié un vin grenat brillant aux parfums de mûre sauvage de bonne intensité. Aromatique, équilibré et d'une bonne longueur ce vin agréable est pour maintenant.

●┐Jean-Charles Pivot, Montmay, 69430 Quincié-en-Beaujolais, tél. 04.74.04.30.32, ☑ ⵖ r.-v.

CAVE DE SAINT-JULIEN 1998★

| ■ | n.c. | 8 000 | 🍷 | 30 à 49 F |

Implantée sur la commune où naquit Claude Bernard, la dernière-née des caves coopératives du Beaujolais propose une cuvée rubis intense livrant des parfums distingués et bien soutenus de raisin mûr et de petits fruits rouges. Ample, rond et persistant, ce vin plaisant, plein de finesse, sera apprécié au cours des deux prochaines années.

●┐Cave Coop. de Saint-Julien, Les Fournelles, 69640 Saint-Julien, tél. 04.74.67.57.46, fax 04.74.67.51.93 ☑ ⵖ r.-v.

DOM. DE SERMEZY 1998★

| ■ | 5 ha | 12 000 | 🍷 | 20 à 29 F |

Cette exploitation, qui compte des vignes presque centenaires, a produit une cuvée rouge vif au fruité assez puissant. Une belle attaque, agrémentée d'arômes soutenus et associée à une structure tannique persistante et harmonieuse, donne beaucoup de plaisir aux dégustateurs. Ce vin flatteur est à boire dans l'année.

●┐Patrice Chevrier, Dom. de Sermezy, 69220 Charentay, tél. 04.74.66.86.55, fax 04.74.66.86.55 ☑ ⵖ r.-v.

DOM. DE TERRES MUNIERS 1998

| ■ | 1,15 ha | 11 000 | 🍷 | 30 à 49 F |

Les beaux parfums de fruits rouges que livre cette cuvée rubis vif sont évanescents. Agréablement structuré, ce 98 est à boire sur son fruit.

●┐Gérard et Jacqueline Trichard, Bel Avenir, 71570 La Chapelle-de-Guinchay, tél. 03.85.36.77.54, fax 03.85.33.83.78 ☑ ⵖ r.-v.

CH. DE VAUX 1998*

■ 4 ha 15 000 ▮ 20 à 29 F

La propriété appartient depuis 1830 à la même famille. Elle propose une cuvée grenat à reflets violets, dont les parfums de fruits rouges bien mûrs côtoient quelques délicates notes florales. La bouche, suave, a beaucoup d'élégance et ne manque ni de puissance ni de matière. Riche et fin à la fois, ce 98 est prêt mais il peut encore attendre deux ans.

Jacques et Marie-Ange de Vermont, Le Bourg, 69460 Vaux-en-Beaujolais, tél. 04.74.03.20.03, fax 04.74.03.24.10 ☑ Y r.-v.

CH. DE VAUXONNE 1998*

■ n.c. n.c. ▮ 30 à 49 F

Le vin rubis intense du domaine de ce négociant est marqué par de puissants parfums de raisin bien mûr, de fruits rouges avec des nuances de cerise. La forte attaque, puis l'ampleur donnée par une solide structure tannique et de la chair, feront apprécier ce vin pendant deux ans. A noter, une étoile également pour la sélection de **brouilly 98.**

Dupond d'Halluin, B.P. 79, 69653 Villefranche-en-Beaujolais, tél. 04.74.60.34.74, fax 04.74.68.04.14

CH. DES VERGERS 1998*

■ 18 ha 35 000 ▮ 🌡 30 à 49 F

Le château possède une charpente en forme de carène renversée. On y découvrira une cuvée rubis soutenu aux parfums puissants de cassis et de framboise. Aromatique, harmonieusement équilibrée par une structure tannique élégante, elle est à boire dans l'année.

GFA Les Vergers du Chayla, Les Vergers, 69430 Lantignié, tél. 04.74.04.85.63, fax 04.74.04.83.50 ☑ Y r.-v.

Robert du Chayla

Brouilly et côte de brouilly

Le dernier samedi d'août, le vignoble retentit de chants et de musique ; les vendanges ne sont pas commencées et pourtant une nuée de marcheurs, panier de victuailles au bras, escaladent les 484 m de la colline de Brouilly, en direction du sommet où s'élève une chapelle près de laquelle seront offerts le pain, le vin et le sel ! De là, les pèlerins découvrent le Beaujolais, le Mâconnais, la Dombes, le mont d'Or. Deux appellations sœurs se sont disputé la délimitation des terroirs environnants : brouilly et côte de brouilly.

Le vignoble de l'AOC côte de brouilly, installé sur les pentes du mont, repose sur des granites et des schistes très durs, vert-bleu, dénommés « cornes-vertes » ou diorites. Cette montagne serait un reliquat de l'activité volcanique du primaire, à défaut d'être, selon la légende, le résultat du déchargement de la hotte d'un géant ayant creusé la Saône... La production (18 800 hl pour 325 ha) est répartie sur quatre communes : Odenas, Saint-Lager, Cercié et Quincié. L'appellation brouilly, elle, ceinture la montagne en position de piémont sur 1 300 ha, pour une production de 75 000 hl. Outre les communes déjà citées, elle déborde sur Saint-Etienne-la-Varenne et Charentay ; sur la commune de Cercié se trouve le terroir bien connu de la « Pisse Vieille ».

Brouilly

JEAN BARONNAT 1998**

■ n.c. n.c. ▮ 🌡 30 à 49 F

Spécialisé dans la restauration traditionnelle, ce négociant se distingue aussi avec un **morgon 97** qui reçoit deux étoiles. Ce brouilly grenat révèle d'intenses parfums de fruits rouges, de fruits à noyau, complexes et fins à la fois. L'attaque pleine de souplesse n'estompe pas la structure tannique bien assise et élégante. Ample, avec une longue finale, ce 98 est à boire mais peut attendre de un à deux ans. Deux vins remarquables.

Jean Baronnat, Les Bruyères, rte de Lacenas, 69400 Gleizé, tél. 04.74.68.59.20, fax 04.74.62.19.21, e-mail mail.@baronnat.com ☑ Y r.-v.

DOM. DU BARVY 1997*

■ 2,8 ha 3 000 ▮ 30 à 49 F

Le domaine, qui mène également une activité de gîte rural, propose un vin rouge tuilé aux parfums assez intenses de fougère. Très bien équilibré, avec une structure tannique agrémentée d'arômes de fruits rouges, ce 97 est prêt pour accompagner tout un repas.

Dom. du Barvy, La Commune, 69460 Odenas, tél. 04.74.03.40.30, fax 04.74.03.49.27 ☑ Y r.-v.

Pascal Bouillard

DOM. DE BEL-AIR 1998**

■ 6,65 ha n.c. ▮ ⬮ 🌡 30 à 49 F

Le grand jury des brouilly a consacré cette cuvée grenat profond. Il a été séduit par la belle intensité des arômes de mûre, de sous-bois et de fruits frais. L'attaque tout en rondeur laisse des sensations suaves et douces. Ce vin très bien équilibré, long et persistant, facile à déguster, sera apprécié au cours des trois prochaines années avec un sanglier à la groseille.

EARL Jean-Marc Lafont, Bel-Air, 69430 Lantignié, tél. 04.74.04.82.08, fax 04.74.04.89.33 ☑ Y t.l.j. sf dim. 8h-12h 14h-18h; f. août

DOM. BERTRAND 1997

■ 2,5 ha n.c. 30 à 49 F

Viticulteurs depuis 1974, les Bertrand sont à la tête d'un domaine de 17 ha. Les impressions rustiques de leur 97, grenat profond, aux parfums de pierre mouillée et de bois, ne sont pas à dédaigner. L'attaque quelque peu astringente de prunelle accentue cette impression. Puis sa bonne structure s'impose. Ayant de l'ampleur, ce vin gagnera des arômes au cours des deux prochaines années et sera apprécié avec du gibier.

Jean-Pierre et Maryse Bertrand, Bonnège, 69220 Charentay, tél. 04.74.66.85.96, fax 04.74.66.72.46 ☑ Y r.-v.

PAUL CHAMPIER 1997

■ 1,3 ha 8 000 30 à 49 F

Les Champier, métayers de père en fils depuis plus de cent ans sur le domaine, ont élaboré « à l'ancienne » une cuvée rubis soutenu aux intenses notes de fruits. La belle attaque, pleine de rondeur et d'arômes, est suivie de tanins plus fermes. Ce vin a du caractère ; il est à boire.

GAEC Paul Champier, Les Sigaux, 69460 Odenas, tél. 04.74.03.42.23, fax 04.74.03.48.41 ☑ Y t.l.j. sf dim. 8h-12h 14h-19h

CHARLES AINE 1998*

■ n.c. 18 000 30 à 49 F

Marque des bourgognes Maurice Chenu (groupe Tresch). Un grenat vif illumine la robe de cette sélection aux parfums assez puissants de fruits acidulés et d'épices. L'attaque tannique, soutenue par une bonne acidité, correspond à un vin solide, complet, digne d'un bon cru, prêt à affronter le troisième millénaire pendant deux à trois ans.

Charles Ainé, chem. de la Pierre-qui-vire, 21200 Montagny-Lesbeaune, tél. 03.80.26.37.37, fax 03.80.24.14.81

PAUL CINQUIN Pisse Vieille 1998**

■ 3 ha 8 000 30 à 49 F

La robe grenat, qui jette des reflets rouges d'un bel effet, est associée à des parfums de fruits rouges et exotiques encore masqués. La complicité du gaz fait exploser les arômes en bouche, retenus par des tanins juste suffisants et une vivacité à point. Frais, franc, ample et long, ce vin remarquable, qui peut attendre un an, accompagnera gigot, sabodet, brochet en court-bouillon.

Paul Cinquin, Les Nazins, 69220 Saint-Lager, tél. 04.74.66.80.00, fax 04.74.66.70.78 ☑ Y r.-v.

REMY DARGAUD 1998*

■ 5,5 ha n.c. 30 à 49 F

Le vignoble, exposé plein sud, a permis l'élaboration d'une cuvée à reflets grenat qui livre des arômes de fruits rouges aux nuances de cassis et de groseille. Très harmonieuse, la bouche ronde, équilibrée et aromatique, est une invitation à déguster cette bouteille dès maintenant. A essayer avec un saucisson de Lyon cuit au vin.

Rémy Dargaud, 30, rte de Villié-Morgon, 69220 Cercié-en-Beaujolais, tél. 04.74.66.81.65 ☑ Y r.-v.

DOM. DEMIANE 1997

■ 9 ha 50 000 30 à 49 F

Commercialisé par la maison Dépagneux, ce vin à la robe légère est caractérisé par d'intenses parfums de fruits rouges que l'on retrouve en bouche. Sa structure plutôt fine incite à le boire dès maintenant.

Jacques Dépagneux, Les Chers, 69840 Juliénas, tél. 04.74.06.78.00, fax 04.74.06.78.71 Y r.-v.

FABRICE DUCROUX
Vignoble des Côtes 1998

■ 0,64 ha 5 000 30 à 49 F

Cette cuvée rouge intense, mise en bouteilles par l'Eventail de Vignerons Producteurs de Corcelles, développe des parfums de cassis et de violette qui se prolongent en bouche d'une belle manière. Equilibré, c'est un bon vin qui s'affirmera dans quelques mois.

Fabrice Ducroux, 69640 Saint-Julien, tél. 04.74.06.10.10, fax 04.74.66.13.77 ☑ Y r.-v.

DOM. DE FONT-CURE 1997

■ 2,5 ha n.c. 30 à 49 F

Les hôtes du gîte rural, annexe de l'exploitation, auront le choix entre le **beaujolais-villages rouge 98**, retenu avec la même note par le jury, et cette cuvée grenat aux parfums complexes de fruits cuits, d'épices et de griotte. L'attaque légère, associée à des tanins souples, et les arômes de noyau, en font un vin agréable à boire maintenant.

Françoise Gouillon, Saburin, 69430 Quincié-en-Beaujolais, tél. 04.74.04.36.33, fax 04.74.04.36.33 ☑ Y r.-v.

J. GONARD ET FILS 1998

■ 4 ha 4 000 30 à 49 F

Jeune maison de négoce installée dans le Beaujolais depuis 1991. Sa sélection de **morgon 98** a reçu la même note que ce brouilly grenat intense dont les arômes équilibrés de fruits rouges et d'épices tentent de compenser en bouche des tanins assez fermes, mais qui ne déméritent pas. De bonne facture, ce 98 est prêt à boire.

J. Gonard et Fils, Les Gonnards, 69840 Juliénas, tél. 04.74.04.45.20, fax 04.74.04.45.69 ☑ Y t.l.j. 9h-12h 14h-19h

GRAND CLOS DE BRIANTE 1998

■ 14 ha 50 000 🛢 30 à 49 F

Cette belle cuvée rubis profond s'ouvre sur des parfums bien dosés de fruits rouges mûrs et de pivoine. Le fruité, agréablement accroché à des tanins fermes, présente une belle complexité. D'une longueur honorable, cette bouteille s'épanouira dans un an.

🔑 GFA des Beillard, Briante, 69220 Saint-Lager, tél. 04.74.09.60.00, fax 04.74.67.67.40
🔑 Verzier

DOM. DES GRANITS BLEUS 1998★

■ 4 ha 30 000 🛢 30 à 49 F

Fondée en 1821, cette maison a sélectionné un vin rubis sombre qui s'ouvre timidement sur des parfums de framboise et de cassis qui se développent ensuite. Une belle attaque pleine de fraîcheur s'épanouit en bouche. Quelques tanins encore anguleux rappellent, avec les arômes de fruits rouges, que ce jeune vin en évolution promet beaucoup. On attendra un an avant de le savourer pleinement.

🔑 Collin-Bourisset Vins Fins, av. de la Gare, 71680 Crèches-sur-Saône, tél. 03.85.36.57.25, fax 03.85.37.15.38, e-mail cbourisset@compuserve.com Y r.-v.

DOM. DU GRIFFON 1998

■ 4,3 ha 20 000 🛢 30 à 49 F

Ce producteur a fait plusieurs rachats de propriétés qui étaient en métayage pour constituer son domaine qui atteint aujourd'hui plus de 11 ha. S'ouvrant sur d'agréables parfums de fruits rouges, cette cuvée offre de plaisantes sensations de rondeur et de fruité. Ses tanins bien dosés assurent un bel équilibre. Elle est faite pour maintenant.

🔑 Jean-Paul Vincent, pl. de la Poste, 69220 Saint-Lager, tél. 04.74.66.85.06, fax 04.74.66.73.18 ☑ Y r.-v.

DOM. DE JASSERON 1998★

■ 1,25 ha 4 000 🛢 30 à 49 F

On retrouve souvent ce domaine dans le Guide. Ce sont des parfums de raisin bien mûr qui s'échappent de ce vin rubis sombre. Travaillé avec attention, il tapisse agréablement le palais, mettant harmonieusement en valeur ses tanins, son fruité et sa vivacité ; il est prêt à être consommé.

🔑 Georges Barjot, Grille-Midi, 69220 Saint-Jean-d'Ardières, tél. 04.74.66.47.34, fax 04.74.66.47.34 ☑ Y r.-v.

BERNARD JOMAIN 1997★

■ 5,25 ha 4 000 🛢 30 à 49 F

Métairie du château de la Chaize, cette propriété a élevé une cuvée d'un rouge soutenu et limpide. Les parfums développés de fruits rouges se prolongent très agréablement en bouche. Plein de chair, ce vin harmonieux est prêt à boire.

🔑 Bernard Jomain, Les Clous, 69460 Odenas, tél. 04.74.03.47.60, fax 04.74.03.47.60 ☑ Y r.-v.

DOM. DE LA MAISON ROSE 1998

■ n.c. n.c. 🛢 30 à 49 F

Outre cette cuvée grenat aux parfums frais et intenses de mûre sauvage et de fruits rouges, le **beaujolais-villages rouge 98** et le **moulin à vent 98** ont été cités par les dégustateurs. Bien équilibré et aromatique, ce 98 n'a pas l'étoffe qu'on attendait mais il se montre plaisant. Il est à boire dans l'année.

🔑 Jacques Charlet, 71570 La Chapelle-de-Guinchay, tél. 03.85.36.82.41, fax 03.85.33.83.19

LA PETITE FOLIE 1998

■ n.c. 30 000 🛢 30 à 49 F

Marque d'AVF, cette sélection grenat limpide s'ouvre sur des arômes fruités complexes. Conçue pour le plaisir immédiat, elle montre une légèreté structurelle harmonieusement maîtrisée, une persistance intéressante. Elle est à boire.

🔑 Jean Bedin, Les Chers, 69840 Juliénas, tél. 04.74.06.78.00, fax 04.74.06.78.71 Y r.-v.

DOM. DE LA PISSEVIEILLE 1998

■ 5 ha 17 000 🛢 30 à 49 F

Grenat foncé, cette cuvée s'ouvre sur des notes fruitées qui rappellent le cassis et les épices. Sa vivacité, associée à quelques notes confites, est intéressante dès à présent, mais sa constitution légère la destine à une consommation dans l'année.

🔑 Mme Gaillard, La Pisse Vieille, 69220 Cercié-en-Beaujolais, tél. 04.74.09.60.00, fax 04.74.67.67.40

DOM. DE LA ROCHE ST MARTIN 1998★

■ 6,2 ha 20 000 🛢 30 à 49 F

La propriété, composée de 10 ha, consacre 6,20 ha à cette appellation. Les riches et beaux parfums fruités avec des nuances de kirsch qui émanent de cette cuvée grenat, accompagnent en bouche des tanins bien développés. Charpenté et musclé à la fois, ce vin typé, long, est apte à vieillir deux à trois ans sans problème.

🔑 Jean-Jacques Béréziat, Briante, 69220 Saint-Lager, tél. 04.74.66.85.39, fax 04.74.66.70.54 ☑ Y r.-v.

DOM. DE LA SAIGNE 1998

■ 0,5 ha n.c. 🛢 30 à 49 F

Les parfums bien marqués à base de cassis et de framboise de cette cuvée rubis foncé, jouent le premier rôle. Correctement équilibré et structuré, l'ensemble est plaisant mais sa personnalité légère destine ce millésime à une consommation rapide.

🔑 EARL Lenoir Fils, Cime de Cherves, 69430 Quincié-en-Beaujolais, tél. 04.74.69.02.03, fax 04.74.69.01.45 ☑ Y r.-v.

CH. DE LA TERRIERE

Cuvée Jules du Souzy 1997

■ 9,59 ha 8 000 🛢 30 à 49 F

Le château, dont les origines remontent au XIII[e]s. et qui appartint à Anne de Beaujeu, élève un vin dont la robe rouge sombre est traversée de quelques reflets tuilés. Ses parfums légers sont

ceux de la cerise nuancés de notes de chêne. Avec une structure assez fondue, imprégnant le palais d'impressions boisées, ce 97 traditionnel et représentatif de son AOC est à consommer avec une viande en sauce.
⊶ GFA de La Terrière et du Souzy, La Terrière, 69220 Cercié, tél. 04.74.66.73.19, fax 04.74.66.73.07 ☑ Y r.-v.
⊶ M. Meissirel

JEAN LATHUILIERE Pisse Vieille 1998★

■ 9,5 ha 40 000 ▮ **30 à 49 F**

Les vignes du coteau au nom légendaire ont donné une cuvée grenat limpide aux parfums de mûre et de cerise assez intenses. L'attaque encore tannique est grandement compensée par le développement d'arômes de fruits rouges bien mûrs. Ce vin solide et ample, qu'un peu plus de chair aurait sublimé, peut attendre de deux à quatre années et accompagnera des viandes grillées.
⊶ Jean Lathuilière, La Pisse Vieille, 69220 Cercié-en-Beaujolais, tél. 04.74.66.81.80, fax 04.74.66.70.55 ☑ Y t.l.j. sf dim. 8h-20h

DOM. LILOU 1998★

■ 1,5 ha 10 000 ▮ **30 à 49 F**

Avec le **morgon** et le **beaujolais-villages rouge 98** cités par le jury, ce négociant propose un vin de domaine grenat, d'intensité moyenne. Le nez puissant qui gagne avec l'aération, développe des parfums de fruits frais et de nuances épicées. La bouche ample où s'épanouissent des notes acidulées de fruits rouges, montre quelques tanins fins et intenses. Déjà prête, cette bouteille se bonifiera encore au cours des deux prochaines années.
⊶ Gabriel Aligne, La Chevalière, 69430 Beaujeu, tél. 04.74.04.84.36, fax 04.74.69.29.87 ☑ Y r.-v.

FLORENT ET FABIEN MARCHAND Clos Reissier 1998

■ 1,5 ha 5 400 ▮ (|) **30 à 49 F**

Le Luxembourg, qui fait son entrée dans le Guide cette année, importe déjà 5 % de ce Clos Reissier. Sa robe grenat intense est à l'image des parfums de fruits surmûris qui se développent agréablement. Sa bonne structure et ses arômes accompagnent la dégustation. Plaisant, ce vin sera consommé pendant un à deux ans ; on le servira avec des viandes grillées et du fromage.
⊶ Florent et Fabien Marchand, 1, Grande-Rue, 69220 Cercié-en-Beaujolais, tél. 04.74.66.84.93, fax 04.74.66.84.93 ☑ Y r.-v.

DOM. DE MONTBRIAND 1997★

■ 3 ha 18 000 ▮ 🌡 **70 à 99 F**

Négociant à Aloxe-Corton, Pierre André exploite ce domaine de Blaceret-en-Beaujolais. Rubis brillant, ce brouilly livre d'agréables senteurs fruitées. Plein de chair, très harmonieux, bien structuré, aromatique et long, il peut être consommé dès maintenant.
⊶ Pierre André, Dom. de Montbriand, Ch. de Corton André, 21420 Aloxe-Corton, tél. 03.80.26.44.25, fax 03.80.26.43.57, e-mail pandre@axnet.fr

NELLY MORIN Cuvée Tradition 1997★

■ 1,5 ha 3 000 ▮ (|) **30 à 49 F**

Elevée en cuve inox et en foudre de bois, cette cuvée Tradition rubis vif se distingue par des parfums de fruits rouges d'une grande intensité. Remplissant totalement le palais, sa chair et sa bonne structure en font un vin harmonieux à boire dès à présent.
⊶ Nelly Morin, Les Nazins, 69220 Saint-Lager, tél. 04.74.66.80.07 ☑ Y r.-v.

ROBERT PERROUD 1998★

■ 5 ha 17 000 (|) **30 à 49 F**

Depuis plus de deux siècles, la famille Perroud se consacre à la vigne. Doté d'une belle robe rubis avec des reflets violets, ce 98 développe des parfums de fruits rouges et de sous-bois. Ce vin complet, charnu, équilibré et long sera apprécié dès cette année.
⊶ Robert Perroud, Les Balloquets, 69460 Odenas, tél. 04.74.04.35.63, fax 04.74.04.35.63 ☑ Y r.-v.

CH. DE PIERREUX 1998

■ 76 ha n.c. (|) **30 à 49 F**

Le château, grosse maison forte dont les origines remonteraient au XIII[e]s., a été rénové au siècle dernier. Ses caves renferment un vin rubis sombre qui s'exprime sur des notes de fruits rouges très mûrs et de grillé. Equilibré et persistant, encore marqué par les tanins, il va s'affiner dans les mois à venir.
⊶ Comte de Toulgoët, Ch. de Pierreux, 69460 Odenas, tél. 04.74.03.47.53 ☑ Y r.-v.

DOM. RUET 1998★★

■ 5 ha 35 000 ▮ 🌡 **30 à 49 F**

Les vignes, en majorité exposées plein sud, ont produit un **régnié 98** gratifié d'une étoile par nos dégustateurs et ce coup de cœur décerné par le grand jury des brouilly, arrivé en première place ! La robe grenat profond de cette cuvée est très appréciée, tout comme les parfums élégants et complexes qui mêlent la pivoine, les fruits rouges bien mûrs et des notes épicées. Sa belle matière fruitée et florale est supportée par de fins tanins et une pointe de vivacité. Sa persistance et son harmonieuse structure sont une invitation à boire ce vin maintenant mais il peut attendre deux ans. On recommande de le servir avec un rôti de bœuf en croûte.

🔑 Dom. Ruet, Voujon, 69220 Cercié-en-Beaujolais, tél. 04.74.66.85.00, fax 04.74.66.89.64 ☑ 🍷 r.-v.
🔑 Jean-Paul Ruet

DOM. DE SAINT-ENNEMOND 1998

■ 6,5 ha 30 000 30 à 49 F

L'exploitation, qui dispose de trois chambres d'hôte, a reçu la même note pour son **beaujolais rouge 98** et ce brouilly. Laissant de belles jambes sur le verre, cette cuvée rouge soutenu révèle de frais parfums de fruits rouges. L'attaque franche montre beaucoup de rondeur et d'arômes de cassis et de framboise. Equilibré et persistant, ce vin de plaisir est à boire avec une volaille rôtie ou de la charcuterie.
🔑 Christian Béréziat, Dom. de Saint-Ennemond, 69220 Cercié-en-Beaujolais, tél. 04.74.69.67.17, fax 04.74.69.67.29 ☑ 🍷 r.-v.

CELLIER DES SAINT-ETIENNE 1998★

■ n.c. 8 000 30 à 49 F

20 % des 420 ha que vinifie la cave font l'objet d'un suivi de traçabilité. Ses productions **98 de beaujolais-villages** et de **côte de brouilly** ont été citées par nos dégustateurs. Cette cuvée pourpre brillant livre de longs parfums de fruits rouges. Charnu avec du mordant, équilibré et long, ce vin typé est à point maintenant pour être un bon compagnon des repas dominicaux.
🔑 Cellier des Saint-Etienne, rte du Beaujolais, 69460 Saint-Etienne-des-Oullières, tél. 04.74.03.43.69, fax 04.74.03.48.29 ☑ 🍷 r.-v.

DOM. DU SOULIER 1998

■ 5 ha 5 000 30 à 49 F

Dans la plus grande cave voûtée de la colline de Brouilly (67 m) est élevée une cuvée rouge soutenu presque violacé, aux intenses parfums de fruits avec une touche boisée. La bouche, puissante et structurée, forme un bel ensemble prêt à être consommé mais pouvant attendre de deux à trois ans encore.
🔑 Diane Julhiet, La Côte de Brouilly, 69460 Odenas, tél. 04.74.03.49.01, fax 04.74.03.49.01 ☑ 🍷 r.-v.

BERNARD TRICHARD
Les Nazins 1997★

■ 6,98 ha 40 000 30 à 49 F

L'intense couleur de la robe s'harmonise avec un nez puissant de fruits rouges, de pivoine et de violette. La fraîcheur initiale est suivie de notes plus chaudes qui ne remettent pas en cause une bouche fine et nette. La bonne harmonie de ce vin arrivé à maturité est une incitation à le boire dès à présent.
🔑 Bernard Trichard, Les Nazins, 69220 Saint-Lager, tél. 04.74.66.80.48, fax 04.74.66.81.60 ☑ 🍷 t.l.j. 7h30-19h; dim. sur r.-v.

FREDERIC TRICHARD 1997

■ 1,47 ha 10 000 30 à 49 F

Une nuance de cassis assez intense domine les parfums de fruits rouges bien développés de ce vin grenat. L'attaque charnue et souple est flatteuse mais la finale plus tannique demande encore quelque temps pour se fondre.
🔑 Frédéric Trichard, Polanche, 69220 Saint-Lager, tél. 04.74.66.07.16 ☑ 🍷 t.l.j. 7h30-19h; dim. sur r.-v.

GEORGES VIORNERY 1997★

■ 5,25 ha 10 000 30 à 49 F

35 % de la production de ce domaine passent déjà nos frontières. Nul doute que ce brouilly séduira les amateurs. La robe rouge est traversée de quelques reflets orangés. Ses parfums fruités, développés, accompagnent les sensations charnues de la dégustation. Très harmonieusement équilibré, complet sans excès de puissance, ce vin agréable est prêt.
🔑 Georges Viornery, Brouilly, 69460 Odenas, tél. 04.74.03.41.44, fax 04.74.03.41.44 ☑ 🍷 t.l.j. 8h-20h

DOM. DE VURIL Grumage 1997★

■ 1,2 ha 8 000 30 à 49 F

Déjà remarqué par les Grumeurs des Compagnons du Beaujolais, ce 97 d'une grande intensité colorante livre d'amples parfums de fleurs, de vanille et de sous-bois. Sa remarquable bouche pleine de chair, harmonieusement structurée, riche d'arômes complexes, est une invitation à le découvrir dès maintenant.
🔑 EARL M.-France et Gabriel Jambon, Chapoly, 69220 Charentay, tél. 04.74.66.84.98, fax 04.74.66.80.58 ☑ 🍷 r.-v.

Côte de brouilly

DOM. BARON DE L'ECLUSE 1997

■ 4,92 ha 6 000 30 à 49 F

Ancienne dépendance de Château Thivin, ce domaine proche de la chapelle de Brouilly élève un vin grenat à reflets violets qui s'ouvre sur des nuances de pêche et de fruits rouges surmûris. Remplissant totalement la bouche, il garde encore une pointe de vivacité. Ce 97 puissant, ample et persistant sera à son apogée en l'an 2000.
🔑 SCI du Dom. Baron de l'Ecluse, Le Sigaud, 69460 Saint-Etienne-la-Varenne, tél. 04.74.03.53.50, fax 04.74.03.53.50, e-mail vinbaron@aol.com ☑ 🍷 r.-v.

CAVE DES VIGNERONS DE BEL-AIR 1998

■ n.c. n.c. 30 à 49 F

La Cave de Bel-Air fête son 70e anniversaire. Elle est citée pour son **beaujolais-villages rouge 98** et pour cette cuvée pourpre agrémentée de reflets violets. Ses parfums plutôt fins de cassis et des notes vineuses accompagnent une bouche nerveuse, structurée qui révèle des arômes de framboise et de pêche. Assez ferme avec un joli fruit, ce 98 est à boire dans l'année.
🔑 Cave des Vignerons de Bel-Air, Saint-Jean-d'Ardières, 69220 Belleville, tél. 04.74.66.35.91, fax 04.74.69.62.53 ☑ 🍷 r.-v.

DOM. DE BERGIRON 1997

■   3,2 ha   n.c.   ❚❙❙ 30 à 49 F

Ce vin rouge vif à reflets brillants livre des parfums de fruits surmûris et un peu chauds. Des tanins harmonieux dominent sans excès la bouche. Ce 97 est à boire.

●┐Jean-Luc Laplace, Bergiron, 69220 Saint-Lager, tél. 04.74.66.88.42 ☑ ϒ r.-v.

CH. DE BRIANTE 1997

■   3,85 ha   9 000   ❚❙❙ 30 à 49 F

La propriété, qui comprend un gîte rural « trois épis », a élevé un vin rouge sombre à reflets violets. Le nez bien développé de fruits rouges laisse apparaître quelques nuances animales. L'attaque franche avec de la chair annonce le bon équilibre des fins tanins. Bien réussi, ce 97 est à attendre un an.

●┐GFA Ch. de Briante, 69220 Saint-Lager, tél. 04.74.66.72.34, fax 04.74.66.73.94 ☑ ϒ r.-v.

CUVAGE DES BROUILLY 1998★

■   n.c.   n.c.   ▮ 30 à 49 F

Créé pour assurer la promotion des brouilly et des côte de brouilly, le Cuvage propose un vin rubis limpide aux parfums de fruits noirs et de cerise moyennement intenses mais flatteurs. L'attaque franche, l'élégante structure équilibrée avec des arômes fruités persistants sont appréciées. Ce 98 pourra être conservé de un à deux ans.

●┐Cuvage des Brouilly, 69220 Saint-Lager, tél. 04.74.66.82.65 ☑ ϒ t.l.j. 10h-12h 15h-19h; f. en janv. fév., sf les sam. et dim.

DOM. DES FEUILLEES 1998

■   2 ha   15 000   ❚❙❙ 30 à 49 F

Mari et femme, propriétaires associés du domaine, ont vinifié une cuvée rubis avec des reflets grenat qui s'ouvre sur des senteurs d'épices et de poivre. Assez rond, souple, équilibré, ce vin glisse en bouche sans s'attarder. Il est à boire dans l'année.

●┐Gilbert et Isabelle Thivend, Côte de Brouilly, 69460 Odenas, tél. 04.74.03.45.13, fax 04.74.03.31.02 ☑ ϒ t.l.j. 10h-12h 14h-18h; f. 15-31 août

PIERRE GERMAIN 1998

■   0,65 ha   3 200   ▮♦ 30 à 49 F

L'exploitation, soucieuse du respect de l'environnement, a récolté une cuvée rubis brillant avec des reflets violets. Les parfums de fruits rouges bien mûrs et amyliques accompagnent toute la dégustation. Ce vin fruité, charnu et équilibré est à consommer dès à présent.

●┐Pierre Germain, Les Verdelières, 69380 Charnay, tél. 04.78.43.93.44 ☑ ϒ r.-v.

CH. DU GRAND VERNAY 1997

■   2,75 ha   20 000   ❚❙❙ 30 à 49 F

Des vignes exposées au sud ont donné ce vin rouge vif aux parfums moyennement intenses et persistants de fruits rouges confits et de poivre. Sa structure équilibrée est agréablement imprégnée d'arômes fruités. Ce 97 est à boire dès maintenant.

●┐EARL Claude Geoffray, Ch. du Grand Vernay, 69220 Charentay, tél. 04.74.03.46.20, fax 04.74.03.47.46 ☑ ϒ t.l.j. 9h-12h 13h30-19h30

DOM. DE LA PIERRE BLEUE 1998★

■   4 ha   n.c.   30 à 49 F

Lieu initiatique et convivial, le domaine a vinifié une cuvée limpide, rouge intense avec des reflets violets. Le nez typé du terroir est bien présent et agréablement associé à une attaque en douceur, longue et riche. Assez fin et équilibré, ce vin encore jeune, aux caractéristiques affirmées du cru, se bonifiera avec quelques mois de garde. Le **beaujolais rouge 98** a été cité par les dégustateurs. On peut lui faire confiance !

●┐EARL Olivier Ravier, Dom. des Sables d'Or, Les Descours, 69220 Belleville-sur-Saône, tél. 04.74.66.12.66, fax 04.74.66.57.50 ☑ ϒ t.l.j. 8h-18h

DOM. LARGE 1998★★

■   3,2 ha   24 500   ❚❙❙ 30 à 49 F

Exposées au sud-sud-est, les vignes du domaine ont donné cette cuvée rubis aux beaux reflets violets, commercialisée par l'Eventail des vignerons producteurs de Corcelles. Son bouquet assez fin de cassis et de groseille confits est agrémenté de nuances de safran et de muscade. Plein, rond, garnissant totalement la bouche d'arômes de cerise bien mûre et de tanins serrés et racés, ce vin de classe, élégant, équilibré et persistant, est prêt à boire, mais peut attendre de deux à trois ans.

●┐Dom. Large, 69460 Odenas, tél. 04.74.06.10.10, fax 04.74.66.13.77 ☑ ϒ r.-v.

DOM. DU CH. DE LA VALETTE 1998

■   0,75 ha   5 800   ▮ 30 à 49 F

Il a la couleur et le bouquet d'une cerise noire, celle-ci s'affirmant encore plus nettement au moment de l'attaque. Rond, sans agressivité, ce 98 fruité est à boire.

●┐Jean-Pierre Crespin, Le Bourg, 69220 Charentay, tél. 04.74.66.81.96, fax 04.74.66.71.72 ☑ ϒ r.-v.

DOM. DE LA VOUTE DES CROZES 1998★

■   3,5 ha   25 000   ❚❙❙ 30 à 49 F

Des vignes de quarante ans, implantées sur granites et schistes anciens, ont donné de beaux raisins vinifiés en cuve inox et élevés en foudre de chêne. Les parfums de cette cuvée cerise noire s'expriment assez peu, avec quelques notes de réglisse. Cette approche prémonitoire d'un vin concentré à attendre est égayée par une attaque charnue et riche. Ce vin puissant et long s'appréciera dans un à deux ans.

●┐Nicole Chanrion, Les Crozes, 69220 Cercié-en-Beaujolais, tél. 04.74.66.80.37, fax 04.74.66.89.60 ☑ ϒ r.-v.

LES ROCHES BLEUES
Elevé en fût de chêne 1997★★

■   2,65 ha   15 700   ❚❙❙ 30 à 49 F

La cave, creusée dans l'une des roches les plus dures, conserve un **brouilly 97** jugé très réussi, et cette cuvée rubis sombre avec des reflets pourpres, élevée dans le chêne, coup de cœur du grand jury. Le bouquet très net et élégant de framboise et de groseille est assorti de touches poivrées et granitiques. La bouche savoure la fraîcheur de ce superbe vin aux nuances de cassis et de fruits rouges soutenues par de fins tanins, ainsi qu'une minéralité très pure. Prêt à être bu, ce 97 est apte à une garde de deux à trois ans.

🔑 Dominique Lacondemine, Côte de Brouilly, 69460 Odenas, tél. 04.74.03.43.11, fax 04.74.03.50.06, e-mail lacondemine.dominique@wanadoo.fr ☑ 🍷 t.l.j. sf dim. 8h30-20h; groupe sur r.-v.

DOM. LILOU 1998

| ■ | 0,55 ha | 4 000 | ▮ ♦ | 30 à 49 F |

Les parfums frais de framboise, de groseille et de fraise de cette cuvée rubis limpide se prolongent finement en bouche. D'une structure tannique légère, celle-ci se révèle gouleyante. Agréablement fruitée et équilibrée, elle sera appréciée dès à présent avec de la charcuterie.
🔑 Louis Gaget, 69460 Odenas, tél. 04.74.03.43.43, fax 04.74.03.45.83 ☑ 🍷 r.-v.

DOM. DU PETIT PRESSOIR 1998

| ■ | 3 ha | 23 000 | ▮ ♦ | 30 à 49 F |

Commercialisée par l'Eventail de vignerons producteurs de Corcelles, cette cuvée rubis sombre livre progressivement des nuances de framboise, d'alcool et de vanille. L'attaque fraîche, vive et fruitée s'harmonise avec une structure assez fine, agréable. Ce vin non sophistiqué, plaisant, est prêt à boire.
🔑 Daniel Mathon, 69220 Saint-Lager, tél. 04.74.06.10.10, fax 04.74.66.13.77 ☑ 🍷 r.-v.

CH. DES RAVATYS
Cuvée Mathilde Courbe 1997★★

| ■ | 23 ha | 40 000 | ▮ ♦ | 30 à 49 F |

Légué à l'Institut Pasteur en 1937 par Mathilde Courbe, le domaine a vinifié un **brouilly 98** cité par le jury, et ce 97 rubis foncé, très jeune. Les parfums fruités et vineux, harmonieux et bien développés, se prolongent jusqu'à la finale. L'attaque franche ainsi qu'une structure tannique souple et bien équilibrée en font un vin élégant prêt à boire mais pouvant attendre trois ou quatre ans.
🔑 Institut Pasteur, Les Ravatys, 69220 Saint-Lager, tél. 04.74.66.47.81, ☑ 🍷 t.l.j. sf sam. dim. 8h-12h 14h-18h; f. 15 j. en août

DOM. DU VADOT 1997★

| ■ | 3 ha | 8 000 | ▮ | 30 à 49 F |

Des vignes de soixante ans d'âge moyen ont donné un vin rubis sombre avec quelques reflets tuilés. Des parfums de poivre, de muscade et de notes minérales se mêlent au cassis et aux senteurs de sous-bois. Rond et long, le palais s'épanouit, laissant apprécier d'élégants tanins au caractère granitique. Typé, ce 97 est prêt à boire mais il peut encore attendre deux ou trois ans.
🔑 Jean-Pierre Gouillon, Dom. du Vadot, Pont-de-Cherves, 69430 Quincié-en-Beaujolais, tél. 04.74.04.36.19, fax 04.74.69.00.44 ☑ 🍷 r.-v.

ROBERT VERGER L'Ecluse 1998★

| ■ | 9 ha | 13 000 | ▮ ♦ | 30 à 49 F |

Sur les pentes sud du mont Brouilly, les vignes du lieu-dit l'Ecluse ont engendré une solide cuvée rubis très intense qui s'ouvre sur des notes de kirsch, de pêche et de fruits confits. La charpente qui domine et une légère vivacité initiale sont passagères. Ce vin jeune, un tantinet rustique, doit s'affiner de un à deux ans pour ordonner sa riche et belle matière.
🔑 Robert Verger, L'Ecluse, 69220 Saint-Lager, tél. 04.74.66.82.09, fax 04.74.66.71.31 ☑ 🍷 r.-v.

Chénas

L a légende explique que ce lieu était autrefois couvert d'une immense forêt de chênes, et qu'un bûcheron, constatant le développement de la vigne plantée naturellement par quelque oiseau, à n'en pas douter divin, se mit en devoir de défricher pour introduire la noble plante ; celle-là même qui aujourd'hui s'appelle gamay noir à jus blanc...

L 'une des plus petites appellations du Beaujolais, couvrant 285 ha aux confins du Rhône et de la Saône-et-Loire, donne 16 450 hl récoltés sur les communes de Chénas et de La Chapelle-de-Guinchay. Les chénas produits sur les terrains pentus et granitiques à l'ouest sont colorés, puissants, mais sans agressivité excessive, exprimant des arômes floraux à base de rose et de violette ; ils rappellent ceux du moulin à vent qui occupe la plus grande partie des terroirs de la commune. Les chénas issus de vignes du secteur plus limoneux et moins accidenté de l'est, présentent une charpente plus ténue. Cette appellation, qui, sans pour autant démériter, fait figure de parent pauvre par rapport aux autres crus du Beaujolais, souffre de la petitesse de son potentiel de production. La cave coopérative du château vinifie 45 % de l'appellation et offre une belle perspective de fûts de chêne sous ses voûtes datant du XVIIe s.

FRANCK BESSONE 1998

■ 3,11 ha 8 000 ▮ 30 à 49 F

Rouge intense, cette cuvée livre de fins et élégants parfums de fleurs et de fruits avec une pointe d'épices. L'attaque reste vive ; la bonne structure encore jeune supporterait plus de chair mais offre néanmoins une belle harmonie d'ensemble. On attendra de un à deux ans qu'elle s'affine.

Franck Bessone, Les Darroux, 71570 La Chapelle-de-Guinchay, tél. 03.85.36.79.77, fax 03.74.04.47.66 ☑ Y r.-v.

CAVE DU CH. DE CHENAS
Sélection de la Hante 1998

■ 70 ha 10 000 ▮ 30 à 49 F

Cette coopérative vinifie 270 ha. Dans la cave du château ayant appartenu à Adrien de la Hante au XIXe s., sont élevés un **moulin à vent 97**, cité par le jury, et cette cuvée rubis très pur aux parfums développés de pivoine. Riche et bien structuré, ce 98 peut encore gagner en s'affinant un à deux ans de plus.

Cave du Ch. de Chénas, 69840 Chénas, tél. 04.74.04.48.19, fax 04.74.04.47.48 ☑ Y t.l.j. 8h-12h 14h-18h

DOM. DE CHENEPIERRE 1997★★

■ 2,8 ha 10 000 30 à 49 F

Ce 97 rubis soutenu, au nom très évocateur, exhalant des parfums expressifs de fruits mûrs, de sous-bois et de pivoine, est passé très près d'un coup de cœur. La structure de tanins puissants, frais et aromatiques en fait un vin racé qui peut attendre au moins deux à trois ans. Le **moulin à vent** du même millésime a obtenu une étoile.

Gérard Lapierre, Les Deschamps, 69840 Chénas, tél. 03.85.36.70.74, fax 03.85.33.85.73 ☑ Y r.-v.

DOM. MICHEL CROZET
Coteaux des Brûreaux 1997

■ 2,73 ha n.c. ▮ 30 à 49 F

Un domaine acquis en 1922, que les générations successives ont agrandi. Un coteau granitique est à l'origine de ce vin d'un rouge soutenu très limpide, qui s'ouvre sur des notes de fruits à l'eau-de-vie et de cuir. Les tanins très présents et persistants s'intègrent à des arômes de fruits à noyau. D'un bon équilibre, ce 97 est prêt à boire mais peut aussi attendre un à deux ans.

Michel Crozet, Les Fargets, 71570 Romanèche-Thorins, tél. 03.85.35.53.61, fax 03.85.35.20.16, email mcrozet@hotmail.com ☑ Y t.l.j. sf. dim. 9h-12h 13h30-19h

SELECTION GEORGES DUBŒUF 1997★

■ n.c. 14 000 ▮ 30 à 49 F

Synonyme de convivialité, le Hameau du Vin créé par Georges Dubœuf est un lieu privilégié pour découvrir le **beaujolais-villages 98** cité par le jury, ainsi que ce 97 rouge intense qui développe des parfums de fruits rouges et noirs que soulignent de fines notes d'épices et de boisé. Doté d'un beau volume, façonné de tanins intenses et fondus associés à de subtiles nuances aromatiques qui se prolongent agréablement, ce vin harmonieux est prêt à boire mais peut attendre de deux à trois ans.

Les vins Georges Dubœuf, La Gare, 71570 Romanèche-Thorins, tél. 03.85.35.34.20, fax 03.85.35.34.25 Y r.-v.

MAISON MACONNAISE DES VINS 1997★

■ n.c. n.c. 30 à 49 F

La Maison Mâconnaise, société de restauration et de vente de vins du Beaujolais et du Mâconnais, propose une sélection rubis intense aux parfums développés et complexes de fruits cuits, de noyau de cerise et d'épices. Sa riche matière équilibrée s'épanouit en bouche avec de belles notes de fruits frais mêlées de nuances de réglisse. Cet élégant 97 est à boire.

Maison Mâconnaise des Vins, 484, av. de Lattre-de-Tassigny, 71000 Mâcon, tél. 03.85.38.36.70, fax 03.85.38.62.51, e-mail maisondesvins@wanadoo.fr ☑ Y t.l.j. 10h-19h; f. 25 déc.-1er mai

DANIEL PASSOT 1998

■ 5 ha 8 000 ▮ 30 à 49 F

Elevé en foudre de bois, ce chénas est déjà connu en Suisse et en Belgique. C'est un nez presque primeur de fraise, de framboise et de groseille qui caractérise cette cuvée rubis vif. Dotée d'un solide potentiel tannique, elle manque de rondeur actuellement. Sa forte structure de garde incite à l'attendre de un à deux ans.

Daniel Passot, Les Jourwets, 71570 La Chapelle-de-Guinchay, tél. 03.85.36.75.35, fax 03.85.33.83.72 Y t.l.j. 8h-12h 14h-19h

DOM. DES PIERRES 1998★

■ 2,54 ha 18 000 30 à 49 F

Ce chénas apparaît dans une superbe robe presque noire. D'intenses et complexes parfums de mûre, de cassis et de cerise complètent cette vision. Développant beaucoup de chair et une forte structure tannique encore jeune mais sans agressivité, ce vin très beau et harmonieux est une valeur sûre pour les trois à quatre années à venir. Egalement distingué, le **saint-amour 98** a été cité.

Georges Trichard, rte de Juliénas, 71570 La Chapelle-de-Guinchay, tél. 03.85.36.70.70, fax 03.85.33.82.31 ☑ Y r.-v.

DOM. DE ROCHE NOIRE 1998

■ 0,75 ha 3 500 ▮ 30 à 49 F

Ce sont des parfums de cassis assez puissants qui émanent de cette cuvée rouge vif. L'attaque ronde est sympathique. Fruité, ce vin est à boire sur un repas familial.

Patrick Balvay, Le Vieux Bourg, 69840 Chénas, tél. 04.74.04.49.08, fax 04.74.04.49.81 ☑ Y t.l.j. 8h-12h 13h30-19h30; f. jan.

DOM. DES ROSIERS 1998★★

■ 2 ha 12 000 ▮ ⦶ 🌡 30 à 49 F

Le **moulin à vent 98**, cité par le jury, vient compléter le palmarès de l'exploitation qui a vinifié en chénas une cuvée rouge soutenu, élégante, exprimant d'intenses parfums de fruits noirs et de pivoine. Remplissant totalement et avec finesse la bouche de tanins fondus et d'arômes complexes de fruits et de fleurs accompagnés de nuances de chocolat, ce très beau vin est à boire mais peut attendre de deux à trois ans.

⊶ Gérard Charvet, Les Rosiers, 69840 Chénas, tél. 04.74.04.48.62, fax 04.74.04.49.80 ☑ Y t.l.j. 8h-20h

GEORGES ROSSI
Vignoble en Guinchay 1998

■ 2,5 ha 19 000 ▮ 🌡 30 à 49 F

Productrice en Guinchay depuis 1962, cette famille travaille les vignes depuis trois générations. Sa cuvée Vignoble en Guinchay, rubis orné de reflets violets, livre de délicats parfums de fruits à noyau qui sont associés à une puissante structure tannique plutôt ferme. Il paraît judicieux d'attendre ce vin de garde de un à deux ans.

⊶ Georgette Rossi, 71570 La Chapelle-de-Guinchay, tél. 04.74.06.10.10, fax 04.74.66.13.77 ☑ Y r.-v.

BERNARD SANTE
Elevé en fût de chêne 1997

■ 1 ha 6 000 ⦶ 30 à 49 F

Bernard Santé a développé le domaine familial qu'il dirige depuis 1980. Son chénas a retenu l'attention du jury. Le rouge foncé de la robe est marqué par quelques touches tuilées. Les parfums puissants de vanille dominent le fruité. Disposant d'un potentiel charnu adapté à son élevage (neuf mois en fût), il reste équilibré. Les amateurs de chêne apprécieront ce vin au boisé pas encore totalement fondu. Il peut tenir trois à cinq ans.

⊶ Bernard Santé, rte de Juliénas, Les Blémonts, 71570 La Chapelle-de-Guinchay, tél. 03.85.33.82.81, fax 03.85.33.84.46 ☑ Y r.-v.

RAYMOND TRICHARD 1997★

■ 5 ha 6 000 ▮ 30 à 49 F

Des reflets orangés jouent avec le rouge profond de la robe. Le nez assez intense de fruits rouges, accompagné d'un léger boisé bien fondu, est une belle entrée en matière. La chair et les tanins bien équilibrés ont de l'élégance. Une finale moins homogène pénalise aujourd'hui ce vin qu'il faut attendre de un à deux ans. Egalement retenu, mais sans étoile, le **juliénas 97**.

⊶ Raymond Trichard, Les Blémonts, 71570 La Chapelle-de-Guinchay, tél. 03.85.36.79.41 ☑ Y t.l.j. 8h-20h

> Le tanin est une substance qui se trouve dans le raisin et qui apporte au vin certaines de ses propriétés gustatives ; il lui assure une longue conservation.

Chiroubles

Le plus « haut » des crus du Beaujolais. Récolté sur les 378 ha d'une seule commune perchée à près de 400 m d'altitude, dans un site en forme de cirque aux sols constitués de sable granitique léger et maigre, il produit 21 700 hl à partir du gamay noir à jus blanc. Le chiroubles, élégant, fin, peu chargé en tanins, gouleyant, charmeur, évoque la violette. Créée en 1996, la Confrérie des Damoiselles de Chiroubles, assistée de ses chevaliers, fait connaître avec tact ce vin quelquefois désigné comme étant le plus féminin des crus. Rapidement consommable, il a parfois un peu le caractère du fleurie ou du morgon, crus limitrophes. Il accompagne à toute heure quelque plat de charcuterie. Pour s'en convaincre, il suffit de prendre la route au-delà du bourg, en direction du Fût d'Avenas, dont le sommet, à 700 m, domine le village et abrite un « chalet de dégustation ».

Chiroubles célèbre chaque année, en avril, l'un de ses enfants, le grand savant ampélographe Victor Pulliat, né en 1827, dont les travaux consacrés à l'échelle de précocité et au greffage des espèces de vigne sont mondialement connus ; pour parfaire ses observations, il avait rassemblé dans son domaine de Tempéré plus de 2 000 variétés ! Chiroubles possède une cave coopérative qui vinifie 3 000 hl du cru.

DOM. JEAN-PAUL CHARVET 1998★

■ 1,95 ha 10 000 ▮ 30 à 49 F

Une superbe couleur rubis et une robe brillante et limpide pour ce 98 qui révèle déjà de complexes parfums de rose et de pivoine soupoudrés de fines notes de cannelle et de poivre. L'attaque très ronde est contrebalancée par des tanins un peu rudes, mais de qualité, qui annoncent le bon potentiel de ce vin encore jeune, et déjà ample. On l'attendra quelques mois, puis on pourra le savourer pendant deux ans.

⊶ Jean-Paul Charvet, Bel-Air, 69115 Chiroubles, tél. 04.74.04.22.78, fax 04.74.69.16.43 ☑ Y t.l.j. 9h-19h

DOM. DU COTEAU DE BEL-AIR
Cuvée Tradition 1997★

■ 2 ha 3 000 ⦶ 30 à 49 F

Une vinification traditionnelle, associée à un élevage de quelques mois en fût, sont à l'origine de ce 97 rouge profond qui entre dans sa phase de maturation. Les parfums de bonne intensité, assez riches, sont ceux de fruits très mûrs, de fleurs fanées, de poivre et de cuir. La belle rondeur de ce vin et ses tanins complexes, harmonieusement fondus, sont accompagnés de notes épicées. Long et très agréable, ce chiroubles est à boire dans l'année et accompagnera une terrine de sanglier aux pistaches.

•↴ Jean-Marie Appert, Bel-Air, 69115 Chiroubles, tél. 04.74.04.23.77, fax 04.74.69.17.13 ☑ ⊺ r.-v.

DOM. DES GATILLES 1997★

■   5 ha   7 500   ▮ 30 à 49 F

Des rangées de ceps qui se chauffent au soleil comme les petits lézard, ou « gatilles » en patois, ont donné un vin rubis au nez de fraise des bois et d'épices. Plein de chair, élégant, ce 97 au goût de cerise fraîche et aux fins tanins, est bien équilibré. Il est prêt à boire mais peut encore attendre un an.

•↴ SCE de Javernand, 69115 Chiroubles, tél. 04.74.69.16.04, fax 04.74.69.16.04 ☑ ⊺ r.-v.

DOM. GOBET-JEANNET
Vignoble La Fontenelle 1998

■   5 ha   38 000   ▮ ⬙ 30 à 49 F

Caractérisée par des parfums développés de framboise et de cassis, cette cuvée rubis léger révèle encore quelques tanins pointus. D'une bonne longueur, elle possède un potentiel intéressant et doit s'affiner rapidement pour une consommation dans l'année 2000.

•↴ Dom. Gobet-Jeannet, 69115 Chiroubles, tél. 04.74.06.10.10, fax 04.74.66.13.77 ☑ ⊺ r.-v.

LA MAISON DES VIGNERONS
Cuvée Vidame de Rocsain 1998

■   6,5 ha   50 000   ▮ 30 à 49 F

Pour son soixante-dixième anniversaire, la cave coopérative est citée pour son **beaujolais-villages rouge 98** et pour cette cuvée rubis soutenu aux parfums discrets de petits fruits rouges. Gouleyant, marqué par des arômes de groseille, ce vin frais et fruité est prêt à boire mais peut encore tenir de un à deux ans.

•↴ La Maison des Vignerons, Le Bourg, 69115 Chiroubles, tél. 04.74.69.14.94, fax 04.74.69.10.59 ⊺ t.l.j. 10h-12h 14h-18h

DOM. BERNARD PAUL MELINAND
1998★

■   1 ha   n.c.   ▮ ⬙ 30 à 49 F

Ce négociant a reçu deux fois une étoile : pour le **saint-amour 98**, jugé très réussi par le jury, et pour cette sélection de chiroubles parée d'une robe limpide rouge cerise assez soutenu. Ce 98 livre de très intenses parfums fruités associés à des notes plus végétales. La bouche harmonieuse et élégante, aromatique et pleine de chair, sera appréciée dès maintenant.

•↴ Raymond Mathelin, Dom. de Sandar, 69380 Châtillon-d'Azergues, tél. 04.72.54.26.54, fax 04.78.43.94.85, e-mail mathelin@beaujolais.france.com ⊺ t.l.j. sf dim. 8h-12h 14h-19h

ERIC MORIN Cuvée vieilles vignes 1997

■   0,5 ha   2 500   ⬗ 30 à 49 F

La petite production de vieilles vignes n'occupe que 0,5 ha sur les 11 ha du domaine.

Limpide, rouge sombre avec des reflets orangés, ce vin livre des parfums de fraise confite et d'épices. L'attaque agréable annonce la belle rondeur de la bouche. Ce 97 est prêt à boire avec une viande blanche.

•↴ Eric Morin, Javernand, 69115 Chiroubles, tél. 04.74.69.11.70, fax 04.74.04.22.28 ☑ ⊺ r.-v.

DOM. MORIN 1998★

■   3 ha   21 000   ▮⬙ 30 à 49 F

Les riches parfums de cette cuvée grenat intense où dominent les fruits rouges, des notes de sous-bois et d'épices sont une belle entrée en matière. L'attaque puissante se poursuit par d'amples sensations et des arômes délicats. La rondeur de ce vin est superbement associée à de fins tanins. Complet, élégamment constitué, ce 98 est déjà prêt mais peut encore attendre de un à deux ans.

•↴ Guy Morin, 69115 Chiroubles, tél. 04.74.09.60.60

DOM. DU MOULIN-FAVRE
Cuvée vieilles vignes 1998★

■   1 ha   8 000   ⬗⬗ 30 à 49 F

Cette cuvée née de vignes de quarante-cinq ans d'âge porte une robe rouge vif avec des reflets sombres. Elle s'avère d'une bonne persistance aromatique : de fins et élégants parfums fruités se prolongent en bouche, enrobant la chair et la structure douce des tanins. Harmonieuse, complète et réussie, elle sera appréciée cette année mais dispose d'un potentiel suffisant pour durer un peu plus.

•↴ Armand Vernus, Le Vieux-Bourg, 69460 Odenas, tél. 04.74.03.40.63, fax 04.74.03.40.76 ☑ ⊺ r.-v.

CH. DE RAOUSSET 1998★

■   4,2 ha   8 000   ⬗⬗ 30 à 49 F

L'association de deux exploitants et de deux propriétaires est ici une réussite. Dans les caves du château sont élevés un **morgon 98**, cité par le jury, et cette cuvée grenat, brillante, aux élégants et frais parfums de fruits rouges, d'airelle et de poivre. La belle attaque révèle beaucoup de puissance à travers des arômes de groseille et de sous-bois qui enveloppent des tanins encore un peu vifs mais gage d'une bonne évolution. Ce vin de classe est à attendre deux ans.

•↴ SCEA Héritiers de Raousset, Les Prés, 69115 Chiroubles, tél. 04.74.69.16.19, fax 04.74.04.21.93 ☑ ⊺ r.-v.

RENE SAVOYE 1998★★

■   7,2 ha   20 000   ▮⬙ 30 à 49 F

Nos lecteurs retrouveront avec plaisir ce domaine. Exposées au sud, les vignes implantées sur un coteau granitique ont donné une cuvée rouge profond aux parfums enchanteurs et complexes de framboise et de fraise. La bouche ravissante, souple, dotée d'une structure légère et fruitée fait l'unanimité. Cette bouteille remarquable peut être dégustée dès cette année.

•↴ René Savoye, Le Bourg, 69115 Chiroubles, tél. 04.74.04.23.47, fax 04.74.04.22.11 ☑ ⊺ r.-v.

CHRISTOPHE SAVOYE 1998

■ 5 ha 7 000 ■ ♦ 30 à 49 F

Christophe Savoye propose une cuvée rouge profond qui développe des arômes de raisin. Souple, agréable et d'une bonne harmonie d'ensemble, elle est à boire.

🏠 Christophe Savoye, Le Bourg, 69115 Chiroubles, tél. 04.74.69.11.24, fax 04.74.04.22.11 ☑ ☋ t.l.j. sf dim. 8h-19h

DOM. DE THULON 1998★

■ 1 ha 3 000 ■ ♦ 30 à 49 F

Ce sont des vignes de plus de cinquante ans qui ont permis l'élaboration d'une cuvée rouge sombre développant des parfums de fruits rouges légèrement épicés. La bouche charnue, bien structurée et longue, présente un bel équilibre, comme on l'aime pour ce cru. Ce 98 sera apprécié dans l'année.

🏠 Annie et René Jambon, hameau Thulon, 69430 Lantignié, tél. 04.74.04.80.29, fax 04.74.69.29.50 ☑ ☋ r.-v.

TRENEL FILS 1998

■ n.c. 15 000 ■ 30 à 49 F

Créée en 1945, cette maison de négoce propose une sélection rouge soutenu, limpide, marquée par des parfums francs de type animal. Les tanins assez puissants sont accompagnés d'arômes de fruits rouges et de nuances sauvages. Assez long, typé et assurément fait pour la garde, ce vin est à attendre d'un à deux ans.

🏠 Trénel Fils, 33, chem. du Buéry, 71850 Charnay-lès-Mâcon, tél. 03.85.34.48.20, fax 03.85.20.55.01 ☑ ☋ t.l.j. sf dim. lun. 8h-18h; sam. 8h-12h; f. 1 sem. fév.

Fleurie

Posée au sommet d'un mamelon totalement planté de gamay noir à jus blanc, une chapelle semble veiller sur le vignoble : c'est la madone de Fleurie, qui marque l'emplacement du troisième cru du Beaujolais par ordre d'importance, après le brouilly et le morgon. Les 860 ha de l'appellation ne s'échappent pas des limites communales, où l'on produit un vin issu d'un ensemble géologique assez homogène, constitué de granits à grands cristaux qui communiquent au vin une impression de finesse et de charme. La production atteint 46 600 hl. Certains l'aiment frais, d'autres tempéré, mais tous, à la suite de la famille Chabert qui créa le célèbre plat, apprécient l'andouillette beaujolaise préparée avec du fleurie. C'est un vin qui apparaît, tel un paysage printanier, plein de promesses, de lumière, d'arômes aux tonalités d'iris et de violette.

Au cœur du village, deux caveaux (l'un près de la mairie, l'autre à la cave coopérative qui est l'une des plus importantes puisqu'elle vinifie 30 % du cru) offrent toute la gamme des vins aux noms de terroirs évocateurs : la Rochette, la Chapelle-des-Bois, les Roches, Grille-Midi, la Joie-du-Palais...

FABIEN BAILLAIS
Elevé en fût de chêne 1997★

■ 1,9 ha 2 000 ◖◗ 30 à 49 F

Le domaine, dont les origines remontent à 1800, a vinifié un vin rubis limpide, au nez de cerise confite et de bois légèrement fumé. Gouleyant, souple, ce 97 est doté d'arômes de fruits rouges macérés dans l'eau-de-vie ; sa finale est encore assez boisée mais il se montre équilibré et déjà agréable : on conseille de le boire maintenant avec de la charcuterie.

🏠 Fabien Baillais, Les Garants, 69820 Fleurie, tél. 04.74.04.13.28, fax 04.74.04.13.28 ☑ ☋ t.l.j. 8h-12h 14h-20h

🏠 Yvonne Gonnet

CH. DU BOURG 1997

■ 5 ha 30 000 ■ 30 à 49 F

Ce château du XVIIIes. élève un vin grenat foncé au bouquet de pruneau, de sous-bois et d'épices. Sa chair assez fine révèle des tanins bien présents en bouche, enrobés de notes épicées. D'une bonne harmonie d'ensemble, assez long, ce fleurie est recommandé pour maintenant.

🏠 Ch. du Bourg, Le Bourg, 69820 Fleurie, tél. 04.74.69.81.15, fax 04.74.69.86.80, e-mail matraybruno@minitel.net ☑ ☋ r.-v.

🏠 Matray

DOM. DU CHAPITRE Grand Pré 1997★★

■ 3 ha 22 000 ■ 30 à 49 F

Ce vin carmin s'épanouit au nez en notes de fraise et de confiture de framboises. Présentant un très bel équilibre entre rondeur, fraîcheur et finesse, plein de charme et racé, ce 97 est prêt à accompagner une viande blanche mais il peut attendre de deux à trois ans.

🏠 Dom. du Chapitre, Le Bois de Loyse, 71570 La Chapelle-de-Guinchay, tél. 03.85.36.70.92 ☋ r.-v.

MICHEL CHIGNARD
Les Moriers 1997★★★

■ 8 ha 30 000 ■ ◖◗ 30 à 49 F

Des vignes âgées en moyenne de plus de cinquante ans ont donné un remarquable vin rubis foncé, limpide, consacré coup de cœur par le grand jury des fleurie. Les parfums qui se livrent progressivement évoquent les fruits très mûrs, la griotte. La bouche ravissante et riche, faite de tanins puissants et ronds, s'épanouit longuement avec des arômes de fruits et de fleurs. Typé, superbement équilibré et complexe, ce 97 sera recommandé sur un bœuf bourguignon. Prêt à boire, il peut attendre de trois à quatre années.

📞 Michel Chignard, Le Point du Jour,
69820 Fleurie, tél. 04.74.04.11.87,
fax 04.74.69.81.97 ☑ ⟁ t.l.j. sf dim. 8h-12h
13h30-19h

ANDRE DEPARDON La Madone 1998

■　　　2,3 ha　　17 500　　⬛⟁ 30 à 49 F

Les vignes qui encerclent aujourd'hui la chapelle de la Madone sont à l'origine de cette cuvée
très limpide, rubis, aux agréables parfums de
groseille et de framboise. Fin et léger, fruité, gouleyant, ce fleurie est bien fait et à boire dès cet
hiver.
📞 André Depardon, 71570 Leynes,
tél. 04.74.06.10.10, fax 04.74.66.13.77 ☑ ⟁ r.-v.

DOM. DE LA CHAPELLE DES BOIS 1997

■　　　0,8 ha　　4 000　　⬛ 30 à 49 F

Non loin de la chapelle qui domine Fleurie,
cette exploitation familiale a élevé un 97 rubis
sombre imprégné de parfums de cassis. Après
une attaque souple, le vin révèle des tanins que
l'omniprésence du cassis rend agréables. Il est
prêt à boire mais peut attendre de un à deux ans.
📞 Eric et Chantal Coudert-Appert,
Le Colombier, 69820 Fleurie, tél. 04.74.69.86.07,
fax 04.74.04.12.66 ☑ ⟁ r.-v.

DOM. DE LA MADONE
Cuvée spéciale Vieilles vignes 1997★

■　　　3,5 ha　　17 000　　⬛⟁ 30 à 49 F

D'intenses et capiteux parfums de cassis émanent de ce vin à la robe presque noire. L'attaque
nerveuse est suivie d'une sensation de chair qui
confère beaucoup d'élégance à ce fleurie riche et
fruité. Sa constitution harmonieuse, sa longueur
et sa persistance qui le font recommander pour
maintenant, lui donnent aussi des atouts pour
une garde d'un à deux ans.
📞 Jean-Marc Després, La Madone,
69820 Fleurie, tél. 04.74.69.81.51,
fax 04.74.69.81.93 ☑ ⟁ r.-v.

DOM. DE LA TREILLE 1998★

■　　　2,4 ha　　3 000　　⬛⬛⟁ 30 à 49 F

Le **beaujolais-villages rouge 98**, cité par les
dégustateurs, complète le palmarès de cette
exploitation qui a vinifié ce fleurie limpide, rubis
avec des reflets sombres. Les parfums assez
intenses de framboise, de groseille et de fraise
des bois accompagnent une bouche charnue,
dotée de tanins qui laissent une bonne fraîcheur.
Gouleyant et séduisant, ce vin est prêt à boire
mais « peut tenir » de un à deux ans.

📞 EARL Jean-Paul et Hervé Gauthier, Les
Frébouches, 69220 Lancié, tél. 04.74.04.11.03,
fax 04.74.69.84.13 ☑ ⟁ r.-v.

DOM. DES MARRANS 1997

■　　　10 ha　　8 000　　⬛ 30 à 49 F

Cette exploitation dispose de deux chambres
d'hôte. Pourpre soutenu, ce vin puissant et fruité
révèle des parfums de mûre assez intenses et élégants avec quelques nuances animales. Sa structure tannique est proche de son optimum d'évolution ; on peut cependant attendre encore un an
avant de le savourer. Le **juliénas 97** a obtenu la
même note ; on peut lui faire confiance.
📞 Jean-Jacques et Liliane Melinand,
Les Marrans, 69820 Fleurie, tél. 04.74.04.13.21,
fax 04.74.69.82.45 ☑ ⟁ r.-v.

DOM. MONROZIER Les Moriers 1997★

■　　　2,15 ha　　5 000　　⬛⬛ 30 à 49 F

La propriété familiale, qui remonte à plus de
deux siècles, élève un vin grenat au nez très pur
et élégant de fruits, d'iris et de violette. La
bouche, bien représentative du cru, puissante et
racée, a elle aussi beaucoup de finesse. Quant
aux arômes, on reste du côté des fleurs. Si la
finale paraît moins ronde, le bel équilibre et le
potentiel de garde de ce 97 féminin, typé, sont
évidents pour tous les dégustateurs : prêt à
accompagner un poulet à la crème, il sera toujours là dans trois à quatre ans.
📞 SCEA du dom. Monrozier, Les Moriers,
69820 Fleurie, tél. 04.74.69.83.78,
fax 04.74.04.12.17 ☑ ⟁ t.l.j. 10h-19h

CLOS DES MORIERS Moriers 1998

■　　　5 ha　　20 000　　⬛⟁ 30 à 49 F

D'intenses parfums de bourgeon de cassis
émanent de cette cuvée grenat soutenu qui montre de beaux reflets violets. Doté d'une matière
riche et bien structurée, ce 98, frais et équilibré,
est à attendre de un à deux ans afin que ses jeunes
tanins s'arrondissent.
📞 M. Guigard, GFA du Clos des Moriers,
Les Moriers, 69820 Fleurie, tél. 04.74.09.60.00,
fax 04.74.67.67.40

DOM. PARDON 1997

■　　　1,7 ha　　14 000　　⬛⟁ 30 à 49 F

Ce domaine familial a proposé un vin rouge
soutenu avec des reflets violets qui développe
d'intenses parfums de fruits mûrs (fraise) remplissant totalement la bouche. Assez long, ce
fleurie se montre puissant. Il a besoin de temps
pour s'assouplir ; on l'attendra de un à deux ans.
📞 GFA Pardon des Labourons, 39, rue du Gal-
Leclerc, 69430 Beaujeu, tél. 04.74.04.86.97,
fax 04.74.69.24.08,
e-mail pardon-fils.vins@wanadoo.fr ⟁ r.-v.

DOM. DU POINT DU JOUR 1998★★

■　　　5,5 ha　　14 000　　⬛ 30 à 49 F

Une cinquième et jeune génération perpétue
depuis 1995 le savoir-faire viticole de cette
famille qui a reçu d'illustres visiteurs du monde
de la gastronomie et des arts. Cette cuvée à la
robe grenat, superbe de profondeur, livre des
parfums de terroir authentiques avec des nuances
évoquant le granit et l'humus. Sa belle structure

qui s'exprime à travers d'amples sensations de rondeur, de fruité où le minéral domine, peut encore s'affiner. Ce vin d'avenir est à consommer d'ici deux à quatre ans.

GAEC Depardon-Copéret, Le Point du Jour, 69820 Fleurie, tél. 04.74.69.82.93, fax 04.74.69.82.87 ☒ Y t.l.j. 8h-20h; dim. sur r.-v.

DOM. DE ROCHE-GUILLON 1998*

■ 2 ha 8 000 ∎ 30 à 49 F

Bruno Coperet dirige ce domaine depuis 1984. Il propose un joli fleurie dont la robe pourpre à reflets grenat est élégamment assortie aux parfums développés de fruits rouges, de sous-bois mais aussi épicés. Remplissant bien la bouche de son fruité et de bons tanins équilibrés, cet agréable vin typé est prêt à boire mais peut aussi attendre.

Bruno Coperet, Roche-Guillon, 69820 Fleurie, tél. 04.74.69.85.34, fax 04.74.04.10.25 ☒ Y r.-v.

VINS ET VIGNOBLES
La Chapelle des Bois 1997*

■ n.c. 45 000 ∎ 50 à 69 F

Ce négociant a sélectionné un 97 rubis limpide, originaire du climat La Chapelle des Bois qui exprime de puissants parfums de mûre, de pivoine mais aussi de cuir et d'épices. Le palais attaque avec des notes très fruitées puis se prolonge sur une belle structure très franche et persistante. Ce vin équilibré possède une bonne rondeur et paraît prêt à boire ; il est également capable d'attendre de deux à trois ans. Il sera apprécié avec un coq au vin.

Vins et Vignobles, 265, rue du Beaujolais, 69830 Saint-Georges-de-Reneins, tél. 04.74.67.67.68, fax 04.74.67.71.63, e-mail info@vinsetvignobles.com Y r.-v.

Juliénas

Cru impérial d'après l'étymologie, Juliénas tiendrait en effet son nom de Jules César, de même que Jullié, l'une des quatre communes qui composent l'aire géographique de l'appellation (avec Emeringes et Pruzilly, cette dernière se trouvant en Saône-et-Loire). Occupant des terrains granitiques à l'ouest et des terrains sédimentaires avec des alluvions anciennes à l'est, les 605 ha de gamay noir à jus blanc permettent la production de 34 900 hl de vins bien charpentés, riches en couleur, appréciés au printemps après quelques mois de conservation. Gaillards et espiègles, ils sont à l'image des fresques qui ornent le caveau de la Vieille Eglise, au centre du bourg. Dans cette chapelle désaffectée, chaque année à la mi-novembre est remis le prix Victor-Peyret à l'artiste, peintre, écrivain ou journaliste qui a le mieux « tasté » les vins du cru ; celui-ci reçoit 104 bouteilles : 2 par week-end... La cave coopérative, installée dans l'enceinte de l'ancien prieuré du château du Bois de la Salle, vinifie 30 % de l'appellation.

ANTOINE BARRIER 1997*

■ n.c. 71 000 ∎ 20 à 29 F

Ce vin rubis intense, mis en bouteilles par le SNPJ pour le compte des Centres Leclerc selon un cahier des charges précis, livre des parfums d'une grande finesse à base de fruits rouges, de mûre et d'épices. Remplissant totalement la bouche d'une belle matière, charnue et finement fruitée, ce 97, élégant et équilibré, est à boire.

SCAMARK, B.P. 145, 92135 Issy-les-Moulineaux, tél. 04.74.09.60.00, fax 04.74.67.67.40

DOM. DE BOISCHAMPT 1998

■ n.c. n.c. ∎ 30 à 49 F

La cuvée rouge profond de ce négociant caladois laisse percevoir de discrets et nets parfums de fruits rouges. Sa bonne structure tannique prédispose ce vin à une attente d'une année qui lui permettra de gagner encore en rondeur.

Pierre Dupond, 235, rue de Thizy, 69653 Villefranche-sur-Saône, tél. 04.74.65.24.32, fax 04.74.68.04.14 ☒

CAVE DU BOIS DE LA SALLE
Sélection fût de chêne 1997*

■ n.c. n.c. ∎ 30 à 49 F

La cave coopérative de Juliénas a été créée en 1960 par quatre-vingt-trois viticulteurs. Ils sont aujourd'hui deux cent cinquante-cinq. Sept AOC du Beaujolais sont proposées. Cette cuvée en est un fleuron : la belle couleur rubis foncé et les intenses notes d'épices et de boisé de ce vin typé sont très réussies. Sa chair et son fruité, pourtant bien présents, sont actuellement malmenés par les impressions de puissance dues à son élevage en fût de chêne, mais sont pleins de promesse. A attendre de deux à trois ans et à servir avec l'emblématique coq au vin.

Cave coop. du ch. du Bois de La Salle, 69840 Juliénas, tél. 04.74.04.42.61, fax 04.74.04.47.47 ☒ Y r.-v.

DAVID BOULET 1997*

■ 6 ha 5 000 ∎ 30 à 49 F

Le travail des vignes est connu de cette famille depuis quatre générations, celui des vignes de Juliénas depuis seulement 1993. Elles ont produit un vin pourpre intense bien conservé. Des arômes floraux viennent se mêler à des notes de mûre, de cuir, de chocolat et de grillé très agréablement fondues. Si les tanins sont encore sensibles dès l'attaque, ils s'adoucissent très vite ensuite. L'ensemble, d'une belle complexité, long et équilibré, peut attendre de un à deux ans et accompagnera une viande rouge.

David Boulet, Le Bourg, 69840 Juliénas, tél. 04.74.04.40.78, fax 04.74.04.40.78 ☒ Y r.-v.

DOM. DU CLOS DU FIEF 1998*

■ 7 ha 40 000 🍷🌡 30 à 49 F

Une vue du terroir orne l'étiquette de cette bouteille rubis limpide à reflets sombres. Les parfums puissants de groseille, de cassis et de framboise finissent par une note minérale de granit. Ce vin équilibré, structuré et persistant représente une bonne typicité du cru. Prêt à boire mais pouvant attendre de un à deux ans, il pourra accompagner de la poitrine roulée de porc ou une viande blanche.

🔑 Michel Tête, Les Gonnards, 69840 Juliénas, tél. 04.74.04.41.62, fax 04.74.04.47.09 ☒ Y t.l.j. sf dim. 8h-12h 14h-18h30; f. 15-30 août

COTEAU DES VIGNES 1998*

■ 3,3 ha 8 500 🍷🌡 30 à 49 F

Les coteaux, travaillés depuis quatre générations par cette famille, ont donné une cuvée rouge profond et limpide à reflets violets ; le nez de fruits rouges, de caramel et de vanille s'avère très intense. L'attaque souple et une belle rondeur, due notamment à de fins tanins harmonieux, renforcent le côté agréable mais un peu léger de ce bon représentant de l'AOC à consommer avec une volaille de Bresse, dans l'année. Une autre cuvée de **beaujolais-villages rouge 98** a été citée par le jury.

🔑 Thierry Descombes, Les Vignes, 69840 Jullié, tél. 04.74.04.42.03 ☒ Y r.-v.

DOM. DU GRANIT DORE 1998

■ 7,5 ha n.c. 🛢 30 à 49 F

Les Rollet se sont installés sur ce domaine en 1924. Ils élèvent ce juliénas en fût et foudre de bois pendant six mois. Rubis violet, ce 98 s'ouvre sur des notes de pivoine. L'attaque ronde se développe peu malgré de la matière et du fruité. Il faut attendre un an que les tanins encore jeunes s'assagissent.

🔑 Georges Rollet, La Pouge, dom. du Granit Doré, 69840 Jullié, tél. 04.74.04.44.81, fax 04.74.04.49.12 ☒ Y r.-v.

FRANCK JUILLARD Vieilles vignes 1998

■ 4 ha 19 000 🍷🌡 30 à 49 F

Des vignes de soixante ans ont donné une cuvée rubis très prononcé qui s'ouvre sur des notes de fruits rouges à maturité. La bouche révèle des tanins soyeux ainsi que d'élégants arômes associés à de la chair ; la finale est peu développée. D'une grande finesse, ce vin est à boire dans l'année à venir.

🔑 Franck Juillard, Les Poupets, 69840 Juliénas, tél. 04.74.04.42.56, fax 04.74.04.43.82 ☒ Y r.-v.

DOM. DE LA BOTTIERE PAVILLON 1998

■ n.c. n.c. 30 à 49 F

S'ouvrant sur des notes de pivoine, de violette mais aussi de mûre, cette cuvée rubis intense s'améliorera avec le temps. L'attaque qui reste un peu vive et les arômes de bouche encore timides donneront alors pleine satisfaction. Dotée d'une bonne structure, cette bouteille sera à boire dans la première année du deuxième millénaire.

🔑 GFA dom. des Bouchacourt, Le Pavillon, 69840 Juliénas, tél. 04.74.09.60.00, fax 04.74.67.67.40

DOM. DE LA COTE DE BESSAY 1997

■ 6 ha 6 000 🍷🌡 30 à 49 F

La robe rouge foncé, profonde, est marquée de quelques reflets tuilés. Le nez est d'une belle complexité. Rond mais de structure plutôt fine, ce vin est à boire maintenant.

🔑 Maurice Perret, La Ville, 69840 Juliénas, tél. 04.74.04.43.95 ☒ Y r.-v.

DOM. DE L'ANCIEN RELAIS Vieille vigne 1997

■ 0,75 ha 2 800 🍷 30 à 49 F

Le domaine, ancien relais de poste, a élevé dans sa cave voûtée qui date de 1399 un vin rubis foncé montrant quelques reflets orangés. Le nez puissant est fruité et floral. Si quelques tanins sont encore perceptibles, ce sont des impressions fruitées accompagnées de nuances végétales qui prédominent. Equilibré et pas sophistiqué, ce 97 est à boire dans l'année.

🔑 EARL André Poitevin, Les Chamonards, 71570 Saint-Amour-Bellevue, tél. 03.85.37.16.05, fax 03.85.37.40.87 ☒ Y r.-v.

DOMAINES ED. LANEYRIE 1997

■ 1,6 ha 1 500 🍷🌡 30 à 49 F

Dès le XIVᵉs., cette famille a été associée au travail de la vigne et du vin ; elle a élaboré un vin rouge cerise légèrement tuilé, aux parfums assez intenses de pruneau et d'épices. Charnu et rond, ce 97 harmonieux et agréable est prêt à être servi sur une terrine de lièvre ou une viande grillée.

🔑 Domaines Edmond Laneyrie, Pontanevaux, 71570 La Chapelle-de-Guinchay, tél. 03.85.36.72.54, fax 03.85.35.80.67 ☒ Y r.-v.

DOM. LE CHAPON 1997

■ 4,95 ha 14 000 🍷 30 à 49 F

Ce domaine reçut un coup de cœur pour le millésime 93. En 1997, le vignoble tout en coteaux a donné un vin grenat foncé au nez assez soutenu de fruits rouges. Sa bonne chair et ses tanins très souples dès l'attaque lui confèrent de l'ampleur. Bien équilibré, d'une longueur honorable, il est à boire avec une viande rouge.

🔑 Jean Buiron, Le Chapon, 69840 Juliénas, tél. 04.74.04.40.39, fax 04.74.04.47.52 ☒ Y r.-v.

LE CLOS DU FIEF 1997*

■ 1 ha 4 000 🍷 30 à 49 F

Des vignes de quatre-vingt-cinq ans ont donné un vin grenat brillant au nez développé de fruits à noyau légèrement épicés. Sa belle matière ronde et charnue tapisse longuement le palais, laissant apprécier une structure de tanins fondus. Equilibré et typé, ce plaisant 97 peut encore attendre deux ans.

🔑 Gabriel Gauthier, Les Chanoriers, 69840 Jullié, tél. 04.74.04.43.31 ☒ Y r.-v.

LE SAINT-ANTOINE
Réserve spéciale 1997★

| ■ | 0,75 ha | 1 200 | ◫ | 30 à 49 F |

Depuis 1962, la famille David perpétue son savoir-faire vigneron acquis depuis cinq générations en Algérie. Fondatrice de l'association Vin, Santé et Plaisir de Vivre, elle a élevé un vin rubis intense aux complexes et fins parfums de mûre associés à un soupçon de vanille. Succédant à une belle attaque, la structure tannique encore jeune, empreinte d'épices, gagnera avec le temps. Remarquablement constitué, conçu pour durer trois à quatre ans, ce vin encore plein de promesses aura sa place avec un sanglier ou un chevreuil.

🍇 Dom. David-Beaupère, La Bottière, 69840 Juliénas, tél. 03.85.33.86.67, fax 03.85.36.70.35 ☑ 🍷 r.-v.
🍇 GFA Saint-Antoine

P. DE MARCILLY 1997★

| ■ | n.c. | n.c. | 🍴♦ | 30 à 49 F |

Le **brouilly 98** de ce négociant du groupe Boisset a été retenu sans étoile par le jury qui a préféré cette sélection rubis qu'illuminent quelques reflets jaune automnal et qui livre de puissants et beaux parfums de fruits rouges et d'épices. Il y a beaucoup de rondeur et de finesse dans ce bon représentant de l'AOC qui se montre charnu, aromatique, épicé et équilibré. A boire dans l'année.

🍇 P. de Marcilly, B.P. 102, 21700 Nuits-Saint-Georges, tél. 03.80.62.61.61, fax 03.80.62.61.60

DOM. MATRAY 1997

| ■ | 5 ha | 22 000 | 🍴 | 30 à 49 F |

« Les Paquelets » sont situés tout près du bourg de Juliénas dont le domaine Matray est distant d'un kilomètre. Il est dans la même famille depuis de nombreuses années. Les parfums complexes de ce vin rubis, qui jette quelques reflets carmin, évoquent tout d'abord la pivoine puis viennent ensuite des nuances minérales. On retrouve en bouche le bouquet du nez. Agréable, doté de tanins persistants, mais léger en chair, ce 97 est à boire dans l'année.

🍇 GAEC Daniel et Lilian Matray, Les Paquelets, 69840 Juliénas, tél. 04.74.04.45.57, fax 04.74.04.47.63 ☑ 🍷 t.l.j. 8h-21h

DOM. J.M. MONNET 1998★

| ■ | 4,6 ha | 35 000 | 🍴♦ | 30 à 49 F |

Cette cuvée rouge vif, brillante et limpide, élaborée par une métairie appartenant au château de Juliénas, présente une belle palette de parfums de fruits rouges, de pivoine sur un fond d'épices. Le caractère friand de ce 98 qui remplit totalement la bouche de sa chair et de notes fruitées est harmonieusement complété par d'élégants tanins fondus. Prêt à boire, ce vin peut attendre un an.

🍇 J.-M. Monnet, 69840 Juliénas, tél. 04.74.06.10.10, fax 04.74.66.13.77 ☑ 🍷 r.-v.

DOM. DES MOUILLES 1998★

| ■ | 4,5 ha | 10 000 | 🍴◫♦ | 30 à 49 F |

Le nom de la famille, déjà mentionné en 1601 dans les archives de la commune, montre un bel attachement à ce terroir qui a donné une cuvée rubis limpide de bonne intensité. Le nez de fruits rouges et de raisin frais est plutôt discret. Corsé et présentant une bonne fraîcheur mettant en valeur ses arômes de framboise et de groseille, ce 98 bien équilibré et de belle longueur est prêt mais peut encore attendre (de un à deux ans).

🍇 Laurent Perrachon, Dom. des Mouilles, 69840 Juliénas, tél. 04.74.04.40.44, fax 04.74.04.40.44 ☑ 🍷 r.-v.

BRUNO PELLETIER 1997★

| ■ | 2 ha | 7 000 | ◫ | 30 à 49 F |

Une vue du cru orne l'étiquette de ce vin rouge vif moyennement intense. Le nez puissant allie des nuances un peu sauvages à du cuir, à du grillé et à de délicates notes de fruits mûrs. La bouche charnue, corsée et harmonieuse, est marquée par des arômes de gibier et de sous-bois qui restent agréables. Ce vin original, bien perçu, est à boire mais peut attendre de un à deux ans.

🍇 Bruno Pelletier, Les Fournets, 69840 Juliénas, tél. 04.74.04.40.40 ☑ 🍷 r.-v.

DOM. M. PELLETIER Les Envaux 1998

| ■ | 3,28 ha | 25 000 | ◫ | 30 à 49 F |

Les vignes exposées au sud-ouest ont donné une cuvée rubis brillant, au nez de fruits rouges, de mûre et de poivre. La bouche qui ne manque pas de richesse s'avère encore rustique. Tannicité et vivacité lui assureront un bon vieillissement ; ce vin sera à redécouvrir dans un an.

🍇 Pelletier, 69840 Juliénas, tél. 04.74.06.10.10, fax 04.74.66.13.77 ☑ 🍷 r.-v.

MICHEL PICARD 1997

| ■ | n.c. | n.c. | 🍴 | 30 à 49 F |

Négociant à Chagny, Michel Picard propose ce juliénas pas très typé mais facile à boire. Quelques reflets tuilés apparaissent sur la robe rouge moyennement intense de ce vin aux fins parfums fruités relayés par des notes épicées. Gouleyant, tendre, aromatique et pourvu de tanins bien fondus, ce 97 très agréable manque cependant de puissance. Il est à boire.

🍇 Michel Picard, rte de Saint-Loup-de-la-Salle, 71150 Chagny, tél. 03.85.87.51.00, fax 03.85.87.51.11

DOM. DES PIVOINES 1997★

| ■ | 1,8 ha | 10 000 | 🍴 | 30 à 49 F |

Si la robe rouge intense a un point commun avec le nom du domaine, les arômes sont ceux de la framboise, du cassis et de la mûre. La bouche riche avec un fond de cassis s'avère bien charpentée mais sans excès. Très équilibré et réussi, ce 97 persistant est prêt à boire mais peut attendre de un à deux ans.

🍇 GFA Durand et Alain Peytel, Les Gonnards, 69840 Juliénas, tél. 04.74.04.44.73, fax 04.74.04.48.39 ☑ 🍷 t.l.j. 8h-19h

MARC SIGNERIN 1998

| ■ | n.c. | 25 000 | 🍴♦ | 30 à 49 F |

Marque de la maison Paquet, cette sélection rubis foncé révèle d'assez discrets parfums de fruits à noyau et des notes végétales. Sa chair aux arômes de groseille reste vive et bien équilibrée.

Assez fine, cette bouteille est prêt à boire dans l'année.
Marc Signerin, Le Treue, B.P. 1, 69460 Le Perréon-en-Beaujolais, tél. 04.74.02.10.10, fax 04.74.03.26.99 V Y r.-v.

Morgon

Le deuxième cru en importance après le brouilly est localisé sur une seule commune. Ses 1 115 ha revendiqués en AOC fournissent en moyenne 63 800 hl d'un vin robuste, généreux, fruité, évoquant la cerise, le kirsch et l'abricot. Ces caractéristiques sont dues aux sols issus de la désagrégation des schistes à prédominance basique, imprégnés d'oxyde de fer et de manganèse, que les vignerons désignent par les termes de « terre pourrie » et qui confèrent aux vins des qualités particulières ; celles qui font dire que les vins de Morgon... « morgonnent ». Cette situation est propice à l'élaboration, à partir du gamay noir à jus blanc, d'un vin de garde qui peut prendre des allures de bourgogne, et qui accompagne parfaitement un coq au vin. Non loin de l'ancienne voie romaine reliant Lyon à Autun, le terroir de la colline de Py, situé à 300 m d'altitude sur cette croupe aux formes parfaites, en est l'archétype.

La commune de Villié-Morgon s'enorgueillit à juste titre d'avoir été la première à se préoccuper de l'accueil des amateurs de vin de Beaujolais : son caveau, construit dans les caves du château de Fontcrenne, peut recevoir plusieurs centaines de personnes. Ce lieu privilégié, aux équipements modernes, fait le bonheur des visiteurs et des associations à la recherche d'une « ambiance vigneronne »...

DOM. AUCŒUR
Cuvée Jean-Claude Aucœur Vieilles vignes 1997★★

■ 3 ha 25 000 ▮ 30 à 49 F

Cette cuvée Vieilles vignes a été élue deuxième coup de cœur par le grand jury des morgon qui a apprécié sa très belle robe pourpre à reflets mauves. Ses parfums complexes et intenses de cerise et de framboise sont assortis de nuances de cuir. L'attaque est à la fois souple et puissante. Ample, fruité et floral (pivoine), ce vin harmonieux et riche est à savourer dans l'année.

Dom. Aucœur, Le Rochaud, 69910 Villié-Morgon, tél. 04.74.04.22.10, fax 04.74.69.16.82 V Y r.-v.

BARONNE DU CHATELARD 1998

■ 6 ha 30 000 ▮ 30 à 49 F

La sélection de cette jeune maison de négoce, d'un carmin limpide et brillant, livre d'amples notes minérales de granit mouillé. L'attaque et la finale sont encore marquées par de rudes tanins. Un vin de bonne typicité à attendre quelques mois.
SARL Françoise Grossot Sélection, Ch. du Chatelard, 69220 Lancié, tél. 04.74.04.12.99, fax 04.74.69.86.17 V Y r.-v.

DOM. JEAN-PAUL BOULAND 1997★

■ 5 ha 20 000 ▮ 30 à 49 F

Des vignes cinquantenaires ont présidé à l'élaboration de ce vin très réussi, d'un beau rouge grenat, dont le nez s'ouvre sur des notes fruitées et végétales associées à quelques nuances de vanille. Si les impressions de rondeur et de chair s'imposent en première bouche, les tanins sont bien sensibles ; ils doivent s'arrondir pendant un à deux ans. Un morgon équilibré, sans excès de puissance. Les arômes de cerise sont omniprésents.
Dom. Jean-Paul Bouland, Fond-Long, 69910 Villié-Morgon, tél. 04.74.04.25.25, fax 04.74.04.21.06 V Y r.-v.

DOM. PATRICK BOULAND
Sélection Vieilles vignes 1997★★

■ 1,5 ha 8 000 ⓘ 30 à 49 F

Des vignes de cinquante ans d'âge sont à l'origine de ce vin grenat profond, très jeune. Elevé en fût neuf, il s'ouvre sur de généreux arômes de fruits rouges très mûrs accompagnés de notes de réglisse. Sa structure, faite de tanins ronds légèrement vanillés, est imposante. En bouche, on trouve des fruits confits avec une légère pointe d'acidité, du plus bel effet. Bien typé, ce vin est apte à la garde (deux à trois ans).
Patrick Bouland, 77, montée des Rochauds, 69910 Villié-Morgon, tél. 04.74.69.16.20, fax 04.74.69.13.55 V Y r.-v.

RAYMOND BOULAND 1997

■ 6 ha 10 000 ▮ 30 à 49 F

La robe brillante et limpide est d'intensité moyenne. Les fruits mûrs (cerise) et le pruneau accompagnent une attaque souple. D'une longueur honorable, ce vin agréable est à boire dans l'année.

⊶ Raymond Bouland, Corcelette, 69910 Villié-Morgon, tél. 04.74.04.22.25, fax 04.74.04.22.25 ☑ Y r.-v.

NOEL BULLIAT Cuvée Vieilles vignes 1997

■ 0,7 ha 3 000 ▮ 30 à 49 F

Un domaine de 9,3 ha dont les vignes de soixante-dix ans d'âge ont donné ce vin grenat qui exprime des nuances de griotte, de pruneau et d'épices. Plutôt fin et assez rond, frais et charmeur, ce 97 sera apprécié dans l'année avec du fromage de tête.

⊶ Noël Bulliat, Le Colombier, 69910 Villié-Morgon, tél. 04.74.69.13.51, fax 04.74.69.14.09 ☑ Y r.-v.

JEAN-MARC BURGAUD Côte du Py 1997★★

■ 6 ha n.c. ▮ 30 à 49 F

Cette cuvée Côte du Py a été consacrée premier coup de cœur par le grand jury des morgon. Sa couleur pourpre sombre et les jambes laissées sur le verre témoignent de sa force et de sa jeunesse. Le nez qui s'affirme sur des notes de fruits rouges et de fleurs séchées a conservé de la vivacité. Dès l'attaque, ce 97 remplit la bouche de sa chair, de ses arômes et d'harmonieux tanins fondus. Parfaitement équilibré, ample et long, c'est un vin de plaisir à garder de deux à trois ans. Ce vigneron de trente-deux ans est vraiment à découvrir !

⊶ Jean-Marc Burgaud, Morgon, 69910 Villié-Morgon, tél. 04.74.69.16.10, fax 04.74.69.16.10 ☑ Y r.-v.

DOM. CALOT Tête de cuvée 1997

■ 1,2 ha 9 000 ▮ 30 à 49 F

Le domaine n'a pas cessé de croître depuis quatre générations. A la cuvée Jeanne 96, deux étoiles l'an dernier, élevée en fût de chêne, succède une Tête de cuvée qui n'a pas connu le fût. Ce vin rouge intense, presque noir, s'ouvre sur des parfums de kirsch, un léger fumé et des notes de rose. L'attaque souple est suivie de tanins très présents qu'enrobent agréablement des nuances de fruits confits et de cuir. On préconise de boire cette bouteille lors de la prochaine saison de chasse.

⊶ SCEA François et Jean Calot, Le Bourg, 69910 Villié-Morgon, tél. 04.74.04.20.55, fax 04.74.69.12.93 ☑ Y r.-v.
⊶ GFA Corcelette

DOM. DU CALVAIRE DE ROCHE GRES Les Charmes 1998

■ n.c. 7 000 30 à 49 F

Non loin de la propriété ont été érigées dans les vignes, en 1934, treize pierres qui composent un chemin de croix. Cette cuvée rouge violacé livre des parfums fruités très frais qui se prolongent en bouche. Sa chair et son fruité composent un ensemble jeune et agréable qui peut attendre un an.

⊶ EARL Didier Desvignes, Saint-Joseph-en-Beaujolais, 69910 Villié-Morgon, tél. 04.74.69.92.29, ☑ Y r.-v.

CYRILLE CHAVY 1998★

■ 6,33 ha 4 000 ▮ 30 à 49 F

Dans cette autre propriété de la famille Marmonier (voir La Levratière) a été vinifiée une cuvée rubis à reflets grenat. Ses riches parfums de pivoine, de violette et de rose sont assortis d'épices et de muscade. Le velouté de son élégante matière et la finale racée où s'expriment de fins tanins sont séduisants. Ce jeune vin harmonieux, souple et gouleyant est prêt, mais il peut attendre de un à deux ans.

⊶ Cyrille Chavy, Les Versauds, 69910 Villié-Morgon, tél. 04.74.04.20.47 ☑ Y r.-v.

ANTOINE CLEMENT Côte du Py 1997

■ 4 ha n.c. ▮ 30 à 49 F

Cette jeune maison de négoce propose une sélection élevée en foudre de chêne. Rouge foncé, celle-ci livre spontanément des parfums intenses de type floral. La bouche, riche, plutôt rustique mais fruitée, d'une longueur honorable, doit s'affiner. Une année devrait suffire.

⊶ SARL Antoine Clément, Bois-Franc, Cidex 417, 69400 Liergues, tél. 04.74.68.28.83, fax 04.74.62.90.58 ☑ Y r.-v.

DOM. DE COLONAT Climat les Charmes 1997

■ 400 ha n.c. ▮ 30 à 49 F

L'exploitation, située à mi-coteau en bordure de l'ancienne voie romaine qui reliait Lyon à Autun, propose un 97 rouge sombre avec de légers reflets orangés. Ses parfums de griotte à l'eau-de-vie, de framboise et de vanille s'expriment peu à peu et se retrouvent en bouche. Sa structure incite à le déguster dès maintenant.

⊶ Bernard Collonge, Dom. de Colonat, Saint-Joseph, 69910 Villié-Morgon, tél. 04.74.69.91.43, fax 04.74.69.92.47 ☑ Y r.-v.

LOUIS-CL. DESVIGNES Côte du Py 1997★

■ 1 ha 6 000 ▮ 30 à 49 F

Cette cuvée, originaire des terrains granitiques et schisteux du Py, montre une robe foncée à reflets violets. Elle exprime des parfums assez intenses et complexes de fruits rouges qui se mêlent en bouche à une belle chair équilibrée et longue. Ce vin gouleyant et harmonieux est à boire, mais il peut attendre (de un à deux ans).

⊶ Louis-Claude Desvignes, La Voûte, Le Bourg, 69910 Villié-Morgon, tél. 04.74.04.23.35, fax 04.74.69.14.93 ☑ Y r.-v.

DOM. DONZEL Cuvée Prestige 1997

■　　　2 ha　　7 000　　◖▮▮ 30 à 49 F

Ce domaine familial créé après la Seconde Guerre mondiale est situé à quelques kilomètres de Villié-Morgon sur la route de Chiroubles. Rouge grenat, son vin, élevé six mois en fût, exprime des parfums de bonne intensité de fraise et de framboise. Equilibré, il développe en bouche des arômes de fruits à noyau. Il peut attendre un an, même si ses beaux tanins sont déjà fondus.
☛ Bernard Donzel, Fondlong, 69910 Villié-Morgon, tél. 04.74.04.20.56, fax 04.74.69.14.52 ☑ ⅂ t.l.j. 8h-12h30 14h-20h

GERARD DUCROUX 1998

■　　　0,8 ha　　6 000　　▮ 30 à 49 F

Cette cuvée rubis clair qui s'ouvre sur des notes fruitées et vineuses est finement construite. Malgré une attaque vive, elle laisse un bon palais. On l'attendra un an ; elle pourra alors accompagner de la charcuterie.
☛ Gérard Ducroux,
Saint-Joseph-en-Beaujolais, 69910 Villié-Morgon, tél. 04.74.69.90.14, fax 04.74.69.90.14 ☑ ⅂ r.-v.

DOM. DE FOND CHATONNE 1998★

■　　　1,02 ha　　6 000　　▮⬥ 30 à 49 F

Ce domaine, un peu plus que centenaire, a produit un **beaujolais rouge 98** cité par le jury, ainsi que cette cuvée rouge soutenu dotée d'un agréable nez de fruits rouges aux nuances de framboise. Sa bonne chair et ses tanins fondus sont accompagnés d'arômes de cassis et de mûre. Ce vin bien fait, homogène, d'une robustesse honorable, sera apprécié dès maintenant.
☛ Marie-Antoinette Cimetière, rte de Fleurie, 69910 Villié-Morgon, tél. 04.74.69.15.10, fax 04.74.69.14.86 ☑ ⅂ t.l.j. 8h-20h

CH. DE FONTCRENNE 1997

■　　　3,35 ha　　24 500　　▮ 30 à 49 F

Le premier caveau de promotion des vins du Beaujolais, conçu dès 1953 dans les caves de ce château du XVIIᵉs., propose une sélection dont la robe grenat présente quelques nuances tuilées. Le nez caractéristique de cerise confite est bien développé alors que la bouche se montre plus simple mais harmonieuse. Ce vin facile est pour maintenant.
☛ Caveau de Morgon, Ch. de Fontcrenne, 69910 Villié-Morgon, tél. 04.74.04.20.99, fax 04.74.04.20.25 ☑ ⅂ t.l.j. 9h-12h 14h-19h; f. 2 semaines en jan.

DOM. DE FONTRIANTE 1998

■　　　4,6 ha　　10 000　　▮⬥ 30 à 49 F

Ce domaine de 9,5 ha est situé entre les communes de Villié-Morgon et de Chiroubles. Exprimant d'intenses parfums de fruits rouges, cette cuvée rouge sombre révèle en bouche une jeunesse indisciplinée. Elle est dotée d'une solide constitution ; on attendra de un à deux ans qu'elle s'affine.
☛ Jacky Passot, Fontriante, 69910 Villié-Morgon, tél. 04.74.69.10.03, fax 04.74.69.14.29 ☑ ⅂ t.l.j. 8h-20h

LOUIS GENILLON Le Clachet 1998★

■　　　3,82 ha　　29 000　　◖▮▮ 30 à 49 F

Commercialisée par l'Eventail des vignerons producteurs de Corcelles, cette cuvée à la robe rubis léger exprime de très frais parfums de framboise et de mûre sauvage. Très bien équilibré, ce vin possède de la chair, des arômes de fruits cuits et des tanins d'une bonne fraîcheur. Bien structuré, il est à boire dans l'année.
☛ Louis Genillon, 69910 Villié-Morgon, tél. 04.74.06.10.10, fax 04.74.66.13.77 ☑ ⅂ r.-v.

MADAME ARTHUR GEOFFROY 1998

■　　　0,6 ha　　4 500　　◖▮▮ 30 à 49 F

Un vin d'un rouge intense, dont le nez mêle les fruits, les épices et une légère note végétale. Des tanins assez ronds compensent la petite structure. Une pointe d'acidité et des arômes de cassis et de mûre animent ce morgon que l'on redécouvrira dans un an.
☛ Louise Geoffroy, Le Pré Jourdan, B.P. 17, 69910 Villié-Morgon, tél. 04.74.04.23.57, fax 04.74.69.13.45 ☑ ⅂ r.-v.

DOM. DE JAVERNIERE 1997★

■　　　2 ha　　n.c.　　▮ 30 à 49 F

Ce domaine familial compte 5 ha dont deux sont consacrés à ce morgon élaboré à partir de vignes cinquantenaires. Si sa robe rubis intense a gardé l'éclat vif de la jeunesse, des parfums vanillés masquent le fruit. Dès l'attaque, la bouche révèle la présence de chair ; cependant, celle-ci n'est pas encore assagie. C'est un vin de garde qu'il faudra attendre (de un à deux ans).
☛ Noël Lacoque, Javernière, 69910 Villié-Morgon, tél. 04.74.04.24.26, fax 04.74.69.11.01 ☑ ⅂ r.-v.

DOM. DE LA BECHE Vieilles vignes 1998

▮▮　　10 ha　　30 000　　▮ 30 à 49 F

Cette cuvée Vieilles vignes porte bien son nom puisque celles-ci sont âgées de soixante ans. Grenat violacé, elle est imprégnée de notes poivrées. L'attaque onctueuse fait rapidement place à de très jeunes tanins. La matière assez dense va s'affiner. A attendre au moins un an.
☛ Maurice et Olivier Depardon, Dom. de La Bêche, 69910 Villié-Morgon, tél. 04.74.04.24.47, fax 04.74.69.15.29 ☑ ⅂ r.-v.

DOM. DE LA CROIX MULINS 1998★

■　　　6 ha　　41 000　　▮⬥ 30 à 49 F

La cuvée proposée par ce domaine présente une robe plutôt claire avec quelques nuances violettes ; elle offre des parfums friands de mûre et de cassis. En bouche, ce sont plutôt les fruits secs et le pruneau qui dominent. L'attaque agréable est suivie de tanins assez jeunes. La structure est bien équilibrée ; on attendra un an qu'elle s'affine.
☛ P. Depardon, Les Raisses, 69910 Villié-Morgon, tél. 04.74.09.60.00, fax 04.74.67.67.40

DOM. DE LA LEVRATIERE
L'Aïeule 1997

■　　　7 ha　　2 000　　▮⬥ 30 à 49 F

Propriété de la famille Marmonier, qui créa le pressoir dit « américain », le vignoble a produit

cette cuvée grenat soutenu aux senteurs caractéristiques d'humus, de sous-bois et de fraise des bois. Une charpente un peu tannique marque la bouche. Sa finale épicée et sa bonne longueur destinent ce 97 à une garde d'un à deux ans ; il pourra alors accompagner un bœuf bourguignon.

☛ André et Marylenn Meyran, Dom. de La Levratière, Les Presles, 69910 Villié-Morgon, tél. 04.74.69.11.80, fax 04.74.69.16.51 ☑ ⵑ r.-v.

DOM. L'EVEQUE Cuvée Première 1997

| ■ | 6,03 ha | 6 000 | ⵑ 30 à 49 F |

Originaire de Haute-Loire et séduite par le beaujolais, cette famille, installée depuis peu, propose un 97 rubis soutenu au nez assez puissant évoluant vers les fruits très mûrs et la réglisse. L'attaque plutôt fine ne manque cependant pas de rondeur. Equilibré et complet, ce vin gagnera à attendre encore un an.

☛ GFA Dom. de l'Evêque, Morgon, 69910 Villié-Morgon, tél. 04.74.69.14.98 ⵑ r.-v.

☛ Pauline Gouedard-Comte

MICHEL RAMPON ET FILS 1997*

| ■ | 3 ha | 11 000 | ⵑ 30 à 49 F |

Michel Rampon est depuis 1969 à la tête d'un domaine de 11 ha dont trois sont consacrés à ce morgon. Grenat à reflets violets, la robe de ce 97 n'a pas perdu de sa jeunesse. Peu expansifs mais complexes, ses parfums sont ceux de la fraise. La bouche ronde, ample et équilibrée a beaucoup d'élégance. Ce vin agréable et harmonieux est à boire dès maintenant sur une viande blanche ; un à deux ans de garde sont à sa portée.

☛ GAEC Michel Rampon et Fils, La Tour Bourdon, 69430 Régnié-Durette, tél. 04.74.04.32.15, fax 04.74.69.00.81 ☑ ⵑ t.l.j. 8h-20h

CH. DE RAOUSSET 1997**

| ■ | 10 ha | 10 000 | ⵑ ⵑ 30 à 49 F |

La propriété, qui date de 1850, a élaboré un 97 né sur schistes, grenat brillant à reflets violets. Des arômes tertiaires de bonne intensité, aux nuances de gibier, se mêlent à des notes de fruits très mûrs et d'épices. L'attaque délicate, avec des tanins veloutés qui remplissent totalement la bouche, est très belle. Bien représentatif du morgon, ce vin harmonieux et persistant est prêt mais il peut encore attendre (de un à deux ans).

☛ Ch. de Raousset, Les Prés, 69115 Chiroubles, tél. 04.74.69.17.28, fax 04.74.69.17.28 ☑ ⵑ r.-v.

DOM. GABRIEL REMUET 1998

| ■ | 0,8 ha | 5 000 | ⵑ ⵑ 30 à 49 F |

Ce domaine de 12 ha vinifie ce morgon à partir de vignes de quarante-cinq ans plantées sur schistes. Cette cuvée d'un rouge foncé limpide s'exprime encore peu au nez alors qu'elle se livre plus facilement en bouche. On apprécie ses parfums fruités typiques, ainsi que sa bonne longueur. Elle sera plus épanouie dans un an. Egalement cité, le **beaujolais-villages rouge 98** est prêt à boire.

☛ Gabriel Remuet, Les Mûriers, 69220 Corcelles-en-Beaujolais, tél. 04.74.66.09.40, fax 04.74.66.06.46 ☑ ⵑ r.-v.

DOM. DES SORNAY Les Versauds 1998**

| ■ | 17 ha | 60 000 | ⵑ ⵑ 30 à 49 F |

Négociant à Juliénas, cette marque (AVF) propose ce vin déjà prêt, qui peut encore attendre au moins un an. Ce sont de fines et persistantes nuances de sous-bois et de petits fruits rouges qu'exprime cette cuvée rubis vif. L'attaque harmonieuse révèle tout d'abord des tanins doux, puis des sensations plus pointues apparaissent. Très bien équilibrée avec des notes poivrées, la bouche permet d'apprécier la belle recherche de l'expression du terroir.

☛ Chanut Frères, Les Chers, 69840 Juliénas, tél. 04.74.06.78.00, fax 04.74.06.78.71 ☑ ⵑ r.-v.

DOM. DES SOUCHONS 1997*

| ■ | 12 ha | 60 000 | 30 à 49 F |

Les origines de ce domaine remontent à 1752. L'étiquette de ce vin proclame : « Notre vin est notre vie ». Belle affirmation relayée par ce vin : rubis foncé, il offre un nez de griotte et de rose agrémenté de nuances d'amande et de pain grillé. L'attaque puissante révèle un harmonieux mariage des tanins et des arômes. Equilibré et d'une bonne longueur, ce 97, né sur un sol à dominante argilo-calcaire, est très agréable ; il peut attendre de deux à trois ans.

☛ Serge Condemine-Pillet, Morgon-le-Bas, 69910 Villié-Morgon, tél. 04.74.69.14.45, fax 04.74.69.15.43 ☑ ⵑ t.l.j. 8h-12h 14h-19h; f. 25 déc.-2 jan.

DOM. DU THIZY 1997*

| ■ | 1,5 ha | 7 000 | ⵑⵑ 30 à 49 F |

Proposé par ce domaine créé en 1868, ce morgon est né de vignes d'une moyenne d'âge de quinze ans, plantées sur un sol argilo-granitique. Six mois de fût ont donné cette robe rouge vif limpide qui n'a pas pris une ride. Les parfums de cassis et d'épices sont bien dosés et élégants. Harmonieusement bâti, frais, riche d'arômes floraux qui surgissent en bouche, ce 97 typé, plein de chair et gouleyant, est à boire pour le plaisir.

☛ GAEC du Dom. du Thizy, Le Thizy, 69430 Lantignié, tél. 04.74.04.84.29, fax 04.74.04.84.29 ☑ ⵑ t.l.j. 9h-12h 14h-18h

☛ Collonge Frères

Moulin à vent

L e « seigneur » des crus du Beaujolais campe ses 660 ha sur les communes de Chénas, dans le Rhône, et de Romanèche-Thorins, en Saône-et-Loire. L'appellation est symbolisée par le vénérable moulin à vent qui, muet, se dresse à une altitude de 240 m au sommet d'un mamelon aux formes douces, de pur sable granitique, au lieu-dit Les Thorins. Elle produit 37 760 hl élaborés à partir de gamay noir à jus blanc. Les sols peu profonds, riches en éléments minéraux tels que le manganèse, apportent aux vins une couleur d'un rouge profond, un arôme rappelant l'iris, du bouquet et du corps, qui, quelquefois, les font comparer à leurs cousins bourguignons de la Côte-d'Or. Selon un rite traditionnel, chaque millésime est porté aux fonts baptismaux, d'abord à Romanèche-Thorins (fin octobre), puis dans tous les villages et, début décembre, dans la « capitale ».

S'il peut être apprécié dans les premiers mois de sa naissance, le moulin à vent supporte sans problème une garde de quelques années. Ce « prince » fut l'un des premiers crus reconnus appellation d'origine contrôlée, en 1936, après qu'un jugement du tribunal civil de Mâcon en eut défini les limites. Deux caveaux permettent de le déguster, l'un au pied du moulin, l'autre au bord de la route nationale. Ici ou ailleurs, on appréciera pleinement le moulin à vent sur tous les plats généralement accompagnés de vin rouge.

J.-P. BOUCHACOURT 1997

■ 3,59 ha 5 000 30 à 49 F

La robe rouge profond, sombre, parée de reflets violets, annonce un vin puissant, aux élégants parfums de lys, de fruits très mûrs et de grillé. La bouche plus fine ne manque pas de matière ni d'arômes de sous-bois d'une bonne longueur. Ce 97 peut encore attendre de un à deux ans et accompagnera un jambon persillé ou du gibier en sauce.

Jean-Paul Bouchacourt, Les Seigneaux, 69840 Chénas, tél. 04.74.04.48.61, fax 04.74.04.48.61 r.-v.

BERNARD ET JOSIANE CANARD 1998*

■ 0,4 ha 3 000 30 à 49 F

La robe rouge foncé avec quelques reflets roses donne le ton. S'ouvrant sur des nuances de fruits rouges et noirs mêlées à de la réglisse et du poivre, ce vin puissant au riche potentiel ne se livre pas facilement. Très harmonieux et typé, il devra reposer en cave de un à deux ans pour être apprécié. Un vrai cru !

Bernard et Josiane Canard, Les Grandes Vignes, 69840 Emeringes, tél. 04.74.04.44.49, fax 04.74.04.45.16 t.l.j. 9h-12h 14h-18h

DOM. DES CAVES Cuvée Etalon 1997*

■ 2 ha 5 000 30 à 49 F

Cette cuvée rouge violacé, élevée dans des caves qui datent de 1620, exprime sans retenue des notes de grillé, d'épices et de boisé. Sa belle matière, bien équilibrée avec le bois, offre une bonne souplesse. Ce vin harmonieux est prêt mais il peut attendre de un à deux ans.

Laurent Gauthier, Dom. des Chues, 69840 Chénas, tél. 04.74.69.86.59, fax 04.74.69.83.15 t.l.j. 8h-20h

CLOS DU TREMBLAY 1997**

■ 8 ha 30 000 50 à 69 F

Le grand jury des moulin à vent a décerné un troisième coup de cœur à ce vin pourpre vif qui livre de séduisants parfums floraux évoluant vers des notes animales. Une structure puissante, équilibrée, avec des tanins musclés, bien maîtrisés, enrobés de nuances vanillées et de sous-bois, confèrent du sérieux, de l'authentique à ce vin masculin proche des bourgognes. Il peut encore attendre de deux à quatre ans.

Paul Janin, La Chanillière, 71570 Romanèche-Thorins, tél. 03.85.35.52.80, fax 03.85.35.21.77 t.l.j. 9h-20h

DOM. DESPERRIER PERE ET FILS 1997

■ 0,8 ha 6 000 30 à 49 F

Propriété située à 200 m du musée du Compagnonnage. Le nez franc et complexe de ce 97 grenat profond est dominé par des nuances épicées. Bien charpenté avec des arômes vanillés fondus, ce vin sera dégusté de préférence dans l'année.

Dom. Desperrier Père et Fils, La Pierre, 71570 Romanèche-Thorins, tél. 03.85.35.55.05, fax 03.85.35.22.60 t.l.j. sf dim. 10h-12h 14h-18h

DOM. DES FONTAGNEUX 1997

■ 3,2 ha 5 900 30 à 49 F

Un marchand de vin de Bercy construisit en 1840 ce domaine resté depuis dans la même famille. Leur 97 rubis clair s'ouvre sur des notes fruitées. De prime abord ronde et souple, la bouche se montre ensuite plus austère mais conserve néanmoins harmonie et finesse. Ce vin sera prêt à boire fin 99, début 2000.

Indivision Collet, Les Deschamps, 69840 Chénas, tél. 03.85.36.72.87 r.-v.

DOM. DES FONTAINES 1997*

■ n.c. 20 000 30 à 49 F

Commercialisé par la maison de négoce Aujoux, ce vin rouge sombre s'ouvre sur des nuances boisées et épicées qui prédominent sur le fruité. Doté d'une belle rondeur, de tanins fondus, équilibré et frais, il est à boire mais peut encore attendre de deux à trois ans.

Jean-Marc Aujoux, Les Chers, 69840 Juliénas, tél. 04.74.06.78.00, fax 04.74.06.78.01 r.-v.

DOM. GAY-COPERET 1998

■ 4,7 ha 8 000 ▮ 30 à 49 F

Ce domaine de renommée internationale propose ici une cuvée rubis soutenu qui livre de plaisants parfums de fruits rouges et des notes poivrées et épicées. La bonne attaque est suivie de tanins qui viennent contrarier sa rondeur. Ce 98, bien réussi et très jeune, devra laisser ses tanins se fondre pendant un an ou deux.

Catherine et Maurice Gay, Les Vérillats, 69840 Chénas, tél. 04.74.04.48.86, fax 04.74.04.42.74 ☑ Y r.-v.

JEAN GEORGES ET FILS 1997

■ 3,9 ha 5 500 ▮ ⦀ 🌡 30 à 49 F

Jean et son fils Franck cultivent le domaine familial ; ils ont élevé pendant quatre mois en cuve, puis en foudre de bois, ce 97 aux parfums de fruits cuits, à la robe rubis violacé. Une matière puissante envahit le palais. Corsé avec de riches tanins, ce vin pourra être conservé de deux à quatre ans.

GAEC Jean Georges et Fils, Le Bourg, 69840 Chénas, tél. 04.74.04.48.21, fax 04.74.04.42.77 ☑ Y r.-v.

PASCAL GRANGER 1997

■ 1,13 ha 4 000 ▮ 30 à 49 F

Les parfums développés de cette cuvée rouge intense et limpide sont ceux des fruits confits, de la pivoine, mêlés à des nuances animales. L'attaque souple et ronde révèle des tanins élégants mais sans grande puissance. Ce vin frais, soyeux et flatteur, sera apprécié pendant un à deux ans.

Germaine Granger, Le Bourg, 69840 Juliénas, tél. 04.74.04.44.79, fax 04.74.04.41.24 ☑

DOM. DU GRANIT
Cuvée Vieilles vignes élevée en fût de chêne 1997

■ 2 ha n.c. ⦀ 50 à 69 F

La famille Bertolla a pris pied ici en 1918. Le rubis soutenu de la robe n'a pas l'écho olfactif attendu ! Les agréables parfums fruités restent timorés. Ce 97 se ressaisit avec une bouche nette, ronde et équilibrée qui le fera apprécier tout au long du repas.

Dom. du Granit, La Rochelle, 69840 Chénas, tél. 04.74.04.48.40, fax 04.74.04.47.66 ☑ Y r.-v.

Alfred-Gino Bertolla

LABOURE-ROI 1997

■ n.c. n.c. ▮ 🌡 30 à 49 F

Une robe d'un rouge léger portant quelques reflets tuilés, ainsi que des nuances moyennement intenses de cuir, de tabac et des notes animales caractérisent ce 97 d'une maturité avancée. Remplissant bien la bouche avec des arômes persistants et doté d'une bonne structure, ce vin agréable sera à boire cet hiver.

Labouré-Roi, rue Lavoisier, 21700 Nuits-Saint-Georges, tél. 03.80.62.64.00, fax 03.80.62.64.10, e-mail laboure@axnet.fr Y r.-v.

DOM. DE LA PIERRE Clos Raclet 1997*

■ 0,1 ha 780 ⦀ 30 à 49 F

On se souvient que cette propriété où vécut Benoît Raclet reçut un coup de cœur pour le millésime 96. Elle a élevé un 97 couleur rubis qui exprime d'élégants parfums de fleurs et de boisé. L'attaque, un peu légère, fait place à des tanins souples et fins associés à des arômes de sous-bois. D'une bonne longueur et bien représentatif de son AOC, ce moulin à vent est prêt à boire mais peut attendre de un à deux ans.

Dom. de La Pierre, La Pierre, 71570 Romanèche-Thorins, tél. 03.85.35.51.37, fax 03.85.35.51.37 ☑ Y r.-v.

Pierre Brault

DOM. DE LA ROCHELLE 1997*

■ 8 ha 10 000 ▮ 🌡 30 à 49 F

Le vignoble, dont les origines remontent à quatre siècles, lorsqu'il fut propriété d'une noble famille suédoise servant la monarchie française, a donné un vin grenat limpide, toujours jeune. Le nez de fruits à noyau, de pivoine et de réglisse a de la finesse. La bouche assez puissante, ronde et d'une bonne longueur est chaleureuse. Ce 97 équilibré et charnu est prêt à boire mais peut attendre de deux à trois ans.

GFA des domaines Sparre, La Tour du Bief, 69840 Chénas, tél. 04.74.66.47.81, fax 04.74.69.61.38 ☑ Y r.-v.

DOM. LES GRAVES 1998

■ 4,5 ha 25 000 ⦀ 30 à 49 F

Commercialisé par la maison de négoce Thorin, ce vin rubis soutenu, aux capiteux parfums de pivoine, de kirsch et de cassis, s'avère particulièrement friand pour un moulin à vent. Très agréable, il est à boire dans les deux ans.

GAEC Robert et Pierre Bouzereau, Dom. Les Graves, 71570 Romanèche-Thorins, tél. 03.85.35.52.47, fax 03.85.35.52.47

LE VIEUX DOMAINE 1997**

■ 9 ha 6 000 ⦀ 🌡 30 à 49 F

Créée en 1890, la propriété dont le siège se situe dans l'ancien presbytère de Chénas, a obtenu deux étoiles pour ses productions 1997 : le **chénas** qui a manqué de peu un coup de cœur, et cette cuvée à la belle robe rubis foncé. Ses parfums développés, poivrés et fruités, qui se prolongent avec élégance en bouche, mettent en valeur une structure tannique fondue. Son harmonieuse constitution, son boisé bien dosé, associés à beaucoup de finesse mais aussi de puis-

sance, permettent d'envisager deux à cinq ans de garde.

➤EARL M.-C. et Dominique Joseph,
Le Vieux-Bourg, 69840 Chénas,
tél. 04.74.04.48.08, fax 04.74.04.47.36,
e-mail le.vieux.domaine@wanadoo.fr ☑ ⍙ r.-v.

DOM. DU MATINAL 1998

| ■ | 4 ha | 9 000 | 📼 ◫ | 50 à 69 F |

Au cœur de Chénas, cette exploitation propose un **chénas 98** et ce moulin à vent, tous deux cités par le jury. Ce dernier, de couleur pourpre, peu concentré et limpide, offre des parfums complexes. On y retrouve les fleurs, les fruits et les épices ainsi qu'une note minérale. Souple et doté de fins tanins, ce 98 est déjà prêt.

➤EARL Simone et Guy Braillon, Le Bourg,
69840 Chénas, tél. 04.74.04.48.31,
fax 04.74.04.47.64 ☑ ⍙ t.l.j. 9h-20h; groupes sur r.-v.; f. mi-août

CH. DU MOULIN A VENT
Cuvée exceptionnelle 1997★

| ■ | 31 ha | n.c. | ◫ | 50 à 69 F |

Le domaine, qui remonte au XVIIᵉs., élève un vin grenat très limpide. Le nez puissant et plaisant est marqué par les épices, la vanille, les fruits rouges et quelques notes de sous-bois. L'attaque ronde, assez ample, annonce un vin bien fait : il est conseillé de le servir avec un gigot ou un carré d'agneau.

➤Ch. du Moulin à Vent, 71570 Romanèche-Thorins, tél. 03.85.35.50.68, fax 03.85.35.20.06 ☑ ⍙ t.l.j. 9h-12h 14h-18h; sam. dim. sur r.-v.

➤Flornoy-Bloud

DOM. DU MOULIN D'EOLE
Les Thorins 1997

| ■ | 1,94 ha | 15 000 | 30 à 49 F |

Eole, maître des Vents, a donné son nom à ce moulin... à vent ! Le domaine, riche de 9 ha, a élevé cette cuvée Les Thorins 97, qui a passé neuf mois en foudre. Doté d'une belle robe rubis limpide, ce vin exhale des notes fruitées. Souple, net, constitué d'une matière un peu fine mais équilibrée, il est fait pour maintenant.

➤Philippe et Nathalie Guérin, Le Bourg,
69840 Chénas, tél. 04.74.04.46.88,
fax 04.74.04.47.29 ☑ ⍙ t.l.j. sf dim. 9h-12h 14h-19h; groupes sur r.-v.

DOM. DES PERELLES 1997★★

| ■ | 2 ha | 10 000 | ◫ | 30 à 49 F |

Le domaine, créé en 1877, commercialise directement cette cuvée rubis étincelant au très joli nez de fleurs et de sous-bois. Garnissant bien la bouche, doté de tanins qui rappellent la grappe associés à des parfums boisés d'une grande finesse, ce vin harmonieux et racé est prêt mais il peut attendre deux ans.

➤Jacques Perrachon, La Bottière,
69840 Juliénas, tél. 03.85.36.75.42,
fax 03.85.33.86.36 ☑ ⍙ r.-v.

DOM. BENOIT TRICHARD
Mortperay 1997★★

| ■ | 6,5 ha | 20 000 | ◫ | 50 à 69 F |

Cette exploitation s'est distinguée avec son **brouilly 98**, qui reçoit une étoile. Mais le coup de cœur va sans conteste à son moulin à vent rouge soutenu, élu deuxième par le grand jury. Ses parfums de pivoine, de fruits macérés, d'épices et de grillé sont encore concentrés. Sa fraîcheur, sa structure tannique soyeuse, finement vanillée, qui persiste, sont les gages d'une bonne conservation. Déjà très appréciable, ce vin peut attendre encore deux ans ou plus, et accompagner du gibier à plume. Bravo !

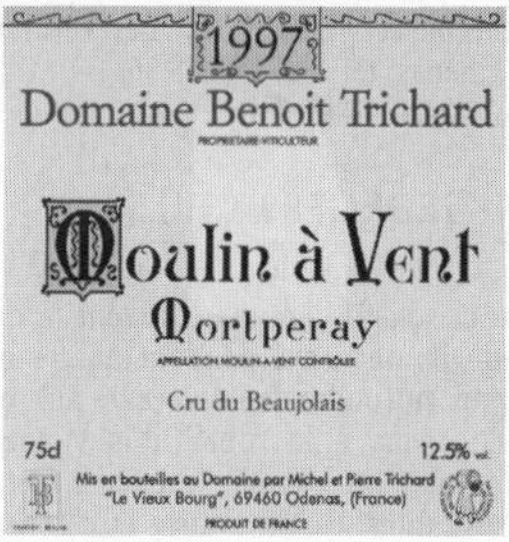

➤Dom. Benoît Trichard, Le Vieux-Bourg,
69460 Odenas, tél. 04.74.03.40.87,
fax 04.74.03.52.02 ☑ ⍙ r.-v.

Régnié

Officiellement reconnu en 1988, le plus jeune des crus s'insère entre le morgon au nord et le brouilly au sud, confortant ainsi la continuité des limites entre les dix appellations locales beaujolaises.

A l'exception de 5,93 ha sur la commune voisine de Lantignié, les 746 ha délimités de l'appellation sont totalement inclus dans le territoire de la commune de Régnié-Durette. Par analogie avec son aîné le morgon, seul le nom de l'une des communes fusionnées a été retenu pour le désigner. Seuls 586 ha ont été déclarés en AOC régnié en 1998.

Le territoire de la commune est orienté nord-ouest-sud-est et s'ouvre largement au soleil levant et à son zénith, ce qui a permis au vignoble de s'implanter entre 300 et 500 m d'altitude.

Dans la majorité des cas, les racines de l'unique cépage de l'appellation, le gamay noir à jus blanc, explorent un sous-sol sablonneux et caillouteux ; on est ici dans le massif granitique dit de Fleurie. Mais il y a aussi quelques secteurs à tendance légèrement argileuse.

La conduite des vignes et le mode de vinification sont identiques à ceux des autres appellations locales. Toutefois, une exception d'ordre réglementaire ne permet pas la revendication en AOC bourgogne.

Au Caveau des Deux Clochers, près de l'église dont l'architecture originale symbolise le vin, les amateurs peuvent apprécier quelques échantillons des 33 880 hl de l'appellation. Les vins aux arômes développés de groseille, de framboise et de fleurs, charnus, souples, équilibrés, élégants sont qualifiés par certains de rieurs et de féminins.

CH. DU BASTY 1997★★★

■ 5 ha 12 000 30 à 49 F

Le domaine, dont les origines remontent à 1482, est resté dans la même famille ! Elle élève un 97 rubis intense développant de frais parfums de raisin associés à de l'iris et de la violette. Doté d'une puissante structure constituée d'excellents tanins charnus, le palais révèle un généreux vin de garde. La force et le naturel de cette bouteille de grande classe autorisent une conservation de trois à quatre ans. Tel les plus grandes, elle accompagnera avec bonheur fromage et gibier.

⊶ Gilles Perroud, Le Basty, 69430 Lantignié, tél. 04.74.04.85.98, fax 04.74.69.26.63 ☑ Y r.-v.

DOM. DES BOIS 1997★

■ 1,3 ha 11 000 ▮ ◍ 🌡 30 à 49 F

Les hôtes de cette exploitation, également gîte rural, pourront apprécier son **morgon 97** jugé très réussi, ainsi que ce régnié rouge franc développant des parfums de fruits très mûrs - presque pruneau - nuancés de notes florales. Assez puissant et aromatique, il s'avère persistant et très élégant. Il est prêt à boire et accompagnera tout un repas.

⊶ Roger et Marie-Hélène Labruyère, Les Bois, 69430 Régnié-Durette, tél. 04.74.04.24.09, fax 04.74.69.15.16 ☑ Y r.-v.

DOM. DES BRAVES 1998

■ 7 ha 30 000 ▮ 🌡 30 à 49 F

De nombreux professionnels du cyclisme furent les hôtes du domaine où s'est élaboré ce vin imposant, rouge violacé, qui s'affirme avec des parfums puissants de fruits rouges légèrement épicés. La bouche, quant à elle, montre de la distinction. Ce vin aromatique et gouleyant est à boire, mais supporterait plus de vivacité.

⊶ Paul Cinquin, Les Braves, 69430 Régnié-Durette, tél. 04.74.04.31.11, fax 04.74.04.32.17 ☑ Y r.-v.

DOM. BURNOT-LATOUR 1997★

■ 8,75 ha n.c. ▮ 30 à 49 F

Christian Chambon, à la tête de ce domaine depuis 1986, a produit un régnié dont la robe rouge soutenu montre quelques reflets orangés. Les parfums sont complexes et assez intenses. On y trouve le bonbon acidulé, la framboise, les fleurs et le cuir. L'attaque fruitée et charnue accompagne de fins tanins. Présentant de la puissance, de la fraîcheur, mais d'une longueur moyenne, ce vin est plutôt à boire.

⊶ Christian Chambon, Lachat, 69430 Régnié-Durette, tél. 04.74.69.26.56, fax 04.74.69.20.99 ☑ Y r.-v.

DOM. DU CHAZELAY 1998

■ 1 ha 5 000 ▮ 🌡 30 à 49 F

Rouge sombre à reflets violets, ce 98 livre des parfums de cassis et de fruits rouges intenses et complexes. La bouche, qui ne manque pas de fruité, se révèle un peu fine. Ce vin est prêt.

⊶ Franck Chavy, Le Chazelay, 69430 Régnié-Durette, tél. 04.74.69.24.34, fax 04.74.69.20.00 ☑ Y r.-v.

LOUIS-NOEL CHOPIN 1998★★

■ 5,5 ha 5 000 ▮ 🌡 30 à 49 F

Le grenat intense de la robe et le bouquet très net de fruits rouges bien mûrs, légèrement épicés, sont éloquents. Ce vin sans aspérité, plein de matière au bon goût de cassis, très équilibré et persistant, est unanimement apprécié. D'ores et déjà, on peut se régaler. L'exploitation réalise un doublé avec le **beaujolais-villages rouge 98** jugé lui aussi remarquable.

⊶ Louis-Noël Chopin, Le Trève, 69460 Le Perréon, tél. 04.74.03.21.59, fax 04.74.02.13.30 ☑ Y r.-v.

DOM. DU CLOS SAINT-PAUL 1997

■ 1,2 ha 8 000 ▮ 🌡 30 à 49 F

Ce domaine de 8,20 ha a présenté deux vins : le **beaujolais rouge 98** a fait l'objet d'une citation, tout comme ce régnié du millésime 97, d'un beau rubis, et qui s'ouvre sur de discrètes et complexes nuances florales, animales et minérales. L'attaque plutôt ronde est suivie d'impressions plus vives, puis le fruité apparaît. Assez fin, ce vin est à boire.

⊶ Dom. de Clos Saint-Paul, Les Rochons, Cidex 244, 69220 Saint-Jean-d'Ardières, tél. 04.74.66.12.18, fax 04.74.66.09.37, e-mail st.paul@wanadoo.fr ☑ Y r.-v.

⊶ J. Chaffanjon

DOM. DE COLETTE 1998★

■ 7 ha 20 000 ▮ 🌡 30 à 49 F

Le **beaujolais-villages rouge 98** de cette exploitation a été jugé très réussi, comme cette cuvée grenat qui s'ouvre sur des notes amyliques, des nuances de framboise et de cerise d'une belle qualité. L'attaque, aromatique et équilibrée malgré la présence de jeunes tanins, a de la puissance et de la longueur. Ce vin de caractère, qui termine très franchement, peut attendre un an et plus.

⊶ Jacky Gauthier, Colette, 69430 Lantignié, tél. 04.74.69.25.73, fax 04.74.69.25.14 ☑ Y r.-v.

GILLES COPERET 1997★

■ 2,7 ha 14 000 ▮ ◍ 30 à 49 F

Gilles Coperet a succédé à son grand-père en 1986. Bien connu des bouchons lyonnais, il exporte aussi vers la Belgique. Son régnié ? La robe grenat à reflets violets est restée jeune. Les parfums complexes et intenses évoquent les fruits

rouges très mûrs, mais aussi le cuir, la vanille et la cannelle. Ce vin puissant, aux tanins bien présents, délivre longuement des arômes de cassis. Equilibré et structuré, il accompagnera dans deux ou trois ans gibier et viandes en sauce.
⊶ Gilles Coperet, Les Chastys, 69430 Régnié-Durette, tél. 04.74.04.38.08, fax 04.74.69.01.33
☑ Y t.l.j. 8h-20h

REMY CROZIER 1997

■ 2 ha 2 000 ▮ 20 à 29 F

Pourpre avec quelques reflets tuilés, ce 97 est entré dans sa phase de maturité. Des parfums complexes de cassis, de fruits à noyau, de réglisse et d'épices accompagnent une bouche ronde et suave. Il est prêt.
⊶ Rémy Crozier, Les Maisons Neuves, 69430 Régnié-Durette, tél. 04.74.04.39.59, fax 04.74.04.39.59 ☑ Y r.-v.

FRANCOIS ET MONIQUE DESIGAUD 1997★★

■ 4 ha 4 000 ▮ 30 à 49 F

Ce 97 célèbre le centenaire de la famille Désigaud dans ses vignes ! La robe rubis montre quelques reflets tuilés, puis le vin libère des parfums de kirsch et de marc. Sa puissante structure accompagnée d'agréables saveurs de fruits à noyau ne nuit pas à l'excellente harmonie d'ensemble. Apte à la conservation, ce vin de qualité aux caractéristiques suprenantes peut attendre de deux à quatre ans.
⊶ François et Monique Désigaud, Les Fûts, 69430 Régnié-Durette, tél. 04.74.69.92.68, fax 04.74.69.92.68 ☑ Y r.-v.

CAVEAU DES DEUX CLOCHERS 1998

■ n.c. n.c. ▮ 30 à 49 F

Dotée d'une robe rouge profond, cette cuvée évoque la fraise et la framboise. Sa bonne chair est néanmoins tannique mais agréablement rehaussée par quelques notes d'agrumes. A boire.
⊶ Caveau des Deux Clochers, Le Bourg, 69430 Régnié-Durette, tél. 04.74.04.38.33
☑ Y t.l.j. sf mer. mat. 10h-12h 14h30-19h; f. 23 déc.-15 jan.

DOM. DES FORCHETS 1997★★★

■ 1,5 ha 8 000 ▮♁ 30 à 49 F

Depuis la plantation en 1888 du premier cep, l'exploitation s'est régulièrement agrandie. Jean-Charles Braillon se consacre à la vigne, respectant le raisin selon la tradition beaujolaise. Il a élevé cette cuvée rouge cerise peu intense, aux agréables senteurs de muguet, de lilas et de regain. Dotée d'un corps soyeux élégamment musclé, de parfums floraux, celle-ci présente une excellente finale ; on tombe sous la séduction de ce « Petit Prince » des crus qui est à boire mais peut attendre de un à deux ans.
⊶ Jean-Charles Braillon, Les Forchets, 69430 Régnié-Durette, tél. 04.74.04.30.48
☑ Y r.-v.

HOSPICES DE BEAUJEU
Cuvée Demoiselle Gonnet 1998

■ 56 ha 30 000 ▮♁ 30 à 49 F

Créés au XIIes. par les sires de Beaujeu, les Hospices sont fiers de perpétuer l'une des plus anciennes ventes aux enchères à la bougie, pour le vin. La robe de ce 98, rubis sombre à reflets grenat, ses parfums complexes - pivoine et notes minérales - sont dans la lignée des productions du domaine. Sa belle matière et sa solide structure sont cependant contrariées par une finale plus austère. On attendra un an pour qu'il s'affine.
⊶ Hospices de Beaujeu, La Grange Charton, 69430 Régnié-Durette, tél. 04.74.04.31.05, fax 04.74.04.36.23 ☑ Y t.l.j. 8h-12h 14h-18h; groupe sur r.-v.; f. 24 déc.-20 jan.

DOM. DOMINIQUE JAMBON 1998

■ 4,1 ha 3 500 ▮ 30 à 49 F

Dominique Jambon a repris en 1995 le domaine familial après avoir fait ses premières armes dans une autre exploitation viticole. Son **morgon 98** a été cité par le jury. Il élève également cette cuvée rubis intense aux discrets parfums de pivoine et de cerise bien mûre que l'on retrouve en bouche. Dotée de tanins ténus, agréablement fraîche, elle est à boire maintenant.
⊶ Dominique Jambon, Arnas, 69430 Lantignié, tél. 04.74.04.80.59, fax 04.74.04.80.59 ☑ Y r.-v.

DOM. DE LA COMBE AU LOUP 1997★

■ 2,5 ha 18 000 ▮♁ 30 à 49 F

Un régnié grenat à beaux reflets violets. Le premier nez, très ouvert, offre beaucoup de fruits, puis des nuances florales et épicées s'imposent. L'attaque équilibrée laisse place à de la tannicité et de la vivacité. Imprégné de cassis, ce vin encore jeune, au bon potentiel de vieillissement, est prêt à boire mais peut attendre au moins deux à trois ans. Le **chiroubles 97** de cette propriété de 11 ha a été cité par le jury.
⊶ Méziat Père et Fils, Dom. de La Combe au Loup, Le Bourg, 69115 Chiroubles, tél. 04.74.04.24.02, fax 04.74.69.14.07 ☑ Y t.l.j. sf dim. 8h-12h 14h-19h

DOM. DE LA COTE DES CHARMES 1998

■ 3 ha n.c. ▮ 30 à 49 F

Rouge cerise à reflets violets, cette cuvée livre des parfums discrets, plus fruités que floraux. Doté d'une forte structure tannique, ce vin viril est à attendre de un à deux ans.
⊶ Jacques Trichard, Les Charmes, 69910 Villié-Morgon, tél. 04.74.04.20.35, fax 04.74.69.13.49
☑ Y r.-v.

JEAN-MARC LAFOREST 1998

■ 7,24 ha 30 000 ▮♁ 30 à 49 F

Depuis 1973, Jean-Marc Laforest dirige ce domaine. Des parfums flatteurs de fruits rouges se dégagent de cette cuvée grenat. L'attaque assez ronde annonce un vin bien fait et d'une bonne harmonie. A boire.
⊶ Jean-Marc Laforest, Chez le Bois, 69430 Régnié-Durette, tél. 04.74.04.35.03, fax 04.74.69.01.67 ☑ Y t.l.j. 8h-20h

ANDRE LAISSUS 1998

■ 7,67 ha 15 000 ▮ 20 à 29 F

Un peu de violette et de griotte émergent de cette cuvée grenat intense. L'attaque franche correspond à un vin complet, équilibré, persistant

et agréable. Typé par la nuance minérale de la finale, ce 98 est à boire mais peut attendre de un à deux ans. Un saucisson lyonnais ou un coq au vin lui conviendront.
⊶ André Laissus, La Grange Charton, 69430 Régnié-Durette, tél. 04.74.04.38.06, fax 04.74.04.37.75 ☑ Y t.l.j. 9h-20h

STEPHANE LAPUTE 1997★★

■ 7,6 ha 1 500 ▮♁ 30 à 49 F

Coup de cœur du grand jury des régnié, cette cuvée en impose dès le premier regard par la couleur de sa robe rouge profond à reflets fuchsia. Ses parfums aux nuances de fraise, de mûre et de violette sont assez intenses et persistants. Imprégnant toute la bouche par ses impressions de volume, elle se montre puissante et très bien équilibrée. Ce 97 remarquable est prêt à boire mais peut encore attendre de un à deux ans.
⊶ Stéphane Lapute, Les Braves, 69430 Régnié-Durette, tél. 04.74.04.36.65, e-mail 04 ☑ Y t.l.j. sf dim. 8h-19h
⊶ Clément

DOM. DE LA ROCHE ROSE 1998★★

■ 5 ha 9 000 ▮♁ 20 à 29 F

Les Braves sont situées à environ 1 km du hameau des Grandes Bruyères ; c'est là que vous trouverez ce domaine. De complexes parfums de fruits rouges et de lilas émanent de ce vin rubis qu'agrémentent quelques reflets violets. De jeunes tanins composent une structure sérieuse et élégante, tout en harmonie, laissant des impressions florales persistantes. Ce 98 est prêt à boire mais se bonifiera encore si vous le gardez de un à deux ans.
⊶ Georges Demont, Les Braves, 69430 Régnié-Durette, tél. 04.74.04.38.98, fax 04.74.04.33.28 ☑ Y r.-v.

DOM. DE LA ROCHE THULON 1998★

■ 7 ha 10 000 ▮♁ 30 à 49 F

Outre le **beaujolais-villages rouge 98** cité par un autre jury, l'exploitation élève cette cuvée à la robe rouge profond et aux parfums développés mais fins de cassis et de petits fruits rouges. La belle attaque fruitée, qui a de la chair, est complétée par une structure tout en rondeur. Ce vin ample et persistant est à boire dans l'année.
⊶ Pascal Nigay, Thulon, 69430 Lantignié, tél. 04.74.69.23.14, fax 04.74.69.26.85 ☑ Y r.-v.

DOM. PASSOT LES RAMPAUX Les Côtes 1997

■ 1,81 ha 7 000 ▮♁ 30 à 49 F

Une nouvelle étiquette, élégante et classique, habille cette bouteille. La robe rubis intense ainsi que les parfums de groseille et de cerise, ponctués d'impressions florales, sont séduisants. Fruité et frais, ce vin de plaisir, non sophistiqué, est à boire avec quelque fromage de chèvre.
⊶ Rémy Passot, Les Prés, 69115 Chiroubles, tél. 04.74.69.16.19, fax 04.74.69.01.51 ☑ Y r.-v.

DOM. TANO PECHARD 1998★

■ 4 ha 20 000 ▮ 30 à 49 F

Rouge profond à reflets violets, cette cuvée est caractérisée par des parfums développés de cassis et de mûre, nuancés de pivoine. L'attaque assez ronde possède du volume et un bel équilibre entre l'acidité et les tanins fins. La finale aromatique et longue est très agréable. Son bon potentiel assurera à ce vin une conservation de deux à trois ans. Du même millésime, le **beaujolais-villages rouge** de ce domaine a été cité par le jury.
⊶ Patrick Péchard, Aux Bruyères, 69430 Régnié-Durette, tél. 04.74.04.38.89, fax 04.74.04.33.35 ☑ Y r.-v.

DOM. DES PILLETS 1997★★

■ 1 ha 7 000 ▮♁ 30 à 49 F

Dotée d'une robe rouge foncé presque noire, cette cuvée livre de puissants parfums de fruits très mûrs associés à des notes d'épices. Sa riche matière concentrée complète les bonnes impressions de rondeur. Equilibré, présentant aussi de la finesse, ce vin de caractère est à boire dans l'année. Du même millésime, le **morgon** de l'exploitation a été cité par un autre jury.
⊶ GFA Les Pillets, Les Pillets, 69910 Villié-Morgon, tél. 04.74.04.21.60 ☑ Y t.l.j. sf dim. 9h-12h 13h30-19h; f. 15 j. en août, 24 déc.-2 jan.
⊶ Brisson

JACKY PIRET La Plaigne 1997

■ 1,5 ha 12 000 ▮ 30 à 49 F

Des chambres d'hôte sont proposées dans ce domaine de 10 ha. La violette, la pivoine et l'iris se côtoient agréablement dans ce vin rubis à reflets grenat. Rond, volumineux, il n'est cependant pas dépourvu de fins et discrets tanins. Aromatique, un peu chaud en finale, il est à boire mais peut attendre un an ou deux.
⊶ Jacky Piret, La Combe, 69220 Belleville, tél. 04.74.66.30.13, fax 04.74.66.08.94 ☑ Y r.-v.

DOM. DE PONCHON 1998★

■ 1,4 ha 12 000 ▮♁ 20 à 29 F

C'est une large palette d'arômes de raisin mûr, d'orange confite et de torréfaction que l'on découvre dans cette cuvée grenat, agréablement structurée et persistante. Ses fins tanins, alliés à sa bonne chair, lui confèrent de la légèreté et du friand. Ce vin est à boire dans l'année.
⊶ Jean Durand, Ponchon, 69430 Régnié-Durette, tél. 04.74.04.30.97, ☑ Y r.-v.

JEAN-LUC ET MURIELLE PROLANGE 1998

■ 6,3 ha 7 000 ▮ 20 à 29 F

Caviste pendant six ans au domaine des Hospices de Beaujeu, Jean-Luc Prolange a pris la direction du domaine familial en 1997. Son 98, doté d'une belle robe grenat profond, exhale des parfums de fleurs printanières, de mangue et d'épices. Rond, équilibré et d'une structure très honorable, il se termine sur une pointe de vivacité. Ce vin bien travaillé est prêt à boire sur de la charcuterie, mais il peut attendre un an.

🔑 Jean-Luc Prolange, Les Vergers, 69430 Régnié-Durette, tél. 04.74.69.00.22, fax 04.74.69.00.22 ☑ Ⲧ r.-v.

🔑 Yemeniz

DOM. DE VALLIERES 1998

■ 10 ha 7 000 ▮ 30 à 49 F

Marie-Claire et Bernard Trichard agrandissent leur domaine pour « installer » leurs fils ! Rouge grenat, leur cuvée de régnié fleure bon la confiture de fraises et la framboise associées à une petite pointe de réglisse et d'anis. Souple, aromatique et gouleyant, ce vin convivial est à boire.

🔑 Bernard et Marie-Claire Trichard, Haute Plaigne, 69430 Régnié-Durette, tél. 04.74.04.39.52, fax 04.74.04.39.52 ☑ Ⲧ r.-v.

DOM. DE VERNUS 1997*

■ 1,5 ha 3 500 ▮ 🌡 30 à 49 F

Le domaine porte le nom d'un petit hameau situé dans l'aire du régnié. Des parfums complexes de fruits rouges et de sous-bois mêlés à des notes caractéristiques de granit mouillé émanent de ce 97, rubis soutenu, issu de pentes exposées au sud-est. Sa bonne structure tannique ainsi que des impressions minérales racées font l'unanimité. Gouleyant et présentant une bonne finale, il est prêt à boire et accompagnera du fromage de tête.

🔑 Alain Démule, La Roche, 69430 Quincié-en-Beaujolais, tél. 04.74.04.31.37 ☑ Ⲧ r.-v.

Saint-amour

Totalement inclus dans le département de Saône-et-Loire, les 317 ha de l'appellation produisent 18 400 hl sur des sols argilo-siliceux décalcifiés, de grès et de cailloutis granitiques, faisant la transition entre les terrains purement primaires au sud et les terrains calcaires voisins au nord, qui portent les appellations saint-véran et mâcon. Deux « tendances œnologiques » émergent pour épanouir les qualités du gamay noir à jus blanc : l'une favorise une cuvaison longue dans le respect des traditions beaujolaises, donnant aux vins nés sur les roches granitiques le corps et la couleur nécessaires pour faire des bouteilles de garde ; l'autre préconise un traitement de type primeur, donnant des vins consommables plus tôt pour assouvir la curiosité des amateurs. Le saint-amour accompagnera des escargots, de la friture, des grenouilles, des champignons ou une poularde à la crème.

L'appellation a conquis de nombreux consommateurs étrangers et une très grande part des volumes produits alimente le marché extérieur. Le visiteur pourra découvrir le saint-amour dans le caveau créé en 1965, au lieu-dit le Plâtre-Durand, avant de continuer sa route vers l'église et la mairie qui, au sommet d'un mamelon de 309 m d'altitude, dominent la région. A l'angle de l'église, une statuette rappelle la conversion du soldat romain qui donna son nom à la commune ; elle fait oublier les peintures, aujourd'hui disparues, d'une maison du hameau des Thévenins, qui auraient témoigné de la joyeuse vie menée pendant la Révolution dans cet « hôtel des Vierges » et qui expliqueraient, elles aussi, le nom de ce village...

DENIS ET HELENE BARBELET 1998

■ 6 ha 45 000 ▮ 30 à 49 F

Les gamays mûrissent ici à 300 m d'altitude, sur les flancs sud et sud-est des coteaux du saint-amour. Dotée d'une belle robe rubis, cette cuvée aux parfums de framboise et de groseille révèle beaucoup de fruité en bouche, associé à une structure tannique qui va encore s'affiner. On attendra de un à deux ans pour l'apprécier pleinement et on la servira sur de la volaille.

🔑 Denis et Hélène Barbelet, Les Billards, 71570 Saint-Amour-Bellevue, tél. 03.85.36.51.36, fax 03.85.37.19.74 ☑ Ⲧ r.-v.

MICHEL BENON ET FILS 1998

■ 1,13 ha 8 600 ▮ 30 à 49 F

Rémi Benon dirige ce domaine familial de 7 ha depuis 1982. Son 98, de couleur rubis, s'ouvre progressivement sur des notes de sous-bois, de fruits rouges et de cacao. La matière pleine d'atouts est encore dominée par les tanins. Ce vin sera à boire dans un à deux ans. Le jury affirme qu'il vous donnera alors du plaisir !

🔑 Michel Benon et Fils, Les Blémonts, 71570 La Chapelle-de-Guinchay, tél. 03.85.36.71.99, fax 03.85.33.89.54 ☑ Ⲧ t.l.j. 8h-19h

DOM. DES BILLARDS 1998

■ n.c. n.c. 30 à 49 F

La famille Loron est non seulement négociant mais aussi propriétaire de vignes. Le vin du domaine, rubis clair, s'ouvre sur des parfums de pivoine, de fruits rouges, accompagnés de nuances plus douces de vanille. Equilibré mais encore jeune, il ne manque pas de chair ni de structure ; il doit s'affiner quelques mois et sera prêt dans un an. Le **régnié 98** proposé par ce négociant a également été cité.

🍷 Ets Loron et Fils, Pontanevaux, 71570 La Chapelle-de-Guinchay, tél. 03.85.36.81.20, fax 03.85.33.83.19

DOM. DES CHAMPS GRILLES 1998

| ■ | 1,6 ha | 13 000 | ■ | 30 à 49 F |

Evelyne Révillon est la fille de Louis Dailly qui fut en 1945 l'un des ardents défenseurs de la création de l'AOC saint-amour. Les arômes de framboise de ce vin pourpre limpide, élevé en cuve, sont d'une bonne intensité. La structure tannique prend aujourd'hui le dessus mais elle devrait s'assagir d'ici un à deux ans.

🍷 Jean-Guy Révillon, Aux Poulets, 71570 Saint-Amour-Bellevue, tél. 03.85.37.14.76, fax 03.85.37.14.34 ☑ 🍷 r.-v.

DOM. DES CLOSAILLES 1997

| ■ | 1 ha | 5 000 | ■ ⑪ | 30 à 49 F |

Exploité par les frères Fouillet, ce domaine compte 27 ha et produit des vins du Mâconnais à côté de ce saint-amour. S'ouvrant peu à peu sur des notes de fruits à noyau, de figue et de chocolat, ce vin rouge profond, limpide et brillant, révèle en bouche une matière concentrée. Il finit sur des impression rétro-olfactives de pruneau.

🍷 Dom. des Closailles, 71680 Vinzelles, tél. 03.85.35.63.49, fax 03.85.35.67.40 ☑ 🍷 r.-v.
🍷 Fouillet

DOM. DES DARREZES
Côte de Besset Elevé en fût de chêne 1997

| ■ | 1,26 ha | 9 000 | ■ ⑪ | 30 à 49 F |

Situé à 500 m d'une église renfermant un retable du XIIᵉs., ce domaine de 10 ha porte le nom du lieu-dit où il est établi. Ce 97 élevé en fût de chêne conserve une robe rubis toujours jeune. Ses parfums de bonne intensité sont ceux des fruits rouges, du poivre et de la vanille. Rond, persistant assez longuement, il peut encore s'affiner au cours des deux prochaines années. Il conviendra alors à un coq au vin.

🍷 Madeleine et Jacques Janin, Dom. des Darrèzes, 71570 Saint-Amour-Bellevue, tél. 03.85.37.12.96, fax 03.85.37.47.88 ☑ 🍷 r.-v.

DOM. DES DUC 1998*

| ■ | 9,5 ha | 55 000 | ■ ⚍ | 50 à 69 F |

Laurent Duc est le maître de chai de ce domaine familial qui réunit plusieurs associés, et qui compte 27,67 ha de vignes. Souvent récompensée, cette exploitation propose une cuvée d'un très beau rubis, aux arômes épicés et floraux de bonne intensité. Souple, tout en révélant quelques fins tanins, ce vin persistant est prêt à boire mais il peut attendre deux ans.

🍷 GAEC des Duc, La Piat, 71570 Saint-Amour, tél. 03.85.37.10.08, fax 03.85.36.55.75 ☑ 🍷 r.-v.

DOM. DU HAUT-PONCIE 1997

| ■ | 3,5 ha | 2 000 | ■ ⚍ | 50 à 69 F |

De ce domaine, on découvre la vallée de la Saône et la chaîne des Alpes. C'est aussi cela, le plaisir de découvrir les crus du Beaujolais. Libérant d'intenses parfums de type végétal et floral, celui-ci, rubis éclatant, s'avère plus discret en bouche. Son équilibre, résultat d'une élaboration rationnelle, est intéressant. A boire dans l'année tout au long d'un repas.

🍷 GAEC Patrick et Jacky Tranchand, Dom. du Haut-Poncié, 69820 Fleurie, tél. 04.74.69.83.17, fax 04.74.69.89.97, ☑ 🍷 t.l.j. 8h-20h; dim. sur r.-v.

FRANCOIS LAUNAY 1997

| ■ | 3,5 ha | 10 000 | ⑪ | 30 à 49 F |

Des parfums floraux (pivoine) caractérisent ce vin à la robe un peu légère pour un cru. Sa structure tannique élégante et féminine est très appréciée aujourd'hui. Equilibré, ce vin est à boire dans sa grâce actuelle, à l'image de l'étiquette allégorique de l'AOC.

🍷 François Launay, Les Bruyères, 71570 Chânes, tél. 03.85.36.52.11, fax 03.85.37.46.62 ☑

DOM. LE COTOYON 1998

| ■ | 3 ha | 5 000 | | 30 à 49 F |

A côté d'un **juliénas 97** retenu avec la même note, cette exploitation de 13 ha propose cette cuvée grenat brillant. Les parfums d'épices et de cerise font ensuite place à des sensations olfactives plus chaudes. La belle attaque tout en rondeur, d'où émergent de fins tanins, signe une bouteille qui pourra être conservée de deux à trois ans. Un gîte rural vous attend ici, à 9 km de Mâcon-Loché.

🍷 Frédéric Bénat, 71570 Pruzilly, tél. 03.85.35.12.90, fax 03.85.35.12.90 ☑ 🍷 r.-v.

JEAN-JACQUES ET SYLVAINE MARTIN 1997**

| ■ | 0,5 ha | 4 000 | ■ | 30 à 49 F |

Ces deux producteurs se sont installés en métayage en 1974. Aujourd'hui ils exploitent 8 ha ; leurs deux fils ont choisi la même voie. Leur **beaujolais blanc 97** est tout aussi remarquable que ce saint-amour paré d'une éclatante robe rubis nuancée de grenat ; c'est une corbeille de fruits et de fleurs. On y trouve le poivre, la pivoine, l'iris, agrémentés de senteurs de fruits rouges et noirs. Une splendide structure tannique et parfumée, pleine de fraîcheur, vient compléter la dégustation. Un vin harmonieux et séducteur, que l'on pourra apprécier au cours des deux années à venir.

🍷 Jean-Jacques Martin, Les Verchères, 71570 Chânes, tél. 03.85.37.42.27, fax 03.85.37.47.43 ☑ 🍷 r.-v.

DOM. DU MOULIN BERGER 1998

| ■ | 7 ha | 12 000 | ⑪ | 30 à 49 F |

Michel Laplace, salarié sur ce domaine de 1973 à 1975, en est devenu métayer, puis l'a acheté en 1985. Il fait vieillir ce vin en foudre. Rouge soutenu, cette cuvée s'ouvre sur de légers parfums de fruits rouges. Dotée d'une belle

matière, elle se montre typée. A attendre de un à deux ans.
⊶ Michel et Pascale Laplace, Le Moulin Berger, 71570 Saint-Amour-Bellevue, tél. 03.85.37.41.57, fax 03.85.37.44.75 ☑ Y r.-v.

DOM. DES RAVINETS
Cuvée Vieilles vignes 1998

■ 2 ha 10 000 30 à 49 F

Ces vieilles vignes de soixante ans portent bien leur nom ! Le fait est assez rare pour être ici souligné. Rubis soutenu, ce 98 s'ouvre peu à peu sur des parfums de fruits à noyau nuancés de menthe, qui se prolongent en bouche. Celle-ci est franche et assez ample ; des tanins perceptibles en finale laissent présager un bon avenir. A attendre (de un à deux ans).
⊶ Georges Spay, Les Ravinets, 71570 Saint-Amour-Bellevue, tél. 03.85.37.14.58, ☑ Y t.l.j. 8h-19h

Le Lyonnais

L'aire de production des vins de l'appellation coteaux du lyonnais, située sur la bordure orientale du Massif central, est limitée à l'est par le Rhône et la Saône, à l'ouest par les monts du Lyonnais, au nord et au sud par les vignobles du Beaujolais et de la vallée du Rhône. Vignoble historique de Lyon depuis l'époque romaine, il connut une période faste à la fin du XVIe s., religieux et riches bourgeois favorisant et protégeant la culture de la vigne. En 1836, le cadastre mentionnait 13 500 ha. La crise phylloxérique et l'expansion de l'agglomération lyonnaise ont réduit la zone de production. Aujourd'hui, la superficie en production s'élève à 340 ha, répartis sur quarante-neuf communes ceinturant la grande ville par l'ouest, depuis le mont d'Or, au nord, jusqu'à la vallée du Gier, au sud.

Cette zone de 40 km de long sur 30 km de large est structurée par un relief sud-ouest-nord-est qui détermine une succession de vallées à 250 m d'altitude et de collines atteignant 500 m. La nature des terrains est variée ; on y rencontre des granits, des roches métamorphiques, sédimentaires, des limons, des alluvions et du lœss. La structure perméable et légère, la faible épaisseur de certains de ces sols sont le facteur commun qui caractérise la zone viticole où prédominent les roches anciennes.

Coteaux du lyonnais

Les trois principales tendances climatiques du Beaujolais sont présentes ici, avec toutefois une influence méditerranéenne plus prononcée. Cependant, le relief, plus ouvert aux aléas climatiques de type océanique et continental, limite l'implantation de la vigne à moins de 500 m d'altitude et l'exclut des expositions nord. Les meilleures situations se trouvent au niveau du plateau. L'encépagement de cette zone est essentiellement à base de gamay noir à jus blanc, cépage qui, vinifié selon la méthode beaujolaise, donne les produits les plus intéressants et les plus recherchés de la clientèle lyonnaise. Les autres cépages admis dans l'appellation sont, en blanc, le chardonnay et l'aligoté. La densité requise est au minimum de 6 000 pieds/ha, les tailles autorisées étant le gobelet ou le cordon et la taille guyot. Le rendement de base est de 60 hl/ha, les degrés d'alcool minimum et maximum étant de 10 ° et 13 ° pour les vins rouges, 9,5 ° et 12,5 ° pour les vins blancs. La production moyenne est de 19 360 hl en rouge, et 1 600 hl en blanc. Vinifiant les trois quarts de la récolte, la cave coopérative de Sain-Bel est un élément moteur dans cette région de polyculture, où l'arboriculture fruitière est fortement implantée.

Consacrés AOC en 1984, les vins des coteaux du lyonnais sont fruités, gouleyants, riches en parfums, et accompagnent agréablement et simplement toutes les cochonnailles lyonnaises, saucisson, cervelas, queue de cochon, petit salé, pieds de porc, jambonneau, ainsi que les fromages de chèvre.

DOM. DE BAPTISTE 1998

■ 3,5 ha n.c. ▮🌡 20 à 29 F

L'exploitation, située non loin du Lyonnais, s'est également distinguée pour son **beaujolais 98**, cité par le jury. Le caractère rustique de son coteaux du lyonnais grenat au puissant nez de cassis fait rapidement place à plus de civilité. Une fois sa riche matière assagie, ce vin sera apprécié pendant au moins un an.

🔑 Bouteille Frères, Rotaval, 69380 Saint-Jean-des-Vignes, tél. 04.78.43.73.27, fax 04.78.43.08.94 ☒ Y r.-v.

MICHEL DESCOTES 1998

□ 1,5 ha 7 000 ▮🌡 20 à 29 F

La robe jaune à reflet vert est assortie aux impressions fraîches, mentholées et citronnées. Ce vin agréable, souple, ample et persistant est à boire avec les poissons de la Saône.

🔑 Michel Descotes, 12, rue de la Tourtière, 69390 Millery, tél. 04.78.46.31.03, fax 04.72.30.16.65 ☒ Y r.-v.

REGIS DESCOTES 1997

□ 2,07 ha 12 000 ▮🌡 20 à 29 F

Jaune paille soutenu, la robe de ce coteaux du lyonnais a conservé quelques reflets verts. Les parfums agréables soutiennent une bouche onctueuse et fine.

🔑 Régis Descotes, 16, av. du Sentier, 69390 Millery, tél. 04.78.46.18.77, fax 04.78.46.16.22 ☒ Y r.-v.

ETIENNE DESCOTES ET FILS
Vieilles vignes 1998

■ 1,4 ha 8 000 ▮◍🌡 20 à 29 F

De fins parfums printaniers, fruités et épicés émanent de cette cuvée à l'élégante robe rubis et brillante. Souple et aromatique, doté d'une matière bien fondue, ce vin flatteur est à boire.

🔑 GAEC Etienne Descotes et Fils, 12, rue des Grès, 69390 Millery, tél. 04.78.46.18.38, fax 04.72.30.70.68 ☒ Y r.-v.

DOM. DE LA PETITE GALLEE 1998*

■ 2,5 ha 10 000 ◍ 20 à 29 F

Les vignes particulièrement précoces du domaine sont à l'origine de cette cuvée rubis foncé et brillante. Les parfums de fruits rouges, légèrement épicés, associés à une attaque riche et harmonieuse, séduisent. La finale plus nerveuse témoigne aussi d'une belle structure. Ce 98 pourra être apprécié durant un an avec une tarte aux myrtilles.

🔑 Robert et Patrice Thollet, La Petite Gallée, 69390 Millery, tél. 04.78.46.24.30, fax 04.72.30.73.48 ☒ Y r.-v.

ANNE MAZILLE 1997*

□ 0,36 ha 2 000 ▮ 20 à 29 F

Cette petite production à la belle robe jaune paille et brillante, livre de très agréables parfums frais et nets de citron et d'aubépine. La bouche ample et riche a beaucoup d'onctuosité. Très bien équilibré et doté d'une pointe d'anis et de kiwi, ce 97 paraît idéal pour accompagner, dès à présent, brochet, crustacés ou poulet à la crème.

🔑 Anne Mazille, 10, rue du 8-Mai, 69390 Millery, tél. 04.72.30.14.91 ☒ Y r.-v.

CAVE DE SAIN-BEL L'Hommée 1998**

■ n.c. 20 000 ▮🌡 30 à 49 F

Le grand jury du lyonnais a applaudi ce 98 rubis brillant issu d'un secteur méridional de l'appellation : le savoir-faire du plus important producteur est ainsi reconnu. Les nuances de fruits rouges et de fleurs d'une bonne amplitude de ce 98 accompagnent une bouche souple, équilibrée et longue. La matière harmonieuse sera particulièrement appréciée au cours des deux prochaines années avec de la rosette ou un sabodet. Rappelons que le nom de ce vin représente la surface de vigne qu'un homme travaillait en une journée, soit 431 m^2.

🔑 Cave de Vignerons réunis de Sain-Bel, RN 89, 69210 Sain-Bel, tél. 04.74.01.11.33, fax 04.74.01.10.27 ☒ Y r.-v.

LE BORDELAIS

Partout dans le monde, Bordeaux représente l'image même du vin. Pourtant, le visiteur éprouve aujourd'hui quelques difficultés à déceler l'empreinte vinicole dans une ville délaissée par les beaux alignements de barriques sur le port et par les grands chais du négoce, partis vers les zones industrielles de la périphérie. Et les petits bars-caves où l'on venait le matin boire un verre de liquoreux ont presque tous disparu. Autres temps, autres mœurs.

Il est vrai que la longue histoire vinicole de Bordeaux n'en est pas à son premier paradoxe. Songeons qu'ici le vin fut connu avant... la vigne, quand, dans la première moitié du Ier s. av. J.-C. (avant même l'arrivée des légions romaines en Aquitaine), des négociants campaniens commençaient à vendre du vin aux Bordelais. Si bien que, d'une certaine façon, c'est par le vin que les Aquitains ont fait l'apprentissage de la romanité... Par la suite, au Ier s. de notre ère, la vigne est apparue. Mais il semble que ce soit surtout à partir du XIIe s. qu'elle ait connu une certaine extension : le mariage d'Aliénor d'Aquitaine avec Henri Plantagenêt, futur roi d'Angleterre, favorisa l'exportation des « clarets » sur le marché britannique. Les expéditions de vin de l'année se faisaient par mer, avant Noël. On ne savait pas conserver les vins ; après une année, ils étaient moins prisés parce qu'ils étaient partiellement altérés.

A la fin du XVIIe s., les « clarets » ont été concurrencés par l'introduction de nouvelles boissons (thé, café, chocolat) et par les vins plus riches de la péninsule ibérique. D'autre part, les guerres de Louis XIV entraînèrent des mesures de rétorsion économique contre les vins français. Cependant, la haute société anglaise restait attachée au goût des « clarets ». Aussi quelques négociants londoniens cherchèrent-ils, au début du XVIIIe s., à créer un nouveau style de vins plus raffinés, les « new french clarets » qu'ils achetaient jeunes pour les élever. Afin d'accroître leurs bénéfices, ils imaginèrent de les vendre en bouteilles. Bouchées et scellées, celles-ci garantissaient l'origine du vin. Insensiblement, la relation terroir-château-grand vin s'effectua, marquant l'avènement de la qualité. A partir de ce moment, les vins commencèrent à être jugés, appréciés et payés en fonction de leur qualité. Cette situation encouragea les viticulteurs à faire des efforts pour la sélection des terroirs, la limitation des rendements et l'élevage en fût ; parallèlement, ils introduisirent la protection des vins par l'anhydride sulfureux qui permit le vieillissement, ainsi que la clarification par collage et soutirage. A la fin du XVIIIe s., la hiérarchie des crus bordelais était établie. Malgré la Révolution et les guerres de l'Empire, qui fermèrent provisoirement les marchés anglais, le prestige des grands vins de Bordeaux ne cessa de croître au XIXe s., pour aboutir, en 1855, à la célèbre classification des crus du Médoc, qui est toujours en vigueur malgré les critiques que l'on peut émettre à son égard.

Après cette période faste, le vignoble fut profondément affecté par les maladies de la vigne, phylloxéra et mildiou ; et par les crises économiques et les guerres mondiales. De 1960 à la fin des années 80, le vin de Bordeaux a connu un regain de prospérité, lié à une remarquable amélioration de la qualité et à l'intérêt que l'on porte, dans le monde entier, aux grands vins. La notion de hiérarchie des terroirs et des crus retrouve sa valeur originelle ; mais les vins rouges ont mieux bénéficié de cette évolution que les vins blancs. Au début des années 90, le marché connaît des difficultés qui ne seront pas sans incidence sur la structure du vignoble.

Le vignoble bordelais est organisé autour de trois axes fluviaux : la Garonne, la Dordogne et leur estuaire commun, la Gironde. Ils créent des conditions de milieux (coteaux bien exposés et régulation de la température) favorables à la culture de la vigne. En outre, ils ont joué un rôle économique important en permettant le transport du vin vers les lieux de consommation. Le climat de la région bordelaise est relativement tempéré (moyennes annuelles 7,5 °C minimum, 17 °C maximum), et le vignoble protégé de l'Océan par la forêt de pins. Les gelées d'hiver sont exceptionnelles (1956, 1958, 1985), mais une température inférieure à -2 °C sur les jeunes bourgeons (avril-mai) peut entraîner leur destruction. Un temps froid et humide au moment de la floraison (juin) provoque un risque de coulure, qui correspond à un avortement des grains. Ces deux accidents entraînent des pertes de récolte et expliquent la variation de leur importance. En revanche, la qualité de la récolte suppose un temps chaud et sec de juillet à octobre, tout particulièrement pendant les quatre dernières semaines précédant les vendanges (globalement, 2 008 heures de soleil par an). Le climat bordelais est assez humide (900 mm de précipitations annuelles) ; particulièrement au printemps, où le temps n'est pas toujours très bon. Mais les automnes sont réputés, et de nombreux millésimes ont été sauvés *in extremis* par une arrière-saison exceptionnelle ; les grands vins de Bordeaux n'auraient jamais pu exister sans cette circonstance heureuse.

La vigne est cultivée en Gironde sur des sols de nature très diverse et le niveau de qualité n'est pas lié à un type de sol particulier. La plupart des grands crus de vin rouge sont établis sur des alluvions gravelo-sableuses siliceuses ; mais on trouve aussi des vignobles réputés sur les calcaires à astéries, sur les molasses et même sur des sédiments argileux. Les vins blancs secs sont produits indifféremment sur des nappes alluviales gravelo-sableuses, sur calcaire à astéries et sur limons ou molasses. Les deux premiers types se retrouvent dans les régions productrices de vins liquoreux, avec les argiles. Dans tous les cas, les mécanismes naturels ou artificiels (drainage) de régulation de l'alimentation en eau constituent une caractéristique essentielle de la production de vins de qualité. Il s'avère donc qu'il peut exister des crus ayant la même réputation de haut niveau sur des roches-mères différentes. Cependant, les caractères aromatiques et gustatifs des vins sont influencés par la nature des sols ; les vignobles du Médoc et de Saint-Emilion en fournissent de bons exemples. Par ailleurs, sur un même type de sol, on produit indifféremment des vins rouges, des vins blancs secs et des vins blancs liquoreux.

Le vignoble bordelais dépasse 115 000 ha ; à la fin du XIXe s., il s'est étendu sur plus de 150 000 ha, mais la culture de la vigne a été supprimée sur les sols les moins favorables. Les conditions de culture ayant été améliorées, la production globale est restée assez constante : elle dépasse les 6 millions d'hectolitres actuellement. Si la surface moyenne des exploitations est de 7 ha, on assiste à une concentration des propriétés, avec une diminution du nombre de producteurs (de 22 200 en 1983 à 16 000 en 1992, 13 358 en 1993 et 12 852 en 1996.)

Les vins de Bordeaux ont toujours été produits à partir de plusieurs cépages qui ont des caractéristiques complémentaires. En rouge, les cabernets et le merlot sont les principales variétés (90 % des surfaces). Les premiers donnent aux vins leur structure tannique, mais il faut plusieurs années pour qu'ils atteignent leur qualité optimale ; en outre, le cabernet-sauvignon est un cépage tardif, qui résiste bien à la pourriture, mais avec parfois des difficultés de maturation. Le merlot donne un vin plus souple, d'évolution plus rapide ; il est plus précoce et mûrit bien, mais il est sensible à la coulure, à la gelée et à la pourriture. Sur une longue période, l'association des deux cépages, dont les proportions varient en fonction des sols et des types de vin, donne les meilleurs résultats. Pour les vins blancs, le cépage essentiel est le sémillon (52 %), complété dans certaines zones par le colombard (11 %) et surtout par le sauvignon – qui tend à se développer – et la muscadelle (15 %), qui possèdent des arômes spécifiques très fins. L'ugni blanc est en retrait.

La vigne est conduite en rangs palissés, avec une densité de ceps à l'hectare très variable. Elle atteint 10 000 pieds dans les grands crus du Médoc et des Graves ; elle se situe à 4 000 pieds dans les plantations classiques de l'Entre-deux-Mers, pour tomber à moins de 2 500 pieds dans les vignes dites hautes et larges. Les densités élevées permettent une diminution de la récolte par pied, ce qui est favorable à la maturité ; par contre, elles entraînent des frais de plantation et de culture plus élevés et

Le Bordelais

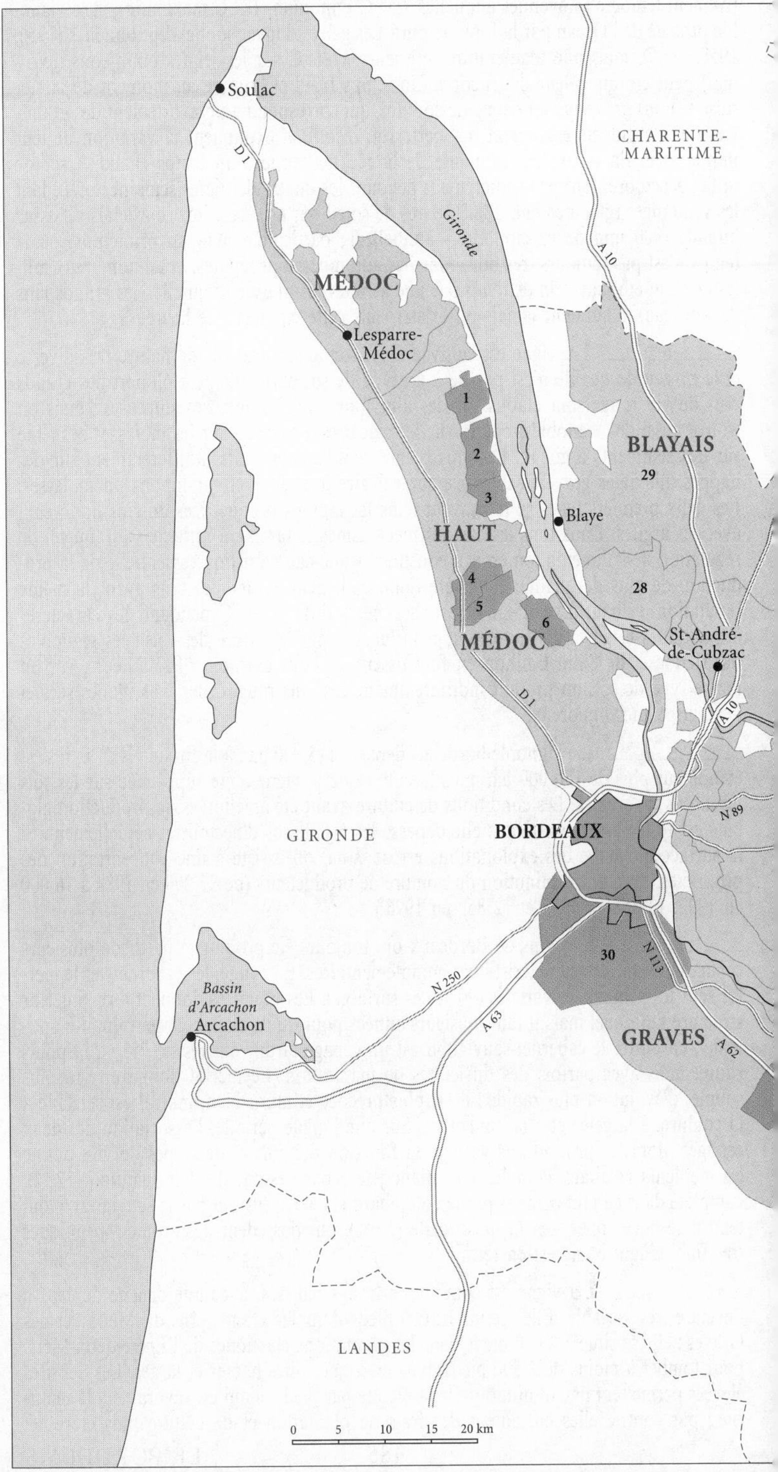

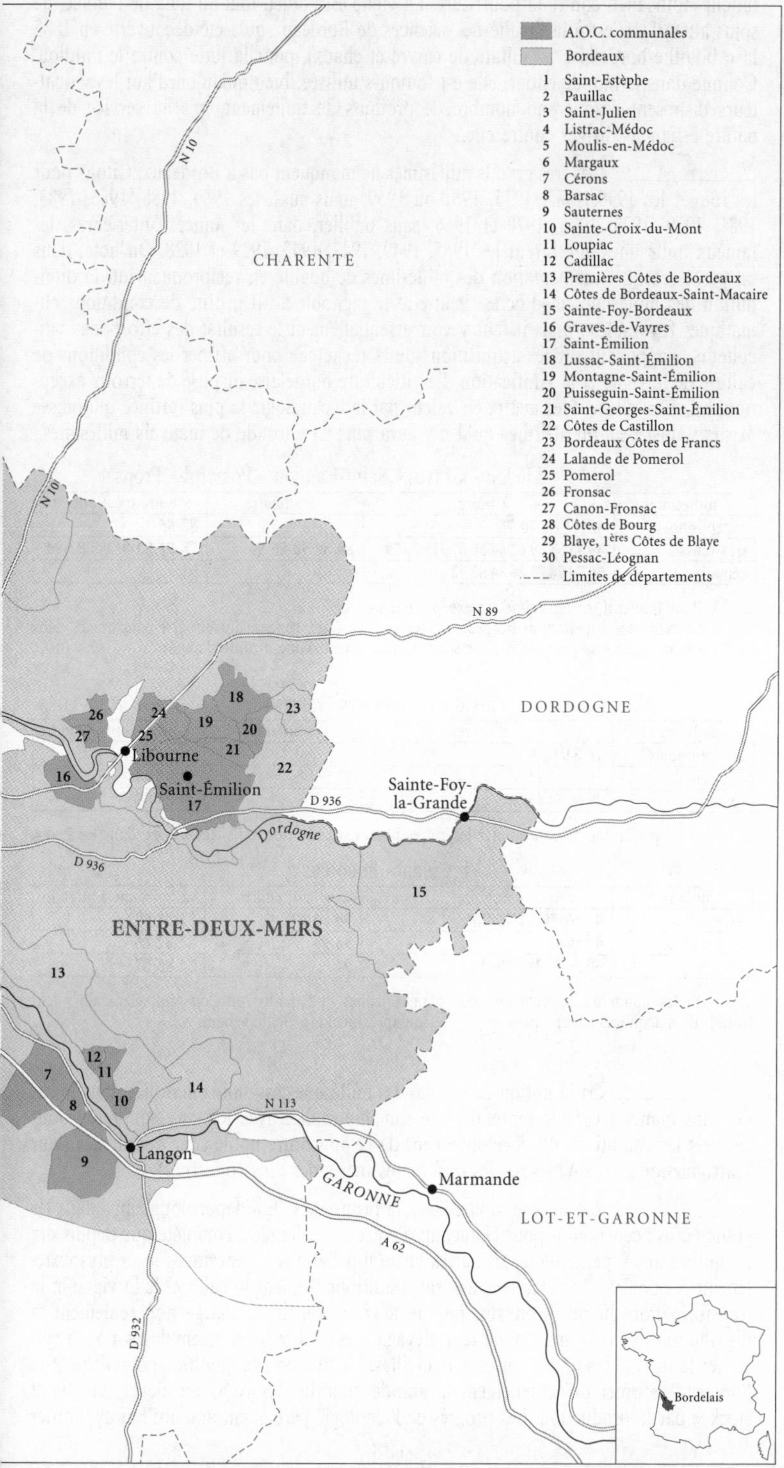
A.O.C. communales
Bordeaux
1 Saint-Estèphe
2 Pauillac
3 Saint-Julien
4 Listrac-Médoc
5 Moulis-en-Médoc
6 Margaux
7 Cérons
8 Barsac
9 Sauternes
10 Sainte-Croix-du-Mont
11 Loupiac
12 Cadillac
13 Premières Côtes de Bordeaux
14 Côtes de Bordeaux-Saint-Macaire
15 Sainte-Foy-Bordeaux
16 Graves-de-Vayres
17 Saint-Émilion
18 Lussac-Saint-Émilion
19 Montagne-Saint-Émilion
20 Puisseguin-Saint-Émilion
21 Saint-Georges-Saint-Émilion
22 Côtes de Castillon
23 Bordeaux Côtes de Francs
24 Lalande de Pomerol
25 Pomerol
26 Fronsac
27 Canon-Fronsac
28 Côtes de Bourg
29 Blaye, 1ères Côtes de Blaye
30 Pessac-Léognan
Limites de départements
CHARENTE
N 10
N 89
DORDOGNE
Libourne
Saint-Émilion
Sainte-Foy-la-Grande
D 936
Dordogne
ENTRE-DEUX-MERS
N 113
Langon
GARONNE
Marmande
LOT-ET-GARONNE
A 62
D 932
Bordelais

luttent moins bien contre la pourriture. La vigne est l'objet, tout au long de l'année, de soins attentifs. C'est à la faculté des sciences de Bordeaux qu'a été découverte en 1885 la « bouillie bordelaise » (sulfate de cuivre et chaux), pour la lutte contre le mildiou. Connue dans le monde entier, elle est toujours utilisée, bien qu'aujourd'hui les viticulteurs disposent d'un grand nombre de produits de traitement, mis au service de la nature et jamais dirigés contre elle.

Les très grands millésimes ne manquent pas à Bordeaux. Citons pour les rouges les 1990, 1982, 1975, 1961 ou 1959, mais aussi les 1989, 1988, 1985, 1983, 1981, 1979, 1978, 1976, 1970 et 1966, sans oublier, dans les années antérieures, les fameux millésimes que furent les 1955, 1949, 1947, 1945, 1929 et 1928. On note, dans un passé récent, l'augmentation des millésimes de qualité et, réciproquement, la diminution des millésimes médiocres. Peut-être le vignoble a-t-il profité de conditions climatiques favorables ; mais il faut y voir essentiellement le résultat des efforts des viticulteurs, s'appuyant sur les acquisitions de la recherche pour affiner les conditions de culture de la vigne et la vinification. La viticulture bordelaise dispose de terroirs exceptionnels, mais elle sait les mettre en valeur par la technologie la plus raffinée qui puisse exister ; ainsi peut-on affirmer qu'il n'y aura plus en Gironde de mauvais millésimes.

Médoc - Graves - Saint-Émilion - Pomerol - Fronsac

millésimes	à boire	à attendre	à boire ou à attendre
exceptionnels	**45 47 61 70 75**		**82 85**
très réussis	**49 53 55 59 62 64 66 67 71* 76 79**	**88 89 90 95 96**	**78 81 83 86 89 93 94**
réussis	**50 73 74 77 80 84 87 92**		**91**

* Pour Pomerol, ce millésime est exceptionnel.

– Les vins des appellations bordeaux et les vins de Côte, rouges, doivent être consommés dans les 5 ou 6 ans. Certains peuvent supporter un vieillissement d'une dizaine d'années.

Vins blancs secs des Graves

millésimes	à boire	à attendre	à boire ou à attendre
exceptionnels	**78 81 82 83**		
très réussis	**76 85 87 92**	**95 96**	**88 93 94**
réussis	**79 80 84 86**		**90 89 97**

– Il est préférable de consommer les autres blancs secs du Bordelais très jeunes, dans les 2 ans.

Vins blancs liquoreux

millésimes	à boire	à attendre	à boire ou à attendre
exceptionnels	**47 67 70 71 75 76**	**90 95 97**	**83 88 89**
très réussis	**49 59 62**	**96 98**	**81 82 86**
réussis	**50 55 77 78 79 80 91**	**94**	**84 85 87**

– Si les liquoreux peuvent être consommés jeunes (à l'apéritif où l'on appréciera alors leur fruité), ils n'acquièrent leurs qualités propres qu'après un long vieillissement.

Si la notion de qualité des millésimes est moins marquée dans le cas des vins blancs secs, elle reprend toute son importance avec les vins liquoreux, pour lesquels les conditions du développement de la pourriture noble sont essentielles (voir l'introduction : « Le Vin », et les différentes fiches des vins concernés).

La mise en bouteilles à la propriété se fait depuis longtemps dans les grands crus ; cependant, pour beaucoup d'entre eux, elle n'est complète que depuis dix ou quinze ans à peine. Pour les autres vins (appellations « génériques » ou plus exactement régionales), le viticulteur assurait traditionnellement la culture de la vigne et la transformation du raisin en vin, puis le négoce prenait en charge non seulement la distribution des vins, mais aussi leur élevage, c'est-à-dire leurs assemblages pour régulariser la qualité jusqu'à la mise en bouteilles. La situation se modifie graduellement et l'on peut affirmer qu'actuellement la grande majorité des AOC est élevée, vieillie et stockée par la production. Les progrès de l'œnologie permettent aujourd'hui de vinifier régulièrement des vins consommables en l'état ; tout naturellement, les viticulteurs cherchent donc à les valoriser en les mettant eux-mêmes en bouteilles ; les caves coopératives ont joué un rôle dans cette évolution, en créant des unions qui assurent le conditionnement et la commercialisation des vins. Le négoce conserve toujours un rôle important au niveau de la distribution, en particulier à l'exportation, grâce à ses réseaux bien implantés depuis longtemps. Il n'est pas impossible cependant que, dans l'avenir, les vins de marque des négociants trouvent un regain d'intérêt auprès de la grande distribution de détail.

La commercialisation de l'importante production de vin de Bordeaux est bien sûr soumise aux aléas de la conjoncture économique, au volume et à la qualité de la récolte. Dans un passé récent, le Conseil interprofessionnel des vins de Bordeaux a pu jouer un grand rôle en matière de commercialisation, par la mise en place d'un stock régulateur, d'une mise en réserve qualitative et de mesures financières d'organisation du marché.

Les syndicats viticoles, eux, assurent la protection des différentes appellations d'origine contrôlée, en définissant les critères de la qualité. Ils effectuent sous le contrôle de l'INAO des dégustations d'agréage de tous les vins produits chaque année ; elles peuvent donner lieu à la perte du droit à l'appellation si la qualité est jugée insuffisante.

Les confréries vineuses (Jurade de Saint-Emilion, Commanderie du Bontemps du Médoc et des Graves, Connétablie de Guyenne, etc.) organisent régulièrement des manifestations à caractère folklorique dont le but est l'information en faveur des vins de Bordeaux ; leur action est coordonnée au sein du Grand Conseil du vin de Bordeaux.

Toutes ces actions de promotion, de commercialisation et de production le démontrent : le vin de Bordeaux est aujourd'hui un produit économique géré avec rigueur. Représentant 25,98 % de la production AOC de France avec un volume de 6 568 730 hl en 1998, la production s'évalue en milliards de francs, dont trois à l'exportation. Son importance dans la vie régionale aussi, puisque l'on estime qu'un Girondin sur six dépend directement ou indirectement des activités viti-vinicoles. Mais qu'il soit rouge, blanc sec ou liquoreux, dans ce pays gascon qu'est le Bordelais, le vin n'est pas seulement un produit économique. C'est aussi et surtout un fait de culture. Car derrière chaque étiquette se cachent tantôt des châteaux à l'architecture de rêve, tantôt de simples maisons paysannes, mais toujours des vignes et des chais où travaillent des hommes, apportant, avec leur savoir-faire, leurs traditions et leurs souvenirs.

Les appellations régionales bordeaux

Si le public situe assez facilement les appellations communales, il lui est souvent plus difficile de se faire une idée exacte de ce que représente l'appellation bordeaux. Pourtant, la définir est apparemment simple : ont droit à cette appellation tous les vins de qualité produits dans la zone délimitée du département de la Gironde, à l'exclusion de ceux qui viendraient de la zone sablonneuse située à l'ouest et au sud (la lande, consacrée depuis le XIXe s. à la forêt de pins). Autrement dit, ce sont tous les terroirs à vocation viticole de la Gironde qui ont droit à cette appellation. Et tous les vins qui y sont produits peuvent l'utiliser, à condition qu'ils soient conformes aux règles assez strictes fixées pour son attribution (sélection des cépages, rendements à ne pas dépasser...). Mais derrière cette simplicité se cache une grande variété. Variété, tout d'abord, des types de vins. En effet, plus que d'une appellation bordeaux, il convient de parler des appellations bordeaux, celles-ci comportant des vins rouges, mais aussi des rosés et des clairets, des vins blancs (secs et liquoreux) et des mousseux (blancs ou rosés). Variété des origines ensuite, les bordeaux pouvant être de plusieurs types : pour les uns, il s'agit de vins produits dans des secteurs de la Gironde n'ayant droit qu'à la seule appellation bordeaux, comme les régions de palus (certains sols alluviaux) proches des fleuves, ou quelques zones du Libournais (communes de Saint-André-de-Cubzac, Guîtres, Coutras...). Pour les autres, il s'agit de vins provenant de régions ayant droit à une appellation spécifique (Médoc, Saint-Emilion, Pomerol, etc.). Dans certains cas, l'utilisation de l'appellation régionale s'explique alors par le fait que l'appellation locale est commercialement peu connue (comme pour les bordeaux côtes-de-francs, les bordeaux haut-benauge, les bordeaux sainte-foy ou les bordeaux saint-macaire) ; l'appellation spécifique n'est, en définitive, qu'un complément de l'appellation régionale, et, en outre, n'apporte rien de plus à la valorisation du produit. Aussi les viticulteurs préfèrent-ils se contenter de l'image de marque bordeaux. Mais il arrive également que l'on trouve des bordeaux provenant d'une propriété située dans l'aire de production d'une appellation spécifique prestigieuse, ce qui ne manque pas d'intriguer certains amateurs curieux. Mais là aussi l'explication est aisée à trouver : traditionnellement, beaucoup de propriétés en Gironde produisent plusieurs types de vins (notamment des rouges et des blancs) ; or dans de nombreux cas (médoc, saint-émilion, entre-deux-mers ou sauternes), l'appellation spécifique ne s'applique qu'à un seul type. Les autres productions sont donc commercialisées comme bordeaux ou bordeaux supérieurs.

S'ils sont moins célèbres que les grands crus, tous ces bordeaux n'en constituent pas moins quantitativement la première appellation de la Gironde, avec en 1998, 3 638 272 hl dont 541 072 hl pour les blancs et 5 752 hl pour les crémants de bordeaux.

L'importance de cette production et l'impressionnante surface du vignoble (58 000 ha) pourraient laisser penser qu'il n'existe guère de similitudes entre deux bordeaux. Pourtant, si l'on trouve une certaine diversité de caractères, il existe aussi des points communs, donnant leur unité aux différentes appellations régionales. Ainsi les bordeaux rouges sont des vins équilibrés, harmonieux, délicats ; généralement, ils doivent être fruités, mais pas trop corsés, pour pouvoir être consommés jeunes. Les bordeaux supérieurs rouges se veulent des vins plus complets. Ils utilisent les meilleurs raisins, sont vinifiés de façon à leur assurer une certaine longévité. Ils constituent en somme une sélection parmi les bordeaux.

Les bordeaux clairets et rosés, eux, sont obtenus par faible macération de raisins de cépages rouges ; les clairets ont une couleur un peu plus soutenue. Ils sont frais et fruités, mais leur production reste très limitée.

Les bordeaux blancs sont des vins secs, nerveux et fruités. Leur qualité a été récemment améliorée par les progrès réalisés dans les techniques de conduite de la vinification, mais cette appellation ne jouit pas encore de la notoriété à laquelle elle devrait pouvoir prétendre. Ce qui explique que certains vins soient « repliés » en vins de table, puisque, la différence de cotation étant parfois assez faible, il est plus avantageux commercialement de vendre du vin de table que du bordeaux blanc. Constituant une sélection, les bordeaux supérieurs blancs sont moelleux et onctueux ; leur production est limitée.

Il existe enfin une appellation crémant de bordeaux. Les vins de base doivent être produits dans l'aire d'appellation bordeaux. La deuxième fermentation (prise de mousse) doit être effectuée en bouteilles dans la région de Bordeaux.

Bordeaux

CH. BEAULIEU-BERGEY 1996*

■ 21 ha 100 000 ▮ 30 à 49 F

A quelques kilomètres de Saint-Macaire (ville médiévale), de Malagar (château de F. Mauriac) ou de Malromé (château de Toulouse-Lautrec), cette propriété centenaire présente un vin de cabernets (40 % sauvignon, 20 % franc) et merlot (40 %) élevé six mois en fût. Sous son habit grenat percent le fruit, la prunelle et les épices. La bou-

che reprend avec gourmandise ces parfums ; sa chair dense, généreuse, possède des tanins longs, sûrs de leur avenir. Les impatients pourront déjà servir ce vin sur les viandes rouges aux cèpes.
🔑 SCEA Vignobles Michel Bergey, Ch. Damis, 33490 Sainte-Foy-la-Longue, tél. 05.56.76.41.42, fax 05.56.76.46.42 ☑ 🍸 r.-v.

BEAU MAYNE 1997*

■ n.c. n.c. ▮🌡 20 à 29 F

Beau Mayne est une marque commerciale de Dourthe, négociant, qui a assemblé avec art 50 % de merlot, 35 % de cabernet-sauvignon et 15 % de cabernet franc. La composition est traditionnelle, mais les lots ont été bien choisis et mariés : sous une belle robe rouge profond, ce vin gras et rond, aux tanins bien structurés, offre une palette aromatique encore jeune et fruitée qui accompagne toute la dégustation jusqu'à l'élégante finale. D'une harmonie certaine, ce vin est à goûter sans hâte, sur un veau Marengo par exemple.
🔑 Dourthe Ch. Beau-Mayne,
35, rue de Bordeaux, 33290 Parempuyre,
tél. 05.56.35.53.00, fax 05.56.35.53.29,
e-mail contact@cvbg.com 🍸 r.-v.

CH. DE BEAUREGARD-DUCOURT 1997

■ 41 ha n.c. ▮🌡 30 à 49 F

Ce vin de cabernets dominants (sauvignon 47 %, franc 19 %) offre des parfums de fruits rouges (fraise, framboise). La robe rouge, brillante, à reflets cerise est sympathique. Pour « un repas sans prétention, mais joyeux » comme le propose un dégustateur.
🔑 SCEA Vignobles Ducourt, 18, rte de Montignac, 33760 Ladaux, tél. 05.57.34.54.00, fax 05.56.23.48.78 ☑ 🍸 r.-v.

CAVE BEL-AIR 1997

■ 35 ha 60 000 ▮🌡 30 à 49 F

Elaboré par Pierre Coste, ce vin répond parfaitement à ses objectifs : plaire rapidement. Le rubis de la robe tire sur le framboise. Fruits rouges cuits, confiture de fraises et notes de sous-bois caractérisent les arômes. Le corps est souple, rond, et donc peu tannique. Le bordeaux plaisir du présent, pour toutes les occasions.
🔑 Maison Sichel-Coste, 8, rue de la Poste, 33212 Langon, tél. 05.56.63.50.52, fax 05.56.63.42.28

CH. BELLE-GARDE
Cuvée élevée en fût de chêne 1997**

■ 5 ha 37 000 ⦀ 30 à 49 F

Depuis longtemps remarqué, ce producteur est cette année élu coup de cœur par le grand jury des bordeaux (neuf dégustateurs) pour ce vin grenat sombre, dont le bouquet associe aux fruits mûrs et confits les parfums de toast, de vanille et de grillé, donnés par un élevage intelligent en fûts de qualité. La chair souple et confortable accueille des tanins certes encore vigoureux, mais déjà enveloppés, longs et fondants. Une harmonie bien maîtrisée que l'on appréciera pendant quelques années pour le plaisir d'en suivre l'évolution.

🔑 Eric Duffau, Ch. Belle-Garde,
33420 Génissac, tél. 05.57.24.49.12,
fax 05.57.24.41.28 ☑ 🍸 t.l.j. sf dim. 8h-12h 14h-19h; f. 15-30 août

CH. DE BERTIAC B de Bertiac 1997*

■ n.c. 20 000 ▮🌡 30 à 49 F

Marque de la maison André Quancard, ce vin souligne le savoir-faire de ce négociant : la robe est belle, ourlée de cuivre. Le nez est d'abord timide, puis les fruits se perçoivent dès la rondeur de l'attaque et de la chair. La finale s'avère encore un peu tannique mais, dans un an ou deux, le plaisir sera là.
🔑 Clément de Bertiac, rue de la Cabeyre,
33240 Saint-André-de-Cubzac,
tél. 05.57.33.42.42, fax 05.57.43.22.22,
e-mail cdb@andrequancard.com
🔑 Montangon

CH. BONNET
Réserve Elevé en fût de chêne 1997**

■ 57 ha n.c. ▮⦀🌡 30 à 49 F

Comme les années précédentes, cette « Réserve » mérite bien son nom. La présentation en robe rubis presque noir est parfaite. L'harmonie entre la richesse du boisé (élevage douze mois en fût) et la puissance du bouquet est remarquable : fruits rouges, toast, cake... La bouche est d'abord ronde, charnue, ample. Une petite année assagira ses tanins pour un plaisir de trois ou quatre ans, si votre cave est bonne.
🔑 SCEA Vignobles André Lurton, Ch. Bonnet,
33420 Grézillac, tél. 05.57.25.58.58,
fax 05.57.74.98.59,
e-mail andre.lurton@wanadoo.fr ☑ 🍸 r.-v.

CH. CABLANC 1997*

■ 2,5 ha 20 000 ▮🌡 30 à 49 F

La vallée de la Gamage, de l'église templière de Saint-Pey-de-Castets à l'abbaye de Blasimon, ne manque pas d'attraits. En 1960, J.-L. Debart y a créé cette propriété au chai très moderne. Ce Guide a signalé les très jolis millésimes 95 et 96. 97 n'a pas donné lieu à une cuvée Prestige, car le vin n'aurait pas supporté le bois, explique sagement J.-L. Debart. Mais cette cuvée principale est fort bien réussie. Les arômes de fruits noirs mûrs, la chair fondue et les tanins bien élevés composent un bordeaux typé. C'est le vin des viandes au sarment, ou des sauces aux champignons des bois.

Jean-Lou Debart, Ch. Cablanc, 33350 Saint-Pey-de-Castets, tél. 05.57.40.52.20, fax 05.57.40.72.65, e-mail chcablanc@aol.com ☑ Y r.-v.

CH. CAZEAU

Cuvée Prestige Vieilli en fût de chêne 1997★★

■ 10 ha 600 000 20 à 29 F

Cette vaste propriété proche d'un moulin qui abrite un petit musée vigneron est connue des lecteurs du Guide. Elle présente cette cuvée Prestige remarquable, composée de 50 % de merlot, 30 % de cabernet-sauvignon et 20 % de cabernet franc, issus de sélections et d'assemblages. La couleur rubis intense, brillante, séduit immédiatement. Le nez, fin, subtil, aux notes boisées, grillées, torréfiées, sur fond de fruits mûrs et de pruneau, invite à la dégustation : alors s'épanouissent une structure souple et ample, pleine, parfumée et une longue finale. « Très belle expression du vin », conclut un juré. La **cuvée principale 97** est citée ainsi que le **Château Giraudot 97** tous deux « classiques » du millésime.

SCI Domaines Cazeau et Perey, 33540 Sauveterre-de-Guyenne, tél. 05.56.71.50.76, fax 05.56.71.87.70

A.-M. et M. Martin

CORDIER Collection privée 1997

■ n.c. 800 000 20 à 29 F

Le négociant Cordier entreprend cette année un élevage de six mois en fût pour l'assemblage de cette marque en bordeaux. Essai réussi : la rondeur du vin dialogue bien avec le boisé caramélisé, discret et prévenant de la barrique. Un ensemble de bonne compagnie, à déguster sans plus attendre.

Domaines Cordier, 53, rue du Dehez, 33290 Blanquefort, tél. 05.56.95.53.00, fax 05.56.95.53.08 Y r.-v.

CH. CRABITAN-BELLEVUE

Cuvée spéciale 1997★

■ 6 ha 14 000 30 à 49 F

Ce vin de merlot (95 %) de la vallée de la Garonne, né à proximité du vieux bourg de Saint-Macaire, a de très beaux parfums de raisin mûr, de framboise et de pruneau. Un boisé discret et fin accompagne la bouche ronde et bien équilibrée. Un travail intelligent, adapté aux difficultés du millésime trouve ici sa récompense, offrant au consommateur un plaisir réel, à partager sur un rôti de bœuf.

GFA Bernard Solane et Fils, Crabitan, 33410 Sainte-Croix-du-Mont, tél. 05.56.62.01.53, fax 05.56.76.72.09 ☑ Y t.l.j. 8h-12h 14h-18h; dim. sur r.-v.

CH. DU CROS 1997★

■ 4 ha 17 000 30 à 49 F

Ce cru né dans la région de Loupiac, région des vins moelleux, marie ici merlot et cabernet franc à parts égales. De facture traditionnelle, avec passage neuf mois en fûts d'un ou deux ans, il offre un nez discret mais élégant, beurré, noisetté et boisé. Cette finesse se poursuit en bouche qui se révèle svelte et élégante. Les amateurs de charmes secrets et précieux le goûteront sans plus attendre.

SA Vignobles M. Boyer, Ch. du Cros, 33410 Loupiac, tél. 05.56.62.99.31, fax 05.56.62.12.59 ☑ Y t.l.j. sf sam. dim. 8h-12h 14h-18h

DESTIAC 1997★

■ 10 ha 66 000 20 à 29 F

Le groupe de coopératives Univitis jouit d'une sérieuse réputation. Le vin de la marque Destiac est composé de 80 % de merlot et de 20 % de cabernet franc, base d'une complexité aromatique intéressante. L'équilibre entre la structure puissante de la chair et la présence de tanins mûrs est une réussite. Autre marque, **Comte de Sausac**, plus riche en cabernets (25 % de cabernet-sauvignon, 25 % de cabernet franc) offre un nez plus discret mais fin, et des tanins que le temps doit assagir. Il est cité comme alternative au précédent.

Closerie d'Estiac, Les Lèves, 33320 Sainte-Foy-la-Grande, tél. 05.57.56.02.02, fax 05.57.56.02.22 ☑ Y t.l.j. sf dim. lun. 8h30-12h30 14h-18h

CH. DUCLA Permancra III 1997★

■ n.c. 8 000 50 à 69 F

Yvon Mau présente en cette cuvée numérotée un vin de domaine qui a fait sa fermentation malolactique en barrique, selon un usage ancien, et y qui a séjourné quinze mois. Ce 97 développe un bouquet puissant, complexe, où l'eucalyptus et le pain d'épice dialoguent avec la vanille. Ces parfums, accompagnés de cassis, animent brillamment une bouche encore un peu nerveuse mais agréablement longue. Mau propose aussi sa marque **Millénium, un 97 élevé en fût de chêne**, très agréable par son nez fin et boisé et par sa bouche souple et épicée (30 à 49 F).

SA Yvon Mau, rue André-Dupuy-Chauvin, B.P. 1, 33190 Gironde-sur-Dropt, tél. 05.56.61.54.54, fax 05.56.61.54.61 Y r.-v.

CH. DUMAS-CENOT 1996★

■ 18,85 ha 12 000 20 à 29 F

Les deux cabernets s'équilibrent pour accompagner le merlot (50 %). La maturité des raisins se retrouve dans la couleur pourpre sombre de la robe et dans la complexité des flaveurs : les notes florales se mêlent aux fruits confits et cuits (fraise). Un corps harmonieux aux tanins enveloppés porte et prolonge ce plaisir aromatique. Un vin bien typé, bien fait.

Bernard Dumas, 33790 Pellegrue, tél. 05.56.61.31.37, fax 05.56.61.31.37 ☑ Y r.-v.

CH. FRAPPE-PEYROT 1996★

■ 5 ha 10 000 30 à 49 F

Entre Sainte-Croix-du-Mont et Loupiac, cités des vins blancs liquoreux, ce château est environné de merlot et de cabernets, jeunes encore (quinze ans), qui ont fait naître ce bordeaux équilibré, élevé en barrique. Habillé de rouge orangé brillant, il évoque les fruits secs et confits, le cake et la vanille. La finale aux tanins assagis annonce un vin que l'on peut commencer à boire, avec gourmandise.

Jean-Yves Arnaud, La Croix, 33410 Gabarnac, tél. 05.56.20.23.52, fax 05.56.20.23.52 ☑ Y r.-v.

CH. FRONTENAC 1997

■ 27 ha 120 000 20 à 29 F

Le château domine la bastide de Sainte-Foy-la-Grande, au passé tumultueux. Cabernet franc et cabernet-sauvignon se partagent 60 % du vin, lui conférant une structure solide et nerveuse et une chair croquante aux flaveurs affirmées - bourgeon, fruits rouges, raisins mûrs -, très épicées. A boire et à suivre sur plusieurs mois.

Roger Mesange, Les Maingauds, 33220 Pineuilh, tél. 05.57.46.16.59, fax 05.57.46.16.59 r.-v.

GINESTET 1997*

■ n.c. 990 000 20 à 29 F

Il porte simplement et sérieusement le nom de son négociant élaborateur, bien connu sur la place de Bordeaux. Ce 97 mérite son étoile pour l'ensemble de sa prestation, de la netteté de la robe rouge profond à la qualité franche de fruits mûrs des arômes, et à l'équilibre intelligent de la chair et des tanins. Un joli classique, au nombre imposant de flacons. Egalement très réussie, la collection **Les derniers millésimes du siècle**, pour ce même 97.

Maison Ginestet SA, 19, av. de Fontenille, 33360 Carignan-de-Bordeaux, tél. 05.56.68.81.82, fax 05.56.20.96.99 r.-v.

CH. GRAND BIREAU 1996*

■ 6 ha 30 000 30 à 49 F

Ce vin de merlot (60 %) largement modulé par le cabernet franc (25 %) et le cabernet-sauvignon (15 %) a intéressé par la nature complexe de ses flaveurs : aux très jolies notes de fruits se mêlent des nuances animales, qui animent une chair ronde, généreuse, et des tanins encore robustes. Un juré déclare qu'il a la « typicité d'un bon bordeaux ».

Michel Barthe, 18, Girolatte, 33420 Naujan-et-Postiac, tél. 05.57.84.55.23, fax 05.57.84.57.37 r.-v.

CH. GRAND CLAUSET 1997*

■ 6 ha 38 000 30 à 49 F

Ce château est géré par la même équipe que Château Penin, en bordeaux supérieur. Le cabernet franc y participe pour 15 %, le merlot régnant à 85 %. Les arômes de fruits apparaissent à l'aération, plutôt confits, avec des notes retenues de sous-bois. Cerise et pruneau marquent une bouche ronde et tendre. Un vrai bordeaux.

SCEA Patrick Carteyron, Ch. Penin, 33420 Génissac, tél. 05.57.24.46.98, fax 05.57.24.41.99 r.-v.

DOM. DES GRANDS ORMES 1997*

■ 10 ha 70 000 30 à 49 F

Souvent cité - et étoilé -, ce cru, né sur des graves de la Dordogne libournaise, a mérité un coup de cœur pour le 96. Le 97, sous une robe grenat et cerise, présente un corps gras, moelleux, et une harmonie bien composée de tanins de fût et de fruits, fondue, longue, parfumée de toast beurré et de confiture de framboises. Un vin de gigot ou de rôti.

SCEA Daniel Mouty, Ch. du Barry, 33350 Sainte-Terre, tél. 05.57.84.55.88, fax 05.57.74.92.99 t.l.j. sf sam. dim. 8h-17h; f. août

CH. GROSSOMBRE
Elevé en fût de chêne 1997**

■ 7 ha 50 000 30 à 49 F

Fille d'André Lurton, Béatrice Lurton est propriétaire de ce cru, salué par les dégustateurs. Le pourpre soutenu de la robe annonce un corps souple, charnu, constitué de tanins solides mais bien enrobés. Les flaveurs affirment le charme remarquable de ce vin : cassis, pruneau et fruits secs dialoguent avec un boisé élégant où le merrain affirme une harmonie toastée, grillée, épanouie et longue. A déguster sans hâte sur viandes rouges et gibier.

Béatrice Lurton, B.P. 10, 33420 Grézillac, tél. 05.57.25.58.58, fax 05.57.74.98.59, e-mail andre.lurton@wanadoo.fr

CH. GUIBON 1997*

■ 14 ha n.c. 20 à 29 F

Vignobles, château et vins de belle allure, selon des traditions fermement établies. Le cabernet-sauvignon l'emporte ici à 60 contre 40 sur le merlot. Le fruit noir marque la robe et le nez, celui-ci étant légèrement épicé, concentré. Des notes balsamiques et mentholées agrémentent la dégustation de ce vin harmonieux, bien enrobé, de longue persistance.

SCEA Vignobles André Lurton, Ch. Bonnet, 33420 Grézillac, tél. 05.57.25.58.58, fax 05.57.74.98.59, e-mail andre.lurton@wanadoo.fr r.-v.

CH. HAUT-BAYLE 1996

■ 3,5 ha 20 000 30 à 49 F

A proximité de la bastide de Blasimon, le visiteur pourra admirer le portail de l'église abbatiale ou se reposer au bord d'un plan d'eau ombragé. Il faut aussi découvrir les installations performantes de cette Union de producteurs, qui présente ici un vin solide aux arômes de fruits mûrs et épicés. Le fraîcheur plaisante de l'attaque est encore contrebalancée par des tanins austères que le temps arrondira. A goûter sur des grillades ou de la volaille.

Vignerons de Guyenne, Union des producteurs de Blasimon, 33540 Blasimon, tél. 05.56.71.55.28, fax 05.56.71.59.32 t.l.j. sf sam. dim. 8h-12h 14h-18h

Cl. Rénier

CH. HAUT-CHARDON 1997★

■ 6 ha 30 000 ▮🌡 20 à 29 F

Les vignerons bordelais se souviennent de Louis Marinier, président de leur syndicat lors de la reconstitution du vignoble et de sa mutation vers les cépages rouges, qui s'effectua en vingt ans environ. Ses héritiers ont élaboré ce vin à partir du merlot (95 %) selon les méthodes classiques adaptées aux cuvaisons de dix-douze jours. La robe est rubis à reflets mauves. Le nez séduit : on y décèle fruits et confitures. Le corps rond, la charpente à peine rigide se prolongent dans une persistance aromatique engageante. Un bordeaux très respectueux de la pensée du président.

🔑 SCEA Vignobles Louis Marinier, Dom. Florimond-La Brède, 33390 Berson, tél. 05.57.64.39.07, fax 05.57.64.23.27 ☒ Y t.l.j. 8h-12h 14h-18h; sam. dim. sur r.-v.; f. août

CH. HAUT-D'ARZAC 1997★

■ 5 ha n.c. ▮ 20 à 29 F

Merlot et cabernet-sauvignon sont parfaitement équilibrés dans ce vin dont la puissance et la franchise des arômes ont séduit le jury : cassis et fruit noir mûr, avec des notes florales, entourent une chair croquante et des tanins structurés. C'est un vin de gibier. Il faudra en suivre l'évolution.

🔑 Gérard Boissonneau, 33420 Naujan-et-Postiac, tél. 05.57.74.91.12, fax 05.57.74.99.60 ☒ Y r.-v.

CH. HERMITAGE DES BRUGES 1997

■ 22 ha 150 000 ▮🌡 20 à 29 F

Les cabernets - et surtout le cabernet-sauvignon (44 %) - dominent ce vin paré d'une robe légère, très floral au nez comme en bouche. Quelques notes plus évoluées (pruneau, viande) annoncent une maturation rapide dans les prochains mois. Il faut cueillir cette chair fraîche, ronde à l'attaque, enlevée en finale ; c'est un vin d'entrées et de charcuterie.

🔑 Dulong Frères et Fils, 29, rue Jules-Guesde, 33270 Floirac, tél. 05.56.86.51.15, fax 05.56.40.84.97, e-mail dulong@mmkm.com Y r.-v.

🔑 M. Faure

CH. JOININ 1997★

■ 14,18 ha 60 000 ▮🌡 20 à 29 F

Le bourg de Rauzan est dominé par la tour de son château du XIVᵉs. A proximité, ce domaine assure sa vinification depuis 1992 dans un chai moderne : le savoir-faire est saint-émilionnais comme la propriétaire. La robe de ce 97 est pourpre intense, à reflets violets. Les petits fruits rouges mêlés de notes d'humus et de gibier affirment la complexité aromatique. La chair souple est élégante. Les tanins - on y retrouve des notes animales - demandent à s'apaiser encore mais signent déjà un vin de qualité. Beau succès dans ce difficile millésime.

🔑 Brigitte Mestreguilhem, 33420 Rauzan, tél. 05.57.24.72.95, fax 05.57.24.71.21 ☒

CH. LA BARDONNE 1997

■ 4,5 ha 30 000 ▮🌡 20 à 29 F

Autrefois plantée en blancs, cette propriété s'est reconvertie dans les années 70-80, en plaçant à égalité merlot et cabernet-sauvignon sur l'un des points hauts de Gironde. D'une belle couleur soutenue, ce vin aux tanins présents devra attendre deux ans avant que s'exprime pleinement son fruité.

🔑 Vignobles Alain Faure, Ch. Belair-Coubet, 33710 Saint-Ciers-de-Canesse, tél. 05.57.42.68.80, fax 05.57.42.68.81 ☒ Y r.-v.

CH. LA LEZARDIERE 1997★

■ 16,38 ha 40 000 ▮🌡 30 à 49 F

La coopérative d'Espiet met à la disposition de ses adhérents des moyens techniques modernes et efficaces. Ainsi est né ce vin, mariage classique de merlot (60 %) et de cabernet-sauvignon (40 %) : sa robe brille, pourpre violine, et sa structure solide mais ronde embaume le cabernet, la framboise.

🔑 Union de Producteurs Baron d'Espiet, La Fourcade, 33420 Espiet, tél. 05.57.24.24.08, fax 05.57.24.18.91 ☒ Y r.-v.

🔑 Thillet-Nicolas

CH. LA MOTHE DU BARRY
Cuvée Design 1997★

■ 3 ha 24 000 ◖◗ 30 à 49 F

Les vignerons de ce château ont le plaisir de contempler les coteaux de Saint-Emilion, de l'autre côté de la Dordogne. Mais ils se plaisent certainement aussi à élaborer ces jolis vins qui, chaque année, sont signalés dans le Guide. Voici donc le 97, qui présente une belle harmonie aromatique entre les raisins et le fût. L'attaque est ronde, puis la structure s'affirme jusque dans une finale enlevée, signant joliment le millésime, en compagnie d'un boisé élégant. La **cuvée principale**, qui n'est pas élevée en barrique, est bien typée. Elle est citée (20 à 29 F).

🔑 Joël Duffau, Les Arromans n°2, 33420 Moulon, tél. 05.57.74.93.98, fax 05.57.84.66.10 ☒ Y r.-v.

CH. LAMOTHE-VINCENT
Vieilli en fût de chêne 1996★

■ 2 ha 12 000 ▮◖◗🌡 30 à 49 F

Cabernet-sauvignon (40 %) et cabernet franc (15 %) marquent ce vin de leur structure solide et parfumée. Mais ils sont désormais assagis et enrobés, en un bouquet puissant de fruits frais et secs (figue), et en une chair ronde aux notes de venaison. C'est un vin à boire maintenant, sur viandes et fromages (brie).

🔑 SC Vignobles JBC Vincent, 3, chem. Laurenceau, 33760 Montignac, tél. 05.56.23.96.55, fax 05.56.23.97.72 ☒ Y r.-v.

CH. L'ANCIEN ORME 1996★

■ 5,5 ha 10 000 ▮ 20 à 29 F

Ce bordeaux est né à quelques kilomètres de Saint-Emilion, sur les sables limoneux qui ne sont pas inclus dans cette appellation. Le plaisir vient de la sincérité de ce vin. Il n'a pas connu la barrique et présente toute la fraîcheur des fruits qui s'enrichissent maintenant de notes confites, de miel et de thé. Sa jolie rondeur signe l'harmonieux mariage du merlot (70 %) et du cabernet franc (20 %), relevés du cabernet-sauvignon (10 %).

⊶ Jean-Michel et Arlette Coureau, Le Brégnet, 33330 Saint-Sulpice-de-Faleyrens, tél. 05.57.24.76.43, fax 05.57.24.76.43 ☑ Y t.l.j. sf dim. 8h30-19h

CH. LARROQUE 1997★

■ 56 ha 200 000 ⊕ 30 à 49 F

Vin de cabernet-sauvignon et franc dominants (49 % et 23 %) ; il a plu par son harmonie qui associe fleurs, fruits et boisé. Epicé, d'un volume bien tenu par des tanins extraits et ajustés avec doigté, c'est un bordeaux charmeur qui fait accepter joliment les limites de son millésime.

⊶ Boyer de La Giroday, 33760 Ladaux, tél. 05.57.34.54.00, fax 05.56.23.48.78 ☑ Y r.-v.

CH. LA SAUVEGARDE 1997

■ 18 ha 135 000 30 à 49 F 20 à 29 F

Les deux cabernets marquent ce vin de leurs parfums subtils de cassis mêlés à une pointe animale. Le merlot arrondit le corps et équilibre les tanins. C'est un vin à boire, sans hâte, lors de repas simples et appétissants.

⊶ André Quancard-André, rue de la Cabeyre, 33240 Saint-André-de-Cubzac, tél. 05.57.33.42.42, fax 05.57.43.22.22, e-mail quancard@quancard.com

⊶ SCF Ch. La Sauvegarde

CH. LE RONDAILH 1997

■ 25,48 ha n.c. 20 à 29 F

Représentatif de l'année, ce vin à la robe légère et brillante a plu par son bouquet de fruits à noyau et de cassis. Les nuances épicées de sa chair croquante et gourmande et la longueur enlevée de ses tanins sont à point. Pour accompagner volaille et lamproie.

⊶ Pallaruelo et Fils, 33490 Sainte-Foy-la-Longue, tél. 05.56.76.40.54, fax 05.56.76.40.54 ☑ Y r.-v.

LES CHARMILLES DES HAUTS DE PALETTE Elevé en fût de chêne 1997★

■ 5 ha 30 000 ⊕ 20 à 29 F

Equilibre entre les cépages cabernet-sauvignon et merlot, équilibre entre fruits mûrs et bois : voilà une harmonie un peu timide mais franche, qui sait se prolonger en notes de cassis, de cake et de vanille. Un convive des fêtes familiales.

⊶ SARL Les Hauts de Palette, 4*bis*, chem. de Palette, 33410 Beguey, tél. 05.56.62.95.25, fax 05.56.62.98.11 ☑ Y r.-v.

⊶ Thuzin-Yung

CH. LES GRANDES LANDES 1997

■ 13 ha 95 000 20 à 29 F

Né sur les graves, très merlot (80 %), ce vin, après une attaque très ronde, presque molle, se révèle assez chaleureux. Sa charpente enrobée et ses flaveurs de fruits mûrs, de griotte, de confit affirment son harmonie. C'est déjà une réussite !

⊶ Sté Huet, 33820 Saint-Ciers-sur-Gironde, tél. 05.57.42.69.60, fax 05.57.42.69.61 ☑

⊶ M. Boucher

CH. LESTRILLE 1997★

■ 12 ha 50 000 30 à 49 F

A côté de bordeaux supérieurs reconnus, J.-L. Roumage propose ce bordeaux lui aussi très réussi, aux flaveurs de noisette grillée sur fond de fruits confits et de pruneau. Chair et tanins s'équilibrent avec élégance ; la finale est de qualité. Un plaisir pour aujourd'hui.

⊶ Jean-Louis Roumage, Lestrille, 33750 Saint-Germain-du-Puch, tél. 05.57.24.51.02, fax 05.57.24.04.58 ☑ Y r.-v.

CH. LE TREBUCHET Cuvée élevée en fût de chêne 1997★

■ 2 ha 10 000 ⊕ 30 à 49 F

Entre le moulin fortifié de Bagas (XIIe) et le fort du Prince Noir à La Réole, ce lieu devait accueillir quelques machines de guerre puissantes qui lui ont donné son nom. L'équilibre merlot (50 %)-cabernets (dont 20 % de franc) est bien réalisé dans ce vin au nez intense et complexe (œillet, fruits rouges, boisé-vanillé). Les tanins encore présents structurent une chair aux arômes de pruneau cuit et développent une finale intéressante. A goûter sur des viandes rouges.

⊶ Bernard Berger, Ch. Le Trébuchet, 33190 Les Esseintes, tél. 05.56.71.42.28, fax 05.56.71.30.16 ☑ Y t.l.j. sf dim. 8h-12h 14h-18h

CH. LION BEAULIEU 1997★

■ 5,6 ha 48 000 30 à 49 F

Toujours en bonne place dans le Guide, ce château offre cette année un vin aux flaveurs subtiles, où chantent des notes de fruits rouges mûrs. La chair est ronde, souple ; les tanins sont déjà distingués. Un savoir-faire au service du millésime.

⊶ GFA de Lyon, 33420 Naujan-et-Postiac, tél. 05.57.84.55.08, fax 05.57.84.57.31, e-mail despagne@vignobles-despagne.com Y r.-v.

⊶ J. Elissalde

CH. DE LYNE 1997★

■ 7 ha 46 000 ⊕ 30 à 49 F

Les deux châteaux de Denis Barraud présentés ici sont habitués aux étoiles. Celui-ci a été apprécié pour sa robe cerise, ses flaveurs mêlant cuir, tabac, vanille, qui accompagnent un corps fruité, gras, épicé. « Vin bien élaboré », souligne un dégustateur. Le **Château la Cour d'Argent** est aussi bien noté. Son nez intéresse, et sa rondeur finement boisée séduit. Ces deux vins peuvent être consommés dès maintenant et pendant deux à trois ans.

⊶ SCEA des Vignobles Denis Barraud, Ch. Haut-Renaissance, 33330 Saint-Sulpice-de-Faleyrens, tél. 05.57.84.54.73, fax 05.57.84.52.07 ☑ Y r.-v.

CH. MAHON-LAVILLE 1997★

■ 1,3 ha 7 300 20 à 29 F

Un savoir-faire de Sauternais ! Merlot et cabernet-sauvignon se partagent équitablement ce vin. Les profondes différences de maturation de ces cépages en 1997 ont été maîtrisées par le vigneron qui a bien choisi les dates de vendanges et qui a pratiqué des tries à la cueillette. Cet effort

est récompensé par un vin grenat aux flaveurs riches, complexes - épices et raisin de Corinthe. La bouche ample, soyeuse, s'arrondit sur des tanins bien extraits et longs. « Belle matière pour le millésime », souligne un juré.
☛ Jean-Christophe Barbe, Ch. Laville, 33210 Preignac, tél. 05.56.63.28.14, fax 05.56.63.16.28 ☑ ⌶ r.-v.

CH. MAISON NOBLE 1997

| ■ | 5 ha | 40 000 | ▮ | 30 à 49 F |

Merlot (80 % de ce vin) et cabernet-sauvignon (20 %) ont poussé sur les argiles sableuses des coteaux au nord du Libournais -, à quelques kilomètres de l'église abbatiale de Guîtres. Sous une robe au rubis soutenu, le corps est bien construit, charnu. Le fruit rouge très mûr et la prune à l'eau-de-vie accompagnent la dégustation. L'ensemble est déjà agréable et pourra être bu sans hâte sur des civets par exemple !
☛ Bernard Sartron, Maison Noble, 33230 Maransin, tél. 05.57.69.19.36, fax 05.57.69.17.78 ☑ ⌶ r.-v.

CH. MARCEAU 1997

| ■ | n.c. | 451 460 | ▮ | 20 à 29 F |

En 1997, le Château Marceau a plu par la complexité de fruits secs de sa chair. Il est cité, comme le **Château La Garenne** au nez discret, mais à la bouche gourmande de fruits en confiture.
☛ Union des producteurs de Rauzan, 33420 Rauzan, tél. 05.57.84.13.22, fax 05.57.84.12.67 ⌶ r.-v.

CH. MAURINE 1996★★

| ■ | n.c. | 91 060 | ◖▮◗ | 20 à 29 F |

L'Union des producteurs de Rauzan signe ici son grand art de la vinification et de l'élevage en fût. Alliance intime, intense, généreuse des raisins mûrs et du boisé, ce vin offre sans retenue ses flaveurs complexes et son corps rond, fondant, élégant, séduisant. Le **Château Haut-Cluzet**, élaboré par la même équipe, a été apprécié pour ses arômes de confiture, de noyau, d'épices et de café. La barrique domine encore nettement le vin : « Il y a des gens qui aiment », souligne un dégustateur. Le jury lui a accordé la citation.
☛ Union des producteurs de Rauzan, 33420 Rauzan, tél. 05.57.84.13.22, fax 05.57.84.12.67 ⌶ r.-v.

CH. MELIN CADET-COURREAU 1997★

| ■ | 6,1 ha | 20 000 | ▮ | 30 à 49 F |

La famille Modet a reconstitué en un siècle ce domaine de Melin, situé sur un point haut de la rive droite de la Garonne, à proximité du vieux château de Langoiran. Cette cuvée dominée par le merlot (80 %) s'habille de pourpre et présente des parfums intenses de petits fruits et de noyau de cerise. La chair est ronde et fraîche, les tanins apparaissent solides et la finale se montre vineuse. Un classique équilibré, à boire sur les rôtis.
☛ EARL Vignobles Claude Modet, Constantin, 33880 Baurech, tél. 05.56.21.34.71, fax 05.56.21.37.72 ☑ ⌶ r.-v.

CH. MEMOIRES 1997

| ■ | n.c. | 24 000 | ▮ | 20 à 29 F |

De vieilles vignes, en merlot (60 %) et cabernet-sauvignon (40 %) se partagent des terres de sable et de graves, une vinification bien menée, avec cuvaison de vingt et un jours : voilà les origines de ce vin plein, rond, harmonieusement long. La robe en est un peu cuivrée, et le bouquet naissant évoque fruits confits, biscuit, thé. Un vin arrivé à maturité qui semble fait pour des viandes blanches et des fromages à pâte molle.
☛ SCEA Vignobles Ménard, Ch. Mémoires, 33490 Saint-Maixant, tél. 05.56.62.06.43, fax 05.56.62.04.32, e-mail memoires@caves-particulieres.com ☑ ⌶ r.-v.
☛ J.-F. Ménard

MOULIN DE PILLARDOT 1997

| ■ | 9,58 ha | 82 400 | ▮ | 20 à 29 F |

La nervosité bien tempérée fait le charme de ce vin. Elle paraît dans la chaleur épicée, végétale, teintée de cuir des arômes et la fraîcheur groseille de la bouche. Mais les tanins apportent une structure corsée, donnant volume au corps et à la finale. L'ensemble est aimablement curieux.
☛ SCEA Rolet Jarbin, Dom. de Bourdicotte, 33790 Cazaugitat, tél. 05.56.61.32.55, fax 05.56.61.38.26

DANIEL MOUTY Tradition 1997

| ■ | 10 ha | 60 000 | ▮ | 30 à 49 F |

Cette marque de Daniel Mouty est connue pour son pomerol et son saint-émilion. Constitué de 70 % de merlot et de 30 % de cabernet-sauvignon, ce vin est construit sur le fruit mûr qui accompagne une chair bien structurée.
☛ SCEA Daniel Mouty, Ch. du Barry, 33350 Sainte-Terre, tél. 05.57.84.55.88, fax 05.57.74.92.99 ☑ ⌶ t.l.j. sf sam. dim. 8h-17h; f. août

CH. PASQUET 1997★

| ■ | 5 ha | n.c. | ▮ | 30 à 49 F |

Le cabernet-sauvignon l'emporte sur le merlot (60 % pour 40 %), ce qui est moins traditionnel que l'ont été la vinification et l'élevage. Le rouge concentré de la robe et le fruité des arômes - cassis, fruits mûrs, pruneau, relevés de réglisse - incitent à déguster ce vin, rond, souple, aux tanins fondus, avec une viande blanche.
☛ Vignobles Pernette, 33760 Escoussans, tél. 05.56.23.45.27, fax 05.56.23.64.32 ☑ ⌶ r.-v.

CH. PIERROUSSELLE 1997★

| ■ | 8,27 ha | 64 000 | ▮ | 20 à 29 F |

Elaboré sous la direction des œnologues de Ginestet, présents par ailleurs dans le Guide, ce vin de merlot dominant intéresse immédiatement par sa complexité aromatique - fruits mûrs cuits (pruneau) et épices douces. Le corps est solide et la longueur promet une bonne évolution. Une belle réussite pour le millésime.
☛ Maison Ginestet SA, 19, av. de Fontenille, 33360 Carignan-de-Bordeaux, tél. 05.56.68.81.82, fax 05.56.20.96.99 ⌶ r.-v.
☛ Michel Lafon

CH. POUCHAUD-LARQUEY 1997

■ | 14 ha | 51 000 | ■ | 30 à 49 F

Géré selon les méthodes de l'agrobiologie, ce cru assemble les cabernets (50 % de cabernet-sauvignon, 10 % de cabernet franc) à 40 % de merlot. Il offre un vin aux senteurs de pruneau et de coing, dont la bouche ronde est bien équilibrée. Un compagnon de charcuteries.
☛ Piva Père et Fils, Ch. Pouchaud-Larquey, 33190 Morizès, tél. 05.56.71.44.97, fax 05.56.71.65.16 ☑ ⌥ r.-v.

CH. PREVOST 1997

■ | 35 ha | 250 000 | ■ ↓ | 20 à 29 F

Elisabeth Garzaro nous a habitués à goûter des vins bien faits, agréables et faciles à boire. Celui-ci est tout à fait dans la tradition, même si sa finale est marquée par le millésime. La dégustation reste ouverte, souple, et offre des parfums de fruits mûrs et confits.
☛ Elisabeth Garzaro, Ch. Le Prieur, 33750 Baron, tél. 05.56.30.16.16, fax 05.56.30.12.63 ⌥ r.-v.

QUINTET 1997*

■ | 8 ha | 50 000 | ■ | 20 à 29 F

La Cave des Hauts de Gironde, située au nord de Blaye, pratique avec art la sélection des parcelles et des vins pour typer ses marques. Ce vin est représentatif des efforts réalisés en 1997 : une belle robe vive, un nez expressif de fruits rouges bien mûrs, une matière dense, ronde, aromatique, aux tanins équilibrés. « Une réussite pour le millésime », signe un juré.
☛ Cave des Hauts de Gironde, La Cafourche, 33860 Marcillac, tél. 05.57.32.48.33, fax 05.57.32.49.63 ⌥ r.-v.

CH. RAUZAN DESPAGNE
Cuvée Passion 1997**

■ | 2 ha | 17 000 | ◖◗ | 50 à 69 F

Presque coup de cœur, à une voix près ! Demeure un vin à l'habit sombre qui fleure hardiment le fruit rouge et la vanille. Le gras apparaît dès la mise en bouche et la chair toute ronde est tenue par de jolis tanins bien boisés. « Bon vin faisant honneur à l'appellation », conclut un juré. La **cuvée principale**, élevée en cuve, offre un nez de fruits épicés, poivrés, et une chair agréablement croquante aux tanins solides. Elle est citée (30 à 49 F).
☛ GFA de Landeron, 33420 Naujan-et-Postiac, tél. 05.57.84.55.08, fax 05.57.84.57.31, e-mail despagne@vignobles-despagne.com ⌥ r.-v.
☛ Despagne

DOM. DU ROC Vieilli en fût de chêne 1997

■ | 6,18 ha | 8 133 | ◖◗ | 30 à 49 F

Rions est une cité médiévale. Situé à 1 km du village, ce domaine propose une cuvée spéciale. Des notes fumées, empyreumatiques, épicées, accompagnent toute la dégustation de ce vin qui n'a pas un grand volume mais qui offre et offrira encore pendant quinze à vingt-quatre mois un plaisir réel sur de la volaille (canard).

☛ Gérard Opérie, EARL Dom. du Roc, 33410 Rions, tél. 05.56.62.61.69, fax 05.56.62.17.78 ☑ ⌥ r.-v.

BARONS DE ROTHSCHILD LAFITE
Réserve spéciale 1996**

■ | n.c. | 350 000 | ◖◗ | 30 à 49 F

Cette Réserve est élaborée chaque année à partir de vins sélectionnés par les barons de Rothschild château Lafite, et commercialisée par Castel. En 1996, les cabernets entrent pour 65 % dans cet assemblage élevé pour une part en barrique. Le bouquet commence à révéler sa puissance. Il associe aux fruits mûrs - les raisins - des notes toastées, burrées et vanillées. Sa finesse se retrouve en bouche et souligne l'élégance des tanins, déjà agréables mais capables de vieillir encore. Il ne lui manquait qu'une voix pour être coup de cœur !
☛ Vignobles et Châteaux Castel Frères, 21-24, rue Georges-Guynemer, 33290 Blanquefort, tél. 06.07.14.98.50, fax 06.56.95.54.20, e-mail gederied@club-internet.fr
☛ Lafite-Rothschild

CH. SAINTONGEY 1997*

■ | 16,2 ha | 30 000 | ■ ◖◗ | 20 à 29 F

En descendant des coteaux sur Béguey, on aperçoit, toute proche, la masse du château Renaissance du duc d'Epernon, à Cadillac. La robe au grenat un peu évolué et la complexité des flaveurs de fruits confits annoncent un vin en pleine et agréable évolution. Les tanins du cabernet-sauvignon (60 %) et du fût soulignent les notes d'agrumes de la chair. Un vin de fromage.
☛ SCEA Charles Yung et Fils, 8, chem. de Palette, 33410 Béguey, tél. 05.56.62.94.85, fax 05.56.62.18.11 ☑ ⌥ r.-v.

CH. DES SEIGNEURS DE POMMYERS 1997

■ | 9 ha | 22 000 | ■ ↓ | 30 à 49 F

Le château des Seigneurs se visite pour ses vestiges féodaux (tour XIIIᵉs). Le vignoble, ancien, est mené selon les règles de la culture biologique. Le chai est techniquement moderne. L'assemblage de 60 % de merlot, de 35 % de cabernet-sauvignon et de 5 % de cabernet franc donne un vin d'un joli rubis. Le nez avance des notes de fruits rouges. La bouche, ronde et souple, est équilibrée de tanins fondus. Agréable dès maintenant.
☛ Jean-Luc Piva, Ch. des Seigneurs de Pommyers, 33540 Saint-Félix-de-Foncaude, tél. 05.56.71.65.16, fax 05.56.71.44.97 ☑ ⌥ r.-v.

SIGNATURES 1996*

■ | 13 ha | 80 000 | ◖◗ | 30 à 49 F

Ce joli 96 illustre l'art de la sélection et de l'élevage en barriques (80 % de neuves) selon la grande tradition du négoce bordelais. Il s'habille de grenat franc, et son bouquet intense sait être gourmand : fruits mûrs et confits, tarte aux fraises, notes torréfiées, épicées. La bouche est soyeuse et finement boisée, même si les tanins demeurent solides. C'est un vin de viandes rouges et de gibier en sauce.

●▪Maison Schröder et Schyler, 55, quai des Chartrons, 33027 Bordeaux Cedex, tél. 05.57.87.64.55, fax 05.57.87.57.20, e-mail mail@schroder-schyler.com ⵏ t.l.j. 9h30-17h30; sam. dim. sur r.-v.

CH. TIRE PE 1997★

▪ 3 ha 12 000 ▮ 30 à 49 F

Situé à 3 km de la cité de La Réole, le château Tire Pé a élaboré ce 97 par sélections parcellaires. Le nez intense aux notes de sous-bois et de violette a retenu l'attention. Ces parfums envahissent ce vin classique, bien construit, très équilibré, fait pour les bons repas sans façon, mais soignés.

●▪David Barrault, Ch. Tire Pé, 33190 Gironde-sur-Dropt, tél. 05.56.71.10.09, fax 05.56.71.10.09 ☑ ⵏ r.-v.

CH. TOUR DE BIOT
Cuvée Vieilles vignes 1997★★

▪ 2,5 ha 18 000 ◫ 30 à 49 F

Jusqu'en 1986, ce domaine de près de 20 ha était coopérateur. 1987 fut le premier millésime vinifié dans ses propres chais. Le chemin parcouru est remarquable car il n'en est pas à son premier coup de cœur dans le Guide ! A côté de la **cuvée principale 97, en bordeaux rouge**, une étoile (20 à 29 F), élevée en cuve, très appréciée pour son fruit et sa fraîcheur, cette cuvée Vieilles vignes est un vin superbe, pourpre noir à reflets violines. Le nez, d'abord fermé, explose à l'aération en fruits à pleine maturité. S'y marient les notes complexes d'un bouquet naissant, suave, fait de cassis, d'amande grillée et de tabac blond. La chair onctueuse et concentrée, aux tanins arrondis, s'épanouit pleinement en bouche et laisse un souvenir envoûtant.

●▪EARL La Tour Rouge, 33220 La Roquille, tél. 05.57.41.26.49, fax 05.57.41.29.84 ☑ ⵏ r.-v.

●▪Gilles Gremen

CH. TOUR DE MIRAMBEAU 1997★

▪ 14,69 ha 127 000 ▮ 30 à 49 F

La cuvée Passion 1997 est présentée brillamment en bordeaux supérieur. En AOC bordeaux, ce millésime prouve qu'il pouvait être bien vinifié. La robe est « bordeaux », brillante, attirante ; au cœur des senteurs de fruits mûrs, un bouquet naissant offre des notes épicées, voire animales (80 % de merlot). D'abord souple, le corps révèle bientôt ses richesses concentrées, aromatiques ; ses tanins soyeux lui assureront une bonne garde. Mais les viandes rouges peuvent déjà en profiter.

●▪SCEA Vignobles Despagne, 33420 Naujan-et-Postiac, tél. 05.57.84.55.08, fax 05.57.84.57.31, e-mail despagne@vignobles-despagne.com ☑ ⵏ r.-v.

CH. DES TUQUETS 1997

▪ 26,24 ha 227 300 ▮♦ 30 à 49 F

Implantée près de Sauveterre-de-Guyenne - bastide autrefois anglaise -, cette propriété garde en ses vignes les vestiges d'une *villa* romaine. Son vin porte une robe rubis ; le nez est un peu discret, mais le corps se montre rond et ample. Les tanins furent discutés pour leur structure un peu austère et vive. Ils devraient bien évoluer dans les mois qui viennent. Ne pas attendre au-delà de 2001.

●▪Jean-Hubert Laville, Ch. des Tuquets, B.P. 20, 33540 Saint-Sulpice-de-Pommiers, tél. 05.56.71.53.56, fax 05.56.71.89.42 ☑ ⵏ r.-v.

CH. TURCAUD 1997

▪ n.c. 130 000 ▮◫♦ 30 à 49 F

Il est né près des ruines de l'abbaye de La Sauve-Majeure, sur des sols graveleux, a été vinifié en « cuvaison classique » et élevé en fût. Il se veut donc classique, frais, fleurs et fruits ; il se montre à l'aise et convivial dans son millésime... en quelque sorte un repère type du bordeaux 97.

●▪Vignobles Robert, Ch. Turcaud, 33670 La Sauve-Majeure, tél. 05.56.23.04.41, fax 05.56.23.35.85 ☑ ⵏ r.-v.

CH. DE VERTHEUIL
Elevé en fût de chêne 1997★

▪ 2 ha 4 300 ◫ 30 à 49 F

Tout proche, le bourg de Sainte-Croix-du-Mont offre ses monuments et son point de vue. Ceux de Verdelais ne sont pas loin. Le cabernet domine (60 %) dans ce vin de tradition, élevé dix mois en fût. Chair et flaveurs sont bâties essentiellement sur le fruit, rond, plein, fondant. Le bois se fait discret, élégant et fin. « Une belle expression de vin, marquée par un élevage mesuré dans le bois. »

●▪Bernadette Ricard, Ch. de Vertheuil-Montuanoir, 33410 Sainte-Croix-du-Mont, tél. 05.56.62.02.70, fax 05.56.76.73.23 ☑ ⵏ r.-v.

DOM. DU VIEIL ORME 1996★

▪ 13 ha 30 000 ▮ 30 à 49 F

C'est un vin de cabernet-sauvignon (70 %) mûr, né sur les coteaux de la rive droite de la Garonne, à quelques kilomètres du château perché de Benauge et de l'église romane de Castelviel. La robe de ce 96 est rubis à éclats cuivrés. Le nez un peu fermé offre des notes de fruits rouges. La légèreté ronde et vive du corps en fait un vin de charcuterie et de salades landaises qu'il accompagnera sans façon.

●▪Jean-Pierre et Michèle Peyrondet, 33760 Saint-Pierre-de-Bat, tél. 05.56.23.93.96, fax 05.57.34.40.17 ☑ ⵏ r.-v.

Bordeaux clairet

CH. BELLEVUE LA MONGIE 1998★★

| | 0,9 ha | 5 000 | 🍴♦ | 20 à 29 F |

Clairet né du merlot (80 %) et du cabernet franc (20 %) implantés sur des terres argileuses. Il affiche une couleur rubis de belle allure. Les senteurs délicates, fraîches, de fruits très mûrs (fraise des bois, framboise), confits ou secs animent un vin tendre et soyeux, équilibré par des tanins fondus qui se prolongent en finale.
☞ Michel Boyer, Ch. Bellevue La Mongie, 33420 Génissac, tél. 05.57.24.48.43, fax 05.57.24.48.43 ☑ 🍷 t.l.j. 8h-12h 14h-19h; sam. dim. sur r.-v.; f. 1er-16 août

BENJAMIN DU PREVOST 1998★

| | 8 ha | 60 000 | 🍴♦ | 20 à 29 F |

Classique par sa composition (60 % de merlot, 20 % de chaque cabernet), il peut servir de modèle par ses caractéristiques : robe cerise à feux cuivrés, nez intense et fin de petits fruits, avec une pointe de genêt et de menthe, corps gras, corsé, finale fraîche.
☞ Elisabeth Garzaro, Ch. Le Prieur, 33750 Baron, tél. 05.56.30.16.16, fax 05.56.30.12.63 🍷 r.-v.

CH. BOIS-MALOT Vieilles vignes 1998★

| | 0,75 ha | 6 000 | 🍴♦ | 30 à 49 F |

Il est bâti sur 60 % de merlot et 40 % de cabernet-sauvignon. Sa robe pâle, légèrement ambrée, habille un corps frais, élancé. Ses arômes de cassis et de bourgeon sont enrichis de notes mentholées et épicées. Ce style ne compte plus ses partisans.
☞ SCA Meynard et Fils, Les Valentons, 33450 Saint-Loubès, tél. 05.56.38.94.18, fax 05.56.38.92.47 🍷 t.l.j. sf dim. 8h-12h 14h-19h; sam. sur r.-v.

CH. GRAND BIREAU 1998★

| | 1 ha | 6 600 | 🍴♦ | 30 à 49 F |

Les parfums sont ceux du cabernet-sauvignon, associé dans ce vin à 10 % de merlot ; intenses, francs, subtils, portés par un léger perlé, ils embaument toute la dégustation. Le corps est élégant, mûr et frais à la fois. La finale manque un peu de longueur ; est-ce une invite à y revenir ? A boire sans attendre en entrée (salades landaises).

☞ Michel Barthe, 18, Girolatte, 33420 Naujan-et-Postiac, tél. 05.57.84.55.23, fax 05.57.84.57.37 ☑ 🍷 r.-v.

CH. HAUT MAURIN 1998★

| | 2 ha | 10 000 | 🍴 | 20 à 29 F |

Merlot et cabernet-sauvignon s'équilibrent en ce vin d'un classique réjouissant. Robe groseille, nez de framboise et de bonbon anglais, chair ronde et structurée, finale aromatique : une bonne idée du clairet.
☞ Jean-Louis Sanfourche, EARL vignobles Sanfourche, 33410 Donzac, tél. 05.56.62.97.43, fax 05.56.62.16.87 ☑ 🍷 t.l.j. sf dim. 8h30-19h

CH. HAUT-MONGEAT 1998★★

| | 2 ha | 6 000 | 🍴♦ | 20 à 29 F |

La robe framboise de ce merlot est ourlée de fines bulles de gaz. Le nez embaume le petit fruit rouge, la groseille surtout, et le pomelo rose, qui accompagne toute la dégustation. La chair est croquante et la finale s'épanouit en fruits mûrs. Un fort sympathique compagnon de repas légers.
☞ Bernard Bouchon, Le Mongeat, 33420 Génissac, tél. 05.57.24.47.55, fax 05.57.24.41.21, e-mail mongeat@aol.com ☑ 🍷 r.-v.

CH. LA BRETONNIERE 1998

| | 1 ha | 5 000 | 🍴♦ | 30 à 49 F |

Ce merlot, né sur un terroir argileux à une lieue de la citadelle de Blaye, porte une robe groseille éclatante. Des senteurs intenses se développent à l'aération : fleurs blanches, cassis, banane. Le corps offre une rondeur légèrement épicée, la finale est parfumée, enlevée. Une pointe de gaz donne de la fraîcheur.
☞ Stéphane Heurlier, Ch. La Bretonnière, 33390 Mazion, tél. 05.57.64.59.23, fax 05.57.64.59.23 ☑ 🍷 r.-v.

CH. LA FREYNELLE 1998★

| | 1 ha | 8 000 | 🍴♦ | 30 à 49 F |

Issu du seul cabernet-sauvignon, ce 98 à la robe cerise offre généreusement ses parfums de fruits rouges (groseille, cerise, framboise). Un vin souple et gouleyant. Du même producteur, le **Château Jacquet 98** reçoit la même note et des commentaires identiques.
☞ Vignobles Ph. Barthe, Peyrefus, 33420 Daignac, tél. 05.57.84.55.90, fax 05.57.74.96.57, e-mail vbarthe@club.internet.fr ☑ 🍷 r.-v.

CH. LA SALARGUE 1998★

| | 2,28 ha | 18 000 | 🍴♦ | 20 à 29 F |

Ce vin de plaine, né de sols imbriqués d'argiles, de limon et de graves est issu de merlot (76 %), de cabernet-sauvignon (17 %) et de cabernet franc (7 %). Cette complexité organisée se retrouve au nez comme en bouche : les parfums évoquent la suave violette, la fraise et la framboise écrasées, les fruits confits et le genêt nuancé de poivron. Bien structuré, ce 98 peut accompagner entrées et entremets.
☞ SCEA Vignoble Bruno Le Roy, La Salargue, 33420 Moulon, tél. 05.57.24.48.44, fax 05.57.24.42.38 ☑ 🍷 r.-v.

CH. LAUDUC 1998*

◪ 3 ha 24 000 ▮🌡 20 à 29 F

Cette grande propriété familiale se trouve aux portes de Bordeaux, à Tresses. Merlot et cabernet-sauvignon se partagent équitablement ce clairet très parfumé (framboise et bonbon anglais). Un peu de gaz avive l'attaque et la finale, mais laisse au corps sa rondeur volumineuse. Ce vin accompagnera un poulet froid.

🔑 GAEC Grandeau et Fils, Ch. Lauduc, 33370 Tresses, tél. 05.57.34.11.82, fax 05.57.34.08.19 ☒ 🍷 r.-v.

CH. DE LYNE 1998

◪ 1,4 ha 11 000 ⊕ 30 à 49 F

Ce clairet est très particulier car il a fermenté en barrique neuve, où il a séjourné trois mois sur lies. Le cabernet-sauvignon (70 %) et le merlot (30 %) y ont perdu de leur fraîcheur au profit d'un boisé vanillé encore très dominant. Bien fait, un peu nerveux, ce vin original doit évoluer encore. Les amateurs le suivront avec intérêt.

🔑 SCEA des Vignobles Denis Barraud, Ch. Haut-Renaissance, 33330 Saint-Sulpice-de-Faleyrens, tél. 05.57.84.54.73, fax 05.57.84.52.07 ☒ 🍷 r.-v.

CH. PENIN 1998**

◪ 4,5 ha 33 000 ▮🌡 30 à 49 F

Cet habitué des étoiles mérite sa réputation. La composition de ce clairet - duo de cabernets, 10 % de chaque, accompagnant le merlot - a enchanté les jurés. La robe est d'un rubis précieux. Les flaveurs se déclinent avec élégance et délicatesse. Leur complexité anime leur puissance : fleurs du printemps (seringa), petits fruits des bois ou du jardin (fraise), quelques épices. Le corps rond, volumineux est accompagné de tanins courtois qui permettront une certaine garde. Très harmonieux, ce vin peut être servi à l'apéritif.

🔑 SCEA Patrick Carteyron, Ch. Penin, 33420 Génissac, tél. 05.57.24.46.98, fax 05.57.24.41.99 ☒ 🍷 r.-v.

Bordeaux sec

CH. ARCHE ROBIN 1998*

□ 2 ha 8 000 ▮🌡 30 à 49 F

Jacques et Huguette Blouin ont repris en 1994 le domaine familial situé dans le Fronsadais. Le sol est constitué de graves argileuses. Arche Robin est totalement vinifié à partir du sauvignon. Il a une réelle personnalité. La robe est brillante ; le nez intense, très mûr, laisse les fruits exotiques dominer le discours. Après une belle attaque, la bouche concilie rondeur et vivacité. Un instant très agréable promis avec des coquillages.

🔑 Huguette Blouin, Ch. Arche-Robin, 33141 Villegouge, tél. 05.57.84.45.67, fax 05.57.84.47.03 ☒ 🍷 r.-v.

CH. BAUDUC 1998*

□ 3,6 ha 33 000 ▮⊕🌡 20 à 29 F

Le sauvignon (90 %), tempéré ici par 10 % de sémillon, et un séjour de cinq mois en fût ont donné une jolie complexité aromatique faite d'orange citronnée, de mangue, de notes légères de thé et de miel. Le gras friand et dense de la chair en est conforté ; l'attaque et la finale sont plus vives, égayées par un léger perlant. Un vin de viandes blanches et de poissons en sauce.

🔑 SCEA Vignobles Thomas, Ch. Bauduc, 33670 Créon, tél. 05.56.23.23.58, fax 05.56.23.06.05 ☒ 🍷 r.-v.

CH. BEL AIR PERPONCHER Grande Cuvée 1997**

□ 3 ha 25 000 ⊕ 50 à 69 F

Ce château, dont la cuvée Passion 96 fut coup de cœur l'an dernier, propose une Grande Cuvée 97 remarquable. Celle-ci s'habille de jaune d'or brillant à reflets émeraude pâle. Son corps rond, onctueux, a la douceur du miel, relevée de notes confites, fumées, grillées. Quelques flaveurs épicées et mentholées éveillent l'attaque et la finale. Un vin confortable pour plats en sauce et fromages.

🔑 GFA de Perponcher, Ch. Bel Air, 33420 Naujan-et-Postiac, tél. 05.57.84.55.08, fax 05.57.84.57.31, e-mail despagne@vignobles-despagne.com 🍷 r.-v.

CH. BELLE-GARDE 1998*

□ 1,3 ha 10 000 ▮🌡 20 à 29 F

Sauvignon (70 %) et sémillon (30 %) ont donné des arômes de fleur de vigne, de mangue, de litchi et autres fruits des pays de soleil ; tout est nuancé, complexe, fin, très élégant. On appréciera particulièrement les délicates subtilités de ce vin à l'apéritif ou sur des entremets racés.

🔑 Eric Duffau, Ch. Belle-Garde, 33420 Génissac, tél. 05.57.24.49.12, fax 05.57.24.41.28 ☒ 🍷 t.l.j. sf dim. 8h-12h 14h-19h; f. 15-30 août

CH. DE BONHOSTE 1998*

□ 9,66 ha 12 000 ▮🌡 30 à 49 F

L'harmonie entre le sémillon (50 %), le sauvignon (40 %), et la muscadelle (10 %) est dirigée avec art. La robe jaune doré annonce une complexité aromatique que soutiennent quelques fines perles gazeuses. On évoque avec gourmandise la pêche blanche, la noisette beurrée, la brioche. Une fraîcheur accompagne tout le fruit de la chair, et la met en valeur par des touches poivrées et minérales. On peut croire au bon vieillissement de ce vin, fait pour les poissons bien cuisinés et les fromages de brebis.

🔑 SCEA des Vignobles Fournier, Ch. de Bonhoste, 33420 Saint-Jean-de-Blaignac, tél. 05.57.84.12.18, fax 05.57.84.15.36 ☒ 🍷 t.l.j. 8h-12h 14h-19h

🔑 Bernard Fournier

CHEVALIERS DE BELLEVUE 1998*

□ n.c. n.c. ▮ 30 à 49 F

Marque de négoce, ces Chevaliers sont revêtus d'un habit jaune pâle ourlé de perles gazeuses qui portent au nez la fraîcheur d'arômes intenses de fleurs du printemps, de fruits exotiques et déjà de miel d'acacia ; elles avivent le volume d'une bouche ronde et généreuse, et la persistance d'une finale mûre.

⊶ Chevaliers de Bellevue, Le Bourg, 33240 Saint-Germain-la-Rivière, tél. 05.57.84.81.47, fax 05.57.84.41.50 ☑ Y t.l.j. sf dim. 8h30-12h30 14h-18h

CORDIER
Collection privée Désiré Cordier Sélection vieilles vignes 1998★

☐	n.c.	n.c.	▮ 20 à 29 F

Le bordeaux blanc Collection privée est un sauvignon 100 % habillé de jaune chatoyant. Ses arômes très floraux sont d'abord discrets, puis ils s'épanouissent en bouche dans des notes de fruits mûrs et d'écorce d'orange, accentuant les qualités d'une chair ronde et grasse. Belle finale harmonieuse. Ce vin devrait accompagner des fromages doux.

⊶ Domaines Cordier, 53, rue du Dehez, 33290 Blanquefort, tél. 05.56.95.53.00, fax 05.56.95.53.08 ☑ Y r.-v.

COTEAUX DES CARBONNIERES
Sauvignon 1998★

☐	16,66 ha	133 300	▮ 🌡 20 à 29 F

Si la reconversion du vignoble des vins blancs vers les rouges a fortement secoué cette région du nord-ouest fronsadais il y a vingt ans, certains se sont obstinés à élaborer des bordeaux blancs, comme les adhérents de l'Union de Périssac, désormais connue pour la qualité de ses vins. Ce sauvignon fleure l'acacia, la pêche, la citronnelle et la rose, avec un enthousiasme juvénile, que le temps ne devrait pas altérer. Un vin frais et flatteur. « Pour les plats orientaux, les tajines », suggère un dégustateur.

⊶ Union de producteurs du Nord Fronsadais, 13, av. de la Cave, 33240 Périssac, tél. 05.57.74.31.13, fax 05.57.74.31.13 ☑ Y r.-v.

NUMERO 1 DE DOURTHE 1998★

☐	n.c.	450 000	▮ 🌡 30 à 49 F

Ce Numéro 1 de Dourthe (vieille maison de négoce de Bordeaux) a été élaboré sous l'œil vigilant d'experts : choix des terroirs, contrôle des maturités, des fermentations et de l'élevage (sur lies). Il est composé de 80 % de sauvignon et de 20 % de sémillon. Il embaume le seringa, l'aubépine, le genêt, la fleur de citronnier. Sa chair se montre fine, fraîche, un peu nerveuse, très parfumée, légèrement perlée. C'est une référence de bordeaux sauvignonné. De cette même grande maison, la marque **Beau Mayne 98** dans cette AOC est citée par le jury pour sa belle fraîcheur (20-29 F).

⊶ Dourthe, 35, rue de Bordeaux, 33290 Parempuyre, tél. 05.56.35.53.00, fax 05.56.35.53.29, e-mail contact@cvbg.com ☑ Y r.-v.

FLEUR DE LUZE 1998★

☐	n.c.	60 200	▮ 🌡 30 à 49 F

Cet assemblage de vins soigneusement sélectionnés offre une harmonie fraîche de senteurs sauvignonnées, fleuries, qui animent une chair volumineuse, franche et vive. Le compagnon des fruits de mer.

⊶ A. de Luze et Fils, Grands Vins de Gironde, Dom. du Ribet, 33450 Saint-Loubès, tél. 05.57.97.07.20, fax 05.57.97.07.27 Y r.-v.

CH. DU GRAND MOUEYS 1998★

☐	4 ha	n.c.	▮ 🌡 20 à 29 F

Bien bâti, ce gentilhomme du Grand Mouëys ! Le sauvignon (45 %) modère sa puissance au profit du sémillon (45 %) et de la muscadelle. Le nez citronné s'enrichit de notes de glycine et de tilleul ; le corps, friand et nerveux à la fois, se prolonge par une petite pointe d'amertume bien rafraîchissante. Un vin de crustacés et de fruits de mers.

⊶ CAVIF, Ch. du Grand Mouëys, 33550 Capian, tél. 05.57.97.04.44, fax 05.57.97.04.60 ☑ Y t.l.j. sf sam. dim. 8h30-12h30 13h30-17h30

CH. DU GRAND PLANTIER 1998★

☐	0,5 ha	3 500	▮ 🌡 30 à 49 F

Finesse et puissance des arômes invitent à la dégustation, enchantent le corps séveux et rond, un peu plus vif en finale. Une corbeille de fruits - litchi, mangue, pomelo -, un bouquet de fleurs - réséda, genêt, buis - à peine esquissé offrent un plaisir gourmand.

⊶ GAEC des Vignobles Albucher, Ch. du Grand Plantier, 33410 Monprimblanc, tél. 05.56.62.99.03, fax 05.56.76.91.35 ☑ Y r.-v.

CH. GRAND VILLAGE 1998

☐	2 ha	15 000	▮ 🌡 30 à 49 F

Or pâle, ce vin est très classique, tant par son nez délicat et floral, marqué d'une élégante note minérale et de quelques zestes d'agrumes, que par sa bouche ; franche dès l'attaque, celle-ci se montre à la fois puissante et fine, avec une vivacité de bon aloi. Sauvignon et sémillon participent à égalité à l'assemblage. Ces vignerons (château Lafleur à Pomerol) prouvent ainsi leur maîtrise de la vinification en blanc.

⊶ Sylvie et Jacques Guinaudeau, Ch. Grand Village, 33240 Mouillac, tél. 05.57.84.44.03, fax 05.57.84.83.31 ☑

CH. GRETEAU-MEDEVILLE 1998★

☐	3,5 ha	23 000	▮ 🌡 20 à 29 F

Exclusivement réservé aux établissements Dubos de Bordeaux, ce vin est produit par les Médeville. L'harmonie de ce Château, fraîche, fleurie, pimpante et presque fringante, naît de l'équilibre classique entre sémillon (60 %) et sauvignon (40 %) ; elle conviendra aux huîtres et aux fruits de mer.

⊶ SCEA Jean Médeville et Fils, Ch. Fayau, 33410 Cadillac, tél. 05.57.98.08.08, fax 05.56.62.18.22 Y t.l.j. sf sam. dim. 8h30-12h 14h-18h

CH. GUILLAUME BLANC
Vinifié et élevé en fût de chêne 1998★★

☐	2,09 ha	18 000	🛢 30 à 49 F

La bastide de Sainte-Foy-la-Grande a connu quelques périodes belliqueuses. L'un de ses jurats donna son nom à cette propriété au XIIIe s. Ce sauvignon a fermenté et a été élevé sur lies en fût neuf. Robe dorée, parfums riches et complexes annoncent la qualité dès le service. La chair ronde, dense, grasse, offre une gamme de flaveurs concentrées (fruit de la passion, zeste d'orange légèrement caramélisé, avec notes muscatées et toastées). La finale prolonge le plaisir.

SCEA Ch. Guillaume, lieu-dit Guillaume-Blanc, 33220 Saint-Philippe-du-Seignal, tél. 05.57.41.91.50, fax 05.57.46.42.76 ☑ Y r.-v.

G DE CH. GUIRAUD 1997*

□ 15 ha 25 000 ⬛ 50 à 69 F

Le vin sec du 1er cru classé de sauternes. Assemblant 70 % de sauvignon à 30 % de sémillon, il fermente et est élevé huit mois en barrique. De belle couleur, assez pâle, il laisse le fruit parler sans que le bois, très présent au nez, l'emporte. Le dialogue se poursuit en bouche, où l'équilibre est maintenu. Un 97 bien fait.

SCA du Ch. Guiraud, 33210 Sauternes, tél. 05.56.76.61.01, fax 05.56.76.67.52 ☑ Y r.-v.

CH. HAUT-GARRIGA 1998*

□ 2 ha 10 000 ■ 20 à 29 F

C'est un pur sémillon au nez discret mais complexe, qui ajoute à la fraîcheur des fleurs blanches des harmonies de fleur d'oranger, de muscat et d'abricot. Ces flaveurs animent un corps gras, volumineux, fondu. Une fraîcheur alerte réapparaît en finale. Un vin de poisson, voire de fromage.

EARL Vignobles Barreau et Fils, Ch. Haut-Garriga, 33420 Grézillac, tél. 05.57.74.90.06, fax 05.57.74.96.63 ☑ Y t.l.j. sf dim. 8h-12h 14h-18h

CH. HAUT RIAN 1998*

□ 17 ha 125 000 ■ 20 à 29 F

Ce nom est bien connu des lecteurs du Guide. Cette année lui est particulièrement faste. Le bordeaux blanc profite d'un perlant léger qui fait exploser des senteurs fraîches de citronnelle, de verger et de vigne en fleur. Le corps rond et riche se pare d'une vivacité qui allège et parfume la finale. Il faut lui offrir une viande blanche.

Michel Dietrich, La Bastide, 33410 Rions, tél. 05.56.76.95.01, fax 05.56.76.93.51 ☑ Y t.l.j. sf dim. 9h-12h 14h-18h; f. 15-30 août

RAYMOND HUET
Le sauvignon de Bordeaux Cuvée Prestige 1998

□ n.c. 140 000 ■ 20 à 29 F

Ce pur sauvignon porte bien son nom. Son corps d'un bon équilibre déploie toute la puissance aromatique du cépage en ardeurs juvéniles et fraîches, mentholées, citronnées, aguicheuses. On s'y laisse prendre.

Sté Huet, 33820 Saint-Ciers-sur-Gironde, tél. 05.57.42.69.60, fax 05.57.42.69.61

CH. DU JUGE 1998*

□ 12 ha n.c. ■ 30 à 49 F

Ces vieilles vignes (soixante ans) sont implantées sur argilo-calcaires, à proximité du château du duc d'Epernon à Cadillac. Le vin qui en est issu, constitué par deux tiers de sémillon et un tiers de sauvignon, reflète leur belle maturité : celle-ci se perçoit aux flaveurs de fruits confits, d'écorce d'orange, d'abricot sec, de thé et d'un léger réglissé, qui enchantent une chair grasse, bien structurée. Ce n'est pas un vin de fraîcheur, mais par sa complexité, il est à découvrir pour lui-même.

Pierre Dupleich, Ch. du Juge, rte de Branne, 33410 Cadillac, tél. 05.56.62.17.77, fax 05.56.62.17.59, e-mail pierre.dupleich@wanadoo.fr ☑ Y r.-v.

Chantal David

LABOTTIERE 1998*

□ n.c. n.c. ■ ⬛ 20 à 29 F

Les établissements Cordier - négociants - ont donné à ce vin issu de sauvignon le nom que porte un hôtel particulier de Bordeaux classé monument historique. La cuvée Blanc de blancs, à la robe légèrement dorée, embaume le fruit exotique ensoleillé, l'écorce d'orange séchée et vanillée. Une finale acidulée de citronnelle prolonge un corps friand et séveux. C'est un vin de poissons en sauce ou de charcuterie fine.

Domaines Cordier, 53, rue du Dehez, 33290 Blanquefort, tél. 05.56.95.53.00, fax 05.56.95.53.08 ☑ Y r.-v.

CH. LA CAUSSADE 1998

□ 3,6 ha 24 000 ■ 30 à 49 F

Le blanc sec du château La Rame, assemblant 70 % de sauvignon à 30 % de sémillon. Elevé trois mois sur lies, il séduit par sa teinte blanc-vert et par ses arômes de fruits exotiques. Vif en bouche, toujours très aromatique (ananas, buis), il offre un bon équilibre et une longueur fort appréciable. A boire sur des fruits de mer.

Yves Armand, Ch. La Rame, 33410 Sainte-Croix-du-Mont, tél. 05.56.62.01.50, fax 05.56.62.01.94, e-mail chateau.larame@wanadoo.fr ☑ Y r.-v.

CH. LA CHEZE Sauvignon 1998*

□ 1 ha 5 500 ■ 20 à 29 F

Ce bordeaux bien fait, expressif, signe sans complexe son origine : le sauvignon. L'or clair brille dans le verre ; le nez évoque les agrumes et les fleurs blanches. Après une belle attaque, ce vin se montre rond et long. Il accompagnera un rôti de veau.

SCEA Ch. La Chèze, 33550 Capian, tél. 05.57.25.96.82, fax 05.56.72.11.77 ☑ Y r.-v.

Priou et Rontein

CH. LA COMMANDERIE DE QUEYRET Sauvignon 1998★

☐ 12 ha 78 000 ▮🌡 20 à 29 F

Ce château apparaît plusieurs fois dans le Guide : son sauvignon séduit par l'élégance de ses flaveurs très florales (glycine, genêt), et par son corps vif, fin, croquant, sur fond légèrement réglissé. C'est un vin de crustacés ou de fromage de chèvre.

🔑 Claude Comin, La Commanderie, 33790 Saint-Antoine-du-Queyret, tél. 05.56.61.31.98, fax 05.56.61.34.22 ☑ 🍷 t.l.j. sf dim. 8h-12h 14h-19h

CH. LA CROIX BOUEY 1998

☐ 1,5 ha 10 500 ▮🌡 20 à 29 F

Or pâle brillant, ce vin est à la fois riche et fin. Il assemble 65 % de sémillon à 20 % de muscadelle et à 15 % de sauvignon nés sur des marnes argilo-siliceuses. La bouche recueille les arômes du nez, mais sa structure est tout en dentelle, délicate.

🔑 SCA Vignobles Bouey, 9, rte Dutoya, 33490 Saint-Maixant, tél. 06.08.60.79.87, fax 06.56.72.62.29, e-mail croixbouey@aol.com ☑ 🍷 r.-v.

CH. LA FREYNELLE 1998

☐ 2,5 ha 20 000 ▮🌡 30 à 49 F

L'encépagement traditionnel de la région (les cépages sauvignon, sémillon, muscadelle pour un tiers chacun) fait ici ressortir le sauvignon, qui appuie un peu ses notes de genêt. Mais le corps, souple et rond, se parfume bientôt de fleur d'acacia et de miel qui prolongent la finale. Retour - ou maintien - des plaisirs anciens...

🔑 Vignobles Ph. Barthe, Peyrefus, 33420 Daignac, tél. 05.57.84.55.90, fax 05.57.74.96.57, e-mail vbarthe@club.internet.fr ☑ 🍷 r.-v.

CH. LAMOTHE-GAILLARD 1998

☐ 4 ha 20 000 ▮🌡 20 à 29 F

A deux lieues de la noble église abbatiale de Guîtres (et du musée du Train), ces 4 ha de sauvignon ont donné un joli vin frais, floral, bien structuré, gras, gourmand. Très bonne harmonie du cépage, récolté et vinifié quand et comme il faut.

🔑 Daniel Lafoi, Ch. Lamothe-Gaillard, 33910 Saint-Ciers-d'Abzac, tél. 05.57.49.46.46, fax 05.57.69.03.90 ☑ 🍷 t.l.j. sf dim. 8h-12h 13h30-18h30

CH. LA PERRIERE 1998

☐ 7,51 ha 69 000 ▮ 20 à 29 F

Saluons la forte personnalité du maître de chai de cette union de producteurs, qui, tirant le meilleur parti des vendanges des viticulteurs, propose une large gamme de produits rouges et blancs en diverses appellations. L'harmonie du Château La Perrière est bâtie sur le couple sémillon (52 %) - sauvignon (48 %). Frais, « bien balancé », ce vin offre des senteurs de buis et de menthe. La muscadelle (17 %) allège le corps charnu, croquant, du **Château Villotte 98** et enrichit les parfums d'agrumes et les notes élégantes et mûres de pêche et d'abricot. Un vin frais, fruité, épicé. Deux belles réalisations de cette cave.

🔑 Union des producteurs de Rauzan, 33420 Rauzan, tél. 05.57.84.13.22, fax 05.57.84.12.67 ☑ 🍷 r.-v.

CH. DE L'AUBRADE Elevé en fût de chêne 1997★

☐ n.c. n.c. 🛢 30 à 49 F

La famille Lobre habite tout près de la minuscule cité médiévale de Castelmoron-d'Albret depuis 1735. Elle a assemblé sauvignon et sémillon vinifiés et élevés en barrique neuve pour donner un vin doré pâle, au nez de citron puis de miel et de confiture de coings, agréablement boisé. L'attaque est certes vive, mais une rondeur élégante, grillée, séduit ensuite le dégustateur, et la finale le tient sous le charme. Une réussite du millésime 97, pour poissons en sauce et fromage.

🔑 EARL Jean-Pierre et Paulette Lobre, Rimons, 33580 Rimons, tél. 05.56.71.55.10, fax 05.56.71.61.94 ☑ 🍷 r.-v.

CH. LA VERRIERE 1998★

☐ 7 ha 20 000 ▮🌡 20 à 29 F

Il faut chercher la Verrière sur les coteaux qui séparent les eaux de la Dordogne et de la Garonne, à 8-10 km de l'imposant château de Duras et de la petite bastide de Pellegrue. Le plaisir de ce vin est dans sa fraîcheur finement perlée : elle est liée au sauvignon juste mûr, tempéré de sémillon (20 %) ; elle arme un corps svelte bien construit qui embaume la fleur blanche citronnée. « C'est un bordeaux de crustacés et de poissons en papillote », conseille un juré.

🔑 André et Jean-Paul Bessette, GAEC La Verrière, La Verrière, 33790 Landerrouat, tél. 05.56.61.36.91, fax 05.56.61.41.12 ☑ 🍷 r.-v.

CH. LE GRAND MOULIN 1998

☐ 3,5 ha 25 000 ▮🌡 30 à 49 F

Ce sauvignon de vendange mûre est né sur des sols sablonneux, au nord de la citadelle de Blaye. Il porte une robe dorée, et son corps rond, soyeux, bien structuré, embaume le miel de genêt et de tilleul avec un soupçon de citronnelle. Un type de bordeaux pour viande blanche, voire, dans quelques mois, pour fromage.

🔑 GAEC du Grand Moulin, La Champagne, 33820 Saint-Aubin-de-Blaye, tél. 05.57.32.62.06, fax 05.57.32.73.73, e-mail jf@grandmoulin.com ☑ 🍷 t.l.j. sf dim. 9h-12h30 14h-19h

🔑 Reaud

CH. LION BEAULIEU 1998

☐ 3,78 ha 33 000 ▮🌡 30 à 49 F

Nés sur un sol argilo-siliceux, les 60 % de sémillon, 20 % de sauvignon et 20 % de muscadelle donnent un vin intéressant. Sa robe est cristalline avec des reflets blanc-vert. Les arômes sont très agréables, développant des notes fruitées et de fleurs blanches. Le palais est frais et long.

🔑 GFA de Lyon, 33420 Naujan-et-Postiac, tél. 05.57.84.55.08, fax 05.57.84.57.31, e-mail despagne@vignobles-despagne.com 🍷 r.-v.

🔑 J. Elissalde

SAUVIGNON DE JACQUES ET FRANCOIS LURTON 1998*

☐ 25 ha 133 300 -de 20 F

Ce vin tendre (5 g/l de sucre résiduel) honore son cépage ; rond à la mise en bouche, riche, long et gras de corps, nerveux en finale, il embaume le fruit mûr, l'écorce d'orange et le kouglof. Un exercice de style - difficile - en sauvignon et en bordeaux.

SA Jacques et François Lurton, Dom. de Poumeyrade, 33870 Vayres, tél. 05.57.74.72.74, fax 05.57.74.70.73, e-mail jflurton@jflurton.com r.-v.

BLANC DE LYNCH-BAGES 1997**

☐ 4,5 ha 36 000 150 à 199 F

Ce Médocain affirme immédiatement sa corpulence raffinée. Parfums et saveurs expriment sémillon (40 %), sauvignon (40 %), muscadelle (20 %), merrain (70 % de barriques neuves) et savoir-faire (non chiffré mais évident). Le gourmet s'attardera à loisir sur la fleur de vigne ou d'acacia, le fruit sec vanillé, le toast miellé. Un corps rond, nerveux, fumé, annonce une finale enlevée, vivante qui signe le millésime. Remarquable.

Jean-Michel Cazes, Ch. Lynch-Bages, 33250 Pauillac, tél. 05.56.73.24.00, fax 05.56.59.26.42, e-mail infochato@lynchbages.com r.-v.

Famille Cazes

CH. MAJUREAU-SERCILLAN 1998*

☐ 5 ha 40 000 20 à 29 F

Ce vin est né des trois cépages : sauvignon (70 %), sémillon (20 %) et muscadelle (10 %). Une vivacité intelligente anime un corps aux parfums de fleur de vigne, d'écorce d'orange, de banane, avec, en finale un peu de buis. Une certaine personnalité.

Alain Vironneau, Le Majureau, 33240 Salignac, tél. 05.57.43.00.25, fax 05.57.43.91.34 r.-v.

MARQUIS D'ALBAN Sauvignon 1998*

☐ n.c. 100 000 20 à 29 F

Marquis d'Alban est un sauvignon très marqué, riche en nuances printanières, agrémenté au nez d'acacia et de noisette, et en bouche d'abricot sec. La finale se montre souple et caressante, chaleureuse. Intéressant dans ce type monocépage.

Dulong Frères et Fils, 29, rue Jules-Guesde, 33270 Floirac, tél. 05.56.86.51.15, fax 05.56.40.84.97, e-mail dulong@mmkm.com r.-v.

MAYNE D'OLIVET 1997

☐ 2 ha 12 000 50 à 69 F

A Saint-Emilion, les vinifications en blanc sont très rares. Jean-Noël Boidron a planté sur un bon sol argilo-calcaire du sauvignon blanc (50 %), du sauvignon gris (25 %) et du sémillon. Passé longuement en fût, le vin porte des reflets d'or dans sa robe paille brillante. Le nez, grillé, vanillé, marqué par un bois de qualité, laisse poindre quelques notes fruitées. La bouche est structurée. Une bouteille destinée à des viandes blanches.

Jean-Noël Boidron, Ch. Corbin Michotte, 33330 Saint-Emilion, tél. 05.57.51.64.88, fax 05.57.51.56.30 r.-v.

CH. MEMOIRES Sauvignon 1998

☐ n.c. n.c. 30 à 49 F

La région de Sainte-Croix-du-Mont, Verdelais, Saint-Macaire est riche en monuments et en points de vue panoramiques. Le sauvignon du château Mémoires a été élevé sur lies fines en barrique, étoffé de 5 % de sauvignon gris, qui accentue les parfums de fruits mûrs. La structure reste svelte et fraîche, la complexité du mariage du fût et du vin se révèle timidement, agréable, bien construite.

SCEA Vignobles Ménard, Ch. Mémoires, 33490 Saint-Maixant, tél. 05.56.62.06.43, fax 05.56.62.04.32, e-mail memoires@caves-particulieres.com r.-v.

MISSION SAINT VINCENT 1998

☐ 15 ha 120 000 -de 20 F

Cette marque présentée par le groupe Producta est un assemblage de sauvignon (50 %) et de sémillon (40 %) complété de muscadelle (10 %). Sa fraîcheur légèrement épicée s'accompagne de notes de poire, de genêt et de brioche. Son corps fin, svelte, est animé par un perlant bien dosé. La marque **Etalon 98** est bâtie sur le sauvignon (70 %) tempéré de sémillon (30 %). Elle offre des senteurs de fleurs blanches, puis de fruits exotiques (litchi) et de pêche. Son équilibre, gras et ferme, est aiguisé en finale d'une pointe fraîche qui respire le genêt.

Producta SA, 21, cours Xavier-Arnozan, 33082 Bordeaux Cedex, tél. 05.57.81.18.18, fax 05.56.81.22.12 r.-v.

HENRY BARON DE MONTESQUIEU Réserve le Secondat 1998

☐ n.c. n.c. 20 à 29 F

Une cuvée élaborée par les descendants du philosophe de La Brède. Le sémillon (55 %) a fermenté en barrique. L'ensemble (dont 40 % de sauvignon) a été élevé six mois en fût. C'est un vin tout en finesse dont la complexité aromatique mêle les agrumes confiturés aux notes torréfiées. La chair fruitée, tendre, arrondit un corps un peu svelte et une finale de noix de coco.

Vins et Dom. H. de Montesquieu, Aux Fougères, B.P. 53, 33650 La Brède, tél. 05.56.78.45.45, fax 05.56.20.25.07, e-mail montesquieu@bordeaux-montesquieu.com r.-v.

CH. MYLORD 1998★

☐ 1 ha 8 000 20 à 29 F

Cette vieille famille vigneronne affirme ici son attachement à l'encépagement traditionnel de sa région. Sauvignon, sémillon et muscadelle sont représentés par tiers. La complexité aromatique s'épanouit en larges touches de citronnelle, de tilleul, de miel, de fruits secs, d'amande grillée. Le corps, tout rond, souple, à peine réveillé d'un perlant facétieux s'abandonne au plaisir de la maturité du raisin bien travaillé. Sa finale apaisée en fait un vin d'entremets et de viandes blanches.

Michel et Alain Large, SCEA Ch. Mylord, 33420 Grézillac, tél. 05.57.84.52.19, fax 05.57.74.93.95 r.-v.

CH. NICOT 1998★

☐ 20 ha 200 000 20 à 29 F

Classique dans sa conception (sauvignon 70 % et sémillon), il se révèle élégamment parfumé, en habit très pâle. Aux senteurs nettes de pamplemousse citronné s'ajoutent des flaveurs élaborées : tilleul, vanille, amande douce grillée. Fruits secs (abricot) et fleurs séchées sont mis en valeur par un perlant frissonnant. Un vin de fruits de mer (huîtres).

Vignobles Dubourg, 33760 Escoussans, tél. 05.56.23.93.08, fax 05.56.23.65.77 r.-v.

PAVILLON BLANC DU CHATEAU MARGAUX 1997★★★

☐ n.c. n.c. 200 à 249 F

Planté sur un beau sol graveleux, le vignoble blanc du domaine de Château Margaux jouit d'un terroir de choix. Il est difficile de ne pas en être convaincu en dégustant ce 96 exceptionnel. Riche de mille nuances - chèvrefeuille, citron, fleur d'acacia et pêche -, son bouquet est aussi délicat que complexe. Puissante, grasse et généreuse, sa structure s'associe avec la finale, suave et harmonieuse, pour appeler un accord gourmand de qualité.

SC du Ch. Margaux, 33460 Margaux, tél. 05.57.88.83.83, fax 05.57.88.83.32

CH. PEUY SAINCRIT Le Pôle 1998

☐ 2 ha 10 000 30 à 49 F

Cet ensemble de sémillon (60 %), muscadelle (30 %) et sauvignon (10 %) est né de vieilles vignes (soixante ans) plantées sur une butte proche de Saint-André-de-Cubzac correspondant au 45e parallèle. Il a fermenté et a été élevé en fût neuf de 400 l. La maturité des raisins s'épanouit en flaveurs concentrées, généreuses, toastées ; elle arrondit la chair. Une pointe de gaz agace un peu le boisé, qu'elle aiguise par rapport au vin. Le temps devrait travailler pour ce vin gourmand.

Vignobles Germain et Associés, Ch. Peyredoulle, 33390 Berson, tél. 05.57.42.66.66, fax 05.57.64.36.20, e-mail bordeaux@vgas.com r.-v.

CH. DE PIC 1998

☐ 2 ha 8 000 20 à 29 F

Les terres argilo-graveleuses du Tourne, proches du château féodal de Langoiran, ont permis la maturité du sémillon qui entre à 75 % dans ce vin jaune paille brillant. On la reconnaît dans la grande souplesse, la rondeur de la chair et de la finale. Sauvignon (20 %) et muscadelle contribuent heureusement à la complexité des senteurs et des flaveurs : fruits des bois, tilleul, mandarine. Le **Château Camail 98**, né à Tabanac, révèle une belle finesse de corps mais aussi des parfums complexes et mûrs. Il est cité lui aussi.

François Masson Regnault, Ch. de Pic, 33550 Le Tourne, tél. 05.56.67.07.51, fax 05.56.67.21.22 r.-v.

BLANC DU CH. PRIEURE-LICHINE 1998★

☐ 1,6 ha 9 500 100 à 149 F

Ces Médocains prouvent ici qu'ils maîtrisent aussi l'art du vin blanc, même si leurs prix sont élevés pour une AOC régionale ! La qualité de l'alliance des cépages (80 % de sauvignon, 20 % de sémillon élevés sur lies de levures) s'affirme dans la complexité séveuse des flaveurs : fleur de vigne, écorce d'orange, vanille chantent en une bouche ronde et gourmande. A retrouver sur des entremets raffinés, mais sans hâte.

SA Ch. Prieuré-Lichine, 34, av. de la Ve -République, 33460 Cantenac, tél. 05.57.88.36.28, fax 05.57.88.78.93 r.-v.

CH. PUYMONTANT 1998

☐ 1,09 ha 3 000 20 à 29 F

Le sauvignon gris entre pour 40 % dans ce vin de sauvignon. C'est une sélection clonale issue d'un mutant naturel, qui apporte générosité, maturité et ampleur aux arômes typiques du cépage. Il donne ici un vin gras, harmonieux, fin, aux flaveurs amples soulignées de litchi.

Marc Heroult, Ch. Puymontant, 12, La Poste, 33570 Petit-Palais, tél. 05.57.69.62.07, fax 05.57.69.66.30 r.-v.

QUINTET Sauvignon 1998★

☐ 18 ha 100 000 20 à 29 F

Quintet est un pur sauvignon élaboré et élevé sur lies au nord de Blaye. C'est un classique aux fines flaveurs du cépage. En bouche, la pointe d'acidité met en valeur une matière grasse et avive agréablement la finale.

Cave des Hauts de Gironde, La Cafourche, 33860 Marcillac, tél. 05.57.32.48.33, fax 05.57.32.49.63 r.-v.

CH. RAUZAN DESPAGNE Cuvée Passion 1997

☐ n.c. n.c. 50 à 69 F

Cette cuvée Passion a plu par l'harmonie contrastée de son fruit acidulé et du boisé rond ; une note de pain d'épice est apportée par l'élevage en fût. C'est un vin de charcuterie fine et de fromage de brebis.

GFA de Landeron, 33420 Naujan-et-Postiac, tél. 05.57.84.55.08, fax 05.57.84.57.31, e-mail despagne@vignobles-despagne.com
Y r.-v.
J.-L. Despagne

CH. REYNON Vieilles vignes 1997★

☐ 11 ha 47 800 50 à 69 F

Le millésime 97 de ce sauvignon mâtiné de sémillon (10 %) signe le savoir-faire du vinificateur dans une année délicate. La vivacité de la chair, adroitement typée du cépage, est apaisée par un boisé fondu, élégant, courtois, qui met en valeur corps et finale. « Vin bien fait », a souligné un expert juré.

EARL Denis et Florence Dubourdieu, Ch. Reynon, 33410 Béguey, tél. 05.56.62.96.51, fax 05.56.62.14.89, e-mail reynon@mailquaternet.fr ☑ Y r.-v.

DOM. DE RICAUD 1998★

☐ 6 ha 40 000 30 à 49 F

La robe s'illumine de beaux reflets dorés et verts. Un perlant mesuré met en valeur la complexité aromatique, chantant sur des notes de menthe et de fruits exotiques. L'attaque ample et ronde, le corps équilibré et volumineux, la finale fraîche ne peuvent que satisfaire un palais gourmand. Il faut marier ce vin à un fromage de chèvre.

Vignobles Chaigne et Fils, Ch. Ballan-Larquette, 33540 Saint-Laurent-du-Bois, tél. 05.56.76.46.02, fax 05.56.76.40.90, e-mail rchaigne@vins-bordeaux.fr ☑ Y r.-v.

CH. ROQUEFORT 1998★

☐ 35 ha 250 000 30 à 49 F

Superbe entité installée sur des sols argilo-limoneux, Roquefort a assemblé 75 % de sauvignon à 20 % de sémillon et à 5 % de muscadelle. De jolis reflets tirant sur le vert animent la robe jaune pâle. Au premier nez, les fleurs blanches s'affichent ; à l'agitation, les notes florales persistent, accompagnées de genêt et de buis. La bouche vive, fraîche, destine cette bouteille aux huîtres.

SCE du Ch. Roquefort, 33760 Lugasson, tél. 05.56.23.97.48, fax 05.56.23.51.44 ☑ Y r.-v.
J. Bellanger

SIGNATURES EN BORDEAUX 1997

☐ 12 ha 70 000 30 à 49 F

La moitié de cet ensemble sémillon (80 %) et sauvignon (20 %) a fermenté en barrique neuve et y a séjourné six mois. Des notes de fumet et de grillé modulent les flaveurs de fruits exotiques, d'orange amère en confiture et de caramel. Une petite vivacité titille la rondeur dense du corps à l'attaque ; un soupçon de réglisse souligne la finale. C'est un vin de viande blanche et de poisson en sauce.

Maison Schröder et Schÿler, 55, quai des Chartrons, 33027 Bordeaux Cedex, tél. 05.57.87.64.55, fax 05.57.87.57.20, e-mail mail@schroder-schyler.com Y t.l.j. 9h30-17h30; sam. dim. sur r.-v.

CH. DE SOURS 1997★

☐ 6 ha 20 000 30 à 49 F

Ce sémillon sauvignonné est né et a séjourné en fût neuf pendant neuf mois. Son corps gras et souple y a acquis des flaveurs de miel, de toast, de fruits confits vanillés d'une belle harmonie. « Il évoque les liquoreux par le sémillon très mûr », indique un expert. La finale est cependant plus vive.

Ch. de Sours, 33750 Saint-Quentin-de-Baron, tél. 05.57.24.10.81, fax 05.57.24.10.83 ☑ Y r.-v.
Johnstone

CAILLOU BLANC DE CH. TALBOT 1997

☐ 6,01 ha 40 000 70 à 99 F

Ce bordeaux sec ne peut cacher qu'il a été vinifié en barriques, dont 50 % sont neuves : ce sont les notes vanillées qui l'emportent au nez, avec des touches grillées. Les senteurs fleuries sont encore à l'arrière-plan. La bouche est structurée, à la fois grasse et vive. La vivacité est donnée par les 84 % de sauvignon. Un vin pour amateurs avertis qui mérite d'attendre encore un peu.

Ch. Talbot, 33250 Saint-Julien-Beychevelle, tél. 05.56.73.21.50, fax 05.56.73.21.51, e-mail chateau-talbot@chateau-talbot.com
Y r.-v.
Mmes Rustmann et Bignon

CH. TIMBERLAY Prestige 1998

☐ 5 ha 12 000 30 à 49 F

Ce mariage de sémillon (60 %) et de sauvignon (40 %) a fermenté et a été élevé en barrique sur lies fines. Le nez offre des parfums de fleur d'acacia et de miel vanillé. La bouche s'arrondit sur des arômes de fruits mûrs aimablement boisés. Cet équilibre fondu est bien agréable.

EARL Vignobles Robert Giraud, Ch. Timberlay, 33240 Saint-André-de-Cubzac, tél. 05.57.43.01.44, fax 05.57.43.08.75

CH. TOUR DE MIRAMBEAU Cuvée Passion 1997

☐ 3 ha n.c. 50 à 69 F

Le Château Tour de Mirambeau a ses habitudes dans le Guide. La cuvée Passion 97, issue de sauvignon (70 %) et de sémillon (30 %), élevée en fût neuf, s'exprime encore avec timidité au premier nez, plus ouvertement ensuite avec des notes de fleurs blanches, d'acacia, de pamplemousse et de café. La rondeur fruitée du corps est soulignée par une pointe de caramel et de boisé grillé. Son harmonie gagne à l'aération. La belle déclinaison florale, mentholée, vive, de la **cuvée principale 98**, élevée en cuve, révèle une chair délicate de raisin mûr, fondante, animée d'une fraîcheur perlée et parfumée.

SCEA Vignobles Despagne, 33420 Naujan-et-Postiac, tél. 05.57.84.55.08, fax 05.57.84.57.31, e-mail despagne@vignobles-despagne.com
☑ Y r.-v.
J.-L. Despagne

CH. DE VAURE 1998★

☐ 6 ha 20 000 20 à 29 F

Les chais de Vaure produisent traditionnellement des vins blancs, qu'ils signent dans cet assemblage sauvignon-sémillon (à parts égales). Les flaveurs affirment leur complexité dès le service. Elles marient à la fleur de vigne et au genêt à peine éclos des notes de fruits mûrs et confiturés (pamplemousse, mandarine, abricot). La belle rondeur de la chair est titillée d'une pointe de gaz qui rafraîchit agréablement la finale. Un plaisir savoureux.

⊶ Producteurs réunis Chais de Vaure, 33350 Ruch, tél. 05.57.40.54.09, fax 05.57.40.70.22 ☑ Ꭵ t.l.j. sf dim. 8h30-12h30 14h-18h

VIEUX CHATEAU LAMOTHE 1998

□ n.c. n.c. 20 à 29 F

Ce vin est né sur un important vignoble rouge et blanc proche de l'abbaye de La Sauve-Majeure. Ses parfums de fleurs blanches et de pomelo citronné et mentholé le destinent à des coquillages et à du poisson mayonnaise. Du même producteur, le **Château Haut-Riot 98** reçoit lui aussi une citation. Il a plu par sa complexité aromatique évoquant à la fois agrumes citronnés et fruits secs, et par la rondeur presque langoureuse de sa chair. A servir sur des viandes blanches.

⊶ GAEC des Vignobles Latorse, 33670 La Sauve-Majeure, tél. 05.56.23.92.76, fax 05.56.23.61.65 ☑ Ꭵ r.-v.

Bordeaux rosé

CH. DE BONHOSTE 1998★

◪ 7 ha 12 000 30 à 49 F

Une œuvre de délicatesse, de la robe pâle à la finale légère. Les arômes d'abricot mûr et de pêche sont appuyés par un perlant discret. Un rosé croquant, à servir à l'apéritif.

⊶ SCEA des Vignobles Fournier, Ch. de Bonhoste, 33420 Saint-Jean-de-Blaignac, tél. 05.57.84.12.18, fax 05.57.84.15.36 ☑ Ꭵ t.l.j. 8h-12h 14h-19h

CH. CAILLETEAU BERGERON 1998

◪ 0,69 ha 6 000 20 à 29 F

Né dans le Blayais, ce rosé issu du seul merlot a intéressé le jury par ses contrastes. Parfum et attaque, animés d'un peu de gaz, évoquent les fruits frais juste cueillis. La chair ensuite s'offre tout en rondeur, charmeuse ; la finale est enlevée. C'est un vin de crème glacée au chocolat.

⊶ EARL Dartier et Fils, 33390 Mazion, tél. 05.57.42.11.10, fax 05.57.42.37.72 ☑ Ꭵ r.-v.

CALVET 1998

◪ n.c. 60 000 20 à 29 F

Une robe saumon pâle et un nez de fleurs blanches annoncent une présence fraîche, ronde, aux flaveurs d'agrumes et de fruits rouges à noyau. La finale légèrement réglissée invite à le déguster sur des charcuteries ou des poissons grillés.

⊶ Calvet, 75, cours du Médoc, 33300 Bordeaux, tél. 05.56.43.59.00, fax 05.56.43.17.78 Ꭵ r.-v.

DOM. DE DAMAZAC 1998★

◪ 1,5 ha 8 000 20 à 29 F

Le merlot domine ce rosé très gouleyant sous un perlant vif. Les cabernets (25 % de franc) enrichissent de cassis, de framboise et de fruits secs les flaveurs légèrement musquées et réglissées du corps et de la finale. Un vin d'entremets et de biscuit.

⊶ GAEC J.-R. Feyzeau et Fils, La Capelle, 33500 Arveyres, tél. 05.57.51.09.35, fax 05.57.51.86.27 ☑ Ꭵ r.-v.

CH. DE DAMIS 1998★★

◪ 2,5 ha 20 000 30 à 49 F

L'assemblage réussi des trois cépages et la maîtrise technique de la stabulation à froid ont donné ce joli rosé dans lequel les cabernets animent un peu les arômes. Le corps est parfaitement équilibré, riche, élégant, savoureux. Le jury annonce de belles et nombreuses impressions gustatives.

⊶ SCEA Vignobles Michel Bergey, Ch. Damis, 33490 Sainte-Foy-la-Longue, tél. 05.56.76.41.42, fax 05.56.76.46.42 ☑ Ꭵ r.-v.

GRANDES VERSANNES 1998★

◪ 4 ha 25 000 20 à 29 F

La puissante Union de producteurs de Lugon, proche de Fronsac, propose ce vrai rosé, pâle, teinté de vermillon, au nez délicat de framboise et de pêche. Sa bouche souple, presque tendre, est bien fruitée elle aussi.

⊶ Union de producteurs de Lugon, 6, rue Louis-Pasteur, 33240 Lugon, tél. 05.57.55.00.88, fax 05.57.84.83.16 ☑ Ꭵ t.l.j. sf dim. 8h30-12h30 14h-18h; groupes sur r.-v.

CH. HAUT-GARRIGA 1998

◪ 5 ha 30 000 20 à 29 F

Né de merlot (70 %) et de cabernet franc (20 %), ce rosé de saignée charme par ses flaveurs de fruits mûrs : fraises au sucre et citron, bonbon anglais. Des notes d'anis et de pamplemousse animent la finale. On suggère de servir ce vin avec une paella.

⊶ EARL Vignobles Barreau et Fils, Ch. Haut-Garriga, 33420 Grézillac, tél. 05.57.74.90.06, fax 05.57.74.96.63 ☑ Ꭵ t.l.j. sf dim. 8h-12h 14h-18h

⊶ Claude Barreau

CH. HAUT GUILLEBOT 1998

◪ 2 ha 10 000 20 à 29 F

Proche de Branne et de jolis points de vue sur la vallée de la Dordogne, cette propriété se transmet de mère en fille depuis sept générations. Le rosé y est obtenu par assemblage de saignées et de macération pelliculaire. Cette seconde technique apporte du corps, mais le plaisir se retrouve dans la complexité aromatique du nez et de la bouche : fraise, bonbon anglais, fruits à noyau. C'est un vin de pizza et d'entremets.

⊶ Evelyne Rénier, Lugaignac, 33420 Branne, tél. 05.57.84.53.92, fax 05.57.84.62.73 ☑ Ꭵ t.l.j. 9h-12h 14h-18h; sam. dim. sur r.-v.

CH. HAUT RIAN 1998★★

◪ 7 ha 60 000 ▮ 🌡 20 à 29 F

Après un détour en Australie, cet œnologue d'origine alsacienne a établi son vignoble (78 ha en dix ans) près de la cité médiévale de Rions. Superbe en sa robe framboise pâle, son rosé révèle les parfums typés du cabernet franc (50 %) : rose, fleur de vigne, acacia, citronnelle. Le merlot apporte en bouche sa rondeur et des notes d'agrumes mûrs (pamplemousse sur fond de poire). Vin d'apéritif et de salades landaises.

🔑 Michel Dietrich, La Bastide, 33410 Rions, tél. 05.56.76.95.01, fax 05.56.76.93.51 ☑ Y t.l.j. sf dim. 9h-12h 14h-18h; f. 15-30 août

CH. LA COMMANDERIE DE QUEYRET 1998

◪ 1,5 ha 9 000 ▮ 🌡 30 à 49 F

Ce rosé très fruité, rond, gras, parfumé de fraise et de framboise a manqué de peu son étoile : on peut lui reprocher l'exubérance du gaz carbonique qui portait et animait la finale le 14 avril 1999. Mais une simple décantation au moment du service suffira pour l'assagir et en faire un joli vin d'automne qui évoquera les vacances.

🔑 Claude Comin, La Commanderie, 33790 Saint-Antoine-du-Queyret, tél. 05.56.61.31.98, fax 05.56.61.34.22 ☑ Y t.l.j. sf dim. 8h-12h 14h-19h

DOM. DE LA CROIX 1998★

◪ n.c. n.c. ▮ 🌡 - de 20 F

Il est né sur les coteaux de la Garonne proches de Loupiac. Merlot et cabernets s'y retrouvent par moitié. Le rose franc de l'habit, les flaveurs complexes d'agrumes et de framboise, la chair souple et équilibrée ont fait rêver un juré, qui écrit : « Un vin de repas au bord de la piscine. »

🔑 Jean-Yves Arnaud, La Croix, 33410 Gabarnac, tél. 05.56.20.23.52, fax 05.56.20.23.52 ☑ Y r.-v.

CH. LA MOTHE DU BARRY 1998★★

◪ 1 ha 7 200 ▮ 🌡 20 à 29 F

On retrouve avec plaisir la jolie étiquette de Joël Duffau décorée d'une peinture de Rosenthal. Ce rosé de saignée est issu du seul merlot. Le brillant de la robe est saumoné. Au nez comme en bouche, les flaveurs complexes abondent (fleurs, fruits très mûrs), adoucies par le séjour sur lies fines. Le perlant ne fait que souligner la rondeur et le fruité. Le jury est unanime : coup de cœur.

🔑 Joël Duffau, Les Arromans n° 2, 33420 Moulon, tél. 05.57.74.93.98, fax 05.57.84.66.10 ☑ Y r.-v.

CH. LAMOTHE VINCENT Cuvée Sélection 1998★

◪ 54 ha 27 000 ▮ 🌡 20 à 29 F

Ce rosé en robe grenadine est composé des trois cépages merlot (40 %), cabernet franc (40 %), cabernet-sauvignon (20 %). Il a été élevé sur lies. Ses parfums se cherchent un peu, puis ils s'affirment en bouche en une complexité savante bâtie sur les fruits rouges et l'orange. Rond et un peu lourd, c'est un vin de grillades.

🔑 SC Vignobles JBC Vincent, 3, chem. Laurenceau, 33760 Montignac, tél. 05.56.23.96.55, fax 05.56.23.97.72 ☑ Y r.-v.

CH. LA RIVALERIE 1998★★

◪ 0,75 ha 6 000 ▮ 🌡 30 à 49 F

A quelques kilomètres du domaine se dresse la citadelle de Blaye, une superbe réalisation, signée Vauban, qu'il faut absolument visiter. Après quoi ne manquez pas d'aller déguster ce rosé cossu qui sent bon la groseille, la framboise et le bourgeon de cassis. L'élevage sur lies contribue à son opulence généreuse mais élégante. L'alliance du merlot (66 %) et du cabernet-sauvignon enchantera grillades ou viandes froides.

🔑 SCEA La Rivalerie, 33390 Saint-Paul-de-Blaye, tél. 05.57.42.18.84, fax 05.57.42.14.27 ☑ Y t.l.j. sf sam. dim. 8h-12h 14h-18h

CH. DE LA SALLE 1998★

◪ 0,5 ha 4 000 ▮ 🌡 30 à 49 F

On découvrira ce sobre château du XVIe s. à quelques kilomètres de la célèbre citadelle de Blaye. Le vin a été élevé sur ses lies fines. Celles-ci ont apporté des touches beurrées, fondantes, voire « truffées » à ce rosé né du seul cabernet-sauvignon, vermillon pâle à l'œil, juste marqué par le poivron au nez, frais et perlant. Un joli vin de couscous et de curry.

🔑 SCEA Ch. de La Salle, 33390 Saint-Genès-de-Blaye, tél. 05.57.42.12.15, fax 05.57.42.12.15 ☑ Y r.-v.

🔑 Bonnin

CH. LES VIEILLES TUILERIES 1998★★

◪ 0,6 ha 5 000 ▮ 20 à 29 F

Cabernet franc et sauvignon se partagent à égalité ce rosé et lui donnent une couleur brillante et franche. Le nez est composé de fleur de vigne, de menthe et de pamplemousse. En bouche, le bonbon anglais accompagne un corps alerte, vif et frais. Un rosé d'apéritif et de poisson grillé.

🔑 SCEA des Vignobles Menguin, 194, Gouas, 33760 Arbis, tél. 05.56.23.61.70, fax 05.56.23.49.79 ☑ Y r.-v.

MARQUIS DE CHASSE 1998★★

◪ n.c. 150 000 ▮ 🌡 - de 20 F

Le négociant Ginestet propose ici un rosé mi-cabernet mi-merlot, d'une couleur mauve brillante. Le nez puissant et fin de framboise, de cassis et de poivron rouge séduit par sa complexité. Si un léger perlé avive l'attaque, la bouche se révèle ensuite souple, parfumée (abricot), et la finale bien persistante. Un rosé de caractère et une réelle prouesse technique.

⊶ Maison Ginestet SA, 19, av. de Fontenille, 33360 Carignan-de-Bordeaux, tél. 05.56.68.81.82, fax 05.56.20.96.99 🍷 r.-v.

MISSION SAINT VINCENT 1998★

◪ 25 ha 150 000 ▮🌡 20 à 29 F

Le mariage de cabernet-sauvignon (50 %), de merlot (35 %) et de cabernet franc (15 %) s'offre allégrement au jugement de l'amateur : les parfums accumulent nuances fleuries et fruitées, complétées de notes de miel et de verveine. Le corps, frais, rond, fondant, s'exprime en finale par une pointe de réglisse. Une élaboration savante et heureuse de l'Union Saint-Vincent, une des coopératives de l'Entre-deux-Mers. Dominé par le cabernet-sauvignon, qui aiguise les arômes d'une touche végétale et durcit un peu la finale, **Maine Brilland 98**, du même groupe, est lui aussi jugé très réussi dans un style fin et fleuri.

⊶ Producta SA, 21, cours Xavier-Arnozan, 33082 Bordeaux Cedex, tél. 05.57.81.18.18, fax 05.56.81.22.12 🍷 r.-v.

CH. NAUDONNET PLAISANCE
Perle rose d'avril 1998★

◪ 1 ha n.c. 🛢 30 à 49 F

Né d'un merlot planté sur graves, ce 98 est intéressant. Les raisins ont été ramassés à la main et ont macéré entiers pendant vingt-quatre heures sous azote. Après faible pressurage, le moût a fermenté en barrique, où il est resté six mois sur lies. La finesse et la complexité aromatique, l'ampleur et la longueur fondante de la chair signent un savoir-faire incontestable. A découvrir, et à suivre.

⊶ Danièle Mallard, Ch. Naudonnet Plaisance, 33760 Escoussans, tél. 05.56.23.93.04, fax 05.57.34.40.78, e-mail mallard@cavesparticulieres.com 🍷 r.-v.

CH. PANCHILLE 1998★

◪ 1 ha 8 000 ▮🌡 20 à 29 F

L'association du merlot (80 %) et du cabernet franc implantés sur des argiles graveleuses confère à ce vin un très bon équilibre, des arômes de fruits mûrs bien présents, nets et fins, et une chair dense et ronde avivée par un souffle de gaz carbonique. Un classique.

⊶ Pascal Sirat, Ch. Panchille, 33500 Arveyres, tél. 05.57.51.57.39, fax 05.57.51.57.39 ☑ 🍷 r.-v.

CH. PERAYNE 1998

◪ 2 ha 6 500 ▮🌡 20 à 29 F

De jolis points de vue (Le Péan) agrémentent la route qui mène de la cité médiévale de Saint-Macaire à la propriété. Celle-ci propose un rosé de couleur franche et soutenue. Au nez fleuri du cabernet franc (40 %) s'ajoutent des flaveurs de cerise, de brugnon et de fruits à noyau qui donnent à la bouche ampleur et longueur. Un vin intéressant qui sera le bon compagnon de repas froids.

⊶ Henri Lüddecke, Ch. Perayne, 33490 Saint-André-du-Bois, tél. 05.56.76.40.99, fax 05.56.76.45.71, e-mail chateau.perayne@wanadoo.fr ☑ 🍷 t.l.j. 9h-12h 14h30-19h

CH. DE PIC Belle de Nuit 1998

◪ 4 ha 30 000 ▮🌡 20 à 29 F

Ce 98 à la robe rose franc soutenu a des arômes de raisin et de fruits rouges, avec une petite touche grasse qui se retrouve agréablement en bouche. Ce vin est né de merlot (75 %) planté sur des sols argilo-graveleux, aux portes de Langoiran et de son château médiéval.

⊶ François Masson Regnault, Ch. de Pic, 33550 Le Tourne, tél. 05.56.67.07.51, fax 05.56.67.21.22 ☑ 🍷 r.-v.

CH. PIERRAIL 1998★

◪ 3,8 ha 32 000 ▮🌡 20 à 29 F

Le château abrita quelques jours la duchesse de Berry (1832), entrée en rébellion sous le nom de « Petit Pierre ». Cette propriété figure depuis plusieurs années dans le Guide. Son 98 a immédiatement séduit par ses qualités aromatiques fines, complexes et intenses. Sans doute faut-il y voir le résultat de stabulations préfermentaires à froid, qui sont pratiquées ici. L'attaque est vive, le corps bien construit, et le léger perlant accentue la fraîcheur de l'ensemble. C'est un vin d'apéritif ou de mets épicés.

⊶ EARL Ch. Pierrail, 33220 Margueron, tél. 05.57.41.21.75, fax 05.57.41.23.77, e-mail pierrail@chateau-pierrail.com ☑ 🍷 r.-v.

⊶ A., J. et A. Demonchaux

CH. SAINTE-MARIE 1998★

◪ 1 ha 8 000 ▮🌡 20 à 29 F

Voici un classique, bien construit, qui décline la framboise avec bonheur tout au long de la dégustation. Son corps sait être friand et séveux, et la finale, relevée d'une pointe de gaz, montre un charme élégant.

⊶ Gilles et Stéphane Dupuch, 51, rte de Bordeaux, 33760 Targon, tél. 05.56.23.00.71, fax 05.56.23.34.61, e-mail ch.ste.marie@wanadoo.fr ☑ 🍷 r.-v.

CH. DE SOURS 1998★

◪ 18 ha 80 000 ▮🌡 30 à 49 F

Ce rosé rubis de belle intensité est incontestablement né de vendanges bien mûres. Le merlot (90 %) y chante plus en flaveurs de bouche que de nez : le fruit rouge, la cerise et l'abricot accompagnent longuement la dégustation de ce vin frais très plaisant.

⊶ Ch. de Sours, 33750 Saint-Quentin-de-Baron, tél. 05.57.24.10.81, fax 05.57.24.10.83 ☑ 🍷 r.-v.

⊶ E. Johnstone

Trouver un vin ? Consultez l'index en fin de volume.

Bordeaux supérieur

CH. ARCHE ROBIN 1997*

■　　　　6 ha　　25 000　▤◫♨ 30 à 49 F

Implantée dans les coteaux du nord du Fronsadais, cette propriété a été reconstituée en 1996 à partir d'un vignoble adulte (deux tiers de merlot, un tiers de cabernet-sauvignon). La structure du vin est très classique, mais les qualités aromatiques ont été remarquées : intensité et élégance des flaveurs de fruits, délicatesse et discrétion intelligente du boisé. Un plaisir, à découvrir sur les viandes rouges ou les fromages secs.
☛Huguette Blouin, Ch. Arche-Robin, 33141 Villegouge, tél. 05.57.84.45.67, fax 05.57.84.47.03 ☑ ⲧ r.-v.
☛ Jacques Blouin

CH. DES ARRAS Cuvée Prestige 1996*

■　　　1,42 ha　　11 334　◫ 30 à 49 F

La belle et austère façade du château cache des richesses viticoles comme cette cuvée Prestige qui mérite une étoile : c'est un vin puissant, aux flaveurs intenses, complexes, de fruits cuits et mûrs, de tarte aux prunes. La chair, harmonieusement ronde, est enrobée de tanins courtois et de qualité. « Un vin de confiance », déclare un juré.
☛Indivision Rozier, Ch. des Arras, 33240 Saint-Gervais, tél. 05.57.43.00.35, fax 05.57.43.58.25, e-mail chateau-arras@enfrance.com ☑ ⲧ t.l.j. sf sam. dim. 9h-12h 14h-18h

DOM. DU BALARDIN 1996*

■　　　　n.c.　　32 500　◫ 30 à 49 F

Il appartient au château Malescot-Saint-Exupéry. Bel équilibre du vignoble « à la margaux » : 40 % de cabernet franc, 40 % de merlot, 20 % de cabernet-sauvignon. Ce 96 a vieilli dix-huit mois en fût. La finesse et l'ampleur des flaveurs s'y retrouvent : fruits mûrs, confits (fraise, cerise), tanins et boisé bien placés. La chair dense et bien structurée ne demande qu'à profiter du temps pour mieux s'offrir encore. Ce vin ne sera commercialisé qu'après l'an 2000.
☛SCEA Ch. Malescot-Saint-Exupéry, 33460 Margaux, tél. 05.57.88.97.20, fax 05.57.88.97.21 ☑ ⲧ r.-v.
☛ Roger Zuger

CHAPELLE DE BARBE 1997*

■　　　　7 ha　　58 000　▤ 30 à 49 F

Le château de Barbe, rénové avec élégance dans le respect de ses origines (fin XVIIIᵉ s.), domine la Gironde des côtes de Bourg. Sa chapelle au milieu des vignes donne son nom à ce bordeaux supérieur. Une bonne structure ronde aux tanins déjà fondus et des flaveurs bien composées en font un joli vin à boire sans plus attendre, pour accompagner lamproie, viandes rouges et fromages à pâte pressée (trappes et port-salut).
☛Société viticole villeneuvoise, Ch. de Barbe, 33710 Villeneuve, tél. 05.57.42.64.00, fax 05.57.64.94.10 ☑ ⲧ t.l.j. sf dim. 8h30-12h 14h-16h30

CH. BARREYRE 1997*

■　　　　7 ha　　45 000　◫ 30 à 49 F

Le château Barreyre, voisin de château Lescalle, est géré par la même équipe avec une conception plus médocaine (40 % de cabernet-sauvignon, 10 % de petit verdot). Equilibré, plein, solide et de jolie longueur, ce vin doit mûrir encore pour lisser ses tanins.
☛SC Ch. Barreyre, Beau-Rivage, 33460 Macau, tél. 05.57.88.07.64, fax 05.57.88.07.00 ☑ ⲧ r.-v.
☛ Giron

CH. DE BEAULIEU 1996

■　　　14 ha　　75 000　▤ 20 à 29 F

Cette propriété perche son merlot (75 %) et son cabernet franc (25 %) tout au bout des terrasses de l'Isle au nord du Libournais. De petites promenades permettent de contempler la façade réputée de l'église de Petit-Palais. Finesse aromatique (fleurs, fruits et toast) et corpulence bien charpentée, que l'on peut éventuellement laisser mûrir encore, définissent ce vin de bonne réputation, destiné aux viandes rouges et au gibier.
☛Jacques Rabanier, SCE Rabanier-Beaulieu, Beaulieu, 33230 Abzac, tél. 05.57.69.63.50, fax 05.57.69.77.76 ☑ ⲧ r.-v.

CH. BEL AIR PERPONCHER
Grande Cuvée 1997**

■　　　　3 ha　　26 000　◫ 50 à 69 F

Cette Grande Cuvée de Bel Air fait une entrée fracassante sur un millésime difficile, avec sa cousine de Tour de Mirambeau, gérée par la même équipe que les lecteurs applaudiront. Ce vin permet de goûter le raisin mûr, croquant, qui donne une chair ample, parfumée (fleurs et fruits) et des tanins solides mais enrobés. Il a profité de fûts de qualité qui ont accentué la complexité des flaveurs avec des notes toastées, fumées, vanillées, et des pointes de cacao et de caramel qui se prolongent dans une finale encore virile. Cet équilibre puissant demande à mûrir encore, mais les impatients pourront déjà le découvrir sur les viandes rouges et du gibier.
☛GFA de Perponcher, Ch. Bel Air, 33420 Naujan-et-Postiac, tél. 05.57.84.55.08, fax 05.57.84.57.31, e-mail despagne@vignobles-despagne.com ⲧ r.-v.

CH. BELLEVUE 1997

■　　　0,71 ha　　6 000　▤ 20 à 29 F

Bienvenue à ce nouveau bordeaux supérieur, né du merlot (90 %), sur les argilo-calcaires de

Lugon. Cette région, à l'ouest de Libourne, est réputée pour ses vins rouges. Une structure ronde et solide, des flaveurs de fruits cuits (tarte aux fraises et framboises), d'épices et de fleurs séchées donnent un vin à goûter pendant deux ans avec des viandes rouges grillées.

⊶ Françoise Alvergne, Ch. Bellevue, 33240 Lugon, tél. 05.57.84.42.66, fax 05.57.84.42.66 ☒ Y t.l.j. 9h-19h; sam. dim. sur r.-v.

CH. BELLEVUE LA MONGIE

Vieilli en fût de chêne 1997★

■ 2,5 ha 15 000 ▮ ⦀ 🌡 30 à 49 F

Cette sélection à 90 % de merlot et à 10 % de cabernet franc a mûri douze mois en fûts (pour un tiers neufs). La robe grenat s'éclaire d'une frange cuivrée. Le nez établit sur une fine pointe végétale ses senteurs de fraise, de groseille, puis de réglisse et de tabac. Souplesse et rondeur caractérisent la mise en bouche. Le volume du corps accompagne le fruit cuit, bien souligné par les tanins fondus du fût. Un vin de bonne compagnie à déguster, par exemple, sur du jambon cru.

⊶ Michel Boyer, Ch. Bellevue La Mongie, 33420 Génissac, tél. 05.57.24.48.43, fax 05.57.24.48.43 ☒ Y t.l.j. 8h-12h 14h-19h; sam. dim. sur r.-v.; f. 1er-16 août

CH. BIRE 1997★

■ 10 ha n.c. ⦀ 30 à 49 F

Deux pagodes chinoises au bord de la Garonne indiquaient la proximité de Bordeaux aux bateaux qui remontaient le fleuve... L'étiquette porte leur image. L'encépagement, rare pour l'appellation mais d'inspiration médocaine, est dominé par le cabernet-sauvignon (70 %) appuyé de carmenère (5 %) et de petit verdot (10 %). Comme l'a bien analysé et apprécié un juré, cette conjonction marque de façon originale ce vin à la fois robuste et souple, épicé, fin et long. A suivre sur un ou deux ans, peut-être davantage.

⊶ Mähler-Besse, 49, rue Camille-Godard, B.P. 23, 33026 Bordeaux, tél. 05.56.56.04.30, fax 05.56.56.04.59, e-mail mbwine@atlantic-line.fr ☒ Y r.-v.

CH. BLANCHET

Vieilli en fût de chêne 1997

■ 4 ha 21 000 ⦀ 30 à 49 F

Remarquons la noble et austère façade du château, qui trône sur un coteau à 93 m d'altitude, ce qui est haut en Gironde. Tout autour, les vignes entrent dans l'âge adulte. Merlot et cabernet-sauvignon s'équilibrent ; le cabernet franc compte pour 20 %. Vinifié selon la tradition et vieilli douze mois en fût, le vin s'offre en robe de velours grenat profond. Les tanins agressent encore un peu un corps bien construit, aux arômes de fraise et de framboise, mais aussi d'épices et de boisé. Un 97 réussi et représentatif dans le millésime.

⊶ Yves Broquin, Ch. Blanchet, 33790 Massugas, tél. 05.56.61.40.19, fax 05.56.61.31.40 ☒ Y t.l.j. sf mar. 8h-20h

CH. BOIS-MALOT 1996★

■ 7 ha 40 500 ▮ 🌡 30 à 49 F

Etabli sur sols argilo-siliceux et sous-sol de graves de la Dordogne, ce vignoble à 70 % cabernets (60 % de cabernet-sauvignon) a produit en 1996 un vin bien composé, où chantent les flaveurs de cassis, de griotte et de confitures familiales. Les tanins bien présents, assagis, donnent une assurance sereine à cet amateur de filet de bœuf, de mimolette et de cantal « doré ». Le **Château des Valentons-Canteloup 96** est bâti sur 65 % de merlot. Presque aussi bien noté que le précédent, il pâtit sans doute de tanins encore très présents, dont il faut suivre la maturation : intéressant !

⊶ SCA Meynard et Fils, Les Valentons, 33450 Saint-Loubès, tél. 05.56.38.94.18, fax 05.56.38.92.47 ☒ Y t.l.j. sf dim. 8h-12h 14h-19h; sam. sur r.-v.

DOM. DE BOUILLEROT

Cuvée Passion Elevé en fût de chêne 1996

■ 1,2 ha 8 000 ⦀ 30 à 49 F

Vin de Garonne et Dropt, aux portes de la Gironde. Il est né de cabernet franc (75 %) arrondi de merlot (25 %), ce qui est assez rare. Son nez est fait de fruits à noyau (cerise, prune) et de sous-bois. L'élégance du corps est un peu svelte, mais le boisé l'habille bien. Un style.

⊶ Thierry Bos, Lacombe, 33190 Gironde-sur-Dropt, tél. 05.56.71.46.04, fax 05.56.71.46.04 ☒ Y r.-v.

CH. BRANDE BERGERE 1997

■ 5,6 ha 36 000 ▮ 20 à 29 F

Ce château a changé de propriétaire en 1997, et le chai, réaménagé en 1998, est un bijou à visiter. La structure du vin, très solide jusqu'alors, a été modifiée par l'égrappage total de la récolte. Mais les usages de l'élaboration ont été respectés. Cette cuvée est bâtie sur une large dominante du cabernet franc (55 %) et du cabernet-sauvignon (30 %). Sa plénitude s'annonce par une belle sève. Un juré médocain y a retrouvé des accents familiers... A découvrir dans deux ou trois ans.

⊶ Edith et Denis Dalibot, Ch. Brande-Bergère, 33230 Les Eglisottes, tél. 05.57.49.58.46, fax 05.57.49.51.52 ☒ Y r.-v.

CH. BRESSAC DE LEZIN 1997★★

■ 5,17 ha 15 000 ⦀ 30 à 49 F

En juin 1997, deux Parisiens se reconvertissent en vignerons bordelais et font appel aux techniciens de la Chambre d'agriculture ; ils appliquent lutte raisonnée et maîtrise des rendements à l'hectare, conseillés par Bernard Hébrard qui assiste les vinifications et les assemblages. Résultat : ce vin (leur première vendange) a une chair toute ronde, pleine, aux flaveurs généreuses de tarte, de fruits confits, de chocolat vanillé, et la finale offre une suavité légèrement réglissée. A déguster aujourd'hui sur rôtis et champignons, et, dans un an, sur les fromages. Bienvenue !

⊶ Dom. de Lezin, 11, Giraud-Arnaud, 33750 Saint-Germain-du-Puch, tél. 05.57.24.00.00, fax 05.57.24.00.98 ☒ Y r.-v.

⊶ Huillier

CH. BROWN-LAMARTINE 1997★

■ n.c. 60 000 🛢 50 à 69 F

Il est Médocain d'origine - château Cantenac-Brown - et de conception puisqu'il comporte 80 % de cabernet-sauvignon. Il porte une très belle robe pourpre intense. Sous cet habit, fond une chair riche de fruits mûrs. L'harmonie des tanins de raisin et de merrain s'épanouit en flaveurs intenses et complexes de cassis, de vanille, de grillé. Un vin dans la lignée de ses aînés, reconnus ici depuis plusieurs années.

🔑 Jean-Michel Cazes, Ch. Cantenac-Brown, 33460 Margaux, tél. 05.57.88.81.81, fax 05.57.88.81.90, e-mail Infochato@cantenacbrown.com ☒ Y r.-v.

🔑 Axa Millésime

CH. CABARIEU SAINT ANDRE

Cuvée Mandy Elevé en fût de chêne 1996

■ 3,05 ha 11 000 🛢 30 à 49 F

Né près du 45ᵉ parallèle et des ponts Eiffel de Saint-André-de-Cubzac, ce vin, largement dominé par le merlot et longuement élevé en fût, offre une rondeur aromatique - tarte aux framboises et vanille - bien tenue par des tanins assagis et de bonne persistance. Un plaisir à partager en famille autour de l'entrecôte.

🔑 GFA Robert Sicre et Enfants, 1170, chem. de Cabarieu, Cabarieu, 33240 Saint-André-de-Cubzac, tél. 05.57.43.67.16, fax 05.56.36.92.66, e-mail rsicre@aol.com ☒ Y r.-v.

CH. DE CAMARSAC

Sélection élevée en barrique 1997★

■ 15 ha 100 000 ▮ 🛢 🌡 30 à 49 F

L'histoire du château (à voir) mentionne le Prince Noir et Du Guesclin, et les termes « maison forte » et « forteresse ». Aujourd'hui, tables de tries et fûts ont avantageusement remplacé herses et canons... Les cabernets (sauvignon 65 %, franc 4 %) dominent l'encépagement, mais apparaissent ici assagis. La souplesse et la rondeur de fruits rouges, soulignées de bon merrain, font le charme de ce vin. La complexité aromatique (toastée, grillée) s'affirmera dans le temps.

🔑 Bérénice Lurton, Sté Fermière Ch. de Camarsac, 33750 Camarsac, tél. 05.56.30.11.02, fax 05.56.30.12.92 ☒ Y r.-v.

CH. CAP DE MERLE 1997

■ 9,5 ha 76 000 ▮ 🌡 30 à 49 F

Vignerons reconnus du Libournais, les Bessou proposent aussi ce bordeaux supérieur 97, construit sur 70 % de merlot et 30 % des deux cabernets. La robe est pourpre sombre, brillante, et le nez discret développe des parfums de fruits rouges - cerise, mûre. La chair est ronde et parfumée, mais une forte extraction signe d'une certaine rusticité les tanins de la finale.

🔑 Vignobles J. Bessou, Ch. Durand-Laplagne, 33570 Puisseguin, tél. 05.57.74.63.07, fax 05.57.74.59.58 ☒ Y r.-v.

CH. CASTENET-GREFFIER 1997★

■ n.c. 20 000 🛢 30 à 49 F

A 2 km du point culminant de Gironde et à 5 km de la sobre abbaye de Saint-Ferme, cette famille vigneronne a planté le cabernet-sauvignon comme cépage principal (65 %). Ce vin y trouve un équilibre charnu, aux tanins présents sans excès, aux flaveurs de fruits (cassis) appuyées de boisé discret. La finale fut discutée : il faut donc y tâter !

🔑 EARL François Greffier, Castenet, 33790 Auriolles, tél. 05.56.61.40.67, fax 05.56.61.38.82, e-mail ch.castenet@wanadoo.fr ☒ Y r.-v.

CH. DE CAZENOVE 1997★★

■ 4,5 ha 26 000 ▮ 🛢 🌡 30 à 49 F

Il est né sur les palus de Macau, aux portes du Médoc, de 70 % de merlot et de 30 % de cabernet-sauvignon. Il se vêt de grenat profond et se parfume de fleurs (églantier) et de cassis, d'amandes grillées et vanillées. Les tanins apaisés et réglissés du merlot mûr moulent un corps rond et riche. Le merrain bien dosé accompagne sagement une jolie finale. C'est un vin à goûter et à garder, pour les viandes rouges et le gigot aux girolles.

🔑 EARL de Cazenove Van Essen, Ch. de Cazenove, 33460 Macau, tél. 05.57.88.79.98, fax 05.57.88.79.98, e-mail cazessen@club-internet.fr ☒ Y r.-v.

🔑 Mme de Cazenove

CH. CHABIRAN 1996★

■ 21 ha 50 000 ▮ 30 à 49 F

Situé sur des graves rouges et des argiles bleues du coteau de l'Isle, à quelques kilomètres de Libourne et de Fronsac, ce vignoble est planté à 90 % de merlot en vigne étroite basse. Ce 96 se pare d'une très belle robe grenat foncé, à peine ourlée de cuivre, et d'un bouquet splendide mêlant groseille, fruits cuits, réglisse et cuir. L'ampleur de la chair ronde et dense semble limitée par des tanins dont il fera bon suivre l'évolution dans les prochains mois. C'est un vin pour gibier et viande rouge en sauce.

🔑 GFA Chabiran, 1, av. de la Mairie, 33500 Néac, tél. 05.57.25.93.79, fax 05.57.25.93.44 ☒ Y r.-v.

🔑 Francis Carayon

CH. COLLIN DU PIN 1997★

■ 1,6 ha 8 000 🛢 30 à 49 F

Ce Hollandais collectionneur de vins a repris la propriété en 1990 et commencé à replanter à partir de 1992, très attentif à la densité de plantation, à la fumure raisonnée ; maîtrisant les rendements (45 hl/ha) et triant les vendanges, il est vigilant sur les macérations et l'élevage en barrique. Le résultat ? Si l'on peut percevoir par la structure un peu simple des tanins la jeunesse du vignoble, tout est là pour procurer dès maintenant un vrai plaisir : élégance des flaveurs, du grain de la chair, du boisé. La complexité apparaîtra avec le temps.

🔑 Pieter Verbeek, EARL Clos Chaumont, 33550 Haux, tél. 06.07.17.18.40, fax 06.56.23.30.54 ☒ Y t.l.j. 8h-12h 14h-18h

CH. DE CORNEMPS Cuvée Prestige 1997

■ 2 ha 11 000 ▮ ⬮ ♁ 30 à 49 F

Né sur des croupes argilo-calcaires entre les églises pittoresques de Puy-Normand et de Petit-Palais, vinifié et élevé à l'ombre des murs de l'abbaye de Cornemps, ce vin est assez singulier car sa robe est transparente ; ses parfums subtils offrent des notes de cuir ; son corps est solide sous un aspect charmeur. L'attendre une petite année.

⊶ EARL vignobles Fagard, Cornemps,
33570 Petit-Palais, tél. 05.57.69.73.19,
fax 05.57.69.73.75 ☒ Y r.-v.

CH. COURONNEAU
Elevé en barrique 1997*

■ 22 ha 140 000 ⬮ 30 à 49 F

La sobre élégance du château (XVe s.) est remarquable. Le vignoble rouge est dominé par le merlot, et la vinification commence par une macération à 15 °C de quatre jours, assez rare dans la région. L'élevage en fût dure douze mois. Les flaveurs révèlent déjà leur complexité : fruits mûrs et cuits (cerise, abricot sec), vanille, cannelle, notes animales. La chair s'enveloppe de tanins mûrs, toastés, grillés, longs. « Un joli travail », constate un juré séduit.

⊶ Piat, Ch. de Couronneau, 33220 Ligueux,
tél. 05.57.41.26.55, fax 05.57.41.27.58 ☒ Y r.-v.

CH. DU COURROS
Tradition Elevé en fût de chêne 1996*

■ 1 ha 6 500 ⬮ 30 à 49 F

Il faut se promener dans cette région de la Gamage, pour y visiter moulins, églises, abbaye, hameaux ou villages. Le château, belle maison fortifiée du XIVe s., y est bien visible, perché sur son tertre rocheux. Vignoble et travail du vin respectent les us locaux. L'élevage en barrique de cette cuvée a duré douze mois. Le cabernet-sauvignon (40 %) prend le pas sur le merlot par ses notes encore un peu austères. Le boisé chante bien sur une chair ronde et souple. Une harmonie s'installe qui conviendra au rôti de porc.

⊶ SCEA Ch. du Courros, Le Courros,
33420 Saint-Vincent-de-Pertignas,
tél. 05.57.84.11.89, fax 05.57.84.01.58 ☒ Y r.-v.

CH. DE CRAIN 1997*

■ 21 ha 25 000 ▮ ⬮ ♁ 20 à 29 F

Au cœur de l'Entre-deux-Mers, ce château « de tradition » offre un vin de vieilles vignes (quarante ans) comportant 55 % de merlot et 10 % de malbec. Le nez complexe, évoluant de la fleur de vigne à l'épice et à l'animal, et la bouche ronde, souple, mais à la finale encore marquée par les tanins, signent un succès dans le millésime.

⊶ SCEA de Crain, Ch. de Crain, 33750 Baron,
tél. 05.57.24.50.66, fax 05.45.25.03.73 ☒ Y r.-v.
⊶ Fougère

CH. CROIX BEAURIVAGE 1997

■ 30 ha 181 330 ▮ ⬮ 20 à 29 F

Issu d'une vinification traditionnelle et d'un élevage en fût pendant huit mois, ce vin vise le plaisir immédiat. Sous une robe rouge grenat légère, la structure souple du corps est animée par les tanins du bois, qui renforcent aussi les arômes fruités annoncés au nez. Il faut donc profiter dès maintenant des flaveurs de cassis, de cacao et de grillé. Ce 97 accompagnera volaille et rôtis.

⊶ Philippe Dumas, Saint-Vincent-de-Paul,
33240 Saint-Gervais, tél. 05.57.94.00.20,
fax 05.57.43.45.72 Y r.-v.

CH. DAMASE 1997*

■ 10 ha 80 000 ⬮ 30 à 49 F

Une promenade autour de Savignac permet de contempler la vallée de l'Isle et les clochers de Montagne, Saint-Emilion, Pomerol... Ce vin, issu de merlot (100 %) marié au merrain, livre des senteurs empyreumatiques, qui dominent le fruit rouge. La chair, ronde, est servie par les tanins du raisin et du fût associés sans arrogance mais encore bien présents. Les amateurs prendront le temps de goûter cette bouteille de caractère avec des grillades et du gibier en sauce.

⊶ Xavier Milhade, Ch. Damase,
33910 Savignac-de-l'Isle, tél. 05.57.55.48.90,
fax 05.57.84.31.27, e-mail milhadeg@aol.com

CH. FAYOL 1997

■ n.c. 6 000 ▮ 30 à 49 F

Le vignoble du château Fayol est conduit selon des normes contrôlées de l'agriculture biologique. Le vin, robuste, vineux, allégrement parfumé de petits fruits rouges, est un classique du millésime.

⊶ Chevaliers de Bellevue, Le Bourg,
33240 Saint-Germain-la-Rivière,
tél. 05.57.84.81.47, fax 05.57.84.41.50 Y t.l.j. sf dim. 8h30-12h30 14h-18h
⊶ Ch. et F. Hervé

CH. FREYNEAU
Cuvée Traditionnelle Vieilli en fût de chêne 1996*

■ 10,8 ha 57 000 ▮ ⬮ ♁ 30 à 49 F

Une très longue macération (dix à douze semaines) du jeune vin dans son marc et un passage en barrique de douze mois permettent la présentation d'un vin très rond, à la chair presque suave. Le fruit mûr, épicé, s'y épanouit au nez comme en bouche. Un boisé vanillé l'accompagne, sûr de lui. En finale, les tanins encore présents promettent un bon vieillissement. On suggère de le servir sur une brochette de magret au pruneau. Essayez !

⊶ GAEC Maulin et Fils, Ch. Freyneau,
33450 Montussan, tél. 05.56.72.95.46,
fax 05.56.72.84.29 ☒ Y t.l.j. sf sam. dim. 8h-12h 13h30-17h30

CH. GAMAGE Elevé en barrique 1997*

■ 31 ha 120 000 ▮ ⬮ ♁ 30 à 49 F

« Persiste et signe ». Quand il s'agit de ce niveau, reconnu depuis plusieurs années ici, on ne peut que se réjouir ! Voilà donc un vin séveux, fruité, grillé, légèrement caramélisé... Son corps de 97 fut à peine discuté, le jury a conclu : « Vin très réussi, typique d'un bon bordeaux ». Le **Château Dartigues 97**, noté pour son charme, ses tanins fondus et son harmonie aromatique, reçoit lui aussi une étoile. Deux vins à comparer !

🗝 SARL Ch. Gamage,
33350 Saint-Pey-de-Castets, tél. 05.57.40.52.02,
fax 05.57.40.53.77 ☑ 🍷 r.-v.
🗝 Lavie-Spurrier

CH. GAYON
Cuvée Prestige Vieilli en fût de chêne 1996

■ 3,5 ha 25 000 30 à 49 F

Le château du XVIIIe s. offre au visiteur les lignes pures et classiques de ses façades. Depuis 1966, Jean Crampes y exerce son savoir-faire. Le vin marie les fruits et le boisé en une harmonie assurée, peut-être un peu austère encore, mais digne de son appellation.

🗝 Jean Crampes, Ch. Gayon, 33490 Caudrot,
tél. 05.56.62.81.19, fax 05.56.62.71.24 ☑ 🍷 r.-v.

CH. GEORGES DE GUESTRES 1996

■ 3 ha 7 140 30 à 49 F

Ce vin est né du merlot et du cabernet franc (25 %) plantés sur des graves, aux portes nord de Libourne. Au château Georges de Guestres, les sols sont labourés et travaillés à l'ancienne. Ce 96 a été élevé dans des fûts ayant déjà accompagné le pomerol de la propriété. Il sent le petit fruit mûr épicé. Ses tanins, de qualité, sont encore très solides. C'est un vin robuste de viande rouge en sauce, de civet ou de daube.

🗝 Michel et Paule Dubois, 224, av. Foch,
33500 Libourne, tél. 05.57.51.18.24,
fax 05.57.51.62.20 ☑ 🍷 r.-v.

CH. GOSSIN 1997

■ 9,89 ha 88 400 30 à 49 F

L'Union des producteurs propose parmi ses vins rouges et blancs, le château Gossin. Bien construit, rond et charpenté à point, il offre une réelle « bonhomie » dont il faut profiter sans attendre.

🗝 Union des producteurs de Rauzan,
33420 Rauzan, tél. 05.57.84.13.22,
fax 05.57.84.12.67 ☑ 🍷 r.-v.
🗝 G. Ladouche

CH. GRAND-JEAN
Elevé en fût de chêne 1997★

■ 7 ha 50 000 30 à 49 F

La sobre façade de la maison de maître est caractéristique de l'habitat girondin. La famille qui l'habite pratique le vin depuis deux cent cinquante ans, avec talent, comme s'en réjouit ce Guide (voir 1998, 1999). Si le bois domine encore la dégustation, la qualité de la chair, dense, et des tanins solides et fins annoncent un vin de bonne garde. Des flaveurs prometteuses s'y dessinent, de raisin de Corinthe, de cacao, de vanille. A suivre donc, par exemple sur du gibier en sauce (civet)...

🗝 Michel Dulon, Ch. Grand-Jean,
33760 Soulignac, tél. 05.56.23.69.16,
fax 05.57.34.41.29 ☑ 🍷 r.-v.

GRAND LAVERGNE 1997

■ 9,33 ha 60 000 20 à 29 F

Le domaine de cette vieille famille vigneronne est établi sur alios et argiles graveleuses, à proximité de l'aérodrome de Libourne-Lussac. Le vin est bâti sur 70 % de cabernet. La couleur paraît évoluée ; les flaveurs sont riches et la chair paraît ronde et bien équilibrée. Un vin à boire maintenant, sur de la volaille, de la lamproie ou du fromage, à choisir.

🗝 Jean Boireau, Les Grands Jays, 33570 Les Artigues-de-Lussac, tél. 05.57.24.32.08,
fax 05.57.24.32.18 ☑ 🍷 r.-v.

CH. GRAND MONTEIL
Vieilli en fût de chêne 1997★

■ 50 ha 384 000 30 à 49 F

Magnolias et cèdres cachent un charmant château fin XIXe s. Le chai à barriques fut construit sur les indications de Gustave Eiffel. Né sur des sols graveleux et argilo-calcaires, d'un vignoble bien composé, ce vin se présente en robe rubis transparente, à ourlet cuivré. Les senteurs de fruits bien mûrs ou confits et d'abricot chantent sur un fond discrètement boisé et épicé. La chair ronde, ample, aux tanins courtois, se prolonge agréablement. Un vin de gigot d'agneau et de navarin.

🗝 Jean Techenet, Ch. Grand Monteil et de Lafite, 33370 Sallebœuf, tél. 05.56.21.29.70,
fax 05.56.78.39.91 ☑ 🍷 r.-v.

CH. GRAND VILLAGE 1996★

■ 10 ha 60 000 30 à 49 F

Merlot et cabernet franc se partagent à égalité le vignoble de ce château. Le vin trouve en ce choix une palette aromatique complexe et fine, faite de fruits mûrs (groseille, cassis), de fruits cuits alliés à des nuances fumées. Le fût (séjour de douze mois) contribue au plaisir olfactif par des notes savantes, toastées et vanillées. La chair est dense, riche. Les tanins encore très présents de la finale imposent un vieillissement de quelques mois à ce futur compagnon d'un canard ou d'un lièvre aux pruneaux.

🗝 Sylvie et Jacques Guinaudeau, Ch. Grand Village, 33240 Mouillac, tél. 05.57.84.44.03,
fax 05.57.84.83.31 ☑

CLOS GRANGEOTTE-FREYLON 1997

■ 5 ha 30 000 30 à 49 F

Merlot et cabernet franc se marient équitablement en un vin rubis transparent, au nez de fruits mûrs relevés de quelques notes de gibier, qui animent aussi un corps rond, bien structuré et une finale jeune et prometteuse. Il faut suivre ce 97 qui devrait s'affirmer en quelques mois.

🗝 SC des Vignobles Freylon, 33330 Saint-Hippolyte, tél. 05.57.24.72.83, fax 05.57.74.48.88
☑ 🍷 r.-v.

CH. HAUT CANTONNET
Cuvée Tradition Fût de chêne 1997★

■ 6 ha 7 000 30 à 49 F

Razac est proche de Sainte-Foy-la-Grande, et ce propriétaire produit des vins de Dordogne outre ce bordeaux élevé douze mois en barrique. La partie était délicate avec ce millésime, mais elle a été gagnée. On trouve le fruit des cabernets, la rondeur du merlot et un boisé de qualité, bien marié.

🗝 EARL Vignobles Rigal, Dom. du Cantonnet, 24240 Razac-de-Saussignac, tél. 05.53.27.88.63,
fax 05.53.23.77.11 ☑ 🍷 r.-v.

CH. HAUT-D'ARZAC
Vieilli en fût de chêne 1997

| ■ | 3 ha | n.c. | ▮ ◖▮ | 30 à 49 F |

Il est né sur 3 ha de vignoble de trente ans - bel âge - merlot et cabernet-sauvignon par moitié. C'est un vin sympathique, aux senteurs intenses, florales, fines, à peine soulignées de bois. Le corps alerte est mis en valeur par le fumet du merrain qui en prolonge la finale.
➥ Gérard Boissonneau, 33420 Naujan-et-Postiac, tél. 05.57.74.91.12, fax 05.57.74.99.60 ☑ ⅄ r.-v.

CH. HAUTE BRANDE
Cuvée Prestige 1997

| ■ | 25 ha | 180 000 | ▮ ◖▮ ◖ | 20 à 29 F |

Si le vignoble est assez classique (70 % merlot, 30 % cabernet-sauvignon) la conduite de la vinification avec macération finale à chaud l'est moins. Un dégustateur a perçu sans la reconnaître cette technique dans la composition des tanins et leur agressivité temporaire. L'évolution de ce vin bien construit et bien accompagné par le fût sera intéressante à suivre.
➥ R. Boudigue et Fils, Haute Brande, 33580 Rimons, tél. 05.56.61.60.55, fax 05.56.61.89.07 ☑ ⅄ r.-v.

CH. HAUT NIVELLE 1997

| ■ | 18 ha | 100 000 | ▮ ◖▮ ◖ | 30 à 49 F |

Le vignoble a été créé en 1979 dans un site vallonné, proche de la belle église de Petit-Palais et des ruines de l'abbaye de Cornemps. Cabernet-sauvignon (40 %) et cabernet franc (10 %) équilibrent le merlot. Ce vin séduit par sa richesse et sa puissance aromatique de fleur (rose), de fruits rouges cuits, de fumet, de boisé élégant. La rondeur de la chair et le tanin fondant définissent un joli classique à boire dans les trois ans. P. Le Pottier mène aussi le **Château Puy-Favereau**, cité également dans ce millésime, moins accompagné par le fût (20-29 F).
➥ SCEA Les Ducs d'Aquitaine, Favereau, 33660 Saint-Sauveur-de-Puynormand, tél. 05.57.69.69.69, fax 05.57.69.62.84 ☑ ⅄ r.-v.
➥ Le Pottier

CH. HAUT-PIGEONNIER 1997★

| ■ | 6,4 ha | 40 000 | ▮ ◖ | 20 à 29 F |

Cette propriété de 6 ha, établie sur les graves argileuses des terrasses de l'Isle à 10 km au nord de Libourne, équilibre les trois cépages avec une petite dominante de merlot (46 %). Né de vendanges mûres et d'une recherche obstinée du « naturel-naturel » (il faut écouter le vigneron !), voici un vin à la robe certes un peu légère, mais au corps bien rond, charnu, aux tanins fondus. Nez et flaveurs complexes (fruits mûrs et confits, noyau, fumet) en font un plaisir gourmand dès maintenant. A goûter sur des rôtis.
➥ Philippe Junquas, Ch. Haut-Pigeonnier, 72, chem. des Treilles, 33910 Saint-Denis-de-Pile, tél. 05.57.24.30.96, fax 05.57.24.30.96 ☑ ⅄ r.-v.

MOULIN D'ISSAN 1996

| ■ | 12 ha | 80 000 | ◖▮ | 30 à 49 F |

Ce vignoble aux portes du Médoc (château d'Issan) fut à l'époque sauvé du phylloxéra par l'irrigation. Ce sont les jeunes vignes qui entrent dans cette AOC, et donnent une structure juvénile, ronde, fraîche - un peu fermée - que le bois accompagne sans ostentation. Un vin séduisant. Le temps peut le servir encore.
➥ Sté Fermière Viticole de Cantenac, 33460 Cantenac, tél. 05.57.88.35.91, fax 05.57.88.74.24 ☑ ⅄ r.-v.
➥ M. Cruse

CH. LABATUT Cuvée Prestige 1997

| ■ | 30 ha | n.c. | ▮ | 30 à 49 F |

Ce château Labatut a été acheté en 1976 par Edouard Leclerc. Sa fille, Hélène Levieux, le dirige et pratique l'agriculture biologique. Ce 97 développe des flaveurs de fruits. Le corps est robuste, corsé de tanins marqués. Un vin de caractère animé par les cabernets (30 % chacun). Bâti sur 50 % de merlot et 40 % de cabernet franc, le **château Lagnet 97** joue la souplesse et l'élégance. « Très classique », note le jury, qui conseille une dégustation immédiate sur les volailles rôties et les viandes blanches, et lui attribue la même note.
➥ Hélène Levieux - GFA Leclerc, Ch. Lagnet, 33350 Doulezon, tél. 05.57.40.51.84 ☑ ⅄ r.-v.

CH. DE LA BEAUZE 1997★

| ■ | 7 ha | 45 000 | ▮ ◖ | 20 à 29 F |

Les vignerons de la Closerie d'Estiac proposent une large gamme de vins rouges et blancs. Le château présenté ici, au merlot bien équilibré par les deux cabernets, plaît par sa robe pourpre foncé, la complexité de ses parfums où domine le cassis, sa chair ronde, généreuse. Ses tanins puissants mais soyeux accompagnent la finale. Un vin de viandes rôties et de cèpes.
➥ Closerie d'Estiac, Les Lèves, 33320 Sainte-Foy-la-Grande, tél. 05.57.56.02.02, fax 05.57.56.02.22 ☑ ⅄ t.l.j. sf dim. lun. 8h30-12h30 14h-18h
➥ Louis Durand

CH. LA CADERIE
Elevé en fût de chêne 1996★

| ■ | 8 ha | n.c. | ◖▮ | 30 à 49 F |

Les vins issus de vendange non éraflée sont devenus rares. Celui-ci ajoute aux tanins de la grappe ceux du fût, où il a séjourné dix-huit mois. Sa robe brillante est sombre et son bouquet, puissant, se développe sur fond de pruneau et de tarte sortant du four. La chair et la longueur en sont imprégnées, bien agréablement. Sans doute faut-il voir là une signature de la technique utilisée : intéressant.
➥ François Landais, Ch. La Caderie, 33910 Saint-Martin-du-Bois, tél. 05.57.49.41.32, fax 05.57.49.41.32 ☑ ⅄ r.-v.

CH. LA CAPELLE
Cuvée spéciale Elevé en fût de chêne 1996★★

| ■ | 2 ha | 15 000 | ◖▮ | 30 à 49 F |

De conception très classique, né sur des terres argilo-sableuses et siliceuses de la Dordogne, au sud-ouest de Libourne, ce vin a enchanté par sa complexité aromatique (tarte beurrée aux framboises, fraise, arômes finement grillés et vanillés de merrain) qui accompagne toute la dégustation. La structure ronde et charpentée se poursuit

jusqu'à la finale, aux tanins boisés. C'est un vin à déguster sur du gigot et des tournedos. Citée, la **cuvée principale 96** plus simple, devrait agrémenter lamproie et matelote ou viandes blanches.
⊶ GAEC J.-R. Feyzeau et Fils, La Capelle, 33500 Arveyres, tél. 05.57.51.09.35, fax 05.57.51.86.27 ☑ Y r.-v.

CH. LACOMBE CADIOT
Elevé en barrique de chêne 1997

■ 4,5 ha 38 000 ◍ 30 à 49 F

Cette harmonie d'inspiration médocaine (45 % cabernet-sauvignon, 10 % petit verdot) sent le cassis, la cerise à l'eau-de-vie, le clafoutis vanillé et le café. Le corps est souple, bien équilibré entre les tanins du raisin et ceux du bois qui portent la finale. Un plaisir à saisir sans trop attendre.
⊶ SCEA vignobles Ducamin, 2, rte du Grand-Verger, 33290 Ludon-Médoc, tél. 05.57.88.46.08, fax 05.57.88.86.30 ☑ Y r.-v.

CH. LA COMMANDERIE DE QUEYRET 1997

■ 12 ha 78 000 ▮🌡 30 à 49 F

Voici un château classique et bien ordonné au vignoble comme au chai. Vendanges soignées et cuvaison maîtrisée donnent ce vin charnu, souple, de bonne longueur, portant une robe cerise foncé, et parfumé de petits fruits mûrs, de notes de sous-bois. A boire dès maintenant.
⊶ Claude Conin, La Commanderie, 33790 Saint-Antoine-du-Queyret, tél. 05.56.61.31.98, fax 05.56.61.34.22 ☑ Y t.l.j. 8h-12h 14h-18h

CH. LA FAVIERE 1997

■ 17,86 ha 92 000 ▮🌡 20 à 29 F

Cette propriété s'étend sur les terrasses de l'Isle, aux frontières du département. Le vignoble y est conduit avec rigueur. 60 % de merlot participent à ce 97 d'un pourpre profond carminé. Les flaveurs longues et complexes offrent des arômes de raisins mûrs, d'épices et des notes viandées. La structure solide des tanins, adoucis par une chair bien ronde, ne peut laisser indifférent : un vin fait pour accompagner sans faiblesse rosbif, entrecôte ou même chevreuil.
⊶ SCEA Dom. de La Cabanne, 32, rue Antoine-de-Saint-Exupéry, 33660 Saint-Seurin-sur-l'Isle, tél. 05.57.49.72.08, fax 05.57.49.64.89 ☑ Y r.-v.

CH. LAMARCHE Lutet 1997★★

■ 5 ha 25 000 ▮◍🌡 30 à 49 F

Ce vin de vieux merlot (soixante ans) né dans une belle propriété de Canon-Fronsac séduit par son équilibre, où le raisin mûr côtoie un boisé bien maîtrisé. Les flaveurs évoluent du fruit rouge (cerise et noyau) au merrain affiné, et la chair souple, bien accompagnée de tanins à peine réglissés, s'épanouit longuement. C'est un vin de viandes rouges.
⊶ Vignobles Germain et Associés, Ch. Peyredoulle, 33390 Berson, tél. 05.57.42.66.66, fax 05.57.64.36.20, e-mail bordeaux@vgas.com ☑ Y r.-v.

L'AME DU TERROIR 1997★

■ n.c. 780 000 ▮ 20 à 29 F

Cette étiquette prend ici ses habitudes, et l'assembleur qui la propose (Les caves de la Brèche) connaît bien son métier. Cette marque est diffusée dans les magasins Cora. La prestance de l'habit écarlate annonce la puissance et la finesse des flaveurs jeunes (fraise et cassis). Le corps réclame un peu de garde : le temps assouplira sa ferme élégance.
⊶ Les Caves de la Brèche, ZAE de l'Arbalestrier, 33220 Pineuilh, tél. 05.57.41.91.50, fax 05.57.46.42.76 ☑ Y t.l.j. sf dim. 8h-12h 14h-18h

CH. L'ANCIENNE TUILERIE 1996

■ 3,2 ha 15 000 ▮🌡 30 à 49 F

Cette union de producteurs est connue pour la qualité de ses vins blancs et rouges. Citons la marque **Les grandes vignes du vieux moulin** dont le nom rappelle un moulin à vent en bon état dans lequel on visite un petit musée du vin. Retenons aussi ce château représentatif de la région par son encépagement et par la facture de son vin, à goûter sans façon, pour le plaisir !
⊶ SCA Union de producteurs du Nord Fronsadais, 13, av. de la Cave, 33240 Périssac, tél. 05.57.74.31.13, fax 05.57.74.31.13 ☑ Y r.-v.

CH. LANDEREAU Cuvée Prestige 1997★

■ 3 ha 3 000 ◍ 50 à 69 F

Ce vin de forte extraction, après un long élevage en fût (quinze mois), se pare de pourpre frangé de carmin sombre et brillant. Son fruit est un peu dominé par des flaveurs intenses mais fines de fleurs séchées, de grillé toasté, de poivre. Le corps est volumineux, gourmand, et la finale bien construite est appuyée par des tanins très présents. Un juré a insisté sur la qualité du boisé. La **cuvée principale**, citée, est accessible dès maintenant ; elle est typique du millésime 97.
⊶ SC Vignobles Baylet, Ch. Landereau, 33670 Sadirac, tél. 05.56.30.64.28, fax 05.56.30.63.90 ☑ Y t.l.j. sf sam. dim. 8h-12h 14h-17h

CH. DE LANGUISSAN
Vieilli en fût de chêne 1996★

■ 3,45 ha n.c. ▮◍🌡 30 à 49 F

Il est né de cabernet franc (40 %) et de merlot (50 %) et a été élevé en barrique. Ce mariage bien maîtrisé signe l'élégance des flaveurs (bourgeon et framboise, boisé discret) et de la bouche, charpentée par de jolis tanins. Une harmonie à apprécier pendant plusieurs mois.
⊶ Carles Sibille, Ch. de Languissan, 33750 Croignon, tél. 05.56.30.10.27, fax 05.56.30.12.21 ☑ Y t.l.j. 9h-18h; f. 15-22 août

CH. LA VERRIERE 1997★

■ 24 ha 80 000 ▮🌡 30 à 49 F

Voici un hôte fidèle de ce Guide. Un vignoble bien tenu, une production et des vendanges maîtrisées, adaptées au millésime, une cuvaison traditionnelle, suivie avec soin, assurent la qualité des vins. Le 97 présente une robe bigarreau noir, brillante. Le cabernet-sauvignon domine le nez,

apaisé par l'élégance du cabernet franc (les deux cépages représentent 50 % du vin). La bouche est ronde, fraîche, et les tanins solides encore. Cette bouteille réussie mérite d'être dégustée sans hâte, en notant son évolution dans les mois à venir.
André et Jean-Paul Bessette, GAEC La Verrière, La Verrière, 33790 Landerrouat, tél. 05.56.61.36.91, fax 05.56.61.41.12 r.-v.

CH. LE COMTE 1997*

■ 10,49 ha 26 000 30 à 49 F

Les chais de cette Union sont au centre d'un monde de vieilles pierres à découvrir : grottes préhistoriques, galeries romaines, abbaye de La Sauve-Majeure, châteaux médiéval et autres à moins de 5 km... Mais le cuvier et les vins incitent eux-mêmes à une visite ! Ce jeune « Comte », puissant et structuré, mais bien enveloppé dans sa robe pourpre, sent bon le fruit cuit et la confiture (de mûres, de framboises, de cerises). Un heureux convive pour trois à quatre ans, gourmand de viandes rouges rôties.
Union de producteurs Baron d'Espiet, Lieudit La Fourcade, 33420 Espiet, tél. 05.57.24.24.08, fax 05.57.24.18.91 r.-v.

CH. LE GRAND VERDUS
Cuvée Tradition 1997**

■ 77,5 ha 450 000 30 à 49 F

Faut-il encore présenter ce monument, hôte toujours fascinant de ce Guide ? Les jurys passent, les jurés se renouvellent, et chaque génération salue à son tour l'art des hommes du Grand Verdus. Que disent les dégustateurs de cette cuvée Tradition ? « C'est un esthète. » Un vin dans la lignée de ses aînés. Bousculant les obstacles du millésime, il offre la puissance de sa chair croquante et fondante, la finesse de ses flaveurs complexes, la longueur soyeuse de sa persistance. « A suivre », écrit un dégustateur qui a épuisé ses éloges. La **Cuvée réservée 97** n'a qu'une étoile ? C'est que le merrain a effarouché certain juré. Mais un autre conclut : « Très beau potentiel de vieillissement ». Il faut absolument débattre du sujet !
SCEA Ph. et A. Legrix de La Salle, Le Grand Verdus, 33670 Sadirac, tél. 05.56.30.50.90, fax 05.56.30.50.98 r.-v.

CH. LE MAINE MARTIN 1996

■ 25 ha 65 000 30 à 49 F

Il est né de terrains très divers (des graves à l'argile) des coteaux de la Dordogne, entre Vayres et Bordeaux. Le nez d'abord discret et floral s'ouvre bientôt sur des nuances de fruits confits, truffe et sous-bois. On ne devine pas que cette chair ronde, aux tanins bien fondus, est le résultat d'une longue macération de la vendange partiellement égrappée. Le vigneron a bien joué ! Il faut maintenant marier cette maturité aux viandes blanches, aux volailles et aux fromages doux.
SC de Frégent Y. et A. Cailley, rte du Maine-Martin, 33450 Saint-Sulpice-et-Cameyrac, tél. 05.56.30.85.47, fax 05.56.30.87.29 t.l.j. 8h-12h 14h-18h; dim. sur r.-v.

CH. LE PIN BEAUSOLEIL 1997**

■ 2,2 ha 10 000 30 à 49 F

Cette petite propriété reprise en 1995 fait sa première apparition dans le Guide avec un coup de cœur ! Les terres du village de Saint-Vincent-de-Pertignas, dont la charmante église romane domine le bassin de la Gamage, ont porté le merlot (55 %) et les cabernets (25 % de franc) qui composent ce très joli vin : un corps à la fois souple, svelte, suave, mais aussi dense, solide ; une symphonie précieuse de flaveurs de fruits mûrs, de pâtisseries beurrées, de bois finement vanillé et fumé. La longueur signale un réel savoir-faire accompagné des conseils éclairés de Gilles Pauquet.
Arnaud Pauchet, Le Pin, 33420 Saint-Vincent-de-Pertignas, tél. 05.57.84.02.56, fax 05.57.84.02.56 r.-v.

CH. LE PRIEUR 1996**

■ 5 ha 25 000 30 à 49 F

Les Garzaro exploitent aujourd'hui 80 ha de divers vignobles rouges et blancs. Ils ne possédaient que 4 ha au début du siècle. Le Prieur présente ici sa production de 5 ha : un vin à la robe rouge cuivré, au nez discret mais fin, élégant, fait de notes d'amandes grillées et de terres d'automne. La chair ronde, les tanins longs et apaisés procurent un plaisir qu'il faut goûter sans tarder.
Elisabeth Garzaro, Ch. Le Prieur, 33750 Baron, tél. 05.56.30.16.16, fax 05.56.30.12.63 r.-v.

CH. LESCALLE 1997*

■ 18 ha 120 000 30 à 49 F

Cet habituel étoilé du Guide offre cette année une jolie palette aromatique, mariant les fruits bien mûrs (cassis) à des senteurs torréfiées de cacao et de café. La complexité naissante paraît très prometteuse. Ce vin (65 % merlot) a des allures félines ; il est à la fois rond et nerveux, souple et solide. A goûter avec les viandes rouges et à garder pour les fromages.

🔑 EURL Lescalle, 33460 Macau, tél. 05.57.88.07.64, fax 05.57.88.07.00 ☑ 🍷 r.-v.
🔑 Quillard SA

CH. LES GRAVIERES DE LA BRANDILLE 1996

■ 30 ha 180 000 🛢 30 à 49 F

Les terrasses d'argile et graves de la rive sud de l'Isle à Saint-Médard-de-Guizières portent ce vignoble de merlot (60 %) et de cabernets (40 %) bien mené. Vendanges et vinifications soignées signent ce vin aux arômes de fruits mûrs, d'épices et de réglisse. Un plaisir vrai, sincère, dont il faut profiter maintenant, par exemple sur du fromage de brebis des Pyrénées juste affiné.

🔑 EARL Jean-Pierre Borderie, 119, rue de la République, 33230 Saint-Médard-de-Guizières, tél. 05.57.69.83.01, fax 05.57.69.72.84 ☑ 🍷 r.-v.

CH. LES MAUBATS
Cuvée vieillie en fût 1996★

■ 2,3 ha 15 000 🛢 30 à 49 F

Proche de Roquebrune - de la couleur des pierres - et de la bastide de Mousègne qui surplombe le Dropt, Maubats était au XVIII[e]s. un hameau aux maisons « mal bâties »... qui n'ont pas résisté au temps. Le vignoble actuel a vingt ans, et son propriétaire fait appel aux techniques modernes pour mieux respecter la tradition : le chai à barriques est climatisé. Le vin a plu par son bel équilibre, rond et charpenté, et par l'élégance de ses flaveurs de fruits, de confitures, modulées de notes d'amandes grillées. Le boisé, discret, est bien à sa place. Pour gibier et fromage.

🔑 R. Armellin, Ch. Les Maubats, 3, les Joussaumes-Nord, 33580 Roquebrune, tél. 05.56.61.68.36, fax 05.56.61.69.10 ☑ 🍷 r.-v.

CH. LESTRILLE CAPMARTIN
Cuvée Prestige Elevé en fût de chêne 1997★★

■ 2 ha 16 000 🛢 50 à 69 F

Toujours désirable, cette cuvée Prestige saluée d'un coup de cœur trois ans de suite. Mais le millésime 97 a encore un boisé perceptible. Pourtant ses arômes ont séduit : défilent le fruit mûr et cuit - tarte aux framboises et prunes - le pain grillé, la vanille, et le miel, des notes de café et de fumé. Le boisé souligne avec une certaine vigueur le fondu d'une chair ample, et des tanins fins, enveloppés, de belle persistance. A déguster sans hâte sur du gibier et des viandes rouges, et à garder encore pour les fromages. La **cuvée principale**, pratiquement aussi bien notée (une étoile), plus fondue, est accessible aujourd'hui (30-49 F).

🔑 Jean-Louis Roumage, Lestrille, 33750 Saint-Germain-du-Puch, tél. 05.57.24.51.02, fax 05.57.24.04.58 ☑ 🍷 r.-v.

CH. L'HOSTE-BLANC
Elevé en fût de chêne 1997★

■ 4 ha 23 000 🛢 30 à 49 F

Le cabernet-sauvignon domine le merlot (60 % à 40 %) dans ce vignoble recomposé depuis 1980, mais où ont été conservées des vignes de soixante-dix ans. Elaboré méticuleusement et très tôt mis en fût, ce vin porte un habit écarlate. Le nez est d'abord réservé, mais les flaveurs liées au bois enchantent l'ampleur de la chair et la rondeur des tanins bien enrobés. C'est un vin de viandes rouges qu'il faut savoir attendre.

🔑 SC Vignobles Baylet, Ch. Landereau, 33670 Sadirac, tél. 05.56.30.64.28, fax 05.56.30.63.90 ☑ 🍷 t.l.j. sf sam. dim. 8h-12h 14h-17h
🔑 Michel Baylet

DOM. DE L'ILE MARGAUX 1997★★

■ 13,5 ha 100 000 🛢🛢🌡 50 à 69 F

Cette petite île de la Gironde porte un vignoble assez particulier (en AOC bordeaux) composé de merlot (50 %), de cabernets (35 %), de petit verdot (10 %) et de malbec (5 %). Cet ensemble médocain engendre un vin remarquable à l'habit grenat foncé, au nez puissant de mûre et de cassis, souligné de toast, de cuir et d'épices. La générosité du corps, le gras de la chair, le fondu des tanins, l'élégance du boisé signent une grande réussite dans ce millésime. Ce vin pourra mûrir encore.

🔑 SCEA du Dom. de L'Ile Margaux, Ile Margaux, 33460 Margaux, tél. 05.57.88.30.46, fax 05.57.88.35.87 ☑ 🍷 r.-v.
🔑 J.-François Nègre

CH. DE LISENNES 1996★★

■ 9 ha 53 000 🛢🛢🌡 30 à 49 F

Une grille monumentale ouvre l'allée de cette vaste propriété située aux portes de Bordeaux. Cette cuvée est née des trois cépages assemblés pratiquement par tiers et a vieilli en fût pendant douze mois. C'est un joli vin bien équilibré, au fruité discret mais séveux, charnu, élégant en tout. Ce style « à la médocaine » fut salué par les jurés.

🔑 Jean-Pierre Soubie, Ch. de Lisennes, 33370 Tresses, tél. 05.57.34.13.03, fax 05.57.34.05.36 ☑ 🍷 t.l.j. sf dim. 8h-17h30, sam. 9h-12h

CH. LOISEAU 1996★

■ 26 ha 25 000 🛢🌡 30 à 49 F

1 % de petit verdot par coquetterie... Mais sur les terres hétérogènes au nord du Fronsadais, 90 % de merlot sont la base de l'encépagement classique. Le chai est ancien ; la maison traditionnelle. Ce 96 au bouquet complexe (cerise, pain, fruits confits, truffe) s'épanouit en une chair ample et grasse. Le fondant des tanins indique que l'on peut commencer à demander à ce vin d'accompagner perdreaux et volailles rôties.

🔑 GFA Pierre Goujon, Ch. Loiseau, 33240 La Lande-de-Fronsac, tél. 05.57.58.14.02, fax 05.57.58.15.46 ☑ 🍷 r.-v.

CH. DE LUGAGNAC 1996★★

■ 49 ha 100 000 🛢🌡 30 à 49 F

Le château proche de la petite bastide de Pellegrue et de l'austère abbaye de Saint-Ferme offre au visiteur tour et façade de maison forte. Merlot (50 %) et cabernet-sauvignon (40 %) se partagent des sols argileux ou calcaires. Les vendanges sont triées, et le chai moderne permet de bien travailler. A preuve, ce vin grenat foncé au nez intense et vineux de fruits rouges (cassis), marqué de buis. La chair est ronde et riche, et les tanins de raisins très présents typent un bordeaux jeune, à la finale épicée. Il faut en suivre attentivement l'évolution, en le goûtant pour commencer sur du gibier et des viandes rouges en sauce.

⊶ Mylène et Maurice Bon, SCEA du Ch. de Lugagnac, 33790 Pellegrue, tél. 05.56.61.30.60, fax 05.56.61.38.48, e-mail lugagnac@caves-particulieres.com ☑ Y t.l.j. 9h-12h 14h-18h

CH. MAJUREAU-SERCILLAN
Elevé en fût de chêne 1997★

■ n.c. 57 000 30 à 49 F

Comme ses aînés, il est jugé « très réussi » ce vin né à proximité des petites églises romanes de Saint-André-de-Cubzac. Sous sa robe pourpre, il offre un corps souple, presque moelleux, bien charpenté de tanins mûrs, joliment boisés. Les flaveurs affirment une complexité prometteuse : fruits cuits, muscade, amande grillée, café, épices. Un vin séduisant de magret et de gibier.

⊶ Alain Vironneau, Le Majureau, 33240 Salignac, tél. 05.57.43.00.25, fax 05.57.43.91.34 ☑ Y r.-v.

CH. MALROME
Cuvée An 2000 Vieilli en fût de chêne 1997

■ n.c. 30 000 50 à 69 F

Toulouse-Lautrec vécut ses derniers jours dans ce château familial de belle prestance. Né d'un encépagement équilibré, d'une vinification soignée et d'un élevage en fût neuf pour 80 %, ce vin offre une harmonie fondante aimablement boisée. Une signature raffinée du millésime 97.

⊶ Ch. Malromé, 33490 Saint-André-du-Bois, tél. 05.56.76.44.92, fax 05.56.76.46.18, e-mail p.decroix@malromé.com ☑ Y r.-v.
⊶ Ph. Decroix

CH. MARAC 1997

■ 11 ha 45 000 30 à 49 F

Pujols est un village perché au sud de Castillon-la-Bataille. Depuis le parvis de l'église ou mieux de la place du Château, un vaste panorama s'ouvre sur la vallée de la Dordogne et le Saint-Emilionnais. A. et M. Bonville, d'origine champenoise, ont créé la marque en 1975 et transformé depuis vignoble et chais. Ce 97, comportant 70 % de merlot, se veut très classique ; il offre une chair de griotte, et une rondeur structurée de tanins mûrs à laisser s'assouplir quelques mois. Il accompagnera alose et lamproie, ou poule au pot.

⊶ Alain Bonville, Marac, 33350 Pujols, tél. 05.57.40.53.21, fax 05.57.40.71.36 ☑ Y r.-v.

MARQUIS D'ALBAN 1996

■ n.c. n.c. 20 à 29 F

Ce Marquis élevé neuf mois en fût par le négociant Dulong s'habille de rubis franc et pur. Il porte avec distinction des parfums de petits fruits mûrs et de bois élégants. Des tanins puissants arment la rondeur de la chair. Un joli classique prêt à boire.

⊶ Dulong Frères et Fils, 29, rue Jules-Guesde, 33270 Floirac, tél. 05.56.86.51.15, fax 05.56.40.84.97, e-mail dulong@mmkm.com ☑ Y r.-v.

CH. MESTE JEAN
Elevé en fût de chêne 1997★

■ 3,2 ha 16 800 30 à 49 F

Escoussans est à quelques kilomètres au nord du château du duc d'Epernon (Cadillac). Le vin présenté ici est bâti sur 50 % de merlot et 50 % de cabernet-sauvignon ; il a vieilli neuf mois en barrique. L'austérité du cabernet paraît encore dans le poivron grillé qui accompagne les flaveurs de cassis. D'une chair volumineuse, ce 97 est constitué de tanins robustes. Mais les notes de cacao, de fruits secs et de réglisse annoncent un vieillissement intéressant, dont il faudra suivre l'évolution sur des rôtis de bœuf.

⊶ EARL Vignobles Cailleux, La Pereyre, 33760 Escoussans, tél. 05.56.23.63.23, fax 05.56.23.64.21 ☑ Y r.-v.

CH. MILLE SECOUSSES
Grande Réserve Vieilli en fût de chêne 1997★

■ 4,19 ha 21 000 30 à 49 F

Les légendes courent sur le nom de ce château du XIXe s. Ce vin pourrait être un classique du bordeaux car il présente une grande élégance, mariant les notes boisées d'un bon merrain aux fruits d'une vendange bien travaillée. Le vigneron a su utiliser au mieux chaque potentiel : dans un millésime difficile, cela s'appelle de l'art.

⊶ Philippe Darricarrère, Ch. Mille Secousses, 33710 Bourg-sur-Gironde, tél. 05.57.68.34.95, fax 05.57.68.34.91 ☑ Y t.l.j. sf dim. 8h30-12h 14h-18h; sam. sur r.-v.

CH. MIRAMBEAU PAPIN 1996★

■ 3 ha 20 000 30 à 49 F

L'éclat de sa robe attise le regard. Ce vin, issu de cabernet-sauvignon (70 %) tempéré de merlot, flatte ensuite par sa fraîcheur aromatique (pivoine), son fruit (cerise), sa complexité (confit, toast, boisé fondu). Cet éventail charmant, agréable, mûr, enchantera sans attendre les viandes froides et les fromages discrets.

⊶ Vignobles Landeau, dom. Grange-Brûlée, Mondion, 33440 Saint-Vincent-de-Paul, tél. 05.56.77.03.64, fax 05.56.77.11.17 ☑ Y r.-v.

CH. MIREFLEURS 1997★

■ 39,3 ha 309 000 20 à 29 F

L'équilibre des cépages se fait à l'avantage des cabernets (60 %) sur le merlot. La robe est un peu légère, et le nez, d'abord discret, évolue de la violette au cuir, en passant par le fruit rouge et le noyau. La chair est souple, svelte, et les tanins bien évolués ont perdu leur agressivité. Il en

résulte un vin maintenant très plaisant, de bonne compagnie pour un plat de volaille.

🍷 SC Ch. Mirefleurs, Mirefleurs, 33370 Yvrac, tél. 05.56.06.70.10 ⊺ r.-v.

DOM. DE MONREPOS 1997

■   7 ha   50 000   ▮◖ 20 à 29 F

Situées sur la rive droite de la Dordogne, les vignes sont composées de 70 % de merlot complété par les deux cabernets. Ce 97 possède une chair ronde mais bien structurée et des parfums de fruits rouges (cerise), de pruneau, de moka et d'épices, sur un fond grillé venu de la barrique ; les tanins de la finale doivent encore se fondre.

🍷 EARL Vignobles D. et C. Devaud, Ch. de Faise, 33570 Les Artigues-de-Lussac, tél. 05.57.24.31.39, fax 05.57.24.34.17 ☑ ⊺ r.-v.

CH. MONTLAU
Vieilli en fût de chêne 1996★★

■   14 ha   70 000   ◖ 30 à 49 F

Ce vin de merlot (65 %) et de cabernet franc (35 %) est né sur des argiles calcaires et des graves de la rive gauche de la Dordogne, face à Saint-Emilion. Il fut « éduqué », selon les jolis termes de l'étiquette, en fût de chêne. La robe rouge superbe et le nez concentré et complexe annoncent le plaisir de la dégustation. Les flaveurs amples de fruits mûrs sont accompagnées de notes de tabac et de vanille. Des tanins bien assagis portent courtoisement une chair ronde et fondante bien que le boisé soit encore affirmé. Un vin qu'il faut prendre le temps de déguster. Tout près du coup de cœur.

🍷 Armand Schuster de Ballwil, Ch. Montlau, 33420 Moulon, tél. 05.57.84.50.71, fax 05.57.84.64.65 ☑ ⊺ r.-v.

CH. MOULIN DE PILLARDOT 1997★

■   4,3 ha   36 800   ◖ 30 à 49 F

La butte de Launay, toute proche de ce domaine, est le point culminant de Gironde. Mais le moulin y est en ruine... Le vin en revanche affiche sa santé et son équilibre. Le merlot lui donne sa souplesse, ses senteurs de violette, son goût de fruits (framboise, mûre) et de noyau. Le boisé du fût souligne et prolonge la finale. Plaisant aujourd'hui, ce 97 doit pouvoir aussi patienter pour accompagner volailles et viandes grillées.

🍷 SCEA Rolet Jarbin, Dom. de Bourdicotte, 33790 Cazaugitat, tél. 05.56.61.32.55, fax 05.56.61.38.26

CH. MOUTON 1997

■   18,5 ha   50 000   ◖ 70 à 99 F

En fait, « mouton » signifie ici motte. La présence du petit verdot (10 %), l'importance du cabernet franc (30 %) et l'absence de cabernet-sauvignon confèrent à ce vignoble du Fronsadais une certaine originalité. La macération des marcs est longue et la fermentation malolactique est recherchée en fût. Le résultat est un vin fin, élégant, parfumé (résine, vanille, sous-bois), aux tanins présents sans excès, de longueur bien tenue par le boisé. Il accompagnera avec gourmandise les lamproies de la toute proche Dordogne, ou du gibier à plume.

🍷 SCEA du Ch. Mouton, 33240 Lugon-et-L'Ile-du-Carney, tél. 05.57.25.91.19, fax 05.57.51.53.16 ⊺ r.-v.

🍷 J.-Ph. Janoueix

CH. PANCHILLE Cuvée Alix 1997★

■   1 ha   5 000   ▮◖⬇ 30 à 49 F

Il est né sur un sol argilo-limoneux, à fond graveleux. Le merlot (80 %) bien maîtrisé - cuvaison longue et élevage pour 50 % en barrique - exprime sa beauté dès le service : la robe est grenat sombre, le nez intense évoque les fruits rouges (griotte), le pain grillé et le poivre. La chair, corsée, bien charpentée, est entourée de notes de raisin mûr, de pruneau et de réglisse. Un bien joli vin à boire et à laisser évoluer encore, pour accompagner gigot ou sauté d'agneau.

🍷 Pascal Sirat, Ch. Panchille, 33500 Arveyres, tél. 05.57.51.57.39, fax 05.57.51.57.39 ⊺ r.-v.

CH. DE PARENCHERE
Cuvée Raphaël Gazaniol 1997★

■   8 ha   60 000   50 à 69 F

Ce château propose en 97 un vin à la robe rubis, au nez complexe, d'abord discret, floral, puis poivré, cacaoté, accompagné de notes de fruits confits ou cuits (cerise, mûre). Les tanins ont une structure de cabernet (70 % du vin) et sont encore un peu austères mais la bouche ample et la belle finale signent un joli bordeaux à attendre de un à deux ans.

🍷 Jean Gazaniol, Ch. de Parenchère, 33220 Ligueux, tél. 05.57.46.04.17, fax 05.57.46.42.80 ☑ ⊺ t.l.j. sf sam. dim. 8h-12h 14h30-18h; f. août

CH. PENIN Cuvée Sélection 1997★★

■   7 ha   46 000   ◖ 30 à 49 F

Il est des vins qui suscitent la discussion. Tout le monde s'accorde sur la finesse du bouquet naissant, évoluant de la touche florale au boisé élégant en s'attardant sur le fruit mûr, voire confit, et la noisette. Tout le monde savoure l'harmonie intelligente de la chair mûre et du merrain de qualité. Mais cette grande élégance est-elle solide ? Combien de temps faut-il attendre ce vin associant la jolie maturité du raisin au rôle de la barrique ? Connaissant la constance qualitative du château, le lecteur goûtera souvent ce vin très bien élevé aux tanins déjà soyeux.

🍷 SCEA Patrick Carteyron, Ch. Penin, 33420 Génissac, tél. 05.57.24.46.98, fax 05.57.24.41.99 ☑ ⊺ r.-v.

CH. PEUY-SAINCRIT Montalon 1997

■   6 ha   20 000   ▮◖⬇ 30 à 49 F

A Saint-André-de-Cubzac, la butte de Montolon, exactement située sur le 45e parallèle, domine les pays de la Dordogne girondine en un large panorama. Ses pentes accueillent les vignes âgées de quarante ans (80 % de merlot) de cette vieille propriété familiale. Le vin, à la robe sombre, offre un bouquet discret d'amande grillée, et un corps parfumé de vanille et de thé. Le fût marque la chair de tanins austères dont il faut suivre l'évolution et qui devront se fondre. C'est un vin de grillades aux sarments.

🔑 Vignobles Germain et Associés, Ch. Peyredoulle, 33390 Berson, tél. 05.57.42.66.66, fax 05.57.64.36.20, e-mail bordeaux@vgas.com ☑ 🍷 r.-v.

CH. POLIN Elevé en barrique de chêne 1996

■ 10 ha 60 000 ⓫ 30 à 49 F

Les jurés étaient perplexes quant à l'évolution de ce vin aux tanins encore astringents. Mais tous ont reconnu l'ampleur et la qualité du nez - prune, cerise, fruits confits, épices (cannelle) et le volume de la chair. Il faut donc goûter sans hâte ce vin de tradition, par exemple sur une sauce aux champignons.

🔑 GAEC La Lande de Taleyran, Ch. Polin, 33750 Beychac-et-Caillau, tél. 05.56.72.98.93, fax 05.56.72.81.94 ☑ 🍷 r.-v.

🔑 J. Burliga

CH. RAMBAUD 1997★★

■ 7 ha 50 000 ⓫ 30 à 49 F

C'est toujours dans les millésimes difficiles que l'on reconnaît les bons vignerons ! Daniel Mouty, présent depuis plusieurs années dans le Guide, est de ceux-là. Saluons son vin né des argilo-calcaires de Génissac. Le nez puissant affiche des notes de fruits secs, de cuir, d'épices et de bon boisé. La mise en bouche se fait souple, le corps embaume, et le fût soutient habilement la finale. Harmonie du raisin et du bois. Pour enchanter un tournedos.

🔑 SCEA Daniel Mouty, Ch. du Barry, 33350 Sainte-Terre, tél. 05.57.84.55.88, fax 05.57.74.92.99 ☑ 🍷 t.l.j. sf sam. dim. 8h-17h; f. août

CH. RECOUGNE 1997

■ 50 ha 400 000 🍾🌡 30 à 49 F

On ne peut que reconnaître cette année encore la valeur de ce terroir argilo-calcaire des coteaux ouest de la vallée de l'Isle. L'équilibre du vin est construit autour de tanins déjà fondus, et la chair s'habille de fruits confits, de cerise à l'eau-de-vie de marc, de notes animales et épicées.

🔑 SCEV Jean Milhade, Ch. Recougne, 33133 Galgon, tél. 05.57.55.48.90, fax 05.57.84.31.27, e-mail milhadeg@aol.com ☑ 🍷 r.-v.

CH. ROC MEYNARD 1997★

■ 18 ha 50 000 🍾🌡 30 à 49 F

Saillans domine de ses côtes argilo-calcaires la vallée de l'Isle et la tour du port de Libourne. Philippe Hermouet propose un bordeaux supérieur issu de merlot avec 10 % de cabernet-sauvignon, à la robe pourpre soutenu. Des tanins mûrs et corsés, enveloppés d'une chair réglissée, lui permettront de vieillir. Quelques notes d'eucalyptus soulignent le parfum de violette de ce vin complexe, à inviter sur le gigot et le navarin.

🔑 Philippe Hermouet, Clos du Roy, 33141 Saillans, tél. 05.57.55.07.41, fax 05.57.55.07.45, e-mail hermouet.clos.du.roy@wanadoo.fr ☑ 🍷 r.-v.

CH. ROQUES MAURIAC 1997

■ 30 ha n.c. 🍾 30 à 49 F

Le GFA Leclerc gère trois propriétés en agriculture biologique. Cette recherche du naturel, délicate et sérieuse, accentue l'effet millésime, que l'on module par une conduite intelligente des vinifications. Ce Château Roques Mauriac se montre mûr, vineux, fondu. Les cabernets (40 % chacun) assurent une jolie richesse épicée. « Une belle présence », note un dégustateur.

🔑 Hélène Levieux - GFA Leclerc, Ch. Lagnet, 33350 Doulezon, tél. 05.57.40.51.84 ☑ 🍷 r.-v.

CH. SAINT-PIERRE LA MITRE Cuvée Vieilles vignes 1997

■ 10,21 ha 53 400 🍾⓫🌡 20 à 29 F

Merlot et cabernets s'équilibrent en ce vin de vignoble à peine adulte. Elaboré avec précision, il fut élevé pour moitié en cuve et en barrique pendant douze mois. D'abord un peu fermé, ce 97 évolue bientôt en flaveurs de fruits à noyau, fines et franches, avantageusement appuyées par un boisé élégant ; fondu, grillé, il est jugé typique. Vous pourrez le boire sans pourtant vous presser.

🔑 SCA Ch. de Haux, 33550 Haux, tél. 05.57.34.51.10, fax 05.57.34.51.15 ☑ 🍷 r.-v.

🔑 Denis Roumegous

CH. DE SEGUIN Cuvée Prestige 1997

■ 10,5 ha 66 000 ⓫ 50 à 69 F

Cette cuvée Prestige a vieilli douze mois en fût. Ce vin rond, à la finale un peu tannique, est dominé par le bois et devra attendre. La **cuvée principale** a été accompagnée pendant six mois par un fût discret, qui laisse le raisin s'exprimer en une chair ronde à la finale un peu nerveuse.

🔑 SC du Ch. de Seguin, 33360 Lignan-de-Bordeaux, tél. 05.57.97.19.81, fax 05.57.97.19.82, e-mail cwi@chris-wine.dk ☑ 🍷 r.-v.

🔑 Carl Frères

CH. SENAILHAC 1997★

■ 50 ha 300 000 🍾 20 à 29 F

Sis aux portes de Bordeaux, ce château de belle allure épanouit son vignoble de 50 ha sur des sols argilo-graveleux. Le vin, joliment paré de rubis, présente une structure typique du millésime : attaque fraîche, charpente solide et fine. Il embaume fleurs et petits fruits, que l'on retrouve en bouche. Mûr dès maintenant, il pourra accompagner pendant plusieurs mois les viandes rouges grillées.

🔑 SCA du Ch. Sénailhac, 33370 Tresses, tél. 05.57.34.13.14, fax 05.57.34.05.60 ☑ 🍷 t.l.j. 8h-12h 13h30-17h30

🔑 Margnat

CH. SENTOUT LA GRANGE 1997

■ 32 ha n.c. 🍾🌡 20 à 29 F

De conception traditionnelle - avec 5 % de malbec - le vignoble est installé sur des coteaux argilo-calcaires de la rive droite de la Garonne, à une lieue des ruines du château médiéval de Langoiran. Un ourlet cuivré agrémente le rouge profond de la robe de ce vin qui a séduit par la complexité de ses flaveurs évoluées de violette,

d'œillet, de fumé et de fruits secs. L'attaque est très ronde, mais la structure s'avère solide. C'est un convive que l'on peut commencer à inviter sur les viandes rouges et les volailles rôties.
La Guyennoise, B.P. 17, 33540 Sauveterre-de-Guyenne, tél. 05.56.71.50.76, fax 05.56.71.87.70

CH. TAYET
Cuvée Prestige Elevé en fût de chêne neuf 1997

■ 2 ha 15 000 50 à 69 F

Il est né dans les palus de Macau et porte bien sa robe violine. Le fût s'impose par ses notes torréfiées, de moka et de vanille. Ce vin rond, bien structuré, doit mûrir aisément avec le temps.
SCEA Ch. Haut Breton Larigaudière, 33460 Soussans, tél. 05.57.88.94.17, fax 05.57.88.39.11

CH. DE TERREFORT-QUANCARD
1997

■ 60,59 ha n.c. 30 à 49 F

Jean Quancard fut un des pères fondateurs du Crédit Agricole car il avança à la caisse régionale le capital nécessaire à sa création. Le château domine la vallée de la Dordogne à Cubzac-les-Ponts (il s'agit des ponts construits par Eiffel dont il faut admirer les arches d'acier). Voici un vin très classique, exemple de 97, bien habillé de rouge rubis, gras à l'attaque, équilibré en bouche mais avec une finale un peu dure encore. Il pourra accompagner une matelote.
SCA du Ch. de Terrefort-Quancard, B.P. 50, 33240 Cubzac-les-Ponts, tél. 05.57.43.00.53, fax 05.57.43.59.87 t.l.j. sf sam. dim. 8h-18h
Quancard

CH. THIEULEY
Réserve Francis Courselle 1997*

■ 4 ha 25 000 70 à 99 F

Cette Réserve est bâtie sur le seul merlot, qui s'épanouit en rondeurs corsées et charmeuses, aux tanins bien fondus. Les flaveurs du fruit sont élégantes. Il sera intéressant d'y associer des fromages.
Sté des Vignobles Francis Courselle, Ch. Thieuley, 33670 La Sauve, tél. 05.56.23.00.01, fax 05.56.23.34.37 r.-v.

CH. TOUR CAILLET
Cuvée Prestige Elevé en barrique 1997*

■ 6 ha 35 000 30 à 49 F

Ce 97, 100 % merlot de trente ans, né sur les terroirs de Génissac, correspond à une sélection élevée douze mois en barrique. La sage extraction des tanins pendant la vinification a permis au merrain de s'exprimer librement en fortifiant une chair fondante, l'enrichissant de notes grillées, de terre chaude, d'humus. Le temps assouplira vite ce vin typique du millésime.
Denis Lecourt, 8, Caillet, 33420 Génissac, tél. 05.57.24.46.04, fax 05.57.24.40.18 r.-v.

CH. TOUR DE MIRAMBEAU
Cuvée Passion 1997**

■ 4 ha 33 000 50 à 69 F

Habituée des étoiles et coups de cœur en AOC bordeaux les années précédentes, cette cuvée de Tour de Mirambeau se présente cette année en bordeaux supérieur d'une manière tout aussi fracassante ! Elle impose aussitôt la rondeur de ses raisins bien mûrs, aux tanins fondus, et la qualité magistrale de l'élevage en fût, source de la belle complexité des flaveurs. Mais laissons à l'amateur le plaisir de la découverte, en assurant simplement qu'il faut goûter ce maître du millésime.

SCEA Vignobles Despagne, 33420 Naujan-et-Postiac, tél. 05.57.84.55.08, fax 05.57.84.57.31, e-mail despagne@vignobles-despagne.com
r.-v.
J.-L. Despagne

CH. TROCARD Monrepos 1996*

■ 5 ha 30 000 30 à 49 F

Ce vin, issu à 100 % de merlot et dont l'élaboration est très traditionnelle, est prêt à boire : son corps tout rond, voire généreux, réglissé, ses tanins effacés, sa finale de caramel en font un plaisir simple et vrai, pour les viandes et les pâtisseries.
SCEA Vignobles Jean-Louis Trocard, Les Jays, 33570 Les Artigues-de-Lussac, tél. 05.57.55.57.90, fax 05.57.55.57.98, e-mail trocard@wanadoo.fr t.l.j. sf sam. dim. 8h-12h 14h-18h

CH. TURON Elevé en fût de chêne 1997

■ 2 ha 8 000 30 à 49 F

Ce petit vignoble de graves et d'argiles, au sud de l'aire des bordeaux, équilibre ses tout jeunes merlot et cabernet-sauvignon à 50 %. Né selon la tradition (cuvaison de trois semaines) et élevé douze mois en fûts (dont un tiers neufs), ce vin à la robe légère, au corps rond, frais et vanillé, manquant un peu de complexité en finale, sera l'agréable compagnon des repas entre amis.
SCEA du Ch. Turon, 33190 Pondaurat, tél. 05.56.71.23.92 r.-v.

CH. VALMORE SALLE D'OR
Vieilli en fût de chêne 1996**

■ 5 ha 25 000 30 à 49 F

A proximité, Gornac et Castelviel offrent de jolis points de vue sur le paysage de vignes, de prés, de céréales et de bosquets de cette région. Ce 96 à forte dominante de cabernet-sauvignon (80 %) a été élevé dix mois en fût. Au nez s'expriment la rose, le cassis et le coco vanillé. Dans sa robe pourpre noir, le corps soyeux s'enveloppe de tanins mûrs et longs ; la finale s'accompagne d'une note de caramel. Ce vin fin et complexe, généreux, est à servir avec des rôtis ou des viandes grillées. Le **Château La Grande Tour 96**,

d'une vinosité ronde de fruits bien mûrs et de tartes, est cité, prêt à la dégustation.
⊶ EARL Christian Dumas et Fils, Le Bourg, 33490 Saint-Martial, tél. 05.56.76.41.28, fax 05.56.76.43.99 ☑ Y r.-v.

VICOMTE DE MORLY 1997*

■ n.c. 95 000 ■ 20 à 29 F

Ce vicomte de Morly est une marque du négociant Sichel. Le cabernet-sauvignon (40 %) impose sa solidité et ses parfums de petits fruits. Le cabernet franc (15 %) y chante en notes florales plus tendres. Le merlot (45 %) apporte la rondeur et tempère les tanins encore jeunes et épicés. Il sera peut-être avantageux d'aérer légèrement au service ce vin un peu fermé aujourd'hui.
⊶ Maison Sichel-Coste, 8, rue de la Poste, 33212 Langon, tél. 05.56.63.50.52, fax 05.56.63.42.28

CH. VIEUX DOMINIQUE 1997*

■ 25 ha 26 666 ■ 20 à 29 F

Présent l'an dernier (Ch. Bois Noir, une étoile), C. Grégoire confirme avec ce 97 la qualité de ses produits. Le Château Vieux Dominique, élevé en cuve, offre sous un habit rubis à reflets pourpre sombre un corps bien structuré de tanins puissants que le merlot dominant (80 %) enrobe d'une chair ronde. Des notes de gibier nuancent les flaveurs déjà complexes des fruits cuits. Un vin de garde, à déguster avec un lièvre.
⊶ SARL Ch. Bois Noir, 33230 Maransin, tél. 05.57.49.41.09, fax 05.57.49.49.43 ☑ Y r.-v.
⊶ Grégoire

CH. VIGNOL 1997

■ 4,2 ha 30 000 ■ 30 à 49 F

Le visiteur découvrira autour de Saint-Quentin nombre de chapelles, tours et vieux murs au milieu des vignes ou au flanc des vallées. Cette ancienne et petite propriété offre un vin rubis intense, qui a été remarqué pour la suavité de ses parfums et sa grande harmonie fondante aux arômes de clafoutis. A goûter sans attendre, sur des viandes blanches.
⊶ B. et D. Doublet, Ch. Vignol, 33750 Saint-Quentin-de-Baron, tél. 05.57.24.12.93, fax 05.57.24.12.83 ☑ Y r.-v.

Crémant de bordeaux

Créé en 1990, le crémant est élaboré selon des règles très strictes communes à toutes les appellations de crémant, à partir de cépages traditionnels du Bordelais. Les crémants (5 752 hl en 1998) sont généralement blancs mais ils peuvent aussi être rosés.

JEAN-LOUIS BALLARIN
Etiquette bleue*

○ n.c. 50 000 30 à 49 F

Jean-Louis Ballarin a établi ses caves à Haux, au nord du château de Langoiran. Il est intéressant de constater que ses quatre vins sont issus par moitié de cépages sémillon et muscadelle. Le jury a choisi cette « Etiquette bleue », dont les bulles nerveuses animent la robe doré pâle. D'un équilibre fin, fringant sans excès, elle fêtera dignement l'an 2000.
⊶ Jean-Louis Ballarin, La Clotte, 33550 Haux, tél. 05.56.67.11.30, fax 05.56.67.54.60 ☑ Y r.-v.

REMY BREQUE Cuvée Prestige*

○ n.c. 4 000 30 à 49 F

L'église romane de Saint-Gervais offre un vaste point de vue sur la basse vallée de la Dordogne. Les caves de Remy Brèque abritent deux crémants. La cuvée Prestige, 5 % de sauvignon, très florale, est ronde, presque gouleyante, de mousse abondante et persistante. La **cuvée Marquis de Cap blanc**, aux jolies perles, ajoute à la rondeur du corps des notes nerveuses, vives, voire légèrement citronnées, exotiques. Le sauvignon y compte pour 10 %.
⊶ Maison Remy Brèque, 8, rue du Cdt-Cousteau, 33240 Saint-Gervais, tél. 05.57.43.10.42, fax 05.57.43.91.61 ☑ Y t.l.j. 9h-12h 14h-17h
⊶ Bonnefis

BROUETTE PETIT-FILS
Cuvée Bassereau*

○ n.c. n.c. 30 à 49 F

Entre falaises et Dordogne, la route étroite de Bourg au Roque-de-Thau (et Blaye) permet en toutes saisons de fort agréables promenades. Les établissements Brouette offrent une large gamme de crémants. La cuvée Bassereau a des arômes de miel. Le corps est séveux, friand, tendre, bien perlé, et la finale agréablement vineuse. Elle a obtenu une étoile. La **cuvée Tradition** (5 % de sauvignon), aux senteurs de fleurs séchées, d'abricot et d'épices, est bien équilibrée, quoique encombrée de sa mousse.
⊶ SA Brouette Petit-Fils, Caves du Pain de Sucre, 33710 Bourg-sur-Gironde, tél. 05.57.68.42.09, fax 05.57.68.26.48 ☑ Y t.l.j. sf lun. 8h-12h 14h-18h

CH. CAMAIL L'Ephémère 1994**

○ 1 ha 5 300 ■ 50 à 69 F

Ce sémillon pur de 1994 est resté trois ans sur ses lies de seconde fermentation avant dégorgeage. Il y a fondu en notes de miel très parfumées, presque lourdes, mais agréables. Le corps reste très équilibré, et la finale est vive et fruitée. Une élégance à goûter en apéritif, nature.
⊶ François Masson-Regnault, Ch. Camail, 33550 Tabanac, tél. 05.56.67.07.51, fax 05.56.67.21.22 ☑ Y r.-v.

BRUT DE LANDEREAU
Blanc de blancs**

○ 1 ha 3 000 ■ 50 à 69 F

C'est un crémant de cépage unique, le sémillon, vendangé à point pour garder ses parfums de fleur de vigne, enrichis à l'élevage de notes complexes de pêche, d'abricot sec, à peine réglissés, grillés. La mousse en fin chapelet danse dans la robe paille délavée. La chair ronde emplit toute la bouche, gentiment agacée de quelques touches vives qui prolongent aussi la finale. Une harmonie spirituelle. A savourer en apéritif.

SC Vignobles Baylet, Ch. Landereau, 33670 Sadirac, tél. 05.56.30.64.28, fax 05.56.30.63.90 ☑ Y t.l.j. sf sam. dim. 8h-12h 14h-17h

LES CORDELIERS Blanc de blancs

○ n.c. n.c. 30 à 49 F

Les Cordeliers sont installés dans un monument historique de Saint-Emilion. Mais ce crémant est issu de cépages blancs : sémillon 80 %, ugni blanc 20 %. Le nez de fleur d'acacia, de fruits exotiques légèrement réglissés, est porté par un beau cordon de bulles. Le corps séveux, tendre, parfumé, aurait supporté un peu plus de vivacité, mais cet équilibre signe assez bien une tendance de l'appellation.

Les Cordeliers, 104, cours Saint-Louis, 33300 Bordeaux, tél. 05.56.39.24.05, fax 05.56.39.94.42 ☑ Y t.l.j. 10h-12h 14h-18h

LUCCIOS Blanc de blancs 1997

○ 35 ha 20 000 50 à 69 F

Luccios a été discuté en raison de son dosage très important mais celui-ci est adapté aux flaveurs de pêche, de fruits secs, de grillé. Ce crémant devrait être à l'aise sur des pâtisseries au chocolat ou sur des toasts au fromage.

Union de prod. de Saint-Pey-de-Castets, 36, av. de la Mairie, 33350 Saint-Pey-de-Castets, tél. 05.57.40.52.07, fax 05.57.40.57.17 ☑ Y t.l.j. sf sam. dim. 8h-12h 14h-17h

MARIE JADES 1997*

○ n.c. 10 000 30 à 49 F

Ce crémant est élaboré à partir de sémillon (70 %) et de muscadelle (30 %). Marie Jades a plu par sa grande vivacité parfumée (complexité d'acacia, d'agrumes, d'abricots secs), qui anime un corps élégant à reflets verts, frissonnant longuement d'une mousse fine, légère.

Union Vignerons d'Aquitaine, Barbet, 33350 Castillon-la-Bataille, tél. 05.57.40.04.31, fax 05.57.40.17.60 Y r.-v.

PAULIAN 1996

○ n.c. 20 000 30 à 49 F

Lateyron est une société familiale centenaire installée près des moulins de Calon, point de vue remarquable sur le Libournais. Paulian, coup de cœur pour le 95, fut plus discuté en 96. Il enthousiasma certains par la délicatesse de ses flaveurs de miel, de fleurs blanches, pêche et tilleul, mais semblait manquer de fraîcheur à d'autres. Un débat à poursuivre. **Lateyron 96**, bâti sur le même équilibre des cépages, (80 % de sémillon, 10 % de muscadelle, 10 % de cabernet franc) et **Prestige 97** (sémillon 90 % et muscadelle 10 %) offrent des plaisirs plus classiques.

SA Lateyron, Ch. Tour Calon, 33570 Montagne, tél. 05.57.74.62.05, fax 05.57.74.58.58, e-mail lateyron@wanadoo.fr ☑ Y r.-v.

TOUR DU ROY Cuvée Prestige**

◐ n.c. 10 000 30 à 49 F

Son nom est celui d'une tour de Saint-Emilion qui domine les galeries des carrières souterraines dans lesquelles les vins sont élevés.Le **crémant blanc** est cité. Vif et frais, il fleure sous son habit jaune paille la poire et la menthe. La cuvée Prestige porte une jolie robe rosé franc ourlée d'un cordon de perles persistant. La chair souple du merlot (80 %) est avivée sans exubérance par le cabernet franc. L'ensemble offre des accents de cerise, de coing, de bonbon de grand-mère. Une complexité fort attrayante.

SA Mons-Maleret, Caves de la Tour du Roy, 33330 Saint-Emilion, tél. 05.57.24.72.38, fax 05.57.74.43.72 ☑ Y r.-v.

Le Blayais et le Bourgeais

Blayais et Bourgeais, deux petits pays aux confins charentais de la Gironde que l'on découvre toujours avec plaisir. Peut-être en raison de leurs sites historiques, de la grotte de Pair-Non-Pair (avec ses fresques préhistoriques, presque dignes de Lascaux), de la citadelle de Blaye ou de celle de Bourg, ou des petits châteaux et autres anciens pavillons de chasse. Mais plus encore parce que de cette région très vallonnée se dégage une atmosphère intimiste, apportée par de nombreuses vallées et qui contraste avec l'horizon presque marin des bords de l'estuaire. Pays de l'esturgeon et du caviar, c'est aussi celui d'un vignoble qui depuis les temps gallo-romains contribue à son charme particulier. Pendant longtemps, la production de vins blancs a été importante ; jusqu'au début du XXe s., ils étaient utilisés pour la distillation du cognac ; cette ancienne coutume a été ravivée par la création récente de la fine de bordeaux, eau-de-vie de vin distillée dans l'alambic charentais. Mais aujourd'hui, les vins blancs sont en très nette régression, car les rouges jouissent d'une prospérité économique beaucoup plus grande.

Blaye, premières côtes de blaye, côtes de blaye, bourg, bourgeais, côtes de bourg, rouges et blancs : il est parfois un peu difficile de se retrouver dans les appellations de cette région. Toutefois, on peut distinguer deux grands groupes : celui de Blaye, avec des sols assez diversifiés, et celui de Bourg, géologiquement plus homogène.

Côtes de blaye et premières côtes de blaye

Sous la protection, désormais toute morale, de la citadelle de Blaye due à Vauban, le vignoble blayais s'étend sur environ 4 600 ha plantés de vignes rouges et blanches. Les appellations blaye et blayais sont désormais de moins en moins utilisées, la plupart des viticulteurs préférant produire des vins à partir de cépages plus nobles qui ont droit aux appellations côtes de blaye et premières côtes de blaye. Les premières côtes de blaye rouges (299 810 hl en 1998) sont des vins assez colorés qui présentent une rusticité de bon aloi, avec de la puissance et du fruité. Les blancs (12 053 hl en 1998) sont aromatiques. Les côtes de blaye blancs (6 745 hl en 1998) sont en général des vins secs, d'une couleur légère, que l'on sert en début de repas, alors que les premières côtes rouges vont plutôt sur des viandes ou des fromages.

Premières côtes de blaye

CH. ANGLADE-BELLEVUE
Cuvée Prestige 1997★

■ 5 ha 40 000 ▮ⓘ 30 à 49 F

Cuvée Prestige, ce vin a fait l'objet de soins attentifs. Il montre qu'il les a mérités. L'influence de l'élevage en fût se lit dans le bouquet où des notes de caramel viennent se mêler à celles de cassis et de fruits confits. Portée par des tanins bien fondus, sa structure est agréable, tout comme la finale.

⚷ EARL Mège Frères, Aux Lamberts, 33920 Générac, tél. 05.57.64.73.28, fax 05.57.64.53.90 ☑ Y r.-v.

DOM. BARREAU-LA-GRAVE
Cuvée fût de chêne 1996

■ 1,5 ha 6 400 ⓘ 30 à 49 F

Issu de l'agriculture biologique, ce vin est assez original par son bouquet (chocolat et pain grillé). Sa structure concentrée est accompagnée d'arômes de maturité. Mais il faudra attendre que les tanins se fondent.

⚷ Patrick Pouvreau, Barreau-La-Grave, 33620 Saint-Mariens, tél. 05.57.68.13.20, fax 05.57.68.18.07 ☑ Y r.-v.

CH. BERTHENON 1997

■ 6 ha 40 000 ▮♁ 30 à 49 F

Très classique par sa robe rubis et son bouquet aux notes de poivron, ce vin a encore besoin de se fondre, ce que ses tanins et son ampleur en bouche lui permettront de faire.

⚷ GFA Henri Ponz, Berthenon, 33390 Saint-Paul-de-Blaye, tél. 05.57.42.52.24, fax 05.57.42.52.24 ☑ Y t.l.j. 8h-12h 14h-19h; sam. dim. sur r.-v.

CH. BOIS-VERT Cuvée Prestige 1996★★

■ 0,5 ha 4 400 ⓘ 30 à 49 F

Une sélection sévère - un demi-hectare pour une propriété qui en compte une vingtaine - a été nécessaire pour obtenir cette cuvée bois, qui allie richesse et élégance. La première apparaît dans la robe et la structure, toutes deux d'une belle intensité, tandis que la seconde se lit au bouquet et à l'attaque. Un vrai vin plaisir. La **cuvée principale 97 en rouge** ainsi que le **blanc 98** ont obtenu chacun une citation.

⚷ Patrick Penaud, 12, Boisvert, 33820 Saint-Caprais-de-Blaye, tél. 05.57.32.98.10, fax 05.57.32.98.10 ☑ Y r.-v.

CH. DE CASTETS
Vieilli en fût de chêne 1996

■ 4 ha 3 000 ▮ⓘ♁ 30 à 49 F

A cheval sur les communes de Plassac et de Berson, ce cru de 14 ha propose ici un vin bien typé dans le millésime par son bouquet de raisin sec et d'épices. Souple, doté de tanins assez ronds, il ne devra pas trop attendre.

⚷ Beuquila, Ch. de Castets, 33390 Plassac, tél. 05.57.42.15.16, fax 05.57.42.15.16 ☑ Y r.-v.

CH. CHARRON Acacia 1998★

□ 6 ha 35 000 ⓘ 30 à 49 F

Continuant son évolution, qui l'a fait passer des côtes de blaye aux premières côtes, ce cru offre avec ce millésime un vin fin et harmonieux, tant par son expression aromatique grillée, florale et fruitée, que par son palais. Le rouge, **Château Charron Les Gruppes 97**, (30-49 F), a obtenu une citation.

⚷ Ch. Charron, Vignobles Germain et Associés, 33390 Berson, tél. 05.57.42.66.66, fax 05.57.64.36.20, e-mail bordeaux@vgas.com ☑ Y r.-v.

CH. CORPS DE LOUP
Vieilli en fût de chêne 1996★★

■ Cru bourg. 8 ha 24 000 30 à 49 F

Côté légende, Henri chassant le loup qui tente de trouver son salut en traversant la Gironde à la nage ; côté histoire, une propriété ayant appartenu au duc de Saint-Simon. Renforcé mais respecté par le bois, ce vin se montre à la hauteur d'un tel passé par la finesse de son bouquet aux notes de fruits mûrs. Ronde et bien bâtie, la structure, de qualité, est très agréable et fait preuve elle aussi d'un bel équilibre.

Françoise Vidal-Leguénédal, Ch. Corps de Loup, 33390 Anglade, tél. 05.57.64.45.10, fax 05.57.64.45.05 ☒ Y t.l.j. 10h-18h; dim. sur r.-v.

CH. CRUSQUET DE LAGARCIE
1997★★

■ Cru bourg. 20 ha 80 000 30 à 49 F

Valeur sûre, ce cru confirme une nouvelle fois sa régularité avec ce 97 des plus réussis. A la puissance du bouquet, aux notes de torréfaction et de fruits rouges, succède une structure ample, charnue et tannique, qui résulte d'une extraction bien menée. Ce vin a du charme et sera de longue garde. Autre vin du même producteur, le **Château Le Cone Taillasson de Lagarcie**, également entre 30 et 49 F, a obtenu une étoile.

GFA des vignobles Ph. de Lagarcie, Le Crusquet, 33390 Cars, tél. 05.57.42.15.21, fax 05.57.42.90.87 ☒ Y t.l.j. sf sam. dim. 9h-12h 14h-18h

CH. FOUCHE 1998

□ 1,09 ha 9 300 20 à 29 F

Non loin de l'église du XIe s., vous découvrirez ce vignoble familial de 18 ha dont le **Château Haut-Monguillon rouge 96**, encore très austère, a obtenu une citation (30-49 F). Même note pour ce Château Fouché, 100 % sauvignon, habillé de paille pâle, finement structuré, dont les arômes fruités mesurés lui permettront d'accompagner les crustacés de l'automne.

EARL vignobles Jean Bonnet, 14, rue Gravette, 33620 Cubnezais, tél. 05.57.68.07.71, fax 05.57.68.06.08 ☒ Y t.l.j. sf dim. 9h-12h 14h30-18h30

CH. FREDIGNAC 1997★★

■ 8 ha 40 000 20 à 29 F

Elevé en cuve, ce vin a échappé au piège de la mainmise du bois, grâce à quoi il peut présenter un visage des plus avenants. Cacao, noisette, pruneau, le bouquet est aussi attrayant que le palais, dont l'ampleur, l'équilibre et la concentration garantissent l'évolution.

Michel L'Amouller, 7, rue Emile-Frouard, 33390 Saint-Martin-Lacaussade, tél. 05.57.42.24.93, fax 05.57.42.00.64 ☒ Y r.-v.

CH. GARREAU 1997★

■ 10 ha n.c. 30 à 49 F

Une belle robe sombre, un nez intéressant de fruits rouges (cerise) et un palais équilibré et harmonieux dominé par des notes de fruits mûrs. D'une réelle typicité.

SCEA Ch. Garreau, 1, Garreau, 33710 Pugnac, tél. 05.57.68.90.75, fax 05.57.68.90.84 ☒ Y r.-v.

CH. GOBLANGEY 1997

■ 19 ha 30 000 30 à 49 F

Bien qu'encore un peu austère, ce vin sait exprimer sa personnalité par sa structure tannique et par son bouquet aux notes de fumée froide, de poivron et de fraise. Il devra être attendu un an.

Michel Planteur, Ch. Goblangey, 33390 Saint-Paul-de-Blaye, tél. 05.57.42.88.54, fax 05.57.42.17.42 ☒ Y t.l.j. 8h-12h30 14h-18h; f. 20 août-10 sept.

CH. HAUT-BERTINERIE 1998★

□ 11 ha 66 000 50 à 69 F

Connaissant bien leur terroir et ses atouts, les Bantegnies savent en tirer de fort jolis vins, dont ce 98 blanc au bouquet expressif (notes grillées, beurrées et fruitées), et au palais frais et élégant accompagné d'une fine note boisée. Le **rouge 96** du château a également obtenu une étoile.

Bantegnies et Fils, Ch. Bertinerie, 33620 Cubnezais, tél. 05.57.68.70.74, fax 05.57.68.01.03 ☒ Y r.-v.

CH. HAUT-CANTELOUP
Cuvée spéciale Elevé en fût de chêne 1997★★

■ 2,5 ha 10 800 30 à 49 F

Cuvée prestige élevée en fût de chêne, ce vin a été entouré de soins attentifs qui lui ont réussi. Dès le premier contact, sa couleur en dit long sur son potentiel de vieillissement. Ni le bouquet, très complexe avec des notes de fruits et de fumée, ni le palais, que soutient un bois de qualité, n'infirment la première impression. Frais et fruité, le **blanc sauvignon 98** a obtenu une citation.

Sylvain Bordenave, 1, Salvert, 33390 Fours, tél. 05.57.42.87.12, fax 05.57.42.36.69 ☒ Y r.-v.

CH. HAUT DU PEYRAT 1996★★

■ 15 ha 40 000 30 à 49 F

Elevé en fût après une macération longue, ce vin se montre fort séduisant tout au long de la dégustation. D'un rouge profond, il développe un bouquet complexe qu'agrémentent de multiples nuances de fruits rouges. Ferme à l'attaque, il se fait ensuite plus charmeur par la rondeur de sa chair, qui s'appuie sur une structure qui lui permettra d'être attendu trois ou quatre ans. Le **Clos Lascombes rouge 97** (30-49 F) a obtenu une citation.

🔑 Muriel et Patrick Revaire, 33390 Cars, tél. 05.57.42.20.35, fax 05.57.42.12.84 ☑ Y t.l.j. sf dim. 8h-19h

CH. HAUT-GRELOT 1998

□ 14 ha 100 000 ▮ 20 à 29 F

Simple, frais et fruité, ce vin est heureusement relevé par de belles notes d'agrumes (pamplemousse) et une vivacité de bon aloi.

🔑 Joël Bonneau, Ch. Haut-Grelot, 33820 Saint-Ciers-sur-Gironde, tél. 05.57.32.65.98, fax 05.57.32.71.81 ☑ Y t.l.j. sf dim. 9h-13h 14h-19h

CH. HAUT-TERRIER
Vieilli en barrique neuve 1997*

■ 32 ha 80 000 ⏸ 30 à 49 F

Issu d'une vaste unité, ce vin est d'une agréable présentation, sa robe d'une belle couleur étant suivie d'un bouquet où le bois reste encore présent mais sans empêcher les fruits d'annoncer leur arrivée. Equilibré, soutenu par une bonne matière et persistant, le palais reste dans le même esprit.

🔑 Bernard Denéchaud, 46, le Bourg, Ch. Haut-Terrier, 33620 Saint-Mariens, tél. 05.57.68.53.54, fax 05.57.68.16.87 ☑ Y r.-v.

CH. L'ABBAYE
Vieilli en fût de chêne 1996*

■ 0,56 ha 2 500 ⏸ 30 à 49 F

Bien qu'appartenant à une propriété déjà d'une taille respectable (35 ha), le vignoble d'où est issue cette cuvée spéciale est exigu. Délicatement fruité, franc et bien équilibré, son 96 est chaleureux.

🔑 GAEC Rossignol et Gendre, L'Abbaye, 33820 Pleine-Selve, tél. 05.57.32.64.63, fax 05.57.32.74.35 ☑ Y r.-v.

BORDELAIS

Le Blayais et le Bourgeais

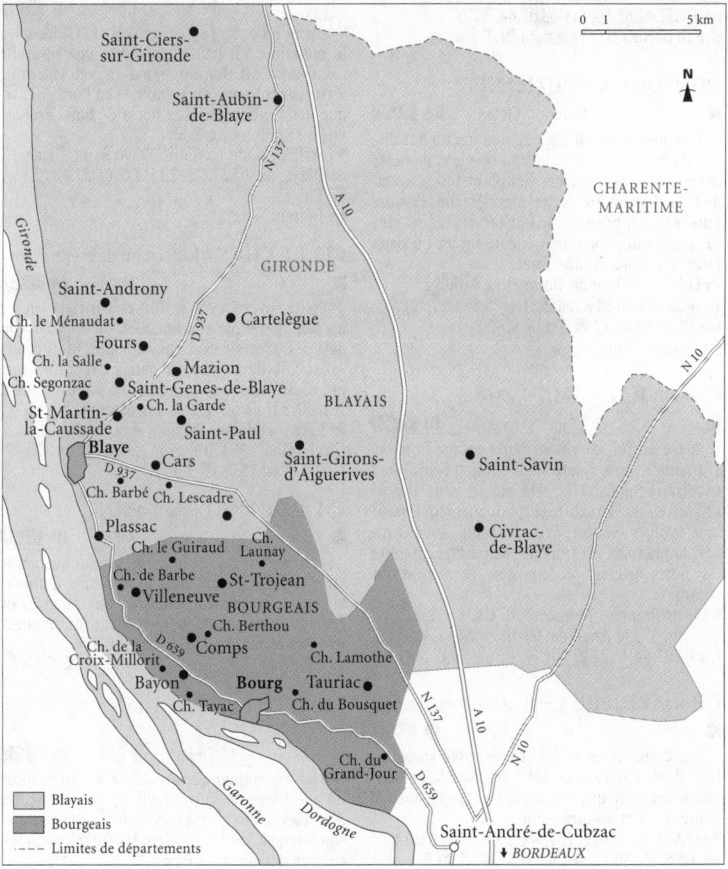

CH. LA BRAULTERIE DE PEYRAUD
Cuvée Prestige 1997★

■ 2 ha 12 000 🛢 30 à 49 F

Elevée en fût de chêne neuf, cette cuvée est encore sous l'influence du bois. Mais pour sensible qu'elle soit, sa présence laisse deviner un bouquet d'une bonne intensité et une structure intéressante par la rondeur de l'attaque et la finesse des tanins. Le **Château La Braulterie blanc 98** (20-29 F) a obtenu une citation.

⊶ SCA La Braulterie-Morisset, Les Graves, 33390 Berson, tél. 05.57.64.39.51, fax 05.57.64.23.60 ☒ Y t.l.j. sf dim. 9h-18h

CH. LACAUSSADE SAINT MARTIN
Trois Moulins 1998★

□ n.c. 20 000 🛢 30 à 49 F

Cette cuvée prestige veut être le reflet de la maîtrise de la technicité et des soins apportés à la vinification par Jacques Chardat. Son bouquet, que relèvent des notes fruitées, et sa structure grasse et bien enrobée, montrent que l'objectif est atteint. Le sympathique **rouge 97** (30-49 F) a reçu une citation.

⊶ Ch. Lacaussade-Saint-Martin, Vignoble Germains et Associés, 33390 Berson, tél. 05.57.42.66.66, fax 05.57.64.36.20, e-mail bordeaux@vgas.com ☒ Y r.-v.

DOM. DE LA NOUZILLETTE 1997

■ 10 ha 60 000 🍷 30 à 49 F

Une jolie robe rubis assez sombre, un nez discret de prune, de cerise à l'eau-de-vie et de notes épicées, sont prometteurs. Souple et douce, l'attaque ne dément pas cette première impression. Puis le développement se fait sur des tanins plus rustiques qui demandent encore un an ou deux pour se fondre. Bonne finale.

⊶ GAEC du Moulin Borgne, Le Moulin Borgne, 33620 Marcenais, tél. 05.57.68.70.25, fax 05.57.68.09.12 ☒ Y t.l.j. 9h-20h

⊶ Catherinaud

CH. LA RAZ CAMAN 1996★

■ 27 ha 65 000 🛢 50 à 69 F

Elevé en fût, ce vin en porte encore la trace. L'attendre, sans doute trois à quatre ans, sera nécessaire ; mais ce ne sera pas en vain. Il possède en effet la structure et le bouquet requis pour bien évoluer. Souple, avec des tanins bien enrobés, la première est franche ; se partageant entre les notes fruitées et confites, le second est complexe.

⊶ Jean-François Pommeraud, Ch. La Raz Caman, 33390 Anglade, tél. 05.57.64.41.82, fax 05.57.64.41.77 ☒ Y r.-v.

CH. LARDIERE Vieilli en fût de chêne 1996

■ n.c. 3 200 🛢 30 à 49 F

Un domaine de 20 ha et une cuvée spéciale : bien dosé, l'élevage en fût a respecté la personnalité de ce vin, que son équilibre et son caractère fruité invitent à boire jeune.

⊶ GAEC Lardière, Lardière, 33860 Marcillac, tél. 05.57.32.50.11, fax 05.57.32.50.12 ☒ Y r.-v.

CH. LA RIVALERIE 1998

□ 2,5 ha 8 000 🍷 30 à 49 F

Frais, vif et fruité, ce vin s'accommodera fort bien d'un plateau d'huîtres ou de fruits de mer ; mais la finesse et son gras lui ouvriront d'autres possibilités d'accords gourmands plus sophistiqués.

⊶ SCEA La Rivalerie, 33390 Saint-Paul-de-Blaye, tél. 05.57.42.18.84, fax 05.57.42.14.27 ☒ Y t.l.j. sf sam. dim. 8h-12h 14h-18h

CH. LA ROSE BELLEVUE
Cuvée Prestige Elevé en fût de chêne 1997★★

■ 3,5 ha n.c. 🛢 30 à 49 F

Cuvée élevée en fût de chêne, ce vin joue parfaitement son rôle d'ambassadeur du cru. Drapé dans une toge d'un rouge brillant, il charme par son bouquet aux parfums de framboise et de cassis, comme par sa structure franche, ronde, concentrée et profonde.

⊶ EARL vignobles Eymas et Fils, Les Mouriers, 33820 Saint-Palais, tél. 05.57.32.66.54, fax 05.57.32.78.78 ☒ Y r.-v.

DE LA SALLE 1998★

□ 0,6 ha 1 800 🛢 50 à 69 F

Après les avoir fait entrer dans le Guide avec le millésime 95, leur blanc porte une nouvelle fois chance aux Bonnin. Issu d'un petit vignoble, il est monocépage (sauvignon) et en porte la marque dans le bouquet aux notes de buis. Frais et vif, il se montre agréable.

⊶ SCEA Ch. de La Salle, 33390 Saint-Genès-de-Blaye, tél. 05.57.42.12.15, fax 05.57.42.12.15 ☒ Y r.-v.

⊶ Bonnin

CH. LE CHAY Vieilli en fût de chêne 1996★

■ 2 ha 12 000 🛢 30 à 49 F

Petite cuvée élevée en fût, ce vin reste encore un peu discret par son bouquet, où apparaissent déjà des odeurs fruitées et animales. Mais par la suite il se développe au palais avec une forte présence tannique et une bonne concentration. A mettre trois ou quatre ans en cave.

⊶ EARL Didier et Sylvie Raboutet, Ch. Le Chay, 33390 Berson, tél. 05.57.64.39.50, fax 05.57.64.25.08 ☒ Y r.-v.

CH. LE CONE Cuvée Tradition 1996

■ 2 ha 7 000 🛢 30 à 49 F

Cuvée prestige, ce vin aurait sans doute mérité un peu plus de gras. Mais sa structure, ample et tannique, comme son bouquet, aux nuances de cèdre et de torréfaction, le rendent intéressant.

⊶ Charon, Ch. Le Cone, 33390 Blaye, tél. 05.57.42.15.32, fax 05.57.42.15.32 ☒ Y r.-v.

CH. LE GRAND MOULIN
Cuvée Elégance 1998

□ 0,75 ha 6 000 🛢 30 à 49 F

Unité comptant quelque 25 ha, ce cru propose ici une partie de sa production, qui a bénéficié d'un élevage en barrique. Ce vin est plaisant par son bouquet, où l'emportent les fruits exotiques, comme par son équilibre.

GAEC du Grand Moulin, La Champagne, 33820 Saint-Aubin-de-Blaye, tél. 05.57.32.62.06, fax 05.57.32.73.73, e-mail jf@grandmoulin.com ☑ Y t.l.j. sf dim. 9h-12h30 14h-19h
J.-F. Réaud

CH. LE MENAUDAT

Elevé en fût de chêne 1997★★

■ 0,6 ha 4 800 30 à 49 F

Petite cuvée élevée en fût, ce vin a bien assimilé l'apport du bois qui rehausse d'une note vanillée les parfums fruités du bouquet. Attaquant en douceur, le palais monte ensuite en puissance pour révéler sa concentration. Tannique mais sans agressivité et persistant, ce 97 mérite d'être attendu. Plus simple mais bien faite, la **Cuvée réservée**, élevée en cuve, (20-29 F), a obtenu une citation.

SCEA F.J.D.N. Cruse, Ch. le Menaudat, 33390 Saint-Androny, tél. 05.56.65.20.08, fax 05.57.64.40.29 ☑ Y r.-v.

CH. LES BERTRANDS

Cuvée Prestige Elevé en fût de chêne 1997★★

■ 7 ha 40 000 30 à 49 F

Issu d'un vignoble appartenant à une unité de 75 ha, cette cuvée numérotée, élevée en fût, est d'une belle tenue. Fin et complexe, le bouquet offre un beau développement, allant de la vanille à l'amande. De la même veine, la structure, ample, concentrée et longue, apporte une grande harmonie et un solide potentiel à cette bouteille. La **cuvée Prestige blanc 98** (30-49 F) et le **Château l'Aiguille du Pin rouge 97** (30-49 F) ont obtenu chacun une étoile.

EARL Vignobles Dubois et Fils, Ch. Les Bertrands, 33860 Reignac, tél. 05.57.32.40.27, fax 05.57.32.41.36 ☑ Y r.-v.

CH. L'ESCADRE Cuvée des As 1997★

■ n.c. 10 000 30 à 49 F

Issue du vignoble amiral « de la flotte Carreau », cette cuvée, ronde et tannique, s'individualise par son bouquet aux notes de jacinthe, qui se fondent dans les fruits rouges. Le **Château les Petits Arnauds** élevé en fût (30-49 F), du même producteur, a obtenu une citation.

Georges Carreau et Fils, Ch. Les Petits Arnauds, 33390 Cars, tél. 05.57.42.36.57, fax 05.57.42.14.02 ☑ Y r.-v.

CH. LES GRAVES 1997★

■ 5 ha 20 000 30 à 49 F

De son élevage en barrique, ce vin a retiré de beaux parfums de grillé et de vanille, qui se mêlent à ceux de raisin mûr, cacao et cassis. Concentrée et d'une solide matière tannique, sa structure lui permettra d'être attendu jusqu'à ce que le merrain se soit fondu dans l'ensemble. Le **blanc sauvignon 98** (20-29 F) a obtenu une citation.

SCEA Pauvif, 15, Favereau, 33920 Saint-Vivien-de-Blaye, tél. 05.57.42.47.37, fax 05.57.42.55.89 ☑ Y r.-v.

CH. LES JONQUEYRES 1996★

■ 6 ha 30 000 50 à 69 F

Né sur un terroir où les argiles bleues côtoient les grises, ce vin composé de 90 % de merlot évolue très agréablement tout au long de la dégustation. D'une belle couleur rubis, il développe un bouquet fruité et poivré avant de montrer sa rondeur et sa chair, que soutient un bois bien dosé. Le **Domaine de Courgeau 97** (30-49 F), du même producteur, a reçu une citation.

Isabelle et Pascal Montaut, Courgeau, 33390 Saint-Paul-de-Blaye, tél. 05.57.42.34.88, fax 05.57.42.93.80 ☑ Y r.-v.

CH. LE VIROU Vieilles vignes 1997★

■ 7 ha 42 100 30 à 49 F

Cuvée issue des meilleures parcelles âgées de plus de trente ans, ce vin, à la belle robe rouge sombre à reflets violets, se montre charmeur et bien structuré par des tanins présents mais non agressifs ; son bouquet (fruits mûrs, tabac et cuir) séduit tout autant.

Ch. Le Virou, Le Virou, 33920 Saint-Girons-d'Aiguevives, tél. 05.57.42.44.40, fax 05.57.42.44.40
Bessede

CH. LUSSAN Vieilli en fût de chêne 1997★

■ 10 ha 11 000 30 à 49 F

Jadis dépendance de l'abbaye de Saint-Selve, cette propriété de quelque 35 ha est sans doute l'héritière d'un vignoble fort ancien. Elevé en barrique pendant six mois, ce vin est bien soutenu par le bois, qui se marie harmonieusement avec les tanins goûteux du palais et les notes cacaotées du bouquet.

GAEC Pastureaud et Fils, Ch. Lussan, 33820 Pleine-Selve, tél. 05.57.32.60.70, fax 05.57.32.95.18 ☑ Y t.l.j. sf dim. 8h-12h30 14h30-19h

CH. DES MATARDS

Cuvée Nathan élevé en fût de chêne 1997★★

■ 3 ha 26 000 30 à 49 F

Avec sa cuvée élevée en fût de chêne, ce cru a connu une belle réussite dans ce millésime. Ayant résolument choisi le registre de l'élégance, le vin évolue au milieu des nuances les plus plaisantes. Se présentant dans une belle robe grenat, il n'est pas avare avec son bouquet aux jolis côtés grillés, confiturés et brûlés. Equilibré et soutenu par une structure fine et corsée, son palais mène sans heurt vers une belle finale.

GAEC Terrigeol et Fils, Le Pas d'Ozelle, 27, av. du Pont-de-la-Grâce, 33820 Saint-Ciers-sur-Gironde, tél. 05.57.32.61.96, fax 05.57.32.79.21 ☑ Y t.l.j. 8h-12h30 14h-18h

CH. MAYNE-GUYON

Cuvée Héribert 1997★★

■ 7 ha 40 000 50 à 69 F

Marquant un bond en avant pour ce cru, cette cuvée élevée douze mois en barrique est particulièrement réussie. A la générosité d'un bouquet aux intenses notes de fruits rouges confiturés s'ajoute une structure fine et agréable qui témoigne d'une extraction bien menée, avant de

s'achever par un beau retour des fruits rouges en finale.

🍷 Ch. Mayne-Guyon, Mazerolles, 33390 Cars, tél. 05.57.42.09.59, fax 05.57.42.27.93 ☑ ⟡ r.-v.

CH. MONDÉSIR-GAZIN
Cuvée Prestige 1996★★★

■	4 ha	24 000	ⅲ	50 à 69 F

Mélange de Moyen Âge authentique et de néogothique du meilleur style XIX°s., ce château a su atteindre une réelle harmonie avec sa cuvée Prestige. Proche de l'idéal absolu par sa couleur, ce 96 est somptueux dans son attaque comme dans son bouquet, où les fruits noirs soutiennent de fines notes de torréfaction et de pain grillé. Au palais, les arômes traduisent l'influence du merlot, qui s'accorde avec les tanins mûrs et bien enrobés pour former un ensemble des plus élégants.

🍷 Marc Pasquet, Mondésir-Gazin, 33390 Plassac, tél. 05.57.42.29.80, fax 05.57.42.84.86 ⟡ r.-v.

CH. PEYMELON 1996

■ Cru bourg.	1 ha	6 500	·	ⅲ	30 à 49 F

Petite cuvée élevée en barrique, ce vin est encore un peu agressif en finale, mais sa solide constitution et son bouquet empyreumatique et fruité doivent lui permettre de bien évoluer d'ici deux ou trois ans.

🍷 SCE Chapard-Tuffreau, Les Petits, 33390 Cars, tél. 05.57.42.19.09, fax 05.57.42.00.73 ⟡ t.l.j. 9h-20h

JEAN-CLAUDE PLISSON 1997

■	1,5 ha	10 000	▮ᵭ	30 à 49 F

Nouvelle étiquette créée par le propriétaire du Château Les Billauds, ce vin est agréable et intéressant par son bouquet, aux notes de fruits rouges et de poivron, et par son palais, rond et aromatique. Le **Château Les Billauds 97 élevé en fût** (30-49 F) a également reçu une citation.

🍷 SCEA Vignobles Plisson, Les Billauds, 33860 Marcillac, tél. 05.57.32.77.57, fax 05.57.32.95.27 ⟡ r.-v.

CH. PRIEURÉ MALESAN
Elevé en fût de chêne 1997★

■ Cru bourg.	28 ha	200 000	ⅲ	30 à 49 F

Propriété du célèbre négociant bordelais, Bernard Magrez, ce cru est géré avec un sérieux qu'atteste la rigueur de la sélection opérée pour obtenir ce vin élevé seize mois en barrique. Le résultat est là, avec un joli bouquet, fruité et boisé, et une structure souple, bien constituée et persistante.

🍷 SCA Ch. Prieuré Malesan, 1, Perenne, 33390 Saint-Genès-de-Blaye, tél. 05.57.42.18.25, fax 05.57.42.15.86 ⟡ r.-v.

🍷 Bernard Magrez

CH. REBOUQUET LA ROQUETTE
Cuvée Passion 1996

■	4,35 ha	n.c.	▮ⅲ	30 à 49 F

Issue d'une sélection rigoureuse, cette petite cuvée est discrète mais plaisante dans son expression aromatique fruitée et florale qui s'harmonise avec la matière, simple mais gracieuse et bien mise en valeur.

🍷 Jean-Francis Braud, Ch. Rebouquet-la-Roquette, 33390 Berson, tél. 05.57.42.82.49, fax 05.57.42.08.07 ☑ ⟡ r.-v.

CH. ROLAND LA GARDE
Prestige 1997★★

■	10 ha	40 000	▮ⅲᵭ	30 à 49 F

Le neveu de Charlemagne a-t-il réellement séjourné dans la région ? Pour essentielle qu'elle soit, cette question ne doit pas vous empêcher d'apprécier les qualités de cette cuvée Prestige. Torréfaction, réglisse, pruneau, fruits confits, la générosité du bouquet annonce celle du palais à la solide structure tannique. Certes, le bois demande encore à se fondre mais la matière est là pour permettre à cette belle bouteille d'évoluer. Plus rustique mais bien constituée elle aussi, la cuvée principale **Tradition 97** (30-49 F) a obtenu une citation.

🍷 SCEA Ch. Roland La Garde, 8, La Garde, 33390 Saint-Seurin-de-Cursac, tél. 05.57.42.32.29, fax 05.57.42.01.86 ☑ ⟡ t.l.j. sf dim. 8h-19h

🍷 Bruno Martin

DOM. DES ROSIERS
Elevé en fût de chêne 1997★

■	2 ha	16 000	ⅲ	30 à 49 F

70 % de merlot et 30 % de cabernet franc composent ce vin au bouquet d'une bonne intensité qui progresse agréablement tout au long de la dégustation pour aboutir à un mariage harmonieux du bois et du fruit.

🍷 Christian Blanchet, 10, La Borderie, 33820 Saint-Ciers-sur-Gironde, tél. 05.57.32.75.97, fax 05.57.32.78.37 ☑ ⟡ r.-v.

CH. SEGONZAC 1997★

■ Cru bourg.	20 ha	150 000	▮ᵭ	30 à 49 F

Château, parc, chais, tout rappelle l'époque où ce cru appartenait au sénateur Dupuy, un homme politique important du XIX°s. Aujourd'hui, les soins prodigués à la récolte sont attentifs, comme en témoigne ce millésime. D'une jolie couleur, équilibré et soutenu par une belle matière tannique, il pourra être attendu deux ou trois ans.

🍷 SCEA Ch. Segonzac, 39, Segonzac, 33390 Saint-Genès-de-Blaye, tél. 05.57.42.18.16, fax 05.57.42.24.80 ☑ ⟡ r.-v.

CH. TERRE-BLANQUE
Cuvée Noémie 1997

■	1 ha	2 000	ⅲ	50 à 69 F

Baptisée du nom de la grand-mère de Paul-Emmanuel Boulmé - lequel a repris à l'âge de vingt-cinq ans, en 1995, ce domaine de 13 ha - cette petite cuvée élevée en fût est simple, bouquetée, ronde et bien structurée.

🍷 Paul-Emmanuel Boulmé, Ch. Terre-Blanque, 33990 Saint-Genès-de-Blaye, tél. 05.57.42.18.48 ☑ ⟡ r.-v.

CH. TOUR GALINEAU
Elevé en fût de chêne 1997

■	2,25 ha	15 000	ⅲ	30 à 49 F

75 % de merlot dans ce vin élevé douze mois en barrique. Sa présentation est nette et limpide, couleur rubis. Le nez marie les notes fruitées et

le bois assez marqué. La bouche rappelle le nez, évoluant sur une structure fine. A boire pendant ces deux prochaines années.

⊶ André Quancard-André, rue de la Cabeyre, 33240 Saint-André-de-Cubzac, tél. 05.57.33.42.42, fax 05.57.43.22.22, e-mail quancard@quancard.com

CH. DES TOURTES
Cuvée Prestige Elevé en fût de chêne 1997

■ 8 ha 45 000 ⦀ 30 à 49 F

Cuvée élevée en fût de chêne, ce vin est porté par des tanins d'une rusticité de bon aloi, qui inviteront à l'attendre encore un peu pour qu'il s'arrondisse pendant que le caractère du bouquet, fruité et floral, s'affirmera.

⊶ EARL Raguenot-Lallez, Ch. des Tourtes, 33820 Saint-Caprais-de-Blaye, tél. 05.57.32.65.15, fax 05.57.32.99.38 ☒ Y t.l.j. 9h-12h30 13h30-19h; dim. sur r.-v.

CHAPELLE DE TUTIAC 1996★★

■ 15 ha 100 000 ▮ ⦀ 20 à 29 F

Discrètement située sur les plateaux et vallons de l'arrière-pays blayais, la cave des Hauts de Gironde nous montre une fois encore que sa réputation n'est pas usurpée : couleur soutenue, bouquet jeune (cerise puis confiture de vin), structure charnue et ample, tanins fins et goûteux, tout annonce un vin à la forte personnalité, qui méritera les honneurs de la cave. Frais, vif et floral, le **Duchesse de Tutiac blanc 98** (20-29 F) a obtenu une étoile.

⊶ Cave des Hauts de Gironde, La Cafourche, 33860 Marcillac, tél. 05.57.32.48.33, fax 05.57.32.49.63 ☒ Y r.-v.

Côtes de bourg

L'AOC couvre environ 3 600 ha. Avec comme cépage dominant le merlot, les rouges (226 688 hl en 1998) se distinguent souvent par une belle couleur et des arômes assez typés de fruits rouges. Assez tanniques, ils permettent dans bien des cas d'envisager favorablement un certain vieillissement. Peu nombreux, les blancs (1 615 hl en 1998) sont en général secs, avec un bouquet assez typé.

CLOS ALPHONSE DUBREUIL 1996★

■ 0,15 ha 3 500 ⦀ 50 à 69 F

Microvignoble dépendant d'un cru blayais, cette propriété s'inscrit dans la tradition de qualité des Montaut, avec ce vin qui attaque en souplesse avant de monter en puissance pour laisser sur le souvenir d'agréables arômes fruités.

⊶ Pascal Montaut, Courgeau, 33390 Saint-Paul-de-Blaye, tél. 05.57.42.34.88, fax 05.57.42.93.80 Y r.-v.

CH. DE BARBE 1997★

■ 33,41 ha 260 000 ▮ 🌡 30 à 49 F

Vaste unité commandée par un château du XVIIIe s., ce cru prouve que la qualité n'est pas l'apanage des microproductions : soutenu par un bois bien dosé, son 97 est aussi agréable par son bouquet, fruité et floral, que par son palais, ample et fin ; il pourra être attendu deux ou trois ans. Fin et élégant, le **Château Escalette rouge 97**, du même producteur, a également obtenu une étoile.

⊶ Société viticole villeneuvoise, Ch. de Barbe, 33710 Villeneuve, tél. 05.57.42.64.00, fax 05.57.64.94.10 ☒ Y t.l.j. sf dim. 8h30-12h 14h-16h30

⊶ Famille Richard

CH. BEGOT 1997★

■ n.c. 20 000 ▮ 🌡 30 à 49 F

Issu d'un vignoble à dominante de merlot, ce vin est encore un peu jeune, mais ses tanins lui permettront de s'arrondir, sa concentration, son équilibre et la complexité du bouquet, aux belles notes de fruits rouges mûrs, s'annonçant prometteurs.

⊶ Alain Gracia, Ch. Bégot, 33710 Lansac, tél. 05.57.68.42.14, fax 05.57.68.29.90 ☒ Y t.l.j. 9h-12h 14h-20h; dim. sur r.-v.

CH. BEL-AIR Vieilli en fût de chêne 1996★

■ 0,48 ha 3 807 ▮ ⦀ 30 à 49 F

Une belle propriété d'une vingtaine d'hectares et une cuvée spéciale élevée en fût. Ce vin sait se présenter : il paraît dans une jolie robe sombre et déploie un bouquet élégant (pain grillé et confiture de griottes). Souple, charnu et rond, il témoigne d'une vinification soignée.

⊶ GAEC Gayet Frères, Ch. Bel-Air, 33710 Samonac, tél. 05.57.68.26.67, fax 05.57.68.26.67 ☒ Y r.-v.

CH. BELAIR-COUBET 1997★★

■ 25 ha 112 500 ▮ ⦀ 🌡 30 à 49 F

La qualité de sa production, en côtes de bourg mais aussi en premières côtes de blaye et en bordeaux, vaut à la famille Faure d'être devenue une habituée du Guide. Superbement réussi, ce millésime marque le couronnement du travail de six générations. D'un grenat sombre prometteur, il retient l'attention par ses arômes suaves de café, de noyau, de fruits et de confitures, avant de captiver par la richesse et le gras de son palais.

Plus modeste mais bien équilibré, le **Château Tansenant 97** (30 à 49 F) a obtenu une citation.
🐦Vignobles Alain Faure, Ch. Belair-Coubet, 33710 Saint-Ciers-de-Canesse, tél. 05.57.42.68.80, fax 05.57.42.68.81 ☑ 🍷 r.-v.

CH. BRULESECAILLE 1998★★

☐	0,5 ha	3 200	⦀	30 à 49 F

Né sur une belle unité de 28,50 ha située sur des coteaux argilo-calcaires et argilo-graveleux, ce vin fait regretter que les vignobles blancs aient presque entièrement disparu de Bourg. Son bouquet, très sauvignon, et son palais font preuve d'une grande élégance et de beaucoup de délicatesse. En **rouge 97**, Brulesécaille est intéressant. Il faudra attendre que ses tanins, très extraits, se fondent. Cette bouteille (50 à 69 F) reçoit une étoile.
🐦Jacques Rodet, Ch. Brulesécaille, 33710 Tauriac, tél. 05.57.68.40.31, fax 05.57.68.21.27, e-mail brulesecaille@cavesparticulieres.com ☑ 🍷 r.-v.

CH. BUJAN 1997★

■	6 ha	40 000	⦀⦀	50 à 69 F

Cru d'une bonne régularité, ce vignoble offre avec ce millésime un vrai vin de garde, dont la jeunesse se lit dans sa robe soutenue, sa concentration, ses tanins et ses arômes de fruits rouges.
🐦Pascal Méli, Ch. Bujan, 33710 Gauriac, tél. 05.57.64.86.56, fax 05.57.64.93.96, e-mail pmeli@alienor.fr ☑ 🍷 t.l.j. sf dim. 9h-12h 14h-18h30

CH. CONILH HAUTE-LIBARDE 1997

■	3 ha	25 000	▌⦀	50 à 69 F

Commandé par une chartreuse du XVIIᵉ s., ce cru assemble 70 % de merlot à 15 % de cabernet-sauvignon et à 15 % de malbec. Il propose ici un vin léger mais sympathique par sa rondeur et son équilibre.
🐦Dom. Bernier, 33710 Lansac, tél. 05.57.68.46.46, fax 05.57.68.36.09, e-mail maxime@bernier-vins.fr ☑ 🍷 r.-v.

CH. FALFAS Elevé en fût de chêne 1996

■	22 ha	125 000	⦀	50 à 69 F

Commandé par un beau manoir Louis XIII, ce cru offre avec ce 96 un vin plaisant par son expression aromatique (fruits secs et raisins de Corinthe) et par sa rondeur que ne gâchent pas une matière très extraite et un boisé intéressant.
🐦John et Véronique Cochran, Ch. Falfas, 33710 Bayon, tél. 05.57.64.80.41, fax 05.57.64.93.24 ☑ 🍷 r.-v.

CH. FOUGAS Maldoror 1997★★

■	4 ha	20 000	⦀	70 à 99 F

Beau coup de cœur l'an dernier, cette cuvée a réussi un difficile pari avec ce 97, millésime ingrat. Noire et intense, la robe est annonciatrice d'un vin puissant, aux tanins denses. Quatorze mois de barrique neuve ont marqué le nez et la bouche de notes torréfiées, grillées. La longueur plaide pour une garde de quatre à cinq ans. La cuvée **Fougas Prestige rouge 97** reçoit une étoile (30 à 49 F).

🐦Jean-Yves Béchet, Ch. Fougas, 33710 Lansac, tél. 05.57.68.42.15, fax 05.57.68.28.59, e-mail jean-yves.bechet@wanadoo.fr ☑ 🍷 t.l.j. sf sam. dim. 9h-18h

CH. GALAU 1997★★

■	6,5 ha	40 000	⦀	30 à 49 F

Sans égaler le Château Nodoz, du même producteur, ce vin gras, onctueux, soyeux et bien enrobé a la structure nécessaire pour se fondre et exprimer pleinement son potentiel aromatique de fruits noirs mûrs. Une bouteille remarquable qui tient toutes les promesses de sa robe, d'un rouge très foncé.
🐦Magdeleine, Ch. Nodoz, 33710 Tauriac, tél. 05.57.68.41.03, fax 05.57.68.37.34 ☑ 🍷 r.-v.

CH. GRAND-JOUR 1997

■	40 ha	80 000	▌⦀♦	50 à 69 F

Né sur une propriété également productrice d'autres appellations, ce vin offre tout d'abord un bouquet un peu timide mais qui montre rapidement sa puissance à l'aération, puis révèle une matière assez pleine, soutenue par un bois de qualité qui demande encore à se fondre.
🐦SCEA Ch. Grand-Jour, 87, av. des Côtes-de-Bourg, 33710 Prignac-et-Marcamps, tél. 05.57.68.44.06, fax 05.57.68.37.59 ☑ 🍷 r.-v.

CH. GRAND LAUNAY
Réserve Lion noir 1997★★

■	6 ha	40 000	⦀	30 à 49 F

Cuvée prestige élevée en fût, ce vin fait honneur à son producteur. Sa belle robe sombre et son bouquet expressif et complexe annoncent ses possibilités. Bien soutenue par le bois, la structure confirme le potentiel et l'attrait de cette bouteille par sa chair, sa mâche et ses tanins harmonieux. Plus simple, mais concentrée et tannique, la **cuvée principale** (20 à 29 F) a obtenu une citation.
🐦Michel Cosyns, Ch. Grand Launay, 33710 Teuillac, tél. 05.57.64.39.03, fax 05.57.64.22.32 🍷 r.-v.

CH. GRAVETTES-SAMONAC
Vieilli en fût de chêne 1997

■	4 ha	25 000	⦀	30 à 49 F

Il porte un habit grenat avec des tons rubis, et un nez grillé et fruité de bon aloi sur un sillage balsamique. En bouche, l'assise tannique est de qualité et la finale chaleureuse.
🐦Gérard Giresse, Le Bourg, 33710 Samonac, tél. 05.57.68.21.16, fax 05.57.68.36.43 ☑ 🍷 r.-v.

CH. DE GRISSAC 1997

■	20 ha	15 000	▌♦	20 à 29 F

Même s'il aurait gagné à être plus charnu, ce vin est intéressant par son bouquet fruité et sa présence tannique importante pour le millésime.
🐦Bernadette Cottavoz, Ch. de Grissac, 33710 Prignac-et-Marcamps, tél. 05.57.68.31.65, fax 05.57.68.31.65 ☑ 🍷 r.-v.
🐦GFA du Ch. de Grissac

CH. GROLEAU Vieilli en fût de chêne 1996

■ 2 ha 12 000 ◖◗ 30 à 49 F

Appartenant à une petite production élevée en fût, ce vin discrètement bouqueté sait concilier un côté délicat avec une bonne structure tannique. Finale assez longue.

🔑 EARL Didier et Sylvie Raboutet, Ch. Le Chay, 33390 Berson, tél. 05.57.64.39.50, fax 05.57.64.25.08 ☑ 🍷 r.-v.

CH. GUIRAUD
Vieillie en fût de chêne 1996★

■ 1 ha 7 200 ◖◗ 30 à 49 F

Issu de la cuvée prestige de ce cru, ce vin remplit parfaitement son rôle d'ambassadeur. Par leur densité, sa robe noire et son bouquet aux puissantes notes épicées et torréfiées lui assurent une présentation aussi irréprochable que prometteuse. Souple et soyeux, le palais est porté par des tanins qui demandent encore à se fondre, mais qui garantissent une bonne garde.

🔑 Jacky Bernard, 3, Guiraud, 33710 Saint-Ciers-de-Canesse, tél. 05.57.64.91.02, fax 05.57.64.91.46 ☑ 🍷 r.-v.

CH. HAUT-BAJAC 1997

■ 11 ha 32 000 🍾 🌡 30 à 49 F

Premier millésime pour cette étiquette, ce vin la place sous d'heureux auspices par sa souplesse, sa rondeur et sa structure tannique qui sait s'affirmer sans agressivité.

🔑 Jacques Pautrizel, 2, Le Caillou, 33710 Bourg-sur-Gironde, tél. 05.57.68.35.99, fax 05.57.68.32.15 ☑ 🍷 r.-v.

CH. HAUT-GRAVIER
Elevé en fût de chêne 1996★

■ 13,25 ha 50 000 ◖◗ 30 à 49 F

Elaborée à la cave de Pugnac, cette cuvée élevée en fût est intéressante par son bouquet aux puissantes notes de cuir, de fruits cuits et de vanille, par sa structure assez volumineuse et charnue, et par sa longue finale, où le boisé est de qualité.

🔑 Union de producteurs de Pugnac, Bellevue, 33710 Pugnac, tél. 05.57.68.81.01, fax 05.57.68.83.17 ☑ 🍷 r.-v.

🔑 Christine Roy-Petit

CH. HAUT-GUIRAUD
Vieilli en fût de chêne 1997★

■ 10 ha 20 000 ◖◗ 30 à 49 F

Cuvée prestige, ce vin possède la puissance aromatique et tannique qui lui permettra d'affronter les trois ou quatre ans de garde que demande encore son bois pour se fondre. Plus svelte et à boire jeune, le **Château Castaing** (30 à 49 F), du même producteur, a obtenu une citation.

🔑 EARL Bonnet et Fils, Ch. Haut-Guiraud, 33710 Saint-Ciers-de-Canesse, tél. 05.57.64.91.39, fax 05.57.64.88.05 ☑ 🍷 r.-v.

CH. HAUT-MACO
Cuvée Jean Bernard 1996★

■ 49 ha 52 000 🍾 ◖◗ 🌡 30 à 49 F

Vaste unité de près de 50 ha, ce cru propose ici une cuvée prestige d'une bonne tenue au palais par sa présence tannique, son équilibre et ses jolis arômes à la fois réglissés et vanillés qui se mêlent aux fruits bien mûrs et sains. « Belle typicité », note le jury.

🔑 SCEA Mallet Frères, Ch. Haut-Macô, 33710 Tauriac, tél. 05.57.68.81.26, fax 05.57.68.91.97 ☑ 🍷 t.l.j. 8h-12h 14h-18h

CH. HAUT-MONDESIR 1996★

■ 1,8 ha 12 000 ◖◗ 50 à 69 F

Microvignoble à dominante merlot (90 %), ce cru offre avec ce 96 un vin au bouquet marqué par le cépage. Souple, ample, tannique, concentré et aromatique, le palais témoigne d'une vinification et d'un élevage bien maîtrisés. Une jolie bouteille, à attendre trois ou quatre ans.

🔑 Marc Pasquet, Mondésir-Gazin, 33390 Plassac, tél. 05.57.42.29.80, fax 05.57.42.84.86 ☑ 🍷 r.-v.

CH. HAUT-MOUSSEAU
Vieilli en fût de chêne 1997★★

■ 30 ha 18 000 ◖◗ 50 à 69 F

Cuvée prestige, ce vin a bénéficié de soins attentifs. Même si le bois est encore très présent, cette bouteille affiche une belle sérénité : dense, soyeux et velouté, le palais est sans agressivité, mais il ne laisse planer aucun doute sur son potentiel de garde.

🔑 Dominique Briolais, 1, Ch. Haut-Mousseau, 33710 Teuillac, tél. 05.57.64.34.38, fax 05.57.64.31.73 ☑ 🍷 r.-v.

CH. LABADIE Vieilli en fût de chêne 1996★

■ 10 ha 60 000 🍾 ◖◗ 🌡 30 à 49 F

Si sa couleur pourrait laisser craindre un début d'évolution, ce vin reste puissant dans son expression aromatique (fruits mûrs et épices). Il est bien construit, avec une structure tannique élégante.

🔑 Huguette Dupuy, 1, Les Richards, 33710 Mombrier, tél. 05.57.64.36.65, fax 05.57.64.23.85 ☑ 🍷 r.-v.

CH. LA CROIX-DAVIDS Prestige 1997★

■ 4,5 ha 30 000 ◖◗ 30 à 49 F

Ce domaine de 38 ha a proposé une cuvée Prestige qui a passé dix-huit mois en barrique. Ce vin a reçu des soins attentifs qui lui permettent d'associer un bouquet élégant (fruits et bois) à une structure bien charpentée pour former un ensemble équilibré, qui s'ouvre sur une longue finale de qualité.

🔑 Meneuvrier, 57, rue Valentin-Bernard, 33710 Bourg-sur-Gironde, tél. 05.57.94.03.94, fax 05.57.94.03.90 ☑ 🍷 t.l.j. sf dim. lun. 8h-12h 14h-18h

CH. DE LA GRAVE Nectar 1996★★

■ n.c. 12 000 ◖◗ 70 à 99 F

Dressant ses tours au sommet d'un coteau argilo-calcaire au relief marqué, ce château bénéficie d'un terroir de qualité. Son 96 en a pleinement profité, comme l'annonce sa robe rouge sombre à reflets cerise. Si les notes torréfiées de l'élevage prévalent encore, déjà apparaissent des arômes de raisin très mûr. Au palais, la charpente s'appuie sur des tanins charmeurs pour offrir une

BORDELAIS

perspective de garde de quelques années à cette jolie bouteille.

➥SC Bassereau, Ch. de La Grave, 33710 Bourg-sur-Gironde, tél. 05.57.68.41.49, fax 05.57.68.49.26 ☑ ⟲ r.-v.

CH. LAMOTHE Grande réserve 1996⋆

| ■ | | 5 ha | 15 000 | ⦀ | 30 à 49 F |

Ce domaine de 23 ha constitué vers 1850 et dont l'encépagement est à 80 % merlot a donné cette cuvée prestige élevée douze mois en fût. Ce vin est d'une belle présence aromatique, avec des notes complexes (fruits, épices, confiture et réglisse). Concentrée et puissante, sa structure se développe agréablement, pour aboutir à une longue finale.

➥A. Pousse et M. Pessonnier, Ch. Lamothe, 33710 Lansac, tél. 05.57.68.41.07, fax 05.57.68.46.62 ☑ ⟲ r.-v.

LA PETITE CHARDONNE
Elevé en fût de chêne 1997

| ■ | | 5 ha | 15 000 | ⦀ | 30 à 49 F |

Louis Marinier a fortement marqué l'histoire des appellations du Bordelais. Aujourd'hui, Monique et Marie-Hélène Marinier mènent ce domaine de 45 ha et ont créé une marque en 1991 pour leur cuvée bois. Ce vin est simple mais agréable par son bouquet, fin et d'une bonne puissance, comme par son équilibre général, avec des tanins souples et bien mariés.

➥SCEA Vignobles Louis Marinier, Dom. Florimond-La Brède, 33390 Berson, tél. 05.57.64.39.07, fax 05.57.64.23.27 ☑ ⟲ t.l.j. 8h-12h 14h-18h; sam. dim. sur r.-v.; f. août

CH. LA TUILIERE 1997

| ■ | | 13,5 ha | 90 000 | ⦀ | 30 à 49 F |

Le malbec (5 %) n'étant pas oublié, l'encépagement respecte la tradition bourquaise. De même, ce vin est bien dans l'esprit moderne de l'appellation par son bouquet délicat (cerise et groseille), comme par sa rondeur et ses tanins agréables.

➥Les Vignobles Philippe Estournet, Ch. La Tuilière, 33710 Saint-Ciers-de-Canesse, tél. 05.57.64.80.90, fax 05.57.64.89.97 ☑ ⟲ r.-v.

CH. LE BREUIL
Cuvée du Dragon Elevé en fût de chêne 1996

| ■ | | 0,15 ha | 2 000 | ⦀ | 30 à 49 F |

Ce domaine de 20 ha propose une petite cuvée prestige, élevée en barrique. Ce vin est souple, équilibré et d'une agréable expression aromatique, où les fruits rouges et la vanille se mêlent aux notes animales.

➥GAEC Doyen et Fils, Ch. Le Breuil, 33710 Bayon-sur-Gironde, tél. 05.57.64.80.10, fax 05.57.64.93.75 ☑ ⟲ t.l.j. sf sam. dim. 10h-12h 14h-18h

CH. LES GRANDS THIBAUDS
Réserve du Château Elevé en fût de chêne 1997⋆⋆

| ■ | | 2 ha | 11 500 | ⦀ | 30 à 49 F |

Cuvée élevée en fût de chêne et issue de vignes d'un âge respectable, ce vin porte sa jeunesse dans sa robe d'une couleur intense et profonde. Au bouquet, le bois, dosé avec discernement, res-

pecte le fruit pour donner un ensemble d'une belle élégance. Après une attaque moelleuse, ce 97 développe une structure tannique et équilibrée qui augure une bonne garde.

➥Daniel Plantey, Les Grands-Thibauds, 33240 Saint-Laurent-d'Arce, tél. 05.57.43.08.37 ☑ ⟲ t.l.j. 9h-19h

LES MOULINS DU HAUT-LANSAC
1997

| ■ | | n.c. | 45 000 | ▮♦ | 20 à 29 F |

Marque de la cave de Lansac, qui vinifie 154 ha de vigne, ce vin aux arômes de mûre et de myrtille allie rondeur et bonne structure tannique. Il s'accordera avec une entrecôte. Elevée en fûts et encore marquée par le bois, la **cuvée Séduction** (30 à 49 F) a obtenu une citation, mais devra faire ses preuves lorsque le fruité paraîtra.

➥Les Vignerons de la Cave de Lansac, La Croix, 33710 Lansac, tél. 05.57.68.41.01, fax 05.57.68.21.29 ☑ ⟲ t.l.j. sf sam. dim. lun. 8h-12h 14h-18h; groupes sur r.-v.

CH. LE TERTRE DE LEYLE
Cuvée Réserve Elevé en fût de chêne 1996⋆⋆

| ■ | | 1 ha | 7 500 | ⦀ | 30 à 49 F |

Petite cuvée Réserve, on a tiré profit de son élevage en barrique, les notes de grillé et de vanille sachant respecter celles de fruits rouges, avec lesquelles elles composent un bouquet agréable. Ample et gras, le palais, lui aussi d'une belle tenue, trouve un bon point d'équilibre entre la finesse et la puissance. La **cuvée principale 97** (20 à 29 F) a obtenu une étoile. Elle représente 50 000 bouteilles.

➥Vignobles Grandillon, Le Bourg, 33710 Teuillac, tél. 05.57.64.39.31, fax 05.57.64.24.18 ☑ ⟲ t.l.j. 8h-12h 14h-18h

CH. MACAY Original 1996⋆⋆⋆

| ■ | | 2,5 ha | 12 000 | ⦀ | 70 à 99 F |

Merlot, cabernets (franc et sauvignon), malbec, vignes trentenaires et sols argilo-graveleux et calcaires, ce cru est bien typé. Il en est de même pour sa cuvée prestige : puissante, riche et concentrée, avec une finale imposante, elle possède un caractère bien marqué. Mais celui-ci ne s'exprime pas uniquement par sa force. Parfaitement équilibré, ce vin sait aussi faire preuve de beaucoup d'élégance, notamment dans son expression aromatique, tant au bouquet, où les fruits mûrs, presque confits, côtoient les amandes grillées, que dans son retour aux jolies senteurs de clou de girofle et de vanille. On pourra l'attendre avec la **cuvée principale 97** (90 000 bouteilles ; 30 à 49 F), qui a obtenu une étoile.

➥Eric et Bernard Latouche, Ch. Macay, 33710 Samonac, tél. 05.57.68.41.50, fax 05.57.68.35.23 ☑ ⟲ t.l.j. sf dim. 9h-12h 14h-18h; sam. matin

CH. MARTINAT
Vieilli en fût de chêne 1997

| ■ | | 4 ha | 20 000 | ⦀ | 50 à 69 F |

Sans être d'une force exceptionnelle, ce vin est bien constitué et d'une belle expression aromatique, aux savoureuses notes de fruits cuits, de vanille et de chocolat.

❧SCEV Marsaux-Donze, Ch. Martinat,
33710 Lansac, tél. 05.57.68.34.98,
fax 05.57.68.35.39 ☑ ⲧ r.-v.

CH. MERCIER Cuvée Prestige 1996★★

■ 12 ha 40 000 ⬛⬜⬜ 30 à 49 F

Aussi passionné par son appellation que par la lutte raisonnée, Philippe Chéty nous offre une nouvelle fois une très belle cuvée Prestige. D'une jolie robe grenat, celle-ci développe un bouquet riche (fruits mûrs et vanille) et une structure dense, soyeuse, longue et tout en nuances. Soutenue par des tanins de qualité, cette remarquable bouteille dispose d'un excellent potentiel. On lui trouvera une place de choix à la cave, où elle restera cinq ou six ans. En revanche, le **blanc 98** (30 à 49 F), qui a obtenu une étoile, devra être bu jeune si l'on veut profiter pleinement de sa vivacité et de sa finesse.

❧Philippe Chéty, Ch. Mercier, 33710 Saint-Trojan, tél. 05.57.42.66.99, fax 05.57.42.66.96, e-mail chety@quaternet.fr ☑ ⲧ r.-v.

CH. MONTAIGUT
Vieilli en fût de chêne 1996★

■ 3 ha 16 000 ⬜⬜ 30 à 49 F

Cette belle unité d'un seul tenant dominant l'estuaire obtient une jolie réussite avec sa cuvée vieillie en bois. Fin et souple, gras et tannique, ce vin est agréable par son expression aromatique faite de fruits rouges et de vanille. Gras, floral et délicat, le **blanc 98** (30 à 49 F) a également obtenu une étoile.

❧François de Pardieu, 2, Nodeau, 33710 Saint-Ciers-de-Canesse, tél. 05.57.64.92.49, fax 05.57.64.94.20 ☑ ⲧ r.-v.

CH. MOULIN DES GRAVES
Cuvée particulière 1998★

☐ 2 ha 4 000 ⬜⬜ 30 à 49 F

On retrouve avec plaisir la belle étiquette de Jean Bost et cette petite cuvée sauvignon ; ce vin porte la marque de son élevage en barrique sur lies fines dans sa robe opalescente. Un peu surprenant par ses notes de cire, son bouquet évoque les agrumes et l'ananas.

❧Jean Bost, 33710 Teuillac, tél. 05.57.64.30.58, fax 05.57.64.20.59 ☑ ⲧ r.-v.

CH. NODOZ 1997★★★

■ 10 ha 60 000 ⬜⬜ 30 à 49 F

Valeur sûre de l'appellation, ce cru est encore une fois à la hauteur de sa renommée avec ce vin, que son élevage en fût a doté de jolies notes toastées. Celles-ci s'harmonisent avec les parfums de fruits rouges pour constituer un ensemble complexe. Charnue, ample et étoffée, la structure est de même qualité ; ses tanins mûrs et fins lui permettront de bien vieillir pendant quatre ou cinq ans. Une belle réussite dans un millésime pourtant réputé délicat.

❧Magdeleine, Ch. Nodoz, 33710 Tauriac, tél. 05.57.68.41.03, fax 05.57.68.37.34 ☑ ⲧ r.-v.

CH. PEYCHAUD
Maisonneuve Vieilles vignes 1997

■ 5 ha 30 000 ⬛⬜⬜ 30 à 49 F

Bien qu'un peu austère en finale, ce vin n'en reste pas moins très agréable, avec un bouquet fin et élégant que prolonge un palais tannique et bien proportionné.

❧Vignobles Germain et Associés, Ch. Peyredoulle, 33390 Berson, tél. 05.57.42.66.66, fax 05.57.64.36.20, e-mail bordeaux@vgas.com ☑ ⲧ r.-v.

CH. DE ROUSSELET Elevé en fût 1996★

■ 3,5 ha 25 000 ⬜⬜ 30 à 49 F

Appartenant à la cuvée élevée en fût, ce vin présente très naturellement un bouquet marqué par le bois, avec des notes de torréfaction. Celles-ci n'empêchent cependant pas les fruits de se manifester. Bien charpentée, la structure a la force nécessaire pour permettre aux tanins de se polir d'ici trois ou quatre ans.

❧EARL du Ch. de Rousselet, 33710 Saint-Trojan, tél. 05.57.64.32.18, fax 05.57.64.32.18 ☑ ⲧ r.-v.

❧F. Sou

ETIENNE DE TAURIAC 1996

■ 30 ha 50 000 ⬜⬜ 30 à 49 F

Marque de la cave de Bourg-Tauriac, ce vin, souple et bien structuré, trouve son épanouissement dans son expression aromatique aux jolies notes de fruits rouges.

❧Cave de Bourg-Tauriac, 3, av. des Côtes-de-Bourg, 33710 Tauriac, tél. 05.57.94.07.07, fax 05.57.94.07.00 ☑ ⲧ r.-v.

CH. TOUR DE COLLIN 1996

■ 15 ha 20 000 ⬜⬜ 30 à 49 F

D'une production limitée, ce vin a été élevé en barrique, ce qui a renforcé l'élégance de son bouquet. Au palais, la matière reste discrète, mais son harmonie le rend plaisant.

❧Denis Levraud, Dom. de Noriou la Libarde, 33710 Bourg-sur-Gironde, tél. 05.57.68.46.26, fax 05.57.68.37.16 ☑ ⲧ r.-v.

CH. TOUR DES GRAVES 1998

☐ 2 ha 15 000 ⬛⬜ 20 à 29 F

Entièrement sauvignon, ce vin porte la marque de ce cépage dans son bouquet, où le lierre se substitue progressivement aux fleurs. Vif et frais, avec un peu de gras en finale, il se mariera très bien avec des coquillages ou des fromages de chèvre.

❧GAEC Arnaud Frères, Le Poteau, 33710 Teuillac, tél. 05.57.64.32.02, fax 05.57.64.23.94 ☑ ⲧ t.l.j. sf dim. 8h-12h 14h-19h

Le Libournais

Même s'il n'existe aucune appellation « Libourne », le Libournais est bien une réalité. Avec la ville-filleule de Bordeaux comme centre et la Dordogne comme axe, il s'individualise fortement par rapport au reste de la Gironde en dépendant moins directement de la métropole régionale. Il n'est pas rare, d'ailleurs, que l'on oppose le Libournais au Bordelais proprement dit, en invoquant par exemple l'architecture, moins ostentatoire, des « châteaux du vin », ou la place des « Corréziens » dans le négoce de Libourne. Mais ce qui individualise le plus le Libournais, c'est sans doute la concentration du vignoble, qui apparaît dès la sortie de la ville et recouvre presque intégralement plusieurs communes aux appellations renommées comme Fronsac, Pomerol ou Saint-Emilion, avec un morcellement en une multitude de petites ou moyennes propriétés. Les grands domaines, du type médocain, ou les grands espaces caractéristiques de l'Aquitaine étant presque d'un autre monde.

Le vignoble s'individualise également par son encépagement dans lequel domine le merlot, qui donne finesse et fruité aux vins et leur permet de bien vieillir, même s'ils sont de moins longue garde que ceux d'appellations à dominante de cabernet-sauvignon. En revanche, ils peuvent être bus un peu plus tôt, et s'accommodent de beaucoup de mets (viandes rouges ou blanches, fromages, mais aussi certains poissons, comme la lamproie).

Canon-fronsac et fronsac

Bordé par la Dordogne et l'Isle, le Fronsadais offre de beaux paysages, très tourmentés, avec deux sommets, ou « tertres », atteignant 60 et 75 mètres, d'où la vue est magnifique. Point stratégique, cette région joua un rôle important, notamment au Moyen Age et lors de la Fronde de Bordeaux, une puissante forteresse y ayant été édifiée dès l'époque de Charlemagne. Aujourd'hui, celle-ci n'existe plus, mais le Fronsadais possède de belles églises et de nombreux châteaux. Très ancien, le vignoble produit sur six communes des vins personnalisés, complets et corsés, tout en étant fins et distingués. Toutes les communes peuvent revendiquer l'appellation fronsac (46 566 hl en 1998), mais Fronsac et Saint-Michel-de-Fronsac sont les seules à avoir droit, pour les vins produits sur leurs coteaux (sols argilo-calcaires sur banc de calcaire à astéries), à l'appellation canon-fronsac (16 861 hl en 1998).

Canon-fronsac

CH. BARRABAQUE Prestige 1996★★

■ 4 ha 25 000 ⏸ 70 à 99 F

88 |89| |90| 91 92 |94| (95) (96)

Un beau doublé pour cette cuvée Prestige déjà coup de cœur l'an dernier. Cette année, la robe grenat à reflets noirs est profonde ; le nez intense de boisé grillé torréfié est bien équilibré par des notes de fruits rouges (griotte), d'épices et de fleurs. En bouche, l'attaque suave et fondue évolue avec beaucoup de gras, de chair et de puissance. La finale aromatique particulièrement persistante laisse augurer un grand avenir, au moins cinq à dix ans.

SCEA Noël Père et Fils, Ch. Barrabaque, 33126 Fronsac, tél. 05.57.55.09.09, fax 05.57.55.09.00 V Y r.-v.

CH. CANON MOUEIX 1996★★

■ 4,5 ha 25 000 ⏸ 70 à 99 F

86 |88| |90| 92 **|94|** **96**

Planté presque exclusivement avec le cépage merlot (90 %), ce cru remarquablement situé sur un terroir argilo-calcaire produit régulièrement d'excellents vins. La robe grenat de ce 96 brille de reflets rubis, ses arômes élégants évoquent les fruits mûrs avec de jolies notes boisées. Sa structure tannique charnue, onctueuse et équilibrée, évolue avec du charme et une grande longueur. Ce vin racé a manifestement bénéficié de tous les soins ; il s'épanouira totalement dans deux ou trois ans.

☛ Ets Jean-Pierre Moueix, 54, quai du Priourat, 33500 Libourne

CH. CAPET BEGAUD 1996

| ■ | 4 ha | 15 000 | 🍷 🏛 🍇 | 50 à 69 F |

Ce 96 mérite qu'on s'y intéresse, car il a des arômes plaisants, bien fruités et des tanins souples et persistants. Un peu plus de concentration aurait été appréciée. Un vin facile à boire dès maintenant.

☛ GFA Vignobles Alain Roux, Ch. Coustolle, 33126 Fronsac, tél. 05.57.51.31.25, fax 05.57.74.00.32 ☑

CH. CASSAGNE HAUT-CANON
La Truffière 1996*

| ■ | 12 ha | 26 500 | 🏛 | 70 à 99 F |
| 86 | 88 |89| 90 | 91 |93| 94 | 96 |

Le nom de cette cuvée principale du château provient d'une vraie truffière située au milieu du vignoble et où sont récoltées chaque année quelques truffes. Ce 96 est délicieux ; il se distingue par une robe grenat dense, un bouquet naissant de pain grillé, de fruits, de réglisse et une structure tannique concentrée et veloutée qui demande à s'assagir avec un vieillissement en cave de trois à six ans.

☛ Jean-Jacques Dubois, Ch. Cassagne Haut-Canon, 33126 Saint-Michel-de-Fronsac, tél. 05.57.51.63.98, fax 05.57.51.62.20 ☑ 🍷 r.-v.

CLOS-TOUMALIN 1996

| ■ | 3 ha | n.c. | 🏛 | 50 à 69 F |

Seulement 3 ha pour ce château, qui présente un 96 au bouquet expressif de fruits et d'épices et dont la structure tannique est souple et typée de l'appellation. La finale encore un peu austère demande une garde de deux à trois ans pour donner une meilleure harmonie.

☛ SC Vignobles Bouyge-Barthe, Ch. Gagnard, 33126 Fronsac, tél. 05.57.51.42.99, fax 05.57.51.10.83 ☑ 🍷 t.l.j. sf sam. dim. 8h-12h 14h-18h

CH. COUSTOLLE 1996*

| ■ | 20 ha | 60 000 | 🍷 🏛 | 50 à 69 F |
| |90| 93 | 94 |95| 96 |

Un encépagement équilibré entre merlot (60 %) et cabernet franc (35 %) pour ce 96 qui se distingue particulièrement par l'élégance de son bouquet de fruits mûrs, d'épices, et par sa structure en bouche. L'attaque est souple et charnue, l'évolution puissante et équilibrée : c'est un vin de bonne constitution, bien racé, qui s'épanouira totalement dans deux à trois ans.

☛ GFA Vignobles Alain Roux, Ch. Coustolle, 33126 Fronsac, tél. 05.57.51.31.25, fax 05.57.74.00.32 ☑

CH. LA CROIX CANON 1996★★

| ■ | 14 ha | 72 000 | 🏛 | 70 à 99 F |

Un très beau vin à la robe pourpre brillante et aux arômes puissants de cacao et d'épices grillées. En bouche, l'attaque franche et charnue fait place à une saveur équilibrée, harmonieuse avec une finale très aromatique (caramel, vanille). Cette bouteille de grande classe comblera l'amateur dans quatre ou cinq ans.

☛ SCEA Ch. Bodet, Ets Jean-Pierre Moueix 54, quai du Priourat, 33500 Libourne

CH. LA FLEUR CAILLEAU 1996★★

| ■ | 3,6 ha | 10 000 | 🏛 | 70 à 99 F |
| 82 | 85 | 86 | 88 | 92 |93| |94| **95 96** |

Seuls 5 % de cabernet franc dans ce vin où l'emporte le merlot. Le château pratique la viti-

Libournais

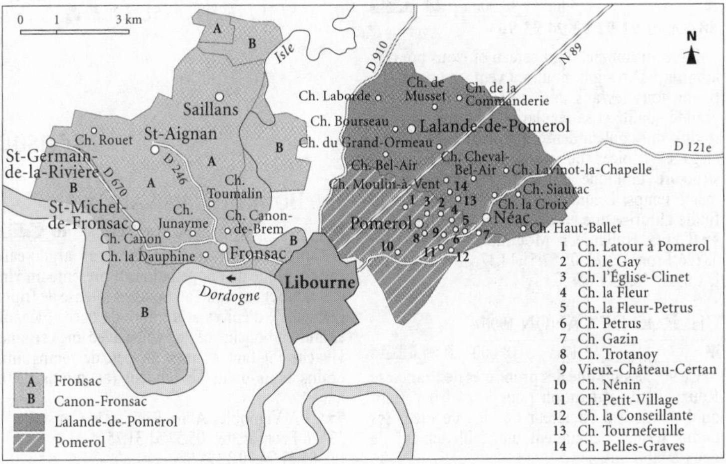

A	Fronsac
B	Canon-Fronsac
	Lalande-de-Pomerol
	Pomerol

1 Ch. Latour à Pomerol
2 Ch. le Gay
3 Ch. l'Église-Clinet
4 Ch. la Fleur
5 Ch. la Fleur-Petrus
6 Ch. Petrus
7 Ch. Gazin
8 Ch. Trotanoy
9 Vieux-Château-Certan
10 Ch. Nénin
11 Ch. Petit-Village
12 Ch. la Conseillante
13 Ch. Tourneufeuille
14 Ch. Belles-Graves

culture biodynamique depuis 1990, et il est régulièrement distingué dans le Guide. La robe pourpre de ce 96 a de beaux reflets grenat. Le nez fin et élégant évoque la cerise avec un boisé vanillé. Les tanins sont à la fois puissants et harmonieux. Ce vin a tout pour séduire l'amateur de bouteilles racées ; il se gardera facilement cinq à dix ans en cave.

Paul Barre, La Grave, 33126 Fronsac, tél. 05.57.51.31.11, fax 05.57.25.08.61 ☒ Y r.-v.

CH. LAMARCHE CANON Candelaire 1996*

■ 2 ha 15 000 50 à 69 F

94 95 96

Cette sélection de vieilles vignes de merlot (80 %) et de cabernets (20 %) a donné un vin pourpre, aux arômes puissants et complexes de griotte et de boisé délicat. En bouche, ce 96 se développe avec harmonie et équilibre : il apportera beaucoup de plaisir au consommateur d'ici deux ou trois ans. A noter aussi la **cuvée classique 96**, moins chère, citée pour son bouquet bien fruité.

Eric Julien, Ch. Lamarche-Canon, 33126 Fronsac, tél. 05.57.51.28.13, fax 05.57.51.28.13, e-mail bordeaux@vgas.com ☒ Y r.-v.

CH. MAZERIS 1996

■ 15 ha 50 000 30 à 49 F

92 94 95 96

Propriété familiale depuis presque deux siècles, ce château d'un seul tenant avec 6 ha en côte présente un vin digne d'intérêt par sa finesse aromatique et son caractère harmonieux en bouche. A citer également, la cuvée spéciale **La part des Anges 96**, qui se distingue par son boisé vanillé qui trouvera des amateurs. Ces bouteilles sont à boire d'ici deux à cinq ans.

EARL Patrick de Cournuaud, Ch. Mazeris, 33126 Saint-Michel-de-Fronsac, tél. 05.57.24.96.93, fax 05.57.24.98.25 ☒ Y r.-v.

CH. MOULIN PEY-LABRIE 1996**

■ 6,5 ha 30 000 70 à 99 F

88 89 90 **91 92** 93 **94 95 96**

Situé au sommet d'un coteau où vous pourrez admirer un très joli moulin à vent, ce cru se distingue tous les ans dans le Guide par sa très grande qualité et sa régularité. Une fois de plus, le vin a une couleur dense et brillante, des arômes élégants d'épices, de vanille et de grillé et une structure tannique puissante et onctueuse en même temps. L'équilibre parfait jusque dans la finale autorise une garde de trois à huit ans.

B. et G. Hubau, Ch. Moulin Pey-Labrie, 33126 Fronsac, tél. 05.57.51.14.37, fax 05.57.51.53.45 ☒ Y r.-v.

CH. ROC DE CANON 1996

■ 3,1 ha 18 000 50 à 69 F

Ce 96, né sur l'une des propriétés de Françoise Roux, mérite l'attention pour le plaisir certain qu'il donnera à l'amateur de vins de race. Ses tanins fermes demandent un vieillissement de deux à cinq ans.

Françoise Roux, Ch. Lagüe, 33126 Fronsac, tél. 05.57.51.24.68, fax 05.57.25.98.67 ☒

CH. TOUMALIN 1996**

■ 7,5 ha 46 000 50 à 69 F

94 95 **96**

Vinifié et élevé par la famille d'Arfeuille, propriétaire de grands crus à Pomerol et à Saint-Emilion, ce vin est digne de ses illustres grands frères. La robe est chatoyante et profonde, le bouquet complexe évoque les fruits rouges, la vanille et le café grillé. Les tanins riches et mûrs évoluent en bouche avec une grande finesse, beaucoup d'harmonie et de longueur. Cette bouteille très représentative de l'appellation s'ouvrira dans trois à six ans.

Françoise d'Arfeuille, Ch. Toumalin, 33126 Fronsac, tél. 05.57.51.02.11, fax 05.57.51.42.33 ☒ Y t.l.j. 8h-12h 14h-18h

CH. TOUMALIN SAINT-CRIC 1996*

■ 5 ha 36 000 50 à 69 F

Provenant de la cave coopérative de Lugon, ce 96 a séduit le jury par sa complexité aromatique et son boisé délicat autant que par sa structure tannique plaisante et équilibrée. Une bouteille qui s'appréciera rapidement et pendant trois à cinq ans.

Union de producteurs de Lugon, 6, rue Louis-Pasteur, 33240 Lugon, tél. 05.57.55.00.88, fax 05.57.84.83.16 ☒ Y t.l.j. sf dim. 8h30-12h30 14h-18h; groupes sur r.-v.

Marcel Durant

CH. VRAI-CANON-BOUCHE 1996*

■ 8 ha 38 000 50 à 69 F

90 91 94 95 96

Situé sur le tertre de Canon-Fronsac, qui est à l'origine de l'appellation, ce cru est idéalement placé et mérite le détour pour son site. Son 96, aux arômes intenses de fruits rouges et de pruneau, rehaussés d'une pointe fumée et épicée, possède des tanins moelleux et charnus de bonne tenue. L'harmonie finale autorise un vieillissement de quelques années.

Françoise Roux, Ch. Lagüe, 33126 Fronsac, tél. 05.57.51.24.68, fax 05.57.25.98.67 ☒

Fronsac

CH. BOURDIEU LA VALADE 1996*

■ 13 ha 30 000 50 à 69 F

Ce château est situé sur un terroir argilo-calcaire typique de l'appellation. Il présente un vin classique et puissant, au bouquet intense de fruits (groseille), d'épices et de noix de coco. Elégant et mûr en bouche, ce 96 évolue avec une certaine vivacité : il faut donner un peu de temps aux tanins pour qu'ils se fondent (au moins deux ans).

GFA Vignobles Alain Roux, Ch. Coustolle, 33126 Fronsac, tél. 05.57.51.31.25, fax 05.57.74.00.32 ☒

CH. DE CARLES 1996★

■ 15 ha 60 000 ▮ ◖◗ 🌡 30 à 49 F

82 (85) **86** 87 |**88**| **89** 90 91 92 |**93**| |94| 95 96

Après des vendanges vertes et un tri sévère des raisins, une vinification minutieuse a donné naissance à un vin riche en arômes (épices, fruits rouges, vanille) et de belle constitution en bouche. Il faudra cependant patienter deux à cinq ans pour obtenir une bouteille de charme, typique de son appellation.

🔑 SCEV du Ch. de Carles, 33141 Saillans,
tél. 05.57.84.32.03, fax 05.57.84.31.91,
e-mail droulers.cs@aol.com 🅅 Y r.-v.

CLOS DU ROY Cuvée Arthur 1996★★

■ 5 ha 25 000 ◖◗ 50 à 69 F

Sélectionnée à partir de vieilles vignes, cette cuvée a bénéficié de tous les soins de vinification et d'élevage pour arriver à ce résultat très flatteur. Robe rubis brillante, bouquet expressif de fruits et de vanille, structure tannique franche et équilibrée très caractéristique du fronsac. Ce vin sera totalement ouvert dans deux ans et à boire avant cinq ans.

🔑 Philippe Hermouet, Clos du Roy,
33141 Saillans, tél. 05.57.55.07.41,
fax 05.57.55.07.45,
e-mail hermouet.clos.du.roy@wanadoo.fr
🅅 Y r.-v.

CH. DALEM 1996★

■ 10 ha 55 000 ◖◗ 70 à 99 F

82 |(85)| |86| |**88**| |**89**| |90| 91 92 |**93**| |94| 95 96

Ce château bénéficie des techniques modernes et qualitatives importées des grands crus, au vignoble comme au chai. Le millésime 96 en tire profit et vous pourrez l'apprécier dans deux à cinq ans pour sa fraîcheur aromatique, son boisé toasté et sa structure tannique ample et suave en même temps. La finale encore dominée par le bois s'harmonisera avec le temps. Un classique !

🔑 Michel Rullier, Ch. Dalem, 33141 Saillans,
tél. 05.57.84.34.18, fax 05.57.74.39.85 🅅 Y r.-v.

CH. FONTENIL 1996★

■ 9 ha 61 000 ◖◗ 70 à 99 F

|**88**| |**89**| |(90)| 92 |93| |94| **95** 96

Dany et Michel Rolland sont tombés amoureux des terroirs et paysages du Fronsadais en 1986, année d'achat de ce château. Depuis, les vins sont de qualité, comme en témoigne encore ce 96 très épicé, au nez marqué par le bois vanillé mais ayant beaucoup de race et de complexité en bouche. C'est un vin de caractère, qui a besoin de s'assagir et de s'assouplir, ce qui devrait être le cas dans quatre à cinq ans.

🔑 Michel et Dany Rolland, Catusseau,
33500 Pomerol, tél. 05.57.51.23.05,
fax 05.57.51.66.08 🅅

HAUT-CARLES 1996★

■ 5 ha 16 000 ◖◗ 70 à 99 F

Cette cuvée spéciale du château de Carles provient de vieilles vignes de merlot ; elle est élevée dix-huit mois en barrique : robe grenat profond, arômes complexes de pain grillé, de cacao, de fruits secs que l'on retrouve en bouche, sur des tanins puissants et mûrs. Les dégustateurs ont trouvé ce vin un peu trop boisé, mais il devrait plaire aux consommateurs qui aiment ce style...

🔑 SCEV du Ch. de Carles, 33141 Saillans,
tél. 05.57.84.32.03, fax 05.57.84.31.91,
e-mail droulers.cs@aol.com Y r.-v.

CH. HAUT LARIVEAU 1996★

■ 7,9 ha 30 000 ◖◗ 50 à 69 F

89 |90| 91 92 |**93**| |94| 95 96

L'histoire de ce château, remontant au XII^{e}s., est liée à l'ordre des Hospitaliers de Saint-Jean-de-Jérusalem. Elle vous sera contée lors de votre visite et vous pourrez y découvrir ce 96 pourpre profond, aux arômes élégants d'un boisé de qualité. L'attaque puissante et vanillée évolue avec rondeur. Ce vin de charme s'ouvrira totalement dans deux à six ans.

🔑 B. et G. Hubau, Ch. Haut Lariveau,
33126 Saint-Michel-de-Fronsac,
tél. 05.57.51.14.37, fax 05.57.51.53.45 🅅 Y r.-v.

CH. HAUT-MAZERIS 1996

■ 4,94 ha 38 000 ▮ ◖◗ 50 à 69 F

Un encépagement équilibré entre merlot (60 %) et cabernets (40 %) pour ce vin agréable à boire dès maintenant, aux arômes bien mûrs de fruits et de fleurs. La structure riche et équilibrée, bien enrobée, autorise malgré tout une petite garde de deux ou trois ans.

🔑 SCEA de Haut-Mazeris, 33126 Saint-Michel-de-Fronsac, tél. 05.57.24.98.14,
fax 05.57.24.91.07 Y r.-v.

CH. JEANDEMAN La Chêneraie 1996

■ 2 ha 10 000 ◖◗ 50 à 69 F

« La Chêneraie » est le nom de cette cuvée spéciale élevée en fût. Ce 1996 se distingue par son bouquet épicé et torréfié ainsi que par sa rondeur et son volume en bouche. La finale est encore un peu sévère, mais cela devrait s'estomper après deux ou trois ans de vieillissement.

🔑 SCEV Roy-Trocard, ch. Jeandeman,
33126 Fronsac, tél. 05.57.74.30.52,
fax 05.57.74.39.96 🅅 Y r.-v.

CH. LA BRANDE 1996★

■ 5 ha 30 000 ▮ ◖◗ 🌡 50 à 69 F

Appartenant à la même famille depuis 1750, ce qui est assez rare dans le Bordelais, ce château est idéalement situé au cœur de l'appellation. Le 96 a une couleur soutenue, un bouquet intense et épicé, avec des notes fruitées très agréables (framboise) et un boisé légèrement résineux. Charnu et volumineux en bouche, il évolue avec finesse et persistance. A déguster dans deux ou trois ans. Cuvée spéciale ayant vieilli vingt-quatre mois en fût de chêne, le **Chateau Moulin de Reynaud 96** reçoit une étoile pour sa très belle harmonie. L'attendre autant que le grand vin.

🔑 Vignobles Béraud, La Brande,
33141 Saillans, tél. 05.57.74.36.38,
fax 05.57.74.38.46 🅅 Y t.l.j. sf dim. 9h-12h30
14h-19h; groupes sur r.-v.

CH. LA CHAPELLE MAILLARD 1997★

■ n.c. 5 000 🛢 30 à 49 F

Marqué par un pourcentage important de cabernets (70 %), ce vin, élevé douze mois en barrique, présente sous une robe soutenue et limpide un bouquet agréable encore dominé par le bois et des tanins francs et ronds, aromatiques et longs (fruits confits). Une bouteille à boire ou à garder deux ou trois ans.

🔑 SCEA Ch. La Chapelle Maillard, 33220 Saint-Quentin-de-Caplong, tél. 05.57.41.26.13, fax 05.57.41.25.99 ☑ 🍷 t.l.j. sf sam. dim. 9h-12h 14h-18h

CH. DE LA DAUPHINE 1996★

■ 19,24 ha 54 000 🛢 70 à 99 F

Le château de La Dauphine appartient à la famille Moueix. Une fois encore, le vin est de très grande qualité : robe intense et limpide, arômes élégants de raisins mûrs, de cerise, de framboise et de grillé, tanins amples et vanillés évoluant avec finesse et grande persistance. Une bouteille très typique du fronsac, à ouvrir dans les cinq ans à venir.

🔑 Ets Jean-Pierre Moueix, 54, quai du Priourat, 33500 Libourne

CH. LA GRAVE 1996★★

■ 3,7 ha 10 000 🛢 50 à 69 F

Ce très sympathique petit cru applique la biodynamie depuis 1990. Il présente de très beaux vins. Un palier est encore franchi avec ce superbe 96, brillant de mille feux et développant un bouquet puissant de boisé fumé, d'épices et de vanille. En bouche, les tanins intenses et concentrés évoluent avec finesse et beaucoup d'arômes. Ce sera une excellente bouteille après trois à cinq ans de garde en cave.

🔑 Paul Barre, La Grave, 33126 Fronsac, tél. 05.57.51.31.11, fax 05.57.25.08.61 ☑ 🍷 r.-v.

CH. LAGUE 1996

■ 5 ha 20 000 ▮ 🛢 30 à 49 F

Cet ancien domaine du duc de Richelieu propose un 96 assez classique des fronsac : robe rubis, bouquet franc et fruité (cerise), tanins puissants et mûrs, encore un peu austères en finale. Un vin équilibré, à boire dans les trois ou quatre prochaines années.

🔑 Françoise Roux, Ch. Lagüe, 33126 Fronsac, tél. 05.57.51.24.68, fax 05.57.25.98.67 ☑

CH. DE LA RIVIERE 1996

■ 53 ha 198 000 ▮ 🛢 🌡 70 à 99 F

Ce magnifique château, racheté en 1994 par Jean Leprince, domine la Dordogne du haut de sa vaste terrasse et de ses tours carrées. Vous pourrez visiter les caves creusées dans les carrières et y déguster ce 96 au bouquet naissant de fruits mûrs et de sous-bois. Souple en attaque, il évolue avec simplicité, délicatesse et charme. A boire dans les trois ans.

🔑 SA Ch. de La Rivière, B.P. 50, 33126 Fronsac, tél. 05.57.55.56.56, fax 05.57.24.94.39 ☑ 🍷 r.-v.

🔑 Jean Leprince

CH. LA ROUSSELLE 1996

■ 3,31 ha 19 000 🛢 50 à 69 F

|88| |89| **|90|** 91 92 **|93|** 94 (95) 96

Cette belle demeure du XVIIIes. domine de 75 mètres la vallée de la Dordogne. Vous pourrez y goûter ce 96, intéressant surtout par ses qualités aromatiques grillées et par sa structure ample et généreuse, parfaitement fondue en fin de bouche. Une bouteille pour l'an 2000.

🔑 Jacques et Viviane Davau, Ch. La Rousselle, 33126 La Rivière, tél. 05.57.24.96.73, fax 05.57.24.91.05 ☑ 🍷 t.l.j. sf dim. 9h-12h 14h-18h

CH. LA VENELLE 1996

■ 5,5 ha n.c. ▮ 🛢 🌡 30 à 49 F

Ce vin fruité (fraise) et vanillé possède assurément beaucoup de charme et de volume en bouche ; il est bien typé et apportera du plaisir dès maintenant.

🔑 François de Coninck, 33126 Fronsac, tél. 05.57.55.58.00, fax 05.57.74.18.47

🔑 Goupil

CH. LA VIEILLE CROIX Cuvée DM 1996

■ 7 ha 12 000 🛢 50 à 69 F

Le Château La Vieille Croix se décline en deux vins : la **cuvée Tradition 96**, citée pour sa fraîcheur aromatique et la souplesse de ses tanins, et la cuvée DM, élevée en fût, intéressante par sa complexité et ses tanins puissants et boisés, encore un peu jeunes cependant. Une bouteille à ouvrir dans deux à cinq ans.

🔑 SCEA de La Vieille Croix, La Croix, 33141 Saillans, tél. 05.57.74.30.50, fax 05.57.84.30.96 ☑ 🍷 t.l.j. 9h-12h 14h-19h

CH. LA VIEILLE CURE 1996★

■ 20 ha n.c. 🛢 70 à 99 F

85 86 **|88|** **|89|** **|90|** 91 **92** **|93|** **94 95** 96

Encore une fois, ce très beau cru a réussi un vin digne d'intérêt, pour les amateurs de vins puissants et boisés. En effet, le bouquet intense de bois grillé domine au nez et en bouche, mais les tanins mûrs et généreux laissent augurer un bon avenir, au moins cinq ou six ans. Second vin, le **Château Coutreau 96,** cité pour sa souplesse et sa facilité, peut être bu jeune.

🔑 SNC Ch. La Vieille Cure, Coutreau, 33141 Saillans, tél. 05.57.84.32.05, fax 05.57.74.39.83, e-mail vieillecur@aol.com

🔑 Ferenbach

CH. LES ROCHES DE FERRAND 1996

■ 5 ha 30 000 ▮ 🛢 🌡 50 à 69 F

Ce vin présente actuellement une belle robe rubis et des arômes complexes, bien que discrets, de fruits rouges et de vanille. Equilibré et souple en bouche, il évoluera bien dans les deux ou trois prochaines années. A découvrir également, le **Château Vray Houchat 96**, second vin du même propriétaire, agréable à boire dès maintenant.

🔑 Rémy Rousselot, Ch. Les Roches de Ferrand, 33126 Saint-Aignan, tél. 05.57.24.95.16, fax 05.57.24.91.44 ☑ 🍷 r.-v.

CH. LES TROIS CROIX 1996★★★

■ 9,75 ha 65 000 ◼ 50 à 69 F

Ce château a été acheté en 1995 par Patrick Léon, directeur du château Mouton-Rothschild, et sa famille ; dès sa deuxième récolte, il se voit décerner un coup de cœur unanime du jury. Idéalement situées sur le plateau dominant la vallée de l'Isle, les vignes ont donné un vin à la robe profonde, aux arômes complexes de cerise, de pruneau, d'épices et de vanille. Sa structure tannique impressionnante est veloutée, harmonieuse. La finale, très aromatique, laisse augurer un grand avenir, au moins cinq à dix ans.

⊶ SCEA Les Trois Croix, 33126 Fronsac, tél. 05.57.84.32.09, fax 05.57.84.34.03 ☑ Y r.-v.

CH. MAGONDEAU BEAU-SITE 1996★

■ 4,94 ha 39 500 ◼◼ 50 à 69 F

En vous arrêtant dans cette propriété, vous pourrez y déguster deux vins : le **Château Magondeau 96**, cité pour sa structure tannique souple et fruitée, facile à boire dès maintenant, et ce château Magondeau Beau-Site, à qui le jury a décerné une étoile : robe intense, nez élégant de fruits acidulés, de grillé, tanins denses et gras, très typés merlot et persistants. Une bouteille à ouvrir dans deux à cinq ans.

⊶ SCEV Ch. Magondeau, 1, le Port-de-Saillans, 33141 Saillans, tél. 05.57.84.32.02, fax 05.57.84.39.51 ☑ Y r.-v.

CH. MAYNE-VIEIL 1996★

■ 20 ha 150 000 ◼ 30 à 49 F

Ce château mérite le détour par la qualité de ses vins, comme ce 96 de style classique : nez concentré de pruneau, tanins souples et flatteurs, finale persistante. La **cuvée Aliénor 96**, élevée en barrique, bénéficie d'une sélection sévère des raisins et se voit décerner une étoile également pour son équilibre bien maîtrisé entre tanins du raisin et tanins du bois. L'attendre tout de même deux à huit ans (50 à 69 F).

⊶ SCEA du Mayne-Vieil, 33133 Galgon, tél. 05.57.74.30.06, fax 05.57.84.39.33, e-mail maynevieil@aol.com ☑ Y t.l.j. sf sam. dim. 8h30-12h30 14h-18h

⊶ Famille Seze

CH. MOULIN HAUT-LAROQUE 1996★★

■ 13 ha n.c. ◼ 70 à 99 F

82 83 85 **86** |88| ⑧⑨ |90| **91** 92 |93| |94| 95 **96**

Habitué aux honneurs du Guide, le Château Moulin Haut-Laroque décroche un coup de cœur pour ce millésime 96. La robe profonde a des reflets grenat. Le bouquet intense et complexe évoque la vanille, les épices, les fruits mûrs. Souples et charnus en attaque, les tanins évoluent avec élégance et persistance. L'équilibre entre le vin et le bois est très réussi, ce qui n'est pas si fréquent. Ce vin s'épanouira totalement dans trois à huit ans. Le **Château Hervé-Laroque 96** est cité sans étoile.

⊶ Jean-Noël Hervé, Ch. Cardeneau, 33141 Saillans, tél. 05.57.84.32.07, fax 05.57.84.31.84, e-mail hervejnoel@aol.com ☑ Y r.-v.

CH. PETRARQUE 1996★★

■ 1,5 ha 8 000 ◼ 30 à 49 F

Seulement 1,5 ha sélectionné pour produire ce vin remarquable dans le millésime 96. La robe pourpre a de jolis reflets violets. Le nez élégant évoque les fruits confits, les épices. Les tanins puissants et équilibrés évoluent en bouche avec du gras et une grande persistance. La finale encore un peu austère demande de la patience, au moins trois ans, pour que ce vin s'ouvre totalement.

⊶ GFA Chabiran, 1, av. de la Mairie, 33500 Néac, tél. 05.57.25.93.79, fax 05.57.25.93.44 ☑ Y r.-v.

CH. PUY GUILHEM 1996★

■ n.c. 20 000 ◼ 50 à 69 F

Cette propriété construite en 1866 possède 11 ha. Le merlot, complété par 10 % de cabernet, est planté sur un beau sol argilo-calcaire. Le 96 présente une robe profonde à reflets bleutés, et un bouquet naissant de fruits mûrs (framboise), de menthol et de grillé. Puissant, voire vif en attaque, c'est un vin typé, racé, qui demande, pour s'épanouir, un vieillissement de quelques années.

⊶ SCEA Ch. Puy Guilhem, 33141 Saillans, tél. 05.57.84.32.08, fax 05.57.74.36.45 ☑ Y r.-v.

⊶ M. et Mme J.-F. Enixon

CH. RENARD MONDESIR 1996★

■ 7 ha 22 000 ◼◼ 70 à 99 F

|93| |94| 95 96

Cette ancienne demeure du XVIIIe s. est située sur les coteaux de La Rivière, village dominant la Dordogne. Le terroir de sable de « renard » a donné son nom au château et le vin est toujours de qualité. La robe du 96 est grenat à reflets cerise. Le bouquet intense évoque les fruits rouges, le boisé toasté. Les tanins sont gras et charnus, et particulièrement persistants. Une bou-

teille d'avenir à « oublier » tranquillement deux à cinq ans dans une bonne cave.
Xavier Chassagnoux, Ch. Renard, 33126 La Rivière, tél. 05.57.24.96.37, fax 05.57.24.90.18 ☒ Y r.-v.

CH. REYNAUD 1996

■ 1,86 ha 6 500 50 à 69 F

Ce château mérite le détour pour ses vins comme pour son accueil (présence de chambres d'hôtes). La robe rubis de ce 96 brille de reflets carminés ; le bouquet se développe sur des notes de cerise, de cassis et de sous-bois. Soyeux et mûrs, les tanins sont déjà bien fondus et évoluent avec beaucoup de finesse. Une bouteille à apprécier dès maintenant et pendant trois à cinq ans.
Marie-Christine Aguerre, 1, Lariveau, 33126 Saint-Michel-de-Fronsac, tél. 05.57.24.95.81 ☒ Y r.-v.

CH. RICHELIEU
Vieilli en fût de chêne 1996

■ 12,5 ha 20 000 50 à 69 F

Ayant appartenu à la famille de Richelieu, cette chartreuse édifiée en 1630 présente une architecture de qualité. Vous y dégusterez également un vin agréable et typé, aux arômes marqués de vanille et d'épices. Ses tanins sont gras et puissants, encore un peu austères en finale. Tout cela se fondra dans deux ou trois ans.
EARL Ch. Richelieu, 1, chem. du Tertre, 33126 Fronsac, tél. 05.57.51.13.94, fax 05.57.51.13.94 ☒ Y t.l.j. 9h30-12h30 14h-18h

CH. ROUMAGNAC LA MARECHALE 1996★

■ 4,93 ha 24 000 30 à 49 F

93 |94| 95 96

Ce château mérite le détour autant pour admirer le site dominant la Dordogne que pour goûter à ce 96 très réussi, aux arômes de fruit, de pain grillé, s'exprimant en bouche avec beaucoup de gras, de volume. L'équilibre final est typé. C'est une bouteille à oublier deux à cinq ans dans une bonne cave.
SCEA Pierre Dumeynieu, Roumagnac, 33126 La Rivière, tél. 05.57.24.98.48, fax 05.57.24.90.44 ☒ Y r.-v.

CH. TOUR DU MOULIN 1996★

■ 6,5 ha 20 000 50 à 69 F

Situé sur le plateau de Saillans, ce petit cru familial bénéficie d'un excellent terroir argilo-calcaire sur lequel se trouve essentiellement du merlot (88 %). Ce 96 est brillant et développe un bouquet délicat de fruits rouges et de fleurs ; il possède une charpente de bon aloi, les tanins étant mûrs et suaves. Bien typé du fronsac, il s'appréciera vite et pendant trois à six ans.
SCEA Ch. Tour du Moulin, 22, av. de l'Europe, 33290 Blanquefort, tél. 05.56.35.10.23, fax 05.56.35.10.23 ☒ Y r.-v.
Dupuch

CH. VILLARS 1996★

■ 20 ha 66 000 70 à 99 F

78 79 80 **81 82 83** |85| **|86|** 87 |88| |89| 90 91 92 |93| **94 95** |96|

Ce cru a été créé au XIX^e^s. Jean-Claude Gaudrie le dirige depuis 1967. Le 96 est vêtu d'une robe rouge-grenat avec frange à peine tuilée. Le nez est aujourd'hui marqué par le bois (épices, vanille) et une note de fruits exotiques qui étonne un dégustateur. Franc à l'attaque, le vin se développe sur une impression très boisée, mais avec des tanins suffisamment souples pour qu'on puisse déjà le consommer. Bien fait, il devra être bu dans les trois ans.
Jean-Claude Gaudrie, Villars, 33141 Saillans, tél. 05.57.84.32.17, fax 05.57.84.31.25 ☒ Y r.-v.

Pomerol

Avec environ 800 ha, Pomerol est l'une des plus petites appellations girondines, et l'une des plus discrètes sur le plan architectural.

Au XIXe s., la mode des châteaux du vin, d'architecture éclectique, ne semble pas avoir séduit les Pomerolais, qui sont restés fidèles à leurs habitations rurales ou bourgeoises. Cela n'empêche pas l'appellation de posséder la demeure qui est sans doute l'ancêtre de toutes les chartreuses girondines, le château de Sales (XVIIe s.), et l'une des plus charmantes constructions du XVIIIe s., le château Beauregard, qui a été reproduit par les Guggenheim, dans leur propriété new-yorkaise de Long Island.

Cette modestie du bâti sied à une AOC dont l'une des originalités est de constituer une sorte de petite « république villageoise » où chaque habitant cherche à conserver l'harmonie et la cohésion de la communauté ; souci qui explique pourquoi les producteurs sont toujours restés plus que réservés quant au bien-fondé d'un classement des crus.

La qualité et la spécificité des terroirs auraient justifié une reconnaissance officielle du mérite des vins de l'appellation. Comme tous les grands terroirs, celui de Pomerol est né du travail d'une rivière, l'Isle, qui a commencé par démanteler la table calcaire pour y déposer en désordre des nappes de cailloux, que s'est chargée de travailler l'érosion. Le résultat est un enchevêtrement complexe de graves ou cailloux roulés, originaires du Massif central. La complexité des terrains semble inextricable : toutefois il est possible de distinguer quatre grands ensembles : au sud, vers Libourne, une zone sablonneuse ; près de Saint-Emilion, des graves sur sables ou argiles (terroir proche de celui du plateau de Figeac) ; au centre de l'AOC, des graves sur, ou parfois (Petrus) sous des argiles ; enfin, au nord-est et au nord-ouest, des graves plus fines et plus sablonneuses.

Cette diversité n'empêche pas les pomerol de présenter une analogie de structure. Très bouquetés, ils allient la rondeur et la souplesse à une réelle puissance, ce qui leur permet d'être de longue garde tout en pouvant être bus assez jeunes. Ce caractère leur ouvre une large palette d'accords gourmands, aussi bien avec des mets sophistiqués qu'avec des plats très simples. En 1998, l'appellation a produit 36 066 hl.

CH. BEAUCHENE 1996*

■ 2,1 ha 9 600 150 à 199 F

Ce cru est élaboré avec 100 % de vieux merlots plantés sur sols sablo-graveleux et sous-sols argileux. Coup de cœur l'an passé avec un 95 exceptionnel, la famille Leymarie propose cette année un très joli 96 paré d'une robe grenat sombre et profond, montrant encore des reflets rubis. Le bouquet, légèrement fermé, ne demande qu'à s'ouvrir rapidement sur des arômes de fruits rouges mûrs, d'épices, de vanille et de cuir. La bouche équilibrée révèle une matière ronde et charnue, des tanins mûrs bien présents et une finale longue et ample. A garder trois ou quatre ans pour atteindre un meilleur épanouissement.

SCEA Mazeyres, Charles Leymarie et Fils, 90-92, av. Foch, 33502 Libourne Cedex, tél. 05.57.51.07.83, fax 05.57.51.99.94 r.-v.

Leymarie

CH. BEAUREGARD 1996**

■ 12 ha 65 000 200 à 249 F

75 78 81 (82) **83** 84 **85** 86 |88| |89| |90| |92| **93 94 95 96**

Entourée d'un joli parc, la chartreuse du XVIIIes. règne sur un vignoble de 12 ha planté sur graves argileuses, sables et graviers avec en sous-sol de la crasse de fer. Ce 96 se présente dans une robe bordeaux sombre et dense des plus engageantes. Le bouquet, élégant et racé, associe harmonieusement le pruneau et les fruits mûrs à des senteurs boisées, vanillées et épicées. La bouche riche et puissante révèle des tanins de belle qualité, une matière superbe qui devrait pleinement s'exprimer dans trois à quatre ans.

SCEA Ch. Beauregard, 33500 Pomerol, tél. 05.57.51.13.36, fax 05.57.25.09.55, e-mail beauregard@dial.oleane.com r.-v.

LE BENJAMIN DE BEAUREGARD 1996

■ 5 ha 32 000 70 à 99 F

Second vin du château Beauregard, ce 96 est issu de 50 % de merlot, 40 % de cabernet franc et 10 % de cabernet-sauvignon. Cela donne un vin très coloré, de teinte grenat sombre et intense. Le nez exprime des notes épicées et des odeurs de cuir et de chocolat. La bouche, souple et ronde en attaque, révèle ensuite une bonne structure tannique, encore un peu ferme et sévère en finale, mais prometteuse.

SCEA Ch. Beauregard, 33500 Pomerol, tél. 05.57.51.13.36, fax 05.57.25.09.55, e-mail beauregard@dial.oleane.com r.-v.

CH. BEAU SOLEIL 1996*

■ n.c. n.c. 250 à 299 F

Un pomerol très merlot (seulement 5 % de cabernet-sauvignon en appoint), fort bien vinifié et élevé. La robe dense et profonde est très sombre avec des reflets noirs. Le bouquet s'ouvre sur des arômes de fruits mûrs et de cassis accompagnés par un beau boisé fondu. Riche et concentrée, la bouche aux tanins charnus, gras et puissants possède une superbe plénitude et une grande harmonie. A attendre quelques années.

Jean-Michel Arcaute, Ch. Jonqueyres, 33750 Saint-Germain-du-Puch, tél. 05.57.34.51.51, fax 05.56.30.11.45, e-mail audy@wineplanet.com

CH. BELLEGRAVE 1996*

■ 7 ha 40 000 100 à 149 F

88 89 91 **92** |93| |94| |95| |96|

Régulièrement mentionné dans le Guide, ce vin est produit par 75 % de merlot et 25 % de cabernet franc. Affichant une belle robe grenat sombre et un fort caractère au nez (cuir, épices, fumet, notes animales), il se montre puissant et généreux en bouche. Il possède du gras, de la rondeur, bien dans le style d'un pomerol charmeur. Finissant sur des tanins toastés à saveur de moka, il est déjà très harmonieux.

Jean-Marie Bouldy, lieu-dit René, 33500 Pomerol, tél. 05.57.51.20.47, fax 05.57.51.23.14 r.-v.

CH. BONALGUE 1996

■ 5,5 ha 24 300 100 à 149 F

|88| |89| |90| 93 94 **95** 96

Doté d'un encépagement classique à Pomerol, 85 % de merlot et 15 % de cabernet franc, ce vignoble de 5,5 ha est installé sur des sols mêlant sables, argiles et graves. Coup de cœur l'an passé avec le 95, ce cru présente cette année un vin typique. La robe grenat est soutenue et profonde, et le bouquet mêle les petits fruits noirs au cuir et aux épices. La bouche est d'abord souple avec un beau volume et du gras, puis évolue sur une finale un peu sévère qui demande à se fondre.

Pierre Bourotte, 62, quai du Priourat, 33500 Libourne, tél. 05.57.51.62.17, fax 05.57.51.28.28 r.-v.

BORDELAIS

CH. BOURGNEUF-VAYRON 1996

■ 9 ha 40 000 ▮ ◍ ⚲ 150 à 199 F

|89| |90| 91 |93| 94 **95** 96

Ce cru dispose d'un beau vignoble de 9 ha d'un seul tenant, composé d'une majorité de merlot et d'un appoint de 10 % en cabernet franc. La robe de teinte bordeaux est de bonne intensité. Le bouquet, discret mais fin, est déjà un peu évolué. La bouche est souple et équilibrée, avec une légère fermeté en finale qui devrait s'atténuer d'ici un à deux ans.

⚷ Xavier Vayron, Ch. Bourgneuf-Vayron, 1, le Bourg-Neuf, 33500 Pomerol, tél. 05.57.51.42.03, fax 05.57.25.01.40 ☑ ⊤ r.-v.

CH. CANTELAUZE 1996★★

■ 1 ha n.c. ◍ 200 à 249 F

92 94 95 96

Œnologue réputé et propriétaire dans plusieurs appellations du Libournais, Jean-Noël Boidron exploite aussi un petit vignoble à Pomerol. Le nom est charmant : Cantelauze, « chante l'oiseau » en occitan, rappelant l'alouette qui chante pendant les vendanges. Le 96, tout aussi charmant, confirme la très bonne impression laissée par les 94 et 95. Il s'agit d'un pomerol de garde, à la robe sombre, presque noire. Au bouquet de merlot très mûr s'associent des notes épicées de cannelle et de bois. Très puissant et charpenté, le palais révèle des tanins un peu envahissants aujourd'hui, garants d'une longue garde.

⚷ Jean-Noël Boidron, 6, pl. Joffre, 33500 Libourne, tél. 05.57.51.64.88, fax 05.57.51.56.30 ☑ ⊤ r.-v.

CH. CERTAN DE MAY DE CERTAN 1996★

■ 5 ha 25 000 ◍ 250 à 299 F

85 86 |**88**| |89| |(90)| 94 95 96

Cette belle propriété étend ses 5 ha de vignes âgées de quarante ans sur des sols argilo-graveleux, avec 70 % de merlot pour 30 % de cabernets. Régulièrement distingué dans le Guide, ce cru propose un 96 paré d'une robe rubis. Le nez, encore un peu fermé, libère des notes grillées et boisées sur des arômes de fruits rouges. Corsée et charpentée, la bouche dispose d'une structure tannique équilibrée garante d'une bonne garde.

⚷ Mme Barreau-Badar, Ch. Certan de May de Certan, 33500 Pomerol, tél. 05.57.51.41.53, fax 05.57.51.88.51 ☑ ⊤ r.-v.

CH. CERTAN-GIRAUD 1996★★

■ 7,5 ha 50 000 ◍ 150 à 199 F

Un classique de l'appellation, produit par 80 % de merlot et 20 % de cabernet franc implantés sur argiles. La commercialisation se fait par le négoce. Le 96 se pare d'une magnifique robe bordeaux sombre. Le bouquet fin et expressif joue sur des notes de fruits confits et de merrain de qualité. La bouche généreuse, dense, bien équilibrée, finit sur des tanins veloutés et persistants. Très bien fait, un vin de belle garde.

⚷ SC des Domaines Giraud, 1, Grand-Corbin, 33330 Saint-Emilion, tél. 05.57.74.48.94, fax 05.57.74.47.18

CLOS DU PELERIN 1996

■ 3,23 ha 10 000 ▮ ◍ 70 à 99 F

Une jolie robe rubis à liseré tuilé, un nez encore discret, un peu animal avec une touche de cerise, une bouche souple à la saveur de fruits cuits et de caramel, des tanins très austères en finale qui demanderont quelque deux ans pour s'arrondir.

⚷ Norbert Egreteau, Clos du Pèlerin, 33500 Pomerol, tél. 05.57.74.03.66, fax 05.57.25.06.17 ☑ ⊤ r.-v.

CH. FERRAND 1996★

■ 12,17 ha n.c. ◍ 70 à 99 F

Ici le cabernet franc est majoritaire, le merlot ne représentant que 40 % de l'encépagement. Le terroir est constitué de sables et de graves. Cela donne un pomerol original et donc intéressant. Sa robe rubis légèrement carminée annonce le nez encore fruité (cerise), avec des notes d'humus et de boisé. La saveur est très « raisin », souple, soyeuse, tout en finesse. Une belle bouteille à goûter pendant les cinq prochaines années.

⚷ SCE du Ch. Ferrand, 33500 Pomerol, tél. 05.57.51.21.67, fax 05.57.25.01.41 ☑ ⊤ r.-v.

⚷ H. Gasparoux

CH. FEYTIT-CLINET 1996★

■ 4,45 ha n.c. ◍ 100 à 149 F

76 81 |(82)| 83 |**85**| |**86**| |**88**| |89| 90 92 |94| **95** 96

Petite propriété proche de Latour à Pomerol, ce cru marque clairement son identité pomerolaise avec ce vin fin et élégant. Expressif à l'aération, celui-ci se montre charmeur par sa présence au palais, ronde, chaleureuse et goûteuse, que complète une longue finale épicée. Une jolie bouteille à attendre au moins trois ans.

⚷ Ets Jean-Pierre Moueix, 54, quai du Priourat, 33500 Libourne

⚷ Chassevie

CH. GAZIN 1996★★★

■ 22,9 ha 46 472 ◍ 300 à 499 F

70 75 76 78 79 80 81 82 **83** 84 **85** |**86**| **87** |**88**| |89| |(90)| **91** 92 |**93**| 94 (95) (96)

Connu dès le XIIe s., cet important domaine, l'un des piliers de l'appellation, a appartenu à l'ordre de Malte. Aujourd'hui, il est exploité par Nicolas de Bailliencourt dit de « Courcol », surnom donné à un de ses ancêtres par le roi de France Philippe Auguste en 1214 pour faits d'armes. Maintenant, la bataille se joue sur le plan de la qualité, et Gazin possède les meilleures armes : un terroir prestigieux convenant merveilleusement au merlot, des outils de vinification et d'élevage parfaitement adaptés. Cela donne un grand pomerol de garde, encore un peu sous le bois mais d'une belle ampleur, et dont le fruit mûr sous-jacent est très prometteur.

➥ GFA Ch. Gazin, 33500 Pomerol, tél. 05.57.51.07.05, fax 05.57.51.69.96, e-mail chateau.gazin @ wanadoo.fr ⓘ r.-v.

➥ de Bailliencourt

L'HOSPITALET DE GAZIN 1996*

■	22,9 ha	28 100	ⓘⓘ 100 à 149 F

Ce second vin du château Gazin est très régulièrement retenu par notre jury qui apprécie son caractère expressif, peut-être lié à une présence de cabernets plus importante que dans le premier vin. Il se pare d'une jolie robe bordeaux. Le bouquet est plaisant avec beaucoup de fruit surmûri et une note grillée. Souple, rond et soyeux, le palais a un petit air de noblesse qui fait souvent partie du caractère pomerol.

➥ GFA Ch. Gazin, 33500 Pomerol, tél. 05.57.51.07.05, fax 05.57.51.69.96, e-mail chateau.gazin @ wanadoo.fr ✅ ⓘ r.-v.

CH. GOMBAUDE-GUILLOT 1996*

■	7 ha	n.c.	ⓘⓘ 150 à 199 F

86 |89| |90| 91 |93| 94 **95** 96

Le vignoble est planté sur des graves reposant sur des argiles à crasse de fer, en haut du plateau, face à l'église. Paré d'une robe grenat dense à reflets vifs, ce vin libère un bouquet puissant, mêlant les arômes de fruits mûrs à des notes boisées de bonne facture (réglisse, chocolat, vanille). La bouche offre un bon équilibre entre les tanins encore fermes et une belle vinosité.

➥ SCEA Famille Laval, Ch. Gombaude-Guillot, 3, Les Grands Vignes, 33500 Pomerol, tél. 05.57.51.17.40, fax 05.57.51.16.89 ✅ ⓘ r.-v.

CH. GOUPRIE 1996

■	4,57 ha	21 000	ⓘⓘ 70 à 99 F

Ce vignoble planté sur sables et graves, composé par 70 % de merlot et 30 % de cabernets, a donné un 96 simple et plaisant prêt à consommer. La couleur grenat s'orne de reflets tuilés. Le bouquet est un peu marqué par les cabernets avec des notes fraîches et des odeurs animales et épicées. Souple et facile, ce vin compense son manque de structure par le charme de ses tanins soyeux.

➥ Patrick Moze-Berthon, Bertin, 33570 Montagne, tél. 05.57.74.66.84, fax 05.57.74.58.70 ✅ ⓘ r.-v.

CH. GRAND CASSAT 1996

■	0,3 ha	1 500	ⓘⓘ 100 à 149 F

La vigne du Grand Cassat est toute petite : 30 ares de merlot produisant 1 500 bouteilles. Le vin a du caractère dans sa robe sombre et dense. Le bouquet est dominé par des notes de bourgeon de cassis alors que la bouche offre du volume, des notes épicées et mentholées, mais aussi des tanins un peu austères en finale qui devront se fondre.

➥ Jean-Claude Giraud, 17, rue des Dagueys, 33500 Libourne, tél. 06.81.12.24.17, fax 06.57.74.00.41 ⓘ r.-v.

CH. GRAND MOULINET 1996*

■	2,83 ha	12 000	ⓘⓘ 70 à 99 F

Surtout propriétaire dans l'appellation voisine de lalande de pomerol, la famille Ollet-Fourreau possède près de 3 ha en pomerol, plantés en merlot sur sols graveleux-sablonneux. Cette vigne a produit un vin élégant et raffiné, paré d'une belle robe bordeaux classique. Très fin au nez avec des notes boisées, ce 96 développe en bouche des saveurs harmonieuses, à la fois douces et denses, soutenues par des tanins à grains serrés.

➥ Ollet-Fourreau, Ch. Haut-Surget, 33500 Néac, tél. 05.57.51.28.68, fax 05.57.51.91.79 ✅ ⓘ r.-v.

CH. GRATE-CAP 1996

■	9,5 ha	n.c.	ⓘⓘ 70 à 99 F

Doté d'un encépagement équilibré avec 70 % de merlot, 15 % de cabernet franc et 15 % de cabernet-sauvignon, ce vignoble de 9,5 ha appartient depuis 1938 aux Janoueix. La robe rubis de ce 96 renvoie des reflets orangés. Le bouquet est un peu discret sur des arômes grillés et beurrés de la barrique et des notes fruitées fraîches. La dégustation est plaisante malgré un léger manque de puissance.

➥ SCE Vignobles Albert Janoueix, 43, av. Foch, 33500 Libourne, tél. 05.57.51.27.97, fax 05.57.51.02.74 ✅ ⓘ r.-v.

➥ Guy et Michel Janoueix

CH. GUILLOT 1996*

■	4,7 ha	29 000	ⓘⓘ 150 à 199 F

|85| 86 |88| |89| |93| 94 95 96

Ce vignoble couvre près de 5 ha de graves argilo-siliceuses avec 70 % de merlot et 30 % de cabernet franc. Le 96 porte une robe rubis soutenu. Le bouquet s'exprime déjà intensément par des arômes de fruits très mûrs (pruneau, griotte, mûre) mêlés de touches boisées agréables (vanille, moka). Après une attaque douce et souple, la dégustation évolue sur une structure riche et harmonieuse. Une bouteille d'une belle personnalité, à attendre de trois à cinq ans.

➥ SCEA Vignobles Luquot, 152, av. de l'Epinette, 33500 Libourne, tél. 05.57.51.18.95, fax 05.57.25.10.59 ✅ ⓘ r.-v.

CH. GUILLOT CLAUZEL 1996*

■	1,7 ha	4 700	ⓘⓘ 200 à 249 F

Ce petit cru, planté à 60 % de merlot et à 40 % de cabernet franc sur sols argilo-graveleux, propose un pomerol de garde au bouquet expressif, encore dominé par les notes boisées et vanillées. Très boisée également, la bouche équilibrée finit sur des tanins qui devront se fondre.

➥ SCEA Consorts Clauzel, 33500 Pomerol, tél. 05.57.51.14.09, fax 05.57.51.57.66 ✅ ⓘ r.-v.

CH. HAUT FERRAND 1996*

■	4 ha	n.c.	ⓘⓘ 100 à 149 F

82 **83** 85 86 88 91 92 |93| |94| 95 96

La famille Gasparoux a élevé pendant dix-huit mois en barrique ce 96 né de 60 % de merlot et

de 40 % de cabernets. Il se pare d'une jolie couleur bigarreau à franges carminées. Le nez perçoit des arômes de fruits très mûrs, de figue, de miel, une touche de cuir. Suave et gras en bouche, étoffé par des tanins soyeux mais présents, un vin très typique de l'appellation.
⊶ SCE du Ch. Ferrand, 33500 Pomerol,
tél. 05.57.51.21.67, fax 05.57.25.01.41 ☑ Y r.-v.
⊶ H. Gasparoux

CH. HAUT-MAILLET 1996

■ 5 ha 28 000 ⏸ 100 à 149 F

86 88 90 92 |94| 95 96

Situé au nord-est de Catusseau, au milieu des plus grands crus de Pomerol, ce château dispose d'un vignoble installé sur des sables anciens et des graves, constitué de 60 % de merlot et de 40 % de cabernet franc. Bien présenté dans une robe grenat intense et peu évoluée, ce 96 développe un bouquet expressif et mûr de pruneau, d'épices et de caramel. Vineux et corsé en bouche, il a une bonne structure tannique, encore un peu ferme en finale, mais qui devrait s'assouplir dans deux à trois ans.
⊶ Jean-Pierre Estager, 33-41, rue de Montaudon, 33500 Libourne, tél. 05.57.51.04.09, fax 05.57.25.13.38, e-mail estager@estager.com
☑ Y r.-v.
⊶ Delteil

CH. HAUT-TROPCHAUD 1996*

■ 2,1 ha 11 000 ⏸ 100 à 149 F

|88| |90| |93| 94 95 96

Haut-Tropchaud se situe sur la terrasse de graves argileuses la plus haute de Pomerol. Ce qui explique que les merlots de ce cru, âgés de quatre-vingts ans, aient échappé au gel de 1956. Ce 96 très concentré porte une robe bordeaux sombre, presque noire. Le bouquet est déjà très complexe : violette, merlot mûr, bois très toasté, vanille, réglisse. Le corps est charnu et charmeur, finissant sur des tanins de bois encore un peu austères mais qui s'arrondiront dans une bonne cave.
⊶ Michel Coudroy, Maison-Neuve,
33570 Montagne, tél. 05.57.74.62.23,
fax 05.57.74.64.18 ☑ Y t.l.j. sf sam. dim. 8h-12h 14h-18h

CH. LA BASSONNERIE 1996*

■ 3,07 ha 15 000 ▮⏸↓ 100 à 149 F

Ce cru de 3 ha doit son nom au fait que l'ancien propriétaire, M. Faisandier, était un des plus grands joueurs de basson du monde. Bien présenté dans une jolie robe grenat limpide et soutenue, ce 96 développe un bouquet mêlant des arômes épicés (cannelle et poivre), des odeurs de cuir, de fumée et de truffe. La dégustation est ample et harmonieuse, avec des tanins bien fondus et une très belle expression aromatique de raisin mûr. Une bouteille à garder de deux à trois ans.
⊶ SCEA La Bassonnerie, "René",
33500 Pomerol, tél. 06.09.73.12.78,
fax 06.57.51.99.94 ☑ Y r.-v.

CH. LA CABANNE 1996*

■ 10 ha 53 000 ⏸ 150 à 199 F

85 86 |89| |90| 91 92 94 95 96

Situé au cœur de l'appellation, là où l'on cultive la vigne depuis l'époque gallo-romaine, ce cru doit son nom aux cabanes isolées qui abritaient au XIVe s. serfs et colons. De couleur grenat dense et profonde, ce 96 est très réussi. Le bouquet chaleureux, un peu marqué encore par l'élevage en barrique, libère des arômes de vanille, de caramel et de pain grillé. La bouche est ample avec des tanins charnus un peu dominés par le bois. Une belle bouteille, pour les amateurs de vins boisés, à attendre de quatre à cinq ans.
⊶ Jean-Pierre Estager, 33-41, rue de Montaudon, 33500 Libourne, tél. 05.57.51.04.09, fax 05.57.25.13.38, e-mail estager@estager.com
☑ Y r.-v.

CH. LA CONSEILLANTE 1996*

■ 12 ha 60 000 ⏸ 300 à 499 F

82 85 88 |89| |90| 91 |92| |93| 95 96

Créé par Catherine Conseillante au XVIIe s., ce cru fait partie du gotha de l'appellation. Trois quarts de merlot pour un quart de cabernet franc sont entrés dans l'assemblage de ce vin doté d'une belle couleur rubis vive et brillante ; il révèle au nez des arômes de fruits rouges, des parfums de sous-bois, des nuances boisées et vanillées. La dégustation procure d'agréables sensations de finesse et d'élégance ; puis le boisé s'affirme, et la finale un peu ferme et grillée demande quelques années de garde pour s'assagir. « Le consommateur trouvera alors dans ce vin les caractéristiques d'un pomerol », note un dégustateur.
⊶ Famille Nicolas, Ch. La Conseillante,
33500 Pomerol, tél. 05.57.51.15.32,
fax 05.57.51.42.39 Y r.-v.

CH. LA CROIX 1996***

■ 10 ha 55 000 ⏸ 200 à 249 F

|89| |90| |92| |94| 95 |(96)|

Ce très beau domaine viticole implanté sur la haute terrasse et son rebord méridional qui constituent le cœur de Pomerol a ébloui le jury avec ce 96 qui décroche trois étoiles. Nos dégustateurs ont été impressionnés par son caractère affirmé. Une belle robe bordeaux classique, un bouquet très pomerol, mêlant des notes de fleurs (violette), de gibier, de cuir et de sous-bois. Un palais ample, gras, savoureux, étoffé par des tanins soyeux, une remarquable expression finale.
⊶ SC Joseph Janoueix, 37, rue Pline-Parmentier, B.P. 192, 33506 Libourne Cedex,
tél. 05.57.51.41.86, fax 05.57.51.53.16,
e-mail webmaster@josephjanoueix.com
☑ Y r.-v.

CH. LA CROIX DU CASSE 1996

■ n.c. n.c. ⏸ 250 à 299 F

Composé par 80 % de merlot et 20 % de cabernet franc, ce cru présente un 96 de bonne typicité. La couleur grenat est intense et encore peu évoluée. Le bouquet fin et flatteur rappelle les fruits cuits et les raisins surmûris. Corsé et vineux en bouche, ce vin dispose d'une belle matière tannique qui lui permettra d'assurer une bonne garde.

Jean-Michel Arcaute, Ch. Jonqueyres, 33750 Saint-Germain-du-Puch, tél. 05.57.34.51.51, fax 05.56.30.11.45, e-mail audy@wineplanet.com

CH. LA CROIX SAINT GEORGES 1996★★

■ 3,5 ha 19 000 250 à 299 F

L'étiquette représentant saint Georges et la croix des hospitaliers de Saint-Jean de Jérusalem rappelle qu'ici invalides des croisades et pèlerins de Saint-Jacques-de-Compostelle étaient accueillis et réconfortés par les vertus toniques et thérapeutiques du vin du cru. Nos dégustateurs ont, eux aussi, été touchés par la grâce du 96 ! Sa belle couleur rubis à reflets carminés, ses arômes de merlot bien mûr, son boisé discret et vanillé, son corps souple, ses tanins soyeux, son caractère charmeur constituent un pomerol élégant.

SC Joseph Janoueix, 37, rue Pline-Parmentier, B.P. 192, 33506 Libourne Cedex, tél. 05.57.51.41.86, fax 05.57.51.53.16, e-mail webmaster@josephjanoueix.com

r.-v.

CH. LA CROIX-TOULIFAUT 1996★★★

■ 1,62 ha 9 000 150 à 199 F

75 78 79 81 82 83 **85** 86 88 |89| |90| |92| 93 |94| 95 |(96)|

Cette maison nous étonne encore avec ce 96 qui confirme le sens de « Toulifaut » qui, en vieux français, veut dire « tous y succombent ». Nous avons là un grand pomerol, avec une robe rubis foncé, un bouquet charmeur (merlot très mûr, tubéreuses, boisé fin, vanille, brioche). A la fois rond et corsé en bouche, il finit sur des tanins de bois fins, épicés et denses. Du grand art !

Jean-François Janoueix, 37, rue Pline-Parmentier, B.P. 192, 33506 Libourne Cedex, tél. 05.57.51.41.86, fax 05.57.51.53.16, e-mail webmaster@josephjanoueix.com

r.-v.

CH. LAFLEUR 1996★

■ 3 ha 13 000 + de 500 F

|85| |86| |88| **89** |90| |92| |(93)| **94** 95 96

Composé pour moitié de merlot et de cabernet franc plantés sur des sols mêlant graves, sables et argiles, ce cru affiche une certaine originalité dans son encépagement. Cela produit un 96 doté d'une superbe matière, mais encore très jeune et qui demande une longue garde pour s'épanouir totalement. La robe est grenat, sombre et dense, avec des reflets rubis vifs. Le bouquet, encore fermé, distille des arômes de fruits rouges mûrs mariés à des notes grillées de bon bois. La structure est puissante et riche, mais actuellement un peu austère. A laisser vieillir impérativement.

Sylvie et Jacques Guinaudeau, Ch. Grand Village, 33240 Mouillac, tél. 05.57.84.44.03, fax 05.57.84.83.31
Marie Robin

BORDELAIS

PENSEES DE LAFLEUR 1996★

■ 1,5 ha 5 000 250 à 299 F

Créé en 1987, ce second vin du Château Lafleur porte un très joli nom et peut se boire, à millésime équivalent, plus tôt que son aîné. Le 96 est très réussi dans sa superbe robe bordeaux sombre et profonde, avec encore des éclats rubis. Le bouquet naissant évoque d'abord le sous-bois, puis, à l'aération, marie le bon bois brûlé aux fruits rouges bien mûrs. La bouche chaleureuse et puissante révèle des tanins à la fois fermes et gras. Une très belle bouteille pour le début du prochain millénaire.

Sylvie et Jacques Guinaudeau, Ch. Grand Village, 33240 Mouillac, tél. 05.57.84.44.03, fax 05.57.84.83.31

CH. LAFLEUR-GAZIN 1996

■ n.c. n.c. 100 à 149 F

Cru situé au nord de l'appellation, dans un secteur où les sables se mêlent aux graviers. La structure de son 96 offre de petits tanins qui s'accordent au côté résolument floral de son expression aromatique, aux notes de muguet et de narcisse, pour former un ensemble des plus plaisants.

Ets Jean-Pierre Moueix, 54, quai du Priourat, 33500 Libourne

CH. LAFLEUR GRANGENEUVE 1996★

■ 1,66 ha 11 000 70 à 99 F

|93| 95 96

Ce petit cru d'un hectare et demi, installé sur sols sablo-graveleux, est planté de vieilles vignes comportant 80 % de merlot et 20 % de cabernet franc. Il offre un 96 bien réussi. La robe grenat présente des reflets chatoyants. Le bouquet, bien expressif, est marqué par des arômes de fruits rouges très fins, avec une délicate note boisée en accompagnement. Equilibré, doté d'une bonne structure et de tanins de qualité, ce vin pourra s'apprécier dans deux à trois ans.

Claude Estager et Fils, Ch. Fougeailles, 33500 Néac, tél. 05.57.51.35.09, fax 05.57.25.95.20 r.-v.

CH. LA FLEUR PETRUS 1996★★

■ 13 ha n.c. 200 à 249 F

81 |82| |83| |85| |86| |88| |89| **90 92 94** 95 **96**

Voisine de Petrus, cette propriété en diffère par des nuances de terroir et par un encépagement merlot (85 %) et cabernet franc (15 %). Fidèle à son habitude, elle propose ici un vin qui s'inscrit parfaitement dans l'esprit de l'appellation. Bien soutenu par un bois sans artifice, son bouquet complexe et sa matière aux tanins soyeux composent un ensemble de qualité. Cette

belle bouteille pourra être attendue de huit à dix ans, mais elle a déjà réjoui nos dégustateurs.
Ets Jean-Pierre Moueix, 54, quai du Priourat, 33500 Libourne

CH. LA GANNE 1996

■ 3,43 ha 12 000 70 à 99 F

Petit vignoble planté à 80 % de merlot et à 20 % de cabernet franc sur un terroir sablo-ferrugineux. Le vin se présente dans une robe bordeaux foncé. Son bouquet, à la fois élégant et typé, mêle vanille, cannelle, cuir et gibier. Charpenté par des tanins encore un peu fermes mais de qualité, c'est un bon pomerol, un peu austère.
Michel et Paule Dubois, 224, av. Foch, 33500 Libourne, tél. 05.57.51.18.24, fax 05.57.51.62.20 r.-v.

CH. LAGRANGE 1996*

■ n.c. n.c. 100 à 149 F

80 81 |82| |83| |85| |86| **87** |88| 89 **90 92** |93| 94 95 96

Terroir typé pomerol, signature prestigieuse (Moueix), la régularité de ce cru ne doit rien au hasard. Elle se vérifie une fois encore avec ce millésime. Très nette au bouquet, qu'égaient des notes de vanille, de cannelle, d'œillet et de poivre, sa finesse est éclatante au palais, où les tanins savent montrer leur puissance tout en conservant leur douceur...
Ets Jean-Pierre Moueix, 54, quai du Priourat, 33500 Libourne

CH. LA GRAVE TRIGANT DE BOISSET 1996*

■ n.c. n.c. 100 à 149 F

75 76 |81| |82| |83| |85| |86| **87** |88| (90) |92| **94 95** 96

Si sa jeunesse l'empêche de rivaliser avec certains superbes millésimes antérieurs, ce 96 montre qu'il ne manque pas de personnalité et qu'il possède un solide potentiel. Celui-ci s'exprime notamment par la fermeté de ses tanins et sa persistance aromatique.
Ets Jean-Pierre Moueix, 54, quai du Priourat, 33500 Libourne

LA GRAVETTE DE CERTAN 1996

■ n.c. 12 000 150 à 199 F

Second vin du Vieux Château Certan, ce cru a produit 12 000 bouteilles d'un 96 réussi et de bonne typicité. De couleur grenat légèrement évoluée, ce vin est encore un peu marqué par le bois au nez, avec des arômes vanillés et grillés sur un joli fruité. Bien équilibré, doté de tanins souples et ronds, il pourra être consommé dès l'an 2000.
SC du Vieux Château Certan, 33500 Pomerol, tél. 05.57.25.35.08, fax 05.57.51.17.33, e-mail vieuxchateaucertan@wanadoo.fr r.-v.

CH. LA POINTE 1996***

■ 22 ha 105 000 100 à 149 F

82 83 85 86 88 |89| |93| |94| **95** (96)

Nos experts n'ont pas hésité à attribuer un coup de cœur à cet important domaine viticole situé à la sortie de Libourne sur la route de Pomerol. L'encépagement et le terroir sont bien représentatifs de l'AOC. Le vin aussi, avec une robe somptueuse, bordeaux presque noir, un bouquet complexe, profond, élégant, à base de merlot très mûr, de merrain toasté, d'épices, de réglisse. La saveur puissante, concentrée, s'appuie sur des tanins corsés. Un grand pomerol de garde.

SCE Ch. La Pointe-Pomerol, 33500 Pomerol, tél. 05.57.51.02.11, fax 05.57.51.02.11 r.-v.
d'Arfeuille

CH. LA ROSE FIGEAC 1996

■ 3,25 ha n.c. 250 à 299 F

82 (85) **86** |88| |89| |90| |92| **93** 94 95 96

Le vignoble, composé essentiellement de merlot âgé de soixante-dix ans complété par 10 % de cabernet franc, est installé sur graves et sables anciens. Souvent mentionné dans le Guide, ce cru fait preuve d'une belle régularité dans la qualité au fil des millésimes. Il propose un 96 de teinte grenat sombre et profonde. Le bouquet élégant rappelle les fruits rouges confits avec une note boisée agréable et fine. Après une attaque souple, la bouche révèle une structure tannique puissante et un peu rude qui demandera plusieurs années de patience aux amateurs.
SCEA Despagne-Rapin, Ch. Maison Blanche, 33570 Montagne, tél. 05.57.74.62.18, fax 05.57.74.58.98 r.-v.

CH. LATOUR A POMEROL 1996*

■ 7,8 ha n.c. 150 à 199 F

61 64 66 67 70 71 75 (76) **80** 81 |82| |83| |85| |86| |87| **88 89 90** 92 |(93)| **94** 95 96

Par son terroir, des croupes de graves sur argiles, par son encépagement, du merlot (90 %) complété par du cabernet franc, enfin par son histoire, marquée par Mme Edmond Loubat qui fut à la source de l'ascension du cru et l'une des grandes figures de Pomerol, Latour à Pomerol n'est pas une propriété ordinaire. S'il succombe un peu à la mode par un boisé assez présent (dix-huit mois d'élevage en barrique), son 96 sait rester fidèle à la tradition par la finesse et la complexité de son bouquet où le cuir et le sous-bois se développent sur un fond de fruits noirs.
Ets Jean-Pierre Moueix, 54, quai du Priourat, 33500 Libourne
Mme Lacoste-Loubat

CLOS DE LA VIEILLE EGLISE 1996

■ 1,5 ha 9 000 150 à 199 F

92 |93| 94 95 96

Ce petit cru est installé sur des graves argileuses. Il est géré depuis 1989 par Jean-Louis Trocard, président de l'interprofession viticole bordelaise. Doté d'une belle couleur grenat soutenue, ce 96 se montre très agréable au nez avec des parfums de fruits rouges mêlés à des odeurs grillées de bon bois. Souple, corsé et rond en bouche, il dispose d'une structure équilibrée et sera prêt à la consommation dans deux à trois ans.

SCEA Vignobles Jean-Louis Trocard, Les Jays, 33570 Les Artigues-de-Lussac, tél. 05.57.55.57.90, fax 05.57.55.57.98, e-mail trocard@wanadoo.fr t.l.j. sf sam. dim. 8h-12h 14h-18h

CH. LE BON PASTEUR 1996*

■ 7 ha 38 000 250 à 299 F

78 79 81 |(82)|**83** |85| |86| **88** |89| **90 92 93 94** (95) 96

Géré par l'œnologue libournais Michel Rolland, ce cru est vinifié par parcelles dans de petites cuves en macération à chaud de vingt-cinq à trente jours. 80 % des barriques sont neuves, les autres étant d'un vin. Belle présentation pour ce 96 de couleur grenat sombre montrant quelques reflets évolués. Le bouquet fin et racé exprime les fruits rouges, le cuir, la fumée, avec de très agréables notes boisées. Equilibrée en attaque, la dégustation s'appuie sur une charpente solide et ferme qui demandera un peu de garde pour s'épanouir.

SCEA Fermières des domaines Rolland, Maillet, 33500 Pomerol, tél. 05.57.51.23.05, fax 05.57.51.66.08 r.-v.

CH. LE CARILLON 1996

■ n.c. 3 000 100 à 149 F

Ce cru confidentiel (3 000 bouteilles en 1996) est produit uniquement à partir de merlot planté sur sols limoneux et graveleux. Il appartient à la famille de Louis Grelot depuis 1847. Bien présenté dans sa robe grenat sombre et intense, ce vin livre au nez des arômes un peu exubérants de pruneau cuit, de confiture et d'épices. Vineux, corsé et légèrement alcooleux en bouche, il dispose d'une structure tannique encore ferme et devra être un peu attendu pour s'exprimer pleinement.

Louis Grelot, Ch. le Carillon, 33500 Pomerol, tél. 05.57.84.56.61

CH. LE GAY 1996*

■ n.c. n.c. 150 à 199 F

Pomerol et le Libournais étant des terres occitanes, le nom de ce cru se prononce le « gaille ». Peu étendu mais de qualité, son vignoble montre une fois encore ses possibilités avec ce vin. Sa belle robe d'un rouge profond et son bouquet, mariage original et réussi de figue, de raisin surmûri et de fruits, disent clairement qu'il a l'art de se présenter. Plein, élégant, séveux et porté par des tanins mûrs, le palais est lui aussi bien construit. Longue et savoureuse, la finale conclut heureusement la dégustation, en confirmant le solide potentiel de garde de cette bouteille.

Ets Jean-Pierre Moueix, 54, quai du Priourat, 33500 Libourne

CH. L'ENCLOS 1996

■ 9,44 ha 61 127 100 à 149 F

|85| |86| |88| |**89**| 91 95 |96|

Cette propriété de 10 ha appartient à la même famille depuis le XVIIe s. Elle est installée sur graves silico-argileuses. L'encépagement comprend 80 % de merlot et 20 % de cabernet franc. Le vin a une robe rubis clair, limpide et brillante. Les arômes de fruits frais dominent au nez, mêlés à des nuances boisées fines. La structure est un peu légère mais subtile, avec des tanins souples et élégants, des parfums fruités et des notes boisées agréables. A boire pendant quatre à cinq ans.

Ch. L'Enclos, 1, l'Enclos, 33500 Pomerol, tél. 05.57.51.04.62, fax 05.57.51.43.15, e-mail hugues.weydert@wanadoo.fr r.-v.

CH. L'EVANGILE 1996*

■ 14 ha n.c. + de 500 F

82 83 |85| |86| |88| |93| (95) 96

Ce cru prestigieux étend ses 14 ha de vignes sur le haut plateau de Pomerol où sables et argiles alternent avec des graves pures. Il présente un 96 d'une jolie couleur bordeaux, sombre et profonde. Le bouquet, élégant et complexe, marie agréablement les arômes de fruits rouges, de réglisse et de pain grillé. Corsé et rond au premier abord, le palais évolue ensuite sur une belle structure tannique mêlant harmonieusement les tanins de raisins et ceux, fins et soyeux, d'un très bon bois. Toute l'élégance d'un grand pomerol.

SC Ch. L'Evangile, 33500 Pomerol, tél. 05.57.51.15.30, fax 05.57.51.45.95 r.-v.

Barons de Rothschild

CLOS DES LITANIES 1996*

■ 0,74 ha 3 000 250 à 299 F

Le frère Mathieu Bossuet, nommé curé de Pomerol en 1514, venait souvent se recueillir et réciter les litanies en ce lieu, d'où le nom de ce tout petit clos. Issu uniquement de merlot âgé de quarante-cinq ans, ce 96 a bénéficié d'un bel élevage en fût de chêne. La robe est grenat, sombre et dense. Le bouquet, un peu marqué par des notes boisées et animales, exprime à l'agitation des arômes de fruits cuits et d'épices. La bouche, d'abord corsée, ronde et charnue, évolue ensuite sur une structure tannique puissante et ferme qui demande un peu de vieillissement pour s'affiner.

SC Joseph Janoueix, 37, rue Pline-Parmentier, B.P. 192, 33506 Libourne Cedex, tél. 05.57.51.41.86, fax 05.57.51.53.16, e-mail webmaster@josephjanoueix.com r.-v.

CH. MAZEYRES 1996*

■ 19,5 ha 91 000 100 à 149 F

92 |93| |**94**| **95** 96

Cru très régulièrement remarqué par nos dégustateurs. Il s'agit ici du premier vin de la propriété, pratiquement pur merlot de trente-cinq ans d'âge issu de graves siliceuses ou argileuses. Son 96 est très réussi, avec une robe bordeaux éclatante. Le nez, déjà puissant, exprime des notes de merlot mûr, de boisé, de vanille, de tabac. Le palais a du volume et de la structure, des tanins encore un peu fermes, garants d'une bonne garde.

☙SC Ch. Mazeyres, 56, av. Georges-Pompidou, 33500 Libourne, tél. 05.57.51.00.48, fax 05.57.25.22.56,
e-mail mazeyres@wanadoo.fr ⍟ r.-v.

CH. MONTVIEL 1996

■		n.c.	25 000	⦀	100 à 149 F

88 |89| |90| |93| 94 95 96

Ce cru étend ses 5 ha de vignes âgées de trente ans sur des sols mêlant sables, graves et argiles. Ce 96, réussi, est d'une belle couleur rubis vive et soutenue. Le bouquet, déjà expressif, marie harmonieusement les arômes fruités et boisés. La bouche est équilibrée et agréable, même si la finale un peu ferme demande quelque temps pour s'assouplir.

☙SCA Ch. Montviel, 1, rue du Grand-Moulinet, 33500 Pomerol, tél. 05.57.51.87.92, fax 05.21.93.21.03 ⍟ r.-v.
☙Yves et Catherine Péré-Vergé

CH. MOULINET 1996

■		18 ha	80 000	⦀	100 à 149 F

|93| |94| 95 |96|

Armand Moueix nous a quittés en 1999. Personnalité très attachante du monde viticole et sportif libournais, il exploitait plusieurs vignobles, tel ce château Moulinet - 18 ha sur graves et sables du versant nord du plateau de Pomerol. Son 96 est à la fois puissant et soyeux. Le bouquet exprime des notes florales et fruitées de raisin bien mûr. Les tanins déjà assagis permettront de le boire assez vite.

☙SC Dom. viticoles Armand Moueix, Ch. Fonplégade, 33330 Saint-Emilion, tél. 05.57.74.43.11, fax 05.57.74.44.67 ☑ ⍟ r.-v.
☙GFA du dom. de Moulinet

CH. MOULINET-LASSERRE 1996★

■		5 ha	25 000	⦀	100 à 149 F

|89| |90| 91 92 93 **94** 95 96

Cette très ancienne propriété appartient à la famille Garde depuis plusieurs générations. Elle est installée sur sables et graves avec un sous-sol de crasse de fer. L'encépagement comprend 70 % de merlot, 20 % de cabernet franc et 10 % de cot rouge, cépage rare à Pomerol. Cela donne un vin flatteur et plaisant d'une belle couleur rubis vive, brillante et intense. Le bouquet est frais, fruité et vineux, accompagné de notes boisées discrètes mais agréables. La bouche est équilibrée et ronde, avec du fruit et de l'harmonie. Une bouteille à ouvrir dans deux à trois ans.

☙Jean-Marie Garde, Ch. Moulinet-Lasserre, 33500 Pomerol, tél. 05.57.51.10.41, fax 05.57.51.16.28 ☑ ⍟ r.-v.

CH. PETIT VILLAGE 1996★

■		11 ha	n.c.	⦀	200 à 249 F

85 86 88 |89| **90** |92| **93** 94 **95** 96

Ce beau vignoble de 11 ha, établi sur des sols argilo-graveleux, est à dominante de merlot avec un appoint de 10 % de cabernet franc et de 10 % de cabernet-sauvignon. Il appartient depuis dix ans à AXA-Millésime. Ce joli 96 paraît dans une robe grenat dense et brillante. Le bouquet et la bouche sont encore très marqués par les arômes et les tanins du bon bois neuf de l'élevage, mais la matière première dont il est composé permet d'envisager un bel avenir.

☙Jean-Michel Cazes, Ch. Petit-Village, 33500 Pomerol, tél. 05.57.51.21.08, fax 05.57.51.87.31,
e-mail infochato@petit-village.com ☑ ⍟ r.-v.
☙AXA Millésime

PETRUS 1996★★★

■		11,5 ha	n.c.	⦀	+ de 500 F

61 **67** 71 74 **75** |76| |77| |78| |79| |81| |82| |83| 85 86 87 |88| |89| 90 |92| **93** 94 95 96

Terroir, encépagement (95 % de merlot), mode de travail, Petrus est unique. Il suffit d'un coup d'œil sur la robe de ce 96 pour s'en convaincre : d'un rouge sombre presque noir, elle affiche le potentiel du vin. Concentré et complexe, avec une large palette où dominent les fruits noirs, le bouquet confirme que celui-ci possède les atouts d'un bon vieillissement. Riche, rond, gras, plein et crémeux, le palais joue sur un registre symphonique. Cinq, dix, quinze, vingt-cinq ans ? Quand cette très grande bouteille atteindra-t-elle son apogée ? Une chose est sûre : celui-ci sera grandiose, comme le laissent présager sa trame d'une densité exceptionnelle et sa finale inoubliable.

☙SC du Ch. Petrus, 33500 Pomerol

CH. PLINCE 1996

■		8,33 ha	50 000	⦀	100 à 149 F

86 |89| |90| 91 92 |95| 96

Belle propriété familiale dont l'architecture XIXᵉ s. est mise en valeur par une longue allée de platanes et un joli parc ombragé. La robe d'un grenat soutenu et sombre laisse entrevoir des reflets d'évolution. Le bouquet naissant rappelle les fruits surmûris, le pruneau, les épices et la vanille. D'abord souple et ronde, la structure devient vite plus ferme avec des tanins encore nerveux qui demandent un peu de temps pour s'assouplir.

☙SCEV Moreau, Ch. Plince, 33500 Libourne, tél. 05.57.51.68.77, fax 05.57.51.43.39 ☑ ⍟ r.-v.

Vous cherchez une appellation ?
Consultez l'index en fin de volume.

CH. PRIEURS DE LA COMMANDERIE 1996*

■ 3 ha 14 000 🛢 100 à 149 F

Ce petit vignoble de 3 ha appartient à Clément Fayat depuis 1984 ; il s'appelait auparavant Château Saint-André, nom devenu celui du second vin. Bien présenté dans une robe rubis vive, ce 96 se révèle très expressif et charmeur au nez, mêlant les fruits rouges aux notes grillées de bon bois. La structure tannique est encore un peu ferme en bouche, mais la matière première est de bonne qualité, bien mise en valeur par un boisé agréable qui demande à se fondre. A attendre.

⊶ Vignobles Clément Fayat,
Ch. La Dominique, 33330 Saint-Emilion,
tél. 05.57.51.31.36, fax 05.57.51.63.04 Y r.-v.

CLOS RENE 1996*

■ 12 ha 65 000 🛢 100 à 149 F

|86| |88| |89| |90| 91 92 93 95 96

Le cuvier a été agrandi en 1996 et équipé de six nouvelles cuves en inox de 100 hl chacune afin d'effectuer des vinifications parcellaires. 70 % de merlot entrent dans ce 96 doté d'une belle robe rubis très vif. Le bouquet finement et élégamment boisé demande encore à s'ouvrir. La structure est équilibrée et plaisante, bien faite, peu puissante mais harmonieuse. Une bonne bouteille qui sera prête dans deux ou trois ans.

⊶ Pierre Lasserre et Jean-Marie Garde, Clos René, 33500 Pomerol, tél. 05.57.51.10.41,
fax 05.57.51.16.28 ☒ Y r.-v.

CH. ROUGET 1996

■ 17,5 ha 35 000 🛢 150 à 199 F

|94| 95 |96|

Coiffé d'une belle demeure du XVIII[e]s. près du bourg de l'ancienne église, le vignoble est implanté sur un terroir argilo-graveleux. Le vin a une teinte légèrement évoluée. Le nez livre des notes de raisins très mûrs, de chêne et de caramel. Fondant et délicat en bouche, avec des tanins fins présentant des notes d'évolution, ce 96 est à boire dans les deux à trois ans.

⊶ SGVP Ch. Rouget, Ch. Rouget,
33500 Pomerol, tél. 05.57.51.05.85,
fax 05.57.55.22.45 ☒ Y r.-v.

⊶ Labruyère

CH. SAINT-PIERRE 1996

■ 3 ha 20 000 ▮🛢 70 à 99 F

A l'ombre du clocher de Pomerol, ce cru est complanté à 65 % de merlot, 20 % de cabernet franc et 15 % de cabernet-sauvignon sur un sol de graves et un sous-sol sablo-argileux typique de l'appellation. Le vin a une jolie couleur rubis légèrement ambrée. Le bouquet exprime des notes boisées, résineuses, et des arômes d'humus. La bouche souple, bien équilibrée, possède des tanins qui commencent à prendre un caractère velouté et une saveur finale empyreumatique (fumé).

⊶ SCEA de Lavaux, Ch. Martinet, 64 av. du Gal-de-Gaulle, 33500 Libourne,
tél. 05.57.51.06.07, fax 05.57.51.59.61 ☒ Y r.-v.

CH. TAILLEFER 1996*

■ 11,5 ha 55 000 🛢 150 à 199 F

93 94 95 96

Un beau château du XIX[e]s. règne sur ce joli vignoble de 11,5 ha composé pour les trois quarts de merlot et pour un quart de cabernet franc plantés sur des sols sablo-graveleux. Paré d'une robe sombre et profonde, ce 96 se distingue par un bouquet élégant et fin, aux arômes vanillés et grillés subtilement mariés à des notes fruitées. La bouche, charnue et ronde en attaque, évolue sur une belle structure tannique, un peu ferme actuellement mais gage d'un avenir prometteur.

⊶ SC Vignoble Bernard Moueix, Ch. Taillefer,
33500 Libourne, tél. 05.57.25.50.45,
fax 05.57.25.50.45

CH. THIBEAUD-MAILLET 1996

■ 1 ha 6 000 🛢 70 à 99 F

88 |89| |90| 92 |93| 94 95 |96|

Installé au lieu-dit Maillet sur sols argilo-graveleux, avec 85 % de merlot et 15 % de cabernet franc, ce petit cru de 1 ha doit son nom à la famille Thibeaud qui l'a créé au début du XIX[e]s. La robe limpide et brillante affiche une teinte grenat avec quelques reflets évolués. Le bouquet exprime les fruits mûrs, des notes animales et une nuance poivrée. La structure est un peu légère, mais compensée par beaucoup de fraîcheur. Une bouteille simple, pour le plaisir, à boire dès maintenant.

⊶ Roger et Andrée Duroux, Ch. Thibeaud-Maillet, 33500 Pomerol, tél. 05.57.51.82.68,
fax 05.57.51.58.43 ☒ Y t.l.j. 9h-12h 13h-20h;
f. 2e quinzaine de mars

CH. TROTANOY 1996***

■ 7,2 ha n.c. 🛢 250 à 299 F

79 80 |(82)| |85| |86| 87 88 89 90 |92| 94 (95) (96)

S'il n'est pas sûr que la vigne doive souffrir pour donner un grand vin, comme le veut la tradition, il est clair qu'à Trotanoy le vigneron ne doit pas ménager sa peine car si le sol est dur par temps sec, il devient glissant dès qu'il pleut. Mais quel résultat ! D'un rouge soutenu, ce 96 (90 % merlot, 10 % cabernet franc) est aussi gourmand qu'élégant dans son expression aromatique, où le moka côtoie le chocolat noir. Puissant et de caractère, avec une matière concentrée et une belle mâche, le palais n'est pas en reste. Conciliant force et délicatesse, il prépare le terrain pour une superbe finale épicée. Une très grande bouteille, dont l'avenir est à la hauteur de sa noble origine.

⊶ Ets Jean-Pierre Moueix, 54, quai du Priourat, 33500 Libourne

VIEUX CHATEAU CERTAN 1996**

■ 14 ha 48 000 🛢 300 à 499 F

81 82 83 |85| |86| |(88)| |89| 90 |92| 93 94 95 96

Depuis 1924 dans la famille Thienpont, ce cru de 14 ha est installé sur des sols argilo-graveleux avec 60 % de merlot, 30 % de cabernet franc et 10 % de cabernet-sauvignon. Il propose un 96 certes encore jeune, mais très prometteur. La robe pourpre est sombre et profonde, très dense. Le bouquet naissant libère des arômes de petits

fruits rouges sur des notes élégantes et épicées de bon bois. La structure, déjà harmonieuse et équilibrée, révèle de bons tanins ronds et soyeux. La finale plus ferme demandera un peu de patience aux amateurs.
🔑 SC du Vieux Château Certan,
33500 Pomerol, tél. 05.57.25.35.08,
fax 05.57.51.17.33,
e-mail vieuxchateaucertan@wanadoo.fr 🍷 r.-v.
🔑 Thienpont

VIEUX CHATEAU FERRON
Vieilli en fût de chêne neuf 1996

■ 2 ha 10 000 ▮ (||) 🌡 **150 à 199 F**

|89| |90| 93 |95| |96|

Acquis par les Garzaro, vignerons de l'Entre-deux-Mers, en 1987, ce cru est composé de vieux merlots avec un appoint de 10 % de cabernet franc plantés sur des sols sablonneux. Ce 96 est doté d'une jolie robe grenat bien soutenu. Le bouquet puissant est actuellement dominé par un boisé grillé et toasté. La bouche est équilibrée avec des tanins généreux et ronds. Ce pomerol pourra être apprécié dès l'an 2000.
🔑 Pierre-Etienne Garzaro, Dom. de Bertin,
33750 Baron, tél. 05.56.30.16.16,
fax 05.56.30.12.63 ☑ 🍷 r.-v.

CH. VIEUX MAILLET 1996

■ 2,62 ha 15 000 **100 à 149 F**

Repris en 1994 par l'actuelle propriétaire, ce cru de 4 ha est installé sur des sols argilo-graveleux mêlés de crasse de fer. L'encépagement comprend 80 % de merlot et 20 % de cabernet franc. 96 est d'une belle couleur grenat encore vif. Le bouquet est marqué par des odeurs boisées et des notes d'épices, de cuir, de vanille et de réglisse, sur des arômes de fruits cuits. La bouche est souple et ronde d'abord, puis évolue sur des tanins fermes et un peu austères en finale. Un peu de patience sera nécessaire pour que l'ensemble s'épanouisse.
🔑 Isabelle Motte, Ch. Vieux Maillet,
33500 Pomerol, tél. 05.57.51.04.67,
fax 05.57.51.04.67,
e-mail chateau.vieux.maillet@wanadoo.fr
☑ 🍷 r.-v.

Lalande de pomerol

Créé, comme celui de pomerol dont il est voisin, par les hospitaliers de Saint-Jean (à qui l'on doit aussi la belle église de Lalande qui date du XIIe s.), ce vignoble d'environ 1 100 ha, produit, à partir des cépages classiques du Bordelais, des vins rouges colorés, puissants et bouquetés, qui jouissent d'une bonne réputation, les meilleurs pouvant rivaliser avec les pomerol et les saint-émilion. 56 152 hl ont été revendiqués en 1998.

CH. DES ANNEREAUX 1996

■ 20 ha 120 000 (||) **50 à 69 F**

Situé dans un terroir argilo-sableux, ce château propose un 96 à la robe rouge cerise déjà évoluée, aux arômes discrets de fruits, de vanille et de tabac blond. En bouche, la structure est généreuse et souple, soyeuse en finale. C'est une bouteille déjà agréable à boire, qui devrait cependant vieillir deux à cinq ans.
🔑 SCEA du Ch. des Annereaux,
33500 Lalande-de-Pomerol, tél. 05.57.55.48.90,
fax 05.57.84.31.27 ☑

CH. BECHEREAU
Cuvée spéciale Vieilli en fût de chêne 1996

■ 3 ha 20 000 ▮ (||) **50 à 69 F**

Cette cuvée sélectionnée bénéficie d'un élevage en barrique que l'on retrouve dans la palette aromatique : boisé vanillé, grillé, cuir, puis notes fruitées (groseille, mûre). Ronds et souples, les tanins sont présents mais un peu fugaces. Un vin à boire jeune.
🔑 SCE Bertrand, Béchereau, 33570 Artigues-de-Lussac, tél. 05.57.24.31.22, fax 05.57.24.34.69
☑ 🍷 t.l.j. 8h-12h 14h-18h

CH. DE BEL-AIR 1996

■ 16 ha n.c. ▮ (||) 🌡 **100 à 149 F**

Ce 96 possède une robe rubis à reflets mauves, un bouquet discret et délicat et une structure tannique souple et fruitée, légèrement florale en fin de bouche. A boire dès à présent.
🔑 Vignobles Jean-Pierre Musset, Ch. de Bel-Air, 33500 Lalande-de-Pomerol,
tél. 05.57.51.40.07, fax 05.57.74.17.43 ☑ 🍷 r.-v.

CH. BERTINEAU SAINT-VINCENT 1996

■ 4,2 ha 33 000 ▮ (||) 🌡 **70 à 99 F**

Ce château, appartenant au célèbre œnologue Michel Rolland, produit de bons vins tous les ans. Ce 96 est très marqué par son élevage en barrique, cependant le fruit mûr et une bonne structure apparaissent derrière ce masque ; il est nécessaire de patienter au moins cinq ans pour l'apprécier.
🔑 SCEA Fermières des domaines Rolland,
Maillet, 33500 Pomerol, tél. 05.57.51.23.05,
fax 05.57.51.66.08 ☑ 🍷 r.-v.

CH. BOURSEAU 1996

■ 10 ha 35 000 ▮ (||) 🌡 **70 à 99 F**

Ce château est l'un des plus anciens de l'appellation ; il a produit un vin à la robe carminée, au nez de fruits noirs, de menthol et d'épices. Possédant beaucoup de rondeur en bouche, ce lalande évolue avec simplicité : il est à boire dans les trois prochaines années.
🔑 SARL Vignobles Gaboriaud-Bernard,
Ch. Bourseau, 33500 Lalande-de-Pomerol,
tél. 05.57.51.52.39, fax 05.57.51.70.19,
e-mail matras@cavesparticulieres.com ☑ 🍷 t.l.j. 9h-18h

CH. CANON CHAIGNEAU 1996*

■ 5 ha 14 500 ▮ (||) 🌡 **70 à 99 F**

Les moines exploitèrent cette propriété dès le début du XVe s. ; elle repose sur un sol argilo-

sablonneux. Son 96 mérite l'attention : parfums intenses de pain grillé, structure tannique franche et veloutée, encore marquée en fin de bouche par l'élevage en barrique. Attendre impérativement deux ou trois ans pour lui laisser le temps d'arriver à un bon équilibre.
SCEA Marin Audra, 3 bis, rue Porte-Brunet, 33330 Saint-Emilion, tél. 05.57.24.69.13, fax 05.57.24.69.11 Y r.-v.

CH. DE CHAMBRUN 1996★★

■ 1,42 ha 7 200 200 à 249 F

A la tête de cette minuscule propriété depuis 1994, Jean-Philippe Janoueix, dont la famille est bien connue dans le Libournais, apporte tous les soins nécessaires à la naissance d'un grand vin. Le résultat est déjà perceptible avec ce magnifique 96 présentant une robe pourpre violacé brillante et des arômes concentrés de torréfaction et de vanille. En bouche, les tanins sont veloutés et ronds en attaque, puis ils évoluent avec puissance, équilibre et longueur. Une superbe bouteille dans trois à dix ans.
Jean-Philippe Janoueix, 83, cours des Girondins, 33500 Libourne, tél. 05.57.25.91.19, fax 05.57.51.53.16 Y r.-v.

DOM. DE GACHET 1996

■ n.c. 6 000 70 à 99 F

Ce 96 est issu de merlot et de cabernet franc à parts égales. Le nez de fruits confits est très plaisant. Les tanins souples et ronds sont déjà agréables, bien qu'un peu courts en bouche. Un vin à boire dans les trois ans.
Jean-Pierre Estager, 33-41, rue de Montaudon, 33500 Libourne, tél. 05.57.51.04.09, fax 05.57.25.13.38, e-mail estager@estager.com Y r.-v.

DOM. GALVESSES GRAND MOINE 1996

■ 1,65 ha 10 000 50 à 69 F

Issu d'un terroir sablo-graveleux, ce vin se distingue par un bouquet fruité et épicé et par une structure tannique élégante et souple en attaque, puis un peu dure. Tout cela devrait se fondre d'ici un an ou deux.
SCEA Chanet et Fils, n° 1 à Jacques, 33570 Puisseguin, tél. 05.57.74.60.85, fax 05.57.74.59.90 Y r.-v.

CH. GARRAUD 1996

■ 20 ha 99 000 70 à 99 F

Créé au XIXe s., ce château a produit un 96 agréable, aux arômes délicats de fraise, de vanille et de grillé, marqué par une structure tannique souple et ronde, évoluant vers une certaine austérité. Ce vin devrait trouver son harmonie après deux ou trois ans de vieillissement dans une bonne cave.
Vignobles Léon Nony SA, Ch. Garraud, 33500 Néac, tél. 05.57.55.58.58, fax 05.57.25.13.43 Y t.l.j. sf sam. dim. 9h-12h 14h-17h
GFA Ch. Garraud

CH. DU GRAND CHAMBELLAN 1996★

■ 7 ha 48 000 70 à 99 F

Situé sur un excellent terroir graveleux, ce château se distingue régulièrement dans l'appellation. Son 96 affiche une robe rubis encore jeune ; ses parfums discrets évoquent le fruit rouge. Les tanins souples et pleins, puissants en fin de bouche, demandent deux ans de vieillissement pour s'affiner totalement.
SCEA Ch. de Viaud, 33500 Lalande-de-Pomerol, tél. 05.57.51.17.86, fax 05.57.51.79.77 Y t.l.j. sf sam. dim. 8h-12h 13h-17h

CH. GRAND ORMEAU Cuvée Madeleine 1996★★

■ n.c. 5 000 100 à 149 F

Bénéficiant d'un terroir limono-graveleux, ce château fait partie des fleurons de l'appellation. La cuvée Madeleine 96 est une très grande réussite : robe profonde et brillante, nez puissant de boisé vanillé, de cacao, de caramel et de fruits très mûrs, tanins concentrés et veloutés, très gras, finale pleine de fraîcheur et d'harmonie. Une bouteille à boire dans cinq à dix ans. A noter également, le **Chevalier d'Haurange 96**, second vin, cité pour ses parfums délicats de fleurs et son harmonie en bouche. Un vin déjà prêt à boire.
Ch. Grand Ormeau, 33500 Lalande-de-Pomerol, tél. 05.57.25.30.20, fax 05.57.25.22.80 Y r.-v.
Beton

CH. HAUT-CHAIGNEAU Cuvée Prestige 1996★★

■ 10 ha 50 000 100 à 149 F

Cette cuvée Prestige du château Haut-Chaigneau bénéficie de tous les soins aux différents stades de son élaboration. Après deux ans d'élevage en barrique, ce 96 possède une très belle couleur, un bouquet expressif de bois vanillé et grillé, de fruits rouges (fraise) et de cuir ; ses tanins amples et ronds en attaque évoluent avec puissance et charme. Une grande bouteille à boire dans deux à cinq ans. A noter aussi, le **Château Tour Saint-André 96**, second vin, cité pour son beau fruité (framboise) et ses tanins souples et charmeurs, à boire dans les trois ans.
André Chatonnet, Chaigneau, 33500 Néac, tél. 05.57.51.31.31, fax 05.57.25.08.93 Y r.-v.

CH. HAUT-GOUJON 1996★

■ 8,5 ha 28 000 50 à 69 F

Situé dans un terroir de graves argileuses, ce château propose deux 96 qui ont obtenu chacun une étoile. Le premier bénéficie d'un élevage en barrique ; il est dominé par les arômes toastés et grillés, puis épicés, et sa structure tannique fondue et équilibrée laisse augurer un avenir de deux à cinq ans. Le second, **Château La Rose Saint-Vincent 96**, possède une robe rouge vif, un bouquet délicieux de fruits confits et de violette et des tanins gras et ronds, très harmonieux en fin de bouche : un vin déjà agréable à boire (30 à 49 F).

BORDELAIS

⊶ SCEA Garde et Fils, Goujon, 33570 Montagne, tél. 05.57.51.50.05, fax 05.57.25.33.93 ☑ Y r.-v.

CH. LES HAUTS-CONSEILLANTS 1996

■ 8 ha 44 500 🛢 70 à 99 F

Situé dans un terroir sablo-limoneux complanté à 70 % de merlot, ce cru propose un vin d'intensité moyenne, mais qui se distingue par sa complexité aromatique et par la finesse de ses tanins bien mûrs. Une bouteille qui s'appréciera dans deux ans.

⊶ Pierre Bourotte, 62, quai du Priourat, B.P. 79, 33500 Libourne, tél. 05.57.51.62.17, fax 05.57.51.28.28 Y r.-v.

CH. HAUT-SURGET 1996★★

■ 36 ha 100 000 ▮🛢 70 à 99 F

Cette vieille propriété familiale de près de 25 ha est établie sur un sol graveleux et argilo-calcaire. Elle produit tous les ans d'excellents vins, comme en témoigne encore ce remarquable 96. La robe soutenue a de jolis reflets grenat. Le bouquet fruité se marie harmonieusement à des notes boisées et épicées. Les tanins, ronds et soyeux en attaque, évoluent avec de la puissance et une réelle distinction en fin de bouche. Un vin authentique, très séduisant, qui s'appréciera d'ici deux à six ans.

⊶ Ollet-Fourreau, Ch. Haut-Surget, 33500 Néac, tél. 05.57.51.28.68, fax 05.57.51.91.79 ☑ Y r.-v.

CH. LA BORDERIE-MONDESIR 1996★

■ 2,1 ha 13 000 🛢 70 à 99 F

Ce 96 présente une robe pourpre aux nuances tuilées, des arômes élégants de groseille et de boisé grillé. Sa structure tannique est charnue et noble mais pas encore bien fondue. Une bouteille à attendre impérativement deux ou trois ans avant de la servir avec du gibier.

⊶ Jean-Marie Rousseau, Petit-Sorillon, 33230 Abzac, tél. 05.57.49.06.10, fax 05.57.49.38.96 ☑ Y r.-v.

CH. LA CROIX BELLEVUE 1996★★

■ 8 ha 51 000 🛢 70 à 99 F

Ce château, établi dans un terroir de graves et de sables anciens, se démarque dans l'appellation par son encépagement atypique : 70 % de cabernet-sauvignon pour seulement 30 % de merlot ! Son 96 est magnifique. Sa robe grenat est profonde. Son bouquet intense et complexe évoque la vanille, les fleurs, le cuir et les fruits rouges confits. En bouche, l'attaque fraîche et fruitée est prolongée par une sensation de gras et de puissance, avec une finale sur la truffe. Une bouteille typée, à boire dans trois à huit ans. Bravo !

⊶ SC Dom. viticoles Armand Moueix, Ch. Fonplégade, 33330 Saint-Emilion, tél. 05.57.74.43.11, fax 05.57.74.44.67 ☑ Y r.-v.

⊶ GFA du Dom. de Moulinet

CH. LA CROIX DES MOINES 1996★

■ 6,5 ha 45 000 ▮🛢🌡 50 à 69 F

Issu essentiellement du cépage merlot (80 %) planté sur un très beau terroir de graves, ce vin se distingue régulièrement dans le Guide. C'est encore le cas du 96 : robe grenat profond, arômes de fruits rouges et de grillé, tanins veloutés et équilibrés, persistants. Une très belle bouteille à ouvrir dans deux à cinq ans.

⊶ SCEA Vignobles Jean-Louis Trocard, Les Jays, 33570 Les Artigues-de-Lussac, tél. 05.57.55.57.90, fax 05.57.55.57.98, e-mail trocard@wanadoo.fr ☑ Y t.l.j. sf sam. dim. 8h-12h 14h-18h

CH. LA CROIX SAINT-ANDRE 1996★

■ 16,25 ha 50 000 🛢 70 à 99 F

Issu d'un terroir argilo-graveleux mélangé à de l'alios, ce 96 présente une magnifique robe rouge cerise brillante, un bouquet intense de tabac blond, de réglisse et de vanille et une harmonie en bouche très agréable, laissant augurer un vieillissement de trois à cinq ans.

⊶ Ch. La Croix Saint André, 33500 Néac, tél. 05.57.51.08.36, fax 05.57.25.99.44 ☑ Y t.l.j. sf dim. 8h30-12h30 14h30-18h

CH. LA FAURIE MAISON NEUVE

Elevé en fût de chêne 1996★

■ 3,8 ha 25 000 🛢 50 à 69 F

Situé sur un bon sol graveleux, ce château a réussi un très beau 96 : couleur grenat intense et brillante, bouquet développé de fruits confits, de cacao et de vanille, structure ample et riche, présentant une belle harmonie finale. Ce vin sera prêt à boire d'ici deux à trois ans.

⊶ Michel Coudroy, Maison-Neuve, 33570 Montagne, tél. 05.57.74.62.23, fax 05.57.74.64.18 ☑ Y t.l.j. sf sam. dim. 8h-12h 14h-18h

CH. LA FLEUR SAINT-GEORGES 1996★

■ 17,05 ha n.c. 🛢 70 à 99 F

Habitué aux honneurs de l'appellation, ce château a été acheté durant l'été 1998 par Hubert de Bouard, déjà propriétaire du célèbre château Angélus à Saint-Emilion. Ce 96 a donc été vinifié par les anciens propriétaires. Il n'en est pas moins excellent : robe rubis à reflets grenat, bouquet élégant de fruits mûrs, de vanille, d'épices et structure tannique ample et veloutée, avec une nuance de sous-bois en fin de bouche. C'est un vin équilibré, racé, à boire dans deux ans et pendant huit ans.

⊶ Hubert de Bouard de Laforest, B.P. 7, 33500 Pomerol, tél. 05.57.25.25.13, fax 05.57.51.65.14 ☑

CH. DE LA MARECHAUDE 1996★

■ 5,18 ha 20 000 50 à 69 F

Ce 96 présente une belle robe pourpre intense encore jeune, un bouquet harmonieux de fruits mûrs, de cèdre et d'épices, et une structure tannique moelleuse et chaleureuse, évoluant vers une finale puissante et persistante. L'équilibre sera parfait dans deux à trois ans.

⊶ Norbert Egreteau, Clos du Pèlerin, 33500 Pomerol, tél. 05.57.74.03.66, fax 05.57.25.06.17 Y r.-v.

⊶ Lasserre

CH. LA ROSE TREMIERE 1996★

■   1 ha   6 000   ■▮ 50 à 69 F

Seulement 1 ha pour ce château situé dans un terroir sablo-graveleux, et dont l'encépagement comprend 75 % de merlot et 25 % de cabernet franc. La robe de se 96 se présente sous un beau rubis cristallin. Les arômes évoquent le gibier et les épices douces ; les tanins, charnus et très présents, évoluent sur du velours en finale. Une bouteille typée qui peut déjà s'apprécier mais qui gagnera en complexité avec deux ou trois ans de garde !
☛ SCEA La Bassonnerie, "René",
33500 Pomerol, tél. 06.09.73.12.78,
fax 06.57.51.99.94 ☑ ⏳ r.-v.

CH. LE MANOIR 1996

■   3 ha   12 000 ■▮▮ 50 à 69 F

Ce 96 est intéressant par sa complexité aromatique (fruits noirs, épices, vanille) et sa structure tannique franche et nette, évoluant avec une acidité soutenue, typique du millésime. Un vin que l'on peut laisser vieillir deux ou trois ans.
☛ Jean-Claude Giraud, 17, rue des Dagueys,
33500 Libourne, tél. 06.81.12.24.17,
fax 06.57.74.00.41 ⏳ r.-v.

CH. LES CHAUMES 1996★

■   3,5 ha   20 000   50 à 69 F

Issu d'un terroir de graves argileuses, voici un vin très agréable, aux arômes intenses de fruits rouges, de mûre, d'épices et de cuir. En bouche, les tanins sont soyeux et équilibrés, avec beaucoup de saveur et de fruits en finale. Une bouteille racée, à apprécier dans trois à cinq ans.
☛ Alain Vigier, La Fleur des Prés,
33500 Pomerol, tél. 05.57.74.00.16,
fax 05.57.51.87.70 ☑ ⏳ r.-v.

CH. MOULIN DE SALES
Vieilli en fût de chêne 1996★★

■   3 ha   18 000   ▮▮ 50 à 69 F

Ce château est dans la même famille depuis 1853. Plantées sur un sol sablo-graveleux, les vignes (75 % de merlot) ont produit en 1996 un excellent vin : robe grenat brillante, bouquet délicat de fruits rouges, d'épices, de vanille avec des notes de gibier. En bouche, l'attaque souple et fruitée évolue avec charme, puissance et harmonie en même temps. Un lalande racé, séduisant, qui a su marier parfaitement le raisin et le bois ; il se boira d'ici deux ou trois ans et pendant au moins dix ans.
☛ Vignobles Chaumet, Goujon, R.N. 89,
33500 Lalande-de-Pomerol, tél. 05.57.25.50.12,
fax 05.57.25.51.48 ⏳ r.-v.

CH. DE MUSSET 1996

■   22,53 ha   41 300 ■▮▮ 50 à 69 F

Ce 96 est paré d'une robe rubis limpide. Le bouquet floral évolue vers des notes fruitées et fumées, et les tanins, savoureux en attaque, montrent en finale une certaine sévérité. Une bouteille à garder deux ou trois ans en cave. Pour un civet de canard.
☛ SCE Y. Foucard et Fils, Ch. de Musset,
33500 Lalande-de-Pomerol, tél. 05.57.51.11.40,
fax 05.57.25.36.45 ☑ ⏳ r.-v.

DOM. PONT DE GUESTRES 1996★

■   1,75 ha   10 000 ■▮▮ 70 à 99 F

Moins de 2 ha de merlot pour ce château qui propose un 96 un vin digne d'intérêt, avec sa robe rubis intense, ses arômes complexes de fruits rouges, de torréfaction, de gibier. En bouche, la structure, souple et épicée, évolue avec puissance, race et équilibre. Il faut cependant attendre deux ou trois ans pour que le boisé se fonde mieux. A noter aussi, le second vin, le **Château Au Pont de Guitres 96**, cité par nos dégustateurs pour son intensité aromatique (gibier, épices) et ses tanins souples et fruités, à boire dès aujourd'hui.
☛ Rémy Rousselot, 6 Signat, 33126 Saint-Aignan, tél. 05.57.24.95.16, fax 05.57.24.91.44
☑ ⏳ r.-v.

CH. DE ROQUEBRUNE 1996

■   4,62 ha   2 000   ■ 70 à 99 F

Ce 96 a été vinifié de façon très traditionnelle. La robe rubis a de jolis reflets tuilés, le nez de cuir, de coing, de fruits confits est en harmonie avec des tanins souples et légèrement amers en fin de bouche. A boire dans deux ans.
☛ Alalande-Ch. de Roquebrune SCV,
Les Galvesses, Cidex 6B. 10, 33500 Lalande-de-Pomerol, tél. 05.57.51.44.54, fax 05.57.51.44.54
☑ ⏳ r.-v.
☛ Guinjard

DOM. DES SABINES 1996

■   1,4 ha   8 000 ■▮▮ 50 à 69 F

L'étiquette évoque l'enlèvement des Sabines par les Romains, en 753 av. J.-C. Le vin est plus pacifique : robe cerise intense, arômes puissants et élégants, tanins souples et équilibrés, très fruités en finale ; à boire ou à garder deux ou trois ans.
☛ SCEA Ch. Ratouin, Village de René,
33500 Pomerol, tél. 05.57.51.47.92,
fax 05.57.51.47.92 ☑ ⏳ r.-v.

CH. SAINT-JEAN DE LAVAUD 1996

■   1,1 ha   7 000 ■▮▮ 50 à 69 F

Une robe déjà tuilée, un bouquet discret de fruits et d'épices douces, des tanins ronds et sages : tout cela est bien agréable, sinon très ample. A boire avec des coquelets accompagnés de légumes printaniers.
☛ Isabelle Motte, Ch. Vieux Maillet,
33500 Pomerol, tél. 05.57.51.04.67,
fax 05.57.51.04.67,
e-mail chateau.vieux.maillet@wanadoo.fr
☑ ⏳ r.-v.

CH. SAMION 1996★

■   0,4 ha   2 000   ▮▮ 50 à 69 F

Ce minuscule cru (0,4 ha) appartient à Jean-Claude Berrouet, vinificateur célèbre de Petrus. Il a produit seulement 2 000 bouteilles en 1996, de très grande qualité. La robe brillante a de beaux reflets rubis, et le nez élégant de fruits mûrs se marie parfaitement aux notes boisées, vanillées et épicées. En bouche, la maturité des tanins ressort bien : il y a du velours, de la puissance et beaucoup d'harmonie en finale. Atten-

dre impérativement trois ans et le servir, s'il en reste, pendant huit ans.
⊶ Jean-Claude Berrouet, 1, Samion, 33570 Montagne, ☑

CH. SERGANT 1996*

■ 18 ha 100 000 ⓘ 50 à 69 F

Appartenant à la famille Milhade, bien connue dans le Libournais, ce cru est établi sur un sol argilo-sableux et possède 80 % de merlot. Ce 96 a une couleur pourpre sombre, un bouquet encore discret de fleurs, de cassis et d'épices. Sa matière tannique, ample et veloutée, est très élégante. Cette bouteille demande à vieillir de deux à trois ans pour s'épanouir totalement.
⊶ SCEV Jean Milhade, Ch. Recougne, 33133 Galgon, tél. 05.57.55.48.90, fax 05.57.84.31.27, e-mail milhadeg@aol.com ☑ Y r.-v.

CH. TOUR DE MARCHESSEAU 1996*

■ 6,5 ha 45 000 ▮ⓘ 🌡 50 à 69 F

Situé sur un sol graveleux, ce cru propose un 96 de grande qualité. La robe rubis à reflets mauves est intense. Le bouquet naissant évoque les fruits rouges, les fleurs et le pain grillé. La structure en bouche est souple et fruitée, avec une finale persistante et harmonieuse. A boire d'ici deux à trois ans.
⊶ SCEA Vignobles Jean-Louis Trocard, Les Jays, 33570 Les Artigues-de-Lussac, tél. 05.57.55.57.90, fax 05.57.55.57.98, e-mail trocard@wanadoo.fr Y t.l.j. sf sam. dim. 8h-12h 14h-18h

CH. TOUR GRAND COLOMBIER 1996

■ 2 ha 12 000 ▮ 50 à 69 F

Ce petit château de 2 ha est établi sur un sol sablo-argileux. Il présente un 96 délicat au bouquet naissant fruité et légèrement résinique. Le palais possède une structure souple et tendre, sans grande puissance cependant. A boire dans les trois ans à venir.
⊶ Francine Faisandier, "René", 33500 Pomerol, tél. 05.57.51.20.79, fax 05.57.51.99.94 ☑ Y r.-v.

CH. TOURNEFEUILLE 1996*

■ 15,5 ha 60 000 ⓘ 70 à 99 F

Etabli sur les coteaux argilo-graveleux de la terrasse dominant la vallée de la petite rivière de la Barbanne, ce château présente un très beau 96 : robe pourpre à reflets grenat, parfums élégants de fruits des bois, d'épices et boisé discret, tanins souples et gras, bien mûrs, évoluant avec distinction. Une bouteille à découvrir dans deux à cinq ans. A essayer avec une oie à la broche.
⊶ GFA Sautarel, Ch. Tournefeuille, 33500 Néac, tél. 05.57.51.18.61, fax 05.57.51.00.04 ☑ Y t.l.j. sf sam. dim. 8h30-12h 14h-17h30; f. 15 déc.-15 fév.
⊶ Emeric et François Petit

CH. DE VIAUD 1996*

■ 9 ha 49 000 ⓘ 100 à 149 F

Ce très ancien domaine figurait déjà sur les cartes viticoles du XVIIIe s. Il est établi sur un sol graveleux et bénéficie d'une exposition sud favorable. Son 96 possède un bouquet expressif de fruits rouges mûrs et de vanille, une matière corpulente et charnue évoluant sur des notes épicées très agréables. Il sera à son apogée d'ici deux à cinq ans. Le second vin du château, les **Dames de Viaud 96**, (également une étoile) se distingue par un caractère plus fruité que son aîné et par son équilibre tannique souple et charmeur ; une bouteille à boire ou à garder deux ou trois ans.
⊶ SCEA Ch. de Viaud, 33500 Lalande-de-Pomerol, tél. 05.57.51.17.86, fax 05.57.51.79.77 ☑ Y t.l.j. sf sam. dim. 8h-12h 13h-17h

VIEUX CLOS CHAMBRUN 1996

■ 2,7 ha 1 800 ⓘ 150 à 199 F

Moins de 2 000 bouteilles pour ce vin régulièrement distingué. Le 96 est excessivement boisé par rapport à sa structure tannique. Cependant, l'équilibre final autorise tous les espoirs après une garde en cave de trois à cinq ans. Le **Château Bouquet de Violettes 96**, second vin, 7 200 bouteilles (100 à 149 F), est également cité. Il pourra être découvert dans un an ou deux.
⊶ Jean-Jacques Chollet, La Chapelle, 50210 Camprond, tél. 02.33.45.19.61, fax 02.33.45.35.54 ☑ Y r.-v.

Saint-émilion et saint-émilion grand cru

Etalé sur les pentes d'une colline dominant la vallée de la Dordogne, Saint-Emilion (3 300 habitants) est une petite ville viticole charmante et paisible. Mais c'est aussi une cité chargée d'histoire. Etape sur le chemin de Saint-Jacques-de-Compostelle, ville forte pendant la guerre de Cent Ans et refuge des députés girondins proscrits sous la Convention, elle possède de nombreux vestiges évoquant son passé. La légende fait remonter le vignoble à l'époque romaine et attribue sa plantation à des légionnaires. Mais il semble que son véritable début, du moins sur une certaine surface, se situe au XIIIe s. Quoi qu'il en soit, Saint-Emilion est aujourd'hui le centre de l'un des plus célèbres vignobles du monde. Celui-ci, réparti sur neuf communes, comporte une riche gamme de sols. Tout autour de la ville, le plateau calcaire et la côte argilo-calcaire (d'où proviennent de nombreux crus classés) donnent des vins d'une belle couleur, corsés et charpentés. Aux confins de Pomerol, les graves produisent des vins qui se remarquent par leur très grande finesse (cette région possédant aussi de nombreux grands crus). Mais l'essentiel de l'appellation saint-émilion est représenté par les terrains d'alluvions sableuses, descendant vers la Dordogne, qui produisent de bons vins. Pour les cépages, on note une nette domination du merlot, que complètent le cabernet franc, appelé bouchet dans cette région, et, dans une moindre mesure, le cabernet-sauvignon.

L'une des originalités de la région de Saint-Emilion est son classement. Assez récent (il ne date que de 1955), il est régulièrement et systématiquement revu (la première révision a eu lieu en 1958, la dernière en 1996). L'appellation saint-émilion peut être revendiquée par tous les vins produits sur la commune et sur huit autres communes l'entourant. La seconde appellation, saint-émilion grand cru, ne correspond donc pas à un terroir défini, mais à une sélection de vins, devant satisfaire à des critères qualitatifs plus exigeants, attestés par la dégustation. Les vins doivent subir une seconde dégustation avant la mise en bouteilles. C'est parmi les saint-émilion grand cru que sont choisis les châteaux qui font l'objet d'un classement. En 1986, 74 ont été classés, dont 11 premiers grands crus. Dans le classement de 1996, 68 ont été classés dont 13 en premiers crus. Ceux-ci se répartissent en deux groupes : A pour deux d'entre eux (Ausone et Cheval Blanc) et B pour les onze autres. Il faut signaler que l'Union des producteurs de Saint-Emilion est sans nul doute la plus importante cave coopérative française située dans une zone de grande appellation. En 1998, les deux AOC ont produit 273 611 hl.

La dégustation Hachette n'a pas été globale au sein de l'appellation saint-émilion grand cru. Une commission a sélectionné les saint-émilion grand cru classé (sans distinction des premiers) ; une autre commission a dégusté les saint-émilion grand cru. Les étoiles correspondent donc à ces deux critères.

Saint-émilion

CH. BARBEROUSSE 1996

■ 7 ha 45 000 30 à 49 F

Un habitué du Guide. 7 ha, sur les 20 ha que la famille Puyol possède à Saint-Emilion, produisent ce vin à partir de 70 % de merlot et de 30 % de cabernets nés sur sol silico-graveleux. Ce 96 a une belle couleur rubis intense, des arômes de fruits rouges frais. L'attaque, souple, fruitée, est relayée par des tanins finement boisés, encore un peu austères et qui demandent à vieillir quelque temps.

GAEC Jean Puyol et Fils, Ch. Barberousse, 33330 Saint-Emilion, tél. 05.57.24.74.24, fax 05.57.24.62.77 Y r.-v.

CH. BELLECOMBE

Vieilli en fût de chêne 1996

■ 0,8 ha n.c. 30 à 49 F

Un cru confidentiel, de moins de 1 ha, installé à Vignonet sur sables mêlés de crasse de fer, planté de vieux merlot avec un appoint de 10 % de cabernet franc. Bien présenté dans une robe grenat de belle intensité, ce 96 fruité et floral libère également de fines notes boisées. Les tanins sont doux et moelleux, la structure est équilibrée. Ce vin sera prêt à consommer dans un à deux ans.

Jean-Marc Carteyron, 43, rue de Vincennes, 33000 Bordeaux, tél. 06.12.60.22.52, fax 05.56.96.49.56 Y r.-v.

La région de Saint-Émilion

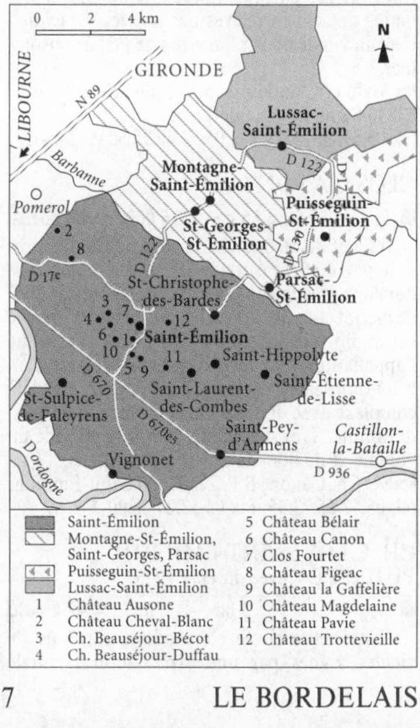

CH. BELLEVUE FIGEAC 1996

■ 5,5 ha n.c. ▮🌡 70 à 99 F

Ce vignoble planté sur des sols sableux est constitué de merlots de quarante ans avec un appoint de 20 % en cabernet-sauvignon. La robe de ce 96, légère, est de couleur cerise avec quelques reflets carminés. Le nez est marqué par des parfums frais de petits fruits rouges et noirs, un peu acidulés. La bouche confirme ces notes aromatiques et révèle des tanins soyeux et souples qui permettront une consommation rapide.

⊶ SCEA Bellevue Figeac, 33330 Saint-Emilion, tél. 05.57.55.58.00, fax 05.57.74.18.47

⊶ Héritiers J. de Coninck

CH. BILLEROND 1996

■ 12,21 ha 73 599 ▮🌡 50 à 69 F

Ce vin est typique des sols sableux et d'un encépagement équilibré : 70 % merlot, 20 % cabernet franc, 10 % cabernet-sauvignon. De couleur carminée à reflets orange, ce 96 libère des arômes de fruits cuits mêlés à des odeurs animales, avec une pointe réglissée. Gouleyant, souple et facile en bouche, il compense un léger manque de structure par une certaine élégance.

⊶ Union de producteurs de Saint-Emilion, Haut-Gravet, B.P. 27, 33330 Saint-Emilion, tél. 05.57.24.70.71, fax 05.57.24.65.18 Y t.l.j. sf dim. 8h-12h 14h-18h

⊶ GAEC Ch. Puisseguin

CH. BOIS CARDINAL 1996

■ 10 ha n.c. ⦀ 30 à 49 F

Créé en 1990, ce cru est le second vin du château Fleur Cardinale, AOC saint-émilion grand cru. Installé sur des sols argilo-calcaires aux sous-sols rocheux, il est constitué de deux tiers de merlot pour un tiers de cabernets. La couleur grenat de ce 96 présente des reflets orange d'évolution. Le bouquet capiteux libère des arômes fruités et des parfums floraux. Souple, avec des tanins doux bien relevés par une légère acidité, c'est un vin de plaisir qui sera vite prêt à consommer.

⊶ Alain et Claude Asséo, Ch. Fleur Cardinale, 33330 Saint-Etienne-de-Lisse, tél. 05.57.40.14.05, fax 05.57.40.28.62 ☑ Y r.-v.

CLOS CANON 1996★★

■ 6,85 ha 26 000 ⦀ 100 à 149 F

Il s'agit du second vin du château Canon, produit par 6,85 ha sur les 18 ha que compte ce domaine prestigieux. La vigne, composée de 70 % de merlot et de 30 % de cabernet franc, est plantée sur argilo-calcaire. Ce vin mériterait mieux que l'appellation qu'il revendique. La robe est d'un beau bordeaux sombre. Le bouquet est déjà complexe avec du fruit rouge, beaucoup de bois, de vanille. Très savoureux, le palais possède du volume et de bons tanins très persistants.

⊶ SC Ch. Canon, B.P. 22, 33330 Saint-Emilion, tél. 05.57.55.23.45, fax 05.57.24.68.00 Y r.-v.

CH. CLOS SAINT-EMILION PHILIPPE Cuvée du Père 1996★

■ 3 ha n.c. ⦀ 50 à 69 F

Cette petite cuvée est produite sur 3 ha de vieilles vignes par une exploitation familiale située entre Libourne et Saint-Emilion. Les sols sont variés : sable, argilo-calcaire et mâchefer. La robe rubis sombre est encore pleine de jeunesse. Les arômes fruités frais dominent au nez où l'on découvre également des odeurs épicées et poivrées. La bouche est équilibrée entre vinosité, charpente et rondeur. Une belle harmonie qui devrait progresser durant les deux ou trois prochaines années.

⊶ SARL SEA Philippe, 101, av. Gallieni, 33500 Libourne, tél. 05.57.51.05.93, fax 05.57.25.96.39 Y r.-v.

CH. FLEUR DE LISSE 1996★

■ 7,95 ha 8 400 ▮⦀🌡 30 à 49 F

Propriété familiale de 9 ha complantée pour deux tiers de merlot et pour un tiers de bouchet sur les argilo-calcaires de Saint-Etienne-de-Lisse, à l'est de Saint-Emilion. Le vin se pare d'une jolie robe vieux grenat. Le bouquet, intéressant, présente des touches de pruneau, de caramel et de menthe. Souple et corsé en bouche avec des tanins mûrs, ce 96 exprime une certaine personnalité.

⊶ Xavier Minvielle, lieu-dit Giraud, 33330 Saint-Etienne-de-Lisse, tél. 05.57.40.18.46, fax 05.57.40.35.74 ☑ Y t.l.j. 8h-12h 14h-18h

CH. FLEUR MINVIELLE 1996★

■ 10 ha 66 000 ▮⦀ 30 à 49 F

Il s'agit d'un cru de 10 ha présenté par André Quancard, mais appartenant à R. et X. Minvielle de Saint-Etienne-de-Lisse. Le vignoble est complanté à 60 % de merlot et à 40 % de cabernets sur terroir argilo-calcaire. Avec une belle robe rubis sombre frangée de reflets tuilés, des arômes frais, mentholés, framboisés, ce vin offre un bon équilibre, à la fois souple et corsé, et des tanins fins et persistants.

⊶ André Quancard-André, rue de la Cabeyre, 33240 Saint-André-de-Cubzac, tél. 05.57.33.42.42, fax 05.57.43.22.22, e-mail quancard@quancard.com

⊶ X. et R. Minvielle

CH. FRANC LE MAINE 1996

■ 12,66 ha 81 866 ▮🌡 50 à 69 F

Propriété de 12,66 ha située à Saint-Laurent-des-Combes sur sol siliceux. La vinification et la commercialisation sont assurées par l'Union de producteurs. Joli vin à la robe grenat légèrement carminée annonçant un bouquet plaisant de fruits mûrs avec une touche viandée. Corsé et charnu en bouche, il possède des tanins encore un peu rustiques en finale.

⊶ Union de producteurs de Saint-Emilion, Haut-Gravet, B.P. 27, 33330 Saint-Emilion, tél. 05.57.24.70.71, fax 05.57.24.65.18 Y t.l.j. sf dim. 8h-12h 14h-18h

⊶ SCE Ch. Franc Le Maine

CH. FRANC PINEUILH 1996

■ 1,38 ha 10 500 ▮ 30 à 49 F

Un tout petit cru composé essentiellement de merlot né sur des sols argilo-calcaires. Ce 96 affiche une belle couleur grenat et des arômes frais de petits fruits rouges, avec une touche épicée. La dégustation révèle des tanins fermes, mais

sans agressivité, une belle matière et de la chair. A attendre trois ou quatre ans.

🕿 Vignobles Jean-Paul Deson, 2, av. Piney, 33330 Saint-Christophe-des-Bardes, tél. 05.57.24.77.40, fax 05.57.74.46.34 ☑ 𝚼 r.-v.

DOM. DES GOURDINS 1996

■   1,7 ha   10 000   ⏸   70 à 99 F

Petit cru situé aux portes de Libourne, sur sol siliceux et sous-sol de graves ferrugineuses. La vigne est complantée pour les trois quarts de merlot et pour un quart de cabernet franc. Le 96, déjà agréable, a une jolie couleur cerise très limpide. Les arômes sont encore fruités (groseille, myrtille), au nez comme en bouche. La structure souple et fine est celle d'un vin plaisir qui devrait évoluer assez rapidement.

🕿 Jean-Pierre Estager, 33-41, rue de Montaudon, 33500 Libourne, tél. 05.57.51.04.09, fax 05.57.25.13.38, e-mail estager@estager.com ☑ 𝚼 r.-v.

🕿 Londeix

CH. GRAND BERT 1996

■   7 ha   50 000   ⏸ ⏸   30 à 49 F

Propriété située à Saint-Sulpice-de-Faleyrens, appartenant à la famille Lavigne depuis six générations. La vigne, constituée à 80 % de merlot et à 20 % de bouchet, est plantée sur sables et graves profondes. Le 96 est un bon vin de garde, à la robe pourpre sombre, au bouquet naissant encore fruité avec une touche de mûre. Il offre une saveur corsée, avec des tanins qui demandent à vieillir un peu.

🕿 SCEA Lavigne, 33350 Saint-Philippe-d'Aiguilhe, tél. 05.57.40.60.09, fax 05.57.40.66.67, e-mail scealavigne@wanadoo.fr ☑ 𝚼 r.-v.

CH. GRAVIER-FIGEAC 1996

■   5 ha   20 000   ⏸ ⏸   30 à 49 F

Ce cru, présenté par les établissements André Quancard, appartient à M. et Mme G. Despagne de Saint-Emilion. 80 % de merlot et 20 % de bouchet, nés sur sables anciens et graves, composent ce 96 à la jolie robe rubis, aux arômes fruités (mûre, fraise) ; souple en attaque, ce vin se montre un peu austère en finale.

🕿 André Quancard-André, rue de la Cabeyre, 33240 Saint-André-de-Cubzac, tél. 05.57.33.42.42, fax 05.57.43.22.22, e-mail quancard@quancard.com

🕿 Despagne

CH. HAUT GROS CAILLOU 1996★★

■   6,93 ha   53 000   ⏸ ⏸   50 à 69 F

Ce cru, établi sur des sols sableux et argilo-calcaires, est composé essentiellement de merlot, avec un appoint de cabernet pour un cinquième de son encépagement. Entré dans le Guide avec le 93, il ne l'a pas quitté depuis, et propose un 96 remarquable. La robe éclatante et intense est de teinte rouge cerise, bien vive. Le bouquet naissant exprime des arômes de fruits rouges frais et de violette. La bouche révèle une structure solide, bien enrobée, charnue et onctueuse, une finale longue et harmonieuse.

🕿 Ch. Haut Gros Caillou, 33330 Saint-Sulpice-de-Faleyrens, tél. 05.56.62.66.16, fax 05.56.76.93.30 ☑ 𝚼 r.-v.

🕿 Alain Thiénot

CH. HAUT-MOUREAUX 1996★

■   10,83 ha   83 932   ⏸ ⏷   50 à 69 F

Ce beau vignoble est implanté sur les sols argilo-siliceux de Saint-Etienne-de-Lisse. Souvent présent dans le Guide, ce cru a obtenu un coup de cœur pour le millésime 89. Le 96 s'annonce par une robe rubis de bonne intensité avec des reflets grenat. Le bouquet exprime surtout les fruits mûrs. Frais et fruité en attaque, ce vin développe une bonne structure avec des tanins ronds, encore un peu fermes en finale. A attendre deux ou trois ans.

🕿 Union de producteurs de Saint-Emilion, Haut-Gravet, B.P. 27, 33330 Saint-Emilion, tél. 05.57.24.70.71, fax 05.57.24.65.18 𝚼 t.l.j. sf dim. 8h-12h 14h-18h

🕿 Courrèche Fils

CH. HAUT-RENAISSANCE 1996★★★

■   3 ha   20 000   ⏸   50 à 69 F

Et un ! Et deux ! Et trois !... coups de cœur pour ce cru qui mériterait mieux que cette appellation ! Il faut dire que, pour ce vin, Denis Barraud sélectionne 3 ha de vignes à 96 % de merlot implanté sur argilo-calcaire, sur les 35 ha qu'il possède au sud de Saint-Emilion. Il en résulte évidemment un vin très riche, à la belle robe bordeaux sombre. Le bouquet intense et complexe mêle merlot très mûr et merrain de qualité. Ample, charnu, corsé, séveux, très savoureux, le palais finit sur des tanins fort élégants. Superbe.

🕿 SCEA des Vignobles Denis Barraud, Ch. Haut-Renaissance, 33330 Saint-Sulpice-de-Faleyrens, tél. 05.57.84.54.73, fax 05.57.84.52.07 ☑ 𝚼 r.-v.

CH. JUPILLE CARILLON
Elevé en fût de chêne 1996★

■   9,1 ha   7 700   ⏸ ⏸   30 à 49 F

Jolie propriété de 8 ha, constituée à 85 % de merlot et à 15 % de bouchet, entourant une chartreuse du XVIII[e]s., appartenant à la famille Visage depuis trois générations. Le vin est régulièrement retenu dans le Guide. Le 96 a une jolie robe légèrement grenat, des arômes grillés et vanillés. Bien équilibré en bouche, assez gras, avec des saveurs un peu animales et des notes de bois brûlé, il possède une bonne longueur.

🔑 SCEA des Vignobles Visage, Jupille,
33330 Saint-Sulpice-de-Faleyrens,
tél. 05.57.24.62.92, fax 05.57.24.69.40 ☑ 🍷 r.-v.

CH. LA CAZE BELLEVUE 1996

■ 7,3 ha 34 000 30 à 49 F

Exploité sur 7 ha de sols bruns, sablo-graveleux, avec une majorité de merlot et un appoint d'un dixième de cabernet franc, ce cru propose un 96 à la robe rubis encore vive. Les arômes frais de petits fruits rouges, de noyau et de réglisse dominent le bouquet naissant. La bouche se montre équilibrée, souple en attaque, bien structurée ensuite par des tanins de qualité ; la finale est d'une longueur agréable.

🔑 Philippe Faure, 7, rue de la Cité,
33330 Saint-Sulpice-de-Faleyrens,
tél. 05.57.74.41.85, fax 05.57.74.41.85 ☑ 🍷 r.-v.

CH. LA CHAPELLE AUX MOINES 1996

■ 5,49 ha 20 000 30 à 49 F

Propriété familiale sur terroir sablo-limoneux planté à 73 % de merlot et à 27 % de cabernets (surtout franc). Ce second vin du Clos des Moines a une jolie couleur grenat légèrement évoluée. Encore fruité au nez avec une touche boisée, souple et soyeux en bouche, bien équilibré, c'est un vin simple mais franc.

🔑 EARL Ménager, 33330 Saint-Christophe-des-Bardes, tél. 05.57.24.77.02,
fax 05.57.24.60.23 🍷 t.l.j. 14h-19h; sam. dim. 8h-19h

CH. DE LA COUR 1996★

■ 3 ha 22 000 50 à 69 F

Entrée réussie dans le Guide pour le nouveau propriétaire de ce cru situé à Vignonet. Il s'agit d'une partie du Château La Ronchonne racheté en 1995 par un jeune agriculteur. Le sol silico-graveleux à crasse de fer est planté à 90 % de merlot noir. Le 96 a beaucoup plu à nos experts. La robe est d'un beau bordeaux sombre. Le bouquet profond offre des notes de fruits mûrs, de gibier, d'humus. La structure est corsée, charpentée, solide, avec une saveur séveuse et concentrée. Un très bon saint-émilion de garde.

🔑 EARL du Châtel-Delacour,
Hugues Delacour, Ch. de La Cour,
33330 Vignonet, tél. 05.57.84.64.95,
fax 05.57.84.65.00 ☑ 🍷 r.-v.

CH. LA CROIX FOURCHE MALLARD 1996★★

■ 2,5 ha n.c. 50 à 69 F

Ce petit vignoble de 2,5 ha a été acquis dans les années 70 par la famille Mallard, originaire du Sauternais et de l'Entre-deux-Mers. Uniquement issu de merlot planté sur sables et graves, ce vin bénéficie d'une vinification soignée et d'un élevage en fût de chêne. La robe est d'un beau grenat sombre et profond à reflets noirs. Le bouquet, riche et complexe, marie les arômes de fruits mûrs aux notes grillées et toastées de bon bois. La bouche est harmonieuse et équilibrée avec des tanins gras et charnus, beaucoup de volume et une belle longueur.

🔑 Danièle Mallard, Ch. Naudonnet Plaisance,
33760 Escoussans, tél. 05.56.23.93.04,
fax 05.57.34.40.78,
e-mail mallard@cavesparticulieres.com
☑ 🍷 r.-v.

CH. LAGARDE BELLEVUE Vieilli en fût de chêne 1996★

■ 1 ha 2 690 50 à 69 F

Ce petit cru, implanté sur des sables profonds mêlés de graves, comprend 85 % de vieux merlot et 15 % de cabernets. Il propose un 96 de belle allure dans une robe rubis, profonde et sombre. Le bouquet, très agréable, mêle des arômes de fruits bien mûrs et de cacao, des nuances grillées et vanillées et une note fraîche de réglisse. Charpenté et rond, le palais allie puissance, vinosité et gras. Une belle bouteille à garder trois à cinq ans.

🔑 SARL SOVIFA, 36 bis, rue de la Dordogne,
33330 Saint-Sulpice-de-Faleyrens,
tél. 06.81.20.92.67, fax 06.57.24.68.83 ☑ 🍷 r.-v.
🔑 Bouvier

LA GRANDE CUVEE DE DOURTHE 1996★★

■ n.c. n.c. 70 à 99 F

Cette Grande Cuvée est élaborée par la société de négoce bordelaise Dourthe. Composée de 70 % de merlot et de 30 % de cabernets, elle est marquée par son élevage de douze mois en fûts de chêne neufs. La robe dense et profonde est de teinte rubis à reflets sombres. Le bouquet est dominé par des notes boisées un peu brûlées avec une touche de goudron, mais à l'aération, les arômes de fruits rouges sont bien présents. La dégustation, ample et riche, révèle une très belle structure et beaucoup de matière. Il faudra cependant quatre à cinq ans pour que le mariage bois-vin soit harmonieux.

🔑 Dourthe, 35, rue de Bordeaux,
33290 Parempuyre, tél. 05.56.35.53.00,
fax 05.56.35.53.29, e-mail contact@cvbg.com
☑ 🍷 r.-v.

CH. LA SABLIERE 1996

■ 9,56 ha 15 000 50 à 69 F

Belle propriété viticole située au sud de la commune de Saint-Emilion, tout près de Vignonet, sur des terroirs de sable et de graves. Avec deux tiers de merlot et un tiers de cabernet franc, elle propose un 96 apte à la garde et qui devra être attendu deux à cinq ans. La robe est sombre et intense. Le bouquet expressif révèle une agréable palette aromatique : fruits rouges, épices, vanille. La bouche est solide, avec une belle structure tannique riche et concentrée, bien épaulée par un bon élevage en fût de chêne de qualité.

🔑 SCEA Vignobles Avezou, Ch. La Sablière,
33330 Saint-Emilion, tél. 05.57.24.73.04,
fax 05.57.24.70.03 ☑

CH. LAVIGNERE 1996

■ 12,07 ha 93 600 50 à 69 F

Un joli nom tout trouvé pour cette propriété viticole. La robe, brillante et scintillante, présente dans sa teinte grenat quelques reflets d'évolution. Le bouquet mêle les senteurs fruitées aux parfums floraux avec une légère nuance fraîche et végétale. La structure est correcte, mais les tanins sont encore un peu nerveux et austères ; il faudra donc attendre deux à trois ans pour apprécier pleinement ce 96.

☛ Union de producteurs de Saint-Emilion, Haut-Gravet, B.P. 27, 33330 Saint-Emilion, tél. 05.57.24.70.71, fax 05.57.24.65.18 ⊺ t.l.j. sf dim. 8h-12h 14h-18h

☛ G.G. Vallier

CLOS LE BREGNET 1996

| ■ | 7 ha | 10 000 | ▮ | 30 à 49 F |

Cette propriété de 13 ha, autrefois consacrée à l'élevage et à la culture des céréales, s'est reconvertie avec bonheur dans la viticulture depuis une trentaine d'années. Elle produit du bordeaux et du saint-émilion, celui-ci étant retenu tous les ans dans le Guide depuis le millésime 93. Ce 96 a une jolie présentation, une couleur rubis vive et brillante. Les arômes de fruits rouges frais se mêlent à des notes animales de cuir. Souple et épicé en attaque, ce vin révèle ensuite un bon équilibre et une finale ferme qui mérite un peu d'attente pour s'assouplir.

☛ Jean-Michel et Arlette Coureau, Le Brégnet, 33330 Saint-Sulpice-de-Faleyrens, tél. 05.57.24.76.43, fax 05.57.24.76.43 ☑ ⊺ t.l.j. sf dim. 8h30-19h

CH. LES GRAVES D'ARMENS 1996

| ■ | 4,53 ha | 35 066 | ▮▮ | 50 à 69 F |

Installé au sud de l'appellation, sur les sols siliceux et graveleux de Saint-Pey-d'Armens, ce cru a un encépagement fortement dominé par le merlot. La couleur grenat à reflets orangés et le bouquet aux arômes de fruits rouges cuits, légèrement réglissé, annoncent un vin plaisant et prêt à boire. La bouche tendre et aimable confirme ces impressions, et le jury conseille une association avec des viandes blanches moelleuses.

☛ Union de producteurs de Saint-Emilion, Haut-Gravet, B.P. 27, 33330 Saint-Emilion, tél. 05.57.24.70.71, fax 05.57.24.65.18 ⊺ t.l.j. sf dim. 8h-12h 14h-18h

☛ GAEC Dubuc

CH. LES VIEUX MAURINS 1996

| ■ | 8 ha | 50 000 | ▮▮ | 30 à 49 F |

Jolie propriété de 8 ha, complantée à 70 % de merlot, 15 % de cabernet franc et 15 % de cabernet-sauvignon. Le terroir est sablonneux sur substrat de calcaire. Ce 96 montre une jolie robe rubis et grenat, un bouquet naissant, encore fruité, accompagné de senteurs de cuir et de noyau. Souple et soyeux en bouche, bien structuré, c'est un vin plaisir.

☛ Michel et Jocelyne Goudal, Les Vieux-Maurins, 33330 Saint-Sulpice-de-Faleyrens, tél. 05.57.24.62.96, fax 05.57.24.65.03 ☑ ⊺ r.-v.

CH. MAZOUET 1996

| ■ | 6,71 ha | 52 000 | ▮▮ | 50 à 69 F |

Propriété familiale de 6,71 ha située à Saint-Pey-d'Armens sur sol siliceux et argilo-siliceux. Ce vin a une robe légère un peu évoluée, des senteurs de sous-bois légèrement mentholées. Souple et délicat en bouche, il se montre simple mais agréable.

☛ Union de producteurs de Saint-Emilion, Haut-Gravet, B.P. 27, 33330 Saint-Emilion, tél. 05.57.24.70.71, fax 05.57.24.65.18 ⊺ t.l.j. sf dim. 8h-12h 14h-18h

☛ Jean-Claude Pouillet

CH. MERISSAC 1996

| ■ | 4 ha | 60 000 | ▮▮ | 100 à 149 F |

Second vin du château Dassault, belle propriété viticole acquise par Marcel Dassault en 1955, ce 96 reflète bien les caractéristiques de l'appellation et du millésime. La robe limpide et brillante est de teinte rubis avec des éclats carminés. Le bouquet, très agréable, rappelle la griotte confite, bien mariée aux odeurs vanillées et toastées d'un beau boisé. Souple et corsé, avec une structure équilibrée et une longueur plaisante, ce vin gagnera à être attendu deux à trois ans.

☛ SARL Ch. Dassault, 33330 Saint-Emilion, tél. 05.57.24.71.30, fax 05.57.74.40.33 ☑ ⊺ r.-v.

CH. MOULIN DE LAGNET 1996★

| ■ | 6 ha | 18 000 | ▮❚▮ | 30 à 49 F |

Installé à Saint-Christophe-des-Bardes sur des terrains argilo-sableux, ce cru de 6 ha est constitué par 80 % de merlot et 20 % de cabernets. Il propose un 96 très réussi, à la robe rubis. Le bouquet révèle une belle complexité, alliant des arômes de fruits à noyau, de réglisse et de menthe à des parfums floraux de violette. Doté d'une bonne structure avec des tanins mûrs et ronds, ce vin à la finale longue et savoureuse est bien armé pour une garde de trois à cinq ans.

☛ A.-L. Goujon et P. Chatenet, Moulin de Lagnet, 33330 Saint-Christophe-des-Bardes, tél. 05.57.74.40.06, fax 05.57.24.62.80 ☑ ⊺ r.-v.

☛ GFA Héritiers Olivet

MOULIN DE SARPE 1996

| ■ | 4,29 ha | 28 000 | ▮▮ | 100 à 149 F |

Construit en 1732, ce joli moulin domine la cité, à l'est, au sommet du plateau calcaire. Il abrite un petit musée consacré à la meunerie et un refuge qui accueillait les pèlerins de Saint-Jacques-de-Compostelle. Légère et aérienne, la robe de ce 96 est de teinte rubis, à reflets carminés. Le bouquet mêle des arômes de fruits cuits à des notes vanillées et des odeurs de fumée. La bouche est équilibrée entre puissance et rondeur, fruité et boisé. Une bouteille sans prétention, mais très agréable, qui sera prête dans deux à trois ans.

☛ Sté d'Exploitation du Ch. Haut-Sarpe, B.P. 192, 33506 Libourne Cedex, tél. 05.57.51.41.86, fax 05.57.51.53.16, e-mail webmaster@josephjanoueix.com ☑ ⊺ r.-v.

CH. MOULIN DES GRAVES 1996

| ■ | 9,05 ha | 10 000 | ▮▮ | 50 à 69 F |

Un vignoble implanté à Vignonet sur sables ferrugineux et graves. L'encépagement comporte 80 % de vieux merlot et 20 % de cabernets. La robe a des éclats rubis intenses et une belle profondeur. Encore un peu fermé, le bouquet libère des odeurs de fruits cuits et de chocolat chaud, mêlés à des notes animales. Souple et rond, ce

vin compense sa structure moyenne par une expression aromatique très agréable.
🔑 Musset, Hautes Graves d'Arthus, 33330 Vignonet, tél. 05.57.84.53.15, fax 05.57.84.53.15 ☑ 🍷 r.-v.

CH. PAGNAC 1996

■ 12,02 ha 66 631 50 à 69 F

Ce cru porte le nom de son propriétaire. Constitué de vieilles vignes de merlot, avec un léger appoint de cabernets, il produit des vins typiques de son appellation, régulièrement cités dans le Guide. De couleur carminée, ce 96 séduit par son bouquet naissant, marqué par des arômes de fruits très mûrs et des notes plus fraîches de réglisse et de menthol. Souple et tendre en attaque, il est équilibré avec des tanins certes encore fermes, mais sans agressivité et très savoureux en finale.
🔑 Union de producteurs de Saint-Emilion, Haut-Gravet, B.P. 27, 33330 Saint-Emilion, tél. 05.57.24.70.71, fax 05.57.24.65.18 🍷 t.l.j. sf dim. 8h-12h 14h-18h
🔑 Jean Pagnac

CH. PATARABET

Vieilli en fût de chêne 1996

■ 7,32 ha 50 000 70 à 99 F

Créé en 1912, ce cru est exploité par Eric Bordas depuis 1959 sur des terrains sableux et graveleux mêlés de crasse de fer. Composé par deux tiers de merlot et un tiers de cabernet franc, ce 96, encore un peu dominé par son élevage en fût de chêne, présente un certain potentiel de vieillissement. La robe, légère et carminée, donne des signes d'évolution. Le bouquet libère surtout des odeurs vanillées et boisées, mais on perçoit également des arômes de fruits mûrs qui devraient rapidement percer. La structure est équilibrée.
🔑 SCE du Ch. Patarabet, 33330 Saint-Emilion, tél. 05.57.24.74.73, fax 05.57.24.78.62 ☑ 🍷 t.l.j. 8h-12h 14h-19h
🔑 Eric Bordas

CH. PEREY-GROULEY 1996

■ 4,1 ha 30 000 30 à 49 F

Dans la famille Xans depuis quatre générations, ce vignoble, constitué à 80 % de merlot et à 20 % de cabernets, est implanté sur sables et graves à Saint-Sulpice-de-Faleyrens. De couleur rubis vive et brillante, ce 96 respire la jeunesse avec ses arômes fruités simples et frais. Après une attaque souple et agréable, la bouche révèle une structure tannique équilibrée et une bonne longueur. Une bouteille sincère à attendre deux à trois ans.
🔑 Vignobles F. et A. Xans, Perey, 33330 Saint-Sulpice-de-Faleyrens, tél. 05.57.24.62.12, fax 05.57.24.63.61 ☑ 🍷 r.-v.

CH. RASTOUILLET LESCURE 1996

■ 8,01 ha 62 133 50 à 69 F

Appartenant à Geneviève Dumery, ce cru est situé à Saint-Hippolyte. La vigne, constituée pour les trois quarts de merlot et pour un quart de cabernets, est née sur sols argilo-siliceux et siliceux. Ce 96 a une couleur rubis clair, des arômes de fraise écrasée avec une touche minérale et viandée. Souple et frais en bouche, il se montre assez persistant. Un vin agréable.
🔑 Union de producteurs de Saint-Emilion, Haut-Gravet, B.P. 27, 33330 Saint-Emilion, tél. 05.57.24.70.71, fax 05.57.24.65.18 🍷 t.l.j. sf dim. 8h-12h 14h-18h
🔑 Geneviève Dumery

CH. REDON 1996

■ 6,84 ha 52 933 50 à 69 F

Propriété de 7 ha plantée au trois quarts de merlot pour un quart de cabernet franc, sur sols siliceux et silico-graveleux à Vignonet. La vinification est assurée par l'Union de producteurs. Le vin est déjà bon à boire avec une robe légère, rubis à reflets tuilés. Le bouquet, déjà évolué, offre des notes de sous-bois. Souple et délicat, le palais présente une certaine finesse.
🔑 Union de producteurs de Saint-Emilion, Haut-Gravet, B.P. 27, 33330 Saint-Emilion, tél. 05.57.24.70.71, fax 05.57.24.65.18 🍷 t.l.j. sf dim. 8h-12h 14h-18h
🔑 SCE Vignobles Redon

CH. ROCHER-FIGEAC 1996*

■ 4 ha 22 000 30 à 49 F

Propriété de 6,47 ha dans la même famille depuis 1880. A cette époque, le patronyme (Rocher) fut ajouté au lieu-dit (Figeac). La vigne, à 85 % du merlot, est plantée sur sol graveleux à crasse de fer. Après une belle robe rubis sombre, ce 96 fruité montre un bouquet naissant, encore un peu fermé mais prometteur. La bouche est structurée par des tanins de qualité qui assureront une bonne évolution dans les trois ou quatre ans à venir.
🔑 Jean-Pierre Tournier, Tailhas, 194, rte de Saint-Emilion, 33500 Libourne, tél. 05.57.51.36.49, fax 05.57.51.98.70 ☑ 🍷 r.-v.

DOM. DU SABLE 1996*

■ 1,1 ha 5 000 30 à 49 F

Ce petit domaine viticole de 1 ha est, comme son nom l'indique, installé sur des sols sableux. L'encépagement comprend 80 % de merlot pour 20 % de cabernet franc. De couleur rubis avec quelques notes d'évolution, ce vin développe un bouquet chaleureux, vineux et fruité. Sa bonne texture, avec des tanins présents et de belle longueur, lui assurera une garde convenable de trois à cinq ans. L'un de nos jurés conseille de l'ouvrir alors sur un fondant de pintade.
🔑 Joël Appollot, Troquart, 33570 Montagne, tél. 05.57.74.61.62, fax 05.57.74.61.33 ☑ 🍷 r.-v.
🔑 F. Tourriol

CH. DE SARPE 1996*

■ 2,1 ha 14 000 100 à 149 F

Ce petit cru de 2 ha, contigu au château Haut-Sarpe (grand cru classé) du même propriétaire, fait partie des plus anciens vignobles de l'appellation ; il domine la cité médiévale sur le plateau calcaire situé à l'est de Saint-Emilion. Le 96, très réussi, se pare d'une robe grenat sombre et profonde, son bouquet fin et complexe mariant les arômes de fruits mûrs, de vanille et quelques odeurs de cuir. La dégustation est riche avec des tanins puissants sans dureté, du volume et de la

matière. Une belle bouteille à attendre trois à cinq ans et à découvrir sur un civet de lièvre.
Jean-François Janoueix, 37, rue Pline-Parmentier, B.P. 192, 33506 Libourne Cedex, tél. 05.57.51.41.86, fax 05.57.51.53.16, e-mail webmaster@josephjanoueix.com
☑ Y r.-v.

CH. TONNERET 1996★

■ 3,2 ha 8 500 30 à 49 F

Propriété familiale depuis trois générations, ce petit cru de 3 ha bénéficie toujours d'une culture traditionnelle de son vignoble, constitué pour les deux tiers de merlot et pour un tiers de cabernets installés sur sols argilo-calcaires. Son 96 porte une jolie robe rubis. Au nez, les arômes de fruits mûrs sont accompagnés de fines notes boisées, et en bouche, les tanins ronds et charnus constituent une belle structure, ample et volumineuse, qui évolue longuement sur des arômes de cerise, de griotte et de réglisse.
Gresta, Tonneret, 33330 Saint-Christophe-des-Bardes, tél. 05.57.24.60.01
☑ Y t.l.j. sf dim. 9h-18h

CH. VIEUX LABARTHE 1996

■ 9,07 ha 63 599 50 à 69 F

Situé à Vignonet sur sables parfois mêlés de graves, ce cru est constitué par 61 % de merlot et par 39 % de cabernet franc. Paré d'une belle couleur rubis, ce vin développe un bouquet agréable de fruits rouges cuits et de cuir. La bouche est équilibrée avec des tanins soyeux qui permettront une consommation rapide.
Union de producteurs de Saint-Emilion, Haut-Gravet, B.P. 27, 33330 Saint-Emilion, tél. 05.57.24.70.71, fax 05.57.24.65.18 Y t.l.j. sf dim. 8h-12h 14h-18h
GAEC de Labarthe

Saint-émilion grand cru

CH. D'ARCIE 1996

■ 7,11 ha 24 533 50 à 69 F

Planté sur des sols siliceux, parfois mêlés d'argile, ce vignoble de 7 ha est vinifié par la coopérative de Saint-Emilion. Le bouquet de ce 96, d'abord musqué et épicé, presque un peu sauvage, s'ouvre sur des arômes fruités et floraux. Corsé, ce vin dispose d'une structure équilibrée et ferme qui devrait s'attendrir dans les deux à trois ans à venir.
Union de producteurs de Saint-Emilion, Haut-Gravet, B.P. 27, 33330 Saint-Emilion, tél. 05.57.24.70.71, fax 05.57.24.65.18 Y t.l.j. sf dim. 8h-12h 14h-18h

CH. ARNAUD DE JACQUEMEAU 1996★

■ 3,71 ha 9 000 70 à 99 F

La cinquième génération exploite ce petit cru caractérisé par un encépagement assez spécial, le cabernet franc étant absent alors qu'on trouve 10 % de malbec. La robe de ce 96 est d'un beau rubis sombre. Le bouquet déjà intense laisse le boisé se mêler aux fruits rouges frais. L'attaque est souple, le corps bien équilibré, structuré par de bons tanins. La saveur finale est encore très fruitée. Vin plaisir de bonne tenue.
Dominique Dupuy, Jacquemeau, 33330 Saint-Emilion, tél. 05.57.24.73.09, fax 05.57.24.79.50 ☑ Y r.-v.

CH. AUSONE 1996★★

■ 1er gd cru A 6 ha 23 670 + de 500 F

61 64 **75 76 78 79** 80 **81** |(82)| **83** |**85**| **86** |87| 88 (89) **90** |92| **93** 94 (96)

On ne présente plus Ausone, symbole du Saint-Emilionnais. Récemment, ce cru a connu quelques perturbations : il a failli changer de mains et échapper à la famille qui l'exploitait depuis plus de deux cent cinquante ans. Mais Alain Vauthier a su rassembler les énergies et les moyens nécessaires pour le conserver. Il nous a présenté un 96 remarquable. La robe est somptueuse, bordeaux sombre à reflets noirs, le bouquet profond et complexe : raisins surmûris, cuir et gibier sur fond de merrain très toasté. Rond et corsé en bouche, charpenté par des tanins fins, c'est un vin de grande classe, plein de charme, d'élégance et d'avenir.
C. et A. Vauthier, Ch. Ausone, 33330 Saint-Emilion, tél. 05.57.24.70.26, fax 05.57.74.47.39

CH. BALESTARD LA TONNELLE 1996★

■ Gd cru clas. 10,6 ha 50 000 150 à 199 F

(83) **85 86** |88| |**89**| |90| 92 **94** 95 96

Célébré dès le XVes. par François Villon, comme en témoigne l'extrait de poème figurant sur l'étiquette, ce cru doit son nom à un chanoine du chapitre de Saint-Emilion pour « Balestard », et à une ancienne tour en pierre sise au cœur du vignoble pour « la Tonnelle ». Le vin, d'une belle couleur grenat sombre, est encore un peu fermé au nez où l'on perçoit des arômes de fruits, des notes mentholées et un boisé fin. Après une attaque souple, on découvre une structure équilibrée et une bonne persistance tannique qui permettront une garde de trois à cinq ans.
SCEA Capdemourlin, Ch. Roudier, 33570 Montagne, tél. 05.57.74.62.06, fax 05.57.74.59.34 ☑ Y r.-v.

CH. BARDE-HAUT 1996★

■ 16 ha 40 000 100 à 149 F

Implantées sur le plateau argilo-calcaire au nord-est de l'appellation, les vignes âgées de trente ans sont constituées à 85 % de merlot et 15 % de cabernet franc. Le 96 est paré d'une robe

CLASSEMENT 1996 DES GRANDS CRUS DE SAINT-ÉMILION

SAINT-ÉMILION, PREMIERS GRANDS CRUS CLASSÉS

A Château Ausone
Château Cheval-Blanc

B Château Angelus
Château Beau-Séjour (Bécot)
Château Beauséjour (Duffau-Lagarrosse)
Château Belair
Château Canon
Clos Fourtet
Château Figeac
Château La Gaffelière
Château Magdelaine
Château Pavie
Château Trottevieille

SAINT-ÉMILION, GRANDS CRUS CLASSÉS

Château Balestard La Tonnelle
Château Bellevue
Château Bergat
Château Berliquet
Château Cadet-Bon
Château Cadet-Piola
Château Canon-La Gaffelière
Château Cap de Mourlin
Château Chauvin
Clos des Jacobins
Clos de L'Oratoire
Clos Saint-Martin
Château Corbin
Château Corbin-Michotte
Château Couvent des Jacobins
Château Curé Bon La Madeleine
Château Dassault
Château Faurie de Souchard
Château Fonplégade
Château Fonroque
Château Franc-Mayne
Château Grandes Murailles
Château Grand Mayne
Château Grand Pontet
Château Guadet Saint-Julien
Château Haut Corbin
Château Haut Sarpe
Château La Clotte
Château La Clusière
Château La Couspaude
Château La Dominique
Château La Marzelle
Château Laniote
Château Larcis-Ducasse
Château Larmande
Château Laroque
Château Laroze
Château L'Arrosée
Château La Serre
Château La Tour du Pin-Figeac (Giraud-Belivier)
Château La Tour du Pin-Figeac (Moueix)
Château La Tour-Figeac
Château Le Prieuré
Château Matras
Château Moulin du Cadet
Château Pavie-Decesse
Château Pavie-Macquin
Château Petit-Faurie-de-Soutard
Château Ripeau
Château Saint-Georges Côte Pavie
Château Soutard
Château Tertre Daugay
Château Troplong-Mondot
Château Villemaurine
Château Yon-Figeac

pourpre sombre. Le bouquet commence à exhaler des arômes de fruits noirs très mûrs et de bois chauffé. Ample en bouche, avec une saveur encore fruitée, étoffée par des tanins boisés persistants, ce vin devrait évoluer vers une belle harmonie.
SCEA Barde-Haut, 33330 Saint-Christophe-des-Bardes, tél. 05.57.24.78.21, fax 05.57.24.61.15 ☑ 𝐈 r.-v.
Philippe

CH. BEAUSEJOUR 1996*

■ 1er gd cru B 6,5 ha 30 000 300 à 499 F

75 78 79 81 |82| |83| **85 86** |(88)| |89| (90) |91| |92| **93 94 95** 96

Ce cru, appartenant à la famille Duffau Lagarosse depuis plus de cent cinquante ans, jouit d'une ancienne réputation justifiée par un très bon terroir argilo-calcaire à astéries, par une exposition privilégiée sur le coteau au sud-ouest de la cité, par un encépagement équilibré et un travail sérieux. Tout cela donne un grand vin, à la teinte grenat et tourmaline, au bouquet déjà expressif, mêlant notes de noyau de cerise et de gibier et un léger boisé. La bouche est souple et charnue, étoffée par des tanins fins, encore un peu fermes. Actuellement, ce 96 s'exprime plus au nez qu'en bouche.
Héritiers Duffau-Lagarosse, Ch. Beauséjour, 33330 Saint-Emilion, tél. 05.57.24.71.61, fax 05.57.74.48.40 ☑ 𝐈 r.-v.

CH. BEAU-SEJOUR BECOT 1996**

■ 1er gd cru B 16,52 ha 75 500 + de 500 F

75 78 79 81 **82** 83 |85| |(86)| **87** |88| |89| |90| 91 **92** |93| **94 95 96**

Beau-Séjour Bécot signe sa réintégration en 1er grand cru classé B en 1996 avec un vin remarquable qui justifie parfaitement cette décision. Il faut dire qu'ici, le potentiel qualitatif est très grand avec de vieilles vignes, surtout du merlot, un terroir argilo-calcaire sur calcaire à astéries, roche dans laquelle sont creusées des caves idéales pour la conservation des bouteilles, une situation privilégiée au sommet du plateau de Saint-Martin-de-Mazerat, à l'ouest de la cité. Le vin impressionne par sa puissance, sa concentration, son potentiel de garde. La robe est presque noire, le nez riche en raisins très mûrs et en bon bois (dix-huit mois de fût). La bouche apparaît à la fois charnue et charpentée. Tout ce qu'il faut, là où il faut !

G. et D. Bécot, SCEA Beau-Séjour Bécot, 33330 Saint-Emilion, tél. 05.57.74.46.87, fax 05.57.24.66.88 𝐈 r.-v.

CH. BELLEFONT-BELCIER 1996*

■ 10,8 ha 47 177 100 à 149 F

Domaine viticole acheté par plusieurs partenaires. Il doit son nom à la proximité d'une fontaine et au fondateur du cru en 1780, le marquis de Belcier. Ce 96 est surtout marqué par son élevage en barrique, tant au nez, où l'on trouve des notes de fumet, d'épices et des nuances de cèdre, qu'en bouche où les tanins composent une solide structure. Mais le gras et le volume tiennent les promesses de la robe bigarreau soutenu. Un vin qui sera séduisant dans quatre ou cinq ans.
SCI Bellefont-Belcier, 33330 Saint-Laurent-des-Combes, tél. 05.57.24.72.16, fax 05.57.74.45.06 𝐈 r.-v.

CH. BELLEVUE 1996*

■ Gd cru clas. 6,22 ha 39 600 100 à 149 F

88 89 |90| |93| **95** |96|

Comme le suggère son nom, ce cru domine la vallée de la Dordogne. En 1793, durant la Révolution, le député Gaston Lacaze, un des derniers Girondins, trouva refuge dans ce domaine qui appartint à sa famille de 1642 à 1938. La vigne se compose de 4 ha de merlot et de 2 ha de cabernets. Le vin a une robe fraîche, attrayante. Le nez mêle des notes fruitées, minérales et boisées. A la fois subtil et dense avec une saveur de fruit frais, le palais est constitué de tanins déjà soyeux qui permettront de boire ce 96 assez vite.
SC du Ch. Bellevue, 33330 Saint-Emilion, tél. 05.57.51.06.07, fax 05.57.51.59.61 ☑ 𝐈 r.-v.

CH. BELREGARD-FIGEAC 1996

■ 2,33 ha 15 000 50 à 69 F

|89| |90| |93| |94| |95| 96

Petit vignoble dont les ceps âgés de trente ans, implantés sur sols sablo-graveleux, sont composés pour 70 % de merlot, 25 % de cabernet franc et 5 % de cabernet-sauvignon. Ce 96 porte une robe encore jeune, violine. Le bouquet naissant a besoin d'être aéré pour exprimer du fruit mûr, du fumet, du cuir. Avec une saveur de fruits rouges et une bonne persistance finale, la bouche révèle un potentiel intéressant.
GAEC Pueyo Frères, 15, av. de Gourinat, 33500 Libourne, tél. 05.57.51.71.12, fax 05.57.51.82.88 ☑ 𝐈 r.-v.

CH. BERGAT 1996*

■ Gd cru clas. 4 ha 20 000 100 à 149 F

92 93 95 96

Repris en 1991 par les actuels propriétaires, ce cru se caractérise par un encépagement partagé entre 55 % de merlot, 35 % de cabernet franc et 10 % de cabernet-sauvignon. Cela donne un bon vin de garde, plaisant et racé. La robe, intense et brillante, est de teinte grenat avec de légers reflets carminés. Le bouquet fin, mais encore discret, livre des notes de petits fruits rouges et d'épices sur des nuances grillées. Souple et

rond en attaque, ce 96 évolue sur des tanins mûrs et gras qui persistent élégamment en bouche.
🍷 Indivision Castéja-Preben-Hansen, 33330 Saint-Emilion, tél. 05.56.00.00.70, fax 05.57.87.48.61 ☑ 👅 r.-v.

CH. BERLIQUET 1996★

■ Gd cru clas.	9 ha	20 220	🍷	100 à 149 F

88 89 91 92 |93| 94 95 |96|

Très ancien cru déjà mentionné en 1762. Il se situe sur le plateau de Saint-Martin et bénéficie d'une excellente exposition. Les vignes d'une quarantaine d'années sont constituées à 80 % de merlot et à 20 % de cabernets. La couleur de ce vin, d'intensité moyenne, présente quelques reflets d'évolution. Le bouquet est expressif, fait de fruits noirs très mûrs, de vanille, de bois torréfié (café). La bouche mise plutôt sur la finesse et l'élégance, avec une attaque souple, une saveur fruitée et boisée et des tanins fondus qui permettront de boire ce 96 assez rapidement.
🍷 Vte et Vtesse Patrick de Lesquen, SCEA Ch. Berliquet, 33330 Saint-Emilion, tél. 05.57.24.70.48, fax 05.57.24.70.24 ☑ 👅 r.-v.

CH. BOUTISSE 1996

■	20 ha	100 000	🍷	70 à 99 F

Importante propriété, rachetée en 1996 par les Milhade, négociants-viticulteurs bien connus en Bordelais. Ces derniers ont assuré la vinification de ce millésime mais ce n'est que depuis 1997 qu'ils maîtrisent la production de bout en bout. Nos dégustateurs ont jugé ce premier résultat encourageant. La couleur est d'un beau rubis sombre, le nez très fin, avec du fruit et un boisé élégant. Bien équilibrée, la bouche offre des touches fruitées, mentholées, boisées et des tanins qui demandent à s'affiner un peu.
🍷 SCEA du Ch. Boutisse, 33330 Saint-Christophe-des-Bardes, tél. 05.57.55.48.90, fax 05.57.84.31.27 ☑ 👅 r.-v.
🍷 Milhade

CH. CADET-BON 1996★★★

■ Gd cru clas.	4,48 ha	29 700	🍷	150 à 199 F

|90| |92| |93| **94** 95 ⑨⑥

CHATEAU CADET-BON
SAINT-EMILION GRAND CRU CLASSÉ
APPELLATION SAINT-EMILION GRAND CRU CONTRÔLÉE
SOCIÉTÉ LORIENE, PROPRIÉTAIRE A SAINT-EMILION, GIRONDE

Ce millésime correspond à la remontée en grand cru classé de ce vignoble. Remontée fracassante puisqu'il décroche du même coup trois étoiles et un coup de cœur dans le Guide. Ce vin est somptueux, paré d'une robe grenat et ambrée intense. Le bouquet, déjà complexe, associe fruits noirs, merrain chauffé, épices, poivre... En bou-che, on trouve de la puissance, du volume, de la longueur et en finale, une saveur réglissée, des tanins solides qui lui permettront de bien vieillir. Bravo ! En outre, le prix est raisonnable.
🍷 Loriene SA, 1, Le Cadet, 33330 Saint-Emilion, tél. 05.57.74.43.20, fax 05.57.24.66.41 ☑ 👅 r.-v.

CH. CADET BRAGARD 1996★

■	6 ha	42 000	🍷	70 à 99 F

Vinifié au château Bragard par les vignobles Rocher Cap de Rive pour la société de négoce Yvon Mau SA, ce cru donne un 96 équilibré à la robe rubis sombre. Le bouquet, encore discret, rappelle les fruits rouges cuits avec une nuance mentholée ; il devrait s'ouvrir rapidement. Souple et rond en bouche, avec une structure bien constituée et beaucoup de fraîcheur aromatique, ce vin sera prêt à boire dans deux à trois ans.
🍷 SA Yvon Mau, rue André-Dupuy-Chauvin, B.P. 1, 33190 Gironde-sur-Dropt, tél. 05.56.61.54.54, fax 05.56.61.54.61 👅 r.-v.
🍷 Rocher Cap de Rive

CH. CADET-PIOLA 1996

■ Gd cru clas.	7 ha	33 000	▌🍷 ⚘	150 à 199 F

|86| |89| 90 |93| 95 96

Propriété viticole située à quelques centaines de mètres au nord de la cité sur une des collines argilo-calcaires les plus élevées de l'appellation. Le vin a une jolie robe, bordée d'un liseré tuilé. Le nez est fin, encore fruité, avec une touche de fumet et de poivre. La saveur capiteuse révèle de subtiles notes fruitées donnant à ce 96 un caractère attrayant qui devrait permettre de le boire assez rapidement (un à deux ans).
🍷 Alain Jabiol, Ch. Cadet-Piola, 33330 Saint-Emilion, tél. 05.57.74.47.69, fax 05.57.74.47.69, e-mail a.jabiol@cadet-piolat.com ☑ 👅 t.l.j. sf sam. dim. 9h-11h 15h-17h

CH. CANON 1996★

■ 1er gd cru B	15 ha	60 000	🍷	250 à 299 F

|89| |90| |94| 96

Il s'agit de la première récolte de la maison Chanel qui a acquis ce cru prestigieux en 1996. Les 18 hectares, situés sur le coteau argilo-calcaire, sont complantés à 55 % de merlot et à 45 % de bouchet. Le vin se pare d'une robe bordeaux à frange carminée. Le bouquet est torréfié, nuancé de moka. Après une attaque souple et soyeuse, la chair et la structure tannique s'affirment, encore un peu imposantes, mais devraient donner une belle densité gustative dans quelques années.
🍷 SC Ch. Canon, B.P. 22, 33330 Saint-Emilion, tél. 05.57.55.23.45, fax 05.57.24.68.00 👅 r.-v.
🍷 Wertheimer

CAP DE MOURLIN 1996★

■ Gd cru clas.	13,81 ha	64 000	▌🍷	150 à 199 F

81 ⑧② 83 85 **86** |88| |89| |90| 91 92 |93| 94 96

Installée sur ce domaine depuis près de cinq siècles, la famille Capdemourlin a donné son nom au lieu-dit et au cru. Des documents ayant trait à une vente de vin datant de 1647 ont été retrouvés dans les archives de la propriété. Ce 96 est encore un peu austère mais dispose de tous

les atouts pour une bonne garde. La robe intense et soutenue est d'un grenat encore jeune. Le bouquet naissant, fin et boisé, demande un peu de temps pour s'ouvrir. La structure tannique, ferme et un peu sévère, révèle cependant un très bon équilibre. Une conservation de trois à cinq ans devrait polir les tanins.
🔑 SCEA Capdemourlin, Ch. Roudier, 33570 Montagne, tél. 05.57.74.62.06, fax 05.57.74.59.34 ☑ Y r.-v.

CH. CARTEAU COTES DAUGAY 1996★

■ 11,5 ha 70 000 70 à 99 F

82 83 86 |88| |89| |90| 91 |92| |93| |94| |95| 96

Comme d'habitude, ce cru décroche son étoile ! Nos experts l'ont encore jugé très réussi : sa belle régularité résulte d'un travail suivi, alliant tradition et modernisme. Ce 96 se pare d'une belle robe rubis sombre. Le bouquet exprime des notes de pruneau, de bois toasté, caramélisé. Le palais s'agrémente de saveurs de fruits rouges et de merrain chauffé qui devraient se marier dans quelques années.
🔑 SCEA des Vignobles Jacques Bertrand, Carteau, 33330 Saint-Emilion, tél. 05.57.24.73.94, fax 05.57.24.69.07 ☑ Y r.-v.

CH. CHAMPION 1996

■ 7 ha 21 000 50 à 69 F

93 |94| 95 |96|

Ce domaine viticole de 7 ha, régulièrement cité dans le Guide, est dans la même famille depuis la fin du XVII[e]s. Aujourd'hui, c'est Pascal, né en 1970, qui gère les deux propriétés familales. Ici, le vin a une couleur grenat avec des nuances d'évolution. Le bouquet est encore fruité ; la bouche se montre agréable, structurée par des tanins qui commencent à se fondre et devraient permettre de boire cette bouteille assez rapidement.
🔑 SCEA Bourrigaud et Fils, Ch. Champion, 33330 Saint-Christophe-des-Bardes, tél. 05.57.74.41.07, fax 05.57.74.41.07 ☑ Y r.-v.

CH. CHANTE ALOUETTE 1996

■ 5 ha 27 000 70 à 99 F

Deux tiers de merlot et un tiers de cabernet franc, plantés sur des sables, composent ce vignoble de 5 ha. Très jeune d'aspect, ce 96 a une belle couleur pourpre brillant. Le bouquet, encore un peu discret, évoque les fruits rouges frais, le bon bois brûlé, les épices et la réglisse. La bouche évolue chaleureusement sur des tanins fondus et doux. Déjà très aimable, ce vin pourra être consommé dans les deux à trois ans.
🔑 Guy d'Arfeuille, Ch. Chante Alouette, 33330 Saint-Emilion, tél. 05.57.24.71.81, fax 05.57.24.71.81 ☑ Y t.l.j. 8h-20h

CH. CHAUVIN 1996★

■ Gd cru clas. 11,77 ha 41 000 100 à 149 F

82 85 86 |88| |89| |90| 93 94 96

Au cœur des glacis sableux de l'appellation, cette belle propriété de 12 ha, fondée en 1891, a été exploitée par quatre générations successives de la famille Ondet. Paré d'une robe sombre et profonde, ce 96 se montre déjà expressif au nez avec des arômes de fraise mêlés à des notes animales (cuir) et à un boisé fin et harmonieux. Après une attaque souple, la dégustation évolue en prenant de l'ampleur sur de bons tanins mûrs et charnus. Une belle longueur finale pour cette bouteille à attendre deux ou trois ans.
🔑 SCEA Ch. Chauvin, 1, Les Cabannes Nord, B.P. 67, 33330 Saint-Emilion, tél. 05.57.24.76.25, fax 05.57.74.41.34 ☑ Y r.-v.
🔑 Mmes Ondet et Février

CH. CHEVAL BLANC 1996★★

■ 1er gd cru A 35 ha 110 000 + de 500 F

61 64 66 69 **70 71** 72 73 74 |75| **76** 77 |78| |79| 80 |81| |82| **83 85 86** 87 **88 89** (90) |92| |93| **94 95 96**

Cheval Blanc reste un des deux « classé A » de Saint-Emilion. N'est-ce pas une gageure quand on sait que son terroir est plutôt pomerolais et que son encépagement apparaît plutôt médocain ? Voilà peut-être l'origine de son caractère inimitable qui rencontre un succès fou. Nos dégustateurs ont aimé ce 96 paré d'une robe éclatante à reflets grenat et rubis foncé. Le bouquet naissant exprime des raisins très mûrs, un boisé fin et bien dosé. Rond et charnu en bouche, avec une saveur riche de fruits encore un peu sous le bois, ce grand vin d'avenir est d'une extrême élégance.
🔑 SC du Cheval Blanc, 33330 Saint-Emilion, tél. 05.57.55.55.55, fax 05.57.55.55.50 Y r.-v.

CLOS DE LA CURE 1996★

■ 6,87 ha 38 000 50 à 69 F

93 95 96

La famille Bouyer-Arteau exploite ce petit domaine qui était autrefois attaché à la cure de Saint-Christophe-des-Bardes. Ici le terroir est argilo-calcaire. Le vin se pare d'une robe rubis sombre. Le nez, encore un peu fermé, livre à l'agitation des arômes de fruits confits. La bouche harmonieuse, concentrée, encore un peu trop marquée par le bois, finit sur des tanins corsés qui permettront à cette bouteille de bien vieillir.
🔑 Christian Bouyer, Ch. Milon, 33330 Saint-Christophe-des-Bardes, tél. 05.57.24.77.18, fax 05.57.24.64.20 ☑ Y r.-v.

Vous cherchez une appellation ? Consultez l'index en fin de volume.

CH. CLOS DES JACOBINS 1996

■ Gd cru clas. 8,43 ha 55 000 🛢 100 à 149 F

75 76 79 82 83 86 **88** |89| |90| 91 |**92**| |93| 94 95 96

Implanté sur des sols d'origine éolienne sur le flanc ouest du plateau de Saint-Emilion, ce cru est une exclusivité des domaines Cordier. Le vin a une jolie couleur à reflets ambrés. Le nez livre de surprenants arômes exotiques et des notes de tabac. La bouche est dominée par la saveur boisée qui devra se fondre.

🔑 Domaines Cordier, 53, rue du Dehez, 33290 Blanquefort, tél. 05.56.95.53.00, fax 05.56.95.53.08 🍸 r.-v.

CLOS DES MENUTS 1996

■ 38 ha 240 000 🛢 100 à 149 F

Important domaine viticole qui a le mérite de présenter l'ensemble de sa récolte sous son nom. Les caves, creusées dans le rocher au cœur de Saint-Emilion, valent la visite. La vigne à dominante de merlot est plantée sur sols argilo-calcaires. Le vin a une jolie robe pourpre légèrement carminée. Le nez laisse percevoir du fruit mûr et du bois toasté, vanillé. La saveur est soyeuse et élégante. Un vin de caractère, chaleureux et racé.

🔑 SCE Vignobles Rivière, Clos des Menuts, 33330 Saint-Emilion, tél. 05.57.55.59.59, fax 05.57.55.59.51 ☑ 🍸 t.l.j. 9h30-12h 14h-18h

CLOS FOURTET 1996★★

■ 1er gd cru B 13 ha 63 000 🛢 250 à 299 F

71 73 74 75 **76 78 79 81** 82 **83** |**85**| **86** 87 |88| |**89**| |**90**| |**91**| 92 |93| **94** (95) **96**

Et de trois ! A l'image de l'équipe de France de football, Clos Fourtet vient d'inscrire son troisième coup de cœur consécutif dans le Guide. Ce cru est l'archétype du domaine viticole saint-émilionnais, constitué de vieilles vignes dominées par le merlot, plantées à quelques dizaines de mètres de l'église sur des sols argilo-calcaires. Il fait vieillir ses vins dans d'immenses et magnifiques caves creusées dans la roche calcaire. Le terme « clos » vient du mur qui entoure les vignes, et « Fourtet » rapelle le camp fortifié situé à l'emplacement du cru, à l'époque gallo-romaine. Le clos appartient aujourd'hui à la famille Lurton, un pilier du vignoble bordelais. Que dire de ce 96 ? Il a encore une fois époustouflé nos experts par sa densité, sa richesse, sa concentration, son volume, sa charpente tannique, son potentiel et tout ce qui fait un très grand vin.

🔑 SC Clos Fourtet, 33330 Saint-Emilion, tél. 05.57.24.70.90, fax 05.57.74.46.52 🍸 r.-v.

🔑 Lurton Frères

CH. CLOS JUNET 1996

■ 1,6 ha 10 000 ▮ 🛢 50 à 69 F

La robe pourpre est très soutenue. Encore jeune et un peu discret au nez où seuls les arômes grillés de bon bois apparaissent, ce vin révèle une structure puissante et ferme, avec des tanins un peu austères actuellement mais qui devraient s'assouplir dans cinq à six ans.

🔑 Patrick Junet, Berthonneau, rte du Milieu, 33330 Saint-Emilion, tél. 05.57.51.16.39, fax 05.57.51.19.52, e-mail clos.junet@wanadoo.fr ☑ 🍸 r.-v.

CLOS SAINT-MARTIN 1996

■ Gd cru clas. 1,2 ha 7 000 🛢 100 à 149 F

81 85 86 **88** 89 |90| |92| 93 95 96

Le plus petit des crus classés de l'appellation, avec moins de 1,5 ha, est situé tout près de l'église dont il a pris le nom. Avec deux tiers de merlot et un tiers de cabernet franc, plantés sur sols argilo-calcaires, il propose un 96 ayant fait quinze mois de barrique, encore un peu refermé sur lui-même mais de bon potentiel. La robe est d'un rubis sombre à nuances violines. Le bouquet, discret pour l'instant, laisser percer des arômes de confiture de fruits rouges. La dégustation, après un début souple et rond, évolue sur des tanins fermes et serrés qui devraient s'assouplir d'ici quatre ou cinq ans.

🔑 SC Les Grandes Murailles, Ch. Côte de Baleau, 33330 Saint-Emilion, tél. 05.57.24.71.09, fax 05.57.24.69.72 🍸 r.-v.

CH. CORBIN 1996

■ Gd cru clas. 12,66 ha 82 000 ▮ 🛢 🌡 100 à 149 F

64 66 75 78 79 81 (82) **83** |**85**| |**86**| 87 |88| |89| |90| |91| 92 93 94 95 |96|

Le domaine est situé à 3 km au nord-ouest de la cité, sur un terroir argilo-siliceux. Les vignes, âgées de trente ans, sont constituées à 72 % de merlot et à 28 % de cabernet franc. Le vin s'habille d'une robe légère, brillante. Le bouquet commence à exprimer des arômes de fruits délicats et d'épices (poivre). La bouche est encore fraîche, avec du fruit et des tanins fins qui permettront de boire ce 96 dans deux ans.

🔑 SC des Domaines Giraud, 1, Grand-Corbin, 33330 Saint-Emilion, tél. 05.57.74.48.94, fax 05.57.74.47.18

CH. CORBIN MICHOTTE 1996★

■ Gd cru clas. 6,8 ha 40 000 ▮ 🛢 🌡 200 à 249 F

81 82 83 |**85**| 86 |**88**| |89| |**90**| 91 92 |93| 94 95 96

Cette propriété fit partie d'un grand domaine féodal qui appartint au Prince Noir au XIVᵉs. Jean-Noël Boidron l'a achetée en 1959 et s'applique depuis lors à remettre le château et le cru en état. Il propose un 96 typique et bien réussi. La robe grenat est soutenue et encore peu évoluée. Le bouquet, expressif et puissant, mêle des arômes de fruits mûrs, de réglisse et de vanille avec quelques notes fumées et grillées. La bouche ronde et ample révèle de bons tanins, soyeux et

élégants. Une jolie bouteille à attendre de trois à cinq ans.
⊶ Jean-Noël Boidron, Ch. Corbin Michotte, 33330 Saint-Emilion, tél. 05.57.51.64.88, fax 05.57.51.56.30 ☑ Ⅰ r.-v.

CH. CORMEIL-FIGEAC 1996*

■ 10 ha 50 000 ⓘ 70 à 99 F

82 83 86 88 |**89**| |90| 91 92 **94 95 96**

Ce très ancien vignoble de 10 ha fait partie des 25 ha que possèdent les héritiers Moreaud à Saint-Emilion. Les ceps de quarante ans (70 % de merlot et 30 % de bouchet) sont plantés sur des sables anciens. Ce 96 est très réussi, paré d'une robe à reflets rubis sombre. Racé et expressif, avec un bouquet de fruits, d'épices et de bois réglissé, il possède un corps riche et élégant, en harmonie avec le nez. Du gras, de la structure, un boisé fin, une belle rétro-olfaction de fruits rouges : tout ce qu'il faut, là où il faut.
⊶ SCEA Cormeil-Figeac-Magnan, B.P. 49, 33330 Saint-Emilion, tél. 05.57.24.70.53, fax 05.57.24.68.20, e-mail moreaud@cormeil-figeac.com ☑ Ⅰ r.-v.
⊶ Moreaud

CH. COTE DE BALEAU 1996

■ 7,86 ha 45 000 ▮ⓘ🌡 70 à 99 F

88 92 |95| 96

Ce vignoble, créé au XVIIe s., est dans la même famille depuis 1643. Planté sur des terroirs argilo-calcaires, il dispose d'un encépagement équilibré. Il propose un 96 réussi dans sa robe rubis à reflets orangés, signe d'évolution. Le bouquet libère des arômes de fruits rouges, frais et acidulés, mêlés des nuances brûlées et rôties de la barrique. Corsée et nerveuse à l'attaque, la bouche montre ensuite une structure aux tanins encore rudes, qui demandent un peu de patience.
⊶ SC Les Grandes Murailles, Ch. Côte de Baleau, 33330 Saint-Emilion, tél. 05.57.24.71.09, fax 05.57.24.69.72 Ⅰ r.-v.
⊶ Reiffers

CH. COUDERT-PELLETAN
Vieilli en fût de chêne 1996

■ 3 ha 20 000 ⓘ 70 à 99 F

86 |**88**| 92 |93| 94 **95** 96

Ce 96 est issu d'une sélection de 3 ha - sur les 56 ha que compte la propriété - comportant des vignes de trente-huit ans. Cela donne un vin intéressant, d'une belle couleur bigarreau intense. Ses arômes puissants associent fruits mûrs, notes animales et boisées. On lui trouve du gras, du volume, de la charpente et une saveur encore fruitée, finement boisée, persistante. Une bouteille typique de son appellation et de son millésime.
⊶ GAEC Jean Lavau, Ch. Coudert-Pelletan, 33330 Saint-Christophe-des-Bardes, tél. 05.57.24.77.30, fax 05.57.24.66.24 ☑ Ⅰ t.l.j. 8h-12h 14h-18h; sam. dim. sur r.-v.
⊶ Philippe et Pierre Lavau

CH. CROIX DE LABRIE 1996**

■ 0,37 ha 1 200 ⓘ 300 à 499 F

La consécration pour ce cru microscopique de 3 700 m² (le plus petit des grands crus ?), uniquement planté de merlot de quarante ans sur graves, à Vignonet. Le vin se pare d'une robe pourpre sombre à reflets carmin. Le bouquet naissant, déjà impressionnant de complexité et de caractère, exprime à la fois le merlot très mûr, les épices et le boisé. La bouche tient les promesses du nez par des saveurs de fruits noirs. A la fois concentrée et élégante, elle est construite sur de bons tanins de raisin et de merrain qui assureront son avenir. Un vin très beau et... très rare.

⊶ Puzio-Lesage, SCEA Croix de Labrie, B.P. 41, 33330 Saint-Emilion, tél. 05.57.24.64.60, fax 05.57.24.64.60 ☑ Ⅰ r.-v.

CH. CROIX MUSSET 1996*

■ 12 ha 90 530 ▮ⓘ🌡 30 à 49 F

Second vin du vignoble de 12 ha que la SA RAIVICO possède à Saint-Pey-d'Armens, ce cru est composé, à égalité, de merlot et de cabernets implantés sur sols argilo-calcaires et sableux. Un 96 très intéressant : une robe grenat de bonne intensité, des senteurs boisées, vanillées, assorties d'une touche d'humus, un corps à la fois souple et vif, avec des tanins fins et persistants qui devraient assurer une bonne évolution.
⊶ SC du Ch. Musset-Chevalier, Saint-Pey-d'Armens, 33240 Saint-Gervais, tél. 05.57.94.00.20, fax 05.57.43.45.72 Ⅰ r.-v.
⊶ RAIVICO SA

CH. CROQUE MICHOTTE 1996

■ 13,67 ha 61 000 ▮ⓘ🌡 150 à 199 F

91 95 96

Croque Michotte est proche des crus célèbres de pomerol. Elevé douze mois en barrique, son 96 a une jolie robe encore jeune. Le bouquet commence à exprimer du fruit. La bouche est chaleureuse, réglissée, avec des tanins encore un peu amers qui demandent à s'affiner un peu.
⊶ GFA Geoffrion, Ch. Croque Michotte, 33330 Saint-Emilion, tél. 05.57.51.13.64, fax 05.57.51.07.81 ☑ Ⅰ r.-v.

CH. CURE-BON 1996*

■ Gd cru clas. 4,6 ha 25 970 ⓘ 150 à 199 F

92 93 |94| 96

Dans la famille Bon depuis le Moyen Age, ce cru a appartenu à Jacques Bon, curé de Saint-Emilion au début du XIX[e]s. L'actuel propriétaire l'a acquis en 1992. Issu de 70 % de merlot et de 30 % de cabernet franc implantés sur sols calcaires, voici un beau 96 à la robe grenat, encore vive, dense et profonde. Le nez est déjà très expressif avec des arômes de fruits rouges, d'épi-

ces et de vanille. D'abord corsée et souple, la bouche révèle ensuite une belle structure tannique, certes un peu ferme actuellement mais pleine d'avenir.
Loriene SA, 1, Le Cadet, 33330 Saint-Emilion, tél. 05.57.74.43.20, fax 05.57.24.66.41 r.-v.

CH. DASSAULT 1996*

■ Gd cru clas. 19 ha 80 000 200 à 249 F

81 82 **83** **86** 87 |88| |89| |90| **92** 94 **95** 96

Marcel Dassault fit l'acquisition du château Couprie en 1955 et lui donna son nom. Les millésimes 92 et 95 furent coup de cœur dans le Guide et ce 96 est très réussi. La robe, limpide et brillante, présente une teinte rubis clair à reflets orangés. Le bouquet naissant est élégant, partagé entre des arômes de petits fruits rouges et de réglisse. Après une belle attaque, fine et souple, la bouche révèle des tanins fermes, encore un peu austères mais de bonne constitution. Un vin digne d'une garde de quatre à huit ans.
SARL Ch. Dassault, 33330 Saint-Emilion, tél. 05.57.24.71.30, fax 05.57.74.40.33 r.-v.

CH. DESTIEUX 1996*

■ 7,2 ha 25 000 70 à 99 F

81 **82** **83** 85 86 |(88)| |89| |90| 92 |93| 94 95

Cette propriété établie sur le plateau de Saint-Emilion jouit d'un superbe point de vue sur la vallée de la Dordogne. Paré d'une très belle robe pourpre, sombre et profonde, ce 96 révèle au nez des arômes de fruits noirs très mûrs mêlés d'odeurs toastées venues du chêne. La structure riche et charnue est harmonieusement équilibrée. Un bon vin de garde à laisser mûrir de quatre à cinq ans en cave.
Dauriac, Ch. Destieux, 33330 Saint-Emilion, tél. 05.57.24.77.44, fax 05.57.40.37.42 r.-v.

CH. FAUGERES 1996**

■ 28 ha n.c. 100 à 149 F

|93| |94| **95** **96**

Avec ce 96, Corinne Guisez poursuit l'œuvre qu'elle avait commencée en 1987 avec son mari Péby, disparu prématurément. Son vin obtient comme pour les millésimes précédents deux étoiles, ce qui atteste une régularité à un haut niveau. La robe est profonde, soutenue, brillante. Le nez déjà complexe offre une succession de fruits très mûrs, de cuir, de cèdre, de poivre. Le vin possède beaucoup de chair et de volume, de la concentration, et se montre charpenté par des tanins et un boisé qui respectent le fruit. Une saveur épicée marque la finale. Grand vin, plein d'avenir.
Corinne Guisez, Ch. Faugères, 33330 Saint-Etienne-de-Lisse, tél. 05.57.40.34.99, fax 05.57.40.36.14 r.-v.

CH. FERRAND LARTIGUE 1996**

■ 3 ha 12 000 150 à 199 F

|94| 95 |96|

Apparu dans le Guide avec le millésime 94, ce petit cru de 3 ha a été créé en 1993 par la famille Ferrand à partir de vieilles vignes de merlot (avec un appoint de 10 % de cabernet franc), plantées sur des sols argilo-calcaires et sableux. Depuis lors, il ne cesse de progresser comme le prouve ce remarquable 96. La couleur rouge foncé est dense et profonde, avec des reflets sombres. Le bouquet à la fois fruité, floral et boisé est intense. La dégustation révèle des tanins veloutés et soyeux, superbement équilibrés. Une bouteille déjà agréable mais qui mérite deux à trois ans de patience.
Pierre et Michelle Ferrand, 33330 Saint-Emilion, tél. 05.57.74.46.19, fax 05.57.74.46.19 r.-v.

CH. FIGEAC 1996*

■ 1er gd cru B 40 ha 100 000 + de 500 F

62 **64** **66** (70) **71** 74 **75** **76** 77 **78** 79 80 |81| |82| |83| |85| |86| 87 **88** **89** 90 92 |93| **94** (95) 96

Grappe d'or du Guide Hachette pour le millésime 95, Figeac est l'un des grands de Saint-Emilion. Le château est bâti à l'emplacement d'une *villa* gallo-romaine « Figeacus », nom que l'on retrouve associé à plusieurs crus voisins. L'important vignoble se caractérise par un terroir et un encépagement atypiques (le merlot ne représente que 30 %) ; il en résulte des vins originaux. Celui-ci se pare d'une teinte grenat ; il est très floral au nez (rose, pivoine) avec des notes de raisins secs et de sous-bois. Elégant et charmeur en bouche où le boisé est bien dosé, il doit être réservé à des plats d'exception.
Thierry Manoncourt, Ch. Figeac, 33330 Saint-Emilion, tél. 05.57.24.72.26, fax 05.57.74.45.74, e-mail chateau-figeac@chateau-figeac.com r.-v.

CH. FLEUR CARDINALE 1996**

■ 10 ha n.c. 100 à 149 F

82 **83** **85** **86** |88| |89| |(90)| 91 |92| |93| |94| 95 **96**

La régularité à un haut niveau pour ce cru situé à l'est de l'appellation, planté de vignes d'une quarantaine d'années et caractérisé par un terroir argilo-calcaire sur fond rocheux. Le 96 est remarquable, avec une belle robe jeune, un premier nez fruité (cassis) évoluant vers des notes boisées et grillées. La bouche, pleine et grasse, possède des tanins méritant qu'on leur laisse un peu de temps car ils finissent sur une belle rétro-olfaction torréfiée.
Alain et Claude Asséo, Ch. Fleur Cardinale, 33330 Saint-Etienne-de-Lisse, tél. 05.57.40.14.05, fax 05.57.40.28.62 r.-v.

CH. FOMBRAUGE 1996**

■ 50 ha 280 000 70 à 99 F

86 |88| |90| 91 92 (95) (96)

Forte progression qualitative pour cet important vignoble qui conjugue les talents de l'œnologue Gilles Pauquet et ceux du maître de chai Ugo Arguti. Cette année, son 96 décroche un coup de cœur. Ses heureux propriétaires danois voient leurs efforts récompensés. Ce vin est parfait à tous les stades de la dégustation. Sa robe est d'une belle couleur bordeaux sombre. Le bouquet puissant, complexe et plaisant associe les raisins bien mûrs et un merrain de qualité. Le palais est ample et harmonieux, avec de la rondeur soutenue par des tanins fins et soyeux. D'un très bon équilibre, ce vin est prometteur.

⊶SA Ch. Fombrauge, 33330 Saint-Christophe-des-Bardes, tél. 05.57.24.77.12, fax 05.57.24.66.95 ☒ Ῐ r.-v.

CH. FONPLEGADE 1996★

■ Gd cru clas. 14,6 ha 65 000 ⅠⅠ 150 à 199 F

82 83 85 86 |**88**| |90| 92 |93| |94| 95 96

Situé sur le versant sud de Saint-Emilion, Fonplégade est un très joli château qui règne sur un vignoble d'environ 15 ha implanté sur des sols variés : calcaires sur le plateau, argilo-calcaires sur le coteau et silico-calcaires en pied de côte. Le 96 est très réussi dans sa belle robe rubis intense et soutenu. Le bouquet marie harmonieusement les arômes de fruits rouges et noirs bien mûrs aux odeurs grillées et cacaotées de bon bois. La structure est riche et équilibrée, avec des tanins veloutés, gras et charnus. Une bouteille élégante, à attendre deux ou trois ans pour en profiter pleinement.

⊶SC Dom. viticoles Armand Moueix, Ch. Fonplégade, 33330 Saint-Emilion, tél. 05.57.74.43.11, fax 05.57.74.44.67 ☒ Ῐ r.-v.

CH. FONRAZADE 1996

■ 15 ha 80 000 ⅠⅠⅠ 70 à 99 F

86 |88| |90| |95| 96

Belle propriété viticole de 15 ha située au sud-ouest de Saint-Emilion. Guy Balotte et sa fille ont élaboré un vin sérieux, d'une belle couleur bigarreau, au bouquet intense mais fin de merlot bien mûr subtilement boisé, au corps fin et nerveux, doté de tanins persistants en finale. Un 96 distingué.

⊶Guy Balotte, Ch. Fonrazade, 33330 Saint-Emilion, tél. 05.57.24.71.58, fax 05.57.74.40.87 ☒ Ῐ r.-v.

CH. FOURNEY 1996

■ 20,5 ha 60 000 ⅠⅠⅠ 100 à 149 F

Ce cru entoure un château d'époque Louis XVI dont on a attribué la construction à l'architecte du Grand Théâtre de Bordeaux, Victor Louis. Entré dans la famille Rollet depuis quatre décennies, ce vaste domaine produit un vin à la belle robe rubis sombre. Le nez, à la fois fin et intense, livre des notes de lierre et une touche empyreumatique. La bouche est typée ; souple à l'attaque, elle évolue vers le musc, le cuir et s'achève sur des tanins encore un peu fermes qui demandent à s'assagir.

⊶Jean-Pierre Rollet, Ch. Fourney, 33330 Saint-Pey-d'Armens, tél. 05.57.47.15.13, fax 05.57.47.10.50 ☒ Ῐ r.-v.

CH. FRANC BIGAROUX 1996★

■ 6,6 ha 11 000 ⅠⅠⅠ 70 à 99 F

Repris en 1995 par le neveu du propriétaire, ce vignoble est installé dans le village des Bigaroux, au sud de Saint-Emilion, en pied de côte, sur des sables chauds et des graves profondes. Paré d'une jolie robe rubis, ce 96 offre un bouquet de fruits mûrs mariés à un boisé délicat. Chaleureux, il dispose de tanins aimables et fondus qui se prolongent dans une finale élégamment boisée. Déjà agréable, il gagnera cependant à être un peu attendu.

⊶EARL Gilles Teyssier, 50, av. de Saint-Emilion, 33330 Saint-Sulpice-de-Faleyrens, tél. 05.57.25.90.20, fax 05.57.25.90.20 ☒ Ῐ r.-v.

⊶Francis Frétier

CH. FRANC LA ROSE 1996★

■ 1,5 ha 9 000 ⅠⅠⅠ 70 à 99 F

Cette petite propriété de 1,5 ha a été reprise en 1995 par Jean-Louis Trocard qui était alors président du syndicat viticole des bordeaux et bordeaux supérieurs. Implanté sur des sols argilo-calcaires, le vignoble se compose de 90 % de merlot et de 10 % de cabernet franc. La présentation de ce 96 est magnifique, avec une couleur grenat intense et brillante. Le bouquet exprime les fruits rouges mûrs mariés à un boisé vanillé et élégant. La bouche révèle une belle structure en bouche, des tanins puissants et fermes conférant à ce vin un bon potentiel de vieillissement.

⊶SCEA Vignobles Jean-Louis Trocard, Les Jays, 33570 Les Artigues-de-Lussac, tél. 05.57.55.57.90, fax 05.57.24.33.87, e-mail trocard@wanadoo.fr ☒ Ῐ t.l.j. sf sam. dim. 8h-12h 14h-18h

CH. FRANC LARTIGUE 1996

■ 7 ha n.c. ⅠⅠ 50 à 69 F

Ce vignoble est situé au sud de l'appellation, à Vignonet, sur sables et graves. Il est complanté à 60 % de merlot et à 40 % de cabernet franc. La couleur de ce 96 est d'un joli rouge franc. Le nez floral (rose, tilleul) annonce une bouche délicate, fondue et déjà agréable, qui permettra de boire ce vin assez rapidement.

⊶Vignobles Marcel Petit, Ch. Pillebois, 33350 Saint-Magne-de-Castillon, tél. 05.57.40.33.03, fax 05.57.40.06.05 ☒

CH. FRANC-MAYNE 1996★★

■ Gd cru clas. 7,02 ha 25 000 ⅠⅠ 150 à 199 F

85 86 |**88**| |**89**| |90| |**92**| 95 **96**

Ce beau cru de 7 ha est installé sur sols argilo-calcaires, le long de l'ancienne voie gallo-romaine qui reliait Libourne à Saint-Emilion. On peut y voir un relais de poste datant du XVIᵉs. Marqué par 90 % de merlot et par un bel élevage en fût de chêne, ce 96 compose un remarquable vin de garde. La robe est sombre et profonde, tandis que le bouquet révèle des arômes de fruits mûrs, de vanille, d'épices et de bon bois. Puissante et équilibrée, la bouche évolue très longuement, avec des tanins amples et onctueux mais encore un peu fermes en finale.

BORDELAIS

➤ SCEA Ch. Franc-Mayne, 33330 Saint-Emilion, tél. 05.57.24.62.61, fax 05.57.24.68.25
☑ 🍷 r.-v.
➤ M. Fourcroy

LES CEDRES DE FRANC-MAYNE
1996

■	7 ha	10 000	⦀	70 à 99 F

Ce second vin du château Franc-Mayne est issu de merlot presque pur. Il s'agit d'un cru très européen puisque les propriétaires associés sont belges, hollandais, luxembourgeois et français. Grenat brillant à l'œil, ce 96 a gardé les qualités de sa jeunesse. L'attaque est fraîche, le bouquet et la saveur apparaissent encore bien fruités ; de bons tanins marquent la finale. Cette bouteille pourra sûrement donner de grandes satisfactions dans l'avenir.
➤ Benoît et Valérie Calvet, 41, rue Borie, 33300 Bordeaux, tél. 05.57.87.01.87, fax 05.57.87.08.08 ☑
➤ SCEA Ch. Franc-Mayne

GALIUS 1996

■	10 ha	65 040	▮⦀↓	70 à 99 F

Ce cru est l'un des produits phares de l'Union de producteurs de Saint-Emilion. Il est composé de 70 % de merlot, 20 % de cabernet franc et 10 % de cabernet-sauvignon. Paré d'une couleur rubis vif et soutenu, ce 96 développe au nez des arômes grillés et toastés de bon bois qui dominent un peu le raisin actuellement. En bouche, on découvre une structure ferme et dense avec des tanins encore un peu austères, mais garants d'un bel avenir.
➤ Union de producteurs de Saint-Emilion, Haut-Gravet, B.P. 27, 33330 Saint-Emilion, tél. 05.57.24.70.71, fax 05.57.24.65.18 ☑ 🍷 t.l.j. sf dim. 8h-12h 14h-18h

CH. GRAND BERT 1996*

■	4 ha	24 000	⦀	50 à 69 F

|93| |94| 95 96

La famille Lavigne, établie dans les côtes de castillon, possède cette propriété à Saint-Sulpice-de-Faleyrens depuis six générations. La vigne de trente-cinq ans plantée sur sol sablo-graveleux est constituée à 80 % de merlot et à 20 % de cabernet franc. Ce 96 se présente dans une belle robe sombre encore jeune. Le bouquet naissant est fin et élégant, fruité. Le corps puissant et charpenté possède une grosse structure tannique qui lui permettra de vieillir longtemps. Le prix est très raisonnable.
➤ SCEA Lavigne, 33350 Saint-Philippe-d'Aiguilhe, tél. 05.57.40.60.09, fax 05.57.40.66.67, e-mail scealavigne@wanadoo.fr ☑ 🍷 r.-v.

CH. GRAND-CORBIN-DESPAGNE
1996

■	26,54 ha	85 000	⦀	100 à 149 F

89 **90** 93 94 95 96

Important domaine viticole acquis par la famille Despagne en 1812, elle-même présente en Saint-Emilionnais depuis le début du XVII^{e}s. Son vin est régulièrement retenu par nos experts, ce qui est méritoire car il s'agit ici de la totalité

de la récolte qui est triée lors des vendanges et non d'une sélection, comme c'est souvent le cas ailleurs. La couleur de ce 96 est profonde et vive. Le nez livre des arômes de fruits rouges et des senteurs vanillées. La bouche est bien équilibrée, avec un bon volume et des tanins réglissés. Un vin réussi et représentatif.
➤ SCEV Consorts Despagne, Grand-Corbin-Despagne, 33330 Saint-Emilion, tél. 05.57.51.08.38, fax 05.57.51.29.18, e-mail f.despagne@grand-corbin-despagne.com ☑ 🍷 r.-v.

CH. GRAND FAURIE LA ROSE 1996

■	4 ha	24 000	▮⦀	50 à 69 F

|94| 95 |96|

Au XVIII^{e}s., ce cru faisait partie d'un important vignoble qui appartenait à Jean Combret de Faurie, jurat de Saint-Emilion. Les 4 ha de Grand Faurie La Rose sont installés sur des sols de sables bruns reposant sur une couche de crasse de fer. Ce 96 à la robe légère et brillante, quelque peu évoluée, est un vin simple et facile à boire. Les arômes de fruits frais et acidulés se mêlent à des parfums boisés subtils. La bouche compense un certain manque de puissance par beaucoup de finesse et de fraîcheur.
➤ SCEA Dom. du Grand Faurie, La Rose 3, 33330 Saint-Emilion, tél. 05.56.85.89.90, fax 05.56.44.21.23 ☑ 🍷 r.-v.
➤ N. et P. Soyer

CH. GRAND MAYNE 1996**

■	Gd cru clas.	19 ha	80 000	⦀	250 à 299 F

75 78 81 82 83 **85 86** 87 88 |89| |90| **91** |92| |93| 94 95 **96**

Ce très beau manoir construit sous Henri IV et les chais rénovés dans les années 80 sont entourés d'un superbe vignoble de 20 ha. Ce 96 racé a d'emblée séduit notre jury par sa couleur intense, pourpre sombre, à reflets violines. Le bouquet, expressif et complexe, mêle les fruits rouges, les odeurs épicées et vanillées, les senteurs grillées et brûlées de bon bois. La bouche, harmonieuse et élégante, allie finesse et puissance, avec des tanins mûrs, charnus et gras, longuement persistants. Un grand vin de garde à consommer dans cinq à dix ans.
➤ Jean-Pierre Nony, 1, Le Grand-Mayne, 33330 Saint-Emilion, tél. 05.57.74.42.50, fax 05.57.24.68.34, e-mail chateau.grand.mayne@wanadoo.fr ☑ 🍷 r.-v.

CH. GRAND-PONTET 1996★

■ Gd cru clas.	14 ha	72 000	◫ + de 500 F

81 82 83 85 86 |88| |89| |90| 91 |93| 94 **95** 96

Beau vignoble de 14 ha situé sur le plateau calcaire à l'ouest de la cité, planté pour trois quarts de merlot et pour un quart de cabernets ; cette combinaison donne habituellement des vins à la fois solides et nerveux, alliant la rondeur du merlot et la vigueur du terroir. C'est le cas de ce 96 paré d'une robe sombre, doté d'un bouquet puissant, encore fruité, évoluant sur des notes animales et boisées. L'attaque est pleine, puis la trame serrée s'affirme avec des tanins encore un peu austères. Un vin moderne dont l'extraction a été très fortement menée. A attendre un peu.
☛ Sté Fermière du Ch. Grand-Pontet, 33330 Saint-Emilion, tél. 05.57.74.46.88, fax 05.57.24.66.88 ☖ r.-v.
☛ Famille Bécot-Pourquet

CH. GRANDS-CHAMPS 1996

■	2 ha	13 000	◫ 50 à 69 F

Ce petit cru de 2 ha fait partie d'une belle exploitation viticole de 17 ha qui produit également du côtes de castillon. Installé en pied de côte sur argilo-calcaire, il se compose de 80 % de merlot pour 20 % de cabernet franc. Le 96 est si jeune que son bouquet encore discret évoque les fruits rouges sur des notes boisées agréables. Bien équilibré, il dispose d'une structure correcte qui devrait lui permettre d'être prêt à boire dans deux à trois ans.
☛ SCEA Ch. Grands Champs, Lacares, 33350 Saint-Magne-de-Castillon, tél. 05.57.40.07.59, fax 05.57.40.07.59 ☑ ☖ t.l.j. 9h-12h 14h-19h
☛ Jean Blanc

CH. GRAVES DE PEYROUTAS 1996

■	2 ha	13 000	⬛♨ 50 à 69 F

Ce second vin du château Quercy est composé majoritairement de merlot avec un appoint de 10 % de cabernet franc. Cela donne un 96 équilibré, de couleur pourpre. Le nez libère tout d'abord des notes animales puis, à l'aération, des arômes de fruits rouges et de confiture. La bouche est charpentée et ferme, avec de bons tanins encore un peu rudes qui demandent quelques années pour s'affiner.
☛ GFA du Ch. Quercy, 3, Grave, 33330 Vignonet, tél. 05.57.84.56.07, fax 05.57.84.54.82, e-mail chateauquercy@wanadoo.fr ☑ ☖ r.-v.
☛ Apelbaum

CH. GROS CAILLOU 1996★

■	6 ha	30 000	◫ 50 à 69 F

Etablie depuis quatre générations sur la commune de Saint-Sulpice-de-Faleyrens, la famille Dupuy exploite aujourd'hui 23 ha dont 6 produisent ce cru sur un terroir de graves planté à 60 % de merlot et à 40 % de cabernets. Ce 96 est d'une jolie couleur grenat avec quelques reflets ambrés. Le nez offre des notes fumées et des nuances de girofle assez élégantes. En bouche, l'ensemble est homogène, structuré sans dureté, avec des tanins déjà veloutés qui permettent de boire ce vin assez vite.

☛ SCEA des Vignobles Jacques Dupuy, Ch. Gros Caillou, 33330 Saint-Sulpice-de-Faleyrens, tél. 05.57.24.74.91, fax 05.57.74.40.98 ☑ ☖ r.-v.

CH. GUEYROSSE 1996★

■	4,6 ha	18 000	⬛◫♨ 70 à 99 F

86 |90| 92 |93| 94 96

Installé sur sables et graves avec trois quarts de merlot pour un quart de cabernets, ce cru a accédé à l'appellation saint émilion grand cru en 1987. Son 96 présente une belle couleur rubis profond et soutenu à reflets noirs. Très expressif au nez, il révèle des arômes de fruits rouges mûrs, d'épices douces et de bois grillé. Charnu en attaque, ce vin dispose d'une bonne structure offrant des tanins mûrs, très présents. Il gagnera à être un peu attendu.
☛ EARL Vignobles Yves Delol, Ch. Gueyrosse, 33500 Libourne, tél. 05.57.51.02.63, fax 05.57.51.93.39 ☑ ☖ r.-v.

CH. HAUT-BRISSON 1996

■	9,5 ha	64 000	◫ 70 à 99 F

Ce cru a été acquis par ses nouveaux propriétaires en 1997. Ceux-ci ont immédiatement fait passer le 96 en barriques neuves. Cela se sent d'ailleurs encore un peu trop mais devrait permettre au vin de prendre du caractère en vieillissant. Aujourd'hui il a une belle couleur grenat foncé. Son bouquet naissant, très boisé, demande à s'ouvrir un peu. L'attaque est franche, puis les tanins s'affichent. Ce vin a cependant suffisamment de matière pour qu'une bonne garde lui apporte l'harmonie dans cinq ans.
☛ SCEA Ch. Haut-Brisson, 33330 Vignonet, tél. 05.57.84.69.57, fax 05.57.74.93.11 ☑ ☖ r.-v.
☛ Kwok Moulinet

CH. HAUTE-NAUVE 1996

■	8,51 ha	35 600	⬛♨ 50 à 69 F

Caractérisé par des sols argilo-siliceux et siliceux, avec 60 % de merlot, 30 % de cabernet franc et 10 % de cabernet-sauvignon, ce cru propose un 96 à la robe légère et aux reflets saumonés. Le bouquet est dominé par des arômes de fraise cuite et de petits fruits rouges. Souple, rond et harmonieux en bouche, ce vin apparaît simple mais agréable et déjà prêt à boire.
☛ Union de producteurs de Saint-Emilion, Haut-Gravet, B.P. 27, 33330 Saint-Emilion, tél. 05.57.24.70.71, fax 05.57.24.65.18 ☑ ☖ t.l.j. sf dim. 8h-12h 14h-18h
☛ SCE Ch. Haute-Nauve

CH. HAUT LA GRACE DIEU 1996★

■	2 ha	10 000	◫ 70 à 99 F

Second vin du château Rozier issu pour trois quarts de merlot et pour un quart de cabernet franc plantés sur sables anciens. Sa couleur est d'un grenat très foncé ; le nez fleuri, fruité, boisé sans excès, affiche une belle finesse. Plein, équilibré, fondu, structuré par des tanins élégants, c'est un vin à goûter sur un gibier ou une viande rouge dans deux ou trois ans.
☛ Jean-Bernard Saby, Ch. Rozier , 33330 Saint-Laurent-des-Combes, tél. 05.57.24.73.03, fax 05.57.24.67.77 ☖ t.l.j. 8h-12h 14h-18h

CH. HAUT-LAVALLADE 1996

■ 8 ha 40 000 🛢 70 à 99 F

Jolie propriété d'une douzaine d'hectares à l'encépagement classique, située sur des coteaux argilo-siliceux et argilo-calcaires au nord-est de Saint-Emilion. Le 96 a une belle robe rubis sombre, un bouquet déjà expressif, encore marqué par le bois avec des touches de tabac, d'épices, mais aussi des notes fruitées. Corsé et charpenté par des tanins encore fermes, c'est un vin de garde.

⊶ SARL Chagneau JPMD, Ch. Haut-Lavallade, 33330 Saint-Christophe-des-Bardes, tél. 05.57.24.77.47, fax 05.57.74.43.25 ☑ Y t.l.j. 8h-12h 14h-19h; sam. dim. sur r.-v.

CH. HAUT-PLANTEY 1996★

■ 9,4 ha 60 000 🛢 70 à 99 F

86 88 |89| |90| |93| 94 |95| 96

Ancien castel des abbés Marquaux, comme l'indique l'étiquette, ce cru se répartit en deux unités : 4,5 ha à flanc de coteau sur des sols argilo-calcaires profonds et 5 ha sur le plateau calcaire. Il propose un 96 d'une superbe couleur dont le bouquet révèle un mariage harmonieux entre les fruits rouges cuits et confits, les épices et le cuir. Ample et charnu en bouche, doté d'une texture équilibrée et d'une bonne persistance aromatique, ce vin devrait s'épanouir dans les trois à cinq ans.

⊶ SCEA des Vignobles Michel Boutet, Ch. Vieux Pourret B.P. 70, 33330 Saint-Emilion, tél. 05.57.24.70.86, fax 05.57.24.68.30 ☑ Y r.-v.

CH. HAUT-PONTET 1996★

■ 4,35 ha 30 000 🛢 70 à 99 F

Installée aux portes du bourg de Saint-Emilion, sur des sables éoliens du mindel, déposés il y a plus de six cent mille ans sur des formations calcaires, cette jolie petite propriété de 4,5 ha est complantée essentiellement de merlot. Il en résulte ce vin à la robe grenat, peu évolué. Le bouquet torréfié est marqué par des odeurs boisées, empyreumatiques (grillé, fumée, goudron), mais laisse percer quelques arômes fruités. Doté d'une belle structure et de tanins assez charnus, ce 96 mérite d'être attendu quelques années.

⊶ Jean Daspet, GFA Ch. Haut-Pontet, 33330 Saint-Emilion, tél. 05.57.43.17.82, fax 05.57.43.22.74 ☑ Y r.-v.

CH. HAUT-SARPE 1996

■ Gd cru clas. 13 ha 76 000 🛢 150 à 199 F

82 83 85 86 88 |89| |90| 92 |93| |94| 95 96

Le pavillon central du château, inspiré du Trianon et reconstruit à la fin du XIX^{e}s., a fière allure et règne sur un grand parc au cœur du vignoble. Paré d'une robe chatoyante, ce 96 présente un bouquet encore discret mais très fin, aux arômes de fruits confits, d'épices et de cuir. La bouche est harmonieuse et équilibrée. La finale un peu ferme demandera du temps pour s'assouplir.

⊶ SE du Ch. Haut Sarpe SA, Ch. Haut-Sarpe, B.P. 192, 33506 Libourne Cedex, tél. 05.57.51.41.86, fax 05.57.51.53.16 ☑ Y r.-v.

CH. HAUT-SEGOTTES 1996

■ 8,7 ha 40 000 ▮🛢 70 à 99 F

88 |89| |90| |92| |93| |94| 96

Cette propriété familiale est installée sur des sables argileux mêlés de crasse de fer. De couleur rubis, ce 96 développe au nez des arômes de fruits mûrs et confits. La bouche révèle de la mâche et du gras, avec des tanins serrés mais élégants. Une bouteille de belle tenue, à attendre deux ou trois ans.

⊶ Danielle André, Ch. Haut-Segottes, 33330 Saint-Emilion, tél. 05.57.24.60.98, fax 05.57.74.47.29 ☑ Y r.-v.

CH. JEAN VOISIN Cuvée Amédée 1996★

■ 5,5 ha 30 000 🛢 100 à 149 F

Ce 96 a une belle couleur rubis foncé et se montre déjà expressif au nez, avec des notes de merlot mûr, de bois vanillé, d'humus. Souple et rond en bouche, où les tanins du bois sont bien fondus, ce vin équilibré et distingué est un classique.

⊶ SCEA du Ch. Jean Voisin, 33330 Saint-Emilion, tél. 05.57.24.70.40, fax 05.57.24.79.57 ☑ Y r.-v.

⊶ GFA Chassagnoux

CH. JUGUET 1996★

■ 10 ha 45 000 🛢 50 à 69 F

Ce cru de 10 ha, sur les 28 ha que possède la famille Landrodie, est situé sur des sols de sables et de graves. Issu d'un assemblage classique, ce 96 est très réussi. Sa couleur grenat foncé présente quelques reflets d'évolution. Le nez de fruits mûrs est d'une grande finesse. La bouche se déroule sur un boisé fin et fondu. Un vin plaisir.

⊶ SCEA Landrodie Père et Fille, Juguet, 33330 Saint-Pey-d'Armens, tél. 05.57.24.74.10, fax 05.57.24.66.33 ☑ Y t.l.j. sf dim. 8h-12h 14h-19h

CLOS LABARDE 1996

■ 4,58 ha 14 000 ▮🛢🌡 50 à 69 F

Il s'agit d'un vrai clos entouré de murets en moellons situé à quelques centaines de mètres à l'est de la cité médiévale. Le terroir argilo-calcaire porte des vignes de trente-cinq ans, constituées à 75 % de merlot. Le vin s'habille d'une jolie robe pourpre légèrement évoluée. A l'aération, le nez s'ouvre sur des notes de fruits à noyau. Soyeuse à l'attaque, la bouche se révèle ronde et grasse, portée par des tanins doux et une saveur persistante de pruneau en finale.

⊶ Jacques Bailly, SCA des Vignobles du Clos Labarde, Bergat, 33330 Saint-Emilion, tél. 05.57.74.43.39, fax 05.57.74.40.26 ☑ Y r.-v.

CH. LA BONNELLE 1996

■ 8 ha 40 000 ▮🛢🌡 70 à 99 F

93 |94| |95| 96

Ce cru implanté au sud-est de l'appellation sur sols argilo-sableux propose un 96 d'un beau rouge profond à reflets mauves. Le bouquet est déjà complexe avec une succession fruitée (mûre, pruneau) et boisée (pain chaud, vanille). La bouche est encore un peu austère mais bien structurée par des tanins serrés. Un vin représentatif de son millésime.

🔑 Vignobles Sulzer, La Bonnelle, 33330 Saint-Pey-d'Armens, tél. 05.57.47.15.12, fax 05.57.47.16.83 🆅 Y r.-v.

CH. LA CLUSIERE 1996★★

■ Gd cru clas. 3,5 ha 11 500 (||) 100 à 149 F

81 82 **83** 85 **86** |**88**| |89| |90| 92 |**93**| 94 95 **96**

Il s'agit d'une des dernières récoltes des anciens propriétaires (consorts Valette) : en effet, ce petit vignoble, enclavé dans Pavie, a été acheté par Gérard Perse en 1998. Le terroir argilo-calcaire et l'exposition sud, face à la cité, sont très favorables à la qualité. Cela se vérifie dans le verre avec un 96 remarquable, paré d'une très belle couleur pourpre foncé. Un bouquet fin et élégant, plein de fruits et de notes de bois réglissées, annonce la bouche à la fois puissante et charmeuse. Très prometteur.

🔑 Gérard Perse, Ch. La Clusière, 33330 Saint-Emilion, tél. 05.57.55.43.43, fax 05.57.24.63.99 Y r.-v.

CH. LA COMMANDERIE 1996

■ 5,35 ha 35 000 (||) 70 à 99 F

82 83 **85** |88| |89| |(90)| |91| |92| |93| |94| **95** 96

Ce cru, qui appartient aux Domaines Cordier depuis 1989, est d'une grande régularité. Le 96 a une jolie couleur rubis intense. Le nez, encore un peu fermé, demande une petite agitation pour exprimer du fruit rouge légèrement boisé. L'attaque est souple, suivie de tanins encore un peu sévères.

🔑 Domaines Cordier, 53, rue du Dehez, 33290 Blanquefort, tél. 05.56.95.53.00, fax 05.56.95.53.08 🆅 Y r.-v.

CH. DE LA COUR 1996

■ 2 ha 12 500 ▮ (||) 🌡 70 à 99 F

Créé en 1995 par Hugues Delacour, jeune viticulteur venu de Champagne, ce petit cru est planté de merlot âgé de vingt-cinq ans, avec un appoint de 10 % de cabernet franc. Cela donne un vin bien construit, pourpre à reflets violines. Les arômes confiturés de fruits rouges et noirs sont accompagnés de notes épicées et vanillées. Puissant et étoffé en bouche avec des tanins mûrs et bien enveloppés, ce 96 goûteux demandera de trois à cinq ans pour atteindre son optimum qualitatif.

🔑 EARL du Châtel-Delacour, Hugues Delacour, Ch. de La Cour, 33330 Vignonet, tél. 05.57.84.64.95, fax 05.57.84.65.00 🆅 Y r.-v.

CH. LA COURONNE 1996★

■ 10 ha n.c. (||) 100 à 149 F

Ce vignoble saint-émilionnais appartient à la maison Mälher-Besse. Ici les vignes âgées de trente ans, plantées sur un sol argilo-sableux, se composent de 60 % de merlot, 25 % de cabernet-sauvignon et 15 % de cabernet franc. Cela donne un vin expressif d'une jolie couleur bigarreau à reflets mauves, avec du fruit rouge au nez, un peu marqué par les notes empyreumatiques du bois torréfié. Doté d'un bon équilibre, ce 96 possède de la mâche et se montre persistant.

🔑 Mähler-Besse, 49, rue Camille-Godard, B.P. 23, 33026 Bordeaux, tél. 05.56.56.04.30, fax 05.56.56.04.59, e-mail mbwine@atlantic-line.fr Y r.-v.

CH. LA COUSPAUDE 1996★

■ Gd cru clas. 7,01 ha 36 000 (||) 250 à 299 F

82 83 85 **86** 88 |(89)| |90| 91 |92| |**93**| 94 **95** 96

Classé à partir du millésime 96, ce cru entièrement ceint de murs possède une remarquable cave souterraine voûtée et participe tous les ans à la vie culturelle de Saint-Emilion en accueillant des expositions de peintures et de sculptures de renommée internationale. Paré d'une robe grenat à reflets rubis, ce vin développe un bouquet intense et flatteur marqué par des odeurs de bois grillé, de cacao et de vanille sur des arômes de fruits rouges et noirs. Souple, ronde et soyeuse, la bouche révèle des tanins élégants et fins. Une bouteille gracieuse et plaisante, à consommer dans trois à cinq ans.

🔑 Vignobles Aubert, Ch. La Couspaude, 33330 Saint-Emilion, tél. 05.57.40.15.76, fax 05.57.40.10.14 🆅 Y r.-v.

CH. LA CROIX CANTENAC 1996★

■ n.c. 14 000 ▮ (||) 50 à 69 F

Ce petit vignoble situé sur un sol sablo-graveleux est composé de 70 % de merlot, 25 % de cabernet franc et 5 % de cabernet-sauvignon. Le 96 est paré d'une robe rubis nuancé de grenat. Un bouquet profond de fruits mûrs et de vanille annonce un vin encore jeune mais prometteur, riche et équilibré, soutenu par des tanins élégants. Un très bon saint-émilion de garde... avec un bon rapport qualité-prix.

🔑 Richard et Fils, Le Bourg, 33330 Saint-Christophe-des-Bardes, tél. 05.57.74.19.08, fax 05.57.74.19.08 🆅 Y r.-v.

CH. LA DOMINIQUE 1996★★

■ Gd cru clas. 18 ha 60 000 (||) 300 à 499 F

81 (82) 83 85 **86** **87** |88| |**89**| |90| 91 92 **93** |94| 95 **96**

Cet important domaine saint-émilionnais est proche de Pomerol. Son terroir est fait de graves et de sables anciens. Son encépagement à 80 % de merlot pour 20 % de cabernets a donné en 1996 un grand vin, à forte personnalité, très apprécié de nos dégustateurs qui lui ont attribué un coup de cœur. Sa belle robe bordeaux sombre est encore fraîche. Son bouquet à la fois puissant et complexe exprime des arômes de fruits très mûrs, de pruneau, de cacao, de merrain toasté.

BORDELAIS

Puissant et savoureux en bouche, soutenu par des tanins finement boisés et persistants, c'est un saint-émilion de garde, déjà très harmonieux.

➥Vignobles Clément Fayat,
Ch. La Dominique, 33330 Saint-Emilion,
tél. 05.57.51.31.36, fax 05.57.51.63.04 ☑ ⵏ r.-v.

CH. LA FLEUR CRAVIGNAC 1996

| ■ | 7,53 ha | n.c. | ⫯⫯ 70 à 99 F |

Ce cru est servi au restaurant de l'Assemblée nationale. Le 96 est représentatif de l'appellation, à attendre deux à trois ans. La robe rubis est encore vive. Le bouquet marie les arômes de fruits rouges et d'épices à des notes finement boisées. La bouche, équilibrée, possède des tanins consistants mais non agressifs ; elle est d'une bonne longueur.

➥SCEA Ch. Cravignac, 33330 Saint-Emilion,
tél. 05.57.74.44.01, fax 05.57.84.56.70 ☑ ⵏ r.-v.
➥ La Beaupertuis

CH. LA FLEUR DE JAUGUE 1996★

| ■ | 4,5 ha | 18 000 | ⫯⫯ 70 à 99 F |

Cette petite propriété familiale est installée sur une croupe d'argile couvrant des graves. L'encépagement est constitué de 80 % de merlot pour 20 % de cabernet franc. Ce cru propose un 96 très réussi dans sa robe rubis vif. Le bouquet évoque les fruits rouges mûrs et cuits finement mêlés à des notes boisées et grillées. En bouche, souplesse, rondeur et vinosité rendent déjà ce vin très plaisant, et sa structure équilibrée permettra une bonne garde.

➥Georges Bigaud, 150, av. du Gal-de-Gaulle, 33500 Libourne, tél. 05.57.51.51.29,
fax 05.57.51.29.70 ☑ ⵏ r.-v.

CH. LA FLEUR PEREY
Cuvée Prestige Vieillie en fût de chêne 1996★

| ■ | 3,4 ha | 22 000 | ⫯⫯ 50 à 69 F |
|93| |94| |95| 96

Cette cuvée Prestige est le fleuron de cette propriété de 12 ha, installée sur sols sablo-graveleux. Elle est issue d'une majorité de merlot avec un appoint de 20 % de cabernets. Avec sa couleur grenat, son bouquet harmonieux mêlant les arômes fruités, les épices et un boisé élégant, ce 96 se montre équilibré et ferme. Un vin joliment travaillé.

➥Vignobles F. et A. Xans, Perey, 33330 Saint-Sulpice-de-Faleyrens, tél. 05.57.24.62.12,
fax 05.57.24.63.61 ☑ ⵏ r.-v.

CH. LA FLEUR VACHON 1996

| ■ | 4 ha | 20 000 | ⫯⫯ 50 à 69 F |

On note la présence de 5 % de cot dans l'encépagement de ce cru. Cela donne un vin à la couleur encore jeune, aux arômes de fruits noirs (cassis) et d'épices (poivre). La bouche un peu ferme possède des tanins qui demandent à s'affiner.

➥Vignobles Raymond Tapon, Lafleur Vachon, 33330 Saint-Emilion, tél. 05.57.74.61.20,
fax 05.57.74.61.19 ☑ ⵏ r.-v.

CH. LA GAFFELIERE 1996★

| ■ 1er gd cru B | 18 ha | 70 000 | ⫯⫯ 250 à 299 F |
75 78 79 80 81 ⑧② 83 84 85 |86| 87 |88| |89| 90 91 92 |93| 94 95 96

Ce cru plonge ses racines dans l'antiquité viticole : la propriété recèle les vestiges d'une *villa gallo-romaine* du IVᵉs., avec une superbe mosaïque représentant un cep de vigne. Elle appartient à la famille du comte de Malet Roquefort depuis plusieurs siècles. Une belle robe bordeaux classique, un bouquet profond de merlot très mûr (pruneau) suivi d'un boisé épicé : la dégustation décèle tout de suite un grand vin. Puissant et chaleureux en bouche, structuré par des tanins toastés qui promettent une bonne garde, ce 96 doit être réservé à des mets de qualité tels qu'une bécasse rôtie.

➥Léo de Malet Roquefort, Ch. La Gaffelière, 33330 Saint-Emilion, tél. 05.57.24.72.15,
fax 05.57.24.65.24 ☑ ⵏ r.-v.

CLOS LA GAFFELIERE 1996★

| ■ | 3 ha | 14 000 | ⫯⫯ 70 à 99 F |

Dans le jury des non classés, le second vin du château La Gaffelière a été jugé très réussi tant sa robe est d'un beau rubis sombre ; son nez exprime du fumet, du grillé, du bois toasté. La bouche est très agréable, avec du fruit rouge bien mûr, du boisé fin, beaucoup de corps et des tanins issus du bois qui doivent se fondre mais qui assureront une bonne garde à ce 96.

➥Léo de Malet Roquefort, Ch. La Gaffelière, 33330 Saint-Emilion, tél. 05.57.24.72.15,
fax 05.57.24.65.24 ☑ ⵏ r.-v.

CH. LA GARELLE 1996

| ■ | 9 ha | 40 000 | ⫯⫯ 50 à 69 F |

Installé sur graves et sables avec 80 % de merlot, 10 % de cabernet franc et 10 % de cabernet-sauvignon, ce vignoble a été repris en 1994 par Jean-Luc Marette. Son 96, de teinte rouge cerise vif et brillant, offre un bouquet épanoui de fruits rouges, de cuir, de fumée et de vanille. Souple et tendre, il sera assez rapidement prêt à consommer.

➥Jean-Luc Marette, Ch. La Garelle, 33330 Saint-Emilion, tél. 05.57.24.61.98,
fax 05.57.24.75.22 ☑ ⵏ r.-v.

CH. LA GOMERIE 1996★★

| ■ | 2,52 ha | 8 350 | ⫯⫯ + de 500 F |

Bon début pour la famille Bécot sur ce petit domaine proche de Beau-Séjour Bécot. Comme pour la première récolte en 1995, elle reçoit deux étoiles avec le 96. Le vin est très « merlot » : robe grenat très sombre, arômes de confiture chaude, de cassis et de merrain. Beaucoup de volume en bouche, des saveurs très mûres, des tanins soyeux et fondus, du boisé fin, bien intégré. Beaucoup de persistance. Ce bel équilibre promet le plus grand avenir.

➥GFA La Gomerie, 33330 Saint-Emilion,
tél. 05.57.74.46.87, fax 05.57.24.66.88
➥ G. et D. Bécot

CH. LA GRACE DIEU LES MENUTS 1996★

■ 13,05 ha 82 000 🛢 70 à 99 F

86 88 |89| 91 |93| |94| 95 96

Un fidèle de notre guide. Il s'agit ici de la totalité du vignoble de 13 ha, composé aux deux tiers de merlot pour un tiers de cabernets plantés sur sols argilo-calcaires et siliceux. Le 96 vaut le détour ; sa belle robe rubis, ses arômes encore fruités accompagnés d'une touche animale, sa bouche soutenue par des tanins soyeux vous séduiront dans trois ou quatre ans.

🔑 Vignobles Pilotte-Audier SCEA, La Grâce-Dieu, 33330 Saint-Emilion, tél. 05.57.24.73.10, fax 05.57.74.40.44 ☑ 🍷 r.-v.

CH. LA GRAVE FIGEAC 1996★

■ 4,5 ha 26 000 ▮ 🛢 70 à 99 F

93 |94| **95** 96

Depuis son acquisition en 1993 par la famille Clauzel, ce cru figure dans notre guide. Composé, comme Pavillon-Figeac, de deux tiers de merlot et d'un tiers de cabernet franc, il propose un 96 élevé en barriques neuves et d'un an pendant quatorze mois, d'une belle couleur grenat soutenu. Le bouquet vineux développe des arômes de fruits rouges et de pruneau. La bouche est agréable avec une structure équilibrée, des tanins soyeux et fins, et une bonne longueur. A ouvrir dans trois à cinq ans.

🔑 Clauzel, Ch. La Grave-Figeac, 1, Cheval-Blanc-Ouest, 33330 Saint-Emilion, tél. 05.57.51.38.47, fax 05.57.74.17.18 ☑ 🍷 t.l.j. 10h-19h

CH. DE LANGRANNE 1996

■ 12 ha 90 530 ▮ 🛢 🌡 30 à 49 F

Ce vignoble de 12 ha est planté sur des sols variés mêlant argiles, graves et sables anciens. Les chais ont été entièrement rénovés en 1995 et ont permis l'élaboration de ce 96 représentatif de son millésime et de son appellation. La couleur rubis est assez vive et bien soutenue. Le bouquet, finement grillé, exprime les fruits rouges confits mêlés à des odeurs animales de cuir et de fourrure. La bouche harmonieuse permettra une consommation dans les deux à trois années à venir.

🔑 SC du Ch. Musset-Chevalier, Saint-Pey-d'Armens, 33240 Saint-Gervais, tél. 05.57.94.00.20, fax 05.57.43.45.72 🍷 r.-v.

CH. LANIOTE 1996★

■ Gd cru clas. 5 ha 30 000 🛢 100 à 149 F

|89| |93| |94| 95 96

Arnaud et Florence de La Filolie, propriétaires de Laniote, possèdent au cœur de la cité la grotte-ermitage où aurait vécu le moine Emilion au VIII^{e}s., la chapelle de la Trinité du XIII^{e}s. et les catacombes. Ils n'en demeurent pas moins attachés au vignoble comme en témoigne ce 96 très réussi. La robe est brillante et légère avec des nuances orangées. Le bouquet naissant associe la confiture de fruits rouges à des nuances finement boisées. Après une attaque souple, la bouche évolue sur des tanins fermes et très présents, encore un peu sévères, mais qui s'affineront après trois ou quatre ans de garde.

🔑 Arnaud de La Filolie, Ch. Laniote, 33330 Saint-Emilion, tél. 05.57.24.70.80, fax 05.57.24.60.11 ☑ 🍷 t.l.j. 8h-12h30 13h30-19h; groupes sur r.-v.

CH. DE L'ANNONCIATION 1996

■ 1 ha 5 500 🛢 50 à 69 F

Ce petit cru familial déjà retenu l'an dernier est planté de merlot (80 %) et de cabernet franc (20 %) d'une trentaine d'années sur sols sableux. Le vin a une jolie présentation, un nez agréable où l'on peut trouver des notes de pruneau et de réglisse, une bouche assez ronde avec des tanins de bonne constitution qui ont besoin d'un peu de temps pour s'affiner.

🔑 Bruno Callegarin, 11, av. de l'Europe, 33500 Libourne, tél. 05.57.51.74.50, fax 05.57.49.48.33 ☑ 🍷 r.-v.

CH. LAPELLETRIE 1996

■ 12 ha 80 000 ▮ 🛢 🌡 70 à 99 F

Installé sur les sols argilo-calcaires de Saint-Christophe-des-Bardes, ce cru de 12 ha est essentiellement composé de merlot, avec un appoint de 10 % de cabernet franc. Limpide et très brillant, de couleur rouge cerise vif, ce 96 libère au nez des arômes agréables de fruits rouges acidulés. Souple et rond en bouche, c'est un vin de plaisir, qui compense un léger manque de puissance par une certaine élégance.

🔑 Pierre Jean, 33330 Saint-Christophe-des-Bardes, tél. 05.56.61.51.80, fax 05.56.61.51.90 🍷 r.-v.

CH. LAPLAGNOTTE-BELLEVUE 1996★

■ 5,54 ha 30 584 🛢 70 à 99 F

Cette belle propriété de 6 ha, située à Saint-Christophe-des-Bardes, est installée sur des sols sableux et un sous-sol argileux à traces d'alios. L'encépagement est classique et équilibré. Cela donne un 96 paré d'une belle couleur rubis. Le bouquet très agréable exprime les fruits rouges cuits, la vanille et le pain grillé. Harmonieux et doté d'une belle structure, ce vin fort élégant sera prêt dans deux à trois ans.

🔑 Claude de Labarre, Ch. Laplagnotte-Bellevue, 33330 Saint-Christophe-des-Bardes, tél. 05.57.24.78.67, fax 05.57.24.63.62, e-mail arnauddl@aol.com ☑ 🍷 r.-v.

CH. LARCIS DUCASSE 1996

■ Gd cru clas. 10,9 ha 50 000 ▮ 🛢 🌡 150 à 199 F

82 83 **85 86** 87 |88| 91 |93| |94| 96

Créé en 1750, ce cru est dans la famille de l'actuelle propriétaire depuis plus d'un siècle. Complanté de deux tiers de merlot pour un tiers de cabernets, il est établi sur des argilo-calcaires et des marnes. Les vignes sont âgées en moyenne de trente-cinq ans. Dans ces conditions est né un vin plaisant, déjà un peu évolué, qui sera prêt à boire dans deux à trois ans. La robe grenat montre des reflets orangés et le bouquet élégant rappelle la confiture de fruits rouges bien mûrs. La bouche est tout en souplesse et rondeur, compensant un petit manque de structure par de la finesse et une belle harmonie.

🔑 Mme H. Gratiot-Alphandéry, Ch. Larcis Ducasse, 33330 Saint-Laurent-des-Combes, tél. 05.57.24.70.84, fax 05.57.24.64.00 ☑ 🍷 r.-v.

CH. LARMANDE 1996★★

■ Gd cru clas. 20 ha 110 000 150 à 199 F

76 81 82 **83 85 86** |(88)| |89| |90| |92| |93| **94 96**

Propriété de La Mondiale, Larmande obtint des coups de cœur pour les millésimes 93 et 94. Ce cru classé est situé à 1 km au nord de la cité, sur terroir argilo-sableux à crasse de fer. Les vignes, âgées en moyenne de trente-cinq ans, sont constituées à 60 % de merlot, à 30 % de cabernet franc et à 10 % de cabernet-sauvignon. Le 96 est remarquable : dès le premier regard, on admire sa robe bordeaux dense à reflets ambrés. Le bouquet est d'une grande finesse, mêlant fruits noirs, tabac blond, bois chaud. Le corps harmonieux est à la fois dense et charpenté par des tanins veloutés. Superbe bouteille de garde.

SCE du Ch. Larmande, 33330 Saint-Emilion, tél. 05.57.24.71.41, fax 05.57.74.42.80, e-mail chateau-larmande@wanadoo.fr
☑ Y r.-v.
La Mondiale

CH. LA ROSE COTES ROL 1996★

■ 9,3 ha 60 000 50 à 69 F

C'est aujourd'hui la quatrième génération des Mirande qui exploite ce cru situé au nord de la cité. Le frère s'occupe de la vigne et du vin, la sœur assure la commercialisation. Ce 96 est tout à fait conforme à un grand cru. Avec une belle robe bordeaux, un bouquet déjà complexe à dominante de raisins bien mûrs, une bouche puissante, charpentée, aux tanins de bois fondus et persistants, c'est un vin bien élevé.

SCEA Vignobles Mirande, Ch. La Rose Côtes Rol, 33330 Saint-Emilion, tél. 05.57.24.71.28, fax 05.57.74.40.42 ☑ Y r.-v.

CH. LA ROSE-POURRET 1996★

■ 8 ha 55 000 50 à 69 F

94 |95| 96

Un habitué du Guide. La vigne, d'une superficie de 8 ha et d'une trentaine d'années, est située à 1 km à l'ouest de la cité, sur sols sableux et argilo-sableux. Le vin a une couleur grenat dense et des arômes intenses qui demandent à s'assagir un peu. Après une belle attaque, la bouche affiche sa puissance et des tanins élégants qui demandent eux aussi à être attendus. Vin de garde.

Warion, La Rose Pourret, 33330 Saint-Emilion, tél. 05.57.24.71.13, fax 05.57.74.43.93
☑ Y r.-v.

CH. LA ROSE TRIMOULET 1996

■ n.c. 30 000 50 à 69 F

(82) **86 88** |89| |90| 91 92 |93| 94 95 96

68 % de merlot, 22 % de cabernet franc, 10 % de cabernet-sauvignon entrent dans ce 96 de couleur grenat à reflets évolués ; un vin encore discret au nez, où les arômes de fruits rouges et les notes boisées ne demandent qu'à s'exprimer. La bouche est équilibrée par des tanins ronds et souples. Une bouteille agréable qui sera prête dans deux à trois ans.

Jean-Claude Brisson, Ch. La Rose Trimoulet, 33330 Saint-Emilion, tél. 05.57.24.73.24, fax 05.57.24.67.08 ☑ Y r.-v.

CH. LAROZE 1996★

■ Gd cru clas. 25 ha 105 000 100 à 149 F

85 86 88 89 |90| 91 92 |93| |94| 95 96

Ce cru important appartient toujours à la famille qui l'a créé en 1882. Le vignoble est composé pour trois quarts de merlot et pour un quart de cabernets implantés sur sols siliceux et argileux. Ce vin a une belle couleur sombre. Les arômes sont puissants : après le fruit confit apparaissent des senteurs d'épices et de cuir. L'attaque est chaleureuse et ample, le goût viandé, la structure encore un peu austère. Il faudra l'attendre un peu.

Famille Meslin, SCE Ch. Laroze, 33330 Saint-Emilion, tél. 05.57.24.79.79, fax 05.57.24.79.80, e-mail ch.laroze@wanadoo.fr ☑ Y r.-v.

CH. LA SERRE 1996★

■ Gd cru clas. 7 ha n.c. 100 à 149 F

92 |93| 95 96

La Serre existe depuis le milieu du XVIIIe s. Son exposition est plein sud. Les vignes, âgées de trente ans, comportent 80 % de merlot pour 20 % de cabernets plantés sur un terroir argilo-calcaire typique de l'appellation. Le vin a une jolie robe grenat à liseré carminé. Le bouquet est déjà expressif, surtout composé de notes boisées, toastées, et de café délicatement vanillé. Chaleureux et charmeur, le palais possède une structure élégante, des tanins soyeux, un boisé fin encore un peu dominant mais qui va s'harmoniser assez vite.

Bernard d'Arfeuille, Ch. La Serre, 33330 Saint-Emilion, tél. 05.57.51.17.57, fax 05.57.51.08.15 ☑ Y r.-v.

CH. LASSEGUE 1996

■ 24 ha 150 000 70 à 99 F

Cette propriété de 24 ha agrémentée d'une splendide demeure du XVIIIe s. est installée à flanc de coteau tout près de Saint-Laurent-des-Combes. Le vignoble est planté sur sols argilo-calcaires et argilo-siliceux. La couleur cerise vive de la robe et le bouquet discret de noyau indiquent bien la jeunesse et la fraîcheur de ce vin charpenté et un peu austère actuellement. Cette structure robuste et ferme devrait permettre une longue garde.

SC des Vignobles Freylon, 33330 Saint-Hippolyte, tél. 05.57.24.72.83, fax 05.57.74.48.88
☑ Y r.-v.

CH. LA TOUR FIGEAC 1996★★

■ Gd cru clas. 13,6 ha 42 000 150 à 199 F

82 83 85 86 |89| **|90|** |93| 94 95 **96**

Détaché en 1879 de Figeac, ce cru doit son nom à une tour qui existait encore sur le domaine à la fin du XVIIIe s. Le vignoble de trente ans d'âge, planté sur graves et sables anciens, est constitué de 60 % de merlot et de 40 % de cabernet franc. Cela a donné un 96 remarquable, d'une belle couleur grenat foncé, au bouquet élégant de pain grillé et de torréfaction sur des arômes de fruits rouges confits et d'épices. Souple, rond et gras en bouche, ce vin bénéficie d'une bonne structure tannique. Il nécessitera une garde de quatre à cinq ans afin de s'épanouir totalement.

⊶ SC Ch. La Tour Figeac, B.P. 007, 33330 Saint-Emilion, tél. 05.57.51.77.62, fax 05.57.25.36.92 ☑ Y r.-v.
⊶ Rettenmaier

CH. LAVALLADE 1996

■ 4 ha 27 000 50 à 69 F

Ce vignoble situé au nord-est de l'appellation est constitué de vignes de trente-cinq ans : 75 % de merlot, 20 % de cabernet franc et 5 % de cabernet-sauvignon complantés sur des sols argilo-calcaires et limono-argileux. Le vin est très coloré. Aromatique, le nez livre des notes de lierre, de menthe, de réglisse. Encore un peu fermé en bouche, ce 96 gagnera à être décanté pour exprimer son fruit et son tanin. A attendre un peu.

⊶ SCEA Gaury et Fils, Ch. Lavallade, 33330 Saint-Christophe-des-Bardes, tél. 05.57.24.77.49, fax 05.57.24.64.83 ☑ Y r.-v.

CH. LA VOUTE 1996★★

■ 1,14 ha 7 400 70 à 99 F

94 95 96

Créé en 1993, ce cru confidentiel (moins de 1,5 ha) est composé exclusivement de merlot planté sur des argiles brunes. 96 est le troisième millésime consécutif à obtenir deux étoiles dans le Guide. Sa robe grenat dense et profond, puis son bouquet puissant fait de fruits mûrs et d'odeurs grillées de bon bois annoncent la superbe concentration de ce vin équilibré et riche. On ne peut que regretter qu'il n'y ait que 7 400 bouteilles.

⊶ EARL Moreau, Ch. d'Arvouet, 33570 Montagne, tél. 05.57.74.56.60, fax 05.57.74.58.33 ☑ Y r.-v.

CH. LE JURAT 1996

■ 7,58 ha 50 800 100 à 149 F

85 86 |88| |89| |90| **91 |93| 94** 95 96

Produit par le château Haut-Corbin, ce 96, bien présenté dans sa robe grenat très soutenu, offre un bouquet naissant de fruits rouges cuits et confits mêlés à d'élégantes notes boisées. Corsé, rond et vineux en bouche, ce vin bien structuré devrait être prêt à boire dans deux à trois ans.

⊶ Ch. Le Jurat, 33330 Saint-Emilion, tél. 05.57.51.95.54, fax 05.57.51.90.93 ☑ Y r.-v.

LE PETIT CHEVAL 1996★★

■ 35 ha 30 000 150 à 199 F

Créée en 1988, cette marque est le second vin de Cheval Blanc. Il a ici concouru dans la catégorie des grands crus, et non des crus classés. Le millésime 96, constitué de 80 % de cabernet franc et de 20 % de merlot, est un produit remarquable d'élégance et d'harmonie. La robe grenat est sombre et profonde. Le bouquet est une véritable explosion d'arômes de fruits rouges mûrs et confits parfaitement mariés aux senteurs grillées et toastées du bon bois de l'élevage. La qualité des tanins soyeux donne une superbe bouteille à ouvrir dans quatre à cinq ans.

⊶ SC du Cheval Blanc, 33330 Saint-Emilion, tél. 05.57.55.55.55, fax 05.57.55.55.50 Y r.-v.

CH. LES GRANDES MURAILLES 1996★

■ Gd cru clas. 1,96 ha 9 000 100 à 149 F

88 |(89)| 94 95 96

Ce petit vignoble de 2 ha est situé à l'entrée de la cité, sur la route venant de Libourne, au pied des célèbres Grandes Murailles, vestiges d'un couvent de bénédictins du XIIe s. détruit pendant les guerres de Religion. Le 96 est un beau vin de garde typique, de couleur grenat sombre et à reflets rubis encore vifs. Le nez intense et boisé livre des arômes de fruits noirs bien mûrs, mêlés aux odeurs grillées et toastées d'un bon élevage en fûts de chêne neufs. Séveuse et dense, la bouche révèle des tanins gras et charnus, bien équilibrés et longs.

⊶ SC Les Grandes Murailles, Ch. Côte de Baleau, 33330 Saint-Emilion, tél. 05.57.24.71.09, fax 05.57.24.69.72 ☑ Y r.-v.

CH. LES GRAVIERES

Cuvée Prestige Vieilli en fût de chêne 1996★★

■ 3 ha 18 000 100 à 149 F

89 90 **|91| |92| |93| |(94)| (95) 96**

Après cinq coups de cœur consécutifs sur les millésimes 91 à 95, Denis Barraud propose un remarquable 96 avec cette cuvée Prestige composée de vieux merlots nés sur graves et sables, superbement élevés en fûts de chêne neufs. La robe pourpre à reflets violines est très sombre et profonde. Le bouquet, racé et élégant, marie harmonieusement les arômes de fruits mûrs aux notes vanillées et grillées de bon bois. La bouche allie puissance, volume et finesse, avec des tanins très présents mais jamais agressifs. Une splendide bouteille de garde.

⊶ SCEA des Vignobles Denis Barraud, Ch. Haut-Renaissance, 33330 Saint-Sulpice-de-Faleyrens, tél. 05.57.84.54.73, fax 05.57.84.52.07 ☑ Y r.-v.

CH. LEYDET-FIGEAC 1996★

■ 3,84 ha 25 000 50 à 69 F

Cette petite propriété familiale est contiguë au Château Figeac. Elle est composée de 60 % de merlot, 30 % de cabernet franc et 10 % de cabernet-sauvignon. L'âge moyen du vignoble atteint le quart de siècle. Vêtu d'une jolie robe légère et simple mais attrayante, ce 96 développe des parfums de petits fruits rouges frais et acidulés (groseille, cerise, cassis). On apprécie la finesse de la structure, les tanins soyeux et délicats qui se prolongent agréablement sur une finale grillée. Une bouteille très réussie, à apprécier maintenant ou dans les trois ans.

⊶ SCEA des vignobles Leydet, Ch. Leydet-Figeac, 33500 Libourne, tél. 05.57.51.19.77, fax 05.57.51.00.62 ☑ Y t.l.j. sf dim. 9h-12h30 14h-18h; f. 20 déc.- 01 jan.

CH. L'HERMITAGE-LESCOURS 1996

■ 3,42 ha 23 000 50 à 69 F

Ce vignoble est implanté sur des sols sableux reposant sur des argiles mêlées de crasse de fer. La robe grenat sombre présente des reflets d'évolution. Le bouquet mêle un fin boisé à des arômes de fruits cuits. La bouche souple et ronde révèle des tanins fondus qui se prolongent agréable-

BORDELAIS

ment dans une finale douce et épicée. Ce vin assez charmeur sera vite prêt à boire.

⊶ Daniel Quentin, 51, rue Pline-Parmentier, 33500 Libourne, tél. 05.57.24.63.23, fax 05.57.74.15.15 ☑

CH. LUCIE 1996*

■ 3 ha 13 000 ▮ 🛢 🌡 100 à 149 F

Nouveau venu dans le Guide, ce cru, créé en 1995, étend ses 3 ha de vignes sur des sols variés, sables, graves et argilo-calcaires. L'encépagement est à base de merlot avec un appoint d'un dixième de cabernets. Son 96 est paré d'une robe de couleur pourpre. Ses parfums fruités sont agréablement associés aux odeurs toastées et vanillées d'un joli boisé. La structure est harmonieuse et racée, avec des tanins mûrs et équilibrés, une matière riche et charnue, et une finale longue et aromatique. Attendre de deux à trois ans pour mieux l'apprécier.

⊶ Michel Bortolussi, 316, Grand-Champs, 33330 Saint-Sulpice-de-Faleyrens, tél. 05.57.24.72.63, fax 05.57.24.73.00

CH. MAGDELAINE 1996*

■ 1er gd cru B 10,36 ha 28 800 🛢 200 à 249 F

70 75 78 79 80 82 Ⓢ83 **85 86** |87| |88| |89| **90** |92| |93| **94 95** |96|

Un classique du vignoble saint-émilionnais à 90 % de merlot, situé sur le plateau calcaire et la côte argilo-calcaire exposée plein sud. Le tout exploité par une maison très sérieuse qui n'a laissé ce millésime que quatorze mois en barrique. Cela donne un 96 tout en élégance, avec une jolie teinte rubis, un peu tourmaline. Le bouquet est déjà expressif : on y perçoit des arômes de raisins de Corinthe, de fruits rouges, de noyau de cerise, de cuir. L'attaque est soyeuse, suivie d'une saveur de fruits cuits et d'une structure qui exprime bien le sol dont le vin est issu.

⊶ Ets Jean-Pierre Moueix, 54, quai du Priourat, 33500 Libourne

CH. MAGNAN 1996

■ 10 ha 50 000 🛢 70 à 99 F

Propriété achetée en 1979 par la famille Moreaud qui a réalisé depuis des travaux importants. Le 96 a une jolie couleur rubis. Très plaisant, le nez affiche du fruité, puis des notes épicées et torréfiées. L'attaque est onctueuse, suivie de tanins qui demandent à s'arrondir un peu mais pas trop longtemps (deux ans). Du même producteur, le **Château Lamarzelle Cormey 96** obtient la même note.

⊶ SCEA Cormeil-Figeac-Magnan, B.P. 49, 33330 Saint-Emilion, tél. 05.57.24.70.53, fax 05.57.24.68.20, e-mail moreaud@cormeil-figeac.com ☑ Y r.-v.

⊶ Moreaud

MANGOT Cuvée Quintessence 1996*

■ 2,75 ha n.c. 🛢 100 à 149 F

Pas de terme « château » mais plutôt « cuvée » revendiqué pour cette sélection de 2,75 ha sur l'important ensemble des vignobles Jean Petit. Produit par des merlots vieux de quarante ans, ce 96 est très réussi. Sa robe est pourpre, rutilante. Son bouquet intense et élégant, à la fois fruité et boisé, sa bouche souple et dense à la saveur encore fruitée, aux tanins de bois présents mais dénués d'agressivité composent un vin de caractère. La cuvée principale, **Château Mangot 96**, récoltée sur 30 ha, obtient une citation. Elle est simple mais sincère (70 à 99 F).

⊶ Vignobles Jean Petit, Ch. Mangot, 33330 Saint-Etienne-de-Lisse, tél. 05.57.40.18.23, fax 05.57.40.15.97, e-mail chmangot@terre-net.fr ☑ Y t.l.j. 8h-12h 13h30-18h; sam. dim. sur r.-v.

CH. MARQUIS DE LA CROIX LANDOL 1996

■ 1,5 ha 10 000 🛢 100 à 149 F

Il s'agit d'une cuvée spéciale qui n'est élaborée que dans les meilleurs millésimes produits par le château de Cantin, et qui est élevée entièrement en barriques neuves. La couleur est très sombre, presque noire. Les premiers arômes, très fruits rouges mûrs (cerise), sont vite dominés par le bois neuf. La bouche perçoit les mêmes sensations. L'ensemble paraît équilibré mais encore un peu brut, dominé par la barrique.

⊶ SC Ch. de Cantin, 33330 Saint-Christophe-des-Bardes, tél. 05.57.24.65.73, fax 05.57.24.65.82, e-mail cantin@château-de-cantin.com ☑ Y r.-v.

DOM. DE MARTIALIS 1996**

■ 4 ha 23 000 🛢 100 à 149 F

Ce cru est le second vin de Clos Fourtet mais est présenté hors du jury des crus classés. Comme son aîné, il jouit d'une remarquable exposition, à l'orée du village de Saint-Emilion, sur le plateau argilo-calcaire. Issu des plus jeunes vignes, il est également élevé en fût dans les superbes carrières du château. Ce 96 se présente dans une robe rubis profond et soutenu. Le bouquet est puissant et complexe, mariage heureux des arômes de raisins mûrs et de bon bois. Solide et charpenté, le palais bénéficie d'une structure riche et concentrée, reposant sur d'excellents tanins. Une bouteille de classe à garder de quatre à cinq ans.

⊶ SC Clos Fourtet, 33330 Saint-Emilion, tél. 05.57.24.70.90, fax 05.57.74.46.52 Y r.-v.

⊶ Lurton Frères

CH. MAUVEZIN 1996

■ 3,5 ha 15 000 🛢 100 à 149 F

Un des cinq crus que la famille Cassat exploite sur Saint-Emilion. Celui-ci a été acheté en 1968. Il porte des vignes de quarante ans sur calcaire à astéries. 45 % de cabernets, pourcentage supérieur aux habitudes de la région, donnent un vin particulier, d'une couleur pourpre, au bouquet prometteur, fruité puis élégamment boisé. La bouche est équilibrée et complexe. Un caractère intéressant.

⊶ GFA P. Cassat et Fils, B.P. 44, 33330 Saint-Emilion, tél. 05.57.24.72.36, fax 05.57.74.48.54 ☑ Y t.l.j. sf dim. 8h-12h 14h-18h

CH. MONBOUSQUET 1996*

■ 32 ha 82 500 🛢 250 à 299 F

|93| **94 95** 96

Important domaine faisant partie de l'ensemble viticole que la famille Perse a acquis sur Saint-Emilion (Pavie, Pavie-Decesse, La Clusière), toujours bien jugé par nos experts. Le 96 est très coloré, déjà expressif au nez où l'on trouve la prunelle, des notes animales et boisées. Chaleureux et volumineux en bouche, il offre une bonne concentration. Ses tanins de bois, encore un peu austères, donneront un beau vin lorsqu'ils se seront affinés.

⊶ SA Ch. Monbousquet, 33330 Saint-Sulpice-de-Faleyrens, tél. 05.57.55.43.43, fax 05.57.24.63.99 Y r.-v.

⊶ Gérard Perse

CH. MONLOT CAPET 1996

■ 7 ha 45 000 ◖◗ 100 à 149 F

|90| 92 |93| |94| |95| |96|

Né au XVIIe s., ce cru élève ses vins dans 50 % de barriques neuves. C'est un habitué du Guide. Son 96 joue plutôt sur la finesse que sur la puissance. La robe est légère, ourlée de franges orangées. Le nez est déjà évolué avec des notes de cassis, de cuir. La bouche souple et savoureuse offre une bonne persistance en finale. Ce vin devrait pouvoir se boire dans les deux ou trois ans.

⊶ Bernard Rivals, Ch. Monlot-Capet, 33330 Saint-Hippolyte, tél. 05.57.74.49.47, fax 05.57.24.62.33 ☒ Y t.l.j. sf sam. dim. 9h-12h 14h-18h

CH. MOULIN DU CADET 1996★

■ Gd cru clas. 4,62 ha 16 800 ◖◗ 100 à 149 F

82 85 86 88 |89| |90| 92 94 96

Vignoble presque entièrement constitué de merlot (à peine 10 % de cabernets), situé sur le plateau argilo-calcaire. Le 96 a un style très classique. Il se pare d'une robe bordeaux légèrement carminé. Le bouquet naissant est déjà profond et complexe : merlot très mûr, cuir, pain chaud, boisé discret. Après une attaque souple, la bouche se montre corsée et séveuse. Malgré une structure tannique encore un peu austère, c'est un vin bien construit, homogène, tout à fait dans son appellation et son millésime.

⊶ SC du Ch. Moulin du Cadet, 33330 Saint-Emilion

CH. MOULIN SAINT-GEORGES 1996★★

■ 7 ha 37 000 ◖◗ 200 à 249 F

86 89 |(90)| 91 |**93**| |94| 95 **96**

Cru de 7 ha, situé à l'entrée sud de la cité, au pied du coteau d'Ausone, et qui appartient à la même famille saint-émilionnaise. La vigne d'une vingtaine d'années est plantée sur un terroir argilo-calcaire ; le merlot domine, avec un appoint de 20 % de cabernet-sauvignon. Le jury s'est enthousiasmé pour ce 96, appréciant sa belle robe bordeaux dense et son bouquet riche, puissant, complexe, encore un peu sous le bois torréfié. La bouche grasse repose sur des tanins très présents. Un vrai saint-émilion, un peu monolithique mais majestueux.

⊶ C. et A. Vauthier, Ch. Ausone, 33330 Saint-Emilion, tél. 05.57.24.70.26, fax 05.57.74.47.39 ☒

CH. MUSSET-CHEVALIER 1996★

■ 12 ha 90 530 ▮◖◗🌡 30 à 49 F

Située à l'est de l'appellation, sur des sols argilo-sableux, cette exploitation a rénové ses chais en 1995 et les effets s'en font déjà sentir. D'une belle couleur rubis, ce 96 exhale un bouquet complexe - fruits cuits mêlés à des odeurs boisées aux nuances de fumée et de résine. Assez corpulent, il développe des tanins ronds et fondus qui persistent longuement en une délicieuse finale vanillée. A attendre de trois à cinq ans.

⊶ SC du Ch. Musset-Chevalier, Saint-Pey-d'Armens, 33240 Saint-Gervais, tél. 05.57.94.00.20, fax 05.57.43.45.72 Y r.-v.

⊶ Raivico SA

CH. ORISSE DU CASSE 1996

■ 5,35 ha 12 000 ▮◖◗🌡 70 à 99 F

85 86 |**88**| |**89**| 92 |94| 95 96

Tous deux œnologues, Danielle et Richard Dubois élaborent des vins respectueux du terroir. Celui-ci provient de vignes de quarante ans plantées sur des sols sableux, des graves ferrugineuses et des croupes graveleuses. Le merlot domine à 93 %, complété par le cabernet franc. Le vin est également représentatif de son millésime par sa jolie couleur griotte à reflets mauves, son nez encore fruité et confit. La bouche souple et ronde laisse s'exprimer le raisin mûr. Bonne structure générale.

⊶ Danielle et Richard Dubois, Ch. Bertinat Lartigue, 33330 Saint-Sulpice-de-Faleyrens, tél. 05.57.24.72.75, fax 05.57.74.45.43, e-mail dubricru@aoc.com ☒ Y r.-v.

CH. PATRIS 1996

■ 6 ha 24 000 ◖◗ 100 à 149 F

88 |90| 92 |(93)| 95 96

Michel Querre exploite plusieurs vignobles en Bordelais. Ici le merlot est présent à 90 %. Le vin a des reflets rubis mat légèrement évolués. Son bouquet déjà intense associe un boisé vanillé et des fruits rouges. Après une attaque souple, la saveur monte en puissance sur du fruit rouge, des épices, du tabac. Déjà harmonieux, ce 96 pourra se boire dans deux ou trois ans.

⊶ Michel Querre, Ch. Patris, B.P. 51, 33330 Saint-Emilion, tél. 05.57.55.51.60, fax 05.57.55.51.61 Y r.-v.

CH. PAVIE 1996★★

■ 1er gd cru B 33,09 ha 150 000 ◖◗ 250 à 299 F

70 71 75 76 |**78**| 79 80 **81** |**82**| |**83**| |**85**| |**86**| 87 |**88**| **89** (90) |**91**| |**92**| |**93**| **94 95 96**

Il s'agit ici d'une des dernières récoltes de la famille Valette, puisque ce cru emblématique de Saint-Emilion a été repris par Gérard Perse en 1998. Situé sur la côte de Pavie, à droite de la route qui monte vers la cité, le vignoble couvre

41 ha dont 33 consacrés au premier vin. Celui-ci mérite bien son classement, avec sa teinte grenat profond, son bouquet intense et concentré composé de fruits mûrs, de boisé délicat et d'une touche de gibier. Puissant, charpenté, il offre une belle longueur en bouche. La bouche très corsée, encore exubérante, demande à s'assagir un peu. Beaucoup de classe dans ce grand vin d'avenir.
⊶ Gérard Perse, Ch. Pavie, 33330 Saint-Emilion, tél. 05.57.55.43.43, fax 05.57.24.63.99
Y r.-v.

CH. PAVIE-DECESSE 1996*

■ Gd cru clas. 9 ha 59 000 ◖◗ 150 à 199 F

81 82 83 85 86 |**88**| |(**89**)| |**90**| 92 |**93**| 94 96

Cette belle propriété de 9 ha, exposée plein sud, est établie sur des côtes argilo-calcaires. Les vignes de quarante ans d'âge comprennent 60 % de merlot, 25 % de cabernet franc et 15 % de cabernet-sauvignon. Ce 96 est le dernier millésime des Valette puisque ce domaine a été repris par Gérard Perse en 1997. Très engageant dans sa robe grenat sombre et intense, il est encore un peu discret et fermé, le nez laissant percer des arômes de fruits rouges et des notes finement boisées ; il devrait s'ouvrir rapidement. La bouche apparaît bien structurée avec des tanins à la fois puissants et harmonieux, très longs en finale. Une belle bouteille de garde à boire après l'an 2000.
⊶ SCA Pavie-Decesse, 33330 Saint-Emilion, tél. 05.57.55.43.43, fax 05.57.24.63.99 Y r.-v.
⊶ Gérard Perse

CH. PAVIE MACQUIN 1996*

■ Gd cru clas. 12 ha 55 000 ◖◗ 250 à 299 F

83 85 86 |88| |89| |90| |91| |92| |93| 94 96

Situé sur le plateau argilo-calcaire, au-dessus de la côte Pavie et tout près de la cité, ce cru doit son nom à son fondateur, Albert Macquin, qui sauva le vignoble saint-émilionnais du phylloxéra en introduisant l'usage du plant greffé. Pourpre sombre et intense à reflets violets, ce 96 encore très jeune libère des arômes de fruits mûrs harmonieusement mariés à un boisé vanillé, fin et fondu. Rond, souple et charnu en attaque, doté de tanins élégants, il devrait être prêt à consommer au début du prochain millénaire.
⊶ SCEA Ch. Pavie Macquin, 33330 Saint-Emilion, tél. 05.57.24.74.23, fax 05.57.24.63.78
☑ Y r.-v.
⊶ Famille Corre-Macquin

CH. PAVILLON FIGEAC 1996*

■ 1,88 ha 12 000 ▮◖◗ 70 à 99 F

|94| 95 96

Remarquablement situé entre Figeac et Cheval Blanc, ce petit cru bénéficie d'un encépagement équilibré (deux tiers de merlot et un tiers de cabernet franc), installé sur des sols sablonneux. Ce 96 élevé en barriques de deux et trois ans pendant douze mois est paré d'une robe rubis, brillante et soutenue. Les arômes de fruits rouges et noirs bien mûrs sont accompagnés par des odeurs d'épices et de cuir. Doté en bouche d'un belle structure ample et riche, sans aspérité, ce vin élégant et harmonieux sera vite prêt à boire.
⊶ Clauzel, Ch. La Grave-Figeac, 1, Cheval-Blanc-Ouest, 33330 Saint-Emilion, tél. 05.57.51.38.47, fax 05.57.74.17.18 ☑ Y t.l.j. 10h-19h

CH. PETIT FAURIE DE SOUTARD 1996

■ Gd cru clas. 7,94 ha 42 000 ▮◖◗ 100 à 149 F

82 83 85 86 88 |89| |90| 91 92 |93| |94| 96

Détaché en 1850 du grand domaine de Soutard, ce cru utilise également le nom de « Faurie », lieu-dit qui fut le théâtre d'une célèbre bataille de la guerre de Cent Ans. Bien présenté dans une robe brillante, grenat clair, ce 96 offre un bouquet déjà évolué avec des odeurs animales, puis des notes d'épices et d'humus. La bouche, souple à l'attaque, développe des tanins un peu fermes. Un vin qui mérite d'être attendu.
⊶ SCE Vignoble Aberlen, Petit Faurie de Soutard, 33330 Saint-Emilion, tél. 05.57.74.02.06, fax 05.57.74.59.34 ☑ Y r.-v.
⊶ Mme Capdemourlin

CH. PETIT-FIGEAC 1996

■ 3 ha n.c. ◖◗ 100 à 149 F

88 |**89**| |93| 94 **95** |96|

Ce petit cru de 3 ha fait partie du groupe Axa Millésime. Le vin est issu de vignes de vingt-cinq ans implantées sur sols sableux et argilo-calcaires. Le 96 a une jolie couleur grenat foncé, un bouquet fin et fruité. Bien équilibrée, la bouche possède d'agréables tanins qui permettront de boire cette bouteille assez vite.
⊶ Jean-Michel Cazes, Ch. Petit-Figeac, 33330 Saint-Emilion, tél. 05.57.51.21.08, fax 05.57.51.87.31, e-mail infochato@chateauxassociés.com
⊶ Axa Millésime

CH. PETIT FOMBRAUGE 1996*

■ 2,5 ha 12 000 ◖◗ 100 à 149 F

Première récolte de Pierre Lavau, nouveau propriétaire. Ce sont de bons débuts puisque ce vin, issu presque exclusivement de merlot âgé de trente ans planté sur argilo-calcaires au nord-est de l'appellation, est apprécié tant pour sa couleur jeune et foncée que pour ses arômes de cerise noire, de vanille, de bois torréfié. Sa saveur fruitée est bien soutenue par le bois. A attendre un peu.
⊶ Pierre Lavau, Ch. Petit-Fombrauge, 33330 Saint-Christophe-des-Bardes, tél. 05.57.24.77.50, fax 05.57.24.66.24 ☑ Y t.l.j. 9h-12h 14h-18h; sam. dim. sur r.-v.

CH. PETIT VAL 1996*

■ 9,25 ha 50 000 ◖◗ 70 à 99 F

86 88 |89| |(90)| |93| 95 96

Situé sur le glacis sableux au nord de Saint-Emilion et de la butte du Cadet, ce cru confirme, avec ce 96, la qualité de son vinificateur. Finement boisé au nez avec des notes épicées et animales sur des arômes de fruits cuits et confits, ce vin révèle en bouche une structure puissante et concentrée, bien équilibrée par une belle vinosité. La fermeté des tanins incite à l'attendre de trois à cinq ans.

SCEA des Vignobles Michel Boutet, Ch. Vieux Pourret B.P. 70, 33330 Saint-Emilion, tél. 05.57.24.70.86, fax 05.57.24.68.30 r.-v.

CH. PIPEAU 1996*

35 ha 180 000 70 à 99 F

86 88 |89| 92 |93| |94| 95 96

Composé de 80 % de merlot, 10 % de cabernet franc et 10 % de cabernet-sauvignon plantés sur des sols tantôt sablo-graveleux, tantôt argilo-calcaires, ce vignoble propose un 96 paré d'une belle robe grenat, dont les arômes de fruits rouges très mûrs sont actuellement dominés par un boisé grillé et toasté. Ce vin dispose d'une bonne structure avec des tanins fermes, bien présents, qui lui assureront une garde convenable.

GAEC Mestreguilhem, Ch. Pipeau, 33330 Saint-Laurent-des-Combes, tél. 05.57.24.72.95, fax 05.57.24.71.21 t.l.j. sf sam. dim. 8h-12h 14h-18h

CH. PONTET-FUMET 1996

12 ha 80 000 70 à 99 F

86 88 |**89**| 92 |93| 94 95 96

Autrefois, les vins de ce cru, dont les chais bordent la Dordogne, étaient chargés sur des gabarres et acheminés par voie fluviale jusqu'à Bordeaux où les barriques étaient transbordées sur des navires de haute mer au port de la Lune. Marqué par 80 % de merlot, ce 96 propose des arômes de fruits bien mûrs se mariant agréablement aux odeurs grillées de bon bois. La bouche offre des tanins soyeux, bien présents et puissants, encore un peu dominés par le bois, mais qui devraient s'épanouir dans les deux à trois ans.

SCEA Vignobles Bardet, 17, la Cale, 33330 Vignonet, tél. 05.57.84.53.16, fax 05.57.74.93.47, e-mail vignobles.bardet@vins-bordeaux.fr

CH. DE PRESSAC 1996

6 ha 26 000 70 à 99 F

C'est ici qu'en 1453, à l'issue de la bataille de Castillon, s'acheva la guerre de Cent Ans. Ce beau château fut acheté en 1997 par J.-F. et D. Quenin. La vigne est plantée sur les argilo-calcaires du plateau et des coteaux situés à l'est de Saint-Emilion. Le vin est d'un joli rubis vif. Le bouquet ne s'exprime pas encore. La bouche apparaît ferme, charpentée par des tanins plutôt sévères que le temps devrait rendre un peu plus soyeux.

GFA Ch. de Pressac, 33330 Saint-Etienne-de-Lisse, tél. 05.57.40.18.02, fax 05.57.40.10.07 r.-v.

J.-F. et D. Quenin

CH. PRIEURE-LESCOURS 1996

3,62 ha 20 000 50 à 69 F

Ce petit vignoble de quelque 3,5 ha, autrefois rattaché au château Lescours (XIVe s.), est établi au lieu-dit La Chapelle de Lescours, sur une veine de graves recouvrant un sous-sol de crasse de fer. Il propose un 96 simple et plaisant, déjà prêt à boire, de couleur rubis léger mais vif. Ce vin plaît au nez par ses senteurs de confiture chaude et de fruits confits. Il compense en bouche son manque de consistance par une réelle fraîcheur et une certaine élégance aromatique.

SCA Prieuré-Lescours, La Chapelle-de-Lescours, 33330 Saint-Sulpice-de-Faleyrens, tél. 05.57.51.13.85, fax 05.57.25.93.36 r.-v.

Sinsout

CH. QUERCY 1996*

3 ha 12 000 100 à 149 F

88 89 |**90**| 92 **93 94 95** 96

Produit sur 3 ha des sols gravelo-sableux de Vignonet, au sud de Saint-Emilion, ce vin a une belle présentation rubis sombre. Son bouquet puissant est encore dominé par des senteurs boisées, empyreumatiques et vanillées. Sa forte constitution lui permettra de bien vieillir.

GFA du Ch. Quercy, 3, Grave, 33330 Vignonet, tél. 05.57.84.56.07, fax 05.57.84.54.82, e-mail chateauquercy@wanadoo.fr r.-v.

Apelbaum

CH. ROCHEBELLE 1996**

3 ha 18 000 70 à 99 F

Issu d'un partage familial, ce petit cru de 3 ha est installé sur des sols argilo-calcaires. Les vignes, âgées de quarante ans, sont composées majoritairement de merlot, avec un petit appoint de cabernet franc. Ce 96 a séduit notre jury par sa couleur rubis sombre et profond, encore très jeune par ses reflets violines. Le bouquet intense et complexe évoque le cassis, la vanille, la noix de coco. Très concentré en bouche avec des tanins fermes et puissants, ce vin dispose d'une structure de grande garde et devrait s'épanouir pleinement dans cinq à six ans.

Philippe Faniest, Ch. Rochebelle, 33330 Saint-Laurent-des-Combes, tél. 05.57.25.15.44, fax 05.57.51.01.99, e-mail faniest@archimedia.fr t.l.j. 9h-12h 14h-19h

CH. DU ROCHER 1996

15 ha 51 987 50 à 69 F

Important domaine viticole de 15 ha créé au XVIIe s. par une famille établie dans la région de Saint-Emilion depuis le XVe s. Des vignes d'une trentaine d'années ont donné ce 96, bon saint-émilion grand cru de garde, à la robe grenat légèrement ambrée. Les arômes sont encore un peu dominés par le bois chauffé avec une touche de sous-bois, de terre humide. Chaleureux en attaque, le palais montre du volume et une belle structure finale épicée.

🗝SCEA Baron de Montfort, Ch. du Rocher, 33330 Saint-Etienne-de-Lisse, tél. 05.57.40.18.20, fax 05.57.40.37.26 ☒ Y r.-v.

CH. ROCHER BELLEVUE FIGEAC 1996

■ 10 ha 56 000 ⦀ 70 à 99 F

86 |88| |89| 91 |92| 93 94 |95| 96

Domaine d'une dizaine d'hectares, situé près de Figeac sur le lieu-dit Belle-Vue. L'assemblage comporte 70 % de merlot et 30 % de cabernet franc. La robe est sombre, le nez puissant s'exprime sur des notes de fruits rouges confits, de boisé vanillé et de rôti. La bouche chaleureuse et concentrée est charpentée par des tanins encore un peu fermes mais qui devraient assurer une bonne évolution.

🗝SC Rocher Bellevue Figeac, 14, rue d'Aviau, 33000 Bordeaux, tél. 05.57.24.71.41, ☒ Y r.-v.

🗝 Dutruilh

CH. ROL DE FOMBRAUGE 1996★★

■ 5,55 ha n.c. ⦀ 70 à 99 F

|88| |89| |90| 91 92 93 |94| 95 **96**

Un habitué du Guide qui le retient régulièrement. La petite taille du domaine situé à Saint-Christophe-des-Bardes permet un travail très suivi. Le 96 est particulièrement remarquable. Paré d'une robe rubis sombre, il exhale un bouquet fin et complexe où se succèdent fruité, épices, boisé réglissé et vanillé. Il a du corps, du volume. Sa charpente repose sur de bons tanins qui en font un excellent vin de garde.

🗝SCA Ch. Rol de Fombrauge, 10, rue de l'Hospice, 76260 Eu, tél. 02.35.86.59.49, fax 02.35.86.59.49, e-mail delloye@aol.com ☒ Y r.-v.

🗝 Delloye

CH. ROL VALENTIN 1996★

■ 2 ha n.c. ⦀ 250 à 299 F

|94| (95) 96

Un cru confidentiel de 2 ha, installé sur des sables éoliens. Le vignoble est composé à 95 % de vieux merlots avec un appoint en cabernet franc. Coup de cœur pour le millésime précédent, il présente cette année un 96 à la robe d'un grenat sombre et intense. Le bouquet mêle les arômes de fruits noirs confits à d'élégantes odeurs boisées. La structure est agréable, avec des tanins charnus et fondus mais bien présents. A attendre un peu pour une meilleure harmonie.

🗝Eric Prissette, Ch. Rol Valentin, 33330 Saint-Emilion, tél. 05.57.74.43.51, fax 05.57.74.45.13 Y r.-v.

CH. DE ROQUEFORT 1996★

■ 2 ha 5 000 ⦀ 70 à 99 F

Ce petit vignoble de 2 ha - sur les 16 ha qu'exploite le comte de Malet Roquefort - est une curiosité, car il est exclusivement planté de cabernet franc implanté sur argilo-calcaire : cela change un peu des vins d'ici, souvent issus de merlot presque pur. La couleur est d'un beau grenat intense. Le nez commence à exprimer des nuances animales, soutenues par un boisé discret. La bouche chaude et tannique possède suffisamment de matière pour donner de grandes satisfactions dans l'avenir.

🗝M. de Malet Roquefort, Ch. Tertre-Daugay, 33330 Saint-Emilion, tél. 05.57.24.72.15, fax 05.57.24.65.24 ☒ Y r.-v.

CH. ROYLLAND 1996★

■ 4,2 ha 20 000 ⦀ 70 à 99 F

|90| |92| |93| |94| 95 96

Un vin produit à partir de 90 % de merlot planté dans l'anse de Mazerat au sud-ouest de la cité. Sa robe est d'un beau grenat foncé. Son bouquet commence à exprimer des notes boisées, torréfiées. Sa structure à la fois élégante et dense repose sur des tanins de qualité demandant à se fondre. Un saint-émilion sérieux.

🗝GFA Roylland, 33330 Saint-Emilion, tél. 05.57.24.68.27, fax 05.57.24.65.25 ☒ Y r.-v.

🗝 Bernard Oddo

CH. ROZIER 1996★

■ 18 ha 90 000 ⦀ 70 à 99 F

1796 : premier acte d'achat par la famille Saby d'une parcelle sur Saint-Emilion. Le château Rozier actuel (vignes, maison, chais, marque) remonte au début du siècle. Bref, de l'authentique. Ce 96 l'est aussi avec sa belle robe pourpre sombre, son bouquet à la fois fruité et boisé, sa saveur pleine de distinction, de volume, de puissance. Un vin charpenté par des tanins qui demandent à s'assagir un peu mais qui assureront une bonne garde.

🗝Jean-Bernard Saby, Ch. Rozier , 33330 Saint-Laurent-des-Combes, tél. 05.57.24.73.03, fax 05.57.24.67.77 ☒ Y t.l.j. 8h-12h 14h-18h

CH. SAINT-HUBERT 1996★

■ 2,61 ha 16 000 ⦀ 100 à 149 F

La famille Aubert a créé ce petit cru de 2,6 ha en 1960. Etabli sur des sols argilo-sableux, celui-ci est constitué de 80 % de merlot, l'appoint étant également réparti entre cabernet franc et cabernet-sauvignon. Portant le nom du saint patron des chasseurs, ce 96 harmonieux devrait néanmoins mieux s'accommoder de plats délicats que de gibier. Sa robe rubis limpide montre quelques reflets carminés. Agréable et fin, le bouquet rappelle les raisins bien mûrs avec d'élégantes touches boisées. Suave et souple, le palais révèle des tanins soyeux : un vin qui pourra être bu rapidement.

🗝Vignobles Aubert, Ch. La Couspaude, 33330 Saint-Emilion, tél. 05.57.40.15.76, fax 05.57.40.10.14 ☒ Y r.-v.

CH. SAINT-LO 1996★

■ 9 ha 55 000 ⦀ 70 à 99 F

Ce cru de 9 ha est situé dans la partie orientale de l'appellation. Les chais du XVI^e^s. ont été entièrement rénovés en 1992 par le nouveau propriétaire, consul de Thaïlande à Bordeaux. Principalement issu de merlot planté sur sols argilo-calcaires, ce 96 arbore une belle robe rubis sombre à reflets carminés. Le bouquet fin et expressif libère des arômes de fruits à noyau assortis de nuances boisées. Corsé et équilibré en bouche, ce vin dispose d'une structure puissante et ferme qui demande un peu de patience.

SA du Ch. Saint-Lô, 33330 Saint-Pey-d'Armens, tél. 05.57.47.14.98, fax 05.56.81.57.90, e-mail prmbox@wanadoo.fr r.-v.

CH. TAUZINAT L'HERMITAGE 1996★★

■ 9,5 ha 60 000 100 à 149 F

88 89 |93| **94 95 96**

Coup de cœur pour les millésimes 94 et 95, ce joli cru propose un 96 remarquable qui passe encore tout près (une voix) de la récompense suprême. Issu de 80 % de merlot et de 20 % de cabernet franc plantés sur argilo-calcaires, il se présente dans une somptueuse robe de couleur bigarreau très sombre et dense. Le bouquet concentré ne s'exprime pas encore pleinement mais annonce bien la richesse et la puissance de la structure. Une superbe bouteille à attendre cinq ou six ans.

SC Vignoble Bernard Moueix, Ch. Taillefer, 33500 Libourne, tél. 05.57.25.50.45, fax 05.57.25.50.45

CH. TERTRE DAUGAY 1996★

■ Gd cru clas. 13 ha 50 000 100 à 149 F

75 80 81 82 **83 86** 87 |**88**| |89| |90| |93| 94 96

Ce cru, situé sur la pente sud du plateau de Saint-Emilion, domine la route de Libourne à Bergerac. Il est complanté à 60 % de merlot et à 40 % de cabernet franc sur un sol argilo-calcaire. Le 96 est très réussi. Sa couleur rouge profond s'ourle d'un liseré ambré. Fin et élégant au nez avec des notes de griotte, de cachou, de merrain, il offre du volume et de la consistance en bouche, charpenté par des tanins de qualité qui en font une bouteille d'avenir.

M. de Malet Roquefort, Ch. Tertre-Daugay, 33330 Saint-Emilion, tél. 05.57.24.72.15, fax 05.57.24.65.24 r.-v.

CH. TOINET FOMBRAUGE 1996

■ 0,67 ha 5 000 50 à 69 F

|93| |94| 95 96

Une parcelle de 0,7 ha est consacrée au saint-émilion grand cru alors que les autres parcelles de ce vignoble de 7,25 ha donnent un vin d'AOC saint-émilion. Il s'agit ici de vieilles vignes de plus de cinquante ans (65 % de merlot, 25 % de cabernet franc et 10 % de cabernet-sauvignon). Ce 96 a encore une couleur soutenue et jeune ; ses arômes évoquent la fleur d'acacia, la menthe, les fruits rouges, le bois toasté. Sa saveur encore fruitée, corsée par un boisé réglissé, annonce un vin qui devra encore vieillir un peu.

Bernard Sierra, Toinet-Fombrauge, 33330 Saint-Christophe-des-Bardes, tél. 05.57.24.77.70, fax 05.57.24.76.49 t.l.j. 9h-12h 15h-19h

CH. TOUR BALADOZ 1996★

■ 8,87 ha 45 000 70 à 99 F

|93| 94 95 96

Installée sur les coteaux argilo-calcaires de Saint-Laurent-des-Combes, cette propriété de 9 ha appartient à la famille de Schepper de Mour depuis 1947. Le merlot représente 80 % de l'encépagement. Ce 96 s'annonce par une jolie couleur rubis, vive et intense. Le nez, un peu dominé par les arômes boisés, devrait s'équilibrer rapidement dans une harmonie plus fruitée. Corsé et rond en bouche, ce vin dispose d'une structure bien construite et devrait s'épanouir dans trois à quatre ans.

SCEA Ch. Tour Baladoz, 33330 Saint-Laurent-des-Combes, tél. 05.57.88.94.17, fax 05.57.88.39.14 r.-v.

de Schepper

CH. TOUR DES COMBES 1996

■ 13 ha 72 900 50 à 69 F

Cette belle propriété de 13 ha appartient à la famille de Brigitte Darribéhaude depuis la création du vignoble en 1849. Elle est installée sur des sols argilo-calcaires et sableux. La robe de ce 96, brillante et limpide, est de teinte rouge cerise, fraîche et vive. Au nez, les parfums de fruits rouges dominent, mêlés de nuances animales. Souple et aromatique en bouche, sur des notes de bonbon acidulé, ce vin compense un léger manque de volume par une réelle finesse. Un ensemble sympathique et prêt à boire.

SCE des Vignobles Darribéhaude, 1, au Sable, 33330 Saint-Laurent-des-Combes, tél. 05.57.24.70.04, fax 05.57.74.46.14 r.-v.

CH. TOUR GRAND FAURIE 1996

■ 13,55 ha 54 000 50 à 69 F

88 |90| |94| |95| |96|

Agées en moyenne d'une quarantaine d'années, les vignes ont donné un vin carmin à reflets orangés chatoyants. Le nez fin exhale des arômes fruités, poivrés et épicés. Souple au début, la dégustation évolue sur des tanins fermes mais peu puissants. Une bouteille sincère et plaisante, prête à boire.

Jean Feytit, Ch. Tour Grand-Faurie, 33330 Saint-Emilion, tél. 05.57.24.73.75, fax 05.57.74.46.94 r.-v.

CH. TOUR RENAISSANCE 1996★

■ 4 ha 24 000 50 à 69 F

Ce cru de 4 ha, sur les 50 ha qu'exploite Daniel Mouty, vient de sa femme, Françoise, elle-même issue d'une très vieille famille de vignerons. Il est situé sur une croupe de graves à Saint-Sulpice-de-Faleyrens, plantée presque exclusivement de merlot. Le 96, très réussi, présente une jolie couleur grenat foncé montrant quelques nuances d'évolution et un nez ouvert sur des arômes fruités (cassis, cerise). La bouche chaleureuse et équilibrée est charpentée par des tanins élégants qui devraient évoluer vers une belle harmonie.

SCEA Daniel Mouty, Ch. du Barry, 33350 Sainte-Terre, tél. 05.57.84.55.88, fax 05.57.74.92.99 t.l.j. sf sam. dim. 8h-17h; f. août

CH. TRIMOULET 1996★

■ 8 ha 49 000 70 à 99 F

Des sols argilo-siliceux sur alios et un encépagement classique (60 % de merlot pour 40 % de cabernet franc) caractérisent cette belle propriété qui doit son nom à un ancien propriétaire, Jean Trimoulet, jurat de Saint-Emilion au début du

XVIII[e]s. Elle appartient depuis deux cents ans à la famille Jean ; les vins sont maintenant commercialisés par la maison de négoce Yvon Mau SA. De couleur pourpre très sombre, la robe de ce 96 est dense et annonce une forte concentration tannique. Le nez encore discret révèle des arômes de fruits rouges, de vanille et de bon bois. La structure puissante et riche offre des tanins fermes, très présents mais non agressifs, qui demanderont cinq à six ans de patience au consommateur.

🔑 Michel Jean, Ch. Trimoulet, 33330 Saint-Emilion, tél. 05.57.24.70.56, fax 05.57.74.41.69 Y r.-v.

CH. TROPLONG MONDOT 1996★

■ Gd cru clas. 20 ha 100 000 ▮ (|) 🌡 [300 à 499 F]

82 83 85 86 |88| |89| |(90)| |92| |93| 95 96

M. Troplong, président du Sénat au XIX[e]s., fut propriétaire de ce superbe cru situé sur la butte de Mondot, tout près de la cité, au-dessus de la côte de Pavie. Marqué par une forte proportion de merlot et par un bel élevage en fûts de chêne neufs, ce 96 est encore très jeune, comme l'indique sa robe pourpre intense à reflets violines. Le bouquet naissant est actuellement dominé par des arômes puissants, grillés et torréfiés, assortis de nuances de cacao et de noix de coco. D'abord suave et moelleuse, la bouche évolue sur une structure riche et ferme qui demande un peu de patience à l'amateur.

🔑 Christine Valette, Ch. Troplong-Mondot, 33330 Saint-Emilion, tél. 05.57.55.32.05, fax 05.57.55.32.07 Y r.-v.

CH. TROTTEVIEILLE 1996

■ 1er gd cru B n.c. 39 000 (|) [200 à 249 F]

75 76 82 **85 86 |88| |90|** 91 93 94 95 96

Ce cru doit son nom amusant à une vieille dame qui habitait la chartreuse et allait aux nouvelles en trottinant lorsque la diligence s'arrêtait au bout du chemin. Aujourd'hui, le touriste qui trotte ici jouit d'un beau panorama sur la cité médiévale, la vallée de la Dordogne, Pomerol et Fronsac. Le vignoble planté sur argilo-calcaire est parfaitement équilibré entre le merlot et les cabernets (50-50). D'où ce vin à la teinte rubis nuancé de carmin, au bouquet déjà très expressif (pruneau, cuir, chêne blanc). Souple et soyeux en bouche, avec une saveur de raisins secs, ce 96 devrait pouvoir se boire dans deux ou trois ans.

🔑 Indivision Castéja-Preben-Hansen, 33330 Saint-Emilion, tél. 05.56.00.00.70, fax 05.57.87.48.61 [V] Y r.-v.

CH. DE VALANDRAUD 1996★

■ 2,5 ha 7 200 (|) [+ de 500 F]

91 92 |93| 94 (95) 96

Un vin élaboré dans la cité, à toute petite échelle. Cette année, nos dégustateurs l'ont jugé très réussi. Sa couleur sombre, cerise noire, ses senteurs de pruneau, de merrain chauffé, de tabac, sa bouche ample et ronde, ses tanins boisés très persistants et fins composent un saint-émilion de caractère. Le second vin, **Virginie de Valandraud** (300 à 499 F) joue sur les fruits noirs et le boisé, et présente une bouche plus charnue. Une bouteille très chère, mais beaucoup moins que le grand vin dont les prix défraient les chroniques vineuses.

🔑 Ets Thunevin, Maison des Vins du Libournais, 6, rue Guadet, 33330 Saint-Emilion, tél. 05.57.55.09.13, fax 05.57.55.09.12

CH. DU VAL D'OR 1996★

■ 11 ha 75 000 ▮ (|) 🌡 [70 à 99 F]

Ce cru est installé sur les graves de Vignonet. Son 96 revêt une robe de couleur grenat classique. Le bouquet puissant et complexe exprime une grande concentration sur des nuances épicées. La structure est dense et riche, avec de bons tanins mûrs et charnus qui évoluent très longuement : le gage d'un bel avenir.

🔑 SCEA Vignobles Bardet, 17, la Cale, 33330 Vignonet, tél. 05.57.84.53.16, fax 05.57.74.93.47, e-mail vignobles.bardet@vins-bordeaux.fr [V]

CH. VIEILLE TOUR LA ROSE 1996★

■ 3,45 ha 23 000 ▮ (|) [50 à 69 F]

Implanté sur les sables ferrugineux du plateau nord de Saint-Emilion, avec une majorité de vieux merlots, ce petit cru familial présente des vins d'un bon niveau. Ce 96 est bien représentatif de son appellation. La robe rouge cerise est brillante. Le bouquet, finement boisé et vanillé, libère des odeurs de confiture de fruits rouges et noirs. La dégustation est harmonieuse avec des tanins ronds, charnus et gras, très persistants sur des arômes fruités. Une belle bouteille.

🔑 SCEA Vignobles Daniel Ybert, La Rose, 33330 Saint-Emilion, tél. 05.57.24.73.41, fax 05.57.74.44.83 [V] Y r.-v.

VIEUX CHATEAU DES COMBES 1996

■ 5 ha 30 000 ▮ (|) 🌡 [70 à 99 F]

Cette marque, créée en 1995, représente la sélection de parcelles de vieilles vignes du château de Cantin, implantées sur argilo-calcaires. Elevé dans 50 % de barriques neuves, le vin affiche une jolie couleur grenat sombre. Il est encore un peu fermé au nez mais, après agitation, il exprime des notes fruitées et surtout boisées. Chaleureux et volumineux en bouche, il possède une belle présence tannique qui lui confère un caractère encore rustique ; il demande à s'affiner dans les années à venir.

🔑 SC Ch. de Cantin, 33330 Saint-Christophe-des-Bardes, tél. 05.57.24.65.73, fax 05.57.24.65.82, e-mail cantin@château-de-cantin.com [V] Y r.-v.

VIEUX CHATEAU L'ABBAYE 1996

■ 1,73 ha 11 000 (|) [70 à 99 F]

Le merlot représente l'essentiel de ce vignoble. De belle apparence dans sa robe rubis intense, ce 96 se montre chaleureux et flatteur au nez, avec ses arômes fruités, agréablement mariés aux notes toastées et vanillées du bon bois de l'élevage. La bouche confirme ces impressions favorables grâce à une attaque ample, une charpente dense et charnue, et une finale longue et soutenue.

🔑 Françoise Lladères, 33330 Saint-Emilion, tél. 05.57.47.98.76 [V] Y r.-v.

VIEUX CHATEAU PELLETAN 1996

■ 6,85 ha 20 200 ▮◖◗ 50 à 69 F

Ce 96 dévoile une jolie couleur rubis ; son nez évolue des notes florales aux fruits rouges (fraise). Sa saveur est soyeuse : les tanins déjà assez ronds permettront de le boire assez rapidement.

SCEA Vignobles Magnaudeix, Ch. Vieux Larmande, 33330 Saint-Emilion, tél. 05.57.24.60.49, fax 05.57.24.61.91 ☑ Y r.-v.

CH. VIEUX GRAND FAURIE 1996*

■ 5 ha 16 000 ▮◖◗ 50 à 69 F

95 96

Dans la famille Bourrigaud depuis le début du XVIII[e]s., ce cru est aujourd'hui géré par Pascal qui succède à son père Jean. La vigne est implantée au nord de la cité sur sols sablo-graveleux. Le 96 est prometteur comme l'annonce la couleur foncée et brillante de sa robe. Ses arômes encore fruités sont soutenus par un boisé vanillé. L'attaque est fraîche, puis l'évolution se fait sur le fruit pour finir sur une bonne mâche tannique et boisée. Très bon vin de garde, à un prix intéressant.

SCEA Bourrigaud et Fils, Ch. Vieux Grand Faurie, 33330 Saint-Emilion, tél. 05.57.74.43.98, fax 05.57.74.41.07 ☑

CH. DU VIEUX GUINOT 1996

■ 9,5 ha 65 000 ▮◖◗ 100 à 149 F

Ce cru appartient à une très ancienne famille de vignerons de la région installée depuis le XVIII[e]s. Il a produit un vin sincère, à la jolie robe rubis limpide. Le bouquet est plus floral que fruité. Une bouteille charmeuse dès la mise en bouche, avec des tanins plaisants, dénués d'agressivité et une rétro-olfaction de fruits rouges.

Jean-Pierre Rollet, Ch. Vieux Guinot, 33330 Saint-Etienne-de-Lisse, tél. 05.57.47.15.13, fax 05.57.47.10.50 ☑ Y r.-v.

CH. VIEUX LARMANDE 1996

■ 4,16 ha 23 700 ▮◖◗ 50 à 69 F

|88| |90| 92 94 95 |96|

Créé en 1849, ce cru est situé à 500 m au nord-ouest de la cité médiévale. Le vin a une couleur mauve avec quelques reflets qui traduisent une certaine évolution. Le nez est épicé (laurier), résiné, légèrement camphré. La bouche apparaît souple, soyeuse. Cette bouteille pourra se boire assez rapidement.

SCEA Vignobles Magnaudeix, Ch. Vieux Larmande, 33330 Saint-Emilion, tél. 05.57.24.60.49, fax 05.57.24.61.91 ☑ Y r.-v.

CH. VIEUX POURRET 1996*

■ 4,24 ha 24 000 ◖◗ 70 à 99 F

86 88 |89| |90| |93| 94 95 96

D'une belle intensité, la robe de ce 96 est rubis, vive et brillante. Le bouquet épanoui exprime les fruits rouges et les épices nuancés de cuir et de fumée. La bouche révèle une bonne matière, avec des tanins soyeux, ronds et charnus. La finale harmonieuse laisse une impression fruitée et vanillée. A garder de trois à cinq ans.

SCEA des Vignobles Michel Boutet, Ch. Vieux Pourret B.P. 70, 33330 Saint-Emilion, tél. 05.57.24.70.86, fax 05.57.24.68.30 ☑ Y r.-v.

CH. VIEUX SARPE 1996

■ 3 ha 20 000 ◖◗ 100 à 149 F

|93| 96

Ce cru situé à 500 m à l'est de la cité médiévale porte encore les traces des sillons creusés à même le roc que l'on emplissait de terre selon la méthode que fit appliquer l'empereur Probus pour reconstituer le vignoble au III[e]s. En 1996, la vigne est toujours là et a produit un vin plein de fraîcheur. Sa robe grenat sombre annonce des notes olfactives épicées, grillées. Chaleureux en bouche, ce vin finit sur des tanins fins et mûrs.

Sté d'Exploitation du Ch. Haut-Sarpe, B.P. 192, 33506 Libourne Cedex, tél. 05.57.51.41.86, fax 05.57.51.53.16, e-mail webmaster@josephjanoueix.com ☑ Y r.-v.

CH. VIRAMON 1996*

■ 3 ha 8 000 ◖◗ 70 à 99 F

|89| |90| 95 96

Il s'agit d'une sélection de 3 ha sur les 10 ha que la famille Lafaye possède à Saint-Etienne-de-Lisse, à l'est de la cité de Saint-Emilion. Des vignes de cinquante ans, pour les trois quarts du merlot, ont donné un 96 très réussi, d'une jolie couleur bigarreau sombre, d'une belle complexité olfactive avec une touche florale, des fruits rouges, du bois toasté. La bouche est souple et fraîche, marquée par des notes de vanille.

Vignobles Lafaye Père et Fils, Ch. Viramon, 33330 Saint-Etienne-de-Lisse, tél. 05.57.40.18.28, fax 05.57.40.02.70 ☑ Y r.-v.

CH. YON-FIGEAC 1996

■ Gd cru clas. 23 ha 130 000 ▮◖◗ 100 à 149 F

|88| |89| 92 |93| |94| 95 96

Cet important domaine viticole de 23 ha est établi sur des sols sablo-limoneux dans le secteur de Figeac. Son encépagement est à base de merlot complété par 20 % de cabernet franc. Bien présenté dans une robe grenat chatoyant, ce 96 développe un bouquet puissant et complexe mêlant des odeurs boisées aux notes dominantes de fumée et à des arômes fruités agréables. La dégustation révèle une belle trame de tanins soyeux et ronds, beaucoup de volume et une bonne longueur.

Vignobles Germain et Associés, Ch. Peyredoulle, 33390 Berson, tél. 05.57.42.66.66, fax 05.57.64.36.20, e-mail bordeaux@vgas.com ☑ Y r.-v.

> Au restaurant, il est conseillé de choisir un « petit » vin sur un menu préétabli, et de composer son menu à partir d'un grand vin ; mais en accordant les niveaux respectifs de qualité des mets et des vins.

Les autres appellations de la région de Saint-Emilion

Plusieurs communes, limitrophes de Saint-Emilion et placées jadis sous l'autorité de sa jurade, sont autorisées à faire suivre leur nom de celui de leur célèbre voisine. Ce sont les appellations de lussac saint-émilion (1 400 ha, 84 837 hl), montagne saint-émilion (1 540 ha, 91 346 hl), puisseguin saint-émilion (740 ha, 42 524 hl), saint-georges saint-émilion (168 ha, 10 118 hl), les deux dernières correspondant d'ailleurs à des communes aujourd'hui fusionnées avec Montagne. Toutes sont situées au nord-est de la petite ville, dans une région au relief tourmenté qui en fait le charme, avec des collines dominées par nombre de prestigieuses demeures historiques. Les sols sont très variés et l'encépagement est le même qu'à Saint-Emilion ; aussi la qualité des vins est-elle proche de celle des saint-émilion.

Lussac saint-émilion

CH. DE BARBE BLANCHE
Cuvée Henri IV 1996

■ 4 ha 40 000 **❙❙❙** 50 à 69 F

Cette cuvée Henri IV provient exclusivement d'une sélection de vieilles vignes de merlot. Elle se distingue par son caractère intense de fruit et de boisé grillé. En bouche, la structure est souple et équilibrée, avec une bonne rondeur finale. Un vin à boire dans les cinq prochaines années.
☛ SCE Ch. de Barbe Blanche, 33570 Lussac, tél. 05.57.74.56.52, fax 05.57.74.52.68 ☑ ⅄ r.-v.
☛ A. Magnon

CH. BEL-AIR 1996*

■ 21 ha 150 000 **❙❙❙** ⬧ 30 à 49 F

L'intégralité de la production du château Bel-Air est commercialisée sous cette étiquette, et le 96 est particulièrement réussi : robe pourpre brillante, bouquet expressif de fruits confits et de grillé, tanins francs et généreux évoluant avec harmonie et se fondant bien au boisé vanillé. C'est un vin très typé, qui s'appréciera parfaitement dans les cinq ans à venir.
☛ J.-N. Roi, EARL Ch. Bel-Air, 33570 Lussac, tél. 05.57.74.60.40, fax 05.57.74.52.11 ☑ ⅄ r.-v.

CH. DE BELLEVUE 1996

■ 6 ha 45 000 **❙❙❙** ⬧ 50 à 69 F

Ce 96 a tous les atouts d'un vin très classique à Lussac : bouquet élégant de fruits rouges, de vanille, de cannelle, tanins ronds et corsés en même temps, évoluant sur des notes boisées moelleuses. Une bouteille sympathique, à apprécier dès l'an 2000.
☛ Charles Chatenoud et Fils, Ch. de Bellevue, 33570 Lussac, tél. 05.57.74.60.25, fax 05.57.74.53.69 ☑ ⅄ r.-v.

CH. DE BORDES B de B 1996**

■ 0,25 ha 2 100 **❙❙❙** 50 à 69 F

Cette cuvée, fleuron du château de Bordes, est proposée dans une bouteille lourde, de forme spéciale, évasée en haut, serrée en bas. Elle est essentiellement issue de vieilles vignes de merlot (90 %), nées sur un terroir argilo-siliceux. Le jury lui a unanimement décerné un coup de cœur : robe pourpre, arômes complexes de fruits rouges très mûrs et de boisé fondu, tanins puissants et amples en attaque qui évoluent avec équilibre, beaucoup d'arômes de fruits. Un vin authentique, racé, qui demande pour s'assagir deux à trois ans de vieillissement.
☛ Vignobles Paul Bordes, Faize, 33570 Les Artigues-de-Lussac, tél. 05.57.24.33.66, fax 05.57.24.30.42 ☑ ⅄ r.-v.

CH. CLAYMORE 1996

■ 10 ha 60 000 **❙❙❙** 50 à 69 F

Claymore signifie épée en écossais et, après des recherches faites en Ecosse, un modèle a été reproduit sur l'étiquette. Outre cet aspect un peu guerrier du château, vous pourrez découvrir un 96 au bouquet naissant de cuir et de grillé. Ce lussac saint-émilion possède une structure puissante et équilibrée, qui demande pour s'assagir un à trois ans de vieillissement.
☛ SCEA vignobles Dubard, Ch. Claymore, 33500 Lussac, tél. 05.53.82.48.31, fax 05.53.82.47.64 ⅄ r.-v.

CH. DU COURLAT
Les Raisins de la Tradition Cuvée Jean-Baptiste 1996***

■ 3 ha 24 000 **❙❙❙** 50 à 69 F

Appartenant à Pierre Bourotte, négociant et également propriétaire à Pomerol, ce château sélectionne dans les bonnes années 3 ha de vieilles vignes qui bénéficient de tous les soins pour mûrir dans de parfaites conditions. Trois étoiles et un coup de cœur récompensent ce 96. La robe grenat est profonde ; le nez présente une belle concentration de fruits noirs et de réglisse ; les tanins sont très ouverts, amples et généreux, avec une fin de bouche longue et équilibrée. Une bouteille racée, à apprécier dans deux à cinq ans environ.

🔑 Pierre Bourotte, 62, quai du Priourat, B.P. 79, 33500 Libourne, tél. 05.57.51.62.17, fax 05.57.51.28.28 ☒ Y r.-v.

CH. CROIX DE RAMBEAU 1996★

■ 5 ha 45 000 30 à 49 F

Situé dans un terroir argilo-calcaire classique à Lussac, ce cru fait partie des valeurs sûres de l'appellation. Son 96 affiche une robe grenat intense ; son bouquet naissant évoque le fruit mûr et la vanille. Les tanins charnus et fermes sont très présents et ont besoin de se fondre avec le temps (deux à cinq ans, voire davantage).

🔑 SCEA Vignobles Jean-Louis Trocard, Les Jays, 33570 Les Artigues-de-Lussac, tél. 05.57.55.57.90, fax 05.57.55.57.98, e-mail trocard@wanadoo.fr ☒ Y t.l.j. sf sam. dim. 8h-12h 14h-18h

CH. JAMARD BELCOUR 1996

■ 5 ha 13 000 30 à 49 F

Ce 96 se distingue par sa jolie présentation (robe grenat brillante) et ses arômes délicats et agréables de fruits rouges et de vanille. En bouche, l'équilibre tannique est encore un peu ferme : il faut patienter de deux à trois ans avant de boire ce vin.

🔑 SCEV Despagne et Fils, Bonneau, 33570 Montagne, tél. 05.57.74.60.72, fax 05.57.74.58.22 ☒ Y r.-v.

CADET DU CH. LA CLAYMORE 1996

■ 10 ha 24 000 30 à 49 F

Commercialisé par le négociant Yvon Mau, ce 96 du château La Claymore mérite l'attention pour sa qualité aromatique (fruits mûrs dominants) et sa structure tannique souple et élégante, sans grande puissance cependant. Une bouteille à boire ou à garder deux ou trois ans.

🔑 SA Yvon Mau, rue André-Dupuy-Chauvin, B.P. 1, 33190 Gironde-sur-Dropt, tél. 05.56.61.54.54, fax 05.56.61.54.61 Y r.-v.
🔑 Dubard

CH. DE LA GRENIERE
Cuvée de la Chartreuse 1996

■ 2 ha 12 000 50 à 69 F

Cette cuvée spéciale est issue d'un assemblage équilibré entre merlot (55 %) et cabernets (45 %), élevé en fût de chêne. Le nez de fruits rouges confits et d'épices est en harmonie avec des tanins souples et flatteurs. Un vin à apprécier dès maintenant et pendant deux à trois ans. La **cuvée principale 96**, qui ne connaît pas le bois, est également citée pour son caractère aimable.

🔑 EARL Vignobles Dubreuil, Ch. de La Grenière, 33570 Lussac, tél. 05.57.74.64.96, fax 05.57.74.56.28 ☒ Y r.-v.

CH. LA HAUTE CLAYMORE 1996★

■ 2 ha 8 000 30 à 49 F

Une dominante de merlot (85 %) pour ce cru de 2 ha dont les origines anglaises remontent au XIVe s. Ce 96 mérite l'attention du lecteur pour son intensité et sa complexité aromatique (fruits rouges, grillé, torréfié) et sa structure tannique à la fois solide et harmonieuse. Une bouteille à laisser s'épanouir deux à cinq ans au fond d'une bonne cave.

🔑 EARL Vignobles D. et C. Devaud, Ch. de Faise, 33570 Les Artigues-de-Lussac, tél. 05.57.24.31.39, fax 05.57.24.34.17 ☒ Y r.-v.

CH. LE GRAND BOIS 1996★

■ 1 ha n.c. 30 à 49 F

Seulement 1 ha de merlot pour ce château qui a réussi un très beau millésime 96 : robe brillante presque noire, arômes de fruits rouges, de réglisse et de boisé épicé, tanins ronds, gras, bien fondus avec ceux du chêne. Ce vin est parfaitement équilibré et s'épanouira sur une viande grillée dans deux à trois ans.

🔑 SARL Roc de Boissac, Pléniers de Boissac, 33570 Puisseguin, tél. 05.57.74.61.22, fax 05.57.74.59.54 ☒ Y t.l.j. sf sam. dim. 8h-12h 14h-18h

CH. LES COUZINS
Vieilli en fût de chêne 1996

■ 20 ha n.c. 30 à 49 F

Ce 96 déjà prêt à boire se distingue par sa puissance aromatique marquée par le bois grillé et par une structure souple et harmonieuse, dominée par l'élevage en barrique : pour les amateurs de vins très boisés.

🔑 Robert Seize, Les Couzins, 33570 Lussac, tél. 05.57.74.60.67, fax 05.57.74.55.60 ☒ Y t.l.j. 9h-19h, f. janv. fév.

CLOS LES HAUTS MARTINS 1996

■ 7 ha 20 000 30 à 49 F

Un encépagement marqué par les cabernets (60 %) pour ce 96 qui charme par son bouquet floral et épicé et par une structure en bouche souple et fondue. L'équilibre final sera atteint dès l'an 2000.

🔑 EARL Les Hauts Martins, 33570 Lussac, tél. 05.57.74.56.67, fax 05.57.74.56.67 ☒ Y r.-v.
🔑 Jaume-Bion

CH. LUCAS 1996★

■ 20,5 ha 80 000 30 à 49 F

Selon la tradition, Henri IV aurait séjourné au château Lucas durant la bataille de Coutras. Vous pourrez y déguster un vin riche et complexe, très fruité et vanillé, possédant une structure tannique souple et équilibrée. La finale longue et aromatique autorise une garde de deux à trois ans, mais ce vin peut s'apprécier dès maintenant.

M. et F. Vauthier, SCEA Ch. Lucas, 33570 Lussac, tél. 05.57.74.60.21, fax 05.57.74.62.46 t.l.j. sf sam. dim. 8h-18h

CH. LYONNAT 1996★★

■ 45 ha 200 000 50 à 69 F

Rachetée en 1961 par la maison de négoce libournaise dirigée par les Milhade, cette propriété a longtemps fourni les caves du Vatican à Rome. Le millésime 96 bénéficie de la dernière rénovation en 1995 et obtient deux étoiles : la robe profonde est encore jeune, le bouquet développé de fruits mûrs se marie avec un beau boisé grillé, vanillé et cacaoté. En bouche, c'est un vin corsé, séveux, très expressif, qui évolue avec harmonie et donnera beaucoup de plaisir dans les dix années à venir. Un second vin, la **Rose Perruchon 96**, reçoit une étoile. Ample et corsé, il pourra être ouvert dans deux à trois ans.

SCEV Jean Milhade, Ch. Recougne, 33133 Galgon, tél. 05.57.55.48.90, fax 05.57.84.31.27, e-mail milhadeg@aol.com r.-v.

CH. MAYNE BLANC
Cuvée Saint-Vincent 1996★

■ 5 ha 20 000 70 à 99 F

Cette cuvée Saint-Vincent est une sélection issue de vieilles vignes et élevée en barriques neuves. Elle est très fruitée, florale et délicatement boisée. Ses tanins souples et gras évoluent avec harmonie et une bonne longueur. Cette bouteille sera très bien d'ici un à deux ans. A noter aussi la **cuvée classique 96**, citée pour sa fraîcheur aromatique et sa structure souple, à boire dès aujourd'hui.

Jean Boncheau, Ch. Mayne-Blanc, 33570 Lussac, tél. 05.57.74.60.56, fax 05.57.74.51.77 t.l.j. 8h-12h 14h-19h; f. janv.-fév.

CH. MOULIN DE GRENET 1996

■ 5 ha n.c. 50 à 69 F

C'est autour d'un vieux et pittoresque moulin du début du XVIII^e^s. que s'étend le vignoble de ce domaine. Ce 96 est très flatteur (fruits mûrs) et possède une structure tannique simple mais soyeuse et harmonieuse. Une bouteille à boire dès maintenant.

N. Roskam-Brunot, SCEA Ch. Cantenac, 33330 Saint-Emilion, tél. 05.57.51.35.22, fax 05.57.25.19.15 r.-v.

CH. DU MOULIN NOIR 1996★

■ 8,07 ha 61 500 50 à 69 F

Situé près des ruines du Moulin noir, ce vignoble reconstitué récemment bénéficie d'un terroir argilo-calcaire intéressant. Ce 96 est fort réussi avec sa robe grenat profond, son bouquet complexe de fruits mûrs (cerise) et de vanille ; ses tanins gras et veloutés, très équilibrés, évoluent en fin de bouche avec persistance sur des arômes fruités. Une belle bouteille à ouvrir d'ici deux à cinq ans.

SC Ch. du Moulin Noir, Lescalle, 33460 Macau, tél. 05.57.88.07.64, fax 05.57.88.07.00 r.-v.

CUVEE RENAISSANCE
Vieilli en fût de chêne 1996★

■ n.c. 10 000 50 à 69 F

Issu d'un terroir argilo-calcaire sur un sous-sol pierreux, cette cuvée de la cave coopérative a bénéficié de tous les soins, et le résultat est prometteur : robe brillante, bouquet développé de fruits confits, de réglisse et de menthol, tanins souples et délicats, pas très puissants, mais bien équilibrés. A garder de deux à cinq ans.

Cave coop. de Puisseguin-Lussac-Saint-Emilion, Durand, 33570 Puisseguin, tél. 05.57.55.50.40, fax 05.57.74.57.43 r.-v.

CH. DES ROCHERS 1996★

■ n.c. 22 000 50 à 69 F

Avec ce millésime, le château des Rochers est dans la lignée des précédents : robe profonde et brillante, nez expressif et élégant de confiture de mûres, belle concentration de tanins amples et harmonieux, très persistants et équilibrés. Une bouteille parfaite d'ici deux à cinq ans.

Jean-Marie Rousseau, Petit-Sorillon, 33230 Abzac, tél. 05.57.49.06.10, fax 05.57.49.38.96 r.-v.

VIEUX CHATEAU CHAMBEAU 1996★★

■ 10 ha 44 000 30 à 49 F

Vieux Château Chambeau sélectionne ses parcelles pour élaborer le « grand vin ». Encore une fois dans le millésime, le vin produit par ce cru mérite toute notre attention : intensité de la robe rubis à reflets noirs, complexité des arômes fruités et boisés (pain grillé, torréfaction) et richesse tannique veloutée. Cette bouteille a déjà beaucoup d'atouts, mais sa jeunesse et sa puissance demandent un vieillissement de trois à cinq ans au moins dans une bonne cave.

SC Ch. du Branda, Roques, 33570 Puisseguin, tél. 05.57.74.62.55, fax 05.57.74.57.33 r.-v.

Montagne saint-émilion

CH. D'ARVOUET 1996★★

■ 3,05 ha 9 000 50 à 69 F

Cette petite propriété d'à peine 4 ha a été créée en 1992. Après le coup de cœur obtenu l'an dernier par le 95, le millésime 96 est encore à l'honneur avec deux étoiles. La robe a une jolie teinte brillante ; les arômes complexes et intenses évoquent le café grillé, la vanille, et laissent percevoir une note florale. En bouche, le vin possède beaucoup de concentration et d'harmonie ; il est bien équilibré par un boisé de qualité. Quelques années de garde donneront encore plus de complexité à cette magnifique bouteille.

EARL Moreau, Ch. d'Arvouet, 33570 Montagne, tél. 05.57.74.56.60, fax 05.57.74.58.33 r.-v.

CH. BAUDRON 1996★

■ 10,12 ha 79 000 🍷 30 à 49 F

Mis en bouteille par le groupe de producteurs de Montagne, ce vin mérite une étoile : robe rubis intense, bouquet développé et élégant de fruits cuits et de grillé, équilibre tannique très intéressant avec une grande fraîcheur et beaucoup de persistance. Une bouteille à boire ou à conserver de deux à cinq ans.

🔑 Groupe de producteurs La Tour Mont d'Or, 33570 Montagne, tél. 05.57.74.62.15, fax 05.57.74.50.51 ☑ 🍷 t.l.j. sf sam. dim. 8h-12h 14h-18h

CH. BEAUSEJOUR Clos l'Eglise 1996★

■ 4 ha 20 000 🍷 70 à 99 F

Cette cuvée spéciale du château Beauséjour provient d'un clos de vignes mitoyen avec l'église de Montagne, d'où son nom de « Clos l'Eglise ». La robe grenat est nuancée de reflets pourpres. Le bouquet, élégant et expressif, libère surtout un boisé vanillé et chocolaté avec une pointe de fruits rouges. Souples et présents, les tanins sont encore un peu durs en fin de bouche : ils demandent deux ou trois ans de garde pour s'assouplir.

🔑 Vignobles Germain et Associés, Ch. Beauséjour, 33570 Montagne, tél. 05.57.42.66.66, fax 05.57.64.36.20, e-mail bordeaux@vgas.com ☑ 🍷 r.-v.

CH. BONFORT 1996★★

■ n.c. n.c. 🍷 30 à 49 F

Régulièrement remarqué dans le Guide, ce cru s'impose cette année encore comme une valeur sûre de l'appellation. Robe rubis aux reflets carminés, arômes intenses de fruits rouges fondus avec des notes grillées et vanillées, tanins ronds, mûrs, évoluant avec beaucoup d'ampleur et de charme : tout est réuni pour faire de cette bouteille un moment d'exception lors de son ouverture dans deux ou trois ans.

🔑 Cheval Quancard, La Mouline, 4, rue du Carbouney, 33520 Carbon-Blanc, tél. 05.57.77.88.88, fax 05.57.77.88.99, e-mail chevalquancard@chevalquancard.com 🍷 r.-v.

🔑 SCE de Bertineau

CH. CAZELON 1996

■ 4 ha 28 000 🍷 30 à 49 F

Ce 96 se distingue par son caractère fruité (fraise) intense et par le soyeux de ses tanins. En fin de bouche, la structure se fait très présente. Ce vin a du charme, et il s'appréciera dès maintenant et pendant deux à cinq ans.

🔑 Jean Fourloubey, Cazelon, 33570 Montagne, tél. 05.57.74.62.75, fax 05.57.74.57.47 ☑ 🍷 r.-v.

CH. CHAPELLE DE MALENGIN 1996

■ 36 ha 240 000 🍷 30 à 49 F

Mis en bouteilles et commercialisé par le négociant André Quancard, ce 96 est intéressant par son bouquet épicé et animal et par son équilibre tannique souple et moyennement persistant. Un vin simple, à boire après l'an 2000.

🔑 André Quancard-André, rue de la Cabeyre, 33240 Saint-André-de-Cubzac, tél. 05.57.33.42.42, fax 05.57.43.22.22, e-mail quancard@quancard.com

🔑 SCE des Laurets

CH. CHEVALIER SAINT GEORGES 1996★

■ 3 ha n.c. 🍷 50 à 69 F

Etabli sur un sol argileux, ce château de seulement 3 ha propose un 96 expressif, au bouquet naissant d'épices et de jasmin et aux tanins ronds, gras et boisés. Persistant et ferme en finale, ce vin demande au moins deux ou trois ans de garde dans une bonne cave.

🔑 EARL Appollot, Clos Trimoulet, 33330 Saint-Emilion, tél. 05.57.24.71.96, fax 05.57.74.45.88 ☑ 🍷 r.-v.

CLOS DU PONTET 1996

■ 10 ha 60 000 🍷 30 à 49 F

Ce cru donnera beaucoup de plaisir aux amateurs de vins fruités, épicés ; il possède une structure tannique souple et équilibrée. Une bouteille à apprécier dès maintenant.

🔑 SCE J.-C. et J.-P. Quet, Colas Nouet, 33570 Les Artigues-de-Lussac, tél. 05.57.24.37.88, fax 05.57.24.34.10 ☑ 🍷 t.l.j. sf dim. 9h-12h 14h-18h

CH. CORBIN 1996★

■ 18 ha n.c. 🍷 30 à 49 F

Un pigeonnier daté de 1606 est encore visible sur cette propriété qui est l'une des plus anciennes de l'appellation. Le vin est bien typé avec un bouquet harmonieux de petits fruits rouges et une structure tannique charnue et puissante. Il y a beaucoup de fraîcheur et de race en finale, ce qui promet un avenir d'au moins trois ans à cette bouteille.

🔑 François Rambeaud, Corbin, 33570 Montagne, tél. 05.57.74.62.41, fax 05.57.74.55.91 ☑ 🍷 t.l.j. sf dim. 9h-12h30 13h30-18h30

CH. CROIX-BEAUSEJOUR Elevé en fût 1996★

■ n.c. 20 000 🍷 30 à 49 F

Depuis 1998, ce cru peut vous recevoir dans l'une de ses trois chambres d'hôtes, et vous pourrez y apprécier autant la qualité de son accueil que celle de ses vins. Ce 96 présente beaucoup de complexité aromatique (fruits rouges, boisé grillé) et une belle matière fondue et équilibrée, encore très marquée par l'élevage en barrique. L'harmonie parfaite sera atteinte d'ici deux ans et pour au moins cinq ans.

🔑 Olivier Laporte, Ch. Croix-Beauséjour, Arriailh, 33570 Montagne, tél. 05.57.74.69.62, fax 05.57.74.59.21 ☑ 🍷 r.-v.

CH. FAIZEAU 1996★★

■ 10 ha n.c. 🍷 50 à 69 F

Cette sélection de vieilles vignes de merlot de trente-cinq ans plantées sur des sols argilo-calcaires et sableux a donné un vin superbe, à la robe grenat brillante, au bouquet expressif de fruits rouges très mûrs assortis d'une touche de fumé. Les tanins souples et gras évoluent en bouche avec harmonie, puissance et longueur. Tout est réuni dans cette bouteille pour donner une grande satisfaction dans deux à six ans. Rappelons le coup de cœur obtenu pour le millésime 95 l'an dernier.

☛ SCE du Ch. Faizeau, 33570 Montagne, tél. 05.57.24.68.94, fax 05.57.24.60.37 ☑ ⏳ r.-v.

CH. GARDEROSE 1996

| | ■ | 2 ha | 18 000 | ■ ♦ | 30 à 49 F |

Ce 96 proposé par le négociant Yvon Mau mérite d'être cité pour son intensité aromatique (fleurs, pruneau, cuir) et pour sa souplesse et sa finesse en bouche. Un vin plaisir, sans grande envergure, à boire dès l'an 2000.

☛ SA Yvon Mau, rue André-Dupuy-Chauvin, B.P. 1, 33190 Gironde-sur-Dropt, tél. 05.56.61.54.54, fax 05.56.61.54.61 ⏳ r.-v.

CH. GRAND BARAIL 1996*

| ■ | 7 ha | n.c. | ■ ▥ | 30 à 49 F |

75 % de merlot, 10 % de cabernet-sauvignon, le reste en cabernet franc, plantés sur un beau terroir argilo-calcaire, entrent dans ce 96 riche et agréable, au bouquet expressif et complexe de cuir, de caramel, de vanille. A l'agitation, les fruits rouges apparaissent. En bouche, les tanins fruités et élégants sont très équilibrés : ils autorisent un vieillissement d'au moins trois à cinq ans.

☛ EARL Vignobles D. et C. Devaud, Ch. de Faise, 33570 Les Artigues-de-Lussac, tél. 05.57.24.31.39, fax 05.57.24.34.17 ⏳ r.-v.
☛ Daniel Devaud

CH. LA CHAPELLE
Elevé en fût de chêne 1996**

| ■ | 11,5 ha | 75 000 | ■ ▥ | 30 à 49 F |

Cette propriété familiale fondée en 1930 étend ses vieilles vignes d'au moins trente-cinq ans sur les coteaux sud de Parsac. L'exposition favorable assure au vin richesse et harmonie, avec des arômes puissants de fruits confits et des tanins concentrés et mûrs. La fin de bouche, équilibrée, boisée et très longue, confère à ce 96 un potentiel de vieillissement important, d'au moins cinq à dix ans.

☛ SCEA du Ch. La Chapelle, Berlière, Parsac, 33570 Montagne, tél. 05.57.24.78.33, fax 05.57.24.78.33 ☑ ⏳ r.-v.
☛ G. H. et Th. Demur

CH. LA FAUCONNERIE 1996

| ■ | 1 ha | 7 000 | ▥ | 30 à 49 F |

Situé sur les hauts plateaux argilo-calcaires de l'appellation, ce petit cru de 1 ha propose un vin au bouquet discret de fruits cuits et de grillé toasté, avec une structure tannique moelleuse et persistante. Un plaisir à savourer dès maintenant et pendant deux à trois ans.

☛ Bernadette Paret, Ch. Tricot, 33570 Montagne, tél. 05.57.74.65.47, fax 05.57.74.65.47 ⏳ r.-v.
☛ Simone Paret

CH. LA FLEUR DES AMANDIERS
1996

| ■ | 5,9 ha | 15 000 | ■ ▥ | 30 à 49 F |

Ce 96 possède une robe rubis brillante, des parfums délicats de fleurs et de petits fruits rouges. Sans être très puissant en bouche, il n'en est pas moins agréable et harmonieux ; il peut être bu ou attendu deux à trois ans.

☛ Poivert Frères, SCEA des Amandiers, Musset, 33570 Montagne, tél. 05.57.24.74.99, fax 05.57.24.61.83 ☑ ⏳ r.-v.

CH. LA PAPETERIE 1996

| ■ | 10 ha | n.c. | ▥ | 50 à 69 F |

Ce château situé au sud de l'appellation, en bordure de Pomerol, propose un vin agréable, au nez de poivron, de framboise et d'épices. Souple et fondu en bouche, ce 96 doit être bu dès cet hiver.

☛ Jean-Pierre Estager, 33-41, rue de Montaudon, 33500 Libourne, tél. 05.57.51.04.09, fax 05.57.25.13.38, e-mail estager@estager.com ☑ ⏳ r.-v.

CH. LA PAPETERIE 1996

| ■ | 3,01 ha | 20 000 | ■ ▥ ♦ | 50 à 69 F |

Au bord du ruisseau de la Barbanne, ce château a été construit à l'emplacement d'un ancien moulin de pâte à papier. Il a réussi un vin agréable au bouquet, possédant une structure tannique franche et fruitée. Une bouteille à boire ou à garder deux ou trois ans.

☛ Claude Estager et Fils, Ch. Fougeailles, 33500 Néac, tél. 05.57.51.35.09, fax 05.57.25.95.20 ☑ ⏳ r.-v.

CH. MAISON BLANCHE 1996

| ■ | 13 ha | 50 000 | ▥ | 70 à 99 F |

Ce bel ensemble architectural est idéalement situé sur un coteau argilo-calcaire, et vous pourrez y trouver d'excellents vins. Ce 96, aux arômes puissants de fruits noirs, est dominé encore par le boisé (vanille). Cependant sa structure souple ne lui permettra pas de vieillir longtemps : le mettre en cave un an puis le goûter pour voir si les tanins sont bien fondus.

☛ SCEA Despagne-Rapin, Ch. Maison Blanche, 33570 Montagne, tél. 05.57.74.62.18, fax 05.57.74.58.98 ☑ ⏳ r.-v.

CH. DE MAISON NEUVE 1996**

| ■ | 46 ha | 290 000 | ■ ▥ ♦ | 30 à 49 F |

Cette très grande propriété fait partie des fleurons de l'appellation ; elle bénéficie d'un terroir argileux complanté à 80 % de merlot et 20 % de cabernet franc. Son 96 est magnifique : robe grenat profond, bouquet intense de griotte, d'épices, de coing, structure moelleuse en attaque, évoluant avec générosité, puissance et harmonie. C'est un ensemble de caractère, à oublier sagement dans une bonne cave pendant deux à cinq ans.

☛ Michel Coudroy, Maison-Neuve, 33570 Montagne, tél. 05.57.74.62.23, fax 05.57.74.64.18 ☑ ⏳ t.l.j. sf sam. dim. 8h-12h 14h-18h

CH. MARQUISAT DE BINET 1996

■ 7,5 ha 42 000 ▮ 🌡 30 à 49 F

Ce 96 issu presque exclusivement du cépage merlot (95 %) se distingue par son bouquet vineux et balsamique et par une structure tannique franche et équilibrée, très fruitée en fin de bouche. Un vin à boire dès l'an 2000.

⊶ Janie Spinasse, Parsac, 33570 Montagne, tél. 05.57.74.41.50, fax 05.40.70.00.68 ☒ Y r.-v.

CH. MONTAIGUILLON 1996★★

■ 26 ha 140 000 ▮ ⏸ 🌡 50 à 69 F

S'étendant sur les pentes d'un coteau limitrophe de Saint-Emilion, à une altitude de 30 à 70 m, les vignes sont naturellement bien drainées. Le résultat est magnifique dans ce millésime : couleur profonde aux reflets rubis, parfums puissants de petits fruits rouges et de beurre, structure tannique suave en attaque puis évoluant avec puissance et harmonie. On sent beaucoup de maîtrise dans l'élaboration de ce vin riche et armé pour vieillir longtemps - de cinq à dix ans minimum. Bravo !

⊶ Amart, Ch. Montaiguillon, 33570 Montagne, tél. 05.57.74.62.34, fax 05.57.74.59.07 ☒ Y r.-v.

CH. DU MOULIN NOIR 1996

■ 6,8 ha 52 600 ▮ ⏸ 🌡 50 à 69 F

Un assemblage équilibré entre merlot (55 %) et cabernet franc (45 %) pour ce 96 déjà agréable à boire mais qui devrait bien vieillir grâce à sa structure tannique concentrée et élégante, légèrement dominée par le bois.

⊶ SC Ch. du Moulin Noir, Lescalle, 33460 Macau, tél. 05.57.88.07.64, fax 05.57.88.07.00 ☒ Y r.-v.

CH. NOTRE-DAME 1996★

■ 4 ha 25 000 ▮ ⏸ 🌡 30 à 49 F

Un assemblage très marqué par le merlot (85 %) pour ce château établi sur un sol argilo-calcaire classique de Montagne. Ce 96 a des parfums discrets de cuir, de groseille et de cassis. Il possède une structure tannique puissante et harmonieuse, en parfait équilibre avec les bons tanins du chêne. Une bouteille à ouvrir dans deux ou trois ans.

⊶ Jean-Marie Leynier, GAEC Clos des Religieuses, 33570 Puisseguin, tél. 05.57.74.67.52, fax 05.57.74.64.12 ☒ Y r.-v.

CH. PETIT CLOS DU ROY 1996★

■ 20 ha 85 000 ▮ ⏸ 🌡 50 à 69 F

Cette élégante chartreuse du XVIIIe s. avec escalier à double révolution mérite une visite pour son architecture comme pour son vin. Celui-ci laisse paraître un bouquet délicat de fraise, d'amande et de boisé discret. Souple, il évolue en bouche avec puissance et finit sur une note un peu austère : il est nécessaire d'attendre deux ou trois ans pour que tout se fonde parfaitement.

⊶ François Janoueix, 20, quai du Priourat, 33500 Libourne, tél. 05.57.55.55.44, fax 05.57.51.83.70 ☒ Y r.-v.

CH. ROC DE CALON
Cuvée Prestige 1996★★

■ n.c. 11 000 ⏸ 50 à 69 F

Cette cuvée Prestige du château Roc de Calon bénéficie d'une sévère sélection de raisins vinifiée avec le plus grand soin. Le résultat est magnifique : robe grenat profond, parfums complexes et puissants de fruits mûrs (pruneau), d'épices et de réglisse, structure tannique dense et fondue évoluant avec finesse et en grande harmonie avec un boisé remarquable. Une bouteille à oublier trois à cinq ans en cave. A noter aussi, la **cuvée classique 96**, élevée en cuve et citée pour ses tanins délicats et fruités, qui rendent le vin agréable à boire dès maintenant.

⊶ Bernard Laydis, Barreau, 33570 Montagne, tél. 05.57.74.63.99, fax 05.57.74.51.47, e-mail roc.de.calon@wanadoo.fr ☒ Y r.-v.

CH. ROCHER CORBIN 1996★

■ 10 ha 65 000 ⏸ 50 à 69 F

Autrefois rattaché à la seigneurie de Corbin, ce château bénéficie d'un remarquable terroir sur le flanc ouest du tertre de Calon. Vous pourrez y trouver un superbe vin concentré et très aromatique, encore marqué par un boisé vanillé et grillé mais qui laisse entrevoir de belles promesses de vieillissement. Un vrai plaisir.

⊶ SCE du Ch. Rocher Corbin, 33570 Montagne, tél. 05.57.74.55.92, fax 05.57.74.53.15 ☒ Y r.-v.

⊶ Philippe Durand

CH. ROSE D'ORION 1996★

■ 4 ha 30 000 ▮ ⏸ 30 à 49 F

Régulièrement distingué dans le Guide, ce cru propose un très joli vin à la robe pourpre brillante et au nez puissant de pruneau et de cuir, déjà assez évolué. En bouche, la rondeur de la charpente laisse la place à une puissance et un caractère imposants. Ce vin se boira dans deux à trois ans.

⊶ EARL Vignobles D. et C. Devaud, Ch. de Faise, 33570 Les Artigues-de-Lussac, tél. 05.57.24.31.39, fax 05.57.24.34.17 ☒ Y r.-v.

CH. ROUDIER 1996★

■ 30 ha 180 000 ▮ ⏸ 50 à 69 F

Le château Roudier est situé sur le flanc sud de coteaux qui font face à la côte nord de Saint-Emilion. Il a tiré profit de cette exposition comme le montre ce 96 à la robe rubis limpide, au bouquet élégant, vineux et grillé. Ses tanins puissants et fruités sont très gras et harmonieux en finale. Une bouteille très typée, à ouvrir dans trois à cinq ans.

⊶ Jacques Capdemourlin, Balestard la Tonnelle, 33330 Saint-Emilion, tél. 05.57.74.02.06, fax 05.57.74.59.34 ☒ Y r.-v.

DOM. DU ROUDIER 1996★

■ 10 ha 60 000 ⏸ 50 à 69 F

Situé sur un terroir argilo-calcaire classique, ce château propose régulièrement de très bons vins. La couleur intense de ce 96 a des reflets noirs ; les parfums de petits fruits rouges et de boisé grillé et vanillé se retrouvent en bouche, bien mariés avec des tanins souples et élégants.

L'ensemble très équilibré offre un potentiel de garde intéressant : à boire dans deux ans et pendant six ans minimum.
⊶ Vignobles Aubert, Ch. La Couspaude, 33330 Saint-Emilion, tél. 05.57.40.15.76, fax 05.57.40.10.14 ☒ Y r.-v.

CH. TEYSSIER 1996*

■ 19,2 ha 600 000 ▮ 🌡 50 à 69 F

Provenant essentiellement du cépage merlot (92 %), ce vin se présente très bien : robe rouge cerise presque noire, arômes délicats de fruits mûrs (fraise) et de vanille. En bouche, l'attaque soyeuse laisse place à une certaine fermeté et une longueur notable, autorisant une garde de trois à huit ans au moins. Ce vin est commercialisé par la maison Dourthe.
⊶ Ch. Teyssier, 1, rue Teyssier, 33570 Lussac-Saint-Emilion, tél. 05.56.35.53.00, fax 05.56.35.53.29, e-mail contact@cvbg.com Y r.-v.
⊶ Famille Durand-Teyssier

CH. TRICOT 1996

■ 6 ha 30 000 (|) 30 à 49 F

Ce très ancien domaine familial propose un vin agréable, aux arômes marqués de boisé toasté et cacaoté qui masquent encore un peu le fruit. En bouche, les tanins sont ronds et prometteurs, bien équilibrés. C'est une bouteille à boire ou à laisser vieillir quelques années.
⊶ Bernadette Paret, Ch. Tricot, 33570 Montagne, tél. 05.57.74.65.47, fax 05.57.74.65.47 ☒ Y r.-v.

CH. VIEILLE TOUR MONTAGNE 1996

■ 2,6 ha n.c. ▮ (|) 30 à 49 F

Ce petit cru de moins de 3 ha propose un 96 d'intensité aromatique moyenne (tabac blond, épices) mais qui possède un corps rond et soyeux en bouche, déjà très agréable et équilibré. Une bouteille à boire dès maintenant.
⊶ Pierre et André Durand, Arriailh, 33570 Montagne, tél. 05.57.74.62.02 ☒ Y t.l.j. sf dim. 9h-12h 14h-18h

VIEUX CHATEAU DES ROCHERS 1996

■ 4 ha 16 000 ▮ 30 à 49 F

Ce petit cru traditionnel planté presque exclusivement de merlot (90 %) a produit un vin agréable, au bouquet naissant de petits fruits rouges et qui possède une structure souple et harmonieuse, sans grande puissance cependant. Une bouteille à boire dès maintenant.
⊶ Jean-Claude Rocher, Mirande, 33570 Montagne, tél. 05.57.74.62.37, fax 05.57.25.29.55 ☒ Y r.-v.

CH. DU VIEUX MOULIN 1996

■ n.c. n.c. 30 à 49 F

Ce 96 fruité et épicé possède une structure tannique plaisante et bien enrobée, avec cependant une fin de bouche un peu simple. Un vin à boire dans les trois ans à venir.
⊶ Cheval Quancard, La Mouline, 4, rue du Carbouney, 33520 Carbon-Blanc, tél. 05.57.77.88.88, fax 05.57.77.88.99, e-mail chevalquancard@chevalquancard.com Y r.-v.

Puisseguin saint-émilion

CH. BEL-AIR 1996*

■ 12,21 ha 80 000 ▮ 🌡 30 à 49 F

Le château Bel-Air se décline sous deux étiquettes différentes, retenues avec une étoile chacune. Cette cuvée principale a un joli fruité confit et des tanins charnus et longs, et montre beaucoup de caractère. La **cuvée de Bacchus 96, vieillie en fût de chêne**, possède une robe profonde, un bouquet épicé et floral et une structure fondue et fruitée. Ces deux vins s'apprécieront au mieux d'ici deux à cinq ans.
⊶ SCEA Adoue Bel-Air, 33570 Puisseguin, tél. 05.57.74.51.82, fax 05.57.74.59.94 ☒ Y r.-v.

CH. BORIE DE L'ANGLAIS 1996

■ 2,5 ha 12 000 ▮ (|) 50 à 69 F

Serge Coudroy a pris ce cru familial en mains en 1986. Son 96 bénéficie d'une bonne complexité aromatique (épices, fruits, vanille) et de tanins souples et harmonieux. La fin de bouche un peu fugace ne permet pas une très longue garde.
⊶ Serge Coudroy, Chouteau, 33570 Lussac, tél. 05.57.74.67.73, fax 05.57.74.56.05 ☒ Y r.-v.

CH. BRANDA 1996*

■ 5,5 ha 38 000 (|) 50 à 69 F

Récemment racheté, ce château figure tous les ans parmi les références de l'appellation. Il obtient une étoile pour sa robe grenat soutenue, pour son nez chaleureux de pain grillé, de confit, de pruneau, et pour ses tanins souples et équilibrés, peut-être encore dominés par l'élevage en barrique. Quelques années de vieillissement paraissent nécessaires pour obtenir une plus grande harmonie.
⊶ SC Ch. du Branda, Roques, 33570 Puisseguin, tél. 05.57.74.62.55, fax 05.57.74.57.33 ☒ Y r.-v.

CH. DURAND-LAPLAGNE Cuvée Sélection 1996*

■ 3,5 ha 30 000 ▮ (|) 🌡 50 à 69 F

Cette cuvée spéciale du château Durand-Laplagne provient d'une sélection rigoureuse de raisins vinifiés et élevés avec grand soin en barrique. De couleur grenat profond, elle associe au nez fruits mûrs, épices, boisé vanillé et cacaoté. Suaves et généreux en attaque, les tanins évoluent avec puissance et race ; une légère astringence finale devrait s'estomper après deux à trois ans de garde.
⊶ Vignobles J. Bessou, Ch. Durand-Laplagne, 33570 Puisseguin, tél. 05.57.74.63.07, fax 05.57.74.59.58 ☒ Y r.-v.
⊶ Sylvie et Bertrand Bessou

CH. FONGABAN 1996

■ 7 ha 30 000 ◼ 30 à 49 F

Issu essentiellement du cépage merlot (80 %), ce 96 se distingue par sa belle couleur rubis, par son caractère fruité et délicatement boisé et par une structure tannique soyeuse et étoffée bien qu'encore un peu austère en finale. Attendre quelques mois : il devrait être prêt à l'automne 2000.

SARL de Fongaban, Fongaban, 33570 Puisseguin, tél. 05.57.74.54.07, fax 05.57.74.50.97 ☑ Y r.-v.

CH. GONTET

Cuvée vieillie en fût de chêne 1996

■ 2 ha 10 000 ◼ 30 à 49 F

Cette cuvée sélectionnée et élevée en fût comblera l'amateur de vin très boisé. Heureusement que les tanins supportent cet élevage et qu'ils sont suffisamment persistants pour donner un léger potentiel de garde (deux ou trois ans) à ce vin équilibré.

Jean-Loup Robin, Ch. Gontet, 33570 Puisseguin, tél. 05.57.51.85.91, fax 05.57.51.86.19 ☑ Y r.-v.

CH. GRAND RIGAUD 1996*

■ 6 ha 40 000 ◼ 30 à 49 F

Une vinification traditionnelle bien maîtrisée pour ce 96 élégant et racé, à la robe rubis vif, au bouquet expressif de fruits mûrs et de pruneau. Les tanins sont souples et mûrs en attaque puis évoluent avec fermeté. Attendre au moins deux ans avant de le servir à table.

Guy et Dany Desplat, B.P. 13, 33570 Puisseguin, tél. 05.57.74.61.10, fax 05.57.74.58.30 ☑ Y r.-v.

CH. HAUT-BERNAT 1996*

■ 5,65 ha 31 000 ◼ 50 à 69 F

100 % merlot pour ce cru très régulier dans la qualité. La robe très sombre de ce 96 a des reflets violets. Le bouquet évocateur de vanille et de pain grillé masque un peu le fruit que l'on devine cependant derrière des tanins soyeux et puissants à la fois, déjà agréables. On sent que ce vin a bénéficié d'une bonne éducation ! A boire vers 2003 avec un rôti braisé.

SA Vignobles Bessineau, 8, Brousse, 33350 Belvès-de-Castillon, tél. 05.57.56.05.55, fax 05.57.56.05.56, e-mail bessineau@cote-montpezat.com ☑ Y t.l.j. sf sam. dim. 8h30-12h30 14h-18h; f. en août

CH. HAUT SAINT-CLAIR 1996

■ 4,2 ha 17 000 ◼ 50 à 69 F

Vous pourrez trouver des vestiges des IVe et VIes. sur cette propriété, mais également un vin plus « moderne », comme ce 96 au bouquet naissant et élégant, très floral, et aux tanins soyeux et fondus. A boire dans les trois ans.

SCEA Ch. Haut Saint-Clair, 1, Saint-Clair, 33570 Puisseguin, tél. 05.57.74.66.82, fax 05.57.74.51.50 ☑ Y r.-v.

CH. LA CABANNE-DUVIGNEAU 1996**

■ 6 ha 20 000 ◼ 30 à 49 F

Voilà une adresse où il fera bon faire une halte pour la qualité de l'accueil familial (gîte rural sur la propriété) comme pour celle des vins. Celui-ci présente une robe brillante, des arômes évoquant les fruits noirs, le cuir et la vanille ; les tanins gras et mûrs en attaque évoluent avec fermeté et longueur, offrant un beau retour du fruit en finale. C'est une très jolie bouteille, bien typée, à ouvrir dans deux à cinq ans.

EARL Vignobles J.-P. et M. Celerier, Moulin Courrech, 33570 Puisseguin, tél. 05.57.74.61.75, fax 05.57.74.52.79 ☑ Y t.l.j. 8h-20h

CH. LAFAURIE 1996*

■ 5 ha 30 000 ◼ 30 à 49 F

Ce vignoble créé il y a une dizaine d'années produit régulièrement de très bons vins, comme ce 96 qui se présente fort bien avec une robe grenat limpide, un bouquet élégant de fruits et d'épices et une structure puissante en bouche. C'est un vin de caractère, qui devrait s'épanouir et s'équilibrer après deux ou trois ans de vieillissement.

Vignobles Paul Bordes, Faize, 33570 Les Artigues-de-Lussac, tél. 05.57.24.33.66, fax 05.57.24.30.42 ☑ Y r.-v.

CH. DE MOLE 1996*

■ 8 ha 10 000 ◼ 30 à 49 F

Seulement 10 000 bouteilles produites en 1996 sur cette propriété de 9 ha située sur un terroir argilo-calcaire classique dans l'appellation. La robe est soutenue et brillante. Le bouquet naissant de griotte et de sous-bois se marie très bien avec les notes grillées et vanillées du fût. En bouche, c'est un vin de caractère, puissant et onctueux, qui a besoin pour s'assagir de deux à cinq ans de garde.

Ginette Lenier, Ch. de Môle, B.P. 15, 33570 Puisseguin, tél. 05.57.74.60.86 ☑ Y r.-v.

CH. MOULINS-LISTRAC 1996*

■ 10,3 ha 70 000 ◼ 30 à 49 F

Ce vignoble est implanté sur un plateau argilo-calcaire, reposant sur un sous-sol pierreux. Il a donné un vin riche et corsé, au bouquet intense de fruits confits. Le fruité ressort encore dans un palais bien équilibré, et la finale est très persistante. A boire ou à garder quelques années.

GAEC Lalande et Fils, Aux Moulins, 33570 Puisseguin, tél. 05.57.74.61.90, fax 05.57.74.59.04, e-mail moulinslis@aol.com ☑ Y r.-v.

CH. DE PUISSEGUIN-CURAT 1996***

■ 3 ha 15 000 30 à 49 F

Le domaine du château de Puisseguin ayant appartenu à Jeanne d'Albret, mère du roi Henri IV, a fait partie des terres royales de Guyenne. Le château a depuis abandonné son rôle militaire pour se consacrer à son vignoble. Son 96 est exceptionnel : robe pourpre profond ; arômes intenses et élégants de fruits rouges mûrs, d'épices ; tanins fins et amples évoluant avec une den-

sité et une longueur remarquables. Une grande bouteille à garder absolument de trois à dix ans.
⊶ GAEC Ch. de Puisseguin-Curat, 33570 Puisseguin, tél. 05.57.74.51.06, fax 05.57.74.54.29 ☑ Y t.l.j. sf sam. dim. 9h-19h

CLOS DES RELIGIEUSES 1996

■ 10 ha 65 000 ▮ 🛢 🌡 30 à 49 F

Ayant appartenu aux ursulines de Saint-Emilion qui inventèrent la recette du fameux macaron, le Clos des Religieuses est aujourd'hui affaire de famille. Ce 96 développe un bouquet délicat d'épices et de fleurs. Les tanins sont souples et bien mûrs, mais pas très longs. Une bouteille à boire dans les trois prochaines années.
⊶ Jean-Marie Leynier, GAEC Clos des Religieuses, 33570 Puisseguin, tél. 05.57.74.67.52, fax 05.57.74.64.12 ☑ Y r.-v.

CUVEE RENAISSANCE
Vieilli en fût de chêne 1996*

■ n.c. 5 000 🛢 50 à 69 F

La cuvée Renaissance est le fleuron de la cave coopérative de Puisseguin, mais il y en a malheureusement très peu dans ce millésime. La robe pourpre est brillante ; les arômes complexes de fruits mûrs sont fondus dans le boisé vanillé et toasté ; les tanins riches et gras évoluent avec harmonie et fraîcheur, mais il faut encore un à trois ans de vieillissement pour que l'équilibre soit parfait.
⊶ Cave coop. de Puisseguin-Lussac-Saint-Emilion, Durand, 33570 Puisseguin, tél. 05.57.55.50.40, fax 05.57.74.57.43 ☑ Y r.-v.

CH. RIGAUD 1996*

■ n.c. 16 000 🛢 50 à 69 F

Ce 96 a une couleur rubis déjà évoluée, de délicats arômes de petits fruits rouges, de pruneau et de sous-bois et des tanins souples et boisés, déjà très agréables. Un vin à boire dès maintenant et qui permettra d'attendre le très beau 95, deux étoiles l'an dernier.
⊶ Josette Taïx, Rigaud, 33570 Puisseguin, tél. 05.57.74.63.35, fax 05.57.74.50.97 ☑ Y r.-v.

CH. ROC DE BERNON 1996*

■ 14,08 ha 100 000 ▮ 🌡 30 à 49 F

Le merlot domine (80 %) dans l'assemblage de ce 96, comme en attestent ses arômes de fruits noirs, d'épices et de cuir. En bouche, les tanins sont souples et mûrs, puis évoluent vers plus de puissance et de longueur. La finale légèrement amère devrait s'assouplir d'ici deux à trois ans.
⊶ Jean-Marie Lenier, Ch. Roc de Bernon, 6, Durand, 33570 Puisseguin, tél. 05.57.74.53.42, fax 05.57.74.53.42 ☑ Y r.-v.

CH. ROC DE BOISSAC 1996

■ 32 ha n.c. 🛢 30 à 49 F

Ce 96 mérite le détour pour son caractère fruité intense et sa structure souple et soyeuse, déjà très agréable. Une bouteille d'un style assez facile, « qui rappelle les communales d'antan », écrit un dégustateur, mais qui plaira dès aujourd'hui à table.
⊶ SARL Roc de Boissac, Pléniers de Boissac, 33570 Puisseguin, tél. 05.57.74.61.22, fax 05.57.74.59.54 ☑ Y t.l.j. sf sam. dim. 8h-12h 14h-18h

Saint-georges saint-émilion

CH. BELAIR SAINT-GEORGES
Réserve du château 1996*

■ 4 ha 18 000 ▮ 🛢 50 à 69 F

Superbement situé plein sud, ce château a la chance de posséder de très vieilles vignes, facteur favorable à la qualité. Ce 96 en est la preuve : robe grenat à reflets tuilés, nez intense de fruits rouges, de coing, d'épices, tanins ronds et charnus en attaque, évoluant avec charme et finesse. Une bouteille plaisir à apprécier dans les cinq prochaines années.
⊶ N.I. Pocci-Le Menn, Belair Saint-Georges, 33570 Montagne, tél. 05.57.74.65.40, fax 05.57.74.51.64 ☑ Y r.-v.

CH. BELLONNE 1996

■ 5 ha 10 000 🛢 50 à 69 F

Situé sur un terroir argilo-calcaire, ce cru propose un vin aromatique, déjà évolué (sous-bois, épices, boisé intense), possédant une structure tannique ample et souple. La fin de bouche alcooleuse et boisée nécessite au moins deux ou trois ans de patience.
⊶ Denis Corre-Macquin, Saint-Georges, 33570 Montagne, tél. 05.57.74.64.66, fax 05.57.74.55.47 ☑ Y r.-v.

CH. CAP D'OR 1996**

■ 14 ha 40 200 🛢 30 à 49 F

Régulièrement distingué dans le Guide, ce château obtient cette année la meilleure note de l'appellation avec deux étoiles. La robe profonde a de beaux reflets violacés ; les arômes puissants évoquent la mûre, le boisé grillé avec des notes balsamiques ; les tanins charnus sont bien mûrs et bien présents ; ils s'assoupliront avec un vieillissement de trois à six ans. Un vin racé.
⊶ Vignobles Rocher-Cap-de-Rive 1, Ch. Cap d'Or, 33570 Montagne, tél. 05.57.40.08.88, fax 05.57.40.19.93, e-mail vignobles.rochercaprive@wanadoo.fr ☑ Y r.-v.

CLOS HAUT-TROQUART 1996

■ 5,5 ha 25 000 ▮ 🛢 30 à 49 F

Voici un vin agréable à boire dès aujourd'hui, qui se caractérise par une robe rubis à reflets grenat, un bouquet expressif de cuir, de vanille, d'épices et des tanins souples et ronds, peut-être un peu trop courts pour autoriser une longue garde.
⊶ Joël Appollot et F. Tourriol, Troquart, 33570 Montagne, tél. 05.57.74.61.62, fax 05.57.74.61.33 ☑ Y r.-v.

CH. LA CROIX DE SAINT-GEORGES 1996

■ 6,58 ha 52 000 ▮ ◖◗ ↓ 30 à 49 F

Saint-Georges de Montagne possède une église romane (XIIe s.) au clocher carré. Après sa visite, il faut découvrir les crus d'alentour. Ce 96 a une robe grenat à reflets tuilés, un bouquet encore discret de groseille, de framboise, de pain grillé, et une structure souple et épicée. Une bouteille à boire ou à garder.

🔑 Jean de Coninck, Ch. du Pintey, 33500 Libourne, tél. 05.57.51.03.04, fax 05.57.51.59.61 ☑ Y r.-v.

CH. LE ROC DE TROQUARD 1996★

■ 3,05 ha 6 800 ▮ 30 à 49 F

Cette propriété se transmet de génération en génération depuis 1723, ancienneté assez rare pour être soulignée. Son 96 présente une robe éclatante, un bouquet naissant de fruits des bois, de pêche, d'épices, des tanins pleins et soyeux évoluant avec ampleur et harmonie. Une bouteille charmeuse, à boire maintenant entre amis, ou bien à « oublier » quelques années dans sa cave.

🔑 SCEA des Vignobles Visage, Jupille, 33330 Saint-Sulpice-de-Faleyrens, tél. 05.57.24.62.92, fax 05.57.24.69.40 ☑ Y r.-v.

CH. SAINT-ANDRE CORBIN 1996★

■ 17,5 ha n.c. ◖◗ 50 à 69 F

Jean-Claude Berrouet et Alain Moueix gèrent ensemble cette propriété et partagent la même philosophie des vins : respect du terroir, contrôle naturel des rendements et travail minutieux. Le résultat ? Un 96 puissant et racé, au bouquet intense de fruits rouges et de vanille. En bouche, après une attaque soyeuse et généreuse, le vin évolue dans un bel équilibre, laissant augurer un vieillissement de quelques années. Un achat sûr.

🔑 SCEA du Priourat, 10, quai du Priourat, 33500 Libourne, tél. 05.57.55.00.50, fax 05.57.25.22.56

CH. SAINT-GEORGES 1996★

■ 45 ha 300 000 ◖◗ 100 à 149 F

Ce magnifique château du XVIIIe s., l'un des plus beaux du Bordelais, est idéalement situé au sommet d'un coteau argilo-calcaire faisant face à la côte nord de Saint-Emilion. Outre l'attrait architectural, vous y trouverez un excellent vin, aux arômes complexes de cassis, d'épices et de vanille. En bouche, les tanins sont amples, gras et très aromatiques. Il est nécessaire de patienter trois à cinq ans, avant d'ouvrir cette bouteille. Mais vous pouvez boire dès à présent le **Château Puy Saint-Georges 96** second vin, cité pour sa souplesse et son équilibre final. Rappelons le coup de cœur l'an dernier pour le 95 du Château Saint-Georges.

🔑 Famille Desbois, 33570 Montagne, tél. 05.57.74.62.11, fax 05.57.74.58.62 ☑ Y r.-v.

Côtes de castillon

En 1989, une nouvelle appellation est née, côtes de castillon. Elle reprend sur 2 855 ha la zone qui était dévolue à l'appellation bordeaux côtes de castillon, c'est-à-dire les neuf communes de Belvès-de-Castillon, Castillon-la-Bataille, Saint-Magne-de-Castillon, Gardegan-et-Tourtirac, Sainte-Colombe, Saint-Genès-de-Castillon, Saint-Philippe-d'Aiguilhe, Les Salles-de-Castillon et Monbadon. Néanmoins, pour quitter le groupe « bordeaux » les viticulteurs doivent respecter des normes de production plus sévères, notamment en ce qui concerne les densités de plantation, qui sont fixées à 5 000 pieds par hectare. Un délai est laissé jusqu'en 2010, pour tenir compte des vignes existantes. En 1998, la production a atteint 172 324 hl.

CH. BEL-AIR 1996

■ 13 ha 80 000 ◖◗ 30 à 49 F

On raconte qu'autrefois des druides se réunissaient en ce domaine. Vous pourrez aujourd'hui y déguster un vin agréable, aux parfums intenses de framboise et de bois brûlé. Il possède une structure tannique souple et équilibrée, encore un peu austère ; aussi devra-t-il être attendu deux à trois ans.

🔑 SCEA du Dom. de Bellair, 33350 Belvès-de-Castillon, tél. 05.56.08.15.25, fax 05.56.08.15.25 ☑ Y r.-v.

🔑 David

CH. DE BELCIER
Vieilli en barrique de chêne 1996★

■ 52 ha 120 000 ◖◗ 50 à 69 F

Parmi les plus grandes de l'appellation, cette propriété produit régulièrement de bons vins. Ce 96 présente une robe grenat brillante. Le bouquet, déjà évolué, est marqué par les fruits mûrs, le grillé. Les tanins sont puissants et très boisés, accompagnés en finale de cerise à l'eau-de-vie. Attendre deux ans que l'élevage en barrique soit mieux intégré. Le second vin, le **Château de Monrecueil 96**, est cité par le jury.

🔑 SCA du Ch. de Belcier, 2, Belcier, 33350 Les Salles-de-Castillon, tél. 05.57.40.67.58, fax 05.57.40.67.58 ☑ Y r.-v.

🔑 MACIF

CH. BELLEVUE
Cuvée Vieilles vignes Vieilli en fût de chêne 1997★

■ 5 ha 20 000 ◖◗ 30 à 49 F

Cette cuvée est une sélection de vieilles vignes de merlot (80 %) et de cabernets (20 %) élevée en fût de chêne. Sa robe est intense ; son bouquet, frais et fruité, a des touches animales ; les tanins souples et boisés demandent encore à se fondre,

ce qui nécessite deux ou trois ans de vieillissement. La **cuvée normale 97** est citée pour sa fraîcheur aromatique (cassis, groseille) et sa structure élégante, déjà gouleyante.
⊶ Michel Lydoire, 5 Rouye, 33350 Belvès-de-Castillon, tél. 05.57.47.94.29, fax 05.57.47.94.29 ☒ Y r.-v.

CH. BEYNAT Cuvée Léonard 1996★★

■ 0,5 ha 1 500 ▮◖◗ 50 à 69 F

Provenant pour moitié de merlot et de cabernet-sauvignon, cette cuvée Léonard a vieilli douze mois en fût de chêne. Le résultat est superbe : robe rubis à reflets noirs, arômes complexes de fruits mûrs, de vanille, de grillé, structure tannique souple et généreuse, particulièrement équilibrée en finale par un boisé élégant. Cette bouteille sera à son optimum dans trois à cinq ans. La **cuvée principale 96** reçoit une étoile pour son classicisme. Ses tanins sont fruités et gras, harmonieux ; un vin à boire plus vite.
⊶ Xavier Borliachon, 21, rte de Beynat, 33350 Saint-Magne-de-Castillon, tél. 05.57.40.01.14, fax 05.57.40.18.51 ☒ Y t.l.j. 9h-19h

CH. BLANZAC 1997

■ 10 ha 40 000 ▮◖◗ 50 à 69 F

C'est ici que fut créé le *horse-ball*, sport collectif équestre. Mais cela n'empêche pas ce château de répondre à sa vocation première, l'élaboration de bons vins, comme ce 97 délicatement fruité, se révélant en bouche avec des tanins denses et enrobés. Attendre un à trois ans pour un meilleur équilibre.
⊶ Bernard Depons, Ch. Blanzac, 33350 Saint-Magne-de-Castillon, tél. 05.57.40.11.89, fax 05.57.40.49.69 ☒ Y t.l.j. sf dim. 9h-12h 14h-19h; groupes sur r.-v.

CH. BRANDEAU 1996★

■ 9,43 ha 13 000 ▮ 20 à 29 F

Ce vin, issu d'une viticulture biologique certifiée, possède un caractère marqué par le fruit du raisin et des tanins souples et goûteux, témoignant d'une vendange très mûre. Une bouteille racée, très classique, à boire d'ici un à cinq ans.
⊶ Antony King et Andréa Gray, Brandeau, 33350 Les Salles-de-Castillon, tél. 05.57.40.65.48, fax 05.57.40.65.65 ☒ Y r.-v.

CH. BREHAT 1996

■ 8 ha 42 000 ▮◖◗🌡 30 à 49 F

Cette très ancienne propriété familiale présente un 96 à la robe rubis brillant et au bouquet élégant de petits fruits rouges. En bouche, ce vin possède une structure riche mais qui évolue avec une légère sécheresse. Il est préférable de l'attendre un ou deux ans.
⊶ Jean de Monteil, Ch. Haut-Rocher, 33330 Saint-Etienne-de-Lisse, tél. 05.57.40.18.09, fax 05.57.40.08.23, e-mail hautrocher@caves-particulieres.com ☒ Y r.-v.

CH. CAP DE FAUGERES 1996★

■ 27 ha 80 000 ▮◖◗🌡 50 à 69 F

Ce cru très intéressant bénéficie d'un chai ultramoderne, bien utile pour mettre en valeur les très beaux raisins produits par le vignoble. Son 96 présente une belle couleur rouge cerise, des arômes de pruneau, de gibier et de grillé, une structure tannique moelleuse et élégante, très veloutée en finale. Une bouteille typée, à ouvrir dès maintenant ou à garder deux à cinq ans.
⊶ Corinne Guisez, Ch. Cap de Faugères, 33350 Sainte-Colombe, tél. 05.57.40.34.99, fax 05.57.40.36.14 ☒ Y r.-v.

CH. CASTEGENS 1996★

■ 26 ha 20 000 ▮◖◗ 30 à 49 F

Dans la même famille depuis le XV[e]s., ce magnifique château est inscrit à l'Inventaire supplémentaire des Monuments historiques et sert de décor à la très intéressante reconstitution de la bataille de Castillon qui mit fin à la guerre de Cent Ans. On y produit également de très bons vins, comme ce 96 au bouquet fruité et animal, déjà évolué, possédant une structure tannique souple et équilibrée, avec une note fumée en fin de bouche. A boire ou à garder deux ou trois ans.
⊶ SCEA de Fontenay, Ch. Castegens, 33350 Belvès-de-Castillon, tél. 05.57.47.96.07, fax 05.57.47.91.61 ☒ Y r.-v.

CLOS DE LA VIEILLE EGLISE 1996★

■ 2 ha 16 000 ▮◖◗ 30 à 49 F

Situé sur les magnifiques terroirs de graves ferrugineuses de Sainte-Colombe, ce château a très bien réussi son 96 : robe rubis intense, arômes fins de pruneau, d'épices et de cuir, structure ronde et complexe évoluant avec une bonne persistance. Une bouteille racée, à ouvrir d'ici un à deux ans. La cuvée **Arthus 96** est citée alors qu'elle se distingue habituellement dans l'appellation. Il faut attendre qu'elle s'arrondisse car ses tanins sont encore très - trop ? - sévères.
⊶ Danielle et Richard Dubois, Ch. Bertinat Lartigue, 33330 Saint-Sulpice-de-Faleyrens, tél. 05.57.24.72.75, fax 05.57.74.45.43, e-mail dubricru@aoc.com ☒ Y r.-v.

CH. COTE MONTPEZAT 1997★★

■ 30 ha 110 000 ▮◖◗🌡 30 à 49 F

Racheté en 1989, ce château, idéalement situé, s'est doté de moyens techniques et humains, pour tirer la quintessence de son excellent terroir. Il décroche pour le 97 un coup de cœur très mérité : la robe sombre et brillante est presque noire ; les parfums de fruits rouges (framboise, griotte), de mûre, de vanille sont puissants. Les tanins, souples et fondants en attaque, évoluent avec race, ampleur et beaucoup d'arômes en fin de bouche.

Une bouteille superbe, à ouvrir d'ici un à deux ans, mais qui se conservera longtemps.
⊶ SA Vignobles Bessineau, 8, Brousse, 33350 Belvès-de-Castillon, tél. 05.57.56.05.55, fax 05.57.56.05.56, e-mail bessineau@cote-montpezat.com
☑ ⊤ t.l.j. sf sam. dim. 8h30-12h30 14h-18h; f. en août

CH. FONTBAUDE 1996★★

■ 10 ha 50 000 30 à 49 F

Un encépagement judicieux, à base de merlot (60 %), de cabernet franc (30 %) et de cabernet-sauvignon (10 %), a conduit à la réussite incontestable de ce 96 : robe rubis profond, parfums de fruits mûrs, de vanille. La structure tannique, souple en attaque, évolue avec élégance, puissance et beaucoup de sève. La finale, délicatement boisée et très aromatique, laisse entrevoir un excellent potentiel de vieillissement, au moins quatre à huit ans.
⊶ GAEC Sabaté-Zavan, 34, rue de l'Eglise, 33350 Saint-Magne-de-Castillon, tél. 05.57.40.06.58, fax 05.57.40.26.54 ☑ ⊤ t.l.j. sf dim. 9h-12h 14h-18h; f. en oct.

CH. HAUT-TUQUET 1997★★

■ 16 ha 22 000 🛢 30 à 49 F

Ce vin très traditionnel, élevé uniquement en cuve, est issu de 70 % de merlot et de 30 % de cabernet. Il comblera l'amateur de vins fruités et expressifs avec ses arômes de cerise et de framboise, relevés de notes épicées et animales (cuir). En bouche, les tanins sont serrés, savoureux, et la finale est très fruitée (cassis, mûre). Une bouteille remarquablement équilibrée, complexe, qui s'ouvrira dans deux à trois ans.
⊶ Vignobles Lafaye Père et Fils, Ch. Viramon, 33330 Saint-Etienne-de-Lisse, tél. 05.57.40.18.28, fax 05.57.40.02.70 ☑ ⊤ r.-v.

CH. LABESSE 1997★

■ n.c. n.c. 🛢 30 à 49 F

Ce château appartient à la famille Aubert, propriétaire du grand cru classé La Couspaude à Saint-Emilion. Etabli sur un sol gravelo-sableux, il produit d'excellents vins, comme ce 97, puissant au nez (fruits noirs et rouges, vanille, pain grillé), charnu en bouche. C'est un vin typé, très bien équilibré, qui évoluera harmonieusement avec deux ou trois ans de garde.
⊶ Vignobles Aubert, Ch. La Couspaude, 33330 Saint-Emilion, tél. 05.57.40.15.76, fax 05.57.40.10.14 ☑ ⊤ r.-v.

CH. LA BOURREE 1997★★

■ 6,3 ha 40 000 🛢 30 à 49 F

Passionnés par leur terroir et attachés à la tradition - tant dans les vignes que dans les chais - les propriétaires de ce cru décrochent un coup de cœur pour cet excellent 97. La robe soutenue a des reflets cerise ; le bouquet finement boisé fait la part belle aux fruits et aux notes grillées. Les tanins moelleux et fondus évoluent en bouche avec fermeté et persistance, gage d'un excellent potentiel de garde. Une bouteille très équilibrée, à ouvrir après deux à trois ans de garde, voire davantage.

⊶ GAEC des Vignobles Meynard et Fils, 10, rte de Labourrée, 33350 Saint-Magne-de-Castillon, tél. 05.57.40.17.32, fax 05.57.40.17.32 ☑ ⊤ r.-v.

CH. LA BRANDE 1997

■ 14,5 ha 104 000 🛢 🛢 ♁ 30 à 49 F

Proche du site de la reconstitution de la bataille de Castillon, ce château présente un 97 agréable, au bouquet discret d'épices et de fruits rouges. Bien fondus en attaque, les tanins se révèlent ensuite assez harmonieux et longs. A boire ou à conserver deux ou trois ans.
⊶ Vignobles Jean Petit, Ch. Mangot, 33330 Saint-Etienne-de-Lisse, tél. 05.57.40.18.23, fax 05.57.40.15.97, e-mail chmangot@terre-net.fr ☑ ⊤ t.l.j. 8h-12h 13h30-18h; sam. dim. sur r.-v.
⊶ GFA Ch. Mangot

CH. LA BRANDE 1996★

■ 14,5 ha 104 000 🛢 30 à 49 F

Beaucoup de tradition mais aussi de technicité ont conduit à la réussite de ce vin à la robe grenat intense, aux parfums délicats de fruits rouges, de vanille et de pruneau. Sa structure souple et équilibrée est riche en finale. Une bouteille déjà agréable à boire mais qui devrait bien vieillir.
⊶ Vignobles Jean Petit, Ch. Mangot, 33330 Saint-Etienne-de-Lisse, tél. 05.57.40.18.23, fax 05.57.40.15.97, e-mail chmangot@terre-net.fr ☑ ⊤ t.l.j. 8h-12h 13h30-18h; sam. dim. sur r.-v.

CH. LA CLARIERE LAITHWAITE 1996★

■ 3,41 ha 27 260 🛢 🛢 50 à 69 F

Appartenant à la société de négoce anglaise Direct Wines, leader mondial de la vente de vins par correspondance, ce petit cru produit tous les ans d'excellents vins ; c'est encore le cas avec ce 96 : robe soutenue, nez expressif de fruits rouges, de fleurs et de vanille, tanins ronds et suaves en attaque, évoluant avec beaucoup de persistance aromatique. Une excellente bouteille, à apprécier d'ici deux à six ans.
⊶ SARL Direct Wines (Castillon) La Clarière Laithwaite, Les Confrères de La Clarière, 33350 Sainte-Colombe, tél. 05.57.47.95.14, fax 05.57.47.94.47 ☑ ⊤ r.-v.

CH. LA GRANDE MAYE
Elevé et vieilli en barrique de chêne 1996★

■ 20 ha 50 000 🛢 50 à 69 F

Régulièrement au sommet de l'appellation, ce cru possède avec ce 96 un excellent vin : robe intense et profonde, parfums délicats de confiture, de sous-bois et de grillé, structure tannique riche et complexe, avec une touche finale épicée. Un véritable plaisir promis après deux à trois ans de garde.

❦EARL Paul Valade, Rouye, 33350 Belvès-de-Castillon, tél. 05.57.47.93.92, fax 05.57.47.93.92 ☑ ☆ r.-v.

CH. LAPEYRONIE 1997★

| ■ | | 5 ha | 12 000 | 🍷 ❚❙❚ | 70 à 99 F |

Ce château est régulièrement distingué dans le Guide ; le 97 reste fidèle à cette bonne habitude : robe sombre, bouquet expressif de fruits rouges bien mûrs, de vanille et de grillé, tanins souples et présents, évoluant avec gras et fermeté ; il nécessite deux à cinq ans de vieillissement pour obtenir plus de velours.

❦Lapeyronie, 4, Castelmerle, 33350 Sainte-Colombe, tél. 05.57.40.19.27, fax 05.57.40.14.38 ☑ ☆ r.-v.

CH. LA PIERRIERE Cuvée Prestige 1997★

| ■ | | 40 ha | 14 820 | ❚❙❚ | 30 à 49 F |

Ce château du XIVᵉs. est dans la même famille depuis 1607 ; il a été entièrement restauré en 1994 et 1995. Outre le site incomparable, vous pourrez aussi découvrir cette cuvée Prestige : robe pourpre profond, arômes superbes de fruits mûrs, de pruneau et d'abricot sec, tanins généreux, gras, bien équilibrés avec un boisé grillé et vanillé. Une bouteille harmonieuse, qui s'épanouira d'ici deux à cinq ans.

❦de Marcillac, Ch. La Pierrière, 33350 Gardegan, tél. 05.57.47.99.77, fax 05.57.47.92.58 ☑

CH. LA ROCHE BEAULIEU
Elevé en fût de chêne 1997★★

| ■ | | 8,3 ha | 2 600 | 🍷 ❚❙❚ | 30 à 49 F |

Le vignoble du château La Roche Beaulieu bénéficie d'un terroir qui prolonge à l'est les coteaux argilo-calcaires de Saint-Emilion. Les meilleurs raisins ont été utilisés pour cette cuvée, et le résultat est impressionnant : robe presque noire, bouquet expressif et complexe de fruits, d'épices (vanille), de caramel ; structure ample et puissante, très savoureuse, avec un boisé encore dominant qui demande à se fondre. La **cuvée classique 97** reçoit une étoile pour le plaisir qu'elle procure dès maintenant, avec des parfums de poivre et de fraise et des tanins tendres et fruités.

❦EARL du Vignoble Rousset, Ch. La Roche Beaulieu, 33350 Les Salles-de-Castillon, tél. 05.57.40.64.37, fax 05.57.40.65.05, e-mail orousset@aol.fr ☑ ☆ t.l.j. sf dim. 9h30-12h 14h-18h

DOM. LA TUQUE BEL-AIR
Vieilli en fût de chêne neuf 1997★

| ■ | | 20 ha | 45 000 | ❚❙❚ | 30 à 49 F |

Ce 97 a bénéficié d'un bon assemblage typique, 70 % de merlot et 30 % de cabernets. La robe est intense, le nez très marqué par le fruit (mûre, framboise) et la vanille, les tanins possèdent de la chair et du gras et sont déjà très harmonieux. Ce vin vieillira bien (trois à cinq ans), mais il peut déjà être bu avec grand plaisir.

❦GAEC Jean Lavau, Ch. Coudert-Pelletan, 33330 Saint-Christophe-des-Bardes, tél. 05.57.24.77.30, fax 05.57.24.66.24 ☑ ☆ t.l.j. 8h-12h 14h-18h; sam. dim. sur r.-v.

CH. LES HAUTS-DE-GRANGES
Vieilli en barrique de chêne 1997★

| ■ | | 16,9 ha | 15 000 | ❚❙❚ | 30 à 49 F |

Un sol argileux sur roche calcaire, un bon encépagement et du savoir-faire ont conduit à ce 97 pourpre profond, aux parfums de cerise, de vanille et de café. Les tanins se révèlent amples et gras, enrobés, bien que la finale soit encore un peu sévère. Une garde de trois ans paraît nécessaire.

❦GFA L. Vincent-Dalloz, Granges, 33350 Les Salles-de-Castillon, tél. 05.57.40.62.20, fax 05.57.40.64.79 ☑ ☆ r.-v.

LES MOULINS DE COUSSILLON 1996

| ■ | | 2,12 ha | 7 000 | 🍷 | 30 à 49 F |

Situé sur un point culminant de la Gironde (110 mètres), ce petit cru de 2 ha propose un 96 marqué par des arômes de fruits rouges et de violette et qui possède une structure en bouche souple et harmonieuse, bien qu'un peu fugace. Un vin à boire dans les trois ans à venir.

❦Arbo, Godard, 33570 Francs, tél. 05.57.40.65.77, fax 05.57.40.65.77 ☑ ☆ r.-v.

CH. MOULIN DE CLOTTE 1997

| ■ | | 7,2 ha | 55 000 | 🍷 | 30 à 49 F |

Ce 97 mérite d'être cité pour son bouquet naissant de griotte, de cuir, et pour sa souplesse en bouche. La finale est à la fois fruitée et légèrement végétale. A boire dès aujourd'hui.

❦Vignobles Chupin, Ch. Moulin de Clotte, 33350 Les Salles-de-Castillon, tél. 05.57.40.60.94, fax 05.57.40.66.68 ☑ ☆ r.-v.

CH. PERREAU BEL-AIR
Elevé en fût de chêne 1996★★

| ■ | | 2 ha | 10 000 | ❚❙❚ | 30 à 49 F |

Ce château récemment acquis (1992) bénéficie depuis quelques années d'une remise en état complète. Le résultat est prometteur avec ce très beau 96 aux reflets légèrement tuilés et aux parfums de cuir, d'épices et de vanille. En bouche, les tanins se révèlent amples et fondus, avec beaucoup d'équilibre en finale. Une bouteille très classique, qui a besoin pour s'épanouir de deux ou trois ans de vieillissement en cave.

❦GAEC Lubiato, Mattetournier, 33350 Gardegan, tél. 05.57.40.42.43, fax 05.57.40.42.47 ☑ ☆ r.-v.

CH. PERVENCHE PUY-ARNAUD 1997★★

| ■ | | 8 ha | 14 000 | ❚❙❚ | 30 à 49 F |

Cette très ancienne propriété située à Belvès-de-Castillon bénéficie d'un excellent terroir et d'un encépagement classique dont elle a su tirer profit en 1997. Le vin présente une robe sombre, un bouquet expressif de réglisse, de fruits mûrs et une note de brûlé. La bouche, suave et enrobée en attaque, évolue avec puissance, rondeur et persistance. Les tanins du bois se fondent bien et laissent augurer un long vieillissement. Une

bouteille à ouvrir dans deux à cinq ans. Il est conseillé alors de la décanter.

☛André Loretz, 7, Puy Arnaud, 33350 Belvès-de-Castillon, tél. 05.57.47.90.33, fax 05.57.47.90.33 ☑ ⊤ r.-v.

CH. PEYROU 1996

■   5 ha   30 000   ▌◨◧⬧   30 à 49 F

A base essentiellement de merlot (80 %), ce vin est régulièrement retenu dans le Guide pour son caractère. La robe du 96 est sombre ; le bouquet expressif évoque les fruits rouges, la vanille et les épices. La structure tannique, savoureuse et soyeuse, donne une bonne bouteille à apprécier dans un à trois ans.

☛Catherine Papon-Nouvel, Peyrou, 33350 Saint-Magne-de-Castillon, tél. 05.57.24.72.05, fax 05.57.74.40.03 ☑ ⊤ t.l.j. sf dim. 8h-19h

CH. PITRAY 1996

■   30 ha   30 000   ▌◨◧⬧   50 à 69 F

Ce splendide château mérite une visite. Son millésime 96 possède un bouquet discret de fruits mûrs ; il se révèle concentré et gras en bouche. C'est une bouteille classique, qui possède un bon potentiel de vieillissement (trois à cinq ans).

☛SC de La Frérie, Ch. de Pitray, 33350 Gardegan-et-Tourtirac, tél. 05.57.40.63.38, fax 05.57.40.66.24 ☑ ⊤ r.-v.
☛ Comtesse de Boigne

CH. ROBIN 1996*

■   n.c.   50 000   ◨◧   50 à 69 F

Situé sur des coteaux est et sud-est argilo-calcaires, ce cru fait partie des fleurons incontestables de l'appellation. La robe du 96 est profonde. Les parfums de gibier se fondent avec les notes grillées. La structure tannique, ample et veloutée, évolue avec puissance et équilibre. La finale encore très boisée demande cependant deux à trois ans de vieillissement dans une bonne cave. A choisir en toute confiance.

☛SCEA Ch. Robin, 33350 Belvès-de-Castillon, tél. 05.57.47.92.47, fax 05.57.40.58.07 ☑ ⊤ t.l.j. sf sam. dim. 10h-12h 14h-18h
☛ Sté Lurckroft

CH. ROCHER LIDEYRE 1996

■   30 ha   130 000   ▌◨◧⬧   30 à 49 F

Ce 96 développe un agréable bouquet d'épices (girofle), de fruits rouges, de boisé vanillé ; après une attaque en bouche puissante, les tanins montrent un peu d'amertume. Un vin classique à boire dans deux ou trois ans.

☛SCEA Vignobles Bardet, 17, la Cale, 33330 Vignonet, tél. 05.57.84.53.16, fax 05.57.74.93.47, e-mail vignobles.bardet@vins-bordeaux.fr

CH. DE SAINT-PHILIPPE
Cuvée Helmina Elevé en fût de chêne 1996*

■   4 ha   25 000   ▌◨◧⬧   30 à 49 F

Cette cuvée Helmina, élevée en fût de chêne, se voit décerner une étoile pour son bouquet naissant de fumé, de gibier, de fruits, et pour sa structure en bouche puissante et équilibrée, très aromatique en finale. Une bouteille sincère, à boire ou à garder quelques années. A noter aussi

la **cuvée classique**, citée pour sa fraîcheur tannique et sa délicatesse aromatique, à boire dès aujourd'hui.

☛EARL Vignobles Bécheau, Ch. de Saint-Philippe, 33350 Saint-Philippe-d'Aiguilhe, tél. 05.57.40.60.21, fax 05.57.40.62.28, e-mail pbécheau@terre-net.fr ☑ ⊤ t.l.j. sf dim. 8h-12h 14h-19h

CH. SEIGNEUR DE GANEAU 1997

■   4 ha   6 000   ▌   20 à 29 F

Une petite production en 1997, mais un vin agréable au nez (mûre, framboise) comme en bouche, où les tanins paraissent fins et charmeurs. Une bouteille à savourer dès maintenant, pour sa fraîcheur.

☛Pierrick Brachem, Gaillardet, 33350 Castillon-la-Bataille, tél. 05.57.40.02.05, fax 05.57.40.17.45 ☑ ⊤ t.l.j. 8h30-20h

VALMY DUBOURDIEU-LANGE 1997**

■   4 ha   13 000   ◨◧   70 à 99 F

Issu des meilleures parcelles du château de Chainchon où subsistent encore trois rangs de vignes du siècle dernier, ce 97 a bénéficié des techniques les plus récentes appliquées dans les grands crus du Bordelais. La robe pourpre est intense, les arômes, puissants et élégants, rappellent les fruits rouges, la vanille, le pain toasté. En bouche, la structure charnue et fraîche évolue avec puissance, race et beaucoup de longueur ; trois à cinq ans de vieillissement sont cependant nécessaires pour obtenir un meilleur fondu du boisé. Une excellente bouteille !

☛SCEA du Ch. de Chainchon, 33350 Castillon-la-Bataille, tél. 05.57.40.14.78, fax 05.57.40.25.45 ☑ ⊤ r.-v.
☛ Patrick Erésué

VIEUX CHATEAU CHAMPS DE MARS Elevé en barrique de chêne 1996**

■   5 ha   25 000   ◨◧   30 à 49 F

Un excellent terroir, des vignes âgées (soixante ans en moyenne) dont certaines ont été plantées en 1902 et une technique sans faille : tout était réuni pour que ce 96 soit une grande réussite. Sa robe grenat soutenu annonce des arômes puissants et complexes d'épices, de pruneau, de réglisse et de vanille. Ses tanins ronds et charpentés, puis veloutés, harmonieux, contribuent à la belle persistance. C'est un vin racé, très classique, qui demande un vieillissement impératif de trois à huit ans. Bravo au vigneron !

⊶ Régis Moro, Champs-de-Mars, 33350 Saint-Philippe-d'Aiguilhe, tél. 05.57.40.63.49, fax 05.57.40.61.41 ☒ Y r.-v.

Bordeaux côtes de francs

S'étendant, à 12 km à l'est de Saint-Emilion, sur les communes de Francs, Saint-Cibard et Tayac, le vignoble de bordeaux côtes de francs (487 ha en production) bénéficie d'une situation privilégiée sur des coteaux argilo-calcaires et marneux parmi les plus élevés de la Gironde. Presque intégralement consacré aux vins rouges (à l'exception d'une vingtaine d'hectares), il est exploité par quelques viticulteurs dynamiques et une cave coopérative, qui produisent de très jolis vins, riches et bouquetés.

VIGNOBLE D'ALFRED 1996★★

■ 2 ha 6 000 ⬮ 50 à 69 F

Une production confidentielle pour ce cru qui a la particularité de posséder 60 % de cabernet-sauvignon dans son encépagement, ce qui est assez atypique dans l'appellation. Son 96 est superbe : robe grenat dense, bouquet élégant de fruits rouges, de cire, de vanille et de menthol. En bouche, l'attaque vive et même jeune laisse la place à une sensation de velours. Grande persistance aromatique. Assurément, cette bouteille vieillira bien, de cinq à dix ans.

⊶ Lapeyronie, 4, Castelmerle, 33350 Sainte-Colombe, tél. 05.57.40.19.27, fax 05.57.40.14.38 ☒ Y r.-v.

⊶ A. Charrier

CH. GODARD-BELLEVUE
Elevé en fût de chêne 1996★

■ 4,5 ha 7 000 ⬮ 30 à 49 F

96 est le premier millésime de ce château et c'est déjà une grande réussite. Issu à 75 % du cépage cabernet-franc, c'est un vin grenat à reflets pourpres qui présente un bouquet naissant de pruneau, d'épices et de cassis. En bouche, il possède du gras et du volume, et une finale très équilibrée. Une bouteille de charme à ouvrir dans trois ans.

⊶ Arbo, Godard, 33570 Francs, tél. 05.57.40.65.77, fax 05.57.40.65.77 ☒ Y r.-v.

CH. LALANDE DE TAYAC 1997★

■ 10 ha 12 000 ▮ 30 à 49 F

Issu d'un bon terroir argilo-calcaire, ce 97 présente une robe soutenue et brillante, un bouquet ouvert et expressif de cassis, de griotte, et une structure aimable, enrobée, évoluant avec finesse et une bonne persistance. Une bouteille qui traduit bien son terroir, à boire dans deux ou trois ans.

⊶ Vignobles Lafaye Père et Fils, Ch. Viramon, 33330 Saint-Etienne-de-Lisse, tél. 05.57.40.18.28, fax 05.57.40.02.70 ☒ Y r.-v.

CH. LES CHARMES-GODARD 1997★

□ 1,65 ha 10 900 ⬮ 50 à 69 F

Ce cru fait partie des fleurons de l'appellation ; il produit un excellent vin blanc fermenté et élevé en barrique pendant dix mois. Le 97 possède une belle couleur jaune d'or brillante, des arômes expressifs de fruits exotiques, d'épices, de réglisse, agrémentés de notes vanillées. L'équilibre en bouche est très bon, avec du gras, mais il est préférable d'attendre un an ou deux afin que s'estompe la légère amertume finale.

⊶ GFA Les Charmes-Godard, Lauriol, 33570 Saint-Cibard, tél. 05.57.56.07.47, fax 05.57.56.07.48 ☒ Y r.-v.

⊶ Nicolas Thienpont

CH. MARSAU 1996★

■ 6 ha 25 000 ⬮ 50 à 69 F

Propriétaire de ce cru depuis 1994, Jean-Marie Chadronnier, négociant important de Bordeaux, a, depuis, réalisé d'importants investissements de rénovation qui portent leurs fruits, comme en témoigne ce 96 au bouquet intense et complexe de fruits mûrs, de violette, de torréfaction. En bouche, les tanins riches et gras ont beaucoup de charme et de finesse et persistent longuement. Une très agréable bouteille à ouvrir d'ici un à trois ans.

⊶ Ch. Marsau, Ch. Marsau Bernarderie, 33570 Francs, tél. 05.56.02.26.41, fax 05.56.02.26.41 ☒ Y r.-v.

⊶ S. et J.-M. Chadronnier

CH. PUYANCHE
Elevé en fût de chêne 1997★

□ 3,2 ha 5 000 ⬮ 30 à 49 F

Ce 97 est issu d'un assemblage équilibré entre sémillon (50 %) et sauvignon (50 %). Elevé en barrique pendant sept mois, il possède beaucoup de fraîcheur aromatique, sensible particulièrement en bouche où le volume et le gras ressortent bien. Ce joli vin typé fait montre de caractère ; il s'appréciera au mieux après l'an 2000.

⊶ Arbo, Godard, 33570 Francs, tél. 05.57.40.65.77, fax 05.57.40.65.77 ☒ Y r.-v.

CH. PUYANCHE
Moelleux Elevé en fût de chêne 1996

□ 3,2 ha 3 000 ⬮ 30 à 49 F

Au début du siècle, la renommée de cette appellation provenait des vins blancs moelleux ou liquoreux, comme ce 96 très marqué par ses arômes rôtis et de miel. En bouche, il possède du volume, mais il manque un peu de gras et d'harmonie pour mériter une étoile. Un vin à découvrir cependant.

⊶ Arbo, Godard, 33570 Francs, tél. 05.57.40.65.77, fax 05.57.40.65.77 ☒ Y r.-v.

CH. PUYGUERAUD 1996★★

■ 32 ha 57 000 ⬮ 50 à 69 F

Régulièrement mentionné dans le Guide parmi les valeurs sûres de l'appellation, ce cru, commandé par un très beau château du XVIe s., ne faillit pas avec son 96. La robe pourpre présente de brillants reflets rubis. Les arômes intenses de fruits se fondent bien avec les notes boisées et épicées. La structure tannique, élégante et puissante en même temps, évolue avec fraîcheur et persistance. Une très belle bouteille à apprécier en connaisseur d'ici deux à cinq ans.

SC Ch. Puygueraud, 33570 Saint-Cibard, tél. 05.57.56.07.47, fax 05.57.56.07.48 r.-v.

Entre Garonne et Dordogne

La région géographique de l'Entre-deux-Mers forme un vaste triangle délimité par la Garonne, la Dordogne et la frontière sud-est du département de la Gironde ; c'est sûrement l'une des plus riantes et des plus agréables de tout le Bordelais, avec ses vignes qui couvrent 23 000 ha, soit le quart de tout le vignoble. Très accidentée, elle permet de découvrir de vastes horizons comme de petits coins tranquilles qu'agrémentent de splendides monuments, souvent très caractéristiques (maisons fortes, petits châteaux nichés dans la verdure et, surtout, moulins fortifiés). C'est aussi un haut lieu de la Gironde de l'imaginaire, avec ses croyances et traditions venues de la nuit des temps.

Entre-deux-mers

L'appellation entre-deux-mers ne correspond pas exactement à l'Entre-deux-Mers géographique, puisque, regroupant les communes situées entre les deux fleuves, elle en exclut celles qui disposent d'une appellation spécifique. Il s'agit d'une appellation de vins blancs secs dont la réglementation n'est guère plus contraignante que pour l'appellation bordeaux. Mais dans la pratique, les viticulteurs cherchent à réserver pour cette appellation leurs meilleurs vins blancs. Aussi la production est-elle volontairement limitée (2 394 ha en production, 110 241 hl en 1998), et les dégustations d'agréage sont-elles particulièrement exigeantes. Le cépage le plus important est le sauvignon,

Entre Garonne et Dordogne

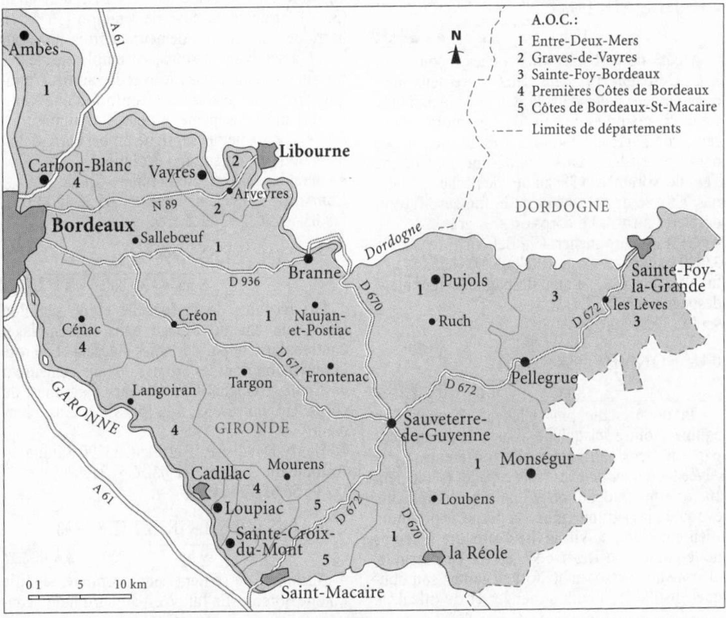

qui communique aux entre-deux-mers un arôme particulier très apprécié, surtout lorsque le vin est jeune.

CH. D'AUGAN 1998★

□ n.c. 10 000 ▮ 🌡 20 à 29 F

La robe est paille brillante. Le corps souple, vivant, frissonne de perles gazeuses. Le bouquet ? Des brassées de fleurs du printemps et du pamplemousse mûr. Ce mariage des cépages sémillon (55 %), muscadelle (15 %) et sauvignon (30 %) qui se font remarquer au nez par leur qualité est signé par les coopérateurs de Blasimon, connus pour leurs productions maîtrisées. L'amateur pourra contempler, juste à côté, le remarquable portail de l'abbaye.

🔑 Vignerons de Guyenne, Union des Producteurs de Blasimon, 33540 Blasimon, tél. 05.56.71.55.28, fax 05.56.71.59.32 ☑ Y t.l.j. sf sam. dim. 8h-12h 14h-18h

CH. DE BEAUREGARD-DUCOURT 1998★

□ 2 ha n.c. ▮ 🌡 30 à 49 F

Le sémillon - 63 % - est majoritaire dans l'assemblage de ce vin qui a plu par sa typicité nerveuse, complexe, fruitée, et par sa longueur. Mais le nez intense est caractéristique du sauvignon (34 %) à peine mûr, ce que chacun appréciera selon ses goûts... La réserve manifestée par un juré n'a pas fait pour autant pâlir l'étoile attribué à ce vin gourmand. Aussi bien noté, à peine sauvignonné, nuancé de fleurs blanches et de poire, le **Château La Rose du Pin 98** offre un corps gras, séveux, à la finale charnue, apaisée.

🔑 SCEA Vignobles Ducourt, 18, rte de Montignac, 33760 Ladaux, tél. 05.57.34.54.00, fax 05.56.23.48.78 ☑ Y r.-v.

CH. BEL AIR 1998

□ 12 ha n.c. ▮ 🌡 30 à 49 F

A côté de fort jolis vins rouges, l'équipe de J.-L. Despagne présente deux entre-deux-mers qui prennent place dans la lignée de leurs aînés. Celui-ci, aux notes de buis fumé, se montre puissant, rond, gras. La finale, très florale et peu nerveuse, est bien dans le millésime. Le **Château Tour de Mirambeau 98**, au nez de pêche et d'ananas, s'avive de menthe et de la fameuse flaveur de pierre à fusil. Le corps est très gras.

🔑 GFA de Perponcher, Ch. Bel Air, 33420 Naujan-et-Postiac, tél. 05.57.84.55.08, fax 05.57.84.57.31, e-mail despagne@vignobles-despagne.com ☑ Y r.-v.

🔑 J.L. Despagne

CH. BONNET 1998★

□ n.c. n.c. ▮ 🌡 30 à 49 F

On ne présente plus Château Bonnet. Son équipe montre ici qu'elle a su tirer le meilleur parti de deux millésimes bien différents. Cette cuvée 98 qui associe les trois cépages (seulement 10 % de muscadelle) offre une jolie complexité, évoquant les agrumes mûrs, la pêche, le brugnon. Bien équilibré, ce vin invite à prendre le temps de le goûter. La **Réserve 97**, élevée en barrique, affirme une personnalité fort élégante ; son bouquet distille les fleurs d'oranger et de tilleul, le café un peu vert. Brioche beurrée et réglisse se retrouvent dans une bouche volumineuse que le bois domine encore un peu

🔑 SCEA Vignobles André Lurton, Ch. Bonnet, 33420 Grézillac, tél. 05.57.25.58.58, fax 05.57.74.98.59, e-mail andre.lurton@wanadoo.fr ☑ Y r.-v.

CH. BOURDICOTTE 1998

□ 6,45 ha 53 000 ▮ 🌡 20 à 29 F

La finesse aromatique de ce vin a plu : fleurs blanches, genêt, buis se marient à des parfums minéraux ou fumés. Le fruit de la passion apparaît à l'agitation et souligne un corps svelte, alerte. Une typicité fraîche pour accompagner les fritures.

🔑 SCEA Rolet Jarbin, Dom. de Bourdicotte, 33790 Cazaugitat, tél. 05.56.61.32.55, fax 05.56.61.38.26

DOM. DES CAILLOUX 1998

□ 6 ha 15 000 ▮ 🌡 20 à 29 F

La qualité du mariage sémillon-muscadelle épaulé de sauvignon (20 %) se découvre dans l'appréciation des flaveurs : finesse, complexité, fleurs blanches, tilleul, poire. La bouche se réjouit de l'équilibre réussi entre la rondeur de la chair et la vivacité de la finale. Un joli vin d'huîtres et de plateau de fruits de mer.

🔑 Benoît Maulun et Nicole Dupuy, Dom. des Cailloux, 33760 Romagne, tél. 05.56.23.60.17, fax 05.56.23.32.05 ☑ Y r.-v.

CH. DE CAMARSAC
Sélection élevée en barrique 1998★

□ 2 ha 10 000 ▮ 🛢 🌡 20 à 29 F

L'imposante silhouette du château est bien connue des voyageurs qui empruntent la route Bergerac-Brane-Bordeaux. Une petite partie du vignoble est consacrée au blanc. Le sauvignon (50 %) fermente en cuve, le sémillon (50 %) en barrique ; et les vins demeurent trois mois sur lies. L'assemblage y trouve sa complexité : le nez très fin s'agrémente de cacao et de vanille. L'attaque vive cède bientôt au confort d'une chair ronde, mûre, à peine effleurée d'humus. La finale, encore nerveuse, signe un bel entre-deux-mers dont il faut suivre l'évolution.

🔑 Bérénice Lurton, Sté Fermière Ch. de Camarsac, 33750 Camarsac, tél. 05.56.30.11.02, fax 05.56.30.12.92 ☑ Y r.-v.

CH. CANDELEY 1998★

□ 8 ha 30 000 ▮ 🌡 20 à 29 F

Les parfums de muscadelle et de sémillon (40 % de chaque cépage dans l'assemblage) contrebalancent par des notes d'acacia et de rose le sauvignon dont les arômes de buis demeurent en finale, soulignant les flaveurs d'agrumes du corps. Un vin séveux, à la fois vif et gras, charmeur.

🔑 Henry Devillaire, Toutifaut, 33790 Saint-Antoine-du-Queyret, tél. 05.56.61.31.46, fax 05.56.61.37.37 ☑ Y r.-v.

CH. CASTENET-GREFFIER 1998

□ 9 ha 70 000 ▮ 🌡 20 à 29 F

Auriolles, où se tient cette propriété, signifie « huile dorée ». En fait, c'est aujourd'hui la couleur pâle de ce vin (or fin, note un juré). Cet assemblage des trois cépages où domine le sauvignon offre des parfums de fleurs blanches et de fruits bien mûrs. Le corps est frais, acidulé, de bonne longueur. C'est, sans façon, un vin de repas froid.

☛ EARL François Greffier, Castenet, 33790 Auriolles, tél. 05.56.61.40.67, fax 05.56.61.38.82, e-mail ch.castenet@wanadoo.fr ☑ ☖ r.-v.

CHANTET BLANET 1998*

| ☐ | n.c. | 263 000 | ☷☖ | - de 20 F |

Voici une marque commerciale distribuée par les Centres Leclerc, ambitieuse par le nombre des flacons ! Mais le vin est au rendez-vous : cet assemblage bien pensé se révèle très équilibré, rond et corsé, long et surtout très aromatique : fleurs (aubépine, seringa), fruits (écorce d'orange, pamplemousse) sur fond de lait de coco composent une harmonie séduisante dont il faudra suivre l'évolution. Un beau type de l'appellation.

☛ Dulong Frères et Fils, 29, rue Jules-Guesde, 33270 Floirac, tél. 05.56.86.51.15, fax 05.56.40.84.97, e-mail dulong@mmkm.com ☑ ☖ r.-v.

DOURTHE 1997

| ☐ | n.c. | n.c. | 20 à 29 F |

80 % sémillon, 20 % sauvignon. C'est un vin de caractère qui exhale sans retenue des parfums de fruits exotiques, de brioche, de tilleul et d'épices. La bouche offre des contrastes dont les jurés ont discuté, entre la corpulence appuyée de la chair et une vivacité poivrée qui l'anime jusqu'à la finale. Un exemple intéressant du millésime.

☛ Dourthe, 35, rue de Bordeaux, 33290 Parempuyre, tél. 05.56.35.53.00, fax 05.56.35.53.29, e-mail contact@cvbg.com ☑ ☖ r.-v.

CH. GRAND BIREAU 1998

| ☐ | 2 ha | 9 300 | ☷☖ | 20 à 29 F |

Muscadelle (15 %) et sémillon (40 %) apportent finesse et complexité de fleur blanche et de miel aux flaveurs puissantes du sauvignon. La fraîcheur du corps et la finale (bourgeon) chanteront allègrement sur les huîtres.

☛ Michel Barthe, 18, Girolatte, 33420 Naujan-et-Postiac, tél. 05.57.84.55.23, fax 05.57.84.57.37 ☑ ☖ r.-v.

CH. HAUT NADEAU 1998*

| ☐ | 1,86 ha | 16 000 | ☷☖ | 30 à 49 F |

Non loin de la propriété, Targon (de Taïgo, le grand bouclier) groupe ses maisons sur une butte autour d'une solide église templière du XIIᵉs. La maturité des parcelles est contrôlée par la dégustation des raisins. Macération pelliculaire et élevage sur lies totales sont conduits au verre. Cela réclame un savoir-faire que les jurés ont salué : les parfums riches et frais des trois cépages (dont sauvignon 65 %) s'épousent en une chair complexe, équilibrée, qui laisse un joli souvenir. « Un vin de bons fruits ».

☛ SCEA Ch. Haut Nadeau, 3, chem. d'Estévenadeau, 33760 Targon, tél. 05.56.20.44.07, fax 05.56.20.44.07 ☑
☛ Audouit

CH. HAUT-RIAN 1998

| ☐ | 13 ha | 105 000 | ☷☖ | 20 à 29 F |

Voici, sous un habit doré à reflets vert pâle, un corps frais, bien équilibré, au perlant discret et efficace. Il met en valeur la maturité de ce « sémillon sauvignonné » (70-30 %), en touches subtiles de confiture d'agrumes, de tilleul, de miel, avec un buis discret. Un vin plaisir.

☛ Michel Dietrich, La Bastide, 33410 Rions, tél. 05.56.76.95.01, fax 05.56.76.93.51 ☑ ☖ t.l.j. sf dim. 9h-12h 14h-18h; f. 15-30 août

CH. JANDILLE 1998*

| ☐ | 5 ha | 30 000 | ☷☖ | 20 à 29 F |

La robe présente de jolis reflets vert pâle. Les 60 % de sauvignon ne se cachent pas. Ils affirment leurs parfums pleins et agréables. Le corps, équilibré, floral, distingué, laisse percevoir le sémillon, tendre, un peu effacé. La finale marie les deux cépages en une complexité bien enlevée. Un vin d'apéritif et de salades landaises.

☛ Producteurs réunis Chais de Vaure, 33350 Ruch, tél. 05.57.40.54.09, fax 05.57.40.70.22 ☑ ☖ t.l.j. sf dim. 8h30-12h30 14h-18h

CH. LA COMMANDERIE DE QUEYRET 1998*

| ☐ | 13 ha | 80 000 | ☷☖ | 30 à 49 F |

Ce vin de sauvignon mûr (50 %), bien accompagné de muscadelle (25 %) et de sémillon (25 %) a été discuté : certes, le nez est d'abord discret mais sa complexité est remarquable : fleur (acacia), orange, eucalyptus. De même, le corps est encore contrasté. Une certaine vivacité éveille la finale, mais la chair s'offre en rondeur parfumée, grasse, beurrée. Beaucoup d'élégance.

☛ Claude Comin, La Commanderie, 33790 Saint-Antoine-du-Queyret, tél. 05.56.61.31.98, fax 05.56.61.34.22 ☑ ☖ t.l.j. sf dim. 8h-12h 14h-19h

CH. LA LANDE DE TALEYRAN 1998

| ☐ | 8 ha | 60 000 | ☷☖ | 20 à 29 F |

Un menu perlant anime ce vin léger mais charnu, au nez intense de fleurs (jasmin) accompagné d'agrumes qui marquent la finale d'une pointe amère rafraîchissante.

☛ GAEC La Lande de Taleyran, Ch. Polin, 33750 Beychac-et-Caillau, tél. 05.56.72.98.93, fax 05.56.72.81.94 ☑ ☖ r.-v.
☛ Burliga

CH. LA MOTHE DU BARRY
Cuvée Design 1997*

| ☐ | 0,5 ha | 2 000 | ❚❙ | 30 à 49 F |

La cuvée principale de ce château avait déjà été bien appréciée l'an dernier dans ce millésime. Celle-ci a été élevée en fût pendant huit mois sur ses lies de fermentation. Curiosité : il s'agit de fûts de 400 l (proche du demi-muid). Le nez puissant de fruits exotiques se nuance de touches torréfiées et vanillées. La bouche se révèle étonnam-

ment ronde, presque tendre, marquée de fruits secs, de cannelle et de café. Ce vin original et intéressant devrait aimer quelques fromages.
Joël Duffau, Les Arromans n°2, 33420 Moulon, tél. 05.57.74.93.98, fax 05.57.84.66.10 ☑ Y r.-v.

CH. LES VIEILLES TUILERIES 1998

☐ n.c. 10 000 ▮ 20 à 29 F

Le château féodal de Benauge, situé à quelques kilomètres, domine l'horizon. Le sauvignon (50 %) ne règne pas sur ce vin. Le sémillon (40 %) épaulé de muscadelle et un perlant bien présent l'accompagnent et enrichissent ses ardeurs aromatiques (buis, agrumes bien mûrs, notes de thé léger et d'acacia) ; une chair vivante et fraîche, parfumée en finale d'une pointe de bourgeon caractérise ce classique de bon aloi.
SCEA des Vignobles Menguin, 194, Gouas, 33760 Arbis, tél. 05.56.23.61.70, fax 05.56.23.49.79 ☑ Y r.-v.

CH. MYLORD 1998★

☐ 20 ha 150 000 ▮ 30 à 49 F

Les descendants de cette vieille famille de l'Entre-deux-Mers ont su maintenir l'encépagement des vignobles anciens : les cépages sont représentés par tiers. Ils utilisent avec doigté des moyens très modernes. Le résultat est là : ce vin embaume la pêche blanche, le fruit mûr simplement souligné d'agrumes, de fleur d'acacia. La chair suave, ronde, élégante, occupe bien et longuement la bouche. Ce vin donne le plaisir du raisin frais.
Michel et Alain Large, SCEA Ch. Mylord, 33420 Grézillac, tél. 05.57.84.52.19, fax 05.57.74.93.95 ☑ Y r.-v.

CH. NINON 1998★

☐ 2,62 ha 5 500 ▮ 20 à 29 F

Le parfum intense de ce vin issu des trois cépages (dont 20 % de muscadelle, 40 % de sauvignon) s'ouvre en notes minérales (- allumette, écrit un juré) puis s'épanouit en fruits, avec une légère infusion d'orange et de tilleul. La bouche développe une rondeur presque tendre, aux flaveurs charmeuses. Un vin à servir sur des entremets ou à découvrir avec des fromages.
Pierre Roubineau, Tenot, 33420 Grézillac, tél. 05.57.84.62.41, fax 05.57.84.62.41 ☑ Y r.-v.

CH. REYNIER 1998★

☐ n.c. n.c. ▮ 20 à 29 F

Cette belle ferme fortifiée du XVe s. fut un relais sur le chemin de Compostelle. Elle réalise aujourd'hui des vinifications bien maîtrisées - tries, macération, élevages sur lies... Une partie de la vendange apporte des flaveurs de buis et de bourgeon ainsi que de la vivacité à un corps rond, flatteur, parfumé de notes d'ananas. Ce contraste s'apaise dans une finale fraîche. A goûter sur des huîtres.
Marc Lurton, Ch. Reynier, 33420 Grézillac, tél. 05.57.84.52.02, fax 05.57.84.56.93 ☑ Y r.-v.

CH. SAINTE-MARIE
Cuvée Madlys 1998★★

☐ 15 ha 5 000 ▮▮ 30 à 49 F

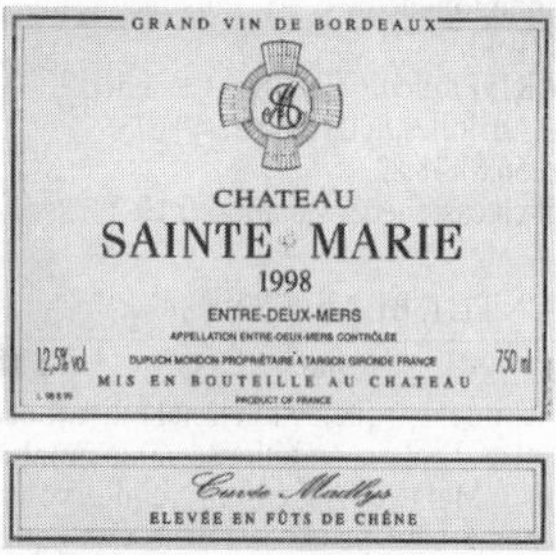

Les pèlerins de Compostelle s'arrêtaient là autrefois pour boire de l'eau d'une source miraculeuse. Les motifs ont changé mais la halte reste recommandée. Des vins de forte personnalité sont retenus : ils sont nés de vendanges manuelles triées à maturité. L'élevage sur lies dure près de six mois. La cuvée **98 Vieilles vignes**, notée une étoile, développe des senteurs délicates de fleurs et de miel, avec des touches d'agrumes. Le corps rond, gras, brioché et la finale à peine effleurée de bourgeon signent un joli classique. Cette cuvée Madlys a fermenté en barrique et y a été maintenue sur lies. Les flaveurs se sont enrichies de fruits confits, de litchi, de noisette. Une jolie vivacité habite son corps fondant, donnant une belle élégance à l'ensemble. Finale presque poivrée.
Gilles et Stéphane Dupuch, 51, rte de Bordeaux, 33760 Targon, tél. 05.56.23.00.71, fax 05.56.23.34.61, e-mail ch.ste.marie@wanadoo.fr ☑ Y r.-v.

CH. VRAI CAILLOU 1998

☐ 27 ha n.c. ▮ 30 à 49 F

Dans cette région de bourgs fortifiés (Sauveterre-de-Guyenne ou Castelmoron-d'Albret) ou d'abbayes austères (Saint-Ferme), Michel Pommier représente la cinquième génération de viticulteurs de sa famille. Pratiquant la macération pelliculaire et la stabilisation à froid, il a extrait des parfums délicats de sauvignon (55 %) et de sémillon (40 %) auxquels s'ajoutent une douceur de muscadelle et des arômes de fermentation. L'attaque est ronde, le corps un peu généreux et nerveux à la fois, la finale heureuse.
Michel Pommier, Ch. Vrai Caillou, 33790 Soussac, tél. 05.56.61.31.56, fax 05.56.61.33.52, e-mail mpomm527339@aol.com ☑ Y r.-v.

YVECOURT 1998★

☐ n.c. n.c. ▮ 20 à 29 F

Le négociant Yvon Mau montre ici qu'il connaît son art ! 65 % de sauvignon, 30 % de sémillon, 5 % de muscadelle forment un assemblage classique. Encore fallait-il les choisir pour obtenir ce vin typé de l'appellation : la robe pâle est brillante, le nez fleure la fleur d'oranger et le sauvignon beurré. S'ajoutent en bouche des flaveurs d'abricot sec et une fraîcheur qui enlève la finale en douceur. Joli.

✆SA Yvon Mau, rue André-Dupuy-Chauvin, B.P. 1, 33190 Gironde-sur-Dropt, tél. 05.56.61.54.54, fax 05.56.61.54.61 ☖ r.-v.

Entre-deux-mers haut-benauge

CH. HAUT-TERRE-FORT 1998★

| □ | 1,55 ha | 12 400 | ▣ 20 à 29 F |

La robe est blanc très pâle, à reflets verts, d'un brillant minéral. Le nez vif évoque la fleur, le citron, la menthe. Le corps, presque incisif, explose en parfums de printemps portés par un perlant frais qui accompagne toute la dégustation. Un vin de poisson.
✆Vignobles Clissey-Fermis, 24, rte de Cantois, 33760 Ladaux, tél. 05.56.23.93.80 ☑ ☖ r.-v.

DOM. DE LA SERIZIERE 1998

| □ | 4,25 ha | 6 600 | ▣ 20 à 29 F |

Le nez d'abord discret se révèle puissant à l'aération (aubépine, citronnelle). Le fruit, du sémillon dominant au sauvignon (25 %) bien affirmé, éclate en bouche. La finale s'encombre d'une pointe amère qui disparaîtra sur des coquillages.
✆EARL Dom. de La Serizière, 33760 Ladaux, tél. 05.56.23.91.75, fax 05.57.34.40.72 ☑ ☖ r.-v.
✆Didier et Jean-Marc Lobre

Graves de vayres

Malgré l'analogie du nom, cette région viticole située sur la rive gauche de la Dordogne, non loin de Libourne, est sans rapport avec la zone viticole des Graves. Mais les graves de vayres correspondent à une enclave relativement restreinte de terrains graveleux, différents de ceux de l'Entre-deux-Mers. Cette appellation a été utilisée depuis le XIXe s., avant d'être officialisée en 1931. Initialement, elle correspondait à des vins blancs secs ou moelleux, mais la conjoncture actuelle tend à augmenter la production des vins rouges qui peuvent bénéficier de la même appellation.

La superficie totale du vignoble de cette région représente environ 360 ha de vignes rouges et 165 ha de vignes à raisins blancs ; une part importante des vins rouges est commercialisée sous l'appellation régionale bordeaux. En AOC

graves de vayres, la production a atteint 33 873 hl dont 8 550 en blanc.

CUVEE DU BARON CHARLES
Elevé en fût de chêne 1996★

| ■ | 1,5 ha | 12 000 | ◫ 30 à 49 F |

Provenant d'un terroir graveleux, cette cuvée spéciale du château Le Tertre bénéficie d'une très belle présentation en bouteille. Le 96 a de jolis reflets tuilés, un bouquet intense, animal et toasté, et une structure tannique souple et chaleureuse, avec un bon retour aromatique. Un vin à boire dans les trois à six ans.
✆Pierrette et Christian Labeille, Ch. Le Tertre, 33870 Vayres, tél. 05.57.74.76.91, fax 05.57.74.87.40 ☑ ☖ r.-v.

CH. BARRE GENTILLOT 1997

| ■ | 8,72 ha | 50 000 | ▣ ♨ 30 à 49 F |

Autrefois liée à la seigneurie du château de Vayres, cette propriété a réussi un 97 agréable, au bouquet vineux et fruité. L'attaque souple évolue avec fermeté. C'est une bouteille qui s'arrondira après deux à trois ans de vieillissement en cave.
✆SCEA Yvette Cazenave-Mahé, Ch. de Barre, 33500 Arveyres, tél. 05.57.24.80.26, fax 05.57.24.84.54 ☑ ☖ r.-v.

CH. HAUT-GAYAT 1997★

| ■ | 12,3 ha | 89 000 | ◫ 30 à 49 F |

Avec son encépagement exactement partagé entre merlot et cabernet-sauvignon, ce château propose un 97 très intéressant, aux parfums subtils de fruits noirs. Ce vin possède des tanins mûrs et élégants, sans grande puissance mais tout en finesse. C'est une bouteille qui vieillira harmonieusement ; à boire après l'an 2000.
✆Marie-José Degas, La Souloire, 33750 Saint-Germain-du-Puch, tél. 05.57.24.52.32, fax 05.57.24.03.72 ☑ ☖ r.-v.

CH. HAUT-MONGEAT
Vieilli en fût de chêne 1997

| ■ | 2,5 ha | 13 000 | ◫ 30 à 49 F |

Ce 97 possède une belle robe rouge à reflets mauves, des parfums assez complexes de menthol, de fruits mûrs et de boisé. Ses riches tanins sont un peu trop marqués par la barrique, ce qui donne une certaine astringence finale. Attendre un an ou deux que le vin s'arrondisse.
✆Bernard Bouchon, Le Mongeat, 33420 Génissac, tél. 05.57.24.47.55, fax 05.57.24.41.21, e-mail mongeat@aol.com ☑ ☖ r.-v.

CH. LESPARRE
Vieilli en fût de chêne 1997★★

| ■ | 40 ha | 300 000 | ◫ 30 à 49 F |

Appartenant à la maison champenoise Michel Gonet et Fils, cette très belle propriété produit régulièrement de bons vins. C'est encore le cas cette année : robe rouge violacé brillante, arômes équilibrés entre les notes fruitées et boisées (pain grillé, vanille), tanins très présents et souples en attaque, évoluant avec puissance dans un bon fondu avec ceux des barriques. Ce sera une belle bouteille dans deux ou trois ans.

⊶ SARL Michel Gonet et Fils, Ch. Lesparre, 33750 Beychac-et-Caillau, tél. 05.57.24.51.23, fax 05.57.24.03.99, e-mail gonet@imaginet.fr ☒ ⊤ r.-v.

CH. LES TUILERIES DU DEROC 1997

■ 8 ha 42 000 ▮ 30 à 49 F

Situé sur une ancienne tuilerie en bordure de la Dordogne, ce château propose un vin bien fait, particulièrement fruité (cerise, framboise) et d'une structure tannique ronde et équilibrée. La fin de bouche un peu fugace n'autorise cependant pas une longue garde.

⊶ SCEA Colombier, Montifaut, voie communale 101, 33870 Vayres, tél. 05.57.74.71.59, fax 05.26.52.97.45 ☒ ⊤ r.-v.

CH. PICHON BELLEVUE 1998

□ 10 ha 40 000 ▮🌡 20 à 29 F

Ce vin blanc sec est le seul sélectionné par le jury parmi les neuf de ce type présentés dans cette appellation. Il mérite votre intérêt pour ses parfums expressifs de fruits secs et exotiques, de menthe, et pour son harmonie en bouche. Une bouteille à boire sur des coquillages.

⊶ EARL Ch. Pichon Bellevue, 33870 Vayres, tél. 05.57.74.84.08, fax 05.57.84.95.04 ☒ ⊤ r.-v.

CH. PICHON BELLEVUE 1997

■ 19,58 ha 110 000 ▮ 30 à 49 F

Ce 97 à la robe grenat limpide possède un bouquet complexe de fruits rouges parfaitement mûrs avec une touche animale. Ses tanins souples et ronds sont bien fondus en finale. Un plaisir immédiat. A boire simplement.

⊶ EARL Ch. Pichon Bellevue, 33870 Vayres, tél. 05.57.74.84.08, fax 05.57.84.95.04 ☒ ⊤ r.-v.

⊶ Reclus

Sainte-foy-bordeaux

CH. DES CHAPELAINS
Elevé en fût de chêne 1997*

■ 2,7 ha 20 000 ◖▮◗ 50 à 69 F

Situé sur un sol argilo-calcaire, ce château a quitté la cave coopérative depuis le millésime 92. L'expérience, on l'a vu l'an dernier avec un coup de cœur pour le millésime 96, a porté ses fruits. Ce 97 au bouquet naissant de fruits rouges, légèrement boisé, possède en bouche des tanins charpentés et ronds en même temps, assez persistants. A boire d'ici un à trois ans : cette bouteille gagnera en complexité aromatique dès février 2000. Quant au **blanc 98**, fermenté et élevé huit mois en barrique, il mérite d'être cité, mais le boisé domine encore. S'estompera-t-il dans un an ou deux ? Le jury débat mais ne tranche pas.

⊶ Pierre Charlot, Les Chapelains, 33220 Saint-André-et-Appelles, tél. 05.57.41.21.74, fax 05.57.41.27.42 ☒ ⊤ t.l.j. sf sam. dim. 8h-12h 14h-18h

CH. CLAIRE ABBAYE
Elevé en fût de chêne 1997**

■ n.c. 6 000 ◖▮◗ 30 à 49 F

Situé sur un coteau calcaire, ce château a mis récemment au jour une sépulture néolithique datant de 3000 ans av. J.-C. Outre cet attrait historique, vous pourrez y trouver un vin marqué par le cabernet-sauvignon (80 %), au bouquet délicat de fruits rouges et possédant en bouche une structure puissante, pleine et agréablement boisée. Le bon équilibre général laisse entrevoir une très bonne garde, de trois à six ans.

⊶ Sellier de Brugière, Ch. Claire Abbaye, 33890 Gensac, tél. 05.57.47.42.04, fax 05.57.47.42.04 ☒ ⊤ r.-v.

CH. HOSTENS-PICANT 1997**

■ 30 ha 120 000 ◖▮◗ 50 à 69 F

Ce très beau domaine, idéalement situé sur un terroir argilo-calcaire et graveleux, a été parmi les premiers à relancer l'appellation. Il n'est donc que justice que notre jury lui décerne un coup de cœur unanime pour son 97. La robe est intense et profonde ; le bouquet naissant est marqué par les fruits rouges bien mûrs ; les tanins sont souples et gras en attaque, puis ils évoluent avec beaucoup de chaleur et d'harmonie, en étant bien soutenus par un boisé de qualité. Attendre impérativement deux à cinq ans avant d'en profiter. En **blanc, la Cuvée des Demoiselles 98** est citée pour sa fraîcheur, son fruité (pêche) et un boisé bien mené.

⊶ Ch. Hostens-Picant, Grangeneuve Nord, 33220 Les Lèves et Thoumeyragues, tél. 05.57.46.38.11, fax 05.57.46.26.23, e-mail chateauhp@aol.com ☒ ⊤ r.-v.

⊶ Yves Picant

CH. LA VERRIERE 1997***

□ n.c. 5 300 ▮🌡 50 à 69 F

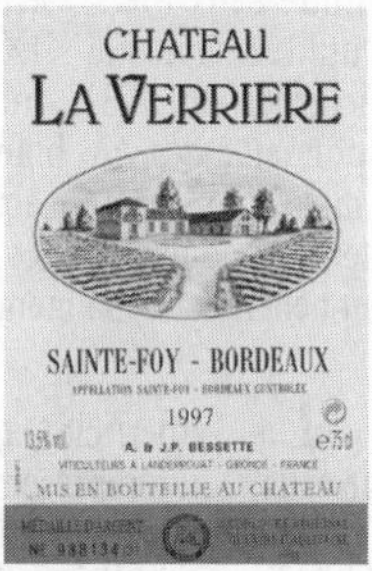

Issu d'un terroir de coteaux argileux, sur un sous-sol hétérogène d'argile blanche et rouge, avec une exposition privilégiée sud-sud-ouest, ce

vin moelleux réussit un magnifique doublé après les trois étoiles et le coup de cœur de l'an dernier ! Le millésime 97 est exceptionnel, avec sa robe dorée brillante, son bouquet puissant de fruits mûrs, de miel, de rôti. Frais en attaque, il évolue avec du gras, de l'onctuosité et un moelleux très équilibré. Une très grande bouteille, qui s'épanouira totalement et vivra bien vingt ans dans une bonne cave. Bravo !

⊶ GAEC La Verrière, La Verrière, 33790 Landerrouat, tél. 05.56.61.36.91, fax 05.56.61.41.12 ☑ Y r.-v.

CH. L'ENCLOS 1997

■ 5 ha 13 000 ⓘ 30 à 49 F

Ce domaine situé sur un terroir calcaire et graveleux dispose d'un encépagement équilibré entre merlot et cabernets. Les arômes de ce 97 sont déjà assez évolués ainsi que les tanins, mais c'est un vin typé, agréable à boire dès maintenant.

⊶ SCEA Ch. L'Enclos, Pineuilh, 33220 Sainte-Foy-la-Grande, tél. 05.57.46.55.97, fax 05.57.46.55.97, e-mail sceachateaulenclos@wanadoo.fr ☑ Y r.-v.

⊶ Armelle de Pianelli

CH. LES BASMONTS 1998*

□ 1 ha 8 400 ▮🌡 20 à 29 F

Ce vin blanc sec issu presque exclusivement du cépage sauvignon (95 %) est très réussi ; il possède beaucoup d'arômes de pêche, de fruits exotiques et de citron. L'attaque soyeuse est bien équilibrée entre le gras et l'acidité, et la bouche est persistante. Une belle bouteille, à déguster dans les trois ans à venir.

⊶ GAEC Basso Frère, Les Raymonds, 33220 Margueron, tél. 05.57.41.29.16, fax 05.57.41.29.16 ☑ Y r.-v.

CH. LES MANGONS Vieilles vignes 1997*

■ 14 ha 9 600 ⓘ 50 à 69 F

Ce 97 provenant en majorité du cabernet-sauvignon (60 %) possède tous les atouts d'un bon bordeaux de garde : robe profonde presque noire, bouquet expressif de fruits rouges et de cuir, tanins charnus en attaque, évoluant avec une certaine raideur - mais deux à trois ans de cave permettront d'obtenir un très bon équilibre final.

⊶ EARL Ch. Les Mangons, 33220 Pineuilh, tél. 05.57.46.17.27, fax 05.57.46.17.27 ☑ Y r.-v.

⊶ M. et B. Comps

CH. MARTET Réserve de la Famille 1997**

■ 1 ha 4 800 ⓘ 70 à 99 F

Situé sur des graves, ce château produit une cuvée spéciale issue exclusivement de merlot, élevée en barriques neuves. Le résultat est impressionnant avec ce 97 : robe cerise profonde, parfums délicats de fruits rouges et de vanille, structure tannique puissante, possédant beaucoup de gras et de rondeur, signes d'une grande maturité. La finale persistante et équilibrée, déjà très fondue, laisse augurer un bel avenir alors que ce vin est déjà agréable à boire. Bravo !

⊶ Ch. Martet, 33220 Eynesse, tél. 05.57.41.00.49, fax 05.57.41.00.49 ☑ Y r.-v.

⊶ Patrick de Coninck

NOUVELLE CONQUETE 1997*

■ 3 ha 13 000 ▮ⓘ🌡 30 à 49 F

Issu d'un terroir de graves et de sables du Périgord, ce vin est une des marques phares de l'Union vinicole de Bergerac-Le Fleix. Il présente une robe pourpre ; il est encore discret au nez, mais sa structure tannique fraîche et souple, aromatique en fin de bouche, le rend agréable à boire dès aujourd'hui.

⊶ Union vinicole Bergerac-Le Fleix, Le Vignoble, 24130 Le Fleix, tél. 05.53.24.64.32, fax 05.53.24.65.46 ☑ Y r.-v.

CH. DU PETIT MONTIBEAU 1997

■ 1,5 ha 10 000 ▮ⓘ 30 à 49 F

Sur cette propriété, vous pourrez visiter un très joli moulin à eau du XVIIIᵉs. et déguster ce 97 bien fruité, possédant une structure tannique ronde, mais encore très marquée par le boisé de l'élevage. Un vin à boire ou à garder deux ou trois ans.

⊶ Robert Barrière, Moulin de Moustelat, 33890 Pessac-sur-Dordogne, tél. 05.57.47.46.77, fax 05.57.47.48.62 ☑ Y r.-v.

CH. DES THIBEAUD

Elevé en fût de chêne 1997**

■ 1,13 ha 9 000 ⓘ 30 à 49 F

Fondée en 1993, cette propriété s'étend sur les coteaux argileux et calcaires de la commune de Caplong. Ouvert et élégant, ce 97 dévoile un bouquet généreux de fruits rouges, de cuir. Il possède une structure tannique souple et ronde, évoluant avec harmonie et une persistance aromatique légèrement boisée. Ce vin très représentatif de l'appellation est déjà agréable à boire, mais il pourra vieillir de deux à trois ans.

⊶ EARL Dom. Le Canton, 33220 Caplong, tél. 05.57.41.25.65, fax 05.57.41.25.65 ☑ Y t.l.j. sf sam. dim. 9h-12h 14h-17h

⊶ Delaplace

CH. TROIS FONDS 1998

□ 0,8 ha 3 900 ▮🌡 20 à 29 F

Ce vin blanc sec a une belle couleur jaune vert, un bouquet typé de sauvignon (bourgeon de cassis) et de figue fraîche. Sa fraîcheur en bouche est très agréable. A boire dans les deux ans.

⊶ Jacques Deffarge, 23, La Beysse, 33220 Eynesse, tél. 05.57.41.02.65, fax 05.57.41.01.42 ☑ Y r.-v.

CH. DE VACQUES 1997*

■ 3 ha 15 000 ▮ⓘ🌡 30 à 49 F

Situé sur un des coteaux les plus élevés de la région, le vignoble est exposé plein sud et repose sur un sol argilo-calcaire et graveleux. Ce 97 obtient une étoile pour l'intensité de ses parfums de fruits mûrs et la rondeur et l'équilibre de ses tanins. Une fin de bouche encore un peu sévère nécessite une petite garde d'un à trois ans.

⊶ Christian Birac, Ch. de Vacques, 33220 Pineuilh, tél. 05.57.46.15.01, fax 05.57.46.16.12 ☑ Y t.l.j. 10h-12h 17h-19h

Premières côtes de bordeaux

La région des premières côtes de bordeaux s'étend, sur une soixantaine de kilomètres, le long de la rive droite de la Garonne, depuis les portes de Bordeaux jusqu'à Cadillac. Les vignobles sont implantés sur des coteaux qui dominent le fleuve et offrent de magnifiques points de vue. Les sols y sont très variés : en bordure de la Garonne, ils sont constitués d'alluvions récentes, et certains donnent d'excellents vins rouges ; sur les coteaux, on trouve des sols graveleux ou calcaires ; l'argile devient de plus en plus abondante au fur et à mesure que l'on s'éloigne du fleuve. L'encépagement, les conditions de culture et de vinification sont classiques. Le vignoble pouvant revendiquer cette appellation représente 2 868 ha en rouge et 470 ha en blanc doux ; une part importante des vins, surtout blancs, est commercialisée sous des appellations régionales bordeaux. Les vins rouges ont acquis depuis longtemps une réelle notoriété. Ils sont colorés, corsés, puissants ; les vins produits sur les coteaux ont en outre une certaine finesse. Les vins blancs sont des moelleux qui tendent de plus en plus à se rapprocher des liquoreux.

L'appellation côtes de bordeaux saint-macaire prolonge, vers le sud-est, celle des premières côtes de bordeaux. Elle produit des vins blancs souples et liquoreux qui ont représenté 2 354 hl en 1998. Quantitativement assez réduite, l'appellation sainte-foy bordeaux prolonge l'entre-deux-mers proprement dit le long de la rive gauche de la Dordogne (12 293 hl en 1998 dont 2 032 hl de vin blanc)

CH. BRETHOUS 1996★★

■   12,5 ha   55 000   ▮❙❙▮   30 à 49 F

Sympathique propriété où l'on sait ce qu'accueillir veut dire, ce cru nous offre ici un vin remarquable. Très expressif par son bouquet où les fruits rouges voisinent avec les noisettes, il s'inscrit dans la meilleure tradition bordelaise par son élégance et sa charpente, qui témoignent d'une vinification et d'un élevage bien menés.
☛ François et Denise Verdier, Ch. Brethous, 33360 Camblanes, tél. 05.56.20.77.76, fax 05.56.20.08.45 ☑ ⲓ t.l.j. 8h30-12h 14h-18h; dim. sur r.-v.

CH. DU BROUSTARET
Elevé en fût de chêne 1996★

■   5,9 ha   8 000   ▮❙❙▮   30 à 49 F

Elevé en fût de chêne, ce vin en a retiré un bon soutien aromatique. Finement dosé, celui-ci contribue à son équilibre général, qui s'accorde avec sa structure pour lui permettre d'être attendu. A oublier en cave deux ou trois ans pour permettre à ses tanins de se fondre.
☛ SCEA Guillot de Suduiraut, Ch. du Broustaret, 33410 Rions, tél. 05.56.76.93.15, fax 05.56.76.93.73 ☑ ⲓ r.-v.

CH. DE CAILLAVET
Cuvée Prestige Elevée en fût de chêne 1997★

■   4,6 ha   35 000   ▮❙❙▮   30 à 49 F

Elevé en fût, ce vin n'est pas appelé à connaître une vie aussi tumultueuse que les amours de Léontine de Caillavet et d'Anatole France. Son bouquet fruité (cerise cuite), sa rondeur, son équilibre et sa finale, longue et sans artifice, lui garantissent une évolution paisible pendant quelques années.
☛ SA de Caillavet, Ch. de Caillavet, Morin, 33550 Capian, tél. 05.57.97.75.75 ☑ ⲓ r.-v.
☛ MAAF Assurances

CH. CAMAIL 1997★

■   6 ha   30 000   ▮❙❙▮   30 à 49 F

Le merlot (65 %) et le bois aidant, ce vin fait preuve d'une belle complexité aromatique, tant au bouquet qu'au palais. Portée par des tanins ronds, la structure laisse le souvenir d'un ensemble des plus plaisants. Un peu plus austère, mais également bien constitué, le **Château de Pic cuvée Tradition**, dans lequel le merlot (45 %) accompagne les deux cabernets (30 à 49 F), a obtenu une étoile.
☛ François Masson-Regnault, Ch. Camail, 33550 Tabanac, tél. 05.56.67.07.51, fax 05.56.67.21.22 ☑ ⲓ r.-v.

CH. CARIGNAN Cuvée Prestige 1996★

■   41,99 ha   106 667   ▮❙▮❙   50 à 69 F

Belle unité de 130 ha, ce cru est aussi régulier en qualité. S'annonçant par une robe vive, ce 96 développe un bouquet complexe. Ses parfums de confiture de framboises se retrouvent au palais pour contribuer à l'agrément de l'ensemble.
☛ GFA Philippe Pieraerts, Ch. Carignan, 33360 Carignan-de-Bordeaux, tél. 05.56.21.21.30, fax 05.56.78.36.65, e-mail tt@chateau-carignan.com ☑ ⲓ r.-v.

CH. CARSIN Cuvée noire 1997★

■   21 ha   15 000   ▮❙❙▮   70 à 99 F

Avec la Scandinavie côté propriétaire (originaire de Finlande), et l'Australie côté œnologue, ce cru ignore les frontières. Il a d'ailleurs importé un cuvier d'Australie. Rien d'étonnant donc, d'y voir naître une cuvée prestige, dont le bouquet, aux notes de pruneau et de merrain, est résolument d'inspiration anglo-saxonne. La **cuvée principale** (50 à 69 F), d'assemblage différent, a également obtenu une étoile.
☛ Ch. Carsin, 33410 Rions, tél. 05.56.76.93.06, fax 05.56.62.64.80, e-mail chateau@carsin.com ☑ ⲓ r.-v.

CH. DES CEDRES Cuvée Sélection 1997

■ 2,5 ha 15 000 ⅡI 30 à 49 F

Cuvée élevée en fût de chêne, ce vin doit encore évoluer pour s'arrondir et développer ses arômes d'amandes grillées et de cendres froides.
SCEA Vignobles Larroque, Ch. des Cèdres, 33550 Paillet, tél. 05.56.72.16.02, fax 05.56.72.34.44 ☑ Y r.-v.

CH. CHAMPCENET 1997

■ 4 ha 30 000 ⅡI 30 à 49 F

Déjà représenté dans le Guide par d'autres appellations, Daniel Mouty propose un vin souple, équilibré et agréable par son expression aromatique sur une chair typique du millésime. Il produit aussi **L'Or de Champcenet**, un vin liquoreux dont le millésime 95 vous intéressera.
SCEA Daniel Mouty, Ch. du Barry, 33350 Sainte-Terre, tél. 05.57.84.55.88, fax 05.57.74.92.99 ☑ Y t.l.j. sf sam. dim. 8h-17h; f. août

CH. DE CHASTELET 1997★★

■ 7 ha 40 000 ⅡI 30 à 49 F

Le cru ayant changé de mains en 1998, ce millésime est le dernier signé par l'ancien propriétaire. Il confirme la progression continue de ce vignoble au cours des années précédentes. Rouge à reflets violines, il développe un bouquet dont les fines notes fruitées et boisées s'associent aux tanins moelleux du palais pour former un ensemble élégant et charmeur.
SA Dom. de Chastelet, 33360 Quinsac, tél. 05.56.44.45.10, fax 05.56.44.49.11 ☑ Y r.-v.
Vincens

CLOS BOURBON
Vieilli en fût de chêne 1997★

■ 10 ha 20 000 ⅡI 30 à 49 F

Depuis son changement d'équipe, en 1994, ce cru est devenu une valeur sûre de l'appellation, avec de jolis vins comme ce 97. Sans jouer la carte de la puissance, ce vin est bien constitué et se montre agréable par son délicat bouquet de fruits rouges et de torréfaction que relaie une bonne montée au palais.
D' Halluin-Boyer, SCEA Clos Bourbon, 33550 Paillet, tél. 05.56.72.11.58, fax 05.56.72.13.76 ☑ Y r.-v.

CH. CROIX DE BERN
Elevé en fût de chêne 1997

■ 5 ha 12 000 ⅡI 50 à 69 F

Du même producteur que le Château Bel Air (sainte-croix-du-mont), cette cuvée élevée en fût offre un vin simple mais authentique, avec un bel équilibre que soutiennent des tanins délicats et un bois bien dosé.
Méric et Fils, Vilate, 33410 Sainte-Croix-du-Mont, tél. 05.56.62.01.19, fax 05.56.62.09.33 ☑ Y t.l.j. 9h-12h 14h-19h

CH. DUDON
Cuvée Jean-Baptiste Dudon 1996★★

■ 1 ha 7 776 ⅡI 30 à 49 F

De la présidence de Ginestet à la mairie de Baurech, Jean Merlaut ne manque pas d'occupations. Mais il ne néglige pas pour autant Dudon. Sa cuvée Jean-Baptiste 96 en témoigne par sa qualité : robe rubis, bouquet complexe (fruits rouges, épices et chocolat), structure élégante et charpentée, tout annonce un joli vin de garde.
SARL Dudon, Ch. Dudon, 33880 Baurech, tél. 05.57.97.77.35, fax 05.57.97.77.39, e-mail jmdudon@alienor.fr ☑ Y r.-v.

CH. DU GRAND MOUEYS 1996★★

■ 32 ha n.c. ⅡI 50 à 69 F

Des vestiges gallo-romains à un légendaire trésor templier, cette belle unité montre qu'elle est l'héritière d'un antique domaine. Une nouvelle fois, elle est au rendez-vous de la qualité avec ce 96 dont le côté sympathique apparaît au bouquet associant raisins mûrs, fruits noirs et toast, comme au palais avec des tanins bien enrobés. Encore un peu austère, mais également de bonne garde (de trois à six ans), le **Château du Piras 96 en rouge** (50 à 69 F) a obtenu une étoile.
SCA Les Trois Collines, Ch. du Grand Mouëys, 33550 Capian, tél. 05.57.97.04.44, fax 05.57.97.04.60 ☑ Y t.l.j. 8h30-12h30 13h30-17h30

CH. GRIMONT Prestige 1997★★

■ 8 ha 55 000 ⅡI 30 à 49 F

Commandée par un beau château du XVIIIe s., où séjourna le peintre animalier Rosa Bonheur, ce cru propose un beau 97, dont la robe entre grenat et carmin n'est pas trompeuse. Mariant les fruits rouges aux notes de torréfaction, le bouquet prépare à la découverte d'un palais frais, rond, gras et bien construit, où l'on retrouve le boisé fondu. Une bouteille pleine de charme, à attendre trois ou quatre ans. Le **Château Sissan Grande Réserve rouge 97** (30 à 49 F), du même producteur, a obtenu une étoile.
SCEA Pierre Yung et Fils, Ch. Grimont, 33360 Quinsac, tél. 05.56.20.86.18, fax 05.56.20.82.50 ☑ Y r.-v.

CH. HAUT-POTIRON 1997

■ 8 ha 44 000 ⅡI 30 à 49 F

Marquant l'entrée dans le Guide de ce cru appartenant au P.-D.G. de *La Tribune*, ce 97 ne demande pas à être attendu longtemps (un à deux ans) : vêtu d'une robe rubis, il est caractéristique du millésime et se montrera sympathique par la fraîcheur de ses parfums fruités.
SCEA de Potiron, Ch. de Potiron, 33550 Capian, tél. 05.56.72.15.64, fax 05.56.72.33.57 ☑ Y r.-v.
Fabrice Larue

CH. JONCHET Cuvée Prestige 1996

■ 6,5 ha 6 000 ⅡI 30 à 49 F

Cuvée élevée en barrique de chêne, ce vin bride un peu sa matière, mais il n'en demeure pas moins bien construit et agréable par sa présence aromatique aux belles notes de grillé et de torréfaction.
Philippe Rullaud, Ch. Jonchet, La Roberie, 33880 Cambes, tél. 05.56.21.34.16, fax 05.56.78.75.32, e-mail jonchet@caves-particulieres.com ☑ Y r.-v.

CH. JORDY-D'ORIENT
Vieilli en fût de chêne 1997★★

■ 4,87 ha 35 000 ▮ ⬮ **30 à 49 F**

Elevé en barrique, ce vin a gardé de son passage dans le bois un bouquet expressif où les apports du chêne se mêlent aux notes de fruits rouges du merlot. Souple, puissant et équilibré, le palais sait lui aussi montrer son potentiel sans perdre pour autant son côté plaisant. Une jolie bouteille à attendre trois ou quatre ans.

⊶ Laurent Descorps, Ch. Haut-Liloie, 33760 Escoussans, tél. 05.56.23.94.23, fax 05.57.34.40.09 ☒ Y r.-v.

CH. DU JUGE 1997

■ 10 ha 70 000 ▮ **30 à 49 F**

Classique du Bordelais par son architecture du XIX[e]s., ce cru propose avec ce 97 un vin encore un peu ferme dans son expression tannique mais agréable par son bouquet fruité et qui devrait bien évoluer d'ici deux ou trois ans.

⊶ Pierre Dupleich, Ch. du Juge, rte de Branne, 33410 Cadillac, tél. 05.56.62.17.77, fax 05.56.62.17.59, e-mail pierre.dupleich@wanadoo.fr ☒ Y r.-v.

CH. LA BERTRANDE
Elevé en fût de chêne 1997

■ 2,5 ha 14 000 ▮ ⬮ ♁ **30 à 49 F**

Elaborée sur un domaine de 20 ha, cette cuvée numérotée, élevée en barrique, est simple, franche et bien équilibrée. Elle met en valeur son bouquet, harmonieux et d'une bonne complexité.

⊶ Vignobles Anne-Marie Gillet, Ch. La Bertrande, 33410 Omet, tél. 05.56.62.19.64, fax 05.56.76.90.55 ☒ Y r.-v.

CH. LA CHEZE
Elevé en fût de chêne 1996★

■ 5 ha 30 000 ⬮ **30 à 49 F**

Commandé par une demeure du XVI[e]s., ce cru possède un joli terroir dont le potentiel qualitatif est illustré par ce beau 96. Souple et rond, il développe une bonne matière dont le corps s'allie à la finesse des arômes (fruits rouges, épices et pain grillé) pour annoncer une bouteille des plus intéressantes d'ici une paire d'années.

⊶ SCEA Ch. La Chèze, 33550 Capian, tél. 05.57.25.96.82, fax 05.56.72.11.77 ☒ Y r.-v.

CH. LA CLOTTE SAINT-JACQUES
1996★

■ 6 ha n.c. **30 à 49 F**

D'une belle couleur rouge, ce vin s'exprime bien, tant au bouquet par d'élégantes notes épicées, qu'au palais doté d'une matière ronde et charnue que prolonge une finale persistante.

⊶ SCEA Arrivet-Cauboue, Ch. Génisson, 33490 Saint-Germain-de-Graves, tél. 05.56.76.41.01, fax 05.56.76.45.32

> Lumière et odeurs sont les ennemis du vin : attention à votre cave !

CH. LA CLYDE
Cuvée Garde de la Clyde Elevée en fût de chêne 1996

■ 2 ha 11 200 ⬮ **30 à 49 F**

Ce domaine de 16,5 ha produit une cuvée élevée pendant quinze mois en barrique : ce vin n'est pas très puissant, mais il se montre plaisant par son bouquet de groseille et ses tanins délicats qui permettront de le boire sans attendre.

⊶ EARL Philippe Cathala, Ch. La Clyde, 33550 Tabanac, tél. 05.56.67.56.84, fax 05.56.67.12.06 ☒ Y r.-v.

CH. LAGORCE 1996★

□ 1,5 ha 8 000 ▮ **30 à 49 F**

Longtemps réputé pour son blanc, ce cru revient à ses premières amours avec ce joli 96 moelleux. Bien équilibré, ce vin est très plaisant par l'harmonie de ses parfums (agrumes, abricot, amande grillée et pain d'épice).

⊶ SCEA Ch. Lagorce, 33550 Haux, tél. 05.56.67.01.52, fax 05.56.67.01.52 ☒ Y r.-v.

⊶ Baudier

CH. LA GRANGE CLINET 1997★

■ 21,214 ha 119 000 ⬮ **20 à 29 F**

Etablie sur trois collines, cette propriété tire son nom (« la grange de la pente ») de la topographie. Celle-ci contribue à la qualité du vignoble et de ce vin dont la complexité du bouquet, qui se partage entre les fruits et les épices, prépare à la découverte d'un beau palais, souple, charnu et équilibré, avec des tanins bien élevés.

⊶ Michel Haury, Ch. La Grange Clinet, 4, rte de Saint-Genès, 33880 Saint-Caprais-de-Bordeaux, tél. 05.56.78.70.88, fax 05.56.21.33.23 ☒ Y r.-v.

CH. LA PRIOULETTE 1997

■ 2 ha 15 000 ▮ ⬮ ♁ **30 à 49 F**

Né sur une propriété proche de Malagar, le domaine de Mauriac, ce vin est encore marqué par les tanins du bois, mais il possède la puissance nécessaire pour pouvoir s'arrondir.

⊶ SC du Ch. La Prioulette, 33490 Saint-Maixant, tél. 05.56.62.01.97, fax 05.56.76.70.79 ☒ Y r.-v.

⊶ Bord

CH. LE DOYENNE
Elevé en fût de chêne 1997★

■ 6 ha 25 000 ⬮ **30 à 49 F**

Une chartreuse du XVIII[e]s., transformée au XIXe, et un beau parc donnent un charme réel à cette propriété. A son image, son 97 présente un visage harmonieux, tant par sa robe grenat que par sa complexité aromatique ou par sa matière qui a su assimiler un bois bien fondu.

⊶ SCEA Le Doyenné, 27, chem. de Loupes, 33880 Saint-Caprais-de-Bordeaux, tél. 05.56.78.75.75, fax 05.56.21.30.09, e-mail doyenne@vieco.com ☒ Y r.-v.

⊶ D. Watrin

CH. LENORMAND Cuvée Prestige 1997★★

■ 2 ha 9 000 ⬮ **30 à 49 F**

Avec 50 ha, cette propriété appartenant à un Pyrénéen est une belle unité. Fidèle à sa tradition

de qualité, elle propose ici une cuvée spéciale qui a tiré un bon profit de son élevage en fût pendant quinze mois. Puissant et harmonieux, ce vin s'appuie sur une bonne structure, un palais ample et un bouquet généreux (fruits, torréfaction et confiture) pour montrer son potentiel.
⊶ SCEA des Vignobles Menguin, 194, Gouas, 33760 Arbis, tél. 05.56.23.61.70, fax 05.56.23.49.79 ☒ Y r.-v.

CH. LE PARVIS DE DOM TAPIAU 1997

■ 5,5 ha 26 000 30 à 49 F

Petite propriété ayant le souci de l'environnement, ce cru offre ici un vin encore un peu austère mais bien construit, avec des tanins concentrés et un bon mariage du bois et du fruit.
⊶ Olivier et Florence Reumaux, 20, chem. Croix de Beylot, 33360 Camblanes, tél. 05.56.20.15.62, fax 05.56.20.08.19, e-mail ch.le.parvis@wanadoo.fr ☒ Y t.l.j. 8h30-18h; sam. sur r.-v.

CH. DE LESTIAC Cuvée Prestige 1996**

■ 15 ha n.c. 30 à 49 F

Ce cru prouve une fois encore son savoir-faire avec sa belle cuvée Prestige 96. Au bouquet, la présence du goudron, signe d'une forte chauffe, est suffisamment fine pour former un ensemble délicat avec la fumée, la vanille et une note grillée. Cette dernière traverse le palais, dont les côtés charnus et charpentés sont garants de l'avenir de cette bouteille.
⊶ Gonfrier Frères, Ch. de Marsan, 33550 Lestiac, tél. 05.56.72.14.38, fax 05.56.72.10.38, e-mail gonfrier@terre-net.fr Y r.-v.

CH. LIGASSONNE 1996*

■ 3 ha 6 000 30 à 49 F

Il s'annonce par un nom fleurant bon le travail d'antan dans la vigne. Ce vin au joli bouquet de fruits rouges sur fond d'amandes montre sa jeunesse par sa trame et sa finale. Tout invite à l'attendre trois ou quatre ans.
⊶ SCA Bordenave-Dauriac, Ch. Ligassonne, 33550 Langoiran, tél. 05.56.67.36.01 ☒ Y r.-v.

CH. MADRELLE 1997

■ 1,5 ha 10 000 20 à 29 F

Une cuvée produite à Cadillac et présentée par le négociant Yvon Mau. 70 % de merlot ont donné un nez de confiture de cassis et de groseilles. Le terroir argilo-calcaire a apporté une bonne structure. Un vin d'un joli volume et dont les tanins présents sont garants d'une bonne garde.
⊶ SA Yvon Mau, rue André-Dupuy-Chauvin, B.P. 1, 33190 Gironde-sur-Dropt, tél. 05.56.61.54.54, fax 05.56.61.54.61 Y r.-v.
⊶ Bernard Callen

CH. MAINE-PASCAUD Cuvée André élevée en fût de chêne 1996**

■ 22 ha 10 000 30 à 49 F

Olivier Metzinger, qui a pris les rênes du domaine de Château Pascaud en 1995, fait une belle entrée dans le Guide avec cette superbe cuvée Prestige élevée en fût. Son bouquet, intense et complexe, et sa structure, souple, charpentée et soutenue par une matière bien extraite, disent clairement que ce vin sera de très bonne garde. Une bouteille remarquable qu'il serait dommage de ne pas attendre quelques années, et de bon augure pour l'avenir de ce cru, à découvrir ou à redécouvrir.

⊶ Olivier Metzinger, R.D. 10, 33410 Rions, tél. 05.56.62.60.58, fax 05.56.62.60.58 ☒ Y r.-v.

CH. MELIN Elevé en fût de chêne 1997**

■ 4 ha 30 000 50 à 69 F

Née sur une vaste propriété de 34 ha, cette cuvée élevée en barrique a fière allure dans sa robe entre rubis et grenat. Le bouquet, aux notes expressives de fruits, décline tabac, épices et chocolat. Le palais, tannique et d'une belle complexité aromatique, augure une bonne évolution.
⊶ EARL Vignobles Claude Modet, Constantin, 33880 Baurech, tél. 05.56.21.34.71, fax 05.56.21.37.72 ☒ Y r.-v.

CH. MOULIN DE CORNEIL 1996

■ 7,55 ha 12 000 20 à 29 F

Venu du sud de l'appellation, ce vin est encore un peu austère en finale, mais sa structure tannique et son bouquet, aux fines notes de cuir et de gibier, doivent lui permettre de s'arrondir d'ici deux à trois ans.
⊶ SCEA Bonneau et Fils, Ch. Moulin de Corneil, 33490 Pian-sur-Garonne, tél. 05.56.76.44.26, fax 05.56.76.43.70 ☒ Y t.l.j. 8h-12h30 14h-19h

CH. NENINE 1997**

■ 12 ha 54 000 50 à 69 F

Un terroir de qualité, un encépagement qui ne sacrifie pas à la mode du merlot, une vinification et un élevage bien maîtrisés, la réussite de ce vin ne doit rien au hasard. On le devine sans peine en découvrant le subtil équilibre entre son aspect charmeur, avec une structure soyeuse, et le côté très expressif de son bouquet, aux puissantes notes de pruneau, de vanille et de fruits secs, que prolonge la finale grillée.
⊶ SCEA des coteaux de Nénine, Ch. Nénine, 33880 Baurech, tél. 05.56.78.70.78 Y r.-v.

CH. PLAISANCE Cuvée Alix 1997*

■ 9 ha 55 000 50 à 69 F

Ce vaste domaine de 25 ha assemble ici 40 % de merlot à 60 % de cabernet-sauvignon. Bien maîtrisé, l'élevage en fût a respecté la personnalité du bouquet de cette cuvée spéciale. Mariant les pruneaux aux mûres sur un fond plus animal, ses arômes sont de qualité, à l'égal du palais, gras, tannique et corsé.

➥ Patrick Bayle, Ch. Plaisance, 33550 Capian, tél. 05.56.72.15.06, fax 05.56.72.13.40 ▉ 🍷 r.-v.

CH. DE PLASSAN
Elevé en fût de chêne 1996*

| ▪ | 14,25 ha | 73 000 | ⬤ | 30 à 49 F |

Né dans une superbe villa palladienne où il a été élevé en fût, ce vin se montre à la hauteur de son origine par l'harmonie qui unit sa belle robe, rouge cerise, son bouquet d'une réelle élégance, avec des notes de fruits rouges et de vanille, sa structure d'une plaisante rondeur et sa finale, pleine de fraîcheur.

➥ Jean Brianceau, Ch. de Plassan, 33550 Langoiran, tél. 05.56.67.53.16, fax 05.56.67.26.28 ▉ 🍷 r.-v.

CH. PRIEURE SAINTE-ANNE 1997

| ▪ | 2 ha | 12 000 | ⬤ | 30 à 49 F |

Né sur le plus petit vignoble de l'appellation, ce vin n'en fait pas un complexe. Du bouquet au palais, il reste fin et élégant sur une dominante boisée.

➥ SCI Prieuré Sainte-Anne, Ch. Bellegarde, 33550 Lestiac, tél. 05.56.72.85.06 ▉ 🍷 r.-v.

CH. RENON 1996

| ▪ | 5 ha | 20 000 | ⬤ | 30 à 49 F |

Elevé en fût de chêne, ce vin a choisi le registre de la délicatesse et de la finesse, tant par son bouquet que par sa structure, qui s'accordent tous deux pour inviter à boire cette gentille bouteille jeune.

➥ Claudine Boucherie, Ch. Renon, 33550 Tabanac, tél. 05.56.67.13.59, fax 05.56.67.14.90 ▉ 🍷 t.l.j. sf dim. 8h-12h 14h-19h

CH. ROQUEBERT
Cuvée spéciale Elevée en barrique 1997*

| ▪ | 12 ha | 24 000 | ⬤ | 30 à 49 F |

Issu d'un vignoble à l'encépagement diversifié, avec la présence du cabernet franc et du malbec, cette cuvée élevée dans le bois porte encore la marque du merrain. Mais celui-ci n'empêche pas le vin d'affirmer sa personnalité par des notes de gibier, d'épices, de cacao et de fruit cuit.

➥ Christian Neys, Ch. Roquebert, 33360 Quinsac, tél. 05.56.20.84.14, fax 05.56.20.84.14 ▉ 🍷 t.l.j. sf dim. 9h-18h

CH. SAINT-OURENS 1996*

| ▪ | 3,3 ha | 20 000 | ▉⬤🍸 | 30 à 49 F |

Petit vignoble dominant Langoiran et la vallée de la Garonne, ce cru propose avec ce 97 un vin dont le bois a été bien dosé, de même que les tanins. Le résultat est un ensemble où les parfums de fruits côtoient ceux de caramel et dont la structure, souple, étoffée et soyeuse laisse présager une bonne évolution dans un avenir de trois à quatre ans.

➥ Michel Maës, 57, rte de Capian, Saint-Ourens, 33550 Langoiran, tél. 05.56.67.39.45, fax 05.56.67.61.14 ▉ 🍷 t.l.j. sf dim. 8h-13h 15h-19h

Côtes de bordeaux saint-macaire

CH. FAYARD 1997**

| ☐ | 2,97 ha | 4 500 | ⬤ | 70 à 99 F |

Dans une appellation de blancs moelleux, ce vin a la particularité d'être sec. Il provient de vignes plantées sur un terroir graveleux et maigre et il bénéficie de soins attentifs lors de son élaboration. Le résultat est splendide ; la robe est jaune-vert à reflets d'or ; le bouquet intense de pêche, de fleurs de tilleul assorti de notes exotiques est élégant. Puissance et harmonie en bouche avec une note boisée finale de qualité donnent ce « vin plaisir », à ouvrir ou à garder quelques années.

➥ Jacques-Charles de Musset, Ch. Fayard, 33490 Le Pian-sur-Garonne, tél. 05.56.63.33.81, fax 05.56.63.60.20 🍷 r.-v.
➥ Saint-Michel SA

La région des Graves

Vignoble bordelais par excellence, les graves n'ont plus à prouver leur antériorité : dès l'époque romaine, leurs rangs de vignes ont commencé à encercler la capitale de l'Aquitaine et à produire, selon l'agronome Columelle, « un vin se gardant longtemps et se bonifiant au bout de quelques années ». C'est au Moyen Age qu'apparaît le nom de « graves ». Il désigne alors tous les pays situés en amont de Bordeaux, entre la rive gauche de la Garonne et le plateau landais. Par la suite, le Sauternais s'individualise pour constituer une enclave, vouée aux liquoreux, dans la région des Graves.

Graves et graves supérieures

S'allongeant sur une cinquantaine de kilomètres, les graves doivent leur nom à la nature de leur sol : il est constitué principalement par des terrasses construites par la Garonne et ses ancêtres qui ont déposé une grande variété de débris caillouteux (galets et graviers, originaires des Pyrénées et du Massif central).

Depuis 1987, les vins qui y sont produits ne sont pas tous commercialisés comme graves, le secteur de Pessac-Léognan bénéficiant d'une appellation spécifique, tout en conservant la possibilité de préciser sur les étiquettes les mentions « vin de graves », « grand vin de graves » ou « cru classé de graves ». Concrètement, ce sont les crus du sud de la région qui revendiquent l'appellation graves.

L'une des particularités des graves réside dans l'équilibre qui s'est établi entre les superficies consacrées aux vignobles rouges (près de 2 128 ha, pessac-léognan non compris) et blancs secs (plus de 809 ha). Les graves rouges (124 692 hl en 1998) possèdent une structure corsée et élégante qui permet un bon vieillissement. Leur bouquet, finement fumé, est particulièrement typé. Les blancs secs (50 590 hl en 1998), élégants et charnus, sont parmi les meilleurs de la Gironde. Les plus grands, maintenant fréquemment élevés en barrique, gagnent en richesse et complexité après quelques années de vieillissement. On trouve aussi quelques vins moelleux qui ont conservé leurs amateurs et qui sont vendus sous l'appellation graves supérieures (19 356 hl ont été produits en 1998).

Graves

CH. D'ARDENNES 1997

■ n.c. 60 000 50 à 69 F

|88| (89) **90** 92 93 |94| **96** 97

S'il se montre encore un peu sévère, ce vin affiche une bonne présence tannique qui lui permettra d'être attendu pour que le bois puisse se fondre dans l'ensemble.

SCEA Ch. d'Ardennes, 33720 Illats, tél. 05.56.62.53.66, fax 05.56.62.43.67 r.-v.

F. Dubrey

CH. D'ARRICAUD 1997★

□ 6 ha 36 000 30 à 49 F

Né sur un vignoble dominant les coteaux du Sauternais, ce vin possède une matière sans

La Région des Graves

artifice boisé. Son équilibre permet au bouquet de s'exprimer pleinement par de belles notes de cire d'abeille, d'abricot (dues au sémillon) et de fleur d'acacia.
🔑 EARL Bouyx, Ch. d'Arricaud, 33720 Landiras, tél. 05.56.62.51.29, fax 05.56.62.41.47 ☑ 𝐈 r.-v.

BARON PHILIPPE 1997

□ n.c. n.c. 50 à 69 F

Proposé par la firme de négoce pauillacaise fondée jadis par Philippe de Rothschild, ce vin est souple avec de plaisants arômes d'agrumes confits.
🔑 Baron Philippe de Rothschild SA, B.P. 117, 33250 Pauillac, tél. 05.56.73.20.20, fax 05.56.73.20.44

CH. BEAUREGARD-DUCASSE Albert Duran 1996*

■ 5 ha 24 000 (I) 50 à 69 F

|93| |94| 95 96

Famille marquante du sud Gironde, les Perromat connaissent bien le terroir de leur région. Personne n'en doutera après avoir découvert ce vin qui associe un puissant bouquet aux notes de fruits rouges mûrs avec un palais aux tanins souples et soyeux. La **cuvée principale rouge 96** (30 à 49 F) et la **cuvée Albertine Peyri blanche 98** ont également obtenu une étoile.
🔑 Jacques Perromat, Ducasse, 33210 Mazères, tél. 05.56.76.18.97, fax 05.56.76.17.73 ☑ 𝐈 r.-v.
🔑 GFA de Gaillote

CH. BICHON CASSIGNOLS 1996*

■ 3 ha 20 000 ▮ (I) 🌡 50 à 69 F

Partisans de la lutte raisonnée, les Lespinasse proposent un 96 encore un peu sévère en finale : sa solide constitution tannique en fait un vrai vin de garde. Sa robe sombre et franche et son nez alliant fruits confits et notes boisées annonçaient son caractère.
🔑 Jean-François Lespinasse, 50, av. Edouard-Capdeville, 33650 La Brède, tél. 05.56.20.28.20, fax 05.56.20.20.08 ☑ 𝐈 r.-v.

CLOS BOURGELAT 1997*

■ 4,12 ha 29 000 (I) 30 à 49 F

Né à Cérons, ce vin n'est sans doute pas appelé à une longue garde, mais son bouquet, typique du millésime (épices, menthol et feuilles mortes), saura le rendre plaisant dans sa jeunesse. En **blanc 98**, le **Clos Bourgelat**, élevé en cuve, frais et élégant avec ses arômes de pêche blanche, est cité alors que **Caprice de Bourgelat**, élevé en fût, reçoit une étoile pour son beau classicisme.
🔑 Dominique Lafosse, Clos Bourgelat, 33720 Cérons, tél. 05.56.27.01.73, fax 05.56.27.13.72 ☑ 𝐈 r.-v.

CH. CABANNIEUX 1996*

■ 12,47 ha 98 000 50 à 69 F

Issu d'un vignoble à l'encépagement pour le moins original, avec 90 % de merlot, ce vin l'est aussi par ses parfums aux notes printanières (buis, genêt, cassis et framboise). Au palais, on retrouve des arômes fruités mais moins marqués qu'au bouquet. Puissante, bien équilibrée et harmonieuse, sa structure permettra à cette bouteille de bénéficier d'une garde de trois à quatre ans. Le **blanc 97** (entre 50 et 69 F), qui accompagnera heureusement des fruits de mer, a obtenu une citation.
🔑 SCEA du Ch. Cabannieux, 4, rte du Courneau, 33640 Portets, tél. 05.56.67.22.01, fax 05.56.67.32.54 ☑ 𝐈 r.-v.
🔑 Mme Dudignac

CH. CAMUS Cuvée Maud 1996*

■ 1 ha 3 000 (I) 50 à 69 F

Cuvée spéciale au nombre de bouteilles limité, ce vin sait se rendre agréable. Par sa robe flatteuse et son bouquet aux notes de sous-bois et d'épices, mais aussi par sa structure, tannique mais sans excès. En **blanc 97, la cuvée Zoé** (entre 50 et 69 F) a obtenu une citation ; elle est intéressante par ses arômes.
🔑 Vignobles de Bordeaux, B.P. 114, Saint-Pierre-de-Mons, 33211 Langon Cedex, tél. 05.56.63.19.34, fax 05.56.63.21.60 ☑ 𝐈 t.l.j. 8h-12h 13h30-17h30

DOM. DE CANTEAU Elevé en fût de chêne 1996

■ 2 ha 12 000 (I) 30 à 49 F

Sans être un athlète, ce vin a fort bien assimilé l'élevage en fût pour donner un ensemble plaisant, avec un bouquet grillé et épicé, des tanins bien fondus ; à boire dans les deux ans.
🔑 Philippe Daniès-Sauvestre, Laborie, 33410 Sainte-Croix-du-Mont, tél. 05.56.76.72.28, fax 05.56.76.71.90, e-mail philippe.danies.sauvestre@wanadoo.fr
🔑 Gaubert

CH. CARBON D'ARTIGUES 1997**

■ 7 ha 40 000 ▮ (I) 🌡 50 à 69 F

Difficile pour certains, le millésime 97 aura été des plus favorables pour ce cru qui propose ici un vin dont les attraits ne se limitent pas à sa belle robe sombre et à son bouquet de cannelle et d'épices. Rond et bien bâti avec un petit côté cuit qui lui donne une certaine opulence, le palais n'est pas en retrait : une vinification et un élevage très bien contrôlés ont engendré un excellent équilibre entre le bois et le fruit. D'une belle puissance aromatique et d'une bonne tenue au palais, le **blanc 98** (30 à 49 F) a obtenu une étoile. Les arômes du sauvignon l'emportent sur ceux du sémillon. Il est agréable et délicat.
🔑 SC Ch. Carbon d'Artigues, 33720 Landiras, tél. 05.56.62.53.24, fax 05.56.62.53.24 ☑ 𝐈 r.-v.

CH. CAZEBONNE 1996

■ 12 ha 60 000 ▮ 30 à 49 F

Originaire de l'une des communes les plus méridionales de l'appellation, ce vin souple, rond et simple sait terminer agréablement la dégustation avec une finale aromatique. Le **blanc 98** (30 et 49 F) a également obtenu une citation. Il est équilibré, et son nez fin d'agrumes et de buis séduit.
🔑 Jean-Marc Bridet, Vignobles de Bordeaux, B.P. 114, 33210 Saint-Pierre-de-Mons, tél. 05.56.63.19.34, fax 05.56.63.21.60 ☑ 𝐈 r.-v.

CH. DE CHANTEGRIVE
Cuvée Caroline 1997★★

| □ | 10 ha | 65 000 | ◫ 70 à 99 F |

88 **89 90** 91 **92** 93 94 |95| |96| 97

A propriété moderne - elle a été entièrement constituée par Henri Lévêque au temps heureux des Sixties - vin moderne. De fait, cette belle cuvée spéciale n'a rien de passéiste, et surtout pas son élégant bouquet aux plaisantes notes de sauvignon. Souple, rond et fin, son palais lui ouvrira d'intéressantes perspectives d'accords gourmands sur les poissons et les crustacés. Le **Chantegrive rouge 97** a obtenu une étoile. Bien travaillé et d'une belle robe rubis sombre, il présente une structure tannique élégante accompagnée de notes balsamiques. Il pourra être attendu pendant deux ou trois ans.
☛ Françoise et Henri Lévêque, Ch. de Chantegrive, 33720 Podensac,
tél. 05.56.27.17.38, fax 05.56.27.29.42,
e-mail chateau.chantegrive@insat.com ☑ ⟟ t.l.j.
sf dim. 8h-12h 14h-18h; sam. sur r.-v.

CH. CHANTELOISEAU 1998★

| □ | 3 ha | 18 000 | ⬛ 30 à 49 F |

Bien que manquant d'un peu de gras à l'attaque, ce vin demeure très agréable par sa fraîcheur et son côté fumé qui le destinera à être servi sur du poisson.
☛ SCEA Dom. Latrille-Bonnin,
Ch. Petit-Mouta, 33210 Mazères,
tél. 05.56.63.41.70, fax 05.56.76.83.25 ☑ ⟟ t.l.j.
9h-12h 14h-19h
☛ GFA du Brion

CH. CRABITEY Cuvée spéciale 1996★

| ■ | n.c. | 25 000 | ◫ 50 à 69 F |

Ancien prieuré confié en 1868 aux franciscaines, cette propriété a été convertie en vignoble quatorze ans plus tard. Sa cuvée spéciale ne manque pas d'atouts : de la force du bouquet, où le pain d'épices croise la vanille et la noix de coco, à la longue attaque, tout est prometteur dans ce vin aux tanins francs et ronds.
☛ Les Amis de la Chartreuse de Seillon, 63, rte du Courneau, 33640 Portets, tél. 05.56.67.18.64, fax 05.56.67.14.73 ☑ ⟟ r.-v.

CH. DUVERGER 1998

| □ | 10 ha | n.c. | ⬛ 30 à 49 F |

S'il n'est pas très connu, ce cru n'en propose pas moins un vin de caractère agréable par ses arômes aux belles notes de buis. Rond et séveux, équilibré, il traduit un travail sérieux.
☛ Yannick Zausa, Ch. Duverger, 33720 Budos, tél. 05.56.62.43.40, fax 05.56.62.43.45 ☑ ⟟ r.-v.

CH. FERNON Dumez 1997★

| ■ | 7,5 ha | 58 000 | ⬛ 30 à 49 F |

Bénéficiant de la compétence de l'équipe technique de la maison Ginestet, ce vin est déjà sympathique mais il pourra attendre, comme le montrent son palais bien équilibré et son bouquet aux notes marquées de réglisse et de pruneau. Vif et aromatique, le **Château Fernon blanc 97** (20 à 29 F) a obtenu une citation.

☛ Maison Ginestet SA, 19, av. de Fontenille, 33360 Carignan-de-Bordeaux,
tél. 05.56.68.81.82, fax 05.56.20.96.99 ⟟ r.-v.
☛ de Langlade

CLOS FLORIDENE 1997★★

| □ | 12 ha | 35 396 | ◫ 70 à 99 F |

86 87 88 ⑨⓪ 91 |92| |93| |94| **95** 97

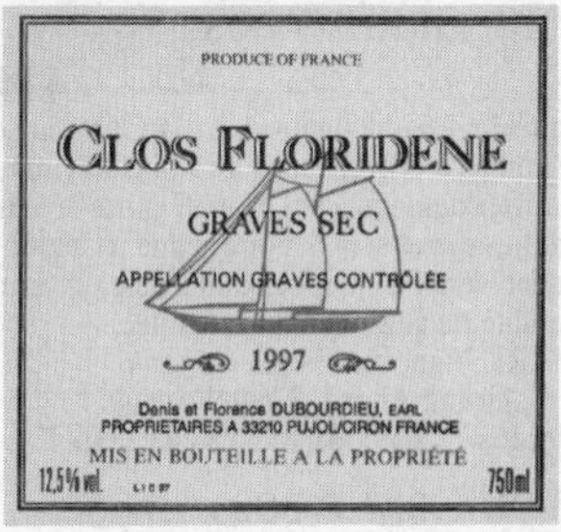

PRODUCE OF FRANCE

CLOS FLORIDENE

GRAVES SEC

APPELLATION GRAVES CONTRÔLÉE

1997

Denis et Florence DUBOURDIEU, EARL
PROPRIÉTAIRES À 33210 PUJOLS/CIRON FRANCE
MIS EN BOUTEILLE A LA PROPRIÉTÉ
12,5% vol.   750ml

Côté terroir, des sols argilo-sableux aux portes du Sauternais ; côté vinification, le père des nouveaux vins blancs secs de Bordeaux. Ce coup de cœur n'étonnera personne. En revanche, il est difficile de ne pas être séduit par la parfaite maîtrise de l'élevage qui atteint l'excellence. Ici, une perfection de tous les détails, que ce soit au palais, avec beaucoup de matière, de vivacité et de fraîcheur ou dans le bouquet, riche et élégant (vanille, grillé, croûte de pain, écorce d'orange...).
☛ EARL Denis et Florence Dubourdieu, Ch. Reynon, 33410 Béguey, tél. 05.56.62.96.51, fax 05.56.62.14.89,
e-mail reynon@mailquaternet.fr ☑ ⟟ r.-v.

CLOS FLORIDENE 1996★

| ■ | 5 ha | 25 000 | ◫ 50 à 69 F |

85 86 88 |89| ⑨⓪ 91 92 |93| **94** 95 96

Magicien en blanc, Denis Dubourdieu est aussi maître ès rouges ! Souple avec des tanins de velours, coloré, finement bouqueté (cannelle, fruits mûrs et épices), son 96 montre que l'on peut faire de belles choses sans sacrifier à la mode d'une extraction et d'un boisé sans retenue.
☛ EARL Denis et Florence Dubourdieu, Ch. Reynon, 33410 Béguey, tél. 05.56.62.96.51, fax 05.56.62.14.89,
e-mail reynon@mailquaternet.fr ☑ ⟟ r.-v.

CH. DE GAILLAT Courrèges Seguès 1996

| ■ | 1,4 ha | n.c. | ◫ 70 à 99 F |

Hommage des Coste envers une ancienne propriétaire du cru, Mme Courrèges, ce vin est issu d'une parcelle de vieilles vignes. Encore très tannique, il demande à être attendu malgré les reflets tuilés de la robe. Le boisé ne cache pas les fruits rouges accompagnés de notes épicées.
☛ SCEA Ch. de Gaillat, 33210 Langon,
tél. 05.56.63.50.77, fax 05.56.62.20.96 ⟟ r.-v.
☛ Famille Coste

CH. JEAN GERVAIS 1996

| ■ | 18 ha | 120 000 | ⬛ 50 à 69 F |

Belle unité, ce cru montre qu'il sait travailler sur une échelle déjà assez grande sans négliger

pour autant la qualité. De discrets parfums de fruits crus et cuits, une structure élégante et fine s'attachent à rendre ce 96 des plus plaisants.
⊶ SCEA Counilh et Fils, 51-53, rte des Graves, 33640 Portets, tél. 05.56.67.18.61, fax 05.56.67.32.43, e-mail gervais@caves-particulières.com ☒ Y t.l.j. 9h-12h 14h-18h, sam. dim. et groupes sur r.-v.

CH. DU GRAND ABORD 1997

☐ 3,4 ha 4 000 ▮ 30 à 49 F

Jadis lié à la navigation sur la Garonne, d'où son nom, ce cru vit aujourd'hui au rythme du calendrier des vignerons. Son 97 porte la marque du millésime et sera à boire jeune. Il séduit par le reflet vert de sa robe jaune pâle, la franche simplicité de son expression fruitée.
⊶ EARL Vignobles M.-C. Dugoua, Ch. du Grand Abord, 33640 Portets, tél. 05.56.67.22.79, fax 05.56.67.22.23 ☒ Y r.-v.

CH. DU GRAND BOS 1996*

■ 10 ha 40 000 50 à 69 F

Né sur une propriété bien ancrée dans la Gironde par l'architecture de la maison et des chais, ce vin est dans l'esprit bordelais par son sens de l'équilibre. Celui-ci apparaît nettement dans la structure, à la fois souple et tannique. Le **blanc 97** (du même prix) a obtenu une citation. Ses notes grillées et exotiques généreuses accompagnent un beau volume.
⊶ SCEA du Ch. du Grand Bos, 33640 Castres, tél. 05.56.67.39.20, fax 05.56.67.16.77 ☒ Y r.-v.
⊶ Vincent

CLOS GRAOUERES 1996

■ 3,7 ha 26 000 30 à 49 F

Un petit vignoble mais un vin solidement bâti, avec des tanins puissants. Plus fin, le bouquet porte la marque du merlot (fruits rouges) et du cabernet-sauvignon (poivron).
⊶ SCEA Vignobles Ducau, Clos Graouères, 33720 Podensac, tél. 05.56.27.16.80, fax 05.56.27.11.29 ☒ Y r.-v.

CH. GRAVEYRON Cuvée Tradition 1996*

■ 6 ha 8 000 50 à 69 F

La modestie de son volume de production indique clairement que cette cuvée a fait l'objet d'une sélection rigoureuse. Robe brillante, bouquet vanillé et épicé, bonne texture aux tanins fondus, saveur de fruits rouges, ce vin qui a passé douze mois en barrique a du répondant. Portée par une matière plus fine, la **cuvée principale dans le millésime 96** ne connaît pas le bois (30 à 49 F) et a obtenu une citation.
⊶ EARL Vignobles Pierre Cante, 67, rte des Graves, 33640 Portets, tél. 05.56.67.23.69, fax 05.56.67.58.19 ☒ Y t.l.j. sf dim. 9h-19h

CH. DE GUEYDON 1997*

☐ 4,4 ha 6 600 30 à 49 F

Bien dans l'esprit des Graves, ce vin est issu d'un encépagement à dominante de sémillon (90 %) avec un petit complément de muscadelle. Il a passé huit mois en barrique. Frais, fruité, souple, vif et d'une bonne intensité aromatique, il n'est pas dépourvu de gras. Les Châteaux **Berger blanc 97** et **rouge 96** (de 50 à 69 F tous deux), du même producteur, ont obtenu respectivement une étoile et une citation.
⊶ SCA Ch. Berger, 6, chem. La Girafe, 33640 Portets, tél. 05.56.67.58.98, fax 05.56.67.04.88 ☒ Y r.-v.

DOM. DU HAURET LALANDE 1998*

☐ 2 ha 14 900 30 à 49 F

Elaboré par l'équipe barsacaise du château Piada, ce vin est généreux par son bouquet aux notes de buis,de genêt et de beurre frais, comme par son palais élégant et charmeur, avec un fruit à croquer.
⊶ EARL Lalande et Fils, Ch. Piada, 33720 Barsac, tél. 05.56.27.16.13, fax 05.56.27.26.30 ☒ Y t.l.j. 8h-12h 13h30-19h; sam. dim. sur r-v.

CH. HAUT-CALENS 1996

■ 9 ha 50 000 30 à 49 F

Né sur un vignoble à majorité de merlot, ce vin d'une belle couleur rouge se montre intéressant par sa structure et son bouquet, tous deux d'une bonne intensité.
⊶ EARL Vignobles Albert Yung, Ch. Haut-Calens, 33640 Beautiran, tél. 05.56.67.05.25, fax 05.56.67.24.91 ☒ Y r.-v.

CH. HAUT SELVE 1996**

■ 24 ha 60 000 70 à 99 F

Vignobles, bâtiments, marque, ce cru a été créé de toutes pièces par Jean-Jacques Lesgourgues après une étude approfondie des possibilités du terroir. Avec ce 96, il inaugure magistralement sa production. De la robe sombre et brillante à la longue finale, tout annonce un grand vin : l'intense bouquet de petits fruits rouges bien soutenus par de délicates notes de cuir et de bois ; l'équilibre des tanins et du gras, la richesse et l'élégance. Haut Selve, voilà un nom de cru à retenir pour l'avenir.
⊶ SCA des Ch. de Branda et de Cadillac, Ch. Haut Selve, 33650 Saint-Selve, tél. 05.56.20.29.25, ☒ Y r.-v.
⊶ J.-J. Lesgourgues

CH. DES JAUBERTES 1996

■ 26 ha 30 000 30 à 49 F

Domaine familial des Pontac depuis 1594, ce cru nous offre ici un vin souple et bien équilibré avec d'élégants tanins mûrs. A boire pendant quatre ou cinq ans.
⊶ J.-F. de Pontac, Les Jaubertes, 33210 Saint-Pardon-de-Conques, tél. 05.56.62.38.52, fax 05.56.62.26.60 ☒ Y r.-v.

CH. JOUVENTE 1996*

■ 7,5 ha 12 000 30 à 49 F

Un vignoble encore jeune mais de qualité, comme le montre le caractère de ce vin qui manifeste sa personnalité par une bonne présence tannique et des arômes de gibier. Une belle bouteille à attendre trois ou quatre ans.
⊶ SEV René Gruet, Ch. Jouvente, Le Bourg, 33720 Illats, tél. 05.56.62.49.69, fax 05.56.27.05.97 ☒ Y r.-v.

KRESSMANN Grande réserve 1997★

☐   n.c.   n.c.   ■ 30 à 49 F

Confirmant la réputation de la maison Kressmann pour les blancs, ce vin frais et vif fait preuve d'une bonne puissance aromatique avec des notes de fruits, de fleurs et d'agrumes (citron).

☛Kressmann, 35, rue de Bordeaux, 33290 Parempuyre, tél. 05.56.35.53.00, fax 05.56.35.53.29, e-mail contact@cvbg.com ☑ ☥ r.-v.

CH. LA BLANCHERIE 1997★

☐   12,32 ha   35 000   ■↓ 30 à 49 F

Les fantômes des frères Labadie, anciens propriétaires guillotinés sous la Révolution, s'ils viennent goûter les vins du cru, doivent apprécier ce joli millésime ! Ample et long, il se montre des plus séduisants par ses beaux arômes de beurre, de miel et d'agrumes, avec en prime une petite note d'orange confite qui s'éternise en finale.

☛Françoise Coussié, La Blancherie, 33650 La Brède, tél. 05.56.20.20.39, fax 05.56.20.35.01 ☑ ☥ r.-v.

LA CLOSIERE DE MAY 1998

☐   1 ha   6 000   30 à 49 F

Issu d'un petit vignoble, ce vin sait mettre en valeur ses agréables parfums fruités par sa fraîcheur.

☛Pierre Dupleich, Ch. du Juge, rte de Branne, 33410 Cadillac, tél. 05.56.62.17.77, fax 05.56.62.17.59, e-mail pierre.dupleich@wanadoo.fr ☑ ☥ r.-v. ☛Didier Max

CH. LA FLEUR CLEMENCE 1997★★

■   4 ha   22 000   ■↓ 50 à 69 F

Du même producteur que le Château Carbon d'Artigues, ce vin charmeur et bien équilibré confirme pleinement ses qualités par son nez intense de fruits mûrs et de truffe et le très beau mariage du bois et du vin. Un vrai graves et une très jolie réussite pour le millésime.

☛SC Ch. Carbon d'Artigues, 33720 Landiras, tél. 05.56.62.53.24, fax 05.56.62.53.24 ☑ ☥ r.-v.

CH. LA FLEUR JONQUET 1997

☐   1,2 ha   8 000   ◗ 30 à 49 F

Petit cru dirigé par l'une des « Aliénor » du vin, cette propriété nous offre ici un 97 bien construit, manquant un peu de vivacité mais dont on appréciera les qualités aromatiques et le caractère gras et plein.

☛Laurence Lataste, 5, rue Amélie, 33200 Bordeaux, tél. 05.56.17.08.18, fax 05.57.22.12.54 ☥ r.-v.

CH. DE LA GRAVELIERE 1997★★

☐   4 ha   25 000   ■ 30 à 49 F

Né sur une propriété située à Landiras, ce vin annonce la proximité du Sauternais par sa richesse aromatique (agrumes, fleurs et fruits confits) qui ferait presque penser à un liquoreux. Attaquant sur des notes rondes et grasses, il révèle ensuite un beau volume avant de montrer sa vivacité en finale. La **cuvée Prestige rouge 96** (50 à 69 F) a obtenu une étoile. Son boisé est

présent demandera trois ou quatre ans de garde pour se fondre.

☛Bernard Réglat, Ch. de la Gravelière, 33410 Monprimblanc, tél. 05.56.62.17.98, fax 05.56.62.17.98 ☑ ☥ r.-v.

CH. LAMOIGNON 1998★

☐   5 ha   18 000   ■↓ 20 à 29 F

La dominante sauvignon qui caractérise le vignoble se retrouve au bouquet, élégant avec un parfum de genêt. Frais et agréable, le développement au palais mène à une belle finale que prolonge un retour aromatique aux notes d'agrumes et d'ananas.

☛Michel Pascaud, Ch. de Carles, 33720 Barsac, tél. 05.56.27.07.19, fax 05.56.27.13.18 ☑ ☥ r.-v.

CLOS LAMOTHE 1996

■   7 ha   42 000   ◗◗ 30 à 49 F

S'il reste simple, ce vin sait surprendre, notamment par son attaque qui révèle un volume intéressant et par ses arômes de sous-bois et de vanille (barrique). Le **blanc 98** a également été retenu par notre jury avec une citation. Fruits exotiques et agrumes se donnent la réplique.

☛Jacques Rouanet, Clos Lamothe, 33640 Portets, tél. 05.56.67.23.12, fax 05.56.67.62.66 ☑ ☥ t.l.j. sf sam. dim. 8h-12h 14h-18h

CH. DE LA MOTTE
Elevé en fût de chêne 1997

☐   1,07 ha   6 800   ◗◗ 50 à 69 F

Un micro-cru commandé par une belle chartreuse du XVIIIᵉˢ. construite à l'emplacement d'une ancienne maison forte. Son vin est intéressant par ses qualités aromatiques. Epices, cèdre, musc, noisette, beurre... accompagnent une pointe minérale. Destiné à un poisson en sauce.

☛M.-C. Moulin, Ch. de La Motte, 33640 Ayguemorte-les-Graves, tél. 05.56.67.18.55, fax 05.56.86.69.65 ☑ ☥ r.-v.

LA RESERVE D'EPICURE 1996★★

■   n.c.   15 000   70 à 99 F

Cette nouvelle maison créée par Bernard Pujol et H. de Bouard nous présente un premier millésime remarquable ! Ce 96 sera sans doute réservé à de rares lecteurs (la production n'est que de 15 000 bouteilles), mais sa dégustation réservera de belles surprises : fruits noirs confits, vanille, torréfaction et moka, son bouquet s'exprime ouvertement ; bien charpenté, avec un bon équilibre entre le fruit et le bois, le palais est de la même veine. Une très jolie bouteille à attendre pendant trois ou quatre ans.

☛Bernard Pujol et H. de Bouard, Bordeaux Vins Sélection, 27, rue Roullet, 33800 Bordeaux, tél. 05.57.35.12.35 ☑

CH. LA ROSE SARRON 1998★

☐   5 ha   40 000   30 à 49 F

Les graves méridionales se sont taillé une solide réputation en matière de vins blancs. Ce ne sera pas ce 98 qui la remettra en question. Outre un bouquet dont l'intensité et l'élégance s'expriment dans un classicisme du meilleur aloi, avec des notes de fleurs, de buis et d'agrumes, il

BORDELAIS

réussit à concilier fraîcheur et complexité, gras et délicatesse pour donner un ensemble tout en nuances. Le **Château Brondelle cuvée Anaïs blanc 98** (50 à 69 F) a obtenu une étoile et le **Brondelle rouge 97** (50 à 69 F), une citation.

☛ Vignobles Belloc-Rochet, Ch. Brondelle, 33210 Langon, tél. 05.56.62.38.14, fax 05.56.62.23.14, e-mail chateau.brondelle@wanadoo.fr ☑ ⵗ r.-v.

CH. LAUBAREDE COURVIELLE
1996★

| ■ | 2,02 ha | 10 000 | ⅢⅠ | 30 à 49 F |

L'une de ces petites exploitations qui contribuent à donner leur originalité aux graves, ce cru sort avec les honneurs de ce beau millésime : aussi jeune par son bouquet, aux notes de pain d'épices et de fumée, que par sa structure tannique, ce vin concentré et équilibré bénéficie d'un bon potentiel de garde.

☛ EARL Delpeuch et Fils, Courvielle, 33210 Castets-en-Dorthe, tél. 05.56.62.86.81, fax 05.56.62.78.50 ☑ ⵗ t.l.j. 10h-12h 14h-18h
☛ Labourdette

CH. LA VIEILLE FRANCE 1996★

| ■ | 3 ha | 20 000 | ⅢⅠ | 50 à 69 F |

Issu à parts égales du merlot et du cabernet-sauvignon, ce vin a tiré son caractère de l'un et de l'autre. Le résultat est une belle couleur rubis, un bouquet de fruits rouges et de fumée, une solide structure et des tanins qui permettront à cette bouteille d'être prête d'ici environ deux ans. Seconde étiquette, le **Cadet de la Vieille France blanc 97** a obtenu une citation.

☛ Michel Dugoua, Ch. La Vieille France, 1, chem. du Malbec, 33640 Portets, tél. 05.56.67.19.11, fax 05.56.67.17.54 ☑ ⵗ r.-v.

CH. LE BOURDILLOT
Cuvée Prestige Vieilli en fût de chêne 1997★★

| ■ | 5,88 ha | 18 000 | ⅢⅠ | 50 à 69 F |

Fidèle à la tradition de qualité du cru, cette cuvée élevée en barrique sait manifester son caractère dès le bouquet, où des notes de sous-bois et de cuir percent derrière le bois toujours très présent. Après une attaque des plus plaisantes, le palais révèle une matière intéressante par sa chair, son équilibre et sa longueur. Dans le même millésime en **blanc, la cuvée Valentine** (50 à 69 F) a obtenu une citation. Elle a du caractère.

☛ Patrice Haverlan, 11, rue de l'Hospital, 33640 Portets, tél. 05.56.67.11.32, fax 05.56.67.11.32 ☑ ⵗ t.l.j. sf sam. dim. 8h30-12h30 13h30-17h30; f. août

CH. LE CHEC 1997★

| □ | 2,5 ha | 8 000 | ⅢⅠ | 30 à 49 F |

Petit cru situé à moins de trois kilomètres du château de Montesquieu, cette propriété a bien su tirer son épingle du jeu dans ce millésime avec ce vin rond, équilibré et agréable par son expression aromatique où se développent de jolies notes grillées et fruitées. Souple et bouqueté, mais encore un peu dominé par le bois, le **rouge 96** a reçu une citation.

☛ Christian et Sylvie Auney, La Girotte, 33650 La Brède, tél. 05.56.20.31.94, fax 05.56.20.31.94 ☑ ⵗ r.-v.

CH. LEHOUL
Vieilles vignes Elevé en fût de chêne 1997★

| ■ | 6,5 ha | n.c. | ⅢⅠ | 30 à 49 F |

Issu de vieilles vignes, récolté à la main et élevé en fût de chêne, ce vin se montre à la hauteur des soins qui lui ont été prodigués : d'un beau rouge grenat, il développe un bouquet aux notes fruitées (cerise et cassis) et une riche matière qui le rendent déjà plaisant. Il gagnera cependant à être attendu trois ou quatre ans. Très agréable par son expression aromatique (fruits exotiques et fruit de la passion), le **blanc 98** (30 à 49 F) a également obtenu une étoile.

☛ EARL Fonta et Fils, rte d'Auros, 33210 Langon, tél. 05.56.63.17.74, fax 05.56.63.06.06 ☑ ⵗ r.-v.

CH. LE PAVILLON DE BOYREIN
1997★

| ■ | 20 ha | n.c. | ▮ⅢⅠ | 30 à 49 F |

A l'orée de la pinède landaise, ce cru offre ici un joli 97, équilibré, harmonieux et bien typé graves. Gras, long et aromatique, il demande à être attendu. Du même producteur, le **Château de Respide rouge 97**, également entre 30 et 49 F, a obtenu une étoile ; un peu plus marqué par le bois, il devra aussi être attendu. Entre 20 et 29 F, le **Pavillon de Boyrein blanc 98** s'est vu attribuer une citation. Trois beaux vins à avoir dans sa cave.

☛ Vignobles Pierre Bonnet, Le Pavillon de Boyrein, 33210 Roaillan, tél. 05.56.63.24.24, fax 05.56.62.31.59 ☑ ⵗ r.-v.

CH. LES CLAUZOTS
Cuvée Maxime Vieilli en fût de chêne 1996★

| ■ | 6 ha | 20 000 | ⅢⅠ | 30 à 49 F |

Cuvée élevée en fût de chêne, ce vin a bénéficié de soins attentifs et efficaces : souple, rond et équilibré, il joue résolument la carte de l'élégance, mais sait aussi se montrer généreux en développant un bouquet aux belles notes épicées (clou de girofle et poivron).

☛ Frédéric Tach, Vignobles de Bordeaux, B.P. 114, 33210 Saint-Pierre-de-Mons, tél. 05.56.63.19.34, fax 05.56.63.21.60

CH. LE TUQUET 1996★

| ■ | 35 ha | 110 000 | ⅢⅠ | 50 à 69 F |

Belle chartreuse à proximité de la N 113, ce château nous offre un vin bien typé graves par son parfum de violette ; des notes de sous-bois et épices au nez, réglisse et fruits au palais donnent un ensemble d'une bonne complexité. Ample, ronde et charnue, sa structure permet d'envisager un vieillissement de quelques années. Vif et fruité, avec une belle expression aromatique, le **blanc 97** a reçu une citation.

☛ GFA du Ch. Le Tuquet, 33640 Beautiran, tél. 05.56.20.21.23, fax 05.56.20.21.83 ☑ ⵗ r.-v.
☛ Paul Ragon

CH. DE L'HOSPITAL 1996★★

| ■ | 6 ha | 37 000 | ⅢⅠ | 50 à 69 F |

Un monument historique et surtout un cru réputé qui a été couronné d'un coup de cœur deux ans de suite. Il n'a pas démérité avec ce millésime. D'emblée sa belle robe violine annonce de bonnes dispositions, que confirme son bouquet où le clou de girofle s'associe au cassis et à la mûre. Ample et complexe, le palais s'inscrit dans la même logique pour inviter à attendre cette jolie bouteille quatre ou cinq ans.

🔑 SCS Dom. Lafragette, Ch. de Rouillac, 33610 Canéjan, tél. 05.56.67.54.73, fax 05.56.67.09.93 ☑ Y t.l.j. sf sam. dim. 9h30-12h30 14h-18h

CH. DE L'ORDONNANCE
Elevé en fût de chêne 1996*

■ 1 ha n.c. ◍ 30 à 49 F

Issu d'un tout petit vignoble, ce vin a bénéficié d'un élevage en barrique. Le bois l'a marqué d'une note aromatique de torréfaction des plus flatteuses. Ample et soutenu par une belle matière, ce 96 se montre encore un peu sévère mais prometteur. Vignoble plus important appartenant au même producteur, le **Clos Tourmillot** s'est vu attribuer une citation pour son **rouge 96**, souple et bien construit (30 à 49 F).

🔑 GAEC Bélis et Fils, Lieu-dit Tourmilot, 33210 Langon, tél. 05.56.62.22.11, fax 05.56.62.22.11 ☑ Y r.-v.

CH. LUDEMAN LA COTE 1997*

■ 8 ha 40 000 ▮ 30 à 49 F

Propriété familiale transmise par les femmes, ce cru a doublé de surface en dix ans. La qualité de sa production n'en a pas souffert, comme en témoigne ce 97, d'une bonne intensité aromatique et d'une belle structure, à la fois aimable et tannique.

🔑 SCEA Chaloupin-Lambrot, Ch. Ludeman-la-Côte, 33210 Langon, tél. 05.56.63.07.15, fax 05.56.63.07.15 ☑ Y r.-v.

CH. LUGAUD 1996*

■ 6 ha 12 000 ◍ 30 à 49 F

Situé dans le dynamique secteur de Saint-Selve, ce cru profite du contexte favorable. Une robe profonde, un bouquet aux délicates notes de cerise cuite, un palais ample et équilibré, du fruité et une finale d'une bonne longueur : tout s'accorde pour donner une jolie bouteille à attendre trois ou quatre ans.

🔑 Didier May, 3, pl. de Jeansotte, 33650 Saint-Selve, tél. 05.56.78.41.85, fax 05.56.78.48.39 ☑ Y r.-v.

CH. MAGENCE 1996*

■ 21 ha 125 000 ▮🌡 50 à 69 F

Belle unité du sud de l'appellation, ce cru est conduit avec beaucoup de sérieux. Ce vin en témoigne par sa couleur soutenue comme par son bouquet d'une bonne intensité (réglisse et raisin mûr) ou par sa structure, solide et équilibrée. Très belle longueur.

🔑 EARL du Ch. Magence, 33210 Saint-Pierre-de-Mons, tél. 05.56.63.07.05, fax 05.56.63.41.42 ☑ Y r.-v.
🔑 Guillot de Suduiraut-d'Antras

CH. MAGNEAU Cuvée Julien 1997*

□ 5 ha 7 000 ◍ 50 à 69 F

Comme d'habitude, Jean-Louis Ardurats a vinifié cette cuvée spéciale 97 en fût et l'a élevée sur lies sans filtration. L'objectif, la richesse aromatique, a été atteint avec de puissantes notes d'agrumes, de noisette et de pêche blanche. Parfois presque déconcertant par son volume, ce vin s'ouvre sur un retour aromatique imposant. La **cuvée principale 98** (30 à 49 F) a également obtenu une étoile. Elle ne passe pas en barrique et laisse parler le vin.

🔑 Henri Ardurats et Fils, GAEC des Cabanasses,12, chem. Maxime-Ardurats, 33650 La Brède, tél. 05.56.20.20.57, fax 05.56.20.39.95 ☑ Y t.l.j. 9h-12h 14h-18h; sam. dim. sur r.-v.

CH. TOURS DE MALLE 1996**

■ 16 ha 10 000 ◍ 70 à 99 F

A cheval sur les appellations sauternes et graves, le château de Malle propose de beaux vins dans les deux appellations. Témoin, ce Château Tours de Malle 96 dont la belle couleur entre pourpre et rubis s'entend avec le bouquet, épicé et grillé, pour donner de l'allure à la présentation. Riche, gras et s'appuyant sur des tanins de qualité, le palais conduit en douceur vers une longue finale où réapparait le côté grillé.

🔑 Comtesse de Bournazel, Ch. de Malle, 33210 Preignac, tél. 05.56.62.36.86, fax 05.56.76.82.40, e-mail chateaudemalle@wanadoo.fr ☑ Y r.-v.

CH. MAYNE DE COUTUREAU 1996*

■ 3 ha 22 000 ▮◍🌡 30 à 49 F

Petit cru complémentaire du domaine situé rive droite du même producteur, ce vignoble nous offre ici un vin encore un peu discret dans son expression aromatique mais agréable et intéressant par ses fragrances de fruits rouges cuits et son volume. Frais et bien équilibré, le **blanc 97** a obtenu une citation.

🔑 SC du Ch. La Prioulette, 33490 Saint-Maixant, tél. 05.56.62.01.97, fax 05.56.76.70.79 ☑ Y r.-v.

CH. MAYNE D'IMBERT
Réserve du Château 1996*

■ 19 ha 1 800 ◍ 50 à 69 F

Petite cuvée élevée en fût de chêne, ce vin est encore marqué par le merrain. Toutefois, sa structure et son expression aromatique, agréable et complexe, laissent espérer une bonne évolution.

🔑 SCEA Vignobles Bouche, 23, rue François-Mauriac, B.P. 58, 33720 Podensac, tél. 05.56.27.18.17, fax 05.56.27.21.16 ☑ Y r.-v.

CH. MAYNE DU CROS 1997**

□ 4 ha 7 800 ◍ 50 à 69 F

Complétant les vignobles de la rive droite du même producteur (Loupiac), ce petit cru situé à Cérons n'est en rien sacrifié, comme le prouve ce très joli vin. Servi par de beaux arômes naissants (vanille et fruits confits), il laisse le dégustateur sur l'impression d'un ensemble bien construit et harmonieux. Plus simple mais frais et plaisant, le **rouge 96 élevé en fût de chêne** (50 à 69 F) a reçu une citation.

🔑 SA Vignobles M. Boyer, Ch. du Cros, 33410 Loupiac, tél. 05.56.62.99.31, fax 05.56.62.12.59 ☑ Y t.l.j. sf sam. dim. 8h-12h 14h-18h

CLOS MOLEON
Vieilli en fût de chêne 1996★

■ 2,5 ha 18 000 50 à 69 F

De son élevage en fût, ce vin a retenu un bouquet aux notes de torréfaction bien marquées et de qualité. Souple et léger, le palais s'enrichit d'arômes de fumée qui confèrent une certaine complexité à cette bouteille bien réussie.

🔑 Vignobles Laurent Réglat, Ch. de Teste, 33410 Monprimblanc, tél. 05.56.62.92.76, fax 05.56.62.98.80 ☒ 🍷 r.-v.

CH. DU MONT 1997

■ 1 ha 5 000 30 à 49 F

Longtemps frontière, la Garonne est maintenant perçue comme un trait d'union. Comme beaucoup d'autres, les vignobles Chouvac, de Sainte-Croix, le montrent avec ce graves qui porte la marque du millésime dans ses arômes un peu végétaux, mais qui laisse sur une bonne impression par sa structure d'ensemble, dont on devine qu'elle supportera la garde.

🔑 Vignobles Chouvac, Ch. du Mont, 33410 Sainte-Croix-du-Mont, tél. 05.56.62.01.72, fax 05.56.62.07.58 ☒ 🍷 r.-v.

🔑 Paul Chouvac

HENRY BARON DE MONTESQUIEU 1996

■ n.c. n.c. 30 à 49 F

Entreprise de négoce familiale fondée par les descendants du philosophe, cette maison propose un vin simple mais bien fait, au bouquet typé (fumée, fruits et épices), qui attaque en souplesse avant de terminer sur une finale tannique.

🔑 Vins et Dom. H. de Montesquieu, Aux Fougères, B.P. 53, 33650 La Brède, tél. 05.56.78.45.45, fax 05.56.20.25.07, e-mail montesquieu@bordeaux-montesquieu.com ☒ 🍷 r.-v.

CH. MOUTIN 1998

□ 0,86 ha 3 400 50 à 69 F

S'il reste assez confidentiel par son volume de production, ce vin n'en est pas moins intéressant par son bouquet (genêt, miel, fruits mûrs), sa finale savoureuse et son retour aromatique, volontiers flatteur.

🔑 Jean Darriet, Ch. Dauphiné-Rondillon, 33410 Loupiac, tél. 05.56.62.61.75, fax 05.56.62.61.75 ☒ 🍷 t.l.j. 8h30-12h30 14h-19h; sam. dim. sur r.-v.

CH. PERIN DE NAUDINE 1996★

■ 6 ha 28 000 30 à 49 F

Année du changement de propriétaire pour ce cru, 96 a été faste. Voici en effet un vin coloré, aromatique et bien construit. Débutant sur des notes de fumée et de résine, son bouquet passe ensuite à des odeurs de réglisse, de cuit et de cachou. Ample, rond et tannique, le palais indique que cette bouteille pourra être attendue le temps que sa finale s'arrondisse. Souple et bouqueté (grillé), le **blanc 97, les Sphinx de Naudine** (30 à 49 F), a également obtenu une étoile.

🔑 SC Ch. Périn de Naudine, 8, imp. des Domaines, 33640 Castres, tél. 05.56.67.06.65, fax 05.56.67.59.68, e-mail chateauperin@wanadoo.fr ☒ 🍷 r.-v.

🔑 Olivier Colas

CH. PEYREBLANQUE 1998★

□ 1 ha 2 500 50 à 69 F

Assez original par son encépagement (mi-sémillon, mi-muscadelle), ce vignoble a donné naissance à un beau 98. Ample, gras et puissant, celui-ci se montre très plaisant par ses arômes de vanille, de croûte de pain et d'agrumes.

🔑 SCEA Jean Médeville et Fils, Ch. Fayau, 33410 Cadillac, tél. 05.57.98.08.08, fax 05.56.62.18.22 ☒ 🍷 t.l.j. sf sam. dim. 8h30-12h 14h-18h

CH. PIRON 1997★

□ 14 ha 20 000 30 à 49 F

Spécialisée dans les blancs, cette propriété reste fidèle à sa tradition de qualité dans le millésime 97. Souple, vif et fruité, ce vin développe un bouquet des plus plaisants par ses notes boisées et citronnées. Paul Boyreau a aussi élaboré un **rouge 96** (30 à 49 F) très réussi, avec de beaux arômes grillés et épicés ; il a obtenu une étoile. Un dégustateur conseille de le servir avec des cailles.

🔑 Paul Boyreau, Piron, 33650 Saint-Morillon, tél. 05.56.20.25.61, fax 05.56.78.48.36 ☒ 🍷 r.-v.

CH. PONT DE BRION 1997★★

□ 2,5 ha 15 000 30 à 49 F

Issu de vignes âgées (trente-deux ans), ce vin a fait l'objet de soins attentifs et efficaces. Très floral, son bouquet est relevé de belles notes grillées et vanillées qui témoignent d'un élevage bien maîtrisé. Rond et distingué, l'ensemble est déjà agréable mais pourra être attendu deux ou trois ans. Il en est de même pour le **rouge 97** (30 à 49 F), qui a mérité une étoile.

🔑 SCEA Molinari et Fils, Ludeman, 33210 Langon, tél. 05.56.63.09.52, fax 05.56.63.13.47 ☒ 🍷 r.-v.

CH. DE PORTE PERES 1996

■ 1 ha 5 500 30 à 49 F

Une micro-propriété (2 ha) pour un vin assez simple mais bien construit, avec une structure souple et équilibrée qui met en valeur les arômes de fruits rouges.

🔑 Valérien Ducau, RN 113, 33720 Podensac, tél. 05.56.27.18.92, fax 05.56.27.11.29 ☒ 🍷 r.-v.

CH. DE PORTETS 1996

■ 14,87 ha 65 000 50 à 69 F

Le château est l'ancienne résidence des barons de Gascq qui jouèrent un rôle prépondérant dans l'histoire locale. A l'égal de la demeure, ce vin joue la carte de l'élégance, avec de frais arômes qui invitent à le boire jeune.

🔑 SCEA Théron-Portets, Ch. de Portets, 33640 Portets, tél. 05.56.67.12.30, fax 05.56.67.33.47, e-mail nhyung@aol.fr ☒ 🍷 r.-v.

🔑 Jean-Pierre Théron

CH. QUINCARNON 1996★

■ 5,21 ha n.c. ▮ 30 à 49 F

Discrète mais régulière en qualité, cette propriété des graves méridionales reste fidèle à sa tradition avec ce millésime. Très réussi, son vin s'annonce heureusement par une robe pourpre et un bouquet aux fines notes épicées. Souple et ample, le palais montre par ses tanins et sa longueur qu'il est armé pour la garde.

⊶ Carlos Asseretto, Vignobles de Bordeaux, B.P. 114, 33211 Saint-Pierre-de-Mons, tél. 05.56.63.19.35, fax 05.56.63.21.60 ☑

CH. RAHOUL 1996★★

■ n.c. 65 000 (I) 70 à 99 F

86 88 **89** **90** 91 **92** |93| 94 95 **96**

Dès le premier regard, il est facile de deviner à sa belle couleur grenat foncé à reflets briques que ce vin a du caractère. Une impression que confirment le bouquet, encore naissant mais déjà agréable (fumet, fruits rouges surmûris), et le palais. A la fois souple et corsée, élégante et ample, la structure s'allie à la longue finale pour promettre une très belle bouteille d'ici deux à trois ans. Doté d'un bouquet élégant, de vivacité et d'un bon équilibre, le **blanc 97** (70 à 99 F) a obtenu une étoile, tandis que le **Château La Garance rouge 96** (50 à 69 F) s'octroyait une citation.

⊶ Alain Thienot, Ch. Rahoul, rte du Courneau, 33640 Portets, tél. 05.56.67.01.12, fax 05.56.67.02.88 ☑ Y r.-v.

CH. RESPIDE-MEDEVILLE 1996★★

■ 7,7 ha 30 000 (I) 100 à 149 F

Bénéficiant d'une belle croupe argilo-graveleuse, ce cru a été gâté par la nature. Vrai vin de garde, ce 96 exprime toutes les potentialités du terroir par sa structure comme par son bouquet. Cabernet par ses notes de cassis, il intègre sans problème l'apport du bois pour donner un ensemble d'une bonne complexité. Elégante, riche, ronde et longue, la constitution est à la fois harmonieuse et puissante. Agréable, mais encore habillé par le bois, le **blanc 97** (70 à 99 F) s'est vu attribuer une citation.

⊶ Christian Médeville, Ch. Gilette, 33210 Preignac, tél. 05.56.76.28.44, fax 05.56.76.28.43, e-mail christian.medeville@wanadoo.fr ☑ Y r.-v.

DOM. DU REYS 1996★

■ 5,87 ha 9 000 ▮ 50 à 69 F

Illustrant le dynamisme dont fait preuve le secteur de Saint-Selve, ce vin d'une belle tenue montre ses bonnes dispositions par sa couleur rouge sombre, sa complexité aromatique et sa solide texture tannique.

⊶ Pouey International SA, chem. de Gaillardas, Jeansotte, 33650 Saint-Selve, tél. 05.56.78.49.10, fax 05.56.78.49.11, e-mail pouey.international.fr ☑ Y r.-v.

CH. ROQUETAILLADE LA GRANGE 1997★

■ 15 ha 80 000 (I) 50 à 69 F

Au pied du château fort de Roquetaillade, ce vignoble peut revendiquer une belle ancienneté. Drapé dans une robe d'un rubis intense, son 97 est à la hauteur de l'histoire par son bouquet complexe (fruits et gibier) et son palais ample, charnu et long. Le **blanc 98**, assez opulent, a également obtenu une étoile.

⊶ Bruno, Dominique et Pascal Guignard, 33210 Mazères, tél. 05.56.76.14.23, fax 05.56.62.30.62, e-mail guignard@wanadoo.fr ☑ Y t.l.j. sf sam. dim. 9h-12h 14h-18h

CH. SAINT-AGREVES
Vieilli en fût de chêne 1996

■ 11 ha n.c. (I) 30 à 49 F

Intégralement élevé en fût, ce vin en porte la marque dans son bouquet aux notes brûlées. Cependant, celles-ci n'empêchent pas les senteurs de sous-bois, champignons et fougère de s'exprimer. Tannique et bien équilibrée, la structure tirera avantage d'une garde de deux ou trois ans pour acquérir plus de fondu.

⊶ Marie-Christiane Landry, Ch. Saint-Agrèves, 17, rue Joachim-de-Chalup, 33720 Landiras, tél. 05.56.62.50.85 ☑ Y r.-v.

CH. SAINT-ROBERT
Cuvée Poncet-Deville 1997★★

■ 4 ha 17 000 (I) 70 à 99 F

|89| |(90)| **92** |93| |94| **95 96 97**

Mené par l'équipe du Foncier-Vignobles, ce cru cherche l'expression de l'authenticité du terroir. La qualité de son travail apparaît dans le bouquet : la présence d'un bois de qualité se fait sentir par des notes vanillées et grillées qui n'écrasent pas les fruits. Grasse, solide, longue et harmonieuse, la structure est une invitation à garder cette jolie bouteille en cave pendant quatre ou cinq ans.

⊶ SCEA Vignobles Bastor et Saint-Robert, Dom. de Lamontagne, 33210 Preignac, tél. 05.56.63.27.66, fax 05.56.76.87.03 ☑ Y r.-v.

⊶ Foncier-Vignobles

CH. SAINT-ROBERT
Cuvée Poncet-Deville 1997★★

□ 2,5 ha 10 000 (I) 50 à 69 F

A l'égal du rouge, le blanc est ici d'un très bon niveau. D'une couleur or pâle, il développe un bouquet aux fines notes boisées (grillé et fumée). Souple, fraîche, fruitée et bien équilibrée, la structure, que rehausse une petite touche de pain cuit, est agréable et témoigne elle aussi d'une belle maîtrise de l'élevage. Plus simple, la **cuvée principale 97** (30 à 49 F) est également plaisante par ses côtés frais et fleuris plus que fruités ; elle a obtenu une citation.

⊶ SCEA Vignobles Bastor et Saint-Robert, Dom. de Lamontagne, 33210 Preignac, tél. 05.56.63.27.66, fax 05.56.76.87.03 ☑ Y r.-v.

CH. DE SANSARIC 1996★

■ 7 ha n.c. 30 à 49 F

Né dans un ancien rendez-vous de chasse, ce vin n'a pas encore atteint son expression aromatique définitive, mais déjà il s'annonce plaisant par ses notes vanillées. Souple et tannique, le palais laisse augurer tout autant une bonne garde qu'un plaisir immédiat.

Dominique Abadie, 33640 Castres-Gironde, tél. 05.56.67.03.17, fax 05.56.67.59.53 r.-v.

CH. DU SEUIL 1998★

□ n.c. 25 000 50 à 69 F

Une fois encore, ce cru de Cérons qui reçut un coup de cœur (blanc 95) justifie sa renommée en blanc avec un joli vin, dont le bouquet est à la fois intense et complexe. Après une attaque étoffée, le palais développe une structure élégante dont le soutien boisé n'écrase pas la personnalité de l'ensemble. Souple et délicat, le **rouge 96** (50 à 69 F), encore dominé par la barrique, a obtenu une citation.

Ch. du Seuil, 33720 Cérons, tél. 05.56.27.11.56, fax 05.56.27.28.79 r.-v.
T.-R. Watts

CH. SIMON 1997★

□ 3 ha 12 000 30 à 49 F

Un petit vignoble certes, mais dépendant d'une belle unité de près de 40 ha. L'intensité du bouquet, fruité sur fond floral, se retrouve au palais, très agréable par sa fraîcheur et sa finesse. Bouqueté et bien constitué, le **rouge 96** (50 à 69 F) a mérité une citation.

EARL Jean-Hugues Dufour, Ch. Simon, 33720 Barsac, tél. 05.56.27.15.35, fax 05.56.27.31.43 r.-v.

CH. TEIGNEY 1996

■ 21 ha n.c. 30 à 49 F

Même s'il n'est pas très puissant, ce vin se montre intéressant par son intensité aromatique. Agrémenté de fines notes florales et épicées, le bouquet laisse percevoir l'influence de l'élevage.

EARL Buytet et Fils, rte de Casteljaloux, 33210 Langon, tél. 05.56.63.17.15, fax 05.56.76.20.19 r.-v.

CH. TOUMILON Cuvée réservée 1998

□ 5 ha n.c. 30 à 49 F

Sa petite constitution n'empêche pas ce vin de se montrer plaisant par sa fraîcheur et ses sympathiques parfums de fleurs blanches.

SCE Vignobles Sévenet, Vignobles de Bordeaux, B.P. 114, 33211 Saint-Pierre-de-Mons, tél. 05.56.63.19.34, fax 05.56.63.21.60

CH. TOUR BICHEAU 1996

■ 16 ha 100 000 30 à 49 F

Issu d'un vignoble à dominante de merlot (70 %), ce vin friand et gouleyant affirme sa personnalité par son bouquet où l'on sent l'influence du cépage.

SCEA des Vignobles Daubas, Ch. Tour Bicheau, 8, rte du Cabernet, 33640 Portets, tél. 05.56.67.37.75, fax 05.56.67.37.75 r.-v.
Hugues Daubas

CH. TOUR DE CALENS Elevé en fût de chêne 1996★★

■ n.c. 12 000 30 à 49 F

Né sur des graves à gros galets, ce 96 élevé en fût s'inscrit dans la tradition de qualité du cru. Il associe une structure ronde, grasse et harmonieuse, à un bouquet aux puissantes notes de cannelle, vanille, cassis, raisins mûrs et framboise. Egalement bien bouqueté, le **blanc 98** (30 à 49 F) a obtenu une étoile.

B. et D. Doublet, Ch. Vignol, 33750 Saint-Quentin-de-Baron, tél. 05.57.24.12.93, fax 05.57.24.12.83 r.-v.

CH. TOURTEAU CHOLLET 1998★

□ 7,96 ha 51 300 30 à 49 F

Né d'un vignoble que possède le château sauternais Rayne-Vigneau à Arbanats, ce vin aux frais arômes d'agrumes et de tilleul est un bon classique des graves. Bien servi par son expression aromatique, le second vin, le **Château Chollet blanc 98**, s'est vu attribuer une citation.

SC du Ch. de Rayne Vigneau, La Croix Bacalan, 109, rue Achard B.P. 154, 33042 Bordeaux Cedex, tél. 05.56.11.29.00, fax 05.56.11.29.11 r.-v.

VIEUX CHATEAU GAUBERT 1997★★

■ 15 ha 60 000 70 à 99 F

83 85 86 87 |88| |89| |90| 91 |93| **94 95 97**

Valeur sûre et reconnue de l'appellation, ce cru se montre une fois encore à la hauteur de sa renommée dans ce difficile millésime 97. Il développe un bouquet agréable, où apparaissent de délicates notes grillées et torréfiées. Rond, gras, corsé et bien enrobé, le palais réussit à affirmer sa personnalité tannique, notamment en finale. Rond et aimable, le second vin, **Benjamin de Vieux Château Gaubert** (50 à 69 F), a reçu une citation.

Dominique Haverlan, Vieux Château Gaubert, 33640 Portets, tél. 05.56.67.52.76, fax 05.56.67.52.76 r.-v.

VIEUX CHATEAU GAUBERT 1998★★

□ 5 ha 25 000 50 à 69 F

(89) **90 91** |92| 93 |94| |95| |96| |98|

Comme le rouge 97, ce blanc 98 est d'une fort belle tenue. S'annonçant par une robe or pâle, il surprend littéralement le dégustateur par la densité et la complexité du palais, où tout indique une vinification et un élevage bien maîtrisés. Plus simple, mais toutefois assez complexe et bien équilibré, le **Benjamin de Vieux Château Gaubert blanc 98** (30 à 49 F) a obtenu une citation.

Dominique Haverlan, Vieux Château Gaubert, 33640 Portets, tél. 05.56.67.52.76, fax 05.56.67.52.76 r.-v.

VILLA BEL-AIR 1998★★

□ 20 ha 100 000 50 à 69 F

Situé sur le versant méridional de la vallée d'un petit affluent de la Gascogne, ce cru a su tirer profit du terroir argileux favorable aux graves blancs. D'un jaune paille brillant, il a l'art de se présenter, avec un bouquet fin, puissant et complexe. Vif, équilibré et harmonieux, le palais a lui aussi suffisamment de caractère pour que

ce vin puisse être apprécié immédiatement ou attendu deux ou trois ans.
☛ Jean-Michel Cazes, Villa Bel-Air, 33650 Saint-Morillon, tél. 05.56.20.29.35, fax 05.56.78.44.80 ⍑ r.-v.

CH. VILLEFRANCHE 1996

| ■ | | 5 ha | 20 000 | ▐▌⏺ | 30 à 49 F |

Ce vin s'ouvre sur un délicat bouquet fruité. Sa bonne structure évolue sur une finale bien fondue et d'une bonne longueur.
☛ Benoît Guinabert, Ch. Villefranche, 33720 Barsac, tél. 05.56.27.05.77, fax 05.56.27.33.02 ☑ ⍑ r.-v.

Graves supérieures

CH. CHERCHY-DESQUEYROUX 1997

| □ | | 5,7 ha | 12 000 | ▐▌⏺ | 50 à 69 F |

Né à Pujols-sur-Ciron au voisinage du Sauternais, ce vin évoque certains liquoreux traditionnels par sa richesse aromatique et son côté imposant. Un bon vin de dessert à offrir à votre grand-mère.
☛ Francis Desqueyroux et Fils, 1, rue Pourière, 33720 Budos, tél. 05.56.76.62.67, fax 05.56.76.66.92 ☑ ⍑ r.-v.

CH. LEHOUL 1997*

| □ | | 2 ha | n.c. | ▐▌ | 50 à 69 F |

De millésime en millésime, ce cru est devenu une valeur sûre en matière de graves supérieures. Son bouquet très confit joue sur des notes de figue sèche, d'abricot et de coing, tandis qu'au palais sa complexité s'enrichit d'un côté caramel pour former un ensemble très agréable par sa rondeur.
☛ EARL Fonta et Fils, rte d'Auros, 33210 Langon, tél. 05.56.63.17.74, fax 05.56.63.06.06 ☑ ⍑ r.-v.

CH. PONT DE BRION 1997**

| □ | | 2 ha | 3 000 | ▐▌ | 50 à 69 F |

Bien représentés dans l'appellation graves, les Molinari le sont aussi en graves supérieures avec ce vin. Très réussi, il annonce son caractère fin et racé par sa robe et son bouquet d'agrumes confits. Au palais, son élégance se confirme jusqu'à la finale savoureuse.
☛ SCEA Molinari et Fils, Ludeman, 33210 Langon, tél. 05.56.63.09.52, fax 05.56.63.13.47 ☑ ⍑ r.-v.

Pessac-léognan

Correspondant à la partie nord des Graves (appelée autrefois Hautes-Graves), la région de Pessac et Léognan est aujourd'hui une appellation communale, inspirée de celles du Médoc. Sa création, qui aurait pu se justifier par son rôle historique (c'est l'ancien vignoble périurbain qui produisait les clarets médiévaux), s'explique par l'originalité de son sol. Les terrasses que l'on trouve plus au sud cèdent la place à une topographie plus accidentée. Le secteur compris entre Martillac et Mérignac est constitué d'un archipel de croupes graveleuses qui présentent d'excellentes aptitudes viti-vinicoles par leurs sols, composés de galets très mélangés, et par leurs fortes pentes. Celles-ci garantissent un très bon drainage. Les pessac-léognan présentent une grande originalité ; les spécialistes l'ont d'ailleurs remarquée depuis fort longtemps, sans attendre la création de l'appellation. Ainsi, lors du classement impérial de 1855, Haut-Brion fut le seul château non médocain à être classé (premier cru). Puis, lorsque, en 1959, 16 crus de graves furent classés, tous se trouvaient dans l'aire de l'actuelle appellation communale.

Les vins rouges (51 170 hl) possèdent les caractéristiques générales des graves, tout en se distinguant par leur bouquet, leur velouté et leur charpente. Quant aux blancs secs (14 192 hl), ils se prêtent tout particulièrement à l'élevage en fût et au vieillissement qui leur permet d'acquérir une très grande richesse aromatique, avec de fines notes de genêt et de tilleul.

CH. BOUSCAUT 1996

| ■ Cru clas. | | 37 ha | 115 000 | ▐▌ | 150 à 199 F |

76 79 **80** |**81**| 82 83 84 **85** ⑧⑥ 87 |88| |**89**| |**90**| 91 92 |93| **94** 95 96

Au bord de la route nationale 113, cette élégante demeure du XVIII⁰s. ne passe pas inaperçue car elle a été parfaitement reconstruite après un incendie qui la ravagea en 1962. La structure de ce vin n'a pas la majesté du château mais son bouquet possède une délicatesse en parfaite harmonie avec les lieux par ses arômes mentholés et boisés que complètent des notes d'épices et de clou de girofle.
☛ SA Ch. Bouscaut, 33140 Cadaujac, tél. 05.57.83.12.20, fax 05.57.83.12.21 ☑ ⍑ r.-v.
☛ S. Lurton

CH. BOUSCAUT 1997

| □ Cru clas. | | 8 ha | 21 000 | ▐▌⏺ | 150 à 199 F |

79 80 81 **82 83** 84 **85** 86 87 88 89 |90| |**91**| |**92**| |93| 94 |95| |96| 97

« Jaune à reflets blancs » : ainsi ce vin est-il décrit par le jury qui apprécie avec autant de précision le nez caractérisé par des notes d'écorce d'orange, de pamplemousse et d'acacia. Fin et

délicat au palais, où le boisé se montre bien maîtrisé, il est prêt à accompagner un poisson blanc en sauce.
SA Ch. Bouscaut, 33140 Cadaujac, tél. 05.57.83.12.20, fax 05.57.83.12.21 ☑ Y r.-v.

CH. BROWN 1996*

■ 11,47 ha 82 000 100 à 149 F
93 |94| 95 96

Sous la direction de Bernard Barthe, ce cru s'est fixé pour objectif d'élaborer un vin dont l'aptitude au vieillissement reflète les potentialités du terroir. Avec ce 96, le pari est tenu : derrière un bouquet aux délicates notes fruitées et vanillées et une attaque souple se développe un palais charnu, équilibré et bien constitué qui permettra à cette bouteille de tirer profit d'un séjour en cave. Sans égaler le grand vin, le **Colombier de Château Brown rouge 96** (50 à 69 F) est rond, corsé et agréablement bouqueté, avec des arômes encore jeunes marqués par les fruits.
SA Ch. Brown, 5, av. de la Liberté, 33850 Léognan, tél. 05.56.87.08.10, fax 05.56.87.87.34 ☑ Y r.-v.
Bernard Barthe

CH. BROWN 1997

□ 4,05 ha 10 600 100 à 149 F

Se présentant dans une honnête robe jaune paille, ce vin reste assez discret par son bouquet. Mais il se développe au palais pour donner un ensemble agréable et bien équilibré.
SA Ch. Brown, 5, av. de la Liberté, 33850 Léognan, tél. 05.56.87.08.10, fax 05.56.87.87.34 ☑ Y r.-v.

CH. CANTELYS 1997*

□ 10 ha 10 000 70 à 99 F

Propriétaires de ce cru depuis 1996, les Cathiard (de Smith Haut Lafitte) le connaissent bien, en ayant été fermiers auparavant. Ils ont su tirer du millésime 97 un vin charmeur par sa souplesse, son gras, son équilibre et sa finesse. La barrique n'est pas absente, mais elle est bien dosée. A déguster dès cet automne sur des entrées de qualité.
SARL D. Cathiard, 33650 Martillac, tél. 05.57.83.11.22, fax 05.57.83.11.21, e-mail smithhautlafitte@smithhautlafitte.com ☑ Y r.-v.

CH. CARBONNIEUX 1996**

■ Cru clas. 45 ha 250 000 100 à 149 F
75 81 82 **83 85** (86) 87 |88| |89| |90| |91| |92| 93 **94** 95 **96**

Malgré sa situation aux portes de Bordeaux, presque dans l'agglomération, ce château a conservé son visage rassurant de vrai manoir rural. A son image, ce 96 est un vin qui pourra affronter sereinement l'épreuve du temps. Il l'annonce clairement, non seulement par sa robe grenat sombre mais aussi par sa structure, puissante et veloutée, que soutient un bois judicieusement dosé. Enveloppée d'harmonieux arômes de grillé, d'épices et de réglisse, cette bouteille appelle un séjour en cave de quatre à six ans pour donner toute sa personnalité. Un vin destiné à la grande gastronomie.
SC des Grandes Graves, Ch. Carbonnieux, 33850 Léognan, tél. 05.57.96.56.20, fax 05.57.96.59.19, e-mail chateau.carbonnieux@wanadoo.fr ☑ Y r.-v.

CH. CARBONNIEUX 1997**

□ Cru clas. 45 ha 200 000 100 à 149 F
81 82 83 85 86 87 |88| |89| |90| |91| 92 |93| |94| 95 **96 97**

Blanche avec juste un reflet vert, la robe de ce vin semble vouloir accréditer l'histoire de « l'eau minérale » de Carbonnieux, nom sous lequel ce vin aurait été vendu, au XVIII^e^s., à un sultan d'Istanbul ! Mais le bouquet et le palais se chargent de lever toute ambiguité : ce vin n'a rien d'une eau minérale ; l'élégance de ses parfums et le caractère à la fois vif et gras de la structure sont le signe évident d'une bouteille parfaitement réussie.
SC des Grandes Graves, Ch. Carbonnieux, 33850 Léognan, tél. 05.57.96.56.20, fax 05.57.96.59.19, e-mail chateau.carbonnieux@wanadoo.fr ☑ Y r.-v.

LES CRUS CLASSÉS DES GRAVES

NOM DU CRU CLASSÉ	VIN CLASSÉ	NOM DU CRU CLASSÉ	VIN CLASSÉ
Château Bouscaut	en rouge et en blanc	Château La Mission-Haut-Brion	en rouge
Château Carbonnieux	en rouge et en blanc	Château Latour-Haut-Brion	en rouge
Domaine de Chevalier	en rouge et en blanc	Château La Tour-Martillac	en rouge et en blanc
Château Couhins	en blanc	Château Laville-Haut-Brion	en blanc
Château Couhins-Lurton	en blanc	Château Malartic-Lagravière	en rouge et en blanc
Château de Fieuzal	en rouge	Château Olivier	en rouge et en blanc
Château Haut-Bailly	en rouge	Château Pape-Clément	en rouge
Château Haut-Brion	en rouge	Château Smith-Haut-Lafitte	en rouge

DOM. DE CHEVALIER 1996*

□ Cru clas. 5 ha 18 000 300 à 499 F

82 83 |**85**| |**86**| |**89**| |(**90**)| **91 92 93 94** 96

Une petite couche de sols sablo-graveleux, nappée de sables forestiers, reposant sur une base d'argiles et de graves: le terroir de Chevalier blanc est parfaitement adapté aux vins de cette couleur. Ce 96 ne manque pas d'atouts, qu'il s'agisse de la finesse du bouquet, du volume du palais ou de la longueur de la finale. Une bouteille à attendre deux ou trois ans.

Dom. de Chevalier, 33850 Léognan,
tél. 05.56.64.16.16, fax 05.56.64.18.18 r.-v.

Famille Bernard

DOM. DE CHEVALIER 1996**

■ Cru clas. 33 ha 90 000 200 à 249 F

64 66 70 73 |**75**| **78 79** |**83**| **84** |**85**| |**86**| 87 |**88**| |(**89**)| **90 91 92 93 94 96**

Même si c'est le blanc qui a fait la renommée de ce cru, enclavé dans la forêt de pins, son vin rouge est loin de démériter. A la complexité du bouquet, où se marient les fleurs, les fruits, le goudron et la fumée, répond la richesse du palais. S'appuyant sur de puissants tanins, celui-ci n'est certes pas timide. Mais il sait exprimer sa force sans être jamais agressif et s'imposer tout en restant d'une grande douceur. Savoureuse et équilibrée, la finale annonce un bon potentiel de garde.

Dom. de Chevalier, 33850 Léognan,
tél. 05.56.64.16.16, fax 05.56.64.18.18 r.-v.

L'ESPRIT DE CHEVALIER 1996*

■ 33 ha 95 000 100 à 149 F

Rubis assez foncé, le second vin de Chevalier porte bien son nom, ne trahissant en rien son aîné: le nez est intense, mêlant fruits rouges, vanille, notes de venaison et de cuir. Rond, charnu, bien équilibré, il ne déplaira pas à un gigot pascal dans quelques années.

Dom. de Chevalier, 33850 Léognan,
tél. 05.56.64.16.16, fax 05.56.64.18.18 r.-v.

CH. COUHINS-LURTON 1997**

□ Cru clas. 5,5 ha n.c. 150 à 199 F

82 83 85 **86** 87 **88 89** |**90**| 91 |**92**| 93 |**94**| **95** |(**96**)| **97**

Couhins bénéficie de toutes les attentions de son propriétaire, André Lurton, qui bâtit actuellement un nouveau chai. Remarquable, son 97 annonce sa fraîcheur par sa jolie robe, jaune ananas. Très plaisant, avec de délicates notes balsamiques, florales et fruitées, le bouquet reste dans le même esprit. Le palais respecte le fruit, sa construction ayant trouvé un bel équilibre entre la puissance et l'élégance.

SCEA Vignobles André Lurton, Ch. Bonnet, 33420 Grézillac, tél. 05.57.25.58.58,
fax 05.57.74.98.59,
e-mail andre.lurton@wanadoo.fr r.-v.

CH. DE CRUZEAU 1997**

□ 12 ha n.c. 50 à 69 F

88 89 90 92 93 94 95 |**96**| |**97**|

Vendange manuelle, pressurage des raisins entiers, fermentation et élevage en barrique avec bâtonnage de toute la récolte, la qualité de la vinification a permis de tirer le maximum d'une matière première délicate. Rond, frais et aromatique, avec des notes de fleurs et de fruits exotiques, ce vin laisse le souvenir d'un ensemble vif et distingué.

SCEA Vignobles André Lurton, Ch. Bonnet, 33420 Grézillac, tél. 05.57.25.58.58,
fax 05.57.74.98.59,
e-mail andre.lurton@wanadoo.fr r.-v.

CH. DE CRUZEAU 1996

■ n.c. n.c. 50 à 69 F

81 82 83 **85 86** |**88**| |**89**| |**90**| 92 93 94 95 96

S'il est plus simple que le blanc 97, le rouge 96 n'en demeure pas moins équilibré et bien constitué, tant par son bouquet, dont le fruit est mis en exergue par un bois bien dosé, qu'au palais, avec une bonne structure tannique qui demande à se fondre.

SCEA Vignobles André Lurton, Ch. Bonnet, 33420 Grézillac, tél. 05.57.25.58.58,
fax 05.57.74.98.59,
e-mail andre.lurton@wanadoo.fr r.-v.

CH. D'EYRAN 1996

■ 12 ha 40 000 50 à 69 F

Entré en 1796 dans la famille de Sèze, dont le membre le plus célèbre fut l'avocat de Louis XVI, ce cru fait toujours partie de son patrimoine. Encore un peu sévère, son 96 possède la structure et le bouquet qui lui permettront de s'arrondir avec le temps.

SCEA Ch. d'Eyran, 33650 Saint-Médard-d'Eyrans, tél. 05.56.65.51.59,
fax 05.56.65.43.78 r.-v.

de Sèze

CH. FERRAN 1997**

□ 3,97 ha 29 000 30 à 49 F

Montesquieu fut l'un des propriétaires de ces lieux. Ce cru, qui appartient aujourd'hui à Hervé Béraud-Sudreau, bénéficie d'une vinification assurée par l'équipe d'œnologues de la maison Ginestet. Ce 97 révèle leur maîtrise dès l'examen de sa robe, d'un beau jaune clair à reflets d'or. Soutenu par le bois, le bouquet exhale d'élégants parfums de noix de coco. Riche, puissant et aro-

matique, le palais joue dans le même registre. Une longue finale complète l'ensemble pour laisser le dégustateur sur le souvenir d'un vin distingué et harmonieux. Plus simple mais bien constitué, avec des tanins souples, le **rouge 96** (50 à 69 F) a reçu une étoile. C'est un très bon rapport qualité-prix également.
⊶ Maison Ginestet SA, 19, av. de Fontenille, 33360 Carignan-de-Bordeaux, tél. 05.56.68.81.82, fax 05.56.20.96.99 Y r.-v.
⊶ Béraud - Sudreau

CH. DE FIEUZAL 1996★★★

■ Cru clas. 33 ha 160 000 ◍ 200 à 249 F

70 75 76 77 78 79 80 **81 82** |**83**| 84 |**85**| |**86**| **88 89** (**90**) 91 **92 93 94** (**95**) (**96**)

Belle unité, par sa superficie comme par son terroir, ce cru est devenu l'une des références de l'appellation en réussissant à la perfection la synthèse de l'élégance et de la puissance. Ce mariage heureux se lit dans la couleur, grenat, et la densité de la robe de ce 96. Complexe et enveloppé par un bois de qualité, le bouquet joue avec subtilité sur une large palette de parfums. Puissante et concentrée, la matière du palais se développe harmonieusement pour s'ouvrir sur une belle finale réglissée, aussi persistante que distinguée. Une très grande bouteille.
⊶ Ch. de Fieuzal, 124, av. de Mont-de-Marsan, 33850 Léognan, tél. 05.56.64.77.86, fax 05.56.64.18.88 ☒ Y r.-v.

L'ABEILLE DE FIEUZAL 1996★★

■ 76 ha 70 000 ◍ 100 à 149 F

Suprême élégance, à Fieuzal, le grand vin a laissé suffisamment de matière au second pour que celui-ci puisse atteindre un très haut niveau qualitatif. La robe, d'un rubis éclatant, le bouquet complexe, évoluant des fruits à noyau au gibier, le palais, riche et équilibré, composent une bouteille capable de bien résister au temps, elle aussi.
⊶ Ch. de Fieuzal, 124, av. de Mont-de-Marsan, 33850 Léognan, tél. 05.56.64.77.86, fax 05.56.64.18.88 Y r.-v.

CH. DE FIEUZAL 1997★★

□ 10 ha 21 000 ◍ 250 à 299 F

83 84 85 86 87 |**88**| |**89**| |(**90**)| |**91**| |**92**| |**93**| **94 95 96 97**

Fieuzal, qui fut l'un des berceaux des nouveaux blancs secs bordelais, est une fois encore à la hauteur de sa réputation avec ce vin. Le sauvignon, qui entre pour moitié dans sa composition, apporte sa marque au bouquet. Le palais révèle un bel équilibre et procure une sensation d'harmonie ; le bois y est plus présent qu'au nez, mais il sait respecter la personnalité de l'ensemble. Longue et complexe, la finale conclut très heureusement la dégustation. Plus modeste, certes, mais frais, délicatement bouqueté et bien constitué, le second vin, l'**Abeille de Fieuzal 97 blanc** (100 à 149 F), a obtenu une étoile.
⊶ Ch. de Fieuzal, 124, av. de Mont-de-Marsan, 33850 Léognan, tél. 05.56.64.77.86, fax 05.56.64.18.88 ☒ Y r.-v.

CH. DE FRANCE 1996★★

■ 20 ha 103 000 ◍ 100 à 149 F

81 82 83 85 86 **88** |89| |**90**| **92** |93| |94| 95 **96**

Un terroir de qualité et un travail soigné expliquent la régularité de ce cru qui se vérifie une fois encore. De la fumée au pain grillé et au cacao, des petits fruits rouges à la réglisse, la diversité des parfums est encourageante. Confirmant les bonnes dispositions du bouquet, le palais montre par sa structure, souple mais solide avec des tanins charnus et de la mâche, que cette bouteille a de l'avenir.
⊶ SA Bernard Thomassin, Ch. de France, 98, av. de Mont-de-Marsan, 33850 Léognan, tél. 05.56.64.75.39, fax 05.56.64.72.13 ☒ Y r.-v.

CH. DE FRANCE 1997★

□ 2,4 ha 7 000 ◍ 70 à 99 F

88 89 90 92 93 94 95 |96| 97

S'annonçant par une belle couleur jaune d'or, ce 97 offre un bouquet d'une bonne intensité, avec des arômes boisés et fruités (ananas). Mais c'est au palais qu'il se révèle pleinement, en passant de notes mentholées et citronnées à de savoureuses sensations de fruits confits. La finale, d'une grande finesse, témoigne du potentiel de cette jolie bouteille.
⊶ SA Bernard Thomassin, Ch. de France, 98, av. de Mont-de-Marsan, 33850 Léognan, tél. 05.56.64.75.39, fax 05.56.64.72.13 ☒ Y r.-v.

CH. GAZIN ROCQUENCOURT 1996

■ 9,5 ha 80 600 ◍ 70 à 99 F

Classique par son terroir et son encépagement, ce cru propose un 96 au bouquet encore un peu fermé mais qui s'inscrit dans l'esprit de l'appellation par sa structure.
⊶ SCEA Ch. Gazin Rocquencourt, 74, av. de Cestas, 33850 Léognan, tél. 05.56.64.77.89, fax 05.56.64.77.89 ☒ Y r.-v.
⊶ Michotte

DOM. DE GRANDMAISON 1997

□ 3 ha 9 000 ▮◍↓ 30 à 49 F

85 86 88 89 90 93 94 |96| 97

Tout en restant simple, cette bouteille sait se rendre agréable par la délicatesse et la complexité de son expression aromatique, qui lui vaudra de plaire aux amateurs de vins modernes.
⊶ Jean Bouquier, Dom. de Grandmaison, 33850 Léognan, tél. 05.56.64.75.37, fax 05.56.64.55.24 ☒ Y r.-v.

CH. HAUT-BAILLY 1996★★

■ Cru clas. 28 ha 110 000 🛢 200 à 249 F

78 79 80 **81** 82 **83 85** |**86**| **87 88** (89) **90** |**92**| **93 94** (95) **96**

Robert G. Wilmers, personnalité de la finance new-yorkaise, a été bien inspiré en achetant ce cru en juillet 1998, tout en laissant la maîtrise d'œuvre à la famille Sanders qui avait fait ses plus beaux succès. Le terroir, une haute croupe de graves, et les vignes âgées permettent d'élaborer de très beaux vins. Ce 96, très expressif par son bouquet où les fruits cuits croisent la vanille, le noyau et le clou de girofle, développe un palais impérial. Puissant et concentré mais sans la moindre aspérité, celui-ci est aussi long qu'élégant. Une grande bouteille à oublier en cave pendant au moins quatre ou cinq ans.

🔑 SCA du Ch. Haut-Bailly, rte de Cadaujac, 33850 Léognan, tél. 05.56.64.75.11, fax 05.56.64.53.60, e-mail mail@chateau-haut-bailly.com 🍷 r.-v.

🔑 Robert G. Wilmers

LA PARDE DE HAUT-BAILLY 1996★

■ 28 ha 55 000 🛢 70 à 99 F

Second de Haut-Bailly, ce vin est lui aussi paré d'une robe somptueuse. Fruits rouges, bois et chocolat amer s'annoncent dès le premier nez. Ample, ronde et d'une réelle puissance aromatique, la bouche ne déçoit pas.

🔑 SCA du Ch. Haut-Bailly, rte de Cadaujac, 33850 Léognan, tél. 05.56.64.75.11, fax 05.56.64.53.60, e-mail mail@chateau-haut-bailly.com ☒ 🍷 r.-v.

CH. HAUT-BERGEY 1996

■ 17 ha 83 528 🛢 100 à 149 F

Si le château est assez déroutant par son éclectisme extrême, où chaque façade a son propre style, ce vin fait preuve d'homogénéité avec un bouquet dont les fines notes fruitées, vanillées et fumées s'accordent avec l'équilibre et la rondeur. Déjà charmeur, il donne un ensemble bien constitué, caractéristique de la propriété. Le **blanc 97** (100-149 F) joue également la carte de la finesse, avec de sympathiques parfums d'ananas et de fruits exotiques. Il a obtenu une citation.

🔑 Sylviane Garcin-Cathiard, Ch. Haut-Bergey, 33850 Léognan, tél. 05.56.64.05.22, fax 05.56.64.06.98, e-mail h-bergey@waldnet.fr ☒ 🍷 r.-v.

CH. HAUT-BRION 1996★★★

■ 1er cru clas. 43,2 ha n.c. 🛢 + de 500 F

73 74 |**75**| **76 77** |**78**| |**79**| |**81**| |(82)| |**83**| **84 85 86** |**87**| **88 89** (90) |**91**| **92 93 94** (95) (96)

Premier véritable « château du vin », berceau de la révolution des *new French clarets*, seul cru des graves classé en 1855... Il existe bien une exception haut-brionnaise. Celle-ci tire sa source dans la personnalité du vin lui-même. Il suffit pour en prendre conscience de humer le somptueux bouquet de ce millésime, ses arômes de raisins très mûrs, de cuit et de cuir caractéristiques du cru. Racé et puissant, riche et dense, le palais est lui aussi très représentatif du style Haut Brion par sa trame serrée aux tanins soyeux. D'une élégance rare, il termine en apothéose par une finale pleine et persistante. Une très grande bouteille, qui écrira l'une des plus belles pages de la mémoire de ce cru.

🔑 SA Dom. Clarence Dillon, B.P. 24, 33602 Pessac Cedex, tél. 05.56.00.29.30, fax 05.56.98.75.14, e-mail info@haut-brion.com

CH. HAUT-BRION 1997★★★

□ 2,7 ha n.c. 🛢 300 à 499 F

79 **80 81** (82) **83 84 85 87** |**88**| |**89**| |**90**| **93 94 95 96 97**

Bien que non classé, le blanc de Haut-Brion se situe au plus haut niveau. Son caractère s'affirme avec sa robe, jaune à reflets blancs et verts, avant de se confirmer au bouquet par des notes de vanille, d'agrumes et de chèvrefeuille. Gras, ample et même imposant dans son développement, c'est un véritable archétype du pessac-léognan. Très florale, avec des notes de fleurs de tilleul, la finale couronne une parfaite réussite.

🔑 SA Dom. Clarence Dillon, B.P. 24, 33602 Pessac Cedex, tél. 05.56.00.29.30, fax 05.56.98.75.14, e-mail info@haut-brion.com

LE BAHANS DE HAUT-BRION 1996★

■ n.c. n.c. 🛢 200 à 249 F

Seconde étiquette du château Haut-Brion, ce vin se montre une fois encore à la hauteur de son origine. D'un rouge écarlate, il montre sa profondeur par son élégant bouquet où se marient la vanille, le fruit et un petit côté animal. Un 96 plein et solide dont la charpente tapisse le palais de tanins de qualité.

🔑 SA Dom. Clarence Dillon, B.P. 24, 33602 Pessac Cedex, tél. 05.56.00.29.30, fax 05.56.98.75.14, e-mail info@haut-brion.com

CH. HAUT-GARDERE 1997★★

□ 5 ha 8 000 🛢 70 à 99 F

Un joli terroir - une ancienne île de graves de la Garonne - le talent de l'équipe de Fieuzal contribuent à la qualité de ce 97 particulièrement réussi. Très délicat par son bouquet aux parfums naissants de fleurs blanches, le vin devient ample, gras et soyeux au palais. Le bois bien dosé se fond dans l'ensemble pour apporter une grande harmonie à cette excellente bouteille.

🔑 Ch. de Fieuzal, 124, av. de Mont-de-Marsan, 33850 Léognan, tél. 05.56.64.77.86, fax 05.56.64.18.88 ☒ 🍷 r.-v.

CH. HAUT-GARDERE 1996★

■ 20 ha 57 000 🛢 70 à 99 F

82 83 85 86 |**88**| |89| |**92**| 93 |94| |95| **96**

S'il s'est tout particulièrement distingué par son blanc 97, ce cru est loin d'avoir démérité en rouge 96. Une couleur intense, un bouquet où les arômes de bois (épices) et ceux du raisin (poivron) savent cohabiter harmonieusement, une structure encore un peu astringente mais prometteuse, tout montre que la vinification a été à la hauteur d'un terroir de qualité.

🔑 Ch. de Fieuzal, 124, av. de Mont-de-Marsan, 33850 Léognan, tél. 05.56.64.77.86, fax 05.56.64.18.88 ☑ Y r.-v.

CH. HAUT LAGRANGE 1996

■ 11 ha 80 000 ▮🛢🌡 50 à 69 F

D'une bonne régularité, ce cru nous offre ici un vin rond, équilibré et agréablement bouqueté, avec de beaux parfums fruités (fraise et framboise).

🔑 Francis Boutemy, SA Ch. Haut Lagrange, 31, rte de Loustalade, 33850 Léognan, tél. 05.56.64.09.93, fax 05.56.64.10.08, e-mail chateau-haut-lagrange@wanadoo.fr ☑ Y r.-v.

CH. HAUT LAGRANGE 1997

□ 1,6 ha n.c. ▮🛢🌡 50 à 69 F

Difficiles vendanges en 1997, pour qui n'était pas attentif à la qualité du raisin. Ce ne fut pas le cas ici où l'on a su préserver la fraîcheur sans trop forcer sur l'élevage en barrique. Ainsi ce vin réussit-il à se rendre très plaisant par sa belle présentation et son expression aromatique.

🔑 Francis Boutemy, SA Ch. Haut Lagrange, 31, rte de Loustalade, 33850 Léognan, tél. 05.56.64.09.93, fax 05.56.64.10.08, e-mail chateau-haut-lagrange@wanadoo.fr ☑ Y r.-v.

CH. HAUT-NOUCHET 1997★

□ 11 ha 24 396 🛢 50 à 69 F

Issu de l'agriculture biologique, ce vin se présente avec élégance, dans une robe limpide et avec un bouquet fruité, délicat et net. Au palais, son volume moyen s'appuie sur le fruit pour donner un ensemble équilibré qui s'ouvre sur une jolie finale citronnée.

🔑 Louis Lurton, Haut-Nouchet, 33650 Martillac, tél. 05.56.72.69.74, fax 05.56.72.56.11 ☑ Y r.-v.

CH. HAUT-VIGNEAU 1996★

■ 14 ha 90 000 🛢 30 à 49 F

Issue des anciens domaines de Montesquieu, comme le rappellent des bornes, cette propriété est exploitée aujourd'hui par Antony Perrin et son équipe (château Carbonnieux). C'est un gage de sérieux et personne ne sera surpris par la qualité de ce vin à la structure intéressante, avec une bonne progression tannique au palais.

🔑 GFA Ch. Haut-Vigneau, 33850 Léognan, tél. 05.57.96.56.20, fax 05.57.96.59.19, e-mail chateau.carbonnieux@wanadoo.fr ☑ Y r.-v.

CH. LAFARGUE 1996

■ 15,85 ha 128 000 🛢 50 à 69 F

La double production de cette propriété (vin et muguet) n'a pas influencé le bouquet de ce 96, marqué par les épices et le cuir. En revanche, le palais se signale par sa souplesse et ses tanins sans agressivité qui incitent à l'ouvrir dans deux ans. Assez boisé, le **blanc 97** (50 à 69 F) a également obtenu une citation.

🔑 Jean-Pierre Leymarie, 5, imp. de Domy, 33650 Martillac, tél. 05.56.72.72.30, fax 05.56.72.64.61, e-mail lafargue@caves particulieres.com ☑ Y r.-v.

CH. LAFONT MENAUT 1996★

■ 5 ha 25 000 🛢 30 à 49 F

Philibert Perrin, copropriétaire du château Carbonnieux, s'attache à promouvoir ce cru. Ce millésime prouve qu'il est sur la bonne voie. Par sa belle couleur, son bouquet naissant et ses puissants tanins encore jeunes, ce vin montre qu'il possède un bon potentiel. Simple mais élégant dans son expression aromatique où se mêlent des notes de miel, d'amandes grillées, de croûte de pain et de fruit, le **blanc 97** (30 à 49 F) a obtenu une citation.

🔑 Philibert Perrin, Ch. Carbonnieux, 33850 Léognan, tél. 05.57.96.56.20, fax 05.57.96.59.19, e-mail chateau.carbonnieux@wanadoo.fr ☑ Y r.-v.

CH. LA GARDE 1996★★

■ 40,8 ha 140 000 🛢 100 à 149 F

Belle unité dont la chartreuse du XVIII[e]s. et les chais surmontent une croupe de graves, ce cru reste fidèle à son image avec ce millésime. Sa structure et sa longueur lui garantissent de bonnes possibilités de vieillissement, tandis que son bouquet élégant, encore marqué par le bois mais déjà fruité, invite à l'attendre plus de cinq ans. Rappelons le superbe 95, coup de cœur l'an dernier.

🔑 SC du Ch. La Garde, 35, rue de Bordeaux, B.P. 49, 33290 Parempuyre, tél. 05.56.35.53.00, fax 05.56.35.53.29, e-mail contact@cvbg.com ☑ Y r.-v.

🔑 Dourthe

CH. LA GARDE 1997★

□ 5,5 ha 16 000 🛢 70 à 99 F

Appartenant à la maison Dourthe, renommée depuis longtemps pour ses blancs, cette propriété ne peut que conforter cette réputation avec ce vin. Vif, ample, délicat et fin, il développe un bouquet des plus agréables par son alliance des parfums fruités et grillés.

🔑 SC du Ch. La Garde, 35, rue de Bordeaux, B.P. 49, 33290 Parempuyre, tél. 05.56.35.53.00, fax 05.56.35.53.29, e-mail contact@cvbg.com ☑ Y r.-v.

CH. LA LOUVIERE 1996★

■ 35 ha n.c. 🛢 150 à 199 F

75 80 81 82 **83** |**85**| |**86**| 87 |**88**| |89| (90) 91 92 **93 94** 95 96

Nous avons tout dit sur le charme de La Louvière, élégante demeure néoclassique, classée

monument historique, et sur l'envergure de l'homme qui la dirige. C'est l'une des destinations incontournables pour tout ceux qui veulent comprendre l'esprit du bordeaux. 96 a souri à La Louvière : sa robe est sombre, son nez élégant, marqué par de délicates notes boisées qui mettent en valeur le fruit. Pleine, riche de tanins encore un peu fermes, la bouche confirme que l'on a affaire à un vin de caractère.
SCEA Vignobles André Lurton, Ch. Bonnet, 33420 Grézillac, tél. 05.57.25.58.58, fax 05.57.74.98.59, e-mail andre.lurton@wanadoo.fr ☑ Y r.-v.

L. DE LA LOUVIERE 1996*

■ n.c. n.c. 50 à 69 F

Le second vin, issu de jeunes vignes, ne trahit pas le grand. Rubis foncé, il offre un nez discret de cerise et de cassis assez charmeur. Equilibré et rond, il affiche déjà un beau fruité. Un vin de bonne facture. En **blanc 97**, ce L. de La Louvière est très réussi également. Bien typé, il évoque buis et genêt.
SCEA Vignobles André Lurton, Ch. Bonnet, 33420 Grézillac, tél. 05.57.25.58.58, fax 05.57.74.98.59, e-mail andre.lurton@wanadoo.fr ☑ Y r.-v.

CH. LA LOUVIERE 1997*

□ 15 ha n.c. 100 à 149 F

82 85 86 88 89 |(90)| 91 |92| |93| |94| |95| |96| 97

Agréable à l'œil, ce vin séduit par son bouquet dont l'intensité traduit l'influence du sauvignon. Genêt, aubépine, agrumes et ananas, la palette est large. Ample, gras, plein et élégant, le palais est lui aussi d'une grande générosité. Un vrai vin plaisir.
SCEA Vignobles André Lurton, Ch. Bonnet, 33420 Grézillac, tél. 05.57.25.58.58, fax 05.57.74.98.59, e-mail andre.lurton@wanadoo.fr ☑ Y r.-v.

CH. LA MISSION HAUT-BRION 1996***

■ Cru clas. 20,9 ha n.c. + de 500 F

77 78 80 **|81| |82| |83| 84 85 86 |87| 88 89 (90) 92 93 94 95 (96)**

Jadis grand rival et aujourd'hui frère de Haut-Brion, dont il n'est séparé que par la N 250, ce cru a l'habitude d'élaborer comme lui un vin conciliant délicatesse et puissance. Parfaitement réussi, son 96 ne fait pas exception : profond et pénétrant, son bouquet manifeste sa personnalité ; savoureux, élégant et aromatique, avec une petite note de cerise à l'eau-de-vie, le palais s'appuie sur une solide structure dont la distinction se retrouve dans la finale. Une très belle bouteille à oublier quelques années en cave.
SA Dom. Clarence Dillon, B.P. 24, 33602 Pessac Cedex, tél. 05.56.00.29.30, fax 05.56.98.75.14, e-mail info@haut-brion.com

LA CHAPELLE DE LA MISSION HAUT-BRION 1996*

■ n.c. n.c. 200 à 249 F

Seconde étiquette du château La Mission Haut-Brion, ce vin est paré d'une belle robe à reflets pourpres. Sa structure, aux tanins justement extraits, son élégance et sa finale épicée lui permettront d'être marié à des plats raffinés.
SA Dom. Clarence Dillon, B.P. 24, 33602 Pessac Cedex, tél. 05.56.00.29.30, fax 05.56.98.75.14, e-mail info@haut-brion.com

CH. LARRIVET HAUT-BRION 1996**

■ 30 ha 125 000 150 à 199 F

82 83 86 **88** |89| **90** 92 **93 94 95 96**

Philippe et Christine Gervoson (du groupe Andros), qui possèdent le cru depuis 1987, n'ont pas tout sacrifié aux vignes. Le château, le parc et le vignoble sont encadrés de prairies et de bois qui contribuent au charme du domaine. Ce souci d'authenticité se retrouve dans ce vin. De la robe, d'un rouge sombre presque grenat, à la longue finale, tout annonce une bouteille de garde. Très expressif au bouquet, avec des parfums allant des fruits au caramel, ce 96 révèle au palais des tanins qui demandent encore à s'arrondir mais qui ouvriront de beaux accords gourmands avec le gibier.
SNC du Ch. Larrivet Haut-Brion, 33850 Léognan, tél. 05.56.64.75.51, fax 05.56.64.53.47 ☑ Y r.-v.
Andros

CH. LARRIVET HAUT-BRION 1997*

□ 9 ha 29 000 150 à 199 F

83 86 **88** 89 **|90|** 93 94 96 |97|

De bonne origine, ce vin sait se présenter avec une robe d'un doré clair très frais et des parfums d'une bonne intensité. Son caractère aromatique se retrouve au palais, accompagné de notes boisées. Il se montre gras, typique des blancs 97.
SNC du Ch. Larrivet Haut-Brion, 33850 Léognan, tél. 05.56.64.75.51, fax 05.56.64.53.47 ☑ Y r.-v.

DOM. DE LA SOLITUDE 1996

□ 7 ha 15 000 70 à 99 F

Ce cru appartient à l'ordre de la Sainte-Famille qui fut créé ici en 1820. Le vin est élaboré par l'équipe de Chevalier. D'un jaune citron brillant, ce 96 met du temps pour laisser parler son bouquet ; mais la délicatesse, la rondeur et la plénitude du palais, que soutient un bois bien dosé, savent le rendre intéressant.
SC Dom. de Chevalier, Dom. de La Solitude, 33650 Martillac, tél. 05.56.72.74.74, fax 05.56.72.74.74 ☑ Y t.l.j. sf sam. dim. 8h30-12h30

CH. LATOUR HAUT-BRION 1996**

■ Cru clas. 4,9 ha n.c. 200 à 249 F

78 79 80 **|81| |(82)| |83| 84 |85| |86| |87| 88 89 90** |92| 93 **94 95 96**

Issu d'un petit cru lié depuis 1953 à La Mission, ce vin exprime une forte personnalité par un développement féminin et charmeur, une structure veloutée et des tanins très doux. Sa délicatesse ne l'empêche pas de présenter un très bon potentiel de vieillissement, tant par son palais que par son bouquet aux belles notes de fraise et de cire.
SA Dom. Clarence Dillon, B.P. 24, 33602 Pessac Cedex, tél. 05.56.00.29.30, fax 05.56.98.75.14, e-mail info@haut-brion.com

CH. LA TOUR LEOGNAN 1996*

■ 8 ha 40 000 50 à 69 F

Seconde étiquette du château Carbonnieux, ce vin affiche fièrement sa personnalité par son bouquet d'où s'exhalent de beaux parfums de prune et de pruneau, complétés par de légères notes d'épices et de cuir. Attaquant sans faiblesse, le palais, puissant et chaleureux, met en valeur ses tanins par des notes toastées. Vif, frais et d'une belle tenue, le **blanc 97** (50 à 69 F) a obtenu une citation.

⚷ SC des Grandes Graves, Ch. Carbonnieux, 33850 Léognan, tél. 05.57.96.56.20, fax 05.57.96.59.19, e-mail chateau.carbonnieux@wanadoo.fr
☑ Y r.-v.

CH. LATOUR-MARTILLAC 1996**

■ Cru clas. 28 ha 100 000 150 à 199 F

79 81 (82) **83** 84 **85 |86|** 87 **88** |89| **90** |91| |92| **93 94 95 96**

Distributeurs puis propriétaires, les Kressmann sont liés de longue date à ce cru. La qualité de cette relation quasi sentimentale apparaît dans le caractère de ce vin à la brillante robe sombre et au bouquet fin, fondu et complexe, avec de délicates notes vanillées, fruitées, confites et chocolatées. Intense, rond et riche, le palais mène agréablement vers une belle finale aux tanins bien fondus. Le **Lagrave-Martillac 96** (70-99 F), second vin du cru, a obtenu une citation.

⚷ Dom. Kressmann, Ch. Latour-Martillac, 33650 Martillac, tél. 05.57.97.71.11, fax 05.57.97.71.17, e-mail latour-martillac@atinternet.com ☑ Y r.-v.
⚷ GFA Latour-Martillac

CH. LATOUR-MARTILLAC 1997*

□ Cru clas. 10 ha 44 000 150 à 199 F

81 82 83 84 **85 86 87** (88) **89 90 91 92** |93| **|94| |95| 96** 97

Une parcelle greffée en 1884 produit encore aujourd'hui des sémillons et muscadelles d'un réel caractère. 60 % de sémillon, 38 % de sauvignon et 2 % de muscadelle nés sur les belles graves argilo-calcaires du cru ont donné ce joli vin très limpide, dont les parfums commencent à peine à s'ouvrir (notes florales et toastées accompagnées d'agrumes). La bouche assez boisée charme par la succession des fragrances.

⚷ Dom. Kressmann, Ch. Latour-Martillac, 33650 Martillac, tél. 05.57.97.71.11, fax 05.57.97.71.17, e-mail latour-martillac@atinternet.com ☑ Y r.-v.

CH. LAVILLE HAUT-BRION 1997**

□ Cru clas. 3,7 ha n.c. 250 à 299 F

81 82 83 84 |85| 87 |88| |(89)| **|90| 93 |94| 95 96 |97|**

Considéré par certains auteurs comme le « Mission Haut-Brion blanc », ce vin serait digne de ce titre. La beauté de sa couleur jaune à reflets blancs très brillants, la finesse de son bouquet délicatement citronné et vanillé, que l'on retrouve au nez comme au palais, sont remarquables. La classe de ce 97 résulte de l'alliance réussie de la vivacité, du gras, de la sève. L'élégance le caractérise. A boire pendant dix ans !

⚷ SA Dom. Clarence Dillon, B.P. 24, 33602 Pessac Cedex, tél. 05.56.00.29.30, fax 05.56.98.75.14, e-mail info@haut-brion.com

CH. LE SARTRE 1997*

□ n.c. n.c. 50 à 69 F

92 |93| |94| |95| **96** 97

Elaboré par Antony Perrin et l'équipe de Carbonnieux, ce vin montre son sens de la mesure en trouvant un bon point d'équilibre entre les apports du cépage, essentiellement le sauvignon, et de l'élevage. Cette harmonie se retrouve au palais, que sa vivacité rend très sympathique. Sans présenter la même harmonie entre le fruit et le bois, le **rouge 96** (50 à 69 F) possède une solide constitution tannique et une bonne complexité aromatique. Il reçoit une citation.

⚷ GFA du Ch. Le Sartre, 33850 Léognan, tél. 05.57.96.56.20, fax 05.57.96.59.19, e-mail chateau.carbonnieux@wanadoo.fr
☑ Y r.-v.

CH. LES CARMES HAUT-BRION 1996**

■ 4,5 ha n.c. 150 à 199 F

80 82 83 |85| **|88|** |89| **90 91** 92 |93| 94 95 **96**

Voisin de Haut-Brion, ce cru est l'un des rares rescapés de l'ancien noyau d'élite du prestigieux vignoble suburbain de Bordeaux. Il résiste à l'urbanisation grâce à la qualité de ses vins, qu'illustre ce 96. Fin, intense et complexe, son bouquet étend sa palette des fruits confits aux notes grillées. Ample, le palais s'appuie sur des tanins veloutés et soyeux pour donner un ensemble charmeur et de bonne garde. Une bouteille à attendre de trois à cinq ans.

⚷ Ch. Les Carmes Haut-Brion, 197, av. Jean-Cordier, 33600 Pessac, tél. 05.56.51.49.43, fax 05.56.93.10.71 Y r.-v.

CH. LESPAULT 1997*

□ 2 ha 2 600 70 à 99 F

Les Kressmann s'attachent à ressusciter ce petit cru, voisin de Latour-Martillac. Confirmant l'impression laissée l'an dernier par le 96, ce millésime montre qu'ils sont sur la bonne voie : fin, complexe et équilibré, ce vin d'une belle teinte or vert tire un bon profit de son expression aromatique où dominent les fruits exotiques. Souple et doté d'un bouquet agréable (sous-bois, champignon et poivron vert), le **rouge 96** (70 à 99 F) a reçu une citation.

⚷ Dom. Kressmann, Ch. Latour-Martillac, 33650 Martillac, tél. 05.57.97.71.11, fax 05.57.97.71.17, e-mail latour-martillac@atinternet.com ☑ Y r.-v.
⚷ SC Bolleau

CH. LIMBOURG 1996**

■ 3 ha 18 000 50 à 69 F

Du même producteur que le Château Pontac Monplaisir, ce vin est lui aussi d'une belle tenue. Sa robe brillante et son bouquet aux puissants parfums de cacao noir, avec quelques notes réglissées et grillées, lui assurent une présentation irréprochable. Ample et gras, le palais montre par ses tanins puissants et enrobés qu'il a tout pour affronter une belle garde. Ce 96 fut également proposé pour un coup de cœur. Le jury a eu une petite préférence pour le Pontac Monplaisir. Plus modeste, le **blanc 97** (50 à 69 F) est néanmoins très agréable par son onctuosité et son équilibre. Il est cité.

🍷Jean et Alain Maufras, Ch. Pontac Monplaisir, 33140 Villenave-d'Ornon, tél. 05.56.87.08.21, fax 05.56.87.35.10 ⌁ r.-v.

CH. MALARTIC-LAGRAVIERE 1996★

■ Cru clas.	14,23 ha	52 000	❙❙❙	100 à 149 F

64 66 ⑦⓪ 71 **75** 76 79 81 82 **83** |85| |86| **88** |89| |90| |91| |92| **93 95** 96

Dernier millésime avant l'achat du cru par Alfred-Alexandre Bonnie, ce vin est un bel au revoir lancé par ses anciens propriétaires, les champagnes Laurent-Perrier. Du sous-bois aux notes torréfiées en passant par la cerise et la groseille, son bouquet évoque des plaisirs authentiques. Franche à l'attaque puis ronde et tannique avec une structure à la trame serrée, son évolution au palais est bien dans l'esprit du cru et de l'appellation.

🍷SC du Ch. Malartic-Lagravière, 43, av. de Mont-de-Marsan, 33850 Léognan, tél. 05.56.64.75.08, fax 05.56.64.99.66 ⌁ r.-v.

🍷A.-A. Bonnie

CH. MALARTIC-LAGRAVIERE 1997★

☐ Cru clas.	3,96 ha	11 000	❙❙❙	150 à 199 F

A Malartic, le passage de témoin a été réussi. A la qualité du rouge 96 répond celle de ce blanc 97. Généreux et complexe, son bouquet ménage une jolie transition entre un bois bien dosé et une note de cire d'abeille. Le palais est un peu plus austère, mais il possède une solide réserve d'évolution, grâce à sa structure, sa matière et son gras. Une belle bouteille à attendre deux ou trois ans.

🍷SC du Ch. Malartic-Lagravière, 43, av. de Mont-de-Marsan, 33850 Léognan, tél. 05.56.64.75.08, fax 05.56.64.99.66 ⌁ r.-v.

CLOS MARSALETTE 1996★

■	2,4 ha	12 000	🍾❙❙❙◇	50 à 69 F

Si à ses débuts, ce petit cru a dû sa notoriété à la personnalité de ses propriétaires, dont le comte Neipperg, d'année en année c'est par la qualité de sa production qu'il s'impose. Fin, franc et expressif, ce millésime prendra sa part dans la construction de l'image du vignoble ; tant par son bouquet, où les arômes de fruits rouges se marient à ceux du cuir et de la prune, que par sa structure, dont l'élégance et la puissance annoncent un bon potentiel de garde.

🍷SCEA Marsalette, 31, rte de Loustalade, 33850 Léognan, tél. 05.56.64.09.93, fax 05.56.64.10.08 ☑ ⌁ r.-v.

🍷Boutemy-Von Neipperg-Sarpoulet

CH. OLIVIER 1996

■ Cru clas.	32,09 ha	170 000	❙❙❙	100 à 149 F

82 83 |85| |86| 87 |88| |89| |90| |91| |92| 93 **94** 95 96

Authentique manoir médiéval, ce château aurait même servi de geôle à Du Guesclin en 1382, si l'on en croit la tradition. Mais plus qu'à

un château fort, c'est à une gracieuse gentilhommière que fait penser son 96, qui joue la carte de la finesse, tant par son nez de jacinthe, de cuir et d'épices que par son palais, où apparaissent des tanins délicats.

🍷Jean-Jacques de Bethmann, Ch. Olivier, 33850 Léognan, tél. 05.56.64.73.31, fax 05.56.64.54.23, e-mail chateau-olivier@wanadoo.fr ☑ ⌁ r.-v.

CH. OLIVIER 1997

☐ Cru clas.	12 ha	52 000	❙❙❙	70 à 99 F

82 83 85 86 88 89 90 91 94 |95| |96| 97

Élégant et fin, ce 97 assemble 48 % de sémillon à 44 % de sauvignon et à 8 % de muscadelle. Son nez minéral et fruité et son bon développement au palais, où le boisé se montre discret, participent de son charme.

🍷Jean-Jacques de Bethmann, Ch. Olivier, 33850 Léognan, tél. 05.56.64.73.31, fax 05.56.64.54.23, e-mail chateau-olivier@wanadoo.fr ☑ ⌁ r.-v.

CH. PAPE CLEMENT 1996★★

■ Cru clas.	30 ha	110 000	❙❙❙	300 à 499 F

75 78 79 80 ⑧① 82 83 **85** |86| 87 |88| **89 90 91 92** |93| |94| **95** 96

En dépit de son architecture éclectique, ce château néogothique est un ancien domaine médiéval ayant appartenu aux archevêques de Bordeaux. La noble origine de ce vin apparaît dans l'élégance et l'intensité de sa robe grenat. Puissant et fin, le bouquet est encore marqué par son élevage en barrique, mais il s'agit d'un bois de qualité qui se marie bien avec le fruit. Ample, profonde et riche, la matière ne laisse planer aucun doute sur l'avenir qui attend cette remarquable bouteille.

🍷Ch. Pape Clément, 33600 Pessac, tél. 05.57.26.38.38, fax 05.57.26.38.39 ⌁ r.-v.

🍷L. Montagne, B. Magrez

CH. PAPE CLEMENT 1997★★

☐	2,5 ha	4 500	❙❙❙	300 à 499 F

92 ⑨③ **94** 96 **97**

Bien qu'il représente des volumes plus modestes que le rouge, et qu'il soit non classé, le blanc de Pape Clément n'est en rien négligé. Dès le premier contact, la limpidité de la robe jaune pâle et l'intensité du bouquet, aux fines notes grillées, en témoignent. Leur subtilité se retrouve au palais avec une attaque charnue et généreuse que suit une belle structure, ferme et soutenue, qui demande encore quelque temps pour s'exprimer pleinement.

🍷Ch. Pape Clément, 33600 Pessac, tél. 05.57.26.38.38, fax 05.57.26.38.39 ⌁ r.-v.

CH. PICQUE CAILLOU 1996

■	14 ha	63 400	❙❙❙	100 à 149 F

81 83 85 86 87 |88| |89| |90| 91 92 **93** 94 95 |96|

Dernier vignoble de la commune de Mérignac, ce cru fait preuve d'originalité par son bouquet, où les fruits rouges et les épices sont complétés par un côté fleuri. Franc à l'attaque, le palais est d'un potentiel limité, mais sa matière ronde et bien travaillée lui donne un caractère agréable.

GFA Ch. Picque Caillou, av. Pierre-Mendès-France, 33700 Mérignac, tél. 05.56.47.37.98, fax 05.56.97.99.37 r.-v.
I. & P. Calvet

CH. PONTAC MONPLAISIR 1996★★

■ 10 ha 45 000 50 à 69 F

91 |92| 94 95 (96)

Porter le nom de l'une des principales familles de « princes des vignes » crée une exigence d'excellence. Ce vin remplit avec ce millésime toutes ses obligations : d'un beau rouge vif, sa présentation est prometteuse, mais pas trompeuse. Le bouquet, aux puissantes notes de café, de cacao et de fumet, comme le palais, riche, ample et harmonieux, disent sans ambages que cette superbe bouteille méritera une place de choix dans la cave.
Jean et Alain Maufras, Ch. Pontac Monplaisir, 33140 Villenave-d'Ornon, tél. 05.56.87.08.21, fax 05.56.87.35.10 r.-v.

CH. PONTAC MONPLAISIR 1997★

□ 3 ha 18 000 50 à 69 F

89 **90 91** 92 |**93**| 94 |(95)| 96 |97|

S'annonçant par un bouquet au volume imposant, avec des notes d'ananas, de miel et d'églantine, ce 97 attaque vivement le palais, avant de se déployer avec une générosité et une ampleur qui débouchent sur une longue et belle finale aux subtiles nuances vanillées et épicées.
Jean et Alain Maufras, Ch. Pontac Monplaisir, 33140 Villenave-d'Ornon, tél. 05.56.87.08.21, fax 05.56.87.35.10 r.-v.

CH. DE ROCHEMORIN 1996

■ n.c. n.c. 50 à 69 F

85 86 |**88**| |**89**| |**90**| 91 92 |93| 94 95 96

Belle ferme fortifiée sur un petit plateau, ce cru a fait partie du patrimoine de Montesquieu. Encore un peu austère, comme le montre la note de poivron du bouquet, son 96 évolue agréablement au palais avec des arômes de sous-bois et de cassis. A attendre deux ou trois ans au moins. Marqué par le sauvignon et témoignant d'une vendange saine et bien travaillée, le **blanc 97** (50 à 69 F) a également obtenu une citation.
SCEA Vignobles André Lurton, Ch. Bonnet, 33420 Grézillac, tél. 05.57.25.58.58, fax 05.57.74.98.59, e-mail andre.lurton@wanadoo.fr r.-v.

CH. SMITH HAUT LAFITTE 1997★★

□ 11 ha 35 000 250 à 299 F

88 89 90 91 |**92**| |93| |94| |95| **96 97**

Vitrine de la maison Eschenauer, qui l'a exploité d'abord en fermage puis comme propriétaire de 1914 à 1990, Smith Haut Laffite est réputé pour son vignoble blanc, même si celui-ci n'est pas classé. Ce millésime montre que cette renommée n'est pas usurpée : d'un beau jaune soutenu, il affirme son caractère dès la présentation avec un bouquet mariant le citron à l'abricot sec, avec des notes muscatées et balsamiques. Au palais, sa puissance et sa vinosité, qu'enrobent des saveurs de merrain brûlé, s'associent à la délicatesse du retour de fruits exotiques pour donner un ensemble de qualité, qui témoigne d'une vinification bien menée. Fin, délicat, élégant et équilibré, le second vin, **Les Hauts de Smith** (70 à 99 F), a obtenu une étoile pour le parfait dosage du bois et du raisin.
SARL D. Cathiard, 33650 Martillac, tél. 05.57.83.11.22, fax 05.57.83.11.21, e-mail smithhautlafitte@smithhautlafitte.com r.-v.

CH. SMITH HAUT LAFITTE 1996★

■ Cru clas. 44 ha 110 000 250 à 299 F

61 62 70 71 72 73 (75) 80 82 **83** |**85**| **86** 87 |**88**| |**89**| **90** |**91**| 92 **93 94 95** 96

La construction d'un Centre de Vinothérapie a transformé ce cru en un vaste chantier. Mais sa vocation première n'en a pas été oubliée pour autant. La robe de ce 96 est d'un irréprochable rubis et son bouquet est marqué par le bois (notes de pain grillé et de caramel). Quant au palais, il montre par la fougue de ses tanins qu'il est destiné à une longue garde. Encore jeune et assez austère, le second vin, **Les Hauts de Smith rouge 96**, a obtenu une citation ; il pourra être servi en 2002.
SARL D. Cathiard, 33650 Martillac, tél. 05.57.83.11.22, fax 05.57.83.11.21, e-mail smithhautlafitte@smithhautlafitte.com r.-v.

Le Médoc

Dans l'ensemble girondin, le Médoc occupe une place à part. A la fois enclavés dans leur presqu'île et largement ouverts sur le monde par un profond estuaire, le Médoc et les Médocains apparaissent comme une parfaite illustration du tempérament aquitain, oscillant entre le repli sur soi et la tendance à l'universel. Et il n'est pas étonnant d'y trouver aussi bien de petites exploitations familiales presque inconnues que de grands domaines prestigieux appartenant à de puissantes sociétés françaises ou étrangères.

S'en étonner serait oublier que le vignoble médocain (qui ne représente qu'une partie du Médoc historique et géographique) s'étend sur plus de 80 km de long et 10 de large. C'est dire si le visiteur peut donc admirer non seulement les grands châteaux du vin du siècle dernier, avec leurs splendides chais-monuments, mais aussi partir à la découverte approfondie du pays. Très varié, celui-ci offre aussi bien des horizons plats et uniformes (près de Margaux) que de belles croupes (vers Pauillac), ou l'univers tout à fait original du bas Médoc, à la fois terrestre et maritime. La superficie des AOC du Médoc représente environ 14 890 ha.

Pour qui sait quitter les sentiers battus, le Médoc réserve de toute manière plus d'une heureuse surprise. Mais sa grande richesse, ce sont ses sols graveleux, descendant en pentes douces vers l'estuaire de la Gironde. Pauvre en éléments fertilisants, ce terroir est particulièrement favorable à la production de vins de qualité, la topographie permettant un drainage parfait des eaux.

On a pris l'habitude de distinguer le haut Médoc, de Blanquefort à Saint-Seurin-de-Cadourne, et le bas Médoc, de Saint-Germain-d'Esteuil à Saint-Vivien. Au sein de la première zone, six appellations communales produisent les vins les plus réputés. Les soixante crus classés sont essentiellement implantés sur ces appellations communales ; cependant, cinq d'entre eux portent exclusivement l'appellation haut-médoc. Les crus classés représentent approximativement 25 % de la surface totale des vignes de Médoc, 20 % de la production de vins et plus de 40 % du chiffre d'affaires. A côté des crus classés, le Médoc compte de nombreux crus bourgeois qui assurent la mise en bouteilles au château et jouissent d'une excellente réputation. Plusieurs caves coopératives existent dans les appellations médoc et haut-médoc, mais aussi dans trois appellations communales.

Une partie importante des vins des appellations médoc et haut-médoc est vendue en vrac aux négociants qui en assurent la commercialisation sous des noms de marque.

Cépage traditionnel en Médoc, le cabernet-sauvignon est probablement moins important qu'autrefois, mais il couvre cependant 52 % de la totalité du vignoble. Avec 34 %, le merlot vient en second ; son vin, souple, est aussi d'excellente qualité et d'évolution plus rapide, il peut être consommé plus jeune. Le cabernet franc, qui apporte de la finesse, représente 10 %. Enfin, le petit verdot et le malbec ne jouent pas un bien grand rôle.

Les vins du Médoc jouissent d'une réputation exceptionnelle ; ils sont parmi les plus prestigieux vins rouges de France et du monde. Ils se remarquent à leur belle couleur rubis, évoluant vers une teinte tuilée, mais aussi à leur odeur fruitée, dans laquelle les notes épicées de cabernet se mêlent souvent à celles, vanillées, qu'apporte le chêne neuf. Leur structure tannique, dense et complète en même temps qu'élégante et moelleuse, et leur parfait équilibre autorisent un excellent comportement au vieillissement ; ils s'assouplissent sans maigrir et gagnent en richesse olfactive et gustative.

Médoc

L'ensemble du vignoble médocain (4 740 ha) a droit à l'appellation médoc ; mais en pratique celle-ci n'est utilisée qu'en bas Médoc (la partie nord de la presqu'île, à proximité de Lesparre), les communes situées entre Blanquefort et Saint-Seurin-de-Cadourne pouvant revendiquer celle de haut-médoc. Malgré cela, la production est importante, représentant 290 598 hl.

Les médoc se distinguent par une belle couleur, généralement très soutenue. Avec un pourcentage de merlot plus important que dans les vins du haut Médoc et des appellations communales, ils possèdent souvent un bouquet fruité et beaucoup de rondeur en bouche. Certains, venant sur de belles croupes graveleuses isolées, présentent aussi une grande finesse et une belle richesse tannique.

CH. BELLEGRAVE
Cuvée spéciale Fût neuf 1996★

■ Cru bourg. 2 ha 3 000 50 à 69 F

Appartenant à une petite cuvée élevée en fûts neufs, ce vin est bien dans l'esprit médoc par sa robe d'un beau rubis. Bouqueté, avec des notes de fruits rouges confits et un bon soutien du bois, il développe des tanins sans agressivité, qui invitent à l'attendre trois ou quatre ans. Plus simple mais moins chère (moins de 50 F) et d'un volume de production plus important (50 000 bouteilles), la **cuvée principale** a été citée par le jury, qui conseille de la boire d'ici un à deux ans.

Christian Caussèque, 8, rue de Janton, 33340 Valeyrac, tél. 05.56.41.53.82, fax 05.56.41.50.10 t.l.j. 9h-12h 13h30-20h; f. oct. à mars

CH. BELLEGRAVE
Elevé en fût de chêne 1996

■ Cru bourg. 8,6 ha 60 000 30 à 49 F

Présenté par le négociant qui le distribue, ce vin d'un beau grenat soutenu, élevé en barrique, joue les contrastes, opposant des tanins agrestes à la rondeur de l'attaque. Bonne finale sur les fruits mûrs.

André Quancard-André, rue de la Cabeyre, 33240 Saint-André-de-Cubzac, tél. 05.57.33.42.42, fax 05.57.43.22.22, e-mail quancard@quancard.com

Chauvin

CH. BELLERIVE 1996★★

■ Cru bourg. 13 ha 20 000 30 à 49 F

85 86 88 89 |(90)| 94 95 **96**

Son nom le dit : ce cru regarde la rivière. Rien d'étonnant donc à découvrir un vin bien constitué, avec un bouquet complexe (fruits rouges, bois précieux et épices) et une solide structure qui lui permettra d'affronter dans quelques années (trois à six ans) les fromages à pâte dure.

SCEA Ch. Bellerive-Perrin, 1, rte des Tourterelles, 33340 Valeyrac, tél. 05.56.41.52.13, fax 05.56.41.52.13 t.l.j. sf sam. dim. 10h-12h 14h-18h

Mlle Perrin

CH. DE BENSSE 1996★

■ n.c. 45 000 30 à 49 F

Issu d'une propriété, vinifié à la cave coopérative de Prignac, ce vin se montre très réussi, tant par sa robe, d'un beau rubis, que par son bouquet, qui marie la framboise aux notes grillées, ou par son palais. Charpenté, bien équilibré et d'une bonne longueur, il méritera d'être attendu pendant trois ou quatre ans. Le **Tradition des Colombiers 96** élevé en fût de chêne (50-69 F), de la même cave, a obtenu une citation.

Cave Les Vieux Colombiers, 23, rue des Colombiers, 33340 Prignac-en-Médoc, tél. 05.56.09.01.02, fax 05.56.09.03.67 t.l.j. sf dim. 8h30-12h30 14h-18h

Marc Bahougne

CH. BOIS DE ROC 1996★

■ Cru artisan 14 ha 90 000 30 à 49 F

85 **86** |89| |90| 91 **92** |(93)| |96|

Constitué de 45 % de merlot, 50 % de cabernets, 3 % de petit verdot et 2 % de carmenère, cépage rare, ce 96 se montre très plaisant par sa finesse et son élégance, qui s'accordent avec la souplesse de la structure.

GAF du Taillanet, Ch. Bois de Roc, 2, rue des Sarments, 33340 Saint-Yzans-de-Médoc, tél. 05.56.09.09.79, fax 05.56.09.06.29 t.l.j. sf sam. dim. 9h-12h 14h-18h; f. jan. fév.

Cazenave

BOIS GALANT 1996★

■ n.c. n.c. 30 à 49 F

Né dans l'un des plus vastes chais à barriques du Médoc (2 450 fûts), ce 96 exprime sa personnalité par des notes de torréfaction et par un côté caramel qui en font un vrai vin plaisir. A attendre plusieurs années pour le servir sur une côte de bœuf cuite sur les sarments. **L'Etendard 96**, autre marque de la cave, a été cité par notre jury.

Uni-Médoc, 14, rte de Soulac, 33340 Gaillan, tél. 05.56.41.03.12, fax 05.56.41.00.66 r.-v.

CH. BOURNAC
Elevé en fût de chêne 1996★

■ Cru bourg. 4 ha 27 000 50 à 69 F

93 94 95 96

Gagné sur le calcaire, ce vignoble a demandé un travail de bénédictin pour extraire les pierres. Les ceps sont encore jeunes (dix-huit ans), mais cela ne les a pas empêchés de donner un vin au bouquet puissant et complexe, avec des notes de fruits rouges, de pruneau, de caramel mêlées à des nuances animales. Souple, rond et corsé, le palais est bien constitué ; la finale, longue et nerveuse mais sans sécheresse, incite à l'attendre deux ou trois ans.

Bruno Secret, 11, rte des Petites-Granges, 33340 Civrac-en-Médoc, tél. 05.56.41.51.24, fax 05.56.41.51.24 r.-v.

CH. CANTEGRIC 1996★★

■ Cru artisan 0,75 ha n.c. 30 à 49 F

95 **96**

Un domaine de 6 ha dont moins d'un hectare est consacré à ce vin. Elevé en fûts renouvelés par tiers, celui-ci a tiré un bon profit du bois, qui enrobe des tanins mûrs. Le bouquet est lui aussi d'une réelle richesse, avec de fines notes de fruits rouges et de vanille. Une jolie bouteille qui exige et mérite d'être attendue cinq ou six ans.

GFA du Ch. Cantegric, 10, av. Charles-de-Gaulle, 33340 Saint-Christoly-de-Médoc, tél. 05.56.41.57.00, fax 05.56.41.89.36 t.l.j. 8h-20h

Joany Feugas

Dans ce guide, la reproduction d'une étiquette signale un vin particulièrement recommandé, un « coup de cœur » de la commission.

CH. CARCANIEUX 1996

■ Cru bourg. 32,5 ha 80 000 30 à 49 F

Ce vin, né sur de jolies graves sablonneuses, possède une superbe robe rouge à reflets cristallins. Son beau potentiel lui permettra d'évoluer favorablement pendant quelques années. Aujourd'hui, des notes fruitées agrémentent un palais encore tannique.

SC Ch. Carcanieux, Terres-Hautes-de-Carcanieux, 33340 Queyrac, tél. 05.56.59.84.23, fax 05.56.59.86.62 r.-v.

Defforey

CH. CASTERA 1996*

■ Cru bourg. 63 ha 250 000 70 à 99 F

|88| |89| 90 91 92 95 96

Issu d'une belle unité commandée par une ancienne place forte, ce vin est bien typé par son aptitude à la garde et par sa belle présentation. Equilibré et harmonieux, il se montre très

Le Médoc et le Haut-Médoc

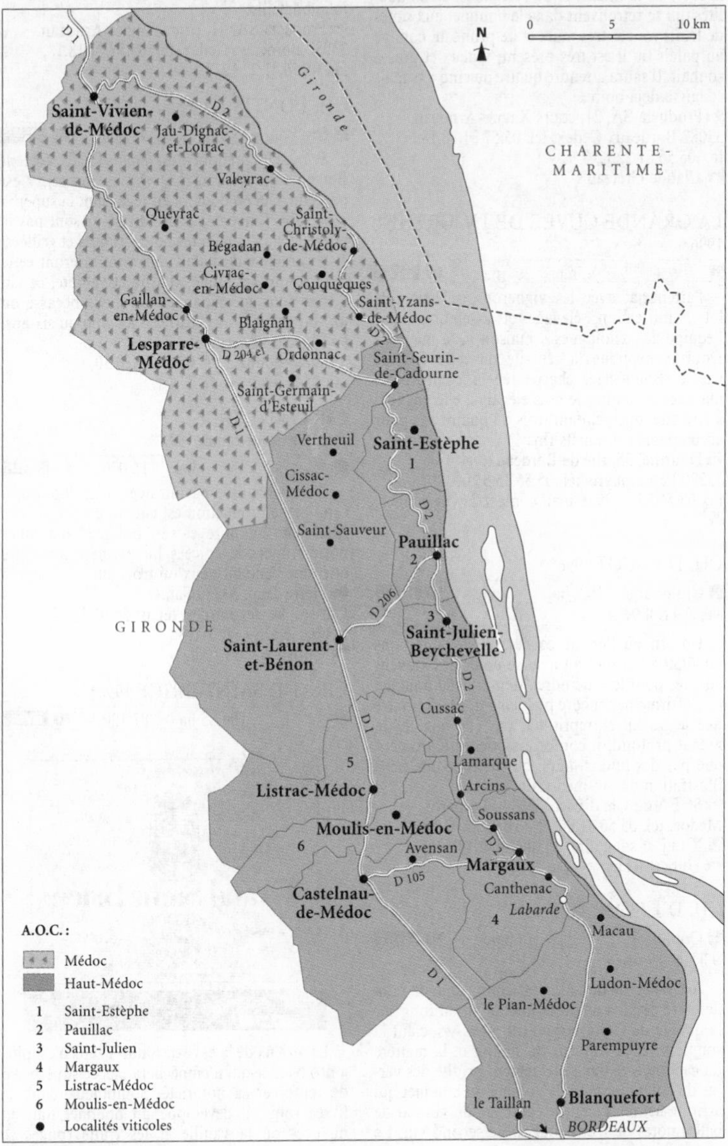

expressif par son bouquet de fruits rouges que l'élevage en fût a marqué d'une note de torréfaction.
⊶ SNC Ch. Castéra, 33340 Saint-Germain-d'Esteuil, tél. 05.56.73.20.60, fax 05.56.73.20.61, e-mail chateaucastera@compuserve.com
☒ Y t.l.j. sf sam. dim. 9h-12h 14h-18h; f. 20 déc.-2 jan.

CH. COURBIAN 1996*

■ 5 ha 24 600 30 à 49 F

Diffusé par Producta, ce vin joue résolument la carte de la finesse et de l'élégance. Deux qualités qui se retrouvent dans le bouquet aux notes de fruits rouges très mûrs et de pruneau, comme au palais où il est très présent, vineux et gras à souhait. Il saura attendre quatre ou cinq ans mais se laisse déjà boire.
⊶ Producta SA, 21, cours Xavier-Arnozan, 33082 Bordeaux Cedex, tél. 05.57.81.18.18, fax 05.56.81.22.12 Y r.-v.
⊶ Claude Gréteau

LA GRANDE CUVEE DE DOURTHE 1996*

■ n.c. n.c. 50 à 69 F

Partenariat avec les vignerons, sélection de lots, vinification, élevage et assemblage par l'équipe des œnologues « maison », la méthode Dourthe explique la réussite de cette Grande Cuvée. Bouquetée, charpentée et chaleureuse, marquée de tanins de bois élégants, elle gagnera à être attendue pendant trois ou quatre ans pour accompagner des mets fins.
⊶ Dourthe, 35, rue de Bordeaux, 33290 Parempuyre, tél. 05.56.35.53.00, fax 05.56.35.53.29, e-mail contact@cvbg.com
☒ Y r.-v.

CH. D'ESCOT 1996**

■ Cru bourg. 18,8 ha n.c. 50 à 69 F

|90| |93| |94| **96**

Un cru où l'on ne cache pas ses ambitions qualitatives et où l'on a su se doter des moyens adaptés pour les atteindre. Même si son bouquet ne s'affirme pas encore pleinement, ce 96 montre que le travail entrepris n'a pas été vain. D'un grenat profond, il conforte sa richesse aromatique par des tanins mûrs, qui en font une belle illustration de vin médocain.
⊶ SCEA du Ch. d'Escot, 33340 Lesparre-Médoc, tél. 05.56.41.06.92, fax 05.56.41.82.42
☒ Y t.l.j. sf sam. dim. 8h30-12h30 14h-18h
⊶ Hubert Rouy

CH. D'ESCURAC 1996*

■ Cru bourg. n.c. 60 000 50 à 69 F

|93| |94| 95 96

A Civrac, ce domaine est connu sous le nom de butte de Civrac, un terme qui en dit long sur la qualité du terroir argilo-calcaire. Associant la souplesse et la rondeur du merlot et la matière du cabernet, ce vin a pleinement profité des vertus du sol. On aimera le volume du bouquet qui affirme heureusement le caractère du vin par de belles notes de fruits rouges. Le second vin, **La Chapelle d'Escurac 96** (30-49 F), a obtenu une citation.
⊶ Jean-Marc Landureau, Ch. d'Escurac, 33340 Civrac-Médoc, tél. 05.56.41.50.81, fax 05.56.41.36.48 ☒ Y r.-v.

CH. FONGIRAS

Cuvée élevée en fût de chêne 1996**

■ 15 ha 100 000 30 à 49 F

Annonçant sans ambages son élevage en barrique par des notes torréfiées bien marquées, ce vin montre qu'il possède la structure nécessaire pour maîtriser le merrain. D'un beau volume, plein et bien équilibré, l'ensemble donne une jolie bouteille.
⊶ Producta SA, 21, cours Xavier-Arnozan, 33082 Bordeaux Cedex, tél. 05.57.81.18.18, fax 05.56.81.22.12 Y r.-v.

CH. FONTIS 1996**

■ Cru bourg. 10 ha 45 000 70 à 99 F

Se faire un prénom n'est jamais facile. Vincent Boivert, fils de Jean (Les Ormes-Sorbet), y est parvenu. Qui en doutera en regardant la superbe robe rubis foncé de ce 96 ? Et ce ne sont pas le bouquet, aux puissantes notes fruitées et grillées, et le caractère du palais, qui contrarieront cette impression. Tannique, charnu et velouté, ce vin a tout pour accompagner une belle bécasse ou un rôti de bœuf aux truffes d'ici cinq ou six ans.
⊶ Vincent Boivert, Ch. Fontis, 33340 Ordonnac, tél. 05.56.73.30.30, fax 05.56.73.30.31 ☒ Y r.-v.

CH. GAUTHIER

Pavillon Saint-James 1996*

■ 3 ha 15 000 30 à 49 F

Commercialisée par un négociant libournais, cette petite production est encore un peu sévère. Mais son équilibre et son bouquet aux jolies notes fruitées et épicées lui permettront d'être attendue pendant deux ou trois ans.
⊶ Pierre-Jean, 33330 Saint-Christophe-des-Bardes, tél. 05.56.61.51.80, fax 05.56.61.51.90 Y r.-v.
⊶ Christine Courrian

GRAND SAINT-BRICE 1996**

■ 104,85 ha 87 120 30 à 49 F

Le sérieux de la cave de Saint-Yzans n'est plus à prouver, ce qui n'empêchera pas ce superbe 96 de renforcer sa notoriété. Somptueux dans sa livrée rubis, il développe un bouquet tout en nuances où la vanille et les fruits rouges se

marient au toast. Ample, gras, bien enrobé et porté par une solide matière, le palais poursuit la progression pour aboutir à une grande finale d'une très belle persistance aromatique. Cette bouteille est déjà harmonieuse mais mieux vaut l'attendre de cinq à dix ans.
Cave Saint-Brice, 33340 Saint-Yzans-de-Médoc, tél. 05.56.09.05.05, fax 05.56.09.01.92 t.l.j. sf dim. 8h-12h 14h-18h

CH. GREYSAC 1996★

Cru bourg. 60 ha 510 000 50 à 69 F
82 85 |86| 87 **88** |89| |91| 93 94 95 96

Belle maison de campagne, propriété hier de Georges Henri, l'un des pères de la Caravelle, et aujourd'hui du groupe contrôlé par la famille Agnelli. Ce cru nous offre ici un vin qui n'a rien de confidentiel, tant par son volume de production que par son bouquet mêlant fruits cuits, notes animales et poivron, ou encore par sa présence au palais marqué par un fruit mûr et des tanins imposants. Les **Châteaux de By** et de **Monthil 96**, du même producteur, ont obtenu chacun une citation.
Domaines Codem SA, Ch. Greysac, 33340 Bégadan, tél. 05.56.73.26.56, fax 05.56.73.26.58 r.-v.

CH. GRIVIERE 1996★

Cru bourg. 16,8 ha 123 000 70 à 99 F
92 |93| **94 95** 96

Du même producteur que le Château La Cardonne, ce vin affirme sans crainte sa personnalité médocaine dans sa finale qui couronne une évolution de qualité. Généreusement bouqueté, avec des notes de grillé et d'épices douces, il développe une structure solide, ample et bien équilibrée. Une bouteille à attendre pendant quatre ou cinq ans.
SNC les Domaines C.G.R., rte de La-Cardonne, 33340 Blaignan, tél. 05.56.73.31.51, fax 05.56.73.31.52, e-mail cgr@vins-medoc.com t.l.j. sf sam. dim. 8h30-11h30 13h30-17h; groupes sur r.-v.

CH. HAUT-BALIRAC
Vieilli en fûts de chêne 1996

1,6 ha 7 000 30 à 49 F

En 1994, Cédric Chamaison décide de quitter la coopérative et de vinifier lui-même, avec les conseils de ses amis viticulteurs. Il fait ainsi son entrée dans le Guide avec ce vin assez confidentiel mais de qualité. Comme l'annonce sa robe, il présente un solide potentiel de garde. La richesse du bouquet, qui associe les fruits noirs et la fumée à la vanille, et sa structure aux tanins imposants permettent d'envisager une garde de six ans ou plus.
Cédric Chamaison, 2, rue du Maquis-de-Vignes, Oudides, 33340 Valeyrac, tél. 05.56.41.55.93 r.-v.

CH. HAUT-BLAIGNAN
Elevage en barriques 1996

Cru artisan 12,88 ha 14 400 30 à 49 F

Sa superficie lui permettrait de revendiquer le titre de bourgeois, mais ce cru a préféré garder celui d'artisan. Son 96 retient l'attention par le délicat boisé de son bouquet et par la rondeur de sa structure svelte et séveuse.
GAEC Brochard-Cahier, 19, rue de Verdun, 33340 Blaignan, tél. 05.56.09.04.70, fax 05.56.09.00.08 t.l.j. 9h-19h

CH. HAUT BRISEY 1996★

Cru bourg. 7,5 ha 60 000 30 à 49 F
(86) 87 **88 89** |90| 91 92 |93| 94 **95** 96

Créé ex nihilo en 1983 à cheval sur deux anciens îlots, ce cru, coup de cœur l'an dernier pour son 95, nous offre ici un vin d'une concentration moyenne en finale mais bien constitué, avec un bouquet aux fines notes de fruits rouges et une structure ronde, souple et bien équilibrée.
SCEA Ch. Haut Brisey, 33590 Jau-Dignac-Loirac, tél. 05.56.09.56.77, fax 05.56.73.98.36 t.l.j. sf dim. 9h-12h 14h-17h30
Christian Denis

CH. HAUT-CANTELOUP
Collection 1996★

Cru bourg. 35 ha 300 000 50 à 69 F
94 95 96

Pouvant se présenter sous deux étiquettes, l'une traditionnelle et l'autre moderne, ce vin issu d'une vaste propriété et comportant 60 % de merlot, montre qu'il résulte d'un travail soigné. A un bouquet distingué, aux notes de vanille et de fruits mûrs, il ajoute une solide matière, ample, riche et tannique.
SARL du ch. Haut-Canteloup, Le Port, 33340 Saint-Christoly-Médoc, tél. 05.56.41.58.98, fax 05.56.41.36.08 r.-v.

CH. HAUTERIVE 1996

Cru bourg. 58 ha n.c. 50 à 69 F

Pour être sans artifice, ce vin n'est pas sans moyens : souple, rond et élégant, il peut s'appuyer sur des tanins soyeux et un bouquet délicat pour affirmer sa personnalité.
Vignobles Rocher Cap de Rive, Ch. Hauterive, 33340 Saint-Germain-d'Esteuil, tél. 05.56.73.05.49, fax 05.56.73.07.56 t.l.j. sf sam. dim. 8h-12h 13h30-17h30; f. août

CH. HAUT-GARIN 1996★

Cru bourg. 6,85 ha 9 000 30 à 49 F
93 |94| 96

Sans doute un peu regrettable quand il s'agit de l'étiquette, l'attachement aux traditions a du bon dès qu'il est question d'encépagement. Par sa couleur, sa palette aromatique complexe, déclinant notes de fruits noirs, réglisse et caramel, et sa matière, riche et tannique, ce vin « viril » et bien typé en témoigne. Il est issu d'un encépagement très médocain, avec 5 % de petit verdot, 40 % de merlot, 50 % de cabernet-sauvignon et 5 % de cabernet franc.
Gilles Hue, 6, rue Garin, 33340 Prignac-Médoc, tél. 05.56.09.00.02 t.l.j. 9h-12h 14h-19h; dim. sur r.-v.; f. vendanges

CH. HAUT-GRAVAT 1996

■ 7,54 ha 12 000 ▮ ◖◗ 🌡 30 à 49 F

85 86 |88| |89| 92 |94| **96**

Les trois cépages rouges du Bordelais à parts égales composent l'assemblage de ce vin élevé douze mois en barrique de chêne. Si les tanins sont simples, ce vin n'en reste pas moins bien constitué, avec une belle robe pourpre, un bouquet intense, où le tabac s'associe au cuir, et un palais souple et élégant.

⊶ Sté Alain Lanneau, Ch. Haut-Gravat, 5, chem. du Clou, 33590 Jau-Dignac-Loirac, tél. 05.56.09.41.20, fax 05.56.73.98.06 ☑ Y t.l.j. 9h-18h

CH. LABADIE 1996

■ Cru bourg. 10 ha 60 000 ◖◗ 30 à 49 F

|(90)| 91 **92** 93 94 95 96

Les cabernets jouent à 50 % avec le merlot. Misant sur la souplesse, ce vin possède une bonne structure, ronde et bien équilibrée avec des tanins présents sans être agressifs. Droit et fin, le bouquet est lui aussi fort agréable.

⊶ GFA Bibey, Ch. Labadie, 33340 Bégadan, tél. 05.56.41.55.58, fax 05.56.41.39.47 ☑ Y t.l.j. sf dim. 9h-12h 15h-18h; f. vendanges

CH. LA CARDONNE 1996★★

■ Cru bourg. 49,5 ha 346 000 ◖◗ 70 à 99 F

88 89 90 **91 92 93** |94| **95 96**

L'une des plus importantes propriétés du Médoc, constituée au XIX[e]s., a élevé ce 96 en barrique pendant douze mois. Il reste encore un peu sur la réserve au plan aromatique. Mais la montée en puissance du bouquet à l'aération et la matière du palais, ample et charnue, sont là pour garantir une évolution très favorable au vieillissement.

⊶ SNC les Domaines C.G.R., rte de La-Cardonne, 33340 Blaignan, tél. 05.56.73.31.51, fax 05.56.73.31.52, e-mail cgr@vins-medoc.com ☑ Y t.l.j. sf sam. dim. 8h30-11h30 13h30-17h; groupes sur r.-v.

CH. LA CAUSSADE 1996

■ n.c. 48 000 ▮ 🌡 30 à 49 F

Vinifié à la cave de Bégadan, ce 96 réussit à être commercial et à montrer du caractère. Complexe, son bouquet se montre fort agréable par ses notes de grillé et de réglisse. Rond et bien structuré, le palais retrouve ce sens de l'équilibre.

⊶ Cave Saint-Jean, 2, rte de Canissac, 33340 Bégadan, tél. 05.56.41.50.13, fax 05.56.41.50.78 ☑ Y t.l.j. sf dim. 8h30-12h30 14h-18h; sam. 8h30-12h

⊶ Jean-Jacques Billa

CH. LA CLARE 1996

■ Cru bourg. 23 ha 70 000 ▮ ◖◗ 50 à 69 F

90 92 |94| 95 96

Acheté en 1969, ce cru a retrouvé alors sa vocation viticole. Discrètement bouqueté, ce vin évolue sur des tanins souples et élégants pour laisser le dégustateur sur le souvenir d'un ensemble agréable.

⊶ Paul de Rozières, Ch. La Clare, 33340 Bégadan, tél. 05.56.41.50.61, fax 05.56.41.50.69 ☑ Y r.-v.

CUVEE DE LA COMMANDERIE DU BONTEMPS 1996

■ n.c. 277 000 ▮ 30 à 49 F

Une étiquette très officielle - cette commanderie étant l'une des plus célèbres confréries vineuses - proposée par cette maison de Margaux. C'est un classique du médoc, vêtu d'une très belle robe à reflets noirs. Le bouquet n'est pas explosif mais le vin est plaisant, digne d'un repas familial.

⊶ Ulysse Cazabonne, rte de Rauzan, 33460 Margaux, tél. 05.57.88.82.20, fax 05.57.88.36.54, e-mail ulys.c@wanadoo.fr

CH. DE LA CROIX 1996★

■ Cru bourg. 20 ha 90 000 ▮ ◖◗ 30 à 49 F

93 |94| 95 96

Cabernets, sauvignon et franc, merlot, petit verdot, l'encépagement respecte les meilleures traditions médocaines. Ce 96 a un avenir assuré. La jeunesse de la robe violine, l'intensité du bouquet aux belles notes mûres, la structure, la belle finale et le retour (réglisse et caramel), tout invite à attendre cette bouteille de cinq à sept ans.

⊶ SCF Dom. de La Croix, 6, ch. de la Croix, Plautignan, 33340 Ordonnac, tél. 05.56.09.04.14, fax 05.56.09.01.32 ☑ Y r.-v.

⊶ J. Francisco

CH. LAFON 1996★

■ Cru bourg. 7 ha 40 000 ◖◗ 70 à 99 F

93 (95) 96

Ce vin issu d'un cru à cheval sur une croupe de graves et un plateau argilo-calcaire avait reçu un coup de cœur pour le millésime 95. Il porte la marque de l'élevage avec des notes de torréfaction qui dominent un ensemble au potentiel pourtant intéressant, fait de raisins sains et mûrs.

⊶ SCEA Lafon-Fauchey, 33340 Prignac-en-Médoc, tél. 05.56.09.02.17, fax 05.56.09.04.96 ☑ Y t.l.j. 9h-19h

⊶ Rémy Fauchey

CH. LA GORCE 1996

■ Cru bourg. 37 ha 250 000 ◖◗ 30 à 49 F

89 |90| 91 92 93 |94| 95 96

Issu de vignes plantées il y a seize ans, comprenant 50 % de merlot, ce vin rond et sympathique, au nez de fruits rouges et de vanille, s'inscrit dans la tradition du cru par sa vocation à une petite garde.

⊶ Denis Fabre, Ch. La Gorce, 33340 Blaignan, tél. 05.56.09.01.22, fax 05.56.09.03.27 ☑ Y r.-v.

CH. LA HOURCADE

Vieilli en fût de chêne 1996★

■ 3 ha 15 000 ◖◗ 30 à 49 F

Né d'une vendange manuelle et élevé en fût pendant seize mois, ce vin se montre très médocain par sa présentation, d'une couleur soutenue et profonde. Le bouquet reste dans le même esprit avec de belles notes fruitées et fumées, de même que le palais, souple, élégant et bien structuré, doté de tanins ronds.

⊶ Gino et Florent Cecchini SCE, Ch. La Hourcade, 33590 Jau-Dignac-Loirac, tél. 05.56.09.53.61, fax 05.56.09.57.53 ☒ Y r.-v.

CH. LA PIROUETTE 1996

■ Cru bourg. 4 ha 30 000 30 à 49 F

Franc et sans artifice, ce vin s'exprime surtout au palais, où il développe des tanins fins et légèrement acidulés, que ne cache pas un bois bien dosé.

⊶ SCEA Yvan Roux, Ch. La Pirouette, Semensan, 33590 Jau-Dignac-Loirac, tél. 05.56.09.42.02, fax 05.56.59.81.81 ☒ Y r.-v.

CH. L'ARGENTEYRE
Elevé en barriques 1996

■ 5 ha 22 000 30 à 49 F

92 |93| |94| 95 96

Le raisin est récolté à la main par de jeunes vignerons fiers de leur terroir de graves. Elevé en fût, ce vin a l'art de se présenter, avec une belle teinte bigarreau et un bouquet aux notes de cuir. Ample et tannique, le palais invite à attendre cette bouteille quelques années.

⊶ GAEC Vignobles Reich, Courbian, 33340 Bégadan, tél. 05.56.41.52.34, fax 05.56.41.52.34 ☒ Y r.-v.
⊶ Philippe et Gilles Reich

CH. LA TILLE CAMELON
Elevé en fût de chêne 1996

■ 14,38 ha 28 920 30 à 49 F

Issu d'un cru à majorité de merlot (60 %), ce vin souple et coulant se montre sympathique par l'élégance du bois, le fondu des tanins et l'originalité du bouquet. Evoquant le rioja, il développe des arômes exotiques (réglisse, poivre, zan, girofle...).

⊶ Cave Saint-Brice, 33340 Saint-Yzans-de-Médoc, tél. 05.56.09.05.05, fax 05.56.09.01.92 ☒ Y t.l.j. sf dim. 8h-12h 14h-18h

CH. LA TOUR DE BY 1996★★

■ Cru bourg. 60 ha 500 000 70 à 99 F

82 83 85 86 |88| |89| **|90|** **|91|** 92 |93| 94 95 **96**

Ce cru nous offre une nouvelle fois un joli vin. Se présentant dans une robe brillante, ce 96 marie heureusement des notes variées pour former un bouquet complexe de fruits rouges mûrs, de cuir, avec une note toastée. Le palais s'inscrit dans une belle continuité ; son expression aromatique comme ses tanins bien fondus invitent à une garde de quatre ou cinq ans.

⊶ Marc Pagès, La Tour de By, 33340 Bégadan, tél. 05.56.41.50.03, fax 05.56.41.36.10 ☒ Y t.l.j. sf sam. dim. 8h-12h 13h30-16h30; groupes sur r.-v.

CH. LAULAN DUCOS 1996★★

■ 20 ha 10 000 30 à 49 F

88 |89| 90 91 92 |93| **96**

Dernier millésime signé par Francis Ducos, tragiquement disparu dans un accident en 1997, ce 96 est le plus bel adieu qu'il aurait pu imaginer. Bien structuré et harmonieux, ce vin trouve un beau point d'équilibre entre le potentiel de garde et la rondeur. Bien dosée, sa matière met parfaitement en valeur le charme de l'expression aromatique, qui débute par des notes de pruneau, avant de passer aux fleurs pour finir sur des fruits rouges confits. Un peu déséquilibrée par la force du bois, la **cuvée Prestige** (entre 50 et 69 F) n'en reste pas moins fort agréable. Elle a obtenu une étoile.

⊶ Brigitte Ducos, 4, rte de Vertamont, 33590 Jau-Dignac-Loirac, tél. 05.56.09.42.37, fax 05.56.09.48.40 ☒ Y r.-v.

CH. LE BERNARDOT 1996★

■ 12,27 ha n.c. 30 à 49 F

Nippo-écossais par ses propriétaires, ce cru n'en reste pas moins fort attaché aux traditions médocaines, tant dans la conduite de la vigne que pour la vinification. A bon escient si l'on en juge d'après ce 96 : belle robe rubis, bouquet floral avec quelques notes de pâtisserie, attaque veloutée, structure soyeuse, tout s'accorde pour donner une très jolie bouteille.

⊶ Fujiko and John Robertson, Ch. Gaudin, Gaudin, 33590 Vensac, tél. 05.56.09.57.94, fax 05.56.73.98.87 ☒ Y r.-v.

CH. LE BOURDIEU 1996★

■ Cru bourg. 20 ha 180 000 50 à 69 F

88 89 |90| 91 92 |93| 94 |95| 96

Issu d'un cru au terroir typiquement médocain, ce vin est lui aussi bien typé. La force de sa robe, la marque des graves dans le bouquet fin et complexe, la charpente aux puissants tanins le démontrent, en invitant à servir cette bouteille sur un gibier à poil.

⊶ Guy Bailly, Ch. Le Bourdieu,1 rte de Troussas, 33340 Valeyrac, tél. 05.56.41.58.52, fax 05.56.41.36.09 ☒ Y t.l.j. sf sam. dim. 9h-12h 14h-18h

CH. LE BREUIL RENAISSANCE 1996★

■ 10 ha 60 000 30 à 49 F

90 91 **92** 93 |94| 95 |96|

Si certains millésimes de ce cru ont résolument joué la carte de la puissance tannique, ce 96 a plutôt opté pour la rondeur et la souplesse. S'accordant avec le bouquet de fruits rouges rehaussé par des notes animales et boisées, la structure aux tanins assez gras donne un ensemble de bon aloi.

⊶ Philippe Bérard, rte du Bana, 33340 Bégadan, tél. 05.56.41.50.67, fax 05.56.41.36.77 ☒ Y t.l.j. 8h-12h 13h-18h

CH. LE REYSSE Elevé en fût de chêne 1996

■ 15 ha 20 000 30 à 49 F

|93| |94| |95| |96|

60 % de merlot, le reste en cabernet-sauvignon, quinze mois en fût. Sans être un athlète, ce vin d'un classicisme de bon aloi sait se montrer agréable par son bouquet mêlant notes animales et cuir.

⊶ Patrick Chaumont, 7, rte du Port-de-By, 33340 Bégadan, tél. 05.56.41.50.79, fax 05.56.41.51.36 ☒ Y t.l.j. 9h-19h

CH. L'ERMITAGE 1996★★

■ Cru bourg. 1,4 ha 9 000 ▮ ⬮ ♁ 30 à 49 F

Commercialisé par Clément de Bertiac, marque d'André Quancard, ce vin a l'art de se présenter dans une robe d'un grenat profond. Toasté puis plus complexe, le bouquet n'est pas en reste. Son élégance se retrouve au palais, où la belle structure, ronde et fondue, est bien mise en valeur par un bois de qualité.

⊶ Clément de Bertiac, rue de la Cabeyre, 33240 Saint-André-de-Cubzac, tél. 05.57.33.42.42, fax 05.57.43.22.22, e-mail cdb@andrequancard.com
⊶ Thomas

CH. LES CHALETS
Elevé en fût de chêne 1996★★

■ Cru bourg. 8,2 ha 54 000 ▮ ⬮ 30 à 49 F

Un travail soigné pour ce vin distribué par la maison Quancard. A la hauteur des soins apportés, le résultat est des plus séduisants. Sa robe profonde, soutenue et brillante, son bouquet aux fines notes boisées, annoncent sa constitution et son élégance. Puissant, avec des tanins soyeux et une longue finale, le palais confirme la première impression. Un grand classique du Médoc.

⊶ André Quancard-André, rue de la Cabeyre, 33240 Saint-André-de-Cubzac, tél. 05.57.33.42.42, fax 05.57.43.22.22, e-mail quancard@quancard.com

CH. LES GRANDS CHENES 1996★

■ Cru bourg. 7 ha 50 000 ▮ ⬮ 70 à 99 F
86 88 **89** **|90|** 91 92 93 **|94|** **95** 96

Passé dans l'empire Magrez en février 1998, cette propriété sera à suivre de près. Signé par l'ancienne propriétaire, Mme Gauzy, ce 96 témoigne des atouts du cru. Les promesses de la robe, intense et brillante, sont tenues par le bouquet et le palais. Finement grillé avec des notes de fruits mûrs, le premier est aussi harmonieux que le second, qui fait apparaître un joli volume et des tanins bien amalgamés.

⊶ Bernard Magrez, rte de Lesparre, 33340 Saint-Christoly-de-Médoc, tél. 05.56.41.53.12, fax 05.56.41.35.69 ☒ Y r.-v.

LES GRANGES DE CIVRAC 1996

■ 16,92 ha 28 920 ⬮ 30 à 49 F

Elaboré à la cave de Saint-Yzans, ce 96 surprend un peu par son évolution au palais. D'abord souple et coulant, il montre ensuite une bonne structure tannique. Bien constitué, il demande à être attendu trois ou quatre ans, avant d'être servi sur un gibier à poil.

⊶ Cave Saint-Brice, 33340 Saint-Yzans-de-Médoc, tél. 05.56.09.05.05, fax 05.56.09.01.92 ☒ Y t.l.j. sf dim. 8h-12h 14h-18h

CH. LES MOINES 1996★★

■ Cru bourg. 30 ha 240 000 ▮ ⬮ ♁ 50 à 69 F
86 88 89 90 91 92 **|93|** |94| (95) **96**

Issu d'un vignoble à dominante de cabernet-sauvignon planté sur un plateau argilo-calcaire, ce vin porte la marque du terroir dans sa solide structure tannique et celle du cépage dans les notes réglissées du bouquet. Mais là ne s'arrêtent pas ses qualités. Son développement est impressionnant ; dès l'attaque, les arômes font preuve d'une réelle complexité, avec de jolis parfums de fruits rouges et noirs, qui se marient heureusement au clou de girofle. Rappelons le coup de cœur décerné par le jury l'an dernier pour le millésime 95.

⊶ SCEA des vignobles Claude Pourreau, 33340 Couquèques, tél. 05.56.41.38.06, fax 05.56.41.37.81 ☒ Y r.-v.

CH. LES ORMES SORBET 1996★★

■ Cru bourg. 19 ha 100 000 ⬮ 70 à 99 F
78 81 83 **85 86** 88 89 |(90)| **|91|** 92 **93** |94| **95 96**

Ce cru s'inscrit dans la tradition médocaine par son terroir et par son encépagement où le merlot (35 %), le cabernet franc et le petit verdot viennent compléter le cabernet-sauvignon qui en représente 60 %. Agréablement bouqueté (fruits rouges et vanille) et montrant une belle maîtrise du bois, ce 96 est fidèle à l'esprit médoc par son aptitude à la garde, qui invitera à l'attendre plus de cinq ans. Le **Château de Conques 96** (50 à 69 F), du même producteur, a obtenu une citation.

⊶ Jean Boivert, Ch. Les Ormes-Sorbet, 33340 Couquèques, tél. 05.56.73.30.30, fax 05.56.73.30.31 ☒ Y r.-v.

CH. LES TUILERIES 1996★★

■ Cru bourg. 15 ha 80 000 ▮ ⬮ ♁ 30 à 49 F
90 91 92 |93| |94| **96**

Musée, équipements pour des repas - dégustations et des séminaires, ce cru joue résolument la carte du tourisme rural. Ce qui ne l'empêche pas de se distinguer par la qualité de sa production. Bordeaux à bordure rubis, son 96 s'ouvre par de chaleureux parfums de fruits, de vanille et d'épices. Dans le sillage fumé du bouquet, le palais développe une matière riche, tannique, ample et charnue. Une bien belle bouteille, à laisser mûrir pendant cinq ans ou plus avant de l'ouvrir sur des mets puissants.

⊶ Jean-Luc Dartiguenave, 33340 Saint-Yzans-de-Médoc, tél. 05.56.09.05.31, fax 05.56.09.02.43 ☒ Y r.-v.

CH. LE TEMPLE Cuvée Tradition 1996★

■ Cru bourg. 8 ha 50 000 ⬮ 30 à 49 F

A cheval sur Bégadan et Valeyrac, ce cru a privilégié la recherche de l'équilibre dans ce millésime dont la souplesse et la rondeur s'accordent avec les tanins, fins et gras, pour donner un ensemble de qualité, que mettent en valeur les arômes de bois et de fruits confits.

⊶ Denis Bergey, Ch. Le Temple, 33340 Valeyrac, tél. 05.56.41.53.62, fax 05.56.41.57.35 ☒ Y t.l.j. 8h30-20h

CH. LIVRAN Cuvée Moulin de Livran 1996

■ Cru bourg. 3 ha 18 000 ⬮ 50 à 69 F

Sélection vendue uniquement en CHR et aux particuliers ; ce vin, discrètement bouqueté, révèle au palais une structure distinguée et bien constituée, qui permettra de le boire jeune, sans attendre ou après une petite garde.

⊶ Ch. Livran, 33340 Saint-Germain-d'Esteuil, tél. 05.56.09.02.05, fax 05.56.09.03.90 ☑ Y t.l.j. sf sam. dim. 9h-12h 14h-18h
⊶ Godfrin

CH. LOUDENNE 1996★★★

■ Cru bourg. 48 ha 274 000 ● 70 à 99 F

81 (82) **83 85 86 88 89** |90| 91 92 93 94 95 (96)

On ne présente plus ce cru, véritable ambassade de sa Gracieuse Majesté en terre médocaine depuis plus d'un siècle. Son 96 est la meilleure lettre de créances qu'il puisse présenter. Sa robe rubis lui sert de drapeau, annonçant une typicité que confirme son bouquet, distingué et complexe (fruits rouges, cacao, vanille et torréfaction). L'harmonie entre le fruit et le bois se retrouve au palais, que porte une belle charpente. La longue et agréable finale clôt avec classe une dégustation parfaitement réussie et invitera à attendre de trois à cinq ans pour ouvrir cette très belle bouteille.
⊶ IDV France, Ch. Loudenne, 33340 Saint-Yzans-de-Médoc, tél. 05.56.73.17.80, fax 05.56.09.02.87 ☑ Y t.l.j. 9h30-12h30 14h-17h30; sam. dim. sur r.-v.
⊶ WXA Gilbey

CH. LOUSTEAUNEUF

Cuvée Art et Tradition 1996★★

■ Cru bourg. 3,5 ha 20 000 ● 50 à 69 F

93 |94| (95) **96**

Cuvée de prestige issue des meilleurs vignobles de cette belle propriété d'une vingtaine d'hectares, ce vin est à la hauteur des soins qui lui ont été prodigués. Témoignant par la puissance de ses tanins d'une extraction poussée, avec une cuvaison longue et des remontages intensifs, il développe une structure ample, ronde et aromatique, qui sait concilier une solide aptitude à la garde avec l'élégance qui sied à un médoc. Le cru fut coup de cœur pour son millésime 95.
⊶ Segond, EARL Ch. Lousteauneuf, 2, rte de Lousteauneuf, 33340 Valeyrac, tél. 05.56.41.52.11, fax 05.56.41.52.11 ☑ Y r.-v.

CLOS MALABUT 1996

■ 4,1 ha 4 680 ● 30 à 49 F

Né sur un petit vignoble situé au nord-ouest de l'appellation, ce vin est simple mais bien constitué avec un bouquet aux notes légèrement boisées qui viennent compléter les fruits rouges légèrement fumés.

⊶ Nadine Wendling, 6, chem. des Séguelongue, Vensac, 33590 Saint-Vivien-du-Médoc, tél. 05.56.09.49.16 ☑ Y r.-v.

MERRAIN ROUGE

Vieilli en fût de chêne 1996★

■ n.c. 250 000 ● 30 à 49 F

Marque de Producta, ce vin d'une belle couleur rouge rubis se montre très agréable, tant par son bouquet, où les cendres froides côtoient la confiture de mûres, que par son palais, rond, plein, charnu et savoureux.
⊶ Producta SA, 21, cours Xavier-Arnozan, 33082 Bordeaux Cedex, tél. 05.57.81.18.18, fax 05.56.81.22.12 Y r.-v.

CH. NOAILLAC 1996★★

■ Cru bourg. 27 ha 150 000 ● 50 à 69 F

86 88 91 92 93 94 |95| **96**

Belle unité, bien dans l'esprit médoc par son terroir et son encépagement, ce cru offre avec ce 96 un vin qui ne cache pas ses origines gascones, ses notes de gibier servant de fil rouge à la dégustation. Etoffée et charnue, sa structure, bien construite, s'associe à sa complexité aromatique (cassis, confiture et épices) pour inviter à l'attendre, de trois à cinq ans, avant de le servir sur un civet de lièvre.
⊶ Ch. Noaillac, 33590 Jau-Dignac-et-Loirac, tél. 05.56.09.52.20, fax 05.56.09.58.75 ☑ Y t.l.j. sf sam. dim. 8h-12h 13h30-17h30
⊶ Xavier Pagès

CH. PATACHE D'AUX 1996

■ Cru bourg. 43 ha 300 000 ■ ● 🌡 70 à 99 F

82 83 **85** 86 88 **89** |90| 91 92 93 |94| 95 96

Issu d'une belle unité, ce vin agréablement bouqueté (fruits rouges et bois brûlé), présente une bonne structure de tanins assez mûrs mais fermes ; il demande deux ou trois ans pour s'affirmer.
⊶ SA Ch. Patache d'Aux, 1, rue du 19-Mars, 33340 Bégadan, tél. 05.56.41.50.18, fax 05.56.41.54.65, e-mail info@les-trois-chateaux.com ☑ Y r.-v.

PAVILLON DE BELLEVUE 1996

■ 100 ha 100 000 ● 50 à 69 F

Signé par la cave d'Ordonnac-Potensac, ce vin d'une belle couleur rubis offre un bouquet complexe à souhait (fruits mûrs, cèdre et chêne sur fond épicé) et un palais généreux et chaleureux.
⊶ SCAV Pavillon de Bellevue, rte de Peyressan, 33340 Ordonnac, tél. 05.56.09.04.13, fax 05.56.09.03.29 ☑ Y r.-v.

CH. DU PERIER 1996

■ Cru bourg. 7 ha 30 000 ● 70 à 99 F

|89| |90| 91 92 **93** 94 95 96

D'une belle teinte profonde, ce vin révèle des arômes assez complexes mêlant le cèdre, la cannelle et les petits fruits rouges. Après une attaque savoureuse, la barrique s'impose et confère une réelle austérité au palais. Mais la matière semble prometteuse. A ouvrir dans trois ou quatre ans.

➤ Bruno Saintout, 33340 Saint-Christoly-Médoc, tél. 05.56.41.58.32, fax 05.56.59.46.13

CH. PONTEY 1996★

■ Cru bourg.   n.c.   n.c.   ◫ 30 à 49 F

Bien maîtrisé, le bois s'est fondu dans l'ensemble. D'une belle couleur rubis carmin, ce vin s'épanouit au bouquet, libérant des notes de framboise et d'épices douces. Encore un peu vif, le palais se montre charnu et sensuel avec des tanins à grains fins.
➤ GFA du Ch. Pontey, 33240 Blaignan-Médoc, tél. 05.56.20.71.03, fax 05.56.20.11.30 ☑ ⊤ r.-v.

CH. RAMAFORT 1996★★

■ Cru bourg. 15,73 ha   115 000   ◫ 70 à 99 F

Du même producteur que le Château La Cardonne, ce vin s'en rapproche par son caractère à la fois un peu sévère et puissant. Comme lui, il offre de bonnes perspectives de garde. Mais il ne s'agit pas d'un clone, son bouquet affirmant avec force sa personnalité par des notes bien marquées de mie de pain chaud et de noisette.
➤ SNC les Domaines C.G.R., rte de La-Cardonne, 33340 Blaignan, tél. 05.56.73.31.51, fax 05.56.73.31.52, e-mail cgr@vins-medoc.com ☑ ⊤ t.l.j. sf sam. dim. 8h30-11h30 13h30-17h; groupes sur r.-v.

CH. RICAUDET 1996

■ Cru bourg.   n.c.   35 000   ▮↓ 30 à 49 F

Elaboré à la cave de Bégadan, ce vin a choisi son camp, celui de la légèreté et du fruit. La robe est grenat, et le palais, mûr et croquant, possède des tanins bien extraits.
➤ Cave Saint-Jean, 2, rte de Canissac, 33340 Bégadan, tél. 05.56.41.50.13, fax 05.56.41.50.78 ☑ ⊤ t.l.j. sf dim. 8h30-12h30 14h-18h; sam. 8h30-12h
➤ Robert Couthures

CH. ROLLAN DE BY 1996★★

■ Cru bourg. 15,82 ha   98 000   ◫ 100 à 149 F

Né sur un beau terroir de graves argileuses, ce vin est caractéristique des médoc de l'intérieur par sa richesse. Visible dans la robe sombre, celle-ci se confirme au bouquet par des notes de pruneau et de torréfaction. Rond, gras, plein et charnu, le palais possède une structure et une mâche qui lui assureront une très bonne garde. On attendra six ou sept ans, voire plus, pour l'ouvrir sur toutes les viandes rouges.

➤ SCEA DGM Jean Guyon, 7, rte Rollan-de-By, 33340 Bégadan, tél. 05.56.41.58.59, fax 05.56.41.37.82 ☑ ⊤ r.-v.

CH. SAINT-AUBIN 1996★

■ Cru bourg.   10 ha   80 000   ▮◫ 30 à 49 F

Régulière en qualité, cette aimable propriété du Médoc maritime affirme son identité médocaine par une belle robe. Développant un bouquet subtilement fruité (coing), ce 96 montre au palais un bon équilibre et beaucoup de finesse.
➤ Fernandez de Castro, Ch. Saint-Aubin, 27, chem. de Dignac, 33590 Jau-Dignac-et-Loirac, tél. 05.56.58.08.57, fax 05.56.58.08.59 ☑ ⊤ r.-v.

CH. SAINT-CHRISTOPHE 1996

■ Cru bourg.   27 ha   60 000   ▮◫ 50 à 69 F
94 **95** 96

Encore très marqué par les tanins, ce vin possède une charpente riche et charnue qui lui permettra d'être attendu. D'autant plus que le bouquet, expressif et complexe (fruits rouges, cèdre et chêne) et la robe grenat révèlent également une aptitude à la garde.
➤ Patrick Gillet, Ch. Saint-Christophe, 33340 Saint-Christoly-de-Médoc, tél. 05.56.41.57.22, fax 05.56.41.59.95 ☑ ⊤ t.l.j. sf sam. dim. 9h-12h 14h-18h

CAVE SAINT-JEAN Le Grand Art 1996★

■   6 ha   40 000   ◫ 50 à 69 F

Elaboré par la cave de Bégadan, ce vin assemble à parts égales merlot et cabernet-sauvignon ; ample et charnu, il témoigne du savoir-faire de la coopérative et de sa maîtrise de l'élevage. Souple, doté de fins tanins, l'ensemble joue résolument la carte de l'amabilité et de l'équilibre.
➤ Cave Saint-Jean, 2, rte de Canissac, 33340 Bégadan, tél. 05.56.41.50.13, fax 05.56.41.50.78 ☑ ⊤ t.l.j. sf dim. 8h30-12h30 14h-18h; sam. 8h30-12h

TERRE ROUGE 1996

■   n.c.   24 000   ▮ 50 à 69 F

Commercialisé par la maison Sichel, ce vin est simple mais intéressant par sa souplesse et son équilibre qui s'accordent avec le bouquet, discret mais élégant, pour former un ensemble sympathique. Pour ceux qui n'aiment pas le bois.
➤ Maison Sichel, 19, quai de Bacalan, 33300 Bordeaux, tél. 05.56.11.16.60, fax 05.56.50.59.59

CH. TOUR BLANCHE 1996

■ Cru bourg.   27 ha   135 000   50 à 69 F

Né sur une propriété regardant la rivière, ce vin, distribué par Kressmann, possède une bonne charpente. On pourra donc l'attendre pendant deux ou trois ans pour lui permettre de s'arrondir.
➤ Ch. Tour Blanche, 33340 Saint-Christoly-de-Médoc, tél. 05.56.35.53.00, fax 05.05.56.35.53
➤ M. Hessel

CH. TOUR HAUT-CAUSSAN 1996★★★

■ Cru bourg. 17 ha 120 000 ◍ 70 à 99 F

82 83 85 86 |89| |(90)| 91 92 93 94 95 (96)

Valeur sûre et reconnue de l'appellation, Tour Haut-Caussan ne pouvait laisser passer le millésime 96. Tapissant somptueusement le palais, ce vin parfaitement réussi annonce ses ambitions dès la présentation, avec une très belle robe rubis. Intense et complexe à souhait (cassis, vanille, épices, grillé...), le bouquet n'est pas en reste. Très merlot (50 % de l'encépagement) à l'attaque, le palais tire ensuite sa personnalité du cabernet-sauvignon (50 % également) qui lui apporte une très belle charpente aux tanins bien mûrs. Une superbe bouteille dont l'agrément présent n'hypothèque en rien l'avenir. Sans rivaliser avec lui, le second vin, le **Château La Landotte 96** a lui aussi une bonne charpente avec des tanins de bonne origine ; il reçoit une étoile.

⊶ Philippe Courrian, 33340 Blaignan, tél. 05.56.09.00.77, fax 05.56.09.06.24 ☑ Ɪ r.-v.

VIEUX CHATEAU LANDON 1996★

■ Cru bourg. 30 ha 220 000 ◍ 50 à 69 F

89 |90| 91 92 |**93**| |94| 95 96

Sans être un athlète, ce vin montre qu'il est de bonne origine. Bien fait, il développe une structure intéressante par sa rondeur, sa mâche et sa longueur. Il s'assouplira rapidement, donnant un ensemble plaisant. Tout aussi médocain que lui par son bouquet, le **Château Haut Barrail 96** (70-99 F) a obtenu une citation.

⊶ Philippe Gillet, 6, rte de Château-Landon, 33340 Bégadan, tél. 05.56.41.50.42, fax 05.56.41.57.10 ☑ Ɪ r.-v.

CH. VIEUX ROBIN Bois de Lunier 1996★★

■ Cru bourg. 14,25 ha 60 000 ▮ ◍ ♁ 70 à 99 F

81 |82| |83| 84 |**85**| |86| 87 |**88**| **89 90 91** 92 93 **94 95 96**

Cru renommé, Vieux Robin n'aura pas à rougir de son 96. D'emblée, une harmonie s'établit entre la douceur du bouquet et celle du palais. Toutefois, derrière sa souplesse et sa rondeur, celui-ci cache des tanins bien équilibrés qui assureront une jolie garde.

⊶ SCE Ch. Vieux Robin, 33340 Bégadan, tél. 05.56.41.50.64, fax 05.56.41.37.85, e-mail contact@chateau-vieux-robin.com ☑ Ɪ r.-v.

⊶ Maryse et Didier Roba

Haut-médoc

Proches quantitativement de l'appellation médoc, avec une production de 249 962 hl en 1998 sur 4 269 ha, les haut-médoc jouissent d'une réputation plus grande, due en partie à la présence de cinq crus classés dans leur région, les autres se trouvant tous dans les six appellations communales enclavées dans l'aire des haut-médoc.

En médoc, le classement des vins a été réalisé en 1855, soit près d'un siècle avant les autres régions. Cela s'explique par l'avance prise par la viticulture médocaine à partir du XVIIIe s. ; car c'est là que s'est en grande partie produit « l'avènement de la qualité », avec la découverte des notions de terroirs et de crus, c'est-à-dire la prise de conscience de l'existence d'une relation entre le milieu naturel et la qualité du vin. Les haut-médoc se caractérisent par de la générosité, mais sans excès de puissance. Avec une réelle finesse au nez, ils présentent généralement une bonne aptitude au vieillissement. Ils devront alors être bus chambrés et iront très bien avec des viandes blanches et des volailles ou du gibier à chair blanche. Mais bus plus jeunes et servis frais, ils pourront aussi accompagner d'autres plats, comme certains poissons.

CH. D'AGASSAC 1996★★

■ Cru bourg. 24,5 ha 95 000 ◍ 70 à 99 F

Année du rachat du cru par Groupama qui a beaucoup investi pour rénover la propriété, ce millésime se montre très prometteur par son bouquet fin, intense et d'une bonne complexité. Le palais confirme ces premières impressions par son caractère long, suave et élégant qui le rend très représentatif du style haut-médoc. Rond et agréable dans son expression aromatique (petits fruits rouges, café et réglisse), le second vin, **Pomies d'Aguessac 96**, a obtenu une citation.

⊶ SCA du Ch. d'Agassac, 15, rue du Château, 33290 Ludon-Médoc, tél. 05.57.88.15.47, fax 05.57.88.17.61 ☑ Ɪ r.-v.

⊶ Groupama

CH. D'ARCHE 1996★★

■ Cru bourg. 9 ha n.c. ◍ 100 à 149 F

|90| 91 92 93 94 95 **96**

Distribué par la maison Mälher-Besse, ce cru, déjà régulier en qualité, marque une belle progression avec ce millésime. D'une teinte rouge sombre, sa robe laisse entrevoir un bon potentiel. Son bouquet, aux somptueuses notes de vanille assorties aux nuances de fruits bien mûrs et de

sous-bois, et son palais, bien structuré par des tanins assez fermes mais prometteurs, confirment pleinement la présentation.
⊶ Mähler-Besse, 49, rue Camille-Godard, B.P. 23, 33026 Bordeaux, tél. 05.56.56.04.30, fax 05.56.56.04.59, e-mail mbwine@atlantic-line.fr ☑ Y r.-v.

CH. ARNAULD 1996*

■ Cru bourg. 24,82 ha 150 000 ⓘ 70 à 99 F
82 83 85 ⑧⑥ |**88**| |89| 91 92 |93| 95 96

Ancien prieuré, ce cru a peut-être vu passer les pèlerins de Saint-Jacques, alors que la région n'était pas encore viticole. Fort réussi, ce 96 ne fait pas mystère de ses qualités affichant une belle robe grenat, un bouquet expressif (grillé, café et toasté), une attaque grasse, une structure puissante et serrée, ainsi qu'une finale longue et élégante. Autant de vertus qui vaudront à cette bouteille un séjour de quelques années à la cave.
⊶ SCEA Theil-Roggy, Ch. Arnauld, Arcins, 33460 Margaux, tél. 05.57.88.50.34, fax 05.57.88.50.35 ☑ Y t.l.j. sf dim. 9h-12h 14h-18h; sam. sur r.-v.

CH. D'AURILHAC 1996**

■ Cru bourg. 5,5 ha 43 000 ⓘ 50 à 69 F

Depuis plus de deux décennies, Saint-Seurin-de-Cadourne voit éclore régulièrement de nouveaux talents. Avec ce millésime, c'est au tour de ce cru. Encépagement diversifié, table de tri, cuvaison longue, rien n'a été négligé pour donner naissance à un vin dont la chair, le volume, la matière très concentrée et la finale tannique sont autant de garanties pour l'avenir, tout comme ses arômes, élégants et intenses. A attendre au moins cinq ans.
⊶ SCEA Ch. d'Aurilhac et La Fagotte, 33180 Saint-Seurin-de-Cadourne, tél. 05.56.59.35.32, fax 05.56.59.35.32 ☑ Y r.-v.

CH. BALAC Cuvée Prestige 1996*

■ Cru bourg. 15 ha 120 000 ⓘ 70 à 99 F
82 83 85 86 88 89 90 91 92 93 |94| |95| 96

Une belle chartreuse et un accueil authentique et chaleureux, voilà qui ne peut qu'inciter à visiter cette propriété au cours d'une excursion en Gironde. Ce sera une bonne occasion pour découvrir ce 96, dont la fraîcheur, la rondeur et la bonne structure s'associent à un bouquet délicatement boisé pour donner un visage très agréable à cette cuvée Prestige.
⊶ Luc Touchais, Ch. Balac, 33112 Saint-Laurent-du-Médoc, tél. 05.56.59.41.76, fax 05.56.59.93.90 ☑ Y t.l.j. 9h-18h

CH. BARATEAU 1996*

■ Cru bourg. 15 ha 90 000 ⓘ 50 à 69 F
85 86 |88| |89| |90| 91 92 |93| |94| 95 96

Jouissant d'un terroir de qualité, constitué par une croupe argilo-calcaire bien orientée, ce cru propose un vin dont le bouquet s'exprime avec générosité, passant de puissantes notes de « rhum raisin » et de framboise à d'élégantes senteurs fruitées et épicées. Encore marqué par le bois, ce 96 demande à être attendu.
⊶ Sté Fermière Ch. Barateau, 33112 Saint-Laurent-du-Médoc, tél. 05.56.59.42.07, fax 05.56.59.49.91 ☑ Y t.l.j. sf sam. dim. 9h-12h 14h-18h; f. 25 déc.-2janv.
⊶ Famille Leroy

CH. BEAUMONT 1996*

■ Cru bourg. 105 ha 450 000 ⓘ 70 à 99 F
86 88 89 **90** |93| |94| |95| 96

Bien ancré dans la réalité médocaine par son architecture (mariage de styles classique et Renaissance), par son terroir de graves et par son encépagement qui n'oublie pas le petit verdot, ce château permet ici au cabernet-sauvignon de s'exprimer pleinement au nez comme au palais. Longue, tannique et bien équilibrée, cette bouteille demandera une petite garde (deux ou trois ans) avant d'être ouverte.
⊶ SCE Ch. Beaumont, 33460 Cussac-Fort-Médoc, tél. 05.56.58.92.29, fax 05.56.58.90.94 ☑ Y r.-v.
⊶ Grands Millésimes de France

CH. BEL AIR 1996

■ Cru bourg. 37 ha 220 000 ⓘ 50 à 69 F
82 83 85 86 |88| |89| 90 |92| |93| 95 96

Bien moins connu que les vignobles juliénois du même propriétaire, ce cru n'en constitue pas moins une belle unité, et sa production n'est pas confidentielle. Encore un peu rude, notamment en finale, son vin montre qu'il mérite d'être attendu par ses tanins et par la jeunesse de son bouquet de cassis et de prune cuite.
⊶ Domaines Martin, Ch. Gloria, 33250 Saint-Julien-Beychevelle, tél. 05.56.59.08.18, fax 05.56.59.16.18 ☑ Y r.-v.
⊶ Françoise Triaud

CH. BELGRAVE 1996**

■ 5ème cru clas. 54 ha 260 000 ⓘ 100 à 149 F
82 **83 84 85 86** 87 88 **89** |**⑨⓪**| |**91**| 92 **93 94** 95 **96**

Vendange étalée et en cagette pour ne cueillir que des raisins sains et mûrs : depuis longtemps déjà ce cru bénéficie d'un travail de qualité. Encore une fois, celui-ci trouve sa récompense dans ce vin dont la souplesse, la chair et l'élégance témoignent d'une extraction bien menée. Très présents et garants de bonne garde, les tanins n'écrasent pas le fruit. Couronnée par une belle finale, cette bouteille méritera le séjour en cave que demande son bouquet où le bois demande à se fondre. Le second vin, **Diane de Belgrave**, a obtenu une citation.

LE CLASSEMENT DE 1855 REVU EN 1973

PREMIERS CRUS
- Château Lafite-Rothschild (Pauillac)
- Château Latour (Pauillac)
- Château Margaux (Margaux)
- Château Mouton-Rothschild (Pauillac)
- Château Haut-Brion (Pessac-Léognan)

SECONDS CRUS
- Château Brane-Cantenac (Margaux)
- Château Cos-d'Estournel (Saint-Estèphe)
- Château Ducru-Beaucaillou (Saint-Julien)
- Château Durfort-Vivens (Margaux)
- Château Gruaud-Larose (Saint-Julien)
- Château Lascombes (Margaux)
- Château Léoville-Barton (Saint-Julien)
- Château Léoville-Las-Cases (Saint-Julien)
- Château Léoville-Poyferré (Saint-Julien)
- Château Montrose (Saint-Estèphe)
- Château Pichon-Longueville-Baron (Pauillac)
- Château Pichon-Longueville Comtesse-de-Lalande (Pauillac)
- Château Rauzan-Ségla (Margaux)
- Château Rauzan-Gassies (Margaux)

TROISIÈMES CRUS
- Château Boyd-Cantenac (Margaux)
- Château Cantenac-Brown (Margaux)
- Château Calon-Ségur (Saint-Estèphe)
- Château Desmirail (Margaux)
- Château Ferrière (Margaux)
- Château Giscours (Margaux)
- Château d'Issan (Margaux)
- Château Kirwan (Margaux)
- Château Lagrange (Saint-Julien)
- Château La Lagune (Haut-Médoc)
- Château Langoa (Saint-Julien)
- Château Malescot-Saint-Exupéry (Margaux)
- Château Marquis d'Alesme-Becker (Margaux)
- Château Palmer (Margaux)

QUATRIÈMES CRUS
- Château Beychevelle (Saint-Julien)
- Château Branaire-Ducru (Saint-Julien)
- Château Duhart-Milon-Rothschild (Pauillac)
- Château Lafon-Rochet (Saint-Estèphe)
- Château Marquis-de-Terme (Margaux)
- Château Pouget (Margaux)
- Château Prieuré-Lichine (Margaux)
- Château Saint-Pierre (Saint-Julien)
- Château Talbot (Saint-Julien)
- Château La Tour-Carnet (Haut-Médoc)

CINQUIÈMES CRUS
- Château d'Armailhac (Pauillac)
- Château Batailley (Pauillac)
- Château Belgrave (Haut-Médoc)
- Château Camensac (Haut-Médoc)
- Château Cantemerle (Haut-Médoc)
- Château Clerc-Milon (Pauillac)
- Château Cos-Labory (Saint-Estèphe)
- Château Croizet-Bages (Pauillac)
- Château Dauzac (Margaux)
- Château Grand-Puy-Ducasse (Pauillac)
- Château Grand-Puy-Lacoste (Pauillac)
- Château Haut-Bages-Libéral (Pauillac)
- Château Haut-Batailley (Pauillac)
- Château Lynch-Bages (Pauillac)
- Château Lynch-Moussas (Pauillac)
- Château Pédesclaux (Pauillac)
- Château Pontet-Canet (Pauillac)
- Château du Tertre (Margaux)

LES CRUS CLASSÉS DU SAUTERNAIS EN 1855

PREMIER CRU SUPÉRIEUR
- Château d'Yquem

PREMIERS CRUS
- Château Climens
- Château Coutet
- Château Guiraud
- Château Lafaurie-Peyraguey
- Château La Tour-Blanche
- Clos Haut-Peyraguey
- Château Rabaud-Promis
- Château Rayne-Vigneau
- Château Rieussec
- Château Sigalas-Rabaud
- Château Suduiraut

SECONDS CRUS
- Château d'Arche
- Château Broustet
- Château Caillou
- Château Doisy-Daëne
- Château Doisy-Dubroca
- Château Doisy-Védrines
- Château Filhot
- Château Lamothe (Despujols)
- Château Lamothe (Guignard)
- Château de Malle
- Château Myrat
- Château Nairac
- Château Romer
- Château Romer-Du-Hayot
- Château Suau

Dourthe, Ch. Belgrave, 35, rue de Bordeaux, 33290 Parempuyre, tél. 05.56.35.53.00, fax 05.56.35.53.29, e-mail contact@cvbg.com r.-v.

CH. BELLE-VUE 1996*

■ Cru bourg. 2,5 ha 12 000 70 à 99 F

Avec 40 % de petit verdot, l'assemblage fait preuve d'une grande originalité. Le résultat n'est pas commun. L'influence de ce cépage se fait nettement sentir dans l'expression aromatique, avec un côté fruité très marqué tant au bouquet qu'au palais. Complétés par des notes de venaison, ces arômes s'associent aux tanins veloutés pour donner un ensemble souple, rond et d'une bonne matière.

SC de La Gironville, 69, rte de Louens, 33460 Macau, tél. 05.57.88.19.79, fax 05.57.88.41.79 r.-v.

CH. BEL ORME
Tronquoy de Lalande 1996*

■ Cru bourg. 28 ha 150 000 70 à 99 F

Nous soulignions l'an dernier la progression de ce cru. Celle-ci se confirme avec ce millésime dont le palais fait apparaître des tanins soyeux, qui témoignent d'une extraction bien menée. C'est également un bon sens de l'équilibre que révèlent les arômes. Le bois est présent mais sans abus, ne masquant pas les notes de fruits rouges mûrs et d'autres parfums présents tout au long de la dégustation.

Jean-Michel Quié, Ch. Bel-Orme, 33180 Saint-Seurin-de-Cadourne, tél. 05.56.59.38.29, fax 05.56.59.72.83 t.l.j. sf sam. dim. 9h-12h 14h-18h

CH. BERNADOTTE 1996*

■ Cru bourg. 30 ha 200 000 50 à 69 F

Curt Eklund, citoyen suédois, qui avait acheté ce cru en 1973, l'a revendu à May-Eliane de Lencquesaing en 1997. Il a quitté la presqu'île médulienne la tête haute avec ce vin qui respecte tous les canons du classicisme médocain, tant par sa robe, d'un rouge intense, que par son bouquet de fruits rouges avec un délicat soutien boisé, ou par sa structure ronde et tannique.

SC Ch. Le Fournas, Le Fournas Nord, 33250 Saint-Sauveur, tél. 05.56.59.57.04, fax 05.56.59.54.84 r.-v.

May-Eliane de Lencquesaing

CH. BERTRAND BRANEYRE 1996*

■ Cru bourg. 12 ha n.c. 70 à 99 F

Depuis 1993, Ludwig Cooreman possède ce domaine remontant au XVII[e]s. Ce 96 devra rester en cave deux ou trois ans. Sa richesse et sa complexité (griotte, fruits mûrs, réglisse et pruneau) et son agréable développement au palais, qui concilie souplesse et matière, trouveront de nombreux partisans.

SARL Famille L. Cooreman, 13, rue de la Croix-des-Gunes, 33250 Cissac-Médoc, tél. 05.56.59.54.03, fax 05.56.59.59.46 r.-v.

CH. BOIS DU MONTEIL 1996

■ 3,2 ha 21 000 30 à 49 F

Né sur un petit vignoble haut-médoc dépendant du château Martinens (margaux), ce vin possède un bouquet assez puissant et complexe (fruits mûrs, sous-bois et poivron vert) et une structure souple et ronde, dont les tanins ne sont pas absents.

André Quancard-André, rue de la Cabeyre, 33240 Saint-André-de-Cubzac, tél. 05.57.33.42.42, fax 05.57.43.22.22, e-mail quancard@quancard.com

Seynat

CH. CAMENSAC 1996***

■ 5ème cru clas. 65 ha 300 000 200 à 249 F

84 |85| |86| 87 |88| 92 |94| (95) (96)

Plus que le château lui-même, ce sont deux majestueux pins francs se dressant devant la façade qui servent d'emblème à ce cru. Coup de cœur l'an dernier, celui-ci renouvelle l'exploit cette année avec un 96 des plus réussis. Sa couleur grenat foncé promet de belles choses. Aussi est-ce sans surprise mais avec beaucoup de plaisir que l'on découvre le bouquet, aux profondes notes de raisins mûrs, de pruneaux, de fleurs et d'épices. Et le charme reste entier au palais où se développent des tanins veloutés. Leur richesse garantit le potentiel de garde de ce 96 qui méritera d'être attendu sept ans et plus, même si sa rondeur et sa chair le rendent déjà très harmonieux.

Ch. Camensac, rte de Saint-Julien, B.P. 9, 33112 Saint-Laurent-du-Médoc, tél. 05.56.59.41.69, fax 05.56.59.41.73 r.-v.

LA CLOSERIE DE CAMENSAC 1996

■ 65 ha 150 000 70 à 99 F

Seconde étiquette de Camensac, ce vin est beaucoup plus simple que son grand frère. Toutefois son caractère corsé invitera à l'attendre deux ou trois ans.

Ch. Camensac, rte de Saint-Julien, B.P. 9, 33112 Saint-Laurent-du-Médoc, tél. 05.56.59.41.69, fax 05.56.59.41.73 r.-v.

CH. CANTEMERLE 1996**

■ 5ème cru clas. 67 ha 300 000 150 à 199 F

81 82 83 84 (85) **86** 87 |88| |(89)| |90| |91| **92** |93| |94| 95 **96**

Entouré d'un vaste parc et d'un vignoble planté sur des graves fines, ce château est l'un des premiers grands crus que rencontre le visiteur sur la route des Vins. Mais n'allez pas croire que ce soit un simple « amuse-gueule ». Son vin est l'une des valeurs sûres de l'appellation. Ce millésime nous offre une bouteille remarquable. Aux

parfums fruités, boisés et grillés (amande et cacahuète grillée) succède une structure fine, élégante et ample, dont les tanins veloutés et fondus donnent un ensemble plaisant et prometteur.
SC Ch. Cantemerle, 1, chem. Guittot, 33460 Macau, tél. 05.57.97.02.82, fax 05.57.97.02.84 ☑ Y r.-v.

CH. CHARMAIL 1996★★

■ Cru bourg. 22 ha 120 000 70 à 99 F
88 89 |90| 91 **92** 93 **94** 95 (96)

Belle illustration de ce que peut donner le terroir cadournais, ce vin couronne les efforts entrepris par les Sèze sur ce domaine. D'une couleur profonde à reflets vifs, il déploie un bouquet où les notes de torréfaction, apportées par l'élevage, se marient aux fruits rouges, tabac, épices, chocolat noir et réglisse, pour former un ensemble racé. Au palais le bois reste toujours présent, mais la structure dotée de tanins de grande qualité révèle une réelle aptitude à la garde. Cette bouteille méritera d'être attendue de six à huit ans pour donner le meilleur d'elle-même.
SCA Ch. Charmail, 33180 Saint-Seurin-de-Cadourne, tél. 05.56.59.70.63, fax 05.56.59.39.20 ☑ Y r.-v.
Sèze

L'ERMITAGE DE CHASSE-SPLEEN 1996★

■ 22 ha 180 700 50 à 69 F

Issu d'un vignoble haut-médoc dépendant du château Chasse-Spleen, ce vin indique clairement son potentiel de garde. D'une belle robe rubis vif, il développe un bouquet encore naissant mais qui laisse déjà apparaître son visage futur par des notes fruitées et vanillées ; il fait preuve d'une réelle présence tannique.
Claire Villars-Lurton, Ch. Chasse-Spleen, 33480 Moulis-en-Médoc, tél. 05.56.58.02.37, fax 05.57.88.84.40, e-mail chasse-spleen@vins-bordeaux.fr Y r.-v.

CHEVALIERS DU ROI SOLEIL 1996

■ 5 ha 22 000 30 à 49 F

Marque de la cave de Cussac-Fort-Médoc, ce vin est un peu simple dans son expression aromatique ; mais sa souplesse et ses tanins fondus le rendent plaisant. Cité également, le **Fort du roy 96**, élevé douze mois en barrique, autre étiquette de la coopérative dont le vin est bien fait mais encore un peu austère (50 à 70 F).
SCA Les Viticulteurs du Fort-Médoc, 105, av. du Haut-Médoc, 33460 Cussac-Fort-Médoc, tél. 05.56.58.92.85, fax 05.56.58.92.86 ☑ Y t.l.j. sf dim. 9h30-12h30 14h-18h

CH. CISSAC 1996★

■ Cru bourg. 50 ha 180 000 70 à 99 F

Ce cru a entrepris une modernisation de ses équipements en 1997-1998. Ce millésime n'en a pas bénéficié, mais cela ne l'empêche pas de se distinguer par sa structure qui a su trouver un très bon point d'équilibre entre la souplesse et les tanins pour donner une ensemble solide et velouté. Discrètement bouqueté et moins tannique, le second vin, **Reflets du château Cissac 96**, a obtenu une citation.
SCF du Ch. Cissac, 33250 Cissac-Médoc, tél. 05.56.59.58.13, fax 05.56.59.55.67 ☑ Y t.l.j. sf sam. dim. 9h-12h 14h-17h
GFA domaines Vialard

CH. CITRAN 1996★★★

■ Cru bourg. 79 ha 309 400 100 à 149 F
87 |**88**| |**89**| |(**90**)| **91** |**92**| |**93**| **94** (95) **96**

D'aucuns ont pu s'inquiéter du changement de propriétaire de ce cru, d'une régularité exemplaire sous l'administration du groupe Touko Haus ; ils seront pleinement rassurés par ce millésime élaboré par Claire Villars-Lurton qui a déjà prouvé ailleurs son savoir-faire. Non content d'offrir un bouquet aussi complexe qu'élégant avec des notes de pain juste toasté, ce 96 déploie un palais ample et solidement bâti où un bois de qualité et bien dosé vient soutenir des arômes de fruits mûrs. Couronnant une dégustation réussie, la belle finale laisse le souvenir d'un ensemble hors du commun.
Claire Villars-Lurton, Ch. Citran, 33480 Avensan, tél. 05.56.58.02.37, fax 05.57.88.84.40, e-mail chasse-Spleen@vins-bordeaux.fr ☑ Y r.-v.

MOULINS DE CITRAN 1996★★

■ Cru bourg. 6 ha 22 470 50 à 69 F

Second vin du château Citran, cette bouteille confirme l'excellente impression produite par la production principale. Son bouquet naissant aux notes de croûte de pain et sa structure souple, tannique et généreuse, en font un vin prometteur. Avec un bouquet expressif et une très forte structure, le **Château Villefranque 96**, marque appartenant à cette vaste propriété, a également obtenu deux étoiles.
Claire Villars-Lurton, Ch. Citran, 33480 Avensan, tél. 05.56.58.02.37, fax 05.57.88.84.40, e-mail chasse-Spleen@vins-bordeaux.fr Y r.-v.

CH. COLOMBE PEYLANDE 1996★

■ 3,25 ha 23 000 30 à 49 F

Si elle ne fait pas de bruit, cette propriété progresse régulièrement. Elle atteint un niveau qualitatif des plus intéressants avec ce millésime qui sait se présenter, dans une robe rubis, et tenir ses promesses par un bouquet aux notes de fruits mûrs et une structure très puissante. Encore un peu sévère, ce 96 demande à être attendu. Assez proche, la cuvée **L'Aïeul Léontin 96** a obtenu une citation.

🔑 EARL Dedieu-Benoit, 6, chem. des Vignes, 33460 Cussac-Fort-Médoc, tél. 05.56.58.93.08, fax 05.57.88.50.81 ☑ Y r.-v.

CH. COMTESSE DU PARC 1996

■ 6 ha 36 000 ▮ ⬤ 🌡 50 à 69 F

Du même producteur que le Château Tour des Termes (saint-estèphe), ce vin est issu de vignes plantées en 1984. Il est simple mais franc, bien équilibré et homogène.

🔑 SCEA Jean Anney, Ch. Tour des Termes, 33180 Saint-Estèphe, tél. 05.56.59.32.89, ☑ Y r.-v.

CH. CORCONNAC 1996

■ Cru bourg. 7,5 ha 17 000 ⬤ 30 à 49 F

Du même propriétaire que le Château Teynac (saint-julien) mais issu d'un cru situé à Saint-Laurent, ce vin fait encore penser à un médoc d'antan par son astringence, mais sa solide constitution lui permettra de se lisser avec le temps. Joli nez de fruits rouges et de baies sauvages.

🔑 Ch. Corconnac, Corconnac, 33112 Saint-Laurent-du-Médoc, tél. 05.56.59.93.04, fax 05.56.59.46.12 ☑ Y r.-v.

🔑 F. et Ph. Pairault

CH. COUFRAN 1996★★

■ Cru bourg. 66 ha 500 000 ⬤ 70 à 99 F

82 83 85 86 88 89 |**90**| 91 92 **93** 94 **95 96**

Fidèle à son habitude, ce cru qui s'individualise par la place du merlot dans l'encépagement propose avec ce millésime un vin richement bouqueté, aux notes bien marquées de confit. Ses tanins n'écrasent pas le fruit, même s'ils donnent l'impression de partir dans tous les sens du fait de la richesse de la matière. Le résultat est une jolie bouteille qui pourra être appréciée dans trois ou quatre ans.

🔑 SCA Ch. Coufran, 33180 Saint-Seurin-de-Cadourne, tél. 05.56.59.31.02, fax 05.56.81.32.35 ☑ Y r.-v.

CH. CROIX DE CABALEYRAN 1996

■ 20 ha n.c. ⬤ 30 à 49 F

Commercialisé par Benoît et Valérie Calvet, négociants aux Chartrons, ce vin montre par la puissance de son bouquet, fait de confiture et de caramel, comme par sa matière qu'il est encore très jeune. Il devra s'affiner. « C'est un haut-médoc à l'ancienne », note une dégustatrice.

🔑 Benoît et Valérie Calvet, 41, rue Borie, 33300 Bordeaux, tél. 05.57.87.01.87, fax 05.57.87.08.08 ☑

CH. DILLON 1996★

■ Cru bourg. 35 ha 180 000 ▮ ⬤ 🌡 50 à 69 F

82 83 |**85**| (86) 87 |88| |89| |**90**| 91 92 93 |94| 95 96

Situé aux portes de l'agglomération bordelaise, ce cru a appartenu à l'une des figures les plus marquantes du port de la Lune, François Seignouret, qui fit fortune au début du XIXe s. en Louisiane. C'est aujourd'hui le lycée agricole de Blanquefort qui forme les nouveaux vignerons. Souple et aimable, ce 96 présente un caractère plutôt fin ; son harmonie s'exprime par sa délicatesse et sa complexité aromatique (fruits, fleurs, vanille, raisins mûrs et pain grillé).

🔑 Lycée agricole de Blanquefort, Ch. Dillon, 33290 Blanquefort, tél. 05.56.95.39.94, fax 05.56.95.36.75 ☑ Y r.-v.

CH. FONTESTEAU 1996

■ Cru bourg. n.c. 120 000 ⬤ 50 à 69 F

Elevé en fût, ce vin aurait sans doute demandé un peu plus de structure pour s'exprimer pleinement. Toutefois ses tanins bien fondus lui permettront d'évoluer pour donner un ensemble agréable d'ici trois ans environ.

🔑 EARL Ch. Fontesteau, D. Fouin et J.-L. Barron, 33250 Saint-Sauveur, tél. 05.56.59.52.76, fax 05.56.59.57.89 ☑ Y r.-v.

CH. GASTON-RENA 1996

■ 1 ha 6 200 ⬤ 50 à 69 F

Tout jeune cru d'à peine 1 ha, ce vignoble fait une entrée remarquée dans la famille des haut-médoc avec une étiquette peu conventionnelle, certes, mais qui n'est pas à la hauteur d'une AOC du Médoc. Il est vrai qu'avec de puissants arômes de rôti, de pruneau et de porto, le vin des Gaston sort lui aussi des sentiers battus.

🔑 Catherine et Daniel Gaston, 1, chem. des Graves, Le Reynats, 33250 Cissac-Médoc, tél. 05.56.34.00.79 ☑ Y r.-v.

CH. DE GIRONVILLE 1996★

■ Cru bourg. 8,5 ha 65 000 ⬤ 50 à 69 F

Du même producteur que le Belle-Vue, mais issu d'un encépagement plus classique, ce vin s'inscrit dans un registre très différent. Doté d'une attaque puissante et d'arômes de fruits alliés à des notes de cuir, il pourra accompagner des mets exigeants comme le grand gibier à poil (chevreuil ou sanglier). Il faudra ouvrir la bouteille assez tôt.

🔑 SC de La Gironville, 69, rte de Louens, 33460 Macau, tél. 05.57.88.19.79, fax 05.57.88.41.79 Y r.-v.

CH. GRANDIS 1996★

■ Cru bourg. 9,23 ha n.c. ⬤ 50 à 69 F

|88| 89 90 |91| |92| |93| 95 96

Etre situé à Saint-Seurin est un atout, et ce cru sait en tirer profit comme en témoigne ce 96. Son bouquet aux notes de pruneau montre qu'on a recherché une bonne maturité. Ample et très tannique au palais, ce vin demande à être attendu pendant cinq ou six ans.

🔑 GFA du Ch. Grandis, 33180 Saint-Seurin-de-Cadourne, tél. 05.56.59.31.16, fax 05.56.59.39.85 ☑ Y t.l.j. 9h30-12h30 15h-19h; sam. dim. sur r.-v.; f. 15 sept. au 15 oct.

🔑 F.-J. Vergez

DOM. GRAND LAFONT 1996★

■ Cru artisan 4 ha 15 000 ⬤ 50 à 69 F

82 85 86 |88| |89| |**90**| 91 |93| 94 95 96

Posséder un beau terroir est le premier secret de la réussite œnologique ; bien travailler sa production est le second. C'est le cas ici où la vendange est triée sur des claies en bout de rang. Si le bouquet porte encore la marque du bois, parvenus au palais les arômes se font plus

complexes, le merrain composant avec le raisin mûr, la pêche, le cassis et la mûre. L'ensemble est de qualité et annonce un bon potentiel de garde, de trois à cinq ans, voire plus.
🔑 Lavanceau, Dom. Grand Lafont, 33290 Ludon-Médoc, tél. 05.57.88.44.31, fax 05.57.88.44.31 ☑ 🍷 r.-v.

CH. GUITTOT-FELLONNEAU 1996

■ Cru artisan 3,8 ha 25 000 50 à 69 F

Ferme-auberge maintenant la tradition des crus artisans, cette propriété n'a pas fait dans la demi-mesure avec ce vin. Sa structure est d'une grande puissance, que certains pourront trouver un peu sévère, mais qui fera son charme aux yeux d'autres amateurs. Très présents jusqu'en finale, ses tanins se portent garants de ses possibilités de garde.
🔑 Guy Constantin, Ch. Guittot-Fellonneau, 33460 Macau, tél. 05.57.88.47.81, fax 05.57.88.09.94 ☑ 🍷 r.-v.

CH. HANTEILLAN 1996

■ Cru bourg. 60 ha 400 000 50 à 69 F

Catherine Blasco dirige ce domaine depuis 1984. Son 96 aurait mérité un peu plus de gras, mais il sait se rendre sympathique par son bouquet délicat et complexe, comme par sa belle progression au palais où le boisé est bien fondu.
🔑 SA Ch. Hanteillan, 12, rte d'Hanteillan, 33250 Cissac, tél. 05.56.59.35.31, fax 05.56.59.31.51 ☑ 🍷 t.l.j. sf sam. dim. 9h-12h 14h-17h30; f. 24 déc. au 4 janv.

CH. HAUT-BELLEVUE 1996*

■ Cru artisan 8 ha 50 000 30 à 49 F

S'il ne possède pas de château mais seulement une maison de vigneron, ce cru n'en produit pas moins un vin bien équilibré qui se développe agréablement, tant au palais qui bénéficie du soutien de tanins bien fondus qu'au bouquet qui libère des notes de fruits mûrs.
🔑 Alain Roses, 10, chem. des Calinottes, 33460 Lamarque, tél. 05.56.58.91.64, fax 05.57.88.50.64 ☑ 🍷 r.-v.

CH. HAUT-BREGA 1996*

■ Cru artisan 7,35 ha 22 000 50 à 69 F

Un cru déjà révélé par le Guide et qui progresse régulièrement. D'un classicisme de bon aloi, avec une seyante couleur bordeaux, ce 96, montre sa jeunesse par un bouquet naissant et déjà assez complexe et intense, et par des tanins encore frais. Un bel ensemble, aussi bien équilibré que charpenté.
🔑 Joseph Ambach, 16, rue des Frères-Razeau, 33180 Saint-Seurin-de-Cadourne, tél. 05.56.59.70.77, fax 05.56.59.62.50 ☑ 🍷 r.-v.

CH. HAUT CARMAIL 1996*

■ Cru bourg. 6,2 ha 45 000 30 à 49 F

Diffusé par la maison Quancard de Saint-André-de-Cubzac, ce vin fait une belle démonstration tout au long de la dégustation. S'annonçant par une appétissante couleur de cerise noire, il développe un bouquet de fruits rouges. Souple et dense, le palais est celui d'un vin authentique, qui mène en douceur vers une riche finale tannique.
🔑 André Quancard-André, rue de la Cabeyre, 33240 Saint-André-de-Cubzac, tél. 05.57.33.42.42, fax 05.57.43.22.22, e-mail quancard@quancard.com ☑
🔑 Micalaudy

KRESSMANN Grande Réserve 1996*

■ n.c. n.c. 50 à 69 F

Implanté dans l'appellation, le CVBG, qui vient d'entrer en bourse cette année, se doit de proposer des haut-médoc de qualité. Le défi est relevé avec ce Grande Réserve, frais et épicé, qui sait progresser au palais pour déboucher sur une longue et harmonieuse finale. Déjà prêt, il peut aussi être mis en cave pendant cinq à six ans.
🔑 Kressmann, 35, rue de Bordeaux, 33290 Parempuyre, tél. 05.56.35.53.00, fax 05.56.35.53.29, e-mail contact@cvbg.com ☑ 🍷 r.-v.

CH. LABARDE 1996

■ 5 ha n.c. 50 à 69 F

Vignoble complémentaire en appellation haut-médoc de celui de Dauzac (AOC margaux), ce cru n'a pas choisi de jouer sur la subtilité pour ce 96 : la robe, profonde et soutenue ; le bouquet, aux notes de poivron et de gibier ; le palais, puissant, tout témoigne d'une force qui plaira aux amateurs de vins de tradition.
🔑 Ch. Labarde, 33460 Labarde, tél. 05.57.88.32.10, fax 05.57.88.96.00 ☑ 🍷 r.-v.
🔑 MAIF

CH. DE L'ABBAYE 1996*

■ Cru bourg. 67 ha 411 200 50 à 69 F

Seconde étiquette du château Reysson « Réserve », ce vin prouve que le volume n'exclut pas nécessairement la qualité. On retrouve, mais à un moindre degré, les qualités de son aîné, avec des notes de cannelle, et une structure à la fois souple et tannique, qui témoigne d'une extraction bien conduite.
🔑 SARL du Ch. Reysson, 17, cours de la Martinique, B.P. 90, 33027 Bordeaux Cedex, tél. 05.56.01.30.10, fax 05.56.79.23.57 🍷 r.-v.

CH. LACHESNAYE 1996*

■ Cru bourg. n.c. 100 000 70 à 99 F

Contiguë du château Lanessan, et appartenant au même propriétaire, cette propriété est une vaste et ancienne entité commandée par un très bel exemple d'architecture néo-tudor. Rond, souple et bien équilibré, son vin s'exprime en finesse avec de jolies senteurs fruitées. Un classique.
🔑 SCEA Delbos-Bouteiller, Ch. Lachesnaye, 33460 Cussac-Fort-Médoc, tél. 05.56.58.94.80, fax 05.56.58.93.10, e-mail bouteiller@bouteiller.com ☑ 🍷 t.l.j. 9h-12h 14h-18h

CH. LACOUR JACQUET 1996

■ 5 ha 26 000 50 à 69 F

89 |**90**| 91 92 |93| |94| 95 96

Issu d'un cru régulier en qualité, ce vin est encore marqué par le bois, mais la jeunesse de la robe, le caractère de son bouquet qui commence à s'exprimer, le côté équilibré et tannique du palais s'accordent pour laisser envisager une garde intéressante.

🗝GAEC Lartigue, 70, av. Haut-Médoc, 33460 Cussac-Fort-Médoc, tél. 05.56.58.91.55, fax 05.56.58.94.82 ☑ ⵑ r.-v.

CH. LA FAGOTTE 1996★★

■ Cru bourg.　　4 ha　　25 000　　⫼ 50 à 69 F

Du même producteur que le château d'Aurilhac, ce vin est lui aussi d'une belle tenue, avec des traits qui rappellent son grand frère : une jolie robe pourpre, un bouquet d'une complexité pleine de promesses, une structure ample et charnue et une belle finale.

🗝SCEA Ch. d'Aurilhac et La Fagotte, 33180 Saint-Seurin-de-Cadourne, tél. 05.56.59.35.32, fax 05.56.59.35.32 ☑ ⵑ r.-v.

CH. LA FON DU BERGER 1996★

■ Cru artisan　　15 ha　　60 000　　⫼⫼ 50 à 69 F

Un nom bucolique pour un vin un peu timide dans son expression aromatique mais suffisamment bien constitué, avec une matière grasse et complexe, pour pouvoir bien évoluer.

🗝Gérard Bougès, Le Fournas, 33250 Saint-Sauveur, tél. 05.56.59.51.43, fax 05.56.73.90.61 ☑ ⵑ t.l.j. 10h-12h 14h-18h

CH. LA LAGUNE 1996★★

■ 3ème cru clas.　　n.c.　　n.c.　　⫼ 100 à 149 F

75 78 |81| |82| |83| |85| |86| 87 88 ⑧⑨ 90 |91| |92| 93 94 95 96

Créé en 1830, ce cru fut l'un des premiers à s'engager dans la voie du renouveau, dès les années 60. Mais c'est un coureur de fond, qui n'a rien perdu de son dynamisme. Témoin ce 96 qui affirme avec force sa personnalité par un bouquet aux notes originales (cannelle, pain d'épice, tabac et torréfaction). Avec une expression aromatique chocolatée, le palais n'est pas en reste. Une belle bouteille aux tanins encore bien présents qui laissent cependant parler le vin. A ouvrir dans quatre ou cinq ans.

🗝Ch. La Lagune, 81, av. de l'Europe, 33290 Ludon-Médoc, tél. 05.57.88.82.77, fax 05.57.88.82.70 ⵑ r.-v.

🗝Jean-Michel Ducellier

CH. DE LAMARQUE 1996★

■ Cru bourg.　　43 ha　　200 000　　⫼ 70 à 99 F

83 86 |88| 89 |90| 91 92 93 |94| 95 96

La beauté du château, authentique place forte médiévale rénovée au XIXᵉs., a parfois tendance à éclipser le vignoble. C'est fort dommage car le terroir est de qualité, à l'égal du vin qui se montre des plus agréables par la finesse du bouquet aux notes toastées et fruitées, et fort prometteur par son équilibre et ses tanins qui demandent encore à se fondre.

🗝Gromand d'Evry, Ch. de Lamarque, 33460 Lamarque, tél. 05.56.58.90.03, fax 05.56.58.93.43 ☑ ⵑ t.l.j. sf sam. dim. 9h30-12h45 14h-17h

CH. LAMOTHE BERGERON 1996★

■ Cru bourg.　66,04 ha　333 500　⫼ 100 à 149 F

82 83 85 **86** 87 88 |89| 90 91 92 |93| |94| 95 96

Issu d'une propriété appartenant au groupe Mestrezat, ce vin ne saurait rivaliser avec celui du château Reysson, autre cru de la même société, mais il fait preuve d'une belle tenue et de caractère par ses solides tanins qui inviteront à l'attendre environ trois ans.

🗝SC du Ch. Grand-Puy Ducasse, 17, cours de la Martinique, B.P. 90, 33027 Bordeaux Cedex, tél. 05.56.01.30.10, fax 05.56.79.23.57 ⵑ r.-v.

CH. LAMOTHE-CISSAC 1996★

■ Cru bourg.　　33 ha　　200 000　 ⵑ⫼⚲ 50 à 69 F

85 86 89 90 91 94 **95** 96

Situé dans une région riche en vestiges gallo-romains, ce cru pourrait être l'héritier d'une *villa* romaine et avoir possédé des vignobles assez tôt. D'une belle couleur grenat et finement bouqueté, avec des notes de fruits noirs et de grillé, ce 96 développe un palais soyeux et expressif qui invite à l'évasion par ses arômes de fruits exotiques, d'épices et de cannelle. Encore jeune et marqué par le poivron, très boisé, le **Château Landat 96**, 120 000 bouteilles, (30 à 49 F), du même producteur, obtient une citation.

🗝SC Ch. Lamothe, B.P. 3, 33250 Cissac-Médoc, tél. 05.56.59.58.16, fax 05.56.59.57.97, e-mail domaines.fabre@enfrance.com ☑ r.-v.

🗝Famille Fabre

CH. LANESSAN 1996★

■ Cru bourg.　　40 ha　　280 000　　⫼ 100 à 149 F

86 |88| |90| 91 |92| |93| 94 95 96

Belle unité située à Cussac-Fort-Médoc, ce cru est l'un des premiers à s'être ouvert au tourisme avec son célèbre musée du Cheval. Il est aussi très représentatif du terroir de la commune par sa croupe de graves et du style médocain par l'arôme de cassis qui apparaît au palais de ce 96. Comme c'est l'usage dans ce cru, les tanins sont vigoureux et donnent du caractère à l'ensemble.

🗝SCEA Delbos-Bouteiller, Ch. Lanessan, 33460 Cussac-Fort-Médoc, tél. 05.56.58.94.80, fax 05.56.58.93.10, e-mail bouteiller@bouteiller.com ☑ ⵑ t.l.j. 9h-12h 14h-18h

CH. LA PEYRE 1996★

■ cru artisan　　1,5 ha　　10 000　　⫼ 50 à 69 F

Principalement propriétaires à Saint-Estèphe, les Rabiller exploitent aussi ce petit vignoble. Sans égaler son cousin stéphanois, celui-ci fait aussi honneur aux crus artisans que préside M. Rabiller, par sa régularité que ne dément pas ce 96 bien réussi. Son bouquet aux franches notes de mûre et de cassis comme sa structure, portée par de solides tanins, sont des plus prometteurs.

🗝EARL Vignobles Rabiller, Leyssac, 33180 Saint-Estèphe, tél. 05.56.59.32.51, fax 05.56.59.70.09 ☑ ⵑ t.l.j. 10h-12h30 15h-19h

CH. LA ROSE METAIRIE 1996

■　　　　4 ha　　24 000　　ⵑ⚲ 50 à 69 F

Diffusé par les établissements Mau, ce vin est encore très marqué par les tanins, mais ceux-ci

semblent décidés à se porter garants de l'évolution future de cette bouteille de garde.
⊶ SA Yvon Mau, rue André-Dupuy-Chauvin, B.P. 1, 33190 Gironde-sur-Dropt, tél. 05.56.61.54.54, fax 05.56.61.54.61 Y r.-v.
⊶ GAEC Blanchard

CH. LAROSE PERGANSON 1996*

■ Cru bourg. 53 ha 147 000 (I) 70 à 99 F

Issu des plus vieilles vignes de Larose-Trintaudon, ce vin bien équilibré, à la structure tannique harmonieuse et fondue a des arômes intenses où le raisin mûr et le chêne se donnent la réplique.
⊶ SA Ch. Larose-Trintaudon, rte de Pauillac, 33112 Saint-Laurent-du-Médoc, tél. 05.56.59.41.72, fax 05.56.59.93.22 ☑ Y r.-v.
⊶ AGF

CH. LAROSE-TRINTAUDON 1996*

■ Cru bourg. 172 ha 943 000 (I) 50 à 69 F
81 82 83 85 **86** 87 |**88**| |**89**| |**90**| 91 |92| |**93**| 94 95 96

Très belle unité, ce cru est l'une des plus grandes propriétés médocaines. L'équipe qui gère le domaine a de quoi s'occuper, d'autant plus qu'elle a également la charge d'une exploitation au Chili. Cela ne l'empêche pas d'apporter une attention suivie à la conduite de la vigne et à la vinification, comme en témoigne ce vin, ample et goûteux, dont le bouquet fait apparaître de belles notes de pruneau et de grillé.
⊶ SA Ch. Larose-Trintaudon, rte de Pauillac, 33112 Saint-Laurent-du-Médoc, tél. 05.56.59.41.72, fax 05.56.59.93.22 ☑ Y r.-v.
⊶ AGF

CH. LA TOUR CARNET 1996***

■ 4ème cru clas. 43 ha n.c. (I) 200 à 249 F
79 **81** 82 |**83**| **85** |**86**| 87 |(88)| |**89**| |**90**| 91 92 |**93**| 94 (96)

Avec un solide donjon du XIVᵉs., doublé d'un gracieux logement du XVIIIᵉs. et complété par de beaux jardins, ce château est plus qu'un monument : c'est une demeure où il fait bon vivre et travailler. D'une somptueuse couleur rouge sombre, presque noire, ce 96 développe un bouquet intense, très expressif, mariant le gibier et la réglisse à un soupçon de Zan. Souple, rond et puissant, il s'appuie sur des tanins à la fois discrets et très présents pour donner un ensemble de garde, solide, équilibré et très typé. Ce superbe vin a même eu l'élégance de ne pas réduire à un simple rôle de figuration son cadet, le **Second de Carnet**, qui témoigne lui aussi d'une extraction bien menée : il a obtenu une citation.
⊶ SCEA Ch. La Tour Carnet, 33112 Saint-Laurent-du-Médoc, tél. 05.56.73.30.90, fax 05.56.59.48.54 Y r.-v.

CH. DE LAUGA 1996

■ cru artisan 4 ha 25 000 ▮(I) 30 à 49 F

Né sur un authentique cru paysan exploité par l'héritier d'une famille de tonneliers-vignerons, ce vin est encore assez austère, mais sa puissance tannique et ses parfums de fruits mûrs lui promettent une belle évolution.
⊶ Christian Brun, 4, rue des Caperans, 33460 Cussac-Fort-Médoc, tél. 05.56.58.92.83, fax 05.56.58.92.83 ☑ Y t.l.j. 8h-20h

CH. LE SOULEY-SAINTE CROIX 1996*

■ Cru bourg. n.c. 60 000 ▮(I)♁ 50 à 69 F

Comme il en a l'habitude, ce cru a choisi pour ce millésime la recherche d'une bonne présence tannique. L'objectif est atteint mais sans exclure pour autant la rondeur et la souplesse.
⊶ Jean et Marie-José Riffaud, Ch. Le Souley-Sainte-Croix, 33180 Vertheuil, tél. 05.56.41.98.54, fax 05.56.41.95.36 ☑ Y t.l.j. sf dim. 9h-12h 14h-18h; sam. sur r.-v.

CH. LESQUIREAU-DESSE 1996

■ Cru artisan 3 ha 12 000 ▮(I) 30 à 49 F

Proposé par un petit cru artisan, ce vin à la jolie robe carminée est un peu anguleux dans son évolution au palais car le boisé domine. Mais l'ensemble reste frais et bien équilibré.
⊶ Ch. Lesquireau-Desse, Pl. de l'Eglise, 33180 Vertheuil, tél. 05.56.41.98.03, fax 05.56.41.99.38 ☑ Y r.-v.
⊶ Lasserre

CH. LESTAGE SIMON 1996*

■ 30 ha 200 000 (I) 70 à 99 F

Belle unité, ce cru a profité de l'embellie des dernières années pour renouveler ses équipements en 1998. Même s'il n'en a pas bénéficié, ce 96 montre qu'il a eu droit à des soins attentifs par son bouquet, qui témoigne d'une vendange bien mûre et d'un élevage bien maîtrisé. Souple et rond, il porte aussi la marque du merlot, qui se taille la part du lion (68 %) dans l'encépagement. Le **Château Troupian 96** (50 à 69 F) a obtenu une citation.
⊶ Charles Simon, Ch. Lestage-Simon, 33180 Saint-Seurin-de-Cadourne, tél. 05.56.59.31.83, fax 05.56.59.70.56, e-mail chateau@lestage-simon.com ☑ Y r.-v.

CH. LIEUJEAN 1996

■ Cru bourg. n.c. n.c. (I) 50 à 69 F

Sans égaler certains millésimes antérieurs du même cru, ce vin d'une bonne présence aromatique demandera une petite garde pour donner un ensemble souple et rond.
⊶ SARL Ch. Lieujean, B.P. 32, 33250 Saint-Sauveur-Médoc, tél. 05.56.59.57.23, fax 05.56.59.50.81 ☑ Y r.-v.

CH. LIVERSAN 1996★

■ Cru bourg.   40 ha   160 000   ▐ ◫ 70 à 99 F

Sur ce cru comme sur leurs vignobles d'AOC médoc, Jean-Michel Lapalu et son équipe font preuve de dynamisme comme l'illustre la rénovation des équipements en 1997-1998. D'une belle couleur violine, leur 96 se montre complexe, élégant et bien construit, sans s'appuyer pour autant sur une structure très concentrée. On appréciera tout spécialement son développement aromatique qu'enrichissent de belles notes de fruits rouges, de torréfaction et d'amande grillée.
☛ SCEA Ch. Liversan, rte de Fonpiqueyre, 33250 Saint-Sauveur, tél. 05.56.41.50.18, fax 05.56.41.54.65, e-mail info@les-trois-chateaux.com ☑ ⏃ r.-v.

CH. MAGNOL 1996★

■ Cru bourg.   15 ha   110 000   ◫ 70 à 99 F

Siège de la maison Barton et Guestier, ce cru en est aussi une belle vitrine. Son 96 exprime sa personnalité par sa finesse et son élégance. Souple et aromatique, il est déjà très agréable mais pourra être attendu trois ou quatre ans.
☛ Barton et Guestier, Ch. Magnol, B.P. 30, 33290 Blanquefort Cedex, tél. 05.56.95.48.00, fax 05.56.95.48.01, e-mail barton-&-guestier@seagram.com

CH. MALESCASSE 1996★

■ Cru bourg.   37 ha   180 000   ◫ 70 à 99 F
82 83 84 87 |88| |89| |90| 91 92 93 |94| 95 96

Un terroir de qualité, une croupe de graves quaternaires, un propriétaire ayant une surface financière suffisante pour investir, ce cru bénéficie d'atouts réels. Ceux-ci expliquent sa régularité dont témoigne ce millésime qui concilie souplesse et matière avec des tanins veloutés et jeunes et de beaux arômes d'épices et de poivron. Le second vin, La Closerie de Malescasse 96, a obtenu une citation.
☛ Ch. Malescasse, 6, rte du Moulin-Rose, 33460 Lamarque, tél. 05.56.73.15.20, fax 05.56.59.64.72 ☑ ⏃ r.-v.
☛ Alcatel Alsthom

CH. DE MALLERET 1996★

■ Cru bourg.   32 ha   160 000   ▐ ◫ ♦ 50 à 69 F
86 87 **88 89** ⑨⓪ 91 92 |94| **95** 96

Exclusivité de la maison De Luze, ce vin avait reçu un coup de cœur pour son millésime 95 l'an dernier. Celui-ci n'a pas la même matière mais parie sur l'élégance. Il se montre agréable par sa finesse et sa complexité aromatique comme par sa structure équilibrée par de bons tanins.
☛ SCEA Ch. de Malleret, A. de Luze, Groupe GVB, Dom. du Ribet, 33450 Saint-Loubès, tél. 05.57.97.07.20, fax 05.57.97.07.27 ⏃ t.l.j. sf sam. dim. 9h-12h 14h-17h

CH. MAUCAMPS 1996

■ Cru bourg.   18 ha   100 000   ◫ 70 à 99 F
82 83 85 |86| |88| |89| 90 91 92 |93| |94| 95 96

Propriété des Lalanne au XVIIIᵉ s., Maucamps est situé sur de belles graves. Ce millésime est encore très jeune ; ses tanins, sa longueur et sa complexité (fumée, grillé, fraise et pruneau) lui permettront d'affronter les mets les plus forts. Plus abordable aujourd'hui car sa structure est souple, le **Château Dasvin-Bel-Air 96** (30 à 49 F) a obtenu une citation.
☛ Ch. Maucamps, B.P. 11, 33460 Macau, tél. 05.57.88.07.64, fax 05.57.88.07.00 ☑ ⏃ r.-v.
☛ Tessandier

CH. MAURAC-MAJOR 1996★

■ Cru bourg.   8 ha   24 000   ▐ ◫ ♦ 30 à 49 F

Du même producteur que le Château Grandis, ce vin s'en distingue par un élevage et un encépagement différents. Ainsi, avec plus de cabernet franc (30 % contre 10 %), il a pu bénéficier des bonnes conditions de maturation de ce cépage en 1996. On retrouve les caractères du bouquet du Grandis, avec ses notes de pruneau et de cassis, comme sa structure ample et tannique, qui s'exprime avec plus de souplesse mais qui témoigne du bon potentiel de garde de cette très belle bouteille.
☛ Clément de Bertiac, rue de la Cabeyre, 33240 Saint-André-de-Cubzac, tél. 05.57.33.42.42, fax 05.57.43.22.22, e-mail cdb@andrequancard.com
☛ Vervel

CH. MEYRE Cuvée Colette 1996★

■ Cru bourg.   15,5 ha   n.c.   ◫ 70 à 99 F
88 |89| |90| |91| |93| 94 95 96

Cuvée de prestige de ce cru, ce vin fait preuve d'un classicisme de bon aloi, tant par sa couleur que par sa constitution qui invitera à l'attendre au moins trois ans.
☛ Ch. Meyre SA, 16, rte de Castelnau, 33480 Avensan, tél. 05.56.58.10.77, fax 05.56.58.13.20, e-mail chateau.meyre@wanadoo.fr ☑ ⏃ t.l.j. sf sam. dim. 14h-17h; 1ᵉʳ nov.-30 mars sur r.-v.

CH. MICALET
Elevé en fût de chêne 1996★★

■ Cru artisan   3,7 ha   30 000   ▐ ◫ 30 à 49 F
82 83 85 86 |88| |89| 90 91 |92| |93| **94 95 96**

Ne se laissant pas impressionner par sa petite taille, ce cru artisan poursuit son évolution ascendante avec ce millésime. Très réussi, ce 96 s'annonce par une robe rouge des plus avenantes, avant de développer un bouquet complexe et une structure souple, ronde et soyeuse qui s'appuie sur des tanins racés avant de s'ouvrir sur une longue finale.
☛ EARL Denis Fédieu, 10, rue Jeanne-d'Arc, 33460 Cussac-Fort-Médoc, tél. 05.56.58.95.48, fax 05.56.58.96.85 ☑ ⏃ t.l.j. sf dim. 9h-13h 15h-19h; groupes sur r.-v.

CH. MOULIN DE BLANCHON 1996

■   6 ha   40 000   ◫ 30 à 49 F

Produit sur un petit cru de création assez récente, ce vin aurait mérité un peu plus de finesse, sa structure tannique lui apportant un caractère sévère. Mais le nez est élégant, fruits rouges et merrain se conjuguant pour laisser espérer mieux dans trois ou quatre ans.

⊶ Henri Negrier, Ch. Moulin de Blanchon, 33180 Saint-Seurin-de-Cadourne, tél. 05.56.59.38.66, fax 05.56.59.32.31 ☑ Y t.l.j. 8h30-12h30 14h-20h

CH. DU MOULIN ROUGE 1996★

■ Cru bourg. 15 ha 95 000 50 à 69 F

88 |89| |90| 91 92 93 94 95 96

Le nom de ce cru n'a aucun lien, direct ou indirect, avec le célèbre cabaret parisien ; il fait référence à la couleur des graviers que l'on trouve sur le domaine. Une fois encore, ces cailloux ont donné naissance à un vin bien constitué où l'on retrouve, ici en finale, ce petit côté chaleureux qui semble être la marque de fabrique de cette propriété. Portée par une riche matière aux tanins fougueux, cette bouteille méritera d'être attendue quatre ou cinq ans.

⊶ Pelon-Ribeiro, 18, rue de Costes, 33460 Cussac-Fort-Médoc, tél. 05.56.58.91.13, fax 05.56.58.93.68 ☑ Y t.l.j. 9h-12h 14h-18h

CH. MURET 1996★

■ Cru bourg. 12 ha 85 000 50 à 69 F

91 **93** 94 95 96

On est loin du petit nouveau qui faisait timidement son entrée dans le Guide 95. Ce cru est devenu une valeur confirmée, capable d'offrir avec ce 96 un vin de caractère qui affirme sa personnalité par la concentration de son bouquet aux notes de fruits noirs écrasés, et par la consistance de son palais. Puissante et charpentée, cette bouteille possède le potentiel nécessaire pour que les tanins puissent se fondre.

⊶ SCA de Muret, Ch. Muret, 33180 Saint-Seurin-de-Cadourne, tél. 05.56.59.38.11, fax 05.56.59.37.03 ☑ Y r.-v.

⊶ Boufflerd

CH. PEYRABON 1996★

■ Cru bourg. 42 ha 66 000 70 à 99 F

86 88 |89| |90| 91 92 |93| |94| 96

Commandé par une belle maison fleurant bon la campagne, ce cru a pour habitude d'élaborer régulièrement un vrai vin de garde. Ce millésime ne déroge pas à la règle. Encore jeunes, sa robe, entre rouge sang et rubis, son bouquet, vanillé et épicé, comme sa structure, soutenue par de puissants tanins, se montrent très prometteurs.

⊶ SARL Ch. Peyrabon, 33250 Saint-Sauveur-de-Médoc, tél. 05.56.59.57.10, fax 05.56.59.59.45 ☑ Y r.-v.

⊶ Bernard

CH. PEYRE-LEBADE 1996

■ Cru bourg. 56 ha 220 000 30 à 49 F

Issu de vignobles haut-médoc dépendant du château Clarke, ce vin souple et rond ne saurait se comparer à son cousin listracois, mais il se montre très séduisant par ses arômes, qui vont des notes mentholées aux fruits rouges mûrs en passant par les épices et le raisin. Il est à servir dès maintenant.

⊶ Cie vin. barons Ed. et B. de Rothschild, 33480 Listrac-Médoc, tél. 05.56.58.38.00, fax 05.56.58.26.46, e-mail chateau.clarke@wanadoo.fr Y r.-v.

⊶ Benjamin de Rothschild

CH. PONTOISE-CABARRUS 1996

■ Cru bourg. 24 ha 180 000 50 à 69 F

75 76 81 82 83 85 (86) |**88**| **89 90** |92| |93| 94 95 96

Issu d'une belle unité, ce vin n'a rien de confidentiel par son volume de production. Sans être un coureur de fond, il tirera profit d'une garde raisonnée, comme l'indiquent les tanins qui apparaissent en finale et son bouquet, subtil et complexe.

⊶ François Tereygeol, Ch. Pontoise-Cabarrus, 33180 Saint-Seurin-de-Cadourne, tél. 05.56.59.34.92, fax 05.56.59.72.42 ☑ Y r.-v.

CH. PUY CASTERA 1996★

■ Cru bourg. 20 ha 150 000 50 à 69 F

Ce cru a fort bien réussi son 96. Souple et rond à l'attaque, ce vin évolue ensuite vers des notes plus tanniques qui inciteront à l'attendre. Son bouquet toasté, torréfié et épicé, marqué par les douze mois d'élevage en barriques dont un tiers sont neuves, et son retour aromatique dominé par les fruits confits confirment cette impression.

⊶ SCE Ch. Puy Castéra, 8, rte de Castéra, 33250 Cissac, tél. 05.56.59.58.80, fax 05.56.59.54.57 ☑ Y r.-v.

⊶ Famille Mares

CH. RAMAGE LA BATISSE 1996★

■ Cru bourg. 33,46 ha 266 129 70 à 99 F

85 86 87 |**88**| |89| **90 91** 92 |94| 95 96

La MACIF, propriétaire de ce vignoble depuis 1986, a beaucoup investi dans les vignes et les chais. Fidèle à son habitude, ce cru propose un vin à la robe profonde montrant de beaux reflets ; ce 96 sait être tannique et de garde tout en évitant de se montrer agressif. Délicat dans son expression aromatique, aux notes boisées et épicées, il attaque avec beaucoup de rondeur avant de monter en puissance pour conclure sur une finale tannique.

⊶ SCI Ramage La Batisse, 33250 Saint-Sauveur-du-Médoc, tél. 05.56.59.57.24, fax 05.56.59.54.14 ☑ Y r.-v.

⊶ MACIF

CH. DU RAUX 1996

■ Cru bourg. 15,6 ha 90 000 30 à 49 F

|88| |90| |**91**| 94 95 96

Issu d'un encépagement à majorité de merlot, ce vin à la jolie robe foncée limpide présente une structure légère mais pas absente qui sert d'appui à un bouquet intéressant par son association de notes fruitées, florales et fumées.

⊶ SCI du Raux, 33460 Cussac-Fort-Médoc, tél. 05.56.58.91.07, fax 05.56.58.91.07 ☑ Y r.-v.

CH. DU RETOUT 1996★

■ Cru bourg. 28,11 ha 90 000 50 à 69 F

Entré l'an dernier dans le Guide avec son 95, ce cru confirme cette année la qualité de sa production avec ce nouveau millésime né d'une vendange bien mûre. D'une belle couleur grenat, ce 96 développe un bouquet fin et agréable et une structure souple et grasse accompagnée de tanins qui commencent à se fondre mais qui demandent encore à s'affiner un an ou deux.

⊶ Gérard Kopp, Ch. du Retout, 33460 Cussac-Fort-Médoc, tél. 05.56.58.91.08, fax 05.56.58.91.08 ☒ Y r.-v.

CH. REYSSON Réserve 1996★★

■ Cru bourg. 67 ha 57 300 ⊕ 70 à 99 F

Issu d'une sélection sévère, ce vin a bénéficié de soins attentifs. Il est difficile de résister à la séduction de son bouquet, aussi puissant que complexe, associant cannelle, fleurs, grillé, cacao et épices. On ne peut davantage rester indifférent à sa prestation au palais, où il révèle une structure à la fois moelleuse et tannique. Pleine de charme, cette bouteille parfaitement équilibrée pourra être attendue deux ou trois ans pour être servie sur une belle entrecôte à la bordelaise.

⊶ SARL du Ch. Reysson, 17, cours de la Martinique, B.P. 90, 33027 Bordeaux Cedex, tél. 05.56.01.30.10, fax 05.56.79.23.57 Y r.-v.

CH. ROSE LA BICHE 1996

■ Cru bourg. 21 ha 24 000 ▮🌡 50 à 69 F

Produit sur un vignoble dépendant du château Giscours, ce vin atypique est encore marqué par l'élevage (réglisse, menthol), mais sa structure souple annonce déjà un caractère charmeur.

⊶ SAE Ch. Giscours, 10, rte de Giscours, Labarde, 33460 Margaux, tél. 05.57.97.09.09, fax 05.57.97.09.00, e-mail giscours@château-giscours.fr Y r.-v.

⊶ SCA Rose la Biche

CH. SAINT-AHON 1996★

■ Cru bourg. 30,66 ha 96 300 ▮⊕🌡 50 à 69 F

Si le château actuel ne date que du XIX[e]s., il a remplacé une construction plus ancienne qui fut propriété de Montesquieu. Sans être très puissant, son vin montre du caractère ; le cabernet-sauvignon l'emporte sur le boisé de qualité. Une bouteille fort plaisante par sa rondeur, sa souplesse, sa finesse et ses arômes de fruits confits.

⊶ Comte Bernard de Colbert, Ch. Saint-Ahon, Caychac, 33290 Blanquefort, tél. 05.56.35.06.45, fax 05.56.35.87.16 ☒ Y r.-v.

CH. SAINT-PAUL 1996★★

■ Cru bourg. 20 ha 100 000 ▮⊕🌡 50 à 69 F

Confirmant pleinement les succès du 95, ce nouveau millésime se distingue lui aussi par son grand sens de l'équilibre. La richesse et la densité de la structure indiquent clairement que l'extraction a été poussée, mais de façon raisonnable car la finesse du vin n'a pas eu à en souffrir. Tout promet une bouteille d'une grande harmonie, qui méritera d'être attendue pendant plusieurs années (de cinq à dix ans).

⊶ SC du Ch. Saint-Paul, 33180 Saint-Seurin-de-Cadourne, tél. 05.56.59.34.72, fax 05.56.59.38.35 ☒ Y r.-v.

CH. SEGUR 1996

■ Cru bourg. 18 ha 95 000 ▮⊕🌡 50 à 69 F

Jadis île d'Arès, ce cru tire son nom des Ségur qui possédèrent longtemps la propriété. Souple, rond et sans manières, ce vin conviendra pour un repas amical.

⊶ SCA Ch. Ségur, 33290 Parempuyre, tél. 05.56.35.28.25, fax 05.56.35.82.32 ☒ Y t.l.j. sf sam. dim. 9h-12h 13h30-17h30

CH. SENEJAC 1996★★

■ Cru bourg. 18 ha 90 000 ▮⊕🌡 70 à 99 F

89 |90| 91 **93** |94| 95 **96**

Situé dans une commune où les pavillons commencent à rappeler que l'urbanisation progresse aussi en haut-médoc, ce beau château du XVII[e]s. tient tête à l'envahisseur. Peut-être grâce à son fantôme mythique mais plus certainement grâce à la qualité de certains millésimes, comme ce 96 paré d'une brillante robe rubis foncé. Tannique et charpenté, il fait preuve d'une belle tenue tout au long de la dégustation. Egalement doté d'une jolie constitution, son second vin, l'**Artigue de Sénéjac 96**, a obtenu une étoile.

⊶ Charles de Guigné, Ch. Sénéjac, 33290 Le Pian-Médoc, tél. 05.56.70.20.11, fax 05.56.70.23.91 ☒ Y r.-v.

CH. SOCIANDO-MALLET 1996★★★

■ 46 ha 255 600 ⊕ 250 à 299 F

70 73 **|75| 76 78 80 81** |(82)| **83 84** |85| **86** 87 **88**
89 90 |91| **92 93 94** (95) (96)

Terroir, encépagement, histoire, il y aurait beaucoup à dire sur ce domaine créé au XVII[e]s. par un Basque, M. Sociando. Mais comment ne pas évoquer le rôle de Jean Gautreau ? Grande figure de la viticulture médocaine, c'est lui qui a porté le cru au plus haut niveau et qui l'y maintient, comme en témoigne ce superbe millésime. La présentation est incontestablement d'une grande classe, tant par la robe, d'une couleur profonde et brillante, que par le bouquet d'une réelle complexité où le fruit dialogue magnifiquement avec le boisé. S'appuyant sur des tanins mûrs, le palais est riche, dense, plein et gras. Tout annonce une très grande bouteille, à garder en cave pendant une dizaine d'années. Au niveau d'un cru classé.

⊶ SCEA Jean Gautreau, Ch. Sociando-Mallet,
33180 Saint-Seurin-de-Cadourne,
tél. 05.56.73.38.80, fax 05.56.73.38.88 🅅 Y r.-v.

LA DEMOISELLE DE SOCIANDO-MALLET 1996★★

■ 13 ha 177 700 ◍ 70 à 99 F

A Sociando, les qualités du grand vin sont telles qu'elles pourraient laisser redouter qu'il ne soit rien resté pour le cadet. Il n'en est rien. La seconde étiquette réussit le double exploit d'être non seulement remarquable mais aussi fidèle à sa typicité spécifique, en proposant un vin au caractère féminin. Souple, équilibré et élégant, ce 96 laisse sur une belle impression d'harmonie.

⊶ SCEA Jean Gautreau, Ch. Sociando-Mallet,
33180 Saint-Seurin-de-Cadourne,
tél. 05.56.73.38.80, fax 05.56.73.38.88 🅅 Y r.-v.

CH. SOUDARS 1996★★

■ Cru bourg. 22 ha 170 000 ◍ 70 à 99 F

82 83 **85** 86 |89| |**90**| 91 92 |**93**| |94| 95 **96**

Fief personnel d'Eric Miailhe, Soudars est devenu un bastion de la qualité. L'encépagement révèle une vraie connaissance du terroir, la part importante du merlot s'expliquant par la nature argilo-calcaire des sols. Ce vin de grande classe indique aussi très clairement que la vinification a été maîtrisée. Très équilibré grâce à une extraction bien dosée, il fait preuve d'une bonne complexité aromatique et se développe heureusement au palais pour déboucher sur une longue finale. Un beau vin de garde.

⊶ Vignobles E.-F. Miailhe, 33180 Saint-Seurin-de-Cadourne, tél. 05.56.59.36.09,
fax 05.56.59.72.39 🅅 Y r.-v.

CH. DU TAILLAN 1996★

■ Cru bourg. 25 ha 150 000 ◍ 50 à 69 F

Aux portes de Bordeaux, ce château est l'une des plus belles réalisations architecturales du XVIIIᵉs. en Gironde. Avec sa robe pourpre, ce vin a lui aussi fière allure. Souple, fin et équilibré, il se montre particulièrement attrayant par la richesse et l'élégance de ses parfums, qui vont de la torréfaction aux fruits cuits en passant par la vanille.

⊶ Héritiers Henri-François Cruse, La Dame-Blanche, 33320 Le Taillan-Médoc,
tél. 05.56.95.14.07, fax 05.56.35.87.49 🅅 Y t.l.j. sf sam. dim. 8h-18h

CH. TOUR DU HAUT-MOULIN 1996★

■ Cru bourg. 30 ha 200 000 ◍ 70 à 99 F

78 79 81 |**82**| |(83)| 84 **85** |**86**| 87 **88** |**89**| |**90**| |**91**| |**92**| **93** |94| 95 96

S'il a la réputation de produire des vins très tanniques et concentrés, ce cru sait aussi jouer d'autres cartes que la seule puissance. Grâce à ses tanins fondus, ce 96 peut s'appuyer sur une structure souple et bien équilibrée pour mettre en valeur une expression aromatique fine et distinguée.

⊶ SCEA Ch. Tour du Haut-Moulin, 7, rue des Aubarèdes, 33460 Cussac-Fort-Médoc,
tél. 05.56.58.91.10, fax 05.56.58.99.30 🅅 Y r.-v.
⊶ Lionel Poitou

CH. TOUR DU MOULIN 1996★

■ Cru bourg. n.c. 50 000 ▮◍🌡 50 à 69 F

Né sur un petit cru cussacais, ce vin a été présenté par son distributeur, la maison Schröder et Schyler. Si sa finale, encore un peu rustique, demande à s'affiner, sa structure classique, son volume et sa longueur lui assurent un bon potentiel d'évolution.

⊶ Gérard Kopp, Ch. Tour du Moulin,
33460 Cussac-Fort-Médoc, tél. 05.57.88.71.00,
fax 05.56.44.56.39

CH. TOUR SAINT JOSEPH 1996★

■ Cru bourg. n.c. n.c. ◍ 30 à 49 F

Exploité en fermage par les Quancard (de Cheval Quancard à Carbon-Blanc), ce cru s'inscrit dans l'esprit médocain par son équilibre entre la structure et la finesse. Ses tanins qui savent manifester leur présence tout en restant discrets et ses arômes aux notes suaves de vanille, de cannelle et de fruits confits lui donnent un visage charmeur. A moins de 30 F, le **Château Maurac 96**, du même producteur, a obtenu une citation.

⊶ Cheval Quancard, La Mouline, 4, rue du Carbouney, 33520 Carbon-Blanc,
tél. 05.57.77.88.88, fax 05.57.77.88.99,
e-mail chevalquancard@chevalquancard.com
Y r.-v.

CH. TROIS MOULINS 1996

■ Cru bourg. 60 ha 33 333 ▮◍ 30 à 49 F

Pour tous les Médocains, les Trois-Moulins de Macau correspondaient à l'un des carrefours les plus dangereux de la route des Vins. Heureusement, ce 96 aux tanins soyeux et aux parfums fruités n'inquiétera personne.

⊶ La Guyennoise, B.P. 17, 33540 Sauveterre-de-Guyenne, tél. 05.56.71.50.76,
fax 05.56.71.87.70
⊶ SCEA Carrère Fils

CH. VERDIGNAN 1996★

■ Cru bourg. 50 ha 300 000 ◍ 70 à 99 F

82 83 85 (86) **87** |88| |89| 90 91 92 |93| |**94**| **95** 96

Né sur des graves argileuses dominant la Gironde, ce vin a bénéficié d'un terroir de qualité. Très féminin par son élégance, tout en restant bien constitué, son palais montre qu'il a su tirer profit de ces conditions favorables. Un rien tentateur avec ses parfums de fruits rouges à la vanille, le bouquet témoigne lui aussi de sa bonne origine.

⊶ SC Ch. Verdignan, 33180 Saint-Seurin-de-Cadourne, tél. 05.56.59.31.02,
fax 05.56.81.32.35 🅅 Y r.-v.

CH. VIALLET-NOUHANT
Vieilli en fût de chêne 1996

■ Cru artisan 0,6 ha 4 700 ▮◍ 50 à 69 F

Issu d'une micro-vinification mais appartenant à une propriété de 5,2 ha, ce vin, vrai cru artisan, un peu confidentiel, est intéressant par sa structure tannique, qui n'exclut pas une certaine rondeur.

⊶ Alain Nouhant, 5, rue Jeanne-d'Arc,
33460 Cussac-Fort-Médoc, tél. 05.57.88.51.43,
fax 05.57.88.51.43 🅅 Y r.-v.

CH. VICTORIA 1996★★

■ Cru bourg.   55 ha   100 000 ▦ ◗❙❙ ♦ 70 à 99 F

Belle unité située à Cissac, ce cru est en mesure de produire un vin n'ayant rien de confidentiel. Cela ne rend que plus intéressant son 96. Soutenu par une solide structure à la trame serrée, celui-ci sait concilier puissance et élégance. Souples et ronds, ses tanins n'écrasent pas une belle expression aromatique, qui va des fruits rouges au toast, en passant par le moka. Une remarquable bouteille à attendre. Moins puissant mais fin, le **Château Le Bourdieu Vertheuil 96** (50 à 69 F), du même producteur, a obtenu une citation.
☛SC Ch. Le Bourdieu, 33180 Vertheuil, tél. 05.56.41.98.01, fax 05.56.41.99.32 ☑ ⊺ r.-v.

CH. DE VILLAMBIS 1996★

■ Cru bourg.   38 ha   n.c. ▦ ◗❙❙ ♦ 50 à 69 F

Ce cru est un Centre d'aide par le travail. Il propose un 96 fort réussi par la puissance de son bouquet, aux parfums de réglisse, de cacao et de vanille, par son équilibre et le potentiel de garde qu'annoncent ses tanins, encore fougueux. Distribué par le CVBG, dont le siège est à Parempuyre.
☛Ch. de Villambis, 33250 Cissac, tél. 05.56.59.58.02, fax 05.56.35.52.29 ☑
☛CAT Cissac-Médoc

CH. DE VILLEGEORGE 1996★★

■ Cru bourg.   15 ha   48 200 ▦ ◗❙❙ ♦ 100 à 149 F
83 **85** |86| 87 |89| |90| |93| 94 95 **96**

Souvent sous influence margalaise, ce cru innove avec ce millésime en proposant un vin qui joue résolument la carte de la puissance. Par sa structure et sa matière, mais aussi par ses arômes qui marient le cassis au cuir, le pruneau au café et le chocolat au rancio. Une belle bouteille à découvrir dans quatre ou cinq ans sur une entrecôte. Bien construit mais moins harmonieux, le second vin, **Reflet de Villegeorge** (50 à 69 F), a obtenu une citation.
☛SC Les Grands Crus réunis, 33480 Moulis-en-Médoc, tél. 05.56.58.22.01, fax 05.56.58.15.10 ⊺ r.-v.
☛M.-L. Lurton-Roux

Listrac-médoc

Correspondant exclusivement à la commune homonyme, l'appellation est la communale la plus éloignée de l'estuaire. C'est l'un des seuls vignobles que traverse le touriste se rendant à Soulac ou venant de la Pointe-de-Grave. Très original, son terroir correspond au dôme évidé d'un anticlinal, où l'érosion a créé une inversion de relief. A l'ouest, à la lisière de la forêt, se développent trois croupes de graves pyrénéennes, dont les pentes et le sous-sol souvent calcaire favorisent le drainage naturel des sols. Le centre de l'AOC, le dôme évidé, est occupé par la plaine de Peyrelebade, aux sols argilo-calcaires. Enfin, à l'est, s'étendent des croupes de graves garonnaises.

Le listrac est un vin vigoureux et robuste. Cependant, contrairement à ce qui se passait autrefois, sa robustesse n'implique plus aujourd'hui une certaine rudesse. Si certains vins restent un peu durs dans leur jeunesse, la plupart contrebalancent leur force tannique par leur rondeur. Tous offrent un bon potentiel de garde, entre sept et dix-huit ans selon les millésimes. En 1998, les 646 ha ont produit 37 997 hl.

CH. BAUDAN 1996

■   2,84 ha   22 000 ◗❙❙ 70 à 99 F

Entré l'an dernier dans le Guide, ce petit cru confirme cette année ses bonnes dispositions avec un vin doté lui aussi d'une belle structure tannique et que sa puissance et sa richesse destinent à la garde.
☛Sylvie et Alain Blasquez, Ch. Baudan, 33480 Listrac-Médoc, tél. 05.56.58.07.40, fax 05.56.58.04.72, e-mail chateau.baudan@wanadoo.fr ☑ ⊺ t.l.j. 9h-19h30

CH. BIBIAN TIGANA 1996★

■ Cru bourg.   23 ha   177 000 ▦ ◗❙❙ ♦ 30 à 49 F

Propriété depuis 1987 de l'ancien joueur du club des Girondins, ce cru a su tirer profit de son encépagement à dominante de merlot, dans ce millésime favorable, en proposant un vin dont la finesse et l'élégance ont été parfaitement respectées par un élevage bien dosé.
☛SARL Jean Tigana, Ch. Bibian Tigana, 10, rue de l'Eglise, 33480 Listrac-Médoc, tél. 05.56.58.05.47, fax 05.56.58.06.86 ☑ ⊺ r.-v.

CALVET 1997

■   n.c.   45 000 ▦ ♦ 30 à 49 F

Marque du négoce bordelais, ce vin manifeste sa personnalité par une réelle puissance qui s'exprime au bouquet, avec de belles notes de fumée, de pivoine et de cuir, comme au palais, avec une solide et savoureuse trame tannique.
☛Calvet, 75, cours du Médoc, 33300 Bordeaux, tél. 05.56.43.59.00, fax 05.56.43.17.78 ⊺ r.-v.

CH. CAP LEON VEYRIN 1996★

■ Cru bourg.   17 ha   100 000 ◗❙❙ 70 à 99 F
|90| 91 92 |93| 94 95 96

Bientôt deux siècles et six générations de présence familiale sur ce cru. Voilà qui crée une obligation de résultat et de qualité. Défi relevé avec ce vin dont le bouquet subtil et complexe (fruits rouges séveux, grillé et poivre) est suivi par un palais souple, charnu et corsé, aux fins tanins réglissés.

⚷ Alain Meyre, Ch. Cap Léon Veyrin, 33480 Listrac-Médoc, tél. 05.56.58.07.28, fax 05.56.58.07.50 ☑ Y t.l.j. sf sam. dim. 9h-12h 14h-17h; groupes sur r.-v.

CH. CLARKE 1996★★

■ Cru bourg. 53 ha n.c. (I) 100 à 149 F

81 82 83 85 (86) **88** |89| |**90**| **91 92** 93 **94 95 96**

Jouant parfaitement son rôle de locomotive de l'appellation, attribué unanimement à ce cru depuis son achat par Edmond de Rothschild en 1973, ce 96 ne manque pas d'atouts pour séduire. Une robe brillante et profonde, un bouquet expressif, avec d'originales notes de feuilles sèches, de prune confite, d'abricot et de vanille caramélisée, tout montre que ce 96 a l'art de bien se présenter. Ample, charnu, gras, aromatique et suave, le palais n'est pas en reste et méritera les honneurs de la cave.

⚷ Cie vin. barons Ed. et B. de Rothschild, 33480 Listrac-Médoc, tél. 05.56.58.38.00, fax 05.56.58.26.46, e-mail chateau.clarke@wanadoo.fr ☑ Y r.-v.

⚷ Benjamin de Rothschild

CH. DUCLUZEAU 1996★★

■ Cru bourg. 4,9 ha 35 000 (I) 50 à 69 F

Appartenant à la famille Borie (Ducru-Beaucaillou à Saint-Julien), ce cru est réputé pour l'intensité de son vin. Le bouquet de ce millésime s'inscrit dans la tradition, avec des parfums de fruits rouges sur fond de cuir. Son élégance se retrouve au palais, qui s'ouvre sur une belle finale épicée.

⚷ Mme J.-E. Borie, Ch. Ducluzeau, 33480 Listrac-Médoc, tél. 05.56.73.16.73, fax 05.56.59.27.37

CH. FONREAUD 1996

■ Cru bourg. 30 ha 150 000 (I) 70 à 99 F

81 **82** 83 **85** 86 88 |89| |90| 91 92 93 95 96

Juché sur une croupe au-dessus de la route de Bordeaux à Soulac, ce château réussit la prouesse d'être à la fois simple, côté vignes, et complexe, côté parc. A son image, ce 96 débute par un bouquet discret avant de se révéler beaucoup plus puissant au palais. Celui-ci, très boisé, laisse le fruit venir et s'imposer en finale.

⚷ Ch. Fonréaud, 33480 Listrac-Médoc, tél. 05.56.58.02.43, fax 05.56.58.04.33 ☑ Y r.-v.

⚷ Héritiers Chanfreau

CH. FOURCAS-DUMONT 1996★

■ 6,5 ha 45 000 (I) 70 à 99 F

La place faite au merlot dans l'encépagement de ce vin (60 %) se retrouve dans son caractère. De son bouquet, relevé de jolies notes vanillées, à la finale que soutiennent de fins tanins, tout contribue à lui donner un côté friand.

⚷ SCA Ch. Fourcas-Dumont, 12, rue Odilon-Redon, 33480 Listrac-Médoc, tél. 05.56.58.03.84, fax 05.56.58.01.20, e-mail fourcas.dumont@wanadoo.fr ☑ Y t.l.j. 9h-12h 14h-18h; sam. dim. sur r.-v.

CH. FOURCAS DUPRE 1996★★

■ Cru bourg. 44 ha n.c. (I) 70 à 99 F

(78) **79 81** 82 83 |**85**| |**86**| |**88**| |**89**| |90| |91| |**92**| 93 |94| **95 96**

Belle unité, ce cru, qui offre d'ordinaire un vin dans le style traditionnel des listrac, présente ici un 96 s'inscrivant dans la logique moderne de l'appellation. Porté par des tanins souples et une structure grasse, il développe un bouquet intense et harmonieux avec des notes fruitées, florales, épicées et vanillées. D'une grande élégance, la finale se signale par de beaux arômes de tabac. Le second vin, **Château Bellevue Laffont 96**, cité par le jury, ne pourra être attendu cinq ans comme son aîné, mais sa tendresse et ses sages tanins le rendent plaisant dès maintenant. (30 à 49 F)

⚷ Ch. Fourcas Dupré, 33480 Listrac-Médoc, tél. 05.56.58.01.07, fax 05.56.58.02.27 ☑ Y t.l.j. 8h-12h 14h-17h30

CH. FOURCAS HOSTEN 1996★★

■ Cru bourg. 46,74 ha n.c. (I) 70 à 99 F

75 78 81 |(82)| |**83**| |**85**| |**86**| |88| |89| |90| 91 92 93 94 **95 96**

Une longue chartreuse pourvue d'un pavillon central, et un parc de trois hectares orné en automne d'un splendide parterre de cyclamens, ce château ne manque pas d'attraits. Son élégance se retrouve dans le vin. Celui-ci sait se présenter, dans une robe d'un rouge vif engageant. Généreux et complexe (fruits mûrs, épices, encens et foin), le bouquet explose avant de laisser la place à un palais ferme et puissant, dont la solide trame tannique garantit une belle évolution à cette bouteille de qualité. Cité par le jury, le second vin, la **Chartreuse d'Hosten 96** ne manque ni de charme ni de finesse. Il sera agréable à ouvrir sur un coquelet aux petits pois (30 à 49 F).

⚷ SC du Ch. Fourcas-Hosten, rue de l'Eglise, 33480 Listrac-Médoc, tél. 05.56.58.01.15, fax 05.56.58.06.73 ☑ Y t.l.j. sf sam. dim. 9h-11h30 14h-16h30

Moulis et Listrac

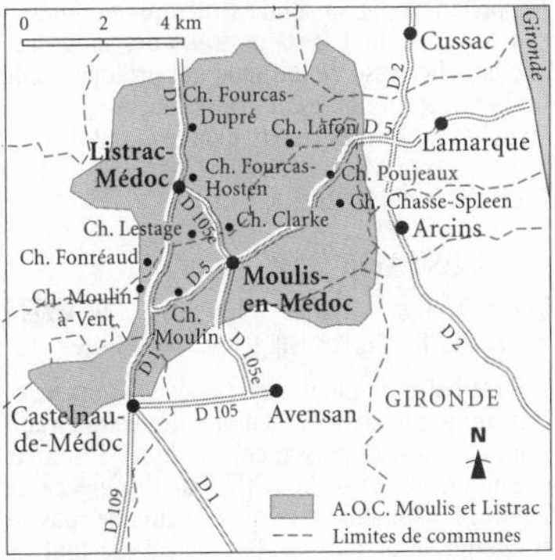

CH. FOURCAS LOUBANEY 1996★

■ Cru bourg. 12,5 ha 80 000 ⏺ 70 à 99 F

82 **83 85** ⑧⑥ |88| |89| 90 91 92 93 |94| **95** 96

Appartenant au secteur des Fourcas, ce cru jouit d'un terroir de qualité, avec une belle croupe de graves pyrénéennes. S'il demande encore à s'affiner, ce vin montre clairement qu'il est de bonne origine. Son bouquet, fin et intense, comme sa structure, solide et équilibrée, ne laissent aucun doute sur son aptitude à bien évoluer dans les années à venir.

🔑 SEA Fourcas-Loubaney, Moulin de Laborde, 33480 Listrac-Médoc, tél. 05.56.58.03.83, fax 05.56.58.06.30 ☑ Y t.l.j. sf sam. dim. 9h-12h30 14h-17h30; f. du 24 déc.-2 janv.

GRAND LISTRAC

La Caravelle Elevé en fût de chêne 1996★

■ 4 ha 22 000 ⏺ 70 à 99 F

Cuvée prestige de la cave coopérative, ce vin sait créer un véritable effet de surprise. Assez discret au début, son bouquet se développe pour laisser parler le merlot, fortement représenté dans l'encépagement, avant de montrer toute son ampleur au palais. Issue de parcelles de vieilles vignes sévèrement sélectionnées, cette cuvée n'a pas à craindre la garde.

🔑 Cave de vinification de Listrac-Médoc, 21, av. de Soulac, 33480 Listrac-Médoc, tél. 05.56.58.03.19, fax 05.56.58.07.22 ☑ Y t.l.j. sf dim. 8h-12h 14h-18h

CH. LALANDE Cuvée spéciale 1996

■ Cru bourg. 10 ha 26 000 ⏺ 50 à 69 F

Bien qu'appartenant à la Cuvée spéciale, ce vin n'est pas d'une grande concentration, mais il possède une bonne structure, qui le rend plaisant, tout comme son bouquet fruité.

🔑 EARL Darriet-Lescoutra, Ch. Lalande, 33480 Listrac-Médoc, tél. 05.56.58.19.45, fax 05.56.58.15.62 ☑ Y t.l.j. 9h-12h 14h-19h; dim. sur r.-v.

CH. LA LAUZETTE-DECLERCQ 1996★

■ Cru bourg. 13 ha 89 000 ⏺ 70 à 99 F

Ce cru, autrefois dénommé simplement La Lauzette, et aujourd'hui dans des mains belges, a tiré profit des conditions favorables de ce millésime. Caractéristique du style classique de l'appellation par sa solide structure tannique, il sait aussi adopter certains traits des modernes par la délicatesse de la finale qui prolonge celle du bouquet aux notes de fruits rouges.

🔑 SC Vignobles Declercq, Couhenne, B.P. 4, 33480 Listrac-Médoc, tél. 32.51.30.40.81, fax 32.51.31.90.54 ☑ Y r.-v.

CH. LESTAGE 1996★

■ Cru bourg. 30 ha 180 000 ⏺ 70 à 99 F

81 82 83 **85** |86| |89| |90| 91 92 94 95 96

Très bel exemple du style Second Empire, ce château garde aussi la mémoire des listrac traditionnels par sa puissance tannique. Il reflète cependant les vins du XXe s. par l'influence de l'élevage. Toutefois, celui-ci n'élimine pas le fruit, qui se manifeste avec délicatesse tout au long de la dégustation. La robe est sombre et profonde.

🔑 Ch. Lestage, 33480 Listrac-Médoc, tél. 05.56.58.02.43, fax 05.56.58.04.33 ☑ Y r.-v.

🔑 Héritiers Chanfreau

CH. MALBEC LARTIGUE 1996★

■ 14 ha 27 000 ⏺ 30 à 49 F

Du même producteur que le Mayne Lalande, ce vin pourra surprendre certains amateurs, qui ne retrouveront pas la robustesse des listrac traditionnels. Mais l'élégance et la noblesse de la matière, qui sait résister au chêne, possèdent un réel pouvoir de séduction. Notez le joli nez où cannelle et vanille s'associent aux fruits secs (figue).

🔑 Bernard Lartigue, Ch. Mayne Lalande, 33480 Listrac, tél. 05.56.58.27.63, fax 05.56.58.22.41 ☑ Y r.-v.

CH. MAYNE LALANDE 1996★

■ Cru bourg. 14 ha 50 000 ⏺ 70 à 99 F

85 86 88 |89| **90** 91 92 94 |95| 96

Il y a quinze ans, ce cru fut l'une des découvertes de la première édition du Guide. Une décennie et demie après, il est devenu l'une des valeurs sûres de l'appellation. Encore marqué par le bois, le bouquet de son 96 est de bon augure pour l'avenir avec de puissantes notes de raisin mûr. Ample, riche et dense, sa matière confirme le potentiel par ses tanins soyeux.

🔑 Bernard Lartigue, Ch. Mayne Lalande, 33480 Listrac, tél. 05.56.58.27.63, fax 05.56.58.22.41 ☑ Y r.-v.

CH. MOULIN DU BOURG 1996★

■ Cru bourg. 10 ha 60 000 ⏺ 50 à 69 F

Seconde étiquette du château Fourcas-Dumont, ce vin est assez proche de son grand frère. Comme lui, il sait concilier une bonne structure et un côté friand. Le bouquet exprime des odeurs épicées, résineuses et une note de poivron. A attendre un peu.

🔑 SCA Ch. Fourcas-Dumont, 12, rue Odilon-Redon, 33480 Listrac-Médoc, tél. 05.56.58.03.84, fax 05.56.58.01.20, e-mail fourcas.dumont@wanadoo.fr ☑ Y t.l.j. 9h-12h 14h-18h; sam. dim. sur r.-v.

CH. PEYREDON LAGRAVETTE 1996★★

■ Cru bourg. 6,5 ha 40 000 ⏺ 70 à 99 F

81 ⑧② **83 85** 86 |88| |89| |90| 91 92 |93| 94 **95 96**

Né dans le quartier de Médrac, sur un terroir de graves du günz prolongeant la croupe de Poujeaux, ce cru jouit d'une solide réputation. Une fois encore, il la justifie avec un 96 fort réussi. Sa robe, d'un rouge grenat profond à reflets violets, est prometteuse - mais pas menteuse. Son bouquet aux notes de fruits mûrs, son attaque moelleuse, ses beaux tanins et son bois, qui a l'élégance de laisser la première place au vin, se portent garants de son évolution.

🔑 Paul Hostein, 2062 Médrac Est, Ch. Peyredon-Lagravette, 33480 Listrac-Médoc, tél. 05.56.58.05.55, fax 05.56.58.05.50 ☑ Y t.l.j. sf dim. 9h30-12h; f. 20 sept.- 10 oct.

CH. REVERDI Réserve personnelle 1996★

■ Cru bourg. 19 ha 145 000 50 à 69 F

81 (82) 83 |85| |**86**| |88| **89** 90 91 |93| 94 |95| 96

Résultat d'un travail soigné, cette Réserve personnelle fait honneur à son élaborateur. Riche et expressif, son bouquet montre que l'apport du bois a su respecter le fruit pour constituer un ensemble complexe et harmonieux. Au palais, on retrouve une belle présence, avec une habile complicité entre la chair et le volume qui savent composer avec les tanins pour forger la personnalité de cette bouteille fort réussie. Le deuxième vin, **Château L'Ermitage 96**, ne se laisse pas oublier et reçoit lui aussi une étoile. Il est flatteur par son bouquet passant de la vanille et du toast aux fruits rouges mûrs et au foin. Une **version négoce de ce même Château l'Ermitage** est proposée par la maison Germe, filiale d'André Quancard. Elle est différente par son volume, moins boisée. Citée, la version négoce coûte moins de 50 F.

Christian Thomas, village Donissan, 33480 Listrac-Médoc, tél. 05.56.58.02.25, fax 05.56.58.06.56 ☑ Y t.l.j. 9h-12h 14h-18h; f. 20 Sept.-20 oct.

CH. SARANSOT-DUPRE 1996★

■ Cru bourg. 12 ha 50 000 70 à 99 F

70 71 75 78 81 **82** 83 85 |**86**| **88** |**89**| |**90**| 91 |93| |94| **95** 96

Plus de cent vingt ans sur le domaine et de trente ans à Listrac, les Raymond sont des gens fidèles et sérieux. Ce 96 en apporte la preuve ; d'abord par son bouquet, où les fruits et les fleurs croisent le tabac et les fleurs séchées, ensuite par son évolution au palais. Rassurant quant à son avenir par sa charpente, ce vin révèle sa forte personnalité par des arômes vanillés et exotiques dont la puissance est presque envoûtante.

Yves Raymond, Ch. Saransot-Dupré, 33480 Listrac-Médoc, tél. 05.56.58.03.02, fax 05.56.58.07.64 ☑ Y t.l.j. sf sam. dim. 9h-12h 14h-18h

CH. SEMEILLAN MAZEAU
Cuvée Jander 1996★★

■ Cru bourg. 18,77 ha 60 000 100 à 149 F

94 95 **96**

A l'image du château, bel édifice néo-classique campé sur l'un des points culminants du Médoc, ce vin montre qu'il n'a rien de fragile, sa matière s'inscrivant dans l'esprit du cru. Et, comme la demeure qu'égaye une belle terrasse, il sait éviter l'austérité non seulement par ses côtés gras et charnus, mais aussi par la délicatesse de ses parfums relevés d'une note balsamique. Tout promet une bouteille des plus harmonieuses d'ici quelques années.

SCE Les Vignobles Jander, 41, av. de Soulac, 33480 Listrac-Médoc, tél. 05.56.58.01.12, fax 05.56.58.01.57 ☑ Y r.-v.

> L'alcool assure corps et rondeur au vin ; l'acidité lui donne l'attaque et la nervosité ; les tanins lui procurent structure et charpente.

Margaux

Si Margaux est le seul nom d'appellation à être aussi un prénom féminin, ce n'est sans doute pas par pur hasard. Il suffit de goûter un verre bien typé provenant du terroir margalais pour saisir les liens subtils qui unissent les deux.

Les margaux présentent une excellente aptitude à la garde, mais ils se distinguent aussi par leur souplesse et leur délicatesse, que soutiennent des arômes fruités d'une grande élégance. Ils constituent l'exemple même des bouteilles tanniques généreuses et suaves, à enregistrer sur le livre de cave dans la classe des vins de grande garde.

L'originalité des margaux tient à de nombreux facteurs. Les aspects humains ne sont pas à négliger. A l'écart des autres grandes communales médocaines, les viticulteurs margalais ont moins privilégié le cabernet-sauvignon. Ici, tout en restant minoritaire, le merlot prend une importance accrue. D'autre part, l'appellation s'étend sur le territoire de cinq communes : Margaux et Cantenac, Soussans, Labarde et Arsac. Dans chacune d'elles tous les terrains ne font pas partie de l'AOC ; seuls les sols présentant les meilleures aptitudes viti-vinicoles ont été retenus. Le résultat est un terroir homogène, composé par une série de croupes de graves.

Celles-ci s'articulent en deux ensembles : à la périphérie se développe un système faisant penser à une sorte d'archipel continental, dont les « îles » sont séparées par des vallons, ruisseaux ou marais tourbeux ; au cœur de l'appellation dans les communes de Margaux et de Cantenac, s'étend un plateau de graves blanches, d'environ six kilomètres sur deux, que l'érosion a découpé en croupes. C'est dans ce secteur que sont situés nombre des dix-huit grands crus classés de l'appellation.

Remarquables par leur élégance, les margaux sont des vins qui appellent des mets raffinés, comme le chateaubriand, le canard, le perdreau ou, bordeaux oblige, l'entrecôte à la bordelaise. En 1998, 68 231 hl ont été produits.

BORDELAIS

CH. D'ANGLUDET 1996*

■ Cru bourg. 32 ha 140 000 (||) 150 à 199 F

85 (86) **88** 89 |90| 91 92 93 94 95 96

Issu d'un vignoble dans la ligne de l'appellation avec une bonne proportion de merlot (35 %), ce vin se montre très margaux par son bouquet aux fines notes florales. Agréable et harmonieux, tout en assurant une bonne évolution tannique, le palais suit dans le droit fil. Egalement porté par des tanins doux et ronds, le second vin **La Ferme d'Angludet** (100 à 149 F) produit 40 000 bouteilles et a obtenu une étoile.

⊶ Maison Sichel-Coste, 8, rue de la Poste,
33212 Langon, tél. 05.56.63.50.52,
fax 05.56.63.42.28

BARTON ET GUESTIER Tradition 1996

■ n.c. 54 000 (||) 50 à 69 F

Proposé par l'une des plus importantes firmes de négoce de Bordeaux, ce vin est agréable avec sa belle robe grenat, son bouquet aux fines notes de fruits mûrs et sa structure souple que portent des tanins amples et bien fondus.

⊶ Barton et Guestier, Ch. Magnol, B.P. 30,
33290 Blanquefort Cedex, tél. 05.56.95.48.00,
fax 05.56.95.48.01, e-mail barton-&-guestier@seagram.com

CH. BELLEGARDE 1996

■ 23 ha 120 000 (||) 150 à 199 F

Seconde étiquette de Siran, ce vin n'a pas le même volume mais son bouquet fin et délicat et sa solide charpente le rendent intéressant.

⊶ SC du Ch. Siran, 33460 Labarde,
tél. 05.57.88.34.04, fax 05.57.88.70.05,
e-mail chateau.siran@wanadoo.fr ☑ Y t.l.j.
10h-12h30 13h30-18h

⊶ Alain Miailhe

CH. BOYD-CANTENAC 1996*

■ 3ème cru clas. 17 ha 70 000 (||) 150 à 199 F

70 **75** 79 80 **|81|** (82) **|83|** **|85|** **|86|** **|88|** |89| **|90|** **|91|** |92| 94 **95** 96

Fort bien situé sur le rebord septentrional du plateau de Cantenac, ce cru démontre une fois encore la qualité de son terroir et le savoir-faire des Guillemet. Derrière une robe très jeune à reflets violets, le bouquet révèle toute sa puissance à l'agitation et libère de jolis arômes de fruits et d'épices. Ample, gras et généreux, le palais conduit sans heurts vers une belle finale boisée.

⊶ SCE Ch. Boyd-Cantenac et Pouget,
33460 Cantenac, tél. 05.57.88.30.58,
fax 05.57.88.33.27 ☑ Y r.-v.

LE BARON DE BRANE 1996*

■ 78 ha 80 000 (||) 70 à 99 F

Né de vignes légèrement plus jeunes que le grand vin, ce « petit second » n'a pas de complexes ! Il n'a d'ailleurs aucune raison d'en avoir : du bouquet aux arômes de cuir en passant par le palais élégant, tout est équilibré, d'une grande harmonie entre le fruit et le bois.

⊶ SCEA du Ch. Brane-Cantenac,
33460 Cantenac, tél. 05.57.88.83.33,
fax 05.57.88.72.51 Y r.-v.

CH. BRANE-CANTENAC 1996***

■ 2ème cru clas. 78 ha 110 000 (||) 200 à 249 F

70 **71** **75** **76** **78** **79** **|81|** 82 **|83|** 84 **|85|** (86) 87 **|88|** **89** **90** |91| |92| 93 **94** **95** (96)

Confirmant l'évolution des millésimes précédents, ce 96 ne laisse aucun doute : Henri Lurton est parti pour devenir un grand nom de la viticulture, comme le fut en son temps le baron de Brane. Une vinification dans la tradition bordelaise a marqué très heureusement ce vin, finement bouqueté, concentré, riche et d'une belle élégance tant dans ses tanins que dans ses arômes : sa palette associant moka, cassis, chocolat, et tabac le rendent déjà harmonieux, mais il est vivement conseillé de l'oublier plusieurs années dans sa cave.

⊶ SCEA du Ch. Brane-Cantenac,
33460 Cantenac, tél. 05.57.88.83.33,
fax 05.57.88.72.51 Y r.-v.

⊶ Henri Lurton

CH. CANTENAC-BROWN 1996**

■ 3ème cru clas. 42 ha 180 000 (||) 250 à 299 F

75 76 79 80 **81** **82** **|83|** **85** **|86|** |87| **|88|** **|89|** |(90)| **|91|** **|92|** **93** **94** **95** **96**

Jean-Michel Cazes, qui préside aux destinées de Cantenac-Brown pour AXA, confirme une fois encore qu'il sait exprimer parfaitement l'âme du terroir margalais, tout Pauillacais qu'il soit. Souple, puis ample et généreux dans son développement au palais, ce 96 ne laisse jamais oublier son identité, que rappellent la finesse du bouquet, entre cerise et sous-bois, l'élégance de la structure et le côté soyeux de la finale. Une jolie bouteille, déjà plaisante pour les amateurs de jeunes margaux, mais qui saura grandir encore avec quelques années de garde.

⊶ Jean-Michel Cazes, Ch. Cantenac-Brown,
33460 Margaux, tél. 05.57.88.81.81,
fax 05.57.88.81.90,
e-mail Infochato@cantenacbrown.com
☑ Y r.-v.

⊶ Axa Millésime

CANUET 1996

■ n.c. 60 000 (||) 100 à 149 F

Second vin de Cantenac-Brown, cette bouteille est plus simple que sa grande sœur mais bien constituée avec de jolis tanins veloutés et un bouquet délicat.

Jean-Michel Cazes, Ch. Cantenac-Brown, 33460 Margaux, tél. 05.57.88.81.81, fax 05.57.88.81.90, e-mail Infochato@cantenacbrown.com r.-v.
AXA Millésime

CH. CHARMANT 1996

4,7 ha 28 000 70 à 99 F

Ni la cuvaison ni l'élevage n'ont été trop forcés. A juste titre, car l'on sent que l'extraction n'aurait pas pu être poussée plus loin sans déséquilibrer l'ensemble qui se montre intéressant et apte à évoluer dans les deux à trois ans à venir.
SCEA René Renon, Ch. Charmant, 33460 Margaux, tél. 05.57.88.35.27, fax 05.57.88.70.59 r.-v.

CH. DAUZAC 1996★★

5ème cru clas. 25 ha n.c. 200 à 249 F
78 79 |80| |**81**| **82 83** 84 **85** |**86**| |**87**| |**88**| |**89**| |(**90**)| 91 92 |93| **95 96**

André Lurton, qui dirige ce cru pour le compte de la Mutuelle des fonctionnaires, ne ménage pas ses efforts pour élaborer un vin de qualité. Avec succès, comme le montre ce 96 paré d'une robe pourpre intense, bien dans la ligne Dauzac. A la gourmandise d'un bouquet faisant la part belle à la confiture (de fraises et de cerises) s'ajoutent une trame serrée, de la mâche et un bon soutien du bois, qui lui assureront un bel avenir (jusqu'à quinze ans et plus).
Sté d'exploitation du Ch. Dauzac, 33460 Labarde-Margaux, tél. 05.57.88.32.10, fax 05.57.88.96.00 r.-v.
MAIF

LA BASTIDE DAUZAC 1996

20 ha n.c. 70 à 99 F

Sans présenter la même aptitude à la garde que le grand vin, ce 96 montre qu'il méritera d'être attendu de trois à quatre ans ; tant par son bouquet où se crée une vraie synergie entre le fruit et le bois, que par son palais aux tanins bien fondus.
Sté d'exploitation du Ch. Dauzac, 33460 Labarde-Margaux, tél. 05.57.88.32.10, fax 05.57.88.96.00 r.-v.

CH. DESMIRAIL 1996★

3ème cru clas. 30 ha 100 000 200 à 249 F
81 |**82**| (83) |**85**| |**86**| **87** 88 |**89**| **90** |91| |92| |93| 94 95 96

La forte domination du cabernet-sauvignon (90 %) n'empêche pas ce vin de jouer à fond la carte de la finesse avec un bouquet encore fermé mais annonçant déjà son élégance. A l'image de la robe, d'un beau grenat à reflets violets, le

Margaux

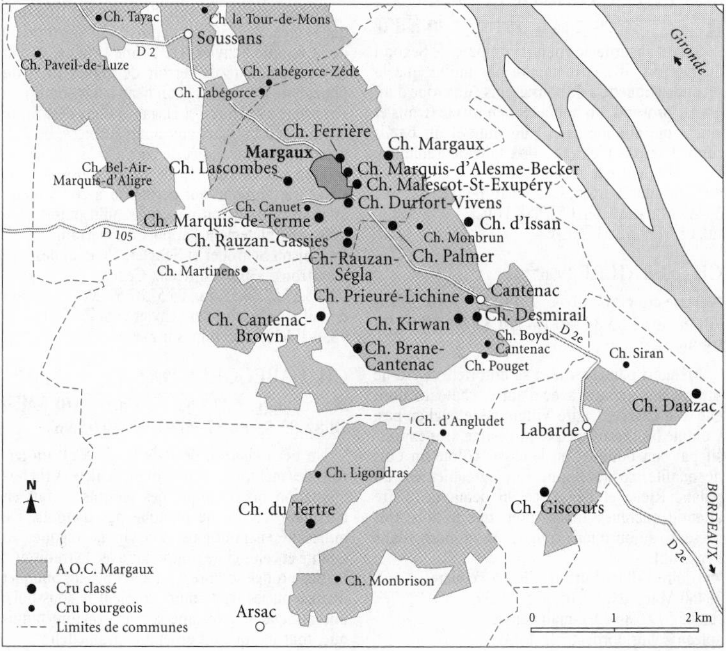

palais se montre à la fois prometteur et harmonieux avec des tanins bien fondus et des fragrances de groseille.

☛ SCEA du Ch. Desmirail, 33460 Cantenac, tél. 05.57.88.83.33, fax 05.57.88.72.51 ⌶ r.-v.

☛ Lucien Lurton

CH. DURFORT-VIVENS 1996★★★

■ 2e cru clas.   29,82 ha   65 000   ⅏ 200 à 249 F
75 76 81 82 83 85 |86| |88| |89| |90| |91| 92 |93| **94 95**

Un bon terroir, des équipements performants, un travail méthodique : à Durfort on connaît la recette pour élaborer un grand vin. Celui-ci montre sa puissance par une trame serrée qui sait être concentrée et tannique sans tomber dans la sévérité. Riche et soyeux, le palais est à la hauteur du bouquet aux notes complexes et délicates (fruits confits, moka, fumée) et de la robe, d'une belle couleur rubis.

☛ Gonzague Lurton, Ch. Durfort-Vivens, 33460 Margaux, tél. 05.57.88.31.02, fax 05.57.88.72.51 ⌶ r.-v.

SEGOND DE DURFORT 1996

■   29,82 ha   85 000   ⅏ 70 à 99 F

S'il est absurde de vouloir comparer le Segond au Durfort, il n'en demeure pas moins que la seconde étiquette a de bons atouts : une robe d'un grenat profond, un bouquet bien formé (fruits et cuir), une attaque assez puissante et un palais rond et ample. L'élevage a parfaitement maîtrisé l'équilibre entre le raisin et le fût.

☛ Gonzague Lurton, Ch. Durfort-Vivens, 33460 Margaux, tél. 05.57.88.31.02, fax 05.57.88.72.51 ⌶ r.-v.

CH. FERRIERE 1996★★

■ 3ème cru clas.   10 ha   43 550   ⅏ 200 à 249 F
70 75 78 81 83 84 |85| |86| |87| |88| 89 |92| **93 94 95 96**

Même si par sa taille et sa notoriété ce cru ne saurait se comparer avec d'autres châteaux dont elle a la charge, Claire Villars ne la néglige pas. Comme les précédents, ce millésime, très expressif par son bouquet où le cassis côtoie un bois de qualité, se développe fort agréablement au palais. Riche et dense, ce 96 demande d'être attendu quelques années pour que le bois, très présent aujourd'hui, puisse se fondre dans l'ensemble.

☛ Claire Villars-Lurton, Ch. La Ferrière, 33460 Margaux, tél. 05.56.58.02.37, fax 05.57.88.84.40, e-mail chasse-spleen@vins.bordeaux.fr ⌶ r.-v.

CH. HAUT BRETON LARIGAUDIERE 1996★

■ Cru bourg.   12,46 ha   63 000   ▤ ◧ ♨   100 à 149 F
|90| |91| 92 |93| 94 95 96

Aujourd'hui séparé de son château, transformé en restaurant, ce cru fut autrefois le plus vaste vignoble de Soussans. Bien que réduit, il n'en offre pas moins un vin de bonne tenue, avec un bouquet complexe (fumée, fruits à l'eau-de-vie) et un palais souple, ample et dynamique. Ses tanins de qualité lui assureront une bonne garde.

☛ SCEA Ch. Haut Breton Larigaudière, 33460 Soussans, tél. 05.57.88.94.17, fax 05.57.88.39.11 ☑

CH. D'ISSAN 1996★

■ 3ème cru clas.   28 ha   140 000   ⅏ 250 à 299 F
82 **83** 84 **85** |86| 87 |88| |89| 90 |93| **94** 95 96

Splendide manoir du XVIIᵉs., ce château a acquis une grande notoriété au XIXᵉs., son vin ayant été l'un des préférés de l'empereur François-Joseph d'Autriche. S'il a tendance à privilégier la souplesse, ce n'est pas le cas avec ce millésime qui exprime sa personnalité par la puissance de sa structure, avec des tanins encore un peu austères mais très prometteurs comme le montre la finale persistante.

☛ Sté Fermière Viticole de Cantenac, 33460 Cantenac, tél. 05.57.88.35.91, fax 05.57.88.74.24 ☑ ⌶ r.-v.

☛ Cruse

CH. KIRWAN 1996★★

■ 3ème cru clas.   35 ha   100 000   ⅏ 300 à 499 F
75 79 81 82 83 |85| |86| |88| |89| 91 92 |93| 94 **95 96**

Le château de Kirwan, du nom de l'Irlandais qui le créa en 1780, est depuis 1925 la propriété de la famille Schyler. De bonne origine, ce vin reflète la qualité du terroir de graves fines du plateau de Cantenac. D'un beau rubis sombre, il s'exprime avec force et élégance dans l'esprit du cru par son bouquet aux notes d'épices, de gingembre, de chocolat et de cuir. Corsé, charnu et solidement charpenté, le palais possède une structure tannique qui permettra à ce 96 d'être attendu cinq ans ou plus, afin qu'il puisse assimiler complètement l'apport du merrain.

☛ Maison Schröder et Schyler, 55, quai des Chartrons, 33027 Bordeaux Cedex, tél. 05.57.87.64.55, fax 05.57.87.57.20, e-mail mail@schroder-schyler.com ☑ ⌶ t.l.j. 9h30-17h30; sam. dim. sur r.-v.

CH. LABEGORCE 1996★

■ Cru bourg.   32,8 ha   n.c.   ⅏ 100 à 149 F
78 82 83 **85 86** 87 90 91 92 |93| 95 96

Un beau château de style Louis XVI, un terroir, des méthodes de travail méticuleuses (la fermentation malolactique des merlots se fait en barrique), ce cru ne manque pas d'atouts. De millésime en millésime, son vin est régulier en qualité et celui-ci ne rompt pas avec la tradition : un beau rouge sombre à reflets rubis, un bouquet intense où les fruits mûrs côtoient le sous-bois, une attaque souple, une solide structure tannique, tout indique un ensemble prometteur.

Ch. Labégorce, 33460 Margaux, tél. 05.57.88.71.32, fax 05.57.88.35.01 ☑ Y r.-v.
Hubert Perrodo

CH. LABEGORCE ZEDE 1996*

■ Cru bourg. n.c. n.c. 150 à 199 F

82 (83) |85| |86| 87 |88| 89 90 91 **92** |93| 94 **95** 96

Pour les amateurs d'anecdotes, rappelons que ce cru a appartenu à la famille du constructeur de la Gymnote, l'ancêtre des sous-marins français. Comme c'est fréquemment le cas pour les vins du cru, ce 96 offre un bouquet élégant, avec un petit côté animal pas désagréable. Au palais, ses tanins très veloutés conduisent en douceur vers une longue et belle finale. Jolie garde assurée.

GFA Labégorce-Zédé, 33460 Soussans, tél. 05.57.88.71.31, fax 05.57.88.72.54 ☑ Y t.l.j. 9h-12h 14h-18h
L. Thienpont

LA BERLANDE 1996*

■ 4 ha 24 000 50 à 69 F

Forte personnalité, Henri Duboscq, négociant et propriétaire du château Haut-Marbuzet en saint-estèphe, réussit à nous étonner une fois encore avec son margaux de marque dont le nom - qui signifie « au bord de la lande » - s'accorde avec de surprenantes odeurs de résineux et d'eucalyptus, qui se retrouvent au palais comme dans le bouquet. Une belle matière tannique les enrobe ; l'ensemble est prometteur.

Brusina Brandler, 3, quai de Bacalan, 33300 Bordeaux, tél. 05.56.39.26.77, fax 05.56.69.16.84 ☑ Y r.-v.

CH. LA BESSANE 1996*

■ 3 ha 15 000 150 à 199 F

Ancien château de Tressan, ce cru est l'une des dernières micropropriétés de l'appellation. Ce 96 montre qu'elle ne doit pas disparaître, la qualité de son vin justifiant son existence ! Son bouquet discret mais expressif se montre intéressant par ses notes de vanille et de violette, tandis que sa trame tannique serrée et sa finale de fruits des bois et d'épices indiquent son bon potentiel.

SARL Cantegraves, 50, rue Pouge-de-Beau, 33290 Ludon-Médoc, tél. 05.57.88.00.66, fax 05.57.88.00.67 ☑ Y r.-v.
Cazeneuve

CH. LABORY DE TAYAC 1996

■ 2,4 ha 16 000 70 à 99 F

Né à Soussans, au château Tayac, ce vin de négoce est simple et discret mais il se montre agréable par son bouquet épicé et son évolution tannique. A attendre deux ans.

SA Yvon Mau, rue André-Dupuy-Chauvin, B.P. 1, 33190 Gironde-sur-Dropt, tél. 05.56.61.54.54, fax 05.56.61.54.61 Y r.-v.

CH. LA GURGUE 1996

■ Cru bourg. 10 ha n.c. 70 à 99 F

82 83 **85 86** 88 89 |90| 91 92 93 94 95 96

Signé par Claire Villars-Lurton comme le Château Ferrière, ce vin est plus modeste mais il ne manque pas d'atouts comme le montrent ses arômes de réglisse et de torréfaction ainsi que sa structure grasse et pleine, tannique. Il sera à décanter.

Claire Villars-Lurton, Ch. La Gurgue, 33460 Margaux, tél. 05.56.58.02.37, fax 05.57.88.84.40, e-mail chasse-spleen@vins-bordeaux.fr Y r.-v.

CH. LARRUAU 1996

■ Cru bourg. 10,3 ha 60 000 70 à 99 F

80 81 82 |83| 84 |85| |86| 87 88 89 90 91 93 94 95 96

Portant le nom d'un quartier de Margaux, ce vin présente un caractère sympathique par son bouquet aux arômes de griotte. Ses tanins sont encore un peu austères mais ils devraient s'arrondir d'ici deux à trois ans.

Bernard Château, 4, rue de La Trémoille, 33460 Margaux, tél. 05.57.88.35.50, fax 05.57.88.76.69 ☑ Y r.-v.

CH. LASCOMBES 1996**

■ 2ème cru clas. 50 ha 220 000 300 à 499 F

70 76 78 79 81 |82| 83 84 |85| (86) 87 **88 89 90** |91| |92| |93| **95 96**

Issu d'un vignoble d'âge respectable (plus de trente ans), ce 96 sait rappeler qu'il est de bonne origine par sa belle présentation. Les promesses de sa robe ne sont pas vaines. Son bouquet, aux agréables notes de grillé sur un fond de cassis, et son palais se chargent de les tenir. Progressive et solide, avec des tanins bien fondus, sa bouche se développe sans heurt, à l'image de ce que devrait être son séjour en cave pendant quelques années.

Sté viticole de Ch. Lascombes, B.P. 4, 33460 Margaux, tél. 05.57.88.70.66, fax 05.57.88.72.17 ☑ Y r.-v.
Groupe Bass

CH. LA TOUR DE BESSAN 1996

■ 17 ha 108 300 70 à 99 F

Ce vin est en harmonie par son élégance avec la romantique tour médiévale qui lui a donné son nom. Sans être très concentré, il se montre agréable, avec de séduisants arômes de raisin de Corinthe et de figue sèche.

SC Les Grands Crus réunis, 33480 Moulis-en-Médoc, tél. 05.56.58.22.01, fax 05.56.58.15.10 Y r.-v.
M.-L. Lurton-Roux

CH. LA TOUR DE MONS 1996

■ Cru bourg. 35 ha 160 000 100 à 149 F

81 82 83 85 |86| 87 |88| 90 91 92 93 95 96

Commandé par une tour, vestige d'un château surveillant les bords de l'estuaire, route éternelle des invasions, ce cru propose avec ce 96 un vin à la robe discrète mais finement bouqueté et soutenu par une bonne évolution tannique.

SCEA Ch. La Tour de Mons, 33460 Soussans, tél. 05.57.88.33.03, fax 05.57.88.32.46 Y r.-v.

CH. LE COTEAU 1996*

■ Cru bourg. 10,5 ha 60 000 50 à 69 F

Ce vin porte encore la marque de son séjour d'un an et demi en fût : son bouquet naissant est toujours un peu dominé par des notes de torréfaction. Mais l'attaque se fait sur le fruit ; la

BORDELAIS

structure est là, solide et équilibrée, pour permettre à cette jolie bouteille d'évoluer très favorablement pendant cinq à six ans.
🔑 Eric Léglise, 39, av. Jean-Luc-Vonderheyden, 33460 Arsac, tél. 05.56.58.82.30, fax 05.56.58.82.30 ☑ 🍷 r.-v.

L'ENCLOS MAUCAILLOU 1996★

■ 1,58 ha 11 000 (I) [70 à 99 F]
93 94 **95** 96

Petit vignoble dépendant du château Meyre à Avensan (haut-médoc), ce cru surprend un peu par son encépagement à dominante de merlot (80 %) dont l'influence se fait sentir sur le bouquet qui s'exprime généreusement. Au palais, la longue cuvaison explique la forte présence tannique qui invite à attendre un peu cette bouteille.
🔑 Ch. Meyre SA, 16, rte de Castelnau, 33480 Avensan, tél. 05.56.58.10.77, fax 05.56.58.13.20, e-mail chateau.meyre@wanadoo.fr ☑ 🍷 t.l.j. sf sam. dim. 14h-17h; 1er nov.-30 mars sur r.-v.

CH. MALESCOT SAINT-EXUPERY 1996★★

■ 3ème cru clas.23,5 ha 111 600 (I) [300 à 499 F]
49 55 62 64 69 71 72 74 |**75**| 76 **78 79** 80 **81**
|82| |**83**| |**85**| |**86**| |87| **88** 89 90 **91** |**92**| 93 **94 95 96**

Le château, situé au cœur du bourg, n'est peut-être pas une merveille architecturale, mais le terroir de qualité, comme la gestion efficace et sans heurts des Zuger, en ont fait l'un des grands margaux, ce que confirme ce 96, un vin d'une couleur brillante. Intense et élégant, le bouquet passe des notes de cuir à celles de noisette grillée. Conciliant souplesse et ampleur, le palais monte progressivement en puissance pour révéler son solide potentiel sans jamais perdre son élégance.
🔑 SCEA Ch. Malescot-Saint-Exupéry, 33460 Margaux, tél. 05.57.88.97.20, fax 05.57.88.97.21 ☑ 🍷 r.-v.
🔑 Roger Zuger

CH. MARGAUX 1996★★★

■ 1er cru clas. 78 ha n.c. (I) [+ de 500 F]
59 |**61**| 66 **70 71** |75| 77 78 |**79**| 80 |**81**| |(82)| |**83**|
|**84**| |**85**| **86** |**87**| **88 89 90 91** |**92**| **93 94** (95) (96)

Modèle le plus achevé de château du vin par ses bâtiments, Margaux offre aussi l'un des plus beaux terroirs grâce à la qualité de ses graves et à son site en rebord de plateau. Ces conditions exceptionnelles ont donné en 1996 un grand vin dont le boisé élégant s'intègre dans un ensemble complexe et charmeur où dominent de belles notes de fruits mûrs. Au palais, où la matière annonce une longue garde, on trouve un équilibre tout aussi remarquable entre la puissance et l'harmonie, et une superbe finale, dense et complète, où l'on admire la présence très forte du raisin. Ce millésime pourrait bien devenir l'archétype du margaux.
🔑 SC du Ch. Margaux, 33460 Margaux, tél. 05.57.88.83.83, fax 05.57.88.83.32

CH. MARQUIS D'ALESME BECKER 1996

■ 3ème cru clas. 13 ha 100 000 (I) [150 à 199 F]

Etabli aujourd'hui dans les anciens murs du château Desmirail, ce cru symbolise les bouleversements et les heures graves qu'ont traversés nombre de crus médocains à la fin du XIXe s. et dans la première moitié du XXe s. Bien qu'un peu rigide en finale, son 96 se montre fort agréable par son bouquet d'épices, de menthol et de caramel, comme par sa structure ronde et bien équilibrée. Un vin « droit », à attendre de trois à quatre ans.
🔑 Jean-Claude Zuger, Ch. Marquis d'Alesme Becker, 33460 Margaux, tél. 05.57.88.70.27, fax 05.57.88.73.78 ☑ 🍷 t.l.j. sf sam. dim. 8h-12h 14h-18h

CH. MARQUIS DE TERME 1996

■ 4ème cru clas. 40 ha 176 000 (I) [150 à 199 F]
|**75**| |**81**| 82 (83) **85 86** 87 **89** 90 91 92 93 **94 95**
96

Léoville-Cantenac, L'Isle, Sibille et Phénix, il n'a pas fallu moins de quatre petits crus pour donner naissance à ce domaine et pour constituer, au XVIIIe s., le vignoble du Marquis de Terme. Toujours très marqué par l'élevage en barrique qui domine fortement le palais et la finale, son 96 est encore difficile à apprécier, mais on sent un bouquet d'une grande intensité avec des notes de fruits rouges mûrs, d'épices et de vanille.
🔑 SCA Ch. Marquis de Terme, 3, rte de Rauzan, B.P. 11, 33460 Margaux, tél. 05.57.88.30.01, fax 05.57.88.32.51 ☑ 🍷 t.l.j. sf sam. dim. 9h-11h30 14h-17h
🔑 Séneclauze

CH. MARSAC SEGUINEAU 1996★

■ Cru bourg. 10,26 ha 54 200 (I) [100 à 149 F]
85 86 88 89 90 91 92 93 |94| |95| 96

Avec la création d'un second vin, le retour aux vendanges manuelles, un cuvier entièrement refait dans les années 93-95, ce cru exploité par le groupe Mestrezat a bénéficié d'un renouvellement complet. Ce travail trouve sa récompense dans les qualités du 96. D'un beau rouge ferme, celui-ci développe un bouquet fin et délicat et une solide structure tannique. Une agréable finale épicée et réglissée couronne le tout. On n'hésitera pas à attendre trois ou quatre ans pour ouvrir cette jolie bouteille.
🔑 SC du Ch. Marsac-Séguineau, 17, cours de la Martinique, B.P. 90, 33027 Bordeaux Cedex, tél. 05.56.01.30.10, fax 05.56.79.23.57 🍷 r.-v.

CH. MARTINENS 1996

■ Cru bourg.   25 ha   180 000   ❚❙❚ `70 à 99 F`

Commencée par la famille White en 1776 et achevée par le comte de Soutters, consul de Toscane et chancelier de Napoléon, cette demeure porte tout le charme et la simplicité du XVIII°s. Deux qualités qui se retrouvent dans le vin dont le style privilégie la finesse et l'élégance.

➥ Sté Fermière du Ch. Martinens, 33460 Cantenac, tél. 05.57.88.71.37, fax 05.57.88.38.35 ☑ ⵑ r.-v.
➥ Seynat-Dulos

CH. MONBRISON 1996*

■ Cru bourg.   13,2 ha   65 000   ❚❙❚ `200 à 249 F`

82 83 84 |**85**| |(**86**)| 87 |**88**| |**89**| |**90**| |**91**| 92 93 94 95 96

Il n'y a pas de secret. Pour élaborer un vin de qualité, il faut accepter des rendements faibles. C'est le cas à Monbrison qui peut ainsi proposer un très joli vin, au bouquet complexe (fruits, épices, truffe, torréfaction et venaison) et à la bonne structure encore dominée par le fût. Attendre au moins cinq ans avant de le servir sur du gibier.

➥ E.M. Davis et Fils, Ch. Monbrison, 1, allée de Monbrison, 33460 Arsac, tél. 05.56.58.80.04, fax 05.56.58.85.33 ☑ ⵑ r.-v.

CH. PALMER 1996**

■ 3ème cru clas.   45 ha   n.c.   ❚▊❚❙♨   `+ de 500 F`

78 79 80 |**81**| |**82**| |**83**| 84 |**85**| |(**86**)| **88 89 90** |**91**| |**92**| **93 94 95 96**

Valeur sûre et reconnue de l'appellation, ce cru vient de se doter d'un nouveau cuvier pour permettre l'individualisation de chaque parcelle. Fidèle à sa tradition de qualité, il offre avec ce millésime un vin dont la robe annonce la bonne facture. Très fruité (fruits rouges), le bouquet porte la marque du merlot (39 %), tandis que l'attaque superbe et le palais concentré et soutenu par une belle matière indiquent un avenir prometteur.

➥ Ch. Palmer, Cantenac, 33460 Margaux, tél. 05.57.88.72.72, fax 05.57.88.37.16 ⵑ r.-v.

PAVILLON ROUGE 1996**

■   n.c.   n.c.   ❚❙❚ `250 à 299 F`

78 |**81**| |**82**| |**83**| |**84**| |**85**| |**86**| **88 89 90** |**92**| **93 94 95 96**

S'il n'a pas la puissance qui permettra à son grand frère de parfaitement vieillir pendant quinze, vingt ou trente ans, le second vin de château Margaux possède toute la classe qui fait les grands médoc. Maître dans l'art des paradoxes, son bouquet réussit à afficher sa jeunesse sans montrer la moindre agressivité, grâce à la finesse et à la fraîcheur de ses parfums fruités. Tout aussi subtil et équilibré, le palais est à la fois plein, élégant, tannique et racé. Point d'orgue de la dégustation, la longue finale épicée témoigne d'une extraction parfaitement maîtrisée. Une très belle bouteille à attendre au moins cinq ans.

➥ SC du Ch. Margaux, 33460 Margaux, tél. 05.57.88.83.83, fax 05.57.88.83.32

CH. PONTET-CHAPPAZ 1996

■ Cru bourg.   n.c.   n.c.   ❚❙❚ `70 à 99 F`

Né sur un petit cru bourgeois d'Arsac, ce vin est simple mais bien fait. Agréable par son bouquet aux notes de raisins mûrs presque confits, il évolue sans heurt au palais, où les tanins et le gras s'équilibrent.

➥ Vignobles Rocher-Cap de Rive n°2, Ch. Pontet-Chappaz, 33460 Arsac, tél. 05.57.40.08.88, fax 05.57.40.19.93 ⵑ t.l.j. sf sam. dim. 8h-12h 13h30-17h30; f. août

CH. POUGET 1996

■ 4ème cru clas.   10 ha   50 000   ❚❙❚ `150 à 199 F`

75 78 81 |**83**|**85 86 88** |**89**| |**90**| 92 94 95 96

Les Guillemet acquirent Pouget en 1906 et lui conservèrent le blason octroyé par le maréchal de Richelieu. Ce 96 est difficile à juger car le merrain cache encore le fruit. Mais la robe profonde, brillante, violacée est le gage d'une approche intéressante. Puissant, volumineux en bouche, ce vin demande du temps.

➥ SCE Ch. Boyd-Cantenac et Pouget, 33460 Cantenac, tél. 05.57.88.30.58, fax 05.57.88.33.27 ☑ ⵑ r.-v.

CH. PRIEURE-LICHINE 1996**

■ 4ème cru clas.   44 ha   270 000   ▊♨ `200 à 249 F`

Quand on est le fils du « pape », fût-ce de celui du vin, il n'est jamais aisé de se faire un prénom. Le joli millésime a prouvé que Sacha Lichine y parvenait. Ce dernier vient pourtant de vendre la propriété. Que dire de son 96 ? Si sa robe grenat est prometteuse, le bouquet et le palais confirment ces atouts. Fin, complexe et gourmand à souhait, le premier habille délicatement les fruits de notes de vanille ; gras, plein et puissant, le second laisse le dégustateur sur une impression d'élégance, que confirme une finale de grande classe. Un remarquable margaux, bien typé dans son appellation.

➥ SA Ch. Prieuré-Lichine, 34, av. de la V° -République, 33460 Cantenac, tél. 05.57.88.36.28, fax 05.57.88.78.93 ☑ ⵑ r.-v.

CH. RAUZAN-GASSIES 1996

■ 2ème cru clas.   28 ha   35 000   ❚❙❚ `200 à 249 F`

Issu d'une partition de l'ancien domaine de Rauzan, ce cru ne possède pas de château. Avec ce millésime, il donne l'impression de se chercher car sa structure encore assez tannique demande à se fondre pour s'exprimer avec plus de finesse.

➥ SCA du Ch. Rauzan-Gassies, 33460 Margaux, tél. 05.57.88.71.88, fax 05.57.88.37.49 ☑ ⵑ t.l.j. sf sam. dim. 8h-12h 14h-18h

CH. RAUZAN-SEGLA 1996**

■ 2ème cru clas.   45 ha   103 000   ❚❙❚ `300 à 499 F`

81 |**83**| |**85**| |**88**| |**89**| **90** 91 **92 93 94 95** (**96**)

Rauzan-Ségla pratique une sélection rigoureuse. Ce régime a fort réussi à ce 96. Fidèle à la tradition du cru, celui-ci affiche sa personnalité margalaise par une grande distinction. L'impression d'élégance, perceptible dans la robe d'un beau grenat et dans le bouquet qui exhale d'agréables parfums de fruits et de tabac, se confirme au palais. Ample, doux et persistant,

BORDELAIS

celui-ci montre sans la moindre agressivité une superbe matière qui lui permettra de bien vieillir. Plus encore qu'une réussite, cette bouteille est un « porte-drapeau » de l'appellation, pour reprendre le commentaire de l'un des membres de notre jury.

⊶ Ch. Rauzan-Ségla, 33460 Margaux, tél. 05.57.88.82.10, fax 05.57.88.34.54 Y r.-v.

SEGLA 1996*

■ n.c. 115 000 ⦶ 100 à 149 F

A Rauzan, la sélection a été menée avec suffisamment de discernement pour que le grand vin n'ait pas tout pris au détriment du second. Classique et de bonne facture, ce vin offre un bouquet ample, fin et complexe ; sa structure tannique permettra de l'attendre quelques années ou de le boire dès maintenant, mais alors il conviendra de le décanter.
⊶ Ch. Rauzan-Ségla, 33460 Margaux, tél. 05.57.88.82.10, fax 05.57.88.34.54 Y r.-v.

CH. SIRAN 1996*

■ Cru bourg. 23 ha n.c. ⦶ 150 à 199 F
64 66 78 79 80 81 82 83 84 |85| 86 87 88 **|89|** |90| 91 92 93 94 95 96

Héliport, abri antinucléaire, étiquette illustrée, ce cru ne s'est pas contenté d'avoir appartenu à la famille de Toulouse-Lautrec pour mener une politique de communication dynamique. D'une jolie robe brillante, agréable par son bouquet (vanille et épices), ample et équilibré, ce millésime contribuera lui aussi à la notoriété de Siran.
⊶ SC du Ch. Siran, 33460 Labarde, tél. 05.57.88.34.04, fax 05.57.88.70.05, e-mail chateau.siran@wanadoo.fr M Y t.l.j. 10h-12h30 13h30-18h
⊶ Alain Miailhe

CH. TAYAC-PLAISANCE 1996*

■ Cru artisan 2,15 ha 15 000 ⦶ 70 à 99 F

Si les Soussanais, Margalais ou Cantenacais ne sont jamais pressés de faire appel à Paul Bajeux, viticulteur mais aussi marbrier spécialisé dans l'art funéraire, ce ne sera pas une raison pour bouder ce joli vin. Délicatement bouqueté avec des notes de cerise, de cassis, de moka et de bois, celui-ci développe un palais rond, aromatique et bien structuré. Encore un peu marqué par l'élevage, il mérite d'être attendu deux ou trois ans.
⊶ Paul Bajeux, 1, imp. Valmy-Tayac, 33460 Soussans, tél. 05.57.88.36.83, fax 05.57.88.36.83 M Y r.-v.

CH. DU TERTRE 1996*

■ 5ème cru clas. 50 ha 180 000 ⦶ 150 à 199 F
|90| |91| |92| 93 95 96

Dernier millésime produit avant l'achat du cru par l'homme d'affaires néerlandais, Eric Albada Jelgersma. Avec une belle teinte bordeaux, un bouquet complexe qui commence à se développer, une structure ronde, tannique et harmonieuse, ce 96 clôture heureusement le travail de l'ancien propriétaire.
⊶ SEV Ch. du Tertre, 33460 Arsac, tél. 05.57.97.09.09, fax 05.57.97.09.00
⊶ Eric Albada Jelgersma

CH. DES TROIS CHARDONS 1996*

■ n.c. 14 500 ⦶ 70 à 99 F
78 79 82 83 **85 86** |88| |89| |90| 91 |92| 94 95 96

« Qui s'y frotte... y repique », le clin d'œil sympathique de la devise qui figure sur l'étiquette n'est pas trompeur : de la robe grenat à la finale aromatique, tout invite à la gourmandise, avec de savoureux arômes de griotte, de fraise et de groseille sans oublier la structure bien ancrée dans l'esprit de l'appellation.
⊶ Claude et Yves Chardon, Issan, 33460 Cantenac, tél. 05.57.88.39.13, fax 05.57.88.33.94 M Y r.-v.

Moulis-en-médoc

Etroit ruban de 12 km de long sur 300 m à 400 m de large, moulis est la moins étendue des appellations communales du Médoc. Elle offre pourtant une large palette de terroirs.

Comme à Listrac, ceux-ci forment trois grands ensembles. A l'ouest, près de la route de Bordeaux à Soulac, le secteur de Bouqueyran présente une topographie variée, avec une crête calcaire et un versant de graves anciennes (pyrénéennes). Au centre, on trouve une plaine argilo-calcaire, qui est le prolongement de celle de Peyrelebade (voir Listrac-Médoc). Enfin, à l'est et au nord-est, près de la voie ferrée, se développent de belles croupes de graves du gunz (graves garonnaises), qui constituent un terroir de choix. C'est dans ce dernier secteur que se trouvent les buttes réputées de Grand-Poujeaux, Maucaillou et Médrac.

Moelleux et charnus, les moulis se caractérisent par leur caractère suave et délicat. Tout en étant de bonne garde (de sept à huit ans), ils peuvent s'épanouir un peu plus rapidement que les vins des autres communales. Le millésime 98 a atteint 32 129 hl.

CH. ANTHONIC 1996★

■ Cru bourg. 21,13 ha 16 500 (‖) 70 à 99 F

82 83 **85** ⑧⑥ 88 **89** |90| |91| 92 **93** 94 **95** 96

Au classicisme des sols, des cépages et de la vinification, répond celui du bouquet, dont le mariage des notes de fumée, d'épices et de fruits révèle un élevage bien maîtrisé. Equilibré et tannique, le palais est, lui aussi, de bonne facture.

⊶ J.-B. Cordonnier, Ch. Anthonic, 33480 Moulis-en-Médoc, tél. 05.56.58.34.60, fax 05.56.58.06.22 [V] Y r.-v.

CH. BISTON-BRILLETTE 1996★★

■ Cru bourg. 21 ha 120 000 (‖) 70 à 99 F

86 |88| |89| |⑨⓪| 91 92 |93| 94 95 **96**

Durée de macération, remontages, ici pas de doute, l'objectif est d'élaborer un vrai vin de garde. Il est parfaitement atteint avec ce millésime, qui s'annonce par une robe d'un pourpre foncé. Tabac, pruneau, cuir et fruits confits, le bouquet confirme l'impression première, de même que le palais, où se révèlent une solide structure tannique et une finale persistante.

⊶ EARL Ch. Biston-Brillette, Petit-Poujeaux, 33480 Moulis-en-Médoc, tél. 05.56.58.22.86, fax 05.56.58.13.16 [V] Y t.l.j. sf dim. 10h-12h 14h-18h; sam. 10h- 12h

⊶ Michel Barbarin

CH. BOUQUEYRAN
Elevage en barrique 1996

■ Cru bourg. 12,8 ha 100 000 ▯ (‖) 70 à 99 F

Premier millésime ayant suivi le changement de propriétaire, ce vin permet au cru de faire son entrée dans le Guide. Issu d'un vignoble où le merlot est majoritaire (57 %), ce 96 se montre aimable par son bouquet fruité, que rehausse une délicate note de rose. Franc et d'une bonne densité, le palais est celui d'un vin bien construit.

⊶ Philippe Porcheron, SARL des Grands Crus, Le Lieulet, 33480 Moulis-en-Médoc, tél. 05.56.58.35.77, fax 05.56.58.14.24 [V] Y r.-v.

CH. BRILLETTE 1996★★

■ Cru bourg. 36,53 ha 120 000 (‖) 70 à 99 F

94 95 96

Jadis très renommée, cette belle unité a connu pendant longtemps des hauts et des bas. Mais, depuis le milieu de cette décennie, elle a renoué avec les années fastes. Robe carmin, bouquet puissant, fin et complexe (avec du boisé de qualité et des notes de fruits confits), tanins ronds et élégants, ce vin s'inscrit dans la nouvelle ligne du cru et méritera d'être attendu pendant trois ou quatre ans.

⊶ SA Ch. Brillette, 33480 Moulis-en-Médoc, tél. 05.56.58.22.09, fax 05.56.58.12.26 [V] Y r.-v.

CH. CHASSE-SPLEEN 1996★★★

■ Cru bourg. 52 ha 382 200 (‖) 150 à 199 F

75 76 **78 79** 80 **81 82** |⑧③| |**85**| |**86**| |**88**| |89| **90** |91| |92| |**93**| |**94**| **95 96**

Lord Byron, Baudelaire ou l'illustrateur d'origine bordelaise des *Fleurs du mal* ? 1821 ou 1860 ? L'origine du nom de ce cru reste entourée de mystère. En revanche, il n'existe aucune zone d'ombre en ce qui concerne les qualités du terroir, de la conduite de la vigne et du travail du chai. Comme les précédents, ce millésime fait la synthèse des caractères traditionnels et modernes des moulis : très bien construit, il montre son aptitude à la garde par ses tanins, mais il sait les rendre aimables et élégants par leur côté soyeux qui s'associe à la finesse du bouquet pour former un ensemble complexe.

⊶ Claire Villars-Lurton, Ch. Chasse-Spleen, 33480 Moulis-en-Médoc, tél. 05.56.58.02.37, fax 05.57.88.84.40, e-mail chasse-spleen@vins-bordeaux.fr Y r.-v.

L'ORATOIRE DE CHASSE-SPLEEN 1996★

■ 9 ha 67 600 (‖) 50 à 69 F

Le second vin de Chasse-Spleen porte une robe rubis brillant. Marqué de notes de gibier (ventre de lièvre), il surprend par une attaque grasse et volumineuse que relaie une structure tannique fine et dense. Un vin doté d'une forte personnalité.

⊶ Claire Villars-Lurton, Ch. Chasse-Spleen, 33480 Moulis-en-Médoc, tél. 05.56.58.02.37, fax 05.57.88.84.40, e-mail chasse-spleen@vins-bordeaux.fr Y r.-v.

CH. CHEMIN ROYAL 1996

■ Cru bourg. 9,8 ha 50 000 (‖) 50 à 69 F

Proposé par les vignobles Chanfreau, implantés principalement à Listrac, ce vin aux arômes de fruits mûrs et de vanille est dans la ligne habituelle du cru par son caractère souple et agréable.

⊶ Ch. Fonréaud, 33480 Listrac-Médoc, tél. 05.56.58.02.43, fax 05.56.58.04.33 [V] Y r.-v.

⊶ Héritiers Chanfreau

CH. DUPLESSIS 1996★

■ Cru bourg. 18 ha 81 400 ▯ (‖) 70 à 99 F

Ce cru appartenait à la famille du cardinal de Richelieu ; en 1992, il est entré dans la galaxie Lucien Lurton. Ce dernier l'a confié à sa fille œnologue, Marie-Laure. Si ce vin ne possède pas le potentiel de garde de certains millésimes antérieurs, il rassure par sa robe à reflets veloutés, par ses arômes épicés et fruités et par son palais d'une bonne texture et élégant.

⊶ SC Les Grands Crus réunis, 33480 Moulis-en-Médoc, tél. 05.56.58.22.01, fax 05.56.58.15.10 Y r.-v.

⊶ M.-L. Lurton-Roux

CH. DUPLESSIS FABRE 1996★★

■ Cru bourg. 10 ha 70 000 (‖) 50 à 69 F

90 |91| 92 |93| |94| |95| **96**

Du même producteur que le Château Maucaillou, ce vin est issu d'un vignoble différent : presque mi-merlot (55 %) mi-cabernet-sauvignon sur

BORDELAIS

un terroir argilo-calcaire. Mais il possède lui-aussi une très belle matière, dont le charme et la plénitude s'allient à la finesse du bouquet pour former un ensemble harmonieux qui méritera de rester en cave quatre ou cinq ans.
⚷ Ch. Maucaillou, quartier de la Gare, 33480 Moulis-en-Médoc, tél. 05.56.58.01.23, fax 05.56.58.00.88 ☒ Y t.l.j. 10h-12h30 14h-19h

CH. DUTRUCH GRAND POUJEAUX 1996★★

■ Cru bourg. 24 ha 160 000 ⏸ 70 à 99 F

81 82 (83) **|85|** **|86|** |88| 89 |90| 91 92 |93| |94| 95 **96**

Avec le transfert des chais à côté du château et le renouvellement de la cuverie, ce cru vient tout juste d'achever la rénovation complète de ses équipements. Ce 96 n'en a pas profité, ce qui ne l'empêche pas de se montrer de bonne origine et bien travaillé. Constitué de 60 % de merlot assemblé à 35 % de cabernet-sauvignon et à 5 % de petit verdot, il porte une robe soutenue. Il joue sur deux registres, sa matière tannique n'écrasant pas la finesse des arômes de fruits rouges mûrs et d'épices. Sa finale en queue de paon se révèle longue et charnue. Un ensemble souple et harmonieux.
⚷ François Cordonnier, Ch. Dutruch Grand Poujeaux, 33480 Moulis-en-Médoc, tél. 05.56.58.02.55, fax 05.56.58.06.22 ☒ Y r.-v.

CH. GRANINS GRAND POUJEAUX 1996★

■ Cru bourg. 8,08 ha 26 000 ⏸ 70 à 99 F

Comme l'indique son nom, ce vin provient du quartier réputé de Poujeaux. Ample, solidement constitué, avec une bonne matière tannique, délicatement bouqueté et complexe, il se montre à la hauteur de son origine et acceptera de séjourner à la cave.
⚷ SCEA Batailley, Ch. Granins Grand Poujeaux, 33480 Moulis-en-Médoc, tél. 05.56.58.05.82, fax 05.56.58.05.26 ☒ Y r.-v.

CH. LA GARRICQ 1996★

■ 3 ha 20 000 ⏸ 100 à 149 F

93 94 |95| 96

Bien qu'issu d'un cru de taille modeste et de vignes encore jeunes, ce vin n'a aucun complexe. Ses tanins sont bien typés dans l'AOC par leur solidité, tout comme son bouquet puissant de fruits rouges et de cuir. Cette bouteille n'a rien de frêle !
⚷ SARL Cantegraves, 50, rue Pouge-de-Beau, 33290 Ludon-Médoc, tél. 05.57.88.00.66, fax 05.57.88.00.67 ☒ Y r.-v.
⚷ Cazeneuve

CH. LAGORCE BERNADAS 1996

■ Cru artisan 2 ha 10 000 ⏸ 50 à 69 F

Issu d'une micropropriété aux vignes encore jeunes, dominées par les cabernet-sauvignon (60 %), ce vin est bien constitué, avec une structure tannique assez dense. Il sait aussi faire preuve d'originalité par son bouquet aux notes de menthe, d'eucalyptus et de réglisse qui ont surpris le jury. Il n'est pas typique mais se montre déjà agréable ; l'ensemble pourra être attendu deux ou trois ans.
⚷ Martine Vallette, 33220 Fougueyrolles, tél. 05.53.24.77.98, fax 05.53.61.36.87 ☒ Y r.-v.

CH. LA MOULINE 1996★

■ Cru bourg. 17 ha 80 000 ⏸ 50 à 69 F

93 |94| 95 96

Située entre deux anciens moulins, l'un à vent, l'autre à eau, cette propriété familiale propose ici un vin qui a l'art de se présenter dans une robe d'un rouge très foncé. Doté d'un bouquet intense, où les fruits rouges confits sont soutenus par un bois bien dosé, il développe un palais tannique et fruité. La finale ne manque pas de charme. Le second vin, **domaine de Lagorce du Château La Mouline 96**, est cité pour son équilibre (30 à 49 F).
⚷ Coubris, 90, rue Marcelin-Jourdan, 33200 Bordeaux, tél. 05.56.17.13.17, fax 05.56.17.13.18 ☒ Y t.l.j. sf sam. dim. 8h-12h 13h-17h; f. août

CH. MALMAISON 1996★

■ Cru bourg. 24,13 ha n.c. ⏸ 70 à 99 F

88 89 90 **91** 92 |93| |94| 95 96

Issu d'un vignoble voisin de celui de Clarke mais situé à Moulis, ce vin montre un air de famille avec son cousin listracais. Son bouquet est tout aussi expressif, avec des notes de truffe, de fruits et de bois, tandis qu'au palais se révèle un caractère gras, bien charpenté et savoureux. Belle finale sur des notes de boisé élégant. A attendre trois ans.
⚷ Cie vin. barons Ed. et B. de Rothschild, 33480 Listrac-Médoc, tél. 05.56.58.38.00, fax 05.56.58.26.46, e-mail chateau.clarke@wanadoo.fr ☒ Y r.-v.
⚷ Benjamin de Rothschild

CH. MAUCAILLOU 1996★★★

■ Cru bourg. 69 ha 530 000 ⏸ 200 à 249 F

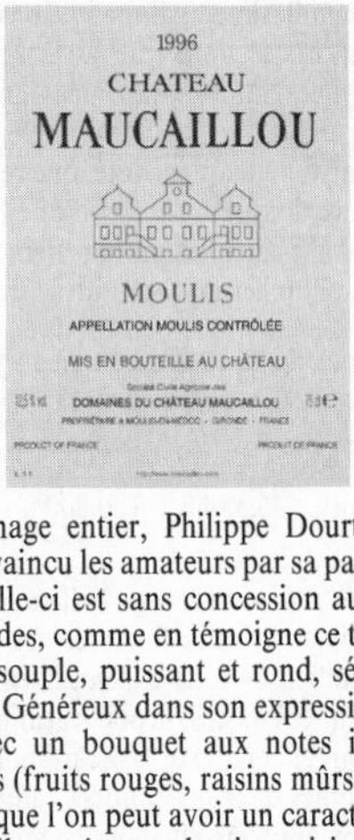

Personnage entier, Philippe Dourthe a toujours convaincu les amateurs par sa passion pour le vin. Celle-ci est sans concession aux facilités et aux modes, comme en témoigne ce très joli 96, ample et souple, puissant et rond, séducteur et distingué. Généreux dans son expression aromatique, avec un bouquet aux notes intenses et complexes (fruits rouges, raisins mûrs et épices), il prouve que l'on peut avoir un caractère joyeux et une belle espérance de vie, qui invitera à le laisser s'assagir en cave pendant huit ou dix ans.
⚷ Ch. Maucaillou, quartier de la Gare, 33480 Moulis-en-Médoc, tél. 05.56.58.01.23, fax 05.56.58.00.88 ☒ Y t.l.j. 10h-12h30 14h-19h

CH. MOULIN A VENT 1996*

■ Cru bourg. 25 ha 160 000 70 à 99 F

81 **82 83** 85 |86| 88 |89| |90| 91 |92| 95 96

Né à l'ouest de l'appellation, sur des croupes de graves pyrénéennes, ce vin annonce sa jeunesse par une robe d'un noir profond. Le bouquet, où des notes de fruits cuits et confits se mêlent à des parfums de violette, et le palais, soutenu par des tanins bien fondus, confirment la présentation en laissant au dégustateur une impression d'harmonie.

Dominique Hessel, Ch. Moulin à Vent, Bouqueyran, 33480 Moulis-en-Médoc, tél. 05.56.58.15.79, fax 05.56.58.39.89, e-mail hessel@moulin-a-vent.com t.l.j. sf sam. dim. 9h-12h 14h-18h

CH. MYON DE L'ENCLOS 1996

■ 3 ha 18 000 50 à 69 F

Bien qu'il soit principalement producteur à Listrac et malgré la taille modeste du vignoble, Bernard Lartigue ne le néglige pas. Son 96 le prouve par son bouquet agréable et ses tanins fins et souples.

Bernard Lartigue, Ch. Mayne Lalande, 33480 Listrac, tél. 05.56.58.27.63, fax 05.56.58.22.41 r.-v.

CH. POUJEAUX 1996***

■ Cru bourg. 50 ha 300 000 150 à 199 F

81 82 83 84 **|85|** |(86)| **87** |88| **|89| 90 91** |92| **93 94 95 96**

Né sur l'un des meilleurs terroirs de l'appellation, la croupe de Poujeaux, ce vin est à la hauteur de son origine et de la tradition du cru, conduit sans ostentation mais avec efficacité par les Theil. D'une belle couleur foncée, il développe un bouquet puissant, aux notes de torréfaction et de pain grillé, et un palais sans faiblesse, où l'on retrouve le côté torréfié de la barrique qui se fond dans un ensemble au volume important. Une très jolie bouteille qui méritera les honneurs de la cave.

Jean Theil SA, Ch. Poujeaux, 33480 Moulis-en-Médoc, tél. 05.56.58.02.96, fax 05.56.58.01.25 t.l.j. sf sam. dim. 9h-12h 14h-17h30

CH. RUAT PETIT POUJEAUX 1996*

■ Cru bourg. 15 ha n.c. 70 à 99 F

Diffusé par les établissements Sichel-Coste, ce vin est signé par son propriétaire, Pierre Goffre-Viaud. On ne s'étonnera donc pas de sa qualité. Celle-ci s'annonce dès la présentation, avec une robe rubis à reflets noirs, et se confirme tout au long de la dégustation. Développant un bouquet puissant et complexe, avec des notes de caramel, de gibier et de violette, ce 96 se montre aimable et bien constitué au palais, sa rondeur et son volume s'équilibrant.

Maison Sichel-Coste, 8, rue de la Poste, 33212 Langon, tél. 05.56.63.50.52, fax 05.56.63.42.28

Pierre Goffre-Viaud

Pauillac

A peine plus peuplé qu'un gros bourg rural, Pauillac est une vraie petite ville, agrémentée, qui plus est, d'un port de plaisance sur la route du canal du Midi. C'est un endroit où il fait bon déguster les crevettes fraîchement pêchées dans l'estuaire, à la terrasse des cafés sur les quais. Mais c'est aussi, et surtout, la capitale du Médoc viticole, tant par sa situation géographique, au centre du vignoble, que par la présence de trois premiers crus classés (Lafite, Latour et Mouton) que complète une liste assez impressionnante de 18 crus classés. La coopérative assure une production importante. L'appellation a produit 65 417 hl en 1998.

L'appellation est coupée en deux en son centre par le chenal du Gahet, petit ruisseau séparant les deux plateaux qui portent le vignoble. Celui du nord, qui doit son nom au hameau de Pouyalet, se caractérise par une altitude légèrement plus élevée (une trentaine de mètres) et par des pentes plus marquées. Détenant le privilège de posséder deux premiers crus classés (Lafite et Mouton), il se caractérise par une parfaite adéquation entre sol et sous-sol, que l'on retrouve aussi dans le plateau de Saint-Lambert. S'étendant au sud du Gahet, ce dernier s'individualise par la proximité du vallon du Juillac, petit ruisseau marquant la limite méridionale de la commune, qui assure un très bon drainage, et par ses graves de grosse taille qui sont particulièrement remarquables sur le terroir du premier cru de ce secteur, Château Latour.

Venant sur des croupes graveleuses très pures, les pauillac sont des vins très corsés, puissants et charpentés, mais aussi fins et élégants, avec un bouquet délicat. Comme ils évoluent très heureusement au vieillissement, il convient de les attendre. Mais ensuite, il ne faut pas avoir peur de les servir sur des plats assez forts comme, par exemple, des préparations de champignons, des viandes rouges, du gibier à chair rouge ou des foies gras.

CH. D'ARMAILHAC 1996★

■ 5ème cru clas.   50 ha   n.c.   ◫ 100 à 149 F
72 73 74 75 78 **79 80 81** |82| |83| 84 |85| |(86)| |87|
88 89 90 |92| **93** |94| **95 96**

Autrefois, et successivement, d'Armailhacq, Mouton d'Armailhac, Mouton baron Philippe et Mouton baronne Philippe, ce cru trouve une place originale dans l'univers des vins pauillacais. Son étiquette représente un petit Bacchus en verre filé du XVIIIᵉs. (Nevers). Ce 96 joue sur la concentration et l'équilibre de sa structure tannique pour mettre en valeur une expression aromatique généreuse et complexe dans laquelle les notes de fruits très mûrs jouent avec les évocations animales. L'attendre cinq ou six ans.
•➤ Ch. d'Armailhac, 33250 Pauillac,
tél. 05.56.59.22.22, fax 05.56.73.20.44
•➤ Baronne Ph. de Rothschild GFA

BARON NATHANIEL 1996★

■   n.c.   n.c.   ◫ 70 à 99 F
En hommage à ses aïeux, Philippine de Rothschild a donné leurs prénoms aux vins de la ligne de prestige de la maison de négoce fondée par son père. Le pauillac a eu l'honneur de recevoir celui de Nathaniel qui acquit Mouton en 1853. Avec une robe prune, un bouquet complexe, une attaque grasse, un palais ample et une finale racée, son 96 est digne de ce privilège.
•➤ Baron Philippe de Rothschild SA, B.P. 117, 33250 Pauillac, tél. 05.56.73.20.20,
fax 05.56.73.20.44

CH. BATAILLEY 1996★★★

■ 5ème cru clas.   55 ha   420 000   ◫ 150 à 199 F
70 75 76 78 79 80 81 |82| |83| |85| |86| |88| |89|
|90| 91 |92| **93 95** (96)

Une très belle unité étroitement liée au grand négoce ; un terroir de choix : toutes les conditions sont réunies pour donner de grands pauillac. Incontestablement, ce millésime est exceptionnel par sa puissance ; perceptible dès la présentation, d'une superbe couleur grenat, et au bouquet complexe à souhait (réglisse, menthol, épices...), celle-ci éclate au palais, où elle s'inscrit parfaitement dans l'esprit de l'appellation en préservant l'élégance de l'ensemble. Un pauillac hors du commun à conserver en cave pendant au moins cinq ans.
•➤ Héritiers Castéja, 33250 Pauillac,
tél. 05.56.00.00.70, fax 05.57.87.48.61 ☑ ☂ r.-v.
•➤ Emile Castéja

CH. CLERC MILON 1996★★

■ 5ème cru clas.   30 ha   n.c.   ◫ 200 à 249 F
|75| 76 |78| 79 |82| |83| |85| 86 |87| **88 89 90** 92 93
|94| (95) **96**

Voisines de celles de Lafite et de Mouton, les vignes de Clerc Milon s'étendent sur deux belles croupes de graves dominant la Gironde. Leur typicité se retrouve dans le caractère de ce vin dont la structure est pleine, grasse, puissante, riche et goûteuse. Le nez profond et racé traduit la qualité du bois et sans cacher le fruit. Un millésime pas très éloigné du 95, superbe coup de cœur de l'an dernier.
•➤ Ch. Clerc Milon, 33250 Pauillac,
tél. 05.56.59.22.22, fax 05.56.73.20.44
•➤ Baronne Ph. de Rothschild GFA

CH. COLOMBIER-MONPELOU 1996★★

■ Cru bourg.   15 ha   115 000   ◫ 70 à 99 F
94 95 96

Situé sur le plateau central de l'appellation, ce cru bourgeois jouit d'une bonne réputation qui sortira renforcée de ce millésime. L'intensité de la couleur se retrouve au bouquet et au palais. Complexe et riche, le premier marie la vanille, apportée par le bois, aux fruits et au toast. Quant au second, gras, long, bien équilibré et élégant, il affirme fièrement sa typicité.
•➤ SC Vignobles Jugla, Ch. Colombier-Monpelou, 33250 Pauillac, tél. 05.56.59.01.48,
fax 05.56.59.12.01 ☑ ☂ t.l.j. 8h-12h
13h30-17h30; sam. dim. sur r.-v.; f. août

CH. CORDEILLAN-BAGES 1996★

■ Cru bourg.   2 ha   12 000   ◫ 250 à 299 F
|89| 91 93 **94** 95 96

Authentique homme d'entreprise, Jean-Michel Cazes (Lynch-Bages) a su diversifier ses activités en transformant ce château du vin en un hôtel de classe (trois étoiles). Si le vignoble qui le complète est d'une taille modeste, sa production est de qualité. De délicats parfums fruités et floraux, un beau volume, une évolution généreuse et une finale équilibrée font de ce 96 un très joli vin de garde.
•➤ Jean-Michel Cazes, Ch. Cordeillan-Bages, 33250 Pauillac, tél. 05.56.73.24.00,
fax 05.56.59.26.42,
e-mail infochato@chateauxassocies.com
•➤ Famille Cazes

CORDIER Collection privée 1996

■   n.c.   36 000   ▮◫ 30 à 49 F
Gamme déclinée en neuf appellations, la Collection privée est l'une des marques bordelaises les plus connues, en France comme à l'étranger. Bien fait, son pauillac est solidement bâti et harmonieux ; son bouquet évoque la cerise noire, les fruits mûrs. Il peut déjà être servi à table.
•➤ Domaines Cordier, 53, rue du Dehez, 33290 Blanquefort, tél. 05.56.95.53.00,
fax 05.56.95.53.08 ☂ r.-v.

CH. CROIZET-BAGES 1996

■ 5ème cru clas.   28 ha   160 000   ◫ 150 à 199 F
|93| |94| 95 96

Croizet-Bages connaît actuellement une évolution favorable. Si son 96 n'exprime pas toutes les potentialités de vigueur et de garde de son très beau terroir, il se montre intéressant par la finesse de son bouquet et par sa progression au palais, qui débouche sur une jolie finale tannique.
•➤ Jean-Michel Quié, Ch. Croizet-Bages, 33250 Pauillac, tél. 05.56.59.01.62,
fax 05.56.59.23.39 ☑ ☂ t.l.j. sf dim. lun. 9h-13h
14h-18h

CH. DUHART-MILON 1996★★

| ■ 4ème cru clas. | 63 ha | n.c. | 〔I〕 | 300 à 499 F |

61 70 75 76 79 80 **81** |82| |83| |85| |86| 87 **88 89 90** |91| |92| **93** 94 **95 96**

Belle unité appartenant aux domaines Rothschild (de Lafite), ce cru dont le vignoble est reconstitué depuis 1963 fait l'objet de soins attentifs. 55 % de sa production entrent dans le grand vin, Duhart-Milon. Le 96 porte une belle robe rouge foncé et son élégant bouquet marie le moka et le pain grillé au chocolat et aux fruits mûrs. Souple à l'attaque, le palais monte ensuite en puissance, avec des tanins bien enrobés qui mènent à une finale très goûteuse.
☛Ch. Duhart-Milon, 33250 Pauillac, tél. 05.56.73.18.18, fax 05.56.59.26.83

CH. MOULIN DE DUHART 1996★

| ■ | 63 ha | n.c. | 〔I〕 | 70 à 99 F |

25 % des vignes du château de Duhart-Milon entrent dans son second vin. Cela explique sa qualité : pour être plus simple que celui de son grand frère, le bouquet de ce vin est d'une bonne complexité avec des notes de café torréfié, d'épices et de fruits. Soyeux à l'attaque, le palais est tannique et la finale très agréable par ses arômes de raisin sec et de poivre.
☛Ch. Duhart-Milon, 33250 Pauillac, tél. 05.56.73.18.18, fax 05.56.59.26.83

CH. FONBADET 1996★

| ■ Cru bourg. | 20 ha | n.c. | 〔I〕 | 100 à 149 F |

75 76 78 79 81 |82| 83 85 **86** 87 |88| |89| |90| 91 |92| 93 94 95 96

L'un des trop rares crus médocains à posséder un vrai et beau parc. Mais sa solide réputation tient essentiellement à la qualité de son terroir et de son vin. Agréable par son bouquet, ce 96 saura séduire plus d'un amateur par son volume, son gras, son équilibre et sa longueur.
☛SCEA domaines Peyronie, Ch. Fonbadet, 33250 Pauillac, tél. 05.56.59.02.11, fax 05.56.59.22.61 ☑ Ⅰ r.-v.

CH. DES GEMEAUX 1996

| ■ | 2,5 ha | 12 000 | 〔I〕 | 70 à 99 F |

Diffusé par la maison Sichel, ce vin possède un réel potentiel : l'intensité de ses parfums aux fraîches notes fruitées en apporte la preuve comme sa structure, corsée et charpentée.
☛Maison Sichel-Coste, 8, rue de la Poste, 33212 Langon, tél. 05.56.63.50.52, fax 05.56.63.42.28

CH. GRAND-PUY DUCASSE 1996★★

| ■ 5e cru clas. | 40,18 ha | 160 600 | 〔I〕 | 300 à 499 F |

82 **83** 84 **85** 86 87 **88** 89 |90| 91 |92| |93| |94| 95 96

A l'image de Pauillac, village devenu ville grâce à son port, ce château du vin situé au bord du quai fut d'abord une petite maison, peut-être de pêcheur, sur la rive de l'estuaire. Son vin ne peut être que typé. Il l'est incontestablement avec ce remarquable 96. Son palais, ample et tannique, et son bouquet, aux élégantes notes épicées, lui donnent une fière allure et lui garantissent une belle évolution au vieillissement.

☛SC du Ch. Grand-Puy Ducasse, 17, cours de la Martinique, B.P. 90, 33027 Bordeaux Cedex, tél. 05.56.01.30.10, fax 05.56.79.23.57 Ⅰ r.-v.

PRELUDE A GRAND-PUY DUCASSE 1996★

| ■ | 40,18 ha | 66 800 | 〔I〕 | 150 à 199 F |

Seconde étiquette du château Grand-Puy Ducasse, ce vin pourrait presque rivaliser avec son grand frère. Son bouquet généreux comme sa charpente, ferme, corsée, charnue et harmonieuse, en font un bon ambassadeur des pauillac.
☛SC du Ch. Grand-Puy Ducasse, 17, cours de la Martinique, B.P. 90, 33027 Bordeaux Cedex, tél. 05.56.01.30.10, fax 05.56.79.23.57 Ⅰ r.-v.

CH. GRAND-PUY-LACOSTE 1996★★

| ■ 5ème cru clas. | 50 ha | 170 000 | 〔I〕 | 300 à 499 F |

61 66 70 71 **75** 76 **78** 81 **82** |83| |85| |86| 87 **88 89 90** |91| |92| 93 94 **95 96**

Raymond Dupin, fine fourchette, avait été bien inspiré en n'acceptant de vendre Grand-Puy-Lacoste qu'à un authentique Médocain. Jean-Eugène Borie puis son fils, François-Xavier, ont toujours défendu les couleurs de leur cru. Ce vin en apporte la preuve. D'une grande jeunesse, il annonce sa force de caractère par sa teinte bigarreau sombre et son bouquet dense et puissant (raisin mûr et petits fruits rouges). Au palais, on retrouve, après une attaque somptueuse, une trame serrée, bien mise en valeur par un bois judicieusement dosé.

Pauillac

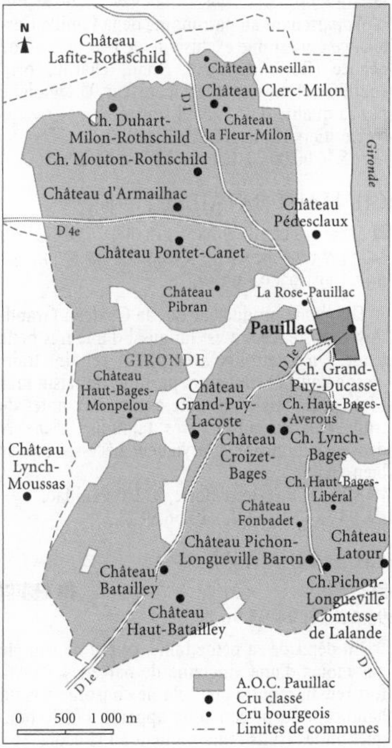

A.O.C. Pauillac
● Cru classé
● Cru bourgeois
- - - Limites de communes

0   500   1 000 m

⊶ Ch. Grand-Puy-Lacoste, 33250 Pauillac, tél. 05.56.73.16.73, fax 05.56.59.27.37 Y r.-v.

CH. HAUT-BAGES AVEROUS 1996*

■ n.c. 120 000 ⊪ 150 à 199 F

Frère cadet de Lynch-Bages, ce vin n'a pas le volume de son aîné, mais son bouquet, fruité et floral, marié à un boisé de qualité, et sa bonne structure tannique le rendent intéressant.

⊶ Jean-Michel Cazes, Ch. Lynch-Bages, 33250 Pauillac, tél. 05.56.73.24.00, fax 05.56.59.26.42, e-mail infochato@lynchbages.com ☑ Y r.-v.
⊶ Famille Cazes

CH. HAUT-BAGES LIBERAL 1996**

■ 5ème cru clas. 28 ha 141 700 ⊪ 150 à 199 F

75 76 78 79 80 81 |(82)| **|83|** 84 **|85| |86|** 87 88 89 **90** |91| |92| 93 94 **95 96**

Fidèle au style imprimé au cru par sa mère, Claire Villars-Lurton offre ici un vin parfaitement typé dans son appellation. Né sur un terroir de qualité, le plateau de Bages, ce 96 ne se contente pas de s'appuyer sur une très solide trame tannique ; il développe un bouquet racé, puissant et complexe. De grande classe, l'ensemble méritera une place d'honneur à la cave. Il ne lui manquait qu'une seule voix pour le coup de cœur !

⊶ Claire Villars-Lurton, Ch. Haut-Bages Liberal, 33250 Pauillac, tél. 05.56.58.02.37, fax 05.57.88.84.40, e-mail chasse.spleen@vins-bordeaux.fr Y r.-v.

CH. HAUT-BAGES MONPELOU 1996*

■ Cru bourg. n.c. 52 000 ⊪ 70 à 99 F

Appartenant au patrimoine de la famille Castéja, ce cru est une exclusivité de leur maison de négoce (Borie-Manoux). Rond, charnu, bien équilibré et un rien charmeur, leur 96 témoigne par sa qualité d'un travail soigné.

⊶ Héritiers Castéja, 33250 Pauillac, tél. 05.56.00.00.70, fax 05.57.87.48.61 Y r.-v.

CH. HAUT-BATAILLEY 1996**

■ 5ème cru clas. 22 ha 115 000 ⊪ 200 à 249 F

66 71 75 76 **78 81** 82 83 84 |85| **|86| |87|** 88 89 90 91 |92| |93| **94 95 96**

Du même producteur que le Château Grand-Puy-Lacoste, ce vin est lui aussi d'une très belle tenue. On y retrouve avec plaisir certains traits de son cousin : couleur et parfums de raisin mûr où le grillé laisse un vaste espace aux notes de fruits (cassis, mûre). Très tannique, riche et dense, ce 96 possède la vigueur nécessaire pour bien vieillir.

⊶ Mme F. des Brest-Borie, 33250 Pauillac, tél. 05.56.73.16.73, fax 05.56.59.27.37

CH. LA BECASSE 1996*

■ 4,21 ha 29 000 ⊪ 100 à 149 F

91 |92| |93| 94 95 96

En dépit de sa petite taille, ce cru ne compte pas moins d'une vingtaine de parcelles. Ce 96, fort réussi, montre que cela ne constitue pas un handicap. Sa personnalité apparaît dès le bouquet où les fruits mûrs s'allient au chocolat et à quelques notes animales pour former un ensemble original. Tannique, puissante et élégante, la structure laisse une belle impression et invite à attendre quatre ou cinq ans pour ouvrir cette bouteille.

⊶ Roland Fonteneau, 21, rue Edouard-de-Pontet, 33250 Pauillac, tél. 05.56.59.07.14, fax 05.56.59.18.44 ☑ Y r.-v.

CH. LAFITE-ROTHSCHILD 1996***

■ 1er cru clas. 94 ha n.c. ⊪ + de 500 F

59 (61) **64** |66| 69 |70| |73| **|75|** 77 **|78|** |79| |80| **|81|** **|82| |83|** |84| **85 |87| 88 89 90 92 93 94** (95) (96)

Comme l'indique son nom, *la fite* ou *la hite*, la hauteur en gascon, cette ancienne seigneurie s'étend sur une croupe de graves au relief marqué. Fort de sa noble origine, ce vin affiche sa personnalité dès la présentation : d'un grenat sombre nuancé de violine, sa robe montre sa jeunesse. Celle-ci se retrouve dans le caractère du bouquet où se développent des notes de fruits mûrs, de fumée et de goudron. Au palais, la trame serrée concilie puissance et velouté, mettant en évidence une belle structure aux tanins soyeux. Tout annonce un remarquable potentiel : dix, vingt, trente, quarante ans ? Certainement l'un des plus grands millésimes de Lafite qui inaugure une nouvelle bouteille gravée portant le discret logo symbolisant les cinq frères de la famille Rothschild.

⊶ Ch. Lafite-Rothschild, 33250 Pauillac, tél. 05.56.73.18.18, fax 05.56.59.26.83 Y r.-v.; f. août-sept.-oct.

CARRUADES DE LAFITE 1996**

■ n.c. n.c. ⊪ 300 à 499 F

|87| 88 89 90 |91| |92| |93| 94 **95 96**

Etre issu du terroir de Lafite est un privilège qui crée une obligation de qualité. On ne reprochera pas à ce 96 de ne pas avoir atteint cet objectif. Délicat et complexe dans son bouquet mêlant fruits cuits, cerise, pruneau et macaron aux amandes, il se montre ample, rond, plein, long et aromatique au palais, que couronne une finale imposante. La fraîcheur et la sève dominent l'ensemble.

⊶ Ch. Lafite-Rothschild, 33250 Pauillac, tél. 05.56.73.18.18, fax 05.56.59.26.83 Y r.-v.; f. août-sept.-oct.

CH. LA FLEUR MILON 1996**

■ Cru bourg. 12,5 ha 80 000 ⊪ 100 à 149 F

Rège après rège, les trois petits hectares initiaux de 1958 sont devenus un joli cru bourgeois bien situé, non loin de Mouton et Lafite. La qualité du terroir se retrouve dans ce 96 : s'annonçant par une belle robe rubis sombre à reflets pourpres, ce vin montre sa prestance dès le bouquet, qui concilie l'élégance et la puissance, avec de plaisantes notes de cacao, de chocolat et de vanille. Rond, charpenté et distingué, le palais révèle une vinification à la hauteur du terroir. Une bouteille digne d'un chevreuil. Rappelons le coup de cœur obtenu par le 95. Son second vin, **Chanteclerc-Milon 96**, beaucoup plus simple mais bien constitué, reçoit une citation.

🔑 SCE Ch. La Fleur Milon, Le Pouyalet, 33250 Pauillac, tél. 05.56.59.29.01, fax 05.56.59.23.22 ☑ 🍷 t.l.j. sf sam. dim. 8h30-12h 14h-17h; f. dernière sem. août-sept.

CH. LA FLEUR PEYRABON 1996★

■ Cru bourg. 4,86 ha n.c. ▮ ◖◗ 100 à 149 F

Appartenant à la même propriété que le Château Peyrabon (haut-médoc) mais situé à Pauillac, ce cru a joué la carte de la séduction avec ce vin dont le bouquet privilégie les parfums fruités (cerise) et vanillés et dont les tanins sont aussi bien enveloppés que présents.

🔑 SARL Ch. Peyrabon, 33250 Saint-Sauveur-de-Médoc, tél. 05.56.59.57.10, fax 05.56.59.59.45 ☑ 🍷 r.-v.

🔑 Bernard

LA ROSE PAUILLAC 1996

■ 50,01 ha 119 500 ▮ ◖◗ 50 à 69 F

Signé par la plus ancienne cave coopérative du Médoc, ce vin n'a pas encore trouvé son expression définitive, notamment sur le plan aromatique, mais son palais, riche, gras et tannique, montre qu'il possède de bonnes réserves d'évolution.

🔑 La Rose Pauillac, 44, rue du M[al]-Joffre, B.P. 14, 33250 Pauillac, tél. 05.56.59.26.00, fax 05.56.59.63.58 ☑ 🍷 r.-v.

CH. LATOUR 1996★★★

■ 1er cru clas. 43 ha 220 000 ◖◗ + de 500 F

|(61)| **67 71** 73 74 75 |**76**| 77 |**78**| 79 |**80**| 81 |**82**|
|**83**| |84| **85 86** |**87**| **88 89 90 91 92 93 94** (95) **96**

Seigneurie et maison forte avant de devenir un grand vignoble et un laboratoire de l'innovation, Latour est l'un des plus anciens domaines médocains. Son prestige n'aura pas à souffrir de ce millésime, dont la robe presque noire en dit long sur ses possibilités de garde. Complexe avec de savoureuses odeurs de fruits mûrs et de réglisse, le bouquet traduit par son équilibre la volonté de l'éleveur de respecter le vin. Au palais sa trame, charnue et charpentée, est celle d'un vrai grand pauillac, qui demande à être attendu mais qui promet une dégustation mémorable d'ici une dizaine ou une vingtaine d'années.

🔑 SCV de Ch. Latour, Saint-Lambert, 33250 Pauillac, tél. 05.56.73.19.80, fax 05.56.73.19.81 🍷 r.-v.

🔑 François Pinault

LES FORTS DE LATOUR 1996★★

■ n.c. 123 000 ◖◗ 300 à 499 F

Comme son grand frère, le second vin de Latour est très pauillac par sa présence au palais, riche, tannique, charnue et grasse. Le bouquet, aux notes de fruits noirs, de grillé et de santal, étant du même niveau, cette bouteille est remarquable.

🔑 SCV de Ch. Latour, Saint-Lambert, 33250 Pauillac, tél. 05.56.73.19.80, fax 05.56.73.19.81 🍷 r.-v.

LES TOURELLES DE LONGUEVILLE 1996★

■ n.c. 120 000 ◖◗ 150 à 199 F

Comme dans tous les crus où l'on sait travailler, l'équipe de Pichon-Longueville Baron a su garder une bonne matière pour le second vin. Bien bouqueté, complexe et équilibré, celui-ci évolue très agréablement tout au long de la dégustation, pour terminer sur une belle finale.

🔑 Jean-Michel Cazes, Ch. Pichon-Longueville, 33250 Pauillac, tél. 05.56.73.17.17, fax 05.56.73.17.28, e-mail infochato@pichonlongueville.com ☑ 🍷 r.-v.

🔑 Axa Millésime

CH. LYNCH-BAGES 1996★★

■ 5ème cru clas. 90 ha 420 000 ◖◗ 300 à 499 F

70 71 |**75**| 76 78 |**79**| 80 |**81**| |(82)| |**83**| 84 |**85**| |**86**|
|**87**| **88 89 90** |91| 92 |93| **94** 95 **96**

Ce vaste cru est l'un des phares de l'appellation. Sa notoriété repose sur celle de ses propriétaires, autrefois, de 1749 à 1824, les Lynch, importante famille d'origine irlandaise, et aujourd'hui les Cazes ; mais aussi, et surtout, sur la qualité de sa production, qu'illustre ce vin. L'équipe constituée autour de Daniel Lloze par Jean-Michel Cazes a cherché le meilleur équilibre possible entre la richesse et l'élégance, l'extraction bien menée ayant donné des tanins fondus et soyeux. Franc et fin, le bouquet apporte de jolies notes fruitées (fruits noirs) à cet ensemble de qualité dont la finale est savoureuse. Longue garde assurée.

🔑 Jean-Michel Cazes, Ch. Lynch-Bages, 33250 Pauillac, tél. 05.56.73.24.00, fax 05.56.59.26.42, e-mail infochato@lynchbages.com ☑ 🍷 r.-v.

🔑 Famille Cazes

CH. LYNCH MOUSSAS 1996★

■ 5ème cru clas. n.c. n.c. ◖◗ 150 à 199 F

81 82 **83** 85 86 88 |89| **90** 91 |92| 93 95 96

Sans doute le plus hispanique des vignobles girondins : Alphonse XIII d'Espagne venait y chasser. Propriété des Castéja, comme son voisin Batailley, il s'individualise cependant par sa pro-

duction. Encore un peu timide par son bouquet aux délicates notes fruitées et boisées, ce 96 est beaucoup plus expressif au palais, où se révèlent un corps et une puissance tannique qui en font un vrai vin de garde.
Emile Castéja, 33250 Pauillac,
tél. 05.56.00.00.70, fax 05.57.87.48.61 r.-v.

CH. MOUTON ROTHSCHILD 1996★★★

■ 1er cru clas. 75 ha n.c. + de 500 F

71 72 73 74 |75| **76** 77 |78| **79** 80 81 **82 83** |84| **85** (86) |87| **88 89 90 91 92 93 94** (95) **96**

Un musée, des écrivains et artistes de renom comme hôtes, Mouton apporte toute sa dimension culturelle au vin. Les étiquettes ne sont-elles pas illustrées par de grands peintres ? Pour le millésime 96, Philippine de Rothschild a choisi un artiste de la République populaire de Chine, Gu Gan. Quant au vin, il s'agit réellement d'une œuvre, au sens fort du terme. Ample et complexe, son développement aromatique mêle, par touches sensibles, les fruits rouges à la vanille, au moka et aux notes de torréfaction, composant un tableau de parfums qui trouve son prolongement dans le jeu théâtral du palais. Attaquant en douceur, celui-ci monte ensuite en puissance sans jamais renoncer à sa tendreté, qui s'exprime par des tanins crémeux et soyeux. Son élégance et sa longueur en font l'image même du grand vin bordelais.
Ch. Mouton Rothschild, 33250 Pauillac,
tél. 05.56.59.22.22, fax 05.56.73.20.44 r.-v.
Baronne Ph. de Rothschild GFA

CH. PIBRAN 1996

■ Cru bourg. 10 ha 54 000 150 à 199 F

87 |88| |89| **|90|** |91| 93 94 95 96

Appartenant à Axa Millésime, comme Pichon-Longueville Baron, ce cru offre, avec ce millésime, un vin monolithique mais équilibré et d'une bonne complexité aromatique où les notes empyreumatiques le disputent aux fruits rouges. La finale est savoureuse. Il faut attendre qu'il se fasse.
Jean-Michel Cazes, Ch. Pichon-Longueville, 33250 Pauillac, tél. 05.56.73.17.17,
fax 05.56.73.17.28,
e-mail infochato@pichonlongueville.com
r.-v.
Axa Millésime

CH. PICHON-LONGUEVILLE BARON 1996★★★

■ 2ème cru clas. 68 ha 300 000 300 à 499 F

78 81 |82| |83| 84 |85| |86| **87 88 89** (90) **91 92 93 94 95 96**

Même si les chais, postmodernistes, sont véritablement étonnants, l'architecture n'est ici qu'accessoire, comparée à l'intérêt du terroir : de belles graves, voisines de celles de Latour. Complexe à souhait par son bouquet, où les notes boisées et fruitées se marient harmonieusement, ce millésime à l'attaque soyeuse, aux tanins fondus, à la riche matière et à la finale de grande classe illustre à la perfection la recherche d'équilibre entre l'élégance et la puissance qui caractérise depuis douze ans le « Pichon-Baron ». Un vrai et beau pauillac.
Jean-Michel Cazes, Ch. Pichon-Longueville, 33250 Pauillac, tél. 05.56.73.17.17,
fax 05.56.73.17.28,
e-mail infochato@pichonlongueville.com
r.-v.
Axa Millésime

CH. PICHON LONGUEVILLE COMTESSE DE LALANDE 1996★

■ 2ème cru clas. 75 ha n.c. + de 500 F

66 70 71 75 76 78 79 80 **81** |82| |83| 84 |85| |(86)| 87 |(88)| **89** |90| |91| |92| |93| **94 95** 96

Terrasse avec vue sur Latour, salles de réception, ce cru dispose de réels attraits pour retenir les visiteurs, dont une collection de verres anciens. Généralement féminin, peut-être en raison du rôle tenu par les femmes dans l'histoire de la propriété, son vin joue cette fois sur un registre plus masculin. S'appuyant sur une solide présence tannique, son palais montre par son ampleur, sa charpente et sa puissance qu'il possède un réel potentiel de garde.
SCI Pichon Longueville Comtesse de Lalande, 33250 Pauillac, tél. 05.56.59.19.40,
fax 05.56.59.26.56,
e-mail pichon@pichon-lalande.com r.-v.
May-Eliane de Lencquesaing

CH. PONTET-CANET 1996★★

■ 5ème cru clas. 78 ha 260 000 250 à 299 F

(61) 70 75 76 77 78 79 81 82 |83| 84 |85| 86 87 |88| |89| |90| 91 92 |93| 94 **95 96**

Avec un domaine de 120 ha, dont 78 ha de vigne, ce cru représente une belle unité située sur le plateau nord de Pauillac. En 1998, d'importants investissements ont été faits pour rénover

ses équipements. Même sans en avoir profité, ce 96 est un brillant ambassadeur du domaine. Toutes les promesses de sa superbe robe, d'un rouge très foncé, sont tenues : complexe et parfaitement fondu, le bouquet concilie la puissance et l'élégance, le fruit et le merrain ; structuré par une riche matière tannique, le palais indique un solide potentiel de vieillissement. A ne pas ouvrir avant cinq ans au moins...
Famille Tesseron, Ch. Pontet-Canet, 33250 Pauillac, tél. 05.56.59.04.04, fax 05.56.59.26.63, e-mail pontet@pontet-canet.com r.-v.

CH. SAINT-MAMBERT 1996

■ 0,53 ha 4 100 100 à 149 F

Issu d'un microcru, ce vin aurait mérité un peu plus de gras et de moelleux, sa riche matière, bien extraite, lui apportant une bonne capacité de garde.
Josianne Reyes, Bellevue, Ch. Saint-Mambert, 33250 Pauillac, tél. 05.56.59.22.72, fax 05.56.59.22.72 t.l.j. 9h-12h 14h30-18h30
Domingo Reyes

CH. TOUR PIBRAN 1996*

■ Cru bourg. 10 ha 70 000 70 à 99 F

Nouveau venu dans le Guide, ce cru fait une belle entrée avec ce vin. Souple et bien équilibré, ce 96 est assez charmeur mais sait montrer, par la jeunesse de son bouquet et sa finale tannique, qu'il possède de bonnes réserves pour évoluer favorablement pendant quelques années.
Compagnie Médocaine des Grands Crus, ZI 7, rue Descartes, 33290 Blanquefort, tél. 05.56.95.54.95, fax 05.56.95.54.85, e-mail emgc@medocaine.com
Gonnel

Saint-estèphe

A quelques encablures de Pauillac et de son port, Saint-Estèphe affirme un caractère terrien avec ses rustiques hameaux pleins de charme. Correspondant (à l'exception de quelques hectares compris dans l'appellation pauillac) à la commune elle-même, l'appellation (1 245 ha et 68 946 hl) est la plus septentrionale des six appellations communales médocaines. Ceci lui donne une typicité assez accusée, avec une altitude moyenne d'une quarantaine de mètres et des sols formés de graves légèrement plus argileuses que dans les appellations plus méridionales. L'appellation compte cinq crus classés, et les vins qui y sont produits portent la marque du terroir. Celui-ci renforce nettement leur caractère, avec, en général, une acidité des raisins plus élevée, une couleur plus intense et une richesse en tanins plus grande que pour les autres médocs. Très puissants, ce sont d'excellents vins de garde.

CH. ANDRON BLANQUET 1996

■ Cru bourg. 16 ha 70 000 70 à 99 F

75 76 78 79 **81** 82 83 **85 86** 87 |88| |89| 90 91 92 |93| |94| 95 96

Du même producteur que le Cos Labory, ce vin est bien fait avec un bouquet délicat et de bons tanins. C'est un classique.
SCE Dom. Audoy, Ch. Andron Blanquet, 33180 Saint-Estèphe, tél. 05.56.59.30.22, fax 05.56.59.73.52

CH. BEAU SITE 1996*

■ Cru bourg. n.c. 210 000 70 à 99 F

Agréable propriété justifiant son nom, ce cru propose un vin où l'on sent un joli fruité, tant au bouquet qu'au palais. Bien équilibré, l'ensemble est soutenu par un bois encore très présent mais de qualité. Une bouteille à attendre quelques années.
Héritiers Castéja, 33250 Pauillac, tél. 05.56.00.00.70, fax 05.57.87.48.61 r.-v.

CH. BEAU-SITE HAUT-VIGNOBLE 1996*

■ 18 ha 108 000 70 à 99 F

Connu au XIX[e]s. sous le nom de Latour du Haut-Vignoble, ce cru possède de nombreuses parcelles. Souples en attaque, les tanins de ce 96

Saint-Estèphe

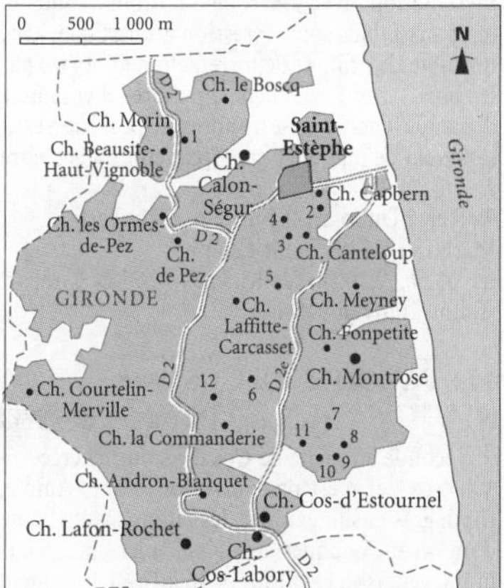

sont assez délicats ; ce vin bien équilibré développe de plaisants arômes fruités relevés par une légère note boisée.
⊶ Jean-Louis Braquessac, Saint-Corbian, 33180 Saint-Estèphe, tél. 05.56.59.30.40, fax 05.56.59.39.13 ☑ Y r.-v.

CH. BEL-AIR 1996

■ 4,92 ha 24 000 ◍ 70 à 99 F

Né sur un petit cru, ce vin est peu expressif sur le plan aromatique mais sa solide constitution tannique, d'une rusticité de bon aloi, doit lui permettre d'évoluer favorablement.
⊶ SCEA du Ch. Bel Air, 15, rte de Castelnau, 33480 Avensan-Médoc, tél. 05.56.58.21.03, fax 05.56.58.27.20 ☑ Y r.-v.
⊶ Braquessac

CALVET 1996

■ n.c. 9 000 ▮🌡 30 à 49 F

Proposé par l'une des plus anciennes maisons du négoce bordelais, ce vin s'annonce par une belle robe bigarreau. Ronde, avec des tanins soyeux et une note animale au bouquet, cette bouteille à boire jeune demandera à être aérée en l'ouvrant quelque temps avant de la servir.
⊶ Calvet SA, 75, cours du Médoc, 33000 Bordeaux, tél. 05.56.43.59.00, fax 05.56.43.17.78

CH. CHAMBERT-MARBUZET 1996★

■ Cru bourg. 8 ha 53 000 ◍ 70 à 99 F

66 76 79 81 82 |**83**| **85** 86 87 |**88**| 89 |90| 91 |92| **93 94 95** 96

Le terroir commande. Bien qu'élaboré par Henri Duboscq, ce vin n'entend pas rivaliser avec le Haut-Marbuzet. Mais cela ne l'empêche pas de faire preuve d'une belle tenue. Dans sa présentation, avec une robe d'un rouge soutenu, mais aussi dans son expression aromatique, avec une note de grillé et de torréfaction apportée par le bois ; rond et bien équilibré, l'ensemble demande encore à se fondre : il possède suffisamment de matière pour y parvenir dans quatre à cinq ans.
⊶ Henri Duboscq et Fils, Ch. Chambert-Marbuzet, 33180 Saint-Estèphe, tél. 05.56.59.30.54, fax 05.56.59.70.87 ☑ Y t.l.j. sf dim. 10h-12h 14h-18h

LES PAGODES DE COS 1996★

■ n.c. 129 000 ◍ 250 à 299 F

Seconde étiquette de Cos d'Estournel créée en 1994, ce vin n'est pas un simple clone. Ample, rond, gras et soutenu par des tanins soyeux, doté d'un beau bouquet associant pistache, fruits mûrs, venaison et cacao, ce 96 affirme fortement sa personnalité, qui sera chaleureuse sur des grillades.
⊶ SA Dom. Prats, Cos d'Estournel, 33180 Saint-Estèphe, tél. 05.56.73.15.50, fax 05.56.59.72.59, e-mail cosestournel@estournel.com Y r.-v.

COS D'ESTOURNEL 1996★★★

■ 2ème cru clas. 64 ha 310 000 ◍ + de 500 F

|**70**| 71 73 74 |**75**| 76 |**78**| |79| 80 81 |**82**| |**83**| 84 |**85**| |**86**| 87 **88** |**89**| (90) |**91**| |**92**| |**93**| **94 95 96**

Si certains changements de propriétaire font grand bruit, ce ne fut pas le cas à Cos puisque Guillaume Prats, le fils de Bruno, est toujours à la barre. Quel superbe 96 ! Son caractère se lit dans la robe rubis sombre à reflets violacés. Toast, moka, petits fruits rouges, le bouquet met en appétit. Concentré et soutenu par une belle matière, le palais ne laisse pas le dégustateur sur sa faim. Les arômes du nez persistent jusqu'en finale et marquent le retour pour laisser le souvenir d'une grande bouteille, que l'on gardera en cave pendant quelques années. Un vin de caractère unanimement plébiscité par les dégustateurs.
⊶ SA Dom. Prats, Cos d'Estournel, 33180 Saint-Estèphe, tél. 05.56.73.15.50, fax 05.56.59.72.59, e-mail cosestournel@estournel.com Y r.-v.

CH. COS LABORY 1996★★

■ 5ème cru clas. 18 ha 80 000 ◍ 200 à 249 F

64 70 75 78 79 80 **81** 82 **83** 84 **85** |**86**| 87 88 |89| (90) 91 **92** |93| 94 95 **96**

Belle propriété bourgeoise, Cos Labory dispose d'un terroir de qualité fait de graves reposant sur un socle calcaire. Comme à son habitude, il propose un vin aux tanins soyeux. Si sa couleur grenat foncé indique sans ambages sa solide constitution, c'est sa finesse que révèlent le bouquet aux notes complexes (fruits, cuir et bois) et le palais qui attaque et progresse en souplesse. Le second vin, le **Charme de Labory 96**, est cité pour son équilibre. Ses tanins doux lui permettent déjà d'être servi sur des viandes rouges mais il vivra plus de cinq ans (70 à 99 F).
⊶ SCE Dom. Audoy, Ch. Cos Labory, 33180 Saint-Estèphe, tél. 05.56.59.30.22, fax 05.56.59.73.52 ☑ Y r.-v.

CH. COUTELIN-MERVILLE 1996★

■ Cru bourg. 19 ha 150 000 ◍ 70 à 99 F

Bien représenté dans ce vin (50 %), le merlot a laissé sa marque dans le bouquet, où les notes fruitées apparaissent, discrètement au premier nez, puis plus généreusement après agitation. Souple, le palais s'appuie sur une bonne structure dont les fins tanins sont garants d'une bonne garde sans jamais se montrer agressifs.
⊶ G. Estager et Fils, Blanquet, 33180 Saint-Estèphe, tél. 05.56.59.32.10, fax 05.56.59.32.10 ☑ Y r.-v.

CH. DOMEYNE 1996★★

■ Cru bourg. 7,21 ha 40 000 ▮ ⦶ ⚲ 70 à 99 F

82 83 85 86 |88| |89| 90 91 92 |93| 95 **96**

S'il sait rester discret et ne fait pas la une des journaux, ce cru n'ignore rien de l'art de produire de jolis vins, témoin ce 96. A une présentation dans les règles, il ajoute un bouquet qui tire son charme de sa générosité et d'une certaine complexité. Bien dosé, le bois respecte les autres arômes et la structure dont il augmente le relief, donnant un ensemble rond, charnu et persistant, qui méritera un séjour en cave de cinq à huit ans.
⚷ SARL d'Exploitation du Ch. Domeyne, 7, rue du Maquis-de-Vignes, Oudides, 33180 Saint-Estèphe, tél. 05.56.59.72.29, fax 05.56.59.72.21 ☑ Y r.-v.

FRANK-PHELAN 1996★

■ 64 ha 145 000 ⦶ 70 à 99 F

Souple, rond et bien équilibré, le frère cadet du Phélan Ségur sait affirmer sa personnalité. Celle-ci s'exprime notamment par d'élégants arômes fruités qui servent de fil rouge à la dégustation.
⚷ Ch. Phélan Ségur, 33180 Saint-Estèphe, tél. 05.56.59.74.00, fax 05.56.59.74.10, e-mail phelan.segur@wanadoo.fr Y r.-v.
⚷ X. Gardinier

CH. HAUT-MARBUZET 1996★★

■ Cru bourg. 55 ha 360 000 ⦶ 150 à 199 F

|**61**| |62| 64 66 **67** 70 71 73 |**75**| |76| 77 **78** 79 **80 81** (82) |**83**| **85** |**86**| **88 89 90** |**92**| |**93**| **94 95 96**

Il faut entendre Henri Duboscq parler de sa propriété pour comprendre que Haut-Marbuzet est entre de bonnes mains. Certes, vous pourrez trouver avec l'un des membres du jury que le bois est ici très présent. Mais si vous rejoignez l'avis des trois autres dégustateurs, vous estimerez que ce bois est de qualité, et n'enlève rien aux autres caractères du vin : un bouquet aux belles notes fruitées et un palais rond et tannique, qui témoigne d'un réel potentiel de garde. Une bouteille de forte personnalité, à ouvrir d'ici cinq à dix ans.
⚷ Henri Duboscq et Fils, Ch. Haut-Marbuzet, 33180 Saint-Estèphe, tél. 05.56.59.30.54, fax 05.56.59.70.87 ☑ Y t.l.j. sf dim. 10h-12h 14h-18h

RAOUL JOHNSTON Grande Réserve 1996

■ n.c. 12 000 50 à 69 F

Une signature prestigieuse pour ce vin sans grande ampleur mais fort agréable. Rond et friand, il développe un bouquet très fin, qu'agrémentent de belles notes fruitées de baies sauvages.
⚷ Ets Raoul Johnston, Ch. Malécot, 33250 Pauillac, tél. 05.56.59.02.15, fax 05.56.59.07.93, e-mail raoul.johnston@insat.com ☑ Y r.-v.

CH. LA COMMANDERIE 1996

■ Cru bourg. 15 ha 82 500 ▮ ⦶ ⚲ 50 à 69 F

Exclusivité de la maison Kressmann, ce vin est simple mais agréable à l'œil et bien constitué. D'une bonne puissance aromatique, avec de fines notes fruitées, il développe une solide structure soutenue par des tanins bien enrobés.
⚷ Ch. La Commanderie, 33180 Saint-Estèphe, tél. 05.56.35.53.00, fax 05.56.35.53.29, e-mail contact@cvbg.com ☑

LA CROIX BONIS 1996

■ 10 ha 30 000 ⦶ 70 à 99 F

Produit par le château Phélan Ségur, ce vin aurait mérité un peu plus de gras, mais on sent une bonne matière et un bouquet expressif, avec d'agréables notes fruitées (cassis et framboise).
⚷ Compagnie Médocaine des Grands Crus, ZI, 7, rue Descartes, 33290 Blanquefort, tél. 05.56.95.54.95, fax 05.56.95.54.85, e-mail phelan.segur@wanadoo.fr Y r.-v.

LA DAME DE MONTROSE 1996★

■ 68,39 ha 117 780 ⦶ 150 à 199 F

Seconde étiquette de Montrose, ce vin n'entend pas rivaliser avec son grand frère, mais l'intensité et la complexité de son bouquet s'associent à sa structure pour donner un ensemble de qualité. On trouve du fruit, du grillé, de l'animal, des notes de cuir...
⚷ Jean-Louis Charmolüe, SCEA du Ch. Montrose, 33180 Saint-Estèphe, tél. 05.56.59.30.12, fax 05.56.59.38.48 ☑ Y r.-v.

CH. LAFON-ROCHET 1996★★

■ 4ème cru clas. 40 ha 190 000 ⦶ 300 à 499 F

(64) **75 76 77 78 79** 81 |82| |**83**| 85 **86** |88| |89| |90| **91 92** 93 94 (95) **96**

Comme à Pontet-Canet (Pauillac), Alfred Tesseron et son équipe ont fait un excellent travail à Lafon-Rochet. Le cru nous confirme une fois de plus la qualité de son terroir. Une robe rubis sombre, un bouquet mariant les fruits rouges aux épices ; un palais rond, corsé et charpenté, avec des tanins fermes, remarquables et prometteurs, de grande persistance : tout indique que ce 96 est de bonne origine et digne d'être attendu jusqu'à la fin de la première décennie du XXI[e]s.
⚷ Famille Tesseron, Ch. Lafon-Rochet, 33180 Saint-Estèphe, tél. 05.56.59.32.06, fax 05.56.59.72.43, e-mail lafon@lafon-rochet.com ☑ Y r.-v.

LA CHAPELLE DE LAFON-ROCHET 1996★

■ 41 ha 24 000 ⦶ 100 à 149 F

Fait de plus en plus rare, le premier vin n'a pas tout pris ! Sans atteindre le même niveau que la « grande », cette seconde étiquette s'en approche par bien des traits. Sa couleur, la richesse de son bouquet et sa matière, charnue et concentrée, se rejoignent pour indiquer que cette bouteille mérite l'honneur d'un long séjour en cave.
⚷ Famille Tesseron, Ch. Lafon-Rochet, 33180 Saint-Estèphe, tél. 05.56.59.32.06, fax 05.56.59.72.43, e-mail lafon@lafon-rochet.com Y r.-v.

CH. LA HAYE 1996

■ Cru bourg. 10 ha 48 000 ⦶ 70 à 99 F

|**89**| |**90**| **91** 92 93 94 95

Beau château, où une vieille porte rappelle l'ancienneté de la propriété. Ce cru cherche à bien maîtriser l'extraction et l'élevage. L'objectif est atteint avec ce millésime au bouquet encore discret mais d'une bonne complexité et doté d'une structure franche, grasse et soutenue par une solide matière.

⊶ Georges Lecallier, Leyssac, 33180 Saint-Estèphe, tél. 05.56.59.32.18 ☒ Y r.-v.

CH. LA PEYRE 1996★★★

■ Cru artisan 6,5 ha n.c. 70 à 99 F

Modeste cru artisan de quelques hectares, ce vignoble réalise un coup d'éclat avec ce millésime. Comme à son habitude, ce vin d'auteur possède une solide structure tannique. Riche et délicat dans son expression aromatique, avec des parfums frais et complexes (cassis, fruits mûrs et bois), il concilie la puissance, la mâche et l'élégance. De très longue garde, cette bouteille parfaitement représentative de l'appellation et du millésime fera l'une des plus belles pages de votre livre de cave.

⊶ EARL Vignobles Rabiller, Leyssac, 33180 Saint-Estèphe, tél. 05.56.59.32.51, fax 05.56.59.70.09 ☒ Y t.l.j. 10h-12h30 15h-19h

CH. L'ARGILUS DU ROI 1996

■ Cru artisan n.c. n.c. 70 à 99 F

Premier millésime pour ce petit cru, créé par un maître de chai qui voulait avoir sa vigne et faire son vin. Son nom évoque la boule d'argile de 20 m de diamètre qui se trouve sous les graves. Etoffé et tannique, ce 96 est prometteur pour l'avenir de la propriété qui est déjà passée de un à deux hectares.

⊶ J. Bueno, 6, rue du Luc, 33250 Cissac, tél. 05.56.59.53.74, fax 05.56.59.53.74

CH. LAVILLOTTE 1996★

■ Cru bourg. n.c. 50 000 70 à 99 F

Année qui vit la modernisation des équipements, 1996 aura aussi été pour ce cru celle d'un joli millésime. Même s'il reste marqué par le bois, ce vin sait en effet montrer ses bonnes dispositions, par sa robe d'un rubis profond, par ses arômes naissants d'épices et de fumée, enfin par sa structure, qui lui assure un sérieux potentiel de garde.

⊶ SCEA des Dom. Pedro, 33180 Saint-Estèphe, tél. 05.56.41.98.17, fax 05.56.41.98.89 ☒ Y t.l.j. sf sam. dim. 9h-12h 14h-18h; groupes sur r.-v.; f. du 09/08 au 16/08

CH. LE BOSCQ 1996

■ Cru bourg. 16,62 ha 75 000 100 à 149 F

Commandée par un joli château, cette propriété, exploitée par la maison Dourthe, est en cours de modernisation depuis 1996. Ce vin, qui n'a pas bénéficié de ces travaux, se montre agréable par sa rondeur et sa finesse. Une propriété à suivre dans l'avenir. Assez paradoxalement, c'est le second vin, **Héritage de Château Le Boscq**, qui est le plus marqué par les tanins, avec une extraction poussée. On lui a trouvé des notes de bois de santal. Même mention.

⊶ Ch. Le Boscq, Dourthe, 33180 Saint-Estèphe, tél. 05.56.35.53.00, fax 05.56.35.53.29, e-mail contact@cvbg.com ☒ Y r.-v.

CH. LE CROCK 1996★

■ Cru bourg. n.c. n.c. 70 à 99 F

Rapprochement facile, ce vignoble appartenant au même propriétaire que Léoville-Poyferré, certains sont parfois tentés d'opposer le vin du Crock, très tannique, au saint-julien. Même si sa structure est riche et tannique, son côté enrobé et sa finesse plaident en sa faveur, tout comme le bouquet naissant de fruits rouges, de sous-bois et de fumée d'une grande complexité. Belle finale pleine de promesses.

⊶ Ch. Le Crock, 33180 Saint-Estèphe, tél. 05.57.77.11.50, ☒ Y r.-v.

CH. LES HAUTS DE PEZ 1996

■ Cru bourg. n.c. n.c. 50 à 69 F

Souple, fin, d'une belle couleur rubis et agréablement bouqueté, avec d'intenses notes fruitées, ce second vin du Château Tour de Pez, diffusé par le négoce, pourra être apprécié jeune, dans deux à trois ans.

⊶ Cheval Quancard, La Mouline, 4, rue du Carbouney, 33520 Carbon-Blanc, tél. 05.57.77.88.88, fax 05.57.77.88.99, e-mail chevalquancard@chevalquancard.com Y r.-v.

CH. LES ORMES DE PEZ 1996★

■ Cru bourg. 33 ha 204 000 150 à 199 F

81 |82| |83| 84 **|85| |86|** 87 **|88| 89 90 91** |92| 93 94 95 96

Terroir de qualité, vignes âgées de trente ans et à forte densité, ce cru, qui appartient aux Cazes, comme Lynch-Bages (à Pauillac), jouit de sérieux atouts dont ce 96 a su tirer profit : son bouquet riche et complexe aux notes de venaison, et sa structure dense et puissante en font un saint-estèphe classique. Longue garde assurée.

⊶ Jean-Michel Cazes, Ch. Les Ormes de Pez, 33180 Saint-Estèphe, tél. 05.56.73.24.00, fax 05.56.59.26.42, e-mail infochato@chateauxassociés.com ☒

⊶ Famille Cazes

CH. LILIAN LADOUYS 1996★★

■ Cru bourg. 40 ha 230 000 70 à 99 F

|89| |(90)| **91** 92 |93| |94| **95 96**

Avec quatre-vingt-dix parcelles, cette belle unité de 40 ha de vignes est présente sur tous les types de sols stéphanois. A terroir représentatif, vin bien typé ; ce 96 l'est incontestablement par son potentiel de garde (de dix à quinze ans)

qu'annoncent des tanins aussi bien structurés qu'enrobés. Sa trame serrée se retrouve dans la finale dont la richesse rejoint celle du bouquet pour laisser le souvenir d'un très bel ensemble, long, ample, complexe et élégant. Cette bouteille remarquable atteste que la conduite de la vigne et la vinification sont à la hauteur du terroir. Plus simple que son aîné (30 à 49 F), le **Devise de Lilian** est cependant fort plaisant, notamment par son bouquet fruité et complexe, que l'on retrouve avec bonheur dans le retour. Il est retenu sans étoile.

⊶ SA Ch. Lilian Ladouys, Blauquet, 33180 Saint-Estèphe, tél. 05.56.59.71.96, fax 05.56.59.35.97 Y r.-v.

CH. MARBUZET 1996★★

■ Cru bourg. 7 ha 60 000 200 à 249 F

75 76 **78** **79** |81| **82** 83 84 |85| |86| 87 |88| |89| |(90)| 92 93 |94| **95** **96**

Célèbre par son château, « mini Maison Blanche », ce cru, qui appartient au même groupe que Cos d'Estournel - et considéré comme seconde marque - reste fidèle à sa tradition de qualité avec ce vin dont la structure solide et ample sert de soutien à une expression aromatique d'une grande complexité (fruits rouges et noirs, pruneau...). Une belle bouteille à laisser reposer en cave pendant cinq ou six ans.

⊶ Dom. Prats, Marbuzet, 33180 Saint-Estèphe, tél. 05.56.73.15.50, fax 05.56.59.72.59 Y r.-v.

TRADITION DU MARQUIS DE SAINT-ESTEPHE 1996★★

■ 12 ha 80 000 70 à 99 F

Marque de prestige de la cave coopérative, cette étiquette reste fidèle à son habitude en proposant une fois encore un vin remarquable. Son harmonie apparaît dès le bouquet où les raisins mûrs, les fruits rouges et les épices contractent un mariage heureux avec le merrain. Fin et bien équilibré, le palais est dans le même esprit et laisse au dégustateur le souvenir d'un ensemble de bonne origine et bien travaillé.

⊶ Marquis de Saint-Estèphe, 2, rte du Médoc, 33180 Saint-Estèphe, tél. 05.56.73.35.30, fax 05.56.59.70.89 ☒ Y t.l.j. sf sam. dim. 8h30-12h15 14h-18h; f. du 15/09 au 15/10

CH. MEYNEY 1996★★

■ Cru bourg. 50 ha 300 000 100 à 149 F

80 **81** |82| |83| 84 |85| |(86)| |87| **88** **89** 90 **91** **92** **93** 94 **95** **96**

Appartenant au gotha des crus stéphanois, ce vignoble bénéficie des soins attentifs de l'équipe des établissements Cordier et de son œnologue, Georges Pauli. Celui-ci peut tirer légitimement quelque fierté de ce 96, et de son bouquet riche et complexe composé de fines notes de gibier, de kirsch et de grillé. Rond, souple et bien équilibré, le palais se développe progressivement pour s'ouvrir sur une élégante finale fruitée.

⊶ Domaines Cordier, 53, rue du Dehez, 33290 Blanquefort, tél. 05.56.95.53.00, fax 05.56.95.53.08 Y r.-v.

CH. MONTROSE 1996★★

■ 2e cru clas. 68,39 ha 211 450 300 à 499 F

64 66 67 |70| |75| 76 78 |79| 81 |(82)| **83** |85| **86** 87 **88** **89** **90** **91** **92** **93** **94** **95** **96**

Il est loin le temps où le mont Rose n'était qu'une butte couverte de bruyères sauvages. C'est aujourd'hui, face au fleuve, l'un des sites de choix du Médoc viticole. Ce vin en témoigne, tant par son bouquet, complexe, puissant et concentré, que par son palais, dont l'ampleur, la rondeur et le volume s'accordent avec des tanins de qualité pour indiquer que cette bouteille n'a mérité qu'une peine : cinq ans incompressibles de cave.

⊶ Jean-Louis Charmolüe, SCEA du Ch. Montrose, 33180 Saint-Estèphe, tél. 05.56.59.30.12, fax 05.56.59.38.48 ☒ Y r.-v.

CH. PETIT BOCQ 1996★

■ 7,74 ha 50 000 100 à 149 F

Confirmant ses prestations des deux dernières années, ce cru offre ici un vin d'une belle tenue. D'emblée la présentation met en confiance, avec une robe à reflets grenat d'une grande intensité. Encore naissant, le bouquet laisse apparaître sa personnalité à travers des notes grillées, torréfiées et fruitées. Porté par des tanins soyeux, le palais se montre prometteur.

⊶ SCEA Lagneaux-Blaton, 3, rue de la Croix-de-Pez, B.P. 33, 33180 Saint-Estèphe, tél. 06.80.70.96.32, fax 05.56.59.32.11 ☒ Y r.-v.

CH. PHELAN SEGUR 1996★★

■ Cru bourg. 64 ha 220 000 150 à 199 F

81 **82** |86| 87 |88| 89 **90** |91| |92| **93** **94** **95** **96**

L'une des belles unités de l'appellation par sa superficie et l'une des valeurs sûres par sa qualité. Avec leur 96, les Gardinier proposent, comme à leur habitude, un vin dont la puissance n'exclut pas l'élégance. Encore marqué par l'élevage, celui-ci développe un bouquet qui annonce sa complexité, avec des notes de sous-bois, de pain grillé et de fruits noirs. Progressant régulièrement tout au long de la dégustation, il s'ouvre sur une belle finale, qui confirme son potentiel de garde.

⊶ Ch. Phélan Ségur, 33180 Saint-Estèphe, tél. 05.56.59.74.00, fax 05.56.59.74.10, e-mail phelan.segur@wanadoo.fr Y r.-v.

⊶ X. Gardinier

CH. POMYS 1996★★

■ n.c. n.c. 70 à 99 F

80 81 |82| |83| 84 |85| 87 **88** |89| 90 91 |92| |93| 94 **96**

Connu pour son château-hôtel, ce cru se distingue aussi par l'excellente qualité de ce vin qui allie l'attrait d'un bouquet riche et complexe (groseille, fraise, sous-bois...) à l'agrément d'un palais dont la structure tannique sait affirmer sa puissance et son potentiel sans tomber dans l'agressivité. Tout promet une harmonieuse bouteille d'ici cinq à dix ans.

⊶ SARL Arnaud, Ch. Saint-Estèphe et Pomys, 33180 Saint-Estèphe, tél. 05.56.59.32.26, fax 05.56.59.35.24 ☑ Ɪ t.l.j. sf sam. dim. 9h-12h 14h-17h30

CH. SAINT-ESTEPHE 1996*

■ Cru bourg. n.c. 80 000 ⏸ 70 à 99 F

75 80 81 |**82**| 83 84 |**85**| 87 |**88**| |89| **90** |91| 92 |93| 94 95 96

Du même producteur que le château Pomys, ce vin n'a pas sa complexité, mais il n'en reste pas moins très plaisant par son joli bouquet aux notes de baies sauvages et ses tanins bien enrobés. Il devra attendre trois ou quatre ans.

⊶ SARL Arnaud, Ch. Saint-Estèphe et Pomys, 33180 Saint-Estèphe, tél. 05.56.59.32.26, fax 05.56.59.35.24 ☑ Ɪ t.l.j. sf sam. dim. 9h-12h 14h-17h30

CH. SEGUR DE CABANAC 1996*

■ Cru bourg. 4,95 ha 32 000 ⏸ 100 à 149 F

|**86**| 87 88 **89** 90 91 92 **93** 94 95 96

Guy Delon, qui reconstitue cette propriété ayant appartenu au « Prince des vignes » Joseph-Marie de Ségur-Cabannac, propose ici un vin très cabernet dans son expression aromatique. Doté d'une solide corpulence, ce 96 demande encore à s'affiner.

⊶ SCEA Guy Delon et Fils, Ch. Ségur de Cabanac, 33180 Saint-Estèphe, tél. 05.56.59.70.10, fax 05.56.59.73.94 ☑ Ɪ r.-v.

CH. TOUR BLANQUET 1996*

■ 3,9 ha 24 000 ⏸ 50 à 69 F

Commercialisé par la maison Sichel-Coste, ce vin est encore marqué par le bois, mais il ne fait pas dans la demi-mesure. Ses tanins lui assureront une belle évolution, qui lui permettra de développer son bouquet aux agréables notes de cassis et de torréfaction.

⊶ Maison Sichel-Coste, 8, rue de la Poste, 33212 Langon, tél. 05.56.63.50.52, fax 05.56.63.42.28

CH. TOUR DE PEZ 1996**

■ Cru bourg. 13 ha 80 000 ⏸ 100 à 149 F

91 93 94 ⑨⑤ **96**

Coup de cœur l'an dernier, ce cru ne démérite pas avec ce nouveau millésime. Une belle robe bordeaux et un intense bouquet mariant les fruits et le bois lui assurent une présentation particulièrement séduisante. Franc, souple et équilibré, le palais joue résolument la carte de l'harmonie pour donner un ensemble qui promet beaucoup de plaisir.

⊶ SA Ch. Tour de Pez, L'Hereteyre, 33180 Saint-Estèphe, tél. 05.56.59.31.60, fax 05.56.59.71.12 ☑ Ɪ t.l.j. sf sam. dim. 9h30-12h 14h-17h; groupes sur r.-v.

CH. TOUR DES TERMES 1996

■ Cru bourg. 15 ha 100 000 ⏸ 70 à 99 F

81 82 83 84 85 **86** |88| |89| 92 93 94 95 96

Ce vin, qui doit son nom à une vieille tour romantique, est issu pour moitié du merlot et du cabernet-sauvignon, ce qui ne l'empêche pas de se montrer très marqué par ce dernier, avec des notes de poivron qui invitent à l'attendre pour lui laisser le temps de perdre son astringence.

⊶ SCEA Jean Anney, Ch. Tour des Termes, 33180 Saint-Estèphe, tél. 05.56.59.32.89, ☑ Ɪ r.-v.

CH. TRONQUOY-LALANDE 1996*

■ Cru bourg. 17 ha 127 200 ⏸ 70 à 99 F

⑧② 83 **85** |**86**| 87 |88| |89| 90 |91| |**93**| |**94**| 95 96

Né sur un domaine que commande un beau château du XVIIIe s., ce vin, diffusé exclusivement par Dourthe, sait se montrer fort agréable, tant par l'élégance et la tonicité de son bouquet que par la plaisante évolution de son palais qui attaque sur une impression friande, avant de révéler des tanins fermes, gages d'une bonne garde.

⊶ Ch. Tronquoy-Lalande, 33180 Saint-Estèphe, tél. 05.56.35.53.00, fax 05.56.35.53.29, e-mail contact@cvbg.com Ɪ r.-v.

⊶ A. Castéja-Texier

CH. VALROSE 1996*

■ 5,04 ha 35 000 ⏸ 70 à 99 F

Ce vin est encore sous l'influence du bois. Toutefois, si le chêne est très présent au palais, il n'empêche pas les tanins de se manifester et le bouquet d'offrir un visage sympathique avec de délicates notes fruitées. Une jolie bouteille à ouvrir vers 2002.

⊶ SCEA Ch. Valrose, 7, rue Michel-Audoy, 33180 Saint-Estèphe, tél. 05.56.59.72.02, fax 05.56.59.39.31 ☑ Ɪ r.-v.

⊶ Jean-Louis Audoin

Saint-julien

Pour l'une « saint-julien », pour l'autre « saint-julien-beychevelle », saint-julien est la seule appellation communale du Haut-Médoc à ne pas respecter scrupuleusement l'homonymie entre les dénominations viticole et municipale. La seconde, il est vrai, a le défaut d'être un peu longue, mais elle correspond parfaitement à l'identité humaine et au terroir de la commune et de l'appellation, à cheval sur deux plateaux aux sols caillouteux et graveleux.

Situé exactement au centre du Haut-Médoc, le vignoble de Saint-Julien constitue, sur une superficie assez réduite (900 ha et 48 216 hl en 1998), une harmonieuse synthèse entre margaux et pauillac. Il n'est donc pas étonnant d'y trouver onze crus classés (dont cinq seconds). A l'image de leur terroir, les vins offrent un bon équilibre entre les qualités des margaux (notamment la finesse) et celles des pauillac (le corps). D'une manière générale, ils possèdent une belle couleur, un bouquet fin et typé, du corps, une grande richesse et une très belle sève. Mais, bien entendu, les quelque 6,6 millions de bouteilles produites en moyenne chaque année à Saint-Julien sont loin de se ressembler toutes, et les dégustateurs les plus avertis noteront les différences qui existent entre les crus situés au sud (plus proches des margaux) et ceux du nord (plus près des pauillac) ainsi qu'entre ceux qui sont à proximité de l'estuaire et ceux qui se trouvent plus à l'intérieur des terres (vers Saint-Laurent).

CH. BEYCHEVELLE 1996*

■ 4ème cru clas. 56 ha 330 000 200 à 249 F

|**70**| **76** 78 **79** 81 |82| **83** 84 |**85**| |**86**| 87 **88** (89) 90 91 92 93 **94** **95** 96

Simplicité côté cour, vers les vignes ; majesté, côté jardin et estuaire ; peu de châteaux offrent autant d'élégance que cette chartreuse des XVIIIe et XIX[e]s. Un même mariage d'amabilité et d'ampleur se retrouve dans ce 96, qui débute par de puissants arômes de fumée et de cuir, avant de se faire plus soyeux à l'attaque et de développer une trame serrée, soutenue par un bois bien dosé.

SC Ch. Beychevelle, 33250 Saint-Julien-Beychevelle, tél. 05.56.73.20.70, fax 05.56.73.20.71 V T t.l.j. sf sam. dim. 9h30-11h30 13h30-17h; groupes sur r.-v.

Grands Millésimes de France

AMIRAL DE BEYCHEVELLE 1996

■ 19 ha 110 000 70 à 99 F

Seconde étiquette du Château Beychevelle, ce vin ne possède pas la trame de son grand frère, mais sa souplesse et son harmonie savent le rendre plaisant, comme son agréable finale poivrée.

SC Ch. Beychevelle, 33250 Saint-Julien-Beychevelle, tél. 05.56.73.20.70, fax 05.56.73.20.71 V T t.l.j. sf sam. dim. 9h30-11h30 13h30-17h; groupes sur r.-v.

CH. BRANAIRE Duluc-Ducru 1996*

■ 4ème cru clas. n.c. n.c. 200 à 249 F

81 82 **83** 84 **85** |**86**| 87 |**88**| **89** 90 91 92 93 **94** **95** 96

Demeure Directoire, orangerie du XVIII[e]s., mais aussi cuvier utilisant la gravité, ce cru sait concilier la tradition et la modernité. Le résultat est un vin équilibré et harmonieux, où l'on devine une extraction bien conduite et une matière bien travaillée. Cette bouteille pourra être attendue quatre ou cinq ans, ce qui permettra au bouquet, encore naissant, de développer ses parfums de torréfaction et d'épices. La finale a aujourd'hui des accents réglissés.

SAE du Ch. Branaire-Ducru, 33250 Saint-Julien, tél. 05.56.59.25.86, fax 05.56.59.16.26 V T r.-v.

CH. DUCRU-BEAUCAILLOU 1996***

■ 2ème cru clas. 50 ha 220 000 + de 500 F

|**61**| **64** |**66**| |**70**| **71** |**75**| 76 77 |**78**| 79 **81** |(82)| **83** 84 |**85**| **86** 87 **88** **89** **90** **91** |92| **93** **94** (95) (96)

Belle unité regardant l'estuaire, Ducru porte la marque de Jean-Eugène Borie, disparu l'an dernier, qui l'a ramené au plus haut niveau qualitatif, comme en témoigne, après beaucoup d'autres, ce millésime. Rouge à reflets violines, sa robe est du meilleur augure par sa teinte comme par son aspect brillant, voire scintillant. D'une grande finesse, avec un bon soutien du bois et des parfums très mûrs, presque surmûris, le bouquet ne la contredit pas, tandis que le palais se charge de la confirmer par ses tanins soyeux et gras. Puissance, charpente, mâche et élégance, tout contribue à l'harmonie de cette bouteille, très saint-julien.

Jean-Eugène Borie, Ch. Ducru-Beaucaillou, 33250 Saint-Julien-Beychevelle, tél. 05.56.73.16.73, fax 05.56.59.27.37 V T r.-v.

Saint-Julien

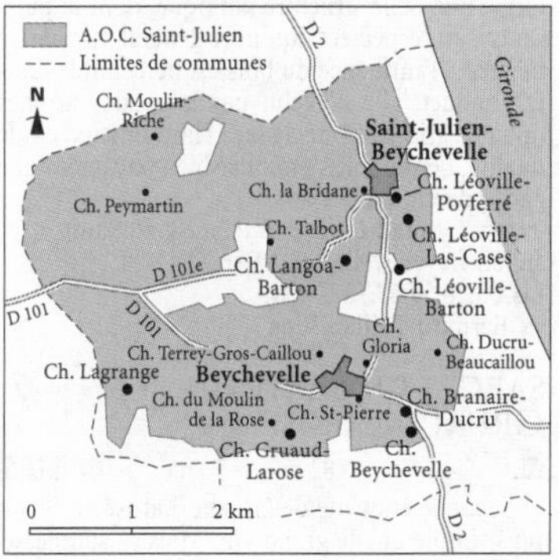

CH. DULUC 1996

■ n.c. n.c. 🛢 70 à 99 F

Seconde étiquette de Branaire, ce vin, d'une réelle élégance aromatique (viande, cuir, menthol et réglisse), devra lui aussi être attendu ; sa structure tannique, encore très jeune, demande à s'organiser et à se fondre.

🔑 SAE du Ch. Branaire-Ducru, 33250 Saint-Julien, tél. 05.56.59.25.86, fax 05.56.59.16.26 Y r.-v.

CH. DU GLANA Vieilles vignes 1996*

■ Cru bourg. n.c. 79 000 🛢 100 à 149 F

Exclusivité de la maison Dourthe (CVBG), ce vin n'acceptera pas d'être bu jeune. Son bouquet, concentré et complexe, comme sa matière, aux tanins fins et serrés, pourront supporter une bonne garde.

🔑 Ch. du Glana, 33250 Saint-Julien, tél. 05.56.35.53.00, fax 05.56.35.53.29, e-mail contact@cvbg.com ☑ Y r.-v.

CH. GLORIA 1996*

■ 48 ha 220 000 🛢 150 à 199 F

64 66 70 71 **75** 76 **78 79 81** 82 **83** 84 |85| |86| 87 |**88**| **89** 90 91 92 |93| 94 **95** 96

Si ce cru n'a qu'un peu plus d'un demi-siècle, Françoise Triaud, qui est la fille de son fondateur Henri Martin, peut revendiquer une présence familiale de quelque trois siècles à Saint-Julien. Cette continuité n'est pas étrangère à la qualité des vins des Domaines Martin, qu'illustre celui-ci, favorisé par un agréable bouquet (moka et fruits rouges avec une note grillée) et un harmonieux développement au palais. Long, charnu et soutenu par des tanins fins et goûteux, il a tout pour profiter d'un séjour assez long en cave.

🔑 Domaines Martin, Ch. Gloria, 33250 Saint-Julien-Beychevelle, tél. 05.56.59.08.18, fax 05.56.59.16.18 ☑ Y r.-v.

🔑 Françoise Triaud

CH. GRUAUD-LAROSE 1996**

■ 2ème cru clas. 82 ha 295 600 🛢 250 à 299 F

70 71 75 76 77 **78 79** 80 **81 82 83** 84 |**85**| |(**86**)| 87 |**88**| |89| **90** |91| 92 **93 94** (95) **96**

Avec leur dernier millésime avant la vente de la propriété au groupe Bernard Taillan, les établissements Cordier ont su réussir leur sortie. S'inscrivant dans la logique du cru, ce 96 développe une belle structure tannique, dont la puissance sait respecter l'équilibre général du vin. De même, si l'influence du bois est perceptible dans le bouquet, elle n'exclut pas les autres arômes (gibier, griotte et réglisse). Harmonieux et de qualité, l'ensemble s'annonce bien parti pour une garde de cinq à dix ans.

🔑 Ch. Gruaud-Larose, B.P. 6, 33250 Saint-Julien-Beychevelle, tél. 05.56.73.15.20, fax 05.56.59.64.72 Y r.-v.

🔑 Bernard Taillan Vins

SARGET DU CHATEAU GRUAUD-LAROSE 1996

■ 82 ha n.c. 🛢 150 à 199 F

Seconde étiquette de Gruaud Larose, ce 96 est plus simple que le grand vin. Mais sa souplesse, son équilibre et son bouquet aux belles notes de sous-bois et de truffe lui apportent une personnalité bien marquée. Une jolie bouteille, à ne pas hésiter à boire jeune en l'aérant avant de la servir.

🔑 Ch. Gruaud-Larose, B.P. 6, 33250 Saint-Julien-Beychevelle, tél. 05.56.73.15.20, fax 05.56.59.64.72 Y r.-v.

CH. LA BRIDANE 1996*

■ Cru bourg. 15 ha 50 000 🛢 70 à 99 F

81 82 83 85 86 88 |89| **90** 91 92 93 94 |95| 96

Appellation des grands crus classés aux demeures aristocratiques, saint-julien comprend aussi d'excellents bourgeois, dont La Bridane est un des meilleurs ambassadeurs. Dans un bouquet harmonieux, les notes grillées croisent la truffe et les épices ; une attaque ample et une solide matière donnent un bel ensemble de garde, à attendre pendant au moins cinq ans.

🔑 Bruno Saintout, Cartujac, 33112 Saint-Laurent-Médoc, tél. 05.56.59.91.70, fax 05.56.59.46.13 ☑ Y r.-v.

LA CROIX DE BEAUCAILLOU 1996*

■ n.c. 80 000 🛢 150 à 199 F

Seconde étiquette de Château Ducru-Beaucaillou, ce vin rouge sang ourlé de violine associe un bouquet subtil, tout en finesse, à une structure agréable. Ronde à l'attaque, puis fine, élégante et accompagnée par un merrain délicat, la bouche laisse une impression des plus plaisantes.

🔑 Jean-Eugène Borie, 33250 Saint-Julien-Beychevelle, tél. 05.56.73.16.73, fax 05.56.59.27.37

CH. LAGRANGE 1996**

■ 3ème cru clas. 108 ha n.c. 🛢 150 à 199 F

79 81 82 **83** |**85**| |**86**| 87 **88 89** (90) |**91**| **92 93 94 95 96**

Entre étang et vignes, la tour italianisante de ce château est sans doute l'une des plus charmantes du Médoc. Lagrange est aussi l'une des plus belles unités de la région, tant par sa superficie (157 ha pour l'ensemble de la propriété) que par la qualité de son terroir silico-graveleux. Comme d'habitude, le vin est à la hauteur des lieux avec ce superbe 96. Marcel Ducasse a atteint un double équilibre : entre le fruit et le bois qui se marient pour donner un bouquet complexe ; entre l'élégance et la puissance dans la structure. Le résultat est un ensemble harmonieux et savoureux qui promet des commentaires élogieux sur votre livre de cave.

🔑 Ch. Lagrange SA, 33250 Saint-Julien-Beychevelle, tél. 05.56.73.38.38, fax 05.56.59.26.09, e-mail chateau-lagrange@chateau-lagrange.com Y r.-v.

🔑 Suntory Ltd

LES FIEFS DE LAGRANGE 1996*

■ 108 ha n.c. 🛢 70 à 99 F

Même si Les Fiefs ne sont que la seconde étiquette de Lagrange, ils ne sont pas négligés, témoin ce 96. Délicatement bouqueté et bien construit, il demande encore à s'arrondir mais possède la matière nécessaire pour le faire dans de bonnes conditions.

●┐Ch. Lagrange SA,
33250 Saint-Julien-Beychevelle,
tél. 05.56.73.38.38, fax 05.56.59.26.09,
e-mail chateau-lagrange@chateau-lagrange.com
Ⓨ r.-v.

CH. LALANDE 1996

| ■ | | 28 ha | 146 000 | ⦀ | 70 à 99 F |

Marquant l'entrée de ce cru dans le Guide, ce
96 joue résolument la carte de la puissance, qui
s'exprime principalement par la structure assez
serrée du palais.
●┐SCEA Ch. Lalande, 33250 Saint-
Julien-Beychevelle, tél. 05.56.59.06.47,
fax 05.56.59.06.47 ☑ Ⓨ r.-v.

CH. LALANDE-BORIE 1996*

| ■ Cru bourg. | n.c. | 110 000 | ⦀ | 70 à 99 F |

Du même producteur que le Château Ducru-
Beaucaillou, ce vin à la robe carmin présente des
traits communs avec lui (arômes de raisin mûr,
bonne constitution) mais avec une structure
moins puissante. Celle-ci n'en est pas moins persistante et un côté moelleux rend ce 96 assez charmeur.
●┐Jean-Eugène Borie, 33250 Saint-
Julien-Beychevelle, tél. 05.56.73.16.73,
fax 05.56.59.27.37

CH. LANGOA BARTON 1996*

| ■ 3ème cru clas. | 16 ha | 85 000 | ⦀ | 300 à 499 F |

70 75 76 |78| 80 81 |82| 83 85 86 87 88 ⑧⑨ 90
|92| 93 94 95 96

Chartreuse du XVIIIᵉˢ., ce château est toujours resté entre les mains de la famille Barton
depuis 1821. Bel exemple de fidélité, cette continuité crée une obligation de qualité. Ce 96
répond à cette exigence. Très agréable dans son
expression aromatique, avec des notes de menthol, de réglisse et de cannelle, il développe un
palais souple et élégant, qui demandera à être un
peu attendu pour donner la pleine mesure de son
harmonie.
●┐Anthony Barton, 33250 Saint-
Julien-Beychevelle, tél. 05.56.59.06.05,
fax 05.56.59.14.29 Ⓨ r.-v.

CH. LEOVILLE-BARTON 1996**

| ■ 2ème cru clas. | 47 ha | 250 000 | ⦀ | 300 à 499 F |

64 67 70 71 75 76 |78| 79 80 81 |82| |83| |85| 86
87 88 89 ⑨⓪ |91| |92| 93 94 95 96

Avec Langoa, ce cru est l'un des rares qui
soient toujours entre les mains de la même
famille, les Barton, depuis son classement en
1855. Avec ce millésime, il est resté fidèle à
l'esprit de sa production, en élaborant un vin
puissant et de longue garde. Si sa jeunesse paraît
d'emblée, il annonce déjà ses grandes qualités.
Celles-ci sont olfactives, avec d'harmonieux arômes associant cassis, groseille, pruneau et
vanille, mais aussi de structure, avec un volume
et une matière qui justifieront d'être patient
avant d'ouvrir cette bouteille.
●┐Anthony Barton, 33250 Saint-
Julien-Beychevelle, tél. 05.56.59.06.05,
fax 05.56.59.14.29 Ⓨ r.-v.

CH. LEOVILLE POYFERRE 1996**

| ■ 2ème cru clas. | n.c. | n.c. | ⦀ | 250 à 299 F |

76 78 79 80 81 |82| |⑧③| 84 85 86 87 88 89 90
|91| |92| |93| 94 95 96

Occupant la parcelle centrale de l'ancien
domaine de Léoville et possédant le château, ce
cru jouit d'un terroir d'une grande qualité. Personne n'en doutera après avoir découvert ce vin
à la robe impressionnante par sa teinte presque
noire. Ayant montré sa délicatesse par son bouquet, relevé de petites touches de Zan et de menthol, ce 96 révèle sa puissance au palais. Là, sa
riche matière et sa structure tannique confirment
son potentiel de garde, tandis que son élégance
l'ancre dans l'appellation.
●┐Ch. Léoville Poyferré, 33250 Saint-Julien,
tél. 05.56.59.08.30, fax 05.56.59.60.09 Ⓨ r.-v.

CH. MOULIN DE LA ROSE 1996**

| ■ Cru bourg. | 4,65 ha | 30 000 | ⦀ | 100 à 149 F |

|93| 94 95 96

Exemple même de ces petits vignobles qui
compensent leur taille modeste par un joli terroir, composé ici de plusieurs parcelles de graves,
ce cru peut réaliser de belles choses. Peut-être un
peu déroutant par la part faite au bois, ce 96 n'a
pas fait l'unanimité mais il a enthousiasmé les
membres du jury amateurs de vins puissamment
boisés. Un vrai vin passion par son bouquet racé
(cacao et raisins très mûrs), sa matière ample, ses
tanins puissants et sa grande longueur. A attendre longtemps.
●┐SCEA Guy Delon et Fils, Ch. Moulin de la
Rose, 33250 Saint-Julien-Beychevelle,
tél. 05.56.59.08.45, fax 05.56.59.73.94 ☑ Ⓨ r.-v.

CH. MOULIN RICHE 1996*

| ■ Cru bourg. | n.c. | n.c. | ⦀ | 100 à 149 F |

|93| |94| 95 96

Signé par l'équipe de Léoville-Poyferré, ce vin
n'entend pas rivaliser avec son grand frère, mais
il se montre intéressant par son bouquet aux fines
notes fruitées et florales comme par sa bonne
évolution au palais.
●┐Ch. Léoville Poyferré, 33250 Saint-Julien,
tél. 05.56.59.08.30, fax 05.56.59.60.09 Ⓨ r.-v.

PORT CAILLAVET 1996

| ■ | | 4 ha | n.c. | ⦀ | 50 à 69 F |

Appartenant à la large gamme de vins créés
par Henri Duboscq, ce 96 débute par de fines
notes mentholées, avant de développer des arômes plus lourds et des tanins mûrs mais encore
austères, qui invitent à attendre avant d'ouvrir
cette bouteille.
●┐Brusina Brandler, 3, quai de Bacalan,
33300 Bordeaux, tél. 05.56.39.26.77,
fax 05.56.69.16.84 ☑ Ⓨ r.-v.

CH. SAINT-PIERRE 1996***

| ■ 4ème cru clas. | 17 ha | 60 000 | ⦀ | 250 à 299 F |

82 83 84 |85| |⑧⑥| 87 88 |89| 90 |91| |92| |93| 94
⑨⑤ 96

Si par son architecture peu aristocratique, ce
château n'est pas très représentatif de l'appellation, il l'est incontestablement par son beau terroir (graves et sables graveleux) et par son vin.

Tout particulièrement par ce 96 où se retrouve tout le style des saint-julien. Il n'y a rien à redire sur la robe qui joue sur le noir, le grenat et le rouge. Derrière ses reflets envoûtants apparaissent de puissants arômes : goudron, épices, mûre, crème de cassis... Porté par des tanins suaves, le palais fait découvrir une matière très jeune qui s'accorde avec la longueur de la finale pour promettre une évolution passionnante à suivre pendant dix, voire quinze ans.

🗝 Domaines Martin, Ch. Saint-Pierre, 33250 Saint-Julien-Beychevelle, tél. 05.56.59.08.18, fax 05.56.59.16.18 ☑ Y r.-v.
🗝 Françoise Triaud

CH. TALBOT 1996*

■ 4ème cru clas. 102 ha 400 000 (I) 200 à 249 F

78 79 80 **81** |**82**| **83** 84 |(85)| |**86**| 87 |**88**| 89 90 |91| |92| **93 94 95** 96

Le nom de ce cru est-il vraiment lié au général anglais vaincu à Castillon ? La question reste ouverte. En revanche, il n'y a aucun doute sur la qualité de son terroir, situé au cœur de l'appellation à proximité de l'estuaire, ou sur le caractère de son 96. Du bouquet, où les notes fruitées côtoient le pain d'épice, aux tanins, francs et équilibrés, tout montre que ce vin a du corps et qu'il a le potentiel nécessaire pour pouvoir se polir à la garde.
🗝 Ch. Talbot, 33250 Saint-Julien-Beychevelle, tél. 05.56.73.21.50, fax 05.56.73.21.51, e-mail chateau-talbot@chateau-talbot.com
Y r.-v.
🗝 Mmes Rustmann et Bignon

CH. TERREY GROS CAILLOUX 1996*

■ Cru bourg. n.c. 100 000 (I) 70 à 99 F

Cru bourgeois d'une taille respectable, ce domaine propose ici un vin d'une belle couleur grenat, dont le bouquet offre de plaisants parfums épicés et mentholés puis des notes fruitées de fraise et de framboise. Encore un peu sévères, les tanins se portent garants de son potentiel.
🗝 Annie Fort et Henri Pradère, Ch. Terrey-Gros-Cailloux, 33250 Saint-Julien-Beychevelle, tél. 05.56.59.06.27, fax 05.56.59.29.32 ☑ Y t.l.j. sf sam. dim. 9h-12h 14h-17h; f. août
🗝 Henri Pradère

CH. TEYNAC 1996*

■ 11,5 ha 36 000 (I) 70 à 99 F

92 |93| |94| 95 96

Acheté par la famille Pairault en 1990 et agrandi en 1992, ce cru a connu une jolie réussite avec ce millésime. Fin et délicat, son bouquet marie les fruits et les fleurs aux notes grillées. Ample et bien constitué, avec des tanins soyeux et crémeux, le palais reflète la personnalité de l'appellation par son équilibre et son élégance.
🗝 Ch. Teynac, Grand-rue, Beychevelle, 33250 Saint-Julien-Beychevelle, tél. 05.56.59.12.91, fax 05.56.59.46.12 ☑ Y r.-v.
🗝 F. et Ph. Pairault

Les vins blancs liquoreux

Quand on regarde une carte vinicole de la Gironde, on remarque aussitôt que toutes les appellations de liquoreux se retrouvent dans une petite région située de part et d'autre de la Garonne, autour de son confluent avec le Ciron. Simple hasard ? Assurément non, car c'est l'apport des eaux froides de la petite rivière landaise, au cours entièrement couvert d'une voûte de feuillages, qui donne naissance à un climat très particulier. Celui-ci favorise l'action du *Botrytis cinerea*, champignon de la pourriture noble. En effet, le type de temps que connaît la région en automne (humidité le matin, soleil chaud l'après-midi) permet au champignon de se développer sur un raisin parfaitement mûr sans le faire éclater : le grain se comporte comme une véritable éponge, et le jus se concentre par évaporation d'eau. On obtient ainsi des moûts très riches en sucre.

Mais, pour obtenir ce résultat, il faut accepter de nombreuses contraintes. Le développement de la pourriture noble étant irrégulier sur les différentes baies, il faut vendanger en plusieurs fois, par tries successives, en ne ramassant à chaque fois que les raisins dans l'état optimal. En outre, les rendements à l'hectare sont faibles (avec un maximum autorisé de 25 hl à Sauternes et à Barsac). Enfin, l'évolution de la surmaturation, très aléatoire, dépend des conditions climatiques et fait courir des risques aux viticulteurs.

Ainsi, en 1991, beaucoup de producteurs de vins liquoreux n'ont-ils pas mis en bouteilles leur récolte, du moins sous l'étiquette du grand vin. En effet, la production n'a pas atteint 50 % des volumes habituels : En 1998, la production a atteint 36 214 hl en sauternes et 14 268 hl en barsac.

Cadillac

Cette bastide qu'ennoblit son splendide château du XVIIe s., surnommé « le Fontainebleau girondin », est souvent considérée comme la capitale des premières côtes. Mais c'est aussi, depuis 1980, une appellation de liquoreux qui a produit 6 885 hl en 1998.

CH. DE BERBEC 1996*

☐ 9 ha 42 000 30 à 49 F

Nouveau venu dans le Guide, ce cru fait une entrée sympathique avec ce vin. Si son bouquet reste un peu timide au départ, il prend ensuite de l'ampleur pour terminer sur une longue et élégante finale.

SCEA Vignobles Brun, 33410 Sainte-Croix-du-Mont, tél. 05.56.62.10.60, fax 05.56.62.10.60 r.-v.

CH. DU BIAC 1997*

☐ 2 ha 3 000 70 à 99 F

Né sur un domaine que commande une ancienne maison noble, ce vin élevé en fût de chêne pendant seize mois se montre bien constitué, avec un bouquet complexe (fruits confits, abricot sec et fruits mûrs) et un palais ample et concentré, où l'on retrouve les notes confites.

SCEA Ch. du Biac, 19, rte de Ruasse, 33550 Langoiran, tél. 05.56.67.19.98, fax 05.56.67.32.63 r.-v.

Patrick Rossini

CH. CARSIN 1997**

☐ 2 ha 3 700 70 à 99 F

Très complet, ce cru obtient de beaux résultats en cadillac comme en premières côtes rouge. S'annonçant par une robe bouton d'or et un bouquet riche et complexe, ce 97 s'exprime au palais avec beaucoup de grâce. (bouteille de 50 cl)

Ch. Carsin, 33410 Rions, tél. 05.56.76.93.06, fax 05.56.62.64.80, e-mail chateau@carsin.com r.-v.

Juha Berglund

CH. DES CEDRES
Cuvée Prestige Elevé en fût de chêne 1996

☐ 1 ha 4 600 30 à 49 F

Du même producteur que le premières côtes rouge, ce vin est simple mais plaisant par son bouquet aux fines notes florales et fruitées, et par sa vivacité au palais.

SCEA Vignobles Larroque, Ch. des Cèdres, 33550 Paillet, tél. 05.56.72.16.02, fax 05.56.72.34.44 r.-v.

CLOS SAINTE ANNE
Vieilli en fût de chêne neuf 1996

☐ n.c. 5 000 70 à 99 F

Elaboré par un viticulteur principalement implanté dans l'Entre-deux-Mers, ce vin comporte 60 % de sauvignon gris et 40 % de sémillon. La robe est d'or et le nez développe des notes de miel et de rôti. La bouche possède une bonne matière et un volume intéressant.

Sté des Vignobles Francis Courselle, Ch. Thieuley, 33670 La Sauve, tél. 05.56.23.00.01, fax 05.56.23.34.37 r.-v.

CH. FAYAU 1996**

☐ n.c. 40 000 30 à 49 F

Appartenant aux Médeville, importante famille de négociants, ce cru est l'un des piliers de l'appellation. Une fois encore il porte haut ses couleurs avec un vin dont la complexité aromatique, aux notes confites et florales, n'a d'égal que la générosité, l'ampleur et la finesse de la structure. Une jolie bouteille, déjà plaisante, et qui le sera encore dans cinq ans.

SCEA Jean Médeville et Fils, Ch. Fayau, 33410 Cadillac, tél. 05.57.98.08.08, fax 05.56.62.18.22 t.l.j. sf sam. dim. 8h30-12h 14h-18h

CH. FRAPPE-PEYROT 1997

☐ 5 ha n.c. 30 à 49 F

Du même producteur que le Château Mazarin (loupiac), ce cadillac possède lui aussi un beau botrytis et un bouquet généreux aux notes d'agrumes.

Jean-Yves Arnaud, La Croix, 33410 Gabarnac, tél. 05.56.20.23.52, fax 05.56.20.23.52 r.-v.

CH. JEAN DU ROY 1996

☐ 9 ha 22 000 50 à 69 F

Régulier, ce cru propose une fois encore un vin fort plaisant, avec un joli bouquet aux notes

Les vins blancs liquoreux

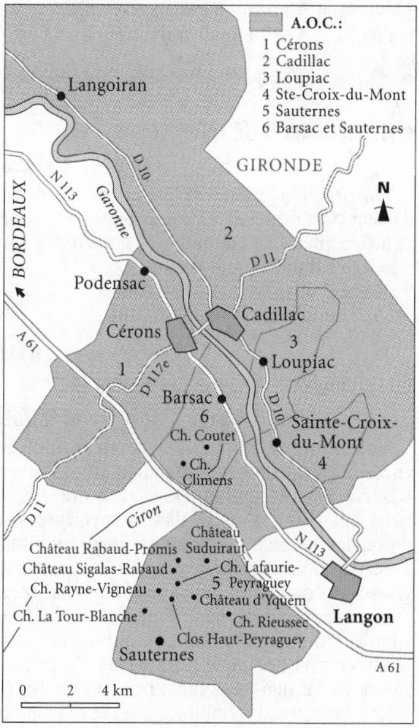

de fruits confits et de rôti que prolonge une agréable expression aromatique au palais. Bien équilibrée, cette bouteille pourra être servie pendant cinq ans.
🔑 SCEA Yvan Maurice Réglat, Ch. Balot, 33410 Monprimblanc, tél. 05.56.62.98.96, fax 05.56.62.19.48 Y t.l.j. sf sam. dim. 9h-12h 14h-18h

CH. LA BERTRANDE Summum 1997*

☐ 5 ha n.c. 150 à 199 F

Propriété des vignobles Gillet, ce cru propose ici un vin 100 % sémillon intéressant par son bouquet de fruits mûrs, fin et droit, comme par son palais d'une bonne ampleur.
🔑 Vignobles Anne-Marie Gillet, Ch. La Bertrande, 33410 Omet, tél. 05.56.62.19.64, fax 05.56.76.90.55 ☑ Y r.-v.

CH. LA CLYDE Elevé en fût de chêne 1997

☐ 0,5 ha 2 000 50 à 69 F

Du même producteur que le premières côtes, cette petite cuvée élevée pendant douze mois en barrique se montre agréable par ses arômes de fleurs blanches, que rehaussent des notes de fruits secs et de grillé. Bien typée, une bouteille à servir pendant dix ans... s'il en reste.
🔑 EARL Philippe Cathala, Ch. La Clyde, 33550 Tabanac, tél. 05.56.67.56.84, fax 05.56.67.12.06 ☑ Y r.-v.

CH. LA CROIX BOUEY 1997

☐ 1 ha 3 800 30 à 49 F

Né sur un cru contigu de Malagar, le château de François Mauriac, ce vin fait preuve d'originalité par son bouquet aux notes de prune mûre qui se mêlent à celles d'agrumes et de rôti. Mariage intéressant avec une volaille.
🔑 SCA Vignobles Bouey, 9, rte Dutoya, 33490 Saint-Maixant, tél. 06.08.60.79.87, fax 06.56.72.62.29, e-mail croixbouey@aol.com ☑ Y r.-v.
🔑 Maxime Bouey

CH. LA PEYRUCHE 1996

☐ 1 ha 3 500 30 à 49 F

Un peu timide dans sa présentation, ce vin devient plus expressif au palais où il révèle une structure plaisante et équilibrée qui s'ouvre sur une finale d'une bonne longueur.
🔑 Rémi Caillard, Ch. La Peyruche, 33550 Langoiran, tél. 05.56.67.36.01, fax 05.56.67.20.61 ☑ Y r.-v.

CH. MANOS Réserve du Château 1997**

☐ 1,5 ha 2 500 150 à 199 F

Valeur sûre de l'appellation, ce cru est une fois encore à la hauteur de sa réputation avec sa cuvée Réserve 100 % sémillon. De la robe dorée à la riche finale, tout s'inscrit dans la meilleure tradition des liquoreux : le bouquet, intense et subtil avec des notes de fruits confits ; la structure, grasse et équilibrée ; le soutien du bois, bien dosé, apportant ce qu'il faut de parfum de vanille. Une très jolie bouteille qui méritera un séjour en cave de cinq ans, voire plus. Egalement élevée en fût mais seulement pendant un an, et assemblant 70 % de sémillon à 20 % de sauvignon et 10 % de muscadelle, la **cuvée principale**, (6 600 bouteilles, 50 à 69 F) a obtenu une étoile.
🔑 Les Caves du Ch. Lamothe, 33550 Haux, tél. 05.57.34.53.00, fax 05.56.23.24.49 ☑ Y r.-v.

CH. PEYRUCHET 1997

☐ 5 ha 12 000 50 à 69 F

Sans égaler certains millésimes antérieurs, ce vin se montre agréable. Equilibré et bien constitué, il trouve son unité dans ses beaux arômes de fruits confits, qui servent de fil rouge à toute la dégustation.
🔑 M. Gillet et B. Queyrens, Ch. Peyruchet, 33410 Loupiac, tél. 05.56.62.62.71, fax 05.56.76.92.09 ☑ Y r.-v.

CH. RENON 1996

☐ 2,3 ha 6 000 50 à 69 F

Du même producteur que le premières côtes rouge homonyme, ce vin, un peu discret par son bouquet se montre plus expressif par son palais qu'anime une plaisante note rôtie.
🔑 Claudine Boucherie, Ch. Renon, 33550 Tabanac, tél. 05.56.67.13.59, fax 05.56.67.14.90 ☑ Y t.l.j. sf dim. 8h-12h 14h-19h

LES LARMES DE SAINTE-CATHERINE Elevé en fût de chêne 1997

☐ 2 ha 7 800 70 à 99 F

Vinifié et élevé en fût, ce vin 100 % sémillon est encore très jeune. Vif et équilibré, il n'est pas très intense dans son expression aromatique, mais il se montre agréable par sa finesse. (bouteille de 50 cl)
🔑 SCEA Ch. Sainte-Catherine, 23, chem. du Marquet, 33550 Paillet, tél. 05.56.72.11.64, fax 05.56.72.13.62, e-mail mickel03@wanadoo.fr ☑ Y r.-v.

CH. SUAU 1996*

☐ 2,3 ha 5 670 50 à 69 F

Belle unité s'étendant sur une soixantaine d'hectares, ce cru s'est mis au goût du jour, en consacrant un petit vignoble au cadillac. Soutenu mais pas étouffé par le bois, son 96 ne peut que l'encourager dans sa démarche, tant il séduit par son intensité aromatique et par la finesse de son développement au palais.
🔑 Monique Bonnet, Ch. Suau, 33550 Capian, tél. 05.56.72.19.06, fax 05.56.72.12.43, e-mail bonnet-suau@wanadoo.fr ☑ Y r.-v.

CH. VIEILLE TOUR 1997

☐ 0,22 ha 600 70 à 99 F

S'il est discret par son volume de production comme par sa structure, ce vin séduit par sa large palette aromatique aux belles notes de miel, de vanille, de fruits confits et de rôti.
🔑 Arlette Gouin, 1, Lapradiasse, 33410 Laroque, tél. 05.56.62.61.21, fax 05.56.76.94.18 ☑ Y r.-v.

Loupiac

Le vignoble de Loupiac, (14 214 hl déclarés en 1998) est d'une origine ancienne, son existence étant attestée depuis le XIIIe s. Par l'orientation, les terroirs et l'encépagement, cette appellation est très proche de celle de sainte-croix-du-mont. Toutefois, comme sur la rive gauche, on sent, en allant vers le nord, une subtile évolution des liquoreux proprement dits vers des vins plus moelleux.

CH. LA NERE 1996★

□ 13,42 ha 65 000 ▮🌡 30 à 49 F

Vaste unité familiale de plus de 50 ha, ce domaine propose un vin dont le volume de production rend d'autant plus intéressant son développement au bouquet et au palais. L'intensité du premier, aux notes de figue et d'abricot, est relayée par la puissance, la rondeur et le gras du second.

⊶ SCEA Dulac et Séraphon, 2 Pantoc, 33490 Verdelais, tél. 05.56.62.02.08, fax 05.56.76.71.49 ☑ 🍷 r.-v.

CH. LES ROQUES

Cuvée Frantz Elevé en fût de chêne 1997★

□ 3,5 ha 2 000 (||) 100 à 149 F

Petite cuvée élevée pendant dix-huit mois en fût, ce vin cultive un certain air rétro par son gras très marqué avec un petit côté sirupeux. Il déroutera peut-être certains amateurs mais en séduira incontestablement d'autres.

⊶ SCEA Ch. du Pavillon, 33410 Sainte-Croix-du-Mont, tél. 05.56.62.01.04, fax 05.56.62.00.92 ☑ 🍷 r.-v.

CH. MAZARIN 1997★

□ 10 ha n.c. (||) 30 à 49 F

Régulier en qualité, ce cru reste fidèle à sa tradition avec ce 97, qui possède comme les millésimes précédents la finesse et cette petite note de rôti qui font les bons liquoreux. Puissant et élégant, ce vin pourra être attendu.

⊶ Jean-Yves Arnaud, La Croix, 33410 Gabarnac, tél. 05.56.20.23.52, fax 05.56.20.23.52 ☑ 🍷 r.-v.

CH. MEMOIRES 1997★

□ n.c. n.c. 30 à 49 F

Vaste unité de plus de 35 ha, les vignobles Ménard sont producteurs dans plusieurs appellations. Discret au départ, leur loupiac 97 prend de l'ampleur et de la complexité au cours de la dégustation pour révéler un ensemble gras, puissant, équilibré et d'une bonne longueur.

⊶ SCEA Vignobles Ménard, Ch. Mémoires, 33490 Saint-Maixant, tél. 05.56.62.06.43, fax 05.56.62.04.32, e-mail memoires@caves-particulieres.com ☑ 🍷 r.-v.

DOM. DU NOBLE

Vinifié et élevé en fût de chêne 1997

□ n.c. 10 000 (||) 50 à 69 F

Même s'il n'a pas autant d'ambitions que certains millésimes antérieurs du même cru, ce vin se montre intéressant par sa puissance et ses arômes où le pain grillé et les noisettes s'associent au rôti.

⊶ Déjean Père et Fils, Dom. du Noble, 33410 Loupiac, tél. 05.56.62.98.30, fax 05.56.76.91.31 ☑ 🍷 t.l.j. sf dim. 9h-12h 14h-19h

CH. PEYROT-MARGES 1997

□ 2 ha 10 000 (||) 50 à 69 F

Encore très marqué par le bois, ce vin n'entend pas rivaliser avec les 95 et 96, tous deux coups de cœur, ou avec le sainte-croix du même producteur. Toutefois, il possède une bonne matière qui lui permettra d'évoluer favorablement.

⊶ GAEC Vignobles Chassagnol, Bern, 33410 Gabarnac, tél. 05.56.62.98.00, fax 05.56.62.93.23 ☑ 🍷 t.l.j. sf sam. dim. 8h-12h 14h-18h

CH. DE RICAUD 1997

□ 22 ha 37 000 (||) 70 à 99 F

Avec quelque 120 ha et un château gothique revu au XIX[e]s., ce cru est l'une des plus impressionnantes propriétés de la région. Son 97 est plus modeste mais original par ses notes aromatiques de rose, et intéressant par sa structure qui lui garantit un bel avenir.

⊶ Ch. de Ricaud, 33410 Loupiac, tél. 05.56.62.66.16, fax 05.56.76.93.30 ☑ 🍷 r.-v.

⊶ Alain Thiénot

CH. RONDILLON 1997★★

□ n.c. 12 000 ▮🌡 70 à 99 F

Les panoramas qu'ils permettent d'embrasser disent clairement que les coteaux sur lesquels sont plantées les vignes de ce cru offrent un terroir de qualité. Et s'il restait un doute, ce millésime le ferait bien vite disparaître. Délicat dans son expression aromatique aux notes de miel d'acacia et de fruits, il se développe harmonieusement au palais. Sa richesse, son gras et sa liqueur laissent son libre-arbitre à l'amateur, qui peut tout aussi bien profiter immédiatement de cette jolie bouteille ou l'attendre quelques années.

⊶ Vignobles Bord, Ch. Rondillon, 33410 Haut-Loupiac, tél. 05.56.62.99.83, fax 05.56.62.93.55, e-mail lionelbord@vignoblesbord.com ☑ 🍷 r.-v.

CH. TERREFORT 1997

□ n.c. 7 200 ▮(||)🌡 30 à 49 F

Simple mais aimable, ce vin sait retenir l'attention du dégustateur par la finesse de son bouquet aux notes de genêt et de miel, comme par le volume de son palais.

⊶ François Peyrondet, 7, chem. de Roby, 33410 Loupiac, tél. 05.56.62.61.28, fax 05.56.62.19.42 ☑ 🍷 r.-v.

CH. DU VIEUX MOULIN 1996*

□ 12,6 ha 30 000 50 à 69 F

Vignoble appartenant à l'épouse du propriétaire du château de Cérons, ce cru fait son entrée dans le Guide avec ce vin fin, délicat et élégant, tant par son bouquet aux notes d'orange confite que par son palais, où il se révèle pleinement avant de terminer par une belle finale évoquant la mandarine.

Suzanne Perromat-Daune, 33720 Cérons, tél. 05.56.27.01.13, fax 05.56.27.22.17 ☒ Y r.-v.

Sainte-croix-du-mont

Un site de coteaux abrupts dominant la Garonne, trop peu connu en dépit de son charme, et un vin ayant trop longtemps souffert (à l'égal des autres appellations de liquoreux de la rive droite) d'une réputation de vin de noces ou de banquets.

Pourtant, cette appellation (16 436 hl en 1998), située en face de Sauternes, mérite mieux : à de bons terroirs, en général calcaires, avec des zones graveleuses, elle ajoute un microclimat favorable au développement du botrytis. Quant aux cépages et aux méthodes de vinification, ils sont très proches de ceux du Sauternais. Et les vins, autant moelleux que véritablement liquoreux, offrent une plaisante impression de fruité. On les servira comme leurs homologues de la rive gauche, mais leur prix, plus abordable, pourra inciter à les utiliser pour composer de somptueux cocktails.

CH. DES ARROUCATS 1997*

□ 20 ha 30 000 30 à 49 F

Né d'un vignoble à l'encépagement classique, ce vin s'inscrit dans l'esprit de l'appellation, son bouquet révélant un bon botrytis par ses notes de miel et de confiture. On retrouve ce côté liquoreux dans un palais riche et gras.

EARL des vignobles Labat-Lapouge, Ch. des Arroucats, 33410 Sainte-Croix-du-Mont, tél. 05.56.62.07.37, fax 05.57.98.06.29 ☒ Y t.l.j. 8h-20h

Annie Lapouge

CH. BEL AIR Cuvée Vieilles vignes 1997*

□ 14 ha 25 000 50 à 69 F

Un vignoble de coteau aux ceps âgés de trente ans constitue un atout qui a été bien exploité par les Méric avec ce vin. La robe, d'un jaune soutenu, annonce des choses intéressantes, que le bouquet, aux notes de fleurs et de raisin mûr, comme la structure, où l'on sent une pointe de botrytis, se chargent de confirmer. La **cuvée Prestige 96**, produite uniquement dans les grands millésimes, a également obtenu une étoile (70 à 99 F).

Méric et Fils, Vilate, 33410 Sainte-Croix-du-Mont, tél. 05.56.62.01.19, fax 05.56.62.09.33 ☒ Y t.l.j. 9h-12h 14h-19h

CH. DES COULINATS 1996*

□ 6 ha 22 000 50 à 69 F

Fruit d'un travail soigné, ce vin sait retenir l'attention par sa présentation, qui associe une robe limpide et brillante à un bouquet intense et complexe, avec de plaisantes notes de miel, de pain d'épice et de fruits secs. Gras, net et ample, le palais s'ouvre sur une finale harmonieuse pour laisser le souvenir d'un ensemble bien constitué.

SCEA Vignobles Brun, Ch. des Coulinats, 33410 Sainte-Croix-du-Mont, tél. 05.56.62.10.60, fax 05.56.62.10.60 ☒ Y r.-v.

CH. CRABITAN-BELLEVUE Cuvée spéciale 1997**

□ 22 ha 13 500 50 à 69 F

Elaborée à partir du seul sémillon, cette cuvée prestige joue parfaitement son rôle de vitrine du cru. Bien dosé, le bois soutient les fruits du bouquet sans l'emporter sur eux. Ample et porté par une bonne matière, le palais possède suffisamment de corps pour supporter la garde. Mais son agrément et celui de la finale, riche et longue, donnent déjà un côté attrayant à cette bouteille.

GFA Bernard Solane et Fils, Crabitan, 33410 Sainte-Croix-du-Mont, tél. 05.56.62.01.53, fax 05.56.76.72.09 ☒ Y t.l.j. 8h-12h 14h-18h; dim. sur r.-v.

CH. LA GRAVE 1996*

□ 12 ha 30 600 30 à 49 F

S'il n'a pu profiter des améliorations de l'équipement du cru, réalisées en 1998, ce millésime n'en est pas moins d'une belle tenue. A la fois fruité (abricot et pamplemousse) et floral (acacia), son bouquet lui apporte une agréable fraîcheur, tandis que sa structure, ample, nette, équilibrée et sans aspérité, permet d'envisager un bon avenir.

Jean-Marie Tinon, Ch. La Grave, 33410 Sainte-Croix-du-Mont, tél. 05.56.62.01.65, fax 05.56.62.00.04, e-mail tinon@terre-net.fr ☒ Y r.-v.

CH. LA RAME Réserve du château 1997***

□ 20 ha 20 000 100 à 149 F

Bien appuyé par le laboratoire de la chambre d'agriculture de Cadillac, Yves Armand a su faire de sa cuvée Réserve une véritable référence. Une fois encore, celle-ci remplit pleinement sa mission. D'une belle robe jaune d'or, elle déploie un bouquet dont les fruits confits indiquent la présence du botrytis et les notes grillées un soutien bien dosé du bois. Souple, ample, complexe et d'une grande richesse, ce vin témoigne d'une vendange à parfaite maturité.

🔑 Yves Armand, Ch. La Rame, 33410 Sainte-Croix-du-Mont, tél. 05.56.62.01.50, fax 05.56.62.01.94, e-mail chateau.larame@wanadoo.fr ☒ 🍷 r.-v.

CH. DES MAILLES Cuvée Laurence 1996★

☐ 17 ha 10 000 🛢 70 à 99 F

Cuvée prestige, ce vin avait une matière suffisante pour bien profiter de l'élevage en fût. Le résultat est un ensemble de qualité au bouquet plaisant (raisins secs, vanille et épices) et au palais équilibré, gras, ample et savoureux.

🔑 Daniel Larrieu, SCE des Mailles, 33410 Sainte-Croix-du-Mont, tél. 05.56.62.01.20, fax 05.56.76.71.99 ☒ 🍷 r.-v.

CH. DU MONT Grande Réserve 1997★

☐ 14 ha n.c. 🛢 100 à 149 F

Cuvée prestige, ce vin est à la hauteur de la renommée des vignobles Chouvac. D'une belle teinte jaune doré, il fait preuve d'une réelle complexité aromatique, avant de révéler, dès l'attaque, un caractère gras et bien liquoreux. Le **Château de l'If** (30 à 49 F), du même producteur, a obtenu une citation. Il ne connaît pas le chêne.

🔑 Vignobles Chouvac, Ch. du Mont, 33410 Sainte-Croix-du-Mont, tél. 05.56.62.01.72, fax 05.56.62.07.58 ☒ 🍷 r.-v.

CH. PEYROT-MARGES 1997★★

☐ 9 ha n.c. 🛢 50 à 69 F

Régulier en qualité, ce cru reste fidèle à sa tradition avec ce millésime. Ample, charnu et velouté, celui-ci évolue agréablement tout au long de la dégustation, du bouquet concentré (vanille, confit et pain grillé) à la finale prometteuse. Une bouteille racée qu'il serait dommage de ne pas attendre trois ou quatre ans.

🔑 GAEC Vignobles Chassagnol, Bern, 33410 Gabarnac, tél. 05.56.62.98.00, fax 05.56.62.93.23 ☒ 🍷 t.l.j. sf sam. dim. 8h-12h 14h-18h

CH. DE VERTHEUIL
Elevé en fût de chêne 1997★

☐ 5,84 ha 4 200 🛢 50 à 69 F

Ce petit vignoble, appartenant à une belle unité familiale, présente sur plusieurs appellations, propose ici un vin bien réussi, avec un bouquet aux fines notes fruitées et rôties, que prolonge un palais net, gras et concentré.

🔑 Bernadette Ricard, Ch. de Vertheuil-Montaunoir, 33410 Sainte-Croix-du-Mont, tél. 05.56.62.02.70, fax 05.56.76.73.23 ☒ 🍷 r.-v.

Cérons

Enclavés dans les graves (appellation à laquelle ils peuvent aussi prétendre, à la différence des sauternes et barsac), les cérons (2 421 hl en 1998) assurent une liaison entre les barsac et les graves supérieurs moelleux. Mais là ne s'arrête pas leur originalité, qui réside aussi dans une sève particulière et une grande finesse.

CH. D'ARRICAUD 1996★

☐ 0,5 ha n.c. 🛢 50 à 69 F

Du même producteur que le graves homonyme, ce vin élégant et racé sait se rendre sympathique. Sa robe jaune cuivré, son bouquet concentré, signe d'une bonne maturité, et sa structure ronde indiquent un travail soigné.

🔑 EARL Bouyx, Ch. d'Arricaud, 33720 Landiras, tél. 05.56.62.51.29, fax 05.56.62.41.47 ☒ 🍷 r.-v.

CH. DE CERONS 1996★

☐ 12,3 ha 38 000 🛢 70 à 99 F

En découvrant cette superbe chartreuse, on comprend aisément que Jean Perromat soit amoureux de son appellation. Mais sa passion s'explique aussi par l'attrait de vins comme ce 96 au bouquet confit, au palais ample et à la longue finale.

🔑 Jean-Xavier Perromat, Ch. de Cérons, 33720 Cérons, tél. 05.56.27.01.13, fax 05.56.27.22.17 ☒ 🍷 r.-v.

CH. HURADIN 1996★

☐ 1,25 ha 6 500 ▮ 50 à 69 F

Ce vin se présente dans une robe jaune d'or qui prépare à la découverte du bouquet bien typé par ses notes de grains nobles. Rond, souple et marqué par des arômes de fruits confits, le palais montre lui aussi un beau caractère liquoreux.

🔑 SCEA Vignobles Y. Ricaud-Lafosse, Ch. Huradin, 33720 Cérons, tél. 05.56.27.09.97, fax 05.56.27.09.97 ☒ 🍷 r.-v.

🔑 Catherine Lafosse

Barsac

Tous les vins de l'appellation barsac peuvent bénéficier de l'appellation sauternes. Barsac (620 ha) s'individualise cependant par rapport aux communes du Sauternais proprement dit par un moindre vallonnement et par les murs de pierre entourant souvent les exploitations. Ses

Les vins blancs liquoreux

vins, eux, se distinguent des sauternes par un caractère plus légèrement liquoreux. Mais, comme eux, ils peuvent être servis de façon classique, sur un dessert, ou, comme cela se fait de plus en plus, en entrée, sur un foie gras, ou bien sur les fromages forts du type roquefort.

CH. COUTET 1996★

☐ 1er cru clas.	38,5 ha	36 000	〕〕 150 à 199 F

73 75 76 78 |81| **83** 85 |86| **89 90** 91 93 94 95 96

Etre à la fois l'une des plus grandes propriétés et l'une des plus anciennes du Sauternais crée des devoirs. Coutet s'en acquitte toujours très honorablement. Ce millésime aux pimpants côtés fruités et floraux est fin, souple et équilibré ; il séduit par ses arômes d'épices et d'agrumes mêlés à des notes grillées.
☞ SC Ch. Coutet, 33720 Barsac, tél. 05.56.27.15.46, fax 05.56.27.02.20 ☑ ⌇ r.-v.

CH. FARLURET 1997★★

☐	9,3 ha	25 000	〕〕 100 à 149 F

Belle unité appartenant au même propriétaire que le château Haut-Bergeron (sauternes), ce cru se distingue par la qualité de son 97. Très expressif dans son bouquet (fruits, agrumes, abricot sec et fleurs blanches avec une subtile note boisée), il développe un palais ample et équilibré où la liqueur trouve une place appropriée. Une longue finale couronnant le tout, cette bouteille est des plus prometteuses pour l'avenir.
☞ Robert Lamothe et Fils, Ch. Haut-Bergeron, 33210 Preignac, tél. 05.56.63.24.76, fax 05.56.63.23.31 ☑ ⌇ r.-v.

CH. GRAVAS 1996

☐	12 ha	25 000	〕〕 70 à 99 F

75 76 81 83 85 86 |88| |89| |90| 91 93 94 95 |96|

Né dans l'un des crus les plus accueillants du Sauternais, ce vin est encore marqué par le bois, mais ses subtils parfums de cire et de miel, comme ses notes de botrytis, lui donnent de la délicatesse.
☞ Domaines Bernard, Ch. Gravas, 33720 Barsac, tél. 05.56.27.06.91, fax 05.56.27.29.83 ☑ ⌇ t.l.j. 9h-12h 14h-18h

CH. NAIRAC 1996★★

☐ 2ème cru clas.	15 ha	n.c.	〕〕 200 à 249 F

73 74 **75 76 79** 80 **81 82** |(83)| 85 |86| **88 89 90** |91| |92| |93| 94 (95) **96**

Si les châteaux du vin sont légion en Gironde, peu de vins naissent dans un cadre aussi élégant que cette propriété commandée par une superbe maison néo-classique, à l'architecture inspirée de Victor Louis. Parfaitement équilibré, ce 96 concilie la puissance, l'élégance et la rondeur et développe une expression aromatique d'une grande richesse. Cette bouteille, racée, déjà superbe, annonce de grandes choses d'ici quelques années.

☞ Ch. Nairac, 33720 Barsac, tél. 05.56.27.16.16, fax 05.56.27.26.50 ⌇ r.-v.
☞ Nicole Tari

CH. PIADA 1997★

☐	9,67 ha	13 300	〕〕 〕〕 ⌇ 100 à 149 F

67 70 71 |75| |77| |79| |81| **82** |83| 85 |86| |88| |89| (90) |91| 95 96 97

Il suffit d'écouter Jean Lalande parler de Barsac pour comprendre que les Lalande sont des gens réellement attachés à leur pays. Une fidélité dont témoigne ce vin. Sa robe jaune paille brillante et son bouquet de fleurs blanches (acacia) et de genêt lui assurent une élégance qui se retrouve au palais. Fin, équilibré, rond et charnu, celui-ci possède le volume et l'harmonie que réclame un bon vieillissement.
☞ EARL Lalande et Fils, Ch. Piada, 33720 Barsac, tél. 05.56.27.16.13, fax 05.56.27.26.30 ☑ ⌇ t.l.j. 8h-12h 13h30-19h; sam. dim. sur r-v.

CH. DE ROLLAND 1996★

☐	15 ha	30 000	〕〕 〕〕 100 à 149 F

78 79 80 81 82 |83| |85| |86| |88| |89| (90) 91 |94| 95 96

Couvent de chartreux à l'origine, ce cru est l'un des plus anciens de l'appellation. Il se montre à la hauteur de son histoire avec ce millésime, qui s'inscrit dans l'esprit traditionnel des barsac. S'annonçant par une belle couleur jaune doré et un bouquet expressif, il développe une structure ronde, grasse et assez imposante, qui invitera à le garder en cave quelques années.
☞ Vignerons-récoltants Guignard, SCA Ch. de Rolland, 33720 Barsac, tél. 05.56.27.15.02, fax 05.56.27.28.58 ☑ ⌇ t.l.j. sf sam. dim. 9h-12h 14h-17h30

CH. ROUMIEU 1996★

☐	17 ha	45 000	〕〕 100 à 149 F

Né sur le plateau argilo-calcaire, ce cru, situé sur le chemin de Saint-Jacques, pourra célébrer dignement l'arrivée du troisième millénaire en débouchant cette jolie bouteille couleur bouton d'or à reflets verts. Riche, mais sans lourdeur et complexe, avec des notes aromatiques de miel, d'agrumes, de fruits confits et de caramel, ce 96 peut être attendu ou dégusté dès aujourd'hui.
☞ Catherine Craveia-Goyaud, Ch. Roumieu, 33720 Barsac, tél. 05.56.27.21.01, fax 05.56.27.01.55 ☑ ⌇ r.-v.

CH. ROUMIEU-LACOSTE 1997

□	11 ha	30 000	🍷 ◫ ♦	100 à 149 F

|90| **95** (96) 97

Propriétaire-vigneron dans le haut Barsac, Hervé Dubourdieu tient à son identité. Son 97, de couleur ambrée, pourra surprendre certains amateurs par son côté moelleux surtout s'ils ont en mémoire l'exceptionnel 96, coup de cœur l'an dernier. Mais ceux-ci ne resteront pas insensibles à la délicatesse et à la complexité de son bouquet où l'on trouve des oranges confites, du cédrat et une touche d'amande amère.
☛ Hervé Dubourdieu, Ch. Roûmieu-Lacoste, 33720 Barsac, tél. 05.56.27.16.29, fax 05.56.27.02.65 ☑ ⛾ r.-v.

CH. SIMON 1997

□	16 ha	24 000	🍷 ◫ ♦	70 à 99 F

Né dans un quartier situé presque au centre de l'appellation et produit par une vieille famille barsacaise, ce vin à la robe d'or léger est encore marqué par l'élevage, mais sa souplesse, son équilibre et son bouquet (miel, fruits secs et botrytis) le rendent intéressant.
☛ EARL Jean-Hugues Dufour, Ch. Simon, 33720 Barsac, tél. 05.56.27.15.35, fax 05.56.27.31.43 ☑ ⛾ r.-v.

CH. SUAU 1997★

□ 2ème cru clas.	8 ha	19 000	🍷 ◫ ♦	100 à 149 F

Représentatif du terroir barsacais avec une petite couche d'argile et de terre caillouteuse sur un banc de calcaire à astéries, Suau connaît une belle réussite avec ce millésime à la robe d'or légèrement ambrée. Le bouquet de fruits confits, intense, concentré et complexe, prépare à la découverte d'une riche matière botrytisée.
☛ R. et Nicole Biarnès, Ch. de Navarro, 33720 Illats, tél. 05.56.27.20.27, fax 05.56.27.26.53 ☑ ⛾ t.l.j. 8h30-12h30 13h30-18h30

Sauternes

Si vous visitez un château à Sauternes, vous saurez tout sur ce propriétaire qui eut un jour l'idée géniale d'arriver en retard pour les vendanges et de décider, sans doute par entêtement, de faire ramasser les raisins malgré leur état surmûri. Mais si vous en visitez cinq, vous n'y comprendrez plus rien, chacun ayant sa propre version, qui se passe évidemment chez lui. En fait, nul ne sait qui « inventa » le sauternes, ni quand, ni où.

Si l'histoire, en Sauternais, se cache toujours derrière la légende, la géographie, elle, n'a plus de secret. L'AOC couvrait une superficie de 1 637 ha en 1996. En 1998, la production était de 36 214 hl. Chaque caillou des cinq communes constituant l'appellation (dont barsac, qui possède sa propre appellation) est recensé et connu dans toutes ses composantes. Il est vrai que c'est la diversité des sols (graveleux, argilo-calcaires ou calcaires) et des sous-sols qui donne un caractère à chaque cru, les plus renommés étant implantés sur des croupes graveleuses. Obtenus avec trois cépages - le sémillon (70 % à 80 %), le sauvignon (20 % à 30 %) et la muscadelle -, les vins de sauternes sont dorés, onctueux, mais aussi fins et délicats. Leur bouquet « rôti » se développe très bien au vieillissement, devenant riche et complexe, avec des notes de miel, de noisette et d'orange confite. Il est à noter que les sauternes sont les seuls vins blancs à avoir été classés en 1855.

CH. ANDOYSE DU HAYOT 1996★★

□	20 ha	65 000	🍷 ◫ ♦	70 à 99 F

|90| 91 |93| |94| 95 **96**

Du même producteur que le Château Romer du Hayot, ce vin n'est pas avare de parfums. Fruits confits, menthe, anis, cire et bois, son bouquet dispose d'une large palette ; tout aussi riche, le palais est onctueux, chaleureux, frais et équilibré. Alliant consistance et élégance, cette bouteille parfaitement réussie est promise à un bel avenir.
☛ SCE Vignobles du Hayot, Ch. Andoyse, 33720 Barsac, tél. 05.56.27.15.37, fax 05.56.27.04.24 ☑ ⛾ r.-v.

CH. D'ARMAJAN DES ORMES 1996★★

□	8 ha	20 000	🍷 ◫ ♦	100 à 149 F

95 96

Le château, d'architecture typiquement girondine, a été construit vers 1750 par le gendre de Montesquieu sur l'emplacement d'une ancienne maison seigneuriale. Fin et élégant, ce vin ne trouve pas d'emblée son volume, le bouquet s'exprimant discrètement pour l'instant. En revanche, au palais, il prend de l'ampleur. Sa richesse, son gras, sa puissance et sa longueur lui donnent un caractère harmonieux et prometteur.
☛ EARL Jacques et Guillaume Perromat, Ch. d'Armajan, 33210 Preignac, tél. 05.56.63.22.17, fax 05.56.63.21.55 ☑ ⛾ r.-v.
☛ Michel Perromat

CRU BARREJATS 1997★★

□	2,6 ha	2 700	◫ ♦	250 à 299 F

|90| |91| |92| |94| 95 **96** 97

La taille réduite de la propriété explique le volume presque confidentiel de la production, mais celui-ci s'explique aussi par le gel qui a durement sévi ici en 1997. En effet, sur ce cru attaché aux traitements raisonnés, il n'est pas question de forcer la nature. Cette attitude se traduit par la qualité du vin, dont le bouquet livre d'intenses parfums de vanille, de litchi et d'agrumes. Riche, gras et bien équilibré, le palais est charmeur et élégant, mais sans sacrifier pour autant son potentiel.

⊶ SCEA Barréjats, Clos de Gensac, Mareuil, 33210 Pujols-sur-Ciron, tél. 05.56.76.69.06, fax 05.56.76.69.06 ☑ Ī r.-v.

CH. BASTOR-LAMONTAGNE 1996★★

☐ 58 ha 90 000 ⬮ 100 à 149 F

82 83 84 **85 86** 87 |**88**| |**89**| |(**90**)| **94** 95 **96**

Transformé en hôpital pendant la Première Guerre mondiale, puis acquis par le Crédit Foncier pendant l'entre-deux-guerres, ce cru, qui fut l'un des premiers à être possédés par une banque, a trouvé sa pleine expression depuis une douzaine d'années. Encore un peu jeune lors de sa dégustation de l'an dernier, son 96, aussi élégant dans sa robe cristalline que dans son bouquet mêlant fruits surmûris, fleurs blanches, citron et grillé, a bien évolué. Confit, gras, épicé et concentré, le palais montre sa puissance sans jamais tomber dans la lourdeur.

⊶ SCEA Vignobles Bastor et Saint-Robert, Dom. de Lamontagne, 33210 Preignac, tél. 05.56.63.27.66, fax 05.56.76.87.03 ☑ Ī r.-v.

⊶ Foncier-Vignobles

CH. BOUYOT 1996★

☐ 15 ha 25 000 ⬮ 100 à 149 F

Unité de taille moyenne comme Barsac en compte beaucoup, ce cru propose un vin qui surprend par son premier bouquet aux notes de laurier. Suivent des parfums plus classiques d'écorce d'orange et d'abricot au sirop. Bien constitué et équilibré, le palais reste dans le même esprit par son expression aromatique, qui fait la part belle au citron.

⊶ EARL des vignobles Barraud, Ch. Bouyot, 33720 Barsac, tél. 05.56.27.19.46, fax 05.56.27.23.64 ☑ Ī r.-v.

CH. CAILLOU 1997★

☐ 2ème cru clas. 12 ha 20 000 ▮ ⬮ 150 à 199 F

Situé dans le haut Barsac, ce cru possède un terroir argilo-calcaire. Frais et agréablement fruité, son 97 est paré d'or brillant. Représentatif du millésime, il laisse s'exprimer des notes d'abricot sec, d'agrumes et de miel dans une bouche dont le volume est encore marqué par la barrique neuve. A attendre. On nous suggère de le goûter sur des gambas grillées. Cela peut étonner.

⊶ Marie-Josée Pierre-Bravo, Ch. Caillou, 33720 Barsac, tél. 05.56.27.16.38, fax 05.56.27.09.60 ☑ Ī r.-v.

CH. CAMPEROS 1996

☐ 4 ha 6 000 ▮ ⬮ ♁ 70 à 99 F

Françoise Sirot-Soizeau possède le **Château Closiot** dont elle a représenté le millésime **96** tant dans la **cuvée principale** (7 500 bouteilles, 100 à 149 F) que dans sa cuvée **Passion de Closiot** (2 300 bouteilles à plus de 200 F). Toutes deux reçoivent les mêmes commentaires que l'an dernier et une étoile. Non dégusté l'an dernier, voici son autre domaine, Camperos, comprenant 90 % de sémillon. Il a donné un vin plus simple, d'une couleur beaucoup moins soutenue mais au bouquet marqué de notes de noyau, de fruits très mûrs, de citron et d'épices.

⊶ Françoise Sirot-Soizeau, Ch. Closiot, 33720 Barsac, tél. 05.56.27.05.92, fax 05.56.27.11.06 ☑ Ī t.l.j. 9h-12h 14h-18h30; sam. dim. sur r.-v., f. 24 déc. au 8 janv.

CH. CAPLANE 1996

☐ 2,5 ha n.c. ▮ ⬮ 70 à 99 F

Exploité par un producteur également établi sur la rive droite de la Garonne, ce cru propose un 96 intéressant par son équilibre et sa concentration. Fruits secs et miel accompagnent les fruits confits jusqu'à la finale où s'expriment les fleurs blanches. Pour les lecteurs assidus du Guide, nous répondons à la question que posait un dégustateur l'an dernier, sur l'origine des barriques : non, le bois n'est pas américain !

⊶ Guy David, 6, Moulin de Laubes, 33410 Laroque, tél. 05.56.62.93.76 ☑ Ī r.-v.

DOM. DE CARBONNIEU 1996

☐ 10 ha 6 000 ⬮ 70 à 99 F

Déjà dégusté l'an dernier, ce vin confirme ses bonnes dispositions, avec une expression aromatique qui commence à prendre de l'ampleur. L'équilibre réussi et la finale confirment la bonne typicité de ce 96.

⊶ SCEA Vignobles Charrier et Fils, Dom. de Carbonnieu, 33210 Bommes, tél. 05.56.76.64.48, fax 05.56.76.69.95 ☑ Ī t.l.j. 9h-12h 14h-19h

CH. PIERRE CHANAU 1997★

☐ n.c. 60 000 ▮ ♁ 50 à 69 F

Marque anagramme de la chaîne Auchan, ce vin a été élaboré par le négociant floiracais Dulong. Avec succès, comme le prouvent la délicatesse de son bouquet aux notes florales (acacia, genêt) et l'élégance de son palais aux fraîches saveurs de citron et d'abricot confit.

⊶ Dulong Frères et Fils, 29, rue Jules-Guesde, 33270 Floirac, tél. 05.56.86.51.15, fax 05.56.40.84.97, e-mail dulong@mmkm.com ☑ Ī r.-v.

CLOS DU ROY 1997

☐ n.c. 7 000 ▮ ♁ 70 à 99 F

Du même producteur que le château Piada, ce vin, puissant et d'une bonne ampleur, se fait charmeur par ses délicats arômes de miel et de pêche blanche.

⊶ EARL Lalande et Fils, Ch. Piada, 33720 Barsac, tél. 05.56.27.16.13, fax 05.56.27.26.30 ☑ Ī t.l.j. 8h-12h 13h30-19h; sam. dim. sur r-v.

CH. CLOS HAUT-PEYRAGUEY 1997★

☐ 1er cru clas. 12 ha n.c. 🛢 200 à 249 F

75 76 79 81 82 |83| 85 |86| |88| **89 90** |91| 93 94
95 96 97

Situé sur un coteau faisant face à Yquem, ce cru se montre à la hauteur de son classement avec ce vin assemblant 10 % de sauvignon au sémillon et élevé vingt-deux mois en barriques dont 35 % sont neuves. Ce 97 sait se faire très présent, tant par son bouquet aux notes d'orange, d'abricot et de caramel que par son palais, riche et gras.

🔑 SC J. et J. Pauly, Ch. Haut-Bommes,
33210 Bommes, tél. 05.56.76.61.53,
fax 05.56.76.69.65,
e-mail haut-peyraguey@caves-particulieres.com
☑ 🍷 t.l.j. 9h-12h 14h-18h30; groupes sur r.-v.

CH. DU COY 1997★

☐ 7 ha 18 000 🍾🛢🌡 70 à 99 F

Du même producteur que le Château Suau (Barsac), ce vin (80 % de sémillon, 10 % de muscadelle et 10 % de sauvignon), élevé dix-huit mois en fût, est d'un esprit assez différent, montrant plus de souplesse. Toujours dans l'adolescence, il est prometteur par sa structure onctueuse comme par son bouquet, fruité et complexe, avec des notes confites et florales. Une bouteille de grande classe en puissance.

🔑 R. et Nicole Biarnès, Ch. de Navarro,
33720 Illats, tél. 05.56.27.20.27,
fax 05.56.27.26.53 🍷 t.l.j. 8h30-12h30
13h30-18h30

CH. DOISY DAENE 1997★★

☐ 2ème cru clas. 15 ha 46 000 🛢 150 à 199 F

50 71 |75| |76| |78| |79| |80| |81| |82| |(83)| 84 |85| |86|
|88| |89| |90| |91| |94| **95 96 97**

Avec Pierre et Denis Dubourdieu, la vinification est une science mais aussi un art. Ce 97 (80 % de sémillon, 20 % de sauvignon) en témoigne. Comment pourrait-on réduire sa souplesse, sa finesse, sa complexité et son équilibre à une simple équation ? Déjà agréable, grâce à ses arômes mariant le miel à la pêche et aux fruits confits, cette bouteille parfaitement construite est encore jeune et possède une bonne marge de progression.

🔑 EARL Vignobles Pierre et Denis
Dubourdieu, Ch. Doisy-Daëne, 33720 Barsac,
tél. 05.56.27.15.84, fax 05.56.27.18.99 ☑ 🍷 r.-v.

CH. DOISY-VEDRINES 1997★

☐ 2ème cru clas. 20 ha 30 000 🛢 250 à 299 F

|70| **71 75 76 81** 82 |(83)| |85| |86| |88| |90| 92 |94|
95 97

Né dans un château aux allures de maison de campagne, fleurant bon les grandes vacances d'antan, ce vin rappelle lui aussi ces souvenirs tendres par son bouquet printanier, ses senteurs florales, nuancées de notes estivales (mirabelle et prune), comme par son palais, docile avec un boisé bien fondu. C'est subtil et élégant.

🔑 SC Doisy-Védrines, Casteja, 33720 Barsac,
tél. 05.56.27.15.13, fax 05.56.27.26.76 🍷 r.-v.

CH. DE FARGUES 1991★★

☐ 13 ha 3 600 🛢 250 à 299 F

|47| |49| |53| |59| 62 |(67)| 71 |75| |76| |83| 84 **85** |86|
87 **88 89 90 91**

Les 91 ne sont pas légion, car la nuit du 21 avril a souvent été fatale au millésime, le gel ayant sévi. Ils sont encore moins nombreux à être conditionnés en demi-bouteille. C'est dire l'intérêt de ce vin. Mais son attrait ne relève pas de la curiosité. Fruits confits et melon surmûri sur fond de biscotte ou de biscuit à la cuillère, son bouquet allie complexité et raffinement. Gras et rond à l'attaque puis bien botrytisé, le palais, lui aussi d'une belle tenue, conduit plaisamment vers une longue finale aux savoureuses flaveurs de figue sèche et de fruits confits.

🔑 Comte Alexandre de Lur-Saluces,
Ch. de Fargues, 33210 Fargues-de-Langon,
tél. 05.57.98.04.20, fax 05.57.98.04.21 🍷 r.-v.

CH. GRILLON 1997

☐ 11 ha n.c. 🛢 70 à 99 F

Né sur un vignoble du plateau du haut Barsac où domine le sauvignon (85 %), ce 97 reste encore un peu fermé dans son expression aromatique, mais sa structure lui assure un potentiel qui lui permettra de s'ouvrir.

🔑 Odile Roumazeilles-Cameleyre, Ch. Grillon,
33720 Barsac, tél. 05.56.27.16.45,
fax 05.56.27.12.18 ☑ 🍷 r.-v.

CH. GUIRAUD 1997★★★

☐ 1er cru clas. 85 ha n.c. 🛢 300 à 499 F

83 85 **86** |88| |89| (90) 92 **95 96** (97)

Son classement en 1er cru, sa situation dans la commune éponyme de l'appellation et ses méthodes de travail, d'une rigueur scrupuleuse, tout contribue à faire de Guiraud un vin à part. Bien que n'étant pas encore adulte, ce 97 laisse sa livrée vieil or annoncer la richesse de ses parfums où le botrytis s'associe au miel de tilleul et au raisin surmûri. Gras, riche et ample, son palais ne laisse aucun doute sur son identité sauternaise avec une liqueur et un équilibre qui laissent s'exprimer des nuances de rancio, de musc ou de merrain, tout en les contenant dans de justes proportions. Point d'orgue de ce festival d'arômes, la finale laisse le souvenir pénétrant d'une très grande bouteille.

🔑 SCA du Ch. Guiraud, 33210 Sauternes,
tél. 05.56.76.61.01, fax 05.56.76.67.52 ☑ 🍷 r.-v.

CH. GUITERONDE DU HAYOT 1996★

☐ 35 ha 100 000 🍾🛢🌡 70 à 99 F

91 |93| |94| |95| |96|

Un fromage bleu ne détestera pas ce beau sauternes jaune d'or limpide, dont le nez associe fruits exotiques, fleurs et musc. En bouche, la progression est constante, les nuances de miel s'affirmant jusqu'en finale.

🔑 SCE Vignobles du Hayot, Ch. Andoyse,
33720 Barsac, tél. 05.56.27.15.37,
fax 05.56.27.04.24 ☑ 🍷 r.-v.

CH. HAUT-BERGERON 1997★

☐　　　　15,78 ha　　40 000　　ⅢⅠ 100 à 149 F

|⑦⑤| **76 78 81 82 83** |85| |86| |88| |89| **90 91** |94|
95 96 97

Comme son cousin barsacais (Farluret), ce vin fait une belle place aux fleurs (ici d'acacia) dans son bouquet qu'agrémentent aussi de jolies notes de pâtes de fruits, d'orange confite et de miel. Il est également riche, bien construit et très concentré avec un beau rôti, notamment en finale.
➦ Robert Lamothe et Fils, Ch. Haut-Bergeron, 33210 Preignac, tél. 05.56.63.24.76, fax 05.56.63.23.31 ☑ ⏟ r.-v.

CH. HAUT BOMMES 1997

☐　　　　　n.c.　　10 000　　ⅢⅠ 70 à 99 F

Issu d'un vignoble constitué parcelle après parcelle et génération après génération, ce vin est à l'image du cru, agréable dans sa simplicité, avec de généreux arômes allant du pamplemousse au miel en passant par l'ananas et les fleurs blanches.
➦ SC J. et J. Pauly, Ch. Haut-Bommes, 33210 Bommes, tél. 05.56.76.61.53, fax 05.56.76.69.65, e-mail haut.peyraguey@cavesparticulieres.com
☑ ⏟ r.-v.

CH. HAUT-CLAVERIE 1996★

☐　　　　12 ha　　15 000　　Ⅲ❚▮♨ 70 à 99 F

Sauternais de longue date, les Claverie connaissent bien leur terroir. Cela se sent à la dégustation de ce 96. Bien constitué et équilibré, ce vin se montre expressif par son bouquet de fleurs et d'agrumes comme par son retour.
➦ SCEA Sendrey Frères et Fils, Les Claveries, 33210 Fargues-de-Langon, tél. 05.56.63.43.09, fax 05.56.63.51.16 ☑ ⏟ t.l.j. 8h-20h

LA CHAPELLE DE LAFAURIE 1997★

☐　　　　　n.c.　　16 000　　ⅢⅠ 100 à 149 F

A Lafaurie, comme dans tous les vrais grands crus, le grand vin n'a pas réduit la seconde étiquette à un simple rôle de figuration. Par sa finesse et son élégance, celle-ci permettra d'attendre que le premier vin ait achevé son évolution. Un boisé bien mesuré accompagne les fragrances fruitées et fleuries, les notes de botrytis. Une complicité idéale entre les deux bouteilles.
➦ Dom. Cordier, 160, cours du Médoc, 33300 Cantenal, tél. 05.57.19.57.77, fax 05.57.19.57.87 ⏟ r.-v.

CH. LAFAURIE-PEYRAGUEY 1997★★

☐ 1er cru clas.　40 ha　75 000　ⅢⅠ 200 à 249 F

75 |76| **77 78 79 80** |81| **82 83** 84 |85| 86 |87| |⑧⑧|
|89| **90** |91| |92| 93 **94** |95| **96 97**

Les habitués de ce cru, qui dégusteront son 97 jeune, pourront avoir l'impression de ne pas retrouver « leur » Lafaurie, un vin renommé pour sa légèreté. Mais ils peuvent se rassurer. Déjà s'annoncent la finesse et l'élégance de son bouquet où les agrumes et les fruits confits s'unissent à la vanille pour composer un ensemble

gourmand. De son côté, la structure, riche, ample, grasse et équilibrée, promet un bel avenir à cette bouteille servie par sa longue finale aux notes d'abricot.
➦ Dom. Cordier, 160, cours du Médoc, 33300 Cantenal, tél. 05.57.19.57.77, fax 05.57.19.57.87 ⏟ r.-v.

CH. LAFON 1997

☐　　　　12 ha　　3 000　　ⅢⅠ 100 à 149 F

A l'image de la propriété, ce vin est simple. Ce qui ne l'empêche pas de faire preuve d'originalité par une note d'aiguille de pin au bouquet. Ses arômes de fleurs et de fruits sont également plaisants. Souple et bien équilibrée, la structure est agréable.
➦ Fauthoux, Ch. Lafon, 33210 Sauternes, tél. 05.56.63.30.82, fax 05.56.63.30.82 ⏟ r.-v.

DOM. DE LA FORET 1997

☐　　　　7,15 ha　　15 000　　ⅢⅠ 100 à 149 F

89 |90| 93 94 |95| 96 97

S'il ne semble pas avoir trouvé son visage définitif, ce vin au bouquet fermé possède une structure ronde, vive et équilibrée, qui doit lui permettre de s'épanouir d'ici deux ou trois ans.
➦ Pierre Vaurabourg, Dom. de La Forêt, 33210 Preignac, tél. 05.56.76.88.46 ☑ ⏟ r.-v.

CH. L'AGNET LA CARRIERE
Cuvée Prestige 1997★★

☐　　　　5 ha　　n.c.　　ⅢⅠ 100 à 149 F

Cuvée spéciale élevée en fût par un producteur également établi en Entre-deux-Mers, ce vin (90 % de sémillon, 10 % de sauvignon) est remarquable. Dense et expressif, son bouquet laisse entrevoir de belles choses (abricot confit, miel, acacia). Au palais celles-ci se précisent, pendant que se révèlent son équilibre, sa richesse et sa complexité. De très bonne facture, cette bouteille résulte d'une vendange à parfaite maturité doublée d'une vinification soignée.
➦ Danièle Mallard, Ch. Naudonnet Plaisance, 33760 Escoussans, tél. 05.56.23.93.04, fax 05.57.34.40.78, e-mail mallard@cavesparticulieres.com
☑ ⏟ r.-v.

CH. LAMOTHE GUIGNARD 1996★★

☐ 2ème cru clas.　17 ha　40 000　ⅢⅠ 100 à 149 F

|81| 82 |⑧③| 84 |85| |86| 87 |88| 89 **90** 92 |93| **94**
95 96

Dominant la vallée du Ciron à quelques centaines de mètres du village de Sauternes, ce cru jouit d'un terroir de qualité ; une fois encore les Guignard ont su en tirer la quintessence avec ce très joli vin. Très fin dans le développement aromatique au bouquet, avec de délicates notes grillées, fruitées et confites, ce 96 laisse parler sa liqueur, son gras et sa puissance. Une bien belle bouteille à oublier quelque temps en cave.
➦ GAEC Philippe et Jacques Guignard, Ch. Lamothe Guignard, 33210 Sauternes, tél. 05.56.76.60.28, fax 05.56.76.69.05 ☑ ⏟ t.l.j. sf sam. dim. 8h-12h 14h-18h

CH. LAMOURETTE 1996

☐ 8,5 ha 14 000 ▮ 100 à 149 F

|90| |91| 92 95 96

Elaboré dans le respect des méthodes traditionnelles, ce vin développe un bouquet aimable de fruits secs et de notes florales avant de montrer toute sa finesse au palais en évoquant les agrumes.

Anne-Marie Léglise, Ch. Lamourette, 33210 Bommes, tél. 05.56.76.63.58, fax 05.56.76.60.85 ☑ Y r.-v.

CH. LANGE 1996*

☐ 18 ha 15 000 ▮▮ 70 à 99 F

Issu d'un vignoble où la muscadelle (10 %) trouve sa place à côté du sémillon (80 %) et du sauvignon, ce vin a un son côté capiteux. Celui-ci s'accorde bien avec ses arômes (cire d'abeille, agrumes, confiture et fleurs blanches) et ses côtés charnus et botrytisés. Une jolie bouteille à associer avec un melon pour obtenir un mariage original.

SCEA Daniel Picot, 1, Le Sahuc, 33210 Preignac, tél. 05.56.63.13.60, fax 05.56.63.40.45 ☑ Y t.l.j. 8h30-12h30 14h-20h

CH. LANGE-REGLAT Cuvée spéciale 1996**

☐ 12 ha n.c. ▮▮ 100 à 149 F

Cuvée prestige, ce vin affirme son caractère liquoreux par les notes de rôti qui se marient aux fleurs, aux agrumes et aux fruits secs ou confits pour composer un bouquet intense et complexe. Au palais, les fruits confits (abricot) dominent, tandis que la structure souple et équilibrée laisse le souvenir d'un ensemble harmonieux.

Bernard Réglat, Ch. de La Mazerolle, 33410 Monprimblanc, tél. 05.56.62.98.63, fax 05.56.62.17.98 ☑ Y t.l.j. sf dim. 8h-12h 14h-18h

CH. LA PELOUE 1996

☐ 4 ha 10 000 ▮▮▮ 70 à 99 F

Egalement producteur de liquoreux sur la rive droite, Vincent Labouille présente ici un vin de couleur claire, encore un peu fermé bien que l'on y trouve du fruit légèrement mentholé. Le palais est souple et bien équilibré.

Vincent Labouille, Ch. Crabitan, 33410 Sainte-Croix-du-Mont, tél. 05.56.62.01.78, fax 05.56.76.71.17 ☑ Y r.-v.

de Elichondo

CH. LARIBOTTE 1996*

☐ 15,5 ha 10 000 ▮ 70 à 99 F

« De père en fils depuis 1855 ». Rappelée sur l'étiquette, la tradition familiale compte pour ce cru. Encore un peu discret par son bouquet, ce 96 est agréable par sa vivacité, sa liqueur, son volume et sa belle persistance aromatique, aux notes de fruits confits, de citron et d'épices.

Jean-Pierre Lahiteau, quartier de Sanches, 33210 Preignac, tél. 05.56.63.27.88, fax 05.56.62.24.80 ☑ Y r.-v.

CH. LA RIVIERE 1996*

☐ 3,8 ha n.c. ▮▮▮ 100 à 149 F

Une dominante de sémillon avec des compléments de sauvignon et de muscadelle (respectivement 15 et 5 %) : l'encépagement de ce cru respecte l'esprit de l'appellation. La complexité aromatique de ce 96, où les fleurs de tilleul et d'acacia se mêlent à la cire, n'est donc pas étonnante. Gras, riche et typé, ce vin dispose d'un potentiel évident.

Guillaume Réglat, Ch. Cousteau, 33410 Monprimblanc, tél. 05.56.62.98.63, fax 05.56.62.17.98 ☑ Y t.l.j. 8h-12h 14h-18h

CH. LATREZOTTE 1997

☐ 6,7 ha 15 000 ▮▮ 70 à 99 F

Appartenant au petit groupe de vignobles dont le sol a livré des pierres insolites, ce cru présente avec ce millésime un vin d'or pâle à reflets verts, d'une structure légère mais agréable par son expression aromatique.

Jan de Kok, Ch. Latrezotte, 33720 Barsac, tél. 05.56.27.16.50, fax 05.56.27.08.89 ☑

CH. LAVILLE 1997

☐ 13 ha 15 000 ▮▮ 70 à 99 F

|92| |94| |95| **96** 97

Né sur une unité déjà d'une belle taille, ce vin privilégie la matière et la richesse qui lui permettront de bien vieillir. Le **Château Delmond 97**, second vin (50 à 69 F), a également reçu une citation.

EARL du Ch. Laville, 33210 Preignac, tél. 05.56.63.28.14, fax 05.56.63.16.28 ☑ Y t.l.j. sf sam. dim. 8h-12h30 13h30-18h30

Y. et C. Barbe

CH. L'ERMITAGE 1996*

☐ 11,35 ha 15 000 ▮▮ 70 à 99 F

C'est par passion pour le sauternes que deux amis ont acheté ce cru en 1992. Même s'il est encore marqué par le bois, ce millésime 100 % sémillon répondra à toutes leurs attentes par son rôti et ses intenses parfums de fleurs blanches, relevés par une petite note de noix de coco.

Ch. L'Ermitage, 9, V.C., M. Lacoste, 33210 Preignac, tél. 05.56.76.24.13, fax 05.56.76.12.75, e-mail ermitage@chateaunet.com ☑ Y t.l.j. 8h-19h

Fontan-Chambers

LES CHARMILLES DE TOUR BLANCHE 1996**

☐ 34 ha 18 187 ▮ 100 à 149 F

Seconde étiquette du château La Tour Blanche, ce vin, qui trouvera une bonne place dans la cave, mérite d'être connu pour lui-même. Sa livrée, entre or et cuivre, son bouquet, frais et mûr, avec des notes d'épices et de fruits blancs, son palais, ample et gras, comme sa finale, longue et douce, composent un ensemble des plus harmonieux.

Ch. La Tour Blanche, 33210 Bommes, tél. 05.57.98.02.73, fax 05.57.98.02.78, e-mail tour-blanche@tour-blanche.com ☑ Y t.l.j. sf sam. dim. 9h-11h30 14h-16h30

Ministère de l'Agriculture

CH. LES JUSTICES 1997★★★

☐ 8,5 ha 25 000 150 à 199 F

61 62 67 70 71 73 |75| |76| |78| |79| |80| |81| |82| |(83)| **85 86** |88| |89| |90| |91| |93| |94| **95** 96 (97)

Christian Médeville s'étant fait connaître comme « l'antiquaire du sauternes » par son Château Gilette, élevé pendant des années, la production de sa seconde propriété, le château Les Justices, est un peu restée dans l'ombre. Pourtant, des millésimes comme celui-ci montrent qu'elle peut atteindre un très haut niveau. Aucune faiblesse dans sa robe, d'un beau jaune doré, ni dans son bouquet où les notes printanières de fleurs blanches se mêlent aux fruits confits. A la fois très puissant et équilibré, le palais se porte garant de l'avenir de cette très grande bouteille.

Christian Médeville, Ch. Gilette, 33210 Preignac, tél. 05.56.76.28.44, fax 05.56.76.28.43, e-mail christian.medeville@wanadoo.fr ☑ Ɏ r.-v.

CH. LIOT 1997★

☐ 20 ha n.c. 100 à 149 F

89 90 91 |93| |95| 96 97

Né sur le plateau du haut Barsac, ce vin porte la marque de son origine par la fraîcheur de son bouquet et par ses arômes de palais aux notes citronnées. Vive, légère et élégante, la structure s'inscrit dans le même esprit.

David, Ch. Liot, 33720 Barsac, tél. 05.56.27.15.31, fax 05.56.27.14.42 ☑ Ɏ r.-v.

CH. DE MALLE 1997★

☐ 2ème cru clas. 25 ha 37 000 150 à 199 F

71 (75) **76** 81 **83** |85| **86** 87 |88| |89| **90** |91| **94 95 96** 97

A la grâce de l'architecture du château, qui garde des traits Renaissance, répond la finesse du vin qui associe 29 % de sauvignon à 68 % de sémillon et à 3 % de muscadelle. Après dix-huit mois de fût dont un tiers de barrique neuve, ce vin était encore dans l'âge ingrat le 5 mai 1999, lors de la dégustation. Pourtant, il était déjà plein de charme.

Comtesse de Bournazel, Ch. de Malle, 33210 Preignac, tél. 05.56.62.36.86, fax 05.56.76.82.40, e-mail chateaudemalle@wanadoo.fr ☑ Ɏ r.-v.

CH. DU MONT Réserve du château 1997★

☐ 0,54 ha 1 200 70 à 99 F

Petite cuvée élevée en fût, ce vin à reflets d'or fait preuve de caractère. Si au bouquet, le bois manifeste toujours sa marque par des notes vanillées, au palais apparaissent de nouveaux arômes, dont l'ananas et le confit. Confirmée par une liqueur très présente, la typicité s'affirme tout au long de la dégustation.

Vignobles Chouvac, Ch. du Mont, 33410 Sainte-Croix-du-Mont, tél. 05.56.62.01.72, fax 05.56.62.07.58 ☑ Ɏ r.-v.

CH. DE MYRAT 1996★★

☐ 2ème cru clas. 22 ha 38 000 100 à 149 F

Présenté trop tôt l'an dernier, ce vin élevé vingt-deux mois en barrique assemblant 88 % de sauvignon à 4 % de muscadelle et à 8 % de sémillon âgés de dix ans, n'avait pas alors trouvé son équilibre. C'est désormais chose faite. Le résultat est des plus séduisants avec une robe élégante d'un jaune doré ambré. Sa finesse se retrouve au bouquet où le bois est moins présent qu'il y a un an. Souple et savoureux, le palais est lui aussi marqué par la délicatesse que lui a apportée le sémillon. Vrai vin plaisir, cette bouteille montre que les Pontac ont été bien inspirés en faisant renaître leur vignoble.

Jacques de Pontac, Ch. de Myrat, 33720 Barsac, tél. 05.56.27.15.06, fax 05.56.27.11.75 ☑ Ɏ r.-v.

CH. CRU PEYRAGUEY 1996

☐ 7 ha 10 000 100 à 149 F

75 76 79 82 83 |85| |86| |88| |89| |90| |91| |94| 95 |96|

Né sur un vignoble situé à Bommes, ce vin au fin bouquet fleuri concilie souplesse et ampleur pour former un ensemble équilibré.

Hubert Mussotte, 10, Miselle, 33210 Preignac, tél. 05.56.44.43.48, fax 05.56.01.71.29 ☑ Ɏ r.-v.

CH. RAYMOND-LAFON 1995★

☐ 17,9 ha 21 000 250 à 299 F

Enchâssé dans le vignoble d'Yquem et de quelques autres classés prestigieux, ce cru jouit d'un terroir de choix. A cela s'ajoute un élevage de trois ans en barrique neuve, ce qui donne un vin de qualité. Rond, charnu et consistant, ce 95 se distingue par la concentration du bouquet (cire d'abeille, miel d'acacia, bergamote et agrumes confits), dont le côté confit se retrouve au palais.

Famille Meslier, Ch. Raymond-Lafon, 4, Au Puits, 33210 Sauternes, tél. 05.56.63.21.02, fax 05.56.63.19.58, e-mail famille.meslier@chateauraymond.lafon.fr ☑ Ɏ r.-v.

MADAME DE RAYNE 1997★

☐ 78,28 ha 60 000 150 à 199 F

Seconde étiquette de Rayne-Vigneau, ce 97 est issu d'une vendange très mûre. Puissant et riche, tant par sa structure que par ses arômes qui vont

des raisins de Corinthe au miel et au grillé, il est bien dans la tradition sauternaise par son rôti. Gras et ample, le **Clos l'Abeilley 97** (également entre 150 et 199 F) a lui aussi obtenu une étoile.
SC du Ch. de Rayne Vigneau, La Croix Bacalan, 109, rue Achard B.P. 154, 33042 Bordeaux Cedex, tél. 05.56.11.29.00, fax 05.56.11.29.11 Y r.-v.

CH. DE RAYNE VIGNEAU 1996★★

☐ 1er cru clas. 78,28 ha 135 000 200 à 249 F

85 **86** |**88**| |89| |90| **91** 92 |**94**| **95 96**

Aujourd'hui séparé de l'exploitation, le château conserve la collection de pierres gemmes trouvées sur le sol qui a vu naître ce vin riche et complexe assemblant 71 % de sémillon à 27 % de sauvignon et à 2 % de muscadelle, élevé dix-huit mois en barrique. Si la liqueur est présente, elle n'est pas excessive et n'enlève pas sa finesse à l'expression aromatique. Tout témoigne d'un beau travail de vinification.
SC du Ch. de Rayne Vigneau, La Croix Bacalan, 109, rue Achard B.P. 154, 33042 Bordeaux Cedex, tél. 05.56.11.29.00, fax 05.56.11.29.11 Y r.-v.

CH. RIEUSSEC 1996★★★

☐ 1er cru clas. 72 ha n.c. 300 à 499 F

62 67 70 71 |**75**| |**76**| |**78**| |79| |80| |81| 82 **83 84 85** |**86**| 87 **88 89** |(90)| **92** |**94**| **95** (96)

Planté sur une croupe de graves sableuses tout juste séparée d'Yquem par un ruisseau, ce vignoble bénéficie d'un terroir de qualité. Une fois encore, il triomphe avec ce 96. D'une superbe robe dorée, il développe un bouquet intense, aux belles notes confites agrémentées de miel. Ces saveurs se retrouvent au palais, accompagnées d'amandes grillées et de figue ; l'on sent une élégance, une puissance et une liqueur qui sont de bon augure pour l'avenir de cette grande bouteille.
Ch. Rieussec, 33210 Fargues-de-Langon, tél. 05.57.98.14.14, Y r.-v.; f. août-sept.-oct.

CH. DE ROCHEFORT 1997★

☐ 1,3 ha 3 000 70 à 99 F

Du même producteur que le Château Laville, ce vin se distingue par une plus grande richesse. Rond, gras et d'une bonne intensité aromatique, il affirme son style sauternes par un botrytis bien marqué.
Jean-Christophe Barbe, Ch. Laville, 33210 Preignac, tél. 05.56.63.28.14, fax 05.56.63.16.28 ☑ Y r.-v.

CH. ROMER DU HAYOT 1996★

☐ 2ème cru clas. 16 ha 35 000 100 à 149 F

75 76 79 |**81**| **82** |**83**| |85| |**86**| **88** 89 |90| 91 93 |95| 96

S'il appartient aux vignobles du Hayot, dont le siège est à Barsac, ce cru est situé à Fargues, à proximité de l'autoroute des Deux-Mers qui passe sur ses anciens chais. Ample et riche, son 96 se montre fort séduisant par son bouquet qui révèle pêche blanche, anis, menthe et miel.
SCE Vignobles du Hayot, Ch. Andoyse, 33720 Barsac, tél. 05.56.27.15.37, fax 05.56.27.04.24 ☑ Y r.-v.

CH. SAINT VINCENT 1996★

☐ 7,13 ha 6 000 100 à 149 F

Créé en 1990, ce cru fait son entrée dans le Guide avec ce 96, qui ne s'est pas encore complètement ouvert mais qui montre déjà un caractère agréable, par sa souplesse comme par ses arômes de fruits confits ; un vin intéressant par son potentiel.
Francis Desqueyroux et Fils, 1, rue Pourière, 33720 Budos, tél. 05.56.76.62.67, fax 05.56.76.66.92 ☑ Y r.-v.

CH. SIGALAS-RABAUD 1997★★

☐ 1er cru clas. 13,37 ha n.c. 200 à 249 F

66 75 76 81 82 83 85 |**86**| 87 |**88**| |**89**| |90| |91| |92| 94 (95) 96 **97**

A un terroir de choix, mêlant les graves aux argiles et aux sables, s'ajoute le savoir-faire de Cordier (Lafaurie-Peyraguey). Ce vin dispose de bons atouts dont il a su tirer profit. Les habitués retrouveront l'équilibre caractéristique du cru. Très expressif par son bouquet aux fraîches notes de fruits (pêche et abricot), ce 97 déploie un palais ample et gras, avec une riche matière et une longue finale. Très réussi, il méritera d'être attendu pour qu'il s'épanouisse complètement.
Ch. Sigalas-Rabaud, Bommes-Sauternes, 33210 Langon, tél. 05.56.95.53.00, fax 05.56.95.53.01

LE CADET DE SIGALAS-RABAUD 1997★★

☐ 13,37 ha n.c. 100 à 149 F

Seconde étiquette de Sigalas-Rabaud, ce 97 pourrait presque rivaliser avec le grand vin ; mais à sa manière, tout chez lui privilégiant la finesse et la séduction, avec de frais arômes de miel d'acacia. Il s'inscrit aussi dans la tradition de Sigalas par son équilibre entre la matière et l'élégance.
Ch. Sigalas-Rabaud, Bommes-Sauternes, 33210 Langon, tél. 05.56.95.53.00, fax 05.56.95.53.01

CH. SUDUIRAUT 1996★

☐ 1er cru clas. 88 ha n.c. 200 à 249 F

(67) **75** 76 78 **82** |**83**| 85 86 88 |89| |(90)| 96

Suduiraut, qu'entoure un parc dessiné par Le Nôtre, est l'un des plus beaux châteaux XVIIe s. du Bordelais. A son image, ce vin se montre des plus plaisants par son mélange de classicisme et de subtilité. Il sait aussi manifester son originalité par un bouquet singulier où le laurier côtoie un univers plus minéral. Des flaveurs vanillées et épicées relevant le tout, on obtient un ensemble de belle tenue.

🔑 Jean-Michel Cazes, Ch. Suduiraut, 33210 Preignac, tél. 05.56.63.61.92, fax 05.56.63.61.93, e-mail infochato@suduiraut.com ☑ 🍷 r.-v.

🔑 Axa Millésime

CH. VILLEFRANCHE 1996

☐ 12 ha 18 000 70 à 99 F

S'il n'explose pas au cours de la dégustation, ce vin se montre agréable et intéressant par son volume et son équilibre.

🔑 Henri Guinabert et Fils, Ch. Villefranche, 33720 Barsac, tél. 05.56.27.05.77, fax 05.56.27.33.02 ☑ 🍷 r.-v.

Trouver un vin ? Consultez l'index en fin de volume.

CH. D'YQUEM 1993★★

☐ 1er cru sup. 130 ha 50 000 + de 500 F

21 29 37 42 |45| **53** 55 59 ⑥⑦ **70 71** |75| |76| 79 80 |81| |82| **83** |84| |85| |86| |87| **88 89 90 91 93**

Si le millésime 93 ne bénéficie pas d'un préjugé très favorable, Yquem prouve qu'il était possible de faire de belles choses, en acceptant de petits rendements et des tries aussi nombreuses que méticuleuses. S'annonçant par une robe d'or parfait, ce vin s'inscrit dans la meilleure tradition d'Yquem par la finesse et l'élégance de son bouquet, qui se partage entre les fruits et les fleurs avec une dominante de citron confit qui lui apporte la fraîcheur. Au palais, ces arômes évoluent vers des nuances surmûries, derrière des notes boisées déjà fondues, avant que le citron et l'orange confite ne reprennent leurs droits pour s'ouvrir sur une belle finale rôtie. A servir dans cinq ou six ans.

🔑 Comte de Lur-Saluces, Ch. d'Yquem, 33210 Sauternes, tél. 05.57.98.07.07, fax 05.57.98.05.08, e-mail info@chateau.yquem.fr

🔑 LVMH

LA BOURGOGNE

« Aimable et vineuse Bourgogne », écrivait Michelet. Quel amateur de vin ne reprendrait à son compte une telle assertion ? Avec le Bordelais et la Champagne, la Bourgogne porte en effet à travers le monde entier la prestigieuse renommée des vins de France les plus illustres, les associant sur ses terroirs avec une gastronomie des plus riches, et trouvant dans leur diversité de quoi satisfaire tous les goûts et réussir tous les accords gourmands.

Plus encore que dans toute autre région viticole, on ne peut dissocier en Bourgogne l'univers du vin de la vie quotidienne, dans une civilisation forgée au rythme des travaux de la vigne : depuis les confins auxerrois jusqu'aux monts du Beaujolais, tout au long d'une province qui relie les deux métropoles que sont Paris et Lyon, la vigne et le vin ont, dès la plus haute Antiquité, fait vivre les hommes, et les ont fait vivre bien. Si l'on en croit Gaston Roupnel, écrivain bourguignon mais aussi vigneron à Gevrey-Chambertin, auteur d'une *Histoire de la campagne française*, la vigne aurait été introduite en Gaule au VIe s. av. J.-C. « par la Suisse et les défilés du Jura », pour être bientôt cultivée sur les pentes des vallées de la Saône et du Rhône. Même si, pour d'autres, ce sont les Grecs qui sont à l'origine de la culture de la vigne, venue du Midi, nul ne conteste l'importance qu'elle a prise très tôt sur le sol bourguignon. Certains reliefs du Musée archéologique de Dijon en témoignent. Et lorsque le rhéteur Eumène s'adresse à l'empereur Constantin, à Autun, c'est pour évoquer les vignes cultivées dans la région de Beaune et qualifiées déjà d'« admirables et anciennes ».

Modelée par les avatars glorieux ou tragiques de son histoire, soumise aux aléas des données climatiques autant qu'aux transformations des pratiques agricoles - où les moines, dans les mouvances de Cluny ou de Cîteaux, jouèrent un rôle capital -, la Bourgogne a dessiné peu à peu la palette de ses *climats* et de ses crus, évoluant constamment vers la qualité et la typicité de vins incomparables. C'est sous le règne des quatre ducs de Bourgogne (1342-1477) que seront éditées les règles destinées à garantir un niveau qualitatif élevé.

Il faut cependant préciser que la Bourgogne des vins ne recouvre pas exactement la Bourgogne administrative : la Nièvre (qui se rattache administrativement à la Bourgogne, avec la Côte-d'Or, l'Yonne et la Saône-et-Loire) fait partie du vignoble du Centre et du vaste ensemble de la vallée de la Loire (vignoble de Pouilly-sur-Loire). Tandis que le Rhône (appartenant pour les autorités judiciaires et administratives à la Bourgogne lui aussi), pays du beaujolais, a acquis par l'habitude une autonomie que justifie - outre la pratique commerciale - l'usage d'un cépage spécifique. C'est ce choix qui est retenu dans le présent guide (voir le chapitre « Le Beaujolais »), où l'on comprend donc en Bourgogne les vignobles de l'Yonne (basse Bourgogne), de la Côte-d'Or et de la Saône-et-Loire, bien que certains vins produits en Beaujolais puissent être vendus en appellation régionale bourgogne.

L'unité ampélographique de la Bourgogne - à l'exclusion, donc, du Beaujolais, planté de gamay noir à jus blanc - ne fait pas de doute : le chardonnay pour les vins blancs et le pinot noir pour les vins rouges y règnent en maîtres. On rencontre cependant quelques variétés annexes, vestiges de pratiques culturales anciennes ou adaptations spécifiques à des terroirs particuliers : l'aligoté, cépage blanc produisant le célèbre bourgogne aligoté, fréquemment employé dans la confection du « kir » (blanc-cassis) ; il atteint son sommet qualitatif dans le petit pays de Bouzeron, tout près de Chagny (Saône-et-Loire). Le césar, lui, plant « rouge », était surtout cultivé dans la région d'Auxerre ; mais il tend à disparaître. Le sacy donne du bourgogne grand ordinaire dans l'Yonne, mais il est de plus en plus remplacé par le chardonnay ; le gamay, du bourgogne grand ordinaire et, associé au pinot, du bourgogne passetoutgrain. Enfin, le sauvignon, fameux cépage aromatique des vignobles de Sancerre et de Pouilly-sur-Loire, est cultivé dans la région de Saint-Bris-le-Vineux, dans l'Yonne, où il conduit à l'AOVDQS sauvignon de Saint-Bris qui devrait bientôt accéder au statut de l'AOC.

Sous une relative unité climatique, globalement semi-continentale avec influence océanique atteignant ici les limites du Bassin parisien, ce sont donc les sols qui vont spécifier les caractères propres des très nombreux vins produits en Bourgogne. Car si l'extrême morcellement des parcelles est la règle partout, il se fonde en grande partie sur une juxtaposition d'affleurements géologiques variés, origine de la riche palette de parfums et de saveurs des crus de Bourgogne. Et plus que des données strictement météorologiques, c'est des variations pédologiques que rend compte ici la notion de *climat* (ou terroir) précisant les caractères des vins au sein d'une même appellation, et compliquant comme à plaisir le classement et la présentation des grands vins de Bourgogne... Ces *climats*, aux noms particulièrement évocateurs (la Renarde, les Cailles, Genevrières, Clos de la Maréchale, Clos des Ormes, Montrecul...), sont les termes consacrés depuis au moins le XVIIIe s. pour désigner des surfaces de quelques hectares, parfois même quelques « ouvrées » (une ouvrée est égale à 4 ares, 28 centiares), correspondant à « une entité naturelle s'extériorisant par l'unité du caractère du vin qu'elle produit... » (A. Vedel). Et l'on peut constater en effet qu'il y a parfois moins de différences entre deux vignes séparées de plusieurs centaines de mètres mais à l'intérieur du même *climat* qu'entre deux autres voisines mais dans deux *climats* différents.

On dénombre en outre quatre niveaux d'appellations dans la hiérarchie des vins : appellation régionale (56 % de la production), *villages* (ou appellation communale) de Bourgogne, premier cru (12 % de la production) et grand cru (2 % de la production qui recouvre 33 grands crus répertoriés en Côte-d'Or et à Chablis). Et le nombre de terroirs légalement délimités ou de *climats* est très grand : on compte, par exemple, 27 dénominations différentes pour les premiers crus récoltés sur la commune de Nuits-Saint-Georges, et cela pour une centaine d'hectares seulement !

Des études récentes ont confirmé les relations (souvent constatées empiriquement) entre les sols et les lieux-dits donnant naissance aux appellations, aux crus ou aux *climats*. Ainsi, par exemple, a-t-on pu déterminer dans la Côte de Nuits 59 types de sols différenciés selon leurs caractères morphologiques ou physico-chimiques (pente, pierrosité, taux d'argile, etc.) et correspondant de fait à la distinction des appellations grand cru, premier cru, villages et régionale.

Plus simplement, dans une approche géographique beaucoup plus générale, il est d'usage de distinguer, du nord au sud, quatre grandes zones au sein de la Bourgogne viticole : les vignobles de l'Yonne (ou de basse Bourgogne), de la Côte-d'Or (Côte de Nuits et Côte de Beaune), la Côte chalonnaise, le Mâconnais.

Le Chablisien est le plus connu des vignobles de l'Yonne. Son prestige fut très grand à la cour parisienne pendant tout le Moyen Age, le transport fluvial rendant facile le commerce des vins avec la capitale ; longtemps même, les vins de l'Yonne s'identifièrent tout simplement avec « les » bourgognes. Blotti dans la charmante vallée du Serein, dont Noyers est le petit joyau médiéval, le vignoble de Chablis est comme un satellite isolé lancé à plus de cent kilomètres au nord-ouest du cœur de la Bourgogne viticole. Dispersé, il couvre plus de 4 000 ha de collines aux pentes d'exposition variée, sur lesquelles « une constellation de hameaux et une nuée de pro-

La Bourgogne

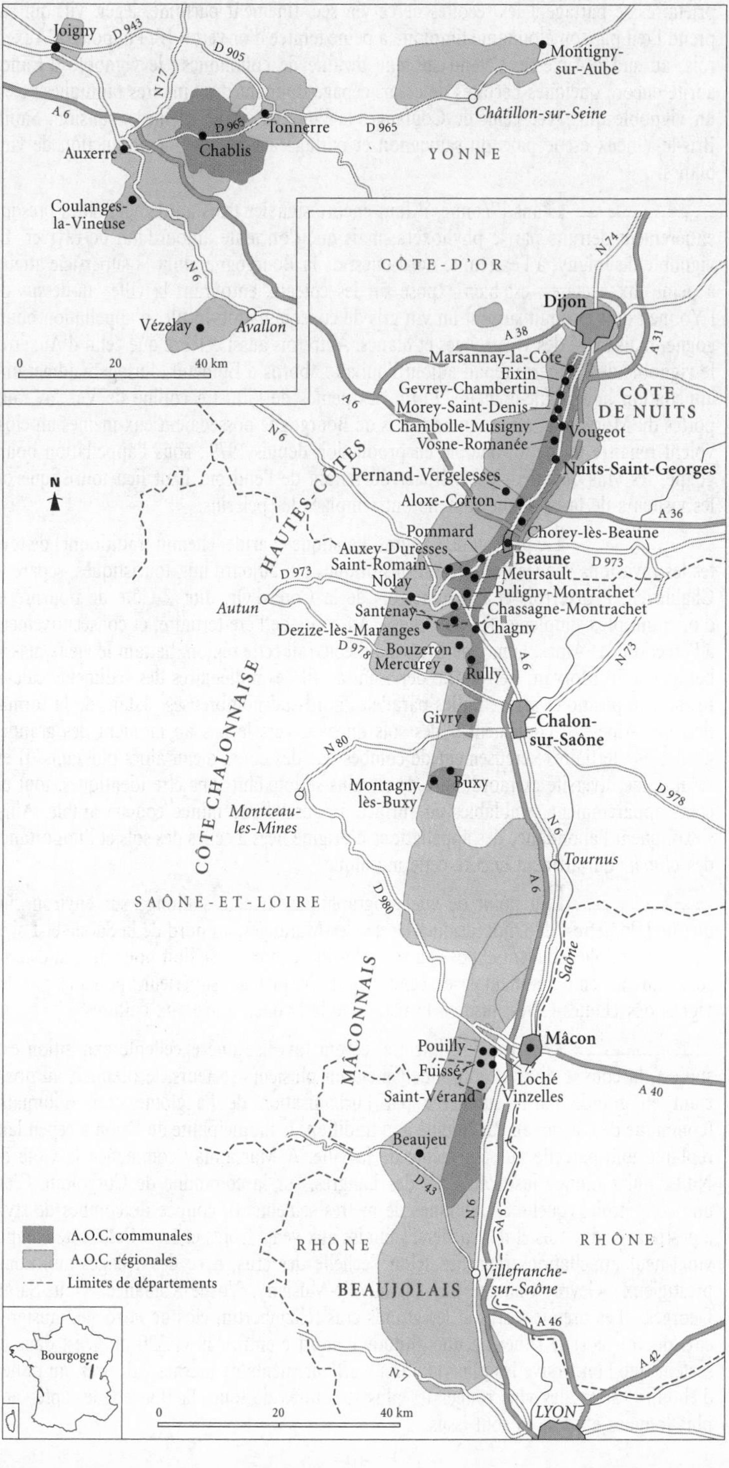
Joigny
D 943
D 905
N 77
A 6
Auxerre
D 965
Chablis
Tonnerre
Montigny-sur-Aube
Châtillon-sur-Seine
YONNE
Coulanges-la-Vineuse
N 6
Vézelay
Avallon
0 20 40 km
CÔTE-D'OR
N 74
Dijon
A 38
A 31
Marsannay-la-Côte
Fixin
Gevrey-Chambertin
Morey-Saint-Denis
Chambolle-Musigny
Vosne-Romanée
Vougeot
CÔTE DE NUITS
Nuits-Saint-Georges
A 6
N 6
HAUTES CÔTES
N
Pernand-Vergelesses
Aloxe-Corton
A 36
Pommard
Chorey-lès-Beaune
Auxey-Duresses
Beaune
D 973
Saint-Romain
Meursault
Nolay
Puligny-Montrachet
Autun
Santenay
Chassagne-Montrachet
Dezize-lès-Maranges
Chagny
D 978
Bouzeron
Mercurey
Rully
N 73
CÔTE CHALONNAISE
Givry
Chalon-sur-Saône
N 80
Buxy
Montagny-lès-Buxy
D 978
Montceau-les-Mines
N 6
Tournus
SAÔNE-ET-LOIRE
D 980
MÂCONNAIS
Saône
Mâcon
Pouilly
Fuissé
Loché
Saint-Vérand
Vinzelles
A 40
Beaujeu
D 43
A.O.C. communales
A.O.C. régionales
Limites de départements
RHÔNE
RHÔNE
Villefranche-sur-Saône
BEAUJOLAIS
A 46
A 42
Bourgogne
N 7
0 20 40 km
LYON

priétaires se partagent les récoltes de ce vin sec, finement parfumé, léger, vif, qui sur prend l'œil par son étonnante limpidité à peine teintée d'or vert » (P. Poupon). L'Auxerrois, au sud d'Auxerre, s'étend sur une dizaine de communes ; le vignoble d'Irancy abrite encore quelques hectares de césar, cépage donnant des vins très tanniques ; c'est un vignoble qui, avec celui de Coulanges-la-Vineuse, est en pleine expansion. Saint-Bris-le-Vineux est le pays du sauvignon et partage avec Chitry la production de vins blancs.

Dans l'Yonne, il faut encore signaler trois autres vignobles presque entièrement détruits par le phylloxéra, mais que l'on tente aujourd'hui de raviver. Le vignoble de Joigny, à l'extrémité nord-ouest de la Bourgogne, dont la superficie atteint à peine dix hectares, est bien exposé sur les coteaux entourant la ville, au-dessus de l'Yonne ; on y produit surtout un vin gris de consommation locale, d'appellation bourgogne, mais aussi des vins rouges et blancs. Autrefois aussi célèbre que celui d'Auxerre, le vignoble de Tonnerre renaît aujourd'hui aux abords d'Epineuil ; l'usage y admet une appellation bourgogne-épineuil. Enfin, les pentes de l'illustre colline de Vézelay, aux portes du Morvan, et où les grands-ducs de Bourgogne possédaient eux-mêmes un clos, voient renaître un petit vignoble en production depuis 1979 ; sous l'appellation bourgogne, les vins devraient y bénéficier du renom de l'endroit, haut lieu touristique où les visiteurs de la basilique romane ont remplacé les pèlerins.

Le plateau de Langres, karstique et aride, chemin traditionnel de toutes les invasions venues du nord-est, historiques ou, aujourd'hui, touristiques, sépare le Chablisien, l'Auxerrois et le Tonnerrois de la Côte d'Or, dite « Côte de pourpre et d'or » ou, plus simplement, « la Côte ». Au cours de l'ère tertiaire, et consécutivement à l'érection des Alpes, la mer de Bresse, qui couvrait cette région, battant le vieux massif hercynien du Morvan, s'effondra, déposant au fil des millénaires des sédiments calcaires de composition variée : failles parallèles nord-sud nombreuses, datant de la formation des Alpes ; « coulement » des sols du haut vers le bas au moment des grandes glaciations tertiaires ; creusement de combes par des cours d'eau alors puissants. Il en résulte une diversité extraordinaire de terrains se jouxtant sans être identiques, tout en étant apparemment semblables en surface à cause d'une mince couche arable. Ainsi s'expliquent l'abondance des appellations d'origine liées à celles des sols et l'importance des *climats* qui affinent encore cette mosaïque.

Du point de vue géographique, la côte s'allonge sur environ cinquante kilomètres, de Dijon jusqu'à Dezize-lès-Maranges, au nord de la Saône-et-Loire. Le coteau le plus souvent exposé au soleil levant, comme il se doit pour de grands crus sous climat semi-continental, descend depuis le plateau supérieur, ponctué par les vignes des Hautes-Côtes, jusqu'à la plaine de la Saône, vouée aux cultures.

De structure linéaire, ce qui favorise une excellente exposition est-sud-est, la côte se divise traditionnellement en plusieurs secteurs, le premier, au nord, étant en grande partie submergé par l'urbanisation de l'agglomération dijonnaise (commune de Chenôve). Par fidélité à la tradition, la municipalité de Dijon a cependant replanté une parcelle au sein même de la ville. A Marsannay commence la Côte de Nuits, qui s'allonge jusqu'au Clos des Langres, sur la commune de Corgoloin. C'est une côte étroite (quelques centaines de mètres seulement), coupée de combes de style alpestre avec des bois et des rochers, soumise aux vents froids et secs. Cette côte compte vingt-neuf appellations réparties selon l'échelle des crus, avec des villages aux noms prestigieux : Gevrey-Chambertin, Chambolle-Musigny, Vosne-Romanée, Nuits-Saint-Georges... Les premiers crus et les grands crus (chambertin, clos de la roche, musigny, clos de vougeot) se situent à une altitude comprise entre 240 et 320 m. C'est dans ce secteur que l'on trouve les plus nombreux affleurements de marnes calcaires, au milieu d'éboulis variés ; les vins rouges les plus structurés de toute la Bourgogne, aptes aux plus longues gardes, en sont issus.

La Côte de Beaune vient ensuite, plus large (un à deux kilomètres), à la fois plus tempérée et soumise à des vents plus humides, ce qui entraîne une plus grande précocité dans la maturation. Géologiquement, la Côte de Beaune est plus homogène que la Côte de Nuits, avec au bas un plateau presque horizontal, formé par les couches du bathonien supérieur recouvertes de terres fortement colorées. C'est sur ces sols assez profonds que se récoltent les grands vins rouges (beaune grèves, pommard épenots...). Au sud de la Côte de Beaune, les bancs de calcaires oolithiques avec, sous les marnes du bathonien moyen recouvertes d'éboulis, des calcaires sus-jacents donnent des sols à vigne caillouteux, graveleux, sur lesquels sont récoltés les vins blancs parmi les plus prestigieux : premiers et grands crus des communes de Meursault, Puligny-Montrachet, Chassagne-Montrachet. Si l'on parle de « côte des rouges » et de « côte des blancs », il faut citer entre les deux le vignoble de Volnay, implanté sur des terrains pierreux argilo-calcaires et donnant des vins rouges d'une grande finesse.

La culture de la vigne se poursuit jusqu'à une altitude plus élevée dans la Côte de Beaune que dans la Côte de Nuits : 400 m et parfois plus. Le coteau est coupé de larges combes, dont celle de Pernand-Vergelesses, semblant séparer la fameuse montagne de Corton du reste de la côte.

C'est depuis une trentaine d'années que l'on replante peu à peu les secteurs des hautes-côtes, où sont produites les appellations régionales bourgogne hautes-côtes-de-nuits et bourgogne hautes-côtes-de-beaune. L'aligoté y trouve son terrain de prédilection, qui met bien en valeur sa fraîcheur. Quelques terroirs y donnent d'excellents vins rouges issus de pinot noir, présentant souvent des odeurs de petits fruits rouges (framboise, cassis), spécialités de la Bourgogne cultivées là aussi.

Le paysage s'épanouit quelque peu dans la Côte chalonnaise (4 500 ha) ; la structure linéaire du relief s'y élargit en collines de faible altitude s'étendant plus à l'ouest de la vallée de la Saône. La structure géologique est beaucoup moins homogène que celle du vignoble de la Côte d'Or ; les sols reposent sur les calcaires du jurassique, mais aussi sur des marnes de même origine ou d'origine plus ancienne, lias ou trias. Des vins rouges sont produits à partir du pinot noir à Mercurey, Givry et Rully, mais ces mêmes communes proposent aussi des blancs de chardonnay, tout comme Montagny ; c'est aussi là que se trouve Bouzeron, à l'aligoté réputé. Il faut enfin signaler un bon vignoble aux abords de Couches, que domine le château médiéval. D'églises romanes en demeures anciennes, chaque itinéraire touristique peut d'ailleurs se confondre ici avec une route des Vins.

Jeu de collines découvrant souvent de vastes horizons, où les bœufs charolais ponctuent de blanc le vert des prairies, le Mâconnais (5 700 ha en production), cher à Lamartine - Milly, son village, est vinicole, et lui-même possédait des vignes - est géologiquement plus simple que le Chalonnais. Les terrains sédimentaires du triasique au jurassique y sont coupés de failles ouest-est. 20 % des appellations sont communales, 80 % régionales (mâcon blanc et mâcon rouge). Sur des sols bruns calcaires, les blancs les plus réputés, issus de chardonnay, se récoltent sur les versants particulièrement bien exposés et très ensoleillés de Pouilly, Solutré et Vergisson ; ils sont remarquables par leur aspect et leur aptitude à une longue garde. Les rouges et rosés proviennent du pinot noir pour les vins d'appellation bourgogne et de gamay noir à jus blanc pour les mâcons, récoltés à plus basse altitude et sur les terrains moins bien exposés, aux sols souvent limoneux où des rognons siliceux facilitent le drainage.

Pour essentielles que soient les données pédologiques et climatiques, on ne peut présenter la Bourgogne vinicole sans aborder les aspects humains du travail de la vigne et des vins : les hommes attachés à leur terroir le sont souvent ici depuis des siècles. Ainsi, les noms de nombreuses familles sont dans les villages ceux d'il y a cinq cents ans. De même, la fondation de certaines maisons de négoce remonte parfois au XVIIIe s.

Morcelé, le vignoble est constitué d'exploitations familiales de faible superficie. C'est ainsi qu'un domaine de quatre à cinq hectares suffit, en appellation communale (nuits-saint-georges, par exemple), à faire vivre un ménage occupant un ouvrier. Rares sont les producteurs qui possèdent et cultivent plus de dix hectares : l'illustre Clos-Vougeot, par exemple, qui couvre cinquante hectares, est partagé entre plus de soixante-dix propriétaires ! Ce morcellement des *climats* du point de vue de la propriété augmente encore la diversité des vins produits et crée une saine émulation chez les vignerons ; une dégustation consistera souvent, en Bourgogne, à comparer deux vins de même cépage et de même appellation, mais provenant chacun d'un *climat* différent ; ou encore, à juger deux vins de même cépage et de même *climat*, mais d'années différentes. Ainsi, en Bourgogne, deux notions reviennent en permanence en matière de dégustation : le cru, ou *climat*, et le millésime, auxquels s'ajoute bien sûr la « touche » personnelle du propriétaire qui les présente. Du point de vue technique, le vigneron bourguignon est très attaché au maintien des usages et traditions, ce qui ne signifie pas un refus absolu de la modernisation. C'est ainsi que la mécanisation de la viticulture se développe et que de nombreux vinificateurs ont su tirer profit de nouveaux matériels ou de nouvelles techniques. Il est toutefois des traditions qui ne sauraient être remises en cause aussi bien par les viticulteurs que par les négociants : un des meilleurs exemples est l'élevage des vins en fût de chêne.

On recense en 1997 3 500 domaines vivant uniquement de la vigne. Ils exploitent les deux tiers des 24 000 ha de vignes plantées en appellation d'origine. Dix-neuf coopératives sont répertoriées ; le mouvement est très actif en Chablisien, en Côte chalonnaise et surtout dans le Mâconnais (13 caves). Elles produisent environ 25 % des volumes de vin. Les négociants-éleveurs jouent un grand rôle depuis le XVIII[e]s. Ils commercialisent plus de 60 % de la production et détiennent plus de 35 % de la surface totale des grands crus de la Côte de Beaune. Avec ses domaines, le négoce produit 8 % de la récolte totale bourguignonne. Celle-ci représente en moyenne 180 millions de bouteilles (105 en blanc, 75 en rouge) qui génèrent 5 milliards de chiffre d'affaires, dont 2,6 à l'exportation.

L'importance de l'élevage (conduite d'un vin depuis sa prime jeunesse jusqu'à son optimal qualitatif avant la mise en bouteilles) met en évidence le rôle du négociant-éleveur : outre sa responsabilité commerciale, il assume une responsabilité technique. On comprend donc qu'une relation professionnelle harmonieuse se soit créée entre la viticulture et le négoce.

Le Bureau interprofessionnel des vins de Bourgogne (BIVB) possède trois « antennes » : Mâcon, Beaune et Chablis. Le BIVB met en œuvre des actions dans les domaines technique, économique et promotionnel. L'université de Bourgogne a été le premier établissement en France, du moins au niveau universitaire, à dispenser des enseignements d'œnologie et à créer un diplôme de technicien, en 1934, en même temps qu'était fondée la prestigieuse confrérie des Chevaliers du Tastevin, qui fait tant pour le rayonnement et le prestige universel des vins de Bourgogne. Siégeant au château du Clos-Vougeot, elle contribue avec d'autres confréries locales à maintenir vivaces les traditions. L'une des plus brillantes est sans conteste la vente des hospices de Beaune, créée en 1851, rendez-vous de l'élite internationale du vin et « Bourse » des cours de référence des grands crus ; avec le chapitre de la confrérie et la « Paulée » de Meursault, la vente est l'une des « Trois Glorieuses ». Mais c'est à travers toute la Bourgogne que l'on sait fêter joyeusement le vin, devant quelque « pièce » (228 litres) ou bouteille. Il n'en faut d'ailleurs pas tant pour aimer la Bourgogne et ses vins : n'est-elle pas tout simplement « un pays que l'on peut emporter dans son verre » ?

Les appellations régionales bourgogne

Les appellations régionales bourgogne, bourgogne grand ordinaire et leurs satellites ou homologues couvrent l'aire de production la plus vaste de la Bourgogne viticole. Elles peuvent être produites dans les communes traditionnellement viticoles des départements de l'Yonne, de la Côte-d'Or, de la Saône-et-Loire, et dans le canton de Villefranche-sur-Saône, dans le Rhône. En 1996, elles représentent un volume de 525 700 hl, soit 14 % de plus qu'en 1995.

La codification des usages, et plus particulièrement la définition des terroirs par la délimitation parcellaire, a conduit à une hiérarchie au sein des appellations régionales. L'appellation bourgogne grand ordinaire est l'appellation la plus générale, la plus extensive par l'aire délimitée. Avec un encépagement plus spécifique, on récolte dans les mêmes lieux le bourgogne aligoté, le bourgogne passetoutgrain et le crémant de bourgogne.

Bourgogne

L'aire de production de cette appellation est assez vaste, si l'on considère les adjonctions possibles de différents noms de sous-régions (Hautes-Côtes, Côte chalonnaise) ou de villages (Irancy, Chitry, Epineuil) qui constituent chacun une entité à part, et sont présentés ici comme tels. Il n'est pas étonnant qu'en raison de l'étendue de cette appellation les producteurs aient cherché à personnaliser leurs vins et à convaincre le législateur d'en préciser l'origine. Dans le Châtillonnais, en Côte-d'Or, le nom de Massingy a été utilisé, mais ce vignoble a quasiment disparu. Plus récemment, et de manière continue, les viticulteurs utilisent le nom de village et l'ont ajouté à l'appellation bourgogne, sur les coteaux de l'Yonne. C'est le cas de Saint-Bris, de Côtes d'Auxerre, sur la rive droite, et de Coulanges-la-Vineuse, sur la rive gauche.

Les volumes de l'appellation bourgogne sont en année moyenne d'environ 155 000 hl, 191 640 hl en 1998. En blanc, 76 327 hl sont produits à partir du cépage chardonnay, encore appelé beaunois dans l'Yonne. Le pinot blanc, bien que cité dans le texte de définition et autrefois un peu plus cultivé dans les hautes côtes de la Bourgogne, a pratiquement disparu. Il est d'ailleurs très souvent confondu, du moins par le nom, avec le chardonnay.

En rouge et rosé, la production à partir de pinot noir est de l'ordre de 125 à 130 000 hl en année moyenne. En 1998, 115 313 hl. Le pinot beurot a malheureusement presque disparu en raison de sa carence en matières colorantes ; il apportait aux vins rouges une finesse remarquable. Certaines années, les volumes déclarés peuvent être augmentés de volumes issus du « repli » des appellations communales du Beaujolais : brouilly, côte-de-brouilly, chénas, chiroubles, fleurie, juliénas, morgon, moulin à vent et saint-amour. Ces vins sont alors issus du cépage gamay noir seul, et ont ainsi un caractère différent. Les vins rosés, dont les volumes augmentent un peu les années de maturité difficile ou de fort développement de la pourriture grise, peuvent être déclarés sous l'appellation bourgogne rosé ou bourgogne clairet.

Pour ajouter à la difficulté, on trouvera des étiquettes portant, en plus de l'appellation bourgogne, le nom du lieu-dit sur lequel a été produit le vin. Quelques vignobles anciens et réputés justifient aujourd'hui cette pratique ; c'est le cas du Chapitre à Chenôve, des Montreculs, vestiges du vignoble dijonnais envahi par l'urbanisation, ainsi que de la Chapelle-Notre-Dame à Serrigny. Pour les autres, ils créent souvent une confusion avec les premiers crus et ne se justifient pas toujours.

BERTRAND AMBROISE 1997**

☐	n.c.	3 000	50 à 69 F

Maison située à Premeaux-Prissey près de Nuits-Saint-Georges et que l'on trouvera honorée plus loin dans ce guide ! Son bourgogne blanc ? Il joue sur le velours, sur la soie, sur des notes florales et fraîches, sans forcer son talent,

BOURGOGNE

évitant tout excès. Adorable. Le jury s'émerveille, ce qui n'est pas si fréquent. Il l'a regoûté après coup, et confirmé son jugement.

⊶ Maison Bertrand Ambroise, rue de l'Eglise, 21700 Premeaux-Prissey, tél. 03.80.62.30.19, fax 03.80.62.38.69, e-mail info@ambroise.com
☑ Y r.-v.

PIERRE ANDRE Réserve 1997★

■ 1 ha 7 000 🛢 **70 à 99 F**

Pierre André (1895-1972) fonda La Reine Pédauque à Aloxe-Corton. En 1927, il acquit la maison aux tuiles dorées qui devint le « Château de Corton André ». Cette bouteille fait honneur à sa mémoire. Un vrai régal, flatteur et prêt à être dégusté. Un rien d'évolution perceptible à l'œil. Petit bouquet cerise confite, réglisse. La bouche est généreuse, assez complexe et persistante.

⊶ Pierre André, Ch. de Corton-André, 21420 Aloxe-Corton, tél. 03.80.26.44.25, fax 03.80.26.43.57, e-mail pandre@axnet.fr
Y t.l.j. 10h-18h

CHRISTOPHE AUGUSTE
Coulanges-la-Vineuse 1997★

■ 10 ha 60 000 ▮🌡 **30 à 49 F**

La robe est intense, et annonce parfaitement la qualité du vin. Puis le nez confirme la première impression, les fruits rouges étant de bonne facture. Complexe, le vin est constitué d'une belle matière. « Ça fait plaisir », note un juré. Une jolie rétroolfaction apporte une conclusion heureuse à la dégustation de ce vin friand. Dans cette même AOC, le **blanc 97** est cité.

⊶ Christophe Auguste, 55, rue André-Vildieu, 89580 Coulanges-la-Vineuse, tél. 03.86.42.35.04, fax 03.86.42.51.81 Y r.-v.

CAVE COOP. D'AZE
Elevé en fût de chêne 1997

■ 27 ha 9 200 ▮🛢🌡 **30 à 49 F**

Il n'y va pas par quatre chemins. Grenat brillant, il séduit le regard. Nez peu marqué et boisé. L'attaque est souple, les tanins arrondis, la structure correcte. Un vin à boire maintenant, qui sera satisfait d'un veau aux carottes, d'un plat bourgeois.

⊶ Cave coop. d'Azé, 71260 Azé, tél. 03.85.33.30.92, fax 03.85.33.37.21 ☑ Y t.l.j. 9h-12h 14h-18h

FRANCIS BASSEPORTE Vézelay 1997

□ 1,74 ha 5 000 **30 à 49 F**

Nez retenu, bouche généreuse, ce vin donne une forte impression de terroir sur des arômes fins de miel et des notes minérales. Un vézelien assez facile à boire, pour un plaisir de tous les jours. Le domaine possède par ailleurs un restaurant qui accordera une douzaine d'escargots à la façon de ce chardonnay.

⊶ Francis Basseporte, Fontette, 89450 Saint-Père, tél. 03.86.33.34.35, fax 03.86.33.29.82
☑ Y r.-v.

DOM. GABRIEL BILLARD
Milliane 1997★★

■ 2 ha 10 000 🛢 **30 à 49 F**

Bien vinifié, bien élevé, ce bourgogne sait trouver des accommodements entre le fût et les arômes du pinot noir, la myrtille surtout. S'il entre en bouche assez discrètement, il y fait joliment son nid. Sa structure, sa matière sont d'un bon niveau, et un parfum de rose accompagne avec distinction une belle finale.

⊶ SCEA Gabriel Billard, imp. de la Commaraine, 21630 Pommard, tél. 03.80.22.27.82, fax 03.85.49.48.63 ☑ Y r.-v.
⊶ Jobard Desmonet

DOM. ALBERT BOILLOT 1997★

■ 0,6 ha 4 000 🛢 **30 à 49 F**

« Un vin d'été », note sur sa fiche un de nos dégustateurs. Un vin qui demande à attendre jusqu'à l'été prochain ? Oui, et qui se montre léger, enjoué, destiné à une cuisine exotique. Nuance rubis brillant, des arômes discrets. La finale ne manque pas de panache et constitue pour l'heure son aspect le mieux réussi. Ce domaine familial est établi à Volnay depuis la fin du XVII^{e}s.

⊶ SCE du Dom. Albert Boillot, ruelle Saint-Etienne, 21190 Volnay, tél. 03.80.21.61.21, fax 03.80.21.61.21 ☑ Y r.-v.

DOM. BORGNAT 1997

◪ 0,6 ha 3 000 ▮🌡 **30 à 49 F**

Gîte, chambres d'hôtes, le vin fait aussi partie de l'accueil dans cette superbe ferme fortifiée du temps jadis, construite sur un site archéologique qui vit probablement le premier vin de l'Yonne il y a deux mille ans. Voici un pinot gris à la robe saumonée, au nez printanier. Attaque furtive mais la montée en puissance déborde de chaleur. Même note pour un **blanc 97 Coulanges-la-Vineuse**, un chardonnay à l'accent septentrional, pierre à fusil et citron vert, vif et parfumé, pour un feuilleté de truite.

⊶ Dom. Borgnat, 1, rue de l'Eglise, 89290 Escolives-Sainte-Camille, tél. 03.86.53.35.28, fax 03.86.53.65.00 ☑ Y t.l.j. 8h-19h

PASCAL BOUCHARD
Côtes d'Auxerre 1997

□ n.c. 150 000 ▮🌡 **20 à 29 F**

Il manque quelque chose, mais quoi ? Ni l'œil doré et caressant. Ni le nez sur la fleur anisée. Ni l'entrée en matière bien ronde. La discrétion l'a empêché de gagner son étoile. Ce n'est pas un défaut, notez-le.

⊶ Pascal Bouchard, 5 bis, rue Porte-Noël, 89800 Chablis, tél. 03.86.42.18.64, fax 03.86.42.48.11 ☑ Y t.l.j. 10h-12h 14h-18h; f. janv.

RENE BOUVIER Montre-Cul 1997★★

■ 0,5 ha 3 000 🛢 **30 à 49 F**

Le Montre-Cul de Dijon-Chenôve est très beau ! Ce 97 a un nez fruit rouge et violette. En bouche, la plus succulente des mâches dans un contexte généreux et fruité judicieusement sou-

tenu par le bois. Finesse, longueur, tout offre du grand plaisir.

☛ René Bouvier, 2, rue Neuve, 21160 Marsannay-la-Côte, tél. 03.80.52.21.37, fax 03.80.59.95.96 ☑ Ⅰ r.-v.

DOM. VINCENT BOUZEREAU 1997★

☐	1 ha	6 000	ⓘ 30 à 49 F

Vieille famille de Meursault, sachant merveilleusement apprivoiser le chardonnay. Assez puissant, voici un 97 agréable et plein d'avenir, un peu sévère peut-être aujourd'hui mais long, riche en panache, bien présenté. Il tiendra ses promesses si on lui laisse le temps de mûrir en cave.

☛ Vincent Bouzereau, 7, rue Labbé, 21190 Meursault, tél. 03.80.21.61.08, fax 03.80.21.65.97 ☑ Ⅰ r.-v.

DOM. CACHAT-OCQUIDANT ET FILS La Chapelle Notre-Dame 1997★★

■	0,49 ha	n.c.	ⓘ 30 à 49 F

Chapelle Notre-Dame : il s'agit des abords de Notre-Dame-du-Chemin, pèlerinage des voyageurs, où avait lieu naguère une bénédiction des... automobiles. C'est également l'un des très rares lieux-dits (avec Montre-Cul en Côte dijonnaise) à avoir le droit de porter la mention de son origine en AOC régionale. Une devinette pour « coller » vos amis : une étiquette importante dans votre collection et un 97 très coloré, mi-fruit mi-épice, robuste et masculin, très persistant.

☛ Dom. Cachat-Ocquidant et Fils, pl. du Souvenir, 21550 Ladoix-Serrigny, tél. 03.80.26.45.30, fax 03.80.26.48.16 ☑ Ⅰ r.-v.

MARIE-THERESE CANARD ET JEAN-MICHEL AUBINEL 1997★

☐	0,16 ha	1 500	■ 30 à 49 F

On se trouve ici à deux pas de la roche de Solutré et du pouilly-fuissé. Ce vin de la Bourgogne méridionale en a l'accent chantant. Or blanc à reflets émeraude, très minéral et légèrement citronné, il persiste ainsi jusqu'à la fin de bouche. A déboucher maintenant ou dans un an ou deux.

☛ SCEV Canard-Aubinel, Mouhy, 71960 Prissé, tél. 03.85.20.21.43, fax 03.85.20.21.43 ☑ Ⅰ r.-v.

FRANCK CHALMEAU Chitry 1997★

■	2,57 ha	18 000	■♦ 30 à 49 F

Ce vin ressemble à l'église fortifiée du village. Puissant, tannique, vigoureux, intense, ce sont les mots qui reviennent du début à la fin. L'expression du terroir est soignée et, en fermant les yeux, on voit le paysage. Laissez cependant à ce beau chevalier le temps de déposer son armure. Sous la même adresse, Madame Edmond Chalmeau présente un **bourgogne blanc** 97 qui est cité par le jury. Elle avait reçu un coup de cœur pour son 95.

☛ Franck Chalmeau, 20, rue du Ruisseau, 89530 Chitry-le-Fort, tél. 03.86.41.42.09, fax 03.86.41.46.84 ☑ Ⅰ r.-v.

PATRICK ET CHRISTINE CHALMEAU Chitry 1997★

☐	1,6 ha	9 000	■ 30 à 49 F

Domaine de 11 ha créé après la Première Guerre mondiale par le grand-père de Patrick Chalmeau qui propose ici un excellent chardonnay, clair et légèrement beurré. Floral et minéral, il est frais et très agréable.

☛ EARL Patrick Chalmeau, 76, rue du Ruisseau, 89530 Chitry-le-Fort, tél. 03.86.41.43.71, fax 03.86.41.47.51 ☑ Ⅰ r.-v.

CHAMPY PERE ET FILS 1997★

■	n.c.	14 400	ⓘ 50 à 69 F

La renaissance d'une vénérable maison beaunoise, grâce à la famille Meurgey. Elle signe un bourgogne rouge au support boisé bien étudié, d'une couleur habituelle, jouant fort bien sa partie (structure et fruit) et qui, dans un à deux ans, sera à la hauteur d'une côte de bœuf vigneronne.

☛ Champy, 5, rue du Grenier-à-Sel, 21200 Beaune, tél. 03.80.25.09.99, fax 03.80.25.09.95 ☑ Ⅰ r.-v.

CHANZY
Clos de la Fortune-Monopole 1997

■	2,52 ha	16 000	■ⓘ 30 à 49 F

Au royaume de Bouzeron, fief de l'aligoté, le pinot noir peut revendiquer sa part d'héritage. Si ce 97 se montre d'abord un peu cuivré, un peu furtif, il a du caractère et de la persistance lorsqu'on passe aux affaires sérieuses. Il a la capacité de très bien évoluer.

☛ Daniel Chanzy, 1, rue de la Fontaine, 71150 Bouzeron, tél. 03.85.87.23.69, fax 03.85.91.24.92, e-mail daniel.chanzy@wanadoo.fr ☑ Ⅰ r.-v.

A CHOPIN ET FILS 1996

■	1 ha	n.c.	ⓘ 30 à 49 F

Il y a des vins du dimanche comme des peintres du dimanche. N'en sourions pas, ils font parfois de fort jolies pochades, riches en couleur et en fruit. Celle-ci par exemple, bien rouge et bien nette, qu'on a su élever (un 96, bravo !), et si tous les bourgognes étaient comme ça... A déboucher maintenant.

☛ Dom. A. Chopin et Fils, RN 74, 21700 Comblanchien, tél. 03.80.62.92.60, fax 03.80.62.70.78 ☑ Ⅰ r.-v.

DOM. HENRI CLERC ET FILS
Les Riaux 1997★

☐	2,33 ha	21 733	■ 50 à 69 F

Bernard Clerc, héritier d'un domaine remontant au XVIᵉs. , aime particulièrement élaborer des vins blancs. Plein et enveloppé, assez chaud, ce bourgogne cousine avec plus haut que lui. Venu de Puligny-Montrachet, il est très typé par son terroir, et forcément très différent de la plupart de ses congénères. Mais qu'on ne lui reproche pas d'être né à vue d'œil du grand cru le plus spectaculaire de la Terre. Poissons et fruits de mer le raviront.

⊶ Dom. Henri Clerc et Fils, pl. des Marronniers, 21190 Puligny-Montrachet, tél. 03.80.21.32.74, fax 03.80.21.39.60 ☒ Y t.l.j. 8h30-11h45 14h-17h45
⊶ Bernard Clerc

CLOS DE L'HERMITAGE 1996★★★

■ 0,4 ha 3 000 50 à 69 F

Grand vin, assez grand pour occuper tout votre être, le temps de passer à table. Monsieur Toutlemonde peut l'apprécier, car il est accessible et sans complexité débordante. L'acidité, les tanins, tout y est mesuré, maîtrisé. Cerise, réglisse, l'ordonnance est parfaite. Le portrait-robot d'un bourgogne rouge 96 de la Côte de Nuits.
⊶ Dom. Guy Dufouleur, 18, rue Thurot, 21700 Nuits-Saint-Georges, tél. 03.80.62.31.00, fax 03.80.62.31.00 ☒ Y t.l.j. 9h-19h
⊶ Xavier et Guy Dufouleur

CLOS DU CHATEAU 1997★

□ 4 ha 24 000 70 à 99 F

Sempé a vraiment dégusté dans cette cave. Et d'ailleurs, cette bouteille s'en inspire... Verveine et tilleul avec un zeste de mandarine, beurre et noisette, un chardonnay donnant envie de se mettre à table.
⊶ SCEA Dom. du Ch. de Puligny-Montrachet, 21190 Puligny-Montrachet, tél. 03.80.21.39.14, fax 03.80.21.39.07, e-mail chateaupul@aol.fr ☒ Y r.-v.

CLOS DU CHATEAU 1997

□ n.c. n.c. 70 à 99 F

Fermez les yeux. Imaginez une gougère bien ronde et bien dorée, croquante et onctueuse. Imaginez le vin qui va l'accompagner. Ce peut être celui-ci, aux rondeurs généreuses, pas très riche en arômes mais se rattrapant par la suite. Bon bourgogne. Le château de Meursault est un des domaines Boisseaux.
⊶ Ch. de Meursault, 21190 Meursault, tél. 03.80.26.22.75, fax 03.80.26.22.76 ☒ Y r.-v.

DOM. DU CLOS DU ROI
Coulanges-la-Vineuse 1997

■ 9,8 ha 65 000 30 à 49 F

Aussi voûté que la cave du XIes. qui l'a vu naître, ce vin fait la révérence. Le rubis étincelle. Le nez est rigoureusement fermé, sur une note de framboise. L'attaque, franche et tannique, fait place à un équilibre accueillant. Mieux que la moyenne des vins dégustés.
⊶ SCEA du Clos du Roi, 17, rue André-Vildieu, 89580 Coulanges-la-Vineuse, tél. 03.86.42.25.72, fax 03.86.42.38.20 ☒ Y r.-v.
⊶ Michel Bernard

DOM. FRANCOIS COLLIN
Epineuil 1996★

□ 1,4 ha 8 000 30 à 49 F

Structuré, développé, équilibré, il fait rimer Epineuil et écureuil. Car il est vif sous ses abords caressants, et ne manque pas d'élégance. Il évoluera bien dans le temps. L'**Epineuil rouge 96**, honorable, est d'un naturel animal.
⊶ François Collin, Les Mulots, 89700 Tonnerre, tél. 03.86.75.93.84, fax 03.86.75.94.00, e-mail françois.collin@wanadoo.fr ☒ Y r.-v.

ERIC DAMPT 1997★★

□ n.c. n.c. 20 à 29 F

Marguerite de Bourgogne est à Tonnerre ce que Guigone de Salins est à Beaune : une bienfaitrice dont on salue la mémoire. Et ce chardonnay brille comme un vitrail frappé par le soleil. Son côté silex donne envie d'aller voir en bouche ce qui s'y trouve et l'on n'est pas déçu. Le millésime a ses limites cependant : à boire avant Pâques. Un dégustateur conseille de le servir avec un homard truffé !
⊶ Eric Dampt, 16, rue de l'Ancien-Presbytère, 89700 Collan, tél. 03.86.55.36.28, fax 03.86.54.49.80 ☒ Y r.-v.

MARCEL DECHAUME 1996★★

■ 2 ha n.c. 30 à 49 F

Sainte-Marie-la-Blanche, à l'orient de Beaune, est toujours un peu discutée. Bien à tort on le voit, puisque ce 96 figure parmi les vins les mieux goûtés dans cette catégorie. Couleur d'encre, un pinot moyennement aromatique mais qui monte les marches du palais avec un bel entrain. Un vin très riche et très complet, mais à oublier quelque temps en cave.
⊶ Marcel Dechaume, rue du Château, 21200 Sainte-Marie-la-Blanche, tél. 03.80.26.60.23, fax 03.80.26.60.23 ☒ Y r.-v.

JOCELYNE ET PHILIPPE DEFRANCE 1997★★★

◪ 0,3 ha 2 000 30 à 49 F

L'Oscar du meilleur second rôle, mais l'Oscar tout de même. Rares sont les rosés si complexes et si vineux. Un peu soutenu au regard, il explose par la suite. « Je n'ai pas osé le recracher », nous confie un des dégustateurs. Bref, ce qui se fait de mieux en matière de rosé de saignée après longue macération. Un nectar venu du Kimméridgien.
⊶ Philippe Defrance, 5, rue du Four, 89530 Saint-Bris-le-Vineux, tél. 03.86.53.39.04, fax 03.86.53.66.46 ☒ Y r.-v.

JOCELYNE ET PHILIPPE DEFRANCE Côtes d'Auxerre 1997★

□ 3 ha 9 000 30 à 49 F

Bon produit qui devrait s'exprimer dans le temps et évoluer vers le minéral et la truffe. A ce jour, or pâle, il esquisse quelques notes de coing.

Du gras, du fruit mûr, il a déjà la bouche généreuse et une certaine élégance. Vin parfait pour le persillé pascal.

☛ Philippe Defrance, 5, rue du Four, 89530 Saint-Bris-le-Vineux, tél. 03.86.53.39.04, fax 03.86.53.66.46 ☑ ☙ r.-v.

HENRI DELAGRANGE ET FILS 1997*

| ■ | 1,84 ha | 12 000 | ❙❙❙ | 30 à 49 F |

« Soyez simple avec art, nous enseigne Boileau. Sublime sans orgueil, agréable sans fard », cette bouteille suit à la lettre ce conseil. Jeunesse et tonus, la voici résumée. Sans doute le bouquet est-il volubile : brûlé, réglisse, Zan, truffe, champignon... et d'un souffle sauvage. Mais framboise écrasée, sa bouche est délicieuse, ferme et charpentée. Un pinot noir qui vaut le détour.

☛ Dom. Henri Delagrange et Fils, rue de la Cure, 21190 Volnay, tél. 03.80.21.61.88, fax 03.80.21.67.09 ☑ ☙ r.-v.

ROGER DELALOGE 1997**

| ◢ | 0,5 ha | 4 000 | | 30 à 49 F |

La bouche confirme le nez sur des notes de mie de pain croustillant. Ses arômes de primeur vont bien avec le reste. Des tanins souples charpentent aimablement ce très joli rosé, et le gras, la longueur, la richesse valent mieux que le casse-croûte. Superbe dans cette appellation.

☛ Roger Delaloge, 1, ruelle du Milieu, 89290 Irancy, tél. 03.86.42.20.94, fax 03.86.42.33.40 ☑ ☙ r.-v.

DOM. DESSUS-BON-BOIRE
Côtes d'Auxerre 1997

| ☐ | 4,53 ha | 25 000 | ▮ ♦ | 30 à 49 F |

Herbacé, anisé, le nez emporte tout pour évoluer sur la pêche ou l'abricot. L'attaque est bonne, puis la suite en retrait, mais la fraîcheur garde la bouche active et acidulée. A attendre quelques mois.

☛ Antoine Donat et Fils, 41, rue de Vallan, 89290 Vaux, tél. 03.86.53.89.99, fax 03.86.53.68.36 ☑ ☙ t.l.j. 9h-12h 14h-19h

JOSEPH DROUHIN Laforêt 1997**

| ☐ | n.c. | n.c. | ▮ | 50 à 69 F |

La maison J. Drouhin présente ici en ouverture un vin paré de beaux reflets or, frais, fruité, agréable, floral et citronné. Sur la langue, il se décide à parler et on se rend compte qu'on tient là un chardonnay de valeur, exprimant peu à peu une personnalité attachante. Pour un saumon de rivière.

☛ Joseph Drouhin, 7, rue d'Enfer, 21200 Beaune, tél. 03.80.24.68.88, fax 03.80.22.43.14, e-mail drouhin@calva.net ☙ r.-v.

DOM. ELOY 1998*

| ☐ | 1 ha | n.c. | ▮ ♦ | 30 à 49 F |

Venu du Mâconnais, ce vin est élaboré par un producteur de pouilly-fuissé. Ce 98 se présente de façon subtile et minérale. Progressivement sa finesse impose le respect, à tout le moins la sympathie. Encore un peu d'excitation due à la jeunesse lors de notre dégustation, mais on le voit aller loin.

☛ Jean-Yves Eloy, Le Plan, 71960 Fuissé, tél. 03.85.35.67.03, fax 03.85.35.67.07 ☑ ☙ r.-v.

FELIX ET FILS Côtes d'Auxerre 1997

| ☐ | 3,6 ha | 28 000 | ▮ ♦ | 30 à 49 F |

Un 97 rond et long, doré vif, pain d'épice et fougère.

☛ Dom. Félix, 17, rue de Paris, 89530 Saint-Bris-le-Vineux, tél. 03.86.53.33.87, fax 03.86.53.61.64, e-mail felix@caves-particulieres.com ☑ ☙ t.l.j. sf dim. 9h-11h30 14h-18h30

WILLIAM FEVRE 1997**

| ☐ | 2,32 ha | 15 000 | ❙❙❙ | 30 à 49 F |

Passé entre les mains de Bouchard Père et Fils, William Fèvre côté négoce-éleveur. Cet excellent vin plaisir, à la mode américaine, capiteux et génial dans son style possède en fait une très belle matière superbement maîtrisée par le fût. Le nez est composé de fruits exotiques et de touches boisées. Un vin à offrir.

☛ Sté du Vignoble W. Fèvre, 21, av. d'Oberwesel, 89800 Chablis, tél. 03.86.98.98.98, fax 03.86.98.98.99, e-mail wfevre@demeter.fr ☑ ☙ t.l.j. sf lun. mar. 9h-12h 14h-18h

DOM. FRANCIS FICHET ET FILS
Le Vignot 1997**

| ■ | 2 ha | 9 000 | ▮❙❙❙ | 30 à 49 F |

Entre Mâcon et Cluny, on est en plein pays roman. Ce bourgogne est en effet d'une architecture parfaite. Ce qu'on fait de mieux : densité de la robe, suavité du bouquet, équilibre impeccable, c'est le 97 que l'on se plaît à déboucher. Il fait partie des vins placés ici en tête de la dégustation.

☛ Dom. Francis Fichet et Fils, Le Martoret, 71960 Igé, tél. 03.85.33.30.46, fax 03.85.33.44.45 ☑ ☙ r.-v.

CAVEAU DES FONTENILLES
Cuvée Marguerite des Fontenilles 1997***

| ■ | 9 ha | 9 500 | ❙❙❙ | 30 à 49 F |

Un vin du Tonnerrois. Tellement bien ! Pinot noir amoureux du terroir. Le fruit rouge y est mûr et complexe, sous une teinte vive et profonde et sur des tanins doux et souples. On est littéralement transporté, et nos dégustateurs voudraient vous retenir de le boire afin d'attendre son plein et entier accomplissement. Il est grand.

☛ SA Caveau des Fontenilles, pl. Marguerite-de-Bourgogne, 89700 Tonnerre, tél. 03.86.55.06.33, fax 03.86.55.10.43 ☑ ☙ t.l.j. sf lun. 9h-12h 14h-19h; dim. 9h-12h

FORGEOT PERE ET FILS 1997*

| ■ | n.c. | n.c. | ▮❙❙❙♦ | 30 à 49 F |

Forgeot, c'est Bouchard Père et Fils, relançant cette marque alternative. A en juger d'après cette bouteille, Forgeot pourrait s'appeler Bouchard P & F. Car la robe a quelque chose de la cerise, le nez quelque chose de la framboise et la suite à l'avenant, feuille de cassis, tanins bien fondus.

☛ Grands Vins Forgeot, 15, rue du Château, 21200 Beaune, tél. 03.80.24.80.50 ☑

411   LA BOURGOGNE

DOM. PIERRE GELIN 1996*

■ 0,77 ha 6 000 🛢 30 à 49 F

« Sans aucun excès », comme le mot est bourguignon ! Pourpre brillant, mais sans excès de brillance, un vin au bouquet assez vineux et qui - floral et frais - se tient dans la juste moyenne, le bon goût. L'appellation a tout à gagner de produits comme celui-ci.

⊶ Dom. Pierre Gelin, 2, rue du Chapitre, 21220 Fixin, tél. 03.80.52.45.24, fax 03.80.51.47.80 ☑ Y r.-v.

DOM. ANNE ET ARNAUD GOISOT
Côtes d'Auxerre 1997*

◪ 0,5 ha 4 000 ▮ 🌡 30 à 49 F

Vingt-trois hectares constituent ce domaine. En **blanc 98**, laissons cet enfant respirer un peu. En rosé 97, une petite cerise sous des arômes de fenaison et une robe saumon. Il est très réussi. Le barbecue est-il allumé ?

⊶ Dom. Anne et Arnaud Goisot, 4 bis, rte de Champs, 89530 Saint-Bris-le-Vineux, tél. 03.86.53.32.15, fax 03.86.53.64.22 ☑ Y t.l.j. 8h-12h 13h30-19h30

GHISLAINE ET JEAN-HUGUES GOISOT
Côtes d'Auxerre Corps de Garde 1997***

■ 3,75 ha 20 000 🛢 50 à 69 F

Les Goisot sont installés dans des caves du XIe s. Déjà fort célèbres (ils exportent 45 % de leur production), ils vont conquérir assurément d'autres marchés avec ce superbe coup de cœur. Vif et intense, ce vin explose en bouche. Corps de garde ? En effet, sa matière est remarquable et le réserve à un beau gibier. Il est grand dans son appellation et son millésime.

⊶ Ghislaine et Jean-Hugues Goisot, 30, rue Bienvenu-Martin, 89530 Saint-Bris-le-Vineux, tél. 03.86.53.35.15, fax 03.86.53.62.03 ☑ Y r.-v.

ROBERT GROFFIER PERE ET FILS 1997**

■ 1,35 ha 6 900 🛢 50 à 69 F

Ce bourgogne tiré des caves de Morey-Saint-Denis a pour voisins de fût des grands crus et premiers crus. D'où cette impression très étoffée, remplie de mâche, complexe, rencontrée en le dégustant. Cassis et champignon, grenat profond, il semble concourir dans la cour des grands et il y serait à son aise. Proposé pour un coup de cœur.

⊶ Dom. Robert et Serge Groffier, 3-5, rte des Grands-Crus, 21220 Morey-Saint-Denis, tél. 03.80.34.31.53, ☑ Y r.-v.

GRUERE 1997**

■ 1 ha 3 000 ▮ 🛢 🌡 30 à 49 F

Défenseur de Beaune jusqu'au bout des ongles, Henry Gruère peut être fier de son petit-fils. Car niché à Pernand, celui-ci se montre à la hauteur de la situation. Voilà en effet un candidat sérieux au coup de cœur de l'avenir. Structure, équilibre, tanins fins et bouche cassis, tout séduit. Et une superbe capacité de durée. Un grand bourgogne.

⊶ Nicolas Gruère, 21420 Pernand-Vergelesses, tél. 03.80.26.11.48 ☑ Y r.-v.

DOM. PIERRE GUILLEMOT 1997*

■ 0,6 ha 4 000 🛢 50 à 69 F

Ce vin est plein de fraîcheur, plaisant et équilibré. La robe doucement tuilée conseille de le consommer dans l'année. Cela dit, ce n'est pas l'œil qui boit, mais il juge des limites d'une évolution.

⊶ SCE du Dom. Pierre Guillemot, 1, rue Boulanger-et-Vallée, 21420 Savigny-lès-Beaune, tél. 03.80.21.50.40, fax 03.80.21.59.98 ☑ Y r.-v.

CAVES DES HAUTES-COTES
Cuvée de prestige 1996**

■ n.c. n.c. 50 à 69 F

Au sommet de l'appellation, ce 96 suscite l'enthousiasme. On apprécie la subtilité de son bouquet (« un printemps floral » lit-on sur une fiche de dégustation), sa plénitude chaude et charnue, ses qualités épanouies. Parmi les meilleurs.

⊶ Les Caves des Hautes-Côtes, rte de Pommard, 21200 Beaune, tél. 03.80.25.01.00, fax 03.80.22.87.05 ☑ Y t.l.j. sf dim. 9h-12h 14h-18h

CUVEE HENRY DE VEZELAY 1997*

□ 30 ha 180 000 ▮ 🛢 🌡 30 à 49 F

Cette cave coopérative a été créée en 1990 et rémunère ses adhérents en fonction de la qualité de leur raisin. Bien entendu, celui-ci doit être vendangé à la main. Ce vin présente beaucoup de jeunesse dans le fruit et la vivacité, une bonne concentration, un fond minéral. Si l'on résume, il est facile à boire et d'une correction parfaite.

⊶ SCA Henry de Vézelay, rte de Nanchèvre, 89450 Saint-Père, tél. 03.86.33.29.62, fax 03.86.33.35.03 ☑ Y t.l.j. 8h-12h 14h30-18h

HENRY FRERES 1997*

■ 1,8 ha 5 000 ▮ 20 à 29 F

Deux frères, Pascal et Didier, se plaisant à dire qu'ils sont artisans vignerons, se sont installés sur 10 ha en 1986. Beau résultat avec ce vin : rouge sang, il a le bon goût de rester sur la griotte. Tannique, il faut l'espérer. Voilà du vin qui ne sacrifie rien au plaisir immédiat et se concentre sur le bonheur futur. Le filet de bœuf en croûte est à sa portée.

⊶ GAEC Henry Frères, rue de la Porte-de-Cravant, 89800 Saint-Cyr-les-Colons, tél. 03.86.41.44.87, fax 03.86.41.41.48 ☑ Y t.l.j. sf dim. 9h30-12h 14h-19h

JEAN-LUC HOUBLIN
Coulanges-la-Vineuse 1996★

☐ 2,5 ha 15 000 ▮🍷 30 à 49 F

Mettre le premier nez de côté pour saisir ensuite l'écorce d'orange, et se concentrer sur sa robe qui annonce la bouche. Minérale, celle-ci laisse le gras prendre le relais de la vivacité première. Tout cela s'équilibre sur une pointe de silex.
🍷 Jean-Luc Houblin, 1, passage des Vignes, 89580 Migé, tél. 03.86.41.69.87, fax 03.86.41.71.95 ☑ 🍷 t.l.j. 8h-20h; dim. 9h-13h

CH. DES JACQUES Clos de Loyse 1998★

☐ 9 ha n.c. 50 à 69 F

La maison L. Jadot a acquis il y a quelques années ce domaine à Romanèche-Thorins, à l'extrême sud de la Bourgogne. Un joli reflet vert anime la robe de ce vin agréable et frais, bien construit, et qui éveillera l'appétit.
🍷 Ch. des Jacques, 71570 Romanèche-Thorins, tél. 03.85.35.51.64, fax 03.85.35.59.15 ☑ 🍷 r.-v.
🍷 Louis Jadot

DOM. REMI JOBARD 1997★

☐ 1,1 ha 5 000 ◫ 50 à 69 F

« J'ai fait du bon travail », peut dire ce vigneron de Meursault en levant son tâte-vin : la couleur est parfaite, le nez plus boisé que floral, mais la bouche est ample, souple, admirablement faite et d'une belle longueur.
🍷 Rémi Jobard, 12, rue Sudot, 21190 Meursault, tél. 03.80.21.20.23, fax 03.80.21.67.69 ☑ 🍷 r.-v.

DANIEL JUNOT 1997★

☐ 1,9 ha 10 000 ▮ 30 à 49 F

Un chardonnay tonnerrois doré à souhait, au nez semi-intense et qui joue entre la fleur, le silex, le fruit. Bien équilibré, bien constitué, de bonne persistance, il sera bon à l'automne.
🍷 Daniel Junot, 7, Grande-Rue, 89700 Junay, tél. 03.86.54.40.93, fax 03.86.54.40.93 ☑ 🍷 r.-v.

DOM. DE L'ABBAYE DU PETIT QUINCY Epineuil Cuvée Réserve 1997

■ 2,5 ha 15 000 ▮◫🍷 50 à 69 F

Cette ancienne propriété cistercienne connaît depuis quelques années un beau réveil. Pour les amateurs de généalogie vineuse, la maîtresse de maison est née Delaunay (vénérable maison de négoce-éleveur en Côte de Nuits). Ce pinot noir tannique et épicé, soutenu et complexe, est à garder soigneusement : il peut réserver dans l'avenir de bonnes surprises.
🍷 Dominique Gruhier, Dom. de l'Abbaye, rue du Clos-de-Quincy, 89700 Epineuil, tél. 03.86.55.32.51, fax 03.86.55.32.50 ☑ 🍷 t.l.j. 9h-18h; dim. sur r.-v.

DOM. PIERRE LABET 1997★★★

■ 1 ha n.c. ◫ 30 à 49 F

Concentré, racé, d'une netteté absolue, voici l'oiseau rare. D'ailleurs, l'étiquette ne porte-t-elle pas « Rara Avis » sous son blason ? Laissons-le chanter. Rubis-grenat pour son plumage. Fougère, champignon, sous-bois au chapitre suivant. Admirable par la suite, le pinot noir dans tous

ses états et 1er coup de cœur du super jury des bourgognes rouges, capable de vous porter au septième ciel.

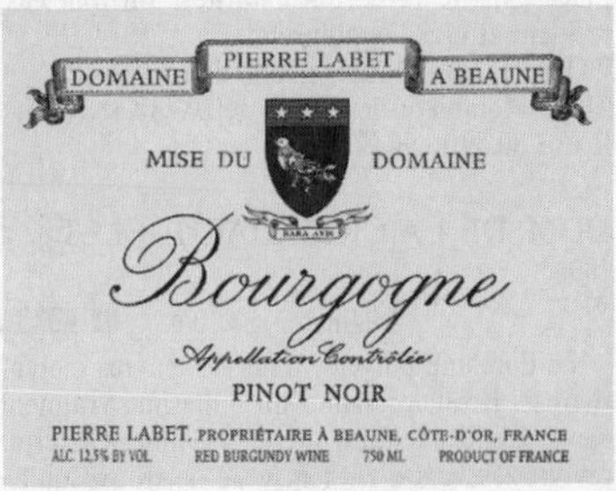

🍷 Dom. Pierre Labet, rempart de la Comédie, 21200 Beaune, tél. 03.80.62.86.13, fax 03.80.62.82.72, e-mail labet@axnet.fr ☑ 🍷 t.l.j. sf lun. 10h30-19h; f. fin nov. à Pâques
🍷 François Labet

CH. DE LA BRUYERE
Elevé en fût de chêne 1997★★

☐ n.c. 4 500 ▮◫🍷 30 à 49 F

Un superbe blanc venu d'Igé, dans le Mâconnais. Ce 97 est boisé comme il faut et réserve d'autres bonheurs. Habillage impeccable, arômes de fleurs blanches et de miel, intensité du goût : buvez-le dès cet automne sur un poisson.
🍷 Paul-Henry Borie, Ch. de La Bruyère, 71960 Igé, tél. 03.85.33.30.72, fax 03.85.33.40.65 ☑ 🍷 t.l.j. 8h-12h 14h-19h

LA BUXYNOISE 1997★

■ 190 ha n.c. ▮ 30 à 49 F

Rubis clair, tirant sur le fruit cuit, fluide mais agréable, laissant à ses tanins la bride sur le cou, un bourgogne rouge honorable et qui rappelle la Cave de Buxy à notre bon souvenir.
🍷 Cave des Vignerons de Buxy, Les Vignes de la Croix, B.P. 6, 71390 Buxy, tél. 03.85.92.03.03, fax 03.85.92.08.06, e-mail bvg@bvg-bourg.fr ☑ 🍷 r.-v.

LA CHABLISIENNE Epineuil 1997★

■ 4 ha n.c. ▮🍷 50 à 69 F

Un rubis limpide dans le verre, et un nez de pinot. On retrouve en bouche le cépage avec le caractère fidèle du millésime, le terroir honnête du Tonnerrois. Une personnalité qui ne s'embarrasse pas de technologie. Sous l'étiquette **Blasons de Bourgogne, un Epineuil rouge 97** reçoit la même note. Vous le trouverez dans la grande distribution.
🍷 La Chablisienne, 8, bd Pasteur, B.P. 14, 89800 Chablis, tél. 03.86.42.89.89, fax 03.86.42.89.90, e-mail chabl@chablisienne.com ☑ 🍷 t.l.j. 9h-12h 14h-18h

DOM. DE LA CRAS
Coteaux de Dijon 1996

☐ 2,45 ha 12 200 ◫ 50 à 69 F

Au lieu du quartier d'habitation que l'on devait bâtir ici dans les années 60, projet né du lac Kir à Dijon et qui fut abandonné, la vigne a

reconquis ses droits sur le plateau de La Cras. Ce chardonnay est donc une curiosité. Plus parfumé qu'un cépage alsacien, il occupe toute sa place dans le verre. Surmaturité ? En tout cas, rondeur et gras l'équilibrent.
EARL Jean Dubois, Dom. de La Cras, 21370 Plombières-lès-Dijon, tél. 03.80.41.70.95, fax 03.80.59.13.96 r.-v.

DOM. DE LA CROIX JACQUELET 1996★

□ 2,94 ha 27 700 30 à 49 F

Le domaine Faiveley dans ses œuvres mercuriennes. Il sait présenter un millésime vraiment élevé. Cette attention mérite l'estime. On croit revivre les vers d'*Esther*: « Je ne trouve qu'en vous je ne sais quelle grâce qui me charme toujours et jamais ne me lasse... » La robe est en effet charmante. Le nez complexe et intelligemment grillé. La bouche souple et ronde. Peut attendre encore de un à deux ans.
Dom. de La Croix Jacquelet, S.B.E.V., 71640 Mercurey, tél. 03.85.45.14.72, fax 03.85.45.26.42 t.l.j. 8h-12h 13h30-18h; sam. dim. sur r.-v.

DOM. DE LA GALOPIERE 1997★★

□ 1 ha 6 000 30 à 49 F

A 3 km de l'Archéodrome, vous trouverez ce domaine de 13 ha créé par les bisaïeuls des propriétaires actuels. Etincelant et floral, d'une finesse remarquable, ce 97 est vif, en même temps que gras. Très-très bon, durable et harmonieux. A 35 F, ne pas s'en priver.
Claire et Gabriel Fournier, Dom. de La Galopière, 6, rue de l'Eglise, 21200 Bligny-lès-Beaune, tél. 03.80.21.46.50, fax 03.80.26.85.88 r.-v.

DOM. DE LA GARENNE 1997★

■ 1,2 ha 2 000 30 à 49 F

Jusqu'en 1990, ce domaine situé à 5 km de Tonnerre est céréalier ; il se lance alors dans la vigne. Structure et tanin accompagnent ce vin rouge intense tirant sur le pourpre. Le nez est fermé, en revanche la bouche est assez démonstrative et dispose de bonnes qualités pour l'avenir. Solide et à mettre au repos.
Clément et Fils, Dom. de la Garenne, 89700 Tonnerre, tél. 03.86.55.16.30, fax 03.86.55.02.66 t.l.j. 8h-12h 14h-19h

LA MAISON BLEUE 1997★★

□ n.c. 15 000 30 à 49 F

Si le **bourgogne rouge 97** vaut une étoile, le blanc en obtient deux. Sous des abords d'acacia et de miel, ce 97 attaque en douceur. Mais la bouche se range du côté de Napoléon à Austerlitz. C'est enlevé de main de maître, gaillardement, pleinement, et les positions sont occupées pour longtemps. Remarquable succès d'un bourgogne mâconnais. Coup de cœur dans le Guide 1998 pour son 95.
Janny, La Maison Bleue, 71260 Péronne, tél. 03.85.36.97.03, fax 03.85.36.96.58

CH. DE LA MALTROYE 1996★★

■ 1,21 ha n.c. 30 à 49 F

Très pinot sur le fruit, un vin plaisir qui commence en beauté sous des traits vermillon foncé, qui se poursuit par un bouquet de fruits cuits et par une note fumée. En bouche, on a le sentiment d'une présence complète et durable. Tout y est. On peut très bien profiter de cette opulence dès à présent ou la mettre sur un « compte d'épargne ».
Ch. de La Maltroye, 16, rue de la Murée, 21190 Chassagne-Montrachet, tél. 03.80.21.32.45, fax 03.80.21.34.54 r.-v.
Cournut

CH. DE LA VELLE 1997★

□ 0,12 ha 1000 30 à 49 F

Excellent chardonnay de la Côte de Beaune dont l'origine ne passe pas inaperçue, produit par un vieux château classé monument historique, en cours de restauration (vous pouvez vous y inviter : gîte rural). Sous la plus jolie des robes printanières, un nez long à venir mais pénétrant, et qui affirme le caractère même du cépage : fleurs blanches, beurre frais, pain grillé mais aussi du fût. Beaucoup de gras suit une attaque fraîche. Un vin de caractère qui pourra vieillir.
Bertrand Darviot, Ch. de La Velle, 17, rue de La Velle, 21190 Meursault, tél. 03.80.21.22.83, fax 03.80.21.65.60 r.-v.

DOM. LEJEUNE 1996★

■ n.c. n.c. 30 à 49 F

Le professeur jugé par ses élèves : François Jullien de Pommerol a formé, en effet, des générations de viticulteurs et il ne craint pas de soumettre sa copie au verdict de la dégustation. Rouge d'encre, un 96 très particulier, fleurant bon la rose puis tirant sur le gibier. Accrocheur, il brûle de plaire et avance d'un bon pas conquérant. L'attendre au moins deux à trois ans.
Dom. Lejeune, La Confrérie, pl. de l'Eglise, 21630 Pommard, tél. 03.80.22.90.88, fax 03.80.22.90.88 r.-v.
Famille Jullien de Pommerol

LES VENDANGEURS 1997★

■ n.c. n.c. 30 à 49 F

Il « pinote », comme on dit en Bourgogne. Il a son cépage dans le sang et le terroir signe l'acte de naissance. Petite touche de cassis pour réveiller le nez, sous une parure foncée. Beaucoup de fond, de fermeté, de persistance, et cette façon si bourguignonne d'affirmer sa distinction tout en restant modeste... Maison fortement relancée actuellement par J.-Cl. Boisset à Beaune.
Bouchard Aîné et Fils, hôtel du Conseiller-du-Roy, 4, bd Mal-Foch, 21200 Beaune, tél. 03.80.24.24.00, fax 03.80.24.64.12 t.l.j. 9h30-12h30 14h-19h

DOM. ANDRE LHERITIER La Tournelle 1996★★

■ 1 ha 3 800 30 à 49 F

Bouteille bien en chair, souple et ronde, même si son acidité demeure assez importante. Ses arômes sont convenablement répartis. Le fût est présent, mais il ne recouvre pas le sujet (cerise,

noyau). Son ampleur et son équilibre permettent de la conserver une paire d'années.
🗝 André Lhéritier, 4, bd de la Liberté, 71150 Chagny, tél. 03.85.87.00.09 ☒ Y t.l.j. 9h-11h30 14h-19h

MICHEL LORAIN 1997*

□ 5 ha 45 000 ▮🌡 30 à 49 F

Par un grand chef super-étoilé, un chardonnay des environs de Joigny. Il ouvre sur la fraîcheur tant par sa jolie nuance claire et brillante que par son nez chardonnant sur un registre de fleurs blanches, doucement minéral. En harmonie avec les parfums, la bouche est agréable, assez vive. A déguster maintenant. Si vous êtes à La Côte Saint-Jacques, Michel Lorain le servira avec des huîtres de Marennes en petite terrine océane.
🗝 SCEV Michel Lorain, 43, fg de Paris, 89300 Joigny, tél. 03.86.62.06.70, fax 03.86.94.49.70 ☒ Y r.-v.

CLOS DE LUPE 1996*

■ 1,84 ha 13 000 ⏺ 50 à 69 F

Couronnes de comte et de vicomte sur l'étiquette, point n'est pourtant nécessaire de justifier de quelques quartiers de noblesse pour être admis à déguster en cette compagnie... Cela dit, cette maison, reprise par Bichot, a comme œnologue J. Faure-Brac et elle préserve une personnalité estimée. Un peu dur, ce 96 est en effet bien né. De pruneau et de coing, ses arômes ont de la particule. Excellent enfant de bonne famille, typé dans son terroir et son millésime.
🗝 Lupé-Cholet, 17, av. du Gal-de-Gaulle, 21700 Nuits-Saint-Georges, tél. 03.80.61.25.02, fax 03.80.24.37.38

MARQUIS DE MAC MAHON 1996*

□ 1,39 ha 2 500 ⏺ 30 à 49 F

« Que d'eau ! Que d'eau ! » aurait dit un jour le maréchal de Mac-Mahon. Sa postérité a changé l'eau en vin et, sous sa couronne de marquis, l'illustre domaine (abbaye de Morgeot à Chassagne-Montrachet) produit un bourgogne qui reçoit son brevet de noblesse. De l'or pâle au miel, du tilleul à la vanille, il a tout du chardonnay. Et quelle souplesse, quelle fraîcheur pour le millésime !
🗝 Dom. du Duc de Magenta, Marquis de Mac-Mahon, Abbaye de Morgeot, 21190 Chassagne-Montrachet, tél. 03.80.21.30.77, fax 03.80.21.30.77 ☒ Y r.-v.

MALTOFF

Coulanges-la-Vineuse Cuvée Prestige 1997*

■ 0,5 ha 2 800 ⏺ 50 à 69 F

Le fût est ici d'un secours utile. Il porte bien ce vin, sans l'envahir. Celui-ci dispose de suffisamment de réserve pour exprimer son fruit rouge. L'effort d'élevage est méritoire et l'avenir - attendre 2001 - est assuré. Même note pour un **bourgogne grand ordinaire 97**. Un gamay de l'Yonne dans sa meilleure forme.
🗝 Dom. Maltoff, 20, rue d'Aguesseau, 89580 Coulanges-la-Vineuse, tél. 03.86.42.32.48, fax 03.86.42.24.92 ☒ Y r.-v.

CAVE DES VIGNERONS DE MANCEY 1997*

■ n.c. 20 000 ▮🌡 30 à 49 F

Mancey fut le premier village de Bourgogne touché par le phylloxéra. Depuis ce temps-là, le travail et le courage ont permis de reprendre espoir, de trouver des jours meilleurs. Et le vin du pays n'est pas mal du tout. Violacé, framboisé, il vit selon sa nature. Une touche tannique, une petite pointe d'alcool, goûtez-le sur un bœuf... bourguignon.
🗝 Cave des Vignerons de Mancey, R.N. 6, B.P. 55 , 71700 Tournus, tél. 03.85.51.00.83, fax 03.85.51.71.20 ☒ Y r.-v.

MANOIR MURISALTIEN

Cuvée spéciale 1997

□ n.c. 20 000 ▮⏺🌡 50 à 69 F

« La bonne bouteille du patron. » D'un jaune-vert limpide, assez complexe sur le plan aromatique, elle est de bonne tenue en bouche. Ferme, puissante, sa carrure est en effet murisaltienne. Cette affaire de négoce vinifie elle-même tous ses vins depuis son rachat par Marc Dumont en 1995.
🗝 Marc Dumont, Manoir Murisaltien, 4, rue du Clos-de-Mazeray, 21190 Meursault, tél. 03.80.21.21.83, fax 03.80.21.66.48 ☒ Y r.-v.

CATHERINE ET CLAUDE MARECHAL Cuvée Gravel 1997**

■ 1,45 ha 8 000 ⏺ 30 à 49 F

S'il manque un peu de nez, il est adorable. D'une couleur sympathique, il enthousiasme le palais, tant il s'y complaît avec rondeur, souplesse et fruité poivré. Un vin souriant au présent et à l'avenir, et qui marque ses points en bouche.
🗝 EARL Catherine et Claude Maréchal, 6, rte de Chalon, 21200 Bligny-lès-Beaune, tél. 03.80.21.44.37, fax 03.80.26.85.01 ☒ Y r.-v.

GHISLAINE ET BERNARD MARECHAL-CAILLOT 1997**

■ 3,13 ha 3 000 ▮⏺🌡 30 à 49 F

Pourpre-mauve, sa robe est entre l'évêque et le cardinal. Son nez complexe et musqué, épicé, se laisse aller à des confidences. Son corps a beaucoup de tenue, une texture fine et serrée, une fermeté élégante, et l'on passe un bon moment en sa compagnie. Peut vieillir deux à trois ans, probablement.
🗝 Ghislaine et Bernard Maréchal-Caillot, 10, rte de Chalon, 21200 Bligny-lès-Beaune, tél. 03.80.21.44.55, fax 03.80.26.88.21 ☒ Y r.-v.

FRANCOIS MARTENOT 1997*

□ n.c. n.c. ▮⏺ 20 à 29 F

Martenot est l'une des marques bourguignonnes du groupe Schenk. Son bourgogne blanc est d'une bonne fraîcheur qui s'accompagne d'un équilibre très réussi. Elle s'éclaire d'un bel or vert. Miel et fleur d'acacia, un 97 qui résume les qualités premières de l'appellation.
🗝 François Martenot, rue du Dr-Barolet, Z.I. Beaune Vignolles, 21200 Beaune Cedex, tél. 03.80.24.70.07, fax 03.80.22.54.31 Y r.-v.

MARTINE MASSON 1997★

□ 2,45 ha 16 500 ▮ 30 à 49 F

Observez-le au microscope, vous n'y trouverez pas le moindre défaut. Non, il a des reflets brillants, un contexte de silex et de fleurs des champs, un désir d'épanouissement. Nul doute que dans l'année qui vient cela sera chose faite. Du Tonnerrois vendu en Loir-et-Cher : voyez l'adresse.

⊶ Martine Masson, 1, rte de Verdes,
41160 Semerville, tél. 02.54.80.44.31,
fax 02.54.80.43.26 ☒ Y r.-v.

MAURICE MASSON 1997★

□ 0,4 ha 3 000 ⏸ 30 à 49 F

Paille verdâtre, citron vert et écorce d'orange, ce 97 connaît par cœur le chardonnay. Vif et équilibré, il ne manque pas de gras ni d'élégance. Vous ne le regretterez pas. Une femme à la barre, courageuse et efficace.

⊶ Nadine Masson, rue Haute, 21340 La Rochepot, tél. 03.80.21.72.42, fax 03.80.21.72.42 ☒ Y r.-v.

DOM. DE MAUPERTHUIS
Les Truffières 1997

□ 1,35 ha 7 500 ▮ 🌡 30 à 49 F

Saviez-vous que Sire Renart, celui du *Roman de Renart*, était viticulteur à ses heures ? Voici en effet le vin du domaine de Mauperthuis ! Et on produit aussi des truffes sur la propriété de ce jeune viticulteur installé en 1992. Son 97 ne cache pas son année de naissance : plaisant et flatteur, bien doré, de bon goût sur des arômes de pomme et de fruits mûrs, il parle de son terroir.

⊶ EARL de Mauperthuis, 5, rue de la Métairie,
89440 Massangis, tél. 03.86.33.86.24,
fax 03.86.33.86.24 ☒ Y r.-v.
⊶ Laurent Ternynck

DOM. DU MERLE 1997★

□ 2 ha 2 600 ⏸ 30 à 49 F

Comme une valse de Chopin, il tourne rond et en cadence, avec entrain. La robe virevolte dans le verre, pleine de paillettes vives et dorées. Le parfum champignonne délicieusement avant d'évoquer la pêche. Changement de rythme en bouche, avec une verdeur bien tranchante. Mais cela ne l'empêche pas de rester dans les bras de sa cavalière.

⊶ Michel Morin, Sens, 71240 Sennecey-le-Grand, tél. 03.85.44.75.38, fax 03.85.44.73.63
☒ Y t.l.j. 9h-19h30

JEAN-CLAUDE MICHAUT
Epineuil 1997★★★

■ 11 ha 50 000 ▮ ⏸ 50 à 69 F

« Cet Epineuil est plaisant, complet et élégant et fera plaisir à ceux qui vont le savourer. » Que dire d'autre que ce dégustateur ne résume ? Robe de vin jeune, bouquet presque envoûtant, dans l'harmonie de la framboise. Admirable séduction au palais, avec un gras fondant, une progression superbe. D'une remarquable typicité, le tout-Epineuil complet et élégant. Notez en outre l'**Epineuil rosé 97** qui est cité par le jury.

⊶ Jean-Claude Michaut, 89700 Epineuil,
tél. 03.86.55.24.99, fax 03.86.55.32.74 ☒ Y t.l.j.
sf dim. 8h-12h 13h30-17h30

DOM. MICHELOT 1997★

□ n.c. 50 000 ⏸ 50 à 69 F

Meursault, Michelot... Le chardonnay joue ici dans la cour des grands, et ce bourgogne devrait porter la majuscule. Beaucoup de gras, de brillance : on est en effet dans le sujet. Le boisé est bien travaillé, le fruit intéressant, la fin intense comme s'il s'agissait d'une production d'Hollywood. 50 000 bouteilles, il vous en restera et vous ne vous en plaindrez pas.

⊶ Dom. Michelot, 31, rue de la Velle,
21190 Meursault, tél. 03.80.21.23.17,
fax 03.80.21.63.62 ☒ Y r.-v.

MOILLARD-GRIVOT
Cuvée Cent Cinquante Ans 1997★★

■ 25 ha 200 000 ⏸ 50 à 69 F

La cuvée des Cent Cinquante Ans de Moillard-Grivot à Nuits. Le chemin de fer Paris-Lyon arrive et s'arrête en gare, et qui en descend ? Le premier client de la maison ! Et c'est vrai... Le bouquet est engageant, la bouche pleine d'aménité. Un vin pourpre soutenu, sans la moindre rudesse, le fruit charmeur. Bref, cette cuvée d'anniversaire a été réellement soignée.

⊶ Moillard-Grivot, 2, rue François-Mignotte,
21700 Nuits-Saint-Georges, tél. 03.80.62.42.00,
fax 03.80.61.28.13 ☒ Y r.-v.

DOM. MONGEARD-MUGNERET
1997★

■ 1,43 ha n.c. ▮ ⏸ 🌡 30 à 49 F

Puissance et réserve. Pourpre appuyé, un 97 aux notes animales, un peu fauves, où l'on reconnaît la truffe, le champignon. Il reste bien en bouche, s'y montre carré. Il se polira en cave pendant un an ou deux.

⊶ Dom. Mongeard-Mugneret, 14, rue de la
Fontaine, 21700 Vosne-Romanée,
tél. 03.80.61.11.95, fax 03.80.62.35.75 ☒ Y r.-v.
⊶ Vincent Mongeard

ALICE ET OLIVIER DE MOOR
Chitry 1997★

□ 0,5 ha 3 000 ▮ 🌡 30 à 49 F

Domaine assez récent puisque les premières vendanges n'ont pu se faire qu'en 1995. Son chitry se présente sous des traits limpides et dorés. Le nez a besoin d'aération, ce qui est fréquent ici : le silex pointe derrière le sous-bois ; corps assez doux, peu acide, ronronnant comme le chat sur le coussin. Flatteur et à déguster dès à présent.

⊶ Alice et Olivier de Moor, 4, rue Jacques-
Ferrand, 89800 Courgis, tél. 03.86.41.47.94,
fax 03.86.41.47.94 ☒ Y r.-v.

BERNARD MUNIER
Les Clos Prieur 1996

■ 1,88 ha 16 000 ⏸ 30 à 49 F

Bourgogne au parfum bien ouvert, à la couleur franche, au corps assez souple. Poids plume certes, mais chacun concourt dans sa catégorie et on n'est pas ici parmi les grands crus. On lui reconnaît de la typicité, du fruit et un caractère aimable. Petit salé aux lentilles ? Il ne dira pas non.

🐓 Bernard Munier, rue de Cîteaux, 21640 Gilly-les-Cîteaux, tél. 03.80.62.86.38, fax 03.80.62.86.38 ☑ ⊤ r.-v.

PATRIARCHE Cuvée Vigne blanche 1997★

| □ | n.c. | 15 000 | ▮ | 30 à 49 F |

André Boisseaux, qui fut père de la maison Patriarche, aurait sans doute aimé connaître les bouteilles de sa réserve qu'on devrait tirer de leur silence en l'an 2000. On n'attendra pas cette fois l'an 3000 pour savourer ce bourgogne or à reflet vert qui joue sur la noisette et le pain grillé, l'abricot et les agrumes (pamplemousse). Bon fond et belle bouteille, qui pourra attendre de un à deux ans en cave.

🐓 Patriarche Père et Fils, 5, rue du Collège, 21200 Beaune, tél. 03.80.24.53.01, fax 03.80.24.53.03, e-mail legrands@kriter.com ⊤ t.l.j. 9h-12h 14h-17h30

ALAIN PATRIARCHE
La Monatine 1997★

| □ | 3 ha | 12 000 | ◫ | 50 à 69 F |

Installée depuis 1830 à Meursault, la famille Patriarche élève ses vins en fût. Celui-ci possède une bouche bien pleine dans un corps bien fait. Marqué par le fût, certes, mais le terroir a voix au chapitre et s'exprime librement. Robe classique, bouquet entre fleur et vanille. Conseillé à l'apéritif.

🐓 Alain Patriarche, 12, rue des Forges, 21190 Meursault, tél. 03.80.21.24.48, fax 03.80.21.63.37 ☑ ⊤ r.-v.

PAUL PERNOT ET SES FILS 1997

| □ | 1,8 ha | n.c. | ◫ | 30 à 49 F |

On a envie d'y revenir. Car c'est fleuri comme l'aubépine ou le chèvrefeuille. Un peu de pain grillé et beurré : on est à Puligny. En bouche, il démarre au quart de tour et son acidité va le tenir sur le chemin d'une bonne garde. Le sujet est bien cadré et finement coloré.

🐓 EARL Paul Pernot et ses Fils, 7, pl. du Monument, 21190 Puligny-Montrachet, tél. 03.80.21.32.35, fax 03.80.21.94.51 ☑ ⊤ r.-v.

DOM. GERARD PERSENOT
Côtes d'Auxerre 1997

| ■ | 6 ha | 25 000 | ▮ | 30 à 49 F |

A revoir sans doute à maturité, mais le jury a un faible pour la robe franche, pour le nez agréable. Si la bouche est encore tannique à l'attaque, elle évolue sur une bonne matière, une charpente ferme et prometteuse.

🐓 Gérard Persenot, 20, rue de Gouaix, 89530 Saint-Bris-le-Vineux, tél. 03.86.53.61.46, fax 03.86.53.61.52 ☑ ⊤ r.-v.

DENIS PHILIBERT 1997★★

| ■ | n.c. | 20 000 | ◫ | 30 à 49 F |

« C'est mieux qu'un bourgogne », lit-on sur une fiche. Erreur, sauf votre respect : c'est tout simplement un très bon bourgogne. L'idéal pour un *mâchon* car tout cela est rubis, floral, soyeux, d'une féminité qui ne donne pas trop l'envie d'attendre...

🐓 Maison Denis Philibert, 1, rue Ziem, 21200 Beaune, tél. 03.80.24.05.88, fax 03.80.22.37.08 ☑ ⊤ t.l.j. 9h-19h

JEAN-MARC PICHARD 1997★

| ■ | 4 ha | 3 000 | ◫ | 30 à 49 F |

La Saône-et-Loire nous réserve des bouteilles de grande classe. Celle-ci par exemple. Elle subit en fin de bouche l'effet de tanins présents et fins, mais la dégustation n'en souffre pas. Rubis limpide, léger pruneau, le voyage est ponctué d'étapes plaisantes. On ne regrette pas d'avoir pris son billet.

🐓 Jean-Marc Pichard, 71510 Saint-Sernin-du-Plain, tél. 03.85.45.51.84, fax 03.85.45.51.84 ☑ ⊤ r.-v.

POTHIER-TAVERNIER 1997★★

| □ | n.c. | n.c. | ◫ | 50 à 69 F |

PRODUCE OF FRANCE

Bourgogne
APPELLATION CONTRÔLÉE

75 cl   13% vol.

Mis en bouteille par
POTHIER-TAVERNIER
NÉGOCIANT A MEURSAULT (CÔTE-D'OR) FRANCE

Le meilleur blanc, le maillot jaune. Quel beau vin ! Voilà la Bourgogne ! Doré soutenu, notre coup de cœur semble sortir du Bottin mondain tant il est bien né. Inutile de le remuer : son bouquet exprime une sève complexe où le fruit mûr cajole la fleur d'été. L'ampleur de l'attaque fait appel à un merrain mesuré, à la saveur du pamplemousse et de l'orange amère de Séville. Sort de sa catégorie.

🐓 Pothier-Tavernier, 14, rue de la Goutte-d'Or, 21190 Meursault, tél. 03.80.21.61.81 ☑ ⊤ t.l.j. 9h-18h

DOM. DU CH. DE PREMEAUX 1997★

| ■ | 3,5 ha | 15 000 | ◫ | 30 à 49 F |

Demeure du XVIIIᵉs. achetée en 1933 par le grand-père du propriétaire actuel. Il y a cinq sources à Premeaux... et une sixième qui donne un si bon vin ! Nuance pivoine, celui-ci garde ce ton tout au long du bouquet. Sa bouche est très ronde, enveloppante et douce. Gras et fermeté sont là pour permettre au temps de parfaire encore ces bonnes dispositions.

🐓 Dom. du Ch. de Premeaux, 21700 Premeaux-Prissey, tél. 03.80.62.30.64, fax 03.80.62.39.28 ⊤ r.-v.

🐓 Pelletier

GROUPEMENT DES PRODUCTEURS DE PRISSE Elevé en fût de chêne 1997★

| ■ | n.c. | 30 000 | ◫ | 30 à 49 F |

Elevé en fût, ce bourgogne mâconnais s'exprime presque en alexandrins. N'est-il pas enfant du pays de Lamartine ? Le rubis de sa robe a des accents profonds et l'odeur du fruit

rouge monte de son tréfonds... Petite pointe d'alcool, et donc de la chaleur, mais aussi de l'ampleur et une garde confiante.
🔑 Groupement des Producteurs de Prissé-Sologny-Verzé, 71960 Prissé, tél. 03.85.37.88.06, fax 03.85.37.61.76 ☑ Y t.l.j. 9h-12h30 13h-30 18h30

HENRIETTE PROTOT 1996

■ 1 ha 6 100 ▮ 30 à 49 F

Mûre et myrtille, sous-bois, l'animal n'est pas très loin... Du fruit, de la vigueur, il ne s'endort pas en bouche et mène l'affaire rondement. Une sorte d'austérité, mais aussi une facture solide et rustique qui mérite - par sa sincérité - toute notre sympathie.
🔑 Henriette Protot, 21700 Premeaux-Prissey, tél. 03.80.62.35.13 ☑

DOM. DU PUITS FLEURI 1997*

■ 4 ha 6 000 ⏸ 20 à 29 F

Du Puits Fleuri, on a tiré toute la couleur disponible. Grenat dense, impressionnante. Fruits rouges en compote et discret boisé, le nez est bon. En bouche, le fruit est aussitôt perceptible et il ne se perd pas en route. Ample et large, une bonne bouteille élevée en foudre pendant dix mois pour les prochaines années.
🔑 GAEC du Puits Fleuri, 71490 Saint-Maurice-les-Couches, tél. 03.85.49.68.44, fax 03.85.45.55.61 ☑ Y r.-v.
🔑 Picard

MICHEL REBOURGEON 1997*

■ 1,1 ha 5 035 ▮⏸ 30 à 49 F

Souple et agréable, un bon bourgogne plus brillant que coloré ; mais à cœur vaillant voit-on quelque chose d'impossible ? Il s'ouvre dans le verre et est jugé très convenable pour son appellation. La volaille est-elle au four ? Il faudrait y penser. Vignoble familial depuis 1550 !
🔑 Michel Rebourgeon, pl. de l'Europe, 21630 Pommard, tél. 03.80.22.22.83, fax 03.80.22.90.64 ☑ Y r.-v.

DANIEL REBOURGEON-MURE 1997*

■ 1,7 ha 9 000 ⏸ 30 à 49 F

Le palais de Dame Tartine ! Les murs sont tapissés de griotte. Les poutres du plafond ? Des tanins soyeux et fondus. Sous des abords grenat, ce 97 produit en Côte de Beaune présente déjà un nez aux perspectives multiples et étendues (notes épicées et confites). Le pinot s'exprime avec une surprenante rondeur et dans une typicité excellente.
🔑 Daniel Rebourgeon-Mure, Grande-Rue, 21630 Pommard, tél. 03.80.22.75.39, fax 03.80.22.71.00 ☑ Y r.-v.

BERNARD REGNAUDOT 1996*

■ 0,5 ha 1 800 ▮⏸🌡 30 à 49 F

Les Maranges nous réservent souvent de bonnes surprises et une récente Saint-Vincent tournante a justement célébré ces progrès. Ainsi ce 96 présenté à maturité est-il en harmonie. Quelle jolie couleur ! Quelle élégance au nez, avec ce fruit épicé, discret, efficace ! Son astringence teintée de noyau de cerise incite à le tenir en main un à deux ans. Il explosera alors.
🔑 Bernard Regnaudot, rte de Nolay, 71150 Dezize-lès-Maranges, tél. 03.85.91.14.90, fax 03.85.91.14.90 ☑ Y r.-v.

DOM. MICHELE ET PATRICE RION
Les Bons Bâtons 1997**

■ 0,63 ha 4 000 ⏸ 30 à 49 F

Quels Bons Bâtons en effet ! Ce vin est la clé pour découvrir le bourgogne dans toute sa plénitude et tout son charme. Vanille, réglisse, épices, il joue le grand jeu sous sa robe cerise noire brillante. Quelle fraîcheur ! Sublime dans les années 2001-2003. Se prêtera à des plats plus raffinés que le classique bœuf bourguignon.
🔑 SCE Michèle et Patrice Rion, 1, rue de la Maladière, 21700 Premeaux, tél. 03.80.62.32.63, fax 03.80.61.36.36, e-mail patrice.rion@wanadoo.fr ☑ Y r.-v.

DOM. ROBLET-MONNOT
Vieilles vignes 1997*

■ 0,98 ha 4 000 ⏸ 30 à 49 F

« Vieilles vignes » ne signifie rien en Bourgogne, car c'est le seul vocable qui n'est soumis à aucune règle ni à aucun contrôle. Dans le cas présent, on peut le croire à l'aveugle, car sur des assises de cassis et de kirsch, c'est un vin posé, sérieux, costaud et qui a sûrement de l'avenir pour un filet de bœuf. En fait, ces vignes portent bien leur nom puisqu'elles ont quarante-cinq ans. Le fût devrait se fondre.
🔑 Dom. Roblet-Monnot, rue de la Combe, 21190 Volnay, tél. 03.80.21.22.47, fax 03.80.21.65.94 ☑ Y r.-v.

CAVE PRIVEE ANTONIN RODET
Les Vignes rouges 1996*

■ n.c. n.c. ▮⏸ 70 à 99 F

La grande maison de Mercurey dans l'une de ses marques haut de gamme. Ses tanins sont sobres, assez présents cependant pour soutenir la discussion, une belle couleur et un nez déjà expansif qui décline à la fois la violette et le confit. Beaucoup d'attrait, jouant *moderato cantabile.* Notez aussi le **chardonnay 97** dit de **vieilles vignes**, frais et agréable, gentil comme tout ; il est cité.
🔑 Antonin Rodet, 71640 Mercurey, tél. 03.85.98.12.12, fax 03.85.45.25.49, e-mail rodet@rodet.com ☑ Y t.l.j. sf sam. dim. 9h-12h 13h30-18h

MICHEL ET MARC ROSSIGNOL
1996★★

■　　　　　3 ha　　18 000　　◫　30 à 49 F

Il a rôdé autour du coup de cœur et se situe dans ses parages. Un très bel exercice de style, où tout se trouve dans la mesure et l'intelligence. Commercial sans doute, mais ce n'est pas une tare : petite touche de tuile bourguignonne sur le versant de sa robe, nez impeccable et complexe entre la fleur et le fruit rouge, bouche équilibrée.
☛ EARL Michel et Marc Rossignol, rue de l'Abreuvoir, 21190 Volnay, tél. 03.80.21.62.90, fax 03.80.21.60.31,
e-mail m.rossignol@wanadoo.fr ☑ ⵧ r.-v.

REGIS ROSSIGNOL-CHANGARNIER
1997★

■　　　　　1,3 ha　　3 500　　◫　30 à 49 F

Vif et élégant, un bon bourgogne rouge rubis brillant et le nez original (agrumes, épices, fruits rouges). Bien gouleyant, il met en bouche tous les atouts de son côté pour plaire dès à présent.
☛ Régis Rossignol, rue d'Amour, 21190 Volnay, tél. 03.80.21.61.59, fax 03.80.21.61.59 ☑ ⵧ r.-v.

DOM. SAINT-PRIX 1997★★

☐　　　　　1,5 ha　　10 000　　▮ᵻ　30 à 49 F

Domaine Saint Prix
BOURGOGNE
APPELLATION BOURGOGNE CONTRÔLÉE
CHARDONNAY
Mis en bouteille par Bersan et Fils
Vignerons à Saint-Bris-le-Vineux (Yonne)
Alc 12% vol　　Produit de France　　750 ml

Propriété familiale depuis 1453, ce domaine de 38 ha est déjà bien connu de nos lecteurs. Et ce vin aura l'heur de leur plaire. Un bourgogne blanc de l'Yonne qui ne fait pas oublier son origine. Très capiteux, fruits mûrs et alcool présents, il monte au créneau sous sa bannière. Charpenté, équilibré, la bouche très minérale, un vin en effet chablisien. Grand potentiel de vieillissement. Notez que le **bourgogne Côtes d'Auxerre rouge 97** a reçu une étoile, à attendre de un à deux ans. Quant au **bourgogne rouge 97** cité sans étoile, c'est un vin léger et frais, à boire sans se poser de questions.
☛ Dom. Bersan et Fils, 20, rue de l'Eglise, 89530 Saint-Bris-le-Vineux, tél. 03.86.53.33.73, fax 03.86.53.38.45 ☑ ⵧ r.-v.

FRANCINE ET OLIVIER SAVARY
Epineuil 1997★

■　　　　　0,6 ha　　4 000　　▮◫ᵻ　30 à 49 F

Ce viticulteur chablisien a joué cette parcelle d'épineuil. S'il est à boire dès maintenant, ce vin rubis appuyé, ouvert et très bien disposé, à la bouche équilibrée et longue, fait partie des produits attachants de cette appellation. Une bouteille typée.
☛ Francine et Olivier Savary, 4, chem. des Hates, 89800 Maligny, tél. 03.86.47.42.09, fax 03.86.47.55.80 ☑ ⵧ r.-v.

CLAUDE SEGUIN
Côtes d'Auxerre 1997★★

☐　　　　　2,8 ha　　4 000　　▮　20 à 29 F

Un 97 d'une finesse éblouissante, d'une structure ronde, parfumée et un rien acidulée, longue comme un jour sans vin.
☛ Claude Seguin, rue Haute, 89530 Saint-Bris-le-Vineux, tél. 03.86.53.37.39 ☑ ⵧ r.-v.

DOM. BERNARD SERVEAU ET FILS
1997★★

■　　　　　1,64 ha　　5 500　　▮◫ᵻ　30 à 49 F

Un bourgogne de Morey-Saint-Denis qui voisine avec des cuves et des fûts plus illustres. Celui-ci - avec confirmation de griotte sur la finale - séduit par ses qualités profondes. Astringent sans doute, mais il a fière allure durant toute la dégustation.
☛ Dom. B. Serveau et Fils, 37, Grand-Rue, 21220 Morey-Saint-Denis, tél. 03.80.34.33.07, fax 03.80.58.50.27 ☑ ⵧ r.-v.

SIMONNET-FEBVRE
Côtes d'Auxerre 1997★

■　　　　　0,6 ha　　4 000　　▮ᵻ　30 à 49 F

Superbe maison familiale depuis 1840, qui a fait connaître Chablis au monde entier. Ici, c'est un bourgogne, l'appellation régionale. La bouche et le nez sont complices et répondent aux qualités de la robe éclatante. Cela joue sur le fruit, sans longueur excessive mais avec de l'élégance. Ce bonheur est présent.
☛ Simonnet-Febvre, 9, av. d'Oberwesel, 89800 Chablis, tél. 03.86.98.99.00, fax 03.86.98.99.01 ☑ ⵧ t.l.j. sf dim. 8h-12h 14h-19h
☛ Jean-Pierre Simonnet

JEAN-PIERRE SORIN
Côtes d'Auxerre 1997

■　　　　　2,53 ha　　15 000　　▮◫　30 à 49 F

Près de 10 ha sont aujourd'hui gouvernés par Jean-Pierre Sorin. Son côtes d'auxerre est un bon vin rouge, de belle couleur. Il attaque droit et ferme, puis le fût se présente sans nuire à l'équilibre. Longueur agréable.
☛ Jean-Pierre Sorin, 6, rue de Grisy, 89530 Saint-Bris-le-Vineux, tél. 03.86.53.32.44, fax 03.86.53.37.76 ☑ ⵧ t.l.j. 8h-12h30 14h-20h30; dim 8h-12h30

MARYLENE ET PHILIPPE SORIN
Côtes d'Auxerre Elevé en fût de chêne 1997★

■　　　　　5 ha　　n.c.　　◫　30 à 49 F

Rouge vif, voici un côtes d'auxerre de bonne présence, très aromatique, fruits rouges et réglisse du bois. Charpenté, il est de bonne longueur. Le **côtes d'auxerre blanc 97** est cité pour son nez complexe mêlant coing, foin et miel.
☛ Marylène et Philippe Sorin, 12, rue de Paris, 89530 Saint-Bris-le-Vineux, tél. 03.86.53.60.76, fax 03.86.53.62.60 ☑ ⵧ r.-v.

HUBERT ET JEAN-PAUL TABIT
Côtes d'Auxerre 1997

□ 3,6 ha 10 000 ■🌡 30 à 49 F

L'andouillette aimera ce 97, plus proche de l'argent que de l'or. Lilas ou chèvrefeuille, ainsi va le bouquet. Il n'y a pas urgence mais le plus sage est de profiter de sa jeune fraîcheur.

🗝 Jean-Paul et Hubert Tabit, 2, rue Dorée, 89530 Saint-Bris-le-Vineux, tél. 03.86.53.33.83, fax 03.86.53.67.97 ☑ 🍸 t.l.j. 8h-20h; dim. sur r.-v.

DOM. THIBAUT Chitry 1997*

□ 3,15 ha 7 000 ■🌡 30 à 49 F

Le **bourgogne rouge 97** offre une agréable mélodie de fruits rouges : il est cité par le jury. En revanche, le blanc offre un bon nez minéral et une bouche très fraîche. Il gagne à être un peu aéré et on le carafera avec profit. A visiter sur place : un petit écomusée de la vigne et du vin. Quant au **côtes d'auxerre rouge 96**, il reçoit son étoile ; pour une garde de deux à trois ans.

🗝 Pierre et Jean-Baptiste Thibaut, 3, rue du Château, 89290 Quenne, tél. 03.86.40.35.76, fax 03.86.40.27.70 ☑ 🍸 t.l.j. 9h-12h 14h-18h

JACQUES TREMBLAY 1997**

□ 1,2 ha 9 500 ■ 30 à 49 F

Ce bourgogne délicieux et persistant fait dire à un dégustateur : « J'aime : on est chez nous. » Il a en effet une minéralité d'esprit très chablisien et une présentation magnifique.

🗝 Dom. Jacques Tremblay, Les Mulots, 89700 Tonnerre, tél. 03.86.75.92.83, fax 03.86.75.96.05 ☑ 🍸 r.-v.

OLIVIER TRICON 1997**

□ n.c. n.c. ■🌡 30 à 49 F

Ce bourgogne est d'une typicité remarquable. On ne risque rien à l'attendre, tant sa réussite semble durable. Teint clair, bouquet de noisette et de pain chaud, fraîcheur florale : on croirait respirer le printemps.

🗝 Olivier Tricon, rte d'Avallon, ferme de Vauroux, 89800 Chablis, tél. 03.86.42.10.37, fax 03.86.42.49.13, e-mail maison.tricon@wanadoo.fr ☑ 🍸 r.-v.

CLOS DE VAULICHERES 1997

□ 0,5 ha 900 ■🛢🌡 70 à 99 F

Replanté depuis 1990 par Olivier Refait, Vaulichères était autrefois un clos réputé du Tonnerrois. Situé sur coteau, il est exposé au sud. Ce 97 a passé trois mois en fûts dont une partie neufs. La dégustation ne le cache pas, et le vin devrait bien s'exprimer en janvier 2000.

🗝 Olivier Refait, Ch. de Vaulichères, 89700 Tonnerre, tél. 03.86.55.02.74, fax 03.86.55.37.57, e-mail orefait@clubinterner.fr ☑ 🍸 t.l.j. 8h-19h

DOM. VERRET Côtes d'Auxerre 1997*

□ 2 ha 18 000 ■ 30 à 49 F

Le pied calé sur ses bases minérales, sachant laisser au fruit un peu d'expression, il signale un sentiment de surmaturité dans un assez bel équilibre de golden, une plénitude que la vivacité n'embarrasse pas. D'ailleurs, dès le premier coup d'œil, on le juge plus vert que jaune. Nuances aromatiques entre le tilleul et le calcaire. Choisir un bon poisson.

🗝 Dom. Verret, 7, rte de Champs, B.P. 4, 89530 Saint-Bris-le-Vineux, tél. 03.86.53.31.81, fax 03.86.53.89.61, e-mail bruno.verret@wanadoo.fr ☑ 🍸 r.-v.

ALAIN VIGNOT
Gris Côte Saint-Jacques 1996

◪ 5 ha 25 000 ■🌡 30 à 49 F

La Côte Saint-Jacques, le vieux vignoble de Joigny, par celui qui s'y consacra le plus fidèlement depuis 1934. Et Dieu sait s'il fallait y croire car maintenir la vigne ici n'était pas évident. Cela donne le fameux gris, une particularité du cru. Elégant, sur la réserve, sans exagération, un peu pâle comme le veut tout vin gris, il mérite d'être mentionné.

🗝 Alain Vignot, 16, rue des Prés, 89300 Paroy-sur-Tholon, tél. 03.86.91.03.06, fax 03.86.91.09.37 ☑ 🍸 r.-v.

DOM. ELISE VILLIERS Vézelay 1997*

□ 2,1 ha 7 000 ■🛢🌡 30 à 49 F

« Seule la rose est assez fragile pour exprimer l'éternité », lit-on sur la tombe d'Ysé à Vézelay, cette femme devenue personnage de Paul Claudel et qui vécut ici à son retour de Chine. Seule la rose en effet peut dire l'éclat jaune pâle de cette robe, le charme minéral et citronné de ce bouquet, la rondeur d'un bois bien maîtrisé mais sensible, l'équilibre et l'élégance de ce corps à maturité.

🗝 Elise Villiers, Précy-le-Moult, Pierre-Perthuis, 89450 Vézelay, tél. 03.86.33.27.62, fax 03.86.33.27.62 ☑ 🍸 r.-v.

Bourgogne grand ordinaire

En réalité, les appellations bourgogne ordinaire et bourgogne grand ordinaire sont très peu usitées. Lorsqu'on les utilise, on néglige le plus souvent celle de bourgogne grand ordinaire. Ce nom n'évoque-t-il pas une certaine banalité ? Certains terroirs un peu en marge du grand vignoble peuvent toutefois y produire d'excellents vins à des prix très abordables. Pratiquement tous les cépages de la Bourgogne peuvent contribuer à la production de ce vin, qui peut se trouver en blanc, en rouge et en rosé ou clairet.

En blanc, les cépages seront le chardonnay ou le melon, dont il n'existe plus que quelques vestiges de vignes : ce dernier a conquis ses lettres de noblesse beaucoup plus à l'ouest de la France, pour produire le muscadet réputé dans la région nantaise ; quant à l'aligoté, il est presque toujours déclaré sous l'appellation bourgogne aligoté ; le sacy (uniquement dans le département de l'Yonne) était essentiellement cultivé dans tout le Chablisien et dans la vallée de l'Yonne, pour produire des vins destinés à la prise de mousse et exportés ; depuis l'avènement du crémant de Bourgogne, il est utilisé pour cette appellation.

En rouge et rosé, les cépages bourguignons traditionnels, gamay noir et pinot noir, sont les principaux. Dans l'Yonne encore, on peut utiliser le césar, qui est réservé au bourgogne, surtout à Irancy, et le tressot, qui ne figure que dans les textes mais plus jamais sur le terrain... C'est dans l'Yonne, et plus particulièrement à Coulanges-la-Vineuse, que l'on rencontre les meilleurs vins de gamay, sous cette appellation. La production de cette AOC est en régression, seulement 9 394 hl en 1997.

DOM. DE CHAUDE ECUELLE 1997

□ 1,1 ha 10 000 ▮⸸ 30 à 49 F

Cette appellation se fait de plus en plus rare, mais il lui arrive de jouer la bonne carte. C'est le cas. Rien de superflu dans la robe qui a bien raison de demeurer très claire. En revanche, le nez, quoique délicat, se montre trop discret. Quant au fond, il présente une finesse d'aquarelle.

⊶ Dom. de Chaude Ecuelle, 35, Grande-Rue, 89800 Chemilly-sur-Serein, tél. 03.86.42.40.44, fax 03.86.42.85.13 ☑ Y r.-v.

⊶ Gabriel et Gérald Vilain

DOM. HENRI CLERC ET FILS
Les Vaillonges 1997*

□ 0,99 ha 9 320 ▮ 30 à 49 F

D'un bon niveau, ce BGO blanc chardonne sur fond de kiwi et de poire william. Son petit côté musqué n'est pas déplaisant, sachant qu'on reste ici dans la simplicité. Et si elle est de bon goût, pourquoi s'en priver ?

⊶ Dom. Henri Clerc et Fils, pl. des Marronniers, 21190 Puligny-Montrachet, tél. 03.80.21.32.74, fax 03.80.21.39.60 ☑ Y t.l.j. 8h30-11h45 14h-17h45

⊶ Bernard Clerc

RAOUL CLERGET 1998*

■ n.c. 30 000 ▮ 20 à 29 F

Il « terroite » encore fortement, comme on dit ici, mais n'ayez crainte. Il plaira. Carmin sombre, il a des lueurs intenses. Il possède un peu de fruit et assez de souffle pour se sortir de toutes les situations. Maison reprise par la famille alsacienne Tresch, comme Chenu.

⊶ Bourgognes Raoul Clerget, chem. de la Pierre-qui-Vire, 21200 Montagny-lès-Beaune, tél. 03.80.26.37.37, fax 03.80.24.14.81

HENRY DE VEZELAY 1997**

□ 3,3 ha 10 000 ▮⸸ 30 à 49 F

Pour étonner vos hôtes, un melon (le cépage du muscadet nantais) né dans son berceau bourguignon. Spécialité de Vézelay et, ma foi, la sainte colline nous réserve en effet une bien jolie surprise. Nuance paille, peu de nez mais une bouche structurée, longue, superbe pour tout dire. Cette coopérative progresse en qualité.

⊶ SCA Henry de Vézelay, rte de Nanchèvre, 89450 Saint-Père, tél. 03.86.33.29.62, fax 03.86.33.35.03 ☑ Y t.l.j. 8h-12h 14h30-18h

Bourgogne aligoté

C'est le « muscadet de la Bourgogne », dit-on. Excellent vin de carafe que l'on boit jeune, il exprime bien les arômes du cépage ; il est un peu vif et, surtout, régionalement, il permet d'attendre les vins de chardonnay. Remplacé par ce dernier dans la Côte, il est un peu « descendu » dans l'aire de production lui étant réservée, alors qu'autrefois il était cultivé en coteaux. Mais le terroir influe sur lui autant que sur les autres cépages et il y a autant de types d'aligotés que de régions où on les élabore. Les aligotés de Pernand étaient connus pour leur souplesse et leur nez fruité (avant de céder la place au chardonnay) ; les aligotés des Hautes-Côtes sont recherchés pour leur fraîcheur et leur vivacité ; ceux de Saint-Bris, dans l'Yonne, semblent emprunter au sauvignon quelques traces de fleur de sureau, sur des saveurs légères et coulantes ; ceux de Bouzeron, enfin, qui ont acquis récemment une certaine notoriété grâce à leur appellation distincte, « chardonnent » discrètement et signent ainsi leur appartenance à la Côte chalonnaise. En 1998, 96 638 hl ont été produits en bourgogne aligoté et 3 336 hl en bouzeron.

DOM. CHARLES AUDOIN 1997**

□ 2,23 ha 4 000 ▮⸸ 30 à 49 F

Frais, nerveux et même tranchant, vif et plein, avec un peu de gras, l'un des meilleurs du lot. Disons même le meilleur pour ce qui est de la Côte-d'Or. Paille dorée, un vin d'huîtres, dont la persistance aromatique se mêle à une touche d'élégance dans la fleur blanche.

🔑 EARL Dom. Charles Audoin, 7, rue de la Boulotte, 21160 Marsannay-la-Côte, tél. 03.80.52.34.24, fax 03.80.58.74.34 ☑ 𝐈 r.-v.

JEAN-CLAUDE BOUHEY ET FILS 1997

☐ 12 ha 16 000 ▮🌡 20 à 29 F

Un vin de bonne typicité, or pâle, au nez un peu végétal, franc à l'attaque, évoluant avec chaleur sur des notes complexes et finissant sur une pointe d'amertume : tout l'esprit de l'aligoté.

🔑 Jean-Claude Bouhey et Fils, rte de Magny, 21700 Villers-la-Faye, tél. 03.80.62.92.62, fax 03.80.62.74.07 ☑ 𝐈 r.-v.

VINCENT BOUZEREAU 1997

☐ 1 ha 6 000 ⏸ 30 à 49 F

Bonne tenue et heureuse ampleur pour un 97 qu'une pointe d'acidité relève en finale. Sa robe est classique et son bouquet prononcé. Assez de vin en bouche, mais cela chardonne un peu. Un style.

🔑 Vincent Bouzereau, 7, rue Labbé, 21190 Meursault, tél. 03.80.21.61.08, fax 03.80.21.65.97 ☑ 𝐈 r.-v.

DOM. DE BRULLY 1997**

☐ 1,17 ha 9 000 ▮ 30 à 49 F

Que ça brille dans le verre ! Bouquet végétal et bien développé. Tout de suite un gras opulent qui remplit et s'étale. Rondeur. La nervosité arrive, et tout apparaît bien combiné. C'est frais, c'est bon et l'un des dégustateurs écrit : « J'aurais aimé faire ce vin. » Allez donc dire mieux...

🔑 Dom. de Brully, 21190 Saint-Aubin, tél. 03.80.21.32.92, fax 03.80.21.35.00 ☑ 𝐈 t.l.j. sf dim. 8h-12h 14h-19h

MADAME EDMOND CHALMEAU 1997*

☐ 3,3 ha 25 000 ▮🌡 20 à 29 F

Jaune-vert, ce vin décoche ses flèches dès le premier coup de nez. Dans le style violette et acacia. La bouche est dans la lignée du bouquet, plutôt convaincante, harmonieuse, sans excès de tonus. Bonne longueur.

🔑 Mme Edmond Chalmeau, 20, rue du Ruisseau, 89530 Chitry-le-Fort, tél. 03.86.41.42.09, fax 03.86.41.46.84 ☑ 𝐈 r.-v.

CH. DE CHAMILLY 1997

☐ 1,51 ha 10 000 ▮🌡 30 à 49 F

« Rien d'autre à dire que c'est un vrai aligoté ! » Certes, la formule de ce dégustateur peut safisfaire. Allons plus loin cependant. La couleur est d'un joli or vert, le bouquet fruité (agrumes) s'ouvre à peine, mais la bouche est toute de vivacité et de fraîcheur, bien constituée. Pour un saumon fumé, propose le jury.

🔑 Véronique et Louis Desfontaine, Le Château, 71510 Chamilly, tél. 03.85.87.22.24, fax 03.85.91.23.91 ☑ 𝐈 r.-v.

DOM. CHEVROT Cuvée des Quatre Terroirs 1997*

☐ 1,4 ha 9 000 ▮🌡 30 à 49 F

Bonne intensité dans tous ses parfums, vin typique et concret. L'acidité est présente, mais pas excessive. Sensation de fraîcheur, et un nez de citron et de pamplemousse. La bouche fruitée et nerveuse est dans la nature même de son AOC.

🔑 Catherine et Fernand Chevrot, Dom. Chevrot, 71150 Cheilly-lès-Maranges, tél. 03.85.91.10.55, fax 03.85.91.13.24 ☑ 𝐈 t.l.j. 9h-12h 13h30-18h; dim. 9h-12h

CLAUDE CHONION 1998*

☐ n.c. n.c. ▮🌡 20 à 29 F

Voilà un curieux sujet, présenté par les frères Cottin. Atypique assurément. Mais « bien » ou « très bien », estiment nos dégustateurs. Ceux-ci ne voient rien à redire dans sa robe. Le nez sauvignonne, mais on trouve aussi des fruits exotiques et des pommes vertes. La bouche reste dans cet esprit, mais vive, plaisante, fruitée et avec des notes d'agrumes. Un vrai dépaysement.

🔑 Claude Chonion, rue Lavoisier, 21700 Nuits-Saint-Georges, tél. 03.80.62.64.00, fax 03.80.62.64.10 𝐈 r.-v.

BERNARD ET ODILE CROS 1997*

☐ 2,6 ha 6 000 30 à 49 F

Un vin douillet, pour la tarte à l'oignon. D'un très léger or vert, il décompose son bouquet en trois mouvements : citron, poire, silex. Sa bouche se comporte avec élégance et finesse ; elle se montre insistante en finale. Nous sommes ici en Côte chalonnaise et le verdict final est positif.

🔑 Bernard et Odile Cros, Cercot, Cidex 1259, 71390 Moroges, tél. 03.85.47.92.52, fax 03.85.47.92.52 ☑ 𝐈 r.-v.

DOM. CYROT-BUTHIAU 1997

☐ 0,35 ha 2 985 ▮🌡 30 à 49 F

Manque un peu de nerf pour un aligoté et chardonne quelque peu, mais il est friand en bouche, miellé sous le nez et citronné à l'œil. Non, ce n'est pas la typicité attendue ; il se laisse boire cependant, et - disons-le - sans déplaisir.

🔑 Dom. Cyrot-Buthiau, rte d'Autun, 21630 Pommard, tél. 03.80.22.06.56, fax 03.80.24.00.86 ☑ 𝐈 r.-v.

DEREY FRERES Vieilles vignes 1997

☐ 0,8 ha 6 000 ▮ 30 à 49 F

Limpide et or blanc, tirant légèrement sur la paille, il va droit au but. Minéral et pomme verte. Mais à y regarder de plus près, cela évolue un peu. Le boire donc, sans attendre Pâques prochaines. Aligoté version Couchey, Côte dijonnaise.

🔑 Derey Frères, 1, rue Jules-Ferry, 21160 Couchey, tél. 03.80.52.15.04, fax 03.80.58.76.70 𝐈 t.l.j. 9h-12h 13h30-19h; dim. sur r.-v.

JEAN-FRANCOIS DICONNE 1997*

☐ 2,3 ha 3 000 ▮🌡 30 à 49 F

Attaque assez riche sur fond de belle matière. Ses arômes toastés et miellés annoncent le propos de ce vin qui, sous ses airs clairs, avance à grands pas mais est à boire dans le temps présent.

🔑 Jean-François Diconne, rue du Bourg, 71150 Remigny, tél. 03.85.87.20.01, fax 03.85.87.23.98 ☑ 𝐈 r.-v.

FELIX ET FILS 1997★

☐ 4 ha 32 000 🍷 30 à 49 F

Agréable et charmant, réservé et discret : on l'aime pour ce qu'il est. Long sur des arômes de violette, ce 97 n'a recours à aucun artifice. Il est simplement lui-même et si vous en choisissez un, pour sa sincérité fraîche et entière, prenez celui-ci.

⊶ Dom. Félix, 17, rue de Paris, 89530 Saint-Bris-le-Vineux, tél. 03.86.53.33.87, fax 03.86.53.61.64, e-mail felix@caves-particulieres.com ☑ Y t.l.j. sf dim. 9h-11h30 14h-18h30

⊶ Hervé Félix

DOM. FICHET 1998

☐ 1 ha 3 000 🍷 30 à 49 F

Jaune pâle avec un peu de gras dans la robe, un aligoté 98 qui sort comme le diable de sa boîte. Beurre et agrumes, il connaît la façon de plaire. Encore un peu perlant, il fait à ce jour de son mieux. Toujours très rond mais assez linéaire.

⊶ Dom. Francis Fichet et Fils, Le Martoret, 71960 Igé, tél. 03.85.33.30.46, fax 03.85.33.44.45 ☑ Y r.-v.

FORGEOT PERE ET FILS 1997★

☐ n.c. n.c. 🍷 30 à 49 F

Paille légère, menthol et pamplemousse, franc mais un peu vif en fin de bouche, ce vin va séduire une douzaine d'escargots. Le minéral et le fruit ne sont pas absents. Signature de Bouchard Père et Fils.

⊶ Grands Vins Forgeot, 15, rue du Château, 21200 Beaune, tél. 03.80.24.80.50

DOM. MARCEL ET BERNARD FRIBOURG 1997

☐ 2,8 ha 6 200 🍷 20 à 29 F

Une bouteille qui sent les Hautes-Côtes et qui est la vivacité même. Cette fraîcheur interpelle. Le bouquet raconte beaucoup de choses aimables, entre l'ananas et l'aubépine.

⊶ Dom. Marcel et Bernard Fribourg, rue de la Cure, 21700 Villers-la-Faye, tél. 03.80.62.91.74, fax 03.80.62.71.17 ☑ Y r.-v.

DOM. ANNE ET ARNAUD GOISOT Coteaux de Saint-Bris 1997★

☐ 6 ha 25 000 🍷 30 à 49 F

En un mot, élégant, même si l'aligoté a une réputation un peu terrienne. La teinte de ce 97 est peu intense mais tout en nuances. En revanche, le complexe aromatique, où le fruit dispute au minéral la note sensible, est très intéressant. Peu d'acidité, un vin de dentelle.

⊶ Dom. Anne et Arnaud Goisot, 4 bis, rte de Champs, 89530 Saint-Bris-le-Vineux, tél. 03.86.53.32.15, fax 03.86.53.64.22 ☑ Y t.l.j. 8h-12h 13h30-19h30

GHISLAINE ET JEAN-HUGUES GOISOT 1997★★

☐ 7,54 ha 45 000 🍷 30 à 49 F

« Gardez le charme d'une certaine timidité », conseillait André Maurois aux jeunes filles. Cette bouteille à la robe or gris et au nez typé (iodé, minéral) semble faire d'abord de cet avis une prudente règle de vie. Mais elle chante aussi sur la langue tous les délices. Elle explose littéralement. Un triomphe.

⊶ Ghislaine et Jean-Hugues Goisot, 30, rue Bienvenu-Martin, 89530 Saint-Bris-le-Vineux, tél. 03.86.53.35.15, fax 03.86.53.62.03 ☑ Y r.-v.

JOEL ET DAVID GRIFFE 1997★

☐ 5 ha 6 000 🍷 30 à 49 F

L'aligoté dans tous ses états. Belle surprise pour le jury qui n'en finit pas de le goûter et de le redéguster, tant il a du revenez-y. Le cépage et le terroir convolent en justes noces : ce 97 a de la personnalité. Finesse et volume, rondeur et fruit, sous un nez minéral.

⊶ Joël et David Griffe, 15, rue du Beugnon, 89530 Chitry-le-Fort, tél. 03.86.41.41.06, fax 03.86.41.47.36 ☑ Y r.-v.

DOM. OLIVIER GUYOT 1997★

☐ 2,4 ha 4 000 🍷 30 à 49 F

« Léger goût de lumière », note sur sa fiche un dégustateur inventif. Concrètement, ce vin est jaune paille. Il évolue du beurre au minéral. Il est équilibré, offrant une nuance de fruit sec en finale. Déjà prêt à être servi et capable d'attendre un peu.

⊶ EARL Olivier Guyot, 39, rue de Mazy, 21160 Marsannay-la-Côte, tél. 03.80.52.39.71, fax 03.80.51.17.58 ☑ Y r.-v.

LES CAVES DES HAUTES-COTES 1997★

☐ n.c. n.c. 30 à 49 F

La coopérative des Hautes-Côtes est capable de nous faire fantasmer sur un aligoté : or réservé, un 97 d'intensité normale au nez discret, vif et citronné, bien structuré en bouche où il s'épanouit dans un bon équilibre entre acidité et moelleux. Petite pointe d'amertume en finale.

⊶ Les Caves des Hautes-Côtes, rte de Pommard, 21200 Beaune, tél. 03.80.25.01.00, fax 03.80.22.87.05 ☑ Y t.l.j. sf dim. 9h-12h 14h-18h

HENRY FRERES 1997

☐ 2,2 ha 6 000 🍷 20 à 29 F

Deux frères se présentant comme « artisans vignerons ». Leur aligoté se dessine selon un nez exubérant (acacia plein de sève). Assez gras, agréable, il finit de façon vive et nerveuse. Ah oui ! il se défend bien.

BOURGOGNE

◆┓GAEC Henry Frères, rue de la Porte-de-Cravant, 89800 Saint-Cyr-les-Colons, tél. 03.86.41.44.87, fax 03.86.41.41.48 ☑ ☖ t.l.j. sf dim. 9h30-12h 14h-19h

HONORE LAVIGNE Cuvée spéciale

☐ n.c. n.c. ▮↓ 30 à 49 F

Frère quasiment jumeau de Jean-Claude Boisset, cet Honoré Lavigne présente une très belle bouteille XVIIIᵉs. Son contenu est encore jeune, frais comme la première brise de printemps. Le jambon persillé de Pâques est fait pour lui.
◆┓Honoré Lavigne, 5, quai Dumorey, 21700 Vosne-Romanée, tél. 03.80.62.61.61, fax 03.80.62.61.60 ☖ r.-v.

DOM. HUBER-VERDEREAU 1997

☐ 0,64 ha 3 500 ▮↓ 20 à 29 F

Petit aligoté destiné à la crème de cassis de Dijon. Il affiche une couleur modeste, et il a bien raison. Son nez n'est pas très éloquent, mais reste typé. Pointu, il a du montant comme disaient les anciens.
◆┓Dom. Huber-Verdereau, rue Moulin-Mareau, 21630 Pommard, tél. 03.80.22.51.50, fax 03.80.22.48.32 ☑ ☖ r.-v.

LES VIGNERONS D'IGE 1998★

☐ 6 ha 50 000 ▮↓ 30 à 49 F

« Tenez, mon cœur s'émeut à toutes ces tendresses », dit un personnage de Molière qu'on imagine reposant son verre d'aligoté sur la table. Or et argent, ce 98 tout jeune a déjà le nez long. De la poire au coing en passant par le pain grillé... Il lui manque de l'acidité mais il est des plus aimables et son corps ne ment pas. Coup de cœur dans le Guide 1998 pour un 95.
◆┓Cave coop. des Vignerons d'Igé, 71960 Igé, tél. 03.85.33.33.56, fax 03.85.33.41.85 ☑ ☖ t.l.j. sf dim. 8h-12h 13h30-18h

FREDERIC JACOB 1997

☐ 2 ha 4 000 ▮ 20 à 29 F

Deuxième année de production de ce jeune viticulteur, qui comme l'an passé retient notre attention. Jaune pâle, son 97 laisse entrevoir quelques arômes exotiques. Droit, sain de corps et d'esprit, il se montre assez vert et conviendra à l'apéritif bourguignon par excellence, le kir.
◆┓Frédéric Jacob, 50, Grande-Rue, 21420 Changey-Echevronne, tél. 03.80.62.75.36 ☑ ☖ r.-v.

JEAN-LUC JOILLOT 1997

☐ 0,6 ha 6 000 ▮↓ 30 à 49 F

Produit du côté de Pommard, ce vin pourrait regarder de haut ses frères dans l'appellation. Rien de tel. La couleur est assez vive pour un aligoté. Nez fin et frais évoquant les fruits exotiques. La bouche est franche, avec des notes d'agrumes. Facile à boire sur un jambon persillé.
◆┓Jean-Luc Joillot, rue de la Métairie, 21630 Pommard, tél. 03.80.22.47.60, fax 03.80.24.67.54 ☑ ☖ r.-v.

LA BUXYNOISE 1998★

☐ 152 ha n.c. ▮↓ 30 à 49 F

Atypique mais flatteur, il plaît. Atypique en quoi ? Nullement à l'œil, limpide et cristallin, discret et doré. Mais si la pomme verte fait partie des arômes classiques, l'ananas est plus dépaysant. La bouche amplifie le phénomène et, s'il émoustille les papilles, il reste en effet exotique. On vide le verre sans se plaindre.
◆┓Cave des Vignerons de Buxy, Les Vignes de la Croix, B.P. 6, 71390 Buxy, tél. 03.85.92.03.03, fax 03.85.92.08.06, e-mail bvg@bvg-bourg.fr ☑ ☖ r.-v.

DOM. DE LA CONFRERIE 1997★

☐ 0,39 ha 1 400 ▮↓ 30 à 49 F

Citron, ananas, pamplemousse, la Bourgogne a le cœur large. Bon équilibre en bouche, acidité moyenne, une petite note d'amertume, souplesse en finale sans trop de longueur, c'est un vin estimable et qui désormais évoluera peu. A boire maintenant, si le ciel - ou la chance - y pourvoit.
◆┓J. Pauchard et Fils, Dom. de la Confrérie, rue Perraudin, 21340 Cirey-lès-Nolay, tél. 03.80.21.89.23, fax 03.80.21.70.27 ☑ ☖ r.-v.

DOM. DE LA GALOPIERE 1997★

☐ 1,5 ha 5 000 ▮▮▮ 30 à 49 F

Tout ici est réuni. L'or est délicat, juste ce qu'il faut. Un nez un tantinet citronné, puis une belle attaque portée par les agrumes. Conclusion riche et fruitée. Bref, on s'y plaît...
◆┓Claire et Gabriel Fournier, Dom. de la Galopière, 6, rue de l'Eglise, 21200 Bligny-lès-Beaune, tél. 03.80.21.46.50, fax 03.80.26.85.88 ☑ ☖ r.-v.

LA TOUR DU PRIEURE 1997

☐ 1 ha 3 000 ▮ 30 à 49 F

Cet aligoté lamartinien fait rimer son éveil avec la cire d'abeille. Acidité et chaleur, élan et fruit : il a du souffle, assez en tout cas pour obtenir l'accord du jury.
◆┓Bernard Dorry, La Tour du Prieuré, 71960 Bussières, tél. 03.85.37.75.43, fax 03.85.37.75.43 ☑ ☖ r.-v.

OLIVIER LEFLAIVE Du domaine 1997★

☐ 2 ha 14 000 ▮ 30 à 49 F

Pourquoi pas une salade de foies de volaille pour escorter cet aligoté doré et appétissant, où l'on devine l'abricot sous l'herbe fraîche ? Souple, nerveux même, il bondit en bouche et sa rétro de fruit offre un beau ricochet.
◆┓Olivier Leflaive, pl. du Monument, 21190 Puligny-Montrachet, tél. 03.80.21.37.65, fax 03.80.21.33.94, e-mail leflaive-olivier@dial.oleane.com ☑ ☖ r.-v.

DOM. LEJEUNE 1996★

☐ 0,5 ha 4 000 ▮ 30 à 49 F

Imaginez-le au premier rang du balcon, alors qu'on l'attendait - cet aligoté - à une place plus modeste. Sous son plastron doré à parements verts, il a belle allure. Fleurs blanches et briochées, il est net, précis. Sans doute chardonne-t-il un peu, mais sans s'endormir en route.

⊶ Dom. Lejeune, La Confrérie, pl. de l'Eglise, 21630 Pommard, tél. 03.80.22.90.88, fax 03.80.22.90.88 ☑ Ῑ r.-v.
⊶ Famille Jullien de Pommerol

CAVE DES VIGNERONS DE MANCEY 1997★

☐ n.c. 14 000 30 à 49 F

La souplesse s'exprime d'abord, et le vin ne manque pas de gras, mais la griffe acide sous-jacente vient vite s'emparer du palais. Fruité et frais, il est agréable, sans grande complexité.
⊶ Cave des Vignerons de Mancey, R.N. 6, B.P. 55 , 71700 Tournus, tél. 03.85.51.00.83, fax 03.85.51.71.20 ☑ Ῑ r.-v.

GHISLAINE ET BERNARD MARECHAL-CAILLOT 1997★

☐ 1 ha 3 000 30 à 49 F

De la fleur et du fruit, de la fraîcheur et de la matière, cet aligoté ne dépare pas dans la famille. Le domaine eut le coup de cœur, naguère, pour ses 86, 88... Accueillons donc dignement son 97, amande et pomme verte, polyvalent en bouche grâce à cette rondeur qui n'exclut pas la structure.
⊶ Ghislaine et Bernard Maréchal-Caillot, 10, rte de Chalon, 21200 Bligny-lès-Beaune, tél. 03.80.21.44.55, fax 03.80.26.88.21 ☑ Ῑ r.-v.

DOM. DES MOIROTS 1997★

☐ 1,5 ha 5 000 30 à 49 F

Denizot... On pense toujours à Henri Vincenot en lisant cette étiquette, car plusieurs de ses personnages portent ce nom. La bouteille ne déçoit pas, et elle ferait le bonheur de La Gazette, le Pape des Escargots, s'il venait à la déboucher un soir de solstice. Jolie robe, ma foi. A respirer comme framboise et pain chaud. En bouche, la richesse étonne, la complexité plaît, la finale intéresse.
⊶ Lucien Denizot, Dom. des Moirots, 71390 Bissey-sous-Cruchaud, tél. 03.85.92.16.93, fax 03.85.92.09.42 ☑ Ῑ r.-v.

DOM. THIERRY MORTET 1997

☐ 0,3 ha 2 000 30 à 49 F

Une belle course-poursuite du premier regard au bonheur de l'arrière-bouche. Paille, exotique (ananas, pamplemousse), ce 97 est gouleyant et vif, impulsif, toujours très frais avec une note de gras qui étonne et rassure. N'attendez pas cent sept ans pour déboucher cette bouteille prête à boire.
⊶ Dom. Thierry Mortet, 16, pl. des Marronniers, 21220 Gevrey-Chambertin, tél. 03.80.51.85.07, fax 03.80.34.16.80 ☑ Ῑ r.-v.

DOM. HENRI NAUDIN-FERRAND 1997★

☐ 2,33 ha 20 100 20 à 29 F

La structure n'est pas son fort, mais le problème est-il là ? Un aligoté doit être frais, fin, floral, vif, net et clair. Et à boire sans attendre la fin des temps. Celui-ci accumule les bons points.
⊶ Dom. Henri Naudin-Ferrand, rue du Meix-Grenot, 21700 Magny-lès-Villers, tél. 03.80.62.91.50, fax 03.80.62.91.77 Ῑ t.l.j. 8h-12h 14h-18h30; dim. sur r.-v.

NICOLAS PERE ET FILS 1997

☐ n.c. 4 000 20 à 29 F

Sa verdeur a quelque chose de sympathique qui incite à le retenir parmi nous. Limpide et brillant, pamplemousse et aubépine, il s'exprime de façon assez végétale. Il a sa place ici et si vous saviez combien la porte était étroite...
⊶ EARL Nicolas Père et Fils, 21340 Cirey-lès-Nolay, tél. 03.80.21.82.92, fax 03.80.21.82.92 ☑ Ῑ t.l.j. 8h-12h30 13h30-19h

OLIVIER-GARD 1997★

☐ 0,33 ha 3 300 30 à 49 F

Un vrai aligoté des Hautes-Côtes. Très citronné, un peu floral, il bénéficie d'une excellente vivacité sous sa robe claire. On le juge bien réussi et on le voit convoler en justes noces avec une andouillette. Modèle de typicité.
⊶ Dom. Olivier-Gard, Concœur-et-Corboin, 21700 Nuits-Saint-Georges, tél. 03.80.61.00.43, fax 03.80.61.38.45 ☑ Ῑ r.-v.
⊶ Manuel Olivier

DOM. GERARD PERSENOT 1997★★

☐ 6 ha 40 000 20 à 29 F

Ce vin a l'esprit de l'escalier... et il conduit à la cave. Jaune paille, il débute en fanfare. Puis il surprend par la finesse riche et complexe d'un bouquet assez exceptionnel dans cette appellation. Enfin sa bouche élégante et puissante impose un goût de terroir.
⊶ Gérard Persenot, 20, rue de Gouaix, 89530 Saint-Bris-le-Vineux, tél. 03.86.53.61.46, fax 03.86.53.61.52 ☑ Ῑ r.-v.

DOM. MAURICE PROTHEAU 1997★★

☐ 2,2 ha 10 500 30 à 49 F

Coup de cœur dans le Guide 1997 pour son 94. Cet aligoté sait jouer de la lyre dans un bel habit or blanc à reflets verdâtres. Sa vivacité met en valeur la fleur blanche, et son gras en fait un joli vin-plaisir. Plénitude et fermeté, bonne longueur, acidité correcte, il se situe au-dessus de la moyenne.
⊶ Dom. Maurice Protheau et Fils, Ch. d'Etroyes, 71640 Mercurey, tél. 03.85.45.25.00, fax 03.85.45.14.87 ☑ Ῑ r.-v.

DOM. JACKY RENARD 1997★

☐ 3,4 ha 30 000 30 à 49 F

Il ne joue pas du pipeau, mais plutôt du violoncelle. Ce n'est pas précisément l'image qu'on se fait du cépage, sinon à l'œil et au nez. En bouche, une richesse qui chardonne un peu. Mais ce vin se rend maître de la place, et sa finale n'est pas sans subtilité. Pour poisson à la crème (et non pas sur des gougères à l'apéritif).
⊶ Dom. Jacky Renard, La Côte-de-Chaussan, 89530 Saint-Bris-le-Vineux, tél. 03.86.53.38.58, fax 03.86.53.33.50 ☑ Ῑ r.-v.

BOURGOGNE

ROPITEAU 1997

□ n.c. n.c. ▮🌡 30 à 49 F

L'aligoté du jambon persillé. Il sait se montrer dans un de ses bons jours, sans tirer sur le chardonnay ni tenir tout un discours éloigné du sujet. Souple et agréable, à maturité, il ne force ni la couleur ni le bouquet. Sa rondeur trouve sur le citron son point d'appui. Ropiteau fait partie des Domaines Boisset.

🔑 Ropiteau Frères, 13, rue du 11-Novembre, 21190 Meursault, tél. 03.80.21.69.20, fax 03.80.21.69.29 ☑ Y r.-v.

DOM. SAINT-PRIX 1997★★

□ 7 ha 40 000 ▮🌡 30 à 49 F

Aligoté jusqu'au bout des ongles, ce vin, d'un jaune brillant, vous entraîne dans une profondeur aromatique qui laisse sans voix. En bouche, il confirme et, s'il retombe un peu en conclusion, rien d'anormal. Poète auxerroise, Marie Noël visita ce domaine. Elle eût adoré cette fraîcheur bondissante.

🔑 Dom. Bersan et Fils, 20, rue de l'Eglise, 89530 Saint-Bris-le-Vineux, tél. 03.86.53.33.73, fax 03.86.53.38.45 ☑ Y r.-v.

CLAUDE SEGUIN 1997★

□ 5 ha 10 000 ▮ 20 à 29 F

La pierre à fusil et le fruit exotique composent un bel accord avant d'en venir à un corps vif et charpenté, concentré et minéral, réservant en fin de bouche quelques arômes évolués de champignon.

🔑 Claude Seguin, rue Haute, 89530 Saint-Bris-le-Vineux, tél. 03.86.53.37.39 ☑ Y r.-v.

GUY SIMON ET FILS 1997★

□ 1,5 ha 5 000 ▮ 30 à 49 F

Un ban bourguignon pour ce pur produit des Hautes-Côtes à la robe impeccable et qui n'a pas le nez dans sa poche. Floral, minéral, beurre frais, quel panorama ! Fraîcheur et vivacité sont ponctuelles au rendez-vous. Voulez-vous savoir ? C'est comme ça qu'on les aime...

🔑 Guy Simon et Fils, 21700 Marey-lès-Fussey, tél. 03.80.62.91.85, fax 03.80.62.71.82 ☑ Y r.-v.

DOM. ROBERT SIRUGUE 1997★

□ 1,1 ha 6 000 ▮ ⊂⊃ 🌡 30 à 49 F

Ce 97 a des couleurs lumineuses, un acacia vanillé et minéral au nez, de la franchise, de l'équilibre ; un aligoté boisé sans excès. Bonne finale.

🔑 Robert Sirugue, 3, av. du Monument, 21700 Vosne-Romanée, tél. 03.80.61.00.64, fax 03.80.61.27.57 ☑ Y r.-v.

JEAN-PIERRE SORIN 1997★

□ 4,43 ha 25 000 ▮ 20 à 29 F

Ce 97 est sincère et franc. Sa nuance claire ? De bon ton. Son nez ? Minéral et sous-bois, classique. Sa bouche ? Pleine d'à-propos, profonde et vraie, concentrée sur le sujet et assez fruitée.

🔑 Jean-Pierre Sorin, 6, rue de Grisy, 89530 Saint-Bris-le-Vineux, tél. 03.86.53.32.44, fax 03.86.53.37.76 ☑ Y t.l.j. 8h-12h30 14h-20h30; dim 8h-12h30

PIERRE TAUPENOT 1996

□ 0,3 ha 2 722 ▮ 30 à 49 F

Blanc-gris, cristallin, ce vin commence sa vie avec un léger réduit au premier nez, puis il s'ouvre sur le minéral et la pierre à fusil, sur le fruit blanc. Il décoche quelques flèches acidulées, dans les agrumes. Evolue cependant (96). Un vin typé de son AOC et de son millésime.

🔑 Dom. Pierre Taupenot, rue du Chevrotin, 21190 Saint-Romain, tél. 03.80.21.24.37, fax 03.80.21.68.42 ☑ Y t.l.j. 9h-12h 14h-20h; dim. sur r.-v.; f. 10 au 20 août

DOM. TAUPENOT-MERME 1997★★

□ n.c. 8 000 ▮ 30 à 49 F

Petit ? N'en croyez rien. Pour en faire un kir ? Surtout pas. Le nez invite à poursuivre, tant il est de verdure. Léger perlant, préservant sa fraîcheur. L'acidité bien à sa place. Une complexité stupéfiante pour un aligoté, à mettre toutes ses croyances par terre et à ranger son catéchisme. Une blanquette de lapin lui ira à ravir.

🔑 Jean Taupenot-Merme, 33, rte des Grands-Crus, 21220 Morey-Saint-Denis, tél. 03.80.34.35.24, fax 03.80.51.83.41 ☑ Y r.-v.

DOM. THEVENOT-LE BRUN ET FILS
Perles d'or 1997★

□ 4 ha 11 000 ▮🌡 30 à 49 F

Une curiosité, car c'est un vin perlant (un huitième de la pression d'un crémant), tirant sur lies et une spécialité Thévenot de Marey-lès-Fussey. La rondeur, le moelleux l'emportent sur la nervosité ou l'agressivité. Sans doute n'est-ce pas la typicité du cépage, mais cette expérience mérite d'être signalée et les connaisseurs trouveront de quoi parler à table.

🔑 Dom. Thévenot-Le Brun et Fils, 21700 Marey-lès-Fussey, tél. 03.80.62.91.64, fax 03.80.62.99.81 ☑ Y r.-v.

VENOT 1997★

□ 3 ha 5 000 ▮🌡 20 à 29 F

La bouche suit le nez, dans la fleur et le fruit. Bouton d'or, d'un jaune appuyé, un 97 expressif et floral, puis tendre, chaleureux, onctueux. L'aligoté revu et corrigé façon Côte chalonnaise quand elle se sent l'âme chardonnante. L'une des dernières étiquettes parcheminées.

🔑 GAEC Venot, La Corvée, 71390 Moroges, tél. 03.85.47.90.20 ☑ Y r.-v.

DOM. VERRET 1998★★

□ 12,3 ha 110 000 ▮ 30 à 49 F

Vin bien travaillé, séduisant. Sa robe est claire, son nez frais et fruité avec un petit quelque chose de complexe rare dans l'aligoté. Du corps, bien parfumé et vif.

🔑 Dom. Verret, 7, rte de Champs, B.P. 4, 89530 Saint-Bris-le-Vineux, tél. 03.86.53.31.81, fax 03.86.53.89.61, e-mail bruno.verret@wanadoo.fr ☑ Y r.-v.

VEUVE HENRI MORONI 1997★

□ 2 ha 10 000 ▮🌡 30 à 49 F

Encore sur le raisin avec quelques évocations de fleur blanche et un soupçon de champignon de Paris, ce vin est jaune très pâle. Honnête et

franc, il semble né pour le casse-croûte. Ferme sous sa vivacité, il n'est pas sans arguments.
⊶ Veuve Henri Moroni, 1, rue de l'Abreuvoir, 21190 Puligny-Montrachet, tél. 03.80.21.30.48, fax 03.80.21.33.08, e-mail veuve.moroni@wanadoo.fr M Y r.-v.

DOM. DES VIGNES BLANCHES 1997*

□ 0,35 ha 2 000 ▮ 30 à 49 F

Les Maranges savent faire un bon aligoté. Ou alors, qui s'y risquerait ? Celui-ci est bon enfant, très minéral et dans son terroir, d'une teinte assez soutenue et d'un nez réservé. Un 97 intéressant, et vous pouvez lui faire une petite place dans votre cave.
⊶ Dom. Les Vignes Blanches, Le Bourg, 71150 Paris-l'Hôpital, tél. 03.85.91.14.56, fax 03.85.91.14.56 M Y r.-v.
⊶ Léger

DOM. DES VIGNES DES DEMOISELLES 1997

□ 0,5 ha 2 400 ▮ 🌡 30 à 49 F

Ces demoiselles ont un parfum léger, chèvrefeuille et beurre frais, et une robe jaune clair à reflets dorés de premier bal. Fluide et plaisant, sans trop s'abandonner, ce vin s'achève sur une pointe d'amertume de bon caractère.
⊶ SCEA du dom. Gabriel Demangeot et Fils, chem. de Berfey, 21340 Changé, tél. 03.85.91.11.10, fax 03.85.91.16.83 M Y r.-v.

CH. DE VILLERS LA FAYE 1997

□ 2,5 ha 10 000 ▮ 20 à 29 F

Vous rappelez-vous le film de Jacques Rivette racontant la vie de Jeanne d'Arc avec Sandrine Bonnaire ? Eh bien ! Une partie a été tournée ici. Cette bouteille est intense, fraîche et droite, très typée, mais à aérer un peu pour la laisser s'exprimer tout à fait.
⊶ Valot Père et Fils, SCEA ch. de Villers la Faye, rue du Château, 21700 Villers-la-Faye, tél. 03.80.62.91.57, fax 03.80.62.71.32 M Y r.-v.

Bourgogne passetoutgrain

Appellation réservée aux vins rouges et rosés à l'intérieur de l'aire de production du bourgogne grand ordinaire, ou d'une appellation plus restrictive à condition que les vins proviennent de l'assemblage de raisins issus de pinot noir et gamay noir ; le pinot noir doit représenter au minimum le tiers de l'ensemble. Il est courant de constater que les meilleurs vins contiennent des quantités identiques de raisin de chacun des deux cépages, voire davantage de pinot noir.

Les vins rosés sont obligatoirement obtenus par saignée : ce sont donc des rosés œnologiques, par opposition aux « gris » obtenus par pressurage direct de raisins noirs et vinifiés comme des vins blancs. Dans la saignée, le tirage des jus est effectué lorsque le vigneron a obtenu, lors de la macération, la couleur désirée, ce qui peut très bien arriver en plein milieu de la nuit ! La production de passetoutgrain rosé est très faible ; c'est surtout en rouge que cette appellation est connue. Elle est produite essentiellement en Saône-et-Loire (environ les deux tiers), le reste en Côte-d'Or et dans la vallée de l'Yonne. Elle représente entre 65 000 et 75 000 hl, (67 143 hl en 1998). Les vins sont légers et friands, et doivent être consommés jeunes.

DOM. ARCELIN 1997

■ 0,35 ha 2 880 ⬮ 50 à 69 F

Passetoutgrain mâconnais, et le gamay est ici l'enfant du pays. L'attrait d'une robe pourprée : elle se place sous le signe de la jeunesse. Le bouquet porte des nuances animales, mais le bourgeon de cassis n'en est pas absent. Quant à la bouche, elle est dans un décor soyeux et ne manque pas d'élégance.
⊶ Eric Arcelin, Les Touziers, 71960 La Roche-Vineuse, tél. 03.85.36.61.38, fax 03.85.37.75.49, e-mail arcelin@cavesparticulieres.com M Y r.-v.

ANTOINE BARRIER 1997

■ n.c. n.c. ▮ 20 à 29 F

Un peu d'aération lui fait du bien et laisse apparaître quelques notes de fraise. Alcool et acidité font bon ménage. La texture est fine, les tanins enrobés, l'ensemble agréable et équilibré. Bon produit signé par une marque du groupe Schenk (de Villamont, Martenot).
⊶ Caves de L'Echanson, rue du Dr-Barolet, Z.I. Beaune-Vignolles, 21200 Beaune, tél. 03.80.24.70.07, fax 03.80.22.54.31 Y r.-v.

J.C. BOISSET Les Jardins de l'Evêché 1997

■ n.c. n.c. ▮ 20 à 29 F

Coup de cœur l'an dernier, ce négociant-éleveur présente ici un vin léger qui passera bien sur le casse-croûte. Une attaque un peu sévère et une teinte d'évolution naissante.
⊶ SA J.-C. Boisset, 5, quai Dumorey, B.P. 102, 21702 Nuits-Saint-Georges Cedex, tél. 03.80.62.61.61, fax 03.80.62.37.38

JEAN BOUCHARD 1997*

■ 11,5 ha 84 000 ▮ 🌡 30 à 49 F

Bien coloré, le nez ouvert, il représente fidèlement son appellation. L'entrée en bouche est explicite, la suite plus épicée que fruitée, avec assez d'ampleur et d'équilibre pour donner un bon sentiment général. Et quelques tanins pour soutenir le plaisir.
⊶ Jean Bouchard, B.P. 47, 21202 Beaune Cedex, tél. 03.80.24.37.27, fax 03.80.24.37.38

REYANE ET PASCAL BOULEY 1997

■ 1 ha 2 000 ▮ ◍ ♁ 30 à 49 F

Gamay-pinot à cinquante-cinquante, et c'est en effet donnant-donnant. Plus technique que passionné, un vin carmin sombre et qui présente un nez discret en première approche, puis rose et violette. Rond et commode, il reste dans sa partition.

⊶ Reyane et Pascal Bouley, pl. de l'Eglise, 21190 Volnay, tél. 03.80.21.61.69, fax 03.80.21.66.44 ☒ Y r.-v.

CH. DE CHAMILLY 1996★

■ 1,74 ha 8 000 ▮ 20 à 29 F

Attaque vive sur tanins verts, mais ce vin déjà ancien (96) sait défendre sa cause. C'est un très bon passetoutgrain, d'un beau rouge, fraise et cassis, aimable à boire mais qui réserve aussi des espoirs. Fait partie de ceux qu'on estime.

⊶ Véronique et Louis Desfontaine, Le Château, 71510 Chamilly, tél. 03.85.87.22.24, fax 03.85.91.23.91 ☒ Y r.-v.

MICHEL CHAMPION 1997★

■ 0,64 ha 5 000 ▮ 20 à 29 F

Fin et délicat, rouge sombre, évoquant la mûre puis l'animal, il est de longueur moyenne mais il tient bien la route : bonne structure tannique, du fruit, suffisamment d'acidité et de persistance. A conseiller pour une consommation précoce. Le millésime 88 fut coup de cœur dans le Guide 1991.

⊶ Michel Champion, Cercot, 71390 Moroges, tél. 03.85.47.90.94 ☒ Y t.l.j. 8h-12h 14h-19h

PIERRE CHANAU 1997★

■ n.c. n.c. ▮ ◍ ♁ 20 à 29 F

« Pierre Chanau mis en bouteille par Philippe d'Argenval » lit-on sur l'étiquette. En fait, il s'agit d'une marque d'Antonin Rodet. S'il faut attendre le fondu (ce devrait être fait dans un an au plus), on profite déjà du bouquet fleuri (rose, pivoine) de ce passetoutgrain, de son gras, de son élégance. Sur des tanins denses et serrés, la matière est significative. Encore très jeune.

⊶ Pierre Chanau, 71640 Mercurey, tél. 03.85.98.12.12, fax 03.85.45.25.49

RENE CHARACHE-BERGERET 1997★

■ 0,89 ha 5 000 ▮ 30 à 49 F

Un passetoutgrain comme on aime les fréquenter. Sans doute vous prend-il par le bras et est-il de mœurs familières. Mais l'appellation veut cela et on n'est pas au *Jockey Club*. Rubis à reflets « coucher de soleil », le bouquet composite (cuir, fumée, fruits noirs), il fait actuellement ses gammes mais va plaire dès la sortie du Guide et pendant un à deux ans.

⊶ René Charache-Bergeret, 21200 Bouze-lès-Beaune, tél. 03.80.26.00.86, fax 03.80.26.00.86 ☒ Y r.-v.

MAURICE CHENU 1998★

■ n.c. 30 000 ▮ ♁ 30 à 49 F

Présenté par la maison Chenu, c'est-à-dire l'Alsacien Tresch devenu maître ici, un passetoutgrain brillant, genre moelleux, aromatiquement jeune, à l'enveloppe colorée. Fraîcheur et finesse : il va s'affirmer et le mieux serait de l'attendre un peu.

⊶ Bourgognes Chenu-Tresch SA, chem. de la Pierre-qui-Vire, 21200 Montagny-lès-Beaune, tél. 03.80.26.37.37, fax 03.80.23.14.81

JEROME CHEZEAUX 1997★★

■ 1 ha 4 000 ▮ ◍ ♁ 20 à 29 F

Le passetoutgrain doit garder cette bonhomie qui le rend si agréable. Car la simplicité, c'est tout un art ! Ce 97 possède cette franchise, cette plénitude. Bien en chair, il porte un joli rouge vif et net. Ses arômes sont classiques (la fraise, puis des accents animaux). On n'en a pas goûté de meilleur lors de notre dégustation beaunoise.

⊶ Jérôme Chézeaux, rte de Nuits-Saint-Georges, 21700 Premeaux-Prissey, tél. 03.80.61.29.79, fax 03.80.62.37.72 ☒ Y r.-v.

RAOUL CLERGET 1998★

■ n.c. 30 000 ▮ ♁ 20 à 29 F

Chassagne, Santenay, c'est en Côte de Beaune que l'on mitonnait jadis le passetoutgrain et à merveille. Celui-ci n'en est guère éloigné et il offre une typicité excellente. Une attaque bien pleine, une riche structure tannique, le fruit mûr et un petit geste animal en finale sous le couvert d'un rubis intense et d'un arôme de cassis élégant et complexe.

⊶ Bourgognes Raoul Clerget, chem. de la Pierre-qui-Vire, 21200 Montagny-lès-Beaune, tél. 03.80.26.37.37, fax 03.80.24.14.81

BERNARD ET ODILE CROS 1997★

■ 1 ha 5 000 30 à 49 F

Ce passetoutgrain à tendance animale est destiné à un lapin en sauce. Cuir et épices, il a tout du bon sujet, assez tannique, franc, avec la fraîcheur robuste du gamay et le velouté du pinot. Typé 100 % dans la nuance de la Côte chalonnaise et capable de garde.

⊶ Bernard et Odile Cros, Cercot, Cidex 1259, 71390 Moroges, tél. 03.85.47.92.52, fax 03.85.47.92.52 ☒ Y r.-v.

FICHET 1998

■ 1,5 ha 11 000 ▮ ♁ 30 à 49 F

Il se dessine bien, ce 98 goûté dans la fleur de l'âge, rouge brillant à bords mauves, le nez encore fermé, tendre et émoustillé sur la langue. Sa rondeur et sa netteté sont ses atouts.

⊶ Dom. Francis Fichet et Fils, Le Martoret, 71960 Igé, tél. 03.85.33.30.46, fax 03.85.33.44.45 ☒ Y r.-v.

DOM. GACHOT-MONOT 1997

■ 0,85 ha n.c. ▮ ♁ 30 à 49 F

Proche de Nuits-Saint-Georges, l'église de Gerland vient de voir revivre ses merveilleuses fresques anciennes. On comprend pourquoi les saints du paradis ont choisi ce village pour leur séjour terrestre. Très gamay, le passetoutgrain y possède un goût de terroir et un entrain qui réconcilient avec les joies de ce monde. De bonne tenue en effet, quoique léger et à arrondir un peu.

⊶ Dom. Gachot-Monot, 13, rue Humbert-de-Gillens, 21700 Gerland, tél. 03.80.62.50.95, fax 03.80.62.53.85 ☒ Y r.-v.

DOM. GUEUGNON-REMOND 1998*

■ 0,5 ha 2 000 ▮🌡 30 à 49 F

Un vin bien conduit du nez à tout ce qui s'ensuit, laissant la bouche pleine, solide certes mais avec le fruit nécessaire. Le gamay est bien présent et, poli, astique ses tanins.

🔑 Dom. Gueugnon-Remond, chem. de la Cave, 71850 Charnay-lès-Mâcon, tél. 03.85.29.23.88, fax 03.85.20.20.72 ☑ Y r.-v.

MICHEL ISAIE 1997

■ n.c. 4 000 ▮⬮🌡 30 à 49 F

D'un noir d'encre, il conserve au nez des notes de vendanges où se mêlent des baies sauvages. Son approche ensuite est quelque peu sauvage et le gamay (66 %) ne s'en laisse pas conter par son compère le pinot. Une vinification d'extraction, comme on dit de nos jours.

🔑 Michel Isaïe, chem. de l'Ouche, 71640 Saint-Jean-de-Vaux, tél. 03.85.45.23.32, fax 03.85.45.29.38 ☑ Y r.-v.

DOM. REMI JOBARD 1997

■ 1 ha 3 000 ▮🌡 20 à 29 F

Le pinot le rend suave, tendre et rond. Sous une robe claire et légère, un 97 aux arômes confidentiels, qui s'exprime surtout par la finesse et auquel la vivacité permet de rester typé. De bonne composition et à servir courant 2000.

🔑 Rémi Jobard, 12, rue Sudot, 21190 Meursault, tél. 03.80.21.20.23, fax 03.80.21.67.69 ☑ Y r.-v.

DOM. DE LA CHAPELLE 1997

■ 4 ha 3 000 ▮ 20 à 29 F

Bouteille d'intensité moyenne, rubis à dégradé sur les franges, le nez esquissant des idées aériennes, entre acacia et framboise. On plane sur la cerise à l'eau-de-vie comme en ULM puis on survole une matière souple, facile à parcourir dans un environnement gamay qui redresse le dos. Coup de cœur (88) dans notre édition 1991.

🔑 Dom. de La Chapelle, Eguilly, 71490 Couches, tél. 03.85.45.54.76, fax 03.85.45.56.51 ☑ Y r.-v.

🔑 Bouthenet

DOM. DE LA FEUILLARDE 1998*

■ 0,6 ha 4 500 ▮🌡 30 à 49 F

Un style acidulé, vif, gouailleur sous une robe grenat framboisé. La souplesse et la finesse comme atouts majeurs. « Demi-corps » où pinot et gamay paraissent jouer à armes égales sur une tonalité coulante, et où rien ne dérange.

🔑 Lucien Thomas, Dom. de La Feuillarde, 71960 Prissé, tél. 03.85.34.54.45, fax 03.85.34.31.50 ☑ Y t.l.j. 8h-12h 13h-19h

LES CHAMPS DE L'ABBAYE 1997**

■ n.c. 1 300 ▮⬮ 30 à 49 F

Ni vigneron ni Bourguignon, il a choisi de vivre sa passion et, en 1997, il a entraîné son épouse et leurs quatre enfants dans l'aventure de la vigne. Pour un coup d'essai, c'est un coup de maître : ce vin bourgeon de cassis, puissant mais sans dureté, offre le charme d'une présence expressive. Il pourra même se garder un peu.

🔑 Alain Hasard, Les Champs de l'Abbaye, 71510 Saint-Sernin-du-Plain, tél. 03.85.45.59.32 ☑ Y r.-v.

DOM. CHANTAL LESCURE 1997

■ 0,59 ha 1 300 ▮🌡 30 à 49 F

Cor de chasse sur l'étiquette, cocotte-minute en arrière-plan (la dynastie Lescure, la Super-Cocotte SEB), ce vin fait corps avec son fruit. Franchise et finesse, physionomie agréable et probablement durable.

🔑 Dom. Chantal Lescure, 34 A, rue Thurot, 21700 Nuits-Saint-Georges, tél. 03.80.61.16.79, fax 03.80.61.36.64, e-mail domaine.lescure@ipac.fr ☑ Y r.-v.

JEAN ET GENO MUSSO 1997

■ 2,09 ha 17 000 ⬮ 20 à 29 F

Il a de la vigueur et de la vivacité. De couleur grenat, il montre un petit bout de nez fruité. Domaine conduit en agriculture biologique.

🔑 Jean et Geno Musso, 71490 Dracy-lès-Couches, tél. 03.85.58.97.62, fax 03.85.58.97.62 ☑ Y r.-v.

MARIE-LOUISE PARISOT 1997

■ n.c. n.c. ▮ 30 à 49 F

Un vin qui présente une certaine originalité : de légers signes d'évolution sur la robe, un nez typé pinot et une bouche ronde, aromatique, aux tanins bien mariés. Cette maison a été reprise par les frères Cottin.

🔑 Marie-Louise Parisot, rue Lavoisier, 21700 Nuits-Saint-Georges, tél. 03.80.62.64.11, fax 03.80.62.64.12 Y r.-v.

MICHEL PICARD 1997

■ n.c. n.c. ▮ 30 à 49 F

Toutes les cordes de sa lyre s'inspirent de la cerise, chantent le kirsch. Léger tuilé sur l'arrondi de la robe. L'évolution se manifeste également lors des coups de nez, mais le vin a de la rondeur et du volume, des qualités, et il peut bénéficier d'un certain potentiel de garde.

🔑 Michel Picard, rte de Saint-Loup-de-la-Salle, 71150 Chagny, tél. 03.85.87.51.00, fax 03.85.87.51.11

GROUPEMENT DES PRODUCTEURS DE PRISSE 1998

■ n.c. 30 000 ⬮ 20 à 29 F

Restauré récemment après un incendie, le Pavillon de la Solitude qui orne l'étiquette était le refuge de Lamartine écrivant au château de Monceau son *Histoire des Girondins*. Cette bouteille n'a sans doute pas le souffle de la grande épopée, mais elle est fruitée, simple et nette, rustique en un mot.

🔑 Groupement des Producteurs de Prissé-Sologny-Verzé, 71960 Prissé, tél. 03.85.37.82.53, fax 03.85.37.61.76 Y r.-v.

FRANCOIS RAPET ET FILS 1997*

■ 1,75 ha 2 000 ▮ 30 à 49 F

Sérieux, bien bâti, fondé sur une bonne matière première, un vin suggérant à la fois la violette (à l'œil) et la pivoine (au nez). On aime

cette personnalité vivante, même si ce 97 ne se livre pas encore tout à fait. Cela viendra.
🔑 EARL François Rapet et Fils, La Perrière, 21190 Saint-Romain, tél. 03.80.21.22.08, fax 03.80.21.60.19 ☑ 🍷 t.l.j. 9h30-12h 14h-18h

DOM. ROBERT SIRUGUE 1997*

■ 2,3 ha 16 000 🍾🌡 20 à 29 F

Grenat intense, riche en arômes, un 97 dont la finesse et la longueur préservent le plaisir fruité d'un vin jeune. Un rien de verdeur en finale. Son grand frère, le 91, avait décroché le coup de cœur dans le Guide 1995.
🔑 Robert Sirugue, 3, av. du Monument, 21700 Vosne-Romanée, tél. 03.80.61.00.64, fax 03.80.61.27.57 ☑ 🍷 r.-v.

DIDIER TRIPOZ 1998

■ 1 ha 8 000 🍾 30 à 49 F

Un mouvement décomposé : l'attaque est souple, puis une montée en puissance, un passage acidulé sur le fruit rouge et enfin une finale assez vive. A laisser s'affiner, car il en a les capacités.
🔑 Didier Tripoz, 450, chem. des Tournons, 71850 Charnay-lès-Mâcon, tél. 03.85.34.14.52, fax 03.85.34.14.52 ☑ 🍷 r.-v.

DOM. JEAN-PIERRE TRUCHETET 1997

■ 0,63 ha 5 000 🍾 20 à 29 F

L'œil n'est pas ici traité en parent pauvre : que de feux dans les reflets de sa robe ! Léger réduit puis irruption du fruit (cassis). Attaque brillante, suivie d'une arrière-bouche plus tendre. Un certain caractère. Un conseil : carafez donc cette bouteille.
🔑 Jean-Pierre Truchetet, RN 74, 21700 Premeaux-Prissey, tél. 03.80.61.07.22, fax 03.80.61.34.35 ☑ 🍷 t.l.j. sf dim. 8h-12h 14h-20h

VENOT 1998

■ 3 ha 3 000 🍾 20 à 29 F

La bouteille d'un peintre. Plus fauve qu'impressionniste, ce rouge violacé pourrait orner la cimaise d'un musée. Nez de gamay, une bonne et honnête structure, des tanins un peu jeunes ; la suite n'a rien qui puisse surprendre.
🔑 GAEC Venot, La Corvée, 71390 Moroges, tél. 03.85.47.90.20 ☑ 🍷 r.-v.

DOM. DES VIGNES DES DEMOISELLES 1997

■ 0,4 ha 2 400 🍾🌡 30 à 49 F

Bouche vive, dominée par le gamay, légère et fraîche, délicatement parfumée par le fruit. Soutien tannique de bon aloi. Alcool plutôt présent et bouquet de fruits rouges (fraise des bois) immédiatement libéré.
🔑 SCEA du dom. Gabriel Demangeot et Fils, chem. de Berfey, 21340 Changé, tél. 03.85.91.11.10, fax 03.85.91.16.83 ☑ 🍷 r.-v.

Bourgogne irancy

Ce petit vignoble situé à une quinzaine de kilomètres au sud d'Auxerre a vu sa notoriété confirmée en 1977 par l'adjonction officielle du nom d'Irancy à l'appellation bourgogne. Cet usage est déjà ancien, car une décision judiciaire des années trente précisait que le nom de la commune devait être associé obligatoirement à l'appellation bourgogne.

Les vins d'Irancy ont acquis une réputation en rouge, grâce au césar ou romain, cépage local datant peut-être du temps des Gaules. Ce dernier, assez capricieux, est capable du pire et du meilleur ; lorsqu'il a une production faible à normale, il imprime un caractère particulier au vin et, surtout, lui apporte un tanin permettant une très longue conservation. Au contraire, lorsqu'il produit trop, le césar donne difficilement des vins de qualité ; c'est la raison pour laquelle il n'a pas fait l'objet d'une obligation dans les cuvées.

Le cépage pinot noir, qui est le principal cépage de l'appellation, donne sur les coteaux d'Irancy un vin de qualité, très fruité, coloré. Les caractéristiques du terroir sont surtout liées à la situation topographique du vignoble, qui occupe essentiellement les pentes formant une cuvette au creux de laquelle se trouve le village. Le terroir débordait d'ailleurs sur les deux communes voisines de Vincelotte et de Cravant, où les vins de la Côte de Palotte étaient particulièrement réputés. La production a été de 6 351 hl en 1997.

CAVES BIENVENU 1997

■ 10 ha 50 000 🍾🛢🌡 50 à 69 F

Il y a d'autres plaisirs dans la vie, mais celui-ci ne manque pas d'attraits. Grenat clair, il n'est pas dépourvu de nez, nuance groseille-framboise, puis il se développe en fonction de ses tanins encore jeunes, de façon relativement étendue. On peut l'attendre un peu car le fondu reste à parfaire.
🔑 EARL Caves Serge Bienvenu, rue Soufflot, 89290 Irancy, tél. 03.86.42.22.51, fax 03.86.42.37.12 ☑ 🍷 r.-v.

DOM. FELIX 1996

■ 2,18 ha 13 500 🍾🛢🌡 50 à 69 F

Pour des œufs en meurette à l'irancy, ce pinot noir 100 % qui abrite derrière un beau rouge rubis quelques notes de myrtille et d'épices. Un 96 encore carré, qui a besoin de vieillir un peu.

☛ Dom. Félix, 17, rue de Paris, 89530 Saint-Bris-le-Vineux, tél. 03.86.53.33.87, fax 03.86.53.61.64, e-mail felix@caves-particulieres.com ☑ ☰ t.l.j. sf dim. 9h-11h30 14h-18h30
☛ Hervé Félix

ROBERT MESLIN 1997★

■　　　3,5 ha　15 000　☷⦀　30 à 49 F

Irancy vient d'obtenir l'AOC communale et les collectionneurs d'étiquettes doivent se précipiter sur celles qui vont disparaître. D'autant qu'il sera toujours intéressant de proposer ce bourgogne équilibré et issu de pinot noir, aux arômes de feuilles de cassis et qui franchit le palais d'un pas décidé. Pas mal de charpente, une pointe tannique mais un parcours brillant. Coup de cœur dans le Guide 1997 pour son 93.
☛ Robert Meslin, 35, rue Soufflot, 89290 Irancy, tél. 03.86.42.31.43, fax 03.86.42.51.28 ☑ ☰ r.-v.

DOM. SAINT-GERMAIN
Côte de Paradis 1997★★

■　　　0,8 ha　4 280　⦀　50 à 69 F

Etudiant, Christophe Ferrari vient ici faire les vendanges. Il est séduit et, diplôme en poche, ne choisit pas l'administration mais la viticulture ! Il s'installe en 1987, et gouverne aujourd'hui 9,30 ha de vignes ! Mûre et poivre, on est dans le bouquet caractéristique de l'irancy. La bouche offre beaucoup de rondeur et d'aménité sur un élégant et léger fond tannique. Pinot noir à 100 %. Coup de cœur dans le Guide 1994 pour son 90. Rendez-vous au 7 mai de l'an 2000 pour fêter l'appellation communale nouvelle, millésime 98.
☛ Christophe Ferrari, 7, chem. des Fossés, 89290 Irancy, tél. 03.86.42.33.43, fax 03.86.42.39.30 ☑ ☰ r.-v.

DOM. SAINT-PRIX 1997

■　　　1 ha　5 000　☷⦀⚬　30 à 49 F

Quelques gouttes de césar, nous dit-on, dans un ensemble pinot noir. Il ne faudrait pas laisser disparaître ce cépage qui a fait le renom de l'irancy. Grenat intense et profond, ce 97 s'ouvre délicatement sur la groseille et se comporte en bouche avec chaleur et vaillance. De la matière : il est bâti pour la garde.
☛ Dom. Bersan et Fils, 20, rue de l'Eglise, 89530 Saint-Bris-le-Vineux, tél. 03.86.53.33.73, fax 03.86.53.38.45 ☑ ☰ r.-v.

DOM. VERRET 1996

■　　　9,2 ha　35 000　⦀⦀　30 à 49 F

Trois générations travaillent ensemble sur ce domaine d'une cinquantaine d'hectares. 5 % de césar entrent dans ce bourgogne irancy à la robe brillante, au nez ouvert de fruits rouges et d'épices. La bouche est souple malgré la présence du fût perceptible jusqu'en finale.
☛ Dom. Verret, 7, rte de Champs, B.P. 4, 89530 Saint-Bris-le-Vineux, tél. 03.86.53.31.81, fax 03.86.53.89.61, e-mail bruno.verret@wanadoo.fr ☑ ☰ r.-v.

BOURGOGNE

Bourgogne hautes-côtes de nuits

Dans le langage courant et sur les étiquettes, on utilise le plus fréquemment « bourgogne hautes-côtes de nuits » pour les vins rouges, rosés et blancs produits sur seize communes de l'arrière-pays, ainsi que sur les parties de communes situées au-dessus des appellations communales et des crus de la Côte de Nuits. Ces vignobles produisent, bon an, mal an, de 15 à 25 000 hl de vin, (28 041 hl en 1998, dont 5 818 hl en blanc). Cette production a augmenté de manière importante depuis 1970, date avant laquelle le vignoble se limitait à la production de vins plus régionaux, bourgogne aligoté essentiellement. Le vignoble s'est reconverti à ce moment-là et des terrains, plantés avant le phylloxéra, ont été reconquis.

Les coteaux les mieux exposés donnent certaines années des vins qui peuvent rivaliser avec des parcelles de la Côte ; les résultats sont d'ailleurs souvent meilleurs en blanc, et il est bien dommage que les plantations ne se soient pas faites davantage avec le chardonnay qui, sans nul doute, réussirait mieux, le plus souvent. A l'effort de reconstitution du vignoble a été associé un effort touristique qu'il faut souligner, avec en particulier la construction d'une maison des Hautes-Côtes où sont exposées les productions locales que l'on peut déguster avec la cuisine régionale.

BERTRAND AMBROISE 1997★★

☐　　　n.c.　1 200　70 à 99 F

Coup de cœur pour son œil jaune légèrement doré, ses arômes démonstratifs (pain grillé notamment) et sa bouche aux accents de pamplemousse et de kiwi. Son attaque a du brio. Déjà très plaisant, ce vin a de la réserve. Il donnera le meilleur de lui-même sur un poisson grillé.

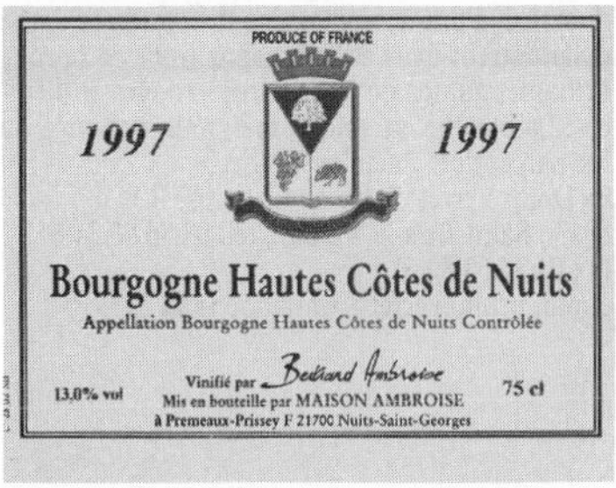

➤ Maison Bertrand Ambroise, rue de l'Eglise, 21700 Premeaux-Prissey, tél. 03.80.62.30.19, fax 03.80.62.38.69, e-mail info@ambroise.com Ⅴ ⵏ r.-v.

ARTHUR BAROLET 1996

| ■ | n.c. | 30 000 | ▤ ♦ | 50 à 69 F |

Rouge brique, il a besoin d'agitation dans le verre pour se révéler, entre la fraise et l'animal. En bouche, il communique, mais doucement. Et il monte en puissance, de façon assez persuasive. A boire maintenant. Il s'agit d'une marque du groupe Schenk (de Villamont, Martenot).
➤ Arthur Barolet, rue du Dr-Barolet, Z.I. de Beaune-Vignoles, 21200 Beaune, tél. 03.80.24.70.07, fax 03.80.22.54.31, e-mail hdv@planetb.fr ⵏ r.-v.

BOISSEAUX-ESTIVANT
Trois Ouvrées 1997★

| ■ | n.c. | n.c. | | 70 à 99 F |

Plus de fruit que de fond : un vin cerise limpide, dont les arômes ne se font pas prier. Style rond et gouleyant, léger. Il est conseillé de le boire ainsi en profitant de sa jeunesse.
➤ Boisseaux-Estivant, Clos Saint-Nicolas, 38, fg Saint-Nicolas, 21200 Beaune, tél. 03.80.22.00.05, fax 03.80.24.19.73 Ⅴ ⵏ r.-v.

JEAN-CLAUDE BOUHEY ET FILS
1996★

| ■ | 8,5 ha | 7 000 | ▮◫♦ | 30 à 49 F |

« Un bon petit gars », écrit un dégustateur ! Il commence bien et finit bien, sous sa robe intense de 96. Discrète ouverture de framboise, une légère sécheresse due au fût, de la présence. Bref, il est d'un naturel aimable. En **Dames Huguettes rouge, même millésime**, on trouve du gras, davantage de parfum sur des notes identiques au précédent et une certaine originalité qui retient l'attention. Même note.
➤ Jean-Claude Bouhey et Fils, rte de Magny, 21700 Villers-la-Faye, tél. 03.80.62.92.62, fax 03.80.62.74.07 Ⅴ ⵏ r.-v.

JEAN BROCARD-GRIVOT 1996★

| ■ | 3,2 ha | 3 340 | ▮◫ | 30 à 49 F |

Sur la « colline inspirée » de Vergy naît ce pinot brillant, un peu fermé encore mais dont la palette en bouche est large, agréable, avec un rien

d'astringence et ce qu'il faut de mâche. Sa charpente est solide. Bien dans le ton de l'appellation.
➤ Jean Brocard-Grivot, rue Basse, 21220 Reulle-Vergy, tél. 03.80.61.42.14, fax 03.80.61.42.14 Ⅴ ⵏ r.-v.

LOUIS CHAVY 1997

| ■ | n.c. | 40 000 | ▤ | 50 à 69 F |

Etre ou ne pas être ? Chaque vin affronte cette question. Ce pinot noir grenat limpide y répond par un fruit noir légèrement épicé, puis s'explique en bouche. Un peu vert mais pas astringent, un peu chaud et court mais nullement désagréable, il est typé et, au fond, il éclaircit le sujet.
➤ Louis Chavy, Caveau la Vierge romaine, pl. des Marronniers, 21190 Puligny-Montrachet, tél. 03.80.26.33.09, fax 03.80.24.14.84 Ⅴ ⵏ t.l.j. 10h-18h; f. nov. à mars

DOM. CORNU 1997

| ☐ | 0,51 ha | n.c. | ▤ | 30 à 49 F |

Une pointe citronnée met en verve ce chardonnay qui offre un abord miellé. Sa persistance est assez longue. Sa fin de bouche est tout à fait plaisante avec des notes de figue sèche, d'amande. Robe légère et nez encore un peu vert. Le mieux est de patienter deux ou trois ans.
➤ Dom. Cornu, 21700 Magny-lès-Villers, tél. 03.80.62.92.05, fax 03.80.62.72.22 Ⅴ ⵏ r.-v.

DELAUNAY Les Hauts de Charmont 1996★

| ■ | n.c. | n.c. | ◫▮ | 50 à 69 F |

A L'Etang-Vergy, le château de Charmont est la demeure de la famille Delaunay qui a cédé naguère sa maison à J.-Cl. Boisset. D'où ces Hauts de Charmont d'un beau rouge cerise, au nez de fruit frais et joliment retroussé, complet en bouche, souple et de soif, avec de la réserve en fin de bouche. « Il a le mérite de nous faire rêver », note un dégustateur sur sa fiche.
➤ Edouard Delaunay et ses Fils, 5, rue du Moulin, 21700 Nuits-Saint-Georges, tél. 03.80.62.61.46, fax 03.80.62.61.60

DAVID DUBAND 1997★

| ■ | 6 ha | 3 000 | ◫▮ | 50 à 69 F |

Un viticulteur à Chevannes ! Qui l'aurait prédit il y a trente ans ? Eh bien ! oui, et il fait du bon vin. « Belle réussite », « vin sympa », « de l'ambition », laissons parler nos dégustateurs qui donnent un grand coup de chapeau à cette bouteille excellemment vinifiée sur du raisin bien mûr, complète en un mot. Ce qu'on déniche dans le Guide.
➤ David Duband, 21220 Chevannes, tél. 03.80.61.41.16, fax 03.80.61.49.20 Ⅴ ⵏ r.-v.

R. DUBOIS ET FILS 1997

| ■ | 1,2 ha | 4 600 | ▮◫♦ | 30 à 49 F |

Avec l'arrivée de la quatrième génération, il faudra ici remplacer la célèbre « Cuvée du grand-père » par celle de l'arrière-grand-père ». Quant à ce 97, il est grenat net, d'une intensité aromatique suffisante (fruits à l'alcool et nuances herbacées). La chaleur l'emporte sur une structure légère mais intéressante.

⊶ R. Dubois et Fils, rte de Nuits-Saint-Georges, 21700 Premeaux-Prissey, tél. 03.80.62.30.61, fax 03.80.61.24.07 ☒ Y t.l.j. 8h-11h30 14h-18h30; sam. dim. sur r.-v.
◆⊶ Régis Dubois

DOM. YVAN DUFOULEUR
Les Dames Huguette 1996*

■ 1 ha 3 600 🛢 50 à 69 F

Pourpre brillant, assez porté par le fût, il dispose toutefois d'une bonne assise. De l'étoffe et du corps, un support tannique, une certaine sauvagerie, il provient d'un des *climats* les plus réputés, situé sur les hauteurs de Nuits-Saint-Georges.
⊶ Dom. Yvan Dufouleur, 18, rue Thurot, 21700 Nuits-Saint-Georges, tél. 03.80.62.31.00, fax 03.80.62.31.00 ☒ Y t.l.j. 9h-19h

FORGEOT PERE ET FILS 1997

■ n.c. n.c. 🍾🛢🌡 50 à 69 F

Bouchard Père et Fils sous un autre nom, pour un hautes-côtes 97 carminé et au bouquet mi-fleur mi-fruit. Verdeur sans doute, accompagnée d'un certain équilibre sur un mode léger. L'assiette de charcuteries lui ira très bien.
⊶ Grands Vins Forgeot, 15, rue du Château, 21200 Beaune, tél. 03.80.24.80.50 ☒

DOM. MARCEL ET BERNARD FRIBOURG 1996*

■ 10 ha 8 500 🛢 30 à 49 F

Ce domaine, régulier dans la qualité, décroche toujours une étoile ou deux. Couleur bigarreau, le 96 est un beau vin, bien dans son appellation. Son acidité et sa mâche sont normales à cet âge et il devrait évoluer en enveloppant de gras sa structure très correcte.
⊶ Dom. Marcel et Bernard Fribourg, rue de la Cure, 21700 Villers-la-Faye, tél. 03.80.62.91.74, fax 03.80.62.71.17 ☒ Y r.-v.

EMMANUEL GIBOULOT 1997

■ 0,5 ha 2 400 🛢 50 à 69 F

Ce 97 joue le fruit à l'alcool, le pruneau, dans un contexte boisé. Les tanins dominent encore le discours, ce qui explique une certaine amertume. Rustique mais net, c'est un vin à attendre au moins deux ou trois ans.
⊶ Emmanuel Giboulot, Combertault, 21200 Beaune, tél. 03.80.26.52.85, fax 03.80.26.53.67 ☒ Y r.-v.

PHILIPPE GONET 1997

□ 14 ha 6 000 🛢 30 à 49 F

Reconstitué naguère par l'équipe Eisenchteter-Dupon, le vignoble de Bévy subsiste de nos jours sous d'autres formes. Ici, une bouteille d'un petit or brillant, fleurant bon la cannelle et la pêche blanche, un peu minérale. Elle ne manque pas de distinction sous des abords assez vifs.
⊶ Philippe Gonet, 21220 Bévy, tél. 03.80.61.44.87, fax 03.80.61.48.70 ☒ Y r.-v.

DOM. A.-F. GROS 1997*

■ 3,22 ha n.c. 🍾🛢 50 à 69 F

Un 97 qui peut dormir sur ses deux oreilles, bravo ! Mais déjà mature, second bravo ! La robe laisse deviner la finesse d'un nez bien composé sur le cassis et la mûre. Souple et persistant, le corps a de la race. Il est bien né. Et d'une belle longueur. De garde sous ses airs primeur, il mène rondement son affaire. Filet de bœuf plutôt que hamburger !
⊶ Dom. A.-F. Gros, La Garelle, 21630 Pommard, tél. 03.80.22.61.85, fax 03.80.24.03.16 ☒ Y r.-v.
◆⊶ Anne-Françoise Parent

BLANCHE ET HENRI GROS 1997**

■ n.c. 3 800 🛢 50 à 69 F

Chambœuf est le village qu'on découvre juste après la combe de Lavaux, en montant de Gevrey. Ce couple de viticulteurs signe sympathiquement à deux, Blanche et Henri, un vin qui tire sur le kirsch, la cerise à l'eau-de-vie, dans une harmonie parfaite. Puissance et finesse. Il mérite un petit gibier et ces truffes qu'on produit justement à Chambœuf. « Au-dessus de sa condition », note un dégustateur. Ne nous plaignons pas !
⊶ Henri Gros, 21220 Chambœuf, tél. 03.80.51.81.20, fax 03.80.49.71.75 ☒ Y r.-v.

MICHEL GROS 1997*

□ 1,3 ha 7 000 🍾🛢🌡 50 à 69 F

Fils de Jean Gros, Michel a créé le cinquième domaine Gros à Vosne-Romanée. Retour aux sources en quelque sorte puisque le premier membre de la famille établi ici venait de Chaux dans les Hautes-Côtes. Deux fois coup de cœur (millésimes 90 et 96), ce viticulteur signe un chardonnay d'une bonne intensité et qui tire sur le pamplemousse, la vanille. Equilibré et long, ce 97 montre de l'élégance.
⊶ Michel Gros, 7, rue des Communes, 21700 Vosne-Romanée, tél. 03.80.61.04.69, fax 03.80.61.22.29 ☒ Y r.-v.

DOM. DOMINIQUE GUYON 1997*

■ 21,8 ha 60 000 50 à 69 F

Dominique Guyon a su replanter le vaste coteau ensoleillé de Meuilley, dans le val de Vergy, tout au début de la renaissance des Hautes-Côtes. Son 97 se présente sous des traits encore jeunes, nuance framboise, avec un nez bien bourguignon (lisez : fin et fruité). La bouche est friande et croquante. Vinification en foudre.
⊶ Dom. Dominique Guyon, 21420 Savigny-lès-Beaune, tél. 03.80.67.13.24, fax 03.80.66.85.87, e-mail webmaster@guyon-bourgogne.com ☒ Y r.-v.

LES CAVES DES HAUTES-COTES
Tête de cuvée Fût de chêne 1996*

■ n.c. n.c. 🛢 30 à 49 F

Voici « La Tête de cuvée » produite par la coopérative. D'un beau rouge sombre, elle tourne autour du fruit tout en faisant l'hommage d'une pointe mentholée. La suite est ronde, de bonne compagnie, sur quelques tanins poivrés. Typicité incontestable, même si l'approche de l'appellation est originale. Disons que ce vin possède sa personnalité.
⊶ Les Caves des Hautes-Côtes, rte de Pommard, 21200 Beaune, tél. 03.80.25.01.00, fax 03.80.22.87.05 ☒ Y t.l.j. sf dim. 9h-12h 14h-18h

JEAN LECELLIER 1997★★

■	2 ha	1 200	Ⅷ	100 à 149 F

Celui-ci joue dans la cour des grands. Somptueusement paré, couleur myrtille, il tire le maximum de profit du fruit mûr ou de la cerise. Ample et onctueux, il se montre plein de charme. Mais attention, il évolue et, s'il est de toute évidence supérieur à la plupart, il faut saisir le bonheur quand il survient. N'attendez pas.

☛ Jean Lecellier, rte de Beaune, 21700 Comblanchien, tél. 03.80.62.94.11, fax 03.80.62.95.20 ⵌ r.-v.

JEAN-PHILIPPE MARCHAND 1997★

■	n.c.	n.c.	ⅧⅢ	30 à 49 F

Il a du sang chaud dans les veines, celui-ci. Le nez n'explose pas mais la cerise s'exprime quand même. Intérieur équilibré, avec une bonne acidité, dans un contexte de cerise noire et d'épices. Petite note tannique en finale. Ne laisse certainement pas indifférent, d'autant qu'un 95 a eu le coup de cœur dans le Guide 1998. Accompagnera terrine ou viande grillée.

☛ Maison Jean-Philippe Marchand, 4, rue Souvert, 21220 Gevrey-Chambertin, tél. 03.80.34.33.60, fax 03.80.34.12.77, e-mail marchand@axnet.fr ☑ ⵌ r.-v.

DOM. DE MONTMAIN
Les Genevrières 1996★★

■	6 ha	n.c.	ⅧⅢ	70 à 99 F

Bernard Hudelot ressemble à ces pionniers à l'esprit créatif. Il cherche sans cesse. Et il trouve ! Il nous livre ici un pinot noir impressionnant. Rubis très foncé, boisée certes mais d'une trame très serrée (gras, tanins, longueur), cette bouteille a tout d'une grande. Attendre est indispensable pour un résultat probablement exceptionnel. Ce 96 est destiné à un grand gibier.

☛ Dom. de Montmain, 21700 Villars-Fontaine, tél. 03.80.62.31.94, fax 03.80.61.02.31, e-mail bernardhudelot@wanadoo.fr ☑ ⵌ t.l.j. 8h30-12h 13h30-19h; sam. dim. sur r.-v.

☛ Bernard Hudelot

DOM. OLIVIER-GARD 1997

□	0,25 ha	1 850	ⅧⅢ	30 à 49 F

Concœur-et-Corboin est un hameau des Hautes-Côtes faisant aujourd'hui partie de la commune de Nuits-Saint-Georges. Les petits fruits y sont à l'honneur, mais aussi la vigne qui y reprend ses droits. Juste ce qu'il faut de robe, un nez d'aubépine et de citron vert, puis un caractère vif et nerveux. Ce vin est à déguster jeune pour sa fraîcheur.

☛ Dom. Olivier-Gard, Concœur-et-Corboin, 21700 Nuits-Saint-Georges, tél. 03.80.61.00.43, fax 03.80.61.38.45 ☑ ⵌ r.-v.

☛ Manuel Olivier

PAULANDS 1997★

□	n.c.	n.c.	ⅧⅢ	50 à 69 F

Terrine de canard ? Poisson en sauce ? Tout cela est concevable pour escorter ce chardonnay ni trop moelleux ni trop acide, à la fois souple et gras. Jaune très clair, il a des reflets cristallins. Citron vert et fleur d'aubépine sur fond de vanille.

☛ Caves des Paulands, RN 74, B.P. 12, Aloxe-Corton, 21550 Ladoix-Serrigny, tél. 03.80.26.41.05, fax 03.80.26.47.56, e-mail paulands@wanadoo.fr ☑ ⵌ t.l.j. 8h-12h 14h-18h

DOM. DENIS PHILIBERT 1997★

□	n.c.	20 000	ⅧⅢ	50 à 69 F

Or pâle à reflets argentés, il répartit habilement ses arômes : pêche, abricot, amande amère. Attaque franche, bouche un peu réservée, mais son acidité le porte en avant. Excellent travail, avec un retour d'agrumes de bonne venue. Très rafraîchissant aujourd'hui et peut-être à garder... un peu. Le 94 reçut le coup de cœur sur notre édition 1997.

☛ Maison Denis Philibert, 1, rue Ziem, 21200 Beaune, tél. 03.80.24.05.88, fax 03.80.22.37.08 ☑ ⵌ t.l.j. 9h-19h

PAUL REITZ 1997

■	n.c.	10 000	▮ⅧⅢ	50 à 69 F

Un vin qui ne fait pas de manières. Sans chichi. Pour la soif présente. Pas trop d'alcool, un fruit encore jeune, tirant sur le champignon, évoquant un peu la groseille ou le bourgeon de cassis, il joue sa partition sans se soucier de ce qu'on en dit. C'est en réalité l'appellation dans son millésime.

☛ SA Paul Reitz, 120-122, Grande-Rue, 21700 Corgoloin, tél. 03.80.62.98.24, fax 03.80.62.96.83, e-mail reitz.paul@laposte.fr ☑

HENRI ET GILLES REMORIQUET 1997★★

■	2 ha	10 000	ⅧⅢ	50 à 69 F

Ce vin demande encore à se fondre, mais le fruit est si joli qu'il vaut le déplacement. Il peut même aller jusqu'au fromage tant sa structure et sa maturité, sa concentration, sa complexité même complètent avec bonheur un bouquet assez sauvage, presque confit, ainsi qu'une robe sombre et profonde. Coup de cœur dans le Guide 1998 pour le millésime 95.

☛ Henri et Gilles Remoriquet, 25, rue de Charmois, 21700 Nuits-Saint-Georges, tél. 03.80.61.24.84, fax 03.80.61.36.63, e-mail domaine.remoriquet@wanadoo.fr ☑ ⵌ r.-v.

GUY SIMON ET FILS 1997

□	0,5 ha	3 000	ⅧⅢ	30 à 49 F

Comme un Cadet de Bourgogne, il a l'œil vif, mais le portrait visuel s'arrête là. Voyez cet or pâle d'un chardonnay bien élevé. Bouquet floral à l'étreinte puissante. On retrouve au palais la fleur blanche sur une attaque heureuse et une persistance moyenne. Très bon vin d'apéritif.

☛ Guy Simon et Fils, 21700 Marey-lès-Fussey, tél. 03.80.62.91.85, fax 03.80.62.71.82 ☑ ⵌ r.-v.

DOM. THEVENOT-LE BRUN ET FILS
Clos du Vignon 1997★

□	1,15 ha	6 800	▮Ⅷ⑥	50 à 69 F

40 % de fût, 60 % de cuve, ce vin laisse parler le bois mais aussi le cru. Il a du caractère dans sa robe jaune, claire et vive. Les agrumes et la

vanille se répondent. Bien typé par son terroir, il est bien agréable. Le **village blanc 97** est cité. Quant aux **Renardes rouge 97**, également citées, elles font dire à l'un de nos jurés : « Du bon boulot ! » Rustique certes, mais un bourgogne des Hautes-Côtes peut répondre à ce critère. L'acidité est assez basse, et il faudra le boire dans les deux ans qui viennent.

☛ Dom. Thévenot-Le Brun et Fils, 21700 Marey-lès-Fussey, tél. 03.80.62.91.64, fax 03.80.62.99.81 ☑ ⵜ r.-v.

DOM. THOMAS-MOILLARD 1997

| ■ | 6,5 ha | 30 000 | ⫴ | 50 à 69 F |

Domaine créé sur Concœur-et-Corboin ainsi que sur Villars-Fontaine. Cerise foncé à reflets brique, ce 97 n'y va pas par quatre chemins. On dirait une histoire à la Vincenot, avec son parfum animal, ses odeurs de confiture et de cuir, de pruneau. Charnu, capiteux, généreux, mais en cours d'évolution et donc à prendre plutôt qu'à laisser... pour plus tard.

☛ Dom. Thomas-Moillard, chem. rural n° 29, 21700 Nuits-Saint-Georges, tél. 03.80.62.42.00, fax 03.80.61.28.13 ☑ ⵜ r.-v.

DOM. ALAIN VERDET
Vieilles vignes 1996✶✶

| ■ | 6 ha | 8 000 | ⫴ | 70 à 99 F |

Agrobiologiste, Alain Verdet renoue avec les coups de cœur (déjà dans le Guide 1987 pour un 85 rouge). Et de belle manière car deux vins ont reçu un coup de cœur : les **96 en blanc** et en rouge. Le pinot noir en vieilles vignes est d'une typicité remarquable : le fruit rouge domine toute la dégustation. Le léger boisé ne nuit pas à sa sincérité. Il a tout pour plaire et peut se garder quelques années. Quant au **blanc**, il fut classé n° 2 des 31 blancs goûtés le 23 mars 1999. Il ne lui manque rien et il se montrera digne d'un foie gras, d'un grand poisson ou sera délicieux seul, à l'apéritif.

☛ Alain Verdet, rue des Berthières, 21700 Arcenant, tél. 03.80.61.08.10, fax 03.80.61.08.10 ☑ ⵜ r.-v.

CH. DE VILLERS-LA-FAYE 1996

| ■ | 6 ha | 10 000 | ⫴ | 30 à 49 F |

Serge Valot a reçu en 1989 son brevet de noblesse quand il est devenu, la même année, vigneron des hospices de Beaune. Il est vrai qu'ici on pige au pied, comme dans l'ancien temps. Rubis dense, un pinot noir plus élégant que puis-

sant, à nuances végétales dues à ses tanins, classique, et que l'âge équilibrera sans doute.

☛ SCEA Ch. de Villers-la-Faye, rue du Château, 21700 Villers-la-Faye, tél. 03.80.62.91.57, fax 03.80.62.71.32 ☑ ⵜ r.-v.

☛ Valot Père et Fils

Bourgogne hautes-côtes de beaune

Située sur une aire géographique plus étendue (une vingtaine de communes, et débordant sur le nord de la Saône-et-Loire), la production des vins d'appellation bourgogne hautes-côtes de beaune représente un volume supérieur à celui des hautes-côtes de nuits, 35 431 hl, dont 6 863 en blanc. Les situations sont plus hétérogènes et des surfaces importantes sont encore occupées par les cépages aligoté et gamay.

La coopérative des Hautes-Côtes, qui a fait ses débuts à Orches, hameau de Baubigny, est maintenant installée au « Guidon » de Pommard, à l'intersection des D 973 et RN 74, au sud de Beaune. Elle vinifie un volume important de bourgogne hautes-côtes de beaune. De même que plus au nord, le vignoble s'est essentiellement développé depuis les années 1970-1975.

Le paysage est plus pittoresque que dans les Hautes-Côtes de Nuits, et de nombreux sites doivent faire l'objet d'une visite, comme Orches, La Rochepot et son château, et Nolay, petit village bourguignon. Il faut enfin ajouter que les Hautes-Côtes, qui autrefois étaient le siège d'exploitations de polyculture, sont restées des régions productrices de petits fruits destinés à alimenter les liquoristes de Nuits-Saint-Georges et Dijon, et qu'on y rencontre encore, sous différents états, des cassis, framboises ou liqueurs et eaux-de-vie de ces fruits, d'excellente qualité. L'eau-de-vie de poire des Monts-de-Côte-d'Or, bénéficiant d'une appellation simple, trouve également ici son origine.

DOM. ALEXANDRE PERE ET FILS 1997★

■ 0,5 ha 3 000 ▮🌡 30 à 49 F

Un vin d'auteur, original. Rubis à reflets bleutés, un peu balsamique, tannique sans excès d'astringence, riche en arômes secondaires, il n'a pas atteint sa pleine maturité. Mais il s'apprête à franchir le Rubicon.

🔑 Dom. Alexandre Père et Fils, pl. de la Mairie, 71150 Remigny, tél. 03.85.87.22.61, fax 03.85.87.22.61 ☑ 🍷 r.-v.

JEAN-NOEL BAZIN 1997

■ 2,5 ha n.c. ▮🛢 30 à 49 F

Ferme à l'attaque puis très souple par la suite, un vin qui n'a pas encore dit son dernier mot car il doit s'ouvrir davantage. D'un rouge assez profond, il rappelle le marc de raisin, l'humus et le sous-bois. Ce viticulteur reçut le coup de cœur dans le Guide 1996 pour ce même vin en blanc 93.

🔑 Jean-Noël Bazin, rte de Saint-Aubin, 21340 La Rochepot, tél. 03.80.21.75.49, fax 03.80.21.83.71 ☑ 🍷 r.-v.

LYCEE VITICOLE DE BEAUNE 1997★

□ 0,83 ha 7 300 ▮🌡 30 à 49 F

Le prix d'excellence dans le Guide 1998 (millésime 95), c'est-à-dire le coup de cœur. Version 97, cela manque un peu de couleur. Nez composite, entre l'herbacé (rhubarbe, oseille) et le floral (aubépine). Vif et agréable en bouche. Typicité réussie.

🔑 Lycée viticole de Beaune, 16, av. Charles-Jaffelin, 21200 Beaune, tél. 03.80.26.35.81, fax 03.80.22.76.69 ☑ 🍷 t.l.j. sf dim. 8h-11h30 14h-17h; sam. 8h-11h30

DOM. BILLARD La Justice 1997★

□ 1 ha 3 500 🛢 30 à 49 F

La Justice, le nom du lieu-dit. Soit, elle est bien rendue. L'œil n'ira pas en appel tant il flamboie. Le nez affirme son innocence. L'avocat est boisé. Sentence ainsi prononcée : vif et fruité, bien constitué, il est reconnu conforme à son appellation et condamné à être débouché présentement sur viande blanche et fromage. Le **rouge 97** du domaine, élevé douze mois en fût, est un vin au bon caractère, au bouquet finement floral et vanillé, au corps aimable. Il obtient la même note.

🔑 Dom. Billard et Fils, rte de Beaune, 21340 La Rochepot, tél. 03.80.21.71.84, fax 03.80.21.72.17 ☑ 🍷 r.-v.

DOM. JEAN-MARC BOULEY 1996★★

□ 0,5 ha 3 500 🛢 30 à 49 F

Un cas. Riche, gras, complexe, il sent la vendange tardive tout au long de la dégustation, le raisin surmûri. Mais 96 le permettait. C'est bon et d'une personnalité intéressante. Or parfait. Bouquet de fougère, de fleur. Ce vigneron fut Grappe d'Or du Guide en 1994.

🔑 Dom. Jean-Marc Bouley, chem. de la Cave, 21190 Volnay, tél. 03.80.21.62.33, fax 03.80.21.64.78 ☑ 🍷 r.-v.

DOM. J.-FRANCOIS BOUTHENET Au Paradis 1997★

■ 2 ha n.c. 🛢 30 à 49 F

Au Paradis ! Cette adresse lui convient bien car ce viticulteur des Maranges donne des ailes d'ange à son pinot. Sous une auréole florale et vanillée, rehaussé par la framboise, un vin déjà épanoui, expressif et délicat. Comme son fruit emplit la bouche, mieux vaut prendre la grâce quand elle passe.

🔑 Jean-François Bouthenet, Mercey, 71150 Cheilly-lès-Maranges, tél. 03.85.91.14.29, fax 03.85.91.18.24 ☑ 🍷 r.-v.

DENIS CARRE Tête de Cuvée 1997★★

■ n.c. n.c. 🛢 30 à 49 F

Signé par notre coup de cœur 1991 (millésime 88 en rouge), un vin bien meilleur que beaucoup de *villages*. Rubis cerise, il ne perd pas son temps en détails inutiles. Framboise, groseille jusqu'au fond du nez, il impose ses qualités d'ampleur et de concentration. Vraiment pinot, de bonne garde certainement. Pour une cuisine fine, comme un canard à l'orange.

🔑 Denis Carré, rue du Puits-Bouret, 21190 Meloisey, tél. 03.80.26.02.21, fax 03.80.26.04.64 ☑ 🍷 r.-v.

DOM. CHEVROT 1997★

■ 3,5 ha 12 000 30 à 49 F

L'animal sort des fourrés dès le premier appel du nez. Pivoine, cuir. Très jeune, la bouche s'exprime de façon parfaitement nette. Beau volume, persistance aromatique, tout cela tourne rond et a une âme de pinot. Le **blanc 97** reçoit la même note ; ses senteurs fines de fleurs et fougère, ses arômes de bouche tout en fleur de vigne, son équilibre, son excellente typicité ont séduit nos dégustateurs. N'hésitez pas à l'accompagner de crustacés.

🔑 Catherine et Fernand Chevrot, Dom. Chevrot, 71150 Cheilly-lès-Maranges, tél. 03.85.91.10.55, fax 03.85.91.13.24 ☑ 🍷 t.l.j. 9h-12h 13h30-18h; dim. 9h-12h

CLAUDE CHONION 1997

□ n.c. n.c. ▮🌡 30 à 49 F

L'étiquette des frères Cottin ressemble à un vieux titre d'emprunt russe ! Le capital ? Un jaune citron brillant, un complexe d'acacia et de vanille. En bouche, on souscrit. Une acidité conservatrice protège le titre et assure son avenir à moyen terme.

🔑 Claude Chonion, rue Lavoisier, 21700 Nuits-Saint-Georges, tél. 03.80.62.64.00, fax 03.80.62.64.10 🍷 r.-v.

PIERRE CORNU-CAMUS 1997★

■ 4,47 ha 3 200 🛢 30 à 49 F

Le cassis est une spécialité des Hautes-Côtes. Son bourgeon est très recherché par les parfumeurs de Grasse. Dès lors, on comprend pourquoi ce vin possède cet arôme si prenant. Chair et charpente témoignent d'une vinification attentive. Petit côté tannique à fondre : ce 97 peut attendre trois ou quatre ans sa terrine de gibier.

🔑 Pierre Cornu-Camus, 2, rue Varlot, 21420 Echevronne, tél. 03.80.21.57.23, fax 03.80.26.11.94 r.-v.

REGIS DUBOIS ET FILS
Les Monts Battois 1997*

□ 0,8 ha 5 000 30 à 49 F

Raphaël Dubois est au chai avec Béatrice, œnologue. Ce domaine familial compte 22 ha en production aujourd'hui. Douze mois de fût n'ont pas « abîmé » le vin. Bien sûr, on trouve des notes épicées mais ce boisé est léger, respectant le fruit, l'équilibre et la finesse de la matière première.

🔑 R. Dubois et Fils, rte de Nuits-Saint-Georges, 21700 Premeaux-Prissey, tél. 03.80.62.30.61, fax 03.80.61.24.07 t.l.j. 8h-11h30 14h-18h30; sam. dim. sur r.-v.

DOM. CHRISTINE ET JEAN-MARC DURAND 1997**

■ 2 ha n.c. 30 à 49 F

Ils savent faire, ces deux-là. Ils ont récolté un coup de cœur dans le Guide 1995 pour leur 92. Là encore, ils sont dans l'échappée du peloton. Maillot grenat foncé, épices et cuir pour maintenir l'allure, une attaque efficace et des tanins pour le grand prix de la montagne. Cela dit, bien et même très bien. A attendre deux ans.

🔑 Jean-Marc Durand, rue de l'Eglise, 21200 Bouze-lès-Beaune, tél. 03.80.22.75.31, fax 03.80.26.02.57 r.-v.

MARC FOUQUERAND ET FILS 1997

□ 1 ha 3 000 30 à 49 F

Un paysage « à sauts et à gambades » comme eût dit Montaigne. Par monts et par vaux. Forcément, cela incite à la vivacité, à un peu de dureté. N'allons pas nous en plaindre, c'est ce qu'il faut. Jolie robe et nez ouvert (agrumes), un vin qui est de sortie !

🔑 GAEC Marc Fouquerand Père et Fils, 21340 La Rochepot, tél. 03.80.21.72.80, fax 03.80.21.74.69 r.-v.

GILBERT ET PHILIPPE GERMAIN 1997*

■ 2,5 ha 2 000 30 à 49 F

Philippe Germain a rejoint le domaine familial en 1995. Il propose ici un vin au bouquet de pruneau cuit, confituré, à la robe rouge foncé à reflets violets. Le fin boisé demande du temps pour s'exprimer tout à fait ; néanmoins, il nage déjà dans une heureuse plénitude et sa charpente lui vaudra trois ou quatre années de belle vie !

🔑 Philippe Germain, rue du Vignoble, 21190 Nantoux, tél. 03.80.26.05.63, fax 03.80.26.05.12 r.-v.

HERVE GIRARD 1996***

■ 0,5 ha 2 000 30 à 49 F

Un géant, nous dit-on. Une robe qu'on pourrait enfiler un soir de bal chez les Grands Crus. Un bouquet empli de fraise et de cassis. Une bouche à se mettre à genoux, veloutée, réglissée. Ce n'est plus un vin, c'est un amphithéâtre. Tout y est, le terroir et la garde. En restera-t-il quand vous vous présenterez au portillon ? Sans doute peu. Mais si ce vigneron est capable de ça, il doit être de confiance. Arrivé second au grand jury.

🔑 Hervé Girard, rte de Saint-Sernin, 71150 Paris-l'Hôpital, tél. 03.85.91.11.56, fax 03.85.91.16.22 r.-v.

LES CAVES DES HAUTES-COTES
Tête de Cuvée 1996*

■ n.c. n.c. 30 à 49 F

On ne sait ce que représente cette édition dite « Tête de Cuvée » mais elle est plutôt réussie. Ni moelleux ni spartiate, d'une bonne présence immédiate, ce vin ne manque pas de mâche et cache un peu son fruit. Mais il y a là-dessous de la cerise à l'eau-de-vie. Cette bouteille n'a pas dit son dernier mot. Fut coup de cœur dans le Guide 1992 pour un 88.

🔑 Les Caves des Hautes-Côtes, rte de Pommard, 21200 Beaune, tél. 03.80.25.01.00, fax 03.80.22.87.05 t.l.j. sf dim. 9h-12h 14h-18h

HOSPICES DE DIJON
Chenovre Ermitage 1997*

□ 10,12 ha 70 000 70 à 99 F

Les Hospices de Dijon ? Oui, la capitale de la Bourgogne entend tenir tête à la capitale du bourgogne. Domaine créé par le CHRU de Dijon, dont 14 ha en cette appellation, gérés par Patriarche-Boisseaux. Ce blanc est fort bien constitué, minéral et floral, avec un brin de mie de pain. Une jolie bouteille jaune pâle limpide mais à un prix déraisonnable.

🔑 Hospices de Dijon, 5, rue du Collège, 21200 Beaune, tél. 03.80.24.53.01, fax 03.80.24.53.03 r.-v.

HUBERT JACOB-MAUCLAIR 1996

■ 5 ha 14 000 30 à 49 F

Bouteille fruitée, marquée par la verdeur de ses tanins. Vermillon, la robe est de toute beauté. Le nez tourne autour du cassis et de senteurs mûres. En revanche, il est clair que l'acidité porte la bouche où l'on retrouve une certaine présence du fruit. Il mérite d'être cité - ce qui, et de loin, n'est pas le cas de tous puisque cent quatorze vins ont été présentés dans cette AOC.

🔑 Hubert Jacob-Mauclair, 56, Grande-Rue, Changey, 21420 Echevronne, tél. 03.80.21.57.07, fax 03.80.21.57.07 r.-v.

JEAN-LUC JOILLOT 1997

□ 0,3 ha 2 400 30 à 49 F

Paille limpide, très ouvert, boisé et franc, un vin équilibré, élevé pour un tiers en fût neuf, avec bâtonnage. De longueur moyenne, il parvient facilement à convaincre de ses bonnes intentions futures. Il a deux à trois ans pour en apporter la démonstration.

🔑 Jean-Luc Joillot, rue de la Métairie, 21630 Pommard, tél. 03.80.22.47.60, fax 03.80.24.67.54 r.-v.

GILLES LABRY 1996*

■ 1,2 ha 5 000 30 à 49 F

Aux abords du château de La Rochepot, on ne peut qu'attaquer en fanfare. De fait, ce pinot à la robe profonde présente un nez très parfumé avec des notes animales et des senteurs de cannelle ; la bouche est fondue en même temps que concentrée. On lui trouve des notes de framboise et de fraise qui durent jusqu'en finale. Un joli vin classique.

🔑 Gilles Labry, Sous L'Orme, 21340 La Rochepot, tél. 03.80.21.76.38, fax 03.80.21.76.38 ☑ 🍷 r.-v.

DOM. ANDRE ET BERNARD LABRY 1997

■ 3,5 ha 20 000 🍾 🛢 50 à 69 F

Un beau rubis brillant. Epices, fleurs et cassis au nez. Beaucoup de grâce et de moelleux en bouche autour de tanins encore fermes. Sera prêt dans deux ans.

🔑 Dom. André et Bernard Labry, Melin, 21190 Auxey-Duresses, tél. 03.80.21.21.60, fax 03.80.21.64.15 ☑ 🍷 t.l.j. 9h-19h; sam. dim. sur r.-v.

DOM. DE LA CONFRERIE 1997*

■ 5,4 ha 3 600 🍾 🌡 30 à 49 F

« Il est joliment bien fait ! », s'exclame un dégustateur. Les fruits rouges et noirs dominent tout le parcours, accompagnés de fraîcheur, de franchise et de droiture. Ne pas l'attendre plus d'un an ou deux.

🔑 J. Pauchard et Fils, Dom. de la Confrérie, rue Perraudin, 21340 Cirey-lès-Nolay, tél. 03.80.21.89.23, fax 03.80.21.70.27 ☑ 🍷 r.-v.

LA JOLIVODE 1997***

■ 2,2 ha 12 500 🛢 30 à 49 F

Le bouquet du feu d'artifice. Coup de cœur n° 1 après redégustation par le grand jury. Ce domaine n'est pas un débutant ; il l'a déjà obtenu pour son 85. *Bis repetita...* nous plaisent. Ce vin doit encore se révéler, mais il est si bien structuré, de l'approche au contentement final, si charnu, si richement parfumé (fruits et fleurs ainsi qu'épices données par un fût bien mené), si long qu'on le trouve, en un mot, admirable.

🔑 Christian Menaut, 21190 Nantoux, tél. 03.80.26.01.53, fax 03.80.26.01.53 ☑ 🍷 r.-v.

MARINOT-VERDUN 1997

□ n.c. 6 000 🍾 🌡 30 à 49 F

Agréable et typé dans son appellation, il est beau et ouvert sur la fleur, le citron. Il réclame le poisson. Peu de vigueur mais franc et laissant à la bouche un certain plaisir. A boire, sans chercher ailleurs des raisons qui n'existent pas.

🔑 Marinot-Verdun, Cave de Mazenay, 71510 Saint-Sernin-du-Plain, tél. 03.85.49.67.19, fax 03.85.45.57.21 ☑ 🍷 t.l.j. sf dim. 8h-12h 13h30-18h

MENAUT-LARCHER 1997*

■ 1,25 ha 7 200 🍾 🛢 🌡 30 à 49 F

Jolie cuvée, même si le vin n'a pas encore marié tous ses accords. La robe est rouge pourpre ; le nez évoque la framboise, le bonbon anglais, nous dit-on. Le corps existe et laisse au fruit une belle marge de manœuvre. Sur la réserve, mais bien typé 97.

🔑 Menaut-Larcher, 21190 Nantoux, tél. 03.80.26.02.84 ☑ 🍷 r.-v.

MORIN PERE ET FILS 1997

■ n.c. n.c. 🛢 50 à 69 F

Il a de l'espoir. Rouge cerise (griotte), équilibré sur des tanins fins avec de la longueur, il joue sur l'année suivante. Cela peut se comprendre et témoigne d'une foi certaine en son élevage. Fait partie de la famille des maisons Boisset, mais dans ses propres caves (fort belles) séparées par le Meuzin, la petite rivière qui traverse Nuits. Rive gauche, et à Nuits comme à Paris on est sensible à ces choses-là.

🔑 Morin Père et Fils, 9, quai Fleury, 21700 Nuits-Saint-Georges, tél. 03.80.62.61.42, fax 03.80.62.37.38 ☑ 🍷 r.-v.

DOM. HENRI NAUDIN-FERRAND 1997*

□ 1,5 ha 12 858 🍾 🛢 🌡 30 à 49 F

Magny-lès-Villers a un pied sur chacune des deux Hautes-Côtes. Son **rouge 96** est cité. Ce blanc 97, boisé, ménage ses effets. D'abord citron-or, puis amande et acacia, il se montre assez gras, d'une bonne longueur. Il est à attendre un peu parce qu'il « reste sur le dos du fût ». Ce domaine fut coup de cœur dans le Guide 1992 pour son 89 blanc.

🔑 Dom. Henri Naudin-Ferrand, rue du Meix-Grenot, 21700 Magny-lès-Villers, tél. 03.80.62.91.50, fax 03.80.62.91.77 ☑ 🍷 t.l.j. 8h-12h 14h-18h30; dim. sur r.-v.

NICOLAS PERE ET FILS 1997

■ 9 ha 7 000 🛢 30 à 49 F

Eraflage total de la récolte, élevage quinze mois en fût, voici un vin à la robe rubis à reflets bleutés d'une grande jeunesse. Une petite note animale en premier nez, cuir, épices et enfin un fruit net. Charnue, pleine, la bouche possède de bons tanins, déjà souples.

🔑 EARL Nicolas Père et Fils, 21340 Cirey-lès-Nolay, tél. 03.80.21.82.92, fax 03.80.21.82.92 ☑ 🍷 t.l.j. 8h-12h30 13h30-19h

DOM. CLAUDE NOUVEAU 1996*

■ 3 ha 20 000 🍾 🌡 30 à 49 F

Un vignoble de 13 ha dirigé depuis 1972 par Mireille et Claude Nouveau. Leur 96 ? « Ce sera bon », prédit un dégustateur. Il est un tantinet dans sa période austère, mais sa robe est d'un superbe velours qui signe une extraction réussie. La bouche est tout aussi bien dessinée ; le fruit

perce juste un instant (cassis) avant que les tanins du raisin ne le jugulent. A attendre deux ans.
⊶ EARL Dom. Claude Nouveau, Marchezeuil, 21340 Change, tél. 03.85.91.13.34, fax 03.85.91.10.39 ☑ 🍷 r.-v.

DOM. PARIGOT PERE ET FILS
Vieilles vignes 1997★★

■ 2 ha 10 000 🛢 50 à 69 F

Coup de cœur dans le Guide 1996 pour son 93 blanc, dans le Guide 1992 déjà pour son 89 blanc, ce domaine est remarquable pour sa continuité dans la qualité, et à suivre les yeux fermés. Fermés ? Ce serait dommage compte tenu de la jolie robe grenat soutenu. Fruit frais et animal, en bouche, une texture d'anthologie, c'est du bonheur en bouteille. L'aristo des Hautes-Côtes.
⊶ Dom. Parigot Père et Fils, rte de Pommard, 21190 Meloisey, tél. 03.80.26.01.70, fax 03.80.26.04.32 ☑ 🍷 r.-v.

CH. PHILIPPE-LE-HARDI
Clos de La Chaise Dieu 1997

□ 12 ha 74 000 ▮ 🛢 🌡 30 à 49 F

Un vin un peu exotique, retour des croisades. Limpide clair à reflets, faisant dans l'aubépine et le minéral, il est emporté par sa vivacité mais reste convenable. Les fruits de mer se rappelleront que jadis la Bourgogne ducale rejoignait l'Océan.
⊶ Ch. de Santenay, B.P. 18, 21590 Santenay, tél. 03.80.20.61.87, fax 03.80.20.63.66 ☑ 🍷 r.-v.

MICHEL PICARD 1997★★

■ n.c. n.c. ▮ 30 à 49 F

Aux abords du coup de cœur, ce vin donne une sensation de plénitude. Dense et structuré, charpenté et charnu, ce n'est pas un quatuor mais un orchestre philharmonique. Noir à reflets pourpres, il décline des notes végétales tout en laissant l'alcool la bride sur le cou. Très beau au demeurant et à réserver pour un lapin chasseur.
⊶ Michel Picard, rte de Saint-Loup-de-la-Salle, 71150 Chagny, tél. 03.85.87.51.00, fax 03.85.87.51.11

LUCIEN RATEAU 1997★

■ 0,5 ha 2 000 🛢 30 à 49 F

Lucien Rateau a reconverti une ancienne halle de village pour y installer son exploitation. Il propose un vin très abordable. Son excellente structure, ses parfums de réglisse et de mûre en font le produit classique, basique, d'une cave diversifiée en bourgognes. Ses tanins sont encore jeunes : le mieux serait de lui laisser le temps de les amadouer.
⊶ Lucien Rateau, 21340 La Rochepot, tél. 03.80.21.80.64 🍷 r.-v.

DOM. THEVENOT LE BRUN ET FILS 1997★

■ 1,8 ha 6 600 ▮ 🛢 🌡 30 à 49 F

La robe parle de jeunesse tout comme l'ensemble des étapes de la dégustation. On trouve un fruit bien offert au nez (cassis) et une réelle générosité en bouche autour d'un volume apprécié dès le premier contact. Ensuite, les tanins viennent verrouiller le plaisir. Il faudra deux ou trois années de cave pour les amadouer et laisser le terroir parler.
⊶ Dom. Thévenot-Le Brun et Fils, 21700 Marey-lès-Fussey, tél. 03.80.62.91.64, fax 03.80.62.99.81 ☑ 🍷 r.-v.

THOMAS-MOILLARD 1997

□ 0,5 ha 4 200 🛢 50 à 69 F

Nous ne vieillirons pas ensemble, proclamait le titre d'un film naguère. C'est peut-être le cas de ce vin, encore que... Les jugements varient autour de la table. Or et floral, vanillé par le fût, il montre du bon gras et une certaine structure. Le tout est donc complexe et non dépourvu d'intérêt.
⊶ Dom. Thomas-Moillard, chem. rural n° 29, 21700 Nuits-Saint-Georges, tél. 03.80.62.42.00, fax 03.80.61.28.13 ☑ 🍷 r.-v.

DOM. DES VIGNES DES DEMOISELLES 1997

□ 2,01 ha 3 300 ▮ 🌡 30 à 49 F

Une robe légère à reflets brillants. Un parfum qui ne s'oublie pas si vite, aubépine et fruit de la passion. Souple à l'attaque, élégant, ce vin devra s'affiner au fil des mois. « Voir à voir », comme disent les Bourguignons. Quant au **rouge 97, cuvée Amandine Poinsot**, il est bien fait et devra patienter un an ou deux en cave.
⊶ SCEA du dom. Gabriel Demangeot et Fils, chem. de Berfey, 21340 Changé, tél. 03.85.91.11.10, fax 03.85.91.16.83 ☑ 🍷 r.-v.

Crémant de bourgogne

Comme toutes les régions viticoles françaises ou presque, la Bourgogne avait son appellation pour les vins mousseux produits et élaborés sur l'ensemble de son aire géographique. Sans vouloir critiquer cette production, il faut bien reconnaître que la qualité n'était pas très homogène et ne correspondait pas, la plupart du temps, à la réputation de la région, sans doute parce que les mousseux se faisaient à partir de vins trop lourds. Un groupe de travail constitué en 1974 jeta les bases du crémant en lui imposant des conditions de production aussi strictes que celles de la région champenoise et calquées sur celles-ci. Un décret de 1975 consacra officiellement ce projet, auquel se sont ralliés finalement tous les élaborateurs (bon gré mal gré), puisque l'appellation bourgogne mousseux a été supprimée en 1984. Après un départ difficile, cette appellation connaît un bon développement et produit 52 185 hl en 1998.

CAVE D' AZE Blanc de noirs 1997

○　　　　1 ha　　6 000　　30 à 49 F

Pinot noir intégral, d'une effervescence furtive, ou léger à reflets gris, il réserve à la bouche l'essentiel de son ardeur et termine sur une finale élégante. Petit bouquet de fruits blancs, de mie de pain. Discret et distingué.

☛ Cave coop. d'Azé, 71260 Azé, tél. 03.85.33.30.92, fax 03.85.33.37.21 ☑ ⵌ t.l.j. 9h-12h 14h-18h

BRUT D'AZENAY Blanc de blancs★

○　　　　6 ha　　40 000　　30 à 49 F

Tous les grands chefs publient des livres et deviennent viticulteurs. Georges Blanc n'échappe pas à la règle. Son chardonnay adopte un air de fête et s'habille d'un or assez soutenu. Bon terroir, agrumes exotiques et acidité tempèrent une bouche miellée.

☛ Georges Blanc, Dom. d'Azenay, Rizerolles, 71260 Azé, tél. 03.85.33.37.93, fax 03.85.33.37.93, e-mail blanc@relaischateaux.fr ☑ ⵌ r.-v.

LOUIS BOUILLOT★

○　　　　9,5 ha　　86 697　　30 à 49 F

Si l'on élevait une statue à la gloire du crémant de bourgogne, cette bouteille pourrait servir de modèle. Bulle, robe, nez, une présentation soignée pour un corps généreux et qui assemble à la nuitonne pinot noir, gamay et chardonnay. Cela donne une bouche assez puissante. Ancienne maison spécialisée depuis longtemps dans l'effervescence, reprise par J.-Cl. Boisset.

☛ Louis Bouillot, 5, quai Dumorey, 21700 Nuits-Saint-Georges, tél. 03.80.62.61.61, fax 03.80.62.37.38

JEAN-YVES COGNARD 1997★

○　　　　2 ha　　12 000　　30 à 49 F

Crémant très aromatique et d'un fruit élancé. Pas si simple qu'il n'y paraît, il brille de tous ses feux, d'une bulle fine et durable. On l'appréciera davantage à table qu'à l'apéritif, en raison de sa densité. Il vivra encore deux ans sans problème.

☛ Jean-Yves Cognard, Le Clos des Carrières, 71570 Saint-Amour-Bellevue, tél. 03.85.37.19.07, fax 03.85.36.55.88 ☑ ⵌ t.l.j. 9h-20h

ANDRE DELORME Blanc de noirs★★

○　　　　n.c.　　30 000　　30 à 49 F

Quelle belle montgolfière ! Elle ne donne pourtant pas envie de jeter du lest. Sa bulle est fine et si ronde... Nez de vin jeune, citron, pamplemousse. Attaque magnifique et une fraîcheur qui se prolonge délicieusement au palais. On pourra conserver un peu cette bouteille. Notez le **blanc de blancs**, une étoile, ainsi que le **rosé**, fruité comme on l'aime.

☛ Maison André Delorme, 2, rue de la République, Dom. de la Renarde, 71150 Rully, tél. 03.85.87.10.12, fax 03.85.87.04.60 ☑ ⵌ r.-v.

DOM. DENIS PERE ET FILS★

○　　　　0,2 ha　　1 200　　30 à 49 F

Malgré son impatience, on prendra le temps de savourer cette bouteille qui le mérite. Miel, cire, le nez étonne un peu. Sans doute la double influence du cépage et du terroir. On est à Pernand. Cette spécificité conduit à une typicité un peu particulière qui réjouira l'amateur.

☛ Dom. Denis Père et Fils, chem. des Vignes-Blanches, 21420 Pernand-Vergelesses, tél. 03.80.21.50.91, fax 03.80.26.10.32 ☑ ⵌ r.-v.

DOM. DENIZOT★★

○　　　　2,1 ha　　16 200　　🍴 ⵌ 30 à 49 F

Chardonnay, aligoté, pinot, notre coup de cœur est un blanc d'assemblage. Une précision au compte-gouttes, et le miracle s'accomplit ! D'une grande fraîcheur, il exhale des parfums floraux et briochés. Sa vivacité le porte et on ne le changera pas. A boire dans l'année.

☛ Dom. Christian et Bruno Denizot, 71390 Bissey-sous-Cruchaud, tél. 03.85.92.13.34, fax 03.85.92.12.87, e-mail denizot@caves-particulières c.c. ☑ ⵌ t.l.j. 8h-19h; dim. 8h-12h

BERNARD DURY Blanc de noirs 1994★★

○　　　　0,5 ha　　3 000　　30 à 49 F

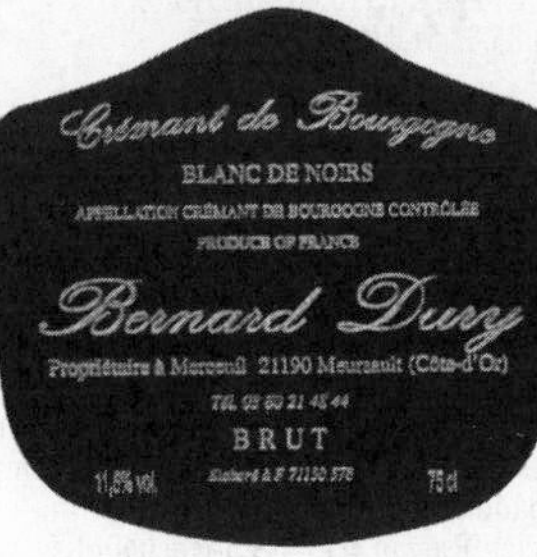

Cela s'arrose. Jamais deux sans trois ? Eh bien ! oui, voici après 1996 et 1990 le troisième coup de cœur de Bernard Dury. Quand on pense, d'ailleurs, que Paul Masson, le père des « champagnes » californiens, était un enfant de ce village de Merceuil... Ce crémant 100 % pinot noir réunit toutes les qualités de l'appellation, assorties d'une réelle complexité et d'un très bon caractère. Notez que le **blanc de blancs 96** reçoit une étoile pour sa finesse et la subtilité de ses arômes.

🔑 Bernard Dury, rue du Château, 21190 Merceuil, tél. 03.80.21.48.44, fax 03.80.21.48.44 ☒ Y r.-v.

DOM. FICHET Cuvée de l'An 2000 1996*

○ 0,4 ha 3 700 ▮🌡 30 à 49 F

Millésimée 96, la cuvée de l'An 2000. Original, ce vin de dessert séduit par sa rondeur citronnée sous le jaune doré qui orne sa robe. Chardonnay à 100 %, une bonne interprétation mâconnaise du sujet à traiter. Coup de cœur (Fichet et Fils) en 1994 pour le millésime 91.

🔑 Dom. Francis Fichet et Fils, Le Martoret, 71960 Igé, tél. 03.85.33.30.46, fax 03.85.33.44.45 ☒ Y r.-v.

LES VIGNERONS DE HAUTE-BOURGOGNE 1997**

○ n.c. 50 000 ▮ 30 à 49 F

Un sacré succès pour les viticulteurs du Châtillonnais qui se sont mis ensemble en coopérative pour valoriser leur produit ! A deux doigts du coup de cœur, classé quatrième par le grand jury, c'est assurément l'un des meilleurs crémants de la dégustation. Ouvert, très aromatique, il présente une vinosité remarquable ainsi qu'une excellente structure. Pinot noir et chardonnay... par un élaborateur hors pair.

🔑 Les Vignerons de Haute-Bourgogne, La Ferme du Bois de Langres, 21400 Prusly-sur-Ource, tél. 03.80.91.07.60, fax 03.80.91.24.76 ☒ Y t.l.j. sf dim. lun. 14h-18h

DOM. DE LA BOFFELINE 1997

○ 1 ha 6 000 ▮ 30 à 49 F

De jeunes vignes (huit ans) ont donné naissance à ce crémant bien typé, or pâle brillant, au nez finement fruité (agrumes), à la bouche équilibrée, fraîche et fruitée elle aussi.

🔑 Frédéric Lenormand, En Fourgeau, 71260 Azé, tél. 03.85.33.33.82, fax 03.85.33.33.82 ☒ Y r.-v.

LA CHABLISIENNE Cuvée brut*

○ 5 ha n.c. ▮🌡 50 à 69 F

La bulle est régulière, aussi ronde que le ballon de l'AJ Auxerre dans ses meilleurs jours à l'Abbé-Deschamps. Attaque vive, bon milieu de terrain, un jeu large et qui donne de belles occasions de marquer le point. Pour la complexité, mérite également son étoile.

🔑 La Chablisienne, 8, bd Pasteur, B.P. 14, 89800 Chablis, tél. 03.86.42.89.89, fax 03.86.42.89.90, e-mail chabl@chablisienne.com ☒ Y t.l.j. 9h-12h 14h-18h

CAVE DE LUGNY*

◑ n.c. n.c. ▮ 30 à 49 F

Un brut rosé présenté par cette cave lauréate du coup de cœur dans le Guide 1998. Clair, pâle, légèrement orangé, un crémant à boire maintenant. Son caractère est assez intense, volumineux même. Il prendra toute sa place à table.

🔑 Cave de Lugny, rue des Charmes, B.P. 6, 71260 Lugny, tél. 03.85.33.22.85, fax 03.85.33.26.46, e-mail commercial@cave-lugny.com ☒ Y r.-v.

MANOIR DE MERCEY
Cuvée Saint-Hugues

○ 1 ha n.c. ▮ 30 à 49 F

Saint Hugues dirigea Cluny au XIe s. et porta cet ordre à son apogée. Un millénaire plus tard, cette cuvée est baptisée en son honneur. Ne pas attendre l'âge canonique pour lui rendre grâce ! Sa bouche est un abrégé parfait de toutes les vertus de l'appellation.

🔑 Dom. Gérard Berger-Rive et Fils, Manoir de Mercey, 71150 Cheilly-lès-Maranges, tél. 03.85.91.13.81, fax 03.85.91.17.06 ☒ Y r.-v.

MADAME MASSON Blanc de noirs 1996*

○ 1 ha 3 000 50 à 69 F

On lui accorda le coup de cœur en 1989. Il faut toujours compter sur sa visite. Ici, la mousse donne le meilleur d'elle-même sous un jaune à reflets d'or blanc. Pinot noir 100 %, il offre, après des parfums de fruits secs, une allure corpulente et vineuse. Elaboré par Delorme à Rully pour Nadine Masson.

🔑 Nadine Masson, rue Haute, 21340 La Rochepot, tél. 03.80.21.72.42, fax 03.80.21.72.42 ☒ Y r.-v.

DOM. MATHIAS**

○ 0,25 ha 2 500 ▮🌡 30 à 49 F

Il respecte toutes les règles de la bienséance. Sa bulle est d'or fin, son bouquet nettement floral, sa bouche d'une rondeur parfaite. De grande souplesse, ce vin plaisant arrive à son apogée et il est donc à boire dès qu'une fête se présentera.

🔑 Dom. Béatrice et Gilles Mathias, rue Saint-Vincent, 71570 Chaintré, tél. 03.85.27.00.50, fax 03.85.27.00.54 ☒ Y r.-v.

MEURGIS Blanc de noirs 1996*

○ n.c. 350 000 ▮🌡 30 à 49 F

Les caves de Bailly, ancienne et gigantesque carrière de pierre sur 4 ha, valent le détour. Ce blanc de noirs légèrement gamay, pinot pour l'essentiel (90 %), nous paraît pour le millésime 96 le plus significatif de toutes les cuvées de la SICAVA. Frais, acidulé, porté sur la fleur blanche, il charme par sa souplesse et il a vraiment de la classe.

🔑 SICA du Vignoble Auxerrois, Caves de Bailly, 89530 Saint-Bris-le-Vineux, tél. 03.86.53.77.77, fax 03.86.53.80.94 ☒ Y t.l.j. 10h-12h 14h-18h

MOINGEON Cuvée Prestige 1996*

○ n.c. 80 000 ▮🌡 50 à 69 F

Notre coup de cœur l'an dernier. Celui-ci serait plutôt à revoir l'an prochain. Léger cordon, bulles fines et limpides, encore fermé, il possède une indéniable structure qu'il doit embellir pour côtoyer l'huître en gelée.

🔑 Moingeon, 4, rte de Dijon, 21700 Nuits-Saint-Georges, tél. 03.80.61.08.62, fax 03.80.62.36.38, e-mail cremantmoingeon@wanadoo.fr Y t.l.j. 8h-12h 13h30-18h

DOM. DES MOIROTS 1996

○ 2,5 ha 11 500 30 à 49 F

Pinot noir (65 %) et aligoté forment ici un mariage heureux. La robe est éclatante, citronnée. Le nez intense est musqué, un peu fleurs blanches. La bouche est plus nerveuse, minérale. Un bon classique.

Lucien Denizot, Dom. des Moirots, 71390 Bissey-sous-Cruchaud, tél. 03.85.92.16.93, fax 03.85.92.09.42 r.-v.

ANDRE MOREY Blanc de blancs 1997*

○ n.c. 10 000 30 à 49 F

La seule maison de négoce beaunoise à élaborer elle-même ses crémants, reprise en 1995 par les frères Roche. Mousse importante et qui tient longtemps. A cette persistance s'ajoute un nez ouvert, fruité. Bonne impression en bouche : le vin est là, et on aime son reflet de jeunesse. Chardonnay (65 %) et aligoté.

Sté nouvelle André Morey, 2, rue de l'Arquebuse, B.P. 142, 21204 Beaune Cedex, tél. 03.80.22.24.12, fax 03.80.24.13.00 r.-v.

JEAN-PIERRE MUGNERET*

○ 0,17 ha 1 700 30 à 49 F

Bon assemblage or pâle. Bouquet expressif où les agrumes et le végétal jouent de concert. Le développement en bouche donne satisfaction. La finale est fruitée.

EARL Jean-Pierre Mugneret, Concœur, 21700 Nuits-Saint-Georges, tél. 03.80.61.00.20, fax 03.80.62.33.04 r.-v.

DOM. HENRI NAUDIN-FERRAND

○ 1 ha 9 635 30 à 49 F

Pinot noir, chardonnay et aligoté se partagent à égalité la matière première d'un crémant à petit cordon et jolie mousse, de couleur claire, au bouquet flatteur. Encore faut-il en faire pleinement le tour afin d'en découvrir l'intérieur : très vif, il rappelle Verlaine évoquant « de tout petits baisers astringents ».

Dom. Henri Naudin-Ferrand, rue du Meix-Grenot, 21700 Magny-lès-Villers, tél. 03.80.62.91.50, fax 03.80.62.91.77 t.l.j. 8h-12h 14h-18h30; dim. sur r.-v.

GROUPEMENT DES PRODUCTEURS DE PRISSE-SOLOGNY-VERZE

○ n.c. 140 000 30 à 49 F

Une sarabande impressionnante de bulles légères et vives. Fruits secs, fleurs blanches, on nage en plein chardonnay. Stable en bouche, sans longueur extraordinaire mais d'une approche agréable.

Groupement des Producteurs de Prissé-Sologny-Verzé, 71960 Prissé, tél. 03.85.37.88.06, fax 03.85.37.61.76 t.l.j. 9h-12h30 13h-30 18h30

DOM. DE ROTISSON Cuvée Prestige 1997

○ 1,15 ha 12 000 30 à 49 F

Venu du Beaujolais, un crémant de bourgogne à la mousse abondante, qui finit sur une note d'orange amère. Le parcours, par ailleurs, est équilibré, d'un beau volume.

Dom. de Rotisson, rte de Conzy, 69210 Saint-Germain-sur-Arbresle, tél. 04.74.01.23.08, fax 04.74.01.55.41 t.l.j. sf dim. 9h-13h 15h-19h

GFA Croix Méritel, D. Pouget

CAVE DE SAINTE-MARIE-LA-BLANCHE*

○ 1 ha 3 000 30 à 49 F

Dans le style « bien enveloppé », un vin réussi et qui passe correctement toutes les épreuves. Son cordon soigné, son or bien soutenu, son fruit, sa rondeur ont de quoi plaire. Il est large d'épaules et démonstratif.

Cave de Sainte-Marie-la-Blanche, rte de Verdun, 21200 Sainte-Marie-la-Blanche, tél. 03.80.26.60.60, fax 03.80.26.54.47 t.l.j. 8h-12h 14h-19h

ALBERT SOUNIT Cuvée pour l'An 2000*

○ n.c. n.c. 50 à 69 F

100 % chardonnay pour célébrer le 1er janvier 2000, au Danemark, bien sûr - pays des propriétaires de cette maison -, mais partout ailleurs aussi. Les bulles fines traversent l'or vert de ce crémant au nez de fleurs blanches et de fruits exotiques. On retrouve en bouche les perceptions olfactives. « C'est beau, c'est bon », dit le jury. Cette maison reçoit une étoile pour sa **cuvée Prestige** 60 % de pinot noir, 40 % de chardonnay, très bouquetée, et pour sa cuvée **Nightingale** 100 % chardonnay, beaucoup plus dosée.

Albert Sounit, 5, pl. du Champ-de-Foire, 71150 Rully, tél. 03.85.87.20.71, fax 03.85.87.09.71 r.-v.

M. DIDIER TRIPOZ

○ 0,5 ha 4 000 30 à 49 F

Ce Mâconnais nous associe à un crémant 100 % chardonnay à la mousse abondante et fugace, aux arômes floraux et grillés, appréciable, à la bouche équilibrée, fraîche et fruitée, assez vive en finale.

Didier Tripoz, 450, chem. des Tournons, 71850 Charnay-lès-Mâcon, tél. 03.85.34.14.52, fax 03.85.34.14.52 r.-v.

FREDERIC TROUILLET 1997**

○ 0,16 ha 1000 30 à 49 F

De quoi vous remettre après l'ascension de la roche de Solutré ! Ce coup de cœur venu de la Bourgogne méridionale offre en effet beaucoup de bonheur. Il sort grand vainqueur de la dégustation des 95 crémants dégustés à Beaune ; maillot jaune de la compétition : l'effervescence est persistante dans une robe or vert intense ; ses notes d'agrumes et d'herbe fraîche expriment une finesse élégante et très équilibrée.

⊶ Frédéric Trouillet, Pouilly, 71960 Solutré-Pouilly, tél. 03.85.35.80.04, fax 03.85.35.86.03 ☑ Y r.-v.

VEUVE AMBAL*

○ n.c. 93 000 30 à 49 F

Parmi tous les fils de la Veuve, celui-ci (pinot noir et chardonnay) est le préféré. La persistance de ses bulles n'est pas considérable, mais la franchise est un mot qui revient souvent dans les commentaires. Jolie acidité, discrète et présente, qui le tient bien debout. Fondée en 1698 et reprise par Eric Piffaut, cette maison de Rully aborde son troisième siècle d'existence.

⊶ Veuve Ambal, B.P. 1, 71150 Rully, tél. 03.85.87.15.05, fax 03.85.87.30.15 ☑ Y r.-v.

VITTEAUT-ALBERTI
Blanc de blancs 1997*

○ 8,5 ha 30 000 30 à 49 F

80 % de chardonnay et 20 % d'aligoté : or vert, la robe est éclatante ; le nez, très ouvert, offre des notes florales et fruitées que l'on retrouve dans une bouche élégante et bien structurée. C'est un très beau vin d'apéritif.

⊶ Gérard Vitteaut-Alberti, 20, rue du Pont-d'Arrot, 71150 Rully, tél. 03.85.87.23.97, fax 03.85.87.16.24 ☑ Y r.-v.

Le Chablisien

Malgré une célébrité séculaire qui lui a valu d'être imité de la façon la plus fantaisiste dans le monde entier, le vignoble de Chablis a bien failli disparaître. Deux gelées tardives, catastrophiques, en 1957 et en 1961, ajoutées aux difficultés du travail de la vigne sur des sols rocailleux et terriblement pentus, avaient conduit à l'abandon progressif de la culture de la vigne ; le prix des terrains en grands crus atteignait un niveau dérisoire, et bien avisés furent les acheteurs du moment. L'apparition de nouveaux systèmes de protection contre le gel et le développement de la mécanisation ont rendu ce vignoble à la vie.

L'aire d'appellation couvre 6 834 ha sur les territoires de la commune de Chablis et de dix-neuf communes voisines, dont plus de 4 000 sont actuellement plantés. La récolte a atteint 240 060 hl en 1998. Les vignes dévalent les fortes pentes des coteaux qui longent les deux rives du Serein, modeste affluent de l'Yonne. Une exposition sud-sud-est favorise à cette latitude une bonne maturation du raisin, mais on trouvera plantés en vigne des « envers » aussi bien que des « adroits » dans certains secteurs privilégiés. Le sol est constitué de marnes jurassiques (kimméridgien, portlandien). Il convient admirablement à la culture de la vigne blanche, comme s'en étaient déjà rendu compte au XIIe s. les moines cisterciens de la toute proche abbaye de Pontigny, qui y implantèrent sans doute le chardonnay, appelé localement beaunois. Celui-ci exprime ici plus qu'ailleurs ses qualités de finesse et d'élégance, qui font merveille sur les fruits de mer, les escargots, la charcuterie. Premiers et grands crus méritent d'être associés aux mets de choix : poissons, charcuterie fine, volailles ou viandes blanches, qui pourront d'ailleurs être accommodés avec le vin lui-même.

Petit chablis

Cette appellation constitue la base de la hiérarchie bourguignonne dans le chablisien. Elle a produit 29 227 hl en 1997 et 29 196 hl en 1998. Moins complexe que le chablis du point de vue aromatique, le petit chablis possède une acidité un peu plus élevée qui lui confère une certaine verdeur. Autrefois consommé en carafe, dans l'année, il est maintenant mis en bouteilles. Victime de son nom, il a eu de la peine à se développer, mais il semble qu'aujourd'hui le consommateur ne lui tienne plus rigueur de son adjectif dévalorisant.

PASCAL BOUCHARD 1997

□ n.c. 80 000 30 à 49 F

« J'appelle classique ce qui est sain », écrivait Goethe. En voilà l'exemple petit chablis : jaune pâle, réservé, net et léger, classique en effet, et à apprécier comme tel.

⊶ Pascal Bouchard, 5 bis, rue Porte-Noël, 89800 Chablis, tél. 03.86.42.18.64, fax 03.86.42.48.11 ☑ Y t.l.j. 10h-12h 14h-18h; f. janv.

DOM. CAMU 1997*

□ 1,2 ha 8 000 30 à 49 F

Coup de cœur l'an dernier pour le millésime 96. Le 97 reste sur ce bel élan. Beaucoup de couleur, un peu trop peut-être dans ce petit chablis. En revanche, son bouquet souple et vif à la fois

invite à la danse. Plein et fruité, ce vin équilibré est à boire.
🔑 Christophe Camu, 50, Grande-Rue, 89800 Maligny, tél. 03.86.47.57.89, fax 03.86.47.57.98 ☒ Y r.-v.

DOM. DU CHARDONNAY 1997★

☐ 9,1 ha 50 000 ▮🌡 30 à 49 F

« Il nous plaît bien. » Franc et floral, jaune paille, ce vin se découpe en bouche avec du relief et de la finesse. Puis il monte en hauteur et en longueur avant de s'élargir. Un à deux ans de garde semblent dans ses moyens. Bref, un bon niveau qualitatif.
🔑 Dom. du Chardonnay, Moulin du Pâtis, 89800 Chablis, tél. 03.86.42.48.03, fax 03.86.42.16.49 ☒ Y r.-v.

DOM. JEAN-CLAUDE COURTAULT 1997★

☐ 4,95 ha 15 000 ▮🌡 30 à 49 F

De l'ampleur et du gras. Pierre à fusil citronnée, le nez tient le langage qu'on attend de lui. Les jolis reflets or et vert font très bien dans le paysage. Sa fraîcheur et sa matière sont parfaites. D'origine tourangelle, ce viticulteur s'est bien adapté au Chablisien.
🔑 Jean-Claude Courtault, 1, rte de Montfort, 89800 Lignorelles, tél. 03.86.47.50.59, fax 03.86.47.50.74 ☒ Y r.-v.

JEAN-PAUL DROIN 1997★★★

☐ 1,33 ha 10 000 ▮🌡 50 à 69 F

PRODUCT OF FRANCE
Petit Chablis
APPELLATION PETIT CHABLIS CONTRÔLÉE
750 ml
Mise en bouteilles à la Propriété par
Jean-Paul DROIN
Alc. 12,5% vol
Propriétaire-Viticulteur à Chablis - Yonne - France

La troisième génération vient d'arriver au domaine avec son diplôme d'œnologie en poche. Il y a donc ici de l'avenir. Comme pour ce petit chablis. Porté par une pointe de CO_2 qui ne durera pas mais assure sa tonicité, ce vin éblouissant restera dans les annales. Rien que de le voir, les huîtres vont s'ouvrir toutes seules... Réellement exceptionnel et coup de cœur unanime du jury.
🔑 Dom. Jean-Paul Droin, 14 bis, rue Jean-Jaurès, 89800 Chablis, tél. 03.86.42.16.78, fax 03.86.42.42.09 ☒ Y r.-v.

LIONEL DUFOUR
Cuvée Dame Viviane 1997

☐ n.c. n.c. 100 à 149 F

Venue de Meursault, une bouteille numérotée dont le nom Cuvée Dame Viviane est une énigme. Ce vin jaune or possède un petit bouquet légèrement grillé et est bon dans l'ensemble, plus onctueux qu'acidulé, et assez parfumé.
🔑 Lionel Dufour, 7, rte de Monthelie, 21190 Meursault, tél. 03.80.21.67.02, fax 03.87.69.71.13

WILLIAM FEVRE 1997★★

☐ 11,07 ha 72 000 ▮🌡 30 à 49 F

Si la maison a été reprise par Bouchard Père et Fils depuis septembre 1998, les Henriot de Champagne, ce millésime est encore élaboré par William Fèvre. Sa robe passe le grand oral de l'ENA. Son bouquet est long à se développer. La bouche fraîche et fruitée surprend par sa tenue et sa longueur.
🔑 Sté du Vignoble W. Fèvre, 21, av. d'Oberwesel, 89800 Chablis, tél. 03.86.98.98.98, fax 03.86.98.98.99, e-mail wfevre@demeter.fr ☒ Y t.l.j. sf lun. mar. 9h-12h 14h-18h

DOM. JEAN GOULLEY ET FILS 1997★

☐ 4,5 ha 30 000 ▮🌡 30 à 49 F

Certes, il s'agit d'un vin de jeunesse et l'appellation le veut ainsi. Mais il y a là les caractères d'un vin capable de tenir quelque temps en raison d'une terminaison un peu dure, gage d'équilibre futur. Dans l'immédiat et même si c'est un peu classique, on se régale.
🔑 Dom. Jean Goulley et Fils, 11 bis, vallée des Rosiers, 89800 La Chapelle-Vaulpelteigne, tél. 03.86.42.40.85, fax 03.86.42.81.06 ☒ Y r.-v.

DOM. HAMELIN 1997★

☐ 6 ha 46 000 ▮🌡 30 à 49 F

On se rallie de bon cœur à son panache blanc. Et la cochonnaille l'accompagnera agréablement. Car il est bien chablisien, or vert et minéral. Sur la langue, d'un entrain communicatif, tout en voltes et virevoltes, rien n'est appuyé : il incarne la légèreté même.
🔑 EARL Hamelin, 1, rue des Carillons, 89800 Lignorelles, tél. 03.86.47.54.60, fax 03.86.47.53.34 ☒ Y r.-v.

LA CHABLISIENNE 1998

☐ 25 ha n.c. ▮ 50 à 69 F

La coopérative fut coup de cœur dans le Guide 1993 pour le millésime 90, et en petit chablis cette distinction n'est pas fréquente. Puissant et rond, ce 98 est intéressant à espérer. Mis en bouteille très jeune, il n'a guère eu le temps de s'exprimer. Mais il se fera et méritera sans doute mieux que son jugement présent.
🔑 La Chablisienne, 8, bd Pasteur, B.P. 14, 89800 Chablis, tél. 03.86.42.89.89, fax 03.86.42.89.90, e-mail chabl@chablisienne.com ☒ Y t.l.j. 9h-12h 14h-18h

DOM. DE LA MOTTE 1997★

☐ 1,1 ha 10 000 ▮🌡 30 à 49 F

Pas si petit que ça... D'une teinte parfaite, il sait marier le fruit et le silex de façon intense et assez complexe. Vif au départ, sur les agrumes, puis plus calme en finale. On peut le laisser encore une douzaine de mois en bouteille.
🔑 Dom. de La Motte, 35, Grande-Rue, 89800 Beines, tél. 03.86.42.43.71, fax 03.86.42.49.63 ☒ Y t.l.j. 9h-19h; f. 1er-15 fév.
🔑 Michaut

DOM. DE L'ORME 1997

□ n.c. 5 000 30 à 49 F

Ce domaine évolue vers l'agrobiologie en s'affirmant de sensibilité écologique. Une bouteille sympathique et qui se montre discrète, vive au palais sur un retour bonbon anglais.

Dom. de L'Orme, 16, rue de Chablis, 89800 Lignorelles, tél. 03.86.47.41.60, fax 03.86.47.56.66 ☑ Y r.-v.

DOM. DES MALANDES 1997**

□ n.c. n.c. 30 à 49 F

Tout sauf un vin de garde, mais tout et on insiste sur le mot. Typé 97 et destiné à un poisson en sauce. Sa finesse et sa fraîcheur se doublent d'une attaque heureuse, d'un équilibre soutenu, d'une structure sérieuse. Se fournir vite dès la parution du Guide et envoyer les invitations aux amis. Arrivé troisième au grand jury.

Dom. des Malandes, 63, rue Auxerroise, 89800 Chablis, tél. 03.86.42.41.37, fax 03.86.42.41.97, e-mail domaine.malandes.chablis@wanadoo.fr ☑ Y r.-v.

Marchive

SYLVAIN MOSNIER 1997***

□ 0,75 ha 4 500 30 à 49 F

Parfait, ce 97 qui apparaît comme le portrait-robot de l'appellation quand elle donne le meilleur d'elle-même ; une précision au millimètre : persistante et minérale, fraîche et chantante. Robe pastel, délicate et gaie. Une bouteille arrivée deuxième au grand jury des petits chablis.

Sylvain Mosnier, 4, rue Derrière-les-Murs, 89800 Beines, tél. 03.86.42.43.96, fax 03.86.42.42.88 ☑ Y r.-v.

DOM. DU MOULIN 1997**

□ n.c. n.c. 30 à 49 F

Dans les hauteurs du palmarès, un superbe 97 à déguster dès à présent. « Fuyez de ces hauteurs l'abondance stérile », conseillait Boileau. Rien de stérile ici, mais la nuance exacte, le nez précis et océanique (iodé) ; en bouche : un concerto pour silex et orchestre. Somptueux vraiment. Distribué par une maison beaunoise filiale du groupe Schenk à Rolle en Suisse.

H.D.V. Distribution, rue du Dr-Barolet, ZI Beaune-Vignolles, 21200 Beaune, tél. 03.80.24.70.07, fax 03.80.22.54.31 Y r.-v.

Pascal Moreau

BOURGOGNE

Le Chablisien

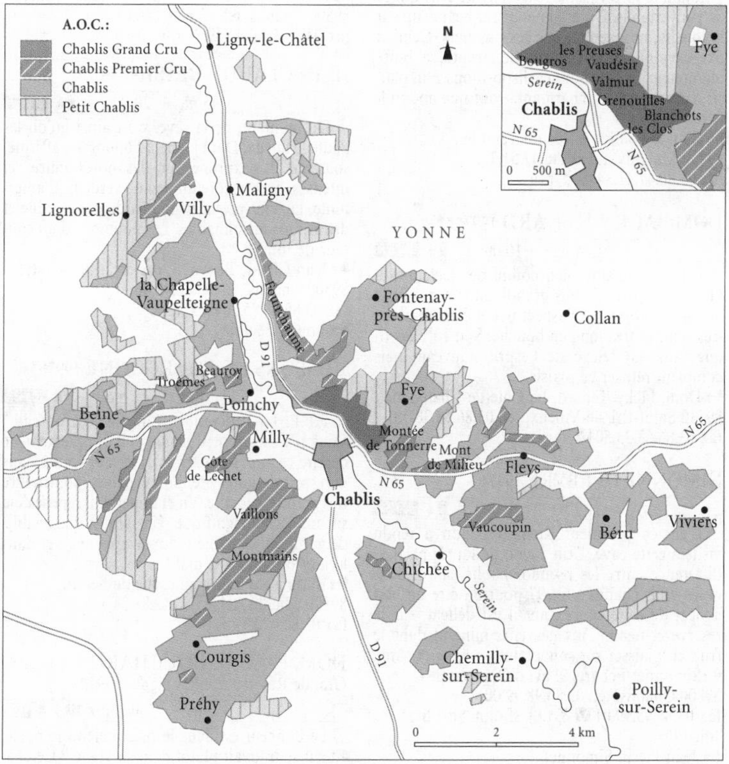

DOM. DE PISSE-LOUP 1997★★

☐　　　1,93 ha　　4 900　　▮♦ 30 à 49 F

Finale un peu miellée, mais une robe jaune tendre et un nez qui confine à l'élégance, sur une note beurrée, simple et agréable. La bouche est ronde, et on boira ce 97 dans l'année à venir pour profiter de son fruit. Sur un comté à l'heure du fromage, voire sur un époisses : l'expérience est à tenter.
☛SCEA Jacques Hugot et Jean Michaut, 1, rue de la Poterne, 89800 Beines, tél. 03.80.97.04.67, fax 03.80.97.04.67 ▨ ⏀ r.-v.

DENIS POMMIER 1997★★

☐　　　3 ha　　6 575　　▮♦ 30 à 49 F

Subtil et dans son aubépine, ce petit chablis respire la fraîcheur sous sa robe gentille. Son acidulé est agréable, son fruit mûr un peu évolué et pénétrant. On ne parvient pas à le juger sérieux tant il aime la fantaisie. Sa longueur séduit. « A boire et à reboire. » Avec plaisir et modération tout de même.
☛Denis Pommier, 31, rue de Poinchy, 89800 Poinchy, tél. 03.86.42.83.04, fax 03.86.42.17.80 ▨ ⏀ t.l.j. 9h-20h; dim. sur r.-v.

MICHELE ET CLAUDE POULLET 1997★★

☐　　　1,33 ha　　6 000　　▮♦ 30 à 49 F

Il faut le savoir, la barre était haute cette année en petit chablis. On a dû en laisser beaucoup sur la touche, ne retenant que les premiers. Celui-ci par exemple, floral et souple, friand, à boire maintenant sur ses bonnes dispositions. Vin plaisir, comme on dit, charmant. Pour une andouillette au chablis.
☛Claude Poullet, 6, rue du Temple, 89800 Maligny, tél. 03.86.47.51.37, fax 03.86.47.41.34 ▨ ⏀ r.-v.

DOM. JACKY RENARD 1997★★★

☐　　　1,65 ha　　10 000　　▮♦ 30 à 49 F

Par un domaine bien connu des lecteurs du Guide, un petit chablis grandissime et qui frôle la palme suprême. D'aspect net et élégant, il est très riche et très long en bouche. Son côté exotique (ananas) relève de l'esprit nouveau mais comment refuser ce plaisir ?
☛Dom. Jacky Renard, La Côte-de-Chaussan, 89530 Saint-Bris-le-Vineux, tél. 03.86.53.38.58, fax 03.86.53.33.50 ▨ ⏀ r.-v.

SIMONNET-FEBVRE 1997★

☐　　　1,2 ha　　9 000　　▮♦ 30 à 49 F

L'ancien président Richard Nixon a rendu visite à cette cave. Utile façon de lui rappeler la différence entre les pseudo-chablis californiens et les vrais chablis... Ce 97 pourrait être un bon avocat de cette cause, tant il est délicat, sur la réserve et néanmoins nerveux, minéral dans le fruit et à laisser sur son évolution lente et sûre.
☛Simonnet-Febvre, 9, av. d'Oberwesel, 89800 Chablis, tél. 03.86.98.99.00, fax 03.86.98.99.01 ▨ ⏀ t.l.j. sf dim. 8h-12h 14h-19h
☛Jean-Pierre Simonnet

Chablis

Le chablis, qui a produit 162 552 hl en 1998 contre 161 368 hl en 1997, doit à son sol ses qualités inimitables de fraîcheur et de légèreté. Les années froides ou pluvieuses lui conviennent mal, son acidité devenant alors excessive. En revanche, il conserve lors des années chaudes une vertu désaltérante que n'ont pas les vins de la Côte-d'Or également issus du chardonnay. On le boit jeune (un à trois ans), mais il peut vieillir jusqu'à dix ans et plus, gagnant ainsi en complexité et en richesse de bouquet.

DOM. BARAT 1997★

☐　　　10 ha　　20 000　　▮♦ 30 à 49 F

Comme de bien entendu, Guy Roux est descendu dans cette cave lors d'une troisième mi-temps. A Chablis, difficile de le perdre de vue ! Il jugerait ce vin correctement tenu par le maillot (jaune un peu cassé), minéral et iodé en défense, carré en attaque mais approchant du but avec adresse, subtilité, élégance même. Le verre ballon circule bien entre le nez et la bouche.
☛EARL Dom. Barat, 6, rue de Léchet, Milly, 89800 Chablis, tél. 03.86.42.40.07, fax 03.86.42.47.88 ▨ ⏀ r.-v.

JEAN-CLAUDE BESSIN 1997★★

☐　　　5 ha　　20 000　　▮♦ 50 à 69 F

Du montant, de la sève, c'est ainsi qu'on les goûte le mieux. D'un jaune ad honorem, affirmé, soutenu, il s'exprime sur des notes mûres et intenses, avec encore un peu de verdeur, d'amertume, laissant présager une garde convenable et des espoirs raisonnables. Les poumons d'un coureur de fond !
☛Jean-Claude Bessin, 3, rue de la Planchotte, 89800 Chablis, tél. 03.86.42.46.77, fax 03.86.42.85.30 ▨ ⏀ r.-v.
☛Louis Tremblay

BLASONS DE BOURGOGNE 1997★★

☐　　　n.c.　　n.c.　　▮ 30 à 49 F

F.F.F. La Fédération française de football ? Vous n'y êtes pas. Il s'agit tout simplement de décrire ce vin : franc, frais et fermé, vinifié dans un esprit de longévité. Son élégance pourra être très grande, superbe. Vif et minéral, il repose déjà sur un socle magnifique. Un fantastique chablis de garde raisonnable (deux à trois ans), et dans le jury on a dit « génial ! »
☛Blasons de Bourgogne, rue du Serein, 89800 Chablis, tél. 03.86.42.88.34, fax 03.86.42.83.75

DOM. PASCAL BOUCHARD
Grande Réserve Vieilles vignes 1997★

☐　　　n.c.　　200 000　　▮◫♦ 50 à 69 F

Le bonheur est dans le pré, prétend le poète. Et s'il se trouvait plutôt dans la vigne ? Ce cha-

blis en offre un bel exemple. Ni très long ni très puissant, mais ciselé à l'or fin, rond et caressant, encore vif et avec des arômes de fruits secs discrets et que l'on n'oublie pas. D'autant qu'un 93 fut coup de cœur dans le Guide 1996.
⊶ Pascal Bouchard, 5 bis, rue Porte-Noël, 89800 Chablis, tél. 03.86.42.18.64, fax 03.86.42.48.11 ☒ Y t.l.j. 10h-12h 14h-18h; f. janv.

MICHEL CALLEMENT 1997*

□ 1,1 ha 8 500 ▮🌡 50 à 69 F

Chablis au bouquet fruité, agrémenté d'une note exotique (agrumes). Il brille autant qu'il le peut, sans trop de reflets cependant. Sa fraîcheur ne lui interdit pas d'offrir en bouche un gras délicieux.
⊶ SCEA Michel Callement, 2, rue Menot, 89230 Bleigny-le-Carreau, tél. 03.86.41.81.52, fax 03.86.41.87.90 ☒ Y r.-v.

DOM. DE CHANTEMERLE 1997*

□ 10 ha 70 000 ▮ 30 à 49 F

A défaut de L'Homme mort que tous les amateurs recherchent dans cette cave, et qui devient rare, choisissez ce chablis très en beauté, très en verve. Citron et pierre à fusil, fait pour durer : rien ne lui fera perdre son équilibre, sa prestance. A tenter sur l'époisses à l'heure du fromage. Vous verrez !
⊶ Dom. de Chantemerle, 27, rue du Serein, 89800 Chablis, tél. 03.86.42.18.95, fax 03.86.42.81.60 ☒ Y r.-v.
⊶ Francis Boudin

DOM. CHEVALLIER 1997*

□ 10,4 ha 18 000 ▮🌡 30 à 49 F

Brillant, un peu jaune, c'est un beau 97, mais il sort seulement de sa coquille. Son nez intense suggère le silex puis le coing frais. Vinosité et nervosité enveloppent le palais d'une démonstration assez éblouissante qui incite à un an ou deux d'attente. Ce 97 en a tout à fait le temps. Ce fut notre coup de cœur dans le Guide 1998 pour un 95.
⊶ Claude et Jean-Louis Chevallier, 6, rue de l'Ecole, 89290 Montallery, tél. 03.86.40.27.04, fax 03.86.40.27.05 ☒ Y r.-v.

DOM. DU COLOMBIER 1997*

□ 30 ha 80 000 ▮🌡 30 à 49 F

Les crustacés n'auront aucun problème avec ce chablis convivial, qui leur rappellera la mer kimméridgienne. Il chante et danse dans le verre, or clair à reflets verts authentifiés, aubépine et fraîcheur tout au long de l'exercice. « Sans défaut », dit l'un, adepte de la litote. « Une harmonie qui peut durer cinq ans », prédit l'autre.
⊶ Dom. du Colombier, 42, Grand-Rue, 89800 Fontenay-près-Chablis, tél. 03.86.42.15.04, fax 03.86.42.49.67 ☒ Y t.l.j. sf dim. 8h-12h 14h-18h

CORON PERE ET FILS 1997

□ n.c. 25 000 ▮🌡 70 à 99 F

Bouteille dans la bonne moyenne. Fruit et fleur se côtoient dans une ambiance souple et agréable. On sent le caractère de l'appellation. Coron fait partie des maisons reprises par la famille Lanvin (Misserey, Jules Belin notamment). Coup de cœur dans le Guide 1989 sous le nom de Misserey, millésime 86.
⊶ Maison Coron Père et Fils, 3, rue des Seuillets, B.P. 10, 21701 Nuits-Saint-Georges Cedex, tél. 03.80.24.78.58, fax 03.80.61.31.40 ☒ Y r.-v.

JEAN-CLAUDE COURTAULT 1997

□ 8,7 ha 35 000 ▮🌡 30 à 49 F

Il n'y a pas là matière à discuter : le côté minéral l'emporte, et surtout en bouche. Pierre à fusil sur toute la ligne, dans une vivacité qui reste agréable. Franc, net et tout d'un élan puissant.
⊶ Jean-Claude Courtault, 1, rte de Montfort, 89800 Lignorelles, tél. 03.86.47.50.59, fax 03.86.47.50.74 ☒ Y r.-v.

DANIEL DAMPT 1997***

□ 11 ha 80 000 ▮🌡 50 à 69 F

Que pourrait-on lui reprocher ? Il a toutes les grâces et toutes les vertus, ou peu s'en faut. Sa teinte ? Celle d'une pierre précieuse. Son bouquet ? Subtil et insistant. Dès qu'on entre en bouche, le gras montre le bout de son nez. Une fine acidité soutient cet équilibre. Du grand art assurément, et nos compliments au vinificateur.
⊶ Dom. Daniel Dampt, 1, rue des Violettes, 89800 Milly-Chablis, tél. 03.86.42.47.23, fax 03.86.42.46.41 ☒ Y r.-v.

JEAN DAUVISSAT Saint-Pierre 1997*

□ 1,8 ha 13 000 ▮🌡 50 à 69 F

On vient tout juste de fêter les cent ans du domaine fondé en 1899. Sa particularité : quatre à cinq millésimes toujours disponibles. Celui-ci ne vivra pas très longtemps mais il nous met du baume au cœur, tant il joue à la perfection une carte minérale. A cela s'ajoutent un large éventail de nuances florales dans le bouquet, une jolie robe et une pointe de chaleur vite dominée.
⊶ Sté du Vignoble Jean Dauvissat, 3, rue de Chichée, 89800 Chablis, tél. 03.86.42.14.62, fax 03.86.42.45.54 ☒ Y t.l.j. 9h-12h 14h-18h

RENE ET VINCENT DAUVISSAT 1997**

□ 1,3 ha 10 000 (▮) 50 à 69 F

Nettement au-dessus du lot, cette bouteille possède une robe de conte de fées : pour un premier bal au château. Ses parfums de fleur blanche et de noisette signalent une naissance heureuse et un bel élevage sous bois. Finesse et intensité enchantent le palais. L'histoire, évidemment, finit bien.
⊶ GAEC René et Vincent Dauvissat, 8, rue Emile-Zola, 89800 Chablis, tél. 03.86.42.11.58, fax 03.86.42.85.32

DOM. D'ELISE 1997**

□ 6,15 ha 30 000 ▮🌡 30 à 49 F

Le seul vigneron venant travailler à Chablis la semaine et rentrant chez lui à Paris le week-end : le monde à l'envers ! Fort heureusement, son vin garde les pieds sur terre et il est même un modèle de typicité. Bien coloré, aromatique, il laisse la bouche émerveillée, malgré une toute petite chaleur en fin de dégustation. Considéré comme l'un des meilleurs.

⊶ Frédéric Prain, Côte de Léchet, 89800 Milly, tél. 03.86.42.40.82, fax 03.86.42.44.76 ☑ Ⲯ r.-v.

ALAIN GAUTHERON 1997★★★

☐ 11 ha 60 000 ▮ 30 à 49 F

On y trouve les nuances clair-obscur d'une peinture de Georges de La Tour. Une sensibilité, une typicité absolue. Harmonieux, expressif, d'une présence irréprochable, et on ne fait que lire les fiches de dégustation... Lui refuser le coup de cœur resterait une injustice historique. Il l'obtient, donc ! Et bon premier !

⊶ Alain Gautheron, 18, rue des Prégirots, 89800 Fleys, tél. 03.86.42.44.34, fax 03.86.42.44.50 ☑ Ⲯ r.-v.

DOM. GRAND ROCHE 1997★

☐ 6,5 ha 50 000 ▮🌡 50 à 69 F

On rêve pour lui d'un grand poisson. Un saumon ? La Loire n'en propose plus, hélas ! Un tendre, celui-ci, d'une douceur apaisante mais qui sait jouer de la flûte, de la finesse, de l'amande laiteuse. Que lui manque-t-il ? Un peu d'attache, mais c'est sans peur et sans reproche. A déguster dans l'année.

⊶ Lavallée, Dom. Grand Roche, rte de Chitry, 89530 Saint-Bris-le-Vineux, tél. 03.86.53.84.07, fax 03.86.53.88.36 ☑ Ⲯ r.-v.

THIERRY HAMELIN
Vieilles vignes 1997★

☐ 1,5 ha 10 000 ▮🌡 50 à 69 F

Beau produit sous robe claire, facile à déguster, illustrant à merveille le chablis-jeunesse. Vieilles vignes ? On nous le dit. Heureuse vieillesse, en tout cas ! Le nez demande encore à s'exprimer, mais il tend au minéral. Comme la bouche bien éveillée, également portée sur la pierre à fusil, le sous-bois et le mousseron. Original et intéressant.

⊶ Thierry Hamelin, 1, imp. de la Grappe, 89800 Lignorelles, tél. 03.86.47.52.79, fax 03.86.47.53.41 ☑ Ⲯ r.-v.

DOM. LA BRETAUCHE 1997

☐ 5,34 ha 6 000 ▮🌡 50 à 69 F

Confidence pour confidence... Limpide et assez coloré, il adopte ensuite un comportement discret évoluant doucement sur le fruit. Bonne structure générale, mais peu intense et de persistance moyenne. L'andouillette tiendra bien la partie.

⊶ Louis Bellot, rue de la Bretauche, 89800 Chablis, tél. 03.86.42.40.90, fax 03.86.42.49.81 ☑ Ⲯ r.-v.

LA CHABLISIENNE Cuvée L. C. 1997★★

☐ 70 ha n.c. ▮🌡 50 à 69 F

Jaune pâle, le nez pointu et néanmoins profond, il possède cet arôme traditionnel et caractéristique du chablis. Il mousseronne. Bouche impeccable, ample et équilibrée, fraîche et puissante... Trop riche pour l'apéritif et digne d'un poisson de haute mer, comme l'était déjà le millésime 93 honoré du coup de cœur 1996.

⊶ La Chablisienne, 8, bd Pasteur, B.P. 14, 89800 Chablis, tél. 03.86.42.89.89, fax 03.86.42.89.90, e-mail chabl@chablisienne.com ☑ Ⲯ t.l.j. 9h-12h 14h-18h

DOM. DE LA CONCIERGERIE 1997★★

☐ 11,5 ha 40 000 ▮🌡 50 à 69 F

Une Conciergerie où l'on élit volontiers domicile pour peu qu'on y trouve le vivre, le boire et le couvert. Or blanc et vert, ce vin est minéral comme un ermite et confit comme un chanoine. Nerveux mais pas acide, équilibré, très 97, il n'est pas très éloigné du coup de cœur, dont le domaine fut récompensé pour son 87 (Guide 1990).

⊶ EARL Christian Adine, 2, allée du Château, 89800 Courgis, tél. 03.86.41.40.28, fax 03.86.41.45.75 ☑ Ⲯ r.-v.

DOM. LAROCHE Saint-Martin 1997★

☐ 58,3 ha 450 000 ▮🌡 70 à 99 F

Cuvée Saint-Martin. Il est vrai qu'à l'époque des invasions normandes les moines de Tours ont offert aux reliques de cet illustre saint le refuge des caves Laroche. On peut faire ses prières devant ce chablis d'une brillance pâle, au nez apostolique (fruité et minéral) et à la bouche équilibrée. Pointe d'amertume en finale pour nous rappeler que nous sommes bien à Chablis.

⊶ Dom. Laroche, 22, rue Louis-Bro, 89800 Chablis, tél. 03.86.42.89.00, fax 03.86.42.89.29, e-mail info@domainelaroche.fr ☑ Ⲯ r.-v.

DOM. LES GARMINS 1997★

☐ 3 ha 7 000 ▮ 30 à 49 F

Hubert Dorut a commencé « à la tâche », c'est-à-dire ouvrier vigneron payé en fonction du travail à faire. Puis salarié à mi-temps, tandis qu'il développait un petit vignoble personnel. Bref, à force de travail, il s'est mis à son compte. Son vin ? Un chablis qui se respecte. D'une séduction minérale et d'une belle puissance, il a des senteurs d'acacia et un côté tout miel. Peut prendre un peu d'âge.

⊶ Hubert Dorut, 40, rte de Vaucharme, 89800 Préhy, tél. 03.86.41.46.88, fax 03.86.41.48.10 ☑ Ⲯ r.-v.

DOM. DE L'ORME 1996★

☐ n.c. 35 000 ▮🌡 30 à 49 F

Dirigé depuis sept ans bientôt par Pascal Mercier, ce domaine reste attaché à ses principes écologiques. Il sait conserver un millésime, l'élever. Il nous présente ainsi un 96 très représentatif de ce vignoble et de l'année. Sa pointe d'acidité constitue un agréable signe de jeunesse. A boire maintenant.

🔑 Dom. de L'Orme, 16, rue de Chablis, 89800 Lignorelles, tél. 03.86.47.41.60, fax 03.86.47.56.66 ☑ Y r.-v.

DOM. DES MALANDES 1997★★

☐ n.c. n.c. ▮🌡 30 à 49 F

Contrairement à l'opinion de Pascal, les sens n'abusent pas toujours la raison par de fausses apparences. Certes, ce 97 sollicite la vue, l'odorat, etc. Mais la nature ne ment pas. Ce chardonnay assez tendre manque peut-être un peu d'or mais il se rattrape par la suite. Fin et floral, élégant, il est, note un dégustateur, « de qualité et prometteur ». Le coup de cœur du Guide 92 (millésime 89).

🔑 Dom. des Malandes, 63, rue Auxerroise, 89800 Chablis, tél. 03.86.42.41.37, fax 03.86.42.41.97, e-mail domaine.malandes.chablis@wanadoo.fr ☑ Y r.-v.

🔑 Marchive

DOM. DES MANANTS 1997★★

☐ 10 ha 30 000 ▮🌡 30 à 49 F

Jean-Marc Brocard sous un autre nom. Les manants n'auront pas à se plaindre de leur nouveau seigneur ! Robe pâle, bouquet fleuri, attaque impétueuse, ce 97 se conduit tout en finesse. La fleur blanche n'est-elle pas symbole de pureté ? En bref, un vin très professionnel, élégant et robuste, un peu vif et recréant le charme du chablis « à l'ancienne ». Attendre 2001 pour le servir !

🔑 Jean-Marc Brocard, Dom. des Manants, 3, rte de Chablis, 89800 Préhy, tél. 03.86.41.49.00, fax 03.86.41.49.09, e-mail jmbrocard@ipoint.fr ☑ Y t.l.j. sf dim. lun. 9h30-12h30 15h-19h; groupe sur r.-v.

DOM. DE MARCAULT 1997★

☐ 3 ha 10 000 ▮🌡 30 à 49 F

Cette bouteille aimera se faire attendre. Elle incarne le type de chablis généreux, gras, épicé, long, un peu chaud. Un vin de mâche, un vin de garde. Ce style tend à disparaître et c'est dommage. A revoir dans deux à trois ans, en compagnie d'un poisson bien cuisiné et si possible tiré du Serein.

🔑 GAEC Millet, Dom. de Marcault, 89700 Tonnerre, tél. 03.86.75.92.56, fax 03.86.75.95.12 ☑ Y r.-v.

DOM. DES MARRONNIERS 1997★

☐ 11 ha 80 000 ▮🌡 30 à 49 F

Correct pour l'année, fidèle à son millésime, il n'impressionne pas par sa longueur. Sa couleur est cependant bien travaillée, son bouquet assez flatteur, mais encore réservé : la fleur est en bouton. Quant à l'équilibre général, il n'appelle aucune critique. Touche minérale sur la finale.

🔑 Bernard Légland, 1 et 3, Grande-Rue de Chablis, 89800 Préhy, tél. 03.86.41.42.70, fax 03.86.41.45.82 ☑ Y t.l.j. 9h-19h

DOM. JEAN-CLAUDE MARTIN 1997

☐ 8,64 ha 60 000 ▮ 30 à 49 F

Rétif de la Bretonne passa plusieurs années de son existence dans ce village de Courgis. Il eût accordé son patronage à ce chablis expressif et vif, d'une acidité bien dans le style de cet auteur. Bouquet légèrement floral et petite note de miel. Inutile de laisser vieillir ce 97.

🔑 Jean-Claude Martin, 5, rue de Chante-Merle, 89800 Courgis, tél. 03.86.41.40.33, fax 03.86.41.47.10 ☑ Y t.l.j. 9h-12h 14h-19h; sam. dim. sur r.-v.; f. 15-31 août

LOUIS MICHEL ET FILS 1997

☐ 6 ha 40 000 ▮🌡 50 à 69 F

A boire à la bonne franquette sur une andouillette chablisienne. Un chardonnay des familles, typé 97, assez minéral dans l'ensemble mais plutôt robuste, costaud. Son petit reste d'acidité va bien dans le tableau.

🔑 Louis Michel et Fils, 9, bd de Ferrières, 89800 Chablis, tél. 03.86.42.88.55, fax 03.86.42.88.56 ☑ Y r.-v.

NAIGEON-CHAUVEAU 1997★

☐ n.c. n.c. ▮ 50 à 69 F

« Délicieux au-delà de toute permission », disait jadis Thomas de Loché d'un bon chablis dont il humectait ses pieuses lèvres. Il en est presque ainsi de ce 97 à la brillance vive, d'une grande richesse aromatique (aubépine, noisette et miel) et qui, dans sa rusticité, nous rappelle qu'un vin doit d'abord être ce qu'il doit être. Maison de Gevrey reprise par des Suisses.

🔑 Naigeon-Chauveau, rue de la Croix-des-Champs, B.P. 7, 21220 Gevrey-Chambertin, tél. 03.80.34.30.30, fax 03.80.51.88.99 ☑ Y r.-v.

DOM. ROBERT NICOLLE 1997★★

☐ 8 ha 23 000 ▮🌡 30 à 49 F

« Vigneron et fier de l'être », dit ce viticulteur. Il a bien raison, et nos dégustateurs portent aux nues sa production. Un 97 de garde et d'une qualité remarquable : d'une superbe présentation, il est odorant et structuré, long et aromatique. Il mérite vraiment une attention particulière, car tant de spontanéité relève d'un travail accompli.

🔑 Robert Nicolle, 55, rte de Mont-de-Milieu, 89800 Fleys, tél. 03.86.42.19.30, fax 03.86.42.80.07 ☑ Y r.-v.

DOM. ALAIN PAUTRE 1997★

☐ 11 ha n.c. ▮ 30 à 49 F

Vin d'apéritif à boire pur avec des gougères. Gouleyant, il garde un peu de verdeur, surtout sensible au nez. En bouche, il se montre très fruité et d'excellente compagnie.

🔑 Alain Pautré, 23, rue de Chablis, 89800 Lignorelles, tél. 03.86.47.43.04, fax 03.86.47.56.42 ☑ Y r.-v.

DOM. DE PISSE-LOUP 1997★★

☐ 2,1 ha 5 000 ▮🌡 30 à 49 F

Proche de son apogée, un 97 lisse, pâle, d'une minéralité très pure, paraissant toasté (élevé en cuve), encore nerveux mais glissant rapidement sur la pâte d'amande. Il remplit la bouche, évoluant sur la cire d'abeille, la brioche chaude et

odorante. Finale citronnée, recadrant le sujet. A ces mots, on comprend ce qu'il est.
⊶ Romuald Hugot, 30, rte Nationale, 89800 Beines, tél. 03.86.42.85.11, fax 03.86.42.85.11 ☑ Y r.-v.

GRAND REGNARD 1997

☐ 10 ha 80 000 🍾🌡 70 à 99 F

Fraîcheur et verdeur, tout en émotion. Son bouquet est en revanche présent, mûr, dans une tonalité de fruits blancs. La robe satisfait le regard mais ne comporte guère de reflets.
⊶ Régnard, 28, bd Tacussel, 89800 Chablis, tél. 03.86.42.10.45, fax 03.86.42.48.67 ☑ Y r.-v.

DOM. VINCENT SAUVESTRE 1997★★

☐ 12 ha n.c. 🍾🌡 50 à 69 F

Il est dans les sommets. Signé Béjot à Meursault. Oui, il faut s'y faire, comme on dit en Bourgogne. « Il se distingue d'emblée de tous les autres. » Puissant, c'est peu dire. Atypique, certes. Très plein. Très long. La couleur est soutenue. « Si c'est un chablis 97, alors bravo ! » Notez que nos dégustateurs ne connaissent pas le producteur.
⊶ Dom. Vincent Sauvestre, B.P. 3, 21190 Meursault, tél. 03.80.21.22.45, fax 03.80.21.28.05 Y r.-v.

DANIEL SEGUINOT 1997★

☐ 9 ha 7 000 🍾🌡 30 à 49 F

D'un ton assez clair, il n'abuse pas du parfum : fin, floral, il n'est pas avare de saveurs délicates. Il sait montrer de la tenue et du maintien.
⊶ SCEA Daniel Seguinot, rte de Tonnerre, 89800 Maligny, tél. 03.86.47.51.40, fax 03.86.47.43.37 ☑ Y t.l.j. sf dim. 8h-12h 13h30-17h

DOM. SERVIN 1997★★★

☐ 22,11 ha 80 000 🍾 30 à 49 F

Il affiche sa richesse tout de suite. Signes extérieurs ? La couleur et le bouquet, très agréables et bien chablis. L'attaque est d'un mouvement profond, où le silex et la fleur blanche dialoguent comme si c'était du Marivaux. Vin de connaisseur. Déjà couronné de cette distinction dans le Guide 1994 pour le 91, et voyez ailleurs...
⊶ SCE Dom. Servin, 20, av. d'Oberwesel, 89800 Chablis, tél. 03.86.18.90.00, fax 03.86.18.90.01, e-mail servin@chablis.net ☑ Y t.l.j. sf dim. 8h-12h 13h30-17h30

DOM. DE VAUDON 1997★★

☐ 15 ha n.c. 🍾 70 à 99 F

Cette maison beaunoise possède de solides accointances en Chablisien. Elle peut donc proposer un vin de qualité. Celui-ci par exemple, jugé unanimement d'un éclat lumineux, d'un bouquet fin et nuancé, d'un corps rond et plein, complexe. Sa persistance s'accompagne d'une note de noisette. Remarquable.
⊶ Joseph Drouhin, 7, rue d'Enfer, 21200 Beaune, tél. 03.80.24.68.88, fax 03.80.22.43.14, e-mail drouhin@calva.net Y r.-v.

CH. DE VIVIERS 1997★

☐ 14 ha 100 000 🍾🌡 50 à 69 F

La maison Bichot dans ses œuvres chablisiennes. « Bravo ! » conclut un juré sur sa fiche. Brillance et limpidité justifient ce cri du cœur, de même qu'un bouquet floral distingué. L'impression favorable en attaque n'est jamais démentie par la suite, bien que ce 97 paraisse peu ouvert à ce jour. Probablement à laisser en cave... sans l'y oublier toutefois. Coup de cœur pour le millésime 94 dans le Guide 1997.
⊶ Dom. du château de Viviers, 89700 Viviers, tél. 03.80.61.25.02, fax 03.80.24.37.38 Y r.-v.

DOM. YVON VOCORET 1997★

☐ 2,08 ha 10 600 🍾🌡 30 à 49 F

Ce 97 a du nez et de l'harmonie. Surtout, il ressemble à un chablis ! Yvon Vocoret est son propre œnologue et, ma foi, cela lui réussit assez bien. Lauréat d'un coup de cœur en 1995 pour un sublime 92.
⊶ Yvon Vocoret, 9, chem. de Beaune, 89800 Maligny, tél. 03.86.47.51.60, fax 03.86.47.57.47 ☑ Y t.l.j. 8h-12h 14h-19h; dim. sur r.-v.

Chablis premier cru

Il provient d'une trentaine de lieux-dits sélectionnés pour leur situation et la qualité de leurs produits (45 000 hl en 1997 et 43 126 hl en 1998). Il diffère du précédent moins par une maturité supérieure du raisin que par un bouquet plus complexe et plus persistant, où se mêlent des arômes de miel d'acacia, un soupçon d'iode et des nuances végétales. Le rendement est limité à 50 hl à l'hectare. Tous les vignerons s'accordent à situer son apogée vers la cinquième année, lorsqu'il « noisette ». Les *climats* les plus complets sont la Montée de Tonnerre, Fourchaume, Mont de Milieu, Forêt ou Butteaux, et Léchet.

DOM. DES AIRELLES Vosgros 1997★

☐ 3 ha 1 800 ▮🌡 50 à 69 F

Un *climat* « historique » en 1er cru, sur Chichée. Pour un 97 à reflets... dorés, à tendance végétale discrète, soyeux et fruité, agréable sans prétendre à un destin exceptionnel.

GAEC des Airelles, 40, Grande-Rue, 89800 Chichée, tél. 03.86.42.80.49, fax 03.86.42.85.40 ☑ Y r.-v.

DOM. BARAT Vaillons 1997★

☐ 16 ha 15 000 ▮🌡 50 à 69 F

Un jambon au chablis ne devrait pas décourager ce 97 or blanc, aux notes d'épices douces. Sa franchise, son fin fruité s'accompagnent en bouche d'une onctuosité délicieuse. Ce domaine reçut le coup de cœur en 1988 pour son 85 Côte de Léchet.

EARL Dom. Barat, 6, rue de Léchet, Milly, 89800 Chablis, tél. 03.86.42.40.07, fax 03.86.42.47.88 ☑ Y r.-v.

DOM. BEGUE-MATHIOT
Fourchaume 1997★

☐ 0,28 ha n.c. ▮🌡 50 à 69 F

Comme Paris-Roubaix en cyclisme, Fourchaume fait partie des classiques. Nous sommes en présence d'un 97 or franc, puissant et racé, capable de remporter l'épreuve, au bouquet d'iris et de narcisse, encore tout en rondeur avec une finale qui laisse ressortir l'acidité. Bien typé, il a le temps de voir venir l'an 2000.

Dom. Bègue-Mathiot, Les Epinottes, 89800 Chablis, tél. 03.86.42.16.65, fax 03.86.42.81.54 ☑ Y r.-v.

JEAN-CLAUDE BESSIN
Fourchaume 1997★★

☐ 1,7 ha 9 000 ▮🌡 50 à 69 F

Fourchaume est un prince. Il porte ici une robe étincelante. Nez frais et fruité, accompagnant des arômes de fleurs printanières, et bouche intense. Le terroir est présent, dans une volumineuse plénitude. La finesse viendra plus tard et alors, quel plaisir ! On l'aura compris, ce 97 imposant n'est pas pour aujourd'hui.

Jean-Claude Bessin, 3, rue de la Planchotte, 89800 Chablis, tél. 03.86.42.46.77, fax 03.86.42.85.30 ☑ Y r.-v.
Louis Tremblay

DOM. BILLAUD-SIMON
Montée de Tonnerre 1997★

☐ 2,5 ha 19 000 ▮🌡 70 à 99 F

La tête toute fleurie d'arômes de menthe, de pêche blanche, d'acacia, il ne recherche pas le volume. Son intention première est de plaire par sa rondeur et sa persistance parfumée. Cette bouteille peut être débouchée dans l'année 2000 et lui survivra ! Un coup de cœur pour mémoire : Mont de Milieu 94 en 1997.

Dom. Billaud-Simon, 1, quai de Reugny, B.P. 46, 89800 Chablis, tél. 03.86.42.10.33, fax 03.86.42.48.77 ☑ Y r.-v.

PASCAL BOUCHARD
Fourchaume 1997★★

☐ n.c. 15 000 ▮◖◗🌡 70 à 99 F

Deux fois une étoile pour deux premiers crus, **Montmains 97** et **Mont de Milieu Vieilles vignes** qui se tiennent, ce dernier portant bien son nom, équilibré en tout, chardonnant comme à Meursault, riche et gras, néanmoins incisif et au nez de violette. C'est Fourchaume qui l'emporte : il promet un rendez-vous de plaisir avec un grand poisson en sauce ; le boisé est très discret, et le vin est ample, équilibré, de bonne longueur.

Pascal Bouchard, 5 bis, rue Porte-Noël, 89800 Chablis, tél. 03.86.42.18.64, fax 03.86.42.48.11 ☑ Y t.l.j. 10h-12h 14h-18h; f. janv.

JEAN-MARC BROCARD
Beauregard 1997★★

☐ n.c. n.c. ▮🌡 50 à 69 F

Dans ce millésime et parmi les nombreux 1ers crus proposés, le *best of* Jean-Marc Brocard est Beauregard. Sur Courgis, le *climat* qui prolonge la Côte de Cuissy vers le sud-ouest. Excentré mais capable du meilleur angle de vue sur l'appellation. Friand et complexe, d'une longueur époustouflante, un vin qui passe le bac avec mention et qui sera grand dans quelques années. A défaut, choisissez trois crus qui ont reçu une étoile sur ce millésime : **Montée de Tonnerre, Vaucoupin** et **Fourchaume**. Vous ne serez pas déçu. Jean-Marc Brocard est un excellent vigneron chablisien ; il obtint un coup de cœur en 1998 pour le Fourchaume 95.

Jean-Marc Brocard, Dom. des Manants, 3, rte de Chablis, 89800 Préhy, tél. 03.86.41.49.00, fax 03.86.41.49.09, e-mail jmbrocard@ipoint.fr ☑ Y t.l.j. sf dim. lun. 9h30-12h30 15h-19h; groupe sur r.-v.

DOM. CAMU Côte de Léchet 1997

☐ 0,15 ha 1 200 ▮◖◗🌡 70 à 99 F

On a tiré un bon parti du bois, mais celui-ci ne laisse pas encore s'exprimer le cépage et le terroir. Joli bois en tout cas, sous enveloppe jaune paillée. Destiné à ceux qui aiment ce style, et il en existe dans le monde. Coup de cœur en petit chablis en 1996, ce jeune domaine s'est déjà fait connaître.

Christophe Camu, 50, Grande-Rue, 89800 Maligny, tél. 03.86.47.57.89, fax 03.86.47.57.98 ☑ Y r.-v.

DOM. DE CHANTEMERLE
Fourchaume 1997★

☐ 4,8 ha 35 000 ▮ 50 à 69 F

Une couleur typée chablis, claire et nette, puis un assaut d'arômes : mêlant la fraîcheur, la minéralité, le miel et le marc de raisin. Une matière concentrée pour un 97 qui promet. Lorsqu'il aura trouvé son point d'équilibre, il pourra même enthousiasmer une douzaine d'escargots et les tirer de leur coquille.

Dom. de Chantemerle, 27, rue du Serein, 89800 Chablis, tél. 03.86.42.18.95, fax 03.86.42.81.60 ☑ Y r.-v.
Francis Boudin

DOM. DU CHARDONNAY
Vaugiraut 1997★★

☐ 1,21 ha 3 000 ▮🌡 50 à 69 F

Savez-vous que le saumon à l'oseille est une invention bourguignonne, née de l'imagination fertile des frères Troisgros ? Eh bien ! pour ce plat prenez ce Vaugiraut, *climat* de la rive gauche dont l'étiquette est assez rare et qui culmine ici, comme déjà l'an passé où le 96 fut coup de cœur. De jolis reflets gris ; un nez onctueux de chardonnay. Souple, ouvert, il dépasse **Mont de Milieu** mais est à égalité avec **Montmains** du même producteur. Bravo pour ce tiercé !

🔑 Dom. du Chardonnay, Moulin du Pâtis, 89800 Chablis, tél. 03.86.42.48.03, fax 03.86.42.16.49 ☒ 🍷 r.-v.

DOM. DE CHAUDE ECUELLE
Montée de Tonnerre 1997★

☐ 0,55 ha 4 300 ▮🌡 50 à 69 F

Deux 1ers crus à égalité. Cette Montée de Tonnerre a des allures de montée au paradis ! Une robe d'aquarelle, un nez légèrement lacté puis floral, une bouche qui attaque avec vivacité puis s'adoucit sur une rondeur briochée. Note mentholée en finale. Ne pas l'attendre au-delà d'une année. Quant aux **Montmains 97**, fins et harmonieux, ils demandent à s'ouvrir mais restent bien dans l'esprit de la famille de ce cru.

🔑 Dom. de Chaude Ecuelle, 35, Grande-Rue, 89800 Chemilly-sur-Serein, tél. 03.86.42.40.44, fax 03.86.42.85.13 ☒ 🍷 r.-v.

🔑 Gabriel et Gérald Vilain

DOM. DU COLOMBIER Vaucoupin 1997

☐ 0,9 ha 6 500 ▮🌡 50 à 69 F

Cette équipe de trois frères nous présente un vin assez léger mais qui se révèle coulant, gouleyant, d'une jolie fraîcheur. Il ressemble au Serein, la rivière du pays qui porte si bien son nom. Un papillon aux ailes jaune pâle qui, à la lumière, s'éclairent d'émeraude.

🔑 Dom. du Colombier, 42, Grand-Rue, 89800 Fontenay-près-Chablis, tél. 03.86.42.15.04, fax 03.86.42.49.67 ☒ 🍷 t.l.j. sf dim. 8h-12h 14h-18h

🔑 Guy Mothe et Fils

CORON PERE ET FILS Montmains 1997★

☐ n.c. 3 000 ▮🌡 100 à 149 F

On pense à la « paisible vieillesse » dont parlait Horace. Un vin fait en effet pour vieillir à son gré, élevé dans cet esprit. L'œil est brillant, le nez discret, rien de surprenant dans ces accordailles. Actuellement linéaire et juste relevé par un sursaut citronné, il pourra s'affronter au foie gras d'ici quelques années.

🔑 Maison Coron Père et Fils, 3, rue des Seuillets, B.P. 10, 21701 Nuits-Saint-Georges Cedex, tél. 03.80.24.78.58, fax 03.80.61.31.40 ☒ 🍷 r.-v.

JEAN DAUVISSAT Montmains 1996★

☐ 1,48 ha 3 300 ▮🌡 50 à 69 F

Cette année 99 marque le centenaire de cette maison qui possède quatre à cinq millésimes proposés à la vente aux particuliers. Voici un 96 présenté par cet antiquaire en millésimes anciens. Ses arômes de sous-bois nous changent de l'habitude. Il garde beaucoup de tonus. Bouton d'or, typé, intense, il a le bon goût d'évoluer sur la fin vers des accents minéraux, les enfants du pays.

🔑 Sté du Vignoble Jean Dauvissat, 3, rue de Chichée, 89800 Chablis, tél. 03.86.42.14.62, fax 03.86.42.45.54 ☒ 🍷 t.l.j. 9h-12h 14h-18h

RENE ET VINCENT DAUVISSAT
Séchet 1997★★

☐ 0,8 ha 6 000 ⦀ 70 à 99 F

La **Forêt 97** de Dauvissat, c'est comme L'Homme mort d'Adhémar Boudin. Des crus identifiés et qui ont acquis ainsi une célébrité. Doit-on reprocher à une Forêt d'être boisée ? Citée, elle peut satisfaire les amateurs dans deux ou trois ans. Quant à ce Séchet, l'or pâle l'habille. Le miel et les fruits ne sont pas dominés par le fût. Ample, puissant, bien élevé, il est à son rang et réjouira poissons et crustacés pendant trois à quatre ans. Attendre deux ans pour lui offrir une viande blanche. Les **Vaillons 97** sont cités pour leur bouche très agréable.

🔑 GAEC René et Vincent Dauvissat, 8, rue Emile-Zola, 89800 Chablis, tél. 03.86.42.11.58, fax 03.86.42.85.32

DOM. DANIEL-ETIENNE DEFAIX
Les Lys 1995★

☐ 3,6 ha 26 000 ▮🌡 70 à 99 F

Une bouteille monarchique comme son nom l'indique, et de millésime 95 ! Disponible. De droit divin ? Peut-être pas, mais elle aura un long règne. Capiteuse et ardente, respirant le miel sous l'or de la couronne, elle est... comment dire ? Complète, c'est le mot. Pour la petite histoire, l'astronaute bourguignonne Claudie André-Deshays a bu du chablis Defaix lors de son séjour dans l'espace. **Vaillons 95** est également superbe, de grande classe, à réserver à une nage de langouste, et le prix reste raisonnable. Plusieurs coups de cœur en 1989, 1994...

🔑 Dom. Daniel-Etienne Defaix, Au Vieux Château,14, rue Auxerroise, B.P. 50, 89800 Chablis, tél. 03.86.42.42.05, fax 03.86.42.48.56 ☒ 🍷 t.l.j. 9h-12h 14h-18h; f. 1erjan.-15 fév.

JEAN-PAUL DROIN Fourchaume 1997★★

☐ 0,38 ha 2 800 ▮⦀ 70 à 99 F

Par le président de la Saint-Vincent tournante 1999, coup de cœur dans le Guide 1992 pour sa Montée de Tonnerre 89, un Fourchaume charpenté et qui supporte son bois. Clair et net, citron vert et noisette, il garde sa fraîcheur sur une ligne assez fine. Pour un apéritif que l'on voudra quelque peu solennel. Notez aussi sur votre calepin **Vosgros** et **Vaillons** dans le même millésime, notés une étoile.

🔑 Dom. Jean-Paul Droin, 14 bis, rue Jean-Jaurès, 89800 Chablis, tél. 03.86.42.16.78, fax 03.86.42.42.09 ☒ 🍷 r.-v.

JOSEPH DROUHIN Vaillons 1997★★

☐ n.c. n.c. ▮ 100 à 149 F

Sec, parfumé, limpide, vif et léger : Pierre Poupon, Raymond Dumay, tous les bons auteurs déclinent ainsi les traits caractéristiques du chablis. On en fait le compte en ce Vaillons or blanc,

très franc, d'une saveur portée sur le fruit à chair blanche. Bouteille sérieuse et de garde.
🔑 Joseph Drouhin, 7, rue d'Enfer, 21200 Beaune, tél. 03.80.24.68.88, fax 03.80.22.43.14, e-mail drouhin@calva.net Y r.-v.

GERARD DUPLESSIS Montmain 1997★

☐ n.c. 5 000 ▮ ◍ 50 à 69 F

« Vin vert, riche bourgogne », disait-on autrefois. Un peu de verdeur, à l'œil et en bouche comme si c'était communicatif. Ce vin jeune doit s'ouvrir encore, et il a déjà un bon fond de cave. Notez bien ceci : il mousseronne, sous-bois et champignon. Cette éminente typicité chablisienne devient rare. Vous en trouverez ici le témoignage lorsque le léger boisé, tout de même présent, aura laissé le vin l'emporter.
🔑 EARL Caves Duplessis, 5, quai de Reugny, 89800 Chablis, tél. 03.86.42.10.35, fax 03.86.42.11.11 ☑ Y r.-v.

ALAIN GAUTHERON
Mont de Milieu 1997★

☐ 1,02 ha 8 000 ▮ 50 à 69 F

Coupée à la main, tirée à la ficelle, la vraie andouillette de Chablis. Elle est faite pour ce Mont de Milieu illustrant à merveille le centrisme du pays. Entre clair et doré. Parfumé sans excès. Vif et tendre. Epanoui et élégant.
🔑 Alain Gautheron, 18, rue des Prégirots, 89800 Fleys, tél. 03.86.42.44.34, fax 03.86.42.44.50 ☑ Y r.-v.

DOM. JEAN GOULLEY ET FILS
Montmains 1997★★

☐ 2,5 ha 20 000 ▮ 🌡 50 à 69 F

Jouez Montmains 97. Le jury a apprécié sa brillance, son nez tout en finesse et qui évolue de façon complexe du côté du fruit mûr. En rétro, un rien de verdeur sauvage et cette sensation minérale, tellement chablisienne de nos jours. Il s'ouvrira davantage avec le temps. **Mont de Milieu 97** : à son rang. Il reçoit une étoile et devra être attendu de deux à trois ans (70 à 99 F). Ce domaine fut coup de cœur en Fourchaume pour son millésime 90.
🔑 Dom. Jean Goulley et Fils, 11 bis, vallée des Rosiers, 89800 La Chapelle-Vaulpelteigne, tél. 03.86.42.40.85, fax 03.86.42.81.06 ☑ Y r.-v.

JEAN-PIERRE GROSSOT
Les Fourneaux 1997★★

☐ 1,6 ha 8 000 ▮ ◍ 🌡 70 à 99 F

Coup de cœur en 1992 pour leur Vaucoupin 89, Corinne et Jean-Pierre nous gâtent encore ! Quelle horizontale **97** ! Si l'on peut oublier en cave pendant deux ans le **Mont de Milieu** (cité par le jury), **Fourchaume** et **Vaucoupin** obtiennent la même note que ces Fourneaux de belle facture ; ils exigent des saint-jacques poêlées. Produit sur Fleys, ce 1er cru atteint ici un sommet. Or à reflet vert, puissant et fruité au nez, il est franc, de belle structure, typiquement chablis 1er cru.
🔑 Corinne et Jean-Pierre Grossot, 4, rte de Mont-de-Milieu, 89800 Fleys, tél. 03.86.42.44.64, fax 03.86.42.13.31 ☑ Y r.-v.

DOM. GUITTON-MICHEL
Montmains 1997★

☐ 0,7 ha 4 500 ▮ ◍ 70 à 99 F

Un vin très intéressant, bien évolué, dont on pourrait penser qu'il est plus ancien : l'or prononcé de la robe, le nez de miel, de sous-bois et presque de fruit confit, le fruit très mûr en bouche et la longueur où l'on retrouve les arômes du nez. Il ne reflète pas le millésime mais est de belle qualité. A boire dans l'année.
🔑 Dom. Guitton-Michel, 2, rue de Poinchy, 89800 Chablis, tél. 03.86.42.43.14, fax 03.86.42.17.64 ☑ Y r.-v.
🔑 Guitton

DOM. DES ILES Côte de Léchet 1997★★

☐ 3 ha 22 000 ▮ ◍ 🌡 50 à 69 F

Dès 1340, Eustache Deschamps estimait que toute bonne maison devait posséder une bonne cave, et que toute bonne cave devait posséder un bon vin de Chablis. Celui-ci remplira cet office. Sa robe est du plus bel effet. Son intensité minérale se développe du nez à la bouche, selon une cohérence impeccable. Petite pointe de grillé en fin de course.
🔑 Gérard Tremblay, 12, rue de Poinchy, 89800 Chablis, tél. 03.86.42.40.98, fax 03.86.42.40.41 ☑ Y t.l.j. sf sam. dim. 8h-12h 14h-18h

LABOURE-ROI 1997★

☐ n.c. n.c. ▮ 🌡 70 à 99 F

Ce 97 devrait faire monter en Bourse l'action Cottin Frères. Pas de mention de cru. Assemblage sans doute et réussi. Paille mûre, beau brillant, l'œil est heureux de contempler ce 97 ; la finesse s'affiche au nez. Le reste est caractéristique d'un vin qui va vieillir et qui a besoin de ses aises pour affiner ses atouts (structure et longueur).
🔑 Labouré-Roi, rue Lavoisier, 21700 Nuits-Saint-Georges, tél. 03.80.62.64.00, fax 03.80.62.64.10, e-mail laboure@axnet.fr Y r.-v.

LA CAVE DU CONNAISSEUR
Montmains 1997

☐ n.c. 4 000 ▮ ◍ 🌡 70 à 99 F

Signalons ce Montmains qui devra s'affirmer avec le temps. Jaune à reflets paille, il déborde de couleur. Minéral affirmé, il se conduit honorablement au palais. *Nous n'irons plus au bois* n'est pas son poème favori, mais cela reste correct. Un autre 1er cru de la même maison (qui n'est pas mal du tout) porte la mention étonnante « Connaisseur 1er » en lieu et place du nom de *climat*... Etrange !
🔑 La Cave du Connaisseur, rue des Moulins, 89800 Chablis, tél. 03.86.42.48.36, fax 03.86.42.49.84 ☑ Y t.l.j. 10h-18h30

DOM. DE LA CONCIERGERIE
Montmain 1997★★

☐ 4,2 ha 20 000 ▮ 🌡 50 à 69 F

« Mon verre n'est pas grand, mais je bois dans mon verre », sage parole de Musset, paraphrasée plus tard par le général de Gaulle. Ce vin confirme le propos. Ses arômes nous entraînent cependant très loin, de la pêche à la mangue et au pamplemousse. Nuance retrouvée sur la langue dans une atmosphère de rondeur citronnée. S'ouvrira plus largement. Ne fut-il pas coup de cœur 95 sur le Guide 1998 ?

⊶ EARL Christian Adine, 2, allée du Château, 89800 Courgis, tél. 03.86.41.40.28, fax 03.86.41.45.75 ☑ Y r.-v.

DOM. DE LA MALADIERE
Vaillons 1997★★

☐ 2,86 ha 19 000 70 à 99 F

William Fèvre a passé récemment la main à Bouchard Père et Fils (Joseph Henriot). Ses **Lys 97** reçoivent une étoile ; ils sont excellents mais encore très vanillés. Ses Vaillons ont le même côté grillé mais se situent à un niveau qui autorise de grands espoirs. Un vin s'ouvrant sur une ampleur remarquable. Coup de cœur naguère ? Mais oui, dans le Guide 1997 pour un Montmains 94.

⊶ Sté du Vignoble W. Fèvre, 21, av. d'Oberwesel, 89800 Chablis, tél. 03.86.98.98.98, fax 03.86.98.98.99, e-mail wfevre@demeter.fr ☑ Y t.l.j. sf lun. mar. 9h-12h 14h-18h

LAMBLIN ET FILS Montmain 1997★

☐ 0,2 ha 1 360 50 à 69 F

Une famille installée depuis trois siècles dans les vignes. Pour un Montmain jaune doré, appétissant. Ses arômes de poire sont assez gourmands. Quant au vif du sujet, il présente toutes les qualités requises, tant de corps que d'esprit. Tendre et puissant - admirez l'équilibriste sur son fil ! Des distinctions obtenues dès les premières éditions du Guide (par exemple Fourchaume 85) rappellent la qualité du viticulteur. Vous pourrez aussi choisir ses **Vaillons 97** cités pour leur rondeur, leur fruité et leur finale minérale.

⊶ Lamblin et Fils, Maligny, 89800 Chablis, tél. 03.86.47.40.85, fax 03.86.47.50.12, e-mail infovin@lamblin.com ☑ Y lun. à ven. 8h-12h-30 14h-17h; sam. 8h-12h30

DOM. DE LA MEULIERE
Vaucoupin 1997★★

☐ 0,55 ha 4 200 50 à 69 F

Rive droite, Vaucoupin chardonne ici de façon très expressive. On dirait presque un parfum féminin, tant la fleur, le minéral puis la cire d'abeille se relaient pour ajouter la complexité au plaisir. En bouche, ce 97 est plein et long. Excellemment vinifié, il rend toute sa place à ce terroir si délicat. Ce domaine a été deux fois coup de cœur dans les Guides 1993 (Mont de Milieu 90) et 1996 (Mont de Milieu 93).

⊶ Claude Laroche, Dom. de La Meulière, 89800 Fleys, tél. 03.86.42.13.56, fax 03.86.42.19.32 ☑ Y r.-v.

DOM. DE LA MOTTE Beauroy 1997★

☐ 0,55 ha 4 500 50 à 69 F

Sur Poinchy, Beauroy était jadis un *climat* très prisé. Il a perdu un peu de sa souveraineté, et c'est dommage. Marqué par le bois, celui-ci doit encore prendre son indépendance. Ses reflets de jeunesse, son nez assez riche, son corps très ample autorisent l'espoir qu'on met en lui à moyen terme.

⊶ Dom. de La Motte, 35, Grande-Rue, 89800 Beines, tél. 03.86.42.43.71, fax 03.86.42.49.63 ☑ Y t.l.j. 9h-19h; f. 1er-15 fév.

⊶ Michaut

DOM. LAROCHE Les Vaudevey 1997★★

☐ 10,2 ha 80 000 70 à 99 F

Abondance de vins ne nuit pas. Nous avons goûté nombre de vins de Laroche, tous bien notés, et avons rêvé de soufflé de palourdes, de grands poissons ou d'un plat de coquillages à partager avec nos meilleurs amis. Tous dans le millésime 97. **Vaillons Vieilles vignes** a la légèreté de la plume d'oie, **Beauroy** évoque un délicieux citron, **Fourchaume Vieilles vignes** sent son solide terroir, et Vaudevey chante comme Brassens : « Tous derrière et lui devant ». Vif et direct, plus que persistant, agrumes bien marqués, il est à lui tout seul l'ambassadeur du chablis. Coup de cœur dans les Guides 1990 (Fourchaume 87) et 1995 (Vaillons 92).

⊶ Dom. Laroche, 22, rue Louis-Bro, 89800 Chablis, tél. 03.86.42.89.00, fax 03.86.42.89.29, e-mail info@domainelaroche.fr ☑ Y r.-v.

DOM. LONG-DEPAQUIT
Les Beugnons 1997★★

☐ 2,1 ha 16 000 70 à 99 F

A la pointe sud-ouest du massif le plus important en 1ers crus de la rive gauche, ce *climat* au nom bien bourguignon (pensez à Colas Breugnon !) montre ici beaucoup de fermeté, de maturité. Du bon gras où l'on sent le raisin, des notes d'agrumes très plaisantes, il est déjà fameux, et il vieillira bien.

⊶ Dom. Long-Depaquit, 45, rue Auxerroise, 89800 Chablis, tél. 03.86.42.11.13, fax 03.86.42.81.89 ☑ Y t.l.j. sf dim. 9h-12h30 13h30-18h

DOM. DES MALANDES
Fourchaume 1997★

☐ n.c. n.c. 70 à 99 F

Les vignes de ce vaste domaine de 24,5 ha ont été plantées depuis 1950. Deux 1ers crus ont été proposés. **Montmains** (50 à 70 F) ou Fourchaume en 97 ? Ils se valent en qualité. Fourchaume l'emporte par sa subtilité discrète, sa prospérité future. Un vin privilégiant le bonheur de l'instant plus que la concentration, assurément réussi, typé dans sa couleur, délicat au nez, laissant le chardonnay s'exprimer. Il se laisse boire sans regrets ni remords. Coup de cœur en Côte de Léchet 87.

⊶ Dom. des Malandes, 63, rue Auxerroise, 89800 Chablis, tél. 03.86.42.41.37, fax 03.86.42.41.97, e-mail domaine.malandes.chablis@wanadoo.fr ☑ Y r.-v.

⊶ Marchive

DOM. DES MARRONNIERS
Montmains 1997★

☐ 2,5 ha 20 000 50 à 69 F

Aux reflets verdoyants, un vin tirant sur le miel, puis très entreprenant. Tous les éléments sont réunis pour hisser ce 97 encore un peu fermé

au rang qui est le sien. Son acidité et sa jeunesse lui permettent d'aborder l'avenir sans se faire de soucis, ni en inspirer. Côte de Jouan 93 obtint un coup de cœur sur notre édition 1996.
🗝 Bernard Légland, 1 et 3, Grande-Rue de Chablis, 89800 Préhy, tél. 03.86.41.42.70, fax 03.86.41.45.82 ☑ 🍷 t.l.j. 9h-19h

DOM. JEAN-CLAUDE MARTIN
Montmains 1997★

□ 0,69 ha 7 400 ■ 50 à 69 F

Celui qu'il faut demander dans cette cave. Frappez, on vous ouvrira. Agréable cocktail d'arômes du pays. Bouche tendre avec un rien de minéralité et un beau retour de fruit en rétro. Besoin de s'ouvrir encore.
🗝 Jean-Claude Martin, 5, rue de Chante-Merle, 89800 Courgis, tél. 03.86.41.40.33, fax 03.86.41.47.10 ☑ 🍷 t.l.j. 9h-12h 14h-19h; sam. dim. sur r.-v.; f. 15-31 août

DOM. LOUIS MOREAU
Les Fourneaux 1997

□ 5 ha 10 800 ■ 🌡 70 à 99 F

Il ne cherche pas à résoudre les problèmes de la quadrature du cercle, ce vin à l'âme claire, au fruité gentil comme tout, à la souplesse ondoyante. Léger sans doute, mais présent et porté par un peu de gras. Aux Fourneaux, en effet, pour une sole par exemple.
🗝 Louis Moreau, 10, Grande-Rue, 89800 Beines, tél. 03.86.42.87.20, fax 03.86.42.45.59 ☑ 🍷 t.l.j. 8h30-12h 13h30-17h30; sam. dim. sur r.-v.; f. 15 août-08 sept.

J. MOREAU ET FILS Vau de Vey 1997★★

□ 2,15 ha 17 204 ■ 🌡 70 à 99 F

Cette maison est reprise par Jean-Claude Boisset, mais Julie Campos - personnalité importante à Chablis - reste à la barre. Parmi de nombreux 1ers crus dégustés, nos préférés en 97 : **Montmains**, charmeur et charmant, une étoile, et celui-ci plus réussi encore. Un vin à l'or fin, persistant sur l'amande grillée, plein de vie en bouche et d'une typicité parfaite ; Vau de Vey jusqu'au bout des ongles.
🗝 J. Moreau et Fils, rte d'Auxerre, 89800 Chablis, tél. 03.86.42.88.00, fax 03.86.42.88.08 ☑

MOREAU-NAUDET ET FILS
Montmains 1997★

□ 2,1 ha 3 500 ■ 50 à 69 F

Montmains qui vaut, à vue d'œil, son pesant d'or. Bouquet discret, d'une minéralité assortie de fleur blanche. Bouche tendre qui reflète le caractère du millésime. Il finit un peu court, mais peut-être parce que, le plaisir aidant, on en attend trop...
🗝 GAEC Moreau-Naudet et Fils, 5, rue des Fossés, 89800 Chablis, tél. 03.86.42.14.83, fax 03.86.42.85.04 ☑ 🍷 t.l.j. 9h30-12h 14h-19h

SYLVAIN MOSNIER
Côte de Léchet 1997★★

□ 0,6 ha 4 500 50 à 69 F

Nous avons goûté 191 chablis 1er cru. Ce Côte de Léchet a été unanimement salué par le grand jury qui lui a décerné ce coup de cœur. On le dirait sculpté dans le kimméridgien, tant il épouse le terroir. Tout ce qu'on attend d'un 1er cru s'est donné rendez-vous dans cette bouteille pleine de corps et de présence. Or pâle, minérale et florale (fleurs blanches). A attendre de un à deux ans.

🗝 Sylvain Mosnier, 4, rue Derrière-les-Murs, 89800 Beines, tél. 03.86.42.43.96, fax 03.86.42.42.88 ☑ 🍷 r.-v.

NORBERT NICOLLE
Les Fourneaux 1997★

□ 3,4 ha 7 000 ■ 🌡 50 à 69 F

L'un ou l'autre : vous pouvez opter en 97 pour **Mont de Milieu** ou pour les Fourneaux, jugés à égalité. Pourquoi retenir ce dernier ? Or fin, tissé de soie, c'est à coup sûr un très beau vin pour qui saura attendre. N'oublions pas de faire vieillir nos vins. Les amateurs doivent être soucieux avant tout de l'avenir de leurs caves. Mais Mont de Milieu est si plaisant en bouche qu'il vous accompagnera plus tôt.
🗝 Robert Nicolle, 55, rte de Mont-de-Milieu, 89800 Fleys, tél. 03.86.42.19.30, fax 03.86.42.80.07 ☑ 🍷 r.-v.

POULET PERE ET FILS
Montmains 1996★

□ n.c. n.c. ■ (|) 🌡 30 à 49 F

Cuve et fût neuf à 75/25, pour un Montmains représentatif présenté par cette maison nuitonne, présidée par Laurent Max. Ce 96 champignonne et c'est tant mieux. On y sent également du coing mûr, un côté sec, des attentions en fin de bouche. A attendre.
🗝 Poulet Père et Fils, 6, rue de Chaux, 21700 Nuits-Saint-Georges, tél. 03.80.62.43.02, fax 03.80.61.28.08

DENIS RACE Côte de Cuissy 1997★★

□ 0,4 ha 2 200 ■ 🌡 50 à 69 F

Dans cette cave et en 97, parmi les premiers crus proposés, allez d'abord tout droit à celui-ci. Au sud-ouest de Courgis, ce *climat*, à la notoriété assez récente, donne ici des résultats spectaculaires. Son teint très pâle annonce un bouquet minéral et fruité. En bouche, charme et distinction. Puis approchez-vous du **Montmain 97** : il est tout aussi remarquable et élégant. Sa chance est également d'être moins confidentiel : Denis Race en produit 48 000 bouteilles.

CHABLIS PREMIER CRU
APPELLATION CHABLIS PREMIER CRU CONTRÔLÉE
Côte de Cuissy
MIS EN BOUTEILLE À LA PROPRIÉTÉ
DENIS RACE
PROPRIÉTAIRE-VITICULTEUR · 89800 CHABLIS · YONNE · FRANCE
ALC. 13% VOL.   PRODUIT DE FRANCE   750ML

☙ Denis Race, 5 A, rue de Chichée,
89800 Chablis, tél. 03.86.42.45.87,
fax 03.86.42.81.23 ⟙ r.-v.

REGNARD Montée de Tonnerre 1997★

| | 10 ha | 30 000 | ⬛♦ | 100 à 149 F |

Il porte aux joues les « pâles couleurs » dont
parle Colette quand elle raconte son enfance et
la façon dont sa mère la soignait : à bonnes lam-
pées de vin. Nez court et fin. Le corps du sujet
est traité en souplesse. Equilibre et persistance
signalent un 97 qui demande à attendre et à
mûrir. Cette vieille maison de Chablis a été
reprise il y a quinze ans par le baron Patrick de
Ladoucette.
☙ Régnard, 28, bd Tacussel, 89800 Chablis,
tél. 03.86.42.10.45, fax 03.86.42.48.67 ☑ ⟙ r.-v.

DANIEL SEGUINOT Fourchaume 1997★

| | 4 ha | 5 000 | ⬛♦ | 50 à 69 F |

Fourchaume discret et un tantinet exotique
sous sa robe très lisse. Fermé, à l'évidence. La
matière est cependant bien présente, la finesse et
la longueur ponctuelles, et le terroir est respecté.
☙ SCEA Daniel Seguinot, rte de Tonnerre,
89800 Maligny, tél. 03.86.47.51.40,
fax 03.86.47.43.37 ☑ ⟙ t.l.j. sf dim. 8h-12h
13h30-17h

DOM. SERVIN Vaillons 1997★★

| | 2,19 ha | 20 000 | ⬛♦ | 50 à 69 F |

Voici « la bouteille ». Madame la Grande ! Or
foncé, ambré, raisin bien mûr, elle est ample et
expressive (abricot, ananas, agrumes). Un vrai
1er cru tant elle est superbe. C'est le mot. On ne
laissera pas de côté la **Montée de Tonnerre 97**,
une étoile, qui séduit par sa longueur jouant sur
les arômes fruités et floraux.
☙ SCE Dom. Servin, 20, av. d'Oberwesel,
89800 Chablis, tél. 03.86.18.90.00,
fax 03.86.18.90.01, e-mail servin@chablis.net
☑ ⟙ t.l.j. sf dim. 8h-12h 13h30-17h30

SIMONNET-FEBVRE Vaillons 1997★

| | 3 ha | 17 000 | ⬛♦ | 70 à 99 F |

Le tsar buvait jadis le chablis mousseux de
cette maison fondée en 1840. Au Kremlin, ce
Vaillons tranquille mettra d'accord la Douma.
Sa robe est avenante, son nez fort orthodoxe, son
attaque nerveuse, mais la bouche prend la forme
d'un chœur fruité (poire et agrumes) qui monte
en puissance de page en page de la partition.
Bien.

☙ Simonnet-Febvre, 9, av. d'Oberwesel,
89800 Chablis, tél. 03.86.98.99.00,
fax 03.86.98.99.01 ☑ ⟙ t.l.j. sf dim. 8h-12h
14h-19h
☙ Jean-Pierre Simonnet

DOM. DE VAUROUX Montmains 1997★

| | 1,36 ha | 10 800 | ⬛♦ | 50 à 69 F |

On pense au vers de Boileau : « Et jusqu'à « Je
vous hais", tout s'y dit tendrement. » De sentiments violents, il n'est naturellement pas question ici. Mais que tout est dit tendrement ! Robe
habituelle en pareil lieu, la pomme et la poire se
chargeant du fruité, vif et fin, ce vin n'est pas
immense mais il occupe son terrain.
☙ SCEA Dom. de Vauroux, rte d'Avallon,
89800 Chablis, tél. 03.86.42.10.37,
fax 03.86.42.49.13 ☑ ⟙ r.-v.

HENRI DE VILLAMONT
Vaucoupin 1997

| | 1,85 ha | 7 000 | ⬛⬛ | 100 à 149 F |

Climat de la rive droite, même si Chichée, son
village natal, est rive gauche. Ce vin est bien dans
son AOC, vinifié avec soin. Limpide, un peu
boisé, il sait intégrer ses arômes minéraux au sein
d'une harmonie de raisins très mûrs. Le gras n'est
pas énorme, mais ce n'est pas ce qu'on y recherche d'abord.
☙ SA Henri de Villamont, rue du Dr-Guyot,
21420 Savigny-lès-Beaune, tél. 03.80.24.70.07,
fax 03.80.22.54.31, e-mail hdv@planetb.fr
☑ ⟙ r.-v.

DOM. VOCORET ET FILS
Côte de Léchet 1997★

| | n.c. | 10 000 | ⬛♦ | 50 à 69 F |

Un des meilleurs 1ers crus de la rive gauche. Il
s'offre limpide et habillé d'un or vert très classique. Surprise, ce nez sauvage, presque animal et
cuir, certainement original mais qui ne déplaît
pas. Derrière une attaque fine, beaucoup de
matière, de volume, de richesse. Rural en un mot,
et pourquoi diable serait-ce un défaut ? **Montée
de Tonnerre 97**, intéressant, mais dont il faut
attendre l'ouverture.
☙ Dom. Vocoret et Fils, 40, rte d'Auxerre,
89800 Chablis, tél. 03.86.42.12.53,
fax 03.86.42.10.39 ☑ ⟙ r.-v.

Chablis grand cru

Issu des coteaux les mieux
exposés de la rive droite, divisés en sept
lieux-dits (Blanchot, Bougros, les Clos,
Grenouille, Preuses, Valmur, Vaudésir), le
chablis grand cru possède à un degré plus
élevé toutes les qualités des précédents, la
vigne se nourrissant d'un sol enrichi par
des colluvions argilo-pierreuses. Quand la
vinification est réussie, un chablis grand

cru est un vin complet, à grande persistance aromatique, auquel le terroir confère un tranchant qui le distingue de ses rivaux du sud. Sa capacité de vieillissement stupéfie, car il exige huit à quinze ans pour s'apaiser, s'harmoniser et acquérir un inoubliable bouquet de pierre à fusil, voire, pour les clos, de poudre à canon ! Plus que tout autre, il souffre de la standardisation des méthodes de travail de certains producteurs. 1997, millésime dégusté, a produit 5 500 hl et 1998, 5 186 hl.

JEAN-CLAUDE BESSIN Valmur 1997*

□	1,2 ha	4 000	🍴🍷 70 à 99 F

D'une couleur assez sombre, il a le nez très rond. Loin d'être agressif ! Son harmonie générale paraît très stable et son aptitude à une longue garde assurée. L'âge favorisera son développement. Il est déjà merveilleux dans l'expression de la terre, riche en sentiment végétal.
☛ Jean-Claude Bessin, 3, rue de la Planchotte, 89800 Chablis, tél. 03.86.42.46.77, fax 03.86.42.85.30 ☑ ⊺ r.-v.
☛ Louis Tremblay

DOM. BILLAUD-SIMON
Les Preuses 1997*

□	0,5 ha	2 800	🍴🍷 100 à 149 F

Nous pouvons vous conseiller à un rang presque égal et en **97 Vaudésir** (fin et souple), **Blanchots** dit vieille vigne (assez boisé) ainsi que celui-ci. Encore très jeune, il a cette beauté fragile des chablis délicats. Arômes de fleur de printemps, réminiscence de poire, c'est joliment fait et à ne pas laisser vieillir. Coup de cœur dans l'édition 1996 pour le même vin façon 92.
☛ Dom. Billaud-Simon, 1, quai de Reugny, B.P. 46, 89800 Chablis, tél. 03.86.42.10.33, fax 03.86.42.48.77 ☑ ⊺ r.-v.

JEAN-MARC BROCARD Les Clos 1997

□	n.c.	n.c.	🍴🍷 100 à 149 F

Sur sa réserve, un 97 félin, vif, nerveux. D'une bonne limpidité, il partage ses arômes entre le minéral et le pamplemousse tout en montrant de la fermeté et sans doute de la vigueur à venir. Doit bien faire et tiendra cinq ans et plus.
☛ Jean-Marc Brocard, Dom. des Manants, 3, rte de Chablis, 89800 Préhy, tél. 03.86.41.49.00, fax 03.86.41.49.09, e-mail jmbrocard@ipoint.fr ☑ ⊺ t.l.j. sf dim. lun. 9h30-12h30 15h-19h; groupe sur r.-v.

DOM. DU COLOMBIER Bougros 1997**

□	1,2 ha	7 200	🍴🍷 70 à 99 F

Ce domaine de 35 ha exploité par trois frères n'est pas inconnu de nos lecteurs, et ce grand cru Bougros est à la hauteur de la définition de Raymond Dumay : « Du bon chablis, on dit qu'il a de l'amour ». Celui-ci en a à revendre. « Et c'est un vin de cuve où seul le vin fait ses preuves », note un dégustateur. Il a raison et même si la structure de ce 97 est légère, le bouquet (nez et bouche) est frais comme le silex, marqué par les

agrumes, fleuri à souhait. Pur, net et sans bavure !

☛ Dom. du Colombier, 42, Grand-Rue, 89800 Fontenay-près-Chablis, tél. 03.86.42.15.04, fax 03.86.42.49.67 ☑ ⊺ t.l.j. sf dim. 8h-12h 14h-18h
☛ Guy Mothe et ses Fils

JEAN-PAUL DROIN Les Clos 1997**

□	1 ha	7 000	🍴🍷 100 à 149 F

Ce viticulteur nous offre toujours le plaisir d'une large dégustation horizontale. **Grenouille, Valmur 97** vont dans le bon sens. Quant aux Clos, ils nous rappellent les fréquents coups de cœur du domaine (millésimes 87, 93 et on en oublie !). Acidité, finesse, fraîcheur, pain grillé et humus, cet authentique grand cru réussit à la perfection son milieu de bouche.
☛ Dom. Jean-Paul Droin, 14 bis, rue Jean-Jaurès, 89800 Chablis, tél. 03.86.42.16.78, fax 03.86.42.42.09 ☑ ⊺ r.-v.

JOSEPH DROUHIN Vaudésir 1997**

□	1,5 ha	n.c.	🍷 200 à 249 F

Vaudésir jaune à la limite du doré, paille foncé, avec le reflet de l'AOC, un chardonnay nuance aubépine. Son fin boisé ne l'empêche pas d'être bien proportionné. Petite pointe d'exotisme, mais on sait qu'à Chablis l'exotisme commence en Côte de Beaune... L'attendre deux ans puis le déguster pendant quatre à cinq ans.
☛ Joseph Drouhin, 7, rue d'Enfer, 21200 Beaune, tél. 03.80.24.68.88, fax 03.80.22.43.14, e-mail drouhin@calva.net ⊺ r.-v.

RAOUL GAUTHERIN ET FILS
Vaudésir 1997

□	n.c.	5 700	🍷 50 à 69 F

Le charme d'un dialogue pétillant de finesse et d'esprit, comme celui de Claude Brasseur et de Claude Rich dans Le Souper. Et Dieu sait si en Chablisien, Talleyrand et Fouché sont en pays de connaissance ! Un peu de mangue, un bon développement. Le bonheur n'a qu'un temps mais cette bouteille durera en effet quelques soupers.
☛ Raoul Gautherin et Fils, 6, bd Lamarque, 89800 Chablis, tél. 03.86.42.11.86, fax 03.86.42.42.87 ☑ ⊺ r.-v.

CH. GRENOUILLE Grenouille 1996★

| ☐ | 2,5 ha | n.c. | ⊪ | 150 à 199 F |

Le cru passe pour exubérant et capable de vous en conter... Il baisse ici le regard sur une teinte brillante et claire où l'or tient sa place. Il a encore peu de nez mais sa minéralité s'affiche en première impression. Régulier, académique, il a besoin de temps pour dominer ses impulsions secrètes.

➤ La Chablisienne, 8, bd Pasteur, B.P. 14, 89800 Chablis, tél. 03.86.42.89.89, fax 03.86.42.89.90, e-mail chabl@chablisienne.com ☑ ⲧ t.l.j. 9h-12h 14h-18h

DOM. DES ILES Vaudésir 1997

| ☐ | 0,6 ha | 3 000 | ⣿⊪ | 100 à 149 F |

Prestance et armature, apparaissant au bout d'un certain temps. Sous une couleur modeste mais fine, un nez qui mousseronne, et on doit l'en féliciter. Bouteille assez particulière et qu'on laissera en attente. Coup de cœur dans le Guide 1998 pour un Valmur 95.

➤ Gérard Tremblay, 12, rue de Poinchy, 89800 Chablis, tél. 03.86.42.40.98, fax 03.86.42.40.41 ☑ ⲧ t.l.j. sf sam. dim. 8h-12h 14h-18h

LABOURE-ROI Vaudésir 1997★

| ☐ | n.c. | n.c. | ⊪ | 150 à 199 F |

Réputé pour son goût de terroir et sa spontanéité, Vaudésir se présente ici sous des traits boisés. Discrète orange amère. Californien en diable, il est parfait bu sous cet angle.

➤ Labouré-Roi, rue Lavoisier, 21700 Nuits-Saint-Georges, tél. 03.80.62.64.00, fax 03.80.62.64.10, e-mail laboure@axnet.fr ⲧ r.-v.

DOM. DE LA MALADIERE Les Preuses 1997★

| ☐ | 2,55 ha | 16 500 | ⊪ | 150 à 199 F |

Coup de cœur dans les Guides 1989 et 1992, William Fèvre a maintenant passé la main. Ses grands crus gardent beaucoup de caractère. **Grenouille 97** charnu et d'esprit floral. A l'étage au-dessus, ces Preuses au nez assez lactique, s'imposant en bouche et d'une bonne continuité jusqu'en finale. Une sorte de langueur remise en selle par un je-ne-sais-quoi de vivacité. Pour une volaille à la crème.

➤ Sté du Vignoble W. Fèvre, 21, av. d'Oberwesel, 89800 Chablis, tél. 03.86.98.98.98, fax 03.86.98.98.99, e-mail wfevre@demeter.fr ☑ ⲧ t.l.j. sf lun. mar. 9h-12h 14h-18h

DOM. LAROCHE Blanchots 1997★

| ☐ | 3 ha | 18 000 | ⊪ | 200 à 249 F |

Par l'un des papes de Chablis, propriétaire de 100 ha, implanté dans d'autres vignobles, des Blanchots boisés, difficiles à juger aujourd'hui : la robe est avenante, le nez agréable car les notes minérales et le fruit mûr sont déjà décelables. En revanche, en bouche, on ne sent pratiquement que le fût même si l'on apprécie derrière une matière honorable.

➤ Dom. Laroche, 22, rue Louis-Bro, 89800 Chablis, tél. 03.86.42.89.00, fax 03.86.42.89.29, e-mail info@domainelaroche.fr ☑ ⲧ r.-v.

DOM. LONG-DEPAQUIT Moutonne Monopole 1996★

| ☐ | 2,35 ha | 15 000 | ⣿⣹ | 150 à 199 F |

Même si cela vous étonne, en tête vient Moutonne. De ce domaine repris depuis longtemps par la maison Bichot, **Vaudésir** (cité) et **Clos** (une étoile) tiennent en 96 leur rang. D'un jaune intense, Moutonne est un vin très mûr, aux parfums minéraux et fruités, à attendre encore un peu pour exciter leur persistance. Ne faut-il pas être long pour affronter à table les cuisses de grenouille ?

➤ Dom. de La Moutonne, 45, rue Auxerroise, 89800 Chablis, tél. 03.86.42.11.13, fax 03.86.42.81.89 ☑ ⲧ t.l.j. sf dim. 9h-12h30 13h30-18h

LOUIS MICHEL ET FILS Vaudésir 1997★

| ☐ | 1 ha | 4 000 | ⣿⊪ | 100 à 149 F |

Si **Grenouille 97** n'est nullement désagréable, Vaudésir, décidément en forme dans le millésime, prend le dessus. Ce n'est certainement pas un vin de garde, mais une bouteille à déboucher maintenant. Excellente, en finesse et en souplesse. Vin facile et qui ne songe pas à vous entraîner dans de lointains retranchements.

➤ Louis Michel et Fils, 9, bd de Ferrières, 89800 Chablis, tél. 03.86.42.88.55, fax 03.86.42.88.56 ☑ ⲧ r.-v.

DOM. PINSON Les Clos 1997

| ☐ | 2,57 ha | 12 000 | ⣿⊪ | 100 à 149 F |

Ah ! jeunesse... Faut-il se plaindre de tes attraits ? Un Clos clair et net, un peu vanillé, léger et qui papillonne en bouche. On aimerait davantage de puissance mais à chaque millésime ses capacités, et la sincérité n'est pas un défaut.

➤ SCEA Dom. Pinson, 5, quai Voltaire, 89800 Chablis, tél. 03.86.42.10.26, fax 03.86.42.49.94 ☑ ⲧ r.-v.

DENIS RACE Blanchot 1997★

| ☐ | 0,3 ha | 2 000 | ⣿⣹ | 100 à 149 F |

Un Blanchot mi-or mi-blanc, le nez mûr et miellé, à tendances exotiques, rehaussé par une vague d'amertume en fin de bouche qui peut plaire ou déplaire mais est un gage de longévité. On le considère comme prometteur, d'autant que ce vin (millésime 93) reçut le coup de cœur dans le Guide 1996.

➤ Denis Race, 5 A, rue de Chichée, 89800 Chablis, tél. 03.86.42.45.87, fax 03.86.42.81.23 ☑ ⲧ r.-v.

REGNARD Grenouilles 1997★

| ☐ | 0,35 ha | 3 000 | ⣿⣹ | 150 à 199 F |

Chez ce producteur et dans sa gamme 97, choisir Grenouilles. L'œil adhère à la lumière et la capte comme un miroir. Palette de sensations aromatiques, très grande activité en bouche, sur une vivacité d'agrumes. Ce 97 est typé et mérite de vieillir.

➤ Régnard, 28, bd Tacussel, 89800 Chablis, tél. 03.86.42.10.45, fax 03.86.42.48.67 ☑ ⲧ r.-v.

DOM. GUY ROBIN Valmur 1997*

□ 2,69 ha 16 500 ▮▮ 100 à 149 F

C'est dans ce Valmur que vous pourrez trouver votre bonheur dans deux ou trois ans. C'est un vin tendre au doré ambré mais au nez subtil et au corps équilibré.

🗝 Guy Robin, 13, rue Berthelot, 89800 Chablis, tél. 03.86.42.12.63, fax 03.86.42.49.57 ☒ Y t.l.j. 8h-19h

DOM. SERVIN Les Preuses 1997**

□ 0,69 ha 4 800 ▮ 100 à 149 F

Domaine nous offrant une luxueuse dégustation horizontale **97** : **Clos, Bougros** et **Blanchot** ont chacun une étoile. Les Preuses fait cavalier seul tant ce chablis est grand cru, tout en nuance intelligente, complexe et charmant, d'une sérénité admirable, il se boit comme un message de paix et d'amitié entre les hommes.

🗝 SCE Dom. Servin, 20, av. d'Oberwesel, 89800 Chablis, tél. 03.86.18.90.00, fax 03.86.18.90.01, e-mail servin@chablis.net ☒ Y t.l.j. sf dim. 8h-12h 13h30-17h30

DOM. VOCORET ET FILS Les Clos 1997***

□ n.c. 10 000 ▮🌡 100 à 149 F

Autre viticulteur qui nous joue le grand jeu. Son horizontale **97** mérite l'estime car si **Blanchot** n'est que cité, **Vaudésir** plaira aux puristes, **Valmur** (une étoile) aux amateurs de complexité, et Les Clos, vin très complet, avec des arômes de pêche, concentré et vineux, s'achève sur un bouquet final grandiose. L'un des meilleurs ambassadeurs de l'appellation, coup de cœur (distinction reçue dans le Guide 1998 pour son Blanchot 95).

🗝 Dom. Vocoret et Fils, 40, rte d'Auxerre, 89800 Chablis, tél. 03.86.42.12.53, fax 03.86.42.10.39 ☒ Y r.-v.

Sauvignon de saint-bris AOVDQS

Autrefois déclaré en appellation simple, ce vin de qualité supérieure, issu, comme l'appellation l'indique, du cépage sauvignon, est produit sur les communes de Saint-Bris-le-Vineux, Chitry, Irancy et une partie des communes de Quenne, Saint-Cyr-les-Colons et Cravant. Sa production est la plupart du temps limitée aux zones de plateaux calcaires où il atteint toute sa puissance aromatique. Contrairement aux vins du même cépage de la vallée de la Loire ou du Sancerrois, le sauvignon de saint-bris fait généralement sa fermentation malolactique, ce qui ne l'empêche pas d'être très parfumé et lui confère une certaine souplesse. Celle-ci s'extériorise le mieux lorsque la richesse alcoolique avoisine 12 °. Saint-Bris devrait très prochainement accéder à l'AOC.

BOURGOGNE

GHISLAINE ET JEAN-HUGUES GOISOT 1997**

□ 4 ha 24 000 ▮🌡 30 à 49 F

Le buis est l'un des arômes caractéristiques de ce vin qui évoque la bénédiction des Rameaux. Eh bien ! on a rendez-vous avec lui dans cette bouteille d'abord pleine de punch et de vivacité olfactive, puis d'un fruité ample et bien tempéré. Trompette et clavecin. Les fruits de mer s'imposent.

🗝 Ghislaine et Jean-Hugues Goisot, 30, rue Bienvenu-Martin, 89530 Saint-Bris-le-Vineux, tél. 03.86.53.35.15, fax 03.86.53.62.03 ☒ Y r.-v.

DOM. ANNE ET ARNAUD GOISOT 1998**

□ 3 ha 25 000 ▮🌡 30 à 49 F

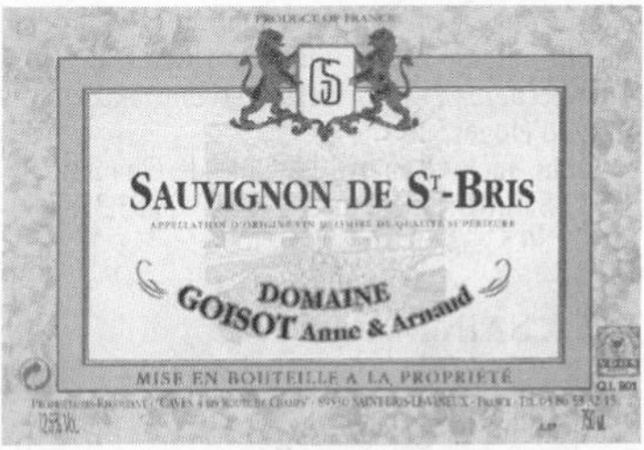

Le meilleur de tous. Il sauvignonne à plein nez et se situe très exactement dans la complexité aromatique de ce cépage qui, auprès de l'Yonne et de la Seine, rappelle la Loire. Cassis sous une robe discrète et distinguée, il est tout jeune encore mais comme chacun sait, la valeur n'attend pas toujours le nombre des années. Coup de cœur.

🗝 Dom. Anne et Arnaud Goisot, 4 bis, rte de Champs, 89530 Saint-Bris-le-Vineux, tél. 03.86.53.32.15, fax 03.86.53.64.22 ☒ Y t.l.j. 8h-12h 13h30-19h30

DOM. GRAND ROCHE 1997

□ 5 ha 37 500 ▮🌡 30 à 49 F

Ce viticulteur est un comptable reconverti dans la vigne. Et son 97 sait faire les additions :

nuance paille, le parfum variétal du cépage, une pointe de cassis et quelques notes qui « litchisent », aucune amertume, une bouche expressive et souple. La physionomie générale est respectée. Mais c'est vif et à attendre un peu.

Dom. Grand Roche, rte de Chitry, 89530 Saint-Bris-le-Vineux, tél. 03.86.53.84.07, fax 03.86.53.88.36 ☑ Y r.-v.
Lavallée

MOREAU 1997★

☐ 6,94 ha 66 500 20 à 29 F

L'œil est séduit et le nez est flatté. A dominante coing, sans oublier une petite fleur dans le bouquet, ce 97 allie puissance et longueur tout en gardant l'esprit du cépage. On peut commencer à le boire, mais deux à trois ans en cave sont dans ses possibilités. Maison historique de Chablis reprise par J.-Cl. Boisset mais laissée sous la responsabilité de son équipe, et Julie Campos tient toute sa place au pays.

J. Moreau et Fils, rte d'Auxerre, 89800 Chablis, tél. 03.86.42.88.00, fax 03.86.42.88.08 ☑

DOM. GERARD PERSENOT 1997

☐ 2 ha 15 000 20 à 29 F

Il est ce qu'il est ! Très classique. Léger beurre frais et pamplemousse au nez, il appuie sur la couleur et il passe en force l'épreuve de la bouche.

Gérard Persenot, 20, rue de Gouaix, 89530 Saint-Bris-le-Vineux, tél. 03.86.53.61.46, fax 03.86.53.61.52 ☑ Y r.-v.

DOM. JACKY RENARD 1997★

☐ 5,5 ha 27 600 30 à 49 F

Pâle et brillant, le nez charmeur. Mène son chemin en ligne droite, avec un peu de rondeur et une pointe d'amertume pour nous rappeler qu'en toute chose il faut considérer la fin... Aucune agressivité toutefois et une expression digne d'éloges.

Dom. Jacky Renard, La Côte-de-Chaussan, 89530 Saint-Bris-le-Vineux, tél. 03.86.53.38.58, fax 03.86.53.33.50 ☑ Y r.-v.

DOM. SAINT-MARC 1997★

☐ 3 ha 25 000 20 à 29 F

Il est vif, bien dans son type, paille très pâle, exprimant les arômes variétaux attendus. Mais le tout se fond bien ensuite en bouche pour laisser sur une sensation agréable.

Jean-Marc Brocard, Dom. des Manants, 3, rte de Chablis, 89800 Préhy, tél. 03.86.41.49.00, fax 03.86.41.49.09, e-mail jmbrocard@ipoint.fr ☑ Y t.l.j. sf dim. lun. 9h30-12h30 15h-19h; groupe sur r.-v.

DOM. SORIN-DEFRANCE 1997★

☐ 11,5 ha 100 000 20 à 29 F

Amateurs d'étiquettes, dépêchez-vous. L'AOC saint-bris est en marche et ce VDQS appartiendra bientôt aux souvenirs anciens. Celui-ci est assez évolué, mûr, fumé comme on s'y attend, à déboucher par les temps qui viennent.

Dom. Sorin-Defrance, 11*bis*, rue de Paris, 89530 Saint-Bris-le-Vineux, tél. 03.86.53.32.99, fax 03.86.53.34.44 ☑ Y t.l.j. sf dim. 8h-12h 14h-19h

HUBERT ET JEAN-PAUL TABIT 1997★

☐ 4 ha 15 000 30 à 49 F

Riche et élégant, parfumé mais pas caricatural. Assez typique et bien fait. Il a tout en poche pour résister un an ou deux à votre soif. Raisin mûr et buis, le cépage est volubile sous un aspect jaune foncé, légèrement gris. L'acidité lui donne de la tenue.

Jean-Paul et Hubert Tabit, 2, rue Dorée, 89530 Saint-Bris-le-Vineux, tél. 03.86.53.33.83, fax 03.86.53.67.97 ☑ Y t.l.j. 8h-20h; dim. sur r.-v.

DOM. VERRET 1998

☐ 5 ha 45 000 30 à 49 F

Pas trop fruité pour un millésime encore dans son berceau. Une robe blanche à reflets verts. Nez typé léger. Souple et long, ce 98 attend le fruit... de mer pour se réveiller. Fin néanmoins, il est à boire en l'an 2000.

Dom. Verret, 7, rte de Champs, B.P. 4, 89530 Saint-Bris-le-Vineux, tél. 03.86.53.31.81, fax 03.86.53.89.61, e-mail bruno.verret@wanadoo.fr ☑ Y r.-v.

La Côte de Nuits

Marsannay

Les géographes discutent encore sur les limites nord de la Côte de Nuits car, au siècle dernier, un vignoble florissant faisait, des communes situées de part et d'autre de Dijon, la Côte dijonnaise. Aujourd'hui, à l'exception de quelques vignes vestiges comme les Marcs d'Or et les Montreculs, l'urbanisation a cantonné le vignoble au sud de Dijon, et même Chenôve a du mal à conserver en vigne son joli coteau.

Marsannay, puis Couchey ont, encore il y a une cinquantaine d'années, approvisionné la ville de grands ordinaires et manqué en 1935 le coche des AOC communales. Petit à petit, les viticulteurs ont replanté ces terroirs en pinot et la tradition du rosé s'est développée sous l'appellation locale « bourgogne rosé de Marsannay ». Puis, on a retrouvé les vins rouges et les vins blancs d'avant le phylloxéra et, après plus de vingt-cinq ans d'efforts et d'enquêtes, l'AOC marsannay a été reconnue en 1987 pour les trois couleurs. Une particularité cependant, encore une en Bourgogne : le « marsannay rosé », dont les deux mots sont indissociables, peut être produit sur une aire plus extensive, dans le piémont sur les graves, que le marsannay (vins rouges et vins blancs) délimité uniquement dans le coteau des trois communes de Chenôve, Marsannay-la-Côte et Couchey.

Les vins rouges sont charnus, un peu sévères dans leur jeunesse et il faut les attendre quelques années. Pas courants dans la Côte de Nuits, les vins blancs sont ici particulièrement recherchés pour leur finesse et leur solidité. Il est vrai que le chardonnay, mais aussi le pinot blanc, trouvent dans des niveaux marneux propices leur terroir d'élection.

Le vignoble a produit 10 561 hl en rouge et rosé et 1 208 hl en blanc en 1998. Les coteaux sont en cours de reconquête.

La côte de Nuits (Nord-1)

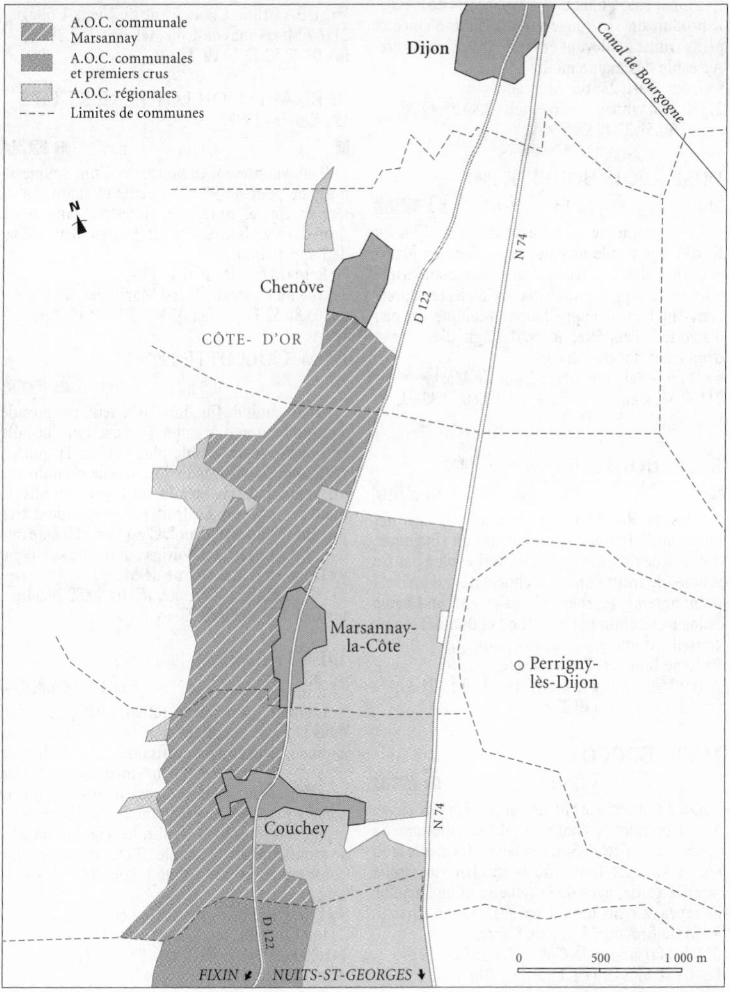

DOM. CHARLES AUDOIN
Les Favières 1996

■ 0,84 ha 5 000 🛢 50 à 69 F

Un domaine familial de quelque 12 ha exportant 30 % de sa production en Europe et aux Etats-Unis. Ce *climat* est situé au milieu du village, à mi-pente sur le coteau : il donne un vin rouge cerise (très léger tuilé) aux senteurs sympathiques. Le corps persiste dans le fruit (kirsch). Rond, il est néanmoins tannique. Mais ne le laissez pas trop en cave. Notez aussi un très joli **97 en blanc**, où le chèvrefeuille donne la réplique à la pêche, à l'abricot, à un léger boisé, et dont la finale légèrement épicée a séduit le jury.

🔑 EARL Dom. Charles Audoin, 7, rue de la Boulotte, 21160 Marsannay-la-Côte, tél. 03.80.52.34.24, fax 03.80.58.74.34 ☑ Y r.-v.

DOM. BART Les Champs Salomon 1996

■ 1,42 ha 4 200 🛢 50 à 69 F

Climat côté Conchey mais au centre de l'AOC. Il produit un vin rouge intense, pain d'épice et petits fruits, gouleyant et léger, se laissant boire. Agréable dès maintenant.

🔑 Dom. Bart, 23, rue Moreau, 21160 Marsannay-la-Côte, tél. 03.80.51.49.76, fax 03.80.51.23.43 ☑ Y r.-v.

DOM. REGIS BOUVIER 1997

◪ 2,6 ha 20 000 🛢🌡 30 à 49 F

Ce domaine de 15 ha a proposé un **Clos du Roy 97** cité par le jury qui peut plaire en **blanc**, et ce rosé clair très fruité (framboise, mandarine, mirabelle...) qui réjouit le palais. Sa légère dureté convient bien à l'appellation. Manque un peu d'acidité ? Peut-être, mais il s'agit d'un vin à déboucher dès maintenant.

🔑 Dom. Régis Bouvier, 52, rue de Mazy, 21160 Marsannay-la-Côte, tél. 03.80.51.33.93, fax 03.80.58.75.07 ☑ Y r.-v.

RENE BOUVIER Longeroies 1997

■ 1 ha 5 000 🛢 50 à 69 F

Clos du Roi 97 rouge : honnête. Longeroies même millésime et même couleur : un vin ample, d'une belle richesse tannique, déjà évolué par ses arômes de fruits confits et chocolatés ; il arrive à point nommé. En **rouge 97** également, un **Champ Salomon** féminin qui a du fond et dont les tanins conseillent une garde de trois ans.

🔑 René Bouvier, 2, rue Neuve, 21160 Marsannay-la-Côte, tél. 03.80.52.21.37, fax 03.80.59.95.96 ☑ Y r.-v.

MARC BROCOT 1997

□ 0,47 ha 600 🛢 50 à 69 F

On a apprécié le **village rouge 97**, mais choisi à tout prendre le blanc du même millésime. Sa couleur a de l'éclat. Son nez laisse deviner le fruit sec, le silex, le fondu du boisé. Un vin vinifié pour la garde, avec de la richesse et de l'acidité. Se révélera dans un à deux ans.

🔑 Marc Brocot, 34, rue du Carré, 21160 Marsannay-la-Côte, tél. 03.80.52.19.99, fax 03.80.59.84.39 ☑ Y t.l.j. 8h-20h

PHILIPPE CHARLOPIN-PARIZOT
En Montchenovoy 1996★★

■ n.c. n.c. 🛢 70 à 99 F

Coup de cœur dans le Guide 1998 pour son 95 rouge, ce viticulteur bien inspiré signe ici un Montchenovoy, *climat* niché contre le Clos du Roi. A mi-chemin entre pourpre et grenat, il évoque le fruit cuit, l'animal. Discrète pointe de vivacité dans des rondeurs aimables. La structure est parfaite et la bouche subtile.

🔑 Philippe Charlopin-Parizot, 18, rte de Dijon, 21220 Gevrey-Chambertin, tél. 03.80.51.81.18, fax 03.80.51.81.27 ☑ Y r.-v.

DOM. BRUNO CLAIR 1997

□ 2,1 ha 13 000 🛢 50 à 69 F

A boire sur le fruit, un bon compromis. Pas beaucoup de nerf mais ce vin joue une partition végétale au nez et fait en bouche le maximum sur une gamme fruitée. Une certaine classe dans le millésime.

🔑 SCEA Bruno Clair, 5, rue du Vieux-Collège, 21160 Marsannay-la-Côte, tél. 03.80.52.28.95, fax 03.80.52.18.14 ☑ Y r.-v.

BERNARD COILLOT PERE ET FILS
Les Boivins 1997★

■ 0,8 ha n.c. 🛢 50 à 69 F

Beau vin présent en bouche et d'une souplesse normale pour un 97. Charpenté et charnu, austère en finale, concentré, il restera sans doute droit dans ses bottes. *Climat* situé en plein milieu de l'appellation.

🔑 Bernard Coillot Père et Fils, 31, rue du Château, 21160 Marsannay-la-Côte, tél. 03.80.52.17.59, fax 03.80.52.12.75 ☑ Y r.-v.

DOM. COLLOTTE 1997★

□ 0,5 ha 1 500 🛢 30 à 49 F

Douze mois de fût, dont 20 % neuf, ont présidé à ce vin bouton d'or, miel d'acacia, qui s'installe en bouche et ne semble plus vouloir la quitter. L'attaque est vive, mais l'harmonie s'établit sur un panorama très étendu où l'épice montre le bout de son nez. Le fruit reste cependant très présent. Nuance d'alcool. C'est bon et même très bon. En **rouge 97, un Boivins** qui mérite son nom.

🔑 Dom. Collotte, 44, rue de Mazy, 21160 Marsannay-la-Côte, tél. 03.80.52.24.34, fax 03.80.58.74.40 ☑ Y r.-v.

DEREY FRERES 1997★

□ n.c. 5 000 🛢 50 à 69 F

Limpide, très clair, à reflets verts, il est bien dans le ton. Fût et fleur, son nez est net et franc. Bonne fraîcheur avec suffisamment d'acidité, de gras et de persistance. Un vin qui devrait être superbe quand vous lirez ces lignes. En **rouge, Champ Perdrix 97** obtient une étoile. Il a de bons arguments pour bien vieillir. Le **Vignes Marie 97** se montre tendre et souple. Il est cité... pour une consommation immédiate ! Tous ces vins passent la barre.

🔑 Derey Frères, 1, rue Jules-Ferry, 21160 Couchey, tél. 03.80.52.15.04, fax 03.80.58.76.70 ☑ Y t.l.j. 9h-12h 13h30-19h; dim. sur r.-v.

DOM. FOUGERAY DE BEAUCLAIR
Saint-Jacques 1997*

□	0,3 ha	2 000	◖◗	70 à 99 F

Coup de cœur rouge dans les Guides 1992 et 1997 pour ce même Saint-Jacques (millésimes 88 et 93), ce domaine tient là en marsannay son cheval de bataille. Le pinot blanc démontre ses capacités. Il se montre vif, entreprenant, gras, assez boisé, et déjà fondu. Pour un saumon grillé.

Dom. Fougeray de Beauclair, 44, rue de Mazy, B.P. 36, 21160 Marsannay-la-Côte, tél. 03.80.52.21.12, fax 03.80.58.73.83, e-mail fougeraydebeauclair@wanadoo.fr ☑ Y r.-v.

Jean-Louis Fougeray

JEAN FOURNIER 1997**

□	0,87 ha	5 500	◖◗	50 à 69 F

Le jury est unanime : « bien travaillé », « remarquable », « très beau vin », lit-on sur les fiches de dégustation. Doré et d'une clarté exceptionnelle, minéral et floral, il fait en bouche la queue de paon. L'exemple même de la trouvaille à faire dans notre Guide, car d'un prix raisonnable. On conseille aussi le **Longeroies en rouge (97)**, cité.

Jean Fournier, 29-34, rue du Château, 21160 Marsannay-la-Côte, tél. 03.80.52.24.38, fax 03.80.52.77.40 ☑ Y r.-v.

GOILLOT-BERNOLLIN
Clos du Roy 1997**

■	0,35 ha	1 500	◖◗	70 à 99 F

Le Clos du Roi (le « y » est de fantaisie) domine Chenôve où il constitue le seul cru historique aux portes de Dijon. Rubis bleuté, il est royal dans cette bouteille qui fleure bon l'animal et le gibier, qui s'affirme dans le verre sous des traits d'aristocrate authentique. La race ! Gras et complexe mais tannique et astringent, il domine la situation. Un roi doit savoir se faire attendre...

Goillot-Bernollin, 29, rte de Dijon, 21220 Gevrey-Chambertin, tél. 03.80.34.36.12, fax 03.80.34.16.00 ☑ Y r.-v.

ALAIN GUYARD Les Genelières 1996*

■	0,8 ha	3 000	◖◗	50 à 69 F

Marsannay connut jadis un des tournois les plus célèbres du temps des ducs de Bourgogne. D'où ces lances croisées sur l'étiquette de ce Genelières 96 à la robe encore jeune, au bouquet réservé (tirant sur la mûre) et à la bouche assez ample. Les tanins et le fruit se disputent la couronne du tournoi. L'avenir les départagera.

Alain Guyard, 10, rue du Puits-de-Têt, 21160 Marsannay-la-Côte, tél. 03.80.52.14.46, fax 03.80.52.67.36 ☑ Y r.-v.

DOM. OLIVIER GUYOT
La Montagne Vieilles vignes 1997

■	1 ha	2 000	◖◗	50 à 69 F

Exploitation familiale d'un peu plus de 12 ha, dont 1 ha de vieilles vignes (cinquante ans d'âge) ont donné ce 97 à l'intensité de couleur légèrement violacée et correcte. Au nez s'exprime le fût sur un peu de fruit et d'épices. Le corps n'est pas considérable, mais il vit et il parle. A déguster dans les deux ans, pour profiter de sa jeunesse.

EARL Olivier Guyot, 39, rue de Mazy, 21160 Marsannay-la-Côte, tél. 03.80.52.39.71, fax 03.80.51.17.58 ☑ Y r.-v.

DOM. HUGUENOT PERE ET FILS
1997***

□	2,6 ha	15 000	◖◗	50 à 69 F

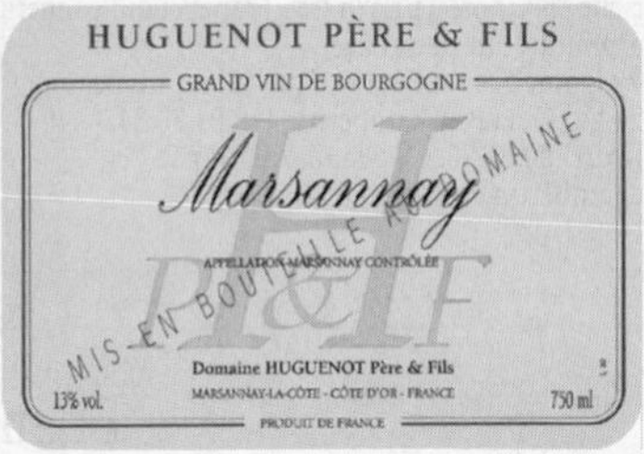

Bis repetita... Déjà coup de cœur dans le Guide 1994 (pour le millésime 91), ce domaine né au XVIIIe s. s'étend sur 25 ha. Il maîtrise à merveille ce chardonnay né sur un sol argilo-calcaire. L'or pâle, le bouquet merveilleux (fraîcheur des agrumes), la plénitude en bouche, tout invite au bonheur. Juste assez de vivacité pour en faire une bouteille à garder derrière les fagots, sous des abords d'un équilibre rare. « De mieux en mieux à Marsannay », note un dégustateur.

SCE Dom. Huguenot Père et Fils, 7, ruelle du Carron, 21160 Marsannay-la-Côte, tél. 03.80.52.11.56, fax 03.80.52.60.47, e-mail domaine.huguenot@wanadoo.fr ☑ Y r.-v.

CH. DE MARSANNAY
Le Clos du Château 1997

□	2,86 ha	14 148	◖◗	70 à 99 F

C'est sur les fondations d'un château détruit en 1513 que fut édifiée la demeure XVIIIe s. qui abrite aujourd'hui cette maison. Or mat, exprimant la pêche ou l'abricot, son 97 conserve sur la langue ces arômes initiaux. Petite nuance figuée et d'alcool. Plus long que structuré, il est léger et typé 97. Coup de cœur dans le Guide 1998 pour son rosé 95. Quant au **rouge 97**, il est suave et bien fait. La cuvée les **Grandes Vignes 97, en rouge** également, se montre équilibrée.

Ch. de Marsannay, rte des Grands-Crus, 21160 Marsannay-la-Côte, tél. 03.80.51.71.11, fax 03.80.51.71.12 ☑ Y t.l.j. sf dim. 10h-12h 14h-18h30; f. 20 déc.-5 janv.

MORIN PERE ET FILS 1997*

◪	n.c.	n.c.	◖◗	30 à 49 F

Le rosé est un enfant du pays et il a fait longtemps la réputation de Marsannay. Alors que la plupart des rosés descendent tout debout et ne laissent rien dans la bouche, celui-ci a de l'amour. Bon exemple avec ce 97 couleur pêche, floral et fruité dans une atmosphère de fraîcheur, vif et agréable au palais. A boire dans les temps qui viennent.

Morin Père et Fils, 9, quai Fleury, 21700 Nuits-Saint-Georges, tél. 03.80.62.61.42, fax 03.80.62.37.38 ☑ Y r.-v.

DOM. TRAPET PERE ET FILS 1997★★

■	1,2 ha	n.c.	50 à 69 F

« Un beau marsannay vaut un bon gevrey », disait Louis Trapet qui s'y connaissait. Aussi ce domaine s'est-il intéressé à cette AOC à partir de 1979. La robe est ici admirable, haute couture, le nez pénétré par le cassis et un boisé très tempéré. La bouche attaque en chœur. Charnu, puissant, riche en arômes, un vin très Trapet et qui gagnera à prendre un peu d'âge.

Dom. Trapet Père et Fils, 53, rte de Beaune, 21220 Gevrey-Chambertin, tél. 03.80.34.30.40, fax 03.80.51.86.34, e-mail domtrapet-chambertin@planetb.fr ☑ ⊥ r.-v.

Fixin

Après avoir visité les pressoirs des ducs de Bourgogne à Chenôve, dégusté le marsannay, vous rencontrez Fixin, première d'une série de communes donnant leur nom à une appellation d'origine contrôlée, où l'on produit surtout des vins rouges (4 129 hl de rouge et 97 hl en blanc). Ils sont solides, charpentés, souvent tanniques et de bonne garde. Ils peuvent également revendiquer, au choix, à la récolte, l'appellation côte-de-nuits-villages.

Les *climats* Hervelets, Arvelets, Clos du Chapitre et Clos Napoléon, tous classés en premiers crus, sont parmi les plus réputés, mais c'est le Clos de la Perrière qui en est le chef de file puisqu'il a même été qualifié de « cuvée hors classe » par d'éminents écrivains bourguignons et comparé au chambertin ; ce clos déborde un tout petit peu sur la commune de Brochon. Autre lieu-dit : le Meix-Bas.

DOM. BART 1996

■	0,4 ha	2 200	50 à 69 F

Des cuves de vinification en émail, des fûts de chêne pour un élevage de dix-huit mois pour ce 96. Plaisant et flatteur, il entre dans la famille des « vins de plaisir ». De courte durée ? On fait avec ce qu'on a et nul ne conteste au sein du jury l'aménité de ce 96 qui pinote bien entre le fruit et l'épice. Il est à boire en l'an 2000.

Dom. Bart, 23, rue Moreau, 21160 Marsannay-la-Côte, tél. 03.80.51.49.76, fax 03.80.51.23.43 ☑ ⊥ r.-v.

VINCENT ET DENIS BERTHAUT 1997★

■	6 ha	25 000	70 à 99 F

Créé en 1850, ce domaine sis à Fixin a déjà reçu des coups de cœur. Il présente une excellente bouteille d'**Arvelets 97 en 1**

bouteille d'**Arvelets 97 en 1er cru** ainsi que ce *village* de bonne tenue. Robe sombre, bigarreau. Nez concentré et encore fermé. Le pinot noir s'exprime de façon nette et pure, avec de la mâche et des tanins. A attendre quelques années, si possible.

Vincent et Denis Berthaut, 9, rue Noisot, 21220 Fixin, tél. 03.80.52.45.48, fax 03.80.51.31.05 ☑ ⊥ r.-v.

BOUCHARD AINE ET FILS 1997

■	n.c.	n.c.	70 à 99 F

Maison fondée en 1750 par Michel Bouchard et qui resta familiale jusqu'à son récent rachat par Jean-Claude Boisset. Ce 97 ? Un style. Assez fixin d'ailleurs, et bien dans son millésime. Finesse en impression générale, pour l'œil et le nez avec un début de complexité partagée entre la framboise et le végétal. Vin prêt à boire, léger et aimable.

Bouchard Aîné et Fils, hôtel du Conseiller-du-Roy, 4, bd Mal-Foch, 21200 Beaune, tél. 03.80.24.24.00, fax 03.80.24.64.12 ☑ ⊥ t.l.j. 9h30-12h30 14h-19h

DOM. REGIS BOUVIER 1997★

■	0,3 ha	1 800	70 à 99 F

Régis Bouvier mène ce domaine de 15 ha depuis 1981. Douze mois de fût de chêne ont présidé aux destinées de ce 97. Entre le rubis et le grenat, c'est un vin à déguster sur un lapereau sans attendre très longtemps. Beaucoup de fruits rouges, du gras et de la finesse, une petite note d'amertume : il réunit de bons atouts. Nuance assez boisée, mais la bonne matière le supporte.

Dom. Régis Bouvier, 52, rue de Mazy, 21160 Marsannay-la-Côte, tél. 03.80.51.33.93, fax 03.80.58.75.07 ☑ ⊥ r.-v.

MAURICE CHENU 1997★

■	n.c.	7 000	70 à 99 F

Belle bouteille à encaver et à attendre tranquillement. D'une teinte lumineuse et bien marquée, elle marie le fût et le fruit. En première attaque, les tanins s'expriment en langue verte, mais on sent la cerise prête à venir en première ligne dès que tout sera fondu et enchaîné.

Bourgognes Chenu-Tresch SA, chem. de la Pierre-qui-Vire, 21200 Montagny-lès-Beaune, tél. 03.80.26.37.37, fax 03.80.23.14.81

DOM. DU CLOS SAINT-LOUIS 1997

■	4 ha	18 000	70 à 99 F

Fixin côté Fixey et une famille qui fait partie des racines du pays. Un 97 issu d'une vinification traditionnelle, avec une courte macération à froid, un pigeage manuel et un élevage en fût pendant quinze mois. On le conseille pour une consommation dans les deux ans. Finesse au rendez-vous, structuré comme le millésime le permet, non sans élégance même s'il n'a pas une énorme matière.

Dom. du Clos Saint-Louis, 10, rue Abbé-Chevallier, 21220 Fixin, tél. 03.80.52.45.51, fax 03.80.58.88.76 ☑ ⊥ t.l.j. sf dim. 9h-19h; f. 20 déc.-3 janv., 15-31 août

Ph. Bernard

DOM. COLLOTTE 1997

■ 0,4 ha 900 ⓘ 50 à 69 F

Philippe Collotte mène ce domaine de plus de 10 ha depuis 1990. Il propose un fixin juste comme il faut, totalement éraflé, élevé douze mois en fût de chêne neuf. La robe est gentille, le nez en bon développement, sur le petit fruit rouge. Bonne structure, nette et équilibrée, boisé modéré, une touche de délicatesse. C'est bien et à servir maintenant.

Dom. Collotte, 44, rue de Mazy, 21160 Marsannay-la-Côte, tél. 03.80.52.24.34, fax 03.80.58.74.40 ☑ Y r.-v.

MICHEL DEFRANCE 1997

■ 3 ha 4 000 ⓘ 30 à 49 F

Macération sans doute très longue pour une extraction maximale. Cela donne un vin robuste, puissant, aux épaules bien carrées. Rouge profond et violacé, il présente un petit goût de marc dû à cette vinification « à l'ancienne » et assurément traditionnelle. La famille Defrance est présente dans ce village depuis 1610.

Michel Defrance, 38-50, rte des Grands-Crus, 21220 Fixin, tél. 03.80.52.84.67, fax 03.80.52.84.67 ☑ Y t.l.j. sf dim. 8h30-12h 14h-18h

DEREY FRERES Hervelets 1997

■ 1er cru 0,6 ha 1 800 ⓘ 70 à 99 F

Par le vigneron de la ville de Dijon (il veille sur le fameux clos des Marcs d'Or), voici un fixin Hervelets qui possède la tendreté habituelle de ce *climat*. Bouquet côte-de-nuits encore peu significatif et couleur grenat. Léger et évoluant vers le fruit macéré en fin de bouche.

Derey Frères, 1, rue Jules-Ferry, 21160 Couchey, tél. 03.80.52.15.04, fax 03.80.58.76.70 ☑ Y t.l.j. 9h-12h 13h30-19h; dim. sur r.-v.

DOM. GUY DUFOULEUR Clos du Chapitre 1996★★

■ 1er cru 3 ha 18 000 ⓘ 100 à 149 F

Le clos du Chapitre rappelle que ce village eut longtemps pour seigneurs les chanoines de Langres. Ce vin est en général rude dans sa jeunesse, ce que l'on vérifie ici. Pourpre et embelli par ses reflets, un 96 réglissé et très tannique, vineux et long, et qui va montrer d'excellents sentiments dans les années à venir. La cathédrale de Langres savait remplir ses burettes !

Dom. Guy Dufouleur, 18, rue Thurot, 21700 Nuits-Saint-Georges, tél. 03.80.62.31.00, fax 03.80.62.31.00 ☑ Y t.l.j. 9h-19h

Xavier et Guy Dufouleur

DOM. FOUGERAY DE BEAUCLAIR 1996★★

■ 1,03 ha 5 000 ⓘ 70 à 99 F

Ce bon grognard veille au salut de l'Empire ! Un vin de garde, parfaitement vinifié. Il présente les armes sous son uniforme magnifique (rubis violacé, classique). A l'aération, le nez suggère la framboise, la cerise. De haute stature, riche et complet, rond et plein, il a de quoi faire de longues et belles campagnes. Il prendra du galon avec le temps.

Dom. Fougeray de Beauclair, 44, rue de Mazy, B.P. 36, 21160 Marsannay-la-Côte, tél. 03.80.52.21.12, fax 03.80.58.73.83, e-mail fougeraydebeauclair@wanadoo.fr ☑ Y r.-v.

Jean-Louis Fougeray

ALAIN GUYARD Les Chenevières 1996★

■ 1,5 ha 4 000 ⓘ 50 à 69 F

La propriété familiale, créée il y a plus d'un siècle, comprend 9 ha. Elevé deux ans en fût de chêne de 228 l, ce 96 ne déplaira pas à un gigot d'agneau. Le *climat* dont il est issu, les Chenevières, entre Fixin et Fixey, donne une bouteille d'un rouge soutenu, au bouquet très légèrement framboisé, gardant cette expression au palais. Bien travaillée, c'est sûr, d'une typicité parfaite, et qui offrira du plaisir lorsque les tanins se seront assouplis.

Alain Guyard, 10, rue du Puits-de-Têt, 21160 Marsannay-la-Côte, tél. 03.80.52.14.46, fax 03.80.52.67.36 ☑ Y r.-v.

JEAN-PIERRE GUYARD 1997

■ 1,9 ha 5 000 ⓘ 70 à 99 F

Un domaine familial de 14 ha dont les Hervelets 96 avaient reçu deux étoiles l'an dernier. Dans une honnête moyenne pour le millésime, ce 97 offre une jolie couleur et un nez de pinot avec une pointe végétale. Sa bouche se tient. Son acidité assurera la qualité de son évolution. Ses tanins sont agréables à parcourir. Sera au mieux de sa forme dans deux à trois ans. **Hervelets 97** : remarques analogues.

Jean-Pierre Guyard, 4, rue du Vieux-Collège, 21160 Marsannay-la-Côte, tél. 03.80.52.12.43, fax 03.80.52.95.85 ☑ Y r.-v.

DOM. OLIVIER GUYOT 1997★

■ 0,64 ha 2 000 ⓘ 70 à 99 F

Une exploitation familiale de 12,44 ha dirigée depuis 1992 par l'auteur de ce vin issu de vignes de cinquante ans. Sculpté par François Rude sur les hauteurs de Fixin, Napoléon sortirait vite de son sommeil s'il recevait l'hommage d'une telle bouteille. Très typée sous ses parfums de cerise, sa robe pourpre brillant, son élégance naturelle. Facile à boire, un vin gourmand.

EARL Olivier Guyot, 39, rue de Mazy, 21160 Marsannay-la-Côte, tél. 03.80.52.39.71, fax 03.80.51.17.58 ☑ Y r.-v.

DOM. HUGUENOT PERE ET FILS 1996

■ 4,5 ha 25 000 ⓘ 70 à 99 F

Depuis 1790, les Huguenot sont vignerons. Leur domaine atteint aujourd'hui 25 ha. Ils reçurent un coup de cœur dans cette appellation dans le Guide 1992, pour le millésime 88. Couleur modeste cette fois, nez franc et avec amorce de complexité, rondeur fruitée (cassis) sur fond tannique. Un fixin sans artifice, linéaire, dont le ressort acide permet une garde moyenne.

SCE Dom. Huguenot Père et Fils, 7, ruelle du Carron, 21160 Marsannay-la-Côte, tél. 03.80.52.11.56, fax 03.80.52.60.47, e-mail domaine.huguenot@wanadoo.fr ☑ Y r.-v.

ARMELLE ET JEAN-MICHEL MOLIN Les Hervelets 1997★★

■ 1er cru   0,57 ha   800   ◫ 70 à 99 F

Le poète de la famille va pouvoir déboucher... son stylo afin de dédier une ode à ce coup de cœur qui remporte cette année la palme à Fixin. Couleur cassis, intense et brillant, ce 97 séduit par ses arômes de fruits mûrs, de confiture de cerises, puis par sa densité. Il faudra attendre que fût et matière se fondent. Elégant, ce vin a du charme. Profond, il a du relief. Il se montrera digne d'un gibier. Un millésime qui fête les dix années de direction du domaine.
➥ EARL Armelle et Jean-Michel Molin, 54, rte des Grands-Crus, 21220 Fixin,
tél. 03.80.52.21.28, fax 03.80.59.96.99 ☑ ⟙ r.-v.

Gevrey-chambertin

Au nord de Gevrey, trois appellations communales sont produites sur la commune de Brochon : fixin sur une petite partie du Clos de la Perrière, côtes de nuits-villages sur la partie nord (lieux-dits Préau et Queue-de-Hareng) et gevrey-chambertin sur la partie sud.

En même temps qu'elle constitue l'appellation communale la plus importante en volume (16 993 en 1997 et 17 459 hl en 1998), la commune de Gevrey-Chambertin abrite des crus tous plus grands les uns que les autres ayant donné moins de 3 000 hl en 1997. La combe de Lavaux sépare la commune en deux parties. Au nord, nous trouvons, entre autres *climats*, les Evocelles (sur Brochon), les Champeaux, la combe aux Moines (où allaient en promenade les moines de l'abbaye de Cluny qui furent au XIIIe s. les plus importants propriétaires de Gevrey), les Cazetiers, le clos Saint-Jacques, les Varoilles, etc. Au sud, les crus sont moins nombreux, presque tout le coteau étant en

grand cru ; on peut citer les *climats* de Fonteny, Petite-Chapelle, Clos-Prieur, etc.

Les vins de cette appellation sont solides et puissants dans le coteau, élégants et subtils dans le piémont. A ce propos, il convient de répondre à une rumeur erronée selon laquelle l'appellation gevrey-chambertin s'étend jusqu'à la ligne de chemin de fer Dijon-Beaune, dans des terrains qui ne le mériteraient pas. Cette information, qui fait fi de la sagesse des vignerons de Gevrey, nous donnera l'occasion d'apporter une petite explication : la côte a été le siège de nombreux phénomènes géologiques, et certains de ses sols sont constitués d'apports de couverture, dont une partie a pour origine les phénomènes glaciaires du quaternaire. La combe de Lavaux a servi de « canal », et à son pied s'est constitué un immense cône de déjection dont les matériaux sont identiques ou semblables à ceux du coteau. Dans certaines situations, ils sont simplement plus épais, donc plus éloignés du substratum. Essentiellement constitués de graviers calcaires plus ou moins décarbonatés, ils donnent ces vins élégants et subtils dont nous parlions précédemment.

PIERRE ANDRE Les Vignes d'Isabelle 1997★

■   0,8 ha   3 500   ◫ 250 à 299 F

Cette vigne porte le prénom d'une des filles de la famille et se trouve près de la Croix des Champs, si vous connaissez bien votre gevrey. Ce vin net, sans défaut, puissant et consistant, devra attendre au moins trois ans pour s'exprimer.
➥ Pierre André, Ch. de Corton-André, 21420 Aloxe-Corton, tél. 03.80.26.44.25, fax 03.80.26.43.57, e-mail pandre@axnet.fr
⟙ t.l.j. 10h-18h

DOM. CHARLES AUDOIN 1997★

■   0,4 ha   1000   ◫ 70 à 99 F

Domaine familial de 12 ha qui trie ses vendanges et élève en barrique dix-huit mois ce vin avec une présence très modérée de fûts neufs. Il est boisé sans que cela nuise à l'approche du fruit (framboise, fraise). De couleur rubis brillant, un 97 équilibré mais à l'architecture de son millésime. Ne lui en faisons pas le reproche. Cela dit, notre sélection est sévère et se trouver ici marque la différence. N'a-t-il pas une belle longueur reposant à la fois sur le bois et sur le fruit, le premier étant bien fondu ?
➥ EARL Dom. Charles Audoin, 7, rue de la Boulotte, 21160 Marsannay-la-Côte,
tél. 03.80.52.34.24, fax 03.80.58.74.34 ☑ ⟙ r.-v.

DOM. DES BEAUMONT
Aux Combottes 1996*

■ 1er cru 0,25 ha 1 500 100 à 149 F

Ce millésime a vu une rénovation des caves et de la cuverie de ce domaine. Les Combottes prolongent les Latricières côté Morey et elles ont les qualités d'un grand cru. Il fut d'ailleurs question jadis de leur reconnaître ce rang. Elles se présentent ici d'une teinte pourpre à reflets noirs. Leur bouquet tend aux fruits cuits, aux épices. Une nette touche boisée en bouche s'effacera dans quatre ans, laissant mieux s'exprimer le fruit que l'on aperçoit cependant déjà.

Dom. des Beaumont, 9, rue Ribordot, 21220 Morey-Saint-Denis, tél. 03.80.51.87.89, fax 03.80.51.87.89 Y r.-v.

VINCENT ET DENIS BERTHAUT
Clos des Chezeaux 1997**

■ 1 ha 3 000 70 à 99 F

Cette vigne se trouve à côté des mazoyères ou charmes-chambertin. Elle produit un vin présenté ici très jeune et qui cependant manifeste de bonnes dispositions. Profondeur de la robe, cassis et vanille aux avant-postes, ce 97 tout en puissance apparaît corsé, réglissé, fortement charpenté. Notre coup de cœur dans le Guide 1998 (pour des Cazetiers 95).

Vincent et Denis Berthaut, 9, rue Noisot, 21220 Fixin, tél. 03.80.52.45.48, fax 03.80.51.31.05 Y r.-v.

RENE BOUVIER 1997*

■ 1 ha 4 000 100 à 149 F

Cette bouteille ne vous saute pas au cou, mais c'est normal à cet âge. Sa robe est jolie, très jeune. Son bouquet s'ouvre progressivement sur la mûre, la griotte. Les tanins et l'alcool sont comme deux piliers solides mais sans dureté, encadrant un vin de terroir qui sera de bonne tenue dans le temps.

René Bouvier, 2, rue Neuve, 21160 Marsannay-la-Côte, tél. 03.80.52.21.37, fax 03.80.59.95.96 Y r.-v.

BOURGOGNE

La côte de Nuits (Nord-2)

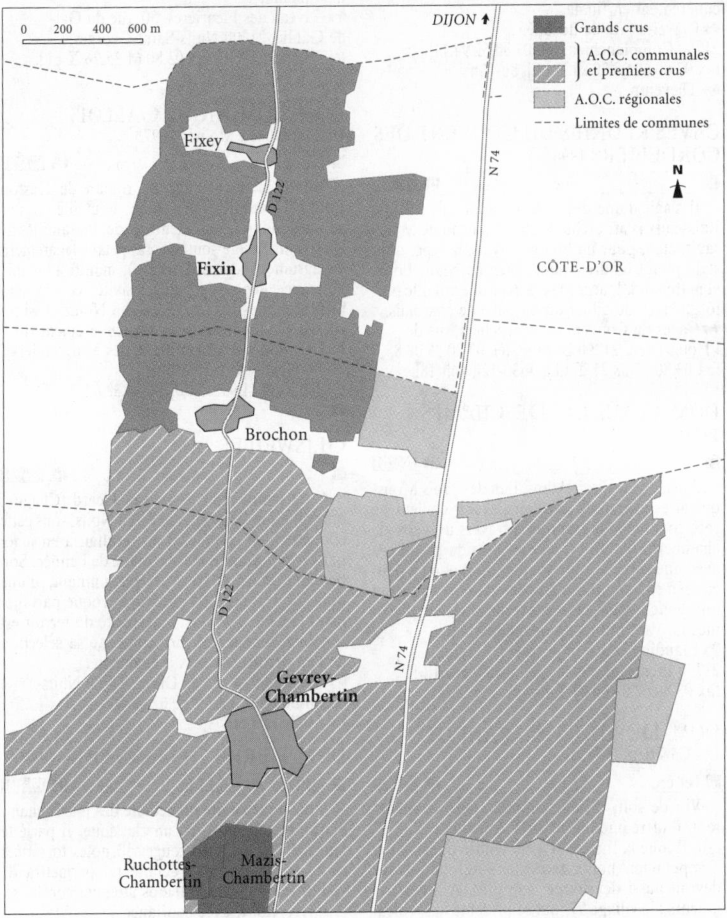

DOM. PHILIPPE CHARLOPIN-PARIZOT
Cuvée Vieilles vignes 1996**

■ 3 ha 10 000 ◖◗ 150 à 199 F

Deux fois coup de cœur (millésimes 89 et 92) en gevrey *village*, ce viticulteur est l'une des sommités de la viticulture bourguignonne. Rubis à pourpre, ce vin porte les couleurs de la joie. Ouvert, un peu épicé et complexe, il est accueillant. Rond et chaleureux, il a la sagesse de ne pas tout donner du premier coup, gardant le meilleur pour plus tard. Les Vieilles vignes ont besoin de quelques années de bouteille.

⊶ Philippe Charlopin-Parizot, 18, rte de Dijon, 21220 Gevrey-Chambertin, tél. 03.80.51.81.18, fax 03.80.51.81.27 ☒ Y r.-v.

CLAVELIER ET FILS 1996

■ 2 ha 3 000 ◖◗ 200 à 249 F

Pourpre intense, ce 96 a besoin d'un peu d'aération pour délivrer un message aromatique (cassis, cacao). Son évolution conduit à le servir dans les trois années à venir, pas au-delà. On partagera alors ses tanins assez veloutés, particulièrement en finale.

⊶ Clavelier, rte de Beaune, 21700 Comblanchien, tél. 03.80.62.94.11, fax 03.80.62.95.20 ☒ Y t.l.j. 8h-18h

⊶ Thévenin

CAVES REUNIES DU COUVENT DES CORDELIERS 1996

■ n.c. 8 000 ◖◗ 100 à 149 F

Il s'agit d'une des dénominations du groupe Boisseaux (Patriarche, Kriter, Château de Meursault, etc.), pour un bon gevrey assez typé, d'un style plutôt tendre, friand, bien en chair. Loyal et marchand. L'accord sera avec une volaille plutôt qu'avec du gibier ou un pavé de charolais.

⊶ Caves du Couvent des Cordeliers, rue de l'Hôtel-Dieu, 21200 Beaune, tél. 03.80.25.08.85, fax 03.80.25.08.21 Y t.l.j. 9h30-12h 14h-18h

DOM. CLAUDINE DESCHAMPS
1996**

■ 5,3 ha n.c. ◖◗ 100 à 149 F

Ainsi que le disait Athos, l'un des Trois Mousquetaires, « rien ne fait voir l'avenir couleur de rose comme de le regarder à travers un verre de chambertin ». On est ici tout près du grand cru avec une superbe robe sombre, un bouquet délicieusement complexe (fraise, mûre, vanille) et une bouche glorieuse. L'excellent retour d'arômes lui vaut beaucoup de compliments.

⊶ Claudine Deschamps, rue de l'Eglise, 21700 Premeaux-Prissey, tél. 03.80.62.61.61, fax 03.80.62.61.60 ☒ Y r.-v.

DOM. DUPONT-TISSERANDOT
Les Cazetiers 1997

■ 1er cru 2,5 ha n.c. ◖◗ 100 à 149 F

Vin de soif, dit-on. Limpide, léger, transparent, il offre une image assez conviviale d'un 1er cru. Il joue la finesse et a été vinifié pour plaire. Tempérament boisé, nécessitant un fondu. L'âge devrait aussi développer son gras. A noter par ailleurs : le **village 97**, qui se présente aussi bien.

⊶ GAEC Dupont-Tisserandot, 2, pl. des Marronniers, 21220 Gevrey-Chambertin, tél. 03.80.34.10.50, fax 03.80.58.50.71 ☒ Y t.l.j. 8h30-18h; sam. dim. sur r.-v.

FAIVELEY Les Cazetiers 1996**

■ 1er cru 2,04 ha 8 800 ◖◗ 200 à 249 F

Comme le lion qui figure sur le blason de la maison, voici un vin superbe et généreux. Il a tout d'un 1er cru, un rubis dense et foncé, un nez de myrtille, une ardeur en bouche peu commune. Fait pour durer, ce 96 vient des Cazetiers (le coteau qui surplombe le château des moines de Cluny).

⊶ Maison Joseph Faiveley, 8, rue du Tribourg, B.P. 9, 21701 Nuits-Saint-Georges Cedex, tél. 03.80.61.04.55, fax 03.80.62.33.37 ☒ Y r.-v.

CAVEAU DES FLEURIERES 1996

■ n.c. 1 200 ◖◗ 100 à 149 F

Bien équilibré (acidité, tanins, alcool), ce 96 est un peu linéaire mais joliment dessiné. Cassis et sous-bois, ses arômes lui vont bien. Bonnes perspectives de garde mais mieux vaut le boire maintenant.

⊶ Caveau des Fleurières, 50, rue du Gal-de-Gaulle, 21700 Nuits-Saint-Georges, tél. 03.80.61.10.30, fax 03.80.61.35.76 Y t.l.j. 9h-12h 14h-19h; f. janv.

DOM. DOMINIQUE GALLOIS
La Combe aux Moines 1997*

■ 1er cru n.c. n.c. ◖◗ 150 à 199 F

Nono, le personnage du roman de Gaston Roupnel, aurait aimé cette bouteille signée aujourd'hui par un membre de la famille de l'écrivain. Rouge soutenu, rappelant légèrement les agrumes (écorce d'orange), manifestant une puissance dépourvue d'agressivité, ce vin sera bientôt de très haute expression. Notez aussi un **village 97** en harmonie et particulièrement fin.

⊶ Dominique Gallois, 30, pl. des Marronniers, 21220 Gevrey-Chambertin, tél. 03.80.34.11.99, fax 03.80.34.38.62 ☒ Y r.-v.

GEISWEILER 1996*

■ n.c. n.c. ◖◗ 150 à 199 F

C'est maintenant la maison Picard (Chagny) qui veille sur Geisweiler et Fils à Nuits, sous cette étiquette bien connue. Beau résultat, à en juger par ce 96 portant une robe digne de l'année. Son bouquet jeune et frais est passionnant, d'une noblesse véritable. Sa structure évoque parfaitement la Côte de Nuits. La typicité du terroir est fort bien rendue. Le jury confirme sa sélection de l'an dernier ; le prix a augmenté.

⊶ Geisweiler, 4, rte de Dijon, 21700 Nuits-Saint-Georges, tél. 03.80.62.35.00

⊶ Michel Picard

DOM. PIERRE GELIN Clos Prieur 1996*

■ 1er cru 0,23 ha 1 200 ◖◗ 150 à 199 F

Situé à proximité immédiate des mazis-chambertin, ce *climat* est ici un classique. Il parle le langage des 96 : léger rouge vif, notes torréfiées et de fruits confits. L'acidité lui permettra de vieillir et de laisser le temps atténuer son boisé. A suivre, donc, avec confiance.

⊶ Dom. Pierre Gelin, 2, rue du Chapitre, 21220 Fixin, tél. 03.80.52.45.24, fax 03.80.51.47.80 ☑ 🍷 r.-v.

DOM. ROBERT GROFFIER PERE ET FILS 1997

■ 0,85 ha 3 300 ⦀ 100 à 149 F

Bonne expression du millésime dans une sensation de fruits à l'eau-de-vie, de cerise confite. L'attaque est franche mais la structure reste légère. Rubis à reflets violacés, sa robe est d'une couleur attendue.

⊶ Dom. Robert et Serge Groffier, 3-5, rte des Grands-Crus, 21220 Morey-Saint-Denis, tél. 03.80.34.31.53 ☑ 🍷 r.-v.

GUILLARD Les Corbeaux 1996★★

■ 1er cru 0,49 ha 3 000 ⦀ 100 à 149 F

Les Corbeaux sont un 1er cru très apprécié à Gevrey : juste en quittant le village par la route des grands crus, direction Morey. Ce viticulteur en tire une bouteille un peu boisée mais tout en délicatesse et qui a enthousiasmé le jury. Quel gras ! Quelle texture ! Vous pouvez également choisir en **96, Les Corvées Vieilles vignes**... et faire rôtir un pigeon.

⊶ SC Guillard, 3, rue des Halles, 21220 Gevrey-Chambertin, tél. 03.80.34.32.44 ☑ 🍷 r.-v.

JEAN-MICHEL GUILLON 1997★

■ 4 ha 15 000 ⦀ 70 à 99 F

Signalons un **Champonnets 97** qui ne laisse pas indifférent ainsi que celui-ci discrètement violacé, typé bourgeon de cassis, tannique et conquérant. Un gaillard à ne pas solliciter avant l'an 2005. Eh oui, un gevrey est un vin de garde, ne l'oublions pas. C'est pourquoi il fait le bonheur d'une cave.

⊶ Jean-Michel Guillon, 33, rte de Beaune, 21220 Gevrey-Chambertin, tél. 03.80.51.83.98, fax 03.80.51.85.59 ☑ 🍷 r.-v.

ALAIN GUYARD 1996★★

■ 0,7 ha 3 000 ⦀ 70 à 99 F

On imagine le civet de lièvre qui lui fera escorte, car il s'agit ici d'un vin de caractère, bien typé et tourné vers l'avenir tout en étant déjà plaisant. Longueur et structure sont remarquables, mettant en valeur une bouche vive et poivrée qu'enveloppent les tanins. Notez qu'un membre du jury composé de cinq dégustateurs l'a même proposé en coup de cœur.

⊶ Alain Guyard, 10, rue du Puits-de-Têt, 21160 Marsannay-la-Côte, tél. 03.80.52.14.46, fax 03.80.52.67.36 ☑ 🍷 r.-v.

DOM. ANTONIN GUYON 1996

■ 2,4 ha 15 000 ⦀ 100 à 149 F

Ce domaine est équipé d'une table de tri qui permet une bonne sélection des raisins lors des vendanges. L'attaque de ce 96, légèrement acidulée, laisse place à un vin toujours discret mais bien fait. Ses arômes tournent autour du cassis, de la vanille, du cuir. Constant en bouche, ce vin rubis limpide montre sa jeunesse par son assise tannique. L'attendre.

⊶ Dom. Antonin Guyon, 21420 Savigny-lès-Beaune, tél. 03.80.67.13.24, fax 03.80.66.85.87, e-mail webmaster@guyon-bourgogne.com ☑ 🍷 r.-v.

DOM. GUYON 1997★

■ 0,45 ha n.c. ⦀ 70 à 99 F

Quatorze mois de fût ont présidé à la naissance de ce 97. Nez aux tonalités de fruit très mûr sous des traits rouge pourpre : ce sentiment de concentration se retrouve au palais. Si l'attaque est enlevée et souple, les tanins rappellent bientôt qu'un gevrey est le plus souvent d'un caractère masculin. Pour un coq au vin de la vieille et bonne école. Mais laissez vieillir le coq et le vin !

⊶ EARL Dom. Guyon, 11, RN 74, 21700 Vosne-Romanée, tél. 03.80.61.02.46, fax 03.80.62.36.56 ☑ 🍷 r.-v.

DOM. OLIVIER GUYOT Les Champeaux 1997★★

■ 1er cru 0,98 ha 2 000 ⦀ 100 à 149 F

Les Champeaux sont un 1er cru en haut de coteau, à la limite de Gevrey et de Brochon. Ils produisent un vin très coloré, où le fût se marie actuellement à des accents fauves et épicés. La bouche est riche, ample, encore « globale ». Potentiel à affiner, ce qui semble sûr.

⊶ EARL Olivier Guyot, 39, rue de Mazy, 21160 Marsannay-la-Côte, tél. 03.80.52.39.71, fax 03.80.51.17.58 ☑ 🍷 r.-v.

DOM. HARMAND-GEOFFROY Lavaux Saint-Jacques 1997★

■ 1er cru 0,7 ha 3 400 ⦀ 150 à 199 F

Une belle série car nous avons aimé en **97 le village** et, toujours en gevrey, le **climat En Jouise**, voisin du clos Prieur, entre Gevrey et Morey. Puisqu'il faut choisir, la préférence va au Lavaux Saint-Jacques. Cerise noire intense, il « pinote » sur une sensation chaleureuse et animale. C'est un 1er cru riche et complet, avec beaucoup de potentiel.

⊶ Dom. Harmand-Geoffroy, 1, pl. des Lois, 21220 Gevrey-Chambertin, tél. 03.80.34.10.65, fax 03.80.34.13.72 ☑ 🍷 r.-v.

DOM. HERESZTYN La Perrière 1997★★

■ 1er cru 0,34 ha 2 000 ⦀ 100 à 149 F

Notre coup de cœur l'an dernier brille, au millésime suivant, sous une robe rouge foncé. Son nez a du panache : réglisse et corbeille de petits fruits. Sa bouche est superbe et offre de belles promesses tant la charpente tient bon. Quant à la cuvée **Vieilles vignes 97**, elle est digne de grande considération comme **Les Goulots 97 en 1er cru**. Une étoile pour ces deux bouteilles.

⊶ Dom. Heresztyn, 27, rue Richebourg, 21220 Gevrey-Chambertin, tél. 03.80.34.30.86, fax 03.80.34.13.99 ☑ 🍷 t.l.j. 9h-12h 14h-18h; dim. sur r.-v.

DOM. HUGUENOT PERE ET FILS Les Fontenys 1996

■ 1er cru 0,21 ha 1 300 ⦀ 100 à 149 F

Ce domaine créé en 1790 compte 25 ha. Son gevrey a été élevé dix-huit mois en barrique. Si le bouquet s'avère assez austère, la bouche est

BOURGOGNE

beaucoup plus liante. Une certaine rondeur, du fruit rouge à maturité, ce 96 devrait se faire des amis d'ici quelques années. *Climat* proche des Ruchottes-Chambertin, de l'autre côté du chemin qui monte sur les Hautes-Côtes.

☞SCE Dom. Huguenot Père et Fils, 7, ruelle du Carron, 21160 Marsannay-la-Côte, tél. 03.80.52.11.56, fax 03.80.52.60.47, e-mail domaine.huguenot@wanadoo.fr ☑ ⊤ r.-v.

DOM. HUMBERT FRERES 1997★

| ■ | 8 ha | n.c. | ⦀ | 70 à 99 F |

Pourpre violacé, d'une belle brillance, fermé, boisé, un vin concentré, long et épicé, étoffé et mûr, tannique en milieu de bouche et qui, pour plusieurs dégustateurs de la table, vogue vers les sommets.

☞Dom. Humbert Frères, rue de Plateligone, 21220 Gevrey-Chambertin, tél. 03.80.51.84.23, fax 03.80.51.80.14 ☑ ⊤ r.-v.

LIGNIER-MICHELOT 1996★

| ■ | 0,64 ha | n.c. | ⦀ | 70 à 99 F |

Un domaine familial de 8,5 ha. On pense à une viande marinée pour l'accompagner tant ce vin a un souffle puissant, sauvage, animal. Il semble descendre des hauteurs de Vergy. La robe grenat est lumineuse et profonde. En bouche, une pointe d'acidité signe les promesses de garde, des arômes de fruits mûrs annoncent un plaisir évident, un support tannique présent mais soyeux, tout cela lui construit une personnalité.

☞Dom. Lignier-Michelot, 11, rue Haute, 21220 Morey-Saint-Denis, tél. 03.80.34.31.13, fax 03.80.58.52.16 ☑ ⊤ r.-v.

DOM. MICHEL MAGNIEN ET FILS
Les Seuvrées Vieilles vignes 1997★

| ■ | 1,3 ha | 4 500 | ⦀ | 70 à 99 F |

Les Seuvrées sont séparées des mazoyères ou charmes-chambertin par la RN 74. Elles produisent un *village* présenté Vieilles vignes : net, bien constitué et dont la seconde bouche ne dément pas la première. Sa robe montre des reflets pourpres, il a le nez légèrement poivré et assez long des 97 et offre une persistance notable après la dégustation.

☞Dom. Michel Magnien et Fils, 4, rue Ribordot, 21220 Morey-Saint-Denis, tél. 03.80.51.82.98, fax 03.80.58.51.76 ☑ ⊤ r.-v.

DOM. JEAN-PHILIPPE MARCHAND
Lavaux Saint-Jacques 1997

| ■ 1er cru | n.c. | n.c. | ⦀ | 100 à 149 F |

Présenté par Jean-Philippe Marchand, devenu négociant, et non par son domaine, voici ce qu'on appelait naguère un « vin de rôti » pour la table dominicale, version bourguignonne de la poule au pot. Un vin honnête et qui est dans la ligne des 97. Un peu juste sans doute pour un 1er cru, mais la nature parle et la légèreté présente aussi des charmes...

☞Dom. Jean-Philippe Marchand, 4, rue Souvet, B.P. 41, 21220 Gevrey-Chambertin, tél. 03.80.34.33.60, fax 03.80.34.12.77, e-mail marchand@axnet.fr ☑ ⊤ r.-v.

DOM. MARCHAND-GRILLOT
Vieilles vignes 1996★

| ■ | 0,5 ha | 4 000 | ⦀ | 70 à 99 F |

Cerise foncé, un vin encore fermé mais qui laisse entrevoir des aperçus épicés : cannelle, girofle, cardamome... D'une constitution vineuse, il sait être caressant et tout à la fois montrer du nerf. Mais il ne se livre guère. Attendons quelques années, car c'est assurément un grand gevrey-chambertin.

☞Dom. Marchand-Grillot, 13, rue du Gaizot, 21220 Gevrey-Chambertin, tél. 03.80.34.10.18, fax 03.80.58.50.87, e-mail marchand-grillot@ipac.fr ☑ ⊤ r.-v.

CH. DE MARSANNAY 1997★

| ■ | 2,95 ha | 12 972 | ⦀ | 100 à 149 F |

Une certaine idée du gevrey-chambertin. L'intensité colorante est assez soutenue, le nez friand, d'un parfum pénétrant et divers évoquant les fruits et le boisé. Pas trop de complexité mais une grande franchise de goût, un équilibre capable de durer de deux à trois ans. Le millésime dans son expression normale.

☞Ch. de Marsannay, rte des Grands-Crus, 21160 Marsannay-la-Côte, tél. 03.80.51.71.11, fax 03.80.51.71.12 ☑ ⊤ t.l.j. 1sf dim. 10h-12h 14h-18h30; f. 20 déc.-5 janv.

DOM. THIERRY MORTET 1997★

| ■ | 2,5 ha | 6 000 | ⦀ | 100 à 149 F |

Bâti comme une église romane, un vin monolithique et grave qui ne recherche pas l'effet facile ou le plaisir de l'instant. Très concentré, d'une extraction profonde, il se révèle par une note de kirsch tout en gardant ses secrets. Si le rubis sort enfin de sa gangue, il sera précieux. Le pari vaut d'être tenté.

☞Dom. Thierry Mortet, 16, pl. des Marronniers, 21220 Gevrey-Chambertin, tél. 03.80.51.85.07, fax 03.80.34.16.80 ☑ ⊤ r.-v.

MARIE-LOUISE PARISOT 1997

| ■ | n.c. | n.c. | ⦀ | 100 à 149 F |

Maison reprise par la famille Cottin à Nuits-Saint-Georges. Pureté du disque, éclat et couleur. Bouquet déjà ouvert, porté sur la cerise dans un contexte boisé. Vin assez flatteur, aromatique et qui privilégie la forme.

☞Marie-Louise Parisot, rue Lavoisier, 21700 Nuits-Saint-Georges, tél. 03.80.62.64.11, fax 03.80.62.64.12 ⊤ r.-v.

CAVES DES PAULANDS 1997★

| ■ | n.c. | n.c. | ⦀ | 100 à 149 F |

Cette ancienne maison bourguignonne fondée en 1898 propose un gevrey-chambertin pourpre soutenu, au nez intéressant mêlant fruits rouges, vanille, noisette... La bouche n'a pas énormément de puissance, mais quelle importance dès lors que le bonheur est sur la langue... L'impression générale est ronde, soyeuse et persistante.

☞Caves des Paulands, RN 74, B.P. 12, Aloxe-Corton, 21550 Ladoix-Serrigny, tél. 03.80.26.41.05, fax 03.80.26.47.56, e-mail paulands@wanadoo.fr ☑ ⊤ t.l.j. 8h-12h 14h-18h

MAISON DENIS PHILIBERT 1997

■ n.c. 6 000 🍷 100 à 149 F

Du même négociant-éleveur, une **Cuvée Prestige** signée par une certaine Veuve de Malvaux (on peut la courtiser en secondes noces) et ce 97 sans autres fioritures, grenat, assez boisé, attaquant en vivacité, ayant la prudence de mettre une touche de griotte en poste restante pour la fin de bouche. Agréable en un mot. Pour viandes rôties ou grillées dans un an ou deux.

Maison Denis Philibert, 1, rue Ziem, 21200 Beaune, tél. 03.80.24.05.88, fax 03.80.22.37.08 ☑ Y t.l.j. 9h-19h

GERARD QUIVY 1997*

■ 1,88 ha 10 000 🍷 100 à 149 F

Ce domaine de 4 ha est installé dans un hôtel particulier datant du XVIIIes. Rouge grenat à reflets rose pâle, son gevrey-chambertin accompagne son fruit d'une petite touche boisée qui ne gâte rien. Ses tanins sont déjà bien fondus, donnant de la rondeur, de la finesse à une bouteille qu'il n'est pas indispensable d'attendre longtemps, même si les années à venir ne l'effraient pas.

Gérard Quivy, 7, rue Gaston-Roupnel, 21220 Gevrey-Chambertin, tél. 03.80.34.31.02, fax 03.80.34.31.02 ☑ Y t.l.j. sf ven. 9h-19h; f. jan.

DOM. HENRI RICHARD 1997**

■ 2,07 ha n.c. 🍷 70 à 99 F

Une *boutique winery*, dirait-on en Californie. Petit domaine de 3 ha, comportant seulement trois appellations. Voici l'une d'elles, accueillie par le jury avec beaucoup de faveur. A voir sa robe bigarreau, on devine son gras : kirsch, fruit à noyau, ce vin offre une bouche pleine et complexe. Réussite exceptionnelle pour le millésime. Ce *village* est grand !

SCE Dom. Henri Richard, 75, rte de Beaune, 21220 Gevrey-Chambertin, tél. 03.80.34.31.37, fax 03.80.34.35.81 ☑ Y t.l.j. 8h-12h 14h-18h; dim. 8h-12h

DOM. TORTOCHOT
Lavaux Saint-Jacques 1997*

■ 1er cru 0,61 ha 2 500 🍷 150 à 199 F

Gaby a passé la barre à ses filles Brigitte et Chantal. Les femmes, qui avaient du retard à combler dans les mentalités bourguignonnes, ont pris le relais avec brio. Ce 1er cru est dans la tradition, d'un esprit ample et soyeux, ne cherchant pas à s'appuyer sur les tanins, offrant aux arômes un bouquet agréable de réglisse, de fruits rouges. Le corps n'est pas considérable, restant dans le millésime.

Dom. Tortochot, 12, rue de l'Eglise, 21220 Gevrey-Chambertin, tél. 03.80.34.30.68, fax 03.80.34.18.80 ☑ Y r.-v.

DOM. TRAPET 1997**

■ 2,2 ha n.c. 🍷 70 à 99 F

Beau vin qui s'approche d'un Cazetiers par exemple. Pourpre sombre, il se partage entre la griotte, la mûre et la gamme de la fourrure, du cuir, du sous-bois. Ses tanins très présents sont bien élevés et ne manqueront pas de s'enrober avec l'élevage. Vinification soignée, dans le style du domaine.

Dom. Trapet Père et Fils, 53, rte de Beaune, 21220 Gevrey-Chambertin, tél. 03.80.34.30.40, fax 03.80.51.86.34, e-mail domtrapet-chambertin@planetb.fr ☑ Y r.-v.

ALAIN VOEGELI 1997**

■ 2,3 ha 4 500 🍷 70 à 99 F

Un gevrey d'un rouge élégant, d'un nez intéressant (légère griotte en embuscade) et qui a de la souplesse, du fondu. Pas très puissant mais fin, sincère et agréable, prometteur pour l'avenir. Ce qu'on pouvait extraire de plus authentique cette année-là. Le millésime 93 a obtenu dans le Guide 1997 le coup de cœur.

Alain Voegeli, 5, rte de Dijon, 21220 Gevrey-Chambertin, tél. 03.80.34.37.13, fax 03.80.34.37.13 ☑ Y r.-v.

BOURGOGNE

Chambertin

Bertin, vigneron à Gevrey, possédant une parcelle voisine du Clos de Bèze et fort de l'expérience qualitative des moines, planta les mêmes plants, et obtint un vin similaire : c'était le « champ de Bertin », d'où Chambertin. En 1996, l'AOC a produit 629 hl ; en 1997, 414 et en 1988, 374 seulement.

PHILIPPE CHARLOPIN POUR JOCELYNE BARON 1997*

■ Gd cru n.c. n.c. 🍷 300 à 499 F

Le « Toutoune », comme on l'appelle à Gevrey, dans ses œuvres. Il signe en chambertin et c'est une belle aventure personnelle. Un vin à observer à la longue-vue, dix ou vingt ans. Très gras et très dense, structuré et fermé, il a l'élégance armée d'un chevalier sous son armure. D'une longueur à n'en plus finir.

Charlopin et Baron, 18, rte de Dijon, 21220 Gevrey-Chambertin, tél. 03.80.51.81.18, fax 03.80.51.81.27 Y r.-v.

DOM. HENRI REBOURSEAU 1996**

■ Gd cru 0,79 ha 2 975 🍷 300 à 499 F

92 94 **96**

Chambertin ? Le voilà, l'oiseau rare. La robe « tombe » bien, superbement colorée. Débordant d'arômes, entre le cassis, la mûre et la vanille du fût. La matière est immédiatement séductrice, enveloppeuse, riche, harmonieuse. Ce vin est de confort, rassurant, apaisé, faisant la transition entre l'être et l'avoir été. Vinification impeccable et plaisir de l'après... à attendre sept à huit ans.

MSE Dom. Henri Rebourseau, 10, pl. du Monument, 21220 Gevrey-Chambertin, tél. 03.80.51.88.94, fax 03.80.34.12.82, e-mail rebourseau@aol.com ☑ Y r.-v.

DOM. LOUIS REMY 1997

■ Gd cru   0,35 ha   900 ▮ ⦀ 250 à 299 F
|93| 96 97

Plus de tanin que de corps sous sa belle robe sombre à l'éclat mat, et son bouquet discret ou plutôt fermé, avec d'incidents fruits rouges. Dans son millésime et sincère. Mieux vaut l'authentique dans un 97 difficile, plutôt que le bluff.
☞Dom. Louis Rémy, 1, pl. du Monument, 21220 Morey-Saint-Denis, tél. 03.80.34.32.59, fax 03.80.34.32.59 ⵔ r.-v.

DOM. TORTOCHOT 1996★★

■ Gd cru   0,4 ha   900 ⦀ 300 à 499 F
76 87 |88| 89 91 93 96

Rubis sombre et limpide, il ne manque rien à la robe. Cuir, épices douces, le coup de nez est intense et très long alors que le palais, boisé et complexe, affirme sa personnalité, très caractéristique du cépage issu d'un grand terroir. Chambertin à apprécier dans sa durée. Un dégustateur le conseille pour un canard aux griottes, un autre pour un chevreuil... Coup de cœur naguère pour son millésime 88.
☞Dom. Tortochot, 12, rue de l'Eglise, 21220 Gevrey-Chambertin, tél. 03.80.34.30.68, fax 03.80.34.18.80 ⵔ r.-v.
☞Gabriel et Chantal Tortochot

DOM. TRAPET 1996★

■ Gd cru   2 ha   n.c. ⦀ 300 à 499 F

Trapet en un mot, ce vin est animal et réglisse, pruneau. Trapet jusqu'au bout des ongles. La race exprime le terroir. L'atmosphère d'une *feria* occitane quand le taureau est lâché. Puissant, charpenté, sévère, il bondit et ne se laisse guère maîtriser. Finesse ? On verra, mais c'est un vrai 96, bien élevé et d'une longueur pleine de promesses.
☞Dom. Trapet Père et Fils, 53, rte de Beaune, 21220 Gevrey-Chambertin, tél. 03.80.34.30.40, fax 03.80.51.86.34, e-mail domtrapet-chambertin@planetb.fr ☑ ⵔ r.-v.

Chambertin-clos de bèze

Les religieux de l'abbaye de Bèze plantèrent en 630 une vigne dans une parcelle de terre qui donna un vin particulièrement réputé : ce fut l'origine de l'appellation, qui couvre une quinzaine d'hectares ; les vins peuvent également s'appeler chambertin. La production a atteint 405 hl en 1998.

DOM. DROUHIN-LAROZE 1997

■ Gd cru   1,45 ha   2 500 ⦀ 250 à 299 F
95 96 97

En 1919, Alexandre Drouhin épouse Suzanne Laroze. Vous savez tout du nom de ce domaine qui compte aujourd'hui 12 ha. Vermillon clair avec une nuance d'évolution, ce clos de bèze met son nez en avant : clou de girofle, animal et kirsch. La flamme ! Vif et net, il joue la finesse dans le style d'un chapelle-chambertin. Mais les tanins du fût sont encore très présents.
☞Dom. Drouhin-Laroze, 20, rue du Gaizot, 21220 Gevrey-Chambertin, tél. 03.80.34.31.49, fax 03.80.51.83.70 ☑ ⵔ r.-v.
☞Bernard et Philippe Drouhin

FAIVELEY 1996

■ Gd cru   1,29 ha   5 100 ⦀ + de 500 F
89 |90| 92 93 94 95 96

Les millésimes 90 et 95 ont été jugés dignes du coup de cœur, sur nos éditions 1994 et 1999. On est ici en présence d'un vin costaud, tannique, charpenté, aux accents de gibier. Pour l'instant, c'est un vrai vin de terroir. A conserver en cave plusieurs paires d'années.
☞Maison Joseph Faiveley, 8, rue du Tribourg, B.P. 9, 21701 Nuits-Saint-Georges Cedex, tél. 03.80.61.04.55, fax 03.80.62.33.37 ☑ ⵔ r.-v.

DOM. PIERRE GELIN 1996

■ Gd cru   0,6 ha   3 000 ⦀ 250 à 299 F

Le plus ancien clos du monde. A lui tout seul, un calendrier de l'ère chrétienne. Cerise poupre, cerise à l'eau-de-vie, il fait sa profession de foi, témoigne d'un certain équilibre, montre une structure modeste mais passe la rampe sur l'avenir.
☞Dom. Pierre Gelin, 2, rue du Chapitre, 21220 Fixin, tél. 03.80.52.45.24, fax 03.80.51.47.80 ☑ ⵔ r.-v.

DOM. GROFFIER PERE ET FILS 1997★

■ Gd cru   0,41 ha   n.c. ⦀ 300 à 499 F
93 95 96 97

Violacé, animal, porté sur la mûre, un clos de bèze encore peu ouvert mais profond. A l'attaque, il séduit par son fruit, sa présence dense et sans lourdeur. Son sillage est plein d'espoir. Très réussi, très bien fait, vinifié pour plaire et pour convaincre.
☞Dom. Robert et Serge Groffier, 3-5, rte des Grands-Crus, 21220 Morey-Saint-Denis, tél. 03.80.34.31.53 ☑ ⵔ r.-v.

Autres grands crus de Gevrey-Chambertin

Autour des deux précédents, il y a une foule de crus qui, sans les égaler, restent de la même famille. Les conditions de production sont un peu moins exigeantes, mais les vins y ont les mêmes caractères de solidité, de puissance, de plénitude, où domine la réglisse, qui permet généralement de différencier les vins de Gevrey de ceux des appellations voisines : les Latricières (environ 7 ha) ; les Charmes (31 ha, 61 a, 30 ca) ; les Mazoyères, qui peuvent également s'appeler Charmes (l'inverse n'est pas possible) ; les Mazis, comprenant les Mazis-Haut (environ 8 ha) et les Mazis-Bas (4 ha, 59 a, 25 ca) ; les Ruchottes (venant de roichot, lieu où il y a des roches), toutes petites par la surface, comprenant les Ruchottes-du-Dessus (1 ha, 91 a, 95 ca) et les Ruchottes-du-Bas (1 ha, 27 a, 15 ca) ; les Griottes, où auraient poussé des cerisiers sauvages (5 ha, 48 a, 5 ca) ; et enfin, les Chapelles (5 ha, 38 a, 70 ca), nom donné par une chapelle bâtie en 1155 par les religieux de l'abbaye de Bèze, rasée à la Révolution.

Latricières-chambertin

FAIVELEY 1996

■ Gd cru 1,2 ha 3 900 ◖◗ 300 à 499 F

Latricières d'un joli grenat. Bouquet très présent et délicat, qui devrait s'épancher sur le fruit noir qui en ferait le charme. Corps charnu sans excès de fermeté, avec une réserve de tanins en phase de lissage. Bon retour de fruit en finale avec quelques nuances végétales.

🔑 Maison Joseph Faiveley, 8, rue du Tribourg, B.P. 9, 21701 Nuits-Saint-Georges Cedex, tél. 03.80.61.04.55, fax 03.80.62.33.37 ☑ Y r.-v.

DOM. LOUIS REMY 1997

■ Gd cru 0,7 ha 2 700 ▮◖◗ 200 à 249 F

Impulsif, ce latricières 97 a la dent acide sur un montant puissant. N'allons pas ajouter au tableau prévisible ; robe superbe, nez fermé. Mais la longueur est là, l'espérance aussi, une certaine fraîcheur dans l'approche, la typicité également. Se présente dans l'âge ingrat, mais rien d'étonnant à cela.

🔑 Dom. Louis Rémy, 1, pl. du Monument, 21220 Morey-Saint-Denis, tél. 03.80.34.32.59, fax 03.80.34.32.59 ☑ Y r.-v.

Chapelle-chambertin

DOM. ROSSIGNOL-TRAPET 1997

■ Gd cru 0,5 ha 2 000 ◖◗ 200 à 249 F

|92| |(93)| 97

Petite chapelle animale (style Trapet) et virginale, aux tanins aigus et qui doivent s'arrondir. La robe est brillante, limpide et violette. Le bouquet torréfié, fruit cuit, animal, emporté. On aime ou on n'aime pas. Si on aime, beaucoup. Si on n'aime pas, pas du tout. On attendra de toute façon que le temps fasse son ouvrage.

🔑 Dom. Rossignol-Trapet, 3, rue de la Petite-Issue, 21220 Gevrey-Chambertin, tél. 03.80.51.87.26, fax 03.80.34.31.63, e-mail info@rossignol-trapet.com ☑ Y r.-v.

DOM. TRAPET PERE ET FILS 1996

■ Gd cru 0,6 ha n.c. ◖◗ 200 à 249 F

91 |94| 95 96

Chapelle. Entre rubis et grenat, elle porte les vêtements sacerdotaux. Nez Trapet, cuir et animal. Quand on connaît son gevrey, il faut s'y faire. L'intérieur est fruit cuit, intense et poivré, reposoir de la Fête-Dieu. Avec, en fond de bouche, cette petite pointe merveilleuse et rare. Chapelle ? Cathédrale à la nef élevée, puissante et sauvage. A attendre au moins cinq ans.

🔑 Dom. Trapet Père et Fils, 53, rte de Beaune, 21220 Gevrey-Chambertin, tél. 03.80.34.30.40, fax 03.80.51.86.34, e-mail domtrapet-chambertin@planetb.fr ☑ Y r.-v.

Charmes-chambertin

DOM. DES BEAUMONT 1997

■ Gd cru 0,52 ha 2 200 ◖◗ 200 à 249 F

De la fraîcheur. Pourpre intense, il s'habille bien et le nez tire déjà sur l'animal... Le bois le porte et il évolue bien en bouche, même s'il n'est pas très long.

🔑 Dom. des Beaumont, 9, rue Ribordot, 21220 Morey-Saint-Denis, tél. 03.80.51.87.89, fax 03.80.51.87.89 ☑ Y r.-v.

CHANSON PERE ET FILS 1997

■ Gd cru n.c. 1 500 ◖◗ 300 à 499 F

Un merveilleux potentiel de garde pour ce millésime. La matière est bien assise, le fruit en éveil, les tanins parfaits tant en qualité qu'en quantité. Griotte et cassis envahissent tout, même les nuances épicées. De grandes espérances pour un vin conduit de main de maître.

🔑 Chanson Père et Fils, 10, rue du Collège, 21200 Beaune, tél. 03.80.22.33.00, fax 03.80.24.17.42, e-mail tmarion@vins-chanson.com Y r.-v.

DOM. PHILIPPE CHARLOPIN 1997

■ Gd cru n.c. n.c. ◖◗ 250 à 299 F

(85) **88** |89| **91** 92 |94| 95 |97|

Bon bois prédominant sous robe admirable. Cannelle, fruit à extrême maturité. Charpenté et fondu, il reste dans son millésime, assez peu puissant, mais précis et honnête.

🔑 Philippe Charlopin, 18, rte de Dijon, 21220 Gevrey-Chambertin, tél. 03.80.51.81.18, fax 03.80.51.81.27 Y r.-v.

BOURGOGNE

PATRIARCHE 1997

■ Gd cru n.c. 850 ⅲ 200 à 249 F

Demi-corps à petite structure et boisé dominant. Souple et fruité cependant. Rouge sombre à reflets orangés, nez insensible. C'est apte mais sans grande imagination.

Patriarche Père et Fils, 5, rue du Collège, 21200 Beaune, tél. 03.80.24.53.01, fax 03.80.24.53.03, e-mail legrands@kriter.com ☑ Y t.l.j. 9h-12h 14h-17h30

DOM. HENRI PERROT-MINOT 1996*

■ Gd cru 1,1 ha 4 600 ⅲ 250 à 299 F

Belle robe pourpre à nuance bleutée. Mélange de fruit à l'eau-de-vie et d'animal, le nez un peu foxé et un peu réglissé. Tanins marquant leur présence, sous un aimable fruité. Une matière riche soutenue par une belle acidité. De l'équilibre et un peu de complexité en finale. « Bouteille fauve », d'un beau cru.

Henri Perrot-Minot, 54, rte des Grands-Crus, 21220 Morey-Saint-Denis, tél. 03.80.34.32.51, fax 03.80.34.13.57 ☑ Y r.-v.

DOM. HENRI REBOURSEAU 1996*

■ Gd cru 1,31 ha 4 405 ⅲ 200 à 249 F

Une vinification très moderne qui ne met pas toujours le terroir en avant, ni ses nuances d'un cru à l'autre, ce sur quoi repose l'élégance des grands bourgognes. Mais cela plaît au plus grand nombre ! Ainsi celui-ci est conçu « dans l'extrait ». Formidablement rouge grenat. Brûlé et velouté. Peu de finesse et de complexité aujourd'hui. Pourtant, le fruit semble bien présent ; « plus chambertin que charmes-chambertin ? » demande un dégustateur qui ignore le nom du cru. On aimerait suivre ce vin qui n'arrivera pas à maturité avant quatre ou cinq ans.

MSE Dom. Henri Rebourseau, 10, pl. du Monument, 21220 Gevrey-Chambertin, tél. 03.80.51.88.94, fax 03.80.34.12.82, e-mail rebourseau@aol.com ☑ Y r.-v.

DOM. HENRI RICHARD 1997

■ Gd cru 1,11 ha 5 000 ⅲ 100 à 149 F

Tenons-nous en à la fiche de dégustation la plus explicite : étoffe satinée, d'intensité moyenne et carminée sur le bord. Nez peu éloquent, raisin écrasé. Attaque souple et fraîche, matière manquant quelque peu de consistance, apte à évoluer dans le registre de la finesse. Garde moyenne. Pour mémoire, il s'agit de la vigne de Gaston Roupnel, pratiquée en lutte raisonnée.

SCE Dom. Henri Richard, 75, rte de Beaune, 21220 Gevrey-Chambertin, tél. 03.80.34.31.37, fax 03.80.34.35.81 ☑ Y t.l.j. 8h-12h 14h-18h; dim. 8h-12h

DOM. TAUPENOT-MERME 1996*

■ Gd cru n.c. 8 300 ⅲ 200 à 249 F

Dans les charmes, on le sait, il y a à boire et à manger ! On tient ici la gibecière du chasseur, du cuir, du gibier, du sous-bois ; animal comme il est permis dans cette appellation. Le reste est grenat-vermillon, dans le pruneau et l'épice douce. Massif, racé et à attendre.

Jean Taupenot-Merme, 33, rte des Grands-Crus, 21220 Morey-Saint-Denis, tél. 03.80.34.35.24, fax 03.80.51.83.41 ☑ Y r.-v.

DOM. TORTOCHOT 1996

■ Gd cru 0,57 ha 2 500 ⅲ 200 à 249 F

|91| |92| **93** |94| 95 96

Fin et élégant, doté d'une belle structure, dit l'un. Equilibré, franc et droit du collier mais proche d'un très bon *village*. Telle est la conversation autour du verre. Charnu en tout cas, et ce n'est pas contradictoire. Domaine qui a de qui tenir. Chantal succède à Gaby et elle ne manque pas de tonus !

Dom. Tortochot, 12, rue de l'Eglise, 21220 Gevrey-Chambertin, tél. 03.80.34.30.68, fax 03.80.34.18.80 ☑ Y r.-v.

Gabriel et Chantal Tortochot

Mazis-chambertin

DOM. PHILIPPE CHARLOPIN 1997**

■ Gd cru n.c. n.c. ⅲ 250 à 299 F

Impérial et de très bonne garde, un mazis superbement chambertin. Violacé, il tire toute sa couleur. Fruité, il s'emplit de cerise, de pruneau, sur quelque chose de grillé. Le corps est magnifique, à cajoler dans le temps, sur la cerise en sirop. Persistance insondable. Un grand.

Philippe Charlopin, 18, rte de Dijon, 21220 Gevrey-Chambertin, tél. 03.80.51.81.18, fax 03.80.51.81.27 ☑ Y r.-v.

DOM. DUPONT-TISSERANDOT 1997*

■ Gd cru 0,35 ha n.c. ⅲ 150 à 199 F

Bien, bien et bien. Sous tous rapports, bien. La robe a de l'ascendant, de la couleur jeune et foncée. Le nez, de la framboise au caramel, se situe sur une tonalité profonde et aimable. Aucun creux en bouche, un équilibre long et fruité, de la chair, de l'avenir. Bref, on ne le regrette pas et il est digne de son rang. Sept à dix ans de garde ne l'effraient pas.

GAEC Dupont-Tisserandot, 2, pl. des Marronniers, 21220 Gevrey-Chambertin, tél. 03.80.34.10.50, fax 03.80.58.50.71 ☑ Y t.l.j. 8h30-18h; sam. dim. sur r.-v.

FAIVELEY 1996

■ Gd cru 1,2 ha 4 700 ⅲ 300 à 499 F

Plus équilibré que structuré, boisé-café, fin et fondu, il a été dégusté par des Bourguignons ! Robe pourpre, rien à redire. Nez torréfié sur fleur. Beaucoup de corps et des tanins fins bien appliqués. Un peu de cerise confite. S'épanouira avec le temps.

Maison Joseph Faiveley, 8, rue du Tribourg, B.P. 9, 21701 Nuits-Saint-Georges Cedex, tél. 03.80.61.04.55, fax 03.80.62.33.37 ☑ Y r.-v.

DOM. HARMAND-GEOFFROY 1997

■ Gd cru   0,7 ha   3 600   ◫ 200 à 249 F

Rouge limpide et soutenu, un mazis dominé par l'animal et la fourrure, puissant, puis ample et généreux, fruits cuits, d'une certaine rusticité. A affiner en cave.

☛ Dom. Harmand-Geoffroy, 1, pl. des Lois, 21220 Gevrey-Chambertin, tél. 03.80.34.10.65, fax 03.80.34.13.72 ☑ ⵏ r.-v.
☛ Harmand

ARMELLE ET JEAN-MICHEL MOLIN 1997

■ Gd cru   0,37 ha   1000   ◫ 200 à 249 F

Si ces raisins sont verts, n'allons pas dire trop verts. Cassis-réglisse-café, le tiercé aromatique est correct. Une amertume végétale et tannique se corrigera avec l'âge.

☛ EARL Armelle et Jean-Michel Molin, 54, rte des Grands-Crus, 21220 Fixin, tél. 03.80.52.21.28, fax 03.80.59.96.99 ☑ ⵏ r.-v.

DOM. TORTOCHOT 1996*

■ Gd cru   0,42 ha   1 900   ◫ 200 à 249 F

Le mazis-chambertin comme on l'adore. Il explose tant en robe qu'au nez où l'on joue sur le bourgeon de cassis, le musc et le cuir. La bouche suave, ample et généreuse, est construite sur des tanins bien orchestrés. Le bonheur dans l'appellation, sans aller chercher ailleurs d'autres satisfactions.

☛ Dom. Tortochot, 12, rue de l'Eglise, 21220 Gevrey-Chambertin, tél. 03.80.34.30.68, fax 03.80.34.18.80 ☑ ⵏ r.-v.
☛ Gabriel et Chantal Tortochot

Mazoyères-chambertin

DOM. HENRI PERROT-MINOT 1996*

■   0,55 ha   2 500   ◫ 250 à 299 F

Un peu perdu dans les charmes, mazoyères doit redresser la tête. Et là, c'est le summum. Le millésime comme on l'imagine. La complexité du terroir comme personne ne l'exprime. Finesse, longueur, c'est excellent. Son nez est austère, alors qu'en bouche girofle et muscade vont au rôti, à la marinade. Mazoyères, il faut l'oser !

☛ Henri Perrot-Minot, 54, rte des Grands-Crus, 21220 Morey-Saint-Denis, tél. 03.80.34.32.51, fax 03.80.34.13.57 ☑ ⵏ r.-v.

Morey-saint-denis

Morey-Saint-Denis constitue, avec un peu plus de 100 ha, une des plus petites appellations communales de la Côte de Nuits. On y trouve d'excellents premiers crus et cinq grands crus ayant une appellation d'origine contrôlée particulière : clos de Tart, clos Saint-Denis, Bonnes-Mares (en partie), clos de la Roche et clos des Lambrays.

L'appellation est coincée entre Gevrey et Chambolle, et l'on pourrait dire que ses vins (3 743 hl en 1998, dont 116 en blanc) sont, avec leurs caractères propres, intermédiaires entre la puissance des premiers et la finesse des seconds. Les vignerons présentent au public les morey-saint-denis, et uniquement ceux-ci, le vendredi précédant la vente des Hospices de Nuits (3ᵉ semaine de mars) en un « Carrefour de Dionysos », à la salle des fêtes communale.

DOM. ARLAUD PERE ET FILS
Les Ruchots 1996

■ 1er cru   0,7 ha   n.c.   ◫ 100 à 149 F

1ᵉʳ cru séparé du clos de tart par la route des grands crus, donnant ce 96 rouge sombre et où un léger boisé accompagne la cerise. En bouche ? On pense à Morey vu par Gaston Roupnel : « C'est le pays aux gens causants, vivants, liants ». Un vin tout en rondeur, affable, gourmand, facile, et qui se déguste sans dictionnaire.

☛ SCEA Dom. Arlaud Père et Fils, 43, rte des Grands-Crus, 21220 Morey-Saint-Denis, tél. 03.80.34.32.65, fax 03.80.58.52.09 ☑ ⵏ r.-v.

DOM. DES BEAUMONT 1996*

■ 1er cru   1 ha   6 000   ◫ 70 à 99 F

Un rouge profond, prenant son temps, ayant besoin de s'ouvrir, tel est le morey et on ne le changera qu'avec des artifices. Ce 96 en fournit le portrait-robot. Il tire sur le côté végétal du cassis et, en bouche, fait don de sa personne : franchise, fraîcheur, équilibre, un superbe tempérament que l'on prendra soin de respecter deux à trois ans. « Ensuite, l'ouvrir sur un pavé de biche aux airelles », suggère un dégustateur.

☛ Dom. des Beaumont, 9, rue Ribordot, 21220 Morey-Saint-Denis, tél. 03.80.51.87.89, fax 03.80.51.87.89 ☑ ⵏ r.-v.

DOM. REGIS BOUVIER
En la rue de Vergy 1997*

■   0,5 ha   3 000   ◫ 70 à 99 F

Arômes d'une exacte typicité, où l'on perçoit la violette, la mûre et la ronce. Pourpre violacé, ce vin offre une impression rustique due pour l'essentiel à sa jeunesse. Le fruit noir l'habite dans un contexte austère. A déboucher dans deux ans sur une cuisine marinée.

☛ Dom. Régis Bouvier, 52, rue de Mazy, 21160 Marsannay-la-Côte, tél. 03.80.51.33.93, fax 03.80.58.75.07 ☑ ⵏ r.-v.

DOM. BRUNO CLAIR
En la Rue de Vergy 1997*

☐   0,51 ha   3 300   ◫ 100 à 149 F

Ce domaine de 22 ha a reçu un coup de cœur pour le millésime 90, édition 1994 du Guide. Cette Rue de Vergy se situe juste au-dessus du clos de Tart. Un 97 en pleine évolution, et dans l'attente du fondu. A boire d'ici un à deux ans.

Ah ! on oubliait : c'est un chardonnay dans la ligne des essais des domaines Ponsot et Dujac, très clair sans jeu de mots et floral. Une curiosité en Côte de Nuits.

➤ SCEA Bruno Clair, 5, rue du Vieux-Collège, 21160 Marsannay-la-Côte, tél. 03.80.52.28.95, fax 03.80.52.18.14 ☑ ⅄ r.-v.

DUFOULEUR PERE ET FILS 1996★

| ■ | n.c. | 4 600 | ⅡⅠ | 150 à 199 F |

Un morey dans la tradition. Moyennement intense, il offre un bouquet caractéristique de réglisse et d'épices. L'attaque est vive et elle ouvre sur une bouche structurée, tannique, assez persistante. Il est bien dans son appellation. Notez en outre un **Mont-Luisants rouge 96 en 1er cru**, de style également classique.

➤ Dufouleur Père et Fils, 17, rue Thurot, 21700 Nuits-Saint-Georges, tél. 03.80.61.21.21, fax 03.80.61.10.65 ☑ ⅄ t.l.j. 9h-19h

DOM. HERESZTYN Les Millandes 1997★

| ■ 1er cru | 0,37 ha | 1 800 | ⅡⅠ | 150 à 199 F |

L'aspect est superbe, nuance cassis. Même sensation au nez qui flaire le gibier, tout en étant très boisé. Bouche généreuse, accommodante, veloutée, se prolongeant sur d'heureuses perspectives. Ce Millandes (voisinage du clos Saint-Denis et du clos de la Roche) a reçu le coup de cœur dans le Guide 1996. Attention cependant à ne pas trop jouer du fût : dix-huit mois, pour ce 97.

➤ Dom. Heresztyn, 27, rue Richebourg, 21220 Gevrey-Chambertin, tél. 03.80.34.30.86, fax 03.80.34.13.99 ☑ ⅄ t.l.j. 9h-12h 14h-18h; dim. sur r.-v.

DOM. DES LAMBRAYS 1996★★

| ■ 1er cru | 3,33 ha | 15 000 | ⅡⅠ | 200 à 249 F |

Acquis par la famille Freund, de Coblence, le domaine des Lambrays (11 ha) demeure sous la conduite de Thierry Brouin. Son 1er cru évolue de façon intéressante. Il attaque avec une courtoisie parfaite, puis se développe sur l'animal dans un esprit tannique. Quelques notes végétales ajoutent au fruit mûr quelque chose d'original sur le fond rouge sombre habituel. Un dégustateur note : « Bouche gourmande ». La belle longueur est prometteuse.

➤ Sté Nlle du Dom. des Lambrays, 31, rue Basse, 21220 Morey-Saint-Denis, tél. 03.80.51.84.33, fax 03.80.51.81.97 ☑ ⅄ r.-v.

➤ Famille Freund

DOM. LEYMARIE-CECI 1996★

| ■ | 0,4 ha | 2 660 | ⅡⅠ | 100 à 149 F |

Cette famille belge ne met pas toutes ses bouteilles dans le même panier ! Un pied à Bordeaux, l'autre en Bourgogne. Fruits et tanins conjuguent une belle harmonie qui appelle de ses vœux le civet de sanglier. Obélix trouve ici beaucoup mieux qu'un menhir... Le nez reste fermé. A laisser vieillir en cave.

➤ SARL Leymarie-CECI, Clos du Village, 24, rue du Vieux-Château, 21640 Vougeot, tél. 03.80.62.86.06, fax 03.80.62.88.53 ☑ ⅄ r.-v.

LIGNIER-MICHELOT
En la Rue de Vergy 1997★

| ■ | 1,9 ha | 3 000 | ⅡⅠ | 70 à 99 F |

Depuis quatre-vingt-dix ans, les Lignier sont vignerons ici. Ils n'ont mis en bouteilles à la propriété qu'en 1991, et ont déjà atteint les marchés américains et japonais. Leur 97 ? En attente, mais avec de quoi se réaliser. Aux confins du violet et du noir, sa robe caresse les yeux. Peu bavard pour l'instant, son bouquet consent à s'éveiller sur un rien de framboise. Très confortable au palais, ce 97 doit se libérer du fût pour parler sa propre langue. On estime qu'il en a la capacité, et on lui prédit un bel avenir.

➤ Dom. Lignier-Michelot, 11, rue Haute, 21220 Morey-Saint-Denis, tél. 03.80.34.31.13, fax 03.80.58.52.16 ☑ ⅄ r.-v.

JEAN-PAUL MAGNIEN
Les Faconnières 1996★

| ■ 1er cru | 0,57 ha | 1 300 | ▮ⅡⅠ↓ | 100 à 149 F |

Deux bonnes bouteilles appréciées par le jury. **Village 96** qu'on a su garder en cave pour parfaire son élégance, et c'est bien. Ce Faconnières en 1er cru qu'on a réservé pour la bonne bouche. Niché entre le clos des Ormes et Les Millandes, un petit *climat* qui, comme on dit, « fait du bon ». Ce vin conserve ses reflets violacés de jeunesse, chante la groseille quand on tourne le verre ; il affirmera sa subtilité d'ici deux à trois ans.

➤ Jean-Paul Magnien, 5, ruelle de l'Eglise, 21220 Morey-Saint-Denis, tél. 03.80.51.83.10, fax 03.80.58.53.27 ☑ ⅄ r.-v.

DOM. MICHEL MAGNIEN
Les Millandes 1997

| ■ 1er cru | 0,4 ha | 1 800 | ⅡⅠ | 100 à 149 F |

Un domaine de 10 ha né au début du siècle. Ce 97 « mâche énormément ». Un puissant nectar, étoffé, charpenté. Il faudra choisir le bœuf qui l'accompagnera. Ferme sur ses pattes ! La robe carminée ressemble à un vitrail traversé par la lumière. Pivoine, cerise à l'eau-de-vie animent le bouquet sur le concours du fût. 2001, 2002, à boire en goûtant sa force.

➤ Dom. Michel Magnien et Fils, 4, rue Ribordot, 21220 Morey-Saint-Denis, tél. 03.80.51.82.98, fax 03.80.58.51.76 ☑ ⅄ r.-v.

DOM. JEAN-PHILIPPE MARCHAND
Clos des Ormes 1997★

| ■ 1er cru | 0,4 ha | n.c. | ⅡⅠ | 70 à 99 F |

Le côté gevrey de l'appellation. « Un vin qui truffe ! », comme disent les vieux vignerons. Pourpre grenat, pénétré par le cassis et la mûre, il n'est pas trop tannique mais néanmoins costaud, velouté et charpenté, jamais rugueux. Il promet. A coup sûr une bonne affaire. Elevé 100 % en fût neuf.

➤ Dom. Jean-Philippe Marchand, 4, rue Souvet, B.P. 41, 21220 Gevrey-Chambertin, tél. 03.80.34.33.60, fax 03.80.34.12.77, e-mail marchand@axnet.fr ☑ ⅄ r.-v.

La côte de Nuits (Centre)

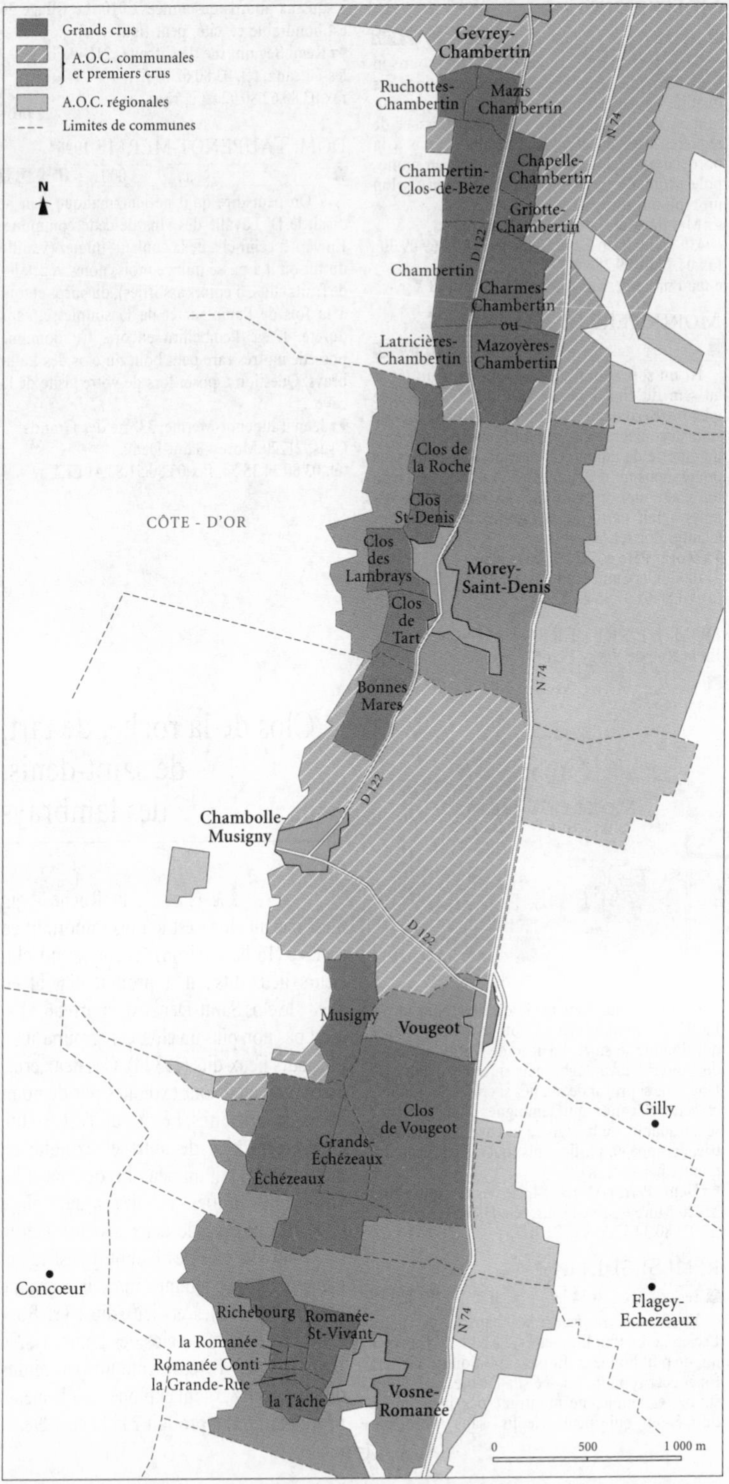

Grands crus
A.O.C. communales et premiers crus
A.O.C. régionales
Limites de communes
N
Gevrey-Chambertin
Ruchottes-Chambertin
Mazis Chambertin
N 74
Chapelle-Chambertin
Chambertin-Clos-de-Bèze
Griotte-Chambertin
Chambertin
D 122
Charmes-Chambertin ou Mazoyères-Chambertin
Latricières-Chambertin
Clos de la Roche
Clos St-Denis
CÔTE - D'OR
Clos des Lambrays
Morey-Saint-Denis
Clos de Tart
Bonnes Mares
Chambolle-Musigny
Musigny
Vougeot
Clos de Vougeot
Grands-Échézeaux
Échézeaux
Gilly
Concœur
Richebourg
Romanée-St-Vivant
la Romanée
Romanée Conti
la Grande-Rue
la Tâche
Vosne-Romanée
Flagey-Echezeaux
0
500
1 000 m

MOMMESSIN La Forge 1996★★

■ 1er cru 7,5 ha n.c. ⏸ 150 à 199 F

Rien d'étonnant si ce vin est célébré pour son fruit (groseille, framboise), sa constitution, ses qualités de garde au-delà du coup d'œil satisfaisant et du nez bouqueté de fruits noirs et de réglisse : c'est en effet le « second vin » à la bordelaise du clos de Tart, grand cru en monopole Mommessin (jeunes vignes surtout), selon un repli autorisé en 1er cru.

🔑 Mommessin, Le Pont des Samsons, 69430 Quincié-en-Beaujolais, tél. 04.74.69.09.30, fax 04.74.69.09.28, e-mail mommessin@mommessin.com ☑ Y r.-v.

MORIN PERE ET FILS 1997

■ n.c. n.c. ⏸ 100 à 149 F

Ni un soprano ni un baryton, mais un ténor au sein du chœur de la Côte de Nuits. Rouge grenat très soutenu, il annonce d'ailleurs tout de suite la couleur. Nez avenant, nuance cassis puis un empire de tanins. Une certaine rusticité sans doute, mais un réel caractère. A boire... pas trop tôt. Cette maison nuitonne qui reste « dans ses murs » fait partie de la famille des vins Jean-Claude Boisset.

🔑 Morin Père et Fils, 9, quai Fleury, 21700 Nuits-Saint-Georges, tél. 03.80.62.61.42, fax 03.80.62.37.38 ☑ Y r.-v.

DOM. HENRI PERROT-MINOT En la Rue de Vergy 1996★★

■ n.c. n.c. ⏸ 100 à 149 F

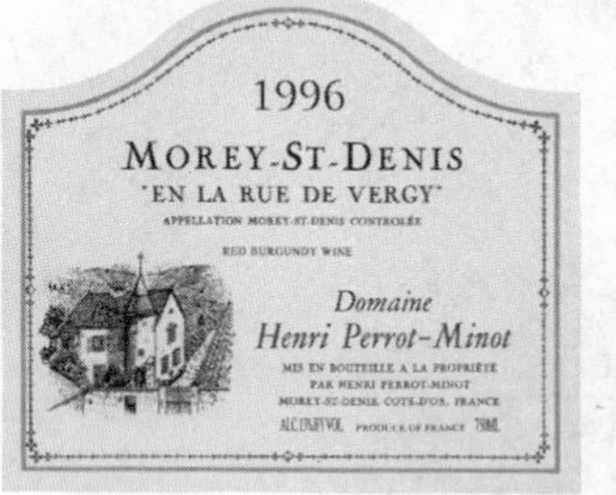

Coup de cœur dans le Guide 1995 pour un 91 La Riotte, coup de cœur à nouveau, un domaine qui domine le sujet. Sa Rue de Vergy a besoin de s'ouvrir davantage, mais quel beau *village* ! Une robe si profonde, un nez si épicé, l'équilibre, et cette élégance qui témoigne d'une maîtrise remarquable, de la vigne à la cave. Le raisin est trié, égrappé en partie, puis tout est contrôlé. La qualité personnifiée.

🔑 Henri Perrot-Minot, 54, rte des Grands-Crus, 21220 Morey-Saint-Denis, tél. 03.80.34.32.51, fax 03.80.34.13.57 ☑ Y r.-v.

REMI SEGUIN 1996★

■ 1er cru 0,54 ha n.c. ⏸ 70 à 99 F

Vous vous rappelez la chanson de Félix Leclerc, « Le P'tit Bonheur » ? Eh bien ! En voici un, de p'tit bonheur. Et pas si p'tit qu'ça. Grenat foncé, cerise mûre laissée sur l'arbre, un 1er cru souple et ample, ne montrant pas la moindre dureté et qui peut vieillir sans problème jusqu'aux abords des années 2010. Le **village 96** est honorable et, cité, peut figurer ici.

🔑 Rémi Seguin, rue de Cîteaux, 21640 Gilly-lès-Cîteaux, tél. 03.80.62.89.61, fax 03.80.62.80.92 ☑ Y r.-v.

DOM. TAUPENOT-MERME 1996★

■ n.c. 3 000 ⏸ 100 à 149 F

« On peut dire qu'il ne leur manque rien », disait le Dr Lavalle des vins de cette commune. En vérité, celui-ci a de la couleur, du nez (vanille du fût où il a passé quinze mois, notes végétales de fruits cuits, d'épices assorties), du corps et tout à la fois de l'ampleur et de la souplesse, sans dureté. L'âge l'embellira encore. Ce domaine possède un très rare petit bout du clos des Lambrays. Question à poser lors de votre visite de la cave...

🔑 Jean Taupenot-Merme, 33, rte des Grands-Crus, 21220 Morey-Saint-Denis, tél. 03.80.34.35.24, fax 03.80.51.83.41 ☑ Y r.-v.

Clos de la roche, de tart, de saint-denis, des lambrays

Le Clos de la Roche - qui n'est pas un clos - est le plus important en surface (16 ha environ), et comprend plusieurs lieux-dits ; il a produit 486 hl en 1998 ; le clos Saint-Denis, d'environ 6,5 ha, n'est pas non plus un clos, et regroupe aussi plusieurs lieux-dits (193 hl). Ces deux crus, assez morcelés, sont exploités par de nombreux propriétaires. Le clos de Tart est, lui, entièrement clos de murs et exploité en monopole. Il fait un peu plus de 7 ha et les vins sont vinifiés et élevés sur place (198 hl) ; la cave de deux niveaux mérite une visite. Le clos des Lambrays est également d'un seul tenant ; mais il regroupe plusieurs parcelles et lieux-dits : les Bouchots, les Larrêts ou clos des Lambrays, le Meix-Rentier. Il représente un peu moins de 9 ha, dont 8,5 sont exploités par le même propriétaire. Il a produit 235 hl en 1998.

Clos de la roche

DOM. MICHEL MAGNIEN ET FILS 1997

■ Gd cru 0,36 ha 1 500 200 à 249 F

Tournez le verre dans votre main, car il a besoin d'aération pour révéler un fruit mûr assez épicé. A l'œil ? Rien de particulier, grenat soutenu et expressif. En bouche ? Un décor soyeux, confortable, conduisant à un rien de vivacité sur une note finale d'amertume. Ensemble néanmoins équilibré et de consommation aisée dans quelques années.

Dom. Michel Magnien et Fils, 4, rue Ribordot, 21220 Morey-Saint-Denis, tél. 03.80.51.82.98, fax 03.80.58.51.76 r.-v.

DOM. LOUIS REMY 1997

■ Gd cru 0,7 ha 3 000 200 à 249 F

Le clos porte bien son nom car sa terre doit jouer des coudes pour se glisser entre cailloux et rochers. D'où ce vin charpenté qui siège depuis une dizaine d'années à la vente des hospices de Beaune. La robe est rubis violacé. Le fruit et le fût s'entendent bien. Imposante structure tannique, persistance raisonnable, un vin typé et qui sera dans ses bottes lorsqu'il aura vieilli en cave. Coup de cœur dans le Guide 1997 pour son 93.

Dom. Louis Rémy, 1, pl. du Monument, 21220 Morey-Saint-Denis, tél. 03.80.34.32.59, fax 03.80.34.32.59 r.-v.

Clos saint-denis

DOM. ARLAUD PERE ET FILS 1996

■ Gd cru 0,22 ha n.c. 150 à 199 F

|89| 90 91 (92) 93 95 96

Rubis à reflets bleutés, il évolue tout doucement. Entre la fraise et la cerise, son bouquet est discret, un peu complexe. Puis survient l'attaque, assez fraîche, fruitée, légèrement réglissée dans ses prolongements. Plaisant mais d'une persistance moyenne et sans proportions importantes. On se rappelle que le millésime 92 obtint le coup de cœur dans le Guide 1996.

SCEA Dom. Arlaud Père et Fils, 43, rte des Grands-Crus, 21220 Morey-Saint-Denis, tél. 03.80.34.32.65, fax 03.80.58.52.09 r.-v.

DOM. PHILIPPE CHARLOPIN 1997

■ Gd cru n.c. n.c. 250 à 299 F

Exemple de bonne maîtrise de la vinification selon l'école bourguignonne moderne, qui pose cependant quelques questions (valorisation précise du terroir). Forte extraction de couleur et d'arômes (confiture de mûres, grillé). Du coup, ce vin s'installe en bouche comme chez lui. Il manifeste une vigueur tannique encore sévère mais apparaît plutôt comme un vin à déguster jeune.

Philippe Charlopin, 18, rte de Dijon, 21220 Gevrey-Chambertin, tél. 03.80.51.81.18, fax 03.80.51.81.27 r.-v.

DOM. DUJAC 1997

■ Gd cru 1,5 ha 4 600 300 à 499 F

Rouge franc mais donnant des signes d'évolution, il présente le mérite de ne pas rechercher à tout prix l'extraction maximale par une technologie assez fréquente de nos jours. Son bouquet est poivré, à nuances de sous-bois, à notes végétales. Sa bouche est prompte à couvrir le sujet. Coup de cœur pour le millésime 83 sur l'une de nos premières éditions.

Dom. Dujac, 7, rue de la Bussière, 21220 Morey-Saint-Denis, tél. 03.80.34.01.00, fax 03.80.34.01.09

Jacques Seysses

DOM. HERESZTYN 1997★★★

■ Gd cru 0,23 ha 1 100 200 à 249 F

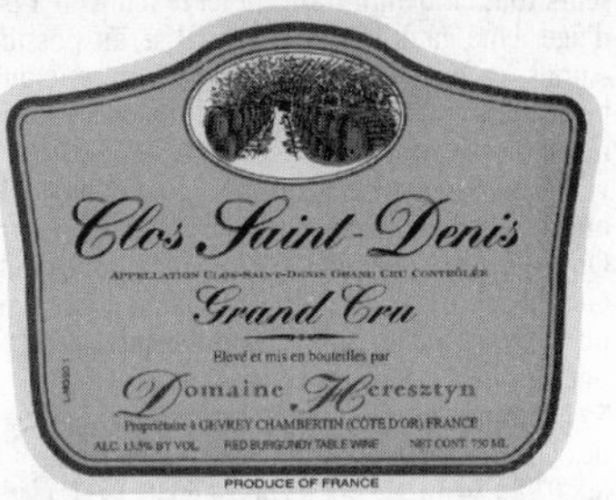

On comprend pourquoi le clos saint-denis est souvent appelé le Mozart de la Côte de Nuits. Quelle grâce ! Sur des notes de kirsch, de framboise à l'eau-de-vie, un 97 élégant et racé, sous sa robe sombre. Le boisé se fond peu à peu pour laisser place à un fruit vivace, à des tanins très lisses. Ce coup de cœur n'est pas le premier et il confirme les qualités du domaine.

Dom. Heresztyn, 27, rue Richebourg, 21220 Gevrey-Chambertin, tél. 03.80.34.30.86, fax 03.80.34.13.99 t.l.j. 9h-12h 14h-18h; dim. sur r.-v.

DOM. MICHEL MAGNIEN ET FILS 1997★★

■ Gd cru 0,12 ha 600 200 à 249 F

Drôle d'étiquette, un peu bavarde. Cela dit, l'essentiel est derrière. Cerise noire, un très beau vin. Ces trois ouvrées du clos saint-denis ont en effet le feu sacré : nuances épicées, fruits rouges un peu macérés, excellent renfort tannique sur du gras, de la rondeur. Et une longueur ! Ne pas saisir la grâce quand elle passe : l'embellir d'un bon séjour en cave, pour un gibier à sa convenance.

Dom. Michel Magnien et Fils, 4, rue Ribordot, 21220 Morey-Saint-Denis, tél. 03.80.51.82.98, fax 03.80.58.51.76 r.-v.

Clos de tart

MOMMESSIN 1985★★

■ Gd cru 7,53 ha 20 000 ⬤ + de 500 F

64 69 76 78 82 83 84 |85| **86** |88| |89| |90| 93 (95) 96 97

Sylvain Pitiot rend hommage à ses prédécesseurs tout en démontrant qu'ici le temps n'a pas d'âge. Une gâterie, ce 85 dont il serait possible - nous assure-t-on - d'acquérir encore quelques bouteilles. Il en vaut la peine : d'une évolution normale, sa robe annonce la truffe, l'épice, la venaison. Le pinot noir bourguignon dans sa plénitude, et ce millésime n'a pas fini sa vie sur terre. On a dégusté également le **97** : il reçoit une étoile. Gentiment framboisé, il sera à déboucher dans un avenir proche. N.B. : les millésimes 88 et 95 ont aussi été coups de cœur.

⊶ Mommessin, Dom. du Clos de Tart, 7, rte des Grands-Crus, 21220 Morey-Saint-Denis, tél. 03.80.34.30.91, fax 03.80.24.60.01 ☑ Y r.-v.

Clos des lambrays

DOM. DES LAMBRAYS 1996★

■ Gd cru 8,6 ha 23 000 ⬤ 250 à 299 F

79 81 **82** 83 **85** 88 **89** |90| 92 |93| |94| **95** 96

Racheté par Gunther Freund (afficheur publicitaire à Coblence), le domaine garde tout à la fois son unité et son régisseur, Thierry Brouin. Le millésime 96 se présente aujourd'hui sous une teinte rubis brillant. « Ce n'est pas un athlète », note un dégustateur, et c'est heureux. Il est très 96, et les dix-huit mois qu'il a passés en fût ne lui permettent pas encore de s'exprimer.

⊶ Sté Nlle du Dom. des Lambrays, 31, rue Basse, 21220 Morey-Saint-Denis, tél. 03.80.51.84.33, fax 03.80.51.81.97 ☑ Y r.-v.

⊶ Freund

Chambolle-musigny

Le nom de Musigny à lui seul suffit à situer le pupitre dans la composition de l'orchestre. Commune de grande renommée malgré sa petite étendue, elle doit sa réputation à la qualité de ses vins et à la notoriété de ses premiers crus, dont le plus connu est le *climat* des Amoureuses. Tout un programme ! Mais Chambolle a aussi ses Charmes, Chabiots, Cras, Fousselottes, Groseilles et autres Lavrottes... Le petit village aux rues étroites et aux arbres séculaires abrite des caves magnifiques (domaine des Musigny). La production a atteint 5 118 hl en 1998.

Les vins de Chambolle sont élégants, subtils, féminins. Ils allient la force des bonnes-mares à la finesse des musigny ; c'est un pays de transition dans la Côte de Nuits.

DOM. AMIOT-SERVELLE
Les Charmes 1996★

■ 1er cru 1,3 ha 5 400 ⬤ 100 à 149 F

« Méritera le coup de cœur d'ici deux à trois ans », pronostique un de nos dégustateurs. Le vin ne vit-il pas d'espoir ? Conçu en force et de façon carrée, ce chambolle recherche encore son fruit, mais il peut le trouver. Rubis violacé, réglissé, il reste un peu cistercien et à l'écart du monde.

⊶ Dom. Amiot-Servelle, rue du Lavoir, 21220 Chambolle-Musigny, tél. 03.80.62.80.39, fax 03.80.62.84.16 ☑ Y r.-v.

JEAN-CLAUDE BOISSET 1997

■ n.c. n.c. ⬤ 150 à 199 F

Belle robe bigarreau à reflets mordorés pour ce 97, en lever de rideau. Le deuxième acte met en scène le raisin, la prunelle mûre, le fumé, le fruit cuit selon une distribution complexe. Le troisième acte offre de la mâche pour remplir l'action et de la vivacité dans l'intrigue. La pièce peut durer deux à trois ans.

⊶ SA J.-C. Boisset, 5, quai Dumorey, B.P. 102, 21702 Nuits-Saint-Georges Cedex, tél. 03.80.62.61.61, fax 03.80.62.37.38

DOM. DE BRULLY 1996

■ 1er cru 0,5 ha 2 500 ⬤ 150 à 199 F

Un vin qui interpelle et questionne. De cette teinte agréable qui fait voir le pinot plus en rouge qu'en noir, il possède un premier nez framboise puis révèle un arôme de violette à l'aération. S'élève-t-il en bouche ou demeure-t-il discret ? On en a longuement discuté. Beaucoup ont souligné la recherche de l'expression du terroir et du raisin. Un dégustateur n'a pas été convaincu. Débat d'écoles.

⊶ Dom. de Brully, 21190 Saint-Aubin, tél. 03.80.21.32.92, fax 03.80.21.35.00 ☑ Y t.l.j. sf dim. 8h-12h 14h-19h

SYLVAIN CATHIARD
Les Clos de l'Orme 1997★★

■ 0,43 ha 2 400 ⏸ 100 à 149 F

Un viticulteur inspiré. Si son chambolle est sacré coup de cœur, c'est qu'il sort vraiment du lot. Non par des qualités fabuleuses, mais par la magie de la structure mariée à l'harmonie. La robe est bien sombre, et c'est une mode actuelle, mais cassis, mûre, réglisse et moka jouent aux quatre coins dans un nez magnifique. La bouche, capiteuse et distinguée, est très bien structurée.
⊶ Sylvain Cathiard, 20, rue de la Goillotte, 21700 Vosne-Romanée, tél. 03.80.62.36.01, fax 03.80.61.18.21 ☑ Y r.-v.

A. CHOPIN ET FILS 1997

■ 0,4 ha n.c. ⏸ 70 à 99 F

Ce domaine avait reçu deux étoiles pour son 96. 97 fut un millésime plus difficile. Dans la juste moyenne, d'un léger éclat brillant, riche en fruits rouges avec une touche animale, ce chambolle est fin, souple et plutôt léger en bouche. L'épilogue est toutefois assez persistant et plutôt dense.
⊶ Dom. A. Chopin et Fils, RN 74, 21700 Comblanchien, tél. 03.80.62.92.60, fax 03.80.62.70.78 ☑ Y r.-v.

DOM. BRUNO CLAIR Les Veroilles 1996★

■ 1,5 ha 7 000 ⏸ 150 à 199 F

Climat fort bien niché juste au-dessus des Bonnes-Mares. Bon voisinage, on l'admettra. D'une teinte mauve sombre assez homogène, ce 96 montre un bon nez de pinot (fruits rouges) et, après une attaque ronde et ample, la bouche à nuance florale développe un beau volume. L'alcool reste présent. Il n'empêche cependant pas le retour du fruit en finale. « Beau vin », conclut le jury unanime.
⊶ SCEA Bruno Clair, 5, rue du Vieux-Collège, 21160 Marsannay-la-Côte, tél. 03.80.52.28.95, fax 03.80.52.18.14 ☑ Y r.-v.

GUY COQUARD 1997

■ 0,4 ha 2 300 ⏸ 70 à 99 F

Guy Coquard est installé depuis 1962. La couleur de son chambolle ? Chatoyante, velours cerise noire. Le nez persiste et signe cerise noire. Tendance d'évolution (cuir). La suite est tout d'abord plaisante, équilibrée, agréable sur la langue, puis un peu rigoureuse et austère. A boire dans les deux ans qui viennent.
⊶ Guy Coquard, 55, rte des Grands-Crus, 21220 Morey-Saint-Denis, tél. 03.80.34.38.88, fax 03.80.51.58.66 ☑ Y r.-v.

ROBERT GROFFIER PERE ET FILS
Les Sentiers 1997★★★

■ 1er cru 1,07 ha 3 600 ⏸ 200 à 249 F

Déjà coup de cœur dans le Guide 1998 (Amoureuses 94), le domaine arrive cette fois encore bon premier pour ce *climat* séparé des Bonnes-Mares par la route des Grands-Crus. Velours cramoisi, ce vin caresse de la tête aux pieds. Complexe et complet, légèrement boisé, il a de la chair et du souffle. Autres appréciations très flatteuses pour **Les Amoureuses 1er cru 97** (une étoile) et plus encore **les Hauts-Doix 97 1er cru** (deux étoiles). Bravo !
⊶ Dom. Robert et Serge Groffier, 3-5, rte des Grands-Crus, 21220 Morey-Saint-Denis, tél. 03.80.34.31.53 ☑ Y r.-v.

DOM. A.-F. GROS 1997★★

■ 0,41 ha n.c. ⏸ 100 à 149 F

Cette bouteille, issue de plusieurs lieux-dits, dont les Frémières, pourrait donner à elle seule un récital dans le nouvel auditorium de Dijon... Tenant le fruit et le fût par les deux bouts, elle offre un concert gras, aromatique, somptueux, jusqu'à la finale élégante et joliment tournée. Robe soutenue et brillante occupant bien la scène.
⊶ Dom. A.-F. Gros, La Garelle, 21630 Pommard, tél. 03.80.22.61.85, fax 03.80.24.03.16 ☑ Y r.-v.
⊶ Anne-Françoise Parent

LES CAVES DU CHANCELIER
Cuvée Prestige 1996

■ n.c. 6 000 ⏸ 100 à 149 F

Rouge sans plus, ce vin présente un nez assez grillé et vanillé. Celui-ci évolue vers le végétal, la feuille de cassis dont on faisait jadis des infusions. D'une texture aimable, il laisse la bouche pleine dans la sensation du fruit à noyau. Persistance moyenne.
⊶ Les Caves du Chancelier, 1, rue Ziem, 21200 Beaune, tél. 03.80.24.05.88, fax 03.80.22.37.08 ☑ Y t.l.j. 9h-19h

DOM. LEYMARIE-CECI
Aux Echanges 1996★

■ 1er cru 0,93 ha 6 200 ⏸ 100 à 149 F

Intensité : de moyenne à supérieure, bords violines. Bouquet : encore hésitant, mais le potentiel se dessine sur un fond réglissé. Quant à la bouche, elle garde... les mains dans ses poches. Fluide, détendue, allant son chemin sans se poser de questions. Mais les choses deviennent plus sérieuses en cours de route : finale élégante et de bonne tenue. Coup de cœur dans le Guide 1993 pour ses Echanges 89.

⊶ SARL Leymarie-CECI, Clos du Village, 24, rue du Vieux-Château, 21640 Vougeot, tél. 03.80.62.86.06, fax 03.80.62.88.53 ☒ Y r.-v.

LIGNIER-MICHELOT 1997**

■ 1,5 ha 4 000 ⬮ 70 à 99 F

Créé il y a quatre-vingt-dix ans, ce domaine ne « fait de la bouteille » que depuis 1991. On le retrouve à nouveau avec plaisir dans la sélection du Guide, car ce 97 met tout le monde d'accord. Trop de robe sans doute et sur le verre des larmes de plaisir. Voyons le nez : finement boisé, violette et cerise en renfort éventuel. Sous une bonne charpente charnue et tannique, un vin jeune et frais qui réjouira les papilles, car il a besoin de s'ouvrir plus encore.

⊶ Dom. Lignier-Michelot, 11, rue Haute, 21220 Morey-Saint-Denis, tél. 03.80.34.31.13, fax 03.80.58.52.16 ☒ Y r.-v.

LUPE-CHOLET 1996

■ 3 ha 5 500 ⬮ 150 à 199 F

Un bon rapport fruit/tanins, une puissance bien enrobée, une attaque pleine de vivacité, voici un vin qui, bien que léger, n'est cependant pas superficiel. Nuances végétales assez perceptibles. Ce côté herbacé devrait s'atténuer et disparaître dans le temps.

⊶ Lupé-Cholet, 17, av. du Gal-de-Gaulle, 21700 Nuits-Saint-Georges, tél. 03.80.61.25.02, fax 03.80.24.37.38

JEAN-PAUL MAGNIEN 1997

■ 0,26 ha 850 ⬮ 70 à 99 F

On s'accorde à le trouver typé chambolle dans le style considéré habituellement comme représentatif de l'appellation. Il reste à savoir si, en cette matière, la féminité doit s'accompagner de légèreté... Vaste sujet que cette bouteille évoque à sa manière. De couleur moyenne, ce vin boisé, bien tempéré, possède du fruit. Sa durée de vie sera de quelques années.

⊶ Jean-Paul Magnien, 5, ruelle de l'Eglise, 21220 Morey-Saint-Denis, tél. 03.80.51.83.10, fax 03.80.58.53.27 ☒ Y r.-v.

DOM. JEAN-PHILIPPE MARCHAND
Les Sentiers 1997

■ 1er cru 0,4 ha n.c. ⬮ 100 à 149 F

Beaucoup de moelle et peu d'acidité, sous de légères nuances florales. Effet de mise en bouteille récente lors de la dégustation ? Ce vin était alors en suspens, offrant une palette de petits fruits rouges à peine esquissés. La robe est d'une forte densité, le boisé assez fin. A revoir avec plaisir... plus tard.

⊶ Dom. Jean-Philippe Marchand, 4, rue Souvet, B.P. 41, 21220 Gevrey-Chambertin, tél. 03.80.34.33.60, fax 03.80.34.12.77, e-mail marchand@axnet.fr ☒ Y r.-v.

P. MISSEREY 1996

■ n.c. 5 000 ⬮ 100 à 149 F

Rouge en passe d'évolution, ce 96 a d'intéressants arguments à faire valoir au chapitre du bouquet. La rose, la framboise, le sous-bois ont de l'ardeur. D'une texture très veloutée, et malgré une certaine astringence, il vit sur le retour du fruit et en tire grand avantage pour le jugement final.

⊶ Maison P. Misserey, 3, rue des Seuillets, B.P. 10, 21701 Nuits-Saint-Georges Cedex, tél. 03.80.61.07.74, fax 03.80.61.31.40 ☒ Y r.-v.

DOM. THIERRY MORTET
Les Beaux Bruns 1997*

■ 1er cru 0,25 ha 1 200 ⬮ 100 à 149 F

Beau vin, beau potentiel, que demander de plus ? Sans doute faut-il l'attendre de pied ferme. Nuance noire, bourgeon de cassis et animal, il est un rien sauvage. Fougueux, ravigotant, il explose en bouche et ne fait rien à moitié. Le fruit écrasé comble la finale. Quand ce 97 aura, et c'est bien sûr, trouvé le dialogue du cœur, il nous ravira.

⊶ Dom. Thierry Mortet, 16, pl. des Marronniers, 21220 Gevrey-Chambertin, tél. 03.80.51.85.07, fax 03.80.34.16.80 ☒ Y r.-v.

JACQUES-FREDERIC MUGNIER
Les Fuées 1996

■ 1er cru 0,7 ha n.c. ⬮ 150 à 199 F

Les Fuées ont les Bonnes-Mares comme voisin de palier. Le XVIe arrondissement de la Bourgogne ! La robe de ce 96 est satisfaisante, le nez de rose fanée devient végétal et un rien musqué. Peu d'acidité, un vin d'approche facile et qui, sans jouer le grand jeu, a certains mérites.

⊶ Jacques-Frédéric Mugnier, Ch. de Chambolle, 21220 Chambolle-Musigny, tél. 03.80.62.85.39, fax 03.80.62.87.36 ☒ Y r.-v.

BERNARD MUNIER 1996

■ 0,9 ha 4 500 ⬮ 70 à 99 F

6,15 ha aujourd'hui pour un domaine créé en 1859. Ce 96 est resté vingt-deux mois en fût. D'une teinte raisonnable, c'est-à-dire pas trop foncée, il a le nez peu bavard mais en période d'éveil. L'attaque est légèrement végétale, jusqu'à une fin de bouche plus expressive que supportent des tanins rigoureux. Il se fait surtout apprécier pour son élégance et une authentique image du terroir. Cela se sent...

⊶ Bernard Munier, rue de Cîteaux, 21640 Gilly-les-Cîteaux, tél. 03.80.62.86.38, fax 03.80.62.86.38 ☒ Y r.-v.

DOM. MICHEL NOELLAT ET FILS
1997*

■ 1 ha 3 000 ⬮ 100 à 149 F

Il a partagé notre jury, certains de ses membres le voyant sensiblement plus haut. Faites-vous donc votre propre idée, car l'expérience est conseillée par tous. En réalité, il évolue un peu sur des notes de cuir et de sous-bois, et ceci explique cela. Comme il a de l'avenir, mais oui, nul doute qu'il va tout à la fois se fondre et se raffermir.

🔑 SCEA Dom. Michel Noëllat et Fils, 5, rue de la Fontaine, 21700 Vosne-Romanée, tél. 03.80.61.36.87, fax 03.80.61.18.10 ☑ Y r.-v.

DOM. HENRI PERROT-MINOT 1996★★

■ 0,57 ha 3 000 ⅠⅠ 100 à 149 F

9 ha composent aujourd'hui ce domaine créé au XVI^e^s. Une table de tri permet de rentrer de belles vendanges. L'élevage en fût a duré dix-huit mois pour ce 96. Si les tanins ne s'en laissent pas conter et marquent leur présence, le fruit mûrit à ravir dans le verre. Presque noir à reflets pourpres, son bouquet évoque le végétal et le poivre. Quant à son approche de la vie, elle remplit d'optimisme et n'inspire pas l'agressivité. Déjà agréable et flatteur, ce vin est capable de vieillir.

🔑 Henri Perrot-Minot, 54, rte des Grands-Crus, 21220 Morey-Saint-Denis, tél. 03.80.34.32.51, fax 03.80.34.13.57 ☑ Y r.-v.

DOM. LOUIS REMY
Derrière la Grange 1997★

■ 1er cru 0,47 ha 2 200 ▮ⅠⅠ 150 à 199 F

La ligne droite n'est-elle pas le plus simple chemin pour aller d'un point à un autre ? Ce vin fait son chemin sur terre d'un pas assuré. La robe est cerise noire à plis violacés. Le nez est discret. La bouche ample et souple est de bonne longueur. Un 97 profondément gentil. Derrière la Grange ? Tout petit cru dans les Gruenchers, côté Morey.

🔑 Dom. Louis Rémy, 1, pl. du Monument, 21220 Morey-Saint-Denis, tél. 03.80.34.32.59, fax 03.80.34.32.59 ☑ Y r.-v.

ARMELLE ET BERNARD RION
Les Gruenchers 1996★

■ 1er cru 0,4 ha 1 800 ⅠⅠ 100 à 149 F

Ce couple de viticulteurs a trois passions : la vigne et le vin, l'élevage de chiens merveilleux, et la truffe de Bourgogne. Il nous propose ici un 1er cru un peu boisé, rubis profond, à tendances de réglisse et de sous-bois. Le palais lumineux révèle des arômes de truffe et un charmant goût de framboise qui, avec une classe incontestable, annonce un cru de bonne garde.

🔑 Dom. Armelle et Bernard Rion, 8, rte Nationale, 21700 Vosne-Romanée, tél. 03.80.61.05.31, fax 03.80.61.24.60, e-mail rion@webiwine.com ☑ Y r.-v.

CAVE PRIVEE D'ANTONIN RODET
1996

■ n.c. n.c. ⅠⅠ 150 à 199 F

Version tannique de l'appellation, ce 96 grenat foncé a passé dix-huit mois en fût. Il est sévère, ample sinon massif, comme s'il voulait démentir l'image féminine du chambolle-musigny. Cela dit, l'âge contribuera probablement à l'éveil de sa sensibilité. Son nez délivre des arômes à dominante végétale, des notes d'humus.

🔑 Antonin Rodet, 71640 Mercurey, tél. 03.85.98.12.12, fax 03.85.45.25.49, e-mail rodet@rodet.com ☑ Y t.l.j. sf sam. dim. 9h-12h 13h30-18h

GENEVIEVE ROYER-MORETTI 1997★

■ 1,52 ha 7 000 ▮ⅠⅠ 70 à 99 F

Créé par M. Moretti venu d'Italie en 1935, le domaine est aujourd'hui géré par sa belle-fille, Geneviève Royer-Moretti. Grenat très foncé, son 97 a du caractère. Dès le premier coup de nez, on sent le framboisé, le fruit confit. Le corps est long, puissant, déterminé. Il avance à pas lents, prenant tout son temps. Il ne se situe pas sur le registre du charme immédiat, mais plutôt sur celui de l'effort pour convaincre.

🔑 Geneviève Royer-Moretti, rue du Carré, 21220 Chambolle-Musigny, tél. 03.80.62.85.79 ☑ Y t.l.j. 11h30-12h15; sam. dim. 11h-16h

REMI SEGUIN 1996★

■ 0,51 ha n.c. ⅠⅠ 70 à 99 F

Voilà dix ans que Rémi Seguin est installé à la tête de ses 5,93 ha. Il élève ses vins partie en fûts neufs, partie en fûts de un à quatre ans. D'un rubis brillant, son 96 s'ouvre à l'aération. Framboise et épices, un rien boisées, montrent cependant une certaine retenue. Sur une attaque ronde qui met en valeur le gras, un vin d'une texture veloutée, bien fondu, et qui procure un doux sentiment de plénitude. Le **1er cru 96** a des tanins un peu plus rudes, davantage de puissance. On l'attendra plus longtemps.

🔑 Rémi Seguin, rue de Cîteaux, 21640 Gilly-lès-Cîteaux, tél. 03.80.62.89.61, fax 03.80.62.80.92 ☑ Y r.-v.

DOM. ROBERT SIRUGUE
Les Mombies 1997

■ 0,27 ha 1 600 ⅠⅠ 70 à 99 F

Orné de nombreux reflets, un vin cerise qui compense l'étroitesse de ses épaules par un tempérament tout à la fois vif et tannique. Il ne manque pas de structure, ni de finesse d'esprit. L'attente (pas trop longue cependant) peut ici être heureuse.

🔑 Robert Sirugue, 3, av. du Monument, 21700 Vosne-Romanée, tél. 03.80.61.00.64, fax 03.80.61.27.57 ☑ Y r.-v.

DOM. TAUPENOT-MERME 1996

■ n.c. 6 000 ⅠⅠ 100 à 149 F

Trois continents se partagent la production de ce domaine bien connu de nos lecteurs. Dans ce 96, on devine la beauté du terroir sur des touches d'aquarelle, sans que la concentration soit totale. Ensemble légèrement évolué, tirant sur la pivoine et le bois précieux, tout en souplesse et en finesse. Dans le style dit féminin de l'appellation.

🔑 Jean Taupenot-Merme, 33, rte des Grands-Crus, 21220 Morey-Saint-Denis, tél. 03.80.34.35.24, fax 03.80.51.83.41 ☑ Y r.-v.

Bonnes-mares

Cette appellation, qui a produit 602 hl en 1996, 483 hl en 1997 et 430 hl en 1998, déborde sur la commune de Morey au long du mur du clos de Tart, mais la plus grande partie est située sur Chambolle. C'est le grand cru par excellence. Les vins de bonnes-mares, pleins, vineux, riches, ont une bonne aptitude à la garde et accompagnent allègrement le civet ou la bécasse au bout de quelques années de vieillissement.

DOM. ARLAUD PERE ET FILS 1996

■ Gd cru 0,2 ha n.c. 200 à 249 F

Tendre, un 96 au tout début de son évolution et qui mise tout sur le fruit rouge à noyau. Version animée et dynamique de l'appellation.
SCEA Dom. Arlaud Père et Fils, 43, rte des Grands-Crus, 21220 Morey-Saint-Denis, tél. 03.80.34.32.65, fax 03.80.58.52.09 r.-v.

DOM. FOUGERAY DE BEAUCLAIR 1997**

■ Gd cru 1,6 ha 2 700 300 à 499 F

88 89 90 **92 93** 94 **95** |96| **97**

Pour les passionnés, signalons qu'il s'agit là des bonnes-mares côté Morey. Grenat flamboyant, le fruit racé et droit, boisé mais harmonieux et cohérent, vif et savoureux, un grand cru déjà à sa hauteur : très bon niveau de qualité. L'attendre sans crainte trois à quatre ans.
Dom. Fougeray de Beauclair, 44, rue de Mazy, B.P. 36, 21160 Marsannay-la-Côte, tél. 03.80.52.21.12, fax 03.80.58.73.83, e-mail fougeraydebeauclair@wanadoo.fr r.-v.

ROBERT GROFFIER PERE ET FILS 1997**

■ Gd cru 0,98 ha 3 500 300 à 499 F

Un avenir immense. Inutile de le regarder droit dans les yeux aujourd'hui. On vous dira bêtement qu'il est grenat foncé d'une brillance merveilleuse, que le premier nez porte sur la groseille, puis sur le pruneau, le fruit de la passion. Ce vin est tout simplement lourd et épicé, mais terriblement équilibré et d'une flamme qui brûlera longtemps.
Dom. Robert et Serge Groffier, 3-5, rte des Grands-Crus, 21220 Morey-Saint-Denis, tél. 03.80.34.31.53 r.-v.

HERVE ROUMIER 1996

■ Gd cru 0,27 ha 600 200 à 249 F

Pivoine foncée, confiture de griottes et café en fin de nez, ce 96 va de l'avant. Tannique, viril, il doit se fondre.
Hervé Roumier, rue de Vergy, 21220 Chambolle-Musigny, tél. 03.80.62.80.38, fax 03.80.62.86.71 r.-v.

> L'alcool assure corps et rondeur au vin ; l'acidité lui donne l'attaque et la nervosité ; les tanins lui procurent structure et charpente.

Vougeot

C'est la plus petite commune de la côte viticole. Si l'on ôte de ses 80 ha les 50 ha du clos, les maisons et les routes, il ne reste que quelques hectares de vignes en vougeot, dont plusieurs premiers crus, les plus connus étant le Clos blanc (vins blancs) et le Clos de la Perrière. Le volume de production s'élève à 628 hl en 1998, dont 76 en blanc.

DOM. BERTAGNA
Clos de la Perrière 1997**

■ 1er cru 2,26 ha 9 000 200 à 249 F

Un domaine bien connu des lecteurs. Coup de cœur en 88 blanc sur notre édition 1991. L'ancienne carrière de l'abbaye de Cîteaux se situe au pied du musigny et est devenue une vigne en monopole Bertagna (famille Siddle-Reh). Assez boisé, ce 97 rouge donne du terroir une expression « moderne » due à la vinification et à l'élevage. Il a du corps, des arômes, de la présence. Richesse et suavité sont annoncées pour 2004.
Dom. Bertagna, rue du Vieux-Château, 21640 Vougeot, tél. 03.80.62.86.04, fax 03.80.62.82.58 r.-v.

DOM. LEYMARIE-CECI
Clos du Village 1996

■ 0,4 ha 2 660 100 à 149 F

Les bâtiments des domaines Leymarie occupent les locaux d'une auberge qui servait de relais de poste aux diligences reliant Dijon à Beaune. D'une robe très appuyée, suggérant le cassis et même le bourgeon de cassis, ce *village* est d'une folle exubérance au nez. Ses tanins apportent cependant en bouche une note sévère qui freine actuellement l'ampleur et la longueur. Peu de complexité aujourd'hui mais il se boira aisément dans deux ou trois ans.
SARL Leymarie-CECI, Clos du Village, 24, rue du Vieux-Château, 21640 Vougeot, tél. 03.80.62.86.06, fax 03.80.62.88.53 r.-v.
Leymarie

MONOPOLE L'HERITIER-GUYOT
Clos blanc de Vougeot 1996***

□ 1er cru 2,28 ha 9 120 250 à 299 F

(90) |91| |92| 93 94 |95| |96|

On donne le Bon Dieu sans confession à ce vin issu de l'ancienne vigne blanche des moines de Cîteaux, aujourd'hui monopole L'Héritier-Guyot (J.-Cl. Boisset). Que de louanges en effet : tout miel et auréolé d'aubépine, il offre en partage la vivacité, le gras d'un chardonnay noble et parfaitement bien élevé. L'imaginer sur un soufflé au brochet. **Les Cras en rouge 96**, remarquables, obtiennent deux étoiles. « C'est un modèle du vougeot », à servir avec du chevreuil, ou, mieux encore, seul, pour lui-même.

☛ L'Héritier-Guyot, rue des Clos-Prieurs, 21640 Gilly-lès-Cîteaux, tél. 03.80.72.16.14, fax 03.80.72.29.08 ⏳ t.l.j. 8h-12h 13h15-16h45

DOM. ROUX PERE ET FILS
Les Petits Vougeot 1997★

■ 1er cru	1,2 ha	6 400	◫	150 à 199 F

Ce 1ᵉʳ cru est voisin du musigny, juste plus haut que lui sur le coteau. C'est dire si l'on doit y prêter attention. Sous une teinte bien présente et restée vive, il évolue vers l'animal, le confit de façon ferme et complexe. La suite s'inscrit dans la continuité, sur une base tannique, et sa relative austérité ne manque pas de caractère. N'hésitez pas à le conserver quelques années.

☛ Dom. Roux Père et Fils, 21190 Saint-Aubin, tél. 03.80.21.32.92, fax 03.80.21.35.00 ☑ ⏳ t.l.j. sf dim. 8h-12h 14h-19h

Clos de vougeot

Tout a été dit sur le Clos ! Comment ignorer que plus de soixante-dix propriétaires se partagent ses 50 ha et les 1 686 hl déclarés en 1998 ? Un tel attrait n'est pas dû au hasard ; c'est bien parce qu'il est bon que tout le monde en veut ! Il faut bien sûr faire la différence entre les vins « du dessus », ceux « du milieu » et ceux « du bas », mais les moines de l'abbaye de Cîteaux, lorsqu'ils ont élevé le mur d'enceinte, avaient tout de même bien choisi leur lieu...

Fondé au début du XIIᵉs., le Clos atteignit très rapidement sa dimension actuelle ; l'enceinte d'aujourd'hui est antérieure au XVᵉs. Plus que le Clos lui-même, dont l'attrait essentiel se mesure dans les bouteilles quelques années après leur production, le château, construit aux XIIᵉ et XVIᵉs., mérite qu'on s'y attarde un peu. La partie la plus ancienne est constituée du cellier, de nos jours utilisé pour les chapitres de la confrérie des Chevaliers du Tastevin, actuel propriétaire des lieux, et de la cuverie, qui abrite à chaque angle quatre magnifiques pressoirs d'époque.

JEAN-CLAUDE BOISSET 1997

■ Gd cru	n.c.	9 000	◫	200 à 249 F

Davantage de caractère et d'élégance que de robustesse ou de structure. Sa robe est d'un rouge grenat profond et brillant, son nez penche vers le confit, les épices, tandis que sa bouche, bien équilibrée mais légère, conseille de ne pas l'attendre plus de trois ans.

☛ SA J.-C. Boisset, 5, quai Dumorey, B.P. 102, 21702 Nuits-Saint-Georges Cedex, tél. 03.80.62.61.61, fax 03.80.62.37.38

DOM. HENRI CLERC ET FILS 1996★

■	0,3 ha	1 582	◫	250 à 299 F

|92| 94 96

Au milieu du clos sur sa partie dite « du vin des moines », une parcelle donnant un 96 rouge-mauve et qui délivre ses arômes avec parcimonie. Sa bouche virile, solide, s'appuie sur des tanins puissants mais dépourvus d'agressivité. Elevage à poursuivre dans votre cave au-delà de trois années.

☛ Dom. Henri Clerc et Fils, pl. des Marronniers, 21190 Puligny-Montrachet, tél. 03.80.21.32.74, fax 03.80.21.39.60 ☑ ⏳ t.l.j. 8h30-11h45 14h-17h45

☛ Bernard Clerc

DOM. DROUHIN-LAROZE 1997★★

■ Gd cru	1 ha	3 000	◫	250 à 299 F

⟨83⟩ 86 |88| 89 |91| 93 94 **95 96 97**

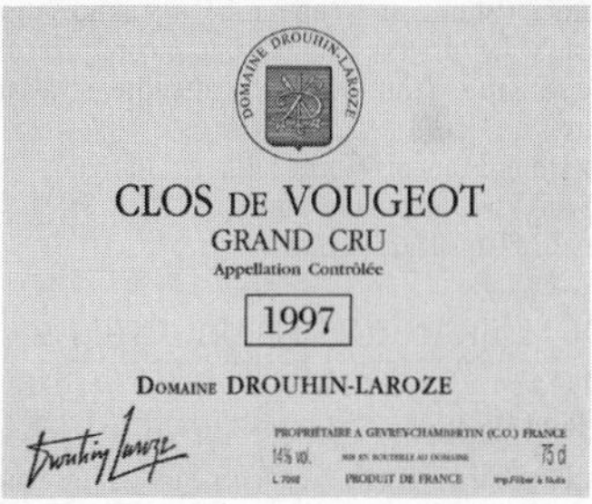

Bernard et Philippe Drouhin dirigent ce domaine de 12 ha créé en 1850. Ils exportent 70 % de leur production. Parmi les clos de vougeot dégustés, celui-ci est le préféré du jury. Le coup de cœur distingue à nouveau (déjà pour le 83) un vin produit sur la partie la plus haute du clos, d'une robe très intense, au bouquet complexe mais encore recueilli. D'un goût parfait, alliant la sève et le gras, il va à coup sûr développer ses dons déjà remarquables. Comme on aimerait être présents à la fête quand on le mariera à un pâté chaud et en croûte !

☛ Dom. Drouhin-Laroze, 20, rue du Gaizot, 21220 Gevrey-Chambertin, tél. 03.80.34.31.49, fax 03.80.51.83.70 ☑ ⏳ r.-v.

XAVIER DUCLERT 1996★

■ Gd cru	0,27 ha	600	◫	200 à 249 F

Reconstitution d'une maison de négoce fondée jadis par les ancêtres Ropiteau de Xavier Duclert qui se signale d'abord par une étiquette très design. Si on la lit bien : mise en bouteille au domaine par H.R. à Gevrey-Chambertin. Il s'agit donc d'un vin Rebourseau. Avec sa richesse et sa persistance, c'est un bon 96 de garde, au corps ouvert et raffiné, au gras bien enrobé.

☛ Xavier Duclert, 2 bis, pl. Carnot, 21200 Beaune, tél. 03.80.22.74.77, fax 03.80.22.74.77 ☑ ⏳ t.l.j. sf dim. 10h-19h

JACQUES FAUROIS 1996

■ Gd cru 0,6 ha n.c. 150 à 199 F

89 |92| |93| 96

Rubis à nuances brique, légèrement boisé, exprimant le noyau et le fruit rouge, il mobilise ses atouts autour de la finesse, de la souplesse. On pourra le déguster un peu plus jeune que la plupart des autres, mais il faut néanmoins l'attendre quatre ans. Ce viticulteur est, pour partie, un métayer du domaine Méo-Camuzet en raison d'une fidélité familiale née il y a plus d'un demi-siècle, du temps d'Etienne Camuzet.

Jacques Faurois, 10, rte de Boncourt, 21700 Vosne-Romanée, tél. 03.80.61.14.36

DOM. FRANCOIS GERBET 1997*

■ Gd cru 0,31 ha 1 458 200 à 249 F

96 97

Marie-Andrée et Chantal ont repris en 1983 la propriété de 11 ha de leur père François Gerbet. Ce vin est très réussi. Sa jeunesse ne lui a pas encore permis de s'ouvrir tout à fait. Cet escargot dans sa coquille montre un nez réglissé très caractéristique sous une robe à nuances bordeaux. Le fût et les tanins sont encore présents. La structure paraît sérieuse. A attendre, il va sans dire.

Dom. François Gerbet, 2, rte Nationale, 21700 Vosne-Romanée, tél. 03.80.61.07.85, fax 03.80.61.01.65 r.-v.

DOM. FRANCOIS LAMARCHE 1997*

■ Gd cru 1,35 ha 2 700 200 à 249 F

|91| 94 95 |97|

Plusieurs parcelles réparties aux quatre coins du clos et qui en constituent la synthèse. Grenat cerise et de bonne intensité, ce 97 évolue sur les épices et la fourrure tout en préservant les tanins du vin. Sur fond de griotte, bel assaut réglissé, soyeux et souple. Conforme à son millésime, ce vin est agréable dès à présent mais on aura profit à le conserver deux à trois ans.

Dom. François Lamarche, 9, rue des Communes, 21700 Vosne-Romanée, tél. 03.80.61.07.94, fax 03.80.61.24.31 r.-v.

CH. DE LA TOUR 1996*

■ Gd cru 5,5 ha n.c. 300 à 499 F

|85| 86 **87** **88** **89** 90 91 93 94 95 96

75 % de fûts neufs, élevage vingt mois en barrique, ce 96 né de vieilles vignes de quarante-cinq ans ne s'exprime pas beaucoup. Sa robe très profonde, rouge-grenat violacé, annonce le nez fermé. C'est un vin à forte extraction, puissant, très marqué par le bois. Bien des grands crus bourguignons suivent cette voie : nos dégustateurs ont été très sensibles à cette nouvelle mode de vinification qui tend à gommer les nuances des différents crus de la Côte. Ils en ont éliminé un très grand nombre. Celui-ci a trouvé grâce, car il possède une matière, une richesse, qui lui permettront de devenir velours au palais dans cinq à six ans.

Ch. de La Tour, Clos de Vougeot, 21640 Vougeot, tél. 03.80.62.86.13, fax 03.80.62.82.72, e-mail labet@axnet.fr t.l.j. sf lun. 10h30-19h; f. fin fév.-Pâques

François Labet

DOM. LEYMARIE-CECI 1996*

■ Gd cru 0,53 ha 2 885 200 à 249 F

90 |91| 92 **93** 96

Le millésime 93 reçut notre coup de cœur dans le Guide 1997. Et celui-ci ? Violet limpide ou rouge profond ? On en discute autour de la table de dégustation. On est d'accord en revanche sur son côté assez fermé, s'éveillant tout juste sur des sensations de menthol, cacao, mie de pain, cassis... Fraîcheur et vivacité, finale riche et persistante. Son caractère nettement masculin nécessite un temps d'attente en cave. Cette vigne se situe en haut du clos, à proximité des grands échézeaux.

SARL Leymarie-CECI, Clos du Village, 24, rue du Vieux-Château, 21640 Vougeot, tél. 03.80.62.86.06, fax 03.80.62.88.53 r.-v.

CH. DE MARSANNAY 1996*

■ Gd cru n.c. 1 122 300 à 499 F

Ce 96 nous met sur la bonne voie, tant il est charnu et plein. Cerise noire, violacé, il présente déjà un nez dense, concentré, où la réglisse joue un rôle classique. Un peu de chaleur, d'alcool, une dureté sans doute passagère, il est de structure moyenne mais marqué par le terroir. Il aimera des fromages assez forts.

Ch. de Marsannay, rte des Grands-Crus, 21160 Marsannay-la-Côte, tél. 03.80.51.71.11, fax 03.80.51.71.12 t.l.j. 1sf dim. 10h-12h 14h-18h30; f. 20 déc.-5 janv.

DENIS MUGNERET ET FILS 1997*

■ Gd cru 0,72 ha 1 200 200 à 249 F

90 93 |94| 95 97

Comme l'écrivait Gaston Roupnel, le vin du Clos de Vougeot est « toute cette vieille Bourgogne ». On trouve en cette bouteille une robe sombre et légèrement évoluée, l'humus et le sous-bois, de l'ampleur et du charme. Tapissant le palais d'un velours caressant et riche, s'achevant sur une note tannique bien fondue, un vin de grand avenir. Il s'agit d'un métayage Liger-Belair (de Nuits), au sud du clos.

Denis et Dominique Mugneret, 9, rue de la Fontaine, 21700 Vosne-Romanée, tél. 03.80.61.00.97, fax 03.80.61.24.54 r.-v.

Liger-Belair

DOM. HENRI REBOURSEAU 1996*

■ Gd cru 2,2 ha 4 717 300 à 499 F

89 90 92 93 |94| **95** 96

Sous sa robe grenat foncé, presque noire, témoignant d'un maximum d'extraction, ce 96 ne vous accueille pas les bras ouverts. Rien d'étonnant : le clos de vougeot est souvent un vin introverti, de longue et grande garde. Franc et encore fermé, mais riche et équilibré, celui-ci (produit sur 2,2 ha au centre du clos) changera son hiver austère en un été radieux, car vous aurez la sagesse de lui en laisser le temps. C'est un très beau vin au nez concentré autour de nuances

fruitées (fruits noirs et rouges) de grande ampleur, mais aussi de grande pureté.
MSE Dom. Henri Rebourseau, 10, pl. du Monument, 21220 Gevrey-Chambertin, tél. 03.80.51.88.94, fax 03.80.34.12.82, e-mail rebourseau@aol.com r.-v.

DOM. ARMELLE ET BERNARD RION 1996*

■ Gd cru 0,75 ha 2 400 200 à 249 F
90 95 96

Camille Rodier, Roupnel, tous les auteurs classiques évoquent le parfum de la violette sous la rosée, du réséda mouillé... Cette bouteille possède ce charme, vanillé il est vrai. Robe très foncée, corps aromatique (réglisse, mûre), une vivacité qui demande à s'apaiser et un vin qu'on garde longtemps en bouche.
Dom. Armelle et Bernard Rion, 8, rte Nationale, 21700 Vosne-Romanée, tél. 03.80.61.05.31, fax 03.80.61.24.60, e-mail rion@webiwine.com r.-v.

HERVE ROUMIER 1996*

■ Gd cru 0,27 ha 600 150 à 199 F

Cistercien, ce vin encore sévère vise le paradis, mais ne n'est pas pour tout de suite. Très haut en couleur, il offre un bouquet d'une intéressante complexité. Celle-ci prend à l'aération le chemin du cassis et de la mûre, du sous-bois. Bonne attaque et tanins convenables ; il possède de quoi monter en harmonie d'ici quatre à cinq ans.
Hervé Roumier, rue de Vergy, 21220 Chambolle-Musigny, tél. 03.80.62.80.38, fax 03.80.62.86.71 r.-v.

DOM. THOMAS 1997

■ Gd cru 0,6 ha 3 000 300 à 499 F

Belle robe pour un 97, sans trop de reflets. Réglisse, humus, fruits noirs, son bouquet a du potentiel, et le fût y tient encore ses quartiers. Le goût du fruit apparaît ensuite, confit, porté par des arômes de fourrure, de cuir, et un souffle assez chaud. Bouteille à servir dans cette maturité. La famille Thomas fut en 1944 l'un des acquéreurs du château, remis aussitôt à la confrérie des Chevaliers du Tastevin.
Dom. Thomas, chem. rural n° 29, 21700 Nuits-Saint-Georges, tél. 03.80.62.42.00, fax 03.80.61.28.13 r.-v.
SCI Clos Thorey & Fam. Thomas

Echézeaux et grands-échézeaux

Au sud du Clos de Vougeot, la commune de Flagey-Echézeaux, dont le bourg est dans la plaine, tout comme celui de Gilly (les Cîteaux) en face du Clos de Vougeot, longe le mur de celui-ci pour faire, jusqu'à la montagne, une incursion dans le vignoble. La partie du piémont bénéficie de l'appellation vosne-romanée. Dans le coteau se succèdent deux grands crus : le grands-échézeaux et l'échézeaux. Le premier fait environ 9 ha de surface, sur plusieurs lieux-dits et n'a produit que 240 hl en 1998, alors que le second en couvre plus de 30 pour un volume de 1 088 hl.

Les vins de ces deux crus, dont les plus prestigieux sont les grands-échézeaux, sont très « bourguignons » : solides, charpentés, pleins de sève mais aussi très chers. Ils sont essentiellement exploités par les vignerons de Vosne et de Flagey.

BOURGOGNE

Echézeaux

DOM. PHILIPPE CHARLOPIN 1997**

■ Gd cru n.c. n.c. 250 à 299 F

Echézeaux violette, de l'encre de la robe au parfum auquel s'ajoute un boisé actif. Le fruit très concentré donne un bon volume et une belle longueur. Cette vinosité puissante demande à vieillir, de cinq à sept ans. Haut de gamme, assurément.
Philippe Charlopin, 18, rte de Dijon, 21220 Gevrey-Chambertin, tél. 03.80.51.81.18, fax 03.80.51.81.27 r.-v.

FRANCOIS CONFURON-GINDRE 1997

■ Gd cru n.c. 1 300 150 à 199 F

Première vinification en échézeaux de François Confuron. Il passe la barre d'un jury ultra-sévère. Presque noir à reflets foncés, assez ouvert sur le cassis ou la mûre, concentré et fumé, un 97 fruité-grillé, ne se livrant guère. L'attaque puissante laisse espérer de l'ampleur et de la garde.
François Confuron-Gindre, 21700 Vosne-Romanée, tél. 03.80.61.20.84, fax 03.80.62.31.29 r.-v.

DOM. FRANCOIS GERBET 1997*

■ Gd cru 0,18 ha 918 150 à 199 F

Marie-Andrée et Chantal ont repris en 1983 le domaine paternel. Doit-on vraiment faire un reproche à ce grand cru ? Il a peu de longueur. Voilà qui est dit dans son jeune âge. La robe est relativement soutenue ; le nez offre un fruit discret et assez fin, sur un boisé bien présent. Ce 97 a du caractère, un bouquet dominé par les épices (réglisse), avec de la hauteur en milieu de bouche. Style tendre mais assez riche. Apogée prévue dans trois à cinq ans.
Dom. François Gerbet, 2, rte Nationale, 21700 Vosne-Romanée, tél. 03.80.61.07.85, fax 03.80.61.01.65 r.-v.

DOM. A.-F. GROS 1997

■ Gd cru 0,26 ha n.c. 🛢 250 à 299 F

89 |**90**| 94 97

Cerise foncé, la robe offre de belles nuances. Puis le nez affiche davantage de notes grillées que de notes fruitées, mais ces dernières sont de fruits rouges, et soutenues. La bouche connaît le même parcours dans un volume satisfaisant. Finale assez longue. Trois à cinq ans de garde.

🔑 Dom. A.-F. Gros, La Garelle,
21630 Pommard, tél. 03.80.22.61.85,
fax 03.80.24.03.16 ☒ Ⲧ r.-v.

🔑 Anne-Françoise Parent

DOM. FRANCOIS LAMARCHE 1997*

■ Gd cru 1,34 ha 3 610 ▮ 🛢 🌡 200 à 249 F

Les Champs-Traversin, Les Cruots ou Vigne Blanche : les amateurs aiment connaître l'origine d'un échézeaux. Rubis violacé, celui-ci offre un nez riche, discrètement boisé et joliment fruité. Un peu sauvageon en attaque, il s'affirme ensuite : le volume, la structure et le bouquet mêlant prunelle et vanille sont prometteurs, tout comme la longueur. Il devrait bien vieillir.

🔑 Dom. François Lamarche, 9, rue des
Communes, 21700 Vosne-Romanée,
tél. 03.80.61.07.94, fax 03.80.61.24.31 ☒ Ⲧ r.-v.

DENIS MUGNERET ET FILS 1997**

■ Gd cru 0,42 ha 1 500 🛢 200 à 249 F

Première récolte de ce domaine qui produisait déjà richebourg et clos de vougeot. L'entrée en matière de ce 97 mérite un coup de chapeau, car elle recueille beaucoup de compliments. Jolie teinte, nez subtil et complexe, belle ampleur, du gras accompagnant une structure digne d'un grand cru. Séducteur, ce vin tiendra ses promesses durant quelques années.

🔑 Denis et Dominique Mugneret, 9, rue de la
Fontaine, 21700 Vosne-Romanée,
tél. 03.80.61.00.97, fax 03.80.61.24.54 ☒ Ⲧ r.-v.

DOM. MICHEL NOELLAT ET FILS 1997

■ Gd cru 0,49 ha 1 500 🛢 150 à 199 F

Beaucoup de fruit et des tanins de bon aloi sous une robe d'un rubis grenat qui sait rester modeste et c'est très bien ainsi. Un bourgogne n'a rien à gagner en forçant sur la couleur. Souvenirs du fût, lit-on également sur la carte postale. Ce domaine possède ou exploite des parcelles en échézeaux de Dessus, en Rouges du Bas, en Treux, et peut donc réaliser une honnête synthèse du grand cru.

🔑 SCEA Dom. Michel Noëllat et Fils, 5, rue de
la Fontaine, 21700 Vosne-Romanée,
tél. 03.80.61.36.87, fax 03.80.61.18.10 ☒ Ⲧ r.-v.

DOM. DES PERDRIX 1997**

■ Gd cru 1,15 ha n.c. 🛢 300 à 499 F

La mûre joue cavalier seul. Dans un contexte gras, harmonieux, plein de mâche et légèrement torréfié. Noir, c'est noir : la couleur, le petit fruit. Chaleur et alcool, pour après-demain. Huit à neuf caudalies. Il évoluera bien.

🔑 B. et C. Devillard, Dom. des Perdrix, Ch. de
Champ Renard, 71640 Mercurey,
tél. 03.85.45.13.89, fax 03.85.45.21.61 ☒ Ⲧ r.-v.

Grands-échézeaux

DOM. HENRI DE VILLAMONT 1996

■ Gd cru 0,44 ha 1 350 🛢 300 à 499 F

D'une belle couleur pivoine, soutenue et sans trace d'évolution, un 96 au bouquet assez méditatif. Rien de surprenant à ce stade de sa vie. Plutôt rond, il peut acquérir quelques points de bonification avec l'âge. Dans l'immédiat, il est goûteux.

🔑 SA Henri de Villamont, rue du Dr-Guyot,
21420 Savigny-lès-Beaune, tél. 03.80.24.70.07,
fax 03.80.22.54.31, e-mail hdv@planetb.fr
☒ Ⲧ r.-v.

Vosne-romanée

Là aussi, la coutume bourguignonne est respectée : le nom de romanée est plus connu que celui de Vosne. Quel beau tandem ! Comme Gevrey-Chambertin, cette commune est le siège d'une multitude de grands crus ; mais il existe à côté des *climats* réputés, tels les Suchots, les Beaux-Monts, les Malconsorts et bien d'autres. L'appellation vosne-romanée a produit 7 325 hl en 1996, 5 939 hl en 1997 et 6 268 hl en 1998.

SYLVAIN CATHIARD
Les Malconsorts 1997**

■ 1er cru 0,74 ha 3 900 🛢 150 à 199 F

Souvent distingué, ce viticulteur méritant propose un Malconsorts (à la limite de Vosne et de Nuits) remarquable comme doit l'être un 1er cru. D'un pinot... noir, il se partage entre des arômes de fruits et la torréfaction du fût. Belle continuité avec la bouche pour aboutir au verdict final : très équilibré et d'une qualité supérieure à la moyenne. En **Orveaux 97** très réussi en 1er cru.

🔑 Sylvain Cathiard, 20, rue de la Goillotte,
21700 Vosne-Romanée, tél. 03.80.62.36.01,
fax 03.80.61.18.21 ☒ Ⲧ r.-v.

DOM. DU CLOS FRANTIN 1996

■ 1 ha 6 000 🛢 150 à 199 F

La maison Albert Bichot possède à Vosne-Romanée le domaine du Clos-Frantin, fondé par un officier de Napoléon. Son *village* prend appui sur le cassis tout en étant fortement boisé. Dans cet esprit, il plaira à coup sûr. Acidité et charpente lui garantissent la stabilité dans le temps. On est ici en Côte de Nuits, pas de doute. Pour un bœuf bourguignon.

🔑 Dom. du Clos Frantin, 6 bis, bd Jacques-
Copeau, 21200 Beaune, tél. 03.80.24.37.37,
fax 03.80.24.37.38

🔑 A. Bichot

J. CONFURON-COTETIDOT
Les Suchots 1996★

| ■ 1er cru | 2 ha | n.c. | ⬛ 100 à 149 F |

Suchots très ample, bien en chair, aux tanins soyeux encore que puissants. Touché par la grâce, ce vosne expressif tant au regard qu'à l'odorat (bourgeon de cassis) fera un bon vin de moyenne garde (trois à cinq ans). Il recueille la sympathie.

☛ Dom. J. Confuron-Cotetidot, 21700 Vosne-Romanée, tél. 03.80.61.03.39, fax 03.80.61.17.85 ☑ ⴲ r.-v.

JACQUES FAUROIS 1996

| ■ | 0,6 ha | n.c. | ⬛ 70 à 99 F |

Un vin à conjuguer au futur, sans se fixer cependant des délais excessifs. Grenat profond, il laisse percer quelques accents de griotte. Capiteux, un peu fugace, il a les épaules larges et le bras long.

☛ Jacques Faurois, 10, rte de Boncourt, 21700 Vosne-Romanée, tél. 03.80.61.14.36

DOM. JEAN FERY ET FILS
Aux Réas 1996

| ■ | 0,45 ha | 2 600 | ⬛ 70 à 99 F |

Une robe soutenue, dense, sert de prologue à un nez réservé où se profilent le cassis et quelques notes florales. Marqué par une pointe de vivacité qui permet d'envisager un bon vieillissement, il se montre raffiné et la bouche ne quitte jamais le fruit des yeux.

☛ Dom. Jean Féry et Fils, 21420 Echevronne, tél. 03.80.21.59.60 ⴲ r.-v.

DOM. FOUGERAY DE BEAUCLAIR
Les Damodes 1997★★

| ■ | 0,2 ha | 1000 | ⬛ 100 à 149 F |

Un vin chasseur au bouquet subtil et déterminé. Le pruneau cuit occupe le nez et lui évite toute distraction. Chaud, puissant, animal, il est issu des abords de Nuits - ce *climat* s'étendant sur les deux communes s'écrit d'ailleurs Damaudes à Vosne. Le cépage s'épanouit sur la fin. Au travail du vigneron, à la typicité du terroir s'ajoute un supplément d'âme.

☛ Dom. Fougeray de Beauclair, 44, rue de Mazy, B.P. 36, 21160 Marsannay-la-Côte, tél. 03.80.52.21.12, fax 03.80.58.73.83, e-mail fougeraydebeauclair@wanadoo.fr ☑ ⴲ r.-v.

JEAN GAGNEROT Les Suchots 1997★

| ■ 1er cru | n.c. | 5 000 | ⬛ 100 à 149 F |

Le lièvre n'est pas encore né qui lui offrira son râble. Car voici de la structure, du corps, de la concentration, dans le décor d'un château fort imprenable. Dans cinq à dix ans, son éveil n'est pas impossible. Seule sa robe montre à ce jour une aménité joyeuse.

☛ Jean Gagnerot, 21420 Aloxe-Corton, tél. 03.80.25.00.00, fax 03.80.26.42.00, e-mail vinibeaune@bourgogne.net ⴲ r.-v.

DOM. FRANCOIS GERBET
Les Petits Monts 1997★

| ■ 1er cru | 0,6 ha | 3 500 | ⬛ 100 à 149 F |

La « parité » ? Marie-Andrée et Chantal n'ont pas attendu la loi pour appliquer la leur. Coup de cœur en 1992 et en 1998 (millésimes 88 et 95), elles « tiennent leur rang ». Leur 97 à l'allure un peu sauvage se présente bien tant en couleur qu'en bouquet (fauve). Elevage sophistiqué : il est fait pour durer. Du gras et du corps. Les **Réas 97** : joli vin léger, tout le contraire.

☛ Dom. François Gerbet, 2, rte Nationale, 21700 Vosne-Romanée, tél. 03.80.61.07.85, fax 03.80.61.01.65 ☑ ⴲ r.-v.

ANDRE GOICHOT ET FILS 1996

| ■ | n.c. | 4 400 | ⬛ 100 à 149 F |

Pictural tant sa couleur est profonde, ce 96 paraît emprunter son bouquet à un cerisier sauvage... En bouche, une barrière de récifs : des tanins austères. Son potentiel incite à l'espérance.

☛ SA A. Goichot et Fils, rue Paul-Masson, 21190 Merceuil, tél. 03.80.26.88.70, fax 03.80.26.80.69, e-mail goichot@goichot.sa.com ☑ ⴲ r.-v.

ALAIN GUYARD Aux Réas 1996

| ■ | 0,3 ha | 1 500 | ⬛ 70 à 99 F |

Ce vin a reçu le coup de cœur pour son millésime 92 dans le Guide 1996. On apprécie cette fois sa robe pourpre d'intensité médiane, son bouquet de fruits rouges et noirs avec des notes de feuille de tabac, sa souplesse agréable.

☛ Alain Guyard, 10, rue du Puits-de-Têt, 21160 Marsannay-la-Côte, tél. 03.80.52.14.46, fax 03.80.52.67.36 ☑ ⴲ r.-v.

DOM. GUYON En Orveaux 1997★★★

| ■ 1er cru | 0,34 ha | n.c. | ⬛ 150 à 199 F |

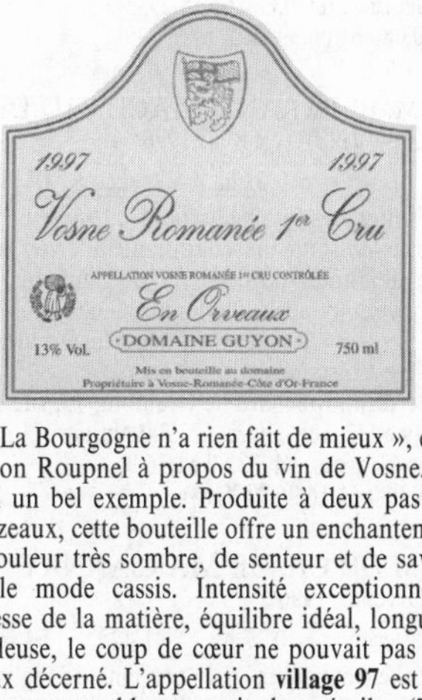

« La Bourgogne n'a rien fait de mieux », écrit Gaston Roupnel à propos du vin de Vosne. En voici un bel exemple. Produite à deux pas des échézeaux, cette bouteille offre un enchantement de couleur très sombre, de senteur et de saveur sur le mode cassis. Intensité exceptionnelle, richesse de la matière, équilibre idéal, longueur fabuleuse, le coup de cœur ne pouvait pas être mieux décerné. L'appellation **village 97** est elle aussi remarquable et reçoit deux étoiles (70 à 99 F).

☛ EARL Dom. Guyon, 11, RN 74, 21700 Vosne-Romanée, tél. 03.80.61.02.46, fax 03.80.62.36.56 ☑ ⴲ r.-v.

DOM. DE LA POULETTE
Les Suchots 1996

■ 1er cru 0,25 ha 1 700 ⏸ 150 à 199 F

Domaine de Lucien Audidier (le père des côtes de nuits villages), passé entre les mains de sa fille. La Poulette ? Ce vosne 96 ressemble davantage à un coq tant il est charpenté et tannique. Resté très jeune (fraîcheur du bouquet), il a, comme on dit, le temps de faire.

Dom. de La Poulette, 21700 Corgoloin, tél. 03.80.62.98.02, fax 03.45.25.43.23 ☑ Y r.-v.

F. Michaut-Audidier

LES CAVES DU CHANCELIER
Les Suchots 1996

■ 1er cru n.c. 1 500 ⏸ 150 à 199 F

Patience et longueur de temps... N'attendons tout de même pas trop pour déboucher ce Suchots. Un 1er cru voisin de la romanée-saint-vivant. Rubis foncé sans brillance, assez expressif au nez (floral puis fruits rouges), ce vin est solidement planté sur ses deux jambes. Il possède une certaine complexité.

Les Caves du Chancelier, 1, rue Ziem, 21200 Beaune, tél. 03.80.24.05.88, fax 03.80.22.37.08 ☑ Y t.l.j. 9h-19h

DOM. MACHARD DE GRAMONT
Les Gaudichots 1997*

■ 1er cru 0,25 ha n.c. ⏸ 150 à 199 F

Ce domaine signe ici un Gaudichots : les amateurs savent qu'on se trouve tout contre La Tâche ! Raisin mûr et vinification soignée. Robe rubis-cerise. Le nez pénétré d'arômes de maturité (coing notamment), ce 97 est plutôt rond mais néanmoins carré en finale sur un retour tannique assez prononcé.

SCEA Dom. Machard de Gramont, Le Clos, rue Pique, B.P. 105, Prissey, 21703 Nuits-St-Georges, tél. 03.80.61.15.25, fax 03.80.61.06.39 ☑ Y r.-v.

DOM. BERTRAND MACHARD DE GRAMONT Aux Réas 1996*

■ 0,53 ha n.c. ⏸ 70 à 99 F

Un tiers de fûts neufs pour ce 96 vêtu d'une robe assez soutenue et brillante. Le nez subtil livre des notes de cassis et de mûre que l'on retrouve en bouche. Des tanins bien fondus quoique présents donnent un vin élégant dont la finale est discrètement boisée.

Bertrand Machard de Gramont, 13, rue de Vergy et 32, rue Thurot, 21700 Nuits-Saint-Georges, tél. 03.80.61.16.96, fax 03.80.61.16.96 ☑ Y r.-v.

DOM DU CH. DE MARSANNAY
En Orveaux 1996*

■ 1er cru 0,27 ha 1 420 ⏸ 200 à 249 F

Robe pourpre et vive, parfums de réglisse et de mûre, ce vin obtenait l'an dernier le coup de cœur pour le précédent millésime. Le 96 atteint déjà son équilibre. Sa nature est racée, soyeuse, ronde, même si en fin de course il conclut sur une touche animale plus vigoureuse.

Ch. de Marsannay, rte des Grands-Crus, 21160 Marsannay-la-Côte, tél. 03.80.51.71.11, fax 03.80.51.71.12 ☑ Y t.l.j. 1sf dim. 10h-12h 14h-18h30; f. 20 déc.-5 janv.

DOM. MONGEARD-MUGNERET 1997

■ 2,37 ha n.c. ⏸ 100 à 149 F

« Il faut encore que l'œil soit séduit et flatté », lit-on sur un vieux manuel de dégustation. Il l'est ici, avec une légère nuance ambrée. Rondeur et gras succèdent à des arômes bien fondus où l'animal et le fruit mûr délimitent le sujet. Ces tanins fins et élégants permettent à l'ouvrage de tenir !

Dom. Mongeard-Mugneret, 14, rue de la Fontaine, 21700 Vosne-Romanée, tél. 03.80.61.11.95, fax 03.80.62.35.75 ☑ Y r.-v.

Vincent Mongeard

DENIS MUGNERET ET FILS 1997

■ 1,4 ha 6 000 ⏸ 70 à 99 F

N'attendons pas ici des vins de primeur. Ils sont souvent difficiles à juger dans leur jeunesse car l'acidité, les tanins ont leur rôle à jouer. Et ils doivent bien sûr se fondre durant l'élevage... Ce 97 à la robe adolescente, mi-poivre mi-groseille, a le dos encore un peu dur. Rien d'anormal à cela.

Denis et Dominique Mugneret, 9, rue de la Fontaine, 21700 Vosne-Romanée, tél. 03.80.61.00.97, fax 03.80.61.24.54 ☑ Y r.-v.

DOM. MICHEL NOELLAT ET FILS
Les Beaux Monts 1997

■ 1er cru 1,56 ha 2 700 ⏸ 150 à 199 F

Davantage d'intensité colorante que de brillance pour ce Beaux Monts qui s'affirme en force tout en demeurant de bon goût. Sa typicité n'est pas discutable : c'est bien un 1er cru, assez raffiné. 97 en un mot.

SCEA Dom. Michel Noëllat et Fils, 5, rue de la Fontaine, 21700 Vosne-Romanée, tél. 03.80.61.36.87, fax 03.80.61.18.10 ☑ Y r.-v.

DOM. DES PERDRIX 1997**

■ 1,05 ha n.c. ⏸ 150 à 199 F

Pas très éloigné du coup de cœur, ce 97 est issu du domaine des Perdrix (Mugneret-Gouachon à Premeaux-Prissey) sur lequel veille Bertrand Devillard (Antonin Rodet). Cela dit, un vin superbe, tout feu tout flamme, modèle d'élevage raisonnable en fût, alliant à merveille la mâche et le caractère. Encore un peu austère, mais sa longueur en bouche a de quoi impressionner.

B. et C. Devillard, Dom. des Perdrix, Ch. de Champ Renard, 71640 Mercurey, tél. 03.85.45.13.89, fax 03.85.45.21.61 Y r.-v.

REINE PEDAUQUE 1997*

■ n.c. 15 000 ⏸ 100 à 149 F

Coloré, ce vin se plaît dans des odeurs d'humus, de champignon. En forêt de Cîteaux ! Suave et caressant au palais, il manifeste les sentiments habituellement reconnus comme ceux du cru. Léger peut-être, mais fruité et sans ces tanins souvent trop pesants. N'a pas une étoffe considérable, mais s'avère très goûteux.

Reine Pédauque, Le Village, 21420 Aloxe-Corton, tél. 03.80.25.00.00, fax 03.80.26.42.00, e-mail rpedauque@axnet.fr Y r.-v.

ARMELLE ET BERNARD RION 1997

■ 0,5 ha 2 400 🛢 100 à 149 F

Bien faire et laisser dire, semble penser cette bouteille qu'un coquelet à la truffe fraîche de Bourgogne (*Tuber uncinatum*) accompagnera avec bonheur. Son complexe aromatique est bien typé vosne. L'harmonie générale est satisfaisante, et ce vin gagnera à prendre un peu d'âge. Bien travaillé, il est encore un peu fermé.

🔑 Dom. Armelle et Bernard Rion, 8, rte Nationale, 21700 Vosne-Romanée, tél. 03.80.61.05.31, fax 03.80.61.24.60, e-mail rion@webiwine.com ☑ 🍷 r.-v.

RION ET FILS Les Chaumes 1996★

■ 1er cru 0,46 ha 3 000 🛢 150 à 199 F

Toujours cette couleur très foncée. Le bouquet manifeste des signes d'évolution, entre le végétal et le cuir. Sous des aspects assez ronds, le vin passe en force. Un peu de fruit en rétro. Sera en beauté quand il s'ouvrira (pas avant trois ans).

🔑 Dom. Daniel Rion et Fils, RN 74, 21700 Premeaux-Prissey, tél. 03.80.62.31.28, fax 03.80.61.13.41, e-mail patrice.rion@wanadoo.fr ☑ 🍷 t.l.j. sf dim. 9h-12h 14h-18h

🔑 Famille Rion

REMI SEGUIN 1996★

■ 0,34 ha n.c. 🛢 70 à 99 F

Rouge orangé, carmin, il a le nez en figure de proue. On respire la cerise jusqu'à en sucer le noyau. Un délicat boisé l'enveloppe tendrement. Sa bouche est très accommodante et signale par sa persistance la capacité de garde de ce 96 bien dans son appellation et droit dans ses bottes.

🔑 Rémi Seguin, rue de Cîteaux, 21640 Gilly-lès-Cîteaux, tél. 03.80.62.89.61, fax 03.80.62.80.92 ☑ 🍷 r.-v.

DOM. ROBERT SIRUGUE
Les Petits Monts 1997★★★

■ 1er cru n.c. 3 300 🛢 100 à 149 F

Une perle, ce Petits Monts (juste au-dessus du richebourg sur le coteau). Sous sa robe, ses reflets mi-bleutés mi-violacés, son attaque aromatique évoquant le raisin mûr et un boisé discret, il tient en main le carré d'as : élégance, richesse, concentration, présence. Notez en outre le **village 97** qui atteint presque le même satisfecit absolu (deux étoiles, 70 à 99 F).

🔑 Robert Sirugue, 3, av. du Monument, 21700 Vosne-Romanée, tél. 03.80.61.00.64, fax 03.80.61.27.57 ☑ 🍷 r.-v.

DOM. THOMAS Malconsorts 1997

■ 1er cru 2,9 ha 12 000 200 à 249 F

Un vin très masculin, avec des tanins solides qui lui confèrent un bon potentiel de garde. Cela n'a pas la subtilité qu'on peut attendre à Vosne, mais si le raisin prend le dessus après quelques années de garde, le fruité l'emportera.

🔑 Dom. Thomas, chem. rural n° 29, 21700 Nuits-Saint-Georges, tél. 03.80.62.42.00, fax 03.80.61.28.13 🍷 r.-v.

🔑 SCI du Clos de Thorey

MADAME ROLAND VIGOT
Les Petits Monts 1996★

■ 1er cru 0,18 ha 900 150 à 199 F

Pruneau ? Cerise noire ? Dans une ambiance confiturée, le nez est résolu. Pourpre assez intense, la robe ne l'est pas moins. Offrant une synthèse intéressante, ce vin montre tout à la fois jeunesse (fraîcheur), robustesse (aspect tannique) et maturité (fruits confits), dans l'attente de sa complète ouverture. Reçut le coup de cœur dans le Guide 1992 (millésime 89).

🔑 Dom. Madame Roland Vigot, 60, RN 74, 21700 Vosne-Romanée, tél. 03.80.61.17.70 🍷 r.-v.

DOM. FABRICE VIGOT
La Colombière 1997★★

■ 0,75 ha 1 500 🛢 200 à 249 F

97 très intéressant en *village*. Cette Colombière (située au pied du château) plus noire que rouge se partage entre un boisé correct, la maturité et l'animal. Le mariage des tanins et de saveurs fruitées apparaît très réussi, et la bouche met les plaideurs d'accord. Que lui manque-t-il ? Un rien de longueur. On le situe toutefois parmi les meilleurs.

🔑 Dom. Fabrice Vigot, 16, rue de la Fontaine, 21700 Vosne-Romanée, tél. 03.80.61.13.01, fax 03.80.61.13.01 ☑ 🍷 r.-v.

BOURGOGNE

Richebourg, romanée, romanée-conti, romanée-saint-vivant, grande rue, tâche

Tous sont des crus plus prestigieux les uns que les autres, et il serait bien difficile d'en indiquer le plus grand... Certes, le romanée-conti jouit de la plus grande renommée, et l'on trouve dans l'histoire de nombreux témoignages de « l'exquise qualité » de ce vin. La célèbre pièce de vigne de la Romanée fut convoitée par les grands de l'Ancien Régime : ainsi madame de Pompadour ne réussit pas à l'emporter contre le prince de Conti, qui put l'acquérir en 1760. Jusqu'à la dernière guerre, la vigne de la Romanée-Conti et celle de la Tâche restèrent non greffées, traitées au sulfure de carbone contre le phylloxéra. Mais il fallut alors les arracher et la première récolte des nouveaux plants eut lieu en 1952. Ce romanée-conti, exploité en monopole sur 1,80 ha, reste l'un des vins les plus illustres et les plus chers du monde.

La romanée est plantée sur une superficie de 0,83 ha, richebourg sur 8 ha, romanée-saint-vivant sur 9,5 ha, et la tâche sur un peu plus de 6 ha. Comme dans tous les grands crus, les volumes produits sont de l'ordre de 20 à 30 hl par hectare selon les années. L'ensemble de ces grands crus n'a pas produit plus de 750 hl en 1998, dont 253 en richebourg et 257 en romanée-saint-vivant. La grande rue a été reconnue en grand cru par le décret du 2 juillet 1992.

Richebourg

DOM. A.-F. GROS 1997★

■ Gd cru	0,6 ha	n.c.	◖◗	+ de 500 F

89 |90| **91** 92 |93| |94| (96) 97

Rubis intense et crachant tout son feu, le richebourg sur faisan ou pigeon élevé à la maison. Superbe 97 à boire avec un peu de retenue, pas avant quelques années, mais qui passionne. Cuir, fraise, épices, l'animal est sauvage. Ce n'est pas vraiment un Himalaya, mais Dieu que la pente est agréable à monter ! Trois ans de garde. Rappelons le coup de cœur pour le millésime 96 l'an dernier.

🔑 Dom. A.-F. Gros, La Garelle,
21630 Pommard, tél. 03.80.22.61.85,
fax 03.80.24.03.16 ☒ Y r.-v.
🔑 Anne-Françoise Parent

DOM. DE LA ROMANEE-CONTI 1997★★★

■ Gd cru	n.c.	n.c.	◖◗	+ de 500 F

Le domaine de la Romanée-Conti possède près de la moitié de ce grand cru. Ni collé ni filtré, comme tous les 97 du domaine, et issu de rendements infimes (24 à 25 hl/ha), un vin dont ont été exclues, comme en romanée-saint-vivant, quelques parcelles ne présentant pas toute la perfection souhaitée et dont on s'est refusé à faire un second vin. Ce richebourg développe un nez conquérant de fruits rouges, tout en s'affichant rond et goûteux, assez déterminé. Et tout à fait classique à l'aube de sa vie.

🔑 SC du Dom. de La Romanée-Conti,
21700 Vosne-Romanée, tél. 03.80.62.48.80,
fax 03.80.61.05.72

DENIS MUGNERET ET FILS 1997★

■ Gd cru	0,52 ha	900	◖◗	300 à 499 F

|(93)| 94 95 96 97

Rien de plus glorieux qu'un richebourg, même dans la fleur de l'âge. Celui-ci se revêt de la pourpre impériale, puis se concentre sur l'épice et le cassis. Amertume de jeunesse, mais belle chair et bonne longueur, cet accord qui fait fantasmer.

🔑 Denis et Dominique Mugneret, 9, rue de la Fontaine, 21700 Vosne-Romanée,
tél. 03.80.61.00.97, fax 03.80.61.24.54 ☒ Y r.-v.
🔑 Liger-Belair

La romanée

DOM. DU CHATEAU DE VOSNE-ROMANEE 1997★

■ Gd cru	0,84 ha	n.c.	◖◗	+ de 500 F

82 83 85 88 |**89**| |(90)| |**91**| 92 **93** |94| **95** 96 97

Toujours citée ici et avec plusieurs coups de cœur au fil des ans, cette perle rare parmi les grands crus offre la teinte claire de son millésime. Réglisse, cerise, confite en dévotion. Le tanin s'avère assez goûteux, le boisé discret, la puissance certaine et le scénario plus aimable que complexe. Grande dame cependant.

🔑 Bouchard Père et Fils, Ch. de Beaune,
21200 Beaune, tél. 03.80.24.80.24,
fax 03.80.24.97.56,
e-mail france@bouchard.pereetfils.com Y r.-v.
🔑 SCI Château de Vosne-Romanée

La romanée-conti

DOM. DE LA ROMANEE-CONTI 1997★★★

■ Gd cru	1,8 ha	n.c.	◖◗	+ de 500 F

84 88 89 90 |**91**| **94 95** (96) (97)

Le sphinx qui garde l'entrée de la Goillotte, construite par le prince de Conti, fondateur de ce cru en 1760, semble détenir tous les secrets de ce cru mythique. Complexe, ce 97 paraît lisse et fin. Mais cette finesse est un vrai sujet de thèse : la structure est entièrement faite de soie, de fruit... On trouve ici ce « côté vert » de jeunesse qui n'est pas celui du fût mais qui développe en bouche un accent très particulier, jusqu'à ces arômes inimitables de pétale de rose. Une bouteille d'une délicatesse insondable.

🔑 SC du Dom. de La Romanée-Conti,
21700 Vosne-Romanée, tél. 03.80.62.48.80,
fax 03.80.61.05.72

Romanée-saint-vivant

DOM. DE LA ROMANEE-CONTI 1997★★★

■ Gd cru	n.c.	n.c.	◖◗	+ de 500 F

67 72 **73 75 76 78** |(79)| **80 81** |**82**| |**87**| **89 91 92 95 97**

Alors que l'ancienne abbaye de Saint-Vivant, sur le mont de Vergy, renaît grâce au domaine de la Romanée-Conti, le millésime 97, d'une harmonie superbe, apparaît d'une grande élégance. Les millésimes 96 et 95 s'affirmaient de façon plus structurée. Celui-ci chante la sensibilité sur des arômes de réglisse et de cuir d'une distinction extrême. Bouteille de connaisseurs, à mettre dans une excellente cave durant dix à quinze ans.

🔑SC du Dom. Romanée-Conti, 21700 Vosne-Romanée, tél. 03.80.61.04.57

DOM. LOUIS LATOUR
Les Quatre Journaux 1996★

■ 0,76 ha 2 000 🍷 +de 500 F

C'est en 1898 que Les Quatre Journaux, l'un des clos historiques de la romanée-saint-vivant, est devenu une propriété Latour. Ce 96 est conforme à son millésime. Net, franc et limpide, cerise et café, d'une élégance extrême, sans excès de corpulence, exemplaire d'un boisé parfaitement intégré. Plaisir assuré en 2002.

🔑Maison Louis Latour, 18, rue des Tonneliers, 21204 Beaune Cedex, tél. 03.80.24.81.00, fax 03.80.22.36.21, e-mail louislatour@louislatour.com Y r.-v.

La tâche

DOM. DE LA ROMANEE-CONTI
1997★★★

■ Gd cru n.c. n.c. 🍷 +de 500 F
67 72 **73 75 78** (79) |80| |81| |82| |87| |89| **91 92** (97)

Cru monopole de ce domaine produisant en moyenne 20 000 bouteilles, la tâche est entrée dans le patrimoine de La Romanée-Conti en 1933. Ce 97 ? La transparence du terroir et une symphonie en bouche dont l'ouverture se fait sur des arômes charmants : incontestablement, la ligne est parfaite. Les 97 portaient un sucre naturel exceptionnellement élevé. Ils sont donc les fruits du soleil. Ce grand vin va grandir encore en cave pour exploser dans un bel et lointain avenir.

🔑SC du Dom. de La Romanée-Conti, 21700 Vosne-Romanée, tél. 03.80.62.48.80, fax 03.80.61.05.72

Nuits-saint-georges

Petite bourgade de 5 000 habitants, Nuits-Saint-Georges n'engendre pas de grands crus comme ses voisines du nord ; l'appellation déborde sur la commune de Premeaux, qui la jouxte au sud. Ici aussi, les très nombreux premiers crus sont à juste titre réputés, et avec l'appellation communale la plus méridionale de la Côte de Nuits, nous trouvons un type de vins différent aux caractères de *climats* très accusés, où s'affirme généralement une richesse en tanin plus élevée, assurant une grande conservation.

Les Saint-Georges, dont on dit qu'ils portaient déjà des vignes en l'an mil, les Vaucrains aux vins robustes, les Cailles, endroit où les volatiles du même nom devaient aimer habiter, les Champs-Perdrix, les Porets, de « poirets », au caractère de poire sauvage accusé, sur la commune de Nuits, et les clos de la Maréchale, des Argillières, des Forêts-Saint-Georges, des Corvées, de l'Arlot, sur Premeaux, sont les plus connus de ces premiers crus. Les vignes ont produit 12 770 hl en 1998 dont 146 en blanc.

Petite capitale du vin de Bourgogne, Nuits-Saint-Georges a également son vignoble des Hospices, avec vente aux enchères annuelle de la production, le dimanche précédant les Rameaux. Elle est le siège de nombreux négoces de vin et de maints liquoristes qui produisent le cassis de Bourgogne, ainsi que d'élaborateurs de vins à mousse qui furent à l'origine du crémant de Bourgogne. C'est enfin ici que se trouve le siège administratif de la confrérie des Chevaliers du Tastevin.

SYLVAIN CATHIARD
Aux Murgers 1997★★

■ 1er cru 0,47 ha 2 200 🍷 150 à 199 F

Un amour de nuits. Délicieux et grand, empli de fraîcheur et de délicatesse. Tout y est admirablement dosé et réparti, dans une plénitude qui cherche à plaire et réussit à convaincre. La violette orne sa robe et séduit son nez nuancé de champignon, de poivre... A la hauteur d'un 1er cru.

⊶ Sylvain Cathiard, 20, rue de la Goillotte, 21700 Vosne-Romanée, tél. 03.80.62.36.01, fax 03.80.61.18.21 ☒ Y r.-v.

F. CHAUVENET 1997

■ n.c. n.c. 🛢 100 à 149 F

Un nuits jeune est ainsi fait. Limpidité à parfaire mais c'est sans doute l'effet d'une mise récente lors de la dégustation. Intéressant début de nez sur des notes de fraise, arôme que l'on retrouve au palais, avec un peu d'astringence. L'ensemble est assez flatteur, présenté par l'une des maisons authentiquement nuitonnes entrées dans la famille Boisset.

⊶ F. Chauvenet, 9, quai Fleury, 21700 Nuits-Saint-Georges, tél. 03.80.62.61.43, fax 03.80.62.37.38

DOM. JEAN CHAUVENET
Les Vaucrains 1997★★

■ 1er cru 0,41 ha 1 800 🛢 150 à 199 F

Ce qu'on appelle un vin gourmand : la robe pivoine est d'une grande densité, le nez de griotte accompagné d'un léger boisé est profond. Quant à la bouche, elle est très concentrée mais avec de beaux tanins au grain fin, tout entière sur les fruits noirs. Fût et vin sont bien mariés. Un superbe vin de garde. Le **village 97** reçoit une étoile : à laisser lui aussi mûrir en cave, il a beaucoup de couleur, de structure, de gras, de tanins épicés.

⊶ SCE Dom. Jean Chauvenet, 3, rue de Gilly, 21700 Nuits-Saint-Georges, tél. 03.80.61.00.72, fax 03.80.61.12.87 ☒ Y r.-v.

CHAUVENET-CHOPIN 1997★

■ 2 ha 8 500 🛢 70 à 99 F

Coup de cœur l'an passé pour son 96 et une première fois dans l'édition 1995 pour un 91 Aux Argillas, c'est le domaine qu'on aime à retrouver. Son 97, disons-le tout de suite, est un vin plaisir. Boisé sans doute, mais d'une générosité saisissante, avec ses arômes de mûre, sa puissance bien maîtrisée. Et il se termine bien.

⊶ Chauvenet-Chopin, 97, rue Félix-Tisserand, 21700 Nuits-Saint-Georges, tél. 03.80.61.28.11, fax 03.80.61.20.02 ☒ Y r.-v.

DOM. MICHEL CHEVILLON
Les Saint-Julien 1996

■ 0,85 ha 3 000 🛢 70 à 99 F

Jacques, Georges, Julien, on se confie à Nuits à tous les saints, sans compter Symphorien. Ce *climat* est proche de la ville, et s'il se montre ici un peu évolué, ce n'est pas sans une belle robe grenat intense et des arômes de fraise écrasée. Bouche honorable, nullement distante.

⊶ Dom. Michel Chevillon, 41, rue Henri-de-Bahèzre, 21700 Nuits-Saint-Georges, tél. 03.80.61.23.95, fax 03.80.61.13.57 ☒ Y r.-v.

GEORGES CHICOTOT
Les Saint-Georges 1996★

■ 1er cru 1,14 ha 1 800 🛢 100 à 149 F

Les Saint-Georges sont le « rognon » des 1ers crus de Nuits : la cité a épousé leur nom. Pour le meilleur, ainsi qu'on le vérifie : un vin déjà avancé (pruneau), agréable sous tous rapports, au boisé-grillé intéressant les amateurs, mais parvenant à son épanouissement et dont on appréciera la concentration.

⊶ Georges Chicotot, 12, rue Paul-Cabet, 21700 Nuits-Saint-Georges, tél. 03.80.61.19.33, fax 03.80.61.38.94 ☒ Y r.-v.

A. CHOPIN ET FILS Aux Damodes 1996★

■ 1er cru 0,13 ha n.c. 🛢 70 à 99 F

Un Damodes en début de carrière. Sa robe mauve brillant est déjà bien en place. Le nez a de la ressource, entre le fruité et le grillé. Attaque intelligente. Le fruit demeure frais et n'est pas écrasé. Se plaît en bouche et y imprime un désir d'attente. Cette maison a été deux fois coup de cœur dans les éditions 1991 (88) et 1998 (pour un Murgers 95).

⊶ Dom. A. Chopin et Fils, RN 74, 21700 Comblanchien, tél. 03.80.62.92.60, fax 03.80.62.70.78 ☒ Y r.-v.

CHOPIN-GESSEAUME
Les Chaignots 1996

■ 1er cru 0,18 ha 900 🛢 70 à 99 F

Choisissez la poularde plutôt que le sanglier pour cette bouteille aimable, dépassant la moyenne, parée d'un beau rouge foncé, le nez mitoyen entre le boisé et les fruits rouges. Typicité convenable, acidité présente et léger retour de cerise sur la fin.

⊶ EARL Chopin-Gesseaume, 32, rue du Tribourg, 21700 Nuits-Saint-Georges, tél. 03.80.61.11.51, fax 03.80.61.11.51 ☒ Y r.-v.

DAVID DUBAND Les Procès 1997★

■ 1er cru 0,35 ha 2 000 🛢 100 à 149 F

Voici un Procès sans appel : noir cerise, il laisse plaider le fût comme premier avocat puis développe un argumentaire subtil et fruité, présent et riche, qui impressionne par son velours. Très raffiné pour un 97. Si on le condamne, c'est à être bu en 2000-2001 !

⊶ David Duband, 21220 Chevannes, tél. 03.80.61.41.16, fax 03.80.61.49.20 ☒ Y r.-v.

R. DUBOIS ET FILS 1996★★

■ 3,3 ha 16 000 ▮ 🛢 🌡 70 à 99 F

Quand on préside le lycée viticole de Beaune, on est obligé de faire un prix d'excellence de chaque bouteille... Celle-ci n'en est pas loin. Le pinot noir se montre ici très réglissé, intense et mûr, éveillant des arômes sincères sous une robe d'un joli rubis. Tout est en harmonie, en équilibre. A boire dans les deux à trois années à venir.

⊶ R. Dubois et Fils, rte de Nuits-Saint-Georges, 21700 Premeaux-Prissey, tél. 03.80.62.30.61, fax 03.80.61.24.07 ☒ Y t.l.j. 8h-11h30 14h-18h30; sam. dim. sur r.-v.

DOM. GUY DUFOULEUR 1996

■ 1,65 ha 10 000 🛢 100 à 149 F

La robe est très 96, le bouquet à maturité, partagé entre la framboise bien mûre et le sous-bois. Tanins et acidité s'entendent à merveille, dans une bouche fraîche et équilibrée, jusqu'à une finale d'un tempérament encore juvénile. Bouteille à attendre un an ou deux.

🔑 Dom. Guy Dufouleur, 18, rue Thurot, 21700 Nuits-Saint-Georges, tél. 03.80.62.31.00, fax 03.80.62.31.00 ☑ 𝐘 t.l.j. 9h-19h
🔑 Xavier et Guy Dufouleur

DOM. YVAN DUFOULEUR 1997

■ 0,33 ha 1 900 ⬮ 100 à 149 F

Rouge clair, mêlant cassis et griotte, un vin qu'on verra évoluer avec un grand plaisir. Sa stature lui assure en effet les moyens de confirmer ses atouts (gras, longueur), tout en sachant qu'il mise sur le charme, la finesse, plutôt que sur la matière ou la consistance.

🔑 Dom. Yvan Dufouleur, 18, rue Thurot, 21700 Nuits-Saint-Georges, tél. 03.80.62.31.00, fax 03.80.62.31.00 ☑ 𝐘 t.l.j. 9h-19h

FAIVELEY Les Porêts Saint-Georges 1996

■ 1er cru 1,69 ha 4 500 ⬮ 150 à 199 F

Ce 1er cru devra assagir ses tanins, comme l'exige cette appellation : il tiendra ses promesses si vous lui laissez du temps ! Nez de framboise un peu sauvage, robe grenat profond, une belle bouteille pour fêter, entre 2005 et 2010, l'arrivée du TGV Rhin-Rhône tant espéré en Bourgogne. Ce fut un coup de cœur du Guide 1997 (millésime 93).

🔑 Maison Joseph Faiveley, 8, rue du Tribourg, B.P. 9, 21701 Nuits-Saint-Georges Cedex, tél. 03.80.61.04.55, fax 03.80.62.33.37 ☑ 𝐘 r.-v.

DOM. GACHOT-MONOT
Aux Crots 1996★

■ 0,25 ha 1 300 ⬮ 100 à 149 F

Derrière une belle robe grenat foncé intense, le nez se montre élégant, tout en cerise mêlée d'une note de torréfaction apportée par le fût. La matière est supportée par une bonne acidité qui permettra au vin de bien vieillir. Equilibre, longueur. La pièce de charolais qui l'accompagnera vers 2004 ou 2005 saura mettre cette bouteille en valeur. En **1er cru, les Poulettes 96** sont citées par le jury.

🔑 Dom. Gachot-Monot, 13, rue Humbert-de-Gillens, 21700 Gerland, tél. 03.80.62.50.95, fax 03.80.62.53.85 ☑ 𝐘 r.-v.

DOM. GANDREY Les Damodes 1996

■ 1er cru 0,27 ha 1 200 ⬮ 150 à 199 F

Du mordant en attaque : affaire de tanins. Une certaine distinction incite à vouloir le revoir, d'autant que tout porte à croire qu'il se conduira bien. Vous êtes à Nuits, ne l'oubliez pas, et on prend son temps.

🔑 Jean-François Gandrey, 18, rue Jean-Jaurès, 21700 Nuits-Saint-Georges, tél. 03.80.61.27.63 ☑ 𝐘 r.-v.

PHILIPPE GAVIGNET
Les Argillats 1997★

■ 0,63 ha 3 600 ⬮ 70 à 99 F

« Pas mal du tout », écrit un dégustateur sur sa fiche, résumant le sentiment général. La litote est bourguignonne. Bref, c'est un vin déjà agréable, correctement structuré, d'une longueur honorable et qui devrait bien évoluer car l'acidité et les tanins convolent déjà en justes noces. Les arômes ne font pas de la figuration : pivoine, framboise.

🔑 Dom. Philippe Gavignet, 36, rue du Dr-Louis-Legrand, 21700 Nuits-Saint-Georges, tél. 03.80.61.09.41, fax 03.80.61.03.56 ☑ 𝐘 t.l.j. 8h-12h 14h-18h; sam. dim. sur r.-v.; f. 25 déc.-1er janv.

GEISWEILER 1996★

■ n.c. n.c. ⬮ 150 à 199 F

Reprise aujourd'hui par la maison Picard, cette marque fit naguère les beaux jours de Nuits-Saint-Georges. Les lignées Geisweiler, Larbalestier, Rossigneux, Eisenchteter peuvent se considérer heureuses en dégustant ce nuits bien dessiné qui fait honneur à l'étiquette célèbre « à l'oiseau ». La couleur est honnête, le bouquet fermé mais sur le fruit, le corps net et franc, persistant. Une bouteille parfaitement typée.

🔑 Geisweiler, 4, rte de Dijon, 21700 Nuits-Saint-Georges, tél. 03.80.62.35.00
🔑 Michel Picard

BOURGOGNE

DOM. HENRI GOUGE Les Pruliers 1996★

■ 1er cru n.c. n.c. ⬮ 100 à 149 F

D'un noir impressionnant, d'un nez animal porté sur la fourrure et la cerise à l'eau-de-vie, un vin qui rappelle le portrait du nuits-saint-georges par Malaparte dans *Kaputt* : « son souffle était profond, parfumé d'herbes et de feuilles, un soir d'été en Bourgogne semé d'éclairs... » D'une extrême générosité, d'une puissance phénoménale. D'anthologie, car dans dix ans, il fera des étincelles.

🔑 Dom. Henri Gouges, 7, rue du Moulin, 21700 Nuits-Saint-Georges, tél. 03.80.61.04.40, fax 03.80.61.32.84 𝐘 r.-v.

CH. GRIS Château Gris 1996

■ 1er cru 2,83 ha 15 000 ⬮ 200 à 249 F

Lupé-Cholet a gardé la maîtrise de ses achats et de ses vinifications selon la grande tradition du négoce-éleveur. Cette maison présente son domaine de Château Gris dont la robe est vive, traversée d'une petite note orangée. Ses arômes de fruits frais sont accompagnés d'un beau boisé, tant au nez qu'en bouche. Celle-ci n'est pas très puissante mais elle est équilibrée. Appartenant au groupe Bichot, le domaine du **Clos Frantin 96** reçoit une même note.

🔑 Lupé-Cholet, 17, av. du Gal-de-Gaulle, 21700 Nuits-Saint-Georges, tél. 03.80.61.25.02, fax 03.80.24.37.38

CHRISTIAN GROS Les Poisets 1996★

■ n.c. n.c. ⬮ 70 à 99 F

Une robe grenat et un nez de pinot bien élevé séduisent d'emblée. L'harmonie se poursuit en bouche où le vin se montre gras et construit sur des tanins fins et élégants. De belle persistance aromatique, un 96 à attendre deux ou trois ans.

🔑 Christian Gros, rue de la Chaume, 21700 Premeaux-Prissey, tél. 03.80.61.29.74, fax 03.80.61.39.77 ☑ 𝐘 t.l.j. 8h-12h 14h-19h

DOM. GUYON 1997★

■ 0,25 ha n.c. ⬮ 70 à 99 F

Une bouteille à ne pas bousculer avant un à deux ans. Le fût est « accrocheur » et il faut calmer son ardeur, pour trouver cette netteté de brillance, de cassis et de mûre, sous-jacente et

qui rêve de s'exprimer librement. On devine de jolies choses derrière le boisé qui va se dissiper.
⊶ EARL Dom. Guyon, 11, RN 74,
21700 Vosne-Romanée, tél. 03.80.61.02.46,
fax 03.80.62.36.56 ☒ Y r.-v.

DOM. DE LA POULETTE
Les Vaucrains 1996★

■ 1er cru 1,32 ha 6 100 🛢 100 à 149 F

Si les **Poulettes 96** sont à citer, les Vaucrains l'emportent. Sans doute le fût force-t-il un peu la note, mais le nez nuiton est bien viril, animal et myrtille, la bouche franche et puissante. Ce vin très solide est construit sur un socle tannique en marbre de Comblanchien : il exprime son millésime et son cru. A ne pas ouvrir avant trois ans.
⊶ Dom. de La Poulette, 21700 Corgoloin,
tél. 03.80.62.98.02, fax 03.45.25.43.23 ☒ Y r.-v.
⊶ F. Michaut-Audidier

BERTRAND MACHARD DE GRAMONT Aux Allots 1996★

■ 0,9 ha n.c. 🛢 70 à 99 F

Les **Hauts-Pruliers 96** sont estimables. Mais ces Allots (sous Vignerondes et Chaignots, côté Vosne) sont davantage appréciés. Encore jeune et vif, c'est un beau vin de garde à la teinte franche et grenat, au bouquet élégant et d'un boisé respectueux du fruit rouge. Si la première bouche est courte en raison de l'acidité, la seconde est longue sur des notes de groseille parfaitement intégrées.
⊶ Bertrand Machard de Gramont, 13, rue de Vergy et 32, rue Thurot, 21700 Nuits-Saint-Georges, tél. 03.80.61.16.96,
fax 03.80.61.16.96 ☒ Y r.-v.

DOM. MACHARD DE GRAMONT
En la Perrière Noblot 1996★

■ 1,1 ha 4 000 🛢 70 à 99 F

Une robe bien typée par de beaux reflets rubis, un nez encore frais et intense, une bouche qui joue elle aussi sur le registre de la fraîcheur, moins aromatique que le nez, plus épicée, plus boisée ; un équilibre plus léger.
⊶ SCEA Dom. Machard de Gramont, Le Clos, rue Pique, B.P. 105, Prissey, 21703 Nuits-St-Georges, tél. 03.80.61.15.25,
fax 03.80.61.06.39 ☒ Y r.-v.

DOM. MARTIN-DUFOUR
Les Argillats 1996★

■ 1er cru 0,13 ha n.c. 🛢 70 à 99 F

D'honorables Argillats, pourpre intense, le petit fruit tirant sur le confit, le corps souple et chaud, les tanins présents mais sans excès, le noyau de cerise comme la cerise sur le gâteau. Proche de sa maturité, à déboucher sans état d'âme.
⊶ Dom. Martin-Dufour, 4 a, rue des Moutots, 21200 Chorey-lès-Beaune, tél. 03.80.22.18.39,
fax 03.80.22.18.39 ☒ Y r.-v.

P. MISSEREY Les Cailles 1996

■ 1er cru n.c. 3 000 🛢 150 à 199 F

Climat réputé pour son caractère aérien, largement revendiqué en raison de son nom flatteur ; il exprime ici une nature de vin assumant son millésime. Léger orangé dans la robe, arômes de sous-bois, de champignon, de noyau : il évolue. Dans le bon sens ? Il est disposé à passer à table avec un gibier à plumes en salmis.
⊶ Maison P. Misserey, 3, rue des Seuillets, B.P. 10, 21701 Nuits-Saint-Georges Cedex,
tél. 03.80.61.07.74, fax 03.80.61.31.40 ☒ Y r.-v.

DENIS MUGNERET ET FILS
Les Boudots 1997★

■ 1er cru 0,6 ha 1 800 🛢 100 à 149 F

Nuance pivoine, d'une complexité aromatique assez captivante (fruits rouges, notes boisées), il garde en bouche ce bouquet agréable tout en laissant ses tanins acquérir leur arrondi avec l'âge. Une certaine austérité, et qui ne surprend pas de la part d'un vin encore jeune, bien né et bien élevé. Coup de cœur dans le Guide 1997 pour ses Saint-Georges 94.
⊶ Denis et Dominique Mugneret, 9, rue de la Fontaine, 21700 Vosne-Romanée,
tél. 03.80.61.00.97, fax 03.80.61.24.54 ☒ Y r.-v.

DOM. MICHEL NOELLAT ET FILS
Les Boudots 1997★★

■ 1er cru 0,46 ha 1 500 🛢 150 à 199 F

Des Boudots. C'est bien le côté Vosne de l'appellation. Un terrain caillouteux qui donne un vin d'une rondeur soutenue. Celle-ci devient ici une élégance parfaite : robe cerise, parfum de griotte, boisé fin, peu de consistance mais un charme très fruité, durable, éblouissant. Difficile de tirer mieux de ce millésime.
⊶ SCEA Dom. Michel Noëllat et Fils, 5, rue de la Fontaine, 21700 Vosne-Romanée,
tél. 03.80.61.36.87, fax 03.80.61.18.10 ☒ Y r.-v.

DOM. DES PERDRIX
Les Terres Blanches 1997

□ 1er cru 0,13 ha n.c. 🛢 200 à 249 F

Le nuits blanc reste un oiseau rare. N'est-il pas signé ici sur trois ouvrées (13 ares) par le domaine des Perdrix ? Celui-ci est désormais l'objet des soins personnels et vigilants de Bertrand Devillard (Antonin Rodet). Beurré en fin de bouche, d'un jaune très clair, classique et pain grillé, il ne manque pas de vivacité et il offre une bonne fraîcheur.
⊶ B. et C. Devillard, Dom. des Perdrix, Ch. de Champ Renard, 71640 Mercurey,
tél. 03.85.45.13.89, fax 03.85.45.21.61 ☒ Y r.-v.

CH. DE PREMEAUX 1997

■ 2 ha 9 000 🛢 70 à 99 F

Rubis profond, fondé sur des arômes primaires de vin jeune, ce vin, après une attaque musclée, tapisse le palais d'arômes de fruits noirs. D'une bonne longueur et de bonne matière, il peut déjà plaire ou attendre un peu pour accompagner un gibier à l'aigre-doux par exemple. Sa sincérité plaide pour lui.
⊶ Dom. du Ch. de Premeaux, 21700 Premeaux-Prissey, tél. 03.80.62.30.64, fax 03.80.62.39.28
☒ Y r.-v.
⊶ Pelletier

REINE PEDAUQUE 1997

■ n.c. 14 000 🛢 100 à 149 F

Limpide, profond, légèrement évolué sous le regard, un vin au bouquet de réglisse et de petits

Côte de nuits-villages

fruits rouges en confiture, capable de s'affermir. La bouche est fondue, avec une légère acidité en finale pour réveiller son humeur.
☛ Reine Pédauque, Le Village, 21420 Aloxe-Corton, tél. 03.80.25.00.00, fax 03.80.26.42.00, e-mail rpedauque@axnet.fr ⊺ r.-v.

HENRI ET GILLES REMORIQUET
1997*

■	3,5 ha	n.c.	▥	70 à 99 F

Par un de nos coups de cœur 1993 (pour un millésime 90), un 97 tannique, évoluant doucement vers la cerise et qu'on conservera en cave avec profit. Rouge foncé à disque carmin, esquissant des arômes de pruneau, il sent le terroir et demande encore à s'ouvrir.
☛ Henri et Gilles Remoriquet, 25, rue de Charmois, 21700 Nuits-Saint-Georges, tél. 03.80.61.24.84, fax 03.80.61.36.63, e-mail domaine.remoriquet@wanadoo.fr ☑ ⊺ r.-v.

DOM. DANIEL RION ET FILS
Les Grandes Vignes 1996***

■	n.c.	n.c.	▥	100 à 149 F

NUITS-ST-GEORGES
LES GRANDES VIGNES
1996
DOMAINE DANIEL RION & FILS

Situé au cœur du village de Premeaux, ce nuits village reçoit le coup de cœur, et vous voyez comme les mots se font écho pour honorer cette splendide bouteille : puissante, sauvage, racée, féline et complexe, elle enthousiasme nos jurés qui annoncent un glorieux vin de garde tout en n'interdisant pas le plaisir d'y goûter dès à présent. Au 1er rang de tous les vins dégustés ici.
☛ Dom. Daniel Rion et Fils, RN 74, 21700 Premeaux-Prissey, tél. 03.80.62.31.28, fax 03.80.61.13.41, e-mail patrice.rion@wanadoo.fr ☑ ⊺ t.l.j. sf dim. 9h-12h 14h-18h

DOM. THOMAS 1997*

■	1,3 ha	5 000	▥	100 à 149 F

Produit du domaine Thomas (la famille des maisons Moillard), ce 97 fait songer à la formule célèbre : « Un verre de nuits prépare la vôtre. » Car on dormira bien sur cet oreiller de bonne facture, chaleureux, long en bouche, encore jeune, évoquant le kirsch. Un vin de style, bien travaillé et très typé côte de nuits versant Vosne.
☛ Dom. Thomas, chem. rural n° 29, 21700 Nuits-Saint-Georges, tél. 03.80.62.42.00, fax 03.80.61.28.13 ⊺ r.-v.
☛ SCI Clos Thorey et Fam. Thomas

Après Premeaux, le vignoble s'amenuise pour se réduire à une longueur de vignes d'environ 200 m à Corgoloin. C'est l'endroit où la côte est la plus étroite. La « montagne » diminue d'altitude, et la limite administrative de l'appellation côte de nuits-villages, anciennement appelée « vins fins de la Côte de Nuits », s'arrête au niveau du clos des Langres, sur Corgoloin. Entre les deux, deux communes : Prissey, associée à Premeaux, et Comblanchien, réputée pour la pierre calcaire (appelée improprement marbre) que l'on tire des carrières du coteau. Toutes deux possèdent quelques terroirs aptes à porter une appellation communale. Mais les superficies de ces trois communes étant trop petites pour avoir une appellation individuelle, Brochon et Fixin y ont été associées pour constituer cette unique appellation côte de nuits-villages, qui a produit, en 1998, 6 847 hl dont 198 hl en vin blanc. On y trouve d'excellents vins, à des prix abordables.

BERTRAND AMBROISE 1997

☐	n.c.	900	70 à 99 F

On produit chaque année un peu plus de blanc dans l'appellation. Cette bouteille semble donner raison à ceux qui font ce choix, mais le chardonnay n'atteint jamais ici des proportions considérables. Sensations de kiwi, de pamplemousse.
☛ Maison Bertrand Ambroise, rue de l'Eglise, 21700 Premeaux-Prissey, tél. 03.80.62.30.19, fax 03.80.62.38.69, e-mail info@ambroise.com ☑ ⊺ r.-v.

JULES BELIN 1996

■	n.c.	5 000	▥	70 à 99 F

Si l'histoire de l'AOC côte de nuits-villages est quelque peu rocambolesque, ce vin - lui - se présente sous des traits faits de simplicité et de bonhomie : robe claire et petit nez champignonnant dans le sous-bois ; d'une bonne structure, il s'épanouira lorsque la chair aura pris le dessus sur les tanins.
☛ Jules Belin, 3, rue des Seuillets, B.P. 143, 21704 Nuits-Saint-Georges Cedex, tél. 03.80.61.07.74, fax 03.80.61.31.40 ☑ ⊺ r.-v.

VINCENT ET DENIS BERTHAUT 1997

■	0,5 ha	2 000	▥	50 à 69 F

Version nord, côté fixin, un 97 à déguster dans un an ou deux. On sent une discrète évocation de fruits rouges et noirs (cassis) au nez. La matière n'est pas d'une consistance phénoménale tout en sachant s'adapter à l'appellation. Sa rondeur et son amabilité donnent du bonheur en bouche.

⊶ Vincent et Denis Berthaut, 9, rue Noisot, 21220 Fixin, tél. 03.80.52.45.48, fax 03.80.51.31.05 ☒ Y r.-v.

ODILE CHAUDAT 1996*

■ 1,04 ha 1 500 ▮◗ 50 à 69 F

L'habit ne fait pas le moine, dit-on. Sous une étiquette passe-partout, à bords roulés et qui ne valorise guère le sujet, un vin formidable en bouche et surtout d'une honnêteté parfaite. Cassis, réglisse, il offre le meilleur de l'appellation et figure parmi les 96 les plus appréciés. Satisfaction assurée. Une poule au pot lui conviendra.

⊶ Dom. Odile Chaudat, 41, voie Romaine, 21700 Corgoloin, tél. 03.80.62.92.31, fax 03.80.62.92.31 ☒ Y t.l.j. 10h-18h

A. CHOPIN ET FILS
Les Monts de Boncourt 1997

□ 0,12 ha n.c. ◗ 50 à 69 F

Simple mais droit, assez vif, boisé, un vin d'une bonne brillance. Les Monts de Boncourt : un *climat* situé sur Corgoloin, côté Comblanchien.

⊶ Dom. A. Chopin et Fils, RN 74, 21700 Comblanchien, tél. 03.80.62.92.60, fax 03.80.62.70.78 ☒ Y r.-v.

CLOS SAINT-LOUIS 1996*

■ 2 ha 9 000 ◗ 70 à 99 F

L'appellation dans sa partie septentrionale où elle est moins revendiquée qu'au sud. D'où l'intérêt porté à ce 96 rubis clair, aux arômes délicats de petits fruits rouges. Une touche de discrétion et de bon goût. La chair éclate en bouche. Le manque d'acidité contribue au plaisir immédiat, mais n'en fait pas un vin de garde.

⊶ Dom. du Clos Saint-Louis, 10, rue Abbé-Chevallier, 21220 Fixin, tél. 03.80.52.45.51, fax 03.80.58.88.76 ☒ Y t.l.j. sf dim. 9h-19h; f. 20 déc.-3 janv., 15-31 août

⊶ Philippe Bernard

DESERTAUX-FERRAND
Les Perrières 1996*

■ 2,66 ha 12 000 ◗ 50 à 69 F

Du haut de ce domaine, un siècle nous contemple désormais. Il a soufflé en 1999 la 100e bougie sur son gâteau d'anniversaire. Ce Perrières (*climat* proche du clos des Langres) travaillé avec soin, rouge clair, mêle le fruit à noyau et l'animal en un bouquet bien garni. Les tanins discrets et fondus sont un vrai bonheur.

⊶ Dom. Désertaux-Ferrand, 135, Grande-Rue, 21700 Corgoloin, tél. 03.80.62.98.40, fax 03.80.62.70.32, e-mail desertaux@erb.com ☒ Y r.-v.

⊶ Bernard Désertaux

DOM. JEAN FERY ET FILS
Le Clos de Magny 1996*

■ 1,4 ha 8 000 ◗ 50 à 69 F

Côté Ladoix, ce *climat* tire très bien son épingle du jeu. Sa robe étincelle d'un beau rouge vif. Le nez est classique et distingué, la violette apportant à la framboise un complément utile. Les tanins sont encore présents, mais le vin est d'une excellente tenue en bouche, droite et ferme, d'un équilibre sans défaut.

⊶ Dom. Jean Féry et Fils, 21420 Echevronne, tél. 03.80.21.59.60, fax 03.80.21.59.59 Y r.-v.

DIDIER FORNEROL 1996*

■ 4,5 ha 5 500 ◗ 50 à 69 F

Le côte de nuits-villages n'est pas un vin snob, mais il n'est pas pour autant rustique au mauvais sens du mot. Grenat, fleurant bon le kirsch et légèrement vanillé, celui-ci est plaisant en bouche où ses tanins sont présents mais fondus. Assez représentatif.

⊶ Didier Fornerol, 15, pl. de la Mairie, 21700 Corgoloin, tél. 03.80.62.93.09 ☒ Y r.-v.

GACHOT-MONOT 1996**

■ 4 ha 6 000 ◗ 50 à 69 F

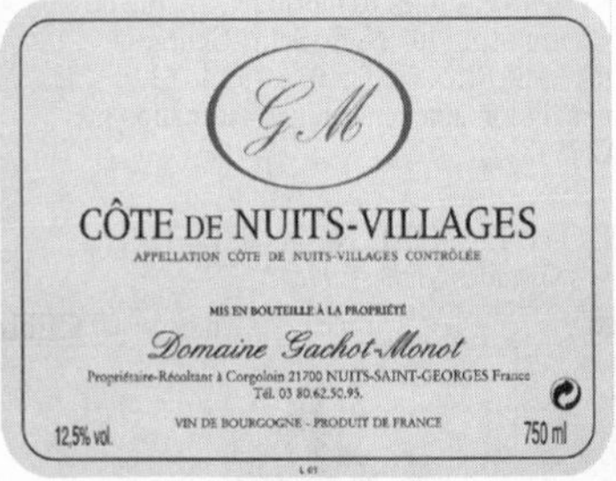

Second coup de cœur pour ce domaine déjà couronné dans le Guide 1991 (millésime 87). Il est vrai que cette bouteille est racée, généreuse et gourmande. Rubis soutenu, le nez posé sur les fruits rouges qui emplissent le chaudron des confitures, il conclut sur des notes épicées. Belle synthèse des qualités de l'appellation. Pour des œufs en meurette par exemple.

⊶ Dom. Gachot-Monot, 13, rue Humbert-de-Gillens, 21700 Gerland, tél. 03.80.62.50.95, fax 03.80.62.53.85 ☒ Y r.-v.

CHRISTIAN GROS Les Vignottes 1996

■ 1,5 ha n.c. ◗ 50 à 69 F

Situé sur Premeaux et proche du Clos de la Maréchale, ce *climat* mène cette affaire tambour battant. Sous son drapeau grenat, il découvre peu son nez à légères tendances herbacées. Mais l'attaque est déterminée, avec un soutien tannique et boisé qui devra se fondre.

⊶ Christian Gros, rue de la Chaume, 21700 Premeaux-Prissey, tél. 03.80.61.29.74, fax 03.80.61.39.77 ☒ Y t.l.j. 8h-12h 14h-19h

DOM. LALEURE-PIOT
Les Bellevues 1997

■ 0,84 ha 5 000 ◗ 50 à 69 F

Sur les hauteurs de Comblanchien et dans le prolongement des 1ers crus de Premeaux, le *climat* Bellevue produit ce vin pourpre. Belle cavalcade de fraise, de framboise, de réglisse tout au long d'un parcours divertissant. L'âge lui apportera peut-être les rondeurs qu'on espère.

⊶ Dom. Laleure-Piot, 21420 Pernand-Vergelesses, tél. 03.80.21.52.37, fax 03.80.21.59.48 ☒ Y t.l.j. 8h-12h 14h-18h; sam. dim. sur r.-v.

⊶ Laleure

CLOS DES LANGRES 1996*

■ 2,74 ha 6 000 70 à 99 F

Le clos des Langres : cette maison entourée de vignes entre Corgoloin et Ladoix. On la trouve si jolie le long de la RN 74. Il s'agit ici d'un clos véritable et d'un *climat* authentique. L'ensemble est caractéristique d'un 96 tirant sur l'animal sans renier son fruit, évoluant peu à peu mais gardant quelques réserves pour les années à venir.

Dom. d'Ardhuy, Clos des Langres, 21700 Corgoloin, tél. 03.80.62.98.73, fax 03.80.62.95.15 ☑ Y t.l.j. sf dim. 10h-12h 14h-18h

DOM. MICHEL MALLARD ET FILS 1996

■ 1,34 ha 8 600 70 à 99 F

La couleur ? Celle d'un 96, forte, intense. Le nez ? Intime, nuance sous-bois, un rien de griotte sur un élan flatteur. Pas beaucoup de chair, mais Baudelaire (qui s'y connaissait en vin) n'a-t-il pas vanté les charmes de la femme mince ? Cette bouteille se laisse boire aisément.

Dom. Michel Mallard et Fils, 43, rte de Dijon, 21550 Ladoix-Serrigny, tél. 03.80.26.40.64, fax 03.80.26.47.49 ☑ Y r.-v.

BOURGOGNE

La côte de Nuits (Sud)

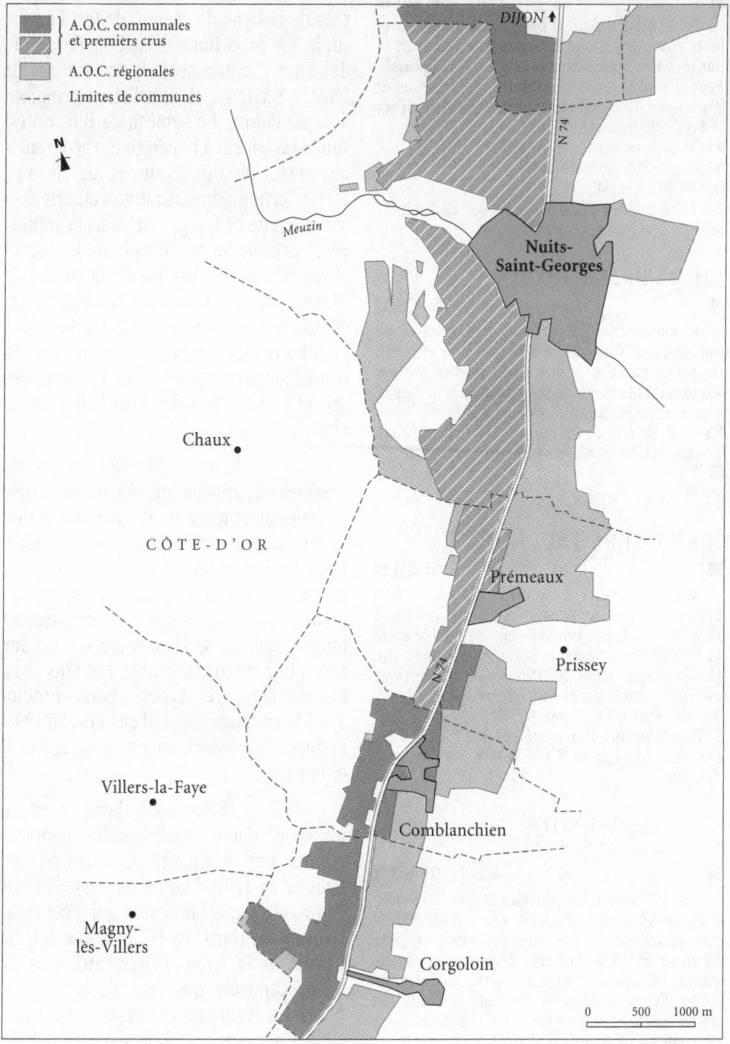

DOM. HENRI NAUDIN-FERRAND
Vieilles vignes 1996**

■ 1,55 ha 9 180 ⅡⅠ 50 à 69 F

Un 96 limpide à souhait sous ses reflets violets. Le nez va du fruit rouge mûr - cerise, myrtille - au fruit sec, avec une touche mentholée qui apporte la fraîcheur. Très présente, la bouche est impeccable et d'une typicité très franche, avec une petite pointe d'acidité qui orne le tout. Coup de cœur l'an passé (95) et dans le Guide 1995 pour un 91.

Dom. Henri Naudin-Ferrand, rue du Meix-Grenot, 21700 Magny-lès-Villers, tél. 03.80.62.91.50, fax 03.80.62.91.77 ☑ Y t.l.j. 8h-12h 14h-18h30; dim. sur r.-v.

DOM. JEAN PETITOT ET FILS 1996*

■ 7 ha 22 000 ⅡⅠ 50 à 69 F

Un 96 bien abouti. Il possède de bonnes couleurs aux joues et son bouquet joue finement sa partie, entre le sous-bois et le bourgeon de cassis. Peu d'acidité, des tanins disciplinés, assez d'ampleur. Il est conseillé de ne pas déboucher la bouteille avant un à deux ans.

Dom. Jean Petitot et Fils, 26, pl. de la Mairie, 21700 Corgoloin, tél. 03.80.62.98.21, fax 03.80.62.71.64, e-mail domaine.petitot@wanadoo.fr ☑ Y t.l.j. 8h-19h; groupes sur r.-v.

CH. DE PREMEAUX 1997*

■ 1,25 ha 6 000 ⅡⅠ 50 à 69 F

A consommer sur le fruit tant celui-ci est omniprésent. Cassis, mûre, le fruit noir apparaît deux fois en ouverture : au nez avant d'évoluer sur le cuir et la cannelle ; en bouche dès l'attaque, ronde, enlevée. Simple et de bon goût.

Dom. du Ch. de Premeaux, 21700 Premeaux-Prissey, tél. 03.80.62.30.64, fax 03.80.62.39.28 ☑ Y r.-v.

Pelletier

JEAN-PIERRE TRUCHETET 1996

■ 0,13 ha 890 ⅡⅠ 50 à 69 F

Robe d'intensité moyenne rouge cerise, puis approche vanillée accompagnée de griotte à l'eau-de-vie. L'équilibre se veut très stable entre la suavité des saveurs, le boisé marqué mais fin, la persistance réglissée. Petite note d'amertume en finale, due à ses tanins encore jeunes.

Jean-Pierre Truchetet, RN 74, 21700 Premeaux-Prissey, tél. 03.80.61.07.22, fax 03.80.61.34.35 ☑ Y t.l.j. sf dim. 8h-12h 14h-20h

CHARLES VIENOT
Cuvée du Roi de Saxe 1997

■ n.c. n.c. ⅡⅠ 70 à 99 F

Roi de Saxe ? En souvenir d'une lettre joliment tournée adressée jadis à la famille Viénot par ce monarque désireux de garnir sa cave. Pourpre foncé et brillant, ce vin au caractère entier, un peu animal, est à servir maintenant. Cette illustre maison de la Côte de Nuits fait partie des vins et domaines J.-Cl. Boisset (coup de cœur ici dans le Guide 1992 pour un 88).

Charles Vienot, 5, quai Dumorey, 21700 Nuits-Saint-Georges, tél. 03.80.62.61.41, fax 03.80.62.37.38

La Côte de Beaune

Ladoix

Trois hameaux, Serrigny, près de la ligne de chemin de fer, Ladoix, sur la RN 74, et Buisson, au bout de la Côte de Nuits, composent la commune de Ladoix-Serrigny. L'appellation communale est ladoix. Le hameau de Buisson est situé exactement à l'intersection géographique des Côtes de Nuits et de Beaune. L'intersection administrative s'est arrêtée à la commune de Corgoloin, mais la colline, elle, continue un peu plus loin ; les vignes et les vins aussi. Au-delà de la combe de Magny, qui concrétise la séparation, commence la montagne de Corton, aux grandes pentes à intercalations marneuses, constituant avec toutes ses expositions, est, sud et ouest, l'une des plus belles unités viticoles de la Côte.

Ces différentes situations confèrent à l'appellation ladoix une variété de types auxquels s'ajoute une production de vins blancs mieux adaptés aux sols marneux de l'argovien ; c'est le cas des gréchons, par exemple, situés sur les mêmes niveaux géologiques que les corton-charlemagne, plus au sud, mais jouissant d'une exposition moins favorable. Les vins de ce lieu-dit sont très typés. Ayant produit 3 865 hl en rouge et 608 hl en blanc en 1998, l'appellation ladoix est peu connue ; c'est dommage !

Autre particularité : bien que jouissant d'une classification favorable donnée par le Comité de viticulture de Beaune en 1860, Ladoix ne possédait pas de premiers crus : omission qui a été régularisée par l'INAO en 1978 : la Micaude, la Corvée et le Clou d'Orge, aux vins de même caractère que ceux de la Côte de Nuits, les Mourottes (basses et hautes), aux allures sauvages, le Bois-Roussot, sur la

« lave », sont les principaux de ces premiers crus.

BERTRAND AMBROISE
Les Gréchons 1997

☐ n.c. 2 000 70 à 99 F

D'un or clair plaisant à l'œil, ce chardonnay présente des notes florales où percent quelques accents beurrés. Bouche harmonieuse, avec toutefois une pointe de gaz qui aura sans doute disparu entre-temps.

🔑 Maison Bertrand Ambroise, rue de l'Eglise, 21700 Premeaux-Prissey, tél. 03.80.62.30.19, fax 03.80.62.38.69, e-mail info@ambroise.com
🅥 Y r.-v.

PIERRE ANDRE Clos des Chagnots 1997*

■ 2,5 ha 10 000 🛢 100 à 149 F

Tout proche des maisons de Ladoix, ce *climat* a obtenu le coup de cœur sous cette signature dans l'édition 1992 (millésime 89). Pourpre violacé, le 97 n'entend pas faire de la figuration. Framboise écrasée, il ouvre bien son nez et l'éveille à la complexité. Attaque assez fine, sans fanfare, mais on retrouve ensuite une belle matière. Corpulent et de garde. Notez aussi en **blanc, le Rognet 97**, ciselé et droit, une étoile.

🔑 Pierre André, Ch. de Corton-André, 21420 Aloxe-Corton, tél. 03.80.26.44.25, fax 03.80.26.43.57, e-mail pandre@axnet.fr
Y t.l.j. 10h-18h

CAPITAIN-GAGNEROT
Les Hautes Mourottes 1997*

☐ 1er cru 0,42 ha 3 000 🛢 70 à 99 F

Roger Capitain et ses fils ont la charge de ce domaine de 16,50 ha qui a proposé deux bouteilles retenues à égalité, en **blanc 97** : un **Gréchons**, plein de tendresse épanouie, et ce Hautes-Mourottes (sur le coteau qui touche à Pernand), d'un or lumineux. De cire d'abeille et de miel, son bouquet est entreprenant. Gras et soyeux, ce 97 complète sa prestation par une légère note d'amertume qui ponctue bien la phrase. Sa vinification est soignée en macération pelliculaire ; il a été élevé neuf mois en fût.

BOURGOGNE

La côte de Beaune (Nord)

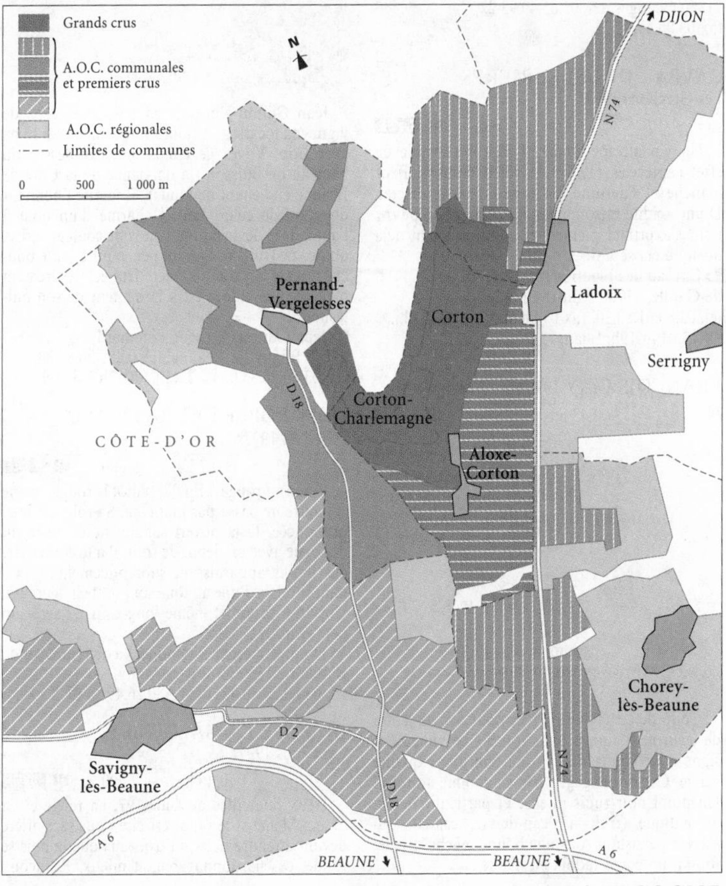

➤ Maison Capitain-Gagnerot, 38, rte de Dijon, 21550 Ladoix-Serrigny, tél. 03.80.26.41.36, fax 03.80.26.46.29 ☑ ⏆ r.-v.

JEAN-PIERRE DUBOIS-CACHAT 1996

■   0,28 ha   n.c.   ⏆ 50 à 69 F

Grenat à reflets pourpres, ce ladoix se range du côté de la fraise et des épices. Puis, sans montrer beaucoup de corps, il se développe au palais de façon assez souple et persistante malgré une petite touche de sécheresse due aux relations de l'alcool et des tanins. Ce 96 peut encore se faire.
➤ Jean-Pierre Dubois-Cachat, 2, Grande-Rue, 21200 Chorey-lès-Beaune, tél. 03.80.22.27.83, fax 03.80.22.27.83 ☑ ⏆ r.-v.

FRANCK ESCOFFIER 1996

☐   0,27 ha   700   ⏆ 50 à 69 F

Quelques reflets verts, il est dans le ton. Son nez est brioché avec une petite pointe de réduction. Peu de fraîcheur (c'est un 96) mais un corps charnu, rond et boisé. Il est conseillé de le carafer pour rehausser sa personnalité au contact de l'air.
➤ Franck Escoffier, 16, rue du Parc, 71350 Geanges, tél. 03.85.49.98.22, fax 03.85.49.98.22

CAVEAU DES FLEURIERES
Les Gréchons 1997★

☐   n.c.   n.c.   ⏆ 70 à 99 F

Un vin attrape-lumière ! Sa robe semble en effet capter les rayons du soleil. Sous la fleur blanche et l'agrume, on sent un boisé discret. D'une acidité raisonnable, il demande à s'ouvrir pour s'exprimer pleinement, tout en ayant déjà quelque chose à dire.
➤ Caveau des Fleurières, 50, rue du Gal-de-Gaulle, 21700 Nuits-Saint-Georges, tél. 03.80.61.10.30, fax 03.80.61.35.76 ☑ ⏆ t.l.j. 9h-12h 14h-19h; f. janv.

FRANCOIS GAY 1996★★

■   0,48 ha   2 200   ⏆ 50 à 69 F

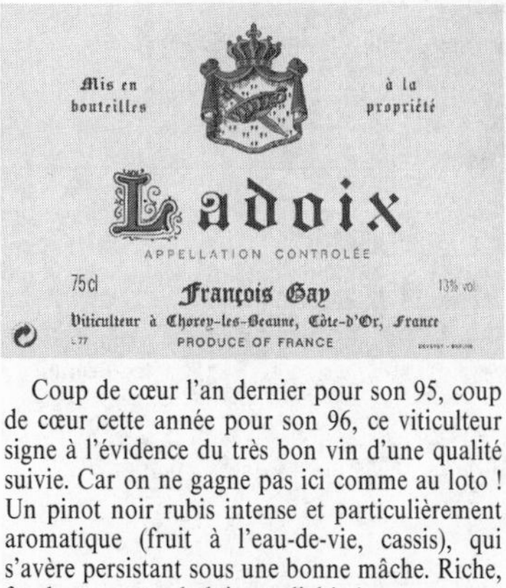

Coup de cœur l'an dernier pour son 95, coup de cœur cette année pour son 96, ce viticulteur signe à l'évidence du très bon vin d'une qualité suivie. Car on ne gagne pas ici comme au loto ! Un pinot noir rubis intense et particulièrement aromatique (fruit à l'eau-de-vie, cassis), qui s'avère persistant sous une bonne mâche. Riche, fondu, un corps ladoix en diable !

➤ François Gay, 9, rue des Fiètres, 21200 Chorey-lès-Beaune, tél. 03.80.22.69.58, fax 03.80.24.71.42 ☑ ⏆ r.-v.

CHRISTIAN GROS Les Gréchons 1996

☐   1,3 ha   n.c.   ▮ 50 à 69 F

Le bouquet de ce 96 ? Miel et acacia, bien épanoui. Ce style demeure nettement en bouche, en y associant un peu de minéralité. Assez linéaire, un vin qui devrait trouver sa meilleure expression en l'an 2000.
➤ Christian Gros, rue de la Chaume, 21700 Premeaux-Prissey, tél. 03.80.61.29.74, fax 03.80.61.39.77 ☑ ⏆ t.l.j. 8h-12h 14h-19h

JEAN GUITON La Corvée 1996★★

■ 1er cru   0,79 ha   2 500   ⏆ 70 à 99 F

Jean Guiton s'installe en 1973 avec 1 ha de vignes en location. Aujourd'hui, il mène ses 13 ha avec brio. Voyez ce climat situé au-dessus du hameau de Buisson (la naissance de la Côte de Beaune en venant de Nuits) : il mérite l'honneur du coup de cœur, tant il charme d'un bout à l'autre de la dégustation. Une robe couleur cerise, un nez de fruits rouges un peu vanillés, une bouche ample et souple, bien fruitée, légèrement réglissée : ce ladoix est à la hauteur de son millésime.
➤ Jean Guiton, 4, rte de Pommard, 21200 Bligny-lès-Beaune, tél. 03.80.26.82.88, fax 03.80.26.85.05 ☑ ⏆ t.l.j. 9h-12h 14h-19h

DOM. ROBERT ET RAYMOND JACOB 1997★

■   0,7 ha   5 000   ⏆ 50 à 69 F

Blanc ou rouge ? En 97, plutôt le rouge, même si l'autre ne passe pas inaperçu. Sa robe est bien prononcée. Déjà ouvert sur des notes où le fût dialogue avec un début de fruit, il a le côté corsé, des tanins apparaissant subrepticement et prenant le relais d'une attaque souple et chaleureuse. Un vin à suivre et même longtemps ; l'aérer un peu avant le service.
➤ Dom. Robert et Raymond Jacob, Hameau de Buisson, 21550 Ladoix-Serrigny, tél. 03.80.26.40.42, fax 03.80.26.49.34 ☑ ⏆ r.-v.

DOM. DE LA GALOPIERE
Les Clous 1997★

☐   0,46 ha   2 400   ⏆ 50 à 69 F

Deux bouteilles de **Clous 97, en rouge** et en blanc. Même si le pinot est cité pour sa matière devant attendre deux ou trois ans que le bois se fonde, ce chardonnay réussit mieux. Beaucoup d'intensité aromatique (fruits blancs, un peu de miel) pour une bouche vanillée, d'une vivacité assez marquée, correcte en longueur et d'un certain caractère. A boire dans le temps présent.

☛ Claire et Gabriel Fournier, Dom. de La Galopière, 6, rue de l'Eglise, 21200 Bligny-lès-Beaune, tél. 03.80.21.46.50, fax 03.80.26.85.88 ☑ 🍷 r.-v.

DOM. MAILLARD PERE ET FILS
Les Chaillots 1997★

■	0,5 ha	n.c.	⫾⫾	50 à 69 F

Pas forcément de longue garde, un vin à la couleur profonde et au nez suffisant pour son âge. La bouche se situe dans la ligne 97, mais toujours franche et sincère. Sa fraîcheur vaut d'être signalée ; elle conduira à une consommation dans l'année du Guide. Ce *climat* est central à Ladoix, et on le vérifie.

☛ Dom. Maillard Père et Fils, 2, rue Joseph-Bard, 21200 Chorey-lès-Beaune, tél. 03.80.22.10.67, fax 03.80.24.00.42 ☑ 🍷 r.-v.

DOM. MICHEL MALLARD ET FILS
Les Joyeuses 1996★

■ 1er cru	0,37 ha	2 300	⫾⫾	70 à 99 F

Elles portent bien leur nom, ces Joyeuses ! Et quelle chance de se nommer ainsi dans un village où un *climat* (peu revendiqué il est vrai) s'appelle la Mort... Rubis grenat, un 96 fraise-cacao qui laisse la bouche emplie de mâche savoureuse. Peu de longueur. Joyeuses ? Certes, et à ne pas laisser devenir des radoteuses. Coup de cœur en 1992, ce domaine offre également de très honnêtes **Clos Royer 96 en rouge** (une étoile) et des **Gréchons 97** cités **en blanc**.

☛ Dom. Michel Mallard et Fils, 43, rte de Dijon, 21550 Ladoix-Serrigny, tél. 03.80.26.40.64, fax 03.80.26.47.49 ☑ 🍷 r.-v.

CATHERINE ET CLAUDE MARECHAL 1997★

■	0,63 ha	3 000	⫾⫾	50 à 69 F

Pourpre rayonnant, un ladoix qui ne choisit pas la facilité. Déjà le nez apparaît intéressant dans sa complexité ; consistance poivrée et environnement tannique s'équilibrent peu à peu. Il devrait bien se fondre et, ainsi, mettre en valeur son terroir.

☛ EARL Catherine et Claude Maréchal, 6, rte de Chalon, 21200 Bligny-lès-Beaune, tél. 03.80.21.44.37, fax 03.80.26.85.01 ☑ 🍷 r.-v.

DOM. NUDANT La Corvée 1996★

■ 1er cru	0,83 ha	5 000	⫾⫾	70 à 99 F

L'embarras du choix dans cette cave aimable, à l'œuvre depuis 1747. Le jury retient les **Buis (rouge) 96**, **les Gréchons (blanc) 97** et cette Corvée... qui n'en est pas une. Pourpre limpide, orienté vers le sous-bois et le champignon, un vin encore jeune et qu'on attendra deux à trois ans. Issu de vignes de quarante ans, ce vin a passé dix-huit mois en fût.

☛ Dom. André et J.-René Nudant, 11, RN 74, 21550 Ladoix-Serrigny, tél. 03.80.26.40.48, fax 03.80.26.47.13 ☑ 🍷 r.-v.

LA MAISON PAULANDS
Le Champs Pussuet 1997★

■	n.c.	n.c.	⫾⫾	50 à 69 F

On peut s'intéresser en **1er cru au Clous d'Orge 97 rouge**, mais à tout prendre on choisira, même couleur et même millésime, Champs Pussuet en *village*, l'un des premiers ladoix en venant de Nuits. Pourpre vif, le nez entre fermé et ouvert dans une phase d'évolution, un vin de Bourgogne bien récolté et bien fait, chaleureux et prometteur. Coup de cœur l'an passé pour son Clous d'Orge 96.

☛ Caves des Paulands, RN 74, B.P. 12, Aloxe-Corton, 21550 Ladoix-Serrigny, tél. 03.80.26.41.05, fax 03.80.26.47.56, e-mail paulands@wanadoo.fr ☑ 🍷 t.l.j. 8h-12h 14h-18h

DOM. CHRISTIAN PERRIN
Les Vris 1997★

□	75,03 ha	4 500		50 à 69 F

Les **Gréchons 97** sont ici dignes d'attention. Notre préférence va cependant aux Vris (un *climat* sur la route de Magny-lès-Villers), un 97 tout en dentelle, dans sa robe légère et printanière. Son bouquet et sa bouche chantent à mi-voix la même et douce harmonie d'un chardonnay se contentant d'être agréable. Bouteille à boire cette année.

☛ Christian Perrin, av. de Corton, 21550 Ladoix-Serrigny, tél. 03.80.26.40.93, fax 03.80.26.48.40 ☑ 🍷 t.l.j. sf dim. 8h-12h 14h-19h

VERONIQUE PERRIN
Les Briquottes 1997

■	n.c.	1 200	⫾⫾	50 à 69 F

Négociant-éleveur depuis 1997, une jeune maison. *Climat* peu connu mais occupant une belle position sur le coteau, au-dessous des Gréchons. Voici un ladoix réservé et discret au premier abord, assez solide cependant sur le plan tannique. Dur et à parfaire, mais ne manquant pas de moyens.

☛ Véronique Perrin, Vieux Château Varennes, 21200 Beaune, tél. 03.80.26.57.29, fax 03.80.26.58.44 ☑

Aloxe-corton

Si l'on tient compte de la superficie classée en corton et corton-charlemagne, l'appellation aloxe-corton en occupe une faible part, sur la plus petite commune de la Côte de Beaune, et a produit en 1998 5 742 hl de vin rouge et 40 hl en blanc. Les premiers crus y sont réputés : les Maréchaudes, les Valozières, les Lolières (grandes et petites) sont les plus connus.

La commune est le siège d'un négoce actif, et plusieurs châteaux aux magnifiques tuiles vernissées méritent le coup d'œil. La famille Latour y possède un magnifique domaine où il faut visiter la cuverie du siècle dernier, qui reste encore un modèle du genre pour les vinifications bourguignonnes.

ARNOUX PERE ET FILS 1997*

■ 0,64 ha 3 800 100 à 149 F

Frais émoulu du vignoble, cet aloxe-corton entre dans la vie sur des notes fruitées (cerise, framboise) et sur une pointe de kirsch. Malgré quelques tanins pas encore complètement rabotés, c'est un 97 que l'on peut dire féminin : sa chair est élégante et s'exprimera mieux dans deux ans.

Arnoux Père et Fils, rue des Brenots, 21200 Chorey-lès-Beaune, tél. 03.80.22.57.98, fax 03.80.22.16.85 ▣ Y r.-v.

DOM. CACHAT-OCQUIDANT ET FILS 1997**

■ 0,38 ha n.c. 70 à 99 F

Si le roi n'attend pas, celui-ci est un roi, et il a tout le temps d'attendre. L'extraction de couleur ? Maxima et c'est la mode ! Le nez de vendange fraîche et mûre, durable, s'oriente normalement sur la mûre. En bouche, la règle de trois lui assure le coup de cœur : du corps, de l'élégance et du fruit. D'architecture monumentale, il sera au sommet d'ici quatre à cinq ans. Le domaine qui l'a produit fait partie des valeurs sûres de la Bourgogne, ses **Maréchaudes 1er cru 97** ont reçu une étoile.

Dom. Cachat-Ocquidant et Fils, pl. du Souvenir, 21550 Ladoix-Serrigny, tél. 03.80.26.45.30, fax 03.80.26.48.16 ▣ Y r.-v.

CAPITAIN-GAGNEROT 1996

■ 0,61 ha 3 000 100 à 149 F

Si l'on fait le compte de ses aspects positifs, il s'agit d'un vin exprimant une bonne vivacité sous une couleur assez intense. Son bouquet suggère la groseille dans un boisé déjà fondu. La finale est épicée.

Maison Capitain-Gagnerot, 38, rte de Dijon, 21550 Ladoix-Serrigny, tél. 03.80.26.41.36, fax 03.80.26.46.29 ▣ Y r.-v.

MAURICE CHENU 1997*

■ n.c. 3 000 70 à 99 F

Reprise par des Alsaciens (H. Tresch), cette maison sait se fournir dans ce *village*, comme le prouve ce 97. La trame de sa robe est serrée et pourtant brillante dans des tons griotte et mauve. Le nez doit être sollicité un peu pour se livrer à des confessions de cassis et de mûre. Loyal en bouche, ce vin n'improvise pas : constitution ferme, un élan puissant... Encore très jeune avec du potentiel.

Bourgognes Chenu-Tresch SA, chem. de la Pierre-qui-Vire, 21200 Montagny-lès-Beaune, tél. 03.80.26.37.37, fax 03.80.23.14.81

CHEVALIER PERE ET FILS 1996*

■ 1,5 ha 8 000 70 à 99 F

Ce domaine créé en 1885 compte 11 ha de vignes dont 1,50 ha est consacré à cet aloxe-corton. C'est un pinot noir aux traits rubis et en cours d'évolution. Cela se traduit surtout par des notes animales qu'on suit à la trace du nez à la bouche. L'attaque est franche, ferme, et ne surprend pas ; elle n'est pas désagréable. Puis l'équilibre se fait, avec des tanins présents, du boisé, mais aussi du fruit (mûre). La finale est épanouie. Dans la bonne moyenne.

SCE Chevalier Père et Fils, Buisson, 21550 Ladoix-Serrigny, tél. 03.80.26.46.30, fax 03.80.26.41.47 ▣ Y r.-v.

EDMOND CORNU ET FILS Les Valozières 1996*

■ 1er cru 0,45 ha 2 500 100 à 149 F

Sous Les Bressandes et sur Aloxe, il évoque ce qu'André Maurois (grand amateur de bourgogne) appelait « le charme naturel et puissant des caresses ». Habillé de rouge sombre, le nez prudent et réservé, il tapisse la langue d'un cachemire soyeux, rond et gras, caressant en effet. Il cherche moins à convaincre qu'à séduire et y réussit fort bien.

Edmond Cornu et Fils, Le Meix Gobillon, 21550 Ladoix-Serrigny, tél. 03.80.26.40.79, fax 03.80.26.48.34 ▣ Y r.-v.

DOM. DOUDET Les Boutières 1997

■ 0,5 ha 1 800 100 à 149 F

On retrouve nos Boutières coup de cœur pour le millésime 94 sur notre édition 1997. Leur robe est légère, leur parfum exprime déjà la maturité : pruneau cuit, accents animaux ; impression confirmée au palais. Si ce vin ne repose pas sur un socle de marbre, il est cependant équilibré.

Dom. Doudet, 50, rue de Bourgogne, 21420 Savigny-lès-Beaune, tél. 03.80.21.51.74, fax 03.80.21.50.69 ▣ Y r.-v.

Yves Doudet

DOM. DUBOIS D'ORGEVAL 1996*

■ 0,5 ha n.c. 100 à 149 F

Agréable à regarder, ce 96 marie les agrumes et le fruit rouge sous la bénédiction d'un boisé léger. Sa petite astringence s'estompe vite, laissant une bouche sur un sentiment de plénitude heureuse. Longueur, largeur, profondeur, tout y est, ainsi qu'une touche délicate. Et il n'est pas

encore tout à fait ouvert : deux ou trois ans de garde lui permettront de s'épanouir.

☞ Dom. Dubois d'Orgeval, 3, rue Joseph-Bard, 21200 Chorey-lès-Beaune, tél. 03.80.24.70.89, fax 03.80.22.45.02 ☑ 🍷 r.-v.

BERNARD DUBOIS ET FILS
Les Brunettes 1996★★★

| ■ | 1,54 ha | 9 000 | ⠿ | 70 à 99 F |

Ce sont les ancêtres d'Henri Dubois qui ont créé le domaine en 1810. Il mène bien sa vigne et ses vinifications, conseillé par l'œnologue Kynigopoulos, à tel point que le grand jury a élu coup de cœur ces Brunettes (le *climat*, proche des maisons du pays, s'appelle exactement Les Brunettes et Planchots) merveilleusement typées. Groseille et mûre offrent à son bouquet de précieux renforts. On ne fait guère mieux en *village*, et sa riche constitution, son gras subtil, l'élégance du boisé, les aptitudes à la garde en font un 96 hors ligne.

☞ Dom. Bernard Dubois et Fils, 14, rue des Moutots, 21200 Chorey-lès-Beaune, tél. 03.80.22.13.56, fax 03.80.24.61.43 ☑ 🍷 r.-v.

FRANCK FOLLIN-ARBELET
Les Vercots 1996★★

| ■ 1er cru | 1 ha | 3 000 | ⠿ | 100 à 149 F |

Les Vercots ? A la limite de Pernand, sur Aloxe. Un 1er cru qui séduit ici et laisse une très bonne impression générale. Si la teinte et le nez n'appellent aucun commentaire particulier (réussite homogène), la bouche porte le pinot à la sublimation tout en respectant le caractère du millésime, son petit côté nerveux. Ce raffinement prend fin sur la tonalité confite du fruit rouge.

☞ Franck Follin-Arbelet, 21420 Aloxe-Corton, tél. 03.80.26.46.73 ☑ 🍷 r.-v.

MICHEL GAY 1996★

| ■ | 1,23 ha | 7 500 | ⠿ | 70 à 99 F |

Sur la même longueur d'onde, robe, bouquet et qualité de la bouche signalent un 96 gardant beaucoup de jeunesse. Ses arômes de réglisse ont du charme et le mordant des tanins est ici plutôt un signe de bonne santé. « Cette bouteille est à conseiller », disent nos dégustateurs qui concluent : « Vous pourrez la conserver de cinq à dix ans. »

☞ Michel Gay, 1b, rue des Brenôts, 21200 Chorey-lès-Beaune, tél. 03.80.22.22.73, fax 03.80.22.95.78 ☑ 🍷 r.-v.

CH. GENOT-BOULANGER
Clos du Chapitre 1996

| ■ 1er cru | 0,95 ha | 4 500 | ⠿ | 100 à 149 F |

Ce vin a besoin de prendre l'air. Débouchée depuis un moment, la bouteille consent à s'ouvrir et son fruit mûr emplit peu à peu les fosses nasales. Une sensation que prolonge agréablement l'étape suivante derrière une attaque brillante. Fin, distingué, mais ce 1er cru prend congé assez tôt.

☞ Ch. Génot-Boulanger, 25, rue de Cîteaux, 21190 Meursault, tél. 03.80.21.49.20, fax 03.80.21.49.21, e-mail genot-boulanger@wanadoo.fr ☑ 🍷 r.-v.

DOM. GUYON Les Guérets 1997

| ■ 1er cru | 0,1 ha | n.c. | ⠿ | 150 à 199 F |

Cette vigne se trouve sur le versant de Pernand. Elle ne nous est pas indifférente. N'était-elle pas l'an dernier notre coup de cœur, millésime 96 ? Le suivant ne badine pas sur la couleur, présente un arôme de cerise à l'eau-de-vie qui n'est pas sans attrait, s'affirme en bouche très concentré et même carré. Rustique ? Ce qu'on dit en pareil cas.

☞ EARL Dom. Guyon, 11, RN 74, 21700 Vosne-Romanée, tél. 03.80.61.02.46, fax 03.80.62.36.56 ☑ 🍷 r.-v.

DOM. ANTONIN GUYON
Les Fournières 1996

| ■ 1er cru | 2,4 ha | 7 500 | ⠿ | 150 à 199 F |

Niché tout contre les maisons du village, ce 1er cru a reçu le coup de cœur dans le Guide 1994, pour son 90. Il affiche ici une robe engageante aux beaux reflets. Le boisé domine la dégustation : 96 fut pourtant une belle vendange... Fera un vin convenable s'il apaise son fût.

☞ Dom. Antonin Guyon, 21420 Savigny-lès-Beaune, tél. 03.80.67.13.24, fax 03.80.66.85.87, e-mail webmaster@guyon-bourgogne.com ☑ 🍷 r.-v.

DOM. DE LA GALOPIERE 1997★

| ■ | 0,91 ha | 3 400 | ⠿ | 70 à 99 F |

Nuance cerise noire, ce vin partage ses arômes entre le fruit à noyau et le sous-bois, le champignon : cet aloxe n'est pas un corton pour rien. Il a certes de l'évolution mais un certain charme, une certaine finesse. Nul besoin de l'attendre longtemps.

☞ Claire et Gabriel Fournier, Dom. de La Galopière, 6, rue de l'Eglise, 21200 Bligny-lès-Beaune, tél. 03.80.21.46.50, fax 03.80.26.85.88 ☑ 🍷 r.-v.

DANIEL LARGEOT 1997

| ■ | 0,9 ha | 4 000 | ⠿ | 70 à 99 F |

Daniel Largeot a succédé à ses parents en 1965. La dégustation de son 97 commence par une bonne attaque, franche, sur un fruit à peine incisif. Puis s'affirme une structure assez forte, accompagnée de notes de cerise et de pivoine. Comme souvent dans ce millésime, le vin fait de son mieux car il ne peut pas s'appuyer sur une matière très importante.

⊶ Daniel Largeot, 5, rue des Brenôts,
21200 Chorey-lès-Beaune, tél. 03.80.22.15.10,
fax 03.80.22.60.62 ☑ Y r.-v.

DOM. LATOUR 1996*

■ 5,15 ha 25 000 ◖◗ 100 à 149 F

Louis Latour à Aloxe-Corton, c'est comme dire que Bacchus dîne chez Bacchus. Un vin à la légère touche tuilée sous un rouge très brillant, d'un fruité discret, se consacrant à l'avenir et capable d'y parvenir. Son astringence, disons acidité, est un puissant facteur de garde.

⊶ Maison Louis Latour, 18, rue des Tonneliers,
21204 Beaune Cedex, tél. 03.80.24.81.00,
fax 03.80.22.36.21,
e-mail louislatour@louislatour.com Y r.-v.

DOM. MAILLARD PERE ET FILS 1997

■ 1 ha n.c. ◖◗ 70 à 99 F

Il fait partie du club des anciens coups de cœur (millésime 91 couronné dans l'édition 1995). Le nouveau venu ? D'une jolie couleur cerise, il compose son bouquet boisé (encore discret) dans la diversité : pruneau, sous-bois, vanille. Sa puissance s'accompagne ensuite d'une nuance de réglisse, tandis que ses tanins montrent une certaine présence.

⊶ Dom. Maillard Père et Fils, 2, rue Joseph-Bard, 21200 Chorey-lès-Beaune,
tél. 03.80.22.10.67, fax 03.80.24.00.42 ☑ Y r.-v.

DOM. FRANCOISE MALDANT Les Valozières 1996*

■ 1er cru 1,14 ha 2 000 ◖◗ 70 à 99 F

Les Etats-Unis, l'Allemagne, la Suisse et la Belgique s'arrachent les vins de Françoise Maldant. Celui-ci devra vieillir avant d'être servi : une touche boisée dite vanille et café, des notes de torréfaction persistent sous des abords limpides et d'un rubis classique. Peu de rondeur encore mais du fruit derrière des tanins qui apportent une note finale d'amertume. Sa fraîcheur lui laisse des espérances.

⊶ Dom. Françoise Maldant, 27, Grande-Rue,
21200 Chorey-lès-Beaune, tél. 03.80.22.11.94,
fax 03.80.24.10.40 ☑ Y r.-v.

DOM. MICHEL MALLARD ET FILS 1996**

■ 0,82 ha 5 000 ◖◗ 100 à 149 F

Un domaine qui atteint aujourd'hui près de 14 ha et qui exporte la moitié de sa production. Espérons qu'il restera quelques bouteilles de ce remarquable aloxe-corton dont le potentiel et la structure sont des articles de foi. Un *village* haut de gamme et parmi les meilleurs. Sa concentration se lit dès le premier regard. Sa complexité apparaît au premier coup de nez, car au fruit traditionnel s'associent la cannelle et la fleur. En bouche, on tire vraiment le bon numéro. Sa finesse est pleine de volume : il faut admettre cette formule qui traduit toute l'élégance de ce vin.

⊶ Dom. Michel Mallard et Fils, 43, rte de Dijon, 21550 Ladoix-Serrigny,
tél. 03.80.26.40.64, fax 03.80.26.47.49 ☑ Y r.-v.

MORIN PERE ET FILS 1997

■ n.c. n.c. ◖◗ 100 à 149 F

Cerise foncé, au nez une certaine évolution sensible aux arômes de fruits macérés et de sous-bois. Musc, gibier, pruneau, l'ensemble du bouquet reste dans la même famille. Sa structure légère ne permet pas d'en attendre des miracles. A déboucher maintenant.

⊶ Morin Père et Fils, 9, quai Fleury,
21700 Nuits-Saint-Georges, tél. 03.80.62.61.42,
fax 03.80.62.37.38 ☑ Y r.-v.

DOM. NUDANT La Coutière 1996*

■ 1er cru 0,79 ha 4 000 ◖◗ 100 à 149 F

Vous avez le choix entre deux bons vins, sérieux, typés. **Valozières en village 96** (une étoile) ou ce 1er cru situé sur Ladoix, dans les parages des Lolières et de Vergennes : un très beau voisinage. La robe accentuée annonce un bouquet naissant (réglisse, café). Assez charpenté en bouche, néanmoins complexe et doté de tout le nécessaire à une bonne garde, ce 96 laisse poindre des notes fruitées derrière les arômes de torréfaction.

⊶ Dom. André et J.-René Nudant, 11, RN 74,
21550 Ladoix-Serrigny, tél. 03.80.26.40.48,
fax 03.80.26.47.13 ☑ Y r.-v.

DOM. DU PAVILLON 1996

■ 0,52 ha 3 000 ◖◗ 100 à 149 F

Le Clos du Pavillon fut acheté en 1993 par la maison Albert Bichot qui lui apporta quelques parcelles de vignes en complément. Il faut savourer cette bouteille puisqu'elle est prête à passer à l'acte. D'une couleur sage et sans excès d'extraction, elle garde un nez de jeunesse qui va bientôt aller aux champignons. L'acidité est caractéristique des 96, le corps harmonieux, d'abord tendre puis plus pugnace. Ne manque pas d'intérêt.

⊶ Dom. du Pavillon, 6 bis, bd Jacques-Copeau,
21200 Beaune, tél. 03.80.24.37.37,
fax 03.80.24.37.38
⊶ A. Bichot

DOM. PERRIN Les Bouttières 1997

■ 0,47 ha 2 700 ◖◗ 70 à 99 F

Attaque souple sur une matière qui paraît d'entrée de jeu riche et presque moelleuse, puis subit l'amertume des tanins. Il y a néanmoins du fruit dans ce vin assez charpenté et d'une concentration correcte. Le boisé s'harmonise bien avec des notes de cassis et des nuances animales. Teinte grenat, dense et homogène.

⊶ Christian Perrin, av. de Corton,
21550 Ladoix-Serrigny, tél. 03.80.26.40.93,
fax 03.80.26.48.40 ☑ Y t.l.j. sf dim. 8h-12h 14h-19h

DOM. PRIN 1996*

■ 0,65 ha 3 500 ◖◗ 70 à 99 F

« Si jeunesse savait... » Jeune encore, il a la vivacité de son âge et n'a que faire des jugements hâtifs. Le rouge de la jeunesse empourpre ses joues. Une fraise compose son début de bouquet. En bouche, ce n'est pas Saint-Pierre de Rome mais plutôt une jolie chapelle de campagne.

🔑 Dom. Prin, 12, rue de Serrigny, Cidex 10, 21550 Ladoix-Serrigny, tél. 03.80.26.40.63, fax 03.80.26.46.16 ☒

DOM. RAPET PERE ET FILS 1997*

■ 2 ha 8 000 ◖◗ 70 à 99 F

Un bon point pour le bouquet de cassis, de mûre, de fruits noirs écrasés, un peu confiturés. Pourpre sombre, ce 97 a du caractère. Il ne se laisse pas aller. Forcément ses tanins « se rebichent » et font encore le gros dos. Comme il a du fond, son évolution sera bénéfique.

🔑 Dom. Rapet Père et Fils, 21420 Pernand-Vergelesses, tél. 03.80.21.50.05, fax 03.80.21.53.87 ☒ Y r.-v.

DOM. DU COMTE SENARD 1996**

■ 1,7 ha 9 000 ◖◗ 70 à 99 F

Fils d'un ancien Grand Maître de la confrérie des Chevaliers du Tastevin et lui-même membre de son grand conseil, Philippe Sénard se trouve ici dans son domaine d'élection. Son aloxe-corton paraît être une reprise de *Violettes impériales*: reflets et arômes dans ce ton. Demeuré très jeune, porté ensuite sur le fruit, il mène l'action avec rondeur et volupté jusqu'à la finale explosive. Un grand vin de garde.

🔑 Dom. du Comte Sénard, 7, rempart Saint-Jean, 21200 Beaune, tél. 03.80.24.21.65, fax 03.80.24.21.44, e-mail phsénard@club-internet.fr ☒ Y r.-v.

Pernand-vergelesses

Situé à la réunion de deux vallées, exposé plein sud, le village de Pernand est sans doute le plus « vigneron » de la Côte. Rues étroites, caves profondes, vignes de coteaux, hommes de grand cœur et vins subtils lui ont fait une solide réputation, à laquelle de vieilles familles bourguignonnes ont largement contribué. On y a produit 3 906 hl de vins rouges en 1998, dont le premier cru le plus réputé, à juste titre, est l'Ile des Vergelesses, tout en finesse. On y fait aussi d'excellents vins blancs (1 661 hl en 1998).

BOUDIER PERE ET FILS
Les Fichots 1996*

■ 1er cru 1,8 ha n.c. ▮◖◗🌡 50 à 69 F

Belle couleur nette et franche. Le nez évoque le sous-bois et de beaux fruits mûrs à croquer. Le boisé est discret. Après une attaque vive, la poursuite de la dégustation est soutenue, révélant un vin de caractère.

🔑 Pascal Boudier, rue de Pralot, 21420 Pernand-Vergelesses, tél. 03.80.21.56.43, fax 03.80.21.56.43 ☒ Y r.-v.

DOM. CACHAT-OCQUIDANT ET FILS 1997*

□ 0,22 ha n.c. ◖◗ 50 à 69 F

Robe de cocktail et parfum distingué (fleurs, agrumes) dans la fraîcheur. Ce pernand très en verve n'a rien de superfétatoire. Il ne laisse pas indifférent : de la belle ouvrage et quelle jeunesse ! En **village rouge 97**, un vin boisé et framboisé, riche, concentré, à laisser vieillir dans une bonne cave avant de le servir sur un poisson au four.

🔑 Dom. Cachat-Ocquidant et Fils, pl. du Souvenir, 21550 Ladoix-Serrigny, tél. 03.80.26.45.30, fax 03.80.26.48.16 ☒ Y r.-v.

CHAMPY PERE ET CIE 1997*

□ n.c. 3 300 ◖◗ 70 à 99 F

Il cache son jeu. Peu de couleur, peu de bouquet, va-t-il passer à la trappe ? En pays cistercien, ce n'est pas offensant. Eh bien ! non, car il réussit en bouche le sans-faute. Floral, boisé à la noisette, à la fois vif et continu, il est très agréable. De la chaleur, certes, qui le porte un peu tout en restant acceptable.

🔑 Champy, 5, rue du Grenier-à-Sel, 21200 Beaune, tél. 03.80.25.09.99, fax 03.80.25.09.95 ☒ Y r.-v.

DOM. CHANDON DE BRIAILLES
Ile des Vergelesses 1996*

■ 1er cru 3 ha 13 000 ◖◗ 100 à 149 F

Heureux qui accède à cette île ! Rouge cramoisi, un 96 qui doit vieillir pour atténuer le bois de son bouquet. Onctueux, plein de chair et d'esprit, il possède un excellent renfort d'acidité et une bonne longueur. Rappelons que ce vin est à rechercher chez les cavistes.

🔑 Dom. Chandon de Briailles, 1, rue Sœur-Goby, 21420 Savigny-lès-Beaune, tél. 03.80.21.52.31, fax 03.80.21.59.15 Y r.-v.

🔑 Famille de Nicolay

CHANSON PERE ET FILS
Les Caradeux 1997**

□ 1er cru 1,84 ha 9 000 ◖◗ 100 à 149 F

« Jolie môme », cette bouteille, comme chantait Léo Ferré. Vive et citronnée, un parfum animal, un terroir bien marqué, une élégance souple et câline, de l'équilibre, l'amande et l'aubépine en retour. Mérite son nom.

🔑 Chanson Père et Fils, 10, rue du Collège, 21200 Beaune, tél. 03.80.22.33.00, fax 03.80.24.17.42, e-mail tmarion@vins-chanson.com Y r.-v.

RENE CHARACHE-BERGERET
Les Plantes Deschamps et Combotte 1997*

□ 0,4 ha 1 500 ◖◗ 70 à 99 F

Sur le registre de la pureté et de la discrétion, un vin conduit de main de maître, déjà ouvert et bien offert, fleuri avec délicatesse, d'une ligne légère et aérienne qui rafraîchit sans mordre et laisse l'élégance accomplir son rond de jambe. L'étoffe est là, l'acidité supportable. Attendons un peu.

🔑 René Charache-Bergeret, 21200 Bouze-lès-Beaune, tél. 03.80.26.00.86, fax 03.80.26.00.86 ☒ Y r.-v.

BOURGOGNE

CHARTRON ET TREBUCHET 1997★

☐ n.c. n.c. (||) 70 à 99 F

De bonne étoffe, claire et dorée, ce vin se montre floral et fruité à la fois. Un peu primesautier, très spontané, il offre néanmoins une bouche moelleuse et une finale jouant sur une bonne acidité prometteuse. Coup de cœur pour son 94 blanc dans le Guide 1997.

🔑 Chartron et Trébuchet, 13, Grande-Rue, 21190 Puligny-Montrachet, tél. 03.80.21.32.85, fax 03.80.21.36.35,
e-mail jmchartron@chartron-trébuchet.com
☒ Y t.l.j. 10h-12h 14h-18h

DOM. DOUDET Les Fichots 1997★

■ 1er cru 0,6 ha 2 100 (||) 70 à 99 F

Typé 97, plus élégant que puissant, un 1er cru proche des Vergelesses, côté Savigny. Accents de fraise, de feuille morte sous un bouquet toasté. Aucune aspérité et une finesse de bon aloi.

🔑 Dom. Doudet, 50, rue de Bourgogne, 21420 Savigny-lès-Beaune, tél. 03.80.21.51.74, fax 03.80.21.50.69 ☒ Y r.-v.

DOM. P. DUBREUIL-FONTAINE PERE ET FILS
Clos Berthet Monopole 1997★

☐ 1 ha 4 000 (||) 70 à 99 F

« Le temps devrait y concourir... » Cette sagesse bourguignonne ! Comme en un mot tout est dit. Premier contact sur la fraîcheur du fruit. L'alcool monte en puissance et une pointe d'amertume en finale. Les arômes sont bien dégagés : fleurs blanches et doigté du fût. Or discret.

🔑 Dom. Dubreuil-Fontaine, 21420 Pernand-Vergelesses, tél. 03.80.21.55.43, fax 03.80.21.51.69 ☒ Y r.-v.
🔑 Bernard Dubreuil

DOM. JEAN FERY ET FILS 1996★

■ 0,39 ha 2 400 (||) 70 à 99 F

Rouge modéré, lumineux cependant, un vin aux arômes torréfiés et capiteux (framboise). Il montre de la souplesse et du muscle, de l'acidité et une petite pointe herbacée qui réveille les papilles, les étonne, les relance. Il est plaisant de jeunesse.

🔑 Dom. Jean Féry et Fils, 21420 Echevronne, tél. 03.80.21.59.60, fax 03.80.21.59.59 ☒ Y r.-v.

DOM. GERMAIN 1997

☐ 2,76 ha 15 000 (||) 70 à 99 F

Il peut bien évoluer sur un grain de finesse, tant il est soyeux et gras. Il sera sûrement plus harmonieux dans un an, mais nous y sommes presque. Sa couleur est d'un joli bronze doré et son bouquet encore sur la réserve (minéral et végétal).

🔑 Dom. Germain Père et Fils, Ch. de Chorey, 21200 Chorey-lès-Beaune, tél. 03.80.22.06.05, fax 03.80.24.03.93 ☒ Y r.-v.

DOM. GIRARD-VOLLOT ET FILS
Les Belles Filles 1997★

☐ 0,7 ha 2 500 (||) 50 à 69 F

Il y a des vins qui peuvent bénir leur berceau. S'appeler Les Belles Filles et en plus, c'est vrai. Cela s'appelle même Sous le Bois de Noël et les Belles Filles. Encore plus beau ! Bref, sous des arômes de thym et de verveine, ce 97 dense et corpulent atteint sa maturité dans le moelleux et la chaleur.

🔑 Girard-Vollot et Fils, 16, rue de Cîteaux, 21420 Savigny-lès-Beaune, tél. 03.80.21.56.15, fax 03.80.26.10.08 ☒ Y r.-v.

ROGER JAFFELIN Clos de Bully 1996★

■ 0,5 ha 3 000 (||) 50 à 69 F

« Qui voit Pernand n'est pas dedans », dit-on ici. On voit le village de loin, et il faut du temps pour l'aborder. En revanche, aucune difficulté d'approche avec cette bouteille assez claire à reflets mordorés, ronde et tendre, plaisante à boire maintenant.

🔑 Roger Jaffelin et Fils, 21420 Pernand-Vergelesses, tél. 03.80.21.52.43, fax 03.80.26.10.39 ☒ Y r.-v.

LA GOUZOTTE D'OR 1996

☐ n.c. n.c. (||) 70 à 99 F

On aimerait être présent à son réveil. Pas violent, retenu, il se montre en revanche très nerveux en bouche et il déploie soudain son caractère. Un drôle de caractère, à surveiller de près mais qui bénéficie d'un pronostic favorable.

🔑 La Gouzotte d'Or, 16, rue Gal-Leclerc, 21420 Savigny-lès-Beaune, tél. 03.80.26.10.47, fax 03.80.26.11.78 ☒ Y r.-v.

DOM. LALEURE-PIOT
Ile des Vergelesses 1997★

■ 1er cru 0,5 ha 2 600 (||) 100 à 149 F

Coup de cœur l'an passé pour son 96 en AOC *village* en rouge, ce domaine présente cet Ile des Vergelesses rubis grenat, dont le boisé n'enlève rien à la complexité du nez, attaquant bien puis tirant vers des tanins mûrs. Il domine toutes les difficultés de l'année par un élevage vertueux. Le **blanc 97** : bien dans son appellation, il reçoit une étoile.

🔑 Dom. Laleure-Piot, 21420 Pernand-Vergelesses, tél. 03.80.21.52.37, fax 03.80.21.59.48 ☒ Y t.l.j. 8h-12h 14h-18h; sam. dim. sur r.-v.
🔑 Laleure

PIERRE MAREY ET FILS 1997★★

☐ 2,51 ha 10 000 (||) 50 à 69 F

Jaune-vert, végétal et minéral, avec des notes de pain grillé et de noisette, il entre tout de suite dans le vif du sujet. L'impression initiale de fraîcheur ne se dément pas, et il finit moteur turbo. On ne pêchera pas son brochet avant deux à trois ans...

🔑 Pierre Marey et Fils, rue Jacques-Copeau, 21420 Pernand-Vergelesses, tél. 03.80.21.51.71, fax 03.80.26.10.48 ☒ Y r.-v.

LOUIS MAX Iles de Vergelesses 1996★

■ 1er cru n.c. n.c. (||) 250 à 299 F

Belle prestance : sa robe est parfaite, le nez attrayant et complexe (fruits rouges et pointe épicée, finale chocolatée agréable). Structure et gras, on trouve ici ce qu'on y cherche. Très aromatique en bouche et d'une persistance plus qu'honorable.

🔑 Louis Max, 6, rue de Chaux, 21700 Nuits-Saint-Georges, tél. 03.80.62.43.01, fax 03.80.62.43.16

ALBERT PONNELLE
Les Vergelesses 1996

■ 1er cru n.c. n.c. 100 à 149 F

Rouge moyen (nuance cerise), un arôme de rose fanée qui lui va bien. Ses tanins puissants lui donnent une certaine astringence sur fond de noyau. Tout en nuances et jouant sa partition.

🔑 Albert Ponnelle, Clos Saint-Nicolas, 38, fg Saint-Nicolas, 21200 Beaune, tél. 03.80.22.00.05, fax 03.80.24.19.73 ☑ 🍷 r.-v.

DOM. RAPET PERE ET FILS
Côte de Beaune 1997★★★

■ 1 ha 3 500 🛢 50 à 69 F

Remarquable et remarqué, ce pernand présenté en côte de beaune et qui est d'un charme exquis. Rubis très foncé, il offre un bouquet de notes boisées, vanillées, tout en finesse. Sa bouche est ample, pleine. « Un corps bien balancé », note un juré, s'achevant sur une petite note d'amertume, un fond de sous-bois et du fruit. Bon équilibre et excellente évolution à prévoir. **Ile des Vergelesses 97** superbe également, noté deux étoiles.

🔑 Dom. Rapet Père et Fils, 21420 Pernand-Vergelesses, tél. 03.80.21.50.05, fax 03.80.21.53.87 ☑ 🍷 r.-v.

DOM. ROLLIN PERE ET FILS 1997★

□ 1,5 ha 8 000 🛢 50 à 69 F

Il s'inscrit pour une pauchouse, la fameuse matelote bourguignonne de poissons. Quand tout sera fondu, on verra en effet ce qu'on verra. De belle texture, un vin qui vit et qui vibre, très représentatif de l'appellation.

🔑 Rollin Père et Fils, rte des Vergelesses, 21420 Pernand-Vergelesses, tél. 03.80.21.57.31, fax 03.80.26.10.38 ☑ 🍷 r.-v.

Corton

La « montagne de Corton » est constituée, du point de vue géologique et donc du point de vue des sols et des types de vins, de différents niveaux. Couronnées par le bois qui pousse sur les calcaires durs du rauracien (oxfordien supérieur), les marnes argoviennes laissent apparaître des terres blanches propices aux vins blancs (sur plusieurs dizaines de mètres). Elles recouvrent la « dalle nacrée » calcaire en plaquettes, avec de nombreuses coquilles d'huîtres de grande dimension, sur laquelle ont évolué des sols bruns propices à la production de vins rouges.

Le nom du lieu-dit est associé à l'appellation corton, qui peut être utilisée en blanc, mais est surtout connue en rouge. Les Bressandes sont produits sur des terres rouges et allient à la puissance la finesse que leur confère le sol. En revanche, dans la partie haute des Renardes, des Languettes et du Clos du Roy, les terres blanches donnent en rouge des vins charpentés qui, en vieillissant, prennent des notes animales, sauvages, que l'on retrouve dans les Mourottes de Ladoix. Le corton est le grand cru le plus important en volume : 3 527 hl en rouge et 145 hl en blanc.

ARNOUX PERE ET FILS Rognet 1997★★

■ Gd cru 0,33 ha 1 600 🛢 150 à 199 F

82 83 89 90 |**91**| |92| **97**

Pour civet, de sanglier s'il vous plaît, un grand et même un très grand. La robe est presque excessive de rougeur. Le nez est acidulé, style groseille et affichant ses convictions fruitées. Grasse et souple, la suite navigue sur la mer de la sérénité. Un Rognet au tableau d'honneur. Son coup de cœur pour le millésime 91 (aujourd'hui à ouvrir et goûter) et ce 97 nous rappellent l'excellence de ce domaine.

🔑 Arnoux Père et Fils, rue des Brenots, 21200 Chorey-lès-Beaune, tél. 03.80.22.57.98, fax 03.80.22.16.85 ☑ 🍷 r.-v.

JEAN-CLAUDE BELLAND
Perrières 1997★

■ Gd cru 0,69 ha 2 900 🛢 150 à 199 F

Fils d'Adrien Belland, Jean-Claude dirige ce domaine depuis 1996. Son 97 est beau comme un lever de soleil sur la Côte. Car il respire la fraise des bois et la violette. Car il se sent bien en bouche, s'y plaît et y demeure. Ce n'est pas le Pérou, mais une réussite en 97.

🔑 Jean-Claude Belland, 21590 Santenay, tél. 03.80.20.61.90, fax 03.80.20.65.60 ☑ 🍷 t.l.j. sf dim. 9h-12h 14h-18h; f. 15-31 août

JEAN-CLAUDE BELLAND
Clos de la Vigne au Saint 1997★

■ Gd cru 0,49 ha 1 700 🛢 150 à 199 F

Bon vin, bien vinifié et qui reste en bouche avec du fruit. Ni très profond ni très persistant, mais intéressant. Finesse, souplesse, tout en sourdine. Cependant, il y a de la griotte et du cassis car le boisé n'est pas extravagant. Il attend trois à quatre ans de vieillissement. Recevant la même note les **Grèves 97** possèdent des tanins fins et ronds. Donneront un beau vin dans trois ou quatre ans.

🔑 Jean-Claude Belland, 21590 Santenay, tél. 03.80.20.61.90, fax 03.80.20.65.60 ☑ 🍷 t.l.j. sf dim. 9h-12h 14h-18h; f. 15-31 août

BONNEAU DU MARTRAY 1996★★

■ Gd cru 1,6 ha 6 000 🛢 200 à 249 F

(80) 86 87 |88| |89| |90| |91| 92 93 **94** 95 **96**

Enfin de la robe ! Cuir et fût, un accord aromatique expressif et respectable. De l'ampleur et du fondu, une jolie persistance, de la classe et de la réserve : ce que l'on pouvait réussir de mieux dans ce millésime. Un « vin de rôti », comme on disait jadis en Bourgogne.

🔑 Dom. Bonneau du Martray, 21420 Pernand-Vergelesses, tél. 03.80.21.50.64, fax 03.80.21.57.19 ☑

🔑 de la Morinière

DOM. BOUCHARD PERE ET FILS 1997

■ Gd cru 3,67 ha n.c. 🛢 250 à 299 F

De jolis tanins bien fruités, un boisé présent en finale, une robe très foncée - une extraction prononcée ? -, de l'ampleur, de la longueur. Du potentiel. C'est un corton à attendre (trois ans ? cinq ans ? dix ans ?).

🔑 Bouchard Père et Fils, Ch. de Beaune, 21200 Beaune, tél. 03.80.24.80.24, fax 03.80.24.97.56, e-mail france@bouchard.pereetfils.com 𝐈 r.-v.

DOM. CACHAT-OCQUIDANT ET FILS Clos des Vergennes 1997*

■ Gd cru 1,42 ha 2 700 🛢 150 à 199 F

|86| **87** |88| **90** |91| 95 96 97

Un vin persistant, ample et long, chaleureux. Tannique et fruité, porté par le fût mais capable de s'exprimer par lui-même. Grenat intense, réglissé après un peu d'aération, il attend le civet et l'honorera.

🔑 Dom. Cachat-Ocquidant et Fils, pl. du Souvenir, 21550 Ladoix-Serrigny, tél. 03.80.26.45.30, fax 03.80.26.48.16 ☑ 𝐈 r.-v.

CAPITAIN-GAGNEROT Les Renardes 1996

■ Gd cru 0,33 ha 1 500 🛢 150 à 199 F

Tout est affaire de temps. Il est renard comme ce n'est pas permis. Déjà évolué au nez, chocolaté. Mais d'un tanin formant récif de corail et à assouplir. Du fruit et de la persistance. Framboisé soutenu à l'œil et tenant sa place ici sans faire de complexe.

🔑 Maison Capitain-Gagnerot, 38, rte de Dijon, 21550 Ladoix-Serrigny, tél. 03.80.26.41.36, fax 03.80.26.46.29 ☑ 𝐈 r.-v.

DOM. CHANDON DE BRIAILLES Les Bressandes 1996**

■ Gd cru 1,7 ha 4 000 🛢 150 à 199 F

85 86 87 |**88**| 89 (90) |91| 92 |93| **96**

Etoffé, viril, riche, de très longue garde, le corton comme on en rêve. Tout est intéressant en lui, complexe et presque troublant. Epicé et mûr ? Evidemment. De la chair et du volume, le moelleux équilibré par la vivacité, évidemment. Dommage qu'il faille attendre si longtemps (cinq ans au moins) le filet de bœuf qui le mettra en valeur.

🔑 Dom. Chandon de Briailles, 1, rue Sœur-Goby, 21420 Savigny-lès-Beaune, tél. 03.80.21.52.31, fax 03.80.21.59.15 𝐈 r.-v.

🔑 de Nicolay

DOM. DES HERITIERS PAUL CHANSON Vergennes 1997*

■ Gd cru 0,2 ha 800 🛢 250 à 299 F

Encore jeune et retenu, il cadre admirablement le sujet. Couleur carminée, netteté et franchise. Le nez s'éveille tout juste sur la rose éclose du matin. Attaque merveilleuse, sur la fleur encore et l'épice. « La structure académique d'un grand vin de garde et l'émotion présente de tous les sens. » Nos dégustateurs sont de véritables écrivains.

🔑 Chanson Père et Fils, 10, rue du Collège, 21200 Beaune, tél. 03.80.22.33.00, fax 03.80.24.17.42, e-mail tmarion@vins-chanson.com 𝐈 r.-v.

MAURICE CHAPUIS Perrières 1996

■ Gd cru 1 ha 3 500 🛢 100 à 149 F

|91| |92| 96

Typés du millésime, une robe rubis, un nez de sous-bois, une bouche souple en approche et ferme en fin de course et un potentiel de moyenne garde, il se résume ainsi. Une certaine ardeur soyeuse et confite lui vaut des compliments. Cette famille compte un écrivain qui a superbement écrit sur Corton. Et si on aime le vin, on aime les livres.

🔑 Maurice Chapuis, 21420 Aloxe-Corton, tél. 03.80.26.40.99, fax 03.80.26.40.89 ☑ 𝐈 r.-v.

DUFOULEUR PERE ET FILS 1996***

■ Gd cru n.c. 900 🛢 250 à 299 F

M. le Maire de Nuits, sénateur-suppléant, n'aura guère de soucis à se faire pour sa réélection s'il se présente ainsi. Du grain, du corps et du tanin, un terroir qui nous en met plein la bouche, on vote à 100 % pour ce grand cru qui a droit à ce nom. Superbe sur toute la ligne, et on aime son mordant. La pièce de bœuf forestière devra être majestueuse.

🔑 Dufouleur Père et Fils, 17, rue Thurot, 21700 Nuits-Saint-Georges, tél. 03.80.61.21.21, fax 03.80.61.10.65 ☑ 𝐈 t.l.j. 9h-19h

DOM. DUPONT-TISSERANDOT Le Rognet 1997**

■ Gd cru 0,32 ha n.c. 🛢 100 à 149 F

Proche du coup de cœur, ce Rognet évoluera probablement sur le côté « renarde » de corton. Sa structure supporte tout. Il en met, comme on dit, plein la bouche. Construit pour durer, il est assez indifférent aux jugements présents, par ailleurs tous excellents ! De grande classe, avec plénitude et matière. La cerise et l'humus percent au nez sous une robe cassis.

🔑 GAEC Dupont-Tisserandot, 2, pl. des Marronniers, 21220 Gevrey-Chambertin, tél. 03.80.34.10.50, fax 03.80.58.50.71 ☑ 𝐈 t.l.j. 8h30-18h; sam. dim. sur r.-v.

CLOS DES CORTONS FAIVELEY 1996**

■ Gd cru 2,97 ha 10 300 🛢 300 à 499 F

85 86 **88** 89 |90| |91| 92 94 (95) **96**

Seul exemple bourguignon d'un cru portant très officiellement un nom de famille, le clos des Cortons Faiveley. L'objet est à caresser sur le tard, dans les années 2005-2010. Intense d'aspect, cassis et violette confondus en son bouquet, il a du corps. Acidité et tanins restent à tomber d'accord. Très beau 96 qui ne demande qu'à vieillir.

⊶ Maison Joseph Faiveley, 8, rue du Tribourg, B.P. 9, 21701 Nuits-Saint-Georges Cedex, tél. 03.80.61.04.55, fax 03.80.62.33.37 ☑ Ⲧ r.-v.

FRANCOIS GAY Les Renardes 1996

■ Gd cru 0,21 ha 900 ⊕ 150 à 199 F

Très aromatique (groseille, griotte, vanille). Un soupçon de surmaturité. Tanins souples et acidité soutenue sans excès. Plaisant, un vin élégant en milieu de bouche. L'attendre trois à quatre ans.

⊶ François Gay, 9, rue des Fiètres, 21200 Chorey-lès-Beaune, tél. 03.80.22.69.58, fax 03.80.24.71.42 ☑ Ⲧ r.-v.

MICHEL GAY Les Renardes 1997★★

■ Gd cru 0,21 ha 1000 ⊕ 150 à 199 F

96 **97**

« Longiligne et racé, un Renardes sauvage et vanillé avec une note de tabac blond », dit un dégustateur. Rubis sombre, comme de bien entendu pour un pinot. En poussant ses investigations, on trouve peu d'acidité mais beaucoup de gras, le même boisé à texture veloutée dans un élan généreux de réglisse et de moka, quelque chose comme la violette. A posséder dans sa collection.

⊶ Michel Gay, 1b, rue des Brenôts, 21200 Chorey-lès-Beaune, tél. 03.80.22.22.73, fax 03.80.22.95.78 ☑ Ⲧ r.-v.

CH. GENOT-BOULANGER Les Combes 1996

■ Gd cru 0,46 ha 2 000 ⊕ 200 à 249 F

C'est un corton opulent et concentré, tannique et qui rêve d'un long temps de réflexion dans la paix d'une bonne cave. L'architecture est superbe, épicée et mûre, mais doit en effet être complétée par une touche d'aménité. Un corton, ça se garde.

⊶ Ch. Génot-Boulanger, 25, rue de Cîteaux, 21190 Meursault, tél. 03.80.21.49.20, fax 03.80.21.49.21, e-mail genot-boulanger@wanadoo.fr ☑ Ⲧ r.-v.

DOM. ANNE-MARIE GILLE Les Renardes 1996

■ Gd cru 0,16 ha 800 ⊕ 150 à 199 F

On peut spéculer sur celui-ci. Spéculer n'est pas notre démarche, mais sa mâche et son corps, sa virilité et sa robustesse ont de quoi tenir la longue garde. Carmin et discret, il garde ses distances et se réserve pour un coq au corton pour le mariage de votre fille, si celui-ci est célébré en 2003 ou 2004 !

⊶ Dom. Anne-Marie Gille, 34, R.N. 74, 21700 Comblanchien, tél. 03.80.62.94.13, fax 03.80.62.99.88, e-mail burgundywines@burgundywines.net ☑ Ⲧ t.l.j. 8h-12h 14h-19h; sam. dim. sur r.-v.

DOM. ANTONIN GUYON Clos du Roy 1996★★

■ Gd cru 0,55 ha 3 000 ⊕ 200 à 249 F

La viande en sauce appelle ce vin, magnifique pour l'année, et d'un terroir absolu. Une bouche interminable, la finesse des tanins, matière et fraîcheur... Est-il seulement besoin de dire qu'il est carmin et d'un boisé bien intégré sous la cannelle et un rien d'animal ? Très beau vin. **Bressandes 96** ? Même race et typicité, une étoile, à conseiller à ses bons amis.

⊶ Dom. Antonin Guyon, 21420 Savigny-lès-Beaune, tél. 03.80.67.13.24, fax 03.80.66.85.87, e-mail webmaster@guyon-bourgogne.com ☑ Ⲧ r.-v.

HERITIERS LOUIS JADOT Pougets 1996★

■ Gd cru 1,5 ha 9 000 ⊕ 250 à 299 F

93 96

A regoûter dans cinq ans, pour notre plaisir. Cassis et gibier, il incite à poursuivre. Sa structure est ferme et en devenir. Sa mâche et ses tanins sont très réussis. Ampleur, élégance, longueur, c'est le vin qu'il faut avoir dans sa cave pour le mariage de ses petits-enfants.

⊶ Maison Louis Jadot, 21, rue Eugène-Spuller, 21200 Beaune, tél. 03.80.22.10.57, fax 03.80.22.56.03, e-mail contact@louisjadot.com ☑ Ⲧ r.-v.

DOM. LALEURE-PIOT Bressandes 1997★

■ Gd cru 0,21 ha 1000 ⊕ 150 à 199 F

|91| |94| 95 97

Pas moins qu'un sanglier pour ce grand cru qui est bien le roi des bons vivants. Aucun dégradé sur sa robe flamboyante. Cassis et violette, auxquels se mêlent d'élégantes épices venues d'un fût bien maîtrisé, il récite exactement sa leçon. Surmaturité du raisin ? Il confine son palais dans la pâte de fruit. Une belle présence à l'attaque et des tanins de qualité : en tout cas, un prince. Le **Rognet 97**, également très réussi.

⊶ Dom. Laleure-Piot, 21420 Pernand-Vergelesses, tél. 03.80.21.52.37, fax 03.80.21.59.48 ☑ Ⲧ t.l.j. 8h-12h 14h-18h; sam. dim. sur r.-v.

⊶ M. Laleure

DOM. MAILLARD PERE ET FILS 1997★★

□ Gd cru 0,36 ha n.c. ⊕ 150 à 199 F

N'entrons pas dans la complexité des appellations de la Montagne de Corton. Corton blanc, grand cru, et non pas charlemagne : cela existe. Et cela mérite d'exister ! Témoin ce 97 qui doit assouplir son fût mais qui offre un nez bien ouvert sur le beurre, le miel et l'eucalyptus, souplesse et puissance, gras et acidité. Tout pour plaire et dans une profondeur... Le corton **Renardes 97, rouge** celui-ci, joue davantage sur l'élégance que sur la puissance. Il est cité. On choisira des coquilles Saint-Jacques pour le premier, un rôti pour le second.

⊶ Dom. Maillard Père et Fils, 2, rue Joseph-Bard, 21200 Chorey-lès-Beaune, tél. 03.80.22.10.67, fax 03.80.24.00.42 ☑ Ⲧ r.-v.

MICHEL MALLARD ET FILS
Les Maréchaudes 1996**

■ Gd cru 0,3 ha 1 500 200 à 249 F

93 94 96

On a goûté **Renardes 96** et ces Maréchaudes. Disons qu'elles se valent, avec une petite préférence pour ce dernier *climat* qui se présente de façon souveraine. Vif foncé, groseille et violette, des tanins déjà accommodants et beaucoup de fruit caché : « super bon ».

Dom. Michel Mallard et Fils, 43, rte de Dijon, 21550 Ladoix-Serrigny, tél. 03.80.26.40.64, fax 03.80.26.47.49 r.-v.

MAISON MALLARD-GAULIN
Clos du Roi 1997*

■ Gd cru 0,8 ha 2 500 300 à 499 F

Vif, il entre franchement dans le sujet. Tanins présents mais assez fondus. Nez de cuir et de sous-bois, tirant sur l'animal et la figue. Fruit mûr et fût tout au long de la bouteille. On y voit le charme d'un millésime difficile (tendre et ferme) et l'attente d'un pigeon rôti.

Mallard-Gaulin, 21420 Aloxe-Corton, tél. 03.80.26.46.10

MAURICE MARATRAY
Les Bressandes 1996*

■ Gd cru 0,71 ha 1 600 100 à 149 F

92 94 96

Il est parfait pour un 96. Et au-delà de ce qu'on peut espérer. Texture de soie, petite pointe végétale, netteté et pureté... Ce vin a du gabarit. Il est élancé et superbe de naturel. Un tout petit peu de violet dans un rubis sombre. Un tout petit peu de violette et de menthe poivrée.

Maurice Maratray, 5, pl. du Souvenir, 21550 Ladoix-Serrigny, tél. 03.80.26.41.09, fax 03.80.26.49.07 r.-v.

DIDIER MEUNEVEAUX
Bressandes 1997

■ Gd cru 0,25 ha 15 000 100 à 149 F

Bressandes rubis intense et du gras dès le premier coup d'œil. Le nez tannique ne s'engage pas trop, juste réglissé. L'apport en bouche est rigoureux, légèrement structuré, fermé. A laisser reposer.

Didier Meuneveaux, 21420 Aloxe-Corton, tél. 03.80.26.42.33 r.-v.

PAULANDS Rognet 1997*

■ Gd cru n.c. n.c. 150 à 199 F

S'il demande à s'ouvrir, c'est quand même un grand. Le maximum de couleur. Un cassis foudroyant. Légère surmaturation, pruneau cuit. L'attaque est intelligente, fine et souple, astucieuse dans son boisé. Un énorme capital à faire fructifier.

Caves des Paulands, RN 74, B.P. 12, Aloxe-Corton, 21550 Ladoix-Serrigny, tél. 03.80.26.41.05, fax 03.80.26.47.56, e-mail paulands@wanadoo.fr t.l.j. 8h-12h 14h-18h

C. Fasquel

DOM. PIERRE PONNELLE
Clos du Roi 1997*

■ Gd cru 0,5 ha 1 500 150 à 199 F

Le Clos du Roi est un des *climats* les plus historiques du corton. Il excelle ici : grenat sombre, choisissant ses arômes de cassis, mûre et animal, il a tout pour séduire. Gras, charpente, rondeur et plénitude, disons tout simplement : c'est bien fait et à attendre trois à cinq ans.

Pierre Ponnelle, 2, rue Paradis, 21200 Beaune, tél. 03.80.22.19.12, fax 03.80.24.91.87

DOM. RAPET PERE ET FILS
Pougets 1997

■ Gd cru 0,45 ha 1 500 150 à 199 F

Quatorze mois de fût pour ce 97 à la robe rubis à reflets violets. Iris et violette signent le nez et sont confirmés en bouche. Le vin est gracile, nous dit-on. Mais la finale est tannique ; ces tanins devraient s'assouplir après quelques années de garde.

Dom. Rapet Père et Fils, 21420 Pernand-Vergelesses, tél. 03.80.21.50.05, fax 03.80.21.53.87 r.-v.

COMTE SENARD
Clos des Meix Monopole 1997**

■ Gd cru 2,7 ha 6 000 150 à 199 F

88 89 90 93 96 **97**

Du haut de Paradis, Daniel Sénard, ancien Grand Maître des Chevaliers du Tastevin, peut se réjouir des succès de Philippe Sénard et de ce corton plein de race et de distinction, admirable en un mot. Rubis rose, il laisse deviner un nez prudent et porté sur le fruit. Puis il explose en bouche, dans une sensation de plénitude, griotte légèrement torréfiée. L'élégance suprême. Totalement dans son rang. **Clos du Roi 97** également dégusté : même foi et même bonheur.

Dom. du Comte Sénard, 7, rempart Saint-Jean, 21200 Beaune, tél. 03.80.24.21.65, fax 03.80.24.21.44, e-mail phsénard@club-internet.fr r.-v.

DOM. MICHEL VOARICK
Clos du Roi 1996

■ Gd cru 0,51 ha 1 800 150 à 199 F

Il est petit mais il promet. Jolie robe. Bouquet de fruits rouges, pas désagréable du tout. Attaque fruitée, densité moyenne. De bonne composition, dans une paire d'années.

SCEA Dom. Michel Voarick, 21420 Aloxe-Corton, tél. 03.80.26.40.44, fax 03.80.26.41.22 r.-v.

Corton-charlemagne

L'appellation charlemagne, dans laquelle jusqu'en 1948 pouvait entrer l'aligoté, n'est pas utilisée. L'appellation corton-charlemagne représente en 1998

2 371 hl, dont la plus grande partie est produite sur les communes de Pernand-Vergelesses et d'Aloxe-Corton. Les vins de cette appellation - dont le nom est dû à l'empereur Charles le Grand qui aurait fait planter des blancs pour ne pas tacher sa barbe - sont d'un bel or vert et atteignent leur plénitude après cinq à dix ans.

PIERRE BITOUZET 1997*

☐ Gd cru 0,5 ha n.c. 200 à 249 F

|91| **93 95** 96 97

Domaine créé en 1957, qui ne cesse de s'étendre de Chablis à Pommard. Longueur et persistance : voici un corton-charlemagne à l'âme tendre, sur une fraîcheur de menthe et de pêche, amande douce. On le voit partageant son amitié avec un fromage de Cîteaux. A reflets clairs, il muscate légèrement au nez (poire très mûre) tout en s'enveloppant d'acacia printanier.

Pierre Bitouzet, 13, rue de Cîteaux, 21420 Savigny-lès-Beaune, tél. 03.80.21.53.26, fax 03.80.21.58.29 Y r.-v.

DOM. BONNEAU DU MARTRAY 1996*

☐ Gd cru 9,5 ha 48 000 300 à 499 F

79 83 90 |91| |92| 93 95 96

Or blanc, sans éclat, d'abord beurré puis allant sur l'abricot sec, l'amande, sur une touche miellée, il explore en bouche toutes les possibilités d'un accord entre le gras et la vivacité. Encore sur son quant-à-soi, mais dans son millésime. Le 83 fut honoré du coup de cœur en 1989. Ici, on sait attendre.

Dom. Bonneau du Martray, 21420 Pernand-Vergelesses, tél. 03.80.21.50.64, fax 03.80.21.57.19

de La Morinière

CAPITAIN-GAGNEROT 1997

☐ Gd cru 0,42 ha 2 200 250 à 299 F

|93| 95 97

« Loyauté fait ma force », lit-on sur l'étiquette de ce domaine constant et régulier. Charlemagne tient ici le rôle de l'empereur de la chanson, qui a inventé l'école. Gentil et débonnaire, paille limpide, le nez parcouru de menthe, le corps assez chaud.

Maison Capitain-Gagnerot, 38, rte de Dijon, 21550 Ladoix-Serrigny, tél. 03.80.26.41.36, fax 03.80.26.46.29 Y r.-v.

DOM. DENIS PERE ET FILS 1997*

☐ Gd cru 0,5 ha 1 500 150 à 199 F

Très brillant, doré sur tranche, il n'est guère disert quand on y pose le nez. Mais il s'ouvre sur le fruit très mûr, le thym, la brioche. La bouche n'est peut-être pas très structurée, mais ferme et séduisante. Entre connaisseurs et si le turbot est cuit à la vapeur, sauce vin blanc, pourquoi pas ?

Dom. Denis Père et Fils, chem. des Vignes-Blanches, 21420 Pernand-Vergelesses, tél. 03.80.21.50.91, fax 03.80.26.10.32 Y r.-v.

P. DUBREUIL-FONTAINE 1997

☐ Gd cru 0,7 ha 3 000 200 à 249 F

|91| |92| 94 97

« Sans mentir, si votre ramage se rapporte à votre plumage... » Cet or vert indique le phénix. Nez de fleurs et d'agrumes, de pêche de vigne ou d'autre chose d'exotique. Simple cependant et d'une certaine complexité dans la démarche, il cherche son équilibre et n'est pas incapable de le trouver dans trois ou quatre ans.

Dom. Dubreuil-Fontaine, 21420 Pernand-Vergelesses, tél. 03.80.21.55.43, fax 03.80.21.51.69 Y r.-v.

Bernard Dubreuil

DOM. ANTONIN GUYON 1997*

☐ Gd cru 0,55 ha 3 300 300 à 499 F

|92| 93 94 95 **96** 97

Qu'on le respecte ! Distinction moyenne, mais d'un corps tout feu tout flamme. Joli 97 avec une bonne maturité au départ. Sa robe étincelle. Nez très pur de tilleul citronné, d'amande fraîche. Attaque vive et à prendre. Toujours un peu de boisé, mais sa belle minéralité le type et l'ensemble est cordial ; rien ne dérange. Un bon sujet à attendre au moins trois ans afin que le boisé s'atténue.

Dom. Antonin Guyon, 21420 Savigny-lès-Beaune, tél. 03.80.67.13.24, fax 03.80.66.85.87, e-mail webmaster@guyon-bourgogne.com Y r.-v.

DOM. ROBERT ET RAYMOND JACOB 1997*

☐ Gd cru 1,07 ha n.c. 150 à 199 F

|91| |92| |93| **94** 96 97

Personnalité, présence, il est le théâtre à lui tout seul. Lumineux, il attire tout de suite le regard. Acacia, résine de pin, poivré, son bouquet ne passe pas inaperçu. Son aspect minéral et iodé emporte la mise et redouble au palais. Une note boisée, de l'élan et un souffle chaleureux, il exprime son terroir et prend rang parmi les plus sincères.

Dom. Robert et Raymond Jacob, Hameau de Buisson, 21550 Ladoix-Serrigny, tél. 03.80.26.40.42, fax 03.80.26.49.34 Y r.-v.

DOM. MICHEL JUILLOT 1997*

☐ Gd cru n.c. 3 800 + de 500 F

|94| 95 96 97

Douze mois de fût pour ce millésime à la robe parfaite, or à reflet vert. Riche et fruit confit, le nez est flatteur et important. Le notaire de province à qui l'on confie ses affaires ! Un chardonnay imposant, original certes et qui n'y va pas par quatre chemins pour vous dire sa façon de penser. L'attendre deux ou trois ans.

Dom. Michel Juillot, Grande-Rue, B.P. 10, 71640 Mercurey, tél. 03.85.45.27.27, fax 03.85.45.25.52, e-mail infos@domaine.michel.juillot.fr

Y t.l.j. sf dim. 9h-12h 14h-18h; groupes sur r.-v.

BOURGOGNE

LALEURE PERE ET FILS 1997

□ Gd cru 0,31 ha 1 600 200 à 249 F
93 96 97

Jaune d'or, à mi-chemin entre l'épice et la vanille, un peu iodé et minéral, un 97 qui joue sa scène tout en finesse, mariant une bonne acidité à un bois grillé. A voir dans deux ou trois ans.
Dom. Laleure-Piot, 21420 Pernand-Vergelesses, tél. 03.80.21.52.37, fax 03.80.21.59.48 t.l.j. 8h-12h 14h-18h; sam. dim. sur r.-v.

DOM. LOUIS LATOUR 1996★★

□ Gd cru 9,65 ha 40 000 300 à 499 F
(83) **85 89** 91 93 94 **95 96**

Excellent vin dans son millésime. Rappelez-vous, il fut notre coup de cœur pour un éblouissant 83. Sa robe est d'un chardonnay impérial. Le nez a l'ardeur du silex, d'une minéralité vanillée bien dosée. Infiniment d'élégance et de fraîcheur, et cette vivacité sur la texture qui annonce l'avenir. Le terroir et sa typicité, sans chercher de bla-bla-bla.
Maison Louis Latour, 18, rue des Tonneliers, 21204 Beaune Cedex, tél. 03.80.24.81.00, fax 03.80.22.36.21, e-mail louislatour@louislatour.com r.-v.

LOUIS LEQUIN 1997★★★

□ Gd cru 0,8 ha 570 250 à 299 F

On comprend pourquoi Charlemagne pourléchait sa barbe fleurie... Coup de cœur l'an dernier pour son bâtard-montrachet 96, ce viticulteur inspiré place son corton-charlemagne 97 tout en haut de l'affiche. Bravo ! Pas trop de robe, mais un bouquet divin et la bouche la plus florale et fleurie qu'on puisse imaginer, avec les plus jolies épices du monde, riche et grasse à souhait, structurée comme il faut. Ces deux ouvrées donnent une vraie merveille. A élire pour un repas de rêve, en compagnie d'un homard aux truffes.
Louis Lequin, 1, rue du Pasquier-du-Pont, 21590 Santenay, tél. 03.80.20.63.82, fax 03.80.20.67.14 r.-v.

PIERRE MAREY ET FILS 1997★★

□ Gd cru 0,9 ha 2 900 200 à 249 F
91 |92| 93 |94| (95) **97**

On aime toujours retrouver ses amis. Coup de cœur dans le Guide 1994 pour son 91. Là encore, le Saint des Saints. Elevé dix mois en fûts de chêne dont 30 % neufs : l'or vert l'habille. Le boisé est délicat au nez, où l'on trouve de la noisette, une pointe d'herbe fraîche, puis des fruits mûrs et une pointe de miel. Puis l'attaque impressionne, la matière garantissant un bel avenir. Sa complexité, sa richesse, et ce qui ne se traduit pas par des mots : l'émotion. Elle sera durable.
Pierre Marey et Fils, rue Jacques-Copeau, 21420 Pernand-Vergelesses, tél. 03.80.21.51.71, fax 03.80.26.10.48 r.-v.

DOM. NUDANT 1997★

□ Gd cru 0,15 ha 800 200 à 249 F
|91| |93| 95 97

Des arômes nombreux et influents (aubépine, pomme mûre, grillé) qui commencent tout juste à se prononcer. Encore un peu impulsif et fermé, un vin jaune-or soutenu avec de jolis reflets verts, appuyé sur une bonne structure. La bouche, ample, a de délicats arômes de fruits secs (ananas, abricot), puis une sensation mentholée apparaît, alliée à des notes d'amande légèrement grillée. La finale est dominée par une saveur de pain brioché. A réserver pour de grandes occasions, accompagné d'un feuilleté de foie gras. C'est ainsi que le jury a terminé ses délibérations !
Dom. André Nudant et Fils, 11, R.N. 74, 21550 Ladoix-Serrigny, tél. 03.80.26.40.48, fax 03.80.26.47.13 r.-v.

REINE PEDAUQUE 1997

□ Gd cru 1,48 ha n.c. 200 à 249 F
95 96 97

La Reine chez l'empereur. Cela devrait se passer courtoisement. De fait, elle n'a pas lésiné sur la robe : éclatante, lumineuse, comme à la cour. Le nez de fruit sec est joliment assorti à la pierre à fusil. Bois modéré, fort bien. Saveurs aimables et souples, miel et sève de pin, amande. N'est guère puissant, mais suave. Dansera le slow mieux que la valse.
Reine Pédauque, Le Village, 21420 Aloxe-Corton, tél. 03.80.25.00.00, fax 03.80.26.42.00, e-mail rpedauque@axnet.fr r.-v.

ROUX PERE ET FILS 1997

□ Gd cru n.c. 600 200 à 249 F

Bien présenté, ce corton-charlemagne est assez ouvert, légèrement floral, accompagné de notes minérales avec un soupçon de poire ; puis il attaque avec sévérité. Il affiche en bouche une certaine austérité mais aussi un fond de caractère qui n'est pas sans mérite. A laisser vieillir : ces oiseaux-là prennent leur envol après deux ou trois ans de garde.
Dom. Roux Père et Fils, 21190 Saint-Aubin, tél. 03.80.21.32.92, fax 03.80.21.35.00 t.l.j. sf dim. 8h-12h 14h-19h

Savigny-lès-beaune

Savigny est aussi un village vigneron par excellence. L'esprit du terroir y est entretenu, et la confrérie de la Cousinerie de Bourgogne est le symbole de l'hospitalité bourguignonne. Les Cousins jurent d'accueillir leurs convives « bouteilles sur table et cœur sur la main ».

Les vins de Savigny, en dehors du fait qu'ils sont « nourrissants, théologiques et morbifuges », sont souples, tout en finesse, fruités, agréables jeunes tout en vieillissant bien. En 1998, l'AOC a produit 14 104 hl de vin rouge et 1 606 hl de vin blanc.

PIERRE ANDRE Clos des Guettes 1997★

■ 1er cru	2,35 ha	9 000	❙❙❙ 150 à 199 F

Net au regard, il enchaîne sur un nez où la vanille fait un peu de place au fruit rouge. Bien fondu, onctueux et savoureux, il poursuit d'un geste souple. En un mot, il est tendre, mais saura vieillir de trois à cinq ans.
☛ Pierre André, Ch. de Corton-André, 21420 Aloxe-Corton, tél. 03.80.26.44.25, fax 03.80.26.43.57, e-mail pandre@axnet.fr
⌧ t.l.j. 10h-18h

ARNOUX PERE ET FILS
Les Guettes 1997★

■ 1er cru	0,38 ha	2 200	❙❙❙ 70 à 99 F

Le 1er cru le plus proche des maisons, qui veille depuis toujours sur le village et qui reçut un coup de cœur en 1991 (millésime 88). Ce 97 rubis soutenu a du fruit, de la fraîcheur mais aussi de grands moyens. Dans deux à trois ans, il sera à point. Davantage de sous-bois que de fruit parmi les arômes aujourd'hui. Son bon équilibre plaide largement en sa faveur.
☛ Arnoux Père et Fils, rue des Brenots, 21200 Chorey-lès-Beaune, tél. 03.80.22.57.98, fax 03.80.22.16.85 ☑ ⌧ r.-v.

ARTHUR BAROLET ET FILS 1996

■	4,4 ha	43 000	❙❙❙ 70 à 99 F

Marque de la maison Henri de Villamont, elle-même implantée à Savigny dans l'ancienne propriété Léonce Bocquet (groupe suisse Schenk). Le docteur Barolet était jadis une figure beaunoise, une sorte d'antiquaire en millésimes hors d'âge. Quant à cette bouteille, elle n'a pas beaucoup de couleur mais de l'éclat, un nez ouvert et complexe, des qualités aimables en bouche. Suscite la sympathie : le bon bourgogne.
☛ Arthur Barolet, rue du Dr-Barolet, Z.I. de Beaune-Vignoles, 21200 Beaune, tél. 03.80.24.70.07, fax 03.80.22.54.31, e-mail hdv@planetb.fr ⌧ r.-v.

BOUCHARD AINE ET FILS 1997

■	n.c.	n.c.	❙❙❙ 70 à 99 F

Cette maison fête en l'an 2000 son 250e anniversaire. Famille Boisset, tout en gardant son identité beaunoise et installée maintenant dans l'hôtel du Conseiller du Roy, superbe demeure du Grand Siècle. Pour un 97 à la robe cerise sombre et brillante, très jeune et fruité au nez et évoluant sur le pruneau. Chair et charpente, une

pointe d'alcool en finale, à déguster dans les deux ans.
☛ Bouchard Aîné et Fils, hôtel du Conseiller-du-Roy, 4, bd Mal-Foch, 21200 Beaune, tél. 03.80.24.24.00, fax 03.80.24.64.12 ⌧ t.l.j. 9h30-12h30 14h-19h
☛ Jean-Claude Boisset

G. BRZEZINSKI
Elevé en fût de chêne 1996★

■	n.c.	n.c.	❙❙❙ 70 à 99 F

Il n'a peut-être pas une personnalité débordante, mais on n'attend pas forcément d'un vin jeune une nature extravertie. La myrtille en avant-scène contribue efficacement au charme du bouquet. Robe rubis intense. L'attaque est fine, enrobée dans le fruit, et le reste caressant sous des angles bien arrondis. A boire sans déplaisir, selon la litote bourguignonne.
☛ G. Brzezinski, 21630 Pommard, tél. 03.80.22.23.99, fax 03.80.22.28.33 ⌧ t.l.j. sf sam. dim. 8h-12h 14h-18h; f. 23 déc.-4 janv.

CHRISTOPHE BUISSON
Le Moutier Amet 1997★

■	0,7 ha	1 500	❙❙❙ 50 à 69 F

Le Moutier Amet est un climat classé en village et fort bien niché sous les Narbantons. S'il se montre cistercien, austère à l'attaque, il révèle plus tard des tanins de soie et une incontestable élégance. Un vin un peu secret et qui a de la personnalité. Il existe. Il est tel quel.
☛ Christophe Buisson, 21190 Saint-Romain, tél. 03.80.21.63.92, fax 03.80.21.67.03 ☑ ⌧ r.-v.

DOM. CAMUS-BRUCHON
Les Narbantons 1996★

■ 1er cru	0,45 ha	2 400	❙❙❙ 70 à 99 F

Deux vins dégustés et placés quasiment à égalité. Plutôt qu'aux **Grands Liards 97**, la palme va aux Narbantons en 1er cru. Il ne pèche pas par modestie. La robe éclatante, le nez bien ouvert, le fruit rouge soutenu par l'alcool, il laisse la bouche pleine et puissante dans des arômes de finition tournant autour des épices réglissées.
☛ Lucien Camus-Bruchon, Les Cruottes, 16, rue de Chorey , 21420 Savigny-lès-Beaune, tél. 03.80.21.51.08, fax 03.80.26.10.21 ☑ ⌧ r.-v.

NICOLE ET JEAN-MARIE CAPRON-CHARCOUSSET
Les Pimentiers 1996★

■	0,33 ha	1 580	❙❙❙ 50 à 69 F

La framboise et l'églantine semblent s'être donné rendez-vous dans cette bouteille au teint grenat vif. Elle a du corps, mais pas au-delà de ce que nécessite l'élégance. Encore sévère mais sans agressivité, elle offre de bonnes perspectives de vieillissement.
☛ Nicole et Jean-Marie Capron-Charcousset, 3, rue Couturie, 21420 Savigny-lès-Beaune, tél. 03.80.21.55.37, fax 03.80.21.55.37 ☑ ⌧ r.-v.

DENIS CARRE 1997

■	n.c.	n.c.	❙❙❙ 50 à 69 F

Bien construit, pour l'instant sur la réserve, un vin d'artisan plutôt grenat et assez long à s'ouvrir sur la cerise. Il doit encore se fondre mais il dispose des qualités nécessaires à un savi-

BOURGOGNE

gny harmonieux, typé. Un peu porté par le fût à cette époque de sa vie.

🍷 Denis Carré, rue du Puits-Bouret, 21190 Meloisey, tél. 03.80.26.02.21, fax 03.80.26.04.64 ☑ ⊤ r.-v.

CHAMPY PERE ET CIE 1996★★

| ■ 1er cru | n.c. | 3 600 | ⦇▯ | 100 à 149 F |

La maison Champy est maintenant bien reprise en main par la famille Meurgey, et elle excelle en savigny. Coup de cœur dans le Guide 1998 pour un 95 blanc, elle renoue cette année avec la plus haute distinction. Pour ce 1er cru rouge à la hauteur du sujet. D'aspect brillant, le nez fin et orné de framboise, un vin plein de noblesse et de séduction naturelle, de caractère. Il a encore de la réserve !

🍷 Champy, 5, rue du Grenier-à-Sel, 21200 Beaune, tél. 03.80.25.09.99, fax 03.80.25.09.95 ☑ ⊤ r.-v.

LOUIS CHAVY 1997

| ■ | n.c. | 15 000 | ⦇▯ | 70 à 99 F |

A boire jeune sur le fruit, il n'a pas immensément de richesse. Néanmoins d'une typicité convenable dans un environnement tannique avec quelques notes de cerise et un boisé léger. D'esprit charmeur, il insiste peu sur le gras et porte la plume à son chapeau.

🍷 Louis Chavy, Caveau de la Vierge romaine, pl. des Marronniers, 21190 Puligny-Montrachet, tél. 03.80.26.33.09, fax 03.80.24.14.84 ☑ ⊤ t.l.j. 10h-18h; f. nov. à mars

LOUIS CHENU 1997

| □ | 0,86 ha | 6 000 | ▮⦇▯ | 50 à 69 F |

20 % de pinot blanc, nous dit-on, et 80 % de chardonnay. Comme le vrai pinot blanc devient rare en Bourgogne, voilà l'occasion de le tester, de le taster. S'il est évidemment difficile de rendre ici à César ce qui lui appartient, le résultat ne déçoit pas. Jaune paille moyennement intense, le bouquet un peu fermé et légèrement végétal, témoigne du fruit blanc bien mûr dans un volume et une longueur appréciables.

🍷 GAEC Louis Chenu, 12, rue Joseph-de-Pesquidoux, 21420 Savigny-lès-Beaune, tél. 03.80.26.13.96, fax 03.80.26.13.96 ⊤ r.-v.

MAISON CLAVELIER
Les Marconnets 1997

| ■ 1er cru | 12 ha | 3 000 | ⦇▯ | 150 à 199 F |

« Bouche un peu en dessous du nez », lit-on sur une fiche de dégustation. Mais oui... Car le

bouquet vaut le détour, évoquant le fruit dans l'alcool, le sous-bois et le fût bien dosé. Robe soutenue, comme tous les savigny 97. Il faut miser sur le potentiel et sur le temps qui affinera le volume et permettra au gras de s'affirmer.

🍷 Clavelier, rte de Beaune, 21700 Comblanchien, tél. 03.80.62.94.11, fax 03.80.62.95.20 ☑ ⊤ t.l.j. 8h-18h

🍷 Thévenin

DOM. CORNU 1996

| ■ | 0,25 ha | n.c. | ⦇▯ | 50 à 69 F |

Quand on est 96, on est 96. Son acidité et ses tanins sont le millésime tout craché. Un gage de bonne conservation (de trois à cinq ans). Plus rouge qu'intense, il tient au nez le langage du cépage (cerise, épices). A mettre à la cave sans l'y oublier.

🍷 Dom. Cornu, 21700 Magny-lès-Villers, tél. 03.80.62.92.05, fax 03.80.62.72.22 ☑ ⊤ r.-v.

PIERRE CORNU-CAMUS
Les Charnières 1996

| ■ 1er cru | 0,37 ha | 2 000 | ⦇▯ | 50 à 69 F |

Ces raisins sont encore un peu verts mais on peut montrer un brin de patience face à ce 96 d'une nuance profonde et accueillante, véritable concentré de petits fruits rouges quant au parfum. Il attaque gaiement et tapisse bien le palais sur des notes végétales et des nuances de cuir. Bon fond et bonne expression de l'appellation.

🍷 Pierre Cornu-Camus, 2, rue Varlot, 21420 Echevronne, tél. 03.80.21.57.23, fax 03.80.26.11.94 ☑ ⊤ r.-v.

RODOLPHE DEMOUGEOT
Les Bourgeots 1997★★

| ■ | n.c. | n.c. | ⦇▯ | 50 à 69 F |

Qualité suivie : déjà coup de cœur dans l'édition 1998 pour ce même vin, version 95. Le 97 réalise une parfaite harmonie entre le charme et la structure. Sous sa robe grenat, il marie le bois et le fruit écrasé. D'une belle et riche architecture, une bouteille qui a de l'avenir. Elle se situe dans le peloton de tête de cette dégustation. Ce climat est situé au pied du coteau « beaunois » du village.

🍷 Dom. Rodolphe Demougeot, 2, rue du Clos-de-Mazeray, 21190 Meursault, tél. 03.80.21.28.99, fax 03.80.21.29.18 ☑ ⊤ r.-v.

DOM. DENIS PERE ET FILS 1996★★

| ■ | 1,5 ha | 4 000 | ▮⦇▯ | 50 à 69 F |

La bonne bouteille. Elle pourrait flirter avec les 1ers crus. Bigarreau noir, vineuse à l'approche olfactive (composé de fraise et de fougère), elle apparaît comme un petit chef-d'œuvre d'équilibre. Riche, prêt à servir, ce qu'on appelle un vin de plaisir.

🍷 Dom. Denis Père et Fils, chem. des Vignes-Blanches, 21420 Pernand-Vergelesses, tél. 03.80.21.50.91, fax 03.80.26.10.32 ☑ ⊤ r.-v.

DOUDET-NAUDIN 1997

| ■ | 4,1 ha | 9 000 | ⦇▯ | 70 à 99 F |

Légers signes d'évolution dans la robe. Le nez s'en tient à des notes d'humus et de vanille sur le fruit rouge confit. La bouche ? Démonstrative et vive, souple, bien faite mais dans la limite du

millésime. Du domaine, **Petits Liards** agréable en **97 rouge**, en souhaitant que l'âge efface le fût très marqué.
⊶ Doudet-Naudin, 3, rue Henri-Cyrot, 21420 Savigny-lès-Beaune, tél. 03.80.21.51.74, fax 03.80.21.50.69 ☑ Y r.-v.

DOM. DUBOIS D'ORGEVAL
Les Pimentiers 1996**

■ 2,31 ha n.c. ◖◗ 70 à 99 F

Ces Pimentiers, où les situeriez-vous ? Quand on monte à Savigny depuis Beaune, avant le village, sur la droite. Ce vin de bonne tenue se présente dans une robe rouge soutenu à reflets violacés. Le nez fin et fruité, très pinot, est délicieux. Les tanins libèrent encore leur dureté de jeunesse, sans pour autant atténuer l'impression générale, très positive.
⊶ Dom. Dubois d'Orgeval, 3, rue Joseph-Bard, 21200 Chorey-lès-Beaune, tél. 03.80.24.70.89, fax 03.80.22.45.02 ☑ Y r.-v.

BERNARD DUBOIS ET FILS
Les Ratausses 1996*

■ 1,85 ha 11 500 ◖◗ 50 à 69 F

Quand on aborde Savigny depuis la RN 74, c'est par ce *climat* que l'on commence. Situé au pied du village, il est peu connu mais il donne un vin très réussi. Bien rouge, tirant sur la framboise (sans doute l'arôme le plus caractéristique du cru), il présente une belle matière - acidité, tanins - encore assez rude mais qui promet beaucoup.
⊶ Dom. Bernard Dubois et Fils, 14, rue des Moutots, 21200 Chorey-lès-Beaune, tél. 03.80.22.13.56, fax 03.80.24.61.43 ☑ Y r.-v.

PHILIPPE DUBREUIL-CORDIER
1997**

□ 0,72 ha 4 500 ◖◗ 50 à 69 F

Son 95 a eu le coup de cœur il y a deux ans. Son 97 a lui aussi le don de plaire. Paille claire, il évolue bien sur le fruit tout en gardant le caractère beurré, brioché du chardonnay en Côte de Beaune. Le vin occupe déjà tout son volume mais il est probable qu'il s'ouvrira davantage.
⊶ Philippe Dubreuil, 4, rue Péjot, 21420 Savigny-lès-Beaune, tél. 03.80.21.53.73, fax 03.80.26.11.46 ☑ Y r.-v.

DOM. MAURICE ECARD ET FILS
Les Narbantons 1997*

■ 1er cru 2 ha 8 000 ◖◗ 100 à 149 F

Comment le définir ? Disons que la teinte est jolie, que le vin est limpide. Formule habituelle ? Mais non, il existe des robes ternes et des tons mats. Nez de fruits très cuits : l'odeur du chaudron à confitures, vous vous rappelez votre grand-mère... Cassis et champignon parsèment le palais qui, dans un décor boisé, finit plus tôt qu'on ne l'espérait. Ainsi est-il. Cité, le **1er cru les Serpentières 96** est d'un grain classique et mûr.
⊶ Maurice Ecard et Fils, 11, rue Chanson-Maldant, 21420 Savigny-lès-Beaune, tél. 03.80.21.50.61, fax 03.80.26.11.05 ☑ Y r.-v.

FRANCOIS GAY Les Serpentières 1996*

■ 1er cru 0,46 ha 2 500 ◖◗ 70 à 99 F

Il suggère le fruit à noyau sous un rouge profond et violacé. Le corps est impeccable, encore un peu jeune mais il a du potentiel. « On se fait plaisir », confesse un de nos jurés. **Vergelesses 97**, correct en rouge, est cité.
⊶ François Gay, 9, rue des Fiètres, 21200 Chorey-lès-Beaune, tél. 03.80.22.69.58, fax 03.80.24.71.42 ☑ Y r.-v.

DOM. GIRARD-VOLLOT ET FILS
1996*

■ 5 ha 20 000 ◖◗ 70 à 99 F

Léger pour le millésime, ce 96 n'est pas avare de sa couleur qu'il offre généreusement au regard. Joli nez de cerise et de poivre dans la gamme aromatique du pinot. En bouche, on a le sentiment de croquer du raisin. Concentration et longueur pratiquent la modération.
⊶ Girard-Vollot et Fils, 16, rue de Cîteaux, 21420 Savigny-lès-Beaune, tél. 03.80.21.56.15, fax 03.80.26.10.08 ☑ Y r.-v.

DOM. A.-F. GROS Clos des Guettes 1997**

■ 1er cru 0,34 ha n.c. ◖◗ 100 à 149 F

Sur sa lancée, un vin très franc, fruits rouges mûrs, équilibré et un peu boisé, aux tanins bien présents, offrant une note légère d'amertume en fin de bouche. Il tire sur l'animal, garde de la jeunesse et se présente sous l'angle d'un avenir amène (quatre ou cinq ans).
⊶ Dom. A.-F. Gros, La Garelle, 21630 Pommard, tél. 03.80.22.61.85, fax 03.80.24.03.16 ☑ Y r.-v.
⊶ Anne-Françoise Parent

DOM. PIERRE GUILLEMOT
Les Narbantons 1997***

■ 1er cru 0,34 ha 1 500 ◖◗ 70 à 99 F

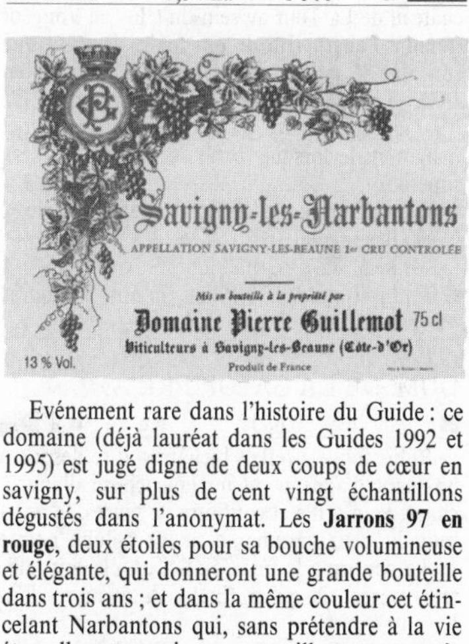

Evénement rare dans l'histoire du Guide : ce domaine (déjà lauréat dans les Guides 1992 et 1995) est jugé digne de deux coups de cœur en savigny, sur plus de cent vingt échantillons dégustés dans l'anonymat. Les **Jarrons 97 en rouge**, deux étoiles pour sa bouche volumineuse et élégante, qui donneront une grande bouteille dans trois ans ; et dans la même couleur cet étincelant Narbantons qui, sans prétendre à la vie éternelle, est une image merveilleusement typée du beau et vivifiant pinot noir de Bourgogne, avec des tanins bien enrobés, et une finale longue traduisant un parfait équilibre entre le fruit et le

bois. Un triple ban bourguignon pour ce vigneron-orfèvre.
SCE du Dom. Pierre Guillemot, 1, rue Boulanger-et-Vallée, 21420 Savigny-lès-Beaune, tél. 03.80.21.50.40, fax 03.80.21.59.98 r.-v.

DOM. GUYON Les Peuillets 1997★

■ 1er cru 0,3 ha n.c. 70 à 99 F

Il y a dans la Côte des épaules rondes ou carrées. Celles-ci apparaissent carrées. Quelle matière, presque phénoménale ! Une extraction considérable, qu'on peut juger pour l'heure excessive mais qui - on s'adresse aux amateurs éclairés - façonnera une bouteille sans doute fantastique d'ici dix à quinze ans. Tout est encore noir : la robe, le nez cassis où entre l'épice, le dessin de ce vin.
EARL Dom. Guyon, 11, RN 74, 21700 Vosne-Romanée, tél. 03.80.61.02.46, fax 03.80.62.36.56 r.-v.

DOM. LUCIEN JACOB Vergelesses 1997★

■ 1er cru 0,7 ha 4 000 70 à 99 F

Ancien député, conseiller général, Lucien Jacob ne trahit pas ses électeurs : en rouge ou en **blanc**, son **Vergelesses 97** constitue la meilleure de toutes les professions de foi. Scrutin de ballottage, le rouge l'emporte au deuxième tour. Robe intense, fruit rouge et sous-bois, une bouteille féminine et vivante.
Dom. Lucien Jacob, 21420 Echevronne, tél. 03.80.21.52.15, fax 03.80.21.55.65 r.-v.

DOM. PIERRE LABET Vergelesses 1997★

□ 1er cru 0,3 ha n.c. 100 à 149 F

85 86 87 88 (89) |90| 91 |92| |93| |94| |95| **96** 97

Savigny produit quelque deux millions de bouteilles de rouge et deux cent mille de blanc. Voici un chardonnay, élevé dans les caves du château de La Tour au sein du Clos de Vougeot (famille Labet). Il a de qui tenir, d'autant que son aîné le millésime 85 fut coup de cœur en 1988. D'un or tirant sur la paille (cela arrive...), il est noisette, beurre, vanille. Faisons un vœu et imaginons-le lorsque le fût sera fondu : il sera superbe.
Dom. Pierre Labet, rempart de la Comédie, 21200 Beaune, tél. 03.80.62.86.13, fax 03.80.62.82.72, e-mail labet@axnet.fr
t.l.j. sf lun. 10h30-19h; f. fin nov. à Pâques
François Labet

DOM. DE LA GALOPIERE 1997★

■ 0,68 ha n.c. 50 à 69 F

Rubis foncé à reflets bleuâtres, il se destine à un gigot d'agneau ou quelque chose d'approchant. Pain grillé et confiture de mûres, le nez a tout du petit déjeuner d'autant qu'une pointe moka confirme le fût. Celui-ci est élégant mais très présent jusqu'en finale. A nuancer dans l'avenir !
Claire et Gabriel Fournier, Dom. de La Galopière, 6, rue de l'Eglise, 21200 Bligny-lès-Beaune, tél. 03.80.21.46.50, fax 03.80.26.85.88 r.-v.

DOM. LALEURE-PIOT
Les Vergelesses 1997

■ 1er cru 0,28 ha 1 500 70 à 99 F

Vergelesses ? Le trait d'union avec Pernand et le Corton. De la cerise au kirsch, une belle continuité du premier regard au troisième et rituel coup de nez. Un peu court sans doute ; il doit s'assouplir de façon à répondre aux désirs qu'il inspire.
Dom. Laleure-Piot, 21420 Pernand-Vergelesses, tél. 03.80.21.52.37, fax 03.80.21.59.48 t.l.j. 8h-12h 14h-18h; sam. dim. sur r.-v.
M. Laleure

DOM. MACHARD DE GRAMONT
Les Vergelesses 1996★★★

□ 1er cru 0,2 ha n.c. 70 à 99 F

Notre coup de cœur est cette année, en blanc, ce vin jaune paille dont les arômes jouent le grand jeu sur des notes beurrées, grillées, citronnées. Le fût reste présent mais il ne dissimule pas le sujet. De même, son gras ne l'empêche pas de montrer vigueur et vivacité. Assurément bien élevé et faisant honneur à son nom. En **village,** un **rouge 97** carré mais très agréable reçoit une étoile. L'avenir lui appartient (50 à 69 F).
SCEA Dom. Machard de Gramont, Le Clos, rue Pique, B.P. 105, Prissey, 21703 Nuits-St-Georges, tél. 03.80.61.15.25, fax 03.80.61.06.39 r.-v.

DOM. MAILLARD PERE ET FILS 1997★

■ 1,7 ha n.c. 50 à 69 F

Un amour de savigny. Un vrai printemps avec ses arômes de griotte, de framboise, légèrement grillés. Sur la langue, douceur et calme, finesse et fondu. N'allez pourtant pas le croire assoupi ! Il possède une réelle identité et, comme les angelots de l'étiquette, célèbre la paix sur terre.
Dom. Maillard Père et Fils, 2, rue Joseph-Bard, 21200 Chorey-lès-Beaune, tél. 03.80.22.10.67, fax 03.80.24.00.42 r.-v.

SERGE MAIRE 1996★

□ 0,14 ha 600 30 à 49 F

Excellent savigny blanc, à déguster l'année qui vient. Jaune paille, doré, il est sans doute assez dépaysant (arômes exotiques de mangue, de kiwi...) et d'une typicité moyenne. Mais il a de quoi séduire et des cordes à son arc.
Serge Maire, rte de Dijon, 21200 Beaune, tél. 03.80.22.40.85, fax 03.80.24.71.77 r.-v.

DOM. MICHEL MALLARD ET FILS
Les Serpentières 1996

■ 1er cru   1,1 ha   6 500   ▯▮▯ 70 à 99 F

Beau à voir, un Serpentières plaisant, costaud et sans complications. Son nez désoriente un peu, mais il mène efficacement son affaire en bouche. Marchand, il peut être bu. Solide, il peut attendre.

☛ Dom. Michel Mallard et Fils, 43, rte de Dijon, 21550 Ladoix-Serrigny, tél. 03.80.26.40.64, fax 03.80.26.47.49 ☑ ⟂ r.-v.

CATHERINE ET CLAUDE MARECHAL Vieilles vignes 1997*

■   1,53 ha   6 000   ▯▮▯ 50 à 69 F

Vieilles vignes en *village*, on y trouvera son bonheur. « Nourrissant, théologique et morbifuge », comme on le dit ici, un savigny à reflets violines, aromatique (cerise à l'eau-de-vie, kirsch) et qui ne reste pas les bras croisés en bouche tant plénitude et charpente sont largement suffisantes. Les tanins encore sévères attendent le coup de rabot que l'avenir leur donnera.

☛ EARL Catherine et Claude Maréchal, 6, rte de Chalon, 21200 Bligny-lès-Beaune, tél. 03.80.21.44.37, fax 03.80.26.85.01 ☑ ⟂ r.-v.

GHISLAINE ET BERNARD MARECHAL-CAILLOT 1997*

■   2,22 ha   4 000   ▤▯▮▯ ⬇ 50 à 69 F

Bien constitué, d'une expression à compléter en cave, un vin sympathique et c'est ce qui revient quand on en parle. Quelques accents de pruneau puis une seconde note florale ; on passe ensuite à des tanins non astringents, à une rondeur harmonieuse, à une honnête longueur.

☛ Ghislaine et Bernard Maréchal-Caillot, 10, rte de Chalon, 21200 Bligny-lès-Beaune, tél. 03.80.21.44.55, fax 03.80.26.88.21 ☑ ⟂ r.-v.

DOM. DU CH. DE MEURSAULT 1996

■   4 ha   n.c.   ▤ ▮ 70 à 99 F

Ses tanins ne cherchent pas à se faire oublier. Il est donc à attendre mais l'attaque est nette, l'approche sérieuse. Ses arômes pointent le bout de leur nez en des notes séduisantes de cassis, de cerise noire. Couleur prononcée.

☛ Ch. de Meursault, 21190 Meursault, tél. 03.80.26.22.75, fax 03.80.26.22.76 ☑ ⟂ r.-v.

DOM. NUDANT 1996*

■   0,54 ha   4 000   ▯▮▯ 70 à 99 F

Les vignes appartiennent à cette famille depuis 1747. Ce qu'on appelle un savoir-faire ancestral. *Ce village* ? A attendre... en bouche car il monte en... finesse. Couleur pivoine, reflets cerise, nez vineux et ouvrant sur le floral, il suit sa ligne. Il a de bons sentiments et une excellente constitution. Le jury lui fait confiance et le considère comme un honnête citoyen !

☛ Dom. André et J.-René Nudant, 11, RN 74, 21550 Ladoix-Serrigny, tél. 03.80.26.40.48, fax 03.80.26.47.13 ☑ ⟂ r.-v.

DOM. PARIGOT PERE ET FILS
Les Peuillets 1997*

■   0,78 ha   4 800   ▯▮▯ 50 à 69 F

Les Peuillets ? Vous êtes sur l'autoroute et vous arrivez à Beaune, venant de Paris. Sur votre gauche, en 1er cru d'abord et ensuite en *village*. C'est le cas ici. Cette bouteille ne doit pourtant pas vous faire lâcher le volant. Elle vous assure un moment de plaisir... à la maison. Elle s'ouvre légèrement sur la mûre mais on sent juste après une bonne vendange. Gourmand, charnu, conseillé.

☛ Dom. Parigot Père et Fils, rte de Pommard, 21190 Meloisey, tél. 03.80.26.01.70, fax 03.80.26.04.32 ☑ ⟂ r.-v.

JEAN-MARC PAVELOT
Aux Guettes 1996**

■ 1er cru   1,5 ha   8 000   ▯▮▯ 70 à 99 F

Le **village 97 blanc** est très honorable de même que **Narbantons en rouge 96**, tous deux une étoile ; Guettes rouge 1er cru 96 : nous aimons sa typicité savigny, souple et enlevée, avec tout ce qu'il faut pour faire un bon vin qui plaît, qui garde assez de force d'âme pour se conserver en cave une durée raisonnable. Le millésime 93 reçut dans le Guide 1997 le coup de cœur. Cela compte dans la lignée d'un cru. Un autre coup de cœur en 1989. Et celui-ci en a été jugé digne par plusieurs dégustateurs.

☛ Jean-Marc Pavelot, 1, chem. des Guettottes, 21420 Savigny-lès-Beaune, tél. 03.80.21.55.21, fax 03.80.21.59.73 ☑ ⟂ r.-v.

ALBERT PONNELLE
Les Marconnets 1996*

■ 1er cru   n.c.   n.c.   100 à 149 F

« On lèche trois fois ses lèvres et on en dit du bien... » Un Marconnets qui n'a pas la robustesse attribuée en général au savigny sur le versant de Beaune, mais qui est d'une élégance presque somptueuse. On l'admire, tant il brille, tant il s'exprime. Arômes confiturés, réglisse et finesse au palais, longueur par la suite, on ne regrette pas de l'avoir connu, celui-ci. Peut exploser dans deux à trois ans.

☛ Albert Ponnelle, Clos Saint-Nicolas, 38, fg Saint-Nicolas, 21200 Beaune, tél. 03.80.22.00.05, fax 03.80.24.19.73 ☑ ⟂ r.-v.

DOM. DU PRIEURE
Les Hauts Jarrons 1996

■ 1er cru   0,3 ha   1 800   ▯▮▯ 70 à 99 F

A deux pas de ces pieds de vigne, Georges Pompidou inaugura l'autoroute Paris-Lyon en 1970. Coup de cœur dans le Guide 1990 pour son 86, ce domaine nous livre ici un rouge à la robe légère, bouqueté (mûre, cassis) et d'une bonne mâche en bouche. Un rien d'astringence dans un contexte bien rond. **Les Lavières rouge 96**, assez tendres, reçoivent une note identique.

☛ Jean-Michel Maurice, Dom. du Prieuré, 23, rte de Beaune, 21420 Savigny-lès-Beaune, tél. 03.80.21.54.27, fax 03.80.21.59.77 ☑ ⟂ t.l.j. sf dim. 9h-12h 13h30-19h

DOM. RAPET PERE ET FILS 1996★

| ■ | 1 ha | 3 500 | ⦀ | 50 à 69 F |

Si vous voulez voir un tastevin daté de 1792, marqué du nom du domaine, c'est ici qu'il faut aller. Une caille aux raisins ne verra sans doute aucun inconvénient à partager ses derniers instants avec ce savigny d'intensité normale, où le sous-bois et le bois s'accordent bien. Rond en bouche, il remplit son office avec une discrétion assez vertueuse. Il reste en effet un *village* et y réussit très bien.

🕿 Dom. Rapet Père et Fils, 21420 Pernand-Vergelesses, tél. 03.80.21.50.05, fax 03.80.21.53.87 ☑ ☥ r.-v.

DOM. SEGUIN-MANUEL
Godeaux 1996★

| ■ | 2 ha | 9 000 | ■⦀♨ | 70 à 99 F |

Notre coup de cœur de l'an dernier. En Godeaux cette fois, *climat* qui se trouve côté Pernand. *Semper Melius*, la devise du domaine, où l'on peut lire la fameuse inscription de 1772 : *Si bene commini causae sunt...* Toutes les raisons de bien boire ! Bref, ce vin consistant et assez rond est, sous un bel aspect et un nez de fraise des bois et d'épices, la bonté même.

🕿 Dom. Seguin-Manuel, 15, rue Paul-Maldant, 21420 Savigny-lès-Beaune, tél. 03.80.21.50.42, fax 03.80.21.59.38 ☥ t.l.j. 8h-12h 14h-17h

DOM. DES TERREGELESSES
Les Vergelesses 1997★

| ☐ 1er cru | 0,55 ha | 1 800 | ⦀ | 70 à 99 F |

Philippe Sénard est ici à la barre. Le chardonnay l'emporte dans l'immédiat. Laissez ce vin s'ouvrir dans le verre. La robe jaune entre pâle et paille, le bouquet assez peu explicite, ce 97 a des dimensions respectables. Petite touche d'amande amère. En **rouge 96**, ces mêmes **Vergelesses** sont citées. Il faut les attendre car elles se taisent aujourd'hui.

🕿 Dom. des Terregelesses, 7, rempart Saint-Jean, 21200 Beaune, tél. 03.80.24.21.65, fax 03.80.24.21.44 ☥ t.l.j. sf sam. dim. 9h-12h 14h-17h; f. août-fin déc.

DOM. THOMAS 1997★★

| ■ | 0,92 ha | 5 400 | ⦀ | 70 à 99 F |

Parmi les premiers de la classe, il manque peut-être un tout petit peu d'acidité mais quel bonheur de sentir la chair franche et fruitée et des tanins bien élevés... Teinte cerise noire et bouquet de maturité, où l'on retrouve les épices, les fruits rouges très mûrs, avec de légères notes de cuir, d'eau-de-vie, de pain grillé. Le fût sait garder une certaine mesure. D'une structure à la hauteur d'un 1er cru, un remarquable *village* !

🕿 Dom. Thomas, chem. rural n° 29, 21700 Nuits-Saint-Georges, tél. 03.80.62.42.00, fax 03.80.61.28.13 ☥ r.-v.

> Pour tout savoir d'un vin, lisez les textes d'introduction des appellations et des régions ; ils complètent les fiches des vins.

Chorey-lès-beaune

Situé dans la plaine, en face du cône de déjection de la combe de Bouilland, le village possède quelques lieux-dits voisins de Savigny. On y a produit, en 1998, 6 122 hl d'appellation communale rouge, et 188 hl de blanc.

BOISSEAUX-ESTIVANT 1997★

| ■ | n.c. | n.c. | 100 à 149 F |

Ce qu'on pourrait appeler un vin cossu. L'oncle Picsou n'aurait pas tiré davantage des vendanges 97. D'une teinte cerise noire, avec un nez sensible (bourgeon de cassis, pivoine), ce vin préserve en bouche une longue note de mûre. Il peut dormir en paix sur des avantages aussi rembourrés.

🕿 Boisseaux-Estivant, Clos Saint-Nicolas, 38, fg Saint-Nicolas, 21200 Beaune, tél. 03.80.22.00.05, fax 03.80.24.19.73 ☥ r.-v.

DOM. CACHAT-OCQUIDANT ET FILS 1998★★

| ■ | 0,9 ha | n.c. | ⦀ | 50 à 69 F |

D'un rouge envahi par le rubis, ce chorey semble offrir sa bénédiction nuptiale à l'heureux mariage du pinot noir et de son fût. Bel exemple en effet d'un boisé bien tempéré. Du gras en attaque, puis un retour tannique sur un développement assez long : bouteille de garde.

🕿 Dom. Cachat-Ocquidant et Fils, pl. du Souvenir, 21550 Ladoix-Serrigny, tél. 03.80.26.45.30, fax 03.80.26.48.16 ☥ r.-v.

CH. DE CHOREY-LES-BEAUNE 1997★

| ■ | 5 ha | 15 000 | ⦀ | 70 à 99 F |

Une étoile de plus ? Le jury est sur le point de la lui décerner, tant il goûte ce 97 cohérent de bout en bout. Du coup d'œil à l'impression finale, on dit « bien » ou « très bien », appréciant cette richesse - le mot revient sur les fiches de dégustation - qui s'allie au terroir, au cépage, pour un service parfait. On ne se trompe pas en lui faisant confiance.

🕿 Dom. Germain Père et Fils, Ch. de Chorey, 21200 Chorey-lès-Beaune, tél. 03.80.22.06.05, fax 03.80.24.03.93 ☑ ☥ r.-v.

JEAN-PIERRE DUBOIS-CACHAT 1996

| ■ | 0,5 ha | n.c. | ⦀ | 30 à 49 F |

Un bon petit, rouge groseille clair, s'ouvrant gentiment sur un début d'arômes de maturité (épices, fruits mûrs). En finesse, en dentelle, il montre une élégance qui convient bien au chorey « new age ». Un regain d'acidité en bouche n'est pas désagréable. Pour une consommation début de siècle.

🕿 Jean-Pierre Dubois-Cachat, 2, Grande-Rue, 21200 Chorey-lès-Beaune, tél. 03.80.22.27.83, fax 03.80.22.27.83 ☑ ☥ r.-v.

DOM. DUBOIS D'ORGEVAL 1996★

■ 2,15 ha n.c. ◍ 50 à 69 F

13,2 ha composent ce domaine dont 50 % de la production s'exporte sur le continent européen. Elevé dix-huit mois en fût, ce 96 manque de peu sa deuxième étoile. Beau travail de coloriste, rubis, vermillon nuancé de rose. Boisé tempéré et respectueux des arômes naturels, de cerise et d'épices. Si la structure demeure carrée, l'arrondi se dessine progressivement. A revoir, selon l'expression consacrée et avec optimisme. Ce vin n'a-t-il pas été jugé digne du coup de cœur dans l'édition 1997 pour le millésime 93 ?

⊶ Dom. Dubois d'Orgeval, 3, rue Joseph-Bard, 21200 Chorey-lès-Beaune, tél. 03.80.24.70.89, fax 03.80.22.45.02 ☑ Y r.-v.

BERNARD DUBOIS ET FILS
Les Beaumonts 1996★★

■ 0,39 ha 2 500 ◍ 50 à 69 F

Ce domaine de plus de 9 ha fut créé en 1850. Ses vins sont élevés en barrique dans des caves voûtées. Ce *climat*, à l'ouest de la route nationale, cousine avec les crus de Savigny. D'un beau rouge sombre, ce vin séduit le nez d'un fin boisé accueillant à la groseille sur fond de réglisse. La bouche est tout simplement délicieuse même si les tanins gardent de l'importance. Persistance digne d'un premier cru, assortie d'une petite note de kirsch.

⊶ Dom. Bernard Dubois et Fils, 14, rue des Moutots, 21200 Chorey-lès-Beaune, tél. 03.80.22.13.56, fax 03.80.24.61.43 ☑ Y r.-v.

FRANCOIS GAY 1996★★

■ n.c. 8 000 ◍ 50 à 69 F

Sans se tromper, un chorey qui mérite d'associer son nom à celui de Beaune. D'un presque noir brillant, le bouquet penchant sur la griotte sans peser sur le nez, ce vin possède en même temps une colonne vertébrale et une rondeur chaleureuse. Un seigneur ! Aucune agressivité et une flamme authentique.

⊶ François Gay, 9, rue des Fiètres, 21200 Chorey-lès-Beaune, tél. 03.80.22.69.58, fax 03.80.24.71.42 ☑ Y r.-v.

DOM. LALEURE-PIOT
Les Champs Longs 1997★

■ 1,16 ha 6 000 ◍ 50 à 69 F

Ce domaine s'est fait remarquer l'an dernier par un grand coup de cœur pour un pernand-vergelesses 96. Ladoix d'un côté, Aloxe de l'autre, le *climat* Les Champs Longs est bien entouré. L'expression de ce 97 est ici assez retenue. Sans doute le regard ne trouve-t-il rien à redire et l'acidité n'a-t-elle rien d'étonnant. On laissera cette bouteille quelques années au cellier, car son équilibre est réel, son nez de pinot bien franc et sa longueur prometteuse.

⊶ Dom. Laleure-Piot, 21420 Pernand-Vergelesses, tél. 03.80.21.52.37, fax 03.80.21.59.48 ☑ Y t.l.j. 8h-12h 14h-18h; sam. dim. sur r.-v.

DANIEL LARGEOT 1997★

■ 2,5 ha 12 000 ◍ 50 à 69 F

Daniel Largeot exporte 70 % de sa production tant en Europe qu'au Canada et aux Etats-Unis. Aussi choisissez vite ce 97. Un fromage assez doux, comme le cîteaux ou le reblochon, fera bonne escorte à ce chorey agréable et souple, aux tanins déjà fondus. A la suite d'une robe pourpre à reflets violacés, le nez tenait déjà le langage de la typicité. Bien travaillé et très plaisant.

⊶ Daniel Largeot, 5, rue des Brenôts, 21200 Chorey-lès-Beaune, tél. 03.80.22.15.10, fax 03.80.22.60.62 ☑ Y r.-v.

DOM. MAILLARD PERE ET FILS 1997★★

■ 6 ha n.c. ◍ 50 à 69 F

Ce 97 reçoit beaucoup de compliments. Sa robe bien intense, son nez bien ouvert (fruits rouges légèrement cuits, cerise vanillée) et l'équilibre de sa structure témoignent d'une vinification conduite avec doigté. Il n'est pas si simple, comme c'est le cas ici, de concilier richesse et fraîcheur.

⊶ Dom. Maillard Père et Fils, 2, rue Joseph-Bard, 21200 Chorey-lès-Beaune, tél. 03.80.22.10.67, fax 03.80.24.00.42 ☑ Y r.-v.

SERGE MAIRE 1996★

■ 0,15 ha 600 ◍ 30 à 49 F

D'une féminité évoquant la framboise légèrement poivrée, cette bouteille ne manque cependant pas de corps. Sa robe est d'un rubis plutôt clair (c'est-à-dire moyen, car la plupart des vins présentés sont très foncés), son nez s'accorde à sa bouche. Un 96 d'une facture originale et qui illustre bien les qualités du cru.

⊶ Serge Maire, rte de Dijon, 21200 Beaune, tél. 03.80.22.40.85, fax 03.80.24.71.77 ☑ Y r.-v.

DOM. MARATRAY-DUBREUIL 1997

■ 2,2 ha 4 000 ◍ 50 à 69 F

Un domaine de près de 13 ha présent dans les corton. Ce chorey n'est pas mal du tout. Il occupe la scène avec une très forte coloration et des arômes de pinot tout en finesse et en fruit. De constitution moyenne, mais sachant mettre en valeur ses atouts, sa jolie attaque notamment.

⊶ Dom. Maratray-Dubreuil, 5, pl. du Souvenir, 21550 Ladoix-Serrigny, tél. 03.80.26.41.09, fax 03.80.26.49.07 ☑ Y r.-v.

GHISLAINE ET BERNARD MARECHAL-CAILLOT 1997

■ 0,8 ha 1 200 ◍ 50 à 69 F

Quelques signes d'évolution (reflets légèrement tuilés, arômes confits) alors que rien de tel ne se produit en bouche. Au contraire, on sent de la vivacité, une jeunesse fleurie et même un peu de verdeur due aux tanins. Durée de vie : de deux à quatre ans.

⊶ Ghislaine et Bernard Maréchal-Caillot, 10, rte de Chalon, 21200 Bligny-lès-Beaune, tél. 03.80.21.44.55, fax 03.80.26.88.21 ☑ Y r.-v.

DOM. MARTIN-DUFOUR
Les Beaumonts 1996★★

| ■ | n.c. | n.c. | ▮ ◫ ♨ | 50 à 69 F |

Les archéologues connaissent bien les « Têtes de Chorey », vestiges colossaux d'un temple gallo-romain. Autant dire qu'on sait ici ce que la grandeur signifie ! Sous des abords rubis et assez suaves de cerise fraîche et mûre, ce vin est en effet puissant, robuste sans pour autant se départir d'une harmonie parfaite entre ses composants. Et puis, ces arômes de pruneau... Du velours !
☛ Dom. Martin-Dufour, 4 a, rue des Moutots, 21200 Chorey-lès-Beaune, tél. 03.80.22.18.39, fax 03.80.22.18.39 ☑ ▼ r.-v.

ROGER ET JOEL REMY 1997★

| ■ | 2 ha | 8 000 | ◫ | 30 à 49 F |

Malgré son jeune âge (un 97), il maîtrise tous les paramètres. Sa tonalité est pleine d'éclat et odorante : fruits rouges cuits. En bouche, on constate que les tanins ont su trouver avec l'alcool et l'acidité un accord équilibré. L'opinion générale est favorable, fixant à deux ou trois ans l'optimum.
☛ SCEA Roger et Joël Rémy, Sainte-Marie-la-Blanche, 21200 Beaune, tél. 03.80.26.60.80, fax 03.80.26.53.03 ☑ ▼ r.-v.

GEORGES ROY 1996★

| ■ | 2,85 ha | 1 900 | ◫ | 50 à 69 F |

« Le vigneron de Chorey a cela de commun avec l'Italien, c'est qu'il fait la sieste et n'aime que le grand air », prétendait Joseph Bard en 1849. Peut-être, mais il s'occupe aussi de son vin. Ainsi de ce vin de garde à reflets vermillon et qui passe d'un kirsch épicé (au nez) à une constitution ferme et persistante (en bouche). Ne se livre pas encore complètement.
☛ Georges Roy, 20, rue des Moutots, 21200 Chorey-lès-Beaune, tél. 03.80.22.16.28, fax 03.80.24.76.38 ☑ ▼ r.-v.

PIERRE THIBERT
Les Beaumonts Vieilles vignes 1997★

| ■ | 0,24 ha | n.c. | ◫ | 50 à 69 F |

Créée par Pierre Thibert, cette exploitation s'annonce « artisanale ». Son pinot vermeil est tel qu'on le raconte dans les livres d'Histoire : une nuance claire, donnée jadis pour la vraie couleur du bourgogne. Ce Beaumont cueille les plaisirs de la vie dans la bonne humeur. Du fruit frais, de la cerise pour emplir le bouquet. Du fruit mûr sur la langue. Un 97 déjà agréable et qu'il n'est pas indispensable d'attendre.
☛ Pierre Thibert, 76, Grande-Rue, 21700 Corgoloin, tél. 03.80.62.73.40, fax 03.80.62.73.40 ☑ ▼ r.-v.

DOM. LOUIS VIOLLAND 1997★

| ■ | 2,36 ha | 13 500 | ◫ | 70 à 99 F |

Il ne parle pas : il chante. Léger, souple, modérément tannique, exprimant en finesse tout son caractère, un vin à la robe séductrice et au bon bouquet de pinot. Sa typicité en fait une réussite pour l'appellation et ce millésime. Cette maison a été reprise par Jean-Claude Boisset tout en restant beaunoise.

☛ Dom. Louis Violland, Abbaye Saint-Martin, 53, av. de l'Aigue, 21200 Beaune, tél. 03.80.22.35.17, fax 03.80.24.14.84

Beaune

En superficie, l'appellation beaune est l'une des plus importantes de la Côte. Mais Beaune, ville d'environ 20 000 habitants, est aussi et surtout la capitale viti-vinicole de la Bourgogne. Siège d'un important négoce, elle est une des cités les plus touristiques de France. La vente des vins des Hospices est devenue un événement mondial, et représente certainement l'une des ventes de charité les plus illustres. Centre d'un nœud autoroutier très important, son développement touristique est certain.

Les vins, essentiellement rouges, sont pleins de force et de distinction. La situation géographique a permis le classement en premiers crus d'une grande partie du vignoble, et, parmi les plus prestigieux, nous pouvons retenir les Bressandes, le Clos du Roy, les Grèves, les Teurons et les Champimonts. En 1998, l'AOC a produit 14 812 hl de vin rouge et 1 294 hl de vin blanc.

DOM. JEAN ALLEXANT
Clos des Rouards 1996★

| ☐ | 0,3 ha | 1 500 | ◫ | 100 à 149 F |

L'or soutenu brille dans le verre, annonçant un nez intense où se retrouvent des notes miellées et minérales qui se prolongent en bouche. Assez puissant mais équilibré et de bonne fraîcheur, long, c'est un vin à ne pas attendre.
☛ Dom. Jean Allexant, Sainte-Marie-la-Blanche, 21200 Beaune, tél. 03.80.26.60.77, fax 03.80.26.50.01 ☑ ▼ r.-v.

ARNOUX PERE ET FILS
Les Cent Vignes 1997★

| ■ 1er cru | 0,49 ha | n.c. | ◫ | 100 à 149 F |

Beaune se regardant dans son miroir n'y voit rien d'autre : typicité parfaite. On présente souvent Les Cent Vignes comme le portrait-robot de l'appellation. On tient ici une bouteille qui bat encore un peu des quatre fers, sous robe cerise impeccable et bouquet de mûre et de grillé. Le gras, les tanins, tout cela se compose pour faire un vin de garde. Même note pour **En Genêt 96 rouge**, riche, puissant, lui aussi encore dominé par le fût.
☛ Arnoux Père et Fils, rue des Brenots, 21200 Chorey-lès-Beaune, tél. 03.80.22.57.98, fax 03.80.22.16.85 ☑ ▼ r.-v.

BALANDOT 1997★

■　　　　1,95 ha　　12 000　　◫ 70 à 99 F

Cette bouteille grenat intense, pas trop boisée mais épicée, a peu d'acidité, de la rondeur et une certaine puissance. *Village* d'un bon niveau. Pour un lapin chasseur.
☛ Moillard, 2, rue François-Mignotte, 21700 Nuits-Saint-Georges, tél. 03.80.62.42.22, fax 03.80.61.28.13 ☑ ⊺ r.-v.

LYCEE VITICOLE DE BEAUNE
Les Perrières 1996★★

■ 1er cru　　0,77 ha　　4 330　　◫ 70 à 99 F

Le lycée viticole a remis ici sa copie **blanche** (**beaune 97**, cité), miellée et boisée, fruits secs, et c'est un compliment. Mais c'est surtout sa copie rouge avec ces Perrières très au-dessus du *village* qui reçoit son diplôme. La robe est profonde, pourpre à reflets noirs. Les fruits mûrs l'emportent sur la réglisse, tant au nez qu'en bouche. Cette dernière se montre puissante, parfaitement construite, charnue, en même temps qu'élégante.
☛ Lycée viticole de Beaune, 16, av. Charles-Jaffelin, 21200 Beaune, tél. 03.80.26.35.81, fax 03.80.22.76.69 ☑ ⊺ t.l.j. sf dim. 8h-11h30 14h-17h; sam. 8h-11h30

BITOUZET-PRIEUR
Les Cent Vignes 1997★

■ 1er cru　　1,25 ha　　3 000　　◫ 100 à 149 F

Une bonne leçon de choses pour découvrir, sur un mode élégant et léger, le vin de Beaune. Limpide et brillant, vineux au nez, droit et franc, il fait son petit effet et peut être dégusté dès cet automne et pendant les deux années à venir.
☛ Vincent Bitouzet-Prieur, rue de la Combe, 21190 Volnay, tél. 03.80.21.62.13, fax 03.80.21.63.39 ☑ ⊺ r.-v.

BOISSEAUX-ESTIVANT Grèves 1996★

■ 1er cru　　n.c.　　n.c.　　◫ 200 à 249 F

Ces Grèves témoignent plutôt de la paix sociale. Elles suivent un drapeau rouge rubis et ont le nez bien garni en épices et cassis. Le dialogue règne en bouche. Le fruit et les tanins négocient un excellent compromis. L'accord est signé sur une petite note de prunelle, pour fêter ça. Cette signature fait partie de l'une des maisons Ponnelle (Albert).
☛ Boisseaux-Estivant, Clos Saint-Nicolas, 38, fg Saint-Nicolas, 21200 Beaune, tél. 03.80.22.00.05, fax 03.80.24.19.73 ☑ ⊺ r.-v.

DOM. GABRIEL BOUCHARD
Clos du Roi 1996★

■ 1er cru　　0,65 ha　　3 000　　◫ 70 à 99 F

Domaine coup de cœur dans les éditions 1991 et 1995, millésimes 88 et 91, dont le vin joue toujours à Beaune la corde sensible. Son Clos du Roi revêt sa robe de sacre et s'honore d'une discrétion de fruits rouges avant d'ouvrir une bouche dont les tanins combattent la monarchie d'une structure pleine de rectitude. Louis XI contre le Téméraire, on connaît ça ici.
☛ Dom. Gabriel Bouchard, 4, rue du Tribunal, 21200 Beaune, tél. 03.80.22.68.63 ☑ ⊺ r.-v.
☛ Alain Bouchard

BOUCHARD AINE ET FILS 1997★

■　　　　n.c.　　n.c.　　◫ 70 à 99 F

Les petits fruits (groseille, framboise), les épices, les notes torréfiées, répondent aux canons de la mode. On les découvre au nez et en bouche. Sans faux pas. « C'est flatteur mais d'une complexité limitée », note un dégustateur qui conseille, comme les quatre autres membres du jury, de l'attendre deux ou trois ans pour que le fruit s'exprime davantage.
☛ Bouchard Aîné et Fils, hôtel du Conseiller-du-Roy, 4, bd Mal-Foch, 21200 Beaune, tél. 03.80.24.24.00, fax 03.80.24.64.12 ☑ ⊺ t.l.j. 9h30-12h30 14h-19h

DOM. BOUCHARD PERE ET FILS
Clos de la Mousse 1997★

■ 1er cru　　3,36 ha　　n.c.　　◫ 100 à 149 F

Ce clos occupe sur ce terroir une position médiane. Bigarreau limpide, il tend vers la venaison tout en montrant la courtoisie proverbiale du Beaunois : souple, agréable, il passe comme lettre à la poste. Coup de cœur en 1988 pour son Saint-Landry.
☛ Bouchard Père et Fils, Ch. de Beaune, 21200 Beaune, tél. 03.80.24.80.24, fax 03.80.24.97.56, e-mail france@bouchard.pereetfils.com ⊺ r.-v.

PIERRE BOUREE FILS
Les Epenottes 1996★

■ 1er cru　　1,2 ha　　6 500　　◫ 100 à 149 F

Ni trop mince ni trop capiteux, n'est-ce pas le secret du vin de Beaune, jadis « générique » pour toute la Côte de Beaune et se consacrant désormais à son terroir ? Voici l'excellente bouteille, sur un *climat* qui touche pommard : délicieux nez accrocheur de cerise mûre, bouche structurée, ample, tannique, toute la personnalité d'un 1er cru et une qualité inspirant la confiance.
☛ Pierre Bourée Fils, 13, rte de Beaune, 21220 Gevrey-Chambertin, tél. 03.80.34.30.25, fax 03.80.51.85.64 ☑ ⊺ r.-v.
☛ Louis Vallet

MICHEL BOUZEREAU
Les Vignes Franches 1997

■ 1er cru　　0,5 ha　　2 500　　◫ 100 à 149 F

Ce *climat* a beaucoup de panache. Il porte à merveille son nom. Il se présente ici sous des traits colorés qui évoluent légèrement et sous des arômes discrets, frais et fleuris. Il attaque en rondeur, évolue sur le gras tout en restant sur la fraîcheur. Ne pas l'attendre trop longtemps.
☛ Michel Bouzereau et Fils, 3, rue de la Planche-Meunière, 21190 Meursault, tél. 03.80.21.20.74, fax 03.80.21.66.41 ☑ ⊺ r.-v.

DOM. CAMUS-BRUCHON
Clos du Roi 1996★

■ 1er cru　　0,19 ha　　1000　　◫ 70 à 99 F

Sous sa robe monarchique, pourpre foncé, ce Clos du Roi est dans un de ses bons jours. Sa générosité commence par le bouquet, cerise noire, et se poursuit au palais. Ni très structuré ni d'une complexité intense, mais débonnaire et convivial, faisant patte de velours pour une volaille fermière.

🔑 Lucien Camus-Bruchon, Les Cruottes, 16, rue de Chorey , 21420 Savigny-lès-Beaune, tél. 03.80.21.51.08, fax 03.80.26.10.21 ☑ 🍷 r.-v.

CHANSON PERE ET FILS

Clos des Fèves 1996*

■ 1er cru 3,79 ha 21 000 🛢 150 à 199 F

A l'aveugle, un de nos dégustateurs écrit sur sa fiche : « typé Cent-Vignes, Bressandes, Clos des Fèves ». En effet ! Et ça, il faut savoir le discerner... Bravo pour le fin palais de ce Britannique qui participe à nos jurys. Bravo pour la maison, coup de cœur en 1988 et en 1992. Elle signe aujourd'hui ce Clos des Fèves 96 intense, aux arômes de groseille et à la bouche équilibrée. Un vin de garde, caractéristique de l'appellation. Quant au **Clos des Mouches 96**, il est très réussi.

🔑 Chanson Père et Fils, 10, rue du Collège, 21200 Beaune, tél. 03.80.22.33.00, fax 03.80.24.17.42, e-mail tmarion@vins-chanson.com 🍷 r.-v.

DOM. DU CHATEAU DE MEURSAULT Grèves 1996*

■ 1er cru 2,5 ha n.c. 🛢 150 à 199 F

Des Grèves qui ne baissent pas les bras ! Rouge à reflets groseille, c'est un vin bouqueté (fruits à l'alcool, léger cassis, notes torréfiées) et qui ne décevra pas sur une viande en rôti dans deux ou trois ans. Les **Cent-Vignes 96** sont citées.

🔑 Ch. de Meursault, 21190 Meursault, tél. 03.80.26.22.75, fax 03.80.26.22.76 ☑ 🍷 r.-v.

DOM. YVES DARVIOT

Clos des Mouches 1997*

■ 1er cru 0,92 ha 5 000 🛢 100 à 149 F

Un dégustateur conseille un cuisseau d'agneau à l'ail confit pour ce Clos des Mouches dont la robe semble caractéristique du millésime. Le nez offre d'abord des notes boisées, puis le fruité apparaît (cerise confite). La bouche, elle aussi, commence sur une note d'austérité, mais derrière ne se cachent pas l'ampleur et la richesse du vin. Belle longueur.

🔑 Dom. Yves Darviot, 2, pl. Morimont, 21200 Beaune, tél. 03.80.24.74.87, fax 03.80.22.02.89 ☑ 🍷 r.-v.

RODOLPHE DEMOUGEOT

Les Epenottes 1997

■ n.c. n.c. 🛢 70 à 99 F

Un tiers de fût neuf, et cela se sent. L'extraction aussi est perceptible. Les tanins sont aujourd'hui « omniprésents mais non acerbes ». Donc il évoluera bien. Vin élaboré par un jeune vigneron de trente ans.

🔑 Dom. Rodolphe Demougeot, 2, rue du Clos-de-Mazeray, 21190 Meursault, tél. 03.80.21.28.99, fax 03.80.21.29.18 ☑ 🍷 r.-v.

DOM. DOUDET Clos du Roy 1997*

■ 1er cru 0,45 ha 1 500 🛢 100 à 149 F

Ce Clos du Roy n'est pas trop pressé. Il s'exprime ici en intensité avec une ardeur aromatique assez exceptionnelle : confiture de cerises, de myrtilles, pruneau cuit... La bouche en revanche est d'un grain très fin, aimable et conviviale, souple et vanillée.

🔑 Dom. Doudet, 50, rue de Bourgogne, 21420 Savigny-lès-Beaune, tél. 03.80.21.51.74, fax 03.80.21.50.69 ☑ 🍷 r.-v.

DOM. DUBOIS D'ORGEVAL

Les Theurons 1996*

■ 1er cru 0,5 ha n.c. 🛢 100 à 149 F

Un beau rubis foncé à reflets bleutés l'habille... Le nez n'est pas vraiment violent mais prometteur, fruits-fleurs. Charpenté et charnu, un Theurons (avec ou sans h, peu importe) qu'on déguste à pleine bouche. Chaleur, longueur, il a tout pour plaire, mais ne nous précipitons pas : la garde en fera un plus bel enfant encore.

🔑 Dom. Dubois d'Orgeval, 3, rue Joseph-Bard, 21200 Chorey-lès-Beaune, tél. 03.80.24.70.89, fax 03.80.22.45.02 ☑ 🍷 r.-v.

DOM. BERNARD DUBOIS ET FILS

Les Aigrots 1996**

■ 1er cru 0,35 ha 2 500 🛢 70 à 99 F

Les Aigrots ont la réputation de virevolter comme un papillon : peu de corps, mais de l'attaque, de la grâce. Si cela est vrai, ce papillon pose une jolie couleur rouge franc dans le verre. Ses arômes sont à ce jour difficiles à cerner. Saveurs aimables, comme la fraise des bois sur des notes prolongées et agréables. Des tanins bien structurés accompagnent aujourd'hui la dégustation de ce vin désireux de plaire dans deux ou trois ans.

🔑 Dom. Bernard Dubois et Fils, 14, rue des Moutots, 21200 Chorey-lès-Beaune, tél. 03.80.22.13.56, fax 03.80.24.61.43 ☑ 🍷 r.-v.

DOM. LOIS DUFOULEUR

Les Cent-Vignes 1996*

■ 1er cru 0,87 ha 5 444 🛢 100 à 149 F

Totalement replantées au début des années 80, les vignes de Loïs Dufouleur ont donné leur premier millésime vendu au domaine en 1990. Voici donc la septième vinification. « Qu'en l'attente de ce qu'on aime, une heure est fâcheuse à passer », disait Corneille. Et que dire des années ! C'est un vin de mûre et de cuir, sûr de lui et dominateur, promis à des notes sauvages de gibier et de poivre sous le couvert du sous-bois. Extraction optimale et attente conseillée. **Clos du Roi 96** de bonne composition, même note.

🔑 Dom. Loïs Dufouleur, chem. des Bressandes, la Montagne, 21200 Beaune, tél. 03.80.22.70.34, fax 03.80.24.04.28 ☑ 🍷 r.-v.

GERMAIN PERE ET FILS

Les Montremenots 1996*

■ 1er cru 0,22 ha 1 200 🛢 50 à 69 F

Sur le haut de l'AOC beaune, au-dessus du Clos des Mouches, versant sud. Ces Montremenots sont structurés et nets, bien colorés, concordant du premier coup de nez jusqu'à la fin de bouche (pruneau, fruits rouges). Encore un peu virils, farouches, ils s'apprivoiseront dans un ou deux ans.

🔑 EARL Dom. Germain Père et Fils, rue de la Pierre-Ronde, 21190 Saint-Romain, tél. 03.80.21.60.15, fax 03.80.21.67.87 ☑ 🍷 t.l.j. 8h-20h; dim. sur r.-v.

DOM. GOICHOT ET FILS
Les Bressandes 1996*

■ 1er cru n.c. 2 800 ⊕ 100 à 149 F

Les Bressandes atteignent des sommets quand elles ont de la concentration et la capacité de dormir en cave cinq à six ans. Comptez sur vos doigts : on est en l'an 2000 et c'est un 96. Le purgatoire ne durera pas trop longtemps ! Excellente présentation. Bouquet formant palette du fruit noir au réglissé. Le corps est bien assis, ferme et nuancé. A attendre sans inquiétude.
SA A. Goichot et Fils, rue Paul-Masson, 21190 Merceuil, tél. 03.80.26.88.70, fax 03.80.26.80.69, e-mail goichot@goichot.sa.com ☑ Y r.-v.

JEAN GUITON Les Sizies 1996

■ 1er cru 0,53 ha 1 600 ⊕ 70 à 99 F

« Cette bouteille a le vin gai », nous dit un dégustateur. L'expression lui convient en effet à merveille. La robe est d'un grenat bien prononcé, le nez très généreux et expressif, la bouche tendre et typée par son cépage. N'allez pas chercher ici une folle complexité, mais ce n'est pas indispensable pour passer un bon moment.
Jean Guiton, 4, rte de Pommard, 21200 Bligny-lès-Beaune, tél. 03.80.26.82.88, fax 03.80.26.85.05 ☑ Y t.l.j. 9h-12h 14h-19h

DOM. LUCIEN JACOB
Les Toussaints 1997

■ 1er cru 0,3 ha n.c. ⊕ 70 à 99 F

Entre Grèves et Cent-Vignes, les Toussaints ont des odeurs d'encens et de petit paradis beaunois. Un bœuf bourguignon devrait conduire cette bouteille à la vie éternelle. Pour le plaisir d'allier le vieux plat du terroir et ce vin de terroir léger et fin. Marier les contraires n'est pas si aventureux. Robe un peu évoluée, nez à l'inverse très jeune, sous-bois et subtiles épices.
Dom. Lucien Jacob, 21420 Echevronne, tél. 03.80.21.52.15, fax 03.80.21.55.65 ☑ Y r.-v.

DOM. JESSIAUME PERE ET FILS
Cent-Vignes 1997

■ 1er cru 1,16 ha 6 950 ⊕ 70 à 99 F

Jury partagé par cette bouteille. « Est-ce à la hauteur d'un premier cru ? » N'attendons pourtant pas le verdict de l'archange qui pèse les âmes sur le retable de l'Hôtel-Dieu... Balance néanmoins positive. Rondeur et chair ont en commun de fortes affinités. Quant à la robe, voyez donc ! Cerise foncé. S'il s'était agi d'un *village*, il aurait eu son étoile, et peut-être davantage. Et puis, le millésime n'était pas facile !
Dom. Jessiaume Père et Fils, 10, rue de la Gare, 21590 Santenay, tél. 03.80.20.60.03, fax 03.80.20.62.87 ☑ Y r.-v.

JEAN-LUC JOILLOT
Montagne Saint-Désiré 1996

■ 0,65 ha 4 000 ⊕ 70 à 99 F

Né sur le haut du coteau penchant sur l'AOC pommard, ce 96 apparaît en effet comme un vin de garde... Certes, le grenat est aimable, le sous-bois réglissé estimé. Il fait plus jeune que son millésime et sera à suivre dans le temps.
Jean-Luc Joillot, rue de la Métairie, 21630 Pommard, tél. 03.80.22.47.60, fax 03.80.24.67.54 ☑ Y r.-v.

DOM. PIERRE LABET
Clos des Monsnières 1997**

□ 1 ha n.c. ⊕ 100 à 149 F

Or pâle soutenu, floral et boisé juste ce qu'il faut, ce vin suscite ce mot : « On se fait plaisir. » Le gras, le fruit, la fraîcheur et la longueur s'entendent pour le bonheur du temps présent. Peut se garder mais pourquoi attendre ? On le conseille pour un homard à l'armoricaine.
Dom. Pierre Labet, rempart de la Comédie, 21200 Beaune, tél. 03.80.62.86.13, fax 03.80.62.82.72, e-mail labet@axnet.fr ☑ Y t.l.j. sf lun. 10h30-19h; f. fin nov. à Pâques
François Labet

DANIEL LARGEOT Les Grèves 1997**

■ 1er cru 0,61 ha 2 800 ⊕ 100 à 149 F

Coup de cœur l'an dernier pour ce même 1er cru version 96 et déjà dans l'édition 1998 pour le 95, que dire du millésime suivant ? Il demeure dans le haut de gamme. Style toasté, il est vrai, et d'un fût expansif. Cela dit, sa teinte est rayonnante, son bouquet prêt à chanter le pruneau, sa bouche subtile, soyeuse et d'une remarquable persistance.
Daniel Largeot, 5, rue des Brenôts, 21200 Chorey-lès-Beaune, tél. 03.80.22.15.10, fax 03.80.22.60.62 ☑ Y r.-v.

DOM. DE LA SALLE Champimonts 1996

■ 1er cru 2 ha 7 600 ⊕ 100 à 149 F

Bonne brillance. Si le bouquet n'est pas un feu d'artifice, il ne contient aucun artifice, s'ouvrant peu à peu à l'aération vers des notes animales. Une bonne attaque, des tanins encore présents mais sans agressivité : il reste quelque chose en bouche lorsqu'on repose le verre. Sera à son optimum dans un an ou deux.
Vieilles Caves de Bourgogne et de Bordeaux, 6 bis, bd Jacques-Copeau, 21200 Beaune, tél. 03.80.24.37.47, fax 03.80.24.37.38

LOUIS LATOUR 1996

□ n.c. 15 000 ⊕ 100 à 149 F

Il a ce côté un peu piquant de l'esprit beaunois retournant ses compliments au poète Piron. Vif en première attaque, mais de bonne compagnie, frais et friand. Garde son tempérament de jeunesse, bien présenté et tirant sur des arômes plus mûrs (coing par exemple).
Maison Louis Latour, 18, rue des Tonneliers, 21204 Beaune Cedex, tél. 03.80.24.81.00, fax 03.80.22.36.21, e-mail louislatour@louislatour.com Y r.-v.

LA TOUR BLONDEAU 1997*

□ 1er cru n.c. n.c. ⊕ 100 à 149 F

Marque de Bouchard Père et Fils. Dans une belle palette d'arômes de fleurs et de noisette, ce vin or pâle est bien équilibré. Ce n'est cependant pas un coureur de fond : préparez déjà le gratin de crevettes aux truffes.
Grands Vins Forgeot, 15, rue du Château, 21200 Beaune, tél. 03.80.24.80.50

BOURGOGNE

CH. DE LA VELLE Marconnets 1996**

■ 1er cru 0,8 ha 1 800 🍷 70 à 99 F

Le coup de cœur ? Pas plus tard que l'an dernier (pour un clos des Monsnières blanc 96). Ce Marconnets mérite d'être connu et ne passe pas très loin de la distinction suprême. Le bouquet est affriolant : on y trouve des notes fruitées et de gibier. Ensuite, dès l'attaque, l'ampleur signe le rythme de la dégustation. Suave et approfondi, le sujet est traité avec une totale maîtrise. **La Cuvée Vieilles vignes en village 96** peut être choisie en toute confiance. En blanc, le **Clos des Monsnières 97** reçoit une étoile.

Bertrand Darviot, Ch. de La Velle, 17, rue de La Velle, 21190 Meursault, tél. 03.80.21.22.83, fax 03.80.21.65.60 ▣ Y r.-v.

DOM. MAILLARD PERE ET FILS 1997*

■ n.c. n.c. 🍷 70 à 99 F

Une robe très rouge et brillante. Une petite nuance cassis au nez, puis au palais de l'équilibre, de la longueur, du fruit mais aussi du fût, avec pour corollaire un petit côté fermé en attente du lendemain. Coup de cœur sur le Guide de l'an dernier pour son 95.

Dom. Maillard Père et Fils, 2, rue Joseph-Bard, 21200 Chorey-lès-Beaune, tél. 03.80.22.10.67, fax 03.80.24.00.42 Y r.-v.

CHRISTIAN MENAUT La Jolivode 1997**

■ 0,86 ha 4 300 🍷 50 à 69 F

Convenable assurément, ce 97. Le coup de cœur ornait l'an passé le rebord de son veston pour un superbe 96 et déjà dans le Guide 1996 pour le 92. On aime l'harmonie de son bouquet, typé mûre ou myrtille. Le passage en fût a bien été supporté par un corps assez fort. Comme l'équilibre est assuré, tous les éléments sont réunis pour faire un beau vin de garde, sans doute exquis dans trois ou quatre ans.

Christian Menaut, 21190 Nantoux, tél. 03.80.26.01.53, fax 03.80.26.01.53 ▣ Y r.-v.

DOM. RENE MONNIER Cent-Vignes 1997*

■ 1er cru 1,7 ha 7 000 🍷 70 à 99 F

Toussaints ? Cent-Vignes ? On a goûté les deux dans ce millésime, et les deux ont place dans votre cave. La finesse de Cent-Vignes nous touche un peu plus. Vermillon intense, un 97 qui laisse parler le cépage, le terroir, dans une expression souple et élégante. Beaune jusqu'au bout des ongles. L'édition 93 du Toussaints obtenait un coup de cœur dans le Guide 1996.

Dom. René Monnier, 6, rue du Dr-Rolland, 21190 Meursault, tél. 03.80.21.29.32, fax 03.80.21.61.79 ▣ Y t.l.j. 8h-12h 14h-18h

M. et Mme Bouillot

DOM. PARENT Les Epenottes 1996*

■ 1er cru 1,74 ha n.c. 🍷 100 à 149 F

Allez donc savoir pourquoi ce 1er cru change de sexe : Epenots sur Pommard, Epenottes sur Beaune ! Des vins à servir lors d'un dîner-débat sur la parité... La version féminine joue la finesse, le plaisir. De longue garde ? Probablement pas mais très plaisant et coulant dans un fondu déjà réussi. Rubis sombre et arômes en voie de développement.

Dom. Parent, pl. de l'Eglise, 21630 Pommard, tél. 03.80.22.15.08, fax 03.80.24.19.33, e-mail parent-pommard@axnet.fr ▣ Y r.-v.

DOM. PARIGOT PERE ET FILS Les Aigrots 1997**

■ 1er cru 0,78 ha 4 800 🍷 70 à 99 F

Coup de cœur dans le Guide 1990 si nos souvenirs sont bons pour des Grèves 87, voici des Aigrots. Pas du tout du même côté puisqu'il s'agit cette fois de Pommard. Ils ont le regard sombre et le nez très complexe et à maturité. Riche, puissante, l'architecture relève des Monuments historiques. Le fruit ? Il se cache derrière un boisé réglissé. Réapparaîtra d'ici cinq à dix ans selon notre pronostic. Et là, coup de cœur prévisible au fond de votre cœur. **Les Grèves 97** connaîtront un même parcours.

Dom. Parigot Père et Fils, rte de Pommard, 21190 Meloisey, tél. 03.80.26.01.70, fax 03.80.26.04.32 ▣ Y r.-v.

PAUL PERNOT ET SES FILS Clos de Dessus des Marconnets 1997**

■ n.c. n.c. 🍷 50 à 69 F

Porté par son avenir, un beau vin nuance savigny et juché sur les hauteurs. Couleur coucher de soleil, aromatiquement vôtre (framboise, petite touche boisée), il a de la structure, de l'enveloppe, de la longueur et une légère amertume que le temps devrait estomper.

EARL Paul Pernot et ses Fils, 7, pl. du Monument, 21190 Puligny-Montrachet, tél. 03.80.21.32.35, fax 03.80.21.94.51 ▣ Y r.-v.

DOM. JACQUES PRIEUR Champs Pimont 1996**

■ 1er cru 2,3 ha 9 900 🍷 100 à 149 F

Ce *climat* est central parmi les 1ers crus de beaune, en quelque sorte leur point de repère en « milieu de rang ». Produit ici par un des importants domaines de la Côte (repris naguère par Antonin Rodet mais toujours bien présent à Meursault), il séduit par des qualités de couleur, se contente d'offrir quelques notes animales et possède beaucoup de puissance, de réserve. Belle évolution en perspective mais à ne pas ouvrir avant trois ans.

Dom. Jacques Prieur, 2, rue des Santenots, 21190 Meursault, tél. 03.80.21.23.85, fax 03.80.21.29.19 ▣ Y r.-v.

PASCAL PRUNIER Les Sizies 1997

■ 1er cru 0,32 ha 1 800 🍷 70 à 99 F

Maire de Beaune en 1218, Renaud de Sesie semble être à l'origine de ce *climat* qui n'a pas la mémoire courte. On dit ce 97 bien typé dans son appellation, rubis cerise, framboise et pain grillé. Vert encore, un peu amer en fin de bouche, avec des tanins qui sont dans un état (changeant, par bonheur) que les parents connaissent bien : l'âge ingrat. N'en faisons pas toute une histoire car il a suffisamment de fond pour leur permettre de s'humaniser.

🔑 Pascal Prunier, rue Traversière, 21190 Auxey-Duresses, tél. 03.80.21.66.56, fax 03.80.21.67.33 ☑ 🍷 r.-v.

DOM. RAPET PERE ET FILS

Clos du Roi 1997*

■ 1er cru 0,5 ha 2 000 🛢 70 à 99 F

« Le vin de Beaune, dit-on, ne perd sa cause que faute de comparer. » Et celui-ci ne craint pas la dégustation ! Des pieds à la tête, du pourpre de sa robe à la vinosité de ses arômes très concentrés, il est la plénitude accomplie et n'a pas encore dit son dernier mot.

🔑 Dom. Rapet Père et Fils, 21420 Pernand-Vergelesses, tél. 03.80.21.50.05, fax 03.80.21.53.87 ☑ 🍷 r.-v.

DANIEL REBOURGEON-MURE

Les Vignes Franches 1997*

■ 1er cru 0,61 ha 2 500 🛢 70 à 99 F

Une très belle robe brillante rubis soutenu séduit au premier coup d'œil. Le nez très droit (fruits rouges et nuances animales) est à l'image de l'attaque en bouche, franche et directe. Le bon équilibre qui règne entre l'acidité et les tanins lui assurera une bonne garde (deux à trois ans).

🔑 Daniel Rebourgeon-Mure, Grande-Rue, 21630 Pommard, tél. 03.80.22.75.39, fax 03.80.22.71.00 ☑ 🍷 r.-v.

THIERRY VIOLOT-GUILLEMARD

Clos des Mouches 1997**

■ 1er cru 0,25 ha 1 500 🛢 100 à 149 F

Les Mouches (on prononce en accentuant le *Mou*... et en resserrant le devant de la bouche), ce sont guêpes ou abeilles, plutôt ces dernières car elles font de la bouteille une ruche bourdonnante : tout en est odorant, savoureux, typé terroir du sud (ce qu'un dégustateur à l'aveugle reconnaît parfaitement !) et d'une race indéniable. Vin grand et beau.

🔑 Thierry Violot-Guillemard, rue Sainte-Marguerite, 21630 Pommard, tél. 03.80.22.49.98, fax 03.80.22.94.40 ☑ 🍷 r.-v.

CHRISTOPHE VIOLOT-GUILLEMARD

Clos des Mouches 1996*

■ 1er cru 0,23 ha 1 200 🛢 100 à 149 F

Un Clos des Mouches ne laisse jamais indifférent. Cette bouteille s'exprime par un début de sous-bois sous pavillon rubis pourpre. Alcool, astringence, cela reste un peu rude, mais la situation actuelle est en transit vers une belle gare d'accueil. **Clos du Roi 96** recommandé : mûr, très friand cependant et gorgé de framboise. Choisissez le premier pour demain, le second pour aujourd'hui.

🔑 Christophe Violot-Guillemard, rue de la Refene, 21630 Pommard, tél. 03.80.22.03.49, fax 03.80.22.03.49 ☑ 🍷 r.-v.

DOM. EMILE VOARICK

Montée Rouge 1997

■ 0,95 ha n.c. 🛢 100 à 149 F

Domaine de la maison Picard. Et un vin destiné aux gens patients qui découvriraient aujourd'hui des fruits noirs, des épices (poivre, muscade, girofle) mais aussi une bouche tannique où les notes boisées l'emportent encore sur le fruit. Dans deux ou trois ans, ouvrir cette bouteille sur un magret de canard à la compote de pommes et d'airelles.

🔑 SCV Dom. Emile Voarick, 71640 Saint-Martin-sous-Montaigu, tél. 03.85.45.23.23, fax 03.85.45.16.37 ☑ 🍷 t.l.j. sf sam. dim. 8h-12h 14h-18h

🔑 Michel Picard

BOURGOGNE

Côte de beaune

A ne pas confondre avec le côte de beaune-villages, l'appellation côte de beaune ne peut être produite que sur quelques lieux-dits de la montagne de Beaune. Elle a déclaré 473 hl de vin rouge et 519 hl de vin blanc en 1998.

DOM. LOIS DUFOULEUR

Les Longes 1996*

■ 0,75 ha 4 700 🛢 50 à 69 F

Climat très au-dessus du coteau, voyant les choses de haut. Ample et généreux, un peu chaud, ce vin ne regarde pas à la dépense. Tanins en fanfare et jolie texture, des arômes de sous-bois. Il est de surcroît bien habillé de pourpre sombre. Dans la bonne moyenne de l'appellation.

🔑 Dom. Loïs Dufouleur, chem. des Bressandes, la Montagne, 21200 Beaune, tél. 03.80.22.70.34, fax 03.80.24.04.28 ☑ 🍷 r.-v.

DOM. DES PIERRES BLANCHES 1996

■ 2 ha n.c. 🛢 70 à 99 F

Rond, flatteur, et pourtant le type même du vin de garde porté par une acidité élevée. La mâche est présente. Discret animal en approche et robe somptueuse. Affiné, cela donnera quelque chose de bon. Et si le coq s'y prête, pourquoi ne pas le préparer au vin ?

🔑 Dom. Joliette, allée des Pierres-Blanches, 21200 Beaune, tél. 03.80.22.26.45, fax 01.45.39.06.90 ☑ 🍷 r.-v.

DOM. POULLEAU PERE ET FILS

Les Mondes Rondes 1997

■ 3,2 ha 4 500 🛢 30 à 49 F

Savoir que les Mondes Rondes, joli nom de *climat*, tiennent leurs assises tout en haut de la Montagne de Beaune : elles ont l'horizon en face d'elles. Un pinot noir en ouverture de bouquet, fin, un peu sec sous l'effet des tanins. Mais le temps rendra tout cela amène.

🔑 Dom. Poulleau Père et Fils, rue du Pied-de-la-Vallée, 21190 Volnay, tél. 03.80.21.62.61, fax 03.80.26.45.90 ☑ 🍷 r.-v.

Pommard

C'est l'appellation bourguignonne la plus connue à l'étranger, sans doute en raison de sa facilité de prononciation... Le vignoble a produit 13 049 hl en 1998. L'argovien marneux est ici remplacé par des calcaires tendres, et les vins produits sont solides, tanniques et ont une bonne aptitude à la garde. Les meilleurs climats sont classés en premiers crus, dont les plus connus sont les Rugiens et les Epenots.

DOM. CHARLES ALLEXANT ET FILS
Le Bas des Saucilles 1996★★

■ 0,25 ha 1 200 🍷 100 à 149 F

Un domaine de 13 ha constitué de parcelles réparties sur près de quinze villages. Celle-ci se situe à la limite de Beaune et de Pommard. Le nez ? « Distingué », écrit l'un des jurés. Sous une robe sombre et limpide, un 96 de bonne naissance, équilibré, que les fruits rouges dominent avec une pointe boisée de bon aloi : il faut laisser les choses se faire, et le pronostic est très favorable.

🔑 Dom. Charles Allexant et Fils, rue du Château, Cissey, 21190 Meursault, tél. 03.80.26.83.27, fax 03.80.26.84.04 ☑ 🍷 r.-v.

BALLOT-MILLOT ET FILS
Pézerolles 1997★★

■ 1er cru 0,35 ha 1 600 🍷 100 à 149 F

Une vendange égrappée à 90 %, une cuvaison de dix jours, un élevage de douze mois en fûts (dont 30 % neufs), ont donné ce vin rubis vif et brillant ; il exprime le sous-bois, la groseille, avant de les fondre dans le fût ! Il offre des nuances d'alcool, de confiture assez classiques en bouche, tout en paraissant d'un heureux potentiel. Un vrai 1er cru.

🔑 Ballot-Millot et Fils, 9, rue de la Goutte-d'Or, B.P. 33, 21190 Meursault, tél. 03.80.21.21.39, fax 03.80.21.65.92 ☑ 🍷 r.-v.

ROGER BELLAND Les Cras 1997★★

■ 0,99 ha 5 000 🍷 100 à 149 F

Ici les vignes sont enherbées. Traduisez : on applique les principes de la lutte raisonnée respectueuse de l'environnement. Ensuite, les vendanges sont triées sur table : seules les baies de qualité sont vinifiées. Cela donne un vin remarquable, rubis intense, aux arômes de fruits rouges légèrement boisés accompagnés d'une note de tabac. Sa structure tannique demande à s'affiner. Comme c'est un vin généreux et racé, on peut lui faire confiance : nos dégustateurs sont d'accord là-dessus. Ensemble agréable et prometteur.

🔑 Roger Belland, 3, rue de la Chapelle, B.P. 13, 21590 Santenay, tél. 03.80.20.60.95, fax 03.80.20.63.93 ☑ 🍷 r.-v.

DOM. GABRIEL BILLARD
Charmots 1996★★

■ 1er cru 0,35 ha 1 800 🍷 100 à 149 F

Un vin superbe. En **village**, nous avons retenu une très jolie bouteille **96** (une étoile). Mais le Charmots est, dans le même millésime, un bon cran au-dessus. Laurence Jobard est l'une des œnologues les plus réputées de Bourgogne. Elle est ici dans ses vignes et y fait merveille : robe rouge grenat vif, nez d'humus et de confiture de mûres, bouche épicée et d'une maturité complète, structure épanouie, la hiérarchie est respectée. Un vrai beau vin.

🔑 SCEA Gabriel Billard, imp. de la Commaraine, 21630 Pommard, tél. 03.80.22.27.82, fax 03.85.49.48.63 ☑ 🍷 r.-v.

🔑 Jobard-Desmonet

DOM. BILLARD-GONNET
Clos de Verger 1996★★

■ 1er cru 1,5 ha 6 500 🍷 100 à 149 F

En **96**, le **village** est un peu rustique mais correct. On lui préfère assurément ce Clos de Verger en 1er cru. Grenat violacé, il offre de coup de nez en coup de nez un joli récital : vieille rose, pivoine, cassis. Ample et souple, la bouche marie les arômes secondaires sans excès tannique et sur une longueur appréciable. Remarquable **Chaponnières** en **96**. Vigneronne depuis 1766, cette famille possède huit 1ers crus de pommard.

🔑 Dom. Billard-Gonnet, rte d'Ivry, 21630 Pommard, tél. 03.80.22.17.33, fax 03.80.22.68.92 ☑ 🍷 r.-v.

CH. DE BLIGNY Les Vignots 1997★

■ 1,4 ha 5 790 🍷 100 à 149 F

L'un des derniers millésimes proposés par ce domaine de 21 ha cédé en 1998 par le groupe GMF à la SAFER de Bourgogne. D'un rouge un peu orangé, il décline des arômes boisés qu'agrémentent le tabac, la cerise. Ses tanins ont de la présence mais ils ne dominent pas la structure. Celle-ci apparaît bien proportionnée.

🔑 SCE Ch. de Bligny, 14, Grande-Rue, 21200 Bligny-lès-Beaune, tél. 03.80.21.47.38, fax 03.80.21.40.27 ☑ 🍷 t.l.j. 9h-12h 15h-17h; sam. dim. sur r.-v.; f. 15-31 août et 24 déc-3 janv.

DOM. GABRIEL BOUCHARD
Charmots 1996★

■ 1er cru 0,49 ha 1 500 🍷 100 à 149 F

Attaque vigoureuse et milieu de bouche très masculin. Finale marquée par des tanins démonstratifs. Sous une robe qui ne bouge pas et un parfum végétal (genièvre), un vin destiné à Obélix pour un de ses futurs sangliers... Pas tout de suite ! Ce vin a reçu un coup de cœur dans le Guide 1997 (millésime 93).

🔑 Dom. Gabriel Bouchard, 4, rue du Tribunal, 21200 Beaune, tél. 03.80.22.68.63 ☑ 🍷 r.-v.

🔑 Alain Bouchard

BOUCHARD AINE ET FILS 1996★

■ n.c. n.c. 🍷 150 à 199 F

Dans *Le Diable au corps*, le film de Claude Autant-Lara, Gérard Philipe consacre beaucoup de temps à une bouteille de pommard. Celle-ci aurait pu figurer dans la distribution, tant elle joue son rôle à merveille. Robe impeccable, bouquet cerise et une élégance qui s'exprime avec doigté. Du gras, du fruit portés en avant par la finesse des tanins. *Happy end* !

🔑 Bouchard Aîné et Fils, hôtel du Conseiller-du-Roy, 4, bd Mal-Foch, 21200 Beaune, tél. 03.80.24.24.00, fax 03.80.24.64.12 ☑ Ꮖ t.l.j. 9h30-12h30 14h-19h

DENIS CARRE Les Noizons 1997

■ n.c. n.c. ⏸ 70 à 99 F

Carmin, il porte la couleur d'un vin jeune. Il l'est en effet. Petit boisé fin, pain grillé. Un peu d'âpreté due aux tanins, mais le sentiment général est positif car une touche de délicatesse emplit le verre et la persistance est prometteuse.

🔑 Denis Carré, rue du Puits-Bouret, 21190 Meloisey, tél. 03.80.26.02.21, fax 03.80.26.04.64 ☑ Ꮖ r.-v.

DOM. CLOS DU PAVILLON

Le Clos du Pavillon 1996★★

■ 3,86 ha 23 000 ⏸ 100 à 149 F

Belle robe, normale pour un 96. Cassis, girofle, le bouquet est subtil, raffiné. Intensité vanillée sans doute, mais la puissance, la persistance aromatique sont impressionnantes. Doté d'une bouche bien pleine, un vin d'une élégance remarquable. Il sort vraiment de l'ordinaire. Clos en monopole sur près de 4 ha.

🔑 Dom. du Pavillon, 6 bis, bd Jacques-Copeau, 21200 Beaune, tél. 03.80.24.37.37, fax 03.80.24.37.38

🔑 A. Bichot

DOM. DE COURCEL Les Rugiens 1996★★

■ 1er cru 1 ha 2 500 ⏸ 150 à 199 F

Nous avons dégusté un **Grand Clos des Epenots** et un Rugiens, tous deux **96**. Ce dernier obtient les commentaires les plus flatteurs : jolie couleur, bouquet subtil, attaque très fruitée, bouche ronde et réglissée. Déjà fondu, il est prêt à

La côte de Beaune (Centre-Nord)

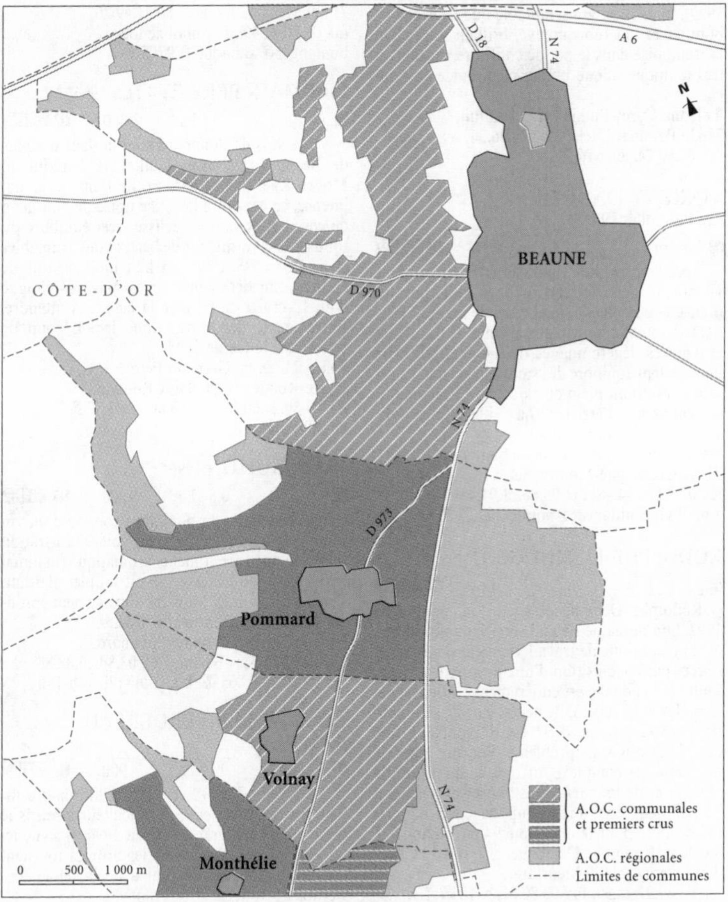

boire mais peut se garder avec profit. Domaine coup de cœur dans le Guide 1989 pour son 85, puis dans l'édition 1992 avec un Grand Clos des Epenots (88).

☛ Dom. de Courcel, pl. de l'Eglise, 21630 Pommard, tél. 03.80.22.10.64, fax 03.80.24.98.73 ☑ Ⲩ r.-v.

COUVENT DES CORDELIERS 1997

| ■ | n.c. | 6 200 | ◫ | 100 à 149 F |

Léger en bouche, facile à boire, partagé entre le sous-bois et la fraise, fort heureusement peu boisé, un vin à la robe pâle, discret sous tous rapports, mais harmonieux dans son millésime et pas désagréable du tout. La gentille bouteille, signée par Boisseaux à Beaune.

☛ Caves du Couvent des Cordeliers, rue de l'Hôtel-Dieu, 21200 Beaune, tél. 03.80.25.08.85, fax 03.80.25.08.21 Ⲩ t.l.j. 9h30-12h 14h-18h

DOM. CYROT-BUTHIAU
La Combotte 1996

| ■ | 0,55 ha | 1 210 | ◫ | 100 à 149 F |

Olivier Cyrot a repris le domaine familial il y a dix ans. Peu de gras à l'heure présente (début 1999), mais il est vraisemblable que l'élevage va bonifier ce vin rubis mauve, brillant, rappelant la framboise dans le pot de confiture, costaud et très tannique, d'une bonne persistance en bouche.

☛ Dom. Cyrot-Buthiau, rte d'Autun, 21630 Pommard, tél. 03.80.22.06.56, fax 03.80.24.00.86 ☑ Ⲩ r.-v.

VINCENT DANCER
Les Pézerolles 1997★★

| ■ 1er cru | 0,3 ha | 900 | ◫ | 100 à 149 F |

Après reprise des vignes familiales, ce jeune viticulteur signe ici son premier millésime. Et pour un coup d'essai, quel coup de maître ! Grenat très soutenu, un vin aux arômes de framboise et d'épices (légère nuance de figue) et qui offre un excellent équilibre des saveurs. Soyeux, caressant et pourtant plein de caractère ! Bon vieillissement assuré. **Perrières 97** en **village**, bien réussis par ailleurs (une étoile).

☛ Vincent Dancer, 23, rte de Santenay, 21190 Chassagne-Montrachet, tél. 03.80.21.94.48, fax 03.80.21.94.48, e-mail vincentdancer@minitel.net ☑ Ⲩ r.-v.

RODOLPHE DEMOUGEOT 1997★

| ■ | n.c. | n.c. | ◫ | 70 à 99 F |

Rodolphe Demougeot a créé sa marque en 1992. Son domaine s'étend sur 7 ha aujourd'hui, et ses conditions de travail viennent d'être améliorées par l'acquisition d'une propriété à Meursault : la vendange est entièrement éraflée, et ses vins élevés en fûts (35 % neufs) sur lie, sans soutirage. Son pommard 97 est d'honnête garde, cinq à six ans sans problème. Pourpre léger, le nez ample et complexe, offrant ce qu'il faut de matière et de longueur sans abuser du chêne, il est vif mais équilibré. Coup de cœur dans le Guide 1997 pour le millésime 94 en Vignots.

☛ Dom. Rodolphe Demougeot, 2, rue du Clos-de-Mazeray, 21190 Meursault, tél. 03.80.21.28.99, fax 03.80.21.29.18 ☑ Ⲩ r.-v.

DUFOULEUR PERE ET FILS
Les Fremiers 1996★★

| ■ 1er cru | n.c. | 1 200 | ◫ | 200 à 249 F |

On se régale. Très bon en effet, ce 1er cru côté volnay, habillé de sombre et d'un bouquet qui évolue parfaitement. Il laisse au palais la meilleure impression. Peut-être pas très coulant à l'heure actuelle, mais possédant dans sa chair tout du bon pommard : l'ampleur, la longueur, la persistance.

☛ Dufouleur Père et Fils, 17, rue Thurot, 21700 Nuits-Saint-Georges, tél. 03.80.61.21.21, fax 03.80.61.10.65 ☑ Ⲩ t.l.j. 9h-19h

CH. GENOT-BOULANGER 1996★

| ■ | 2,2 ha | 14 600 | ◫ | 100 à 149 F |

Le siège de ce beau domaine de plus de 27 ha, est à Meursault. Son pommard rouge grenat, haut en couleur, offre un bouquet complexe, empyreumatique et animal. Un large accord se réalise sur la consistance d'un vin solide et efficace, montrant actuellement une petite pointe tannique et qui semble promis à un bel avenir sur une dizaine d'années.

☛ Ch. Génot-Boulanger, 25, rue de Cîteaux, 21190 Meursault, tél. 03.80.21.49.20, fax 03.80.21.49.21, e-mail genot-boulanger@wanadoo.fr ☑ Ⲩ r.-v.

GERMAIN PERE ET FILS 1996★★

| ■ | 0,5 ha | 2 000 | ◫ | 70 à 99 F |

« Les vins de Pommard sont la fleur des vins de Beaune », écrivait Guillaume Paradin au Moyen Age. Ils ont gardé cette flamme, grenat intense, ce nez entre la cerise noire, le bourgeon de cassis et la vanille réglissée, cet équilibre du fond et de la forme, sur de beaux tanins aimables et lisses. Ce 96, élevé dix-huit mois en fûts de l'Allier - un tiers neufs - n'est pas très éloigné d'un 1er cru et en partage la classe. A attendre. Entre-temps, débouchez donc le 94, coup de cœur dans le Guide 1998.

☛ EARL Dom. Germain Père et Fils, rue de la Pierre-Ronde, 21190 Saint-Romain, tél. 03.80.21.60.15, fax 03.80.21.67.87 ☑ Ⲩ t.l.j. 8h-20h; dim. sur r.-v.

JEAN GUITON 1996★

| ■ | 0,64 ha | 1 500 | ◫ | 70 à 99 F |

Flaubert parle du pommard comme d'un vin « qui excite les facultés ». En voici l'illustration fidèle. D'une robe franche, aromatique (l'animal le disputant au fruit), ce 96 est souple, plaisant, sans forcer la note. Madame Bovary peut éprouver pour lui des sentiments fidèles.

☛ Jean Guiton, 4, rte de Pommard, 21200 Bligny-lès-Beaune, tél. 03.80.26.82.88, fax 03.80.26.85.05 ☑ Ⲩ t.l.j. 9h-12h 14h-19h

DOM. HUBER-VERDEREAU
Bertins 1996★

| ■ 1er cru | 0,19 ha | 900 | ◫ | 100 à 149 F |

Au niveau d'un 1er cru, rien à dire là-dessus. Sommelier de son état, ce viticulteur a repris le domaine de son grand-père en 1994. Il signe ici un 96 violet sombre, dont les arômes tournent autour du sous-bois et qui a de la tenue. Les Bertins se trouvent côté Volnay.

🔑 Dom. Huber-Verdereau, rue Moulin-Mareau, 21630 Pommard, tél. 03.80.22.51.50, fax 03.80.22.48.32 ☑ 🍷 r.-v.
🔑 Huber

DOM. GUY-PIERRE JEAN ET FILS
Les Vignots 1997★★

■ 0,1 ha 420 🛢 70 à 99 F

Une étiquette en forme de parchemin à bords roulés... Habillage désuet d'un pommard qui, au contraire, se détache du peloton. Couleur framboise, il exprime un fin boisé (moka) dans un environnement fruité. Petite amertume en début de bouche, mais excellent équilibre entre tanins, alcool et acidité. Persistance intéressante. Garde assurée.
🔑 Dom. Guy-Pierre Jean et Fils, rue des Cras, 21420 Aloxe-Corton, tél. 03.80.26.44.72, fax 03.80.26.45.36 ☑ 🍷 r.-v.

JEAN-LUC JOILLOT Les Noizons 1997

■ 1,3 ha 7 000 🛢 100 à 149 F

Couronné d'un coup de cœur dans le Guide 1994 (millésime 90), ce Noizons a de qui tenir. On s'enfonce littéralement dans sa robe. Son bouquet demande à s'ouvrir, bien sûr. L'attaque est enlevée, annonçant du corps, de la force. Le fruit rouge colore adroitement la finale. Notez aussi le **Rugiens 97**, plus souple que charpenté.
🔑 Jean-Luc Joillot, rue de la Métairie, 21630 Pommard, tél. 03.80.22.47.60, fax 03.80.24.67.54 ☑ 🍷 r.-v.

DOM. DE LA CREA 1997★

■ 0,36 ha 1 900 🛢 70 à 99 F

Rouge cerise clair, le nez concentré sur la mûre et l'épice, un 97 bien travaillé, tannique, sans grande ampleur mais qui ne passe pas inaperçu. Devrait plaire d'ici deux à trois ans sur un fromage de type époisses.
🔑 Dom. de La Créa, Cave de Pommard, 1, rte de Beaune, 21630 Pommard, tél. 03.80.24.99.00, fax 03.80.24.62.42, e-mail cécile.chenu@wanadoo.fr ☑ 🍷 t.l.j. 10h-19h

DOM. LAHAYE PERE ET FILS
Les Arvelets 1996★

■ 1er cru 0,52 ha 2 400 🛢 100 à 149 F

Loyaux et marchands, dit-on depuis longtemps de ces vins qui, comme celui-ci, ont du cœur à revendre. Grenat profond, vanille épicée, un 96 qui explose en bouche dès l'attaque, sur le fruit, se montre ensuite assez complexe (kirsch, cerise à l'alcool) tout en établissant une connivence entre le gras et les tanins. Bien ouvert et de garde cependant.
🔑 Lahaye Père et Fils, pl. de l'Eglise, 21630 Pommard, tél. 03.80.24.10.47, fax 03.80.24.07.65 ☑ 🍷 t.l.j. sf dim. 9h-12h 14h-18h

DOM. RAYMOND LAUNAY
Chaponnières 1996★★

■ 1er cru 0,6 ha 3 000 🛢 100 à 149 F

Un teint presque noir donne à ce 96 une physionomie intense et concentrée. Confirmation au nez, puissant et mûr, tirant sur le fruit confit. Richesse en bouche, non sans une certaine dureté habituelle ici en vin jeune. A boire dans deux ou trois ans... ou plus tard. **Perrières** en **village** : mêmes remarques, style pommard à l'ancienne.
🔑 Dom. Raymond Launay, rue des Charmots, 21630 Pommard, tél. 03.80.24.08.03, fax 03.80.24.12.87, e-mail raymond.launay@wanadoo.fr ☑ 🍷 r.-v.

DOM. LEJEUNE Les Argillières 1996★

■ 1er cru 1,33 ha 6 000 🛢 100 à 149 F

Tris manuels de la vendange qui n'est pas éraflée, élevage en fûts - dont 40 % sont neufs - pendant vingt-trois mois pour ces Argillières 96, situées sur le coteau côté Beaune. Coup de cœur en 1990 pour un 86, ce domaine présente ici un vin rouge à léger reflet tuilé - tuile bourguignonne il va sans dire - au nez fruité-vanillé très agréable et dont la rondeur efface l'acidité réglissée, signe de bonne garde. Jolie longueur. Les **Rugiens 96** sont de bonne lignée et à retenir.
🔑 Dom. Lejeune, La Confrérie, pl. de l'Eglise, 21630 Pommard, tél. 03.80.22.90.88, fax 03.80.22.90.88 ☑ 🍷 r.-v.
🔑 Famille Jullien de Pommerol

CATHERINE ET CLAUDE MARECHAL La Chanière 1997★

■ 0,87 ha 3 000 🛢 100 à 149 F

Cerise noire, il connaît ses classiques. Puissant, il n'y va pas par quatre chemins pour s'imposer en bouche sur une nuance de cassis qui, sans doute, prendra plus tard l'allure du confit. Le fût ne se fait pas oublier, et cette ardeur gagnera à devenir tempérée. *Climat* situé en montant la combe.
🔑 EARL Catherine et Claude Maréchal, 6, rte de Chalon, 21200 Bligny-lès-Beaune, tél. 03.80.21.44.37, fax 03.80.26.85.01 ☑ 🍷 r.-v.

CHRISTOPHE MARY 1997★

■ 0,3 ha n.c. 🛢 70 à 99 F

On perçoit d'abord un vin riche et chaud (tanins et alcool), sur fond de noyau de cerise. Puis la subtilité se dessine en traits moins appuyés. Ce vin de bonne garde porte une robe pourpre intense à reflets violacés.
🔑 Christophe Mary, Corcelles-les-Arts, 21190 Meursault, tél. 03.80.21.48.98, fax 03.80.21.48.98 ☑ 🍷 r.-v.

LOUIS MAX Les Rugiens 1996★

■ 1er cru n.c. n.c. 🛢 + de 500 F

Si la maison Louis Max a connu pas mal de rebondissements ces dernières années, elle reste à un niveau estimable, comme le montre ce Rugiens plein, structuré et riche, rouge brillant, corbeille de petits fruits, où le bois est présent et doit encore se fondre. Le gras et l'élégance s'accordent bien. Bonne persistance aromatique.
🔑 Louis Max, 6, rue de Chaux, 21700 Nuits-Saint-Georges, tél. 03.80.62.43.01, fax 03.80.62.43.16

DOM. MAZILLY PERE ET FILS
Poutures 1996★

■ 1er cru 0,8 ha 5 000 🛢 100 à 149 F

Un domaine de plus de 14 ha, qui n'hésite pas à trier les raisins. Ce 96 a vécu dix-huit mois en fût. « Incontestablement de la belle ouvrage ! »

La couleur est nette, franche, le nez jeune encore, esquissant quelques notes de griotte. La bouche fine et délicate donne un vin assez complet, sans trop de gras mais avec une touche de distinction. Mérite un bon plat, comme un canard aux morilles. L'un des *climats* les plus proches des maisons de Pommard.

☛ Mazilly Père et Fils, rte de Pommard, 21190 Meloisey, tél. 03.80.26.02.00, fax 03.80.26.03.67 ☑ ⟡ r.-v.

DOM. MOISSENET-BONNARD
Les Epenots 1997★

■ 1er cru	0,93 ha	1 800	⦀	100 à 149 F

Le **pommard village** du domaine, du même millésime, est jugé très correct, à boire avec l'âge. Son Epenots 1er cru mérite davantage d'estime, et c'est normal chez un bon producteur. Robe 97 appréciée très jeune, nez intéressant et de facture classique, excellente tenue au palais dans l'esprit de l'appellation.

☛ Dom. Moissenet-Bonnard, rte d'Autun, 21630 Pommard, tél. 03.80.24.62.34, fax 03.80.24.62.34 ☑ ⟡ r.-v.

DOM. RENE MONNIER
Les Vignots 1997★

■	0,77 ha	4 000	⦀	70 à 99 F

Coup de cœur l'an dernier (millésime 96), ce Vignots est cette année encore digne de notre intérêt. De légers reflets bleutés animent sa robe rubis assez profond. Beaucoup de rondeur au nez. Son charme permet de le savourer dès à présent, mais on peut le laisser vieillir un peu.

☛ Dom. René Monnier, 6, rue du Dr-Rolland, 21190 Meursault, tél. 03.80.21.29.32, fax 03.80.21.61.79 ☑ ⟡ t.l.j. 8h-12h 14h-18h

☛ M. et Mme Bouillot

DOM. JEAN MOREAU 1996★

■	0,3 ha	1 800	⦀	100 à 149 F

Ce domaine est établi dans une ancienne dépendance du château de Philippe le Hardi, à 200 m du château. Plein, tannique, tout à fait dans le portrait-robot du pommard traditionnel, ce 96 présente une bouche bien dessinée, odorante, agréable. Le nez suggère le poivre, la cannelle mais de façon allusive. Teinte foncée, très soutenue.

☛ Jean Moreau, Dom. de la Buissière, 4, rue de la Buissière, 21590 Santenay, tél. 03.80.20.61.79, fax 03.80.20.64.76 ☑ ⟡ r.-v.

DOM. MUSSY Saussilles 1997

■ 1er cru	0,56 ha	2 900	📖⦀	100 à 149 F

Michel, gendre d'André Mussy, l'a rejoint sur l'exploitation de 6,30 ha. Ils proposent ce 97 qui ne sera pas éternel. Disons trois à quatre ans encore. D'une teinte moyenne, il réserve au nez la bonne surprise du bourgeon de cassis. Rond et simple, il a déjà fondu l'essentiel de son potentiel avec une note tannique toujours présente. Pas mal pour le millésime traité sans fioritures et pour les amateurs d'étiquettes parcheminées. Pommard penche ici sur la partie méridionale du vignoble de Beaune.

☛ Dom. Mussy, rue Dauphin, 21630 Pommard, tél. 03.80.22.05.56, fax 03.80.24.07.47 ☑ ⟡ r.-v.

DOM. PARENT Les Rugiens 1996★★

■ 1er cru	n.c.	n.c.	⦀	150 à 199 F

La **Croix blanche 96** en **pommard village** est très réussie. Ce domaine, coup de cœur dans le Guide 1994, présente aussi ce Rugiens qui mérite d'être apprécié à sa juste valeur tant il concentre de couleur, d'arômes (raisin épicé) et d'atouts sur la langue : fraîcheur et typicité, richesse et griotte, tanins équilibrés, belle persistance, l'image même du bon produit fait pour durer.

☛ Dom. Parent, pl. de l'Eglise, 21630 Pommard, tél. 03.80.22.15.08, fax 03.80.24.19.33, e-mail parent-pommard@axnet.fr ☑ ⟡ r.-v.

CH. PHILIPPE LE HARDI
Petit Clos 1997★

	0,29 ha	1 840	⦀	100 à 149 F

Belle entité gérant près de 90 ha, le château de Santenay s'enorgueillit d'avoir appartenu à Philippe II le Hardi au XIVᵉs. Son pommard 97 se présente en robe classique, le nez un peu animal et confit, son tempérament agréable. Le boisé lui va bien, accompagnant un fruit de qualité. Bref, une bouteille équilibrée, qui correspond au millésime.

☛ Ch. de Santenay, B.P. 18, 21590 Santenay, tél. 03.80.20.61.87, fax 03.80.20.63.66 ☑ ⟡ r.-v.

GEORGES ET THIERRY PINTE 1996★

■	0,7 ha	1 500	📖⦀	70 à 99 F

Les Pinte habitent Savigny-lès-Beaune, pittoresque village dont il faut découvrir les monuments et les ruelles. Parmi leurs appellations, ce pommard séduit, même s'il doit encore se faire. Il est bien équilibré pour un 96. Très foncé, il sait garder la mesure au nez, framboise et vanille discrète. L'acidité domine au palais, les tanins produisent encore une impression d'austérité. Mais tout va à bon pas vers la maturité envisagée ici avec confiance. Car il y a de la fraîcheur dans cette bouteille.

☛ GAEC Georges et Thierry Pinte, 11, rue du Jarron, 21420 Savigny-lès-Beaune, tél. 03.80.21.51.59, fax 03.80.21.51.59 ☑ ⟡ t.l.j. 9h30-12h 14h-19h; dim. sur r.-v.

DOM. PRIEUR-BRUNET
Les Platières 1996★

■ 1er cru	0,13 ha	800	⦀	150 à 199 F

Un domaine de 20 ha répartis sur six villages. Ce 1er cru sur la combe, bien exposé, donne un pommard plus brillant qu'intense, respirant un fruit discret qui monte en puissance, accompagné de notes boisées dues aux dix-huit mois passés en fût. Après quelques années de garde, ce sera un vin complet.

☛ Dom. Prieur-Brunet, rue de Narosse, 21590 Santenay, tél. 03.80.20.60.56, fax 03.80.20.64.31 ☑ ⟡ r.-v.

REBOURGEON-MURE
Clos des Arvelets 1997★

■ 1er cru	0,61 ha	2 700	⦀	70 à 99 F

Cette parcelle, acquise en 1936 et située au début de la combe, a appartenu aux Marey-Monge. Si le **Clos Micault** nous a fait bonne impression, c'est toutefois celui-ci (même millé-

sime) qui a notre préférence. Une robe rouge sans plus, mais un bouquet flatteur sur des notes de sous-bois ! Il est souple, rond, et d'un accès aisé.
🔑 Daniel Rebourgeon-Mure, Grande-Rue, 21630 Pommard, tél. 03.80.22.75.39, fax 03.80.22.71.00 ☑ 🍷 r.-v.

DOM. ROBLET-MONNOT 1997*

■ 0,35 ha 1 800 🛢 70 à 99 F

Représentatif de l'appellation, avec du rouge aux joues et une couperose violacée qu'on voit souvent ici. Il a le nez discret mais qu'on devine charmeur, réglissé. Du gras, des tanins, de la chair, un rude gaillard capable du meilleur d'ici quelques années. Il peut se garder.
🔑 Dom. Roblet-Monnot, rue de la Combe, 21190 Volnay, tél. 03.80.21.22.47, fax 03.80.21.65.94 ☑ 🍷 r.-v.

CH. ROSSIGNOL-JEANNIARD 1996*

■ 0,93 ha 900 🛢 70 à 99 F

Vin présent au rendez-vous à tous les stades de la dégustation. Il se présente sous une robe impeccable avec des arômes réglissés, confiturés, presque entêtants mais très intéressants. La fraîcheur est caractéristique des 96, avec du volume, de bons tanins et la structure d'un pommard portant son nom avec fierté.
🔑 Christian Rossignol, rue de Mont, 21190 Volnay, tél. 03.80.21.62.43, fax 03.80.21.27.61 ☑ 🍷 r.-v.

CAVE DE SAINTE-MARIE-LA-BLANCHE
Les Rugiens 1996*

■ 1er cru 0,28 ha 1000 🛢 100 à 149 F

Très charpenté, un peu astringent, il fait honneur à cette coopérative située à l'est de Beaune et que la Côte regarde parfois de haut. Bien à tort si l'on en juge par ce Rugiens de grande classe, à laisser vieillir en paix. Belle coloration, bouquet en devenir, structure puissante, riche en tanins. Il trouvera dans trois ou quatre ans la voie de la séduction.
🔑 Cave de Sainte-Marie-la-Blanche, rte de Verdun, 21200 Sainte-Marie-la-Blanche, tél. 03.80.26.60.60, fax 03.80.26.54.47 ☑ 🍷 t.l.j. 8h-12h 14h-19h

DOM. VINCENT SAUVESTRE
Clos de la Platière 1997**

■ 2 ha n.c. 🛢 100 à 149 F

Distribué par J.-B. Béjot (meursanot), un vin issu d'une vendange éraflée à 80 % et élevé dix-huit mois en fût de chêne neuf pour un tiers. Cela donne un sujet parfaitement cadré pour un civet de lièvre... mais pas avant quelques années. Rouge à reflets bordeaux, partagé entre la vanille et le petit fruit, il est assez complexe, chaud et très mûr ! La fin de bouche est épanouie et ronde, la longueur très correcte.
🔑 Dom. Vincent Sauvestre, B.P. 3, 21190 Meursault, tél. 03.80.21.22.45, fax 03.80.21.28.05 ☑ 🍷 r.-v.

VAUDOISEY-CREUSEFOND
Poutures 1996*

■ 1er cru 0,63 ha 3 000 🛢 100 à 149 F

Ce domaine de 10 ha a élevé ces Poutures dix-huit mois en fût. La robe chante le cru. Le nez demande à s'ouvrir, comme l'on dit. Attaque boisée, tanins bien présents et emplis de chair, sans excès. Retour de torréfaction. Ce vin atteint son niveau d'appellation, très réussi au terme de l'élevage.
🔑 Vaudoisey-Creusefond, rte d'Autun, 21630 Pommard, tél. 03.80.22.48.63, fax 03.80.24.16.81 ☑ 🍷 r.-v.

THIERRY VIOLOT-GUILLEMARD
La Platière 1997

■ 1er cru 0,7 ha 3 000 🛢 100 à 149 F

Ce viticulteur a franchi la barre en **Rugiens** et en **Pézerolles**, mais on lui donne, dans le même millésime, la palme pour cette Platière, sur la combe. Un peu discuté par le jury, mais on aime sa structure, ses arômes de petits fruits rouges mis en valeur par le boisé bien mené, sa présence et son ouverture, sa finition. De garde et de bonne composition.
🔑 Thierry Violot-Guillemard, rue Sainte-Marguerite, 21630 Pommard, tél. 03.80.22.49.98, fax 03.80.22.94.40 ☑ 🍷 r.-v.

Volnay

Blotti au creux du coteau, le village de Volnay évoque une jolie carte postale bourguignonne. Moins connue que sa voisine, l'appellation n'a rien à lui envier, et les vins sont tout en finesse ; ils vont de la légèreté des Santenots, situés sur la commune voisine de Meursault, à la solidité et à la vigueur du Clos des Chênes ou des Champans. Nous ne les citerons pas tous ici de peur d'en oublier... Le Clos des Soixante Ouvrées y est également très connu et donne l'occasion de définir l'ouvrée : quatre ares et vingt-huit centiares, unité de base des terres viticoles correspondant à la surface travaillée à la pioche par un ouvrier dans sa journée, au Moyen Age.

De nombreux auteurs du siècle dernier ont cité le vin de Volnay. Nous rappellerons le vicomte de Vergnette qui, en 1845, au congrès des Vignerons français, terminait ainsi son savant rapport : « Les vins de Volnay seront encore longtemps comme ils étaient au XIVe s., sous nos ducs, qui y possédaient les vignobles de Cailledu-Roy (« Cailleray », devenu Caillerets) : les premiers vins du monde. » Signalons que 8 344 hl de volnay ont été produits en 1998.

BALLOT-MILLOT ET FILS
Santenots 1997*

■ 1er cru 0,5 ha 2 700 ⊕ 100 à 149 F

Domaine de 12 ha né au XVIIe s. Sans doute attend-on un corps plus charnu mais c'est souple, volage ; l'empreinte d'un baiser volé... Tout volnay, bien ouvert et toutefois réservé, pur comme le bon vent, d'un boisé bien fondu, rouge cerise comme on en rêve, avec une finale élégante. Santenots à son niveau.

⊶ Ballot-Millot et Fils, 9, rue de la Goutte-d'Or, B.P. 33, 21190 Meursault, tél. 03.80.21.21.39, fax 03.80.21.65.92 ☑ Y r.-v.

DOM. ROGER BELLAND
Santenots 1997*

■ 1er cru 0,25 ha 1 200 ⊕ 100 à 149 F

Un domaine de 24,3 ha, dont la renommée n'est plus à faire. Ses Santenots portent une robe vive et profonde à reflets noirs. Le nez ne laisse parler que le fût mais la bouche révèle une excellente matière et du fruit à l'eau-de-vie. Il faudra attendre que le boisé se fonde.

⊶ Roger Belland, 3, rue de la Chapelle, B.P. 13, 21590 Santenay, tél. 03.80.20.60.95, fax 03.80.20.63.93 ☑ Y r.-v.

DOM. JEAN-MARC BOULEY
Les Caillerets 1996*

■ 1er cru 0,2 ha 900 ⊕ 100 à 149 F

Un Caillerets floral et fumé, très solidement construit, qui impressionne par sa charpente et sa vigueur. Eh bien, non ! ce n'est pas un pommard mais un volnay. Il laisse une bonne impression mais il est souhaitable de le voir affiner sa rudesse. Quant au **Clos des Chênes 96**, il est d'un style plus coulant, plus linéaire.

⊶ Dom. Jean-Marc Bouley, chem. de la Cave, 21190 Volnay, tél. 03.80.21.62.33, fax 03.80.21.64.78 ☑ Y r.-v.

REYANE ET PASCAL BOULEY 1997

■ 3,2 ha 5 400 ⊕ 70 à 99 F

Un domaine situé sur la place de l'église. Deux volnay sont proposés : un **Champans 97** que l'on dégustera avec plaisir dans sept ans et plus, et ce *village* de la même vendange : confiture de fraises et fruits dans l'alcool, boisé élégant et une probable aptitude à quelques hivers en cave.

⊶ Reyane et Pascal Bouley, pl. de l'Eglise, 21190 Volnay, tél. 03.80.21.61.69, fax 03.80.21.66.44 ☑ Y r.-v.

DENIS BOUSSEY 1997**

■ 0,61 ha 3 000 ⊕ 70 à 99 F

Les rares péchés de Bossuet étaient de gourmandise : des huîtres et du volnay. Cette bouteille aurait contribué à son inspiration, et Dieu sait pourtant que l'on n'a pas affaire ici à une oraison funèbre ! La robe est épiscopale. Le nez complexe et théologal : on y sent le narcisse sinon la violette, les parfums de la forêt... Quant au palais, il a du corps, de la structure, mais sans dureté, tant ses tanins sont soyeux. Sa longueur participe à son élection.

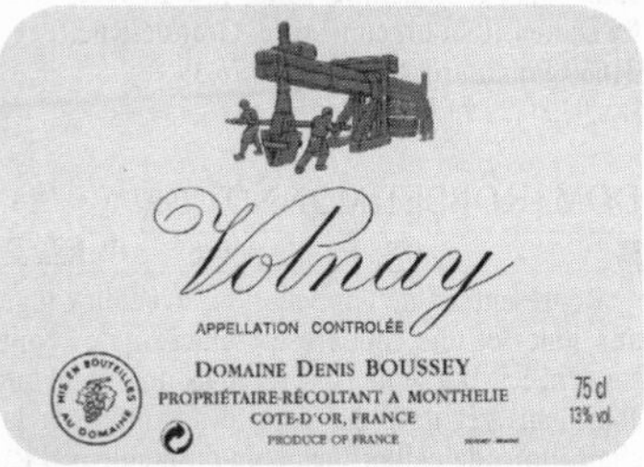

⊶ EARL Dom. Denis Boussey, rue du Pied-de-la-Vallée, 21190 Monthélie, tél. 03.80.21.21.23, fax 03.80.21.21.23 ☑ Y r.-v.

DOM. VINCENT BOUZEREAU 1996

■ 0,4 ha 1 200 ⊕ 70 à 99 F

Depuis 1990, Vincent Bouzereau vinifie seul ses vignes. Léger, frais, comme la plume au vent, son volnay rubis clair, à l'aimable bouquet de framboise, réussit à tirer parti de son côté primesautier. Ses tanins fondus incitent à une consommation rapide.

⊶ Vincent Bouzereau, 7, rue Labbé, 21190 Meursault, tél. 03.80.21.61.08, fax 03.80.21.65.97 ☑ Y r.-v.

DOM. FRANCOIS BUFFET
Taillepieds 1996*

■ 1er cru 0,3 ha 1 500 ⊕ 100 à 149 F

Coup de cœur dans le Guide 1998 pour son Clos des Chênes 94, ce domaine est toujours en haut du tableau, avec un Taillepieds cette fois. Très riche en arômes floraux, ce vin évolue en direction de la confiture de fruits rouges, des épices. C'est un 96 à déboucher maintenant, et sa petite touche de chaleur n'est pas désagréable.

⊶ Dom. François Buffet, petite place de l'Eglise, 21190 Volnay, tél. 03.80.21.62.74, fax 03.80.21.65.82 ☑ Y r.-v.

EMILE CHANDESAIS 1997

■ 1er cru n.c. n.c. ⊕ 150 à 199 F

Rouge foncé, reliure de livre ancien, un vin qui fête le 1er mai : muguet, mais oui, dans un bouquet fleuri et fortement vanillé. Rondeur de velours et note de sécheresse en dernière analyse, due à ses tanins et au fût. Chandesais est devenu Picard depuis quelques années.

⊶ Emile Chandesais, rue Saint-Nicolas, 71150 Fontaines, tél. 03.85.91.41.77, fax 03.85.91.40.26

⊶ Michel Picard

DOM. BERNARD DELAGRANGE
Clos des Champans 1996*

■ 1er cru 0,39 ha 2 580 ⊕ 100 à 149 F

Cité sans étoile, un **Caillerets 96** assez végétal, et ce Champans qui vient devant. Il possède un bon bouquet franc et fruité, une robe grenat brillant, une bouche assez acide et tannique pour faire une belle carrière, riche en matière. C'est un vin de garde. « A attendre au moins cinq ans dans un premier temps », note un juré-dégustateur.

☞ Bernard Delagrange, 10, rue du 11-Novembre, 21190 Meursault, tél. 03.80.21.22.72, fax 03.80.21.68.70 ☑ ⌶ t.l.j. 9h-19h

CH. GENOT-BOULANGER 1996

| ■ | 0,92 ha | 6 100 | ⦀ 100 à 149 F |

« Un volnay qui donne envie d'aimer le volnay », nous confie un dégustateur sur sa fiche. Le compliment n'est pas mince. Tout le monde le juge élégant et racé, sachant qu'il n'a pas trop de bois, et on s'en félicite. Mais le fond est léger. En 1er cru, notez sur votre carnet Les Aussy 96, très estimables eux aussi.

☞ Ch. Génot-Boulanger, 25, rue de Cîteaux, 21190 Meursault, tél. 03.80.21.49.20, fax 03.80.21.49.21, e-mail genot-boulanger@wanadoo.fr ☑ ⌶ r.-v.

BERNARD ET LOUIS GLANTENAY 1996

| ■ | 2 ha | 2 090 | ⦀ 70 à 99 F |

Tous nos jurés lui donnent la bonne moyenne : la robe est d'une teinte assez fine et peut-être en passe d'évolution future. Le nez, vanille et confiture, est net et franc. La bouche est plus fermée, marquée à la fois par une bonne acidité et un joli gras. Ses tanins et le fût ne se font pas oublier et devront se fondre : deux dégustateurs conseillent deux ans de garde ; les deux autres, cinq ans. Vous devrez donc tester régulièrement l'évolution de ce vin à partir de 2001.

☞ SCE Bernard et Louis Glantenay, rue de Vaut, 21190 Volnay, tél. 03.80.21.62.20, fax 03.80.21.67.78 ☑ ⌶ r.-v.

DOM. GEORGES GLANTENAY ET FILS Santenots 1996

| ■ 1er cru | 0,52 ha | 2 600 | ⦀ 100 à 149 F |

Limpide et soutenu, ce Santenots ne se révèle pas encore totalement. Au nez notamment. Sa rusticité en bouche, sa bonne acidité prometteuse donnent à parier que l'investissement s'avérera rentable d'ici quelques années. On le dérange trop tôt, mais il s'est présenté à la dégustation, et il doit en répondre.

☞ Dom. Georges Glantenay et Fils, chem. de la Cave, 21190 Volnay, tél. 03.80.21.61.82, fax 03.80.21.68.66 ☑ ⌶ t.l.j. 9h30-19h

JEAN GUITON Les Petits Poisots 1996

| ■ | 0,34 ha | 1 600 | ⦀ 70 à 99 F |

En bordure de Pommard, un climat donnant un joli vin de garde. D'une couleur très vivante, ce 96 a le nez volubile : sous-bois, groseille, évoluant sur le fruit à l'eau-de-vie, la confiture de vieux garçon. Bouche pleine et bien découpée. Jolie longueur sur le fruit. On verrait cette bouteille avec une ratatouille et une bonne volaille.

☞ Jean Guiton, 4, rte de Pommard, 21200 Bligny-lès-Beaune, tél. 03.80.26.82.88, fax 03.80.26.85.05 ☑ ⌶ t.l.j. 9h-12h 14h-19h

DOM. HUBER-VERDEREAU Robardelle 1996★★

| ■ | 0,6 ha | 3 500 | ⦀ 70 à 99 F |

L'un des meilleurs. Appréciations homogènes et concordantes de nos dégustateurs qui le trouvent excellent et ajoutent un point d'exclamation. Une sorte de plénitude en bouche, regorgeant de chair et de tanins. Le bouquet ne manque pas non plus d'intérêt. Violette briochée dans la persistance. Climat côté Meursault.

☞ Dom. Huber-Verdereau, rue Moulin-Mareau, 21630 Pommard, tél. 03.80.22.51.50, fax 03.80.22.48.32 ☑ ⌶ r.-v.

☞ Huber

JAFFELIN 1996★

| ■ | n.c. | n.c. | ⦀ 100 à 149 F |

Les chanoines du chapitre de Beaune auraient aimé ce volnay. Il est en effet élevé dans les caves qu'ils avaient creusées pour leurs propres récoltes. Rouge pivoine, un 96 au bouquet de fleurs séchées : il correspond parfaitement à l'idée qu'on se fait de ce vin à l'ardente féminité. Un volnay qui a de l'amour, comme on disait jadis. Jaffelin demeure indépendant au sein des Vins J.-Cl. Boisset.

☞ Jaffelin, 2, rue Paradis, 21200 Beaune, tél. 03.80.22.12.49, fax 03.80.24.91.87

DOM. LA POUSSE D'OR En Caillerets 1997

| ■ 1er cru | 2,26 ha | 11 300 | ⦀ 150 à 199 F |

Repris il y a quelque temps après le décès de Gérard Potel, ce domaine doit également reprendre ses marques. Son Caillerets est typé, très typé même, sur un mode léger, très léger. Le millésime ? Il est vrai que la bouteille est encore jeune et doit se faire.

☞ SCE Dom. La Pousse d'Or, rue de la Chapelle, 21190 Volnay, tél. 03.80.21.61.33, fax 03.80.21.29.97 ☑ ⌶ t.l.j. 9h-12h 15h-17h; sam. dim. sur r.-v.; f. 15-31 août et 24 déc.-3 janv.

☞ Landanger

LES CAVES DU CHANCELIER 1996

| ■ | n.c. | 3 000 | ⦀ 100 à 149 F |

Sombre, fruité, le corps pénétrant, plutôt franc, il reste en suspens sur une note tannique qui ne surprend pas. Assez riche cependant et ayant sa place ici.

☞ Les Caves du Chancelier, 1, rue Ziem, 21200 Beaune, tél. 03.80.24.05.88, fax 03.80.22.37.08 ☑ ⌶ t.l.j. 9h-19h

DOM. DU CH. DE MEURSAULT Clos des Chênes 1996★

| ■ 1er cru | 2,5 ha | n.c. | ⦀ 150 à 199 F |

A la suite du décès d'André Boisseaux, on se demandait ce que deviendrait l'empire. Il reste dans son unité. Et ce volnay a de la classe. Son bel éclat se double d'un cassis assez rond, agrémenté d'un soupçon de violette. Ses tanins dressent le dos mais peuvent être amadoués. Bouche néanmoins souple, un peu boisée et poivrée, sans trop de longueur.

☞ Ch. de Meursault, 21190 Meursault, tél. 03.80.26.22.75, fax 03.80.26.22.76 ☑ ⌶ r.-v.

DOM. RENE MONNIER
Clos des Chênes 1997★

■ 1er cru	0,74 ha	4 000	⦀	70 à 99 F

Le fruit est à l'heure au rendez-vous avec un bouquet original de cannelle et de mousse, sur torréfié. Ce 97 attaque sur du fruit, avec des tanins ronds et fins. Typé 1er cru, il devrait très bien faire et on l'aime tel qu'il est. Attente de trois à quatre ans conseillée.

☛ Dom. René Monnier, 6, rue du Dr-Rolland, 21190 Meursault, tél. 03.80.21.29.32, fax 03.80.21.61.79 ☑ ⛾ t.l.j. 8h-12h 14h-18h
☛ M. et Mme Bouillot

DOM. MUSSY 1997★

■	0,17 ha	1 400	▮⦀	70 à 99 F

Mérite qu'on le regoûte, à l'aération et tête reposée. Car il offre alors une meilleure bouche, avec ce qu'il faut de longueur et d'acidité. Net et élégant, pourpre cerise, un peu fumé sous ses airs framboisés. Cela tiendra deux à trois ans sans difficulté.

☛ Dom. Mussy, rue Dauphin, 21630 Pommard, tél. 03.80.22.05.56, fax 03.80.24.07.47 ☑ ⛾ r.-v.

DOM. DES OBIERS Clos des Chênes 1997

■ 1er cru	0,39 ha	2 000	⦀	100 à 149 F

Gérard Sauvaget (Thomas-Moillard) est le maître d'œuvre de ce vin qui fut notre coup de cœur l'an dernier (pour le 96). En 97, il subit la loi du millésime. Couleur myrtille, végétal et vanillé, il est rond et concentré. Sa bonne matière, son fruit annoncent un bel avenir, mais le fût parle encore à trop haute voix. Ce sont là des choses qu'on peut dire à un ex-coup de cœur. Il n'est pas d'éloge flatteur sans le droit à un jugement objectif.

☛ Dom. des Obiers, chem. rural n° 29, 21700 Nuits-Saint-Georges, tél. 03.80.62.42.00, fax 03.80.61.28.13 ⛾ r.-v.

DOM. J. PARENT Fremiets 1996★

■ 1er cru	0,64 ha	3 000	⦀	100 à 149 F

Coup de cœur dans le Guide 1996 pour ce même cru (millésime 92), ce domaine possède un parc planté en 1900 qui entoure les bâtiments du XVIIIes. Ces Fremiets sont parés d'une robe pourpre brillant et d'un parfum intense de violette et de myrtille, avec une note animale. La bouche est puissante, parfaitement construite sur des tanins fins ; griotte et cassis l'accompagnent longuement. Très fruité mais à nuances animales, le **Clos des Chênes**, pas trop boisé, est plus fin que gras, souple et persistant. Il est retenu sans étoile.

☛ Annick Parent, rue du Château-Gaillard, 21190 Monthélie, tél. 03.80.21.21.98, fax 03.80.21.21.98,
e-mail annick.parent@wanadoo.fr ☑ ⛾ r.-v.
☛ Jean Parent

DOM. PARIGOT PERE ET FILS
Les Echards 1997★★

■	0,72 ha	4 500	⦀	70 à 99 F

Avec des vins comme ça, la Bourgogne peut dormir (si l'on peut dire) sur ses deux oreilles. Qu'on le prenne par un bout ou par un autre, il donne satisfaction et promet une garde rayon-

nante. Grenat intense, cassis et griotte, il est d'une élégance bien assise, d'une longueur remarquable. Boisé certes, et il faut atténuer cela en cave.

☛ Dom. Parigot Père et Fils, rte de Pommard, 21190 Meloisey, tél. 03.80.26.01.70, fax 03.80.26.04.32 ☑ ⛾ r.-v.

D. POIRROTTE-VAUDOISEY 1997

■	0,47 ha	1 500	⦀	70 à 99 F

Rouge cramoisi, velours épais, il s'annonce dans le style Napoléon III. Fermé tout d'abord, il devient à l'agitation plus significatif et au demeurant complexe. La seconde bouche monte en puissance, mettant en valeur la richesse de l'ensemble. Une certaine dureté tout de même, due à de jeunes tanins. La dégustation s'achève en points de suspension...

☛ Dom. Poirrotte-Vaudoisey, rue du Pied-de-la-Vallée, 21190 Volnay, tél. 03.80.21.60.29, fax 03.80.21.68.30 ☑ ⛾ r.-v.

VINCENT PONT Les Aussy 1997

■ 1er cru	0,25 ha	1 200	⦀	70 à 99 F

A proximité immédiate du Caillerets, ce *climat* traduit ici des sentiments épicés et pas mal de caractère. La structure tannique, la note d'amertume sont très habituelles. A attendre trois ans.

☛ Vincent Pont, rue des Etoiles, 21190 Auxey-Duresses, tél. 03.80.21.27.00, fax 03.80.21.24.49 ☑ ⛾ r.-v.

DOM. JACQUES PRIEUR
Clos des Santenots 1996★★

■ 1er cru	1,2 ha	2 300	⦀	150 à 199 F

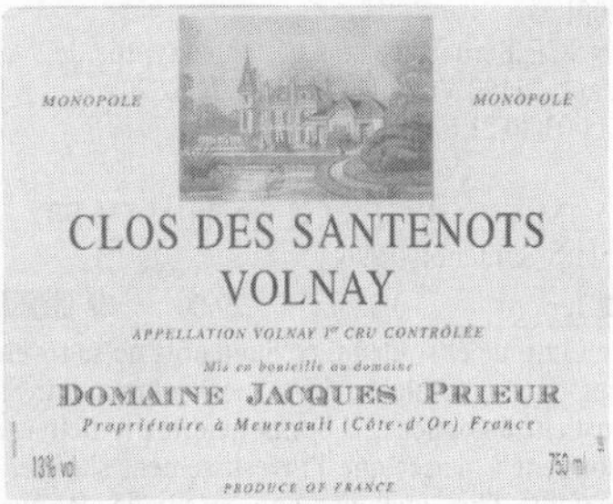

On sait que les Santenots se situent sur Meursault, dont ils constituent l'expression rouge. Ceux-ci sont tout bonnement glorieux, très typés, et font penser à la définition du volnay par Jullien : « Le plus léger, le plus délicat, le plus fin des vins de toute la France. » Fruits noirs et réglisse, ce 96 nous offre du gras mais aussi et surtout du caractère, reposant sur une délicatesse insigne.

☛ Dom. Jacques Prieur, 2, rue des Santenots, 21190 Meursault, tél. 03.80.21.23.85, fax 03.80.21.29.19 ⛾ r.-v.

DOM. PRIEUR-BRUNET
Santenots 1996★

■ 1er cru	0,35 ha	1 800	⦀	150 à 199 F

20 ha de vignobles dans les crus de la Côte de Beaune pour ce domaine régulièrement retenu dans le Guide. Ce 96 n'a pas atteint les deux

étoiles du 95 car ses tanins sont plus fermes. Du fruit frais au fruit en compote, il décrit au nez toute la gamme des sensations alors qu'en bouche, chaleur et amertume se conjuguent avec un fruité (cassis, framboise) de bonne persistance. A attendre quatre ou cinq ans avant de le marier à un gibier à plumes.

🔑 Dom. Prieur-Brunet, rue de Narosse, 21590 Santenay, tél. 03.80.20.60.56, fax 03.80.20.64.31 ☑ 🍷 r.-v.

DOM. REBOURGEON-MURE
Caillerets 1996

■ 1er cru 0,32 ha 1 500 🍾 70 à 99 F

Belle cuvée soulignée par le terroir, dans un environnement brillant. Pruneau cuit au premier nez, signe d'évolution dont les dégustateurs discutent sans pour autant contester le beau grenat, l'animal intense et la robustesse des tanins. Viril, ce 96 doit tenir le coup ! Ce domaine avait obtenu deux coups de cœur dans les éditions 1995 et 1992 (millésimes 91 et 89).

🔑 Daniel Rebourgeon-Mure, Grande-Rue, 21630 Pommard, tél. 03.80.22.75.39, fax 03.80.22.71.00 ☑ 🍷 r.-v.

REINE PEDAUQUE Santenots 1997

■ 1er cru n.c. 4 200 🍾 100 à 149 F

Le courrier de la reine n'attend pas... ou pas trop. Bouche fine et élégante, que l'on aimerait plus persistante, c'est peut-être un billet de mots doux. Parfum grillé et fruité, robe de majesté mais début d'évolution. A retenir, d'autant que dans l'édition 1992 ce domaine fut coup de cœur pour un millésime 88.

🔑 Reine Pédauque, Le Village, 21420 Aloxe-Corton, tél. 03.80.25.00.00, fax 03.80.26.42.00, e-mail rpedauque@axnet.fr 🍷 r.-v.

MICHEL ET MARC ROSSIGNOL
Les Pitures 1996

■ 1er cru 0,7 ha 4 000 🍾 100 à 149 F

Les Rossignol sont à Volnay depuis 1530 ! En 1996, leur 1er cru Pitures porte une robe vivace sur un ton relativement clair. Le fruit éclaire le nez. Bonne rondeur, où le végétal introduit le sujet avant de laisser le fruit faire un retour. Un vin assez particulier, influencé aussi par le fût (torréfié). *Climat* côté Pommard, voisin du Clos des Ducs.

🔑 EARL Michel et Marc Rossignol, rue de l'Abreuvoir, 21190 Volnay, tél. 03.80.21.62.90, fax 03.80.21.60.31, e-mail m.rossignol@wanadoo.fr ☑ 🍷 r.-v.

CH. ROSSIGNOL-JEANNIARD
Santenots 1996

■ 1er cru 1,9 ha 730 🍾 70 à 99 F

Produit sur la commune de Meursault, il marque une continuité de terroir s'exprimant par ce que nos amis britanniques appellent une *full deep colour.* Bien pleine et profonde. Myrtille et épices, puis une mâche intense, de longs tanins dans l'esprit du volnay d'aujourd'hui.

🔑 Christian Rossignol, rue de Mont, 21190 Volnay, tél. 03.80.21.62.43, fax 03.80.21.27.61 ☑ 🍷 r.-v.

CAVE DE SAINTE-MARIE-LA-BLANCHE 1997

■ 1,7 ha 3 000 🍾 70 à 99 F

Robe claire et brillante pour un tour de valse. Parfum de cerise quelque peu accentué. Une légère rupture en fin de bouche. Ne se donne pas dès le premier instant. Déséquilibre ? Dû au boisé qui n'est pas encore fondu. Mais la matière est prometteuse. Comme le note le jury, « du potentiel »... Attendre trois ou quatre ans.

🔑 Cave de Sainte-Marie-la-Blanche, rte de Verdun, 21200 Sainte-Marie-la-Blanche, tél. 03.80.26.60.60, fax 03.80.26.54.47 ☑ 🍷 t.l.j. 8h-12h 14h-19h

CHRISTOPHE VAUDOISEY
Clos des Chênes 1997★

■ 1er cru 0,4 ha n.c. 🍾 100 à 149 F

Robuste comme un chêne ? Boisé certes, mais plutôt frais sur le fruit rouge, équilibré et sincère, construit sur une belle matière aux tanins fins. Son bouquet a des allures fruitées légèrement boisées. Couleur bigarreau tirant sur la mûre limpide et brillante. Deux ou trois années de garde satisferont ce joli vin.

🔑 Christophe Vaudoisey, 21190 Volnay, tél. 03.80.21.20.14, fax 03.80.21.27.80 ☑ 🍷 r.-v.

DOM. BERNARD VAUDOISEY-MUTIN 1997★

■ 0,7 ha 3 000 🍾 70 à 99 F

Si vous voulez revisiter toutes les Saint-Vincent tournantes par voie d'affiche, la collection est dans le caveau. Et puis goûtez donc ce *village* qui nous est apparu vanille et fruits rouges, griotte en bouche avec ses indispensables tanins. A attendre deux ou trois ans, pour tout dire.

🔑 Dom. Bernard Vaudoisey-Mutin, rue de Mont, 21190 Volnay, tél. 03.80.21.62.44, fax 03.80.21.67.32 ☑ 🍷 t.l.j. 9h30-18h

JOSEPH VOILLOT 1996★

■ 2 ha 6 000 🍾 70 à 99 F

Fut un de nos premiers coups de cœur pour un Frémiets 78. Ce *village* 96 est à suivre dans la maturité, mais déjà bien orienté. L'œil n'y trouve que des raisons de croire en lui tant le rubis est intense, marqué de beaux reflets bleutés. Le nez discret avance sur la pointe des pieds. On décèle quelques fleurs et des épices. L'attaque franche est suivie par un rien d'astringence vite repris par l'expression d'une bonne charpente. Il a du souffle et joue, ne l'oublions pas, en **village, Les Champans 96** reçoivent la même note (120 F). Un bon vin de garde.

🔑 Joseph Voillot, pl. de l'Eglise, 21190 Volnay, tél. 03.80.21.62.27, fax 03.80.21.66.63 ☑ 🍷 r.-v.

Monthélie

La combe de Saint-Romain sépare les terroirs à rouge des terroirs à blanc ; Monthélie est exposé sur le versant sud de cette combe. Dans ce petit village moins connu que ses voisins, les vins sont d'excellente qualité. 1998 a produit 4 619 hl de vin rouge et 324 hl de vin blanc.

DOM. BOUCHARD PERE ET FILS
Clos Les Champs Fulliot 1997★

■ 1er cru 0,88 ha n.c. ◍ 100 à 149 F

Un 97 qu'on découvre avec plaisir, mais il s'en tient aux grandes lignes, au plan général. La démonstration complète sera pour plus tard. Pour l'heure, on apprécie sa couleur rubis, son arôme de cassis, son degré d'acidité, son équilibre. Vinification intelligente.

⊶ Bouchard Père et Fils, Ch. de Beaune, 21200 Beaune, tél. 03.80.24.80.24, fax 03.80.24.97.56, e-mail france@bouchard.pereetfils.com Y r.-v.

DOM. BOUCHEZ-CRETAL 1996

■ 0,28 ha 1 600 ◍ 50 à 69 F

Beau drapé de velours sombre : le rideau se lève sur la baie. Pas celle de Naples, non : la petite baie noire au bord des chemins. De structure moyenne, mais tenant son rôle et capable d'être présent sur scène jusqu'au XXIe s.

⊶ SCEA Dom. Bouchez-Crétal, 21190 Monthélie, tél. 03.85.87.17.40, fax 03.48.05.19.32 ☒ Y r.-v.

DENIS BOUSSEY
Les Champs Fulliots 1997★

■ 1er cru 0,58 ha 3 000 ◍ 70 à 99 F

La caille ou la perdrix ? Comme on envie les Bourguignons qui vont discuter deux heures sur la meilleure façon d'accompagner ce vin grenat intense aux arômes forestiers : sous-bois, gibier. Bonne structure et caractère assez tannique. Signé par le coup de cœur 1996 (il s'agissait d'un blanc 93). Nous avons également goûté un **rouge 97 les Hauts Brins** (côté volnay) qui peut être cité.

⊶ EARL Dom. Denis Boussey, rue du Pied-de-la-Vallée, 21190 Monthélie, tél. 03.80.21.21.23, fax 03.80.21.21.23 ☒ Y r.-v.

DOM. BOUZERAND-DUJARDIN
Les Champs-Fulliot 1996

■ 1er cru 1 ha 5 000 ◍ 70 à 99 F

On dit « Month'lie » mais n'allez pas croire pour autant que ce vin n'a pas d'accent. Vieille question : doit-on écrire monthélie avec l'accent aigu ? Ce viticulteur ne s'y trompe d'ailleurs pas. Rouge carmin, cerise et réglisse, un 96 encore un peu carré, un peu fermé. Mais Xavier Bouzerand a une passion : la sculpture sur bois. Même à la retraite, il saura arrondir les angles de ce pinot noir. Ne fut-il pas coup de cœur naguère pour son... 80 ?

⊶ Dom. Bouzerand-Dujardin, pl. du Monument, 21190 Monthélie, tél. 03.80.21.20.08, fax 03.80.21.28.16 ☒ Y r.-v.

G. BRZEZINSKI
Elevé en fût de chêne 1996★

■ n.c. n.c. 70 à 99 F

Sans en avoir l'air, il pose l'un des problèmes les plus existentiels du vin de Bourgogne. « Sera très bien dans cinq ans », note sur sa fiche un dégustateur. Et c'est vrai. Quand la robe a de la tenue et que le nez est prudent et sur la réserve, quand le corps est ample, charnu, épicé mais anguleux, il y a de l'espoir pour la pintade en salmis - mais rangez cette bouteille dans votre cave.

⊶ G. Brzezinski, 21630 Pommard, tél. 03.80.22.23.99, fax 03.80.22.28.33 ☒ Y t.l.j. sf sam. dim. 8h-12h 14h-18h; f. 23 déc.-4 janv.

DOMINIQUE CAILLOT
Les Toisières 1996★

□ 0,18 ha 1 200 ▮◍ 50 à 69 F

En lisant le Guide, on visite les terroirs et on apprend à situer les crus. Ainsi ces Toisières, où les voyez-vous ? Côté Meursault. Un chardonnay qui correspond bien à ce millésime assez vif. Son bouquet floral, légèrement fougère, se dessine progressivement. Sa minéralité en bouche est de bonne venue. Monthélie produit fort peu de blanc : moins de 15 000 bouteilles par an. C'est donc l'oiseau rare.

⊶ Dominique Caillot, 8, rue Pierre-Mouchoux, 21190 Meursault, tél. 03.80.21.64.99 ☒ Y r.-v.

⊶ C. Martin

RODOLPHE DEMOUGEOT
La Combe Danay 1997★★

■ n.c. n.c. ◍ 50 à 69 F

« Une poule à Monthélie meurt de faim durant les moissons », prétend le dicton. Il est vrai que l'on n'y voit que des pieds de vigne, et depuis toujours ! Le long de la route de Nantoux, côté Volnay, ce *climat* fournit une bouteille grenat foncé dont le nez d'abord boisé est rattrapé à mi-course par un fruit rouge assez sauvage, genre fraise des bois. Très très fermé en bouche, ce 97 demandera trois ans avant de s'exprimer.

⊶ Dom. Rodolphe Demougeot, 2, rue du Clos-de-Mazeray, 21190 Meursault, tél. 03.80.21.28.99, fax 03.80.21.29.18 ☒ Y r.-v.

CH. DE DRACY 1996★

■ 0,5 ha 3 000 ◍ 70 à 99 F

Mis en bouteilles par Bichot (monopole), ce vin provient d'une ancienne famille de Bourgogne, les barons de Charette. Ici, le blason n'est pas de fantaisie, comme souvent sur les étiquettes ! Ce 96 a de la particule, lui aussi. Rouge groseille à reflets légèrement ambrés, il cousine avec les épices et la fraise macérée. Généreux au palais, il est de race.

⊶ SCA Ch. de Dracy, 71490 Dracy-lès-Couches, tél. 03.85.49.62.13 Y r.-v.

⊶ Benoît de Charette

GUY DUBUET Les Champs Fulliots 1996

■ 1er cru 0,39 ha 2 100 ◍ 50 à 69 F

La robe est cerise limpide, le bouquet s'éveille sur le petit fruit rouge. Un vin discret et rond, agréable, sans dominante particulière. Il se montre tel que la nature.

Guy Dubuet, rue Bonne-Femme,
21190 Monthélie, tél. 03.80.21.26.22,
fax 03.80.21.29.79 ☒ Ỵ r.-v.

PAUL GARAUDET
Le Clos Gauthey 1997★★

■ 1er cru 1,1 ha n.c. ⊞ 70 à 99 F

Une robe de dignitaire de la confrérie des Chevaliers du Tastevin. Un nez très grillé s'harmonisant avec une bouche réglissée. Puissant, chaud, ce 97 ne fait rien à moitié. De premier ordre, cette bouteille doit cependant vieillir un peu. Signalons aussi, en **97 rouge, l'appellation village**. Violette et framboise, ce vin est bien constitué et fortement recommandé (deux étoiles également, 50 à 69 F).

Paul Garaudet, imp. de l'Eglise,
21190 Monthélie, tél. 03.80.21.28.78,
fax 03.80.21.66.04 ☒ Ỵ r.-v.

DOM. REMI JOBARD
Les Vignes-Rondes 1997★

■ 1er cru 0,7 ha 3 000 ⊞ 70 à 99 F

Ce *climat* est pratiquement situé au cœur des 1ers crus du pays. Il se livre ici sous un jour rubis violacé. Son bouquet déjà mûr (animal et cuir) annonce un vin frais et fruité au palais. Rond de corps bien qu'encore tannique, il a tout son temps. A servir dans deux ou trois ans sur un cuissot de chevreuil rôti.

Rémi Jobard, 12, rue Sudot,
21190 Meursault, tél. 03.80.21.20.23,
fax 03.80.21.67.69 ☒ Ỵ r.-v.

DOM. RENE MONNIER 1997★★

■ 0,87 ha 3 000 ⊞ 50 à 69 F

La côte de bœuf au monthélie est un peu l'équivalent du coq au chambertin. Heureuse suggestion pour accompagner ce très beau 97 griotte et mûre, aimable et cependant porté par une armature impeccable. L'attendre un peu serait plus sage, mais à l'heure où vous lirez ces lignes, le charolais qu'on lui destine sera déjà sur pied et au pré.

Dom. René Monnier, 6, rue du Dr-Rolland,
21190 Meursault, tél. 03.80.21.29.32,
fax 03.80.21.61.79 ☒ Ỵ t.l.j. 8h-12h 14h-18h
M. et Mme Bouillot

CH. DE MONTHELIE
Sur la Velle 1996★★★

■ 1er cru 3 ha 12 000 ⊞ 70 à 99 F

Pierre Poupon voit Monthélie « blotti contre l'arrondi de la colline comme la tête de saint Jean au creux de l'épaule du Christ ». On ne peut rêver de meilleure introduction à ce 96 coup de cœur (pour la seconde fois - déjà dans le Guide 1992 pour le 88). Superbe 1er cru, digne du château. Sa robe rubis soutenu, ses parfums de fruits rouges macérés accompagnés d'un boisé mesuré, son ampleur, sa matière riche, équilibrée, sa longueur soutenue où l'on retrouve les arômes du nez, tous ses registres confinent à la perfection. L'harmonie même et la grandeur. Signalons aussi le **village 96 rouge** qui reçoit une étoile.

EARL Eric de Suremain, Ch. de Monthélie,
21190 Monthélie, tél. 03.80.21.23.32,
fax 03.80.21.66.37 ☒ Ỵ r.-v.

DOM. J. PARENT Sur la Velle 1996★

■ 1er cru 0,46 ha 1 200 ⊞ 70 à 99 F

1er cru côté Volnay, d'une bonne couleur rouge cerise. Son nez de fruits noirs commence à apparaître mais il avance à pas comptés, tirant sur le macéré. Riche en matière, d'une bonne acidité et tannique, ce 96 applique à la lettre la devise du domaine : « Prendre son temps. » Ne le lui reprochons pas, il se décidera dans deux ans.

Dom. J. Parent, rue du château-Gaillard,
21190 Monthélie, tél. 03.80.21.21.98,
fax 03.80.21.21.98 ☒ Ỵ r.-v.

PRUNIER-DAMY 1997

■ 1,48 ha 3 000 ⊞ 50 à 69 F

Coup de cœur pour son 94 rouge, dans notre édition 1997, ce domaine présente cette fois-ci un 97 à la couleur grenat et dont le bouquet se concentre sur le fruit rouge, le pruneau, la vanille du fût. L'attaque est enlevée, souple. Elle doit affronter des tanins encore très jeunes. Doit plaire dans deux à trois ans.

Philippe Prunier-Damy, rue du Pont-Boillot,
21190 Auxey-Duresses, tél. 03.80.21.60.38,
fax 03.80.21.26.64 ☒ Ỵ t.l.j. sf dim. 9h-12h
14h-18h

CH. DE PULIGNY-MONTRACHET
1996★★

■ 2,8 ha 12 000 ⊞ 50 à 69 F

En 1988, le Crédit Foncier fait l'acquisition de ce beau domaine bourguignon qui compte 20 ha de vignes. Foncier Vignobles le dirige depuis 1995. La robe de ce *village* est rouge groseille, nous dit-on. Les épices fines et les fruits noirs font bon ménage dans le verre, avant de céder place à un vin très « divan de Mme Récamier » : gracieux, tendre, charmant, féminin avec cette touche de bois neuf qui rappelle que ces douceurs ont l'esprit vif et de la répartie. « Belle vinification », précise une dégustatrice qui fait partie du cercle très fermé des grandes dames vinificatrices - un compliment rare.

SCEA Dom. du Ch. de Puligny-Montrachet,
21190 Puligny-Montrachet, tél. 03.80.21.39.14,
fax 03.80.21.39.07, e-mail chateaupul@aol.fr
☒ Ỵ r.-v.

Lumière et odeurs sont les ennemis du vin : attention à votre cave !

Auxey-duresses

Auxey possède des vignes sur les deux versants. Les premiers crus rouges des Duresses et du Val sont très réputés. Sur le versant « Meursault », on produit d'excellents vins blancs qui, sans avoir la réputation des grandes appellations, sont également très intéressants. L'appellation a produit en 1998, 1 761 hl en blanc et 4 231 hl en rouge.

FRANCOIS D'ALLAINES 1997

□ n.c. 2 400 ◖◗ 70 à 99 F

D'un jaune soutenu, il a deux fers au feu. L'un exprime des accents minéraux, de pierre à fusil. L'autre suggère la peau d'orange. Une certaine vivacité complète un boisé relatif. Légère note d'amertume en point final. A boire maintenant avec un saumon à l'oseille.

🔑 François d'Allaines, La Corvée du Paquier, 71150 Demigny, tél. 03.85.49.90.16, fax 03.85.49.90.19 ☑ Ⲧ r.-v.

PASCAL ET CORINNE ARNAUD-PONT 1997★

■ 1er cru 0,65 ha n.c. ◖◗ 70 à 99 F

Ce producteur reçut le coup de cœur l'an dernier pour son *village* du millésime 96 ; son premier cru affronte honorablement le 97. Un millésime difficile. Calé sur ses tanins, bien structuré, ce vin se présente dans une robe légèrement ambrée, signe d'évolution. Le nez bien tourné montre une dominante de cerise à l'eau-de-vie.

🔑 Pascal et Corinne Arnaud-Pont, 36, av. Théophile-Gautier, 75016 Paris, tél. 01.42.24.74.80, fax 01.40.78.24.78 ☑

DOM. BILLARD ET FILS

Les Jonchères 1997★★

■ 0,32 ha 2 000 ◖◗ 50 à 69 F

On vendange ici « à l'ancienne », avec jument percheronne et en vêtements d'autrefois. N'en sourions pas ! Cela vaut mieux que la machine, là où elle n'a pas lieu d'être. La vinification, elle, est tout à fait contemporaine, et le succès vient au rendez-vous : un auxey vif et jeune, tirant sur la cannelle, à boire dans l'année 2000. Du bon raisin dont on a tiré le meilleur parti.

🔑 Dom. Billard et Fils, rte de Beaune, 21340 La Rochepot, tél. 03.80.21.71.84, fax 03.80.21.72.17 ☑ Ⲧ r.-v.

YVES BOYER-MARTENOT

Les Ecusseaux 1996★

■ 0,51 ha 3 000 ◖◗ 50 à 69 F

Entre la route de Beaune et celle de Meursault, un *climat* partagé entre 1er cru et *village* (ici). Représentatif de l'appellation et du millésime, voici un vin encore un peu fermé mais à la robe résolue, aux tanins assez fins, d'une bonne structure et dont le corps fruité s'annonce prometteur.

🔑 Yves Boyer-Martenot, 17, pl. de l'Europe, 21190 Meursault, tél. 03.80.21.26.25, fax 03.80.21.65.62 ☑ Ⲧ r.-v.

CHRISTOPHE BUISSON

Les Grandes Vignes 1997★

■ 0,13 ha 900 ◖◗ 50 à 69 F

Le nez et la bouche riment bien ensemble sous des arômes de cueillette du cassis, de rose éclose à l'aube. A cette évidente beauté s'ajoute une attaque discrète et néanmoins assez ample. Corps dense et cylindrique, tanins tenus en laisse, d'une constante élégance.

🔑 Christophe Buisson, 21190 Saint-Romain, tél. 03.80.21.63.92, fax 03.80.21.67.03 ☑ Ⲧ r.-v.

DENIS CARRE Bas des Duresses 1997★

■ 1er cru n.c. n.c. ◖◗ 70 à 99 F

Honorable en **village rouge 97**, supérieur en 1er cru ainsi que le veut la préséance. Un vin poussé en avant par la vinification et l'élevage. Boisé dans le goût du temps, il flatte. Très belle robe vraiment, quelques ressources aromatiques, charpente, tanins encore un peu secs que le temps émoussera.

🔑 Denis Carré, rue du Puits-Bouret, 21190 Meloisey, tél. 03.80.26.02.21, fax 03.80.26.04.64 ☑ Ⲧ r.-v.

CHRISTIAN CHOLET-PELLETIER

1997★★

□ 0,25 ha n.c. ◖◗ 50 à 69 F

Christian Cholet aime la tradition, que ce soit dans les vignes, lors des vendanges manuelles, ou dans les chais. Il a proposé le meilleur blanc de la partie, coup de cœur. D'une belle limpidité jaune clair, écorce d'orange et aubépine, il fait en bouche le saut de l'ange. Pas trop vif, il a une magnifique tenue tout au long de sa prestation ! Et quelle longueur ! Quelle souplesse ! Complexité en prime. Notez aussi le **village rouge 97**, une étoile (30 à 49 F), mais laissez-lui le temps de se faire.

🔑 Christian Cholet, 21190 Corcelles-les-Arts, tél. 03.80.21.47.76 ☑ Ⲧ t.l.j. 8h-12h 14h-18h

CH. DE CITEAUX Les Duresses 1996★

■ 1er cru 0,5 ha 3 000 ◖◗ 70 à 99 F

De la tenue, de l'allure, un vrai 1er cru. Son bouquet se dessine selon une composition florale dont le fruit n'est pas absent. Vinosité et puissance occupent un bon moment la bouche. Le Château de Cîteaux (Cîteaux prend un accent

circonflexe, cela étant dit pour corriger l'étiquette !) présente ici un 96 qui ira au paradis.
➥ Philippe Bouzereau, Ch. de Cîteaux, 18-20, rue de Cîteaux, 21190 Meursault, tél. 03.80.21.20.32, fax 03.80.21.64.34 ☑ ⟁ r.-v.

CLOS DU MOULIN AUX MOINES
Monopole Cuvée Vieilles vignes élevé en fût de chêne 1997

■	0,5 ha	3 000	⦀	70 à 99 F

Ancien moulin de l'abbaye de Cluny, où le vin succède à la farine. La famille Roland Thévenin céda en 1995 ce domaine aux actuels propriétaires. Leur 97 est un vin friand et souple et qui, sans épaules très larges, donne de l'appellation une image aimable et tendre. Le cassis apporte une contribution significative à son bouquet.
➥ Emile Hanique, Dom. du Moulin aux Moines, 21190 Auxey-Duresses, tél. 03.80.21.60.79, fax 03.80.21.60.79 ☑ ⟁ r.-v.

DOM. JEAN-PIERRE DICONNE
1997★★★

■	1,46 ha	3 000	⦀	50 à 69 F

Les **Grands Champs en 1ᵉʳ cru rouge 97** (une étoile) vous donneront toute satisfaction. Mais, et cela arrive, nous avons placé au-dessus ce *village* qui obtient la note maximale. Sa puissance s'exprime en finesse, et le lecteur sait bien que ce n'est pas contradictoire. Sa chaleur ne doit rien à l'alcool. Son élan ? Dépourvu d'agressivité. Et d'une longueur digne de la matière qui compose ce vin, d'une noblesse authentique. Le mieux serait de le déguster maintenant pour profiter de ses bonnes grâces.
➥ Jean-Pierre Diconne, rue de la Velle, 21190 Auxey-Duresses, tél. 03.80.21.25.60, fax 03.80.21.26.80 ☑ ⟁ r.-v.

BERNARD FEVRE 1997★★★

■	0,96 ha	3 000	⦀	50 à 69 F

Brique à reflets rubis, il a de la couleur à revendre. On tombe en adoration devant son bouquet, corbeille de fraises et de framboises. Un moelleux de pacha, une structure ferme et bienveillante, la persistance de son fruit, le tout merveilleusement fondu. Ce qu'on appelle exploser en bouche, et l'émotion en est précieuse.
➥ Bernard Fèvre, 21190 Saint-Romain, tél. 03.80.21.21.29, fax 03.80.21.66.47 ☑ ⟁ r.-v.

JEAN GAGNEROT 1997★★

■	n.c.	4 000	⦀	50 à 69 F

D'un rouge franc et intense, un auxey au joli nez assez floral, à l'attaque fruitée et particulière (prune, mirabelle), et dont le développement est excellent. Plutôt une bouteille à mettre de côté car son ampleur et son acidité lui offrent l'assurance d'un bon maintien dans les temps. En **blanc, un village 97** sur la réserve, bien équilibré et fruité, reçoit une étoile.
➥ Jean Gagnerot, 21420 Aloxe-Corton, tél. 03.80.25.00.00, fax 03.80.26.42.00, e-mail vinibeaune@bourgogne.net ⟁ r.-v.

LES VILLAGES DE JAFFELIN 1996

■	n.c.	15 000	⦀	70 à 99 F

Maison reprise par Jean-Claude Boisset, Jaffelin conserve néanmoins sa palette, notamment ses *villages*. Cet auxey-duresses n'est pas duresses pour rien. Il éblouit l'œil, partage ses ardeurs entre la fleur et le fruit, exprime sa puissance sans rien imposer. Acidité marquée.
➥ Jaffelin, 2, rue Paradis, 21200 Beaune, tél. 03.80.22.12.49, fax 03.80.24.91.87

DOM. JESSIAUME PERE ET FILS
Les Ecusseaux 1997

■ 1er cru	0,41 ha	2 400	⦀	70 à 99 F

Coup de cœur pour le millésime 90 de ce vin (dans le Guide 1994), un domaine qui signe cette fois-ci un 97 assez attrayant. Sans grande structure ni longueur impressionnante, c'est une bouteille d'initiation. Sa finesse, son côté accrocheur plaident pour elle.
➥ Dom. Jessiaume Père et Fils, 10, rue de la Gare, 21590 Santenay, tél. 03.80.20.60.03, fax 03.80.20.62.87 ☑ ⟁ r.-v.

DOM. ANDRE ET BERNARD LABRY
1997★★

■	5 ha	17 000	⦀	50 à 69 F

Grand vin. Il impressionne par sa structure d'ensemble. Un chevalier sous son armure, laissant peu apparaître de ses aménités. Bâti pour la garde, les tanins élevés autour de lui comme des remparts, il voit loin. Blason très brillant, arômes généreux, corps comme on l'a dit, il pourra disputer beaucoup de tournois, d'autant que sa lance est fine, et il les gagnera.
➥ Dom. André et Bernard Labry, Melin, 21190 Auxey-Duresses, tél. 03.80.21.21.60, fax 03.80.21.64.15 ☑ ⟁ t.l.j. 9h-19h; sam. dim. sur r.-v.

DOM. JEAN ET GILLES LAFOUGE
La Chapelle 1997★★

■ 1er cru	0,8 ha	3 000	⦀	50 à 69 F

Entre Val et Duresses, pas toujours indiqué sur les cartes, mais authentique 1ᵉʳ cru, voici donc cette Chapelle. On y fait volontiers ses dévotions : un bijou dans une belle robe. Un parfum floral, comme si c'était un reposoir. Un peu sur sa réserve, ce vin a toutes les grâces. Finesse, fraîcheur, un rien de vivacité d'enfance, il impressionnera dans quelques années les docteurs de la Loi.

BOURGOGNE

Dom. Jean et Gilles Lafouge, 21190 Auxey-Duresses, tél. 03.80.21.20.92, fax 03.80.21.60.43 ☒ Y r.-v.

HENRI LATOUR ET FILS 1997★★

☐ 0,56 ha 2 700 70 à 99 F

Deux **97** en *village* : le **rouge** et le blanc. Lequel mettre en avant ? Disons le blanc mais son jumeau est également remarquable. Or pâle, un vrai bouquet de fleurs blanches. Le fût est bien maîtrisé, et il reste à sa place. Sous un grain savoureux, que de jeunesse ! Que de fraîcheur ! Gouleyant, il coule de source.

Henri Latour et Fils, rte de Beaune, 21190 Auxey-Duresses, tél. 03.80.21.22.24, fax 03.80.21.63.08 ☒ Y r.-v.

CATHERINE ET CLAUDE MARECHAL 1997★★★

■ 2,25 ha 5 000 50 à 69 F

Si le **village 97 blanc** a des qualités (il est cité sans étoile par le jury), celui-ci est jugé exceptionnel : tout grand. Il survole la dégustation. Un ULM ! Rouge-mauve, le nez bien dégagé et recueillant les louanges, il offre de la rose poivrée, une petite perfection d'équilibre, une longueur délicieuse, des perspectives superbes. Le boire n'est pas un péché, l'attendre est la sagesse même. Sacré coup de cœur, n ° 1 du grand jury !

EARL Catherine et Claude Maréchal, 6, rte de Chalon, 21200 Bligny-lès-Beaune, tél. 03.80.21.44.37, fax 03.80.26.85.01 ☒ Y r.-v.

MAX PIGUET Les Boutonniers 1997★

☐ 0,38 ha 1 200 50 à 69 F

Avant le village sur la gauche en venant de Meursault, ce *climat* a produit un chardonnay un peu court sans doute, mais d'une fraîcheur adorable et gouleyant à souhait. On prend plaisir en sa compagnie. D'une teinte sûre et discrète, très floral, il illustre le vers d'André Chénier : « Qu'aimable est la vertu que la grâce environne ! »

Max Piguet, rte de Beaune, 21190 Auxey-Duresses, tél. 03.80.21.25.78, fax 03.80.21.68.31 ☒ Y r.-v.

VINCENT PONT 1997★★

■ 1er cru 0,3 ha 1 200 70 à 99 F

Sombre et brillant, il a le nez long (fruits confits, poivron) et mise tout sur le gras. Au palais, il étincelle. Gourmet, gourmand, il plaît et mérite amplement son rang de 1er cru. Si sa texture est soyeuse, sa finale est magistrale. Le point d'orgue.

Vincent Pont, rue des Etoiles, 21190 Auxey-Duresses, tél. 03.80.21.27.00, fax 03.80.21.24.49 ☒ Y r.-v.

DOM. JEAN-PIERRE ET LAURENT PRUNIER 1997★★

☐ 1,2 ha 3 000 50 à 69 F

Ce domaine propose un **Val 97 en rouge 1er cru** qui a encore du chemin à accomplir, et il en a les moyens : il reçoit une étoile. En définitive, l'appellation *village*, en blanc, nous paraît la plus intéressante à signaler. Une bonne couleur, un nez tout en nuances florales ; la prise en bouche procure entière satisfaction. Certes, ces arômes et ce goût d'amande grillée viennent du fût, mais il y a du vin là-dessous. Et excellent !

Dom. Jean-Pierre et Laurent Prunier, rue Traversière, 21190 Auxey-Duresses, tél. 03.80.21.23.91, fax 03.80.21.27.51 ☒ Y r.-v.

MICHEL PRUNIER Vieilles vignes 1997

☐ 0,75 ha 3 000 70 à 99 F

Si ces vieilles vignes rêvent d'épouser une truite meunière, elles feront bien de le faire dans l'année qui vient. Car elles s'ouvrent assez. Franc et droit, ce chardonnay ne dispose pas d'une structure imposante. En revanche, il est présent en bouche, d'abord assez minéral puis rappelant les agrumes. Acidité de bon aloi et léger boisé.

Michel Prunier, rte de Beaune, 21190 Auxey-Duresses, tél. 03.80.21.21.05, fax 03.80.21.64.73 ☒ Y r.-v.

PASCAL PRUNIER 1997★★

☐ 1,01 ha 4 000 50 à 69 F

Voyons voir, n'est-ce pas lui qui reçut le coup de cœur en 1992 pour un 89 ? Mais oui. Comme il existe ici une demi-douzaine de Prunier, il faut vérifier le prénom avant de tirer la sonnette. En **rouge, un village 97** très correct puisqu'il reçoit une étoile. En blanc, la même appellation et le même millésime donnent cette jolie bouteille or clair à reflets verts, complexe et équilibrée, souple et plaisante jusqu'en finale. Boisé de bon goût.

Pascal Prunier, rue Traversière, 21190 Auxey-Duresses, tél. 03.80.21.66.56, fax 03.80.21.67.33 ☒ Y r.-v.

DOM. VINCENT PRUNIER Les Grands Champs 1997★★

■ 1er cru 0,35 ha 1 625 50 à 69 F

Vincent Prunier a repris ces vignes en 1988. Misez ici sur le rouge ! Derrière les coups de cœur, ce fut l'une des vedettes de la dégustation. Parfaitement représentatif des 1ers crus, un vin d'une élégance impressionnante, plein sans être massif, resserré en finale sur un passage tannique. Il a encore besoin de temps et sera remarquable en 2001.

Vincent Prunier, rte de Beaune, 21190 Auxey-Duresses, tél. 03.80.21.27.77, fax 03.80.21.68.87 ☒ Y r.-v.

PRUNIER-DAMY 1997★

☐ 2,4 ha 3 000 50 à 69 F

« Mais il y a mesure en toute chose », écrivait Pindare en invitant son lecteur à toujours « la saisir à propos ». Ainsi doit-il en être du fût :

utile certes mais point trop n'en faut. Ce 97 présente beaucoup de qualités intérieures, de couleur, de gras, de matière. Il est aussi très boisé.
⚷ Philippe Prunier-Damy, rue du Pont-Boillot, 21190 Auxey-Duresses, tél. 03.80.21.60.38, fax 03.80.21.26.64 ☒ Y t.l.j. sf dim. 9h-12h 14h-18h

FRANCOIS RAPET ET FILS
Les Hautes 1997★

■ 0,6 ha 2 700 ⬮ 50 à 69 F

Ces Hautes (en réalité le *climat* Les Hautés, penchant sur Meursault) disposent d'arguments convaincants. Robe peu profonde et brillante ; cocktail de petits fruits pour égayer le nez ; bouche légère, bien construite et non pas frêle car sa structure tannique est discrète mais réelle et mord sur le fût. Le **blanc 97** s'exprime sur un ton vif et floral.
⚷ EARL François Rapet et Fils, La Perrière, 21190 Saint-Romain, tél. 03.80.21.22.08, fax 03.80.21.60.19 ☒ Y t.l.j. 9h30-12h 14h-18h

PIERRE TAUPENOT En Reugne 1997★★

■ 1er cru 1,3 ha 1 688 ▮⬮🌡 70 à 99 F

Voisin des Duresses en allant sur le pays, ce *climat* montre ici ses bonnes dispositions. Une robe très profonde à bords mauves habille un nez sorti tout droit de la boîte à épices : muscade, cannelle, paprika... L'aération éveille le fruit sous-jacent. De la matière à volonté, dans une configuration un peu mordante, dans un environnement végétal. De haut niveau, et d'une personnalité particulière.
⚷ Dom. Pierre Taupenot, rue du Chevrotin, 21190 Saint-Romain, tél. 03.80.21.24.37, fax 03.80.21.68.42 ☒ Y t.l.j. 9h-12h 14h-20h; dim. sur r.-v.; f. 10 au 20 août

Saint-romain

Le vignoble est situé dans une position intermédiaire entre la Côte et les Hautes Côtes. Les vins de Saint-Romain (4 087 hl), surtout les blancs (2 166 hl en 1998), sont fruités et gouleyants, et toujours prêts à donner plus qu'ils n'ont promis, selon les viticulteurs eux-mêmes. Les rouges représentaient, en 1996, 1 922 hl et en 1997, 1 665 hl. Le site est magnifique et mérite une petite excursion.

BERTRAND AMBROISE 1997★★

□ n.c. 3 600 70 à 99 F

Encore vert, il demande à se faire. Mais il a de la couleur à revendre, et il joue le grand jeu, la fleur fraîchement coupée, l'abricot, puis il évolue vers la maturité après une longue ouverture. Tendre et vineux, légèrement citronné, bien fait. Le **rouge 96**, très explicite, reçoit une étoile.
⚷ Maison Bertrand Ambroise, rue de l'Eglise, 21700 Premeaux-Prissey, tél. 03.80.62.30.19, fax 03.80.62.38.69, e-mail info@ambroise.com ☒ Y r.-v.

DOM. GABRIEL BOUCHARD
Perrière 1997★

□ 0,34 ha 2 200 ⬮ 50 à 69 F

Tilleul intense, cette Perrière se fera des amis. Peut-être pas très généreuse, mais fidèle. Ses arômes secondaires sont bien fondus selon une démarche vive n'excluant pas la rondeur et une réelle persistance. A découvrir dans les caves du XVIe s., situées au cœur du vieux Beaune.
⚷ Dom. Gabriel Bouchard, 4, rue du Tribunal, 21200 Beaune, tél. 03.80.22.68.63 ☒ Y r.-v.
⚷ Alain Bouchard

DOM. HENRI ET GILLES BUISSON
Sous Roche 1997

■ 3,15 ha 19 000 ⬮ 50 à 69 F

Sous roche, et on sait qu'en saint-romain la roche est riche. Un panorama en cinémascope. Le vin, forcément, ressent quelque chose de cette ampleur, de cette charpente. Un peu dur dans l'immédiat, mais la matière est là et d'une garde très confiante.
⚷ Dom. Henri et Gilles Buisson, imp. du Clou, 21190 Saint-Romain, tél. 03.80.21.27.91, fax 03.80.21.64.87 ☒ Y t.l.j. 8h-12h 13h30-19h; dim. sur r.-v.
⚷ Gilles Buisson

DENIS CARRE Le Jarron 1997★

■ n.c. n.c. ⬮ 50 à 69 F

Un pinot noir déjà bien ouvert. Noyau, réglisse, il fleure bon le cépage sous un rubis éclatant. De la personnalité, du terroir. Un vin « pour se faire plaisir », lit-on sur une des fiches de dégustation, et c'est tout confesser. Coup de cœur dans le Guide 1997 pour ce même Jarron 94.
⚷ Denis Carré, rue du Puits-Bouret, 21190 Meloisey, tél. 03.80.26.02.21, fax 03.80.26.04.64 ☒ Y r.-v.

DOM. DE CHASSORNEY 1997

□ 0,6 ha 2 000 ⬮ 70 à 99 F

Il commence à se découvrir. Aucune agressivité. Sur un fond de pomme ou de poire, il est d'un fruit léger, relance sur la noisette qui conclut l'affaire. Vineux, riche et puissant, il est dans la bouche comme en pays conquis. Evolue peu à peu.
⚷ Dom. de Chassorney, 21190 Saint-Romain, tél. 03.80.21.65.55, fax 03.80.21.67.44 ☒ Y r.-v.
⚷ Frédéric Cossard

JOSEPH DROUHIN 1997★★

□ n.c. n.c. ⬮ 70 à 99 F

Il mérite le second coup de nez, sous son petit or brillant. On y trouve en effet de l'inspiration. La bouche est équilibrée, élégante ; l'acidité légère et citronnée met tout en place. Belle persistance. Vin de soif, à boire dans le temps présent.

🔑Joseph Drouhin, 7, rue d'Enfer,
21200 Beaune, tél. 03.80.24.68.88,
fax 03.80.22.43.14, e-mail drouhin@calva.net
Y r.-v.
🔑Robert Drouhin

BERNARD FEVRE Sous la Velle 1997*

■ 1 ha 2 000 🍷 50 à 69 F

Le rouge et le noir... Sa robe est stendhalienne. Sous ses arômes de groseille, il présente une bonhomie sympathique et qui devrait bien évoluer. Sa pointe d'astringence ne nuit pas au sentiment, présent en bouche, de la mûre écrasée.
🔑Bernard Fèvre, 21190 Saint-Romain,
tél. 03.80.21.21.29, fax 03.80.21.66.47 ☑ Y r.-v.

GERMAIN PERE ET FILS
Sous le château 1996*

■ 1 ha 3 000 🍷 50 à 69 F

Se présentant bien et offrant des arômes qui se dessinent peu à peu, cette bouteille est élégante et jeune. Une pointe acidulée la met en émoi. Goûtez dès demain ce vin au tempérament très disponible. « Le vivace et le bel aujourd'hui » chanté par Mallarmé. Cité par le jury, le **blanc 96** est dans le vif du sujet.
🔑EARL Dom. Germain Père et Fils, rue de la Pierre-Ronde, 21190 Saint-Romain,
tél. 03.80.21.60.15, fax 03.80.21.67.87 ☑ Y t.l.j.
8h-20h; dim. sur r.-v.

ALAIN GRAS 1997*

□ 4 ha 6 000 🍷 50 à 69 F

Toute petite robe mignonne, amande et acacia, souple et vif, un peu astringent en finale, pointe d'alcool et longueur suffisante, on ne saurait mieux le décrire. Peut grandir.
🔑Alain Gras, 21190 Saint-Romain-le-Haut,
tél. 03.80.21.27.83, fax 03.80.21.65.56 ☑ Y r.-v.

LES VILLAGES DE JAFFELIN 1997

□ n.c. 16 000 🍷 50 à 69 F

Il y a là de la Côte et des Hautes-Côtes, de la sérénité et de l'élan. Le chardonnay y chardonne comme larron en foire. Un vin très léger, jeune et fruité à nuances florales et discrètement boisées. Jaffelin est l'une des maisons Boisset, conduite cependant par elle-même.
🔑Jaffelin, 2, rue Paradis, 21200 Beaune,
tél. 03.80.22.12.49, fax 03.80.24.91.87

DOM. DE LA CREA Sous Roche 1997*

□ 1,64 ha 9 200 🍷 50 à 69 F

« Je veux qu'on soit sincère », exigeait Alceste. Cette bouteille répond à ses vœux. Un saint-romain typique, assez bien élevé et aux qualités homogènes. Bouquet peu loquace mais qui cache de bonnes surprises pour demain. Acidité sensible.
🔑Dom. de La Créa, Cave de Pommard, 1, rte de Beaune, 21630 Pommard, tél. 03.80.24.99.00,
fax 03.80.24.62.42,
e-mail cécile.chenu@wanadoo.fr ☑ Y t.l.j.
10h-19h
🔑Cécile Chenu

OLIVIER LEFLAIVE 1997**

□ n.c. 7 000 🍷 70 à 99 F

Paille un peu soutenue, la robe est brillante et le nez plutôt fruit mûr. Le bouche possède un bon support pour durer... mais pas jusqu'au Jugement dernier !
🔑Olivier Leflaive, pl. du Monument,
21190 Puligny-Montrachet, tél. 03.80.21.37.65,
fax 03.80.21.33.94, e-mail leflaive-olivier@dial.oleane.com ☑ Y r.-v.

PRUNIER-DAMY Sous le château 1997*

■ 0,19 ha 900 🍷 50 à 69 F

Un discret parfum de rose sur un décor rubis grenat, il fait penser à cette phrase de Maupassant :« Ce qu'il y a de propre, de joli, d'élégant sur la terre... » Ne cherchons pas ici la profondeur d'un puits, mais le charme et la persistance, la tenue en haleine d'un vin aromatique et long. Il n'a pas fini de plaire.
🔑Philippe Prunier-Damy, rue du Pont-Boillot,
21190 Auxey-Duresses, tél. 03.80.21.60.38,
fax 03.80.21.26.64 ☑ Y t.l.j. sf dim. 9h-12h
14h-18h

HENRI DE VILLAMONT 1997

□ 5,81 ha 24 000 🍷 70 à 99 F

Il a divisé le jury. Ces choses-là arrivent même dans les meilleures familles. Pierreux, floral, souple et rond, est-il très traditionnel et hors de toute mode comme le pensent certains, ou plus simple ? Allez donc savoir... De toute façon, le jeu en vaut la chandelle.
🔑SA Henri de Villamont, rue du Dr-Guyot,
21420 Savigny-lès-Beaune, tél. 03.80.24.70.07,
fax 03.80.22.54.31, e-mail hdv@planetb.fr
☑ Y r.-v.

CHRISTOPHE VIOLOT-GUILLEMARD
Sous le château 1997*

□ 1,83 ha 7 000 🍷 50 à 69 F

Sous le Château est l'un des *climats* réputés de l'appellation. Ce 97 n'a pas les jambes très longues mais il est plein, charnu, chaleureux, passant de la fougère à la pêche, du citron à la noisette comme s'il feuilletait le grand livre des arômes. En **rouge 96, même dénomination** : jeunesse prometteuse. « Va, cours, vole... »
🔑Christophe Violot-Guillemard, rue de la Refene, 21630 Pommard, tél. 03.80.22.03.49,
fax 03.80.22.03.49 ☑ Y r.-v.

Meursault

Avec Meursault commence la véritable production de grands vins blancs. Avec 15 650 hl en 1998 et des premiers crus mondialement réputés : les Perrières, les Charmes, les Poruzots, les Genevrières, les Gouttes d'Or, etc. Tous allient la subtilité à la force, la fougère à l'amande grillée, l'aptitude à être consommés jeunes aux possibilités de longévité. Meursault est bien la « capitale des vins blancs de Bourgogne ». Notons une petite production de vin rouge, 763 hl.

Les « petits châteaux » qui restent à Meursault sont les témoins d'une opulence ancienne, attestant une notoriété certaine des vins produits. La Paulée, qui a pour origine le repas pris en commun à la fin des vendanges, est devenue une manifestation traditionnelle qui se déroule le troisième jour des « Trois Glorieuses ».

PIERRE ANDRE Les Pellans 1997*

☐ 0,13 ha 800 300 à 499 F

Or jaune à reflet vert, ce 97 plein et charnu donne quelques signes d'évolution, mais il est comme un chat de race qui fait le dos rond et ronronne. Bien fait, enjôleur, s'achevant sur des notes de melon et de pain d'épice, il est mûr et prêt à marier à un brochet. *Climat* proche des Charmes, côté Puligny.

Pierre André, Ch. de Corton-André, 21420 Aloxe-Corton, tél. 03.80.26.44.25, fax 03.80.26.43.57, e-mail pandre@axnet.fr

t.l.j. 10h-18h

BITOUZET-PRIEUR
Clos du Cromin 1997*

☐ 0,8 ha 3 500 100 à 149 F

Tout est là, la couleur jaune clair à reflets verts ; le bouquet floral et vanillé fondu ; l'acidité bien présente ; un peu de gras sur du floral ; un

BOURGOGNE

La côte de Beaune (Centre-Sud)

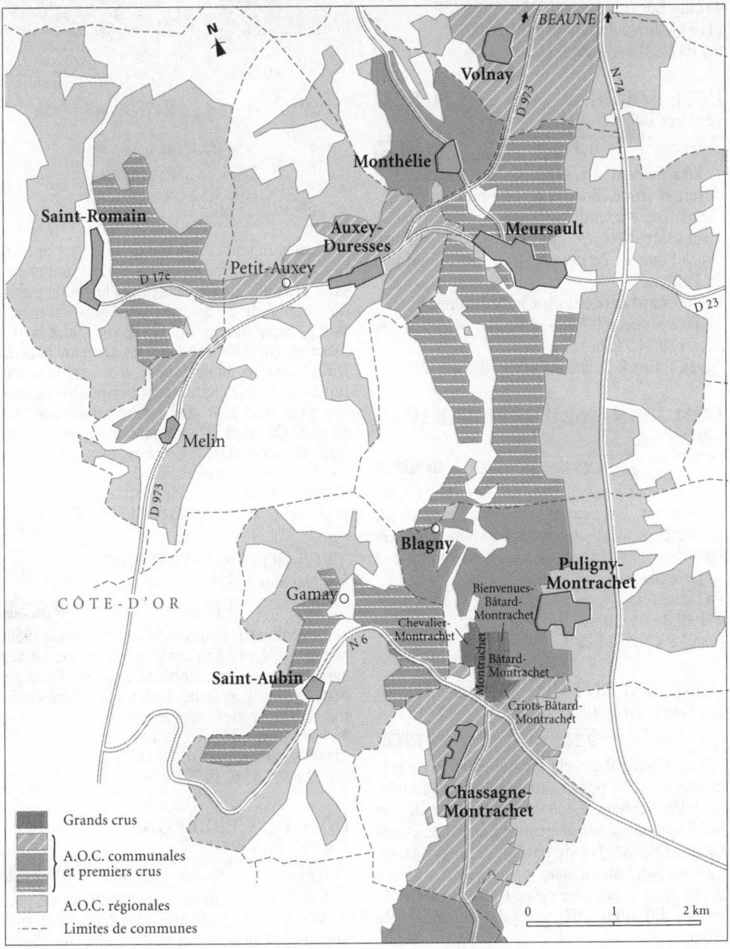

moelleux de noisette ; une nuance citronnée. Cela ne dure pas l'éternité, mais on s'en contente largement. Dans l'appellation et son millésime.
Vincent Bitouzet-Prieur, rue de la Combe, 21190 Volnay, tél. 03.80.21.62.13, fax 03.80.21.63.39 ☑ Y r.-v.

DOM. GUY BOCARD Limozin 1997*

☐ 0,46 ha 3 000 100 à 149 F

Un supplément d'âme ? On tourne comme des abeilles autour de cette bouteille qui sent le merrain fin, l'amande fumée, sur un ton aérien. Corsé, un vin qui se comporte bien dans cette constitution boisée et qui, lorsqu'il s'en délivrera, sera très beau. Voyez aussi les **Grands Charrons, en village 96**, même note, marqués au nez par le pain frais, en bouche par une attaque minérale, une certaine nervosité due au millésime et une finale prometteuse. Très agréable. Quant aux **Narvaux 97**, dominés par le bois en 1999, ils demandent à être revus en 2000 : « Pourra peut-être alors prétendre au coup de cœur ? »
Guy Bocard, 4, rue de Mazeray, 21190 Meursault, tél. 03.80.21.26.06, fax 03.80.21.64.92 ☑ Y r.-v.

DOM. BOUCHARD PERE ET FILS
Perrières 1997*

☐ 1er cru 1,2 ha n.c. 250 à 299 F

Visuellement dix sur dix. Nez franc et fin, ouvert et fruité. Bouche épicée, pointe de pamplemousse, à attendre certainement et probablement assez de temps pour parvenir au sommet. On sait que les Perrières se trouvent à proximité de Puligny.
Bouchard Père et Fils, Ch. de Beaune, 21200 Beaune, tél. 03.80.24.80.24, fax 03.80.24.97.56, e-mail france@bouchard.pereetfils.com Y r.-v.

DOM. JEAN-MARIE BOUZEREAU
1997**

☐ 1,25 ha 2 500 70 à 99 F

Tout vient à point à qui sait attendre, dit-on. C'est le cas. Un peu austère, le nez appuyé sur la cire et le miel, un 97 qui s'harmonisera très bien dans l'avenir car tout est bien composé, à sa juste place.
Dom. Jean-Marie Bouzereau, 7, rue Labbé, 21190 Meursault, tél. 03.80.21.23.74, fax 03.80.21.65.97 ☑ Y r.-v.

DOM. VINCENT BOUZEREAU
Les Gouttes d'or 1997**

☐ 1er cru 0,2 ha 600 150 à 199 F

Une Goutte d'Or, classée numéro deux par le grand jury. Elle possède tous les carats nécessaires ! De l'aubépine, du minéral, du grillé, un boisé bien mené sur une matière élégante, et une finale explosive. Un vin parfait, de longue garde, ou à savourer maintenant, comme il vous plaira. A son rang et coup de cœur. C'est l'année Bouzereau. En **village 97**, une jolie bouteille, une étoile.

Vincent Bouzereau, 7, rue Labbé, 21190 Meursault, tél. 03.80.21.61.08, fax 03.80.21.65.97 ☑ Y r.-v.

MICHEL BOUZEREAU ET FILS
Genevrières 1997**

☐ 1er cru 0,53 ha 3 800 150 à 199 F

C'est à un homard qu'il a droit ! C'est en effet le vin classé numéro un parmi les cent huit meursault présentés. Il est pleinement le vin de messe du cardinal de Bernis qui, usant ainsi du meursault, s'expliquait : « Me voyez-vous faire la grimace en communiant ? » Très flatteur, beurré, fruits exotiques au nez, suave, il désespère la critique car il est le chardonnay personnifié et sous son plus beau jour. Du même producteur, les **Grands Charrons 97** méritent bien leur étoile. Pour ces deux vins, le boisé est bien maîtrisé.
Michel Bouzereau et Fils, 3, rue de la Planche-Meunière, 21190 Meursault, tél. 03.80.21.20.74, fax 03.80.21.66.41 ☑ Y r.-v.

YVES BOYER-MARTENOT
Les Narvaux 1997*

☐ 1,2 ha 5 000 70 à 99 F

Coup de cœur pour son 86 dans le Guide 1989, même cru, un 97 à la couleur très douce, au nez agréable sur un fond boisé de qualité, à l'attaque nette, au corps brioché, fruité, frais. Une cuvée très réussie, « bien dans le type ».
Yves Boyer, 17, pl. de l'Europe, 21190 Meursault, tél. 03.80.21.26.25, fax 03.80.21.65.62 ☑ Y r.-v.

DOM. DU CERBERON
Clos des Cras 1997*

☐ 1er cru 0,6 ha 2 400 100 à 149 F

Jeune et frêle, un meursault brillant, né près de Volnay, le nez sur une note de menthe, pianotant sur l'aubépine et la fleur blanche. Plutôt à boire. « Etre jeune, c'est être spontané, disait Thomas Mann, rester proche des sources de la vie. » Nous y sommes, dans l'innocence.

Dom. du Cerberon, 18, rue de Lattre-de-Tassigny, 21190 Meursault, tél. 03.80.21.22.95, fax 03.80.21.22.95, e-mail domaine-cerberon@wanadoo.fr r.-v.

GFA des Belles Côtes

CHRISTIAN CHOLET-PELLETIER 1997★★

☐	0,13 ha	n.c.	50 à 69 F

Peut-être pas à garder très longtemps (deux ou trois ans), mais en attendant, le bonheur pur et simple. Ferme, entre le grillé et les agrumes, un meursault d'une richesse aromatique assez exceptionnelle (cire d'abeille et tilleul) et d'une concentration passionnante.

Christian Cholet, 21190 Corcelles-les-Arts, tél. 03.80.21.47.76 t.l.j. 8h-12h 14h-18h

VINCENT DANCER Perrières 1997

☐ 1er cru	0,29 ha	900	100 à 149 F

Un Perrières doré comme du bon pain, très terroir. Encore un peu fermé sans doute, mais on retrouve les agrumes, les fleurs blanches, les notes miellées de l'AOC. Equilibré, ferme, il ne lui manque presque rien, un peu de volume, peut-être. Ce *climat* se rapproche de Blagny.

Vincent Dancer, 23, rte de Santenay, 21190 Chassagne-Montrachet, tél. 03.80.21.94.48, fax 03.80.21.94.48, e-mail vincentdancer@minitel.net r.-v.

DOM. DARNAT 1997★★

☐	1,6 ha	9 000	100 à 149 F

Passe-partout, ce *village* ? Vite dit ! En réalité, un cran au-dessus. De la sève, du merrain, de la vinosité, un 97 bien comme il faut. Ses assises ? Superbes. Sa longueur ? Estimable. Son avenir ? Certain. Tendre, tendrissime, un vin à cajoler longtemps.

Dom. Darnat, 20, rue des Forges, 21190 Meursault, tél. 03.80.21.23.30, fax 03.80.21.64.62 r.-v.

DOM. DUPONT-FAHN Cuvée Vieilles vignes 1997★

☐	0,4 ha	n.c.	100 à 149 F

Vieil or foncé et brillant, un meursault légèrement balsamique, au nez discret et un peu évolué. Boisé assez fin, corps charnu et crémeux, du nerf et de la finesse ; il témoigne d'une surmaturité atypique, mais qui n'est pas inintéressante. « Délicieux mais discordant »...

Michel Dupont-Fahn, Les Toisières, 21190 Monthélie, tél. 03.80.21.26.78, fax 03.80.21.21.22 r.-v.

A. GOICHOT ET FILS Les Tillets 1997★★

☐	n.c.	3 000	150 à 199 F

Excellent reflet de l'appellation, un meursault d'école. D'un gras mesuré, d'un beurré floral, d'une nervosité normale, d'un velouté racé, d'un or discret, d'un boisé convenable, de saveurs équilibrées. Quoique assez fermé pour l'instant, il se prépare à une merveilleuse complexité. Le garder ? La sagesse.

SA A. Goichot et Fils, rue Paul-Masson, 21190 Merceuil, tél. 03.80.26.88.70, fax 03.80.26.80.69, e-mail goichot@goichot.sa.com r.-v.

DOM. EMILE JOBARD Les Narvaux 1997★

☐	0,66 ha	n.c.	70 à 99 F

Narvaux idéal à table, déjà un peu évolué. Profiter de sa bonne balance, d'un bouquet exemplaire miel et citron ; de son gras généreux, prolifique ; de son après-bouche soyeuse. Très ouvert, il est à déboucher. Comme les Tillets, les Narvaux siègent en haut du coteau, au balcon.

Dom. Emile Jobard, 1, rue de la Barre, 21190 Meursault, tél. 03.80.21.26.43, fax 03.80.21.60.91 r.-v.

Jobard-Morey

PIERRE LAMOTTE 1997

☐	n.c.	n.c.	100 à 149 F

Murisaltien en un mot et pour tout dire. L'œil se réjouit. Tartine beurrée au nez, rien d'étonnant. Rond, aguicheur, mûr et moelleux, un vrai pacha sur son sofa, pour poisson en sauce ou volaille épanouie.

Pierre Lamotte, rue Lavoisier, 21700 Nuits-Saint-Georges, tél. 03.80.62.64.00, fax 03.80.62.64.10 r.-v.

JEAN LATOUR-LABILLE Clos des Meix Chavaux 1997

☐	3,5 ha	6 500	70 à 99 F

Or paille, avec un reflet vert, ce vin est un honnête meursault. Son parfum (beurre et torréfaction due au fût) est généreux. Du nerf, de la fraîcheur, une belle caudalie, un joli gras ; il a besoin de vieillir. Ce *climat* se situe tout en haut du pays, vers Auxey-Duresses.

Dom. Jean Latour-Labille Fils, 6, rue du 8-Mai, 21190 Meursault, tél. 03.80.21.22.49, fax 03.80.21.67.86 r.-v.

CH. DE LA VELLE Les Caillerets 1997★★

☐ 1er cru	n.c.	550	100 à 149 F

Le **Clos de La Velle, en village 97**, reçoit une étoile et demande deux années de garde. Tout comme ces Caillerets qui possèdent quelque chose en plus ! Ce n'est sans doute pas la complexité absolue. Pourtant, ce 97 aux arômes beurrés, élégant à l'œil comme au nez, tapisse la bouche d'un velours chardonnant. Race et longueur : il a de quoi tenir cinq années au moins.

Bertrand Darviot, Ch. de La Velle, 17, rue de La Velle, 21190 Meursault, tél. 03.80.21.22.83, fax 03.80.21.65.60 r.-v.

DOM. MICHELOT Charmes 1997★

☐ 1er cru	1,5 ha	n.c.	200 à 249 F

La plus jolie robe du monde, un nez qui parle plusieurs langues comme des langues maternelles, la bouche charmeuse, fine et élégante. Mais sera peut-être grandissime dans cinq ans. **Les Tillets 97**, même note, or vert à l'œil, fleurs blanches au nez, offrent une bouche au boisé peu marqué, suffisamment typée pour qu'un dégustateur (à l'aveugle, rappelons-le) note : « Joli vin de coteau qui pourrait venir des Tillets. »

BOURGOGNE

⊶ Dom. Michelot, 31, rue de la Velle, 21190 Meursault, tél. 03.80.21.23.17, fax 03.80.21.63.62 ☑ Y r.-v.

MOILLARD Clos du Cromin 1997**

□ 1,1 ha 6 000 ◍ 150 à 199 F

Pour un poulet Gaston-Gérard, recette typiquement dijonnaise (n'oubliez pas le paprika), ce meursault en chaise longue, exotique, vanillé et épicé, gras et moelleux comme ce n'est pas permis. Souple ? Quelle question ! Très confortable et de longue garde.

⊶ Moillard, 2, rue François-Mignotte, 21700 Nuits-Saint-Georges, tél. 03.80.62.42.22, fax 03.80.61.28.13 ☑ Y r.-v.

DOM. RENE MONNIER
Le Limozin 1997

□ 0,86 ha 4 000 ◍ 70 à 99 F

Sa pâleur annonce un nez vif, floral, mûr, grillé, « presque arrogant ». Bouche plus fine et d'un certain moelleux, où l'on retrouve le fût ainsi qu'un fruit mûr. Bouteille à laisser sur un temps de réflexion, pour apaiser sa pointe d'alcool. Cela dit, elle passe très facilement la rampe. Le Limozin est voisin des Genevrières.

⊶ Dom. René Monnier, 6, rue du Dr-Rolland, 21190 Meursault, tél. 03.80.21.29.32, fax 03.80.21.61.79 ☑ Y t.l.j. 8h-12h 14h-18h

⊶ M. et Mme Brouillot

ALAIN ET CHRISTIANE PATRIARCHE
Blagny La pièce sous bois 1997**

□ 1er cru 0,22 ha 1 500 ◍ 200 à 249 F

Les Patriarche sont vignerons depuis 1830. Leur meursault-Blagny est issu d'un *climat* qui s'exprime en rouge et en blanc. Parmi ses arômes répertoriés, l'épice douce, le végétal, le pamplemousse et la pêche de vigne. « Voilà qui fait déjà ! », comme on dit entre Bourguignons. Vif et gras à la fois, capiteux, complexe, il est remarquable et à conserver précieusement pour une soupe d'huîtres ou une terrine de homard dans deux ou trois ans ; il devrait être de longue garde.

⊶ Alain Patriarche, 12, rue des Forges, 21190 Meursault, tél. 03.80.21.24.48, fax 03.80.21.63.37 ☑ Y r.-v.

DOM. PRIEUR-BRUNET
Les Forges 1997*

■ 0,96 ha 5 000 ◍ 70 à 99 F

Climat situé côté Auxey-Duresses et qui n'est pas mal du tout en rouge ! Rubis grenat, ce 97 sent le fruit mûr, le grillé, pour se présenter en bouche de façon dense, sur une bonne longueur. Le millésime est respecté, et ses tanins enveloppés. En **blanc, les Forges dessus 96** reçoivent la même note. Le nez est éblouissant, fait de fruits exotiques, d'agrumes. La bouche, élégante dès l'attaque, évolue sur des notes fruitées encore jeunes et une finale longue et délicate.

⊶ Dom. Prieur-Brunet, rue de Narosse, 21590 Santenay, tél. 03.80.20.60.56, fax 03.80.20.64.31 ☑ Y r.-v.

REINE PEDAUQUE 1997

□ n.c. 12 000 ◍ 100 à 149 F

Amande et pain grillé : le fût ne se laisse pas oublier. Le tout est cependant agréable, élégant et assez typé. Un meursault de bonne structure, capable de tirer parti de son aspect sec. Et ça, c'est l'essentiel.

⊶ Reine Pédauque, Le Village, 21420 Aloxe-Corton, tél. 03.80.25.00.00, fax 03.80.26.42.00, e-mail rpedauque@axnet.fr Y r.-v.

ROPITEAU 1997**

■ n.c. n.c. ◍ 70 à 99 F

Pour découvrir le meursault rouge, voici la meilleure des clés. Tout en finesse et en harmonie, celui-ci tire du fût un parti très sage, témoignant d'un bel élevage. Le cassis résonne à travers le cépage. Suave et bordé d'arômes frais, revigorant, un vin solide qui atteindra son apogée dans quelques années.

⊶ Ropiteau Frères, 13, rue du 11-Novembre, 21190 Meursault, tél. 03.80.21.69.20, fax 03.80.21.69.29 ☑ Y r.-v.

DOM. SAINT-FIACRE Les Narvaux 1997

□ 0,36 ha 2 300 ◍ 70 à 99 F

Léger en bouche, mais sincère et à boire sur son côté fruité, un vin tout jeune, de noisette et d'agrumes. Sa palette aromatique est subtile, son corps expressif. Petite dominante acide qui n'est pas pour nous déplaire.

⊶ Aline et Joël Patriarche, Dom. Saint-Fiacre, 21190 Tailly, tél. 03.80.26.84.38, fax 03.80.26.87.97 ☑ Y r.-v.

DE SOUSA-BOULEY Les Millerans 1997

□ 0,51 ha 1 800 ◍ 70 à 99 F

Un vin très avenant aujourd'hui, à savourer dans le temps présent car son manque d'acidité peut hypothéquer son avenir. Très fût neuf, doré à souhait, gras et puissant, il est du genre « coq en pâte ». Sera le compagnon de table d'un poulet à la crème. L'un des *climats* situés le plus au levant de Meursault.

⊶ Albert de Sousa-Bouley, 7, RN 74, 21190 Meursault, tél. 03.80.21.22.79 ☑ Y r.-v.

HENRI DE VILLAMONT 1997

□ 1,98 ha 9 000 ◍ 150 à 199 F

Miel d'acacia, pain d'épice, il connaît ses classiques. Continuité en bouche, comme si on s'était donné le mot. Note d'amertume en finale. Habituelle. Un de nos dégustateurs le voit originaire du secteur Tillets-Casse-Têtes.

⊶ SA Henri de Villamont, rue du Dr-Guyot, 21420 Savigny-lès-Beaune, tél. 03.80.24.70.07, fax 03.80.22.54.31, e-mail hdv@planetb.fr ☑ Y r.-v.

Blagny

Situé à cheval sur les communes de Meursault et Puligny-Montrachet, un vignoble homogène s'est développé autour du hameau de Blagny. On y produit des vins rouges remarquables portant l'appellation blagny (235 hl en 1998), mais la plus grande superficie est plantée en chardonnay pour donner, selon la commune, du meursault 1er cru ou du puligny-montrachet 1er cru.

GILLES BOUTON Sous le Puits 1997

■ 1er cru	0,41 ha	2 400	◖▮ 70 à 99 F

Sous le Puits, côté Puligny de cette appellation un peu complexe. Léger violacé et nez très grillé. Le fruit arrive au bon moment, le tanin est présent mais sans dureté. Fermé en raison d'une mise récente lors de la dégustation en mars 99, ce vin laisse de l'espoir car le fruit revient en finale.
☛ Gilles Bouton, Gamay, 21190 Saint-Aubin, tél. 03.80.21.32.63, fax 03.80.21.90.74 ☑ ▼ r.-v.

DOM. HENRI CLERC ET FILS
Sous le Dos d'Ane 1996★★

■ 1er cru	0,93 ha	3 906	◖▮ 150 à 199 F

94 95 **96**

Bernard Clerc dirige ce domaine qui, depuis le XVIe s., se consacre surtout à l'élaboration des vins blancs. Eh bien, heureusement qu'il s'est entendu à produire ce rouge ! Il est bien près du coup de cœur car franchir ce Dos d'Ane, côté Meursault, est un vrai bonheur. Du caractère à ne plus savoir qu'en faire. D'un rouge prononcé, pain d'épice et fruits noirs, il se balade en bouche comme sur un grand boulevard. Et quand il s'ouvrira pleinement, gare à l'émotion !
☛ Dom. Henri Clerc et Fils, pl. des Marronniers, 21190 Puligny-Montrachet, tél. 03.80.21.32.74, fax 03.80.21.39.60 ☑ ▼ t.l.j. 8h30-11h45 14h-17h45
☛ Bernard Clerc

MICHEL LAMANTHE La Jeunelotte 1997

■ 1er cru	0,33 ha	1000	◖▮ 70 à 99 F

Jeunelotte, côté meursault. N'allons d'ailleurs pas faire la différence. Beurre, épices, cannelle, l'enfant s'annonce bien dans ses langes pourpres légèrement tuilés. La bouche part au quart de tour et offre une belle rétro-olfaction d'arômes où le boisé joue une partition bien tempérée. Corps et structure en disent plus long que la robe. Le mettre une paire d'années en cave.
☛ Michel Lamanthe, 21190 Saint-Aubin, tél. 03.80.21.33.23, fax 03.80.21.93.96 ☑ ▼ r.-v.

DOM. LARUE Sous le Puits 1997★

■ 1er cru	0,2 ha	1 100	◖▮ 70 à 99 F

94 95 96 97

Deux vins du domaine Larue reçoivent une étoile en blagny. Le **Trézin 97** est sévère. Laissons s'apaiser ses tanins, et ce sera le plus honnête des citoyens dans deux ou trois ans. Ce Sous le Puits, d'une extraction impressionnante, donne une couleur au maximum. Le nez est plus secret, fait de fruits noirs réservés. Le corps s'affirme de façon mâle et épicée. Très présent, très tannique, reste bien en bouche.

☛ Dom. Larue, Gamay, 21190 Saint-Aubin, tél. 03.80.21.30.74, fax 03.80.21.91.36 ☑ ▼ r.-v.

Puligny-montrachet

Centre de gravité des vins blancs de Côte-d'Or, serrée entre ses deux voisines Meursault et Chassagne, cette petite commune tranquille ne fait en surface de vignes que la moitié de Meursault, ou les deux tiers de Chassagne, mais se console de cette modestie apparente en possédant les plus grands crus blancs de Bourgogne, dont le montrachet, en partage avec Chassagne.

La position géographique de ces grands crus, selon les géologues de l'université de Dijon, correspond à une émergence de l'horizon bathonien, qui leur confère plus de finesse, plus d'harmonie et plus de subtilité aromatique qu'aux vins récoltés sur les marnes avoisinantes. L'AOC a produit 9 091 hl de vin blanc et 411 hl de vin rouge en 1998.

Les autres *climats* et premiers crus de la commune exhalent fréquemment des senteurs végétales à nuances résineuses ou terpéniques, qui leur donnent beaucoup de distinction.

FRANCOIS D'ALLAINES 1997

□	n.c.	1 500	◖▮ 100 à 149 F

Un puligny bien habillé et fumé, torréfié, assez volumineux et de bonne fraîcheur, long. Son fût s'obstine. Attendons donc que parle le vin en le laissant deux ou trois ans en cave.
☛ François d'Allaines, La Corvée du Paquier, 71150 Demigny, tél. 03.85.49.90.16, fax 03.85.49.90.19 ☑ ▼ r.-v.

JEAN-CLAUDE BACHELET
Sous le puits 1996

□ 1er cru	0,23 ha	n.c.	◖▮ 100 à 149 F

Très beau, mais retenu. Acide et citronné, avec ce mélange assez harmonieux de chaleur et de finesse qui fait le charme de ce *climat* situé très haut sur Blagny.
☛ Jean-Claude Bachelet, rue de la Fontaine, 21190 Saint-Aubin, tél. 03.80.21.31.01, fax 03.80.21.91.71 ☑ ▼ r.-v.

CH. DE BLIGNY Reuchaux 1997★

□	0,41 ha	2 050	◖▮ 150 à 199 F

Domaine qui a appartenu à la Garantie Mutuelle des Fonctionnaires remis en 1999 par la SAFER à de nouveaux acquéreurs. Quant à

ce *climat*, peu connu, il se situe côté Meursault. Fermé en bouche, dans une délicatesse minérale, ce 97 va s'épanouir dans un an ou deux. Noisette et menthol accompagnent des notes florales au nez. Celui-ci ne rend pas perplexe. Rien de particulier sous le regard : belle paille dorée. La bouche est délicate, bien typée avec une pointe de minéralité.
➤ SCE Ch. de Bligny, 14, Grande-Rue, 21200 Bligny-lès-Beaune, tél. 03.80.21.47.38, fax 03.80.21.40.27 ☑ ☡ t.l.j. 9h-12h 15h-17h; sam. dim. sur r.-v.; f. 15-31 août et 24 déc-3 janv.

GILLES BOUTON Les Garennes 1997★

| □ 1er cru | 0,76 ha | 3 700 | ⑪ 100 à 149 F |

Ce domaine est situé à 100 m de la maison forte du XII^{e}s. de Gamay. Son vin se distingue par un aspect très fermé qui aiguillonne l'intérêt. Discret, il semble se cacher. Ne pas vouloir paraître. Mais il y a du potentiel, et cette pudeur ne parvient pas à masquer la richesse du sujet. On le voit très bien pour qui saura patienter. Combien de temps ? Pas moins de deux ans.
➤ Gilles Bouton, Gamay, 21190 Saint-Aubin, tél. 03.80.21.32.63, fax 03.80.21.90.74 ☑ ☡ r.-v.

DOM. JEAN CHARTRON
Clos de La Pucelle 1997★

| □ 1er cru | n.c. | n.c. | ⑪ 300 à 499 F |

Pucelle vermeille et tilleul sous un bel éclat d'or pâle. Très fermée, cette bouteille doit être aérée pour laisser s'exprimer une note de pain grillé. La bouche, légèrement toastée, se révèle minérale et harmonieuse. Laissons ce vin prendre un peu de maturité (trois ou quatre ans de garde) tout comme le **Clos du Cailleret 97** du domaine (cité sans étoile) que le jury conseille d'attendre deux ans. Pendant ce temps, on se réjouira de goûter le **village 97** de la maison Chartron et Trébuchet, qui reçoit une étoile pour son boisé bien intégré, ses notes de fruits secs (noisette) et d'épices, et sa longueur.
➤ Dom. Jean Chartron, 13, Grande-Rue, 21190 Puligny-Montrachet, tél. 03.80.21.32.85, fax 03.80.21.36.35,
e-mail jmchartron @chartron-trebuchet.com ☑ ☡ t.l.j. 10h-12h 14h-18h; f. sam. dim. de nov. à mars

LABOURE-ROI 1997★

| □ | n.c. | n.c. | ⑪ 150 à 199 F |

On écrirait un roman sur cette bouteille d'un style étincelant, complexe (pierre à feu, fruité, très toasté). Le récit : constamment soutenu, gras et puissant avec la note classique de sécheresse pour nous rappeler aux réalités. L'acidité est bien placée et demeurera utile à ce vin de raisin mûr. Pour des noix de Saint-Jacques poêlées.
➤ Labouré-Roi, rue Lavoisier, 21700 Nuits-Saint-Georges, tél. 03.80.62.64.00, fax 03.80.62.64.10, e-mail laboure @axnet.fr ☑ ☡ r.-v.

DOM. DES LAMBRAYS
Clos du Cailleret 1996★

| □ 1er cru | 0,36 ha | 2 800 | ⑪ 200 à 249 F |

Le domaine des Lambrays (Morey) dans son Cailleret, loin de ses bases. C'est un vin enso-

leillé, imposant, plein de gras, persistant. Monument historique à visiter avec respect. Seul le bouquet reste discret et n'avance qu'à pas de loup.
➤ Sté Nlle du Dom. des Lambrays, 31, rue Basse, 21220 Morey-Saint-Denis, tél. 03.80.51.84.33, fax 03.80.51.81.97 ☑ ☡ r.-v.
➤ Freund

DOM. HUBERT LAMY
Les Tremblots 1997★

| □ | 1 ha | 6 000 | ⑪ 100 à 149 F |

Tremblots ? Sur l'axe du bâtard-montrachet, en descendant vers le village. Tout en tendresse, un vin encore frais et fruité, loin de sa finition. Vert or, il suggère la poire très mûre et les agrumes (citron). Finement boisé (noisette et note grillée), c'est une gourmandise qui se dessine peu à peu.
➤ Dom. Lamy-Pillot, 31, rte de Santenay, 21190 Chassagne-Montrachet, tél. 03.80.21.30.52, fax 03.80.21.30.02, e-mail lamy.pillot @wanadoo.fr ☑ ☡ r.-v.

DOM. LARUE Les Garennes 1997★

| □ 1er cru | 0,6 ha | 3 000 | ⑪ 100 à 149 F |

Climat sur les hauts de Blagny, réputé corsé. L'habit vert le rend-il immortel ? Disons cinq ans de bonne et heureuse garde pour ce chardonnay qui enveloppe sa fraîcheur d'amande grillée. Ample et gourmand, persistant, il a de la joliesse.
➤ Dom. Larue, Gamay, 21190 Saint-Aubin, tél. 03.80.21.30.74, fax 03.80.21.91.36 ☡ r.-v.

OLIVIER LEFLAIVE
Les Garennes 1996★★

| □ 1er cru | n.c. | 5 000 | ⑪ 150 à 199 F |

Puligny de bout en bout, sur toute la ligne. Ni meursault ni chassagne. Ce sont des choses qu'un dégustateur bourguignon sent spontanément. Par le minéral et le fruit sec ? Peut-être. Par la race, le compromis entre acidité et moelleux ? Sûrement. Très long, un vin à déguster après... demain.
➤ Olivier Leflaive, pl. du Monument, 21190 Puligny-Montrachet, tél. 03.80.21.37.65, fax 03.80.21.33.94, e-mail leflaive-olivier@dial.oleane.com ☑ ☡ r.-v.

ROLAND MAROSLAVAC-LEGER
Les Corvées des vignes 1997★

| □ | 0,8 ha | 4 800 | ▐ ⑪ ♦ 100 à 149 F |

Climat jouxtant Meursault. Fût neuf jusqu'au bout des ongles, ce vin paille clair n'oublie pas le fruit mûr et fait des efforts louables pour s'imposer au nez. Ferme au palais, mais équilibré, il récolte en chemin et finit sur une note franche, élégante et persistante.
➤ Roland Maroslavac-Léger, 43, Grande-Rue, 21190 Puligny-Montrachet, tél. 03.80.21.31.23, fax 03.80.21.91.39 ☡ r.-v.

DOM. RENE MONNIER
Les Folatières 1997

| □ 1er cru | 0,83 ha | 5 000 | ⑪ 100 à 149 F |

Au-dessus du Clavaillon, à côté du Cailleret, une « folle terre » que les pluies orageuses déménagent volontiers. Cette bouteille est lumineuse à l'œil, soudaine et subtile au nez (beurre et noi-

sette), plus stricte en bouche. Cette verdeur de la pomme verte qu'Eve approche de sa main... Très jeune bouteille.
Dom. René Monnier, 6, rue du Dr-Rolland, 21190 Meursault, tél. 03.80.21.29.32, fax 03.80.21.61.79 ☑ Y t.l.j. 8h-12h 14h-18h
M. et Mme Bouillot

VEUVE HENRI MORONI
Les Pucelles 1997

☐ 1er cru 0,43 ha 2 500 150 à 199 F

A servir, nous conseille-t-on, avec des asperges. Un accord difficile, mais pourquoi pas ? Il est vrai que le nez végétal tourne autour de l'ortie blanche, du légume vert. Ces nuances persistent en bouche, avec un complément d'épices en finale. Le tout est puissant et plein.
Veuve Henri Moroni, 1, rue de l'Abreuvoir, 21190 Puligny-Montrachet, tél. 03.80.21.30.48, fax 03.80.21.33.08, e-mail veuve.moroni@wanadoo.fr ☑ Y r.-v.

DOM. JACQUES PRIEUR
Les Combettes 1996

☐ 1er cru 1,5 ha 4 900 150 à 199 F

Des Combettes ne se refusent pas, d'autant qu'elles ont ici le sang chaud. D'un jaune prononcé, elles jouent sur un registre d'agrumes. Raffinée, élégante, la bouche fait le maximum. La finale vive, après une impression chaleureuse, est très 96.
Dom. Jacques Prieur, 2, rue des Santenots, 21190 Meursault, tél. 03.80.21.23.85, fax 03.80.21.29.19 ☑ Y r.-v.

ROUX PERE ET FILS
Les Enseignères 1997★★★

☐ 0,33 ha 2 000 150 à 199 F

Pour qui connaît, ce *climat* voisine avec un grand cru, les bienvenues-bâtard-montrachet. Ce *village* fait dans la haute noblesse. Difficile de concevoir davantage de féminité dans une bouteille de vin ! Or vert brillant, la teinte annonce le joli nez où le fruit blanc côtoie les épices. Après une attaque tendre et charmeuse, la bouche se révèle fraîche, minérale, florale : complexe et délicate. Travaillé en fût de main de maître, un grand vin dont il n'y a que 2 000 bouteilles.
Dom. Roux Père et Fils, 21190 Saint-Aubin, tél. 03.80.21.32.92, fax 03.80.21.35.00 ☑ Y t.l.j. sf dim. 8h-12h 14h-19h

Montrachet, chevalier, bâtard, bienvenues bâtard, criots bâtard

La particularité la plus étonnante de ces grands crus, dans un passé récent, était de se faire attendre plus ou moins longtemps avant de manifester dans sa plénitude la qualité exceptionnelle qu'on attendait d'eux. Dix ans était le délai accordé au « grand » montrachet pour atteindre sa maturité, cinq ans pour le bâtard et son entourage ; seul le chevalier-montrachet semblait manifester plus rapidement une ouverture plus communicative.

Depuis quelques années cependant, on rencontre des cuvées de montrachet avec un bouquet d'une puissance exceptionnelle et des saveurs si élaborées qu'on peut en apprécier la qualité immédiatement, sans avoir à supputer l'avenir. Le volume de production est là aussi très faible : l'ensemble des grands crus de montrachet représente 1 313 hl en 1998.

BOURGOGNE

Montrachet

DOM. DE LA ROMANEE-CONTI
1997★★★

☐ Gd cru n.c. n.c. + de 500 F

|83| |86| (90) |91| 93

« Le montrachet occupe toujours dans la littérature une position exceptionnelle, hors ligne », écrit J.-F. Bazin dans *Le Vin de Bourgogne*. Celui-ci répond entièrement à cette affirmation. Au nez, le miel joue du violon. Au palais, de la harpe. Vendanges très tardives, sans botrytis et avec des raisins intacts. Le résultat ? A nul autre pareil. Sa richesse, ses arômes le distinguent d'emblée. Ce millésime se rangera plus tard parmi les très belles années, tant ses dispositions relèvent de l'excellence et de la rareté.
SC du Dom. de La Romanée-Conti, 21700 Vosne-Romanée, tél. 03.80.62.48.80, fax 03.80.61.05.72

DOM. JACQUES PRIEUR 1996★★

☐ Gd cru n.c. 2 900 + de 500 F

On ne cherche pas, on trouve... ce supplément d'âme qui béatifie le montrachet avant sa canonisation par le temps. Clair à reflets or, il montre une ampleur, une générosité, une concentration dignes de son nom. L'amande et le fruit sec s'associent à l'œuvre patiente du fût pour fleurir le bouquet. Pour plusieurs raisons (le boisé, la vivacité), il est conseillé de le laisser mûrir. Déjà coup de cœur pour le millésime 90 dans le Guide 1994.

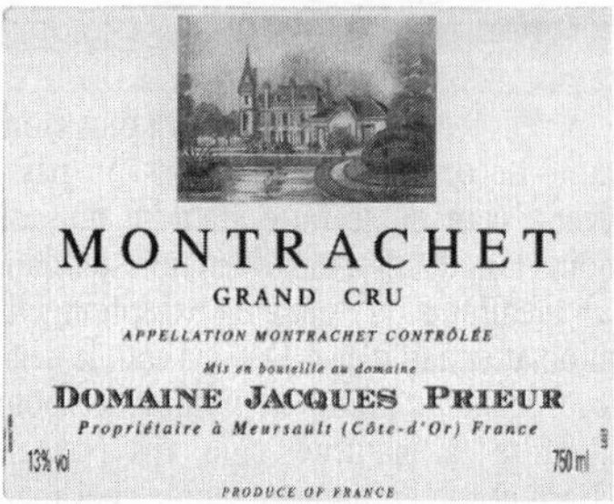

MONTRACHET
GRAND CRU
APPELLATION MONTRACHET CONTRÔLÉE
Mis en bouteille au domaine
DOMAINE JACQUES PRIEUR
Propriétaire à Meursault (Côte-d'Or) France
13% vol
750 ml
PRODUCE OF FRANCE

Dom. Jacques Prieur, 2, rue des Santenots, 21190 Meursault, tél. 03.80.21.23.85, fax 03.80.21.29.19 ☑ Y r.-v.

Chevalier-montrachet

DOM. JEAN CHARTRON
Clos des Chevaliers 1997★

☐ Gd cru n.c. n.c. +de 500 F

91 **92** |93| |94| **95** **96** 97

Paille claire, animal et grillé, ce chevalier réussit mieux son tournoi en bouche qu'au nez. Il a pour lui à la fois une certaine fraîcheur de jeunesse et la plénitude d'une riche matière qui permet de le garder. On se souvient du coup de cœur remporté dans le Guide 1997 pour le millésime 94.

Dom. Jean Chartron, 13, Grande-Rue, 21190 Puligny-Montrachet, tél. 03.80.21.32.85, fax 03.80.21.36.35,
e-mail jmchartron@chartron-trebuchet.com
☑ Y t.l.j. 10h-12h 14h-18h; f. sam. dim. de nov. à mars

DOM. JEAN-MARC PILLOT 1997★

☐ Gd cru n.c. n.c. +de 500 F

Chevalier qui devrait acquérir à la longue et en cave ses brevets de baron ou de marquis. Car il chevauche, sous sa brillance et ses couleurs, sous son nez de noisette fraîche et d'aubépine claire. Virginal avec une petite touche de fût, il est parfaitement représentatif de sa lignée et de son millésime. On attend la richesse, pour un chevalier de bon cœur : elle viendra plus tard.

Jean-Marc Pillot, 8, pl. de l'Eglise, 21190 Chassagne-Montrachet, tél. 03.80.21.92.96, fax 03.80.21.92.57 ☑ Y r.-v.

Bâtard-montrachet

OLIVIER LEFLAIVE 1997★★

☐ Gd cru n.c. 1 500 +de 500 F

Bâtard ? Ses lettres de noblesse sont indiscutables et de bonne origine. Blason or vert qu'on retrouve dans les armoiries. Floral et pain grillé, il vit dans son temps avec un boisé agréable. Vif, complexe et équilibré, riche et gras de surcroît, il finit sur une belle longueur où l'on retrouve les notes de noisette grillée du premier nez. Attendre trois ou quatre ans pour le marier avec les plats les plus fins.

Olivier Leflaive, pl. du Monument, 21190 Puligny-Montrachet, tél. 03.80.21.37.65, fax 03.80.21.33.94,
e-mail leflaive-olivier@dial.oleane.com
☑ Y r.-v.

LOUIS LEQUIN 1997

☐ Gd cru 0,11 ha 750 300 à 499 F

Couronné d'un coup de cœur l'an dernier (millésime 96), ce bâtard a fait l'objet d'un débat au sein du jury. Et vous en serez témoin. Un dégustateur résume peut-être l'opinion générale en écrivant : « Il n'est pas à la portée de tous les palais. » L'un le note exceptionnel et coup de cœur. Un autre le juge évolué. Disons que ce 97 intense et sans excès est une véritable curiosité, qui se révèle peu à peu, et c'est sans doute là la clé de la question.

Louis Lequin, 1, rue du Pasquier-du-Pont, 21590 Santenay, tél. 03.80.20.63.82, fax 03.80.20.67.14 ☑ Y r.-v.

Bienvenues-bâtard-montrachet

DOM. BACHELET-RAMONET PERE ET FILS 1997★

☐ Gd cru 0,13 ha 530 300 à 499 F

Foie gras, ou saveurs plus marquées encore. Sans doute s'arrondira-t-il. Ce vin de belle pointure, présenté avec éclat, montre un nez riche en confidences (agrumes, brûlé). La bouche ? Tout y est, l'ampleur, la rondeur et le gras. De la grandeur en perspective.

Dom. Bachelet-Ramonet Père et Fils, 11, rue du Parterre, 21190 Chassagne-Montrachet, tél. 03.80.21.32.49, fax 03.80.21.91.41 ☑ Y t.l.j. 8h-11h45 14h-18h30; sam. dim. sur r.-v.

DOM. HENRI CLERC ET FILS 1997

☐ Gd cru 0,46 ha 1 646 300 à 499 F

Coup de cœur naguère (en 1994 pour le 91), ce 97 issu d'un grand cru rencontré rarement (bâtard côté Puligny, 22 000 à 23 000 bouteilles par an) reste ici dans les limites de son millésime. Son bouquet très mûr tire légèrement sur l'exotique et le pain grillé. Sa puissance peut le porter...

🔑 Dom. Henri Clerc et Fils, pl. des Marronniers, 21190 Puligny-Montrachet, tél. 03.80.21.32.74, fax 03.80.21.39.60 ☑ Ι t.l.j. 8h30-11h45 14h-17h45
🔑 Bernard Clerc

OLIVIER LEFLAIVE 1997*

☐ Gd cru n.c. 1 500 (I) +de 500 F

Bel or à reflets émeraude. Le bouquet s'arrange à l'aération, plus floral que fruité, tirant néanmoins sur l'agrume. Elégance et finesse, bienvenue en effet. Rondeur sans dureté, petite note fumée sur la fin, sûrement de la race et de l'épanouissement futur. A formidablement besoin de temps, dans le verre et dans l'instant, plus tard évidemment.

🔑 Olivier Leflaive, pl. du Monument, 21190 Puligny-Montrachet, tél. 03.80.21.37.65, fax 03.80.21.33.94, e-mail leflaive-olivier@dial.oleane.com ☑ Ι r.-v.

Criots-bâtard-montrachet

LOUIS LATOUR 1996

☐ Gd cru n.c. 900 (I) +de 500 F

|93| |94| 95 96

Vif, typé 96, il illustre un grand cru assez rare (guère plus de 8 000 bouteilles par an pour l'AOC), bâtard version chassagne. L'œil brille, le nez fait entendre un discours grillé et n'est pas encore complexe. Plénitude et élan d'acidité autorisent quelques espoirs futurs, sans toutefois atteindre les sommets. Le millésime 93 reçut dans le Guide 1996 le coup de cœur et le porte encore à sa boutonnière.

🔑 Maison Louis Latour, 18, rue des Tonneliers, 21204 Beaune Cedex, tél. 03.80.24.81.00, fax 03.80.22.36.21, e-mail louislatour@louislatour.com Ι r.-v.

OLIVIER LEFLAIVE 1997**

☐ Gd cru n.c. n.c. (I) +de 500 F

Dès qu'il entre en scène, le cercle de famille pourrait applaudir à grands cris. Ce criots tout enfant, d'un jaune cependant assez soutenu, est un peu comme Jésus au Temple étonnant les Docteurs de la Loi : plus mûr qu'il n'y paraît, mais frais dans la fleur blanche et le citron, le raisin. Du fût certes. Oubliez votre soif pour l'apprécier plus sereinement dans... longtemps.

🔑 Olivier Leflaive, pl. du Monument, 21190 Puligny-Montrachet, tél. 03.80.21.37.65, fax 03.80.21.33.94, e-mail leflaive-olivier@dial.oleane.com ☑ Ι r.-v.

Chassagne-montrachet

Une nouvelle combe, celle de Saint-Aubin, parcourue par la RN 6, forme à peu près la limite méridionale de la zone des vins blancs, suivie par celle des vins rouges ; les Ruchottes marquent la fin. Les Clos Saint-Jean et Morgeot, vins solides et vigoureux, sont les plus réputés des chassagne. Les blancs représentent 8 225 hl et les rouges 6 465 hl en 1998.

JEAN-CLAUDE BACHELET La Boudriotte 1996*

■ 1er cru 0,11 ha n.c. (I) 70 à 99 F

Boudriotte 96 à son niveau de 1er cru, très réussie et délivrant des arômes épicés (poivre, cannelle) sous des notes dominantes de pinot. Tanins et acidité répondent bien au millésime, avec une longueur appréciable. Un vin qui va de bon cœur vers ses trois à cinq ans de garde. Très chassagne rouge.

🔑 Jean-Claude Bachelet, rue de la Fontaine, 21190 Saint-Aubin, tél. 03.80.21.31.01, fax 03.80.21.91.71 ☑ Ι r.-v.

DOM. B. BACHELET Les Benoîtes 1996**

■ 4 ha 17 000 (I) 50 à 69 F

Un vrai vin de gourmandise. Ces Benoîtes (*climat* situé du côté de Santenay) portent une robe veloutée d'une grande élégance. Le nez s'offre sans parcimonie : le cassis dans sa plus pure expression. La promesse est tenue en bouche où l'on trouve une sève gorgée de fruits, une étoffe moelleuse, un équilibre plein d'avenir. En **blanc, le Morgeot 97** est très exotique par son nez de kiwi. Un peu cire d'abeille mais façon nouvelle. Il est charmeur, équilibré, avec ce mariage toujours complexe entre acidité et richesse qui est assez bien accompli : il reçoit une étoile.

🔑 Dom. Bernard Bachelet et Fils, 71150 Dezize-lès-Maranges, tél. 03.85.91.16.11, fax 03.85.91.16.48 ☑ Ι r.-v.

DOM. BACHELET-RAMONET PERE ET FILS Morgeot 1997*

☐ 1er cru 0,35 ha 1 800 (I) 100 à 149 F

Bachelet-Ramonet. Pour qui connaît son chassagne, ces deux noms en disent long. Le 1er cru Morgeot a la préférence du jury. Le millésime l'enserre un peu et c'est normal. Mais il déploie une robe à ravir et fait part d'un bouquet noisette et jacinthe de caractère. En bouche, il est concentré, mais charmant et élégant. La **Romanée (blanc 97)**, fraîche et végétale, est citée.

🔑 Dom. Bachelet-Ramonet Père et Fils, 11, rue du Parterre, 21190 Chassagne-Montrachet, tél. 03.80.21.32.49, fax 03.80.21.91.41 ☑ Ι t.l.j. 8h-11h45 14h-18h30; sam. dim. sur r.-v.

CH. BADER-MIMEUR 1996

■ 2 ha n.c. (I) 70 à 99 F

Ce domaine a soufflé quatre-vingts bougies sur son vacherin d'anniversaire en 1999. Et

BOURGOGNE

l'arrière-petite-fille a pris la barre. Impulsif, ce vin est encore tannique mais d'une bonne ampleur. Il est 96, et il a les dents vives et longues. A laisser en cave. Un coup de cœur dans le Guide 1989 pour un 86 blanc.

⊶ Ch. Bader-Mimeur, 1, chem. du Château, 21190 Chassagne-Montrachet, tél. 03.80.21.30.22, fax 03.80.21.33.29 ☑ Y r.-v.

JEAN-CLAUDE BELLAND
Morgeot Clos Charreau 1997

■ 1er cru 0,49 ha 1 600 ◍ 70 à 99 F

Félicitations à ce viticulteur qui, sur son étiquette, complète Morgeot (très vaste 1er cru fédérateur de multiples *climats*) en précisant Clos Charreau (à la limite de Santenay). Brique intense, ce 97 a des arômes animaux et végétaux, une solide structure tannique, du caractère et de quoi bien vieillir. Jean-Claude est fils d'Adrien, car il y a au pays (Santenay) beaucoup de vignerons portant ce nom.

⊶ Jean-Claude Belland, 21590 Santenay, tél. 03.80.20.61.90, fax 03.80.20.65.60 ☑ Y t.l.j. sf dim. 9h-12h 14h-18h; f. 15-31 août

ROGER BELLAND
Morgeot Clos Pitois 1997*

□ 1er cru 0,64 ha 3 700 ◍ 150 à 199 F

Climat un peu oublié, le Clos Pitois était jadis le fin du fin à Chassagne : on se retournait sur son passage. Il se défend en **rouge 97** sous un couvert boisé qui le bloque un peu mais il est cité par le jury car il devrait accomplir sa course dans d'heureuses conditions. En blanc, une jolie robe dorée et un nez floral tout d'abord, puis voguant sur le fruit exotique. Le boisé est bien mesuré, même s'il est assez toasté ; il laisse s'exprimer le miel et la fleur d'acacia. Equilibré, c'est un beau vin.

⊶ Roger Belland, 3, rue de la Chapelle, B.P. 13, 21590 Santenay, tél. 03.80.20.60.95, fax 03.80.20.63.93 ☑ Y r.-v.

BOUCHARD AINE ET FILS 1997

□ n.c. n.c. ◍ 150 à 199 F

Une robe or clair et un joli petit nez, fin et plein d'esprit, d'une héroïne de Marivaux. Sa note de miel incite à poursuivre le dialogue dans un contexte de fût neuf bien harmonisé avec le corps du sujet.

⊶ Bouchard Aîné et Fils, hôtel du Conseiller-du-Roy, 4, bd Mal-Foch, 21200 Beaune, tél. 03.80.24.24.00, fax 03.80.24.64.12 ☑ Y t.l.j. 9h30-12h30 14h-19h

CHAMPY PERE ET CIE 1997

■ n.c. 3 000 ◍ 100 à 149 F

Pourpre mauve, plein d'ardeur, il se partage entre la groseille et la cerise à l'eau-de-vie. Une mâche tannique lui donne une certaine amertume. Péché de jeunesse, car déjà l'élégance se dessine et ce sera, à terme, un beau vin.

⊶ Champy, 5, rue du Grenier-à-Sel, 21200 Beaune, tél. 03.80.25.09.99, fax 03.80.25.09.95 ☑ Y r.-v.

PIERRE CHANAU 1997

■ n.c. n.c. ▮◍ 70 à 99 F

Signé par Antonin Rodet sous un nom de fantaisie, ce 97 est un vin sérieux. Sanguin, il est tendu et léger dès qu'on passe à l'essentiel. Fondu, fruité, un tantinet nerveux, il est bien fait. Il ne nous raconte pas d'histoires, et il remplit honnêtement son contrat.

⊶ Pierre Chanau, 71640 Mercurey, tél. 03.85.98.12.12, fax 03.85.45.25.49

CHARTRON ET TREBUCHET 1997*

□ n.c. n.c. ◍ 150 à 199 F

Brillant, un *village* bien équilibré, où le boisé s'associe agréablement au fruité confit. Il faudra l'attendre deux ans.

⊶ Chartron et Trébuchet, 13, Grande-Rue, 21190 Puligny-Montrachet, tél. 03.80.21.32.85, fax 03.80.21.36.35, e-mail jmchartron@chartron-trébuchet.com ☑ Y t.l.j. 10h-12h 14h-18h

CH. DE CITEAUX 1996

■ n.c. n.c. ◍ 50 à 69 F

Pourpre grenat, mûre et épices au nez, un chassagne 96 qui joue la franchise. Charnu, charpenté, très droit, il offre aujourd'hui peu de complexité, mais l'âge le délivrera de ses tanins car sa structure est équilibrée.

⊶ Philippe Bouzereau, Ch. de Cîteaux, 18-20, rue de Cîteaux, 21190 Meursault, tél. 03.80.21.20.32, fax 03.80.21.64.34 ☑ Y r.-v.

BERNARD COLIN ET FILS 1996

■ 2,58 ha n.c. ▮◍🌡 50 à 69 F

Nous conseillons parmi les vins assez nombreux dégustés, en rouge, ce *village* 96. Petites notes d'évolution toutefois, et prendre la grâce comme elle passe. En blanc, même millésime pour le **Clos Saint-Jean en 1er cru**, jolie bouteille bien ronde, légère mais il y aura du gras au bout du chemin.

⊶ Bernard Colin et Fils, 22, rue Charles-Paquelin, 21190 Chassagne-Montrachet, tél. 03.80.21.32.78, fax 03.80.21.93.23 ☑ Y t.l.j. 8h-19h

DUPERRIER-ADAM 1996**

■ 0,8 ha 3 500 ◍ 50 à 69 F

Le nez introduit parfaitement le sujet : cerise vive. L'élégance des coups de nez est confirmée au palais. La silhouette est fine et fière à la fois. Une sorte de vin d'esthète qui approche pour certains le coup de cœur et qui, en tout cas, ne laisse pas indifférent. Les **Caillerets 96 en rouge**, sublimes et d'un potentiel fantastique, reçoivent également deux étoiles, alors qu'**en blanc**, ces mêmes **Caillerets 97** sont cités.

⊶ SCA Duperrier-Adam, 3, pl. des Noyers, 21190 Chassagne-Montrachet, tél. 03.80.21.31.10, fax 03.80.21.31.10 ☑ Y r.-v.

CH. GENOT-BOULANGER
Les Vergers 1996

□ 1er cru 0,65 ha 1 950 ◍ 100 à 149 F

Né pour danser sur un parquet ciré du Grand Siècle, ce jeune marquis n'a pas encore jeté sa gourme. Or pâle à nuances vertes, il porte l'habit

de cour. Retour des îles ? Un rien d'exotique dans son parfum, citron, pamplemousse. Il porte son chêne comme s'il venait d'une forêt familiale. Ce 96 est intéressant mais il faut attendre le fondu. Quelques printemps lui feront du bien.
Ch. Génot-Boulanger, 25, rue de Cîteaux, 21190 Meursault, tél. 03.80.21.49.20, fax 03.80.21.49.21, e-mail genot-boulanger@wanadoo.fr ☑ Y r.-v.

DOM. DES HAUTES CORNIERES
Morgeot 1996*

■ 1er cru 2 ha 11 000 70 à 99 F

Robe bien prise, grenat à reflets carminés. Le nez est sur la retenue mais complexe et profond sous ses notes grillées. La bouche prend progressivement possession du sujet, mais le fût et les tanins résistent. L'ensemble est judicieux, d'une bonne longueur, et l'âge va l'amadouer.
Ph. Chapelle et Fils, Dom. des Hautes-Cornières, 21590 Santenay, tél. 03.80.20.60.09, fax 03.80.20.61.01 ☑ Y t.l.j. sf dim. 9h-12h 14h-18h

GABRIEL JOUARD
Les Chaumées Clos de la Truffière 1996**

□ 1er cru 0,8 ha n.c. 70 à 99 F

Domaine habituellement très sûr. On a beaucoup aimé ce 1er cru Les Chaumées, Clos de la Truffière 96 blanc. Un vin à la robe paille à reflet vert, fleurs, épices et notes grillées au nez, qui se montre long, très aromatique (fruits bien mûrs et boisé de qualité), équilibré. Il sera prêt dans un an. Le **Morgeot blanc 97**, aubépine et silex sous une robe un peu marquée, est franc, plein, très mûr. Il reçoit une étoile.
Gabriel Jouard, 3, rue du Petit-Puits, 21190 Chassagne-Montrachet, tél. 03.80.21.30.30 ☑ Y r.-v.

CH. DE LA CHARRIERE
Clos Saint-Jean 1997*

□ 1er cru 0,45 ha 2 000 100 à 149 F

L'ancien domaine des religieuses d'Autun propose un 97 blanc (alors que ce *climat* est devenu très rouge) dont la couleur tient bien dans le verre ; son bouquet floral, légèrement miellé, est justement vanillé, d'une superbe consistance. On en dira des merveilles dans les années 2005-2010.
Dom. Yves Girardin, Ch. de La Charrière, 21590 Santenay, tél. 03.80.20.64.36, fax 03.80.20.66.32 ☑ Y r.-v.

MICHEL LAMANTHE
Les Vergers 1997**

□ 1er cru 0,25 ha 1 500 70 à 99 F

Ce domaine reçut un coup de cœur pour ce vin 92 dans le Guide 1995. Ce *climat* n'est guère lointain du montrachet. Or blanc, noisette et pain grillé, fruits mûrs et quelque peu exotiques (ananas, pamplemousse), il garde cette conception en bouche : celle-ci se montre franche, vive, équilibrée et concentrée. Beau vin moderne et à oublier en cave.
Michel Lamanthe, 21190 Saint-Aubin, tél. 03.80.21.33.23, fax 03.80.21.93.96 ☑ Y r.-v.

DOM. HUBERT LAMY
La Goujonne 1997**

■ 2 ha 8 000 70 à 99 F

Cette Goujonne se niche entre La Platière et Les Morichots, dans l'axe des Champs Gains de Chassagne. Ce 97 est un vin de référence, fauve et masculin, vrai vin de terroir au nez de fruits rouges et de notes grillées, déjà ouvert, à la bouche fondue, qui mêle les fruits et les arômes torréfiés. A conserver. Il rôde très près du coup de cœur. Cité par le jury, le **1er cru Les Macherelles blanc 97** (150 à 199 F).
Dom. Hubert Lamy, Paradis, 21190 Saint-Aubin, tél. 03.80.21.32.55, fax 03.80.21.38.32 ☑ Y r.-v.

DOM. LAMY-PILLOT 1997*

■ 3 ha 18 000 50 à 69 F

Rouge sang éclatant, il dépense une énergie considérable. Ferme, tannique, astringent même, il n'en a pas moins beaucoup d'expression. On a affaire à un vin de garde, riche et complet. Ses arômes évoquent le sous-bois, le foin sec, avec des accents balsamiques.
Dom. Lamy-Pillot, 31, rte de Santenay, 21190 Chassagne-Montrachet, tél. 03.80.21.30.52, fax 03.80.21.30.02, e-mail lamy.pillot@wanadoo.fr ☑ Y r.-v.
René Lamy

SYLVAIN LANGOUREAU
Les Voillenots Dessous 1996

■ 0,13 ha n.c. 50 à 69 F

Climat situé à la hauteur du village, offrant ici une forte extraction. D'une teinte noirâtre, avec des fragrances bien développées (fruits noirs), ce vin est encore dominé par le fût. Attendre sa maturité tout en admettant l'évidence : on aime ou on n'aime pas ce style de vinification. Si on l'aime, pas de problème.
Sylvain Langoureau, Gamay, 21190 Saint-Aubin, tél. 03.80.21.39.99, fax 03.80.21.39.99 ☑ Y r.-v.

DOM. LARUE La Boudriotte 1997*

■ 1er cru 0,2 ha 1 100 70 à 99 F

Une île au sein du Morgeot : ce 1er cru tient le milieu entre les uns et les autres. De bonne intensité, il donne en rouge une sérénade où l'on devine épices et fruits confits, réglisse encore. Nettement boisé mais équilibré et très réussi. Le **village 97 en rouge** obtient une note identique même s'il présente moins de finesse que le 1er cru. En fait, ces deux vins jouent parfaitement dans leur catégorie.
Dom. Larue, Gamay, 21190 Saint-Aubin, tél. 03.80.21.30.74, fax 03.80.21.91.36 ☑ Y r.-v.

OLIVIER LEFLAIVE Les Chaumées 1996*

□ 1er cru n.c. 8 000 150 à 199 F

Un enfant qui parlerait à un adulte... Un vin à oublier en cave... Notez bien que ce minéral, ce citronné, ces épices ne sont pas sans charme. Mais il serait dommage de solliciter trop tôt ce 96 : il lui manque la complexité que lui donnera une garde de trois ans minimum. Ce 1er cru se situe en haut de coteau, côté Montrachet.

BOURGOGNE

⊶ Olivier Leflaive, pl. du Monument, 21190 Puligny-Montrachet, tél. 03.80.21.37.65, fax 03.80.21.33.94, e-mail leflaive-olivier@dial.oleane.com ☑ Y r.-v.

LOUIS LEQUIN Morgeot 1997★★

☐ 1er cru   0,29 ha   1 800   ◍ 150 à 199 F

Dans son écrin doré et nacré, un vin précieux. Rien d'étonnant : le bâtard-montrachet du domaine fut servi lors du couronnement de la reine Elizabeth d'Angleterre ! Ce 97 offre un complexe aromatique où entrent le miel, le tabac, un boisé modéré. Au palais, il est d'une générosité folle. Gras, vivacité, alcool, tout est admirablement réglé par un protocole efficace.

⊶ Louis Lequin, 1, rue du Pasquier-du-Pont, 21590 Santenay, tél. 03.80.20.63.82, fax 03.80.20.67.14 ☑ Y r.-v.

RENE LEQUIN-COLIN
Les Caillerets 1997★

☐ 1er cru   0,2 ha   1 300   ◍ 100 à 149 F

Un domaine créé en 1993, mais dont les propriétaires descendent d'une longue lignée viticole (XVIIe s.). Ils utilisent des fûts de différentes provenances et d'essences variées. Certains beaux soirs d'été, la lumière a parfois cette couleur... Pas trop vanillé - et c'est un bon point -, un 97 qui se consacre à la fleur blanche, au miel comme un bon enfant du pays. Equilibré, de bonne longueur, il est à attendre un bon moment (quatre à cinq ans).

⊶ René Lequin-Colin, 10, rue de Lavau, 21590 Santenay, tél. 03.80.20.66.71, fax 03.80.20.66.70 ☑ Y r.-v.

MARQUIS DE MAC-MAHON 1996

☐ 1er cru   3,69 ha   3 500   ◍ 100 à 149 F

Illustre famille, les Magenta sont bourguignons depuis le XVIIIe s. Ce 96 de couleur paille se montre discret, avec une nuance minérale qui s'exprime tant au nez qu'au palais. Celui-ci, bien structuré, est aujourd'hui dominé par le fût dans lequel il a été élevé deux ans. Il faut donc attendre le mariage du vin et de la barrique. Les fiançailles devraient être longues (trois ans ? quatre ans ?).

⊶ Dom. du Duc de Magenta, Marquis de Mac-Mahon, Abbaye de Morgeot, 21190 Chassagne-Montrachet, tél. 03.80.21.30.77, fax 03.80.21.30.77 ☑ Y r.-v.

DE MARCILLY 1996★

■   n.c.   n.c.   ◍ 70 à 99 F

Dix-huit mois de fût pour ce 96 dont le nez pinote vraiment ; les tanins sont assez fondus même si la finale est encore assez austère. Deux ou trois ans de garde lui apporteront plus d'aménité.

⊶ P. de Marcilly, B.P. 102, 21700 Nuits-Saint-Georges, tél. 03.80.62.61.61, fax 03.80.62.61.60

ROLAND MAROSLAVAC-LEGER
Les Voillenots 1997

☐   0,25 ha   1 500   ▮ ◍ ⫯ 100 à 149 F

Agréable et fin, discret en tout, il est très clair, un peu minéral, franc.

⊶ Roland Maroslavac-Léger, 43, Grande-Rue, 21190 Puligny-Montrachet, tél. 03.80.21.31.23, fax 03.80.21.91.39 ☑ Y r.-v.

PROSPER MAUFOUX
Les Chenevottes 1997

☐ 1er cru   n.c.   n.c.   ◍ 150 à 199 F

Une robe brillante et classique pour cette bouteille élégante. Le nez se révèle peu à peu, entre le fruit et le grillé. En bouche, l'acidité est bénéfique car elle structure un ensemble moelleux, gras, très intense, s'annonçant d'un abord facile et peut-être plus complexe dans le temps. Laisser en cave.

⊶ Prosper Maufoux, pl. du Jet d'Eau, 21590 Santenay, tél. 03.80.20.60.40, fax 03.80.20.63.26 ☑ Y r.-v.

⊶ Vincent Maufoux

LOUIS MAX Morgeot 1997★★

☐ 1er cru   n.c.   n.c.   ◍ 100 à 149 F

A l'œil, il est beau, mais au nez ? Honnêtement, non. Grillé classique, noisette et giroflée. Mais posez-le sur la langue et fermez les yeux. Tant de miel, c'est une ruche. Tant de structure, c'est le Colisée. Typé, représentatif.

⊶ Louis Max, 6, rue de Chaux, 21700 Nuits-Saint-Georges, tél. 03.80.62.43.01, fax 03.80.62.43.16

MICHEL MOREY-COFFINET 1997★★

■   1 ha   5 000   ◍ 50 à 69 F

Grenat très intense, il offre un premier nez boisé puis il s'ouvre sur des notes de fruits à l'alcool avant d'évoluer sur des arômes plus frais de fraise et de framboise. Sa structure fondue, son fruité intense mêlé à des notes torréfiées et cacaotées, son ampleur ne peuvent que séduire le jury.

⊶ Dom. Michel Morey-Coffinet, 6, pl. du Grand-Four, 21190 Chassagne-Montrachet, tél. 03.80.21.31.71, fax 03.80.21.90.81 ☑ Y r.-v.

DOM. PRIEUR-BRUNET
Morgeot 1996★★

■ 1er cru   0,31 ha   1 800   ◍ 100 à 149 F

78 79 81 **83 85 87** |**88**| |89| |(90)| |91| |92| |93| |94| |95| |**96**|

L'histoire commence sous une reliure rouge grenat, brillante et romantique. Elle se poursuit sur un mode vineux, confituré. Pinot jeune pour l'essentiel. Ensuite, le corps du récit devient passionnant, bien structuré, sachant retenir longtemps l'intérêt. Aucune agressivité, conclusion assez chaude. On racontera cette histoire durant quelques années encore.

⊶ Dom. Prieur-Brunet, rue de Narosse, 21590 Santenay, tél. 03.80.20.60.56, fax 03.80.20.64.31 ☑ Y r.-v.

⊶ Guy Prieur

REINE PEDAUQUE 1997

■   n.c.   8 000   ◍ 70 à 99 F

La robe rouge cerise est intense. Sous-bois, confiture de fraises, les arômes sont tout en délicatesse. La bouche est fine, ronde, enveloppante. Pas trop de longueur, un vin à aimer pour son côté tendre.

🔑 Reine Pédauque, Le Village, 21420 Aloxe-Corton, tél. 03.80.25.00.00, fax 03.80.26.42.00, e-mail rpedauque@axnet.fr Y r.-v.

DOM. ROUX PERE ET FILS 1997

☐	0,84 ha	6 000	⬮	100 à 149 F

Ce domaine qui s'est développé dans les années 50 a un reçu un coup de cœur dans le Guide 1998 pour son 95. La robe de ce 97 est assez marquée. On retrouve au nez comme en bouche quelques délices, tel l'arôme du petit ail sauvage que l'on rencontre dans les vignes bio. Le bois se montre discret : bravo ! Un peu d'alcool fortifie la finale.

🔑 Dom. Roux Père et Fils, 21190 Saint-Aubin, tél. 03.80.21.32.92, fax 03.80.21.35.00 ☒ Y t.l.j. sf dim. 8h-12h 14h-19h

Saint-aubin

Saint-Aubin est aussi dans une position topographique voisine des Hautes-Côtes ; mais une partie de la commune joint Chassagne au sud et Puligny et Blagny à l'est. Les Murgers des Dents de Chien, premier cru de Saint-Aubin, se trouvent même à faible distance des chevalier-montrachet et des Caillerets. Il faut dire que les vins sont également de grande qualité. Le vignoble s'est un peu développé en rouge (2 750 hl en 1998), mais c'est en blanc (4 408 hl) qu'il atteint le meilleur.

GILLES BOUTON Les Champlots 1997*

☐ 1er cru	0,21 ha	1 400	⬮	50 à 69 F

Parmi les vins dégustés en saint-aubin et qui viennent de cette cave, celui-ci nous apparaît comme le meilleur. D'ailleurs, ne fut-il pas coup de cœur il y a deux ans (millésime 95, mais en rouge) ? Frais, expressif, il associe le fruit exotique à la noisette et au beurre. Beaucoup de vin en bouche et suffisamment de gras. Très plaisant pour tout dire.

🔑 Gilles Bouton, Gamay, 21190 Saint-Aubin, tél. 03.80.21.32.63, fax 03.80.21.90.74 ☒ Y r.-v.

DOM. DE BRULLY Les Cortons 1997*

☐ 1er cru	0,67 ha	3 500	⬮	70 à 99 F

Difficile à apprécier si tôt, car il se cherche encore un équilibre. Mais on le considère comme très réussi dans une expression moelleuse, forte en tanins et en alcool. Son élan en fera une bonne bouteille dans deux à trois ans, d'autant que le boisé sera alors fondu.

🔑 Dom. de Brully, 21190 Saint-Aubin, tél. 03.80.21.32.92, fax 03.80.21.35.00 ☒ Y t.l.j. sf dim. 8h-12h 14h-19h

MAISON JOSEPH DE BUCY
Les Pitangerets 1997

☐ 1er cru	n.c.	1 300	▮⬮	70 à 99 F

Bouteille très acceptable, bouquetée avec élégance autour de la fleur blanche, de la noisette grillée. Riche en matière, délicat en arômes, le corps est déjà mûr. Juste pour un 1er cru, mais il s'agit d'un 97 ; il finit sur un ton assez vif.

🔑 Maison Joseph de Bucy, 34, rue Eugène-Spuller, 21200 Beaune, tél. 03.80.24.91.60, fax 03.80.24.91.54 ☒ Y r.-v.

DOM. JEAN CHARTRON
Les Murgers des Dents de Chien 1997*

☐ 1er cru	n.c.	n.c.	⬮	100 à 149 F

Tout proche du chevalier-montrachet, ce *climat* est bien connu des amateurs. Il se présente ici dans la fleur de l'âge. Sous une robe correcte, il a le nez charmeur, beurré et vanillé avec quelques notes de menthe, d'eucalyptus. Sa bouche est très vive, et c'est là que l'ardeur doit s'apaiser. Ne manquez pas non plus une heureuse **Châtenière 97**, toujours **en blanc**, d'une remarquable intensité aromatique du premier nez à la finale.

🔑 Dom. Jean Chartron, 13, Grande-Rue, 21190 Puligny-Montrachet, tél. 03.80.21.32.85, fax 03.80.21.36.35, e-mail jmchartron@chartron-trebuchet.com ☒ Y t.l.j. 10h-12h 14h-18h; f. sam. dim. de nov. à mars

CH. DE CHASSAGNE-MONTRACHET
Pitangeret 1996

☐ 1er cru	0,52 ha	n.c.	⬮	100 à 149 F

Bonne intensité visuelle sans lourdeur ni effets appuyés. Abricot, pêche, fougère au troisième nez : le bouquet est pour l'heure peu disposé à la conversation. Netteté de l'attaque, suite ferme et bien équilibrée. Un 96 qui devrait se libérer avec l'âge et produire alors des saveurs complexes. Le Château de Chassagne-Montrachet fait partie de la maison Picard.

🔑 Ch. de Chassagne-Montrachet, 21190 Chassagne-Montrachet, tél. 03.80.21.91.51
🔑 Michel Picard

FRANCOISE ET DENIS CLAIR 1997*

■ 1er cru	1,5 ha	6 000	▮⬮	50 à 69 F

Rouge soutenu, tannique, corsé, il est destiné au bœuf bourguignon bien mitonné en famille. Porté sur la framboise, sur la cerise, tant au nez qu'en bouche, il est vineux, solide et à boire.

🔑 Françoise et Denis Clair, 14, rue de la Chapelle, 21590 Santenay, tél. 03.80.20.61.96, fax 03.80.20.65.19 ☒ Y r.-v.

BERNARD COLIN ET FILS
En Rémilly 1996*

☐ 1er cru	0,4 ha	n.c.	▮⬮🌡	50 à 69 F

L'évêque d'Angers pouvait-il imaginer que son nom ferait sur terre l'objet de tant de bons vins mille cinq cents ans plus tard ? Citron à l'œil, écorce d'orange au nez, celui-ci offre de prime abord beaucoup de franchise. Fier mais sans prétentions excessives, vif mais tenant bien debout, il défend ses couleurs de façon très honorable.

⊶ Bernard Colin et Fils, 22, rue Charles-Paquelin, 21190 Chassagne-Montrachet, tél. 03.80.21.32.78, fax 03.80.21.93.23 ☒ Ⅰ t.l.j. 8h-19h

JOSEPH DROUHIN 1996*

□ n.c. n.c. ⫼ 100 à 149 F

Assez caractéristique avec sa nuance claire, son nez léger (mi-fruit mi-vanille, sans excès) et surtout sa droiture au palais. Tenu par l'acidité qui ne lui est pas défavorable (sensation rafraîchissante), il se situe bien dans le cadre du millésime.

⊶ Joseph Drouhin, 7, rue d'Enfer, 21200 Beaune, tél. 03.80.24.68.88, fax 03.80.22.43.14, e-mail drouhin@calva.net Ⅰ r.-v.

⊶ Robert Drouhin

MARC FOUQUERAND ET FILS

En Rémilly 1997

□ 1er cru 0,4 ha 2 500 50 à 69 F

Typicité franche avec toute l'intensité d'un Rémilly, 1er cru voisin du montrachet. Le nez se cherche un peu. La couleur est parfaite. D'une longueur moyenne mais d'une pénétration en bouche qui ne rend pas malheureux.

⊶ GAEC Marc Fouquerand Père et Fils, 21340 La Rochepot, tél. 03.80.21.72.80, fax 03.80.21.74.69 ☒ Ⅰ r.-v.

DOM. HUBERT LAMY

Clos de la Chatenière 1997**

□ 1er cru 1,3 ha 7 500 ⫼ 100 à 149 F

Coup de cœur l'an dernier en Rémilly 96 blanc, et pas très loin du même succès au millésime suivant pour ce Clos de la Chatenière. Nous en avons goûté plusieurs (En Rémilly, Les Frionnes). Cette Chatenière est la fine fleur du pays quand elle est, comme ici, travaillée avec soin. Le fût se montre efficace mais discret. Rondeur et richesse jusqu'à la finale citronnée.

⊶ Dom. Hubert Lamy, Paradis, 21190 Saint-Aubin, tél. 03.80.21.32.55, fax 03.80.21.38.32 ☒ Ⅰ r.-v.

DOM. LAMY-PILLOT Les Pucelles 1997

□ n.c. n.c. ⫼ 70 à 99 F

Beau volume en bouche, légère amertume en finale, un gras tempéré par une acidité vigilante, de l'amande en retour, pomme et fougère au nez sous une robe limpide et que l'or envahit déjà, tel est le compte rendu fidèle. A boire dans l'année.

⊶ Dom. Lamy-Pillot, 31, rte de Santenay, 21190 Chassagne-Montrachet, tél. 03.80.21.30.52, fax 03.80.21.30.02, e-mail lamy.pillot@wanadoo.fr ☒ Ⅰ r.-v.

SYLVAIN LANGOUREAU

Les Frionnes 1997

□ 1er cru 0,3 ha 1 800 ⫼ 50 à 69 F

Ce vin a reçu l'an passé le coup de cœur, pour le millésime 96. Son édition 97 doit compter avec des conditions différentes. Robe or pâle nette et brillante, nez assez fin et délicat sachant maîtriser le bois (le vigneron n'a pas succombé à la tentation de faire appel au fût en renfort), ce qui est positif. Un vin pas très profond, mais il est équilibré, fruité et frais. Pour une consommation dans l'année 2000.

⊶ Sylvain Langoureau, Gamay, 21190 Saint-Aubin, tél. 03.80.21.39.99, fax 03.80.21.39.99 ☒ Ⅰ r.-v.

DOM. LARUE 1997

■ 1er cru 2,6 ha 2 500 ⫼ 50 à 69 F

« Qui bon vin boit, Dieu voit » : ce serait une maxime des moines cisterciens de Bourgogne, et Romain Rolland la reprend à son compte dans *Colas Breugnon*. Quand on s'appelle saint-aubin de surcroît... La vinosité est ici à son point d'équilibre entre l'alcool et les tanins. Un peu de fût (vanille) accompagne les parfums de fruits rouges. Prometteuse, la bouche est embellie par un petit goût de cerise.

⊶ Dom. Larue, Gamay, 21190 Saint-Aubin, tél. 03.80.21.30.74, fax 03.80.21.91.36 ☒ Ⅰ r.-v.

ROLAND MAROSLAVAC-LEGER

Les Murgers des Dents de Chien 1997*

□ 1er cru 0,22 ha 1 200 ⫼ 100 à 149 F

On s'intéresse à lui moins pour son bouquet que pour son palais. En effet, il est plein de finesse, souple et gras, d'une belle longueur. Comme dit la chanson, « cela est bon, est bon, est bon... » Rappelons que ce *climat* a le montrachet pour plus proche voisin.

⊶ Roland Maroslavac-Léger, 43, Grande-Rue, 21190 Puligny-Montrachet, tél. 03.80.21.31.23, fax 03.80.21.91.39 ☒ Ⅰ r.-v.

BERNARD PRUDHON Les Castets 1996

■ 1er cru 0,75 ha 1 500 ⫼ 50 à 69 F

Climat côté La Rochepot, s'exprimant ici en grenat sombre. Bourgeon de cassis et café animent le bouquet, tandis que la bouche affronte une attaque farouche. La matière est extraite à fond. D'où ce souffle chaud et puissant, des tanins à discipliner avec l'âge et un vin qui serre les poings. Parfait exemple d'un style de vinification qui fait actuellement couler beaucoup d'encre, à tous égards.

⊶ Bernard Prudhon, 21190 Saint-Aubin, tél. 03.80.21.35.66 ☒ Ⅰ r.-v.

HENRI PRUDHON ET FILS 1996**

■ 2 ha 7 500 ⫼ 30 à 49 F

Nous vous recommandons en **1er cru Sur le sentier du Clou (96 rouge)**, concentré, velouté, persistant, ou ce *village* d'excellente facture. Son étoffe veloutée elle aussi, son nez assez corsé (bigarreau, mûre aux avant-postes) et sa chair généreuse en font un vin-découverte qui plaira beaucoup. Bien travaillé en vérité.

⊶ EARL Henri Prudhon et Fils, 21190 Saint-Aubin, tél. 03.80.21.36.70, fax 03.80.21.91.55 ☒ Ⅰ r.-v.

DOM. VINCENT PRUNIER

Les Combes 1997*

■ 1er cru 0,46 ha 2 900 ⫼ 50 à 69 F

Coup de cœur l'an dernier (même cru, même couleur), le 96 passe au 97 un relais difficile à prendre. Il faut apprécier chaque millésime en fonction de son environnement naturel. Tannique et chaleureux, sous-bois et fraise des bois au

nez, celui-ci est un rude gaillard qui ne manque pas de substance. L'attendre deux à trois ans.
Vincent Prunier, rte de Beaune, 21190 Auxey-Duresses, tél. 03.80.21.27.77, fax 03.80.21.68.87 ☑ Y r.-v.

DOM. DU CHATEAU DE PULIGNY-MONTRACHET
En Rémilly 1997★★

□ 1er cru | 1,34 ha | 8 000 | 70 à 99 F

Le 94 fut honoré d'un coup de cœur dans le Guide 1997. Le 97 marche sur ses traces. Il est vrai qu'En Rémilly, qui se situe juste au-dessus du montrachet sur le Mont-Chauve, a de qui tenir. De beaux reflets verts animent la robe d'or. Le bouquet est fleuri, accompagné d'un boisé délicat. Une richesse concentrée et persistante lui permet de terminer le parcours en beauté, avec toujours cette petite touche de bois bien mesurée. Déjà parfait, et pour une paire d'années !
SCEA Dom. du Ch. de Puligny-Montrachet, 21190 Puligny-Montrachet, tél. 03.80.21.39.14, fax 03.80.21.39.07, e-mail chateaupul@aol.fr ☑ Y r.-v.

DOM. ROUX PERE ET FILS
La Pucelle 1997★★

□ | 2,6 ha | 14 000 | 50 à 69 F

Ce domaine se développe depuis les années 50 et compte aujourd'hui 35 ha. Situé sur le coteau qui borde la route de La Rochepot, à la sortie du village, ce *climat* décroche le coup de cœur. Virginale, cette Pucelle porte une robe adorable. Elle est bien parfumée (beurre et fruits secs). Gras et vivacité s'épaulent mutuellement. A savourer maintenant sur sa fraîcheur.
Dom. Roux Père et Fils, 21190 Saint-Aubin, tél. 03.80.21.32.92, fax 03.80.21.35.00 ☑ Y t.l.j. sf dim. 8h-12h 14h-19h

CHARLES VIENOT 1997

□ 1er cru | n.c. | n.c. | 70 à 99 F

Or vert, il tient tout d'abord un langage minéral, qui sent le silex, le caillou de vigne. Puis il se montre gras et soyeux, mettant en valeur son corps de bonnes dimensions et sa fraîcheur. Assez acide pour durer et s'épanouir encore.
Charles Vienot, 5, quai Dumorey, 21700 Nuits-Saint-Georges, tél. 03.80.62.61.41, fax 03.80.62.37.38

Santenay

Dominé par la montagne des Trois-Croix, le village de Santenay est devenu, grâce à sa « fontaine salée » aux eaux les plus lithinées d'Europe, une ville d'eau réputée... C'est donc un village polyvalent, puisque son terroir produit également d'excellents vins rouges. Les Gravières, la Comme, Beauregard en sont les crus les plus connus. Comme à Chassagne, le vignoble présente la particularité d'être souvent conduit en cordon de Royat, élément qualitatif non négligeable. Enfin, les deux appellations de chassagne et santenay débordent légèrement sur la commune de Remigny, en Saône-et-Loire, où l'on trouve aussi les appellations de cheilly, sampigny et dezize-lès-maranges, maintenant regroupées sous l'appellation maranges. L'AOC santenay a produit en 1998 1 485 hl de vin blanc et 13 848 hl de vin rouge.

DOM. ALEXANDRE Les Gravières 1996

■ 1er cru | 0,2 ha | 1 200 | 50 à 69 F

Bras-dessus, bras-dessous, comme on part en vendanges, l'œil et le nez partagent une forte intensité concentrée, rubis profond, fraise à l'alcool. Sur la langue, les tanins ont un côté rustique qui incite à l'attente. Davantage de corps que de persistance, dans le style du santenay d'autrefois considéré alors volontiers comme un « vin médecin », offrant un coup d'épaule à un voisin plus pâlot.
Dom. Alexandre Père et Fils, pl. de la Mairie, 71150 Remigny, tél. 03.85.87.22.61, fax 03.85.87.22.61 ☑ Y r.-v.

FRANCOIS D'ALLAINES 1997★

□ | n.c. | 3 000 | 70 à 99 F

Achats en raisins pour produire ce santenay blanc qui déborde d'arômes ! Un rien de fraîcheur pour escorter en bouche un 97 assez rond et plutôt gras, qu'une brise d'acacia rend primesautier. Finesse et élégance au rendez-vous de cette bonne bouteille.
François d'Allaines, La Corvée du Paquier, 71150 Demigny, tél. 03.85.49.90.16, fax 03.85.49.90.19 ☑ Y r.-v.

DOM. BART En Bievau 1996★★

■ | 0,51 ha | 3 000 | 70 à 99 F

Dommage qu'on ne puisse pas anticiper sur le coup de cœur car, selon nos dégustateurs, ce 96 l'obtiendrait sans doute... l'an prochain. Tenez-vous-le pour dit, et tenez bien cette bouteille en main : nuance cerise burlat, elle déborde de bons arômes (mûre, cassis) et se montre souple, conviviale, avec un formidable équilibre dans la richesse. Sera superbe.

☛ Dom. Bart, 23, rue Moreau,
21160 Marsannay-la-Côte, tél. 03.80.51.49.76,
fax 03.80.51.23.43 ☑ ▼ r.-v.

ROGER BELLAND Commes 1997★★

■ 1er cru   2,21 ha   11 000   ⑪ 70 à 99 F

On peut se reporter sur **Beauregard en rouge
96**, une étoile, mais à tout prendre demandez
Commes 97, même couleur. Pourpre vermillon,
il est bien construit ; il est parfait pour ceux et
celles qui apprécient les vins boisés. C'est un style
pratiqué ici avec bonheur.
☛ Roger Belland, 3, rue de la Chapelle, B.P. 13,
21590 Santenay, tél. 03.80.20.60.95,
fax 03.80.20.63.93 ☑ ▼ r.-v.

DOM. BORGEOT Les Beauregards 1997★

■ 1er cru   0,65 ha   3 300   ⑪ 70 à 99 F

Les **Vieilles vignes 97 en village et en rouge**
peuvent être citées alors que ces Beauregards en
1er cru, d'une couleur bien soutenue, représentent
un vin au nez philosophal. On se perd dans ses
arômes complexes de tarte aux prunes, de griotte
cuite et de minéral. Intéressant en tout cas. La
suite est plus académique : un beau corps poivré
et boisé.
☛ Dom. Borgeot, rte de Chassagne,
71150 Rémigny, tél. 03.85.87.19.92,
fax 03.85.87.19.95 ☑ ▼ r.-v.

DOM. CAPUANO-FERRERI ET FILS
Les Gravières 1997

■ 1er cru   n.c.   n.c.   ⑪ 70 à 99 F

Filet de bœuf ou filet mignon ? Disons plutôt
filet mignon, tant cette bouteille est fraîche, vive,
souple, féminine, gouleyante... Même sa robe est
légère, mais sans défaut. Profiter de sa jeunesse
ou voir comment elle évoluera ? Les deux sont
concevables.
☛ Capuano-Ferreri et Fils, 1, rue de la Croix-
Sorine, 21590 Santenay, tél. 03.80.20.64.12,
fax 03.80.20.65.75 ☑ ▼ r.-v.

MAURICE CHARLEUX 1996

■   0,56 ha   3 300   ⑪ 50 à 69 F

On sait que les terroirs de santenay et des
maranges se touchent. Sous la signature d'un viticulteur de Dezize, ce santenay dresse encore le
dos sur des accents tanniques et épicés. Un peu
de garde est nécessaire pour l'adoucir. Ses arômes sont diversifiés avec une sensation de fumé.
☛ Maurice Charleux, Petite-Rue, 71150 Dezize-
lès-Maranges, tél. 03.85.91.15.15,
fax 03.85.91.11.81 ☑ ▼ r.-v.

DOM. CHEVROT Clos Rousseau 1997★★

■ 1er cru   1,6 ha   7 000   ⑪ 50 à 69 F

Cette bouteille a de belles espérances. Une
bouche, riche de saveurs fruitées et poivrées,
large et profonde. A ce sentiment s'ajoute une
attaque franche et vive. Robe moyenne et nez
discret : le tact a présidé à sa vinification et à son
élevage. Joli vin et pas mal de potentiel.
☛ Catherine et Fernand Chevrot, Dom.
Chevrot, 71150 Cheilly-lès-Maranges,
tél. 03.85.91.10.55, fax 03.85.91.13.24 ☑ ▼ t.l.j.
9h-12h 13h30-18h; dim. 9h-12h

FRANÇOISE ET DENIS CLAIR
Beaurepaire 1997★

■ 1er cru   0,5 ha   2 000   ⑪ 70 à 99 F

Clos Genet et Beaurepaire, même millésime et
même couleur, le premier cité, le second recevant
une étoile. La préférence s'attache donc au 1er
cru, celui-ci. Ampleur et persistance assurent une
remarquable présence relevée par le retour du
fruit, groseille dès le bouquet. Forte nuance violacée presque noire.
☛ Françoise et Denis Clair, 14, rue de la
Chapelle, 21590 Santenay, tél. 03.80.20.61.96,
fax 03.80.20.65.19 ☑ ▼ r.-v.

DOM. HENRI CLERC ET FILS
Les Pôtets 1996★

■   0,69 ha   1 314   ⑪ 70 à 99 F

Ce 96 grenat clair possède un volume largement suffisant. Dans une tonalité boisée, il enveloppe de vanille le pruneau, le cuir, et cela ne
manque pas de complexité. Un certain moelleux
s'accompagne du noyau de cerise.
☛ Dom. Henri Clerc et Fils, pl. des
Marronniers, 21190 Puligny-Montrachet,
tél. 03.80.21.32.74, fax 03.80.21.39.60 ☑ ▼ t.l.j.
8h30-11h45 14h-17h45
☛ Bernard Clerc

Y. ET C. CONTAT-GRANGE
Saint-Jean-de-Narosse 1997★

☐   0,35 ha   1 700   ⑪ 70 à 99 F

Paille profond, jaune foncé, il évoque Saint-
Jean-de-Narosse, l'un des sanctuaires de la vigne
à Santenay. L'étiquette est originale. Le vin est
tout bonnement boisé, dans une rondeur charnue
et souple tout du long caressante. Pour une
volaille à la crème.
☛ Y. et C. Contat-Grangé, Grande-Rue,
71150 Dezize-lès-Maranges, tél. 03.85.91.15.87,
fax 03.85.91.12.54 ☑ ▼ r.-v.

CORON PERE ET FILS 1996

■   n.c.   5 000   ▮♣ 70 à 99 F

Bien né, d'un bon niveau, il doit évoluer de
façon favorable. La framboise s'exprime au nez.
Velours et kirsch en bouche, une pointe d'astringence en bout de course, ce pinot dit bien
ce qu'il est.
☛ Maison Coron Père et Fils, 3, rue des
Seuillets, B.P. 10, 21701 Nuits-Saint-Georges
Cedex, tél. 03.80.24.78.58, fax 03.80.61.31.40
☑ ▼ r.-v.

DOM. GUY DUFOULEUR
Clos Genêts 1996

■   1,69 ha   10 200   ⑪ 70 à 99 F

En Clos Genêt, un vin bien dans l'esprit *village*. Il mûrit sur le fruit cuit, le pruneau, le cuir.
Le boisé est très présent et lui donne un aspect
rustique.
☛ Dom. Guy Dufouleur, 18, rue Thurot,
21700 Nuits-Saint-Georges, tél. 03.80.62.31.00,
fax 03.80.62.31.00 ☑ ▼ t.l.j. 9h-19h

DOM. DES HAUTES-CORNIERES

Commes 1996

■ 1er cru 1 ha 6 000 70 à 99 F

Cerise sombre, un vin tannique, charpenté, fruit d'une extraction considérable et qui, sous quelques notes de griotte et de boisé, demande, comme on dit, à s'ouvrir. Il a en main la clé d'un bon développement.

Ph. Chapelle et Fils, Dom. des Hautes-Cornières, 21590 Santenay, tél. 03.80.20.60.09, fax 03.80.20.61.01 t.l.j. sf dim. 9h-12h 14h-18h

DOM. JESSIAUME PERE ET FILS

Les Gravières 1997★★

□ 1er cru 0,71 ha 4 700 100 à 149 F

Aucune erreur possible sur l'objet, sur la personne, sur la substance, sur la nature de l'acte, comme disent les juristes : léger certes, mais un santenay conforme aux vertus du millésime, le nez plutôt fin et la robe aimable. De bonne compagnie, il est en blanc l'un des meilleurs de la dégustation. Les **Gravières rouges 97** sont très convenables et reçoivent une citation.

Dom. Jessiaume Père et Fils, 10, rue de la Gare, 21590 Santenay, tél. 03.80.20.60.03, fax 03.80.20.62.87 r.-v.

GABRIEL JOUARD 1996★★

■ 1,3 ha n.c. 50 à 69 F

Voilà bien la bonne petite bouteille, et on sait que les Bourguignons pratiquent la litote comme une seconde langue vivante. Peut-être un petit tuilé, mais après tout ce n'est pas l'œil qu'on a en bouche. Griotte et noyau, équilibrée sur le fruit, le corps étiré sur l'acidité typique des 96, elle sera prête en 2002.

La côte de Beaune (Sud)

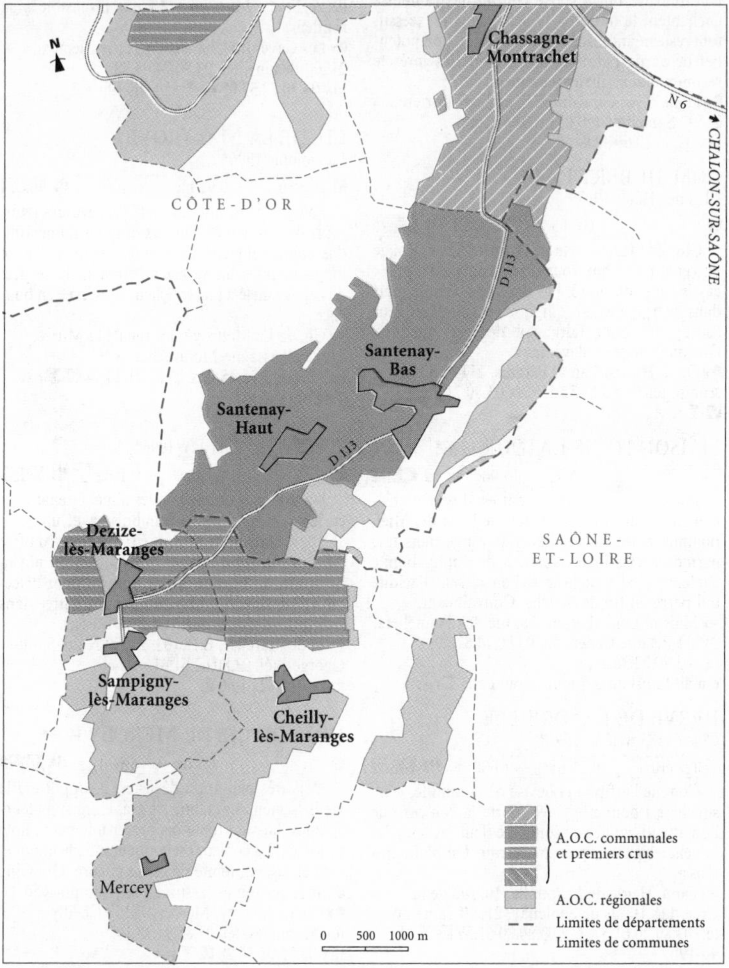

EARL Dom. Gabriel Jouard Père et Fils, 3, rue du Petit-Puits, 21190 Chassagne-Montrachet, tél. 03.80.21.94.73, fax 03.80.21.30.30 r.-v.

DOM. DE LA BUISSIERE

Clos des Mouches 1996

■ 1er cru 0,92 ha 5 000 70 à 99 F

L'extraction importante explique cette impression de force, de puissance tout au long de la dégustation. Pourpre foncé, le nez démonstratif (épices, confit), ce 96 est ferme. S'il s'humanise un peu en cave, ses perspectives peuvent être souriantes. En tout cas, il ne passe pas inaperçu.

Jean Moreau, Dom. de la Buissière, 4, rue de la Buissière, 21590 Santenay, tél. 03.80.20.61.79, fax 03.80.20.64.76 r.-v.

CH. DE LA CHARRIERE

La Maladière 1996★★

■ 1er cru 1,5 ha 6 000 50 à 69 F

Excellent 1er cru. Il compose une symphonie harmonieuse où la cerise confite, la framboise enchantent le nez et la bouche. Rien d'excessif, tout reste nuancé, souple et charmant. Son potentiel de garde paraît assuré, et tous les jurés le recommandent chaleureusement.

Dom. Yves Girardin, Ch. de La Charrière, 21590 Santenay, tél. 03.80.20.64.36, fax 03.80.20.66.32 r.-v.

DOM. HUBERT LAMY

Clos des Hâtes 1997

■ 0,6 ha 3 600 70 à 99 F

Clos des Hâtes ? Ne pas trop se hâter. Rouge vif, et un nez qui vous attend de pied ferme : cassis sous son boisé. Pas un corps terrible mais dans le ton des 97 qui doivent modérer leur astringence pour faire état de leurs qualités. Quelque chose en devenir.

Dom. Hubert Lamy, Paradis, 21190 Saint-Aubin, tél. 03.80.21.32.55, fax 03.80.21.38.32 r.-v.

MAISON LOUIS LATOUR 1996★

□ n.c. 15 000 70 à 99 F

Jaune citron à reflets verdâtres, il porte agréablement l'uniforme des cadets de la garde. Miel, pomme, poire, son bouquet se range dans une harmonie classique. Nuances de coing, bonne chaleur ; c'est tout juste si l'on ressent l'acidité qui perce en fin de bouche. Convaincant.

Maison Louis Latour, 18, rue des Tonneliers, 21204 Beaune Cedex, tél. 03.80.24.81.00, fax 03.80.22.36.21, e-mail louislatour@louislatour.com r.-v.

HERVE DE LAVOREILLE

Clos des Gravières 1996★

□ 1er cru 0,51 ha 1 600 70 à 99 F

Comme l'affirme la devise de la famille, « La souche est bonne ». Ce 96 porte la couleur que l'on attend, un nez de coing, de fleur (acacia). La bouche élégante signe son terroir. Un blanc très réussi.

Dom. Hervé de Lavoreille, 10, rue de la Crée, Les Hauts de Santenay, 21590 Santenay, tél. 03.80.20.61.57, fax 03.80.20.61.57 t.l.j. 9h-19h

LES CAPUCINS 1997★

■ n.c. 9 000 70 à 99 F

La Compagnie des Vins d'Autrefois a obtenu dans cette appellation un coup de cœur dans le Guide 1989. Capucins ? Mais d'où vient ce nom ? Et puis, sur l'étiquette, ne figure pas la mention négociant mais « mis en bouteille par Bertrand de Monceny ». Le vin, lui, se présente de façon classique (couleur vive, arômes de fruits noirs) tout en offrant au palais finesse et caractère.

Cie des Vins d'Autrefois, abbaye Saint-Martin, 53, av. de l'Aigue, 21200 Beaune, tél. 03.80.26.33.00, fax 03.80.24.14.84

Jean-Pierre Nie

LES CAVES DU CHANCELIER 1996

■ n.c. 2 400 70 à 99 F

La chair compense le corps. Grenat clair, son nez communique peu et ne semble pas encore abonné au club Internet. Un soupçon d'épices, de réglisse... Mais on n'est pas insensible à sa rondeur.

Les Caves du Chancelier, 1, rue Ziem, 21200 Beaune, tél. 03.80.24.05.88, fax 03.80.22.37.08 t.l.j. 9h-19h

CH. DE LA MALTROYE

La Comme 1996★

■ 1er cru 0,91 ha n.c. 70 à 99 F

Pourpre clair, porteur d'arômes évolués (cuir, fourrure), un vin chaleureux dont les tanins fondus composent une charpente élégante. Peu de longueur mais un caractère original, le respect du cépage mêlé à une fraîcheur préservée en bouche.

Ch. de La Maltroye, 16, rue de la Murée, 21190 Chassagne-Montrachet, tél. 03.80.21.32.45, fax 03.80.21.34.54 r.-v.

Cournut

P. DE MARCILLY 1996★

■ n.c. n.c. 70 à 99 F

Un santenay comme on les aime. Grenat clair et dense, ménageant la framboise avec une touche de vanille pour vivre avec son temps, il offre du gras, un fond nuancé de vivacité, du noyau de cerise, du volume et une bouche assez délectable. Vieille maison bourguignonne entrée dans la famille des vins Jean-Claude Boisset.

P. de Marcilly, B.P. 102, 21700 Nuits-Saint-Georges, tél. 03.80.62.61.61, fax 03.80.62.61.60

DOM. DU CH. DE MERCEY 1996★

■ 1,3 ha 6 600 70 à 99 F

Déjà très plaisant à déguster, il supportera le vieillissement. Les tanins, le gras élargissent leurs épaules, laissant toutefois percer une petite note de kirsch. La couleur est conquérante, le bouquet racé et discret, teinté de cerise encore. Domaine dont la gestion est assurée par Antonin Rodet.

Ch. de Mercey, Mercey, 71150 Cheilly-lès-Maranges, tél. 03.85.91.13.19, fax 03.85.91.16.28 r.-v.

MESTRE PERE ET FILS
Les Gravières 1996*

■ 1er cru 1,93 ha 3 000 70 à 99 F

Côté Chassagne, un Gravières, *climat* classé en tête de cuvée dans les ouvrages classiques du siècle dernier. Ici, on écrase du petit fruit en bouche, sur fond de cerise et de groseille. L'ardeur du pinot est bien sensible, dans un contexte un peu tannique, généreux et structuré. Coup de cœur dans le Guide 1990, pour un 87. Le souvenir de Jan Palach, venu faire les vendanges à Santenay avant de se sacrifier pour son pays, s'attache à ce domaine ainsi qu'à Adrien Belland.

Mestre Père et Fils, 12, pl. du Jet-d'Eau, B.P. 24, 21590 Santenay, tél. 03.80.20.60.11, fax 03.80.20.60.97, e-mail gilbert-mestre@wanadoo.fr r.-v.

CH. MOROT-GAUDRY 1996

■ 0,67 ha 1000 50 à 69 F

Un vin précoce et assez agréable. Sa robe sait conserver de la fraîcheur. Au nez, une pointe de réduction et des arômes avancés, genre cerise confite. L'acidité et les tanins sont bien maîtrisés sur une attaque plaisante, tendre. La suite est un peu légère.

Chantal Morot-Gaudry, Moulin Pignot, 71150 Paris-l'Hôpital, tél. 03.85.91.11.09, fax 03.85.91.11.09 r.-v.

LUCIEN MUZARD ET FILS
Maladière 1997*

■ 1er cru 5 ha 8 700 70 à 99 F

Les Gravières, citées, retiennent l'attention en **97 rouge**. Pourtant, on choisit Maladière pour sa couleur profonde, rouge sombre comme l'encre, ainsi que pour ses senteurs ouvertes sur le cassis et l'animal. Le gras n'est pas absent. D'une rondeur tendre et réglissée, ce vin est à savourer dès à présent.

Lucien Muzard et Fils, rue de la Cour-Verreuil, 21590 Santenay, tél. 03.80.20.61.85, fax 03.80.20.66.02 r.-v.

OLIVIER PERE ET FILS
Le Bievaux 1996*

□ 3 ha 10 000 70 à 99 F

Un *village* 96 blanc à tonalité bien colorée, le nez suave environné de fleurs. Souple et soyeux, gras et miellé, persistant, un vin agréable à boire pendant les trois années à venir.

Olivier Père et Fils, rue Gaudin, 21590 Santenay, tél. 03.80.20.61.35, fax 03.80.20.64.82, e-mail antoine.olivier@wanadoo.fr r.-v.

DOM. PRIEUR-BRUNET Maladière 1996

■ 1er cru 5 ha 25 000 70 à 99 F

La charpente a tout de l'ouvrage des compagnons d'autrefois. Solide et d'une certaine élégance. Arômes assez prononcés de vin mûr (réglisse surtout et une note de pomme de rainette). A consommer maintenant et pendant trois ans.

Dom. Prieur-Brunet, rue de Narosse, 21590 Santenay, tél. 03.80.20.60.56, fax 03.80.20.64.31 r.-v.

Guy Prieur

BERNARD REGNAUDOT 1997

■ 0,5 ha 2 000 50 à 69 F

On boira ce vin sans déplaisir, lui laissant le temps de vieillir un peu et d'apaiser son fût. Rubis violet, aux arômes de gibier, il se montre ouvert et disponible. Continuité intéressante du nez à la bouche.

Bernard Regnaudot, rte de Nolay, 71150 Dezize-lès-Maranges, tél. 03.85.91.14.90, fax 03.85.91.14.90 r.-v.

JEAN-CLAUDE REGNAUDOT 1997*

■ 0,6 ha 2 300 50 à 69 F

Un 97 jugé seize à dix-huit mois plus tard se présente forcément ainsi, s'il est de bonne race : bonne amplitude en bouche, acidité bien prononcée, tanins à leur place. A la fois fin et corsé, il sera au mieux de sa forme et de son potentiel d'ici un an. L'attente est donc raisonnable.

Jean-Claude Regnaudot, 71150 Dezize-lès-Maranges, tél. 03.85.91.15.95, fax 03.85.91.16.45 r.-v.

PAUL REITZ Clos Genet 1997*

■ n.c. 1 800 70 à 99 F

Si tu ne viens pas à Santenay, Santenay ira à toi... Grâce à ce 97 qui en est cette année un bon ambassadeur. Tout de rouge vêtu et à reflets grenat, ce vin sait tirer avantage de ses dons. La cerise noire très mûre, une structure serrée, le corps assez ample constituent en effet des arguments convaincants. Petite note de verdeur en conclusion, c'est dans sa nature.

SA Paul Reitz, 120-122, Grande-Rue, 21700 Corgoloin, tél. 03.80.62.98.24, fax 03.80.62.96.83, e-mail reitz.paul@laposte.fr

DOM. SAINT-MARC Chainey 1997

■ 1 ha 2 500 50 à 69 F

Le lieu-dit s'appelle Chainey et se trouve sur le coteau allant vers Dezize-lès-Maranges, sous les Trois Croix, si vous connaissez le pays. Très beau site. Quant au paysage de ce 97, il est friand et tendre sous une teinte rubis d'intensité moyenne. Le bouquet est assez floral et végétal, avec un brin de violette et une ouverture sur le gibier.

Dom. Saint-Marc, 71150 Paris-l'Hôpital, tél. 03.85.91.13.14, fax 03.85.91.17.42 r.-v.

SORINE ET FILS Beaurepaire 1997

■ 1er cru 0,89 ha 3 000 50 à 69 F

Climat situé à la hauteur du village, Beaurepaire se présente ici sous les traits austères du cloître cistercien. Seule sa robe se permet d'éclater. Le reste est fermé. Mais il y a du fond... Il faut le savoir : certaines austérités bourguignonnes ont rendez-vous avec la grâce.

Dom. Sorine et Fils, 4, rue Petit, Le Haut-Village, 21590 Santenay, tél. 03.80.20.61.65, fax 03.80.20.61.65 r.-v.

DOM. DES VIGNES DES DEMOISELLES Clos Rousseau 1997*

■ 1er cru 0,42 ha 1 200 70 à 99 F

Sous une bonne couleur, le premier nez est d'abord un peu vert puis il s'éclaircit : fruits noirs, boisé fin. La bouche est délicate, assez légère, aimable, destinée à une blanquette à l'ancienne. Notez le **village 97 rouge**, également une étoile.

SCEA du dom. Gabriel Demangeot et Fils, chem. de Berfey, 21340 Changé, tél. 03.85.91.11.10, fax 03.85.91.16.83 r.-v.

Maranges

Le vignoble de maranges situé en Saône-et-Loire (Chailly, Dezize, Sampigny) bénéficie depuis 1989 d'un regroupement en une AOC unique, comportant six premiers crus. Il s'agit de vins rouges et blancs, les premiers ayant droit également à l'AOC côte de beaune-villages et étant naguère vendus ainsi. Fruités, ayant du corps et bien charpentés, ils peuvent vieillir de cinq à dix ans. Ce vignoble produit 8 655 hl d'AOC maranges dont 195 hl en blanc.

DOM. ALEXANDRE En Bulliet 1997*

■ 1 ha 3 000 30 à 49 F

Extraction importante. D'où ces reflets mauves, ce rouge nocturne. Le nez franc, un peu ouvert, évolue vers quelque chose de plus confit, de plus concentré. Chaleur et tanins sont au rendez-vous. Un bon *village* qui devrait bien se comporter dans le temps.

Dom. Alexandre Père et Fils, pl. de la Mairie, 71150 Remigny, tél. 03.85.87.22.61, fax 03.85.87.22.61 r.-v.

DOM. B. BACHELET ET SES FILS La Fussière 1996

■ 1er cru 4 ha 15 000 50 à 69 F

Rouge carmin profond, un vin que le boisé domine encore mais dont l'équilibre en bouche est prometteur.

Dom. Bernard Bachelet et Fils, 71150 Dezize-lès-Maranges, tél. 03.85.91.16.11, fax 03.85.91.16.48 r.-v.

ROGER BELLAND La Fussière 1997*

■ 1er cru 1,25 ha 6 000 50 à 69 F

Le bois ne lui fait pas défaut. Cela dit, son élégance, sa matière, sa persistance se rassemblent pour offrir une excellente impression générale. On est confiant sur son avenir. Du fruit, de l'alcool, du volume, il a tout au centuple et le mieux est de l'attendre, car le boisé est encore trop présent.

Roger Belland, 3, rue de la Chapelle, B.P. 13, 21590 Santenay, tél. 03.80.20.60.95, fax 03.80.20.63.93 r.-v.

DOM. JEAN-FRANCOIS BOUTHENET Sur le chêne 1997*

□ 0,37 ha n.c. 50 à 69 F

Vif, tablant sur le fût (amande fraîche), il est soyeux et bien élevé. Bonne ouverture d'arômes mentholés. On note également la brillance remarquable de sa présentation. Sera bientôt prêt à passer à table avec un saumon fumé.

Jean-François Bouthenet, Mercey, 71150 Cheilly-lès-Maranges, tél. 03.85.91.14.29, fax 03.85.91.18.24 r.-v.

DOM. MARC BOUTHENET La Fussière 1997**

■ 1er cru 0,7 ha 3 000 30 à 49 F

Marc Bouthenet gère 16 ha et cette très belle Fussière déjà bien ouverte. Travaillé tout en finesse et intelligemment, ce 97 séduit par sa robe d'un beau rouge limpide et son bouquet de fruits rouges et d'épices. Franc à l'attaque, très ample et déjà rond avec ses tanins bien fondus, il a une réelle présence. On peut le boire ou le garder quelques années. Destiné à quelque viande blanche.

Dom. Marc Bouthenet , Hameau de Mercey, 71150 Cheilly-lès-Maranges, tél. 03.85.91.16.51, fax 03.85.91.13.52 r.-v.

DOM. CHEVROT Sur le Chêne 1997*

■ 2 ha 9 000 50 à 69 F

Blanc ou rouge ? Ils reçoivent la même note. En **blanc, un village 97** au caractère très tendre. En rouge, un vin « sur le chêne » en effet (un *climat* situé sur Cheilly-lès-Maranges), mais dont l'élevage en fût s'est effectué de façon mesurée, bien dosée. On a recherché la délicatesse plus que la puissance, et c'est réussi. Coup de cœur dans le Guide 1992 pour le millésime 89.

Catherine et Fernand Chevrot, Dom. Chevrot, 71150 Cheilly-lès-Maranges, tél. 03.85.91.10.55, fax 03.85.91.13.24 t.l.j. 9h-12h 13h30-18h; dim. 9h-12h

Y. ET C. CONTAT-GRANGE Les Clos Roussots 1997

■ 1er cru 0,35 ha 1 700 50 à 69 F

Coup de cœur pour son 88 qui inaugurait l'appellation (sur le Guide 1991), ce domaine signe un pinot noir de longue cuvaison, macéré, très concentré. Les tanins arrivent vite derrière le gras. Sensations de cassis, de boisé. Couleur « musclée » évidemment. Fait pour impressionner d'ici deux à trois ans, pas moins.

Y. et C. Contat-Grangé, Grande-Rue, 71150 Dezize-lès-Maranges, tél. 03.85.91.15.87, fax 03.85.91.12.54 r.-v.

DOM. CYROT-BUTHIAU 1997**

■ 1er cru 0,42 ha n.c. 50 à 69 F

Olivier Cyrot a repris en 1989 le domaine familial. La seule question posée par ce vin : quand s'ouvrira-t-il ? Car tout annonce une grande bouteille : on lui trouve du velours, du moelleux, du bourgeon de cassis, de la richesse, de l'équilibre, de la violette et de la rose pour le bouquet. Il a beaucoup de classe, si on le compare à la plupart des 97. Assurément, un vrai 1er cru.

☛Dom. Cyrot-Buthiau, rte d'Autun,
21630 Pommard, tél. 03.80.22.06.56,
fax 03.80.24.00.86 ☑ ⌇ r.-v.

DOUDET-NAUDIN Clos Roussot 1997★

■ 1er cru	1,5 ha	2 780	⪢	70 à 99 F

Typé, parfaitement Clos Roussot, proche d'un
pinot noir de santenay, un 97 en phase de
construction et qui va progresser. Structure efficace, tanins à radoucir, tendance à évoquer la
mûre et le cuir sous une nuance devenue habituelle en Bourgogne (très colorée !). De solides
vertus pour une conservation de cinq bonnes
années.
☛Doudet-Naudin, 3, rue Henri-Cyrot,
21420 Savigny-lès-Beaune, tél. 03.80.21.51.74,
fax 03.80.21.50.69 ☑ ⌇ r.-v.

ERIC DUCHEMIN
Les Clos Roussots 1996★

■ 1er cru	0,2 ha	n.c.	⪢	50 à 69 F

Ce domaine fut notre coup de cœur dans le
Guide 1994 pour un 90 rouge. D'une même couleur, ce 96 d'un joli pourpre se laisse porter par
un élan de feuille de cassis relayé bientôt par des
notes végétales plus soutenues. Aucune violence
en attaque. Sans être considérable, c'est de bon
ton et prêt à boire.
☛Eric Duchemin, Dom. du Vieux Pressoir,
71150 Sampigny-lès-Maranges,
tél. 03.85.87.32.02 ☑ ⌇ r.-v

HERVE GIRARD Clos Roussot 1996★★

■ 1er cru	0,27 ha	1 500	⪢	50 à 69 F

La vigne est devenue la principale activité de
ce domaine dans les années 60. Ce Clos Roussot
est un grand vin de garde ! Rouge sang, le nez
complexe (cerise noire, pruneau, léger boisé), le
corps aux tanins souples qui laisse une impression de plénitude. La langue cueille le fruit. La
finale est puissante et résume à elle seule les qualités de cette bouteille : de l'étoffe et du grain !
☛Hervé Girard, rte de Saint-Sernin,
71150 Paris-l'Hôpital, tél. 03.85.91.11.56,
fax 03.85.91.16.22 ☑ ⌇ r.-v.

JEAN-HERVE JONNIER 1996

■	1,1 ha	8 000	⎅⪢	50 à 69 F

Ne faut-il pas soigner le corps pour que l'âme
s'y plaise ? D'une couleur très dense, ce pinot
noir s'applique à propager le message de saint
François de Sales. Son nez a de la modestie et
fait aumône de son fruit léger si on l'en prie.
Bouche respirant la framboise à l'eau-de-vie mais
il faut encore convertir ses diables de tanins, trop
verts à ce jour.
☛Jean-Hervé Jonnier, Bercully,
71150 Chassey-le-Camp, tél. 03.85.87.21.90,
fax 03.85.87.23.63 ☑ ⌇ r.-v.

DOM. RENE MONNIER
Clos de la Fussière Monopole 1997★

■ 1er cru	1,2 ha	5 000	⪢	50 à 69 F

Limpidité moyenne mais du feu sous le regard.
Le bourgeon de cassis joue un rôle aimable dans
la pièce, sans y tenir toutefois la tête d'affiche.
Tempérament encore assez carré, consistant, sur
la réserve. A affiner, afin que le terroir occupe
le terrain.

☛Dom. René Monnier, 6, rue du Dr-Rolland,
21190 Meursault, tél. 03.80.21.29.32,
fax 03.80.21.61.79 ☑ ⌇ t.l.j. 8h-12h 14h-18h
☛M. et Mme Bouillot

EDMOND MONNOT
Clos de la Boutière 1997★

■ 1er cru	2,8 ha	8 500	⪢	50 à 69 F

Boutière ? Bien située sur Cheilly. Rubis brillant, plutôt fruité, ce vin est d'un abord aimable,
assez droit. Il ne lui manque rien, ni l'équilibre,
ni le fruit, ni les tanins souples et fondus. Le
bouquet est toasté mais aussi fait de griotte.
☛Edmond Monnot, 71150 Dezize-
lès-Maranges, tél. 03.85.91.16.12,
fax 03.85.91.15.19 ☑ ⌇ r.-v.

DOM. MONNOT-ROCHE
La Fussière 1997

■ 1er cru	0,61 ha	530	⎅⪢	30 à 49 F

Cette exploitation familiale de 9 ha possède
des vignes d'un âge vénérable (quarante-sept
ans). Pourpre moyen sans débauche de couleur
(très bien, affirme le jury) ce vin est très jeune.
La mûre et les épices composent un bouquet en
voie d'éveil. Si la première impression est rustique (chaleur et tanins jouent la sarabande), le
fond s'installe ensuite et il n'est pas sans intérêt.
Car la matière ne lui fait pas défaut. L'âge lui
permettra d'atteindre - dans trois ans - l'élégance
et la séduction attendues dans cette AOC.
☛Dom. Monnot-Roche, rue Collot,
21340 Change, tél. 03.85.91.17.74,
fax 03.85.91.17.74 ☑ ⌇ r.-v.

JEAN MORETEAUX ET FILS
Clos des Loyères 1997

■ 1er cru	n.c.	n.c.	⎅⪢	50 à 69 F

Les Loyères sont sur Sampigny, près du *climat*
Maranges qui a donné son nom à l'AOC. Ici un
97 bâti pour durer, presque noir, aux arômes
d'humus et de cerise, de vendange (le marc de
raisin). Légère note de cuit. Attaque bien pleine,
végétale, poivrée, conduisant à des tanins très
actifs. Puis un retour de fruit.
☛GAEC Jean Moreteaux et Fils, Nantoux,
71150 Chassey-le-Camp, tél. 03.85.87.19.10,
fax 03.85.91.23.74,
e-mail moreteaux@wanadoo.fr ☑ ⌇ r.-v.

DOM. CLAUDE NOUVEAU 1996★★

■	0,7 ha	4 400	⪢	50 à 69 F

« Du beau, du bon, du fruit », dit un dégustateur. Il ne sera pas nécessaire d'attendre l'an
2040 pour profiter de sa robe choisie pour plaire,
de son parfum assez sauvage (l'animal, le pruneau cuit en ouverture), d'une mâche qui tient le
fruit en main. Cela explose. Noter aussi une **Fussière 96 rouge** de superbe prestance : authentique
1er cru recevant une étoile.
☛EARL Dom. Claude Nouveau, Marchezeuil,
21340 Change, tél. 03.85.91.13.34,
fax 03.85.91.10.39 ☑ ⌇ r.-v.

MICHEL PICARD 1996★

■	n.c.	n.c.	⎅⪢	70 à 99 F

Voilà un maranges rouge carmin profond qui
ne renie pas son terroir. Sans doute y a-t-il un
peu d'austérité dans ses tanins, mais le fruité sera

probablement assez fabuleux d'ici trois à quatre ans. Il faut le solliciter pour qu'il révèle son bouquet : du sous-bois, de la cerise jusqu'au noyau.
Michel Picard, rte de Saint-Loup-de-la-Salle, 71150 Chagny, tél. 03.85.87.51.00, fax 03.85.87.51.11

BERNARD REGNAUDOT
Clos des Rois 1997★

■ 1er cru | 1 ha | 3 200 | 50 à 69 F

Climat bien situé sur Sampigny. Le jury a applaudi un travail sérieux, approfondi même. Mais il constate que le vin est jeune et qu'il faut lui laisser le temps de grandir. Sa robe est intense et profonde. Le nez s'ouvre un peu sur des notes florales (pivoine). La bouche est encore recueillie sur la difficulté du millésime mais donnera une bonne bouteille en 2001.
Bernard Regnaudot, rte de Nolay, 71150 Dezize-lès-Maranges, tél. 03.85.91.14.90, fax 03.85.91.14.90 ☒ Y r.-v.

JEAN-CLAUDE REGNAUDOT
La Fussière 1997★★

■ 1er cru | 0,97 ha | 4 200 | 50 à 69 F

A la tête de 6 ha, Jean-Claude Regnaudot n'est pas un inconnu : il a reçu déjà un coup de cœur pour sa Fussière 1994. Le millésime 97 ne déçoit pas : la robe, d'une grande jeunesse, est profonde. Le premier nez est discret mais le second éveille des notes de fruits cuits, de cuir, mais aussi de raisin. Structurée, pleine, la bouche confirme que cette belle cuvée est de garde. En **village**, le vin reçoit une étoile : un style sans fioriture, pour la garde également.
Jean-Claude Regnaudot, 71150 Dezize-lès-Maranges, tél. 03.85.91.15.95, fax 03.85.91.16.45 ☒ Y r.-v.

MICHEL SARRAZIN ET FILS
Côte de Beaune 1997★★

■ | 2 ha | 9 000 | 50 à 69 F

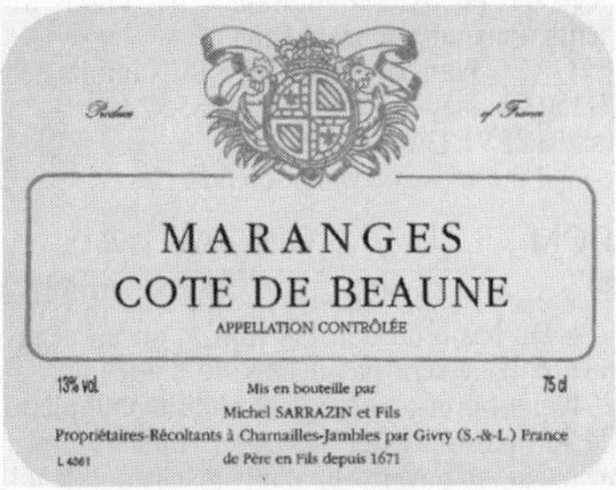
MARANGES
COTE DE BEAUNE
APPELLATION CONTRÔLÉE
13% vol
75 cl
Mis en bouteille par
Michel SARRAZIN et Fils
Propriétaires-Récoltants à Charnailles-Jambles par Givry (S.-&-L.) France
de Père en Fils depuis 1671

Ce domaine fondé au XVIIe s. compte aujourd'hui 25 ha de vignes. Michel Sarrazin partage l'ensemble des tâches, de la vigne à la commercialisation en passant par la cave, avec ses deux fils, Guy, président de la Fédération viticole de Saône-et-Loire, et Jean-Yves, tous deux formés au lycée viticole de Beaune. Ce vin coup de cœur, élevé avec ambition douze mois en fûts, dont 45 % sont neufs, sera de garde. Pourpre violacé, sa robe en dit long sur ses intentions. Griotte et vanille, le nez doit encore tempérer son fût. La bouche ample et distinguée est embellie par une riche structure. Sur une côte de veau à la crème.
Michel Sarrazin et Fils, Charnailles, 71640 Jambles, tél. 03.85.44.30.57, fax 03.85.44.31.22 ☒ Y t.l.j. sf dim. 8h-12h 14h-18h

Côte de beaune-villages

A ne pas confondre avec l'appellation côte de nuits-villages qui possède une aire de production particulière, l'appellation côte de beaune-villages n'est en elle-même pas délimitée. C'est une appellation de substitution pour tous les vins rouges des appellations communales de la Côte de Beaune, à l'exception de beaune, aloxe-corton, pommard et volnay. 613 hl ont été déclarés en 1998.

ARTHUR BAROLET ET FILS 1996

■ | 5,18 ha | 24 000 | 70 à 99 F

Ah ! le bon Dr Barolet, s'il savait... Il était jadis une sorte d'antiquaire beaunois en vieux millésimes. On allait le solliciter pour trouver la vieille bouteille convoitée. Filiale du groupe Schenk, cela a quelque peu changé de tournure. Mais ce vin aux tanins conviviaux est tout à fait digne de figurer parmi nous. Réglisse et groseille de bon conseil. A consommer sur le moment présent.
Arthur Barolet, rue du Dr-Barolet, Z.I. de Beaune-Vignoles, 21200 Beaune, tél. 03.80.24.70.07, fax 03.80.22.54.31, e-mail hdv@planetb.fr Y r.-v.

EMILE CHANDESAIS 1997★

■ | n.c. | n.c. | 70 à 99 F

Produit par la maison Picard qui a repris Chandesais, un 97 qui champignonne un peu entre la verdure et l'épice. Dense et coloré, il a du volume et s'écoule vite mais dans une sensation d'équilibre qui n'est pas sans mérite.
Emile Chandesais, rue Saint-Nicolas, 71150 Fontaines, tél. 03.85.91.41.77, fax 03.85.91.40.26
Michel Picard

DOM. GUY DIDIER 1997

■ | 0,9 ha | 5 400 | 70 à 99 F

Un domaine présenté par la maison Moillard, un vin tannique, puissant et réservé. Apte à bien vieillir et c'est sans doute sa carte secrète. Amertume finale ? Classique. Son nez est furtif, sous-bois et bon bois. Grenat foncé : on s'en étonnerait ? L'attendre deux ans.
Dom. Guy Didier, chem. rural n° 29, 21700 Nuits-Saint-Georges, tél. 03.80.62.42.00, fax 03.80.61.28.13

FORGEOT PERE ET FILS 1997★★

■ n.c. n.c. 50 à 69 F

Vibrant à l'œil, modeste au nez, il est chat en bouche. Toutes griffes retirées, lisse et caressant, tout en douceur ronronnante. Boisé prononcé, mais du caractère et de la longueur. Produit par Bouchard Père et Fils.

Grands Vins Forgeot, 15, rue du Château, 21200 Beaune, tél. 03.80.24.80.50

La Côte chalonnaise

Bourgogne côte chalonnaise

Née le 27 février 1990, la nouvelle AOC bourgogne côte chalonnaise s'étend sur 44 communes qui ont donné 22 934 hl en rouge et 7 325 hl en blanc en 1998. Selon la méthode appliquée déjà dans les Hautes-Côtes, un agrément résultant d'une seconde dégustation complète la dégustation obligatoire qui a lieu partout.

Située entre Chagny et Saint-Gengoux-le-National (Saône-et-Loire), la Côte chalonnaise possède une identité qui est reconnue à juste titre.

FRANCOIS D'ALLAINES 1997

□ n.c. 3 300 50 à 69 F

« Type de vin courageux dans cette appellation », lit-on sur une fiche de dégustation. Beurre et vanille, miel et abricot cuit, le fût fait de son mieux mais il masque encore un peu l'expression du cépage, celle de la terre. L'avenir de la Côte chalonnaise est-il en blanc ou en rouge ? Sauf exception, on dirait plutôt en rouge.

François d'Allaines, La Corvée du Paquier, 71150 Demigny, tél. 03.85.49.90.16, fax 03.85.49.90.19 ☑ Y r.-v.

DOM. ARNOUX PERE ET FILS 1996★

■ 0,3 ha 1 800 30 à 49 F

D'un beau pourpre en phase d'évolution, et donc légèrement tuilé, ce 96 présenté au terme d'un élevage traditionnel se montre animal aux coups de nez, puis rond et vineux en bouche. Sa conservation est satisfaisante dans l'ensemble. Très honnête dans la configuration du millésime.

Dom. Arnoux Père et Fils, pl. de la Salle-des-Fêtes, 71390 Buxy, tél. 03.85.92.11.06, fax 03.85.92.19.28 ☑ Y r.-v.

CAVE DE BISSEY Cuvée Tradition 1997★★

■ 26,79 ha 15 000 30 à 49 F

La Cave de Bissey-sous-Cruchaud décroche le coup de cœur pour une cuvée très sympathique et qui n'a pas connu le fût. Ce 97 a gardé toute sa couleur de jeunesse. La mûre, le cassis s'y sentent à l'aise. Velouté, charpenté et d'une longueur qui étonne, ce bourgogne de haut rang ne doit pas faire oublier la **cuvée élevée en fût 97** qui apparaît complète et d'un excellent potentiel de garde (une étoile).

Cave de Vignerons de Bissey, Les Millerands, 71390 Bissey-sous-Cruchaud, tél. 03.85.92.12.16, fax 03.85.92.08.71 ☑ Y r.-v.

J. BONNET ET A. AZOUG
Clos sous le Bois 1997★

■ 0,55 ha 3 750 30 à 49 F

Le seul défaut de ce 97 : il chauffe en raison d'un alcool présent en bouche. En revanche, souple et représentatif, bien né, il appartient à la catégorie du vin plaisir, pour une consommation actuelle ou future. Son bouquet cerise ajoute à ses qualités. Légers signes d'évolution dans une robe rouge profond.

Jacques Bonnet et Alain Azoug, rue de l'Eglise, 71150 Bouzeron, tél. 03.85.87.17.72 ☑ Y t.l.j. 8h-20h

RENE BOURGEON 1997★★

■ n.c. n.c. 50 à 69 F

Encore un tout petit peu fermé actuellement, il retient l'attention par son équilibre tout en rondeur. Du travail bien fait et qui doit évoluer correctement. La teinte est relevée par un éclat presque noir. Le nez tire sur l'animal après sollicitation. En tout cas, fort bel enfant !

GAEC René Bourgeon, 2, rue du Chapitre, 71640 Jambles, tél. 03.85.44.35.85, fax 03.85.44.57.80 ☑ Y r.-v.

DOM. CHAMPS PERDRIX 1997

■ n.c. n.c. 30 à 49 F

Il pinote sur fond de cerise. Acidité et tanins au coude-à-coude. Matière assez généreuse. Un bourgogne qui pourra vieillir de deux à trois ans car aujourd'hui il a peu de nez, même s'il est bien coloré. Il est coulant, en un mot. Chandesais est de nos jours une signature de la maison Picard.

Emile Chandesais, rue Saint-Nicolas, 71150 Fontaines, tél. 03.85.91.41.77, fax 03.85.91.40.26

Michel Picard

DOM. CHAUMONT PERE ET FILS 1996*

■ 1 ha 1 100 🛢 30 à 49 F

Mûre et cassis dans un décor fumé et robe d'un grenat brillant. Peu de fantaisie, mais une bonne maîtrise du problème. Domaine bio pendant une vingtaine d'années et revenu en culture classique (lutte raisonnée) depuis 1996. Vinification en foudre. Un vin qu'on peut attendre de un à deux ans.

🔑 Dom. Chaumont Père et Fils, Le Clos Saint-Georges, 71640 Saint-Jean-de-Vaux, tél. 03.85.45.13.77, fax 03.85.45.27.77 ☑ Y r.-v.

BERNARD ET ODILE CROS 1997*

■ 1,8 ha 5 000 30 à 49 F

Sous une étiquette qui a le mérite de l'originalité et qui témoigne d'un effort de créativité, un 97 qui sort également de la banalité. On a affaire à un beau gaillard bien bronzé, d'une musculature assez exceptionnelle. Sauvage ? Cela dépend des goûts, et voilà une bouteille qui alimentera la conversation.

🔑 Bernard et Odile Cros, Cercot, Cidex 1259, 71390 Moroges, tél. 03.85.47.92.52, fax 03.85.47.92.52 ☑ Y r.-v.

DANIEL DAVANTURE ET FILS 1997

□ 0,8 ha 1 500 30 à 49 F

Un blanc jaune clair, cherchant son bouquet du côté des agrumes et des fleurs de printemps. Frais, vif et sec, un peu végétal ensuite. Sa personnalité est discrète mais aimable.

🔑 Daniel Davanture et Fils, GAEC des Murgers, 71390 Saint-Désert, tél. 03.85.47.90.42, fax 03.85.47.99.88 ☑ Y r.-v.

CAVE DES VIGNERONS DE GENOUILLY 1997

□ 11 ha 12 000 20 à 29 F

D'un style assez particulier, un chardonnay un peu muscaté, citronné en finale ; sa robe est légère, peu intense mais bien limpide.

🔑 Cave des Vignerons de Genouilly, rue de la Gare, 71460 Genouilly, tél. 03.85.49.23.72, fax 03.85.49.23.58 ☑ Y t.l.j. sf dim. 8h-12h 14h-18h

DOM. MICHEL GOUBARD ET FILS Mont-Avril 1996**

■ 5 ha 35 000 🛢 30 à 49 F

L'abbé Courtépée figure sur l'étiquette, rappelant son hommage au Mont-Avril dans sa célèbre *Description de la Bourgogne* (fin XVIIIᵉs.). Il pourrait bénir aujourd'hui ce pinot noir haut de gamme, subtil et puissant. Rubis profond, poivré et vineux, ce 96, pas trop tannique et déjà fondu, s'invite dès maintenant à votre table.

🔑 Dom. Michel Goubard et Fils, 71390 Saint-Désert, tél. 03.85.47.91.06, fax 03.85.47.98.12 ☑ Y t.l.j. 8h-20h; dim. sur r.-v.

PIERRE D'HEILLY ET MARTINE HUBERDEAU 1997

■ 2,5 ha 10 000 🛢 30 à 49 F

Mignon, gentil, on tourne autour du compliment. De la cerise pourpre, de petits tanins doux comme des moutons. Le terroir est cependant marqué, et la finesse assez plaisante. Bouteille à déboucher à la première occasion, sur un mets léger.

🔑 EARL d'Heilly-Huberdeau, Cercot, 71390 Moroges, tél. 03.85.47.95.27, fax 03.85.47.98.97 ☑ Y r.-v.

MICHEL ISAIE 1997*

□ 0,56 ha 3 300 🛢 30 à 49 F

La côte chalonnaise dans ses meilleures œuvres blanches. Jaune d'or, tilleul et pierre à fusil, un chardonnay structuré, d'une certaine élégance. Nouveau style sans doute, avec une bouche un tantinet exotique (mangue) mais cela se laisse savourer sans remords de conscience. L'amertume en finale n'a rien pour déplaire et signale le caractère.

🔑 Michel Isaïe, chem. de l'Ouche, 71640 Saint-Jean-de-Vaux, tél. 03.85.45.23.32, fax 03.85.45.29.38 ☑ Y r.-v.

LABOURE-ROI 1997

■ n.c. n.c. 30 à 49 F

« Vin vert, riche bourgogne », disaient les anciens. Dieu sait dès lors si l'on est riche ici, sans même jouer sa chance au second marché où cette maison (Cottin) s'est introduite l'année dernière ! De la mâche, du tanin, de la vivacité et de l'amertume. Normal pour un 97 qui se présentera très bien d'ici quelque temps.

🔑 Labouré-Roi, rue Lavoisier, 21700 Nuits-Saint-Georges, tél. 03.80.62.64.00, fax 03.80.62.64.10, e-mail laboure@axnet.fr Y r.-v.

DOM. MAZOYER Sous Saint-Germain 1996

■ 5 ha 20 000 🛢 30 à 49 F

A boire à grandes goulées, souple et dénué d'agressivité, d'un fruité honorable, d'une couleur rubis légèrement ambré, il est agréable autour d'une assiette de bonne charcuterie.

🔑 Patrick et Véronique Mazoyer, SCEA Coteaux de Montbogre, imp. du Ruisseau, 71390 Saint-Désert, tél. 03.85.47.95.28, fax 03.85.47.98.91 ☑ Y r.-v.

ALBERT SOUNIT 1997

■ n.c. n.c. 30 à 49 F

Sous pavillon danois, cette maison n'aura guère de peine à se mettre à l'euro. Quant au pinot, elle en fait son affaire. Montrant un peu d'évolution, une petite structure, sans pour autant se départir d'un caractère cerise et amical, ce 97 est à consommer dans l'année.

🔑 Albert Sounit, 5, pl. du Champ-de-Foire, 71150 Rully, tél. 03.85.87.20.71, fax 03.85.87.09.71 ☑ Y r.-v.

FLORENCE ET MARTIAL THEVENOT 1997

■ 2,2 ha 2 500 🛢 30 à 49 F

Entre brique et pourpre, un 97 rustique et où l'on sent un bout de terroir. Assez carré, il parvient en fin de seconde mi-temps et il est conseillé de le boire. Notez qu'un dégustateur a été plus que les autres sensible à ce vin car il le note une étoile, étayant son commentaire par : « c'est bon, ça, c'est bien extrait ! »

Le Chalonnais et le Mâconnais

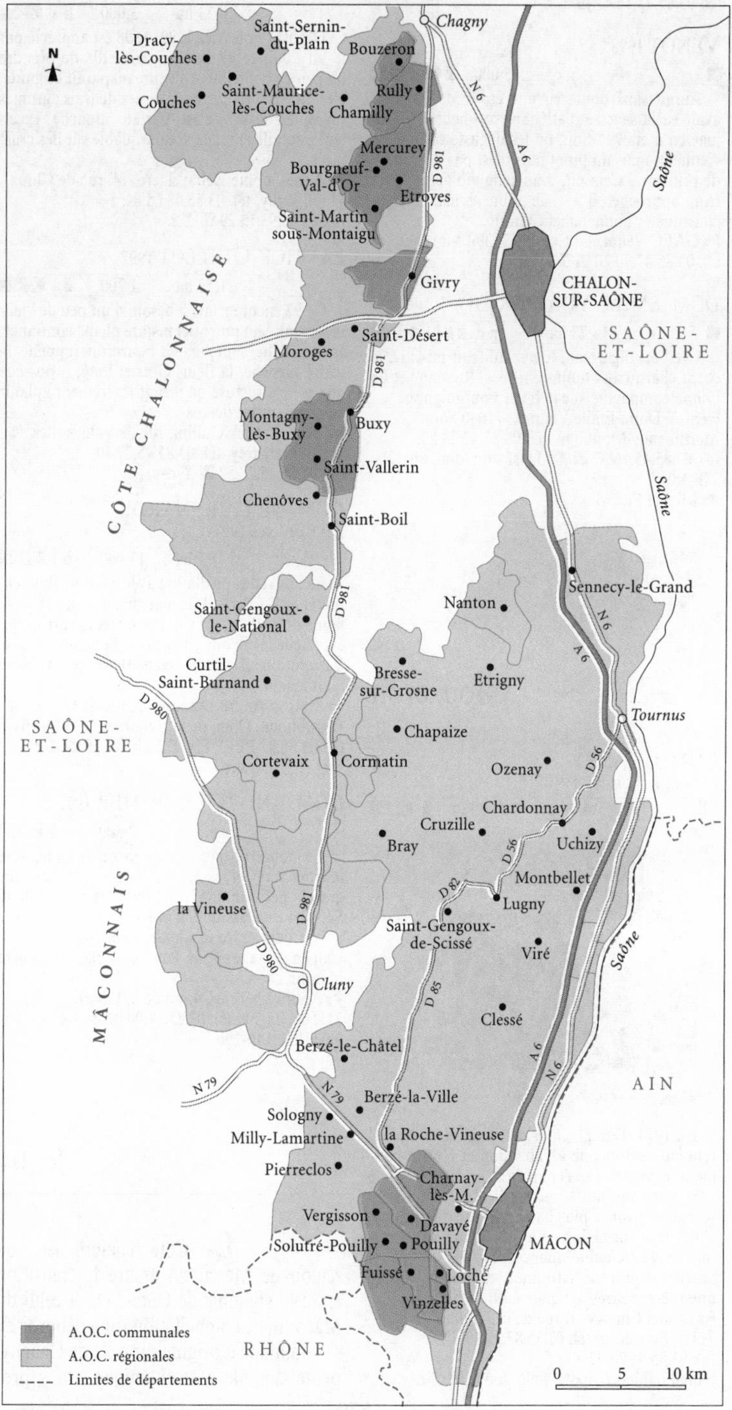

Chagny
Saint-Sernin-du-Plain
Dracy-lès-Couches
Bouzeron
Couches
Saint-Maurice-lès-Couches
Rully
Chamilly
Mercurey
Bourgneuf-Val-d'Or
Etroyes
Saint-Martin sous-Montaigu
Givry
CHALON-SUR-SAÔNE
Saint-Désert
Moroges
SAÔNE-ET-LOIRE
Montagny-lès-Buxy
Buxy
Saint-Vallerin
Chenôves
Saint-Boil
CÔTE CHALONNAISE
Sennecy-le-Grand
Nanton
Saint-Gengoux-le-National
Curtil-Saint-Burnand
Bresse-sur-Grosne
Etrigny
Tournus
SAÔNE-ET-LOIRE
Chapaize
Cortevaix
Cormatin
Ozenay
Chardonnay
Cruzille
Bray
Uchizy
Montbellet
la Vineuse
Lugny
Saint-Gengoux-de-Scissé
Viré
MÂCONNAIS
Cluny
Clessé
Berzé-le-Châtel
AIN
Berzé-la-Ville
Sologny
Milly-Lamartine
la Roche-Vineuse
Pierreclos
Charnay-lès-M.
Vergisson
Davayé
Solutré-Pouilly
Pouilly
MÂCON
Fuissé
Loché
Vinzelles
RHÔNE
Saône
N6
A6
D 981
D 980
D 56
D 82
D 85
N 79
A.O.C. communales
A.O.C. régionales
Limites de départements
0
5
10 km
N

⊶ Florence et Martial Thévenot, 4, rue du Champ-de-l'Orme, 71510 Aluze, tél. 03.85.45.18.43 ☑ Y r.-v.

VENOT 1998*

■ n.c. 15 000 30 à 49 F

Aurait sans doute eu une étoile de plus s'il avait eu la sagesse d'attendre son heure. Un 98 jugé en mars 99 ! Soit, on les déguste comme ils viennent, mais un pinot noir n'est pas un gamay de primeur... Cela dit, d'un sang violacé et d'un fruit approché, il est de toute évidence bien constitué et honnêtement vinifié.

⊶ GAEC Venot, La Corvée, 71390 Moroges, tél. 03.85.47.90.20 ☑ Y r.-v.

DOM. EMILE VOARICK 1997

■ 14,78 ha n.c. 30 à 49 F

L'œil est bigarreau, le nez mi-fruit mi-cuir, le corps charnu aux tanins enrobés. Rustique et de bonne compagnie sur le bœuf bourguignon.

⊶ SCV Dom. Emile Voarick, 71640 Saint-Martin-sous-Montaigu, tél. 03.85.45.23.23, fax 03.85.45.16.37 ☑ Y t.l.j. sf sam. dim. 8h-12h 14h-18h

⊶ Michel Picard

Bouzeron

DOM. CHANZY
Clos de la Fortune 1997***

□ 14,7 ha 70 000 30 à 49 F

En 1974, Daniel Chanzy a vingt et un ans. Il reprend ce domaine à l'abandon et rénove bâtiments et vignes. Déjà coup de cœur dans le Guide 1989 pour son millésime 86, il place à nouveau son aligoté sur la plus haute marche du podium. Vif et frais, or clair à reflets brillants, ce 97 respire le chèvrefeuille nuancé de kiwi. Une petite touche mentholée, citronnée, donne au cépage une présence très agréable en bouche.

⊶ Daniel Chanzy, 1, rue de la Fontaine, 71150 Bouzeron, tél. 03.85.87.23.69, fax 03.85.91.24.92, e-mail daniel.chanzy@wanadoo.fr ☑ Y r.-v.

ANNE-SOPHIE DEBAVELAERE 1998**

□ 0,33 ha 3 000 30 à 49 F

Dégusté en février 1999, ce 98 est apprécié par le jury qui, cependant, lui conseille de prendre un peu de bouteille. A l'heure où paraît ce guide, c'est fait. S'il est resté sur ce nez de frais agrumes (pamplemousse), c'est parfait. Bouche excellente, subtile et typée. Remarquable sur des crustacés.

⊶ Anne-Sophie Debavelaere, 14, rue de Cloux, 71150 Rully, tél. 03.85.48.65.64, fax 03.85.93.13.29 ☑ Y r.-v.

PATRICK GUILLOT 1997

□ 1,52 ha 1 700 30 à 49 F

Ce 97 encore jeune a besoin d'un peu de vieillissement. Son potentiel inspire pleine confiance. Jaune paille soutenu, ce bouzeron rappelle la truffe blanche, la fleur. Gras et long, il possède une forte structure qu'il doit légèrement aplanir en soignant les détails.

⊶ Dom. Patrick Guillot, rue de Vaugeailles, 71640 Mercurey, tél. 03.85.45.27.40, fax 03.85.45.28.57 ☑ Y r.-v.

DOM. DE LA RENARDE
Les Cordères 1997

□ 1,7 ha 13 000 30 à 49 F

La nouvelle appellation avec mention d'un *climat*, Les Cordères. Elle inaugure bien les choses : jaune or brillant, un vin aux senteurs variées qui évoquent la pivoine, l'abricot, l'amande douce. L'évolution est réelle mais flatteuse. A boire maintenant.

⊶ Maison André Delorme, 2, rue de la République, Dom. de la Renarde, 71150 Rully, tél. 03.85.87.10.12, fax 03.85.87.04.60 ☑ Y r.-v.

⊶ J.-F. Delorme

DOM. ANDRE LHERITIER 1997

□ 0,5 ha 2 500 30 à 49 F

Ce bouzeron attaque de façon friande, vive (citron vert) et assez légère. S'il n'a pas une grande personnalité, il ne manque pas d'allant. Sa robe est classique, d'une belle limpidité, et le nez se tient entre le silex et l'amande sans qu'il y ait eu passage en fût. Pour le fromage de chèvre d'un mâchon.

⊶ André Lhéritier, 4, bd de la Liberté, 71150 Chagny, tél. 03.85.87.00.09 ☑ Y t.l.j. 9h-11h30 14h-19h

Rully

La Côte chalonnaise, ou région de Mercurey, assure la transition entre le vignoble de Côte-d'Or et celui du Mâconnais. L'appellation rully déborde de sa commune d'origine sur celle de Chagny, petite capitale gastronomique. On y produit un peu plus de vins blancs (9 893 hl) que de vins rouges (5 380 hl). Nés sur le jurassique supérieur, ils sont aimables et généralement de bonne garde. Certains lieux-dits classés en 1er cru ont déjà accédé à la notoriété.

FRANCOIS D'ALLAINES
Les Saints-Jacques 1997★

□	n.c.	3 300	❙❙❘	70 à 99 F

Achats en raisins vinifiés par ce producteur. Fût un peu marqué, mais il n'empêche pas de constater que ce vin a du fond, de la structure, du potentiel. Son bouquet vanille-citron est dans le ton, comme sa robe jaune pâle. Des notes d'agrumes animent une bouche acidulée et nette. L'étiquette est signée à la fois par le propriétaire et le maître de chai Jean-Yves Deveney.
☛ François d'Allaines, La Corvée du Paquier, 71150 Demigny, tél. 03.85.49.90.16, fax 03.85.49.90.19 ☑ ⟟ r.-v.

DOM. BELLEVILLE
Les Chauchoux 1997★★

□	n.c.	10 000	❙ ❙❙❘ ⚘	50 à 69 F

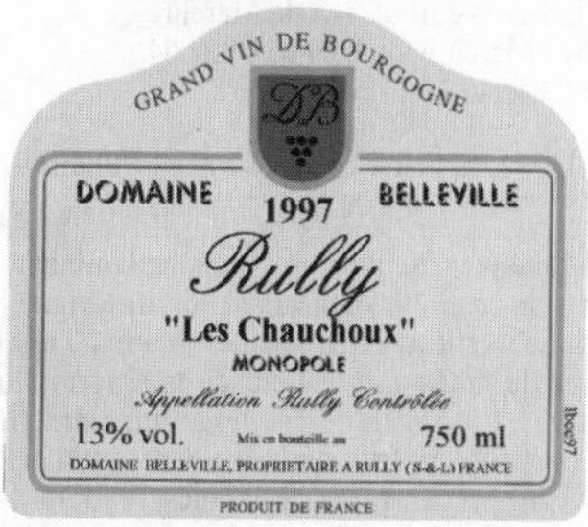

La performance n'est pas unique cette année en Bourgogne, mais elle est extrêmement rare : deux vins jugés dignes du coup de cœur pour le même domaine en **rully blanc !** Précipitez-vous sur **Les Cloux 97** ou encore sur ces Chauchoux déjà coup de cœur (en rouge 88). Jaune bouton d'or, minéral et fruité, un chardonnay au boisé bien discipliné, d'une plénitude et d'une richesse qui interpellent.
☛ Dom. Belleville, 7, rue de la Loppe, 71150 Rully, tél. 03.85.91.22.19, fax 03.85.87.05.19 ☑ ⟟ r.-v.

JEAN-CLAUDE BRELIERE
Les Préaux 1997★

■ 1er cru	2,35 ha	12 000	❙❙❘	50 à 69 F

Le jury, dans le passé, a donné deux fois le coup de cœur à ce domaine en rully rouge (millésimes 91 et 92). Bien soutenu par son acidité, ce vin pourpre vif s'ouvre sur la framboise dans une complexité où entre le moka. La charpente est suffisante pour faire quelque chose de bon dans deux à trois ans.
☛ Jean-Claude Brelière, 1, pl. de l'Eglise, 71150 Rully, tél. 03.85.91.22.01, fax 03.85.87.20.64 ☑ ⟟ r.-v.

DOM. MICHEL BRIDAY
Les 4 Vignes 1997★

■	2 ha	6 500	❙❙❘	50 à 69 F

Une mâche encore tannique constitue ce vin vif, d'un corps vineux et bien fait ; il est fermé et prometteur. Sa jeunesse lui permettra de devenir en cave une fort bonne bouteille. L'éveil de son nez annonce le cassis et la mûre. Le regard se porte sur une robe rouge sombre d'une tonalité réussie.
☛ Dom. Michel Briday, 89, Grande-Rue, 71150 Rully, tél. 03.85.87.07.90, fax 03.85.91.25.68 ☑ ⟟ r.-v.

LOUIS CHAVY 1997★

□	n.c.	18 000	❙	70 à 99 F

Plaisant, un vin commercial et marchand. On sera comblé, d'autant que la structure n'est pas absente. Le gras a de la consistance.
☛ Louis Chavy, Caveau la Vierge romaine, pl. des Marronniers, 21190 Puligny-Montrachet, tél. 03.80.26.33.09, fax 03.80.24.14.84 ☑ ⟟ t.l.j. 10h-18h; f. nov. à mars

CH. DE DAVENAY Rabourcé 1997

□ 1er cru	0,5 ha	n.c.	❙❙❘	50 à 69 F

Domaine lié à la maison Michel Picard à Chagny. Son rully bien doré a des senteurs exotiques (ananas). Finesse et vivacité constituent l'attelage d'un vin tendre. Il n'a pas beaucoup de prolongements.
☛ SCEA Dom. du Ch. de Davenay, 71390 Buxy, tél. 03.85.45.23.23, fax 03.85.45.16.37
☛ Michel Picard

ANNE-SOPHIE DEBAVELAERE
Les Pierres 1996

□ 1er cru	0,25 ha	1 200	❙❙❘	50 à 69 F

Effluves de caractère végétal et boisé sur fond jaune pâle. On constate beaucoup de netteté dans le développement de ce vin, minéral puis fruité. La texture est bonne, la longueur suffisante et l'ensemble assez satisfaisant.
☛ Anne-Sophie Debavelaere, 14, rue de Cloux, 71150 Rully, tél. 03.85.48.65.64, fax 03.85.93.13.29 ☑ ⟟ r.-v.

EDOUARD DELAUNAY ET SES FILS
1997★

□	n.c.	n.c.	❙❙❘	50 à 69 F

Or pâle de bonne intensité, ce rully est le fidèle reflet de l'appellation. Pain beurré, il chardonne aussi bien qu'en Côte de Beaune. Son attaque bénéficie du fût en appui, dans un mouvement où l'alcool et l'acidité s'entendent à merveille. Dégustation conseillée en 2000-2001. Delaunay est une maison reprise en 1993 par Jean-Claude Boisset.
☛ Edouard Delaunay et ses Fils, 5, rue du Moulin, 21700 Nuits-Saint-Georges, tél. 03.80.62.61.46, fax 03.80.62.61.60

DUFOULEUR PERE ET FILS
Le Meix Cadot 1997★

□ 1er cru	n.c.	5 200	❙ ❙❙❘ ⚘	70 à 99 F

En **1er cru blanc 97, Margotey** a de quoi vous satisfaire, mais on donne la préférence à ce *cli-*

mat situé sur le coteau dit « du Château ». Son nez se présente assez ouvert, en début d'évolution. De la chaleur, du gras : c'est un compagnon qui vous prend par l'épaule pour vous conduire sur le droit chemin. Il lui faut encore apaiser son boisé.

🕿 Dufouleur Père et Fils, 17, rue Thurot, 21700 Nuits-Saint-Georges, tél. 03.80.61.21.21, fax 03.80.61.10.65 ☑ 🍷 t.l.j. 9h-19h

RAYMOND DUREUIL-JANTHIAL
1996★★

■	1,67 ha	9 000	⦆	70 à 99 F

Grenat foncé et d'une robe très dense, le fruit noir discrètement vanillé, ce 96 plaira. Il suscite en effet une impression de sensualité gourmande, de richesse et de sincérité, de fruits mûrs que l'on cueille sans remords, et ses tanins ont la douceur d'un chat de compagnie... Déjà délicieux et dans le style ronronnant.

🕿 Raymond Dureuil-Janthial, rue de la Buisserolle, 71150 Rully, tél. 03.85.87.02.37, fax 03.85.87.00.24 ☑ 🍷 t.l.j. 9h-12h 15h-19h; dim. sur r.-v.

VINCENT DUREUIL-JANTHIAL
1997★★

□	0,44 ha	2 600	⦆	50 à 69 F

Nuance paille, il répartit équitablement son bouquet en deux parts égales : notes de fleurs et d'agrumes (citron, pamplemousse). A vol d'oiseau, on n'est pas très loin des chassagne et puligny. Ce cousinage se traduit par une impression beurre et pain grillé. Remarquable. Propre et net. Le **village 97 rouge** est au même niveau de qualité. Quant au **1ᵉʳ cru blanc, Le Meix Cadot 97**, encore fermé et marqué par le fût mais bien travaillé, il obtient une citation.

🕿 Vincent Dureuil-Janthial, rue de la Buisserolle, 71150 Rully, tél. 03.85.87.26.32 ☑ 🍷 r.-v.

FAIVELEY Les Villeranges 1996★★

□	2,49 ha	15 000	⦆	70 à 99 F

Une bouteille de rêve. Toutes les fées se sont penchées sur son berceau. D'un or assez vif, il livre des arômes minéraux, cette odeur de terroir prononcée et que le fût n'emprisonne pas. L'entrée en bouche est sans détour tant le corps, où le fruit a sa part, est équilibré. Superbe persistance. « Il donnera bien du plaisir pendant encore quelques années ! »

🕿 Maison Joseph Faiveley, 8, rue du Tribourg, B.P. 9, 21701 Nuits-Saint-Georges Cedex, tél. 03.80.61.04.55, fax 03.80.62.33.37 ☑ 🍷 r.-v.

DOM. DES FROMANGES
La Chatalienne 1997★★

□	3 ha	9 400	■🍸	50 à 69 F

Champion des blancs, un coup de cœur affriolant. Notre jury n'a pas apprécié le frère rouge 97 de cette Chatalienne. En revanche celui-ci est à déguster sans remords. Or pâle, il débute de façon discrète, presque timide. Puis il nous donne envie de multiplier les coups de nez, tant on en retire de fraîcheur citronnée, du fruit. Une large palette de saveurs complète le bonheur qu'inspire ce très beau rully venu d'un vignoble

créé en 1976 et élaboré par Martine Cibin de la maison Maurice Protheau.

🕿 Dom. des Fromanges, 71640 Mercurey, tél. 03.85.45.25.00, fax 03.85.45.10.84 ☑ 🍷 r.-v.

LABORBE-JUILLOT
Les Saint-Jacques 1997

□	4,3 ha	20 000	⦆	50 à 69 F

Beau concert pour fût et orchestre. Le vin, pourtant, souhaite s'exprimer et il en a le droit, tant il offre de rondeur et de plénitude. Un peu d'amertume, un rien d'acidité donnent à penser que le temps arrangera cela. On nous dit que les grenouilles lui conviendront.

🕿 Laborbe-Juillot, rue de Mercurey, 71640 Mercurey, tél. 03.85.45.24.04, fax 03.85.45.26.29 ☑ 🍷 r.-v.

DOM. DE LA FOLIE Clos La Folie 1997★

□	1,25 ha	5 000	⦆	50 à 69 F

Domaine familial et, indépendamment du coup de cœur 1999 (en blanc 96), une vigne historique : celle d'Etienne-Jules Marey, l'un des pères du cinéma, inventeur de la chronophotographie. *Casting* de ce 97 : des arômes minéraux, vifs et frais ; du fruit dans une expression acide ; structure et longueur à la mesure d'un long métrage. Film à revoir car il a une vraie touche d'authenticité. Vous pouvez aussi choisir un **Clos de Bellecroix 97 rouge** bien vinifié, bonne expression de son terroir.

🕿 Dom. de La Folie, 71150 Chagny, tél. 03.85.87.18.59, fax 03.85.87.03.53 ☑ 🍷 t.l.j. 9h-19h

🕿 Noël-Bouton

LA P'TIOTE CAVE Les Chênes 1997★

□	0,8 ha	n.c.	⦆	50 à 69 F

Or blanc, ce 97 révèle à l'aération des arômes assez intenses d'abricot presque confit. Ce fruit persiste au palais dans une ambiance jeune et pleine de vivacité. On le voit affirmer son élégance dans les temps qui viennent.

🕿 La P'tiote Cave, Valotte, 71150 Chassey-le-Camp, tél. 03.85.87.15.21, fax 03.85.87.28.08 ☑ 🍷 r.-v.

🕿 Mugnier

LA VIEILLE FONTAINE Grésigny 1996★

□ 1er cru	0,55 ha	2 500	■	50 à 69 F

Village 96 assez univoque, sans exubérance mais avec du gras et une simplicité de bon aloi, retenu sans étoile. Note vive de pamplemousse. Et cet autre rully, 1ᵉʳ cru cette fois : le plaisir

s'éveille et s'il est encore un peu vert, c'est qu'il faut savoir le cultiver... Couleur or jaune et bouquet intime.

GAEC de La Vieille Fontaine, 71150 Bouzeron, tél. 03.85.87.19.96, fax 03.85.87.19.96 ☒ Y t.l.j. 10h-12h 13h30-19h
Pierre Cogny et David Déprés

DOM. DE L'ECETTE 1996

☐ 1 ha n.c. 🛢 30 à 49 F

Vincent Daux a rejoint son père en 1996 sur ce domaine créé en 1983. L'acidité et l'alcool se relaient actuellement durant la dégustation de ce rully. D'ici quelques mois tout rentrera dans l'ordre. Déjà le nez a beaucoup à raconter : miel, abricot, citron, vanille, sous une robe d'un or discret.

Jean et Vincent Daux, 21, rue de Geley, 71150 Rully, tél. 03.85.91.21.52, fax 03.85.91.24.33 ☒ Y r.-v.

MANOIR DE MERCEY
Cuvée Louise 1997★★

☐ 0,4 ha n.c. 🛢 50 à 69 F

Cuvée Louise, dédiée à la fille de Xavier Berger-Devieux (le vinificateur). Celui-ci se devait de réussir une seconde merveille. Eh bien ! c'est le cas. Léger or vert, parfum de fougère, un petit peu de grillé, ce qu'il faut de vivacité : on le juge encore sur ses gardes mais très bien fait. Prendra pleinement ses aises d'ici un à deux ans.

Dom. Gérard Berger-Rive et Fils, Manoir de Mercey, 71150 Cheilly-lès-Maranges, tél. 03.85.91.13.81, fax 03.85.91.17.06 ☒ Y r.-v.

CELLIER MEIX GUILLAUME
Grésigny 1997★

☐ 1er cru 1 ha 6 000 🛢 🌡 50 à 69 F

Il y a beaucoup de bonnes choses dans le **Chaponnières 96 rouge**, cité sans étoile car il est encore un peu pointu, mais dont l'évolution sera favorable. On fait cependant une halte plus prolongée auprès de ce Grésigny blanc en 1er cru. Jaune-vert et citronné, il est fin, fruité, bien fait et d'une longueur honorable.

Dom. P.-M. Ninot, Le Meix Guillaume, 2, rue de Chagny, 71150 Rully, tél. 03.85.87.07.79, fax 03.85.91.28.56 ☒ Y r.-v.

PHILIPPE MILAN ET FILS 1997★

☐ 1,22 ha 5 000 🛢 50 à 69 F

Chardonnay limpide, profond, or soutenu. Fruit de la passion, il nous fait les yeux doux. Léger vanillé, touche de tilleul, il est aimable bien qu'assez boisé. Mais il a du répondant et il vieillira correctement. Notez aussi le **rouge 97 en village**, jugé très réussi (une étoile) : un vin gras et structuré tout en gardant sa fraîcheur. Le millésime 89 reçut le coup de cœur en rouge.

Philippe Milan et Fils, Valotte, 71150 Chassey-le-Camp, tél. 03.85.91.21.38, fax 03.85.87.00.85 ☒ Y r.-v.

CH. DE MONTHELIE Préaux 1996★

■ 1er cru n.c. 5 600 🛢 50 à 69 F

Un fruit généreux : ce vin de bonne longueur possède l'équilibre nécessaire à un bon vieillissement ; il démontre une fois de plus que Préaux, niché en dessous du grand coteau de Rully, donne un pinot noir remarquable. Le nez est attrayant, en passe de s'affirmer pleinement. La robe très profonde est violacée. Un véritable 1er cru.

EARL Eric de Suremain, Ch. de Monthélie, 21190 Monthélie, tél. 03.80.21.23.32, fax 03.80.21.66.37 ☒ Y r.-v.

CH. DE RULLY 1996★

☐ 18 ha n.c. 🛢 🌡 70 à 99 F

Issu de vignes appartenant à la famille du comte de Ternay depuis quelque huit siècles et confiées à Antonin Rodet, ce chardonnay au blason d'or et de sinople évoque au nez l'ananas, le citron vert, puis la poire. Aucun temps mort en bouche : il roule sur la langue tant il est rond. Un *village* qui fait honneur à son nom. Le domaine avait obtenu deux coups de cœur en rouge dans les millésimes 90 et 94.

Dom. du Ch. de Rully, 71640 Mercurey, tél. 03.85.98.12.12, fax 03.85.45.25.49 ☒ Y r.-v.

DOM. DE RULLY SAINT-MICHEL
Clos de Pellerey 1996★

■ 1,4 ha 2 000 🛢 30 à 49 F

En **96 rouge, un 1er cru (Les Cloux)** qui ne perdra rien à attendre tant il se présente bien. Et ce *village* qui nous a beaucoup plu. Le grenat et le carmin sont en harmonie et mettent en valeur une robe sombre et pourtant vive. Fruit frais puis sous-bois, le nez est à sa place. En bouche, on sent un tempérament d'artiste, joliment dessiné.

Dom. de Rully Saint-Michel, rue du Château, 71150 Rully, tél. 03.85.91.28.63, fax 03.85.87.12.12 ☒ Y t.l.j. 9h-18h
M. de Bodard

DOM. SAINT-JACQUES
La Fosse 1996★★★

■ 1er cru 0,98 ha 5 000 🛢 50 à 69 F

D'une nuance très concentrée, « grenat serré », voici le phénix des hôtes de ces vignes ! Un coup de cœur qui met nos dégustateurs en fête. Car le cassis offre une touche de distinction d'un charme fou. Un vrai régal, complété par une grande bouche, une superbe étoffe, une matière profonde et moelleuse, un grain d'une finesse remarquable. Boisé maîtrisé au service d'un vin que deux années de garde magnifieront.

Christophe-Jean Grandmougin, 11, rue Saint-Jacques, 71150 Rully, tél. 03.85.87.23.79, fax 03.85.87.17.34 ☒ Y r.-v.

BOURGOGNE

ALBERT SOUNIT En Pellerey 1997*

■ n.c. n.c. ◨ 50 à 69 F

Prêt à bondir, un vin encore tannique, impulsif mais de bonne composition et qui devrait donner un résultat agréable d'ici un à deux ans. Rubis violacé, il ne fait pas dans la demi-mesure pour ce qui est de la couleur. En revanche, son bouquet est en réserve. Cette maison de négoce-éleveur a été acquise en 1993 par ses importateurs danois mais sa gestion reste bourguignonne.

⊶ Albert Sounit, 5, pl. du Champ-de-Foire, 71150 Rully, tél. 03.85.87.20.71, fax 03.85.87.09.71 ☑ Y r.-v.

ROLAND SOUNIT Meix-Cadot 1997*

□ 0,63 ha 2 400 ◨ 70 à 99 F

En blanc 97, nous avons dégusté une large gamme de la production de Roland Sounit. Cette cuvée, issue de raisin à complète et riche maturité, décline des arômes de pomme puis de fruits blancs. Elle fait un parcours complet, et sa relative timidité ne manque pas de subtilité. Elle sait doser ses effets avec élégance. Les **Cailloux blanc 97** sont retenus sans étoile alors que **La Bergerie**, une étoile, semble être un classique de l'AOC.

⊶ Roland Sounit, 21, rue du Moulin-à-Vent, 71150 Rully, tél. 03.85.91.24.31, fax 03.85.87.21.74 ☑ Y t.l.j. 8h-12h 14h-18h; sam. dim. sur r.-v.

Mercurey

Mercurey, situé à 12 km au nord-ouest de Chalon-sur-Saône, en bordure de la route Chagny-Cluny, jouxte au sud le vignoble de Rully. C'est l'appellation communale la plus importante en volume de la Côte chalonnaise : 27 292 hl dont 2 891 en blanc. Elle s'étend sur trois communes : Mercurey, Saint-Martin-sous-Montaigu et Bourgneuf-Val-d'Or.

Quelques lieux-dits bénéficient de la dénomination « premier cru ». Les vins sont en général légers et agréables, avec de bonnes aptitudes au vieillissement.

BOUCHARD AINE ET FILS 1997

□ n.c. n.c. ◨ 70 à 99 F

Or clair, pain grillé, ce mercurey garde de bout en bout une discrétion de bon aloi. Au palais, la noisette et le fruit sec complètent une attaque riche en présence, en tenue. Sa persistance est modérée. Cette vénérable maison beaunoise (deux cent cinquante ans d'âge et de bouteille !) fait partie de la maison J.-C. Boisset, conservant dans ses murs sa personnalité propre.

⊶ Bouchard Aîné et Fils, hôtel du Conseiller-du-Roy, 4, bd Mal-Foch, 21200 Beaune, tél. 03.80.24.24.00, fax 03.80.24.64.12 Y t.l.j. 9h30-12h30 14h-19h

DOM. MICHEL BRIDAY Clos Marcilly 1997*

■ 1er cru 0,9 ha 800 ◨ 70 à 99 F

La chair serait-elle triste, comme le prétend Mallarmé ? Pas tant que ça, si l'on s'en tient à ce Clos Marcilly plein d'allant et de sève, aux formes opulentes. Agréable aussi pour ses arômes de fruits rouges et bien dans sa peau de 97.

⊶ Dom. Michel Briday, 89, Grande-Rue, 71150 Rully, tél. 03.85.87.07.90, fax 03.85.91.25.68 ☑ Y r.-v.

DOM. BRINTET La Levrière 1996*

■ 1er cru n.c. 6 000 ◨ 50 à 69 F

Un vin qui, comme tout mercurey rouge, vivra en bonne intelligence avec ces plats coquins que sont le veau aux carottes ou l'andouille aux haricots. Car il est déluré, sous sa robe grenat assez sage. Cerise, réglisse, un peu de grillé, il saura se tenir à table.

⊶ Dom. Brintet, Grande-Rue, 71640 Mercurey, tél. 03.85.45.14.50, fax 03.85.45.28.23 Y r.-v.

⊶ Luc Brintet

CH. DE CHAMILLY 1996*

■ 5,2 ha 25 000 ◨ 70 à 99 F

« La légèreté de l'être », aurait pensé Milan Kundera s'il avait dégusté ce vin rouge brique moyennement intense, au nez de vanille et de framboise. Subtil et charmant, ce 96 est relevé par une note tannique. Léger et sous une note d'évolution, il conserve le droit à la parole.

⊶ Véronique et Louis Desfontaine, Le Château, 71510 Chamilly, tél. 03.85.87.22.24, fax 03.85.91.23.91 ☑ Y r.-v.

CH. DE CHAMIREY 1997**

□ 9 ha n.c. ▮◨🌡 70 à 99 F

Ce mercurey entre en scène sous une robe très transparente. Son parfum apporte un peu de mystère, minéral, épices douces... La première impression en bouche est généreuse, avec de la spontanéité, du gras. Le retour en bouche est long, dense. Plus concentré qu'il n'y paraît au premier abord.

⊶ Dom. du Ch. de Chamirey, 71640 Mercurey, tél. 03.85.98.12.12, fax 03.85.45.25.49 ☑ Y r.-v.

⊶ Christine Devillard

EMILE CHANDESAIS 1997

■ n.c. n.c. ▮◨ 50 à 69 F

Maison reprise par sa consœur Picard à Chagny. Elle présente un 97 d'un corps suffisant, plaisant et qui doit bien évoluer. La touche de rose fanée a quelque chose d'émouvant au nez. Le rubis brillant fait partie du paysage habituel.

⊶ Emile Chandesais, rue Saint-Nicolas, 71150 Fontaines, tél. 03.85.91.41.77, fax 03.85.91.40.26

⊶ Michel Picard

JEAN-PIERRE CHARTON Clos du Roy 1997*

■ 1er cru 1 ha 3 500 ◨ 70 à 99 F

D'une nuance étincelante, un pinot noir très fruité et dont la tenue en bouche est excellente. Un parfum pénétrant, l'assurance d'une garde

durable, des tanins qui s'aplanissent, tout est de bon augure.
⊶ Jean-Pierre Charton, 29, Grande-Rue, 71640 Mercurey, tél. 03.85.45.22.39, fax 03.85.45.22.39 ☑ Y r.-v.

DOM. DU CHATEAU DE MERCEY 1996

■ 11 ha 55 000 ❙❙ 50 à 69 F

Château repris en 1989 par la maison Antonin Rodet. Coloré jusqu'au maximum, la griotte est présente mais assez peu expansive, un vin vif, souple, fondu, à attendre ou à espérer, Dieu seul le sait.
⊶ Ch. de Mercey, Mercey, 71150 Cheilly-lès-Maranges, tél. 03.85.91.13.19, fax 03.85.91.16.28 ☑ Y r.-v.

DOM. CHAUMONT PERE ET FILS 1996*

□ 0,25 ha 800 ❙❙ 50 à 69 F

Ce domaine créé en 1958 par M. Chaumont avait choisi la culture biologique de 1965 à 1995. Depuis il préfère la lutte raisonnée, agriculture classique respectueuse de l'environnement. En voici donc le premier produit. Si l'on additionne la joie d'une robe claire et pimpante, l'esprit floral et légèrement torréfié du bouquet, le fruité souple d'un corps pamplemousse et pêche, le volume et la longueur tout à fait estimables, on aboutit à un total qui devance largement beaucoup de 1ers crus dans l'appellation.
⊶ Dom. Chaumont Père et Fils, Le Clos Saint-Georges, 71640 Saint-Jean-de-Vaux, tél. 03.85.45.13.77, fax 03.85.45.27.77 ☑ Y r.-v.

DOM. DU CRAY 1996

■ 2,5 ha 10 000 ❙❙ 50 à 69 F

Le nez assez ténu et plutôt fin, un peu floral, la robe d'un rouge léger et discrètement tuilé, ce mercurey se montre finaud. Il a peu de structure mais suscite l'intérêt grâce à son attaque charnue, à sa vinosité, à son élan animal en pleine bouche, à sa note d'alcool mêlée à une touche de confiture de roses. Le portrait est-il assez précis ?
⊶ Roger et Michèle Narjoux, Dom. du Cray, Cidex 712, 71640 Saint-Martin-sous-Montaigu, tél. 03.85.45.13.17, fax 03.85.45.29.10 ☑ Y r.-v.

CH. D'ETROYES Les Ormeaux 1997*

□ 2,5 ha 15 800 ❙❙ 50 à 69 F

Un vin doré, que le fût et l'alcool portent de leurs ailes protectrices. C'est déjà un 97 avancé, à maturité et à ne plus attendre. Il possède du fond, et le fruit reprend utilement le dessus en milieu de bouche.
⊶ Dom. Maurice Protheau et Fils, Ch. d'Etroyes, 71640 Mercurey, tél. 03.85.45.25.00, fax 03.85.45.14.87 ☑ Y r.-v.

FAIVELEY Les Mauvarennes 1996*

□ 1,81 ha 9 880 ❙❙ 70 à 99 F

A good example for the vintage, conclut sur sa fiche un de nos dégustateurs britanniques. Ce 96 d'une belle brillance ne montre pas son âge. Sa robe reste jeune et pure. Son bouquet tourne autour du miel et de l'abricot sec. En bouche, un léger boisé ne gomme pas le vin qui évolue sur des saveurs beurrées. Du bon travail, tout en sachant que le 95 rouge obtenait l'an dernier le coup de cœur.
⊶ Maison Joseph Faiveley, 8, rue du Tribourg, B.P. 9, 21701 Nuits-Saint-Georges Cedex, tél. 03.80.61.04.55, fax 03.80.62.33.37 ☑ Y r.-v.

JEAN GAGNEROT Clos Voyen 1997**

■ 1er cru n.c. 4 500 ❙❙ 70 à 99 F

Il a de la race. Cépage et terroir jouent la même partition. Sous des abords rouge sombre, il se concentre : arômes confiturés et épicés. Impeccable structure, tanins de soie, concentration plus qu'estimable, c'est un beau et même très beau vin qui restera en selle au moins jusqu'à 2005.
⊶ Jean Gagnerot, 21420 Aloxe-Corton, tél. 03.80.25.00.00, fax 03.80.26.42.00, e-mail vinibeaune@bourgogne.net Y r.-v.

DOM. GOUFFIER Clos de la Charmée 1996

■ 1,88 ha 6 000 ❙❙ 50 à 69 F

Carmin sombre, le nez bien arrondi sur la cerise et la fourrure, un vin assez ample, soutenu par des tanins un peu durs mais qui a du potentiel et manifeste une nature fidèle au millésime.
⊶ Dom. Gouffier, 11, Grande-Rue, 71150 Fontaines, tél. 03.85.91.49.66, fax 03.85.91.46.98 ☑ Y r.-v.

MICHEL ISAIE Clos des Montaigus 1996*

■ 1er cru 1,6 ha 6 500 ❙❙ 50 à 69 F

Famille présente ici depuis 1785. Si le **village rouge 96** siège à l'orchestre, le 1er cru est au balcon. La hiérarchie est respectée. Rouge violet soutenu, tirant plutôt sur le végétal, il montre de la finesse en attaque, mariant sa souplesse à une petite pointe d'acidité. Fond assez tannique et nuances de piment, de gingembre. Même note pour le **1er cru Clos du Paradis 96 rouge**.
⊶ Michel Isaïe, chem. de l'Ouche, 71640 Saint-Jean-de-Vaux, tél. 03.85.45.23.32, fax 03.85.45.29.38 ☑ Y r.-v.

JEAN-HERVE JONNIER 1997*

□ 0,35 ha 2 200 ❙❙ 50 à 69 F

Paille claire, il pianote quelques notes d'aubépine, minérales et de foin coupé. Léger et frais en ouverture, plus accentué ensuite, il se montre bien élevé dans les limites du millésime et demeure fin, précis, très net.
⊶ Jean-Hervé Jonnier, Bercully, 71150 Chassey-le-Camp, tél. 03.85.87.21.90, fax 03.85.87.23.63 ☑ Y r.-v.

DOM. EMILE JUILLOT La Cailloute Monopole 1997**

□ 1er cru n.c. n.c. ❙❙ 50 à 69 F

Souvent à l'honneur dans ces pages (coup de cœur en rouge dans le Guide 1997 pour un 93, dans l'édition 1992 pour un 88), ce domaine n'est pas de ceux qu'on perd de vue. On a affaire cette fois-ci à un chardonnay qui décline citronnelle, pierre à fusil, pêche mûre, comme si c'était sa langue maternelle. Un 1er cru réussi, attrayant, constamment au rendez-vous de la rondeur et de la distinction. Excellente prestation également pour un autre **rouge, 1er cru 97, Les Combins**. (deux étoiles). Un vin qui illustre à merveille le propos de Colette : « Savez-vous ce qu'est une caresse ? Buvez du mercurey ! »

➤ EARL N. et J.-C. Theulot, Dom. Emile Juillot, clos Laurent, 71640 Mercurey, tél. 03.85.45.13.87, fax 03.85.45.28.07 ☑ ⵒ r.-v.

DOM. MICHEL JUILLOT 1997

| ■ | 11 ha | 55 000 | ⦀ | 70à99F |

Il se présente sous une bonne couleur et sur un nez assez végétal nuancé de fruits rouges. Ses tanins lui confèrent une certaine gravité mais le fruit est frais, la fin de bouche très franche. Il devrait s'assouplir dans deux ou trois ans.

➤ Dom. Michel Juillot, Grande-Rue, B.P. 10, 71640 Mercurey, tél. 03.85.45.27.27, fax 03.85.45.25.52, e-mail infos@domaine.michel.juillot.fr ☑ ⵒ t.l.j. sf dim. 9h-12h 14h-18h; groupes sur r.-v.

➤ Michel et Laurent Juillot

LE MANOIR MURISALTIEN
Clos Marcilly 1996

| ■ 1er cru | n.c. | 6 000 | ⦀ | 70à99F |

Une bouteille prudente, assurant chacun de ses pas. La robe est rubis sans excès, le nez discret et assorti d'un soupçon de poivre. Pas beaucoup de corps, mais en revanche une ligne assez élégante qui lui vaut d'être cité.

➤ Le Manoir murisaltien, 4, rue du Clos-de-Mazeray, 21190 Meursault, tél. 03.80.21.21.83, fax 03.80.21.66.48, e-mail vin@demessey.com ☑ ⵒ r.-v.

➤ Marc Dumont

MANOIR DE MERCEY
Chateaubeau 1996★

| ■ | 4 ha | n.c. | ⦀ | 50à69F |

Un manoir du XIXᵉs. entouré d'un parc aux arbres majestueux. De belles caves voûtées abritent ce vin dont la couleur grenat violacé est intense alors qu'il change de registre au nez, en jouant les baies noires, la mûre, la myrtille, en se montrant conciliant : fraise des bois, pourquoi pas ? De la vivacité, de la mâche, il roule les « r » comme un bon bourguignon. Rustique, mais 96 sincère.

➤ Dom. Gérard Berger-Rive et Fils, Manoir de Mercey, 71150 Cheilly-lès-Maranges, tél. 03.85.91.13.81, fax 03.85.91.17.06 ☑ ⵒ r.-v.

CELLIER MEIX GUILLAUME
Les Crets 1996

| ■ 1er cru | 0,6 ha | 4 000 | ⦀ | 50à69F |

Un vin à boire dans un an, en profitant de ses arômes de fraise et en espérant que ses tanins subiront un léger coup de rabot. Juste pour un 1ᵉʳ cru mais ils sont légion dans cette appellation mercurey. Cela dit, il passe la rampe alors que nous en avons dégusté cent dix-sept. Coup de cœur sur le Guide 1994, pour un 90.

➤ Dom. P.-M. Ninot, Le Meix Guillaume, 2, rue de Chagny, 71150 Rully, tél. 03.85.87.07.79, fax 03.85.91.28.56 ☑ ⵒ r.-v.

DOM. MENAND PERE ET FILS
Clos des Combins 1997

| ■ 1er cru | 2 ha | 12 000 | ■⦀♦ | 50à69F |

Le portrait du « beau ténébreux » : sous une parure framboisée, sombre, il porte un nez expressif, vanille et fruits noirs. Sa bouche est assez verte, elle râpe comme le bois du raisin. Cette amertume est due à la vinification, sans égrappage sans doute. Mais tout cela devrait faire un beau vin d'ici peu.

➤ EARL Dom. Menand, Chamerose, 71640 Mercurey, tél. 03.85.45.19.19, fax 03.85.45.10.23 ☑ ⵒ t.l.j. 8h-12h 14h-19h

MARIE-LOUISE PARISOT 1997★

| ■ 1er cru | n.c. | n.c. | ■♦ | 50à69F |

Maison reprise par Cottin Frères/Labouré-Roi à Nuits-Saint-Georges. Elle tire son épingle du jeu en signant un mercurey rubis clair à reflets bleutés, le nez assis sur un noyau de cerise, peu soucieux de puissance mais attentif au détail, à la nuance sur une texture légère. Prêt à la consommation.

➤ Marie-Louise Parisot, rue Lavoisier, 21700 Nuits-Saint-Georges, tél. 03.80.62.64.11, fax 03.80.62.64.12 ⵒ r.-v.

CH. PHILIPPE-LE-HARDI
Les Puillets 1997★

| ■ 1er cru | 5,91 ha | 33 665 | ⦀ | 50à69F |

Abondance de vin ne nuit pas. Trois bouteilles jugées dignes de figurer ici : un **village blanc 97** cité, et en **rouge un 1ᵉʳ cru 97** une étoile, tout comme ce 1ᵉʳ cru Puillets qui harmonise le pourpre et le mauve pour mettre en valeur un bouquet fruité et floral et une bouche tapissée de velours. Un vin complet.

➤ Ch. de Santenay, B.P. 18, 21590 Santenay, tél. 03.80.20.61.87, fax 03.80.20.63.66 ☑ ⵒ r.-v.

FRANCOIS RAQUILLET
Les Naugues 1997★

| ■ 1er cru | 0,4 ha | 2 500 | ⦀ | 50à69F |

Vous avez le choix, en rouge 97, entre **Puillets** et Naugues, deux 1ᵉʳˢ crus jugés à égalité de qualités. Si on nous pousse dans nos retranchements, on confessera une petite préférence pour celui-ci, fruité et réglissé, représentatif de la typicité de l'appellation, bien bâti sous un feu grenat, plus délicat que puissant.

➤ François Raquillet, rue de Jamproyes, 71640 Mercurey, tél. 03.85.45.14.61, fax 03.85.45.28.05 ☑ ⵒ r.-v.

MICHEL RAQUILLET
En Sazenay 1997★★

| ■ 1er cru | 0,88 ha | 5 000 | ■ | 50à69F |

Pour un coq au mercurey, au moins ! Voici un pinot à vingt-quatre carats, dont la plénitude et le caractère s'imposent. Un bouquet complexe associe le fruit rouge et les épices. Certes, il doit encore se faire mais pas de doute : il est sur la bonne voie et il tiendra ses engagements.

➤ Michel Raquillet, Chamirey, 71640 Mercurey, tél. 03.85.45.19.25, fax 03.85.45.28.93 ☑ ⵒ r.-v.

DOM. DE SUREMAIN La Bondue 1996★

■ 1er cru 2 ha 6 000 🛢 70 à 99 F

Tous les espoirs lui sont permis, tant il est séducteur et riche de promesses. Dans l'immédiat, sa couleur est parfaite, ses arômes ambitieux (du fruit au cuir, à l'animal). S'il manifeste un peu d'agressivité, peu importe : une matière potentielle très présente est un puissant vecteur pour l'avenir. Le gibier lui conviendra alors.

🔑 Hugues et Yves de Suremain, Dom. du Bourgneuf, 71640 Mercurey, tél. 03.85.45.20.87, fax 03.85.45.17.88 ☒ Y r.-v.

DOM. RICHARD THEVENOT 1997★

■ 0,9 ha 4 000 ▮🛢 30 à 49 F

« Tout s'y dit tendrement », selon le mot du poète. Bouquet floral, tanins d'une aménité confondante, rondeur naturelle, tout s'y dit - en effet - tendrement. Quant à la robe, franche et intense, elle est sans complexe.

🔑 Richard Thévenot, 4, rue du Bourg, 71510 Aluze, tél. 03.85.45.22.61, fax 03.85.45.08.49 ☒ Y r.-v.

DOM. TREMEAUX PERE ET FILS
Les Croichots 1996★

■ 1er cru 2,3 ha 14 000 ▮🛢 50 à 69 F

Esprit, es-tu là ? Bien sûr ! Un peu vif sans doute, mais les tanins sont déjà soyeux, l'élégance assurée et la finesse démontrée. Robe qui évolue doucement et arômes B.C.B.G., style framboise et cassis.

🔑 Dom. Trémeaux Père et Fils, rue de Jamproyes, 71640 Mercurey, tél. 03.85.45.26.17, fax 03.85.45.26.17 ☒ Y r.-v.

DOM. JACQUES TUPINIER
En Sazenay 1997★★

■ 1er cru 1,14 ha 7 000 🛢 50 à 69 F

Main de fer, gant de velours, a-t-on dit du mercurey rouge. Il y a du vrai dans la formule : bien gras et presque moelleux, la mâche succulente et sans exclure la finesse, voilà un vin complet, superbe à goûter, l'œil s'exprimant aussi bien que le nez dans le ton du pays.

🔑 Jacques Tupinier et Manuel Bautista, Touches, 71640 Mercurey, tél. 03.85.45.26.38, fax 03.85.45.27.99 ☒ Y t.l.j. 9h-19h30

DOM. DES VIGNES SOUS LES OUCHES 1996★

■ 1er cru 0,51 ha 2 000 🛢 70 à 99 F

Rubis violacé, bien limpide, il offre un joli lever de rideau. Décor très floral : pivoine, églantier, seringa. Le fût entend tout d'abord tenir le premier rôle, mais d'autres acteurs apparaissent et s'expriment : un corps charpenté, un tempérament nerveux, une longueur appréciable. Bref, tout est bon mais le merrain appelle la viande fumée. Le **village rouge 96** est appréciable : il est cité par le jury.

🔑 Picard Père et Fils, 5, rue des Vignes-sous-les-Ouches, 71510 Aluze, tél. 03.85.45.16.34, fax 03.85.45.15.91 ☒ Y r.-v.

DOM. EMILE VOARICK
Clos de Paradis 1997★

□ 1er cru 0,82 ha n.c. 🛢 70 à 99 F

Sa robe n'appelle aucune critique. Abricot ? Miel ? Le nez est un puits très profond, où le fruit blanc domine. A l'heure où vous lisez ces lignes, le fût est probablement rentré dans le rang. On aimera la rondeur pleine et caressante de ce 97.

🔑 SCV Dom. Emile Voarick, 71640 Saint-Martin-sous-Montaigu, tél. 03.85.45.23.23, fax 03.85.45.16.37 ☒ Y t.l.j. sf sam. dim. 8h-12h 14h-18h

🔑 Michel Picard

BOURGOGNE

Givry

A 6 km au sud de Mercurey, cette petite bourgade typiquement bourguignonne est riche en monuments historiques. Le givry rouge, la production principale (8 001 hl en 1998), aurait été le vin préféré d'Henri IV. Mais le blanc (1 678 hl en 1998) intéresse aussi. Les prix sont très abordables. L'appellation s'étend principalement sur la commune de Givry, mais « déborde » légèrement sur Jambles et Dracy-le-Fort.

GUILLEMETTE ET XAVIER BESSON
Les Grands Prétans 1997★

■ 1er cru 1,5 ha 9 000 🛢 50 à 69 F

Ce domaine dont les caves du XVIII^e^s. sont inscrites à l'Inventaire organise des concerts dégustations intitulés « musicaves ». Une excellente initiative. Couleur rubis et fût en première attaque, ce 97 peut plaire en raison de sa finesse. Il ne manque pas d'atouts : délicatesse et structure ne sont pas opposées. Une certaine suavité montre qu'il est visiblement fait pour séduire, sans pour autant quitter le style de l'appellation. Le fût et le vin se marient bien. L'aération lui fait du bien et il est meilleur au « revenez-y ». Egalement une étoile, le **village 97, en rouge**.

🔑 Dom. Guillemette et Xavier Besson, 9, rue des Bois-Chevaux, 71640 Givry, tél. 03.85.44.42.44, fax 03.85.44.43.85 ☒ Y r.-v.

RENE BOURGEON 1997★

■ n.c. n.c. 50 à 69 F

Si le **Clos de La Brulée blanc 97** a recueilli quelques compliments (citation), nous avons aimé davantage le *villages* rouge. A mi-chemin du pourpre et du violacé, il indique au second nez un tempérament épicé qu'agrémentent myrtille et vanille. Vivacité et robustesse tannique sont bien maîtrisées. Evoque une vendange très mûre et concentrée : le millésime dans un de ses bons jours.

🕭 GAEC René Bourgeon, 2, rue du Chapitre, 71640 Jambles, tél. 03.85.44.35.85, fax 03.85.44.57.80 ☑ ⟊ r.-v.

CLOS SALOMON 1997★★

■ 1er cru	6,5 ha	30 000	⬤⬤ 50 à 69 F

Dans la famille du Gardin depuis plus de trois siècles, le Clos Salomon fait partie des 1ers crus historiques du pays. Celui-ci s'annonce bien. Pourpre sombre et presque bordeaux au chapitre de la robe, il exprime un boisé fin auréolé de cassis et de cerise. Tanins et acidité en relief, moelleux un peu en retrait, concentration et longueur (sept caudalies), c'est un vin à attendre un peu.

🕭 Dom. du Clos Salomon, 16, rue du Clos-Salomon, 71640 Givry, tél. 03.85.44.32.24, fax 03.85.44.49.79 ☑ ⟊ t.l.j. sf dim. 8h-19h

🕭 du Gardin

DANIEL DAVANTURE ET FILS 1997

□	0,2 ha	1 500	⬤⬤ 30 à 49 F

Un chardonnay façon givry. C'est encore l'oiseau rare dans ce pays de rouges. D'une bonne constitution, ce vin issu d'un élevage approfondi est aujourd'hui pressé de vous offrir ses charmes. Nuance citron sur la robe et, au nez, tonalité beurrée assez appuyée. Bonne structure et à maturité. En **pinot noir 96, un givry** clair et frais, léger comme un papillon, reçoit la même note.

🕭 Daniel Davanture et Fils, GAEC des Murgers, 71390 Saint-Désert, tél. 03.85.47.90.42, fax 03.85.47.99.88 ☑ ⟊ r.-v.

MICHEL DERAIN Champ Pourot 1996

□	0,3 ha	2 800	▮⬤⬤ 30 à 49 F

L'impression générale lui est favorable, dans un contexte assez simple. Beaucoup de couleur ; arômes de pâtisserie, de pâte d'amandes, sinon d'aubépine. Bouche ronde et dépourvue d'agressivité.

🕭 Michel Derain, La Montée, 71390 Saint-Désert, tél. 03.85.47.91.44 ☑ ⟊ r.-v.

PROPRIETE DESVIGNES 1996★

■	5 ha	13 000	▮⬤⬤⬇ 30 à 49 F

Les Desvignes font honneur à leur nom. Ce givry élevé en fût et foudre de chêne pendant seize mois a du panache. Alliant vivacité et puissance, il remplit son contrat, et la touche de réglisse qu'il laisse en finale est du plus bel effet. Cassis au nez assez développé, couleur intense, le tout est convaincant.

🕭 Propriété Desvignes, 36, rue de Jambles, Poncey, 71640 Givry, tél. 03.85.44.37.81, fax 03.85.44.43.53 ☑ ⟊ r.-v.

DOM. MICHEL GOUBARD ET FILS
Les Grandes Berges 1997★

■ 1er cru	2,3 ha	16 000	▮⬤⬤ 50 à 69 F

Limpide et sans brillance, rubis clair à reflets légèrement orangés, il déborde d'arômes de fruits confits, de pain d'épice accompagnés d'une note boisée. Le vin fait un peu plus vieux que son âge, agréable et rond, disciplinant ses tanins et son acidité, déjà mûr dans l'esprit léger de l'appellation. Plutôt pour un rôti.

🕭 Dom. Michel Goubard et Fils, 71390 Saint-Désert, tél. 03.85.47.91.06, fax 03.85.47.98.12 ☑ ⟊ t.l.j. 8h-20h; dim. sur r.-v.

MAISON LOUIS LATOUR 1996

□	n.c.	30 000	▮ 50 à 69 F

Cette maison beaunoise sait se fournir en givry. Un vin jaune tendre, le nez encore fleuri et rappelant le champignon. Il est assez onctueux en bouche avec la touche de minéralité des 96. Profiter dès maintenant de ses faveurs.

🕭 Maison Louis Latour, 18, rue des Tonneliers, 21204 Beaune Cedex, tél. 03.80.24.81.00, fax 03.80.22.36.21,
e-mail louislatour@louislatour.com ⟊ r.-v.

DOM. FRANCOIS LUMPP
Petit Marole 1997★

□ 1er cru	0,3 ha	2 000	⬤⬤ 50 à 69 F

Un domaine abonné du coup de cœur : voir les Guides 1993, 1998, 1999 et on en passe. Son Petit Marole est en réalité un grand. Sa robe est pleine et entière, dorée sur tranche. Ses arômes tournent autour des fruits jaunes, des épices et du fût. Ample et généreux, ce 97 offre un beau grain. Sensation toastée. Acidité correcte. On peut déboucher cette bouteille. Notez aussi en **rouge 97 le Clos du Cras Long**, au fruit croquant, très vin plaisir, qui reçoit la même note.

🕭 Dom. François Lumpp, Le Pied du Clou, 71640 Givry, tél. 03.85.44.45.57, fax 03.85.44.46.66 ☑ ⟊ r.-v.

DOM. DES MOIROTS 1997★

□	0,31 ha	2 360	▮⬤⬤ 30 à 49 F

Lucien Denizot et son fils Christophe dirigent un domaine de 12 ha. Ce chardonnay un peu pointu est tout à fait vert galant. Il brille à l'œil et a le nez fin, amandé, porté sur les agrumes (pamplemousse). Compromis très acceptable entre l'acidité et l'alcool, du grain et de l'épice. Pour un poisson en sauce.

🕭 Lucien Denizot, Dom. des Moirots, 71390 Bissey-sous-Cruchaud, tél. 03.85.92.16.93, fax 03.85.92.09.42 ☑ ⟊ r.-v.

DOM. MICHEL MOREAU
Clos Saint-Antoine 1996

■	2 ha	10 000	⬤⬤ 50 à 69 F

Honorable en tout, portée sur le fruit à l'eau-de-vie qui pénètre son bouquet, la bouteille garde sa consistance en bouche. Cette persistance lui permet d'accéder à notre guide. Vin honnête et à boire.

🕭 Michel Moreau, 10, rue Maurice-Ravel, 71640 Givry, tél. 03.85.44.41.99, fax 03.85.44.41.99 ☑ ⟊ r.-v.

GERARD MOUTON Clos Jus 1996★★

■ 1er cru	2,06 ha	13 000	▮⬤⬤⬇ 50 à 69 F

Considéré par l'abbé Courtépée au XVIIIᵉs. comme l'un des meilleurs *climats* de la Côte chalonnaise, le Clos Jus a souffert au moment du phylloxéra mais il est en pleine renaissance. En témoigne cette bouteille qui a conservé ses traits de jeunesse (couleur) tout en récitant admirablement sa leçon de typicité : griotte, mûre... Flatteur et très goûteux en bouche, ce 96 sera à matu-

rité en l'an 2000. Coup de cœur en 1992 pour un 89.
🔑 SCEA Gérard Mouton, 6, rue de L'Orcène, Poncey, 71640 Givry, tél. 03.85.44.37.99, fax 03.85.44.48.19 ☑ 🍷 t.l.j. sf dim. 8h-12h 14h-18h; f. 15-31 août

PARIZE PERE ET FILS 1997★★

■ 2,44 ha 9 000 30 à 49 F

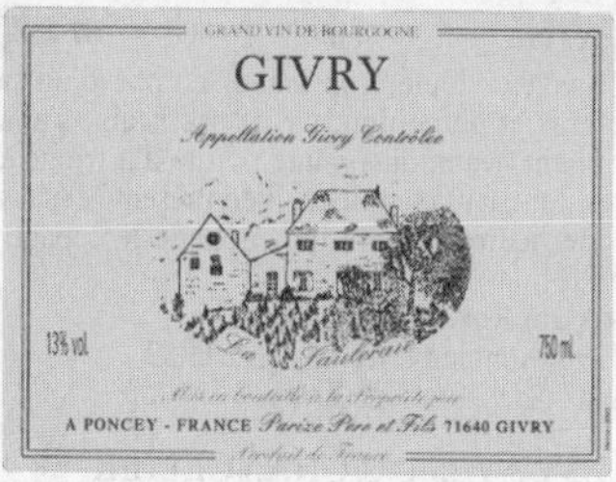

En **blanc, Les Grandes Vignes 97** - une étoile - sont d'un grain noble et généreux à souhait. On est cependant tombé en adoration devant ce superbe pinot noir, coup de cœur unanime. Digne de figurer au musée du Louvre fondé par Vivant Denon, un enfant de Givry ! Forte extraction de couleur, parfum bourgeon de cassis et noyau sous des notes épicées, bouche fine et à maturité : pour un *village*, c'est un vrai *village* !
🔑 Gérard et Laurent Parize, 18, rue des Faussillons, 71640 Givry, tél. 03.85.44.38.60, fax 03.85.44.43.54 ☑ 🍷 t.l.j. 8h-20h

MICHEL PICARD 1997

■ n.c. n.c. 50 à 69 F

Costaud, rustique, fortement appuyé sur ses tanins et sur une acidité marquée, se signalant toutefois par un bon rappel fruité, d'une longueur convenable, ce givry demande à vieillir et sera à point d'ici un à deux ans. L'impression de verdeur s'atténuera sans doute. Robe ferme et nez poivré évoluant vers la framboise.
🔑 Michel Picard, rte de Saint-Loup-de-la-Salle, 71150 Chagny, tél. 03.85.87.51.00, fax 03.85.87.51.11

DOM. RAGOT 1997★

■ 4 ha 45 000 50 à 69 F

Un coup de cœur saluait, en 1997, un 93. On se trouve ici en présence d'une bouteille cerise noire qui, au nez, demeure fidèle à ce fruit, nuance kirsch. Le vin attaque en rondeur, hésite en milieu de bouche et poursuit sur la fermeté. Pointe d'amertume finale. Un bon givry gourmand, destiné à quelque viande en sauce dans un à deux ans.
🔑 Dom. Ragot, 4, rue de l'Ecole, Poncey, 71640 Givry, tél. 03.85.44.35.67, fax 03.85.44.38.84, e-mail jean-paulragot@wanadoo.fr ☑ 🍷 r.-v.

MICHEL SARRAZIN ET FILS
Les Grands Pretants 1997★

■ 1er cru 1,5 ha 9 000 50 à 69 F

Elégant et charmeur, en **rouge 97, le Clos de la Putin** (sic) reçoit une étoile tout comme celui-ci qui a de bonnes mœurs ! Souple et fluide, sans mollesse toutefois, les tanins assez mûrs mais de bonne compagnie, il fait lui aussi dans l'élégance sous un grenat très légèrement orangé. Bouquet de fruits confits. L'ensemble est pur et franc. On espère que son équilibre actuel durera. A déguster sans prendre ce risque, d'ici un à deux ans. Le millésime 90 reçut le coup de cœur dans le Guide 1993 pour un givry blanc.
🔑 Michel Sarrazin et Fils, Charnailles, 71640 Jambles, tél. 03.85.44.30.57, fax 03.85.44.31.22 ☑ 🍷 t.l.j. sf dim. 8h-12h 14h-18h

DOM. BERNARD TATRAUX JUILLET Clos Jus 1997★

■ 1er cru 0,25 ha 1 800 30 à 49 F

Trois vins du domaine ont passé la barre : **givry blanc 97, Grandes Berges rouge en 1er cru 97** (conseillés l'un et l'autre) et celui-ci. Il appelle les œufs en meurette dans ses atours violacés et ses arômes de confiture de mûres avec une gousse de vanille. Le gras est en place, les tanins aimables et dispos. De garde mais déjà bien plaisant.
🔑 Dom. Bernard Tatraux-Juillet, 33, rue de la Planchette, Poncey, 71640 Givry, tél. 03.85.44.57.41, fax 03.85.44.57.20 ☑ 🍷 r.-v.

Montagny

Entièrement voué aux vins blancs, Montagny, village le plus méridional de la région, annonce déjà le Mâconnais. L'appellation peut être produite sur quatre communes : Montagny, Buxy, Saint-Vallerin et Jully-lès-Buxy. Les *climats* peuvent être seuls revendiqués sur la commune de Montagny. La production a atteint 14 016 hl en 1998.

STEPHANE ALADAME
Cuvée Sélection 1997★

□ 1er cru 0,35 ha 2 300 50 à 69 F

Nous avons goûté deux bouteilles : cité par le jury, le **1er cru Les Coères 97**, frais et primesautier, muscatant légèrement, et celui-ci, cuvée réalisée à partir de plusieurs 1ers crus. Thym, fougère, il se signale par son côté végétal. D'une nuance claire, il donne un peu de fruit et présente un bon fond.
🔑 Stéphane Aladame, rue du Lavoir, 71390 Montagny-lès-Buxy, tél. 03.85.92.03.41, fax 03.85.92.04.97, e-mail aladame@caves-particulieres.com ☑ 🍷 r.-v.

DOM. ARNOUX PERE ET FILS
Les Bonnevaux 1997★

□ 1er cru 0,5 ha 3 000 30 à 49 F

Les crustacés n'y seront pas insensibles. Robe « blanc-vert » très montagny. Tilleul, verveine, un nez presque entêtant, pain grillé, croûte de pain : il met du mouvement. Ensuite ? Il emplit la bouche à merveille, tapisse le palais avec un doigté exemplaire : chaleur par exemple, sans le brûlant de l'alcool. Gras, maturité. Plutôt de garde. Excellent rapport qualité-prix.

☛ Dom. Arnoux Père et Fils, pl. de la Salle-des-Fêtes, 71390 Buxy, tél. 03.85.92.11.06, fax 03.85.92.19.28 ☑ ⵏ r.-v.

CH. DE CARY POTET Les Jardins 1997★

☐ 1er cru	0,92 ha	6 000	📗 🎠	50 à 69 F

Or à reflets citron, les parfums gourmands (confiserie, touche fumée, silex, truffe), voici un vin d'un charme exquis, fin et d'une typicité assurée. En 1ᵉʳ cru 97, Les Burnins (même note) sont sur la réserve mais distingués et à leur rang. La famille n'est-elle pas en ces lieux depuis deux cent cinquante ans ?

☛ Charles du Besset, Ch. de Cary Potet, 71390 Buxy, tél. 03.85.92.14.48, fax 03.85.92.11.88 ☑ ⵏ r.-v.

CH. DE DAVENAY 1997

☐ 1er cru	9,6 ha	n.c.	📗 🎠 ♦	50 à 69 F

Autre propriété de Michel Picard, ce château propose un 1ᵉʳ cru. Couleur citron léger à reflets verts indiscutables, il offre des arômes de violette, de jonquille ou encore de pamplemousse, de fruit de la passion... Restons-en là pour aborder le cœur du sujet qui se montre vif, jeune, long, sévère sur la fin mais intéressant.

☛ SCEA Dom. du Ch. de Davenay, 71390 Buxy, tél. 03.85.45.23.23, fax 03.85.45.16.37

☛ Michel Picard

DEMESSEY Les Resses 1997★

☐ 1er cru	n.c.	4 000	🎠	70 à 99 F

Le poète André Frénaud, qui passa une partie de sa jeunesse à Saint-Vallerin, était un grand défenseur du montagny. Il eût trouvé ces Resses poétiques, lyriques. Ce chardonnay jaune serin présente un boisé fin et des notes d'eucalyptus toasté ; il devient en bouche délicieusement complexe : réglisse et pierre à fusil. Ne pas le consommer trop tôt, même s'il paraît disponible.

☛ Ch. de Messey, 71700 Ozenay, tél. 03.85.51.33.83, fax 03.85.51.33.82, e-mail vin@demessey.com ⵏ r.-v.

☛ Marc Dumont

LABOURE-ROI 1997★

☐ 1er cru	n.c.	n.c.	📗 ♦	50 à 69 F

Frais et clair, le montagny se présente volontiers ainsi. Il reste ici dans ce portrait-robot tout en offrant une structure appréciée. Chair, vinosité, persistance en font un vin à garder éventuellement quelque temps, même si le bouquet révèle des notes évoluées et fortes (coing notamment, écorce d'agrumes) qui ne sont pas déplaisantes.

☛ Labouré-Roi, rue Lavoisier, 21700 Nuits-Saint-Georges, tél. 03.80.62.64.00, fax 03.80.62.64.10, e-mail laboure@axnet.fr ⵏ r.-v.

DOM. DE LA RENARDE 1997★

☐ 1er cru	3,86 ha	6 000	📗 🎠 ♦	50 à 69 F

Pour un 97 qui n'a connu qu'un tout petit peu de fût. Or blanc et au bouquet suggérant le jasmin, la figue verte, la pêche cuite, il se montre

assez friand et bien coulant : il se faufile sur la langue et n'y passe pas inaperçu. Léger mais réussi et typé.

☛ Maison André Delorme, 2, rue de la République, Dom. de la Renarde, 71150 Rully, tél. 03.85.87.10.12, fax 03.85.87.04.60 ☑ ⵏ r.-v.

☛ J.-F. Delorme

CH. DE LA SAULE
Elevé en fût de chêne 1997

☐ 1er cru	4 ha	20 000	🎠	50 à 69 F

Suave, velouté, gourmand, enrobé d'un peu de gras et d'une douceur de sacristain, s'abandonnant néanmoins à une pointe d'astringence, il est tout sauf complexe. Bien présenté et sur un mode beurre-noisette qui rappelle le cépage et son fût.

☛ Alain Roy, Ch. de la Saule, 71390 Montagny, tél. 03.85.92.11.83, fax 03.85.92.08.12 ☑ ⵏ r.-v.

LES CAVES DU CHANCELIER
Elevé en fût de chêne 1997★★

☐ 1er cru	n.c.	6 000	🎠	50 à 69 F

MONTAGNY Iᵉʳ CRU
Appellation d'Origine Contrôlée
75 cl   13% vol.
Mis en bouteilles à la propriété par
LES CAVES DU CHANCELIER
NÉGOCIANT À BEAUNE (CÔTE-D'OR) FRANCE

Montagny a compté très peu de coups de cœur dans le passé. Saluons donc comme il se doit ce 97 élaboré par cette marque du négociant beaunois Denis Philibert ; d'une grande pureté, il reçoit le trophée. Pain chaud, amande, poire, fleurs blanches, miel, son nez inspire successivement toutes ces comparaisons. Rond et souple en bouche, tout simplement délicieux. Un vin aérien ! Pour poisson sauce meunière, conseille le jury.

☛ Les Caves du Chancelier, 1, rue Ziem, 21200 Beaune, tél. 03.80.24.05.88, fax 03.80.22.37.08 ☑ t.l.j. 9h-19h

LES VILLAGES DE JAFFELIN 1997

☐	n.c.	13 000	🎠	50 à 69 F

Soutenu. Or soutenu en effet, boisé soutenu, assortis de fruits secs, de noisette, d'amande. Bonne nervosité animant la bouche. Le reste est dans la moyenne. Ce que cette maison, l'une des familles Boisset, appelle Les Villages de Jaffelin.

☛ Jaffelin, 2, rue Paradis, 21200 Beaune, tél. 03.80.22.12.49, fax 03.80.24.91.87

☛ J.-C. Boisset

DOM. DES MOIROTS
Le Vieux Château 1997★

☐ 1er cru	3,58 ha	8 000	📗 🎠	50 à 69 F

L'aubépine et la girofflée donnent ici un nez fleuri ; la bouche est elle aussi florale, avec une

Mâcon

touche minérale ; mais on note également un boisé assez présent. Pour les gourmands de ce type de vin !

☛ Dom. des Moirots, Les Moirots, 71390 Bissey-sous-Cruchaud, tél. 03.85.92.16.93, fax 03.85.92.09.42 ✓ ⊤ r.-v.

☛ Lucien Denizot

CAVE PRIVEE ANTONIN RODET
Vieux Château 1996★★

☐ 1er cru	n.c.	n.c.	⫴ 100 à 149 F

« Quel tonus ! », écrit une dégustatrice. Un vin or paille bien dessiné. Le nez est explosif (beurre, abricot, fleurs, verveine, tilleul...). La bouche est « solide et élégante à la fois », note l'un ; « puissance et race » note un autre ; et c'est bien la même vision de ce vin où tous trouvent également la pomme mûre - « presque Tatin », dit la première citée - mais aussi la noisette grillée, cette touche boisée très mode et ici bien faite. Plein d'avenir, typé de son AOC et de son millésime.

☛ Antonin Rodet, 71640 Mercurey, tél. 03.85.98.12.12, fax 03.85.45.25.49, e-mail rodet@rodet.com ✓ ⊤ t.l.j. sf sam. dim. 9h-12h 13h30-18h

Le Mâconnais

Mâcon, mâcon supérieur et mâcon-villages

Les appellations mâcon, mâcon supérieur ou mâcon suivi de la commune d'origine sont utilisées pour les vins rouges, rosés et blancs. Les vins blancs peuvent s'appeler aussi pinot-chardonnay-mâcon et mâcon-villages. L'aire de production est relativement vaste, et, depuis la région de Tournus jusqu'aux environs de Mâcon, la diversité des situations se traduit par une grande variété dans la production.

Le secteur de Viré, Clessé, Lugny, Chardonnay, propice à la production de vins blancs légers et agréables, est le plus connu, et de nombreux viticulteurs se sont groupés en caves coopératives pour vinifier et faire connaître leurs vins. C'est d'ailleurs dans ce secteur que la production s'est développée. La production atteint en 1998, 232 732 hl, dont 45 247 hl de vin rouge.

Mâcon

DOM. ARCELIN La Roche-Vineuse 1997

■	1,3 ha	12 000	🍷 30 à 49 F

Ce 97 est assez typé de son AOC : la robe est rouge clair et le nez annonce des notes estimables de pierre à fusil. La structure est intéressante, avec des tanins présents mais souples. On retrouve en bouche des arômes minéraux.

☛ Eric Arcelin, Les Touziers, 71960 La Roche-Vineuse, tél. 03.85.36.61.38, fax 03.85.37.75.49, e-mail arcelin@cavesparticulieres.com ✓ ⊤ r.-v.

CAVE D'AZE
Azé Cuvée Saint-Vincent 1997★

■	50 ha	4 300	🍷 20 à 29 F

265 ha sont vinifiés par cette coopérative. Du gamay sur terrain mâconnais ? Il n'y a pas à s'y tromper. Les tanins sont de bon aloi. Le poivron et la mûre illustrent le bouquet. Nuance pourpre, presque violette, un vin resté frais et minéral, en cours d'assouplissement.

☛ Cave coop. d'Azé, 71260 Azé, tél. 03.85.33.30.92, fax 03.85.33.37.21 ✓ ⊤ t.l.j. 9h-12h 14h-18h

CAVE DE CHARNAY Charnay 1998★★

■	5 ha	40 000	🍷 20 à 29 F

Si vous voulez goûter un bon mâcon rouge, voici l'adresse. D'une belle nuance de couleur, il parle à tous les sens. La vue bien sûr, mais bientôt l'odorat (fruits rouges et un rien de... banane) et la bouche la plus réjouissante qui soit. Corsée, chaleureuse. On aime pour le repas quotidien.

☛ Cave de Charnay, En Condemine, 71850 Charnay-lès-Mâcon, tél. 03.85.34.54.24, fax 03.85.34.86.84 ✓ ⊤ r.-v.

JEAN-MICHEL COMBIER
Serrières Sélection Vieilles vignes 1998★★

■	0,6 ha	1 150	🍷 30 à 49 F

Rubis, franc, framboisé et légèrement floral, ce 98 joue d'emblée dans la cour des grands. Chaleureux et typé, il comble le palais. D'ici une bonne année, il fera une excellente bouteille. Nettement au-dessus de la moyenne.

☛ Jean-Michel Combier, Les Provenchères, 71960 Serrières, tél. 03.85.35.72.78, fax 03.85.35.79.67 ✓ ⊤ r.-v.

DOM. CORDIER PERE ET FILS
1997★★★

☐	2 ha	14 000	⫴ 30 à 49 F

Ce vin ne vieillira pas comme un patriarche de l'Ancien Testament, mais son gras, sa rondeur et le bois bien fondu montrent que ses ambitions se situent ailleurs. Mangue et ananas, amande et noix, sa complexité aromatique est à la fois bien typée et digne de la côte de Beaune. Au-delà de l'appellation régionale.

> Plus une vigne est âgée, meilleur est son vin.

BOURGOGNE

GRAND VIN DE BOURGOGNE

MÂCON BLANC

APPELLATION MÂCON BLANC CONTRÔLÉE
MIS EN BOUTEILLE AU
Domaine Cordier Père et Fils
VITICULTEURS À FUISSÉ (71) FRANCE
13% by vol   750 ml
PRODUIT DE FRANCE

☛ Dom. Cordier Père et Fils, 71960 Fuissé, tél. 03.85.35.62.89, fax 03.85.35.64.01, e-mail domcordier@aol.com ☑ ⵏ r.-v.

FORGEOT PERE ET FILS 1997★

| ■ | n.c. | n.c. | ▤ 20 à 29 F |

Un peu fermé pour le moment, mais diablement intéressant. Vif sur toute la ligne : le rouge de la robe, l'aiguisé de la bouche. Du gras, de la puissance, cela peut attendre la côtelette d'agneau. Vin présenté pour Bouchard Père et Fils.
☛ Grands Vins Forgeot, 15, rue du Château, 21200 Beaune, tél. 03.80.24.80.50

FREROT ET DYON Etrigny 1997★

| ■ | 1 ha | 6 000 | ▤ 20 à 29 F |

Un mélange de fruit cuit et de minéral pour entrer en scène. Puis un assortiment de tanins et d'épices. Un vin long et mûr. D'une nature un peu particulière mais qui mérite d'être mentionné.
☛ Frérot et Dyon, Veneuse, 71240 Etrigny, tél. 03.85.92.24.31, fax 03.85.92.24.31 ☑ ⵏ r.-v.

LES VIGNERONS D'IGE Igé 1998

| ■ | 90 ha | 150 000 | ▤ 30 à 49 F |

Igé se situe dans le voisinage de Cluny. Grand rappel d'histoire. Une bouteille qui n'illuminera pas la chrétienté, mais conforme en tout point à la religion rouge du pays. Elle se boit avec plaisir.
☛ Cave coop. des Vignerons d'Igé, 71960 Igé, tél. 03.85.33.33.56, fax 03.85.33.41.85 ☑ ⵏ t.l.j. sf dim. 8h-12h 13h30-18h

JEAN DE MOULINSART Gravions 1998

| ■ | n.c. | 20 000 | ▤ 20 à 29 F |

Cette bouteille aurait intéressé le capitaine Haddock et Tintin. Signée Jean de Moulinsart ! Il s'agit en réalité de la firme Chenu rachetée par la famille alsacienne Tresch. On se rappelle que dans *Le Crabe aux pinces d'or*, le capitaine Haddock croit voir Tintin dans une bouteille de bourgogne. Celle-ci fleure bon le pinot. Tannique et extrêmement concentrée. Laisser vieillir.
☛ Jean de Moulinsart, chem. de la Pierre-qui-Vire, 21200 Montagny-lès-Beaune, tél. 03.80.26.37.37, fax 03.80.24.14.81

DOM. DE L'ABBE DUMONT
Sélection Vieilles vignes 1998★

| ☐ | 0,4 ha | 3 300 | ▤ 30 à 49 F |

Nous avons dégusté les deux vins et donnons la priorité à cette Sélection Vieilles vignes 98. Les deux cuvées ont beaucoup de matière, de densité. Or pâle, le vin nous rappelle en pays lamartinien que si le temps suspend son vol, il ne faut pas trop le faire attendre. Aérer avant de servir.
☛ Benoît Dorry, Bussières, 71960 Pierreclos, tél. 03.85.37.71.60, fax 03.85.37.71.97 ☑ ⵏ r.-v.

CH. DE LA BRUYERE Igé 1998★

| ◢ | 2 ha | 3 500 | ▤ 20 à 29 F |

Peu d'arômes, mais une jolie teinte claire et la bouche la plus désaltérante qui soit. Un rosé à boire naturellement dans l'année mais qui remplit son contrat.
☛ Paul-Henry Borie, Ch. de La Bruyère, 71960 Igé, tél. 03.85.33.30.72, fax 03.85.33.40.65 ☑ ⵏ t.l.j. 8h-12h 14h-19h

DOM. LACHARME
La Roche-Vineuse Sélection de vieilles vignes 1997★

| ■ | 1,8 ha | 6 500 | ▤ 30 à 49 F |

Sauvage, ce vin se présente bien et avec le caractère de l'appellation : un beau nez bien fait (gibier). Légère touche de sécheresse, mais qui apaise ce souffle fauve.
☛ Dom. Lacharme et Fils, Le Pied du Mont, 71960 La Roche-Vineuse, tél. 03.85.36.61.80, fax 03.85.37.77.02 ☑ ⵏ r.-v.

DOM. DE LA FEUILLARDE
Prissé 1997★

| ■ | 1,5 ha | 10 000 | ▤ 30 à 49 F |

Sous une robe à reflets violacés, des arômes réglissés et épicés. Souple, ce vin a de l'entrain en bouche, dans un fruit rouge bien rond. Le **mâcon blanc 97** du domaine, jeune, vif et frais, prêt à boire, obtient une citation.
☛ Lucien Thomas, Dom. de La Feuillarde, 71960 Prissé, tél. 03.85.34.54.45, fax 03.85.34.31.50 ☑ ⵏ t.l.j. 8h-12h 13h-19h

LA MAISON BLEUE 1997

| ■ | n.c. | 20 000 | ▤ 30 à 49 F |

La robe est belle et retient par sa couleur cerise. Le nez fruité est généreux, frais, tout comme la bouche où le fruit s'exprime agréablement. Même note pour le **Domaine de la Condemine 98**, prêt dès notre dégustation, et pour un **pouilly-fuissé 97**, assez complexe et vif.
☛ Janny, La Maison Bleue, 71260 Péronne, tél. 03.85.36.97.03, fax 03.85.36.96.58

DOM. DE LA SARAZINIERE
Bussières Les Devants Vieilles vignes 1997★★

| ■ | 1 ha | 4 000 | ▥ 30 à 49 F |

Une touche de distinction. Il a beaucoup de couleur aux joues. Des arômes framboisés. En bouche ? Une sensation chocolat et vanille qui s'accompagne d'une bonhomie plaisante, d'un élevage soigné, de tanins nobles. Le gamay dans sa plénitude bourguignonne. Déjà coup de cœur en 1994 pour le millésime 91.

1997
LES DEVANTS
Domaine de la Sarazinière
MACON BUSSIERES
Appellation Macon Rouge contrôlée
Vieilles Vignes
vinifié en fûts et mis en bouteilles à la propriété par Seigneuret-Trébignaud
propriétaires récoltants à Bussières 71960 (Saône-et-Loire)
ALC 12,5 % BY VOL
PRODUCE OF FRANCE
750 ml

Philippe Trébignaud, Dom. de La Sarazinière, 71960 Bussières, tél. 03.85.37.76.04, fax 03.85.37.76.23 r.-v.

CAVE DE LUGNY
Cruzille Le Gorfou 1998

■ 5 ha n.c. 30 à 49 F

Cruzille a beaucoup souffert des guerres de Religion, puis des brigands. Son vin garde le moral. Un peu fruité, un peu tannique, assez rond et structuré, c'est un vin rustique au bon sens du terme : il a les pieds sur terre.

Cave de Lugny, rue des Charmes, B.P. 6, 71260 Lugny, tél. 03.85.33.22.85, fax 03.85.33.26.46, e-mail commercial@cave-lugny.com r.-v.

DOM. DE MONTERRAIN Serrières 1997

■ 9 ha 40 000 30 à 49 F

Il a un côté animal, ce gamay dont il faudra attendre qu'il assouplisse ses tanins. Ses arômes sont fermés à double tour, mais tout semble bien en place. Sa couleur limpide et brillante est avenante.

EARL Dom. de Monterrain, Martine et Patrick Ferret, 71960 Serrières, tél. 03.85.35.73.47, fax 03.85.35.75.36 r.-v.

PASCAL PAUGET 1997★★★

■ 0,75 ha 3 000 30 à 49 F

Un vin du Tournugeois, issu de l'unique vignoble en AOC de la rive gauche de la Saône. Son rouge cerise limpide à reflets violacés aurait enthousiasmé Albert Thibaudet, écrivain un peu oublié, mais remarquable expert en gamay. Nez terreux aux accents de gibier comme en Côte de Beaune. Palais réglissé, toujours animal, mais que de soleil !

Pascal Pauget, La Croisette, 71700 Tournus, tél. 03.85.32.53.15, fax 03.85.51.72.67 r.-v.

DOM. DES PONCETYS Davayé 1998★

■ 2,8 ha 18 700 30 à 49 F

Le proviseur du lycée viticole peut être content de son mâcon rouge Davayé qui reçoit les félicitations du jury. Certes, ce serait mieux avec une étoile de plus... Mais la robe est brillante, le nez végétal et tannique, l'attaque moyenne, la persistance estimable et l'attente conseillée. A boire en l'an nouveau. Coup de cœur pour ses millésimes 89 et 91.

Lycée viticole de Mâcon-Davayé, Les Poncetys, 71960 Davayé, tél. 03.85.33.56.22, fax 03.85.35.86.34, e-mail legtamacon@wanadoo.fr t.l.j. sf dim. 9h-12h 14h-17h30; sam. 9h-12h

POULET PERE ET FILS 1997

■ n.c. n.c. 70 à 99 F

Rouge framboise, il est assez profond ; le nez pinote avec une jolie élégance alors que la bouche est plutôt fruitée, avec une pointe d'épices. Une certaine distinction.

Poulet Père et Fils, 6, rue de Chaux, 21700 Nuits-Saint-Georges, tél. 03.80.62.43.02, fax 03.80.61.28.08

DOM. DES PROVENCHERES 1997★

■ 4,65 ha 10 000 20 à 29 F

Un rouge brillant aux reflets sombres habille ce gamay rustique et agréable, ample et rond, plus complexe qu'il n'en a l'air.

Maurice Gonon, Les Provenchères, 71960 Serrières, tél. 03.85.35.71.96, fax 03.85.35.73.60 r.-v.

DOM. SIMONIN Bussières 1997★

■ 0,28 ha n.c. 30 à 49 F

D'un carmin profond, d'un cassis assuré, d'une impulsion robuste et persistante, il est puissant. Le résultat se situe dans le haut du tableau.

Dom. Simonin, Le Bourg, 71960 Vergisson, tél. 03.85.35.84.72, fax 03.85.35.85.34 r.-v.

JEAN-CLAUDE THEVENET
Pierreclos 1997

■ 5 ha 13 000 30 à 49 F

Grenat clair, ce vin connaît un bon développement au palais, soutenu par une bonne acidité. Il est prêt.

Jean-Claude Thévenet, Le Bourg, 71960 Pierreclos, tél. 03.85.35.72.21, fax 03.85.35.72.03 t.l.j. sf dim. 7h30-12h 13h30-18h

DIDIER TRIPOZ Clos des Tournons 1998★

■ 1 ha 8 000 20 à 29 F

Pour un plaisir gourmand et immédiat. Sa robe est croquante sous le regard, et son nez, d'un fruité intense et pourtant délicat. Un rien d'austérité sur un registre plaisant...

Didier Tripoz, 450, chem. des Tournons, 71850 Charnay-lès-Mâcon, tél. 03.85.34.14.52, fax 03.85.34.14.52 r.-v.

HENRI DE VILLAMONT
Pierreclos 1997★

■ 1,58 ha 9 000 30 à 49 F

Difficile de faire mieux en 1997. Rubis violacé, le nez un peu fumé sur des accents de genièvre. Ce 97 est rond comme la planète, souple et ample, légèrement agressif et on l'attendait là. Digne représentant de son appellation.

SA Henri de Villamont, rue du Dr-Guyot, 21420 Savigny-lès-Beaune, tél. 03.80.24.70.07, fax 03.80.22.54.31, e-mail hdv@planetb.fr r.-v.

Mâcon supérieur

PAUL BEAUDET Terres rouges 1997★★

■ n.c. 10 000 ⦶ 20 à 29 F

Puissant, structuré, ce vin à la robe profonde possède de beaux tanins. Parfumé de cerise et de fraise, il sera prêt à Pâques et saura satisfaire pendant quelques années.

⊶ Paul Beaudet, rue Paul-Beaudet, 71570 Pontanevaux, tél. 03.85.36.72.76, fax 03.85.36.72.02, e-mail paulbeaudet@compuserve.com ☒ Y t.l.j. sf sam. dim. 8h-12h 13h30-17h30; f. août

JEAN BOUCHARD 1997★

■ 22 ha 88 000 ▮🌡 30 à 49 F

Belle devise de cette maison : *Si perdas famam*... Si tu veux garder ta renommée, il faut la servir. Rien à craindre avec ce 97 foncé, sous-bois et fruits rouges, vif, gras, et à laisser patienter en cave.

⊶ Jean Bouchard, B.P. 47, 21202 Beaune Cedex, tél. 03.80.24.37.27, fax 03.80.24.37.38

LORON ET FILS 1998★★

■ n.c. n.c. ▮🌡 30 à 49 F

Supérieur, en effet. Finesse au nez, longueur en bouche : il témoigne d'une excellente maîtrise technique dans le respect du produit. Nez de cuir neuf et minéralité soutenue, attaque fruitée et joliment tournée. On ne regrette pas qu'il soit parmi nous.

⊶ Ets Loron et Fils, Pontanevaux, 71570 La Chapelle-de-Guinchay, tél. 03.85.36.81.20, fax 03.85.33.83.19, e-mail vinloron@wanadoo.fr

GROUPEMENT DES PRODUCTEURS DE PRISSE 1998

◪ n.c. 40 000 ▮ 20 à 29 F

Il est plutôt austère en bouche pour bien démontrer sa recherche d'originalité. Il connaît les usages et les respecte. A boire cette année. A noter en **mâcon-villages Prissé, le 97**, également cité.

⊶ Groupement des Producteurs de Prissé-Sologny-Verzé, 71960 Prissé, tél. 03.85.37.82.53, fax 03.85.37.61.76 Y r.-v.

DOM. RUERE-LENOIR 1998★

■ 5 ha 35 000 ▮🌡 20 à 29 F

Présentation sans doute précoce, mais on se pâme. Une couleur de jeunesse encore mal affirmée, un bouquet framboisé qui monte pas à pas, un tempérament solide et ferme qui ne manque pas de charme. Car il nuance ses tanins d'une rondeur astucieuse et développe le sujet comme s'il se présentait à l'agrégation.

⊶ Gilles Lenoir, 71860 Pierreclos, tél. 04.74.09.60.00

Plus une vigne est âgée, meilleur est son vin.

Mâcon-villages

CAVE COOPERATIVE D'AZE Azé Cuvée Jules Richard 1997★★

□ 160 ha 10 470 ▮🌡 30 à 49 F

Coup de cœur dans le Guide 1998 pour un 95, cette cave décline admirablement, de A jusqu'à Z, son azé. Qui est Jules Richard ? On aimerait le savoir. Mais c'est le vin qui sait faire parler de lui - que de compliments ! Fruité et floral, souple et charmant, il est de garde et très bien fait.

⊶ Cave coop. d'Azé, 71260 Azé, tél. 03.85.33.30.92, fax 03.85.33.37.21 ☒ Y t.l.j. 9h-12h 14h-18h

JEAN BARONNAT 1998★★

□ n.c. n.c. ▮🌡 30 à 49 F

Il charme d'emblée par son timbre délicat, puis par ses notes exotiques (ananas, citron) qui s'épanouissent à l'aération. Ce complexe aromatique persiste en bouche, sous une attaque brillante et sur un fond solide. « Vertu à l'honneur guide », telle est la devise du domaine. Elle ne subit ici aucun accroc.

⊶ Jean Baronnat, Les Bruyères, rte de Lacenas, 69400 Gleizé, tél. 04.74.68.59.20, fax 04.74.62.19.21, e-mail mail.@baronnat.com ☒ Y r.-v.

DOM. DU BICHERON Péronne 1997★

□ 8 ha 40 000 ▮🌡 30 à 49 F

En robe soutenue, il offre un nez de noisette beurrée et de pain grillé. En bouche, la fraîcheur, l'équilibre et la persistance en font un millésime à boire avec un poisson à la crème.

⊶ Daniel Rousset, Dom. du Bicheron, Saint-Pierre-de-Lanques, 71260 Péronne, tél. 03.85.36.94.53, fax 03.85.36.99.80 ☒ Y r.-v.

GEORGES BLANC Fleur d'Azenay 1998

□ 6 ha 50 000 ▮🌡 30 à 49 F

Si Marc Meneau envisageait ces derniers temps d'abandonner ses vignes de Vézelay pour se recentrer sur son restaurant, Georges Blanc ne quitte pas ses terres d'Azé. Il nous invite ici à déguster un 98 mis en bouteilles récemment et donc instable. Mais cette discrétion de vin encore fermé permet d'entrevoir un beau panorama. De la matière, du gras, des notes élégantes d'agrumes et d'acacia. Il gagnera ses étoiles avec l'âge.

⊶ Georges Blanc, Dom. d'Azenay, Rizerolles, 71260 Azé, tél. 03.85.33.37.93, fax 03.85.33.37.93, e-mail blanc@relaischateaux.fr ☒ Y r.-v.

FRANCOIS BOURDON 1997★★

□ 0,64 ha 5 000 ▮ 30 à 49 F

Tout flatteur ne vit pas forcément aux dépens de ceux qu'il séduit. Témoin ce 97. Flatteur assurément et jusqu'au bout des ongles. Mais quel caractère et quelle générosité ! Le chardonnay parle par sa bouche comme on en rêve. Net, franc, ces mots reviennent sur les fiches de dégustation.

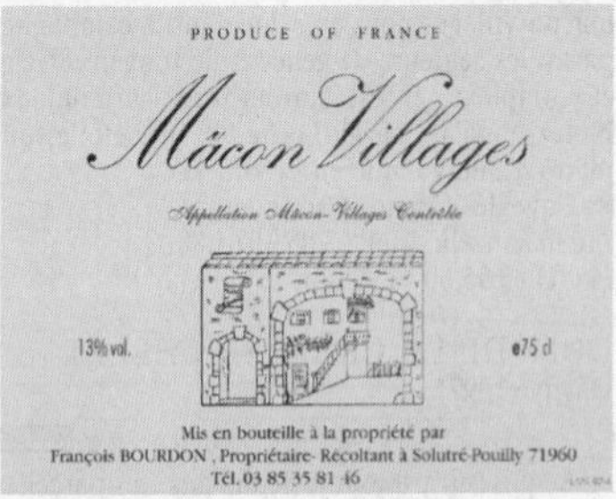

François Bourdon, Pouilly, 71960 Solutré-Pouilly, tél. 03.85.35.81.44, fax 03.85.35.81.44 ☒ Y r.-v.

DOM. DES BRUYERES 1997★★★

☐ 3 ha 30 000 30 à 49 F

Un, deux, trois, partez ! Ce 97 gagne l'étape et prend le maillot jaune. Notre coup de cœur, avec ses trente mille bouteilles, devrait donner satisfaction aux amateurs. Orienté sur la poire, l'amande douce, un zeste de citron par-dessus, il est superbe. Tout simplement un très beau vin qui enthousiasme notre jury pourtant rigoureux.
Maurice Lapalus, Dom. des Bruyères, 71960 Pierreclos, tél. 03.85.35.71.90, fax 03.85.35.71.79 ☒ Y r.-v.

CAVE DES VIGNERONS DE BUXY Sélection Saint-Gengoux 1997★★

☐ 37 ha n.c. 30 à 49 F

La cave de Buxy propose un magnifique mâcon-villages. Robe de bal un soir de Saint-Vincent. Arômes chardonnant en famille (coing, poire). La bouche est un feu d'artifice. Exactement ce qu'on attend de l'appellation, avec le bonheur en prime.
Cave des Vignerons de Buxy, Les Vignes de la Croix, B.P. 6, 71390 Buxy, tél. 03.85.92.03.03, fax 03.85.92.08.06, e-mail bvg@bvg-bourg.fr ☒ Y r.-v.

DOM. DES CAVES 1997

☐ 0,5 ha n.c. 30 à 49 F

Jaune paille, miellé et floral, on pourrait le croire en chaise longue en train de faire la sieste. N'en croyez rien. Souple, mais sans mollesse, rond avec une rétro-olfaction d'orange amère, il vous entraîne d'un bon pas à la découverte du pays.
Jean-Jacques Robin, Dom. des Caves, Les Plantés, 71960 Davayé, tél. 03.85.35.82.96, fax 03.85.35.83.48 ☒ Y r.-v.

CAVE DE CHAINTRE Fuissé 1998

☐ 2 ha 16 000 30 à 49 F

De la gouache plutôt que de l'aquarelle. Marqué par son terroir (coing notamment), le bouquet s'ouvre à demi. Il en est de même de la bouche qui est encore fermée, mais il y a certainement de la ressource dans ce vin. Un 98 ne l'oublions pas, dégusté très jeune.
Cave de Chaintré, 71570 Chaintré, tél. 03.85.35.61.61, fax 03.85.35.61.48 ☒ Y r.-v.

GEORGES DUBŒUF 1997

☐ n.c. 12 000 30 à 49 F

Une bouteille dont le tour est bientôt fait, sans secret ni mystère. La note d'amertume en finale est tout à fait classique. Bouquet assez mûr. Dans la norme.
Les Vins Georges Dubœuf, La Gare, B.P. 12, 71570 Romanèche-Thorins, tél. 03.85.35.34.20, fax 03.85.35.34.25 ☒ Y t.l.j. 9h-18h; f. janv.

PIERRE DUPOND Les Vallères 1998★

☐ n.c. n.c. 30 à 49 F

Idéal pour le poisson d'eau douce, ce 98 précoce s'annonce sur une tonalité d'abricot sec. L'ensemble est sans doute à garder quelques semaines en cave mais il laisse présager de bonnes choses.
Pierre Dupond, 235, rue de Thizy, 69653 Villefranche-sur-Saône, tél. 04.74.65.24.32, fax 04.74.68.04.14

RENE DUSSAUGE Vieilles vignes 1996

☐ 0,2 ha 2 000 30 à 49 F

Ce 96 mobilise toutes ses forces pour faire un vin de garde. Jaune clair à reflets brillants, il développe des arômes de confiture de rhubarbe. Pourquoi pas ? Ample et complexe, mais sévère jusqu'à présent.
René Dussauge, Les Giraudières, 71960 Bussières, tél. 03.85.37.74.35, fax 03.85.37.70.81 ☒ Y r.-v.

DOM. ELOY 1997★

☐ 3 ha 3 000 30 à 49 F

Une bien jolie bouteille... A regarder, c'est sûr. A respirer ? Un peu sur la réserve, de bonne éducation. Le reste est harmonieux, élégant, friand avec un je ne sais quoi qui fait penser à la pulpe d'orange... Jusqu'en 2001, elle vous tiendra compagnie.
Jean-Yves Eloy, Le Plan, 71960 Fuissé, tél. 03.85.35.67.03, fax 03.85.35.67.07 ☒ Y r.-v.

FICHET Igé Château London 1997

☐ 2 ha 17 000 30 à 49 F

Climat ayant acquis une certaine notoriété. Igé pourrait être tenté, comme viré-clessé, de solliciter l'AOC communale ! La robe de ce 97 est cristalline, son nez chardonne dans la fraîcheur de l'amande, son corps se montre assez vif.
Dom. Francis Fichet et Fils, Le Martoret, 71960 Igé, tél. 03.85.33.30.46, fax 03.85.33.44.45 ☒ Y r.-v.

BOURGOGNE

FRANCIS FICHET ET FILS
Le Clos 1998★

□ 5 ha 30 000 ■ 🌡 30 à 49 F

On line, comme on dit sur Internet. Inutile de surfer longtemps, la truite meunière lui conviendra parfaitement. Beaucoup de caractère, de matière et de charme. On n'attend rien d'autre de cette appellation traitée ici de façon jeune et fraîche, d'un goût très assuré.

🗝 Francis Fichet, 71960 Igé, tél. 04.74.06.10.10, fax 04.74.66.13.77 ☒ Ŷ r.-v.

CH. DU FIEF Montbellet 1998★

□ n.c. n.c. ■ 30 à 49 F

Une des quatre baronnies du Mâconnais avait jadis son fief à Montbellet. Il en reste quelque chose dans ce vin au blason du plus bel or, au nez seigneurial (épices poivrées) et à l'attaque conquérante. S'il ne la poursuit pas très longtemps, l'occupation du terrain est très satisfaisante. Distribué par Loron et Fils.

🗝 Ets Loron et Fils, Pontanevaux, 71570 La Chapelle-de-Guinchay, tél. 03.85.36.81.20, fax 03.85.33.83.19, e-mail vinloron@wanadoo.fr

DOM. DE FUSSIACUS Fuissé 1998★

□ 3 ha 23 000 ■ 🛢 🌡 30 à 49 F

L'étiquette gallo-romaine nous entraîne toujours bien loin en arrière. Ce bon vieux Fussiacus a de dignes descendants. On aimerait le boire tout droit sorti de l'amphore, mais il faut s'y faire, le progrès est passé par là. Un 98 déjà un peu évolué (cire d'abeille) mais doté d'une belle palette. A déguster bientôt pour sa pureté et en raison de sa faible acidité.

🗝 Jean-Paul Paquet, 71960 Fuissé, tél. 03.85.35.63.65, fax 03.85.35.67.50 ☒ Ŷ r.-v.

DOM. DES GERBEAUX Solutré 1998★

□ 0,5 ha 3 000 ■ 🌡 30 à 49 F

« Suivez-moi, jeune homme... » C'est, à la contempler, ce que semble dire cette bouteille un peu acidulée, très ouverte on l'aura compris et qui vous prend par le bras. Sa robe ne sort pas de chez n'importe qui. Parfums rituels : minéral, amande et coing.

🗝 Béatrice et Jean-Michel Drouin, Dom. des Gerbeaux, 71960 Solutré-Pouilly, tél. 03.85.35.80.17, fax 03.85.35.87.12 ☒ Ŷ r.-v.

DOM. DU GRAND PRE Solutré 1997★

□ 0,66 ha 3 000 ■ 🌡 20 à 29 F

Né d'une vendange bien mûre, ce solutré vous récompense de vos efforts après l'ascension de la fameuse Roche. Il sent bon le miel et la fleur blanche. Sa rondeur et son gras ont un accent truffé. Que vous soyez de gauche ou de droite, cette bouteille mettra tout le monde d'accord.

🗝 Philippe Desroches, Lot. Le Grand-Pré, 71960 Solutré-Pouilly, tél. 03.85.35.86.94, fax 03.85.35.86.62 ☒ Ŷ r.-v.

CAVE DES GRANDS CRUS BLANCS
Vinzelles 1998★★

□ 19,17 ha 50 000 ■ 🌡 30 à 49 F

Titulaire d'un coup de cœur pour un 88, cette coopérative signe ici un 98 d'une qualité nettement supérieure à la moyenne. Jaune clair, ce mâcon-villages nous entraîne dans la campagne, parmi les senteurs de genêt et de fougère. Riche et complexe, il est surtout très harmonieux. Notez aussi le **mâcon-Loché 98**, une étoile, qui plaira à une volaille en sauce.

🗝 Cave des Grands Crus blancs, 71680 Vinzelles, tél. 03.85.35.61.88, fax 03.85.35.60.43 ☒ Ŷ r.-v.

DOM. DE LA CROIX SENAILLET
Davayé 1997★

□ n.c. 5 000 ■ 🌡 30 à 49 F

Acquises il y a tout juste dix ans, ces parcelles ont permis d'élargir l'éventail des vins du domaine. N'attendez pas ici l'orchestre philharmonique, mais plutôt la sonate pour flûte, clavecin et basse obligée. Une musique légère, frivole, fruitée qui s'envole assez vite mais pleine de grâce et d'esprit.

🗝 GAEC Maurice Martin et Fils, 71960 Davayé, tél. 03.85.35.82.87, fax 03.85.35.87.22 ☒ Ŷ r.-v.

🗝 Richard et Stéphane Martin

DOM. DE LALANDE Chaintré 1997★

□ 1,5 ha 10 500 ■ 🌡 30 à 49 F

Il décolle bien. D'abord floral, sous une robe pâle, il utilise à fond son acidité pour prendre de l'ampleur et du volume tout en restant accessible. Ce sentiment de plénitude marque la bouche. On a affaire à un vin qui n'entend pas passer inaperçu. Destiné à une nourriture consistante.

🗝 Dominique Cornin, chem. du Roy-de-Croix, 71570 Chaintré, tél. 03.85.37.43.58, fax 03.85.37.43.58 ☒ Ŷ r.-v.

DOM. LANEYRIE 1997

□ 1 ha 2 000 ■ 🌡 30 à 49 F

Vif, nerveux, il ne tient pas en place. Or clair, le nez d'un assez bon fruit assorti de grillé (encore qu'élevé en cuve), il a davantage d'élan que de souffle. 97 typé, en tout cas. Ce domaine fut deux fois coup de cœur dans les éditions 89 et 92.

🗝 Dom. Edmond Laneyrie, Le Bourg, 71960 Solutré-Pouilly, tél. 03.85.35.87.26, fax 03.85.35.80.67 ☒ Ŷ r.-v.

FABRICE LAROCHETTE 1997★

□ 0,91 ha 700 ■ 30 à 49 F

A goûter car il est bon. Mais atypique : il sauvignonne comme s'il avait pris la Loire pour la Saône. Plein et fruité, vineux, il se boit sans remords et on l'imagine sans peine sur un plat en sauce blanche.

🗝 Fabrice Larochette, Les Robées, 71570 Chaintré, tél. 03.85.32.90.78, fax 03.85.32.90.41 ☒ Ŷ r.-v.

DOM. LA SOUFRANDISE
Fuissé Le Ronté 1997★

□ 1 ha 6 000 ■ 🛢 🌡 50 à 69 F

Coup de cœur dans le Guide 1995 pour son 92, ce domaine permet régulièrement d'apprécier des vins de qualité. On est ici en présence d'un 97 subtil durant la croisière, porté par des parfums floraux qui gonflent ses voiles. Du fruit de la passion à l'abordage. Des agrumes en finale.

🔑 Françoise et Nicolas Melin, Dom. La Soufrandise, 71960 Fuissé, tél. 03.85.35.64.04, fax 03.85.35.65.57 ☑ 🍷 r.-v.

LA TOUR PENET
Péronne Fût de chêne 1997*

☐	2 ha	5 000	🛢	30 à 49 F

Ancienne propriété de la famille de Lamartine et d'Alphonse qui s'en sépara en 1848. Un 97 que le fût porte dans ses bras. Il ne manque pas d'attraits. La fleur, la noisette, les fruits mûrs (agrumes), lui font escorte dans une rondeur de bon aloi.

🔑 Marie-Odile Janin, La Tour Penet, 71260 Péronne, tél. 03.85.36.94.01 ☑ 🍷 r.-v.

CH. DE LA TOUR PENET 1998

☐	n.c.	n.c.	🍾	30 à 49 F

Les fruits de mer pour ce 98 très frais, acide sur l'agrume, sans excès à l'œil, au nez (évolution vers la pêche) et en bouche. Agressif ? Sans doute mais voyez son âge, et les crustacés ont besoin d'un petit coup d'aiguillon.

🔑 Jacques Charlet, 71570 La Chapelle-de-Guinchay, tél. 03.85.36.82.41, fax 03.85.33.83.19

LE BERCEAU DU CHARDONNAY
Chardonnay Les Beauvois 1996

☐	1 ha	4 000	🛢	30 à 49 F

Ah ! oui, il se défend bien. Paille intense, avec des arômes simples et francs, végétaux et boisés. Bien construite, la matière est mise en valeur par l'acidité. Son âge n'empêche pas ce 96 de se montrer vif. Doit être bu maintenant.

🔑 Daniel Nouhen, Les Teppes, 71700 Chardonnay, tél. 03.85.40.52.82, fax 03.85.40.52.82 ☑ 🍷 r.-v.

DOM. LES COMBELIERES Clessé 1997

☐	8 ha	n.c.	🍾	30 à 49 F

Ses opinions sont déclarées. Jaune soutenu, il ne déteste pas le doré. Entre le beurre et la poire, le bouquet sait se montrer fort civil. Un vin franc et bien ouvert, équilibré comme une petite église romane de la région.

🔑 EARL Claudius Rongier et Fils, rue du Mur, 71260 Clessé, tél. 03.85.36.94.05, fax 03.85.36.94.05 ☑ 🍷 r.-v.

CH. DE LEYNES 1997

☐	1 ha	12 000	🍾🌡	30 à 49 F

Une bouteille qui n'attendra pas cent sept ans car elle évolue un peu. Cependant, son gras et sa puissance, son équilibre assez subtil, son petit côté citronné plaident à coup sûr en sa faveur. Une andouillette mâconnaise ne verra aucun inconvénient à partager son sort.

🔑 Jean Bernard, Les Correaux, 71570 Leynes, tél. 03.85.35.11.59, fax 03.85.35.13.94 ☑ 🍷 t.l.j. sf dim. 9h-12h 14h-18h

CH. LONDON Igé 1996**

☐	n.c.	8 000	🛢	30 à 49 F

Coup de cœur dans le Guide 1990 pour le millésime 87, ce domaine propose un vin qui fait toujours bonne impression. Pointe d'alcool, notes acidulées et d'agrumes mûrs, l'ensemble se met bien en place. Notez le millésime, déjà respectable et qui se tient bien, d'une couleur encore très claire.

🔑 Carpi-Gobet, Le Martoret, 71960 Igé, tél. 03.85.33.32.47, fax 03.85.33.43.60 ☑ 🍷 r.-v.

CAVE DE LUGNY
Chardonnay Réserve du millénaire 1998**

☐	n.c.	n.c.	🍾🌡	30 à 49 F

Les caves de Lugny et de Chardonnay ont uni leur destin il y a six ans. Mariage en blanc, et quels beaux enfants ! Cette Réserve du millénaire (les mille ans du village de Chardonnay) fera honneur à l'an 2000 par la même occasion pour son élégance et sa spontanéité. Un très joli fruit charnu, bien structuré. Bravo ! On recommande également le **mâcon-lugny 97 Les Charmes** ainsi que la **cuvée Eugène Blanc 97**, tous deux une étoile.

🔑 Cave de Lugny, rue des Charmes, B.P. 6, 71260 Lugny, tél. 03.85.33.22.85, fax 03.85.33.26.46, e-mail commercial@cave-lugny.com ☑ 🍷 r.-v.

LES VIGNERONS DE MANCEY
Vieilles vignes 1997

☐	n.c.	n.c.	🍾🌡	30 à 49 F

Limpide et or gris, très parfumé et particulièrement éveillé au nez, un vin rond et charnu, net et gourmand, qui n'épilogue pas indéfiniment. Restera une réussite dans les deux ans.

🔑 Cave des Vignerons de Mancey, R.N. 6, B.P. 55 , 71700 Tournus, tél. 03.85.51.00.83, fax 03.85.51.71.20 ☑ 🍷 r.-v.

ALAIN NORMAND
La Roche-Vineuse 1997*

☐	1 ha	2 000	🛢	50 à 69 F

Or pâle et brillante, une bouteille dont on aime à saluer les nuances. Le nez complexe et la bouche aromatique jouent sur les fleurs blanches. C'est fin, harmonieux, et le bois est soutenu par la structure - et non l'inverse comme trop souvent. Le boisé fin est bien mené.

🔑 Alain Normand, La Grange-du-Dîme, 71960 La Roche-Vineuse, tél. 03.85.36.61.69, fax 03.85.51.60.97 ☑ 🍷 r.-v.

DOM. DES PERELLES Chaintré 1997

☐	2 ha	2 000	🍾🛢	30 à 49 F

Ce fut un coup de cœur sur notre édition 1994, millésime 91. Ce chaintré n'a pas un immense caractère mais, comparé à bien des vins présents, il franchit la barre et se laisse boire. Bon vin pour un fromage de chèvre. Jolis reflets et bouquet à approfondir.

🔑 Jean-Marc Thibert, Les Pérelles, 71680 Crèches-sur-Saône, tél. 03.85.37.14.56, fax 03.85.37.46.02 ☑ 🍷 r.-v.

PASCAL ROLLET Solutré-Pouilly 1997**

☐	1,18 ha	9 500	🍾🌡	30 à 49 F

« Je me suis installé seul en 1982, sans formation et sans connaître le métier », nous confie ce courageux vigneron. On peut affirmer qu'il s'y est mis avec succès car son solutré-pouilly est un petit chef-d'œuvre. Il muscate un peu, comme cela arrive ici. Riche, ample et longue, la bouche

est particulièrement plaisante. Une bouteille à servir pendant trois ou quatre ans.
☛ Pascal Rollet, hameau de Pouilly, 71960 Solutré-Pouilly, tél. 03.85.35.81.51, fax 03.85.35.86.43 ☑ Ⲧ t.l.j. 8h-19h

DOM. DU ROURE DE PAULIN
Fuissé 1997★

	0,3 ha	2 800	☷▮◨◈ 30 à 49 F

Celui-ci sait faire sa cour. Paré d'or brillant, il ne fait pas étalage de complexité, mais il accorde le vin et le bois en un fondu bien enchaîné. Peu de longueur, mais il est vrai que son propos n'est pas de durer plus d'une année.
☛ Jean-Claude du Roure, 71960 Fuissé, tél. 03.85.35.65.48, fax 03.85.35.68.50 ☑ Ⲧ r.-v.

DOM. SAINT-DENIS Chardonnay 1997★

	2 ha	7 000	▮◨◈ 30 à 49 F

Un chardonnay de Chardonnay, vif comme la brise de printemps, un peu coupant (dira-t-on aligotant ?) mais qui ne gêne en rien la conversation sous un parasol. Pour l'apéritif. Un mérite supplémentaire : la bouteille n'est pas impatiente et pourra vieillir au moins un an encore.
☛ Hubert Laferrère, Dom. Saint-Denis, 71260 Lugny, tél. 03.85.33.24.33, fax 03.85.33.25.02 ☑ Ⲧ r.-v.

RAPHAEL ET GERARD SALLET
Chardonnay 1997

	0,5 ha	5 000	▮◨◈ 30 à 49 F

Sur le domaine, un vieux cèdre passé à trépas a été sculpté en saint Vincent. On pense à l'*Orme à Manon* sur les quais de Chalon. Quant à ce vin, il est bien coloré, d'un citron discret, un peu vif tout en étant équilibré, chèvrefeuille en finale.
☛ EARL R. et G. Sallet, rte de Chardonnay, 71700 Uchizy, tél. 03.85.40.50.45, fax 03.85.40.58.05 ☑ Ⲧ r.-v.

DOM. GERALD ET PHILIBERT TALMARD Uchizy 1997★

	8 ha	77 000	▮◨◈ 20 à 29 F

Uchizy... On prétend que les habitants du pays (entre Mâcon et Tournus sur l'autoroute A 6) seraient des Sarrasins établis ici depuis des siècles. Cela dit, leur vin est très réussi. Il possède un bouquet expressif (miel, truffe) et tout le gras du cépage semble s'être mobilisé en bouche.
☛ EARL Gérald et Philibert Talmard, rue des Fosses, 71700 Uchizy, tél. 03.85.40.53.18, fax 03.85.40.53.52, e-mail gérald.talmard@wanadoo.fr ☑ Ⲧ r.-v.

DOM. DU TERROIR DE JOCELYN
Bussières 1998

	n.c.	5 000	▮◨◈ 30 à 49 F

Le Terroir de Jocelyn ! Autant dire lamartinien. L'abbé Dumont bénit cette bouteille du haut du paradis car son purgatoire est sans doute achevé. Un rien muscaté, avec de l'acacia et même de la truffe, un 98 d'une teinte pâle et qui est bien fruité. Ne pas y chercher le gras. Destiné à un « bouton de culotte », petit fromage sec.
☛ Daniel et Annie Martinot, EARL du Terroir de Jocelyn, Les Fuchats, 71960 Bussières, tél. 03.85.36.65.05, fax 03.85.36.65.05 ☑ Ⲧ r.-v.

DOM. THIBERT PERE ET FILS 1997★

	1,3 ha	11 000	▮◨◈ 30 à 49 F

Ce domaine ne laisse pas indifférent. Ce 97 n'a pas trop d'intensité à l'œil et au nez, mais un palais bien rempli dans une harmonie quelque peu poivrée. En **mâcon-fuissé**, un autre **97** obtient la même note. Robe très jaune, tirant sur le vert, nez réservé et arômes de fleur d'oranger. Un vin gouleyant et heureux de vivre.
☛ GAEC Dom. Thibert Père et Fils, Au Bourg, 71960 Fuissé, tél. 03.85.35.61.79, fax 03.85.35.66.21, e-mail domthib@clubinternet.fr ☑ Ⲧ r.-v.

THORIN
Commanderie des Sarments du Mâconnais 1998

	n.c.	80 000	30 à 49 F

Commanderie des Sarments du Mâconnais, Thorin, Mommessin. Ou la famille des vins Boisset en Mâconnais. L'étiquette est un peu kitsch. Le vin, en revanche, se montre très agréable sur des notes de fruits à noyau (pêche jaune bien mûre) et sous un doré appétissant. Encore vif et - comme c'est un 98 - à laisser reposer un peu.
☛ Mommessin, Le Pont des Samsons, 69430 Quincié-en-Beaujolais, tél. 04.74.69.09.30, fax 04.74.69.09.28, e-mail mommessin@mommessin.com Ⲧ r.-v.

DIDIER TRIPOZ 1997★

	1 ha	5 000	▮ 30 à 49 F

Couleur mâcon, il se dissimule à peine derrière un beau nez d'agrumes et de fleurs blanches. Équilibré, gras mais vif, il est tout en devenir et à conjuguer au futur. On ne devrait pas être déçu.
☛ Didier Tripoz, 450, chem. des Tournons, 71850 Charnay-lès-Mâcon, tél. 03.85.34.14.52, fax 03.85.34.14.52 ☑ Ⲧ r.-v.

CH. D'UXELLES 1997

	3,75 ha	8 000	30 à 49 F

D'Uxelles : les gastronomes nous auront compris. C'est par ici, à Cormatin dit-on, que sont nées les meilleures recettes de cuisine de la région et la fameuse préparation « à la duxelle » au sein de la famille du même nom. Quant au vin, pour l'accompagner, il est d'un bel or gris-vert, d'un chèvrefeuille capiteux et d'une longueur fruitée. A boire maintenant.
☛ Alfred de La Chapelle, Ch. d'Uxelles, 71460 Chapaize, tél. 03.85.50.16.71, fax 03.85.50.15.10 ☑ Ⲧ r.-v.

DOM. VESSIGAUD Fuissé 1997★

	2 ha	15 000	▮ 30 à 49 F

On reconnaît sans peine un 97, jaune ambré un peu pâle, peau d'orange moyennement intense mais qui coule de source sur la langue. Assez court, mais ce n'est pas un travail de façade. Il existe quelque chose qui le différencie des autres, à niveau égal bien sûr. Un mâcon-fuissé n'est pas très éloigné des crus plus élevés dans la hiérarchie.
☛ Dom. Vessigaud Père et Fils, Hameau de Pouilly, 71960 Solutré-Pouilly, tél. 03.85.35.81.18, fax 03.85.35.84.29 ☑ Ⲧ t.l.j. 8h30-12h 13h30-19h

Viré-clessé

Nouvelle appellation communale née le 4 novembre 1998, viré-clessé a de solides ambitions en matière de vins blancs. La délimitation porte sur 552 ha, dont 401,6 sont actuellement plantés. Les dénominations mâcon-viré et mâcon-clessé disparaîtront en 2002.

MOMMESSIN 1998

☐ n.c. 30 000 ▮ 50 à 69 F

Une nouvelle étiquette pour les collectionneurs ! Elle porte ici le nom de Mommessin, une maison mâconnaise entrée dans le cercle de famille des vins Boisset et qui signe le premier viré-clessé du Guide. Un vin réussi et qui témoigne de la vérité dans le terroir. Assez riche, assez plein, dans une minéralité un peu poivrée.

🔑 Mommessin, Le Pont des Samsons, 69430 Quincié-en-Beaujolais, tél. 04.74.69.09.30, fax 04.74.69.09.28, e-mail mommessin@mommessin.com 🍸 r.-v.

Pouilly-fuissé

Le profil des roches de Solutré et Vergisson s'avance dans le ciel comme la proue de deux navires ; à leur pied, le vignoble le plus prestigieux du Mâconnais, celui de pouilly-fuissé, se développe sur les communes de Fuissé, Solutré-Pouilly, Vergisson, et Chaintré. La production atteint 43 256 hl en 1998.

Les vins de Pouilly ont acquis une très grande notoriété, notamment à l'exportation, et leurs prix ont toujours été en compétition avec ceux des chablis. Ils sont vifs, pleins de sève et parfumés. Lorsqu'ils sont élevés en fût de chêne, ils acquièrent en vieillissant des arômes caractéristiques d'amande grillée ou de noisette.

ANDRE AUVIGUE La Frairie 1997★★

☐ 0,37 ha 3 000 ▮ ⦶ 🌡 70 à 99 F

Un bon profil de l'appellation. Du relief comme dans le paysage. Limpidité, finesse florale, boisé léger, franchise, gras, prolongement agréable, voici un 97 bien typé et destiné à un beau poisson.

🔑 André Auvigue, 71960 Solutré-Pouilly, tél. 03.85.35.80.80, fax 03.85.34.75.88 🅥 🍸 r.-v.

PAUL BROYER Les Vigneraies 1998

☐ 0,65 ha 3 500 ▮ 🌡 50 à 69 F

Reflet du millésime sous une robe d'intensité moyenne, un vin qui se cherchait encore lors de notre dégustation. Seul le bouquet avait déjà beaucoup d'histoires à raconter : du coing, de la pomme golden. Légère pointe de gaz, mais cela a dû disparaître à l'heure qu'il est. Rondeur et ampleur satisfaisantes selon notre pronostic.

🔑 Paul Broyer, 71960 Solutré-Pouilly, tél. 04.74.06.10.10, fax 04.74.66.13.77 🅥 🍸 r.-v.

CHANSON PERE ET FILS 1997★

☐ n.c. 8 000 ▮ 🌡 70 à 99 F

La constance est une belle qualité au royaume des grands vins. Cette vieille maison beaunoise n'a pas à revoir sa copie, tant s'en faut. Agrumes et fruits blancs, ce 97 vit dans un très bon équilibre. Il a de la sincérité bien sûr, mais également du gras et de l'ampleur, de la personnalité.

🔑 Chanson Père et Fils, 10, rue du Collège, 21200 Beaune, tél. 03.80.22.33.00, fax 03.80.24.17.42, e-mail tmarion@vins-chanson.com 🍸 r.-v.

CHRISTIAN COLLOVRAY ET JEAN-LUC TERRIER La Roche Vieilles vignes 1997★★

☐ n.c. 10 000 ▮ ⦶ 70 à 99 F

Il pratique à merveille l'art du bouquet. Beurre frais brioché, pamplemousse, vanille, il s'ouvre avec une générosité remarquée. De l'attaque à la finale, un récital. A boire ou à garder, un excellent produit dont le millésime 96 fut jugé coup de cœur l'an dernier. Suivi dans la qualité : confiance !

🔑 Les vins des Personnets, 71960 Davayé, tél. 03.85.35.86.51, fax 03.85.35.86.12

DOM. CORDIER PERE ET FILS Vers Cras 1997★★

☐ 0,3 ha 1 200 ⦶ 150 à 199 F

Nous avons dégusté et apprécié les **Vignes Blanches 97**, le **Métertière 97** et, toujours en 97, le pouilly-fuissé sans dénomination particulière. Tout cela se tient autour des deux étoiles ; vers Cras, tout en force et puissance, possède un bouquet de cire d'abeille et un boisé discret, un fruit éblouissant, une concentration au maximum et une longueur remarquable. Coup de cœur l'an dernier pour son 96, le domaine a de l'allant.

🔑 Dom. Cordier Père et Fils, 71960 Fuissé, tél. 03.85.35.62.89, fax 03.85.35.64.01, e-mail domcordier@aol.com 🅥 🍸 r.-v.

DOM. CORSIN 1997★★

☐ 3,5 ha 18 000 ▮ ⦶ 🌡 70 à 99 F

Par notre coup de cœur 1993 (millésime 90), un vin qui pourrait jouer l'arbitre des élégances. Parfaitement paré, bouqueté avec distinction (discret floral, léger minéral, tout en éveil). Un peu fermé au départ, il s'impose au palais. Boisé, mais en finesse, il connaît le pas de danse !

🔑 Dom. Corsin, Les Plantés, 71960 Davayé, tél. 03.85.35.83.69, fax 03.85.35.86.64 🅥 🍸 r.-v.

GEORGES DUBŒUF 1996★

□ n.c. 14 000 ▮ ⦀ 🌡 50 à 69 F

Si rond, si gras, si riche... C'est bien volontiers qu'on servira ce vin. Sa forte structure en fait un vin de garde. Fortement boisé : seules quelques notes iodées percent actuellement à travers le grillé. L'attendre trois ou quatre ans.

🔑 Les Vins Georges Dubœuf, La Gare, B.P. 12, 71570 Romanèche-Thorins, tél. 03.85.35.34.20, fax 03.85.35.34.25 ☑ 🍷 t.l.j. 9h-18h; f. janv.

DUPOND D'HALLUIN 1998★

□ n.c. n.c. ▮ 30 à 49 F

Bien jeune et à attendre. La robe se présente agréablement, avec un disque brillant. Parfum de jasmin et d'agrumes. Bouche d'une efficacité remarquable, rappelant l'amande, la noisette dans une atmosphère fraîche, accueillante.

🔑 Dupond d'Halluin, B.P. 79, 69653 Villefranche, tél. 04.74.60.34.74, fax 04.74.68.04.14

CH. FUISSE Vieilles vignes 1997★★

□ 8 ha 15 000 ⦀ 100 à 149 F

Coup de cœur dans les éditions 1989 et 1998 pour des millésimes 86 et 95, il nous offre encore un bon vin. Si son nez reste sur des arômes boisés, un vanillé très fin cependant, sa bouche a trouvé sa voie : un 97 gras et long. On n'en voit pas le bout. Signalons également le **97** « tout court » (le précédent est « vieilles vignes »), un peu plus léger mais très réussi. La hiérarchie est respectée. Quant aux **Combettes 97**, délicieuses, elles retrouvent le rang des deux étoiles.

🔑 SC Ch. de Fuissé, 71960 Fuissé, tél. 03.85.35.61.44, fax 03.85.35.67.34, e-mail jean-jacques.vincent@wanadoo.fr ☑ 🍷 r.-v.

🔑 Jean-Jacques Vincent

DOM. DES GERBEAUX
Aux Chailloux 1997★

□ n.c. 800 ⦀ 50 à 69 F

Un coup de cœur dans les 1998 et 1999. Pureté de la robe, bravo ! Le nez se débrouille assez bien de la mission impartie. Fleurs et fruits variés, et boisé modéré. Destiné à l'apéritif. **Champ roux 97** : sympathique, il reçoit une étoile.

🔑 Béatrice et Jean-Michel Drouin, Dom. des Gerbeaux, 71960 Solutré-Pouilly, tél. 03.85.35.80.17, fax 03.85.35.87.12 ☑ 🍷 r.-v.

DOM. MARC GREFFET
Cuvée Prestige 1997

□ 0,3 ha 2 000 ⦀ 50 à 69 F

Parmi les vins dégustés, celui-ci nous est apparu comme pouvant vous faire passer un bon moment. Intense et limpide, il propose une petite gamme d'arômes tournant autour de l'écorce de mandarine. Discret grillé. En bouche, de l'enthousiasme mais une finale rapprochée.

🔑 Marc Greffet, 71960 Solutré-Pouilly, tél. 03.85.35.83.82, fax 03.85.35.84.24 ☑ 🍷 r.-v.

LOUIS JADOT Le Mont de Pouilly 1997

□ n.c. 50 000 ⦀ 100 à 149 F

Jadot. On rencontre toujours avec plaisir la famille Gagey. Sa carte de visite est d'un or jaune limpide. Notes de garrigue, d'herbes épicées sur fond grillé. Un vin souple, à attendre pour savoir comment le mariage du bois et de l'alcool va évoluer en cave.

🔑 Maison Louis Jadot, 21, rue Eugène-Spuller, 21200 Beaune, tél. 03.80.22.10.57, fax 03.80.22.56.03, e-mail contact@louisjadot.com ☑ 🍷 r.-v.

DOM. DE LA FEUILLARDE
Vieilles vignes 1997★

□ 0,6 ha 3 000 ⦀ 50 à 69 F

Ce n'est pas une lettre d'amour en douze feuillets, mais un charmant billet doux. Avec de beaux sentiments, des pétales de rose en forme de bouquet, et un style empli de miel juste avant la signature. Une bouteille dont la rondeur est soutenue par une bonne structure. A déboucher le jour de la Saint-Valentin !

🔑 Lucien Thomas, Dom. de La Feuillarde, 71960 Prissé, tél. 03.85.34.54.45, fax 03.85.34.31.50 ☑ 🍷 t.l.j. 8h-12h 13h-19h

DOM. LAPIERRE Vieilles vignes 1996★★

□ 1 ha 2 000 ⦀ 70 à 99 F

Un vrai pouilly-fuissé ! Malgré son millésime, il garde une flamme très jeune. Présentation impeccable, arômes de miel d'acacia, typicité parfaite grâce à la balance du gras et de l'acidité, à la discrétion de l'alcool, à un boisé bien fondu. Parmi les meilleurs.

🔑 Michel Lapierre, 71960 Solutré-Pouilly, tél. 03.85.35.80.45, fax 03.85.35.87.61 ☑ 🍷 r.-v.

DOM. LA SOUFRANDISE
Levrouté Vieilles vignes 1997★

□ 0,7 ha 3 500 ▮ ⦀ 🌡 100 à 149 F

Coup de cœur il y a deux ans pour son 95, ce domaine vit dans le souvenir napoléonien car il fut fondé par un chef de bataillon de sa Jeune Garde. Une bouteille charmeuse, dorée, beurrée. Elle a du gras, de la puissance, un boisé bien conduit. Un peu de sucre résiduel la rend atypique. A servir avec une nourriture riche ou en apéritif.

🔑 Françoise et Nicolas Melin, Dom. La Soufrandise, 71960 Fuissé, tél. 03.85.35.64.04, fax 03.85.35.65.57 ☑ 🍷 r.-v.

ROGER LASSARAT
Clos de France 1997★★

□ 0,95 ha 5 000 ⦀ 70 à 99 F

Un classique de l'appellation. Plus typé bourgogne que pouilly-fuissé, mais de grande classe. Brillance superbe, aubépine et amande grillée, il est tout à la fois rond, structuré et acide (pour bien vieillir), accompagné d'un boisé bien maîtrisé, fondu. Fait honneur à son nom. La **cuvée Prestige** est elle aussi de grande personnalité, au meilleur niveau en 97 et à garder pour une grande occasion.

🔑 Roger Lassarat, Le Martelet, 71960 Vergisson, tél. 03.85.35.84.28, fax 03.85.35.86.73 ☑ 🍷 r.-v.

DOM. LES VIEUX MURS 1997★

□ 4 ha 14 000 ⦀ 50 à 69 F

97 comme il n'est pas permis... Ronde, souple et faible en acidité, la bouteille a de l'éclat, du

parfum (abricot, pêche en dominante) et un arrière-plan habituel en pareil lieu : minéral, gras. A boire dans les deux ou trois ans.
⊶ Jean-Paul Paquet, 71960 Fuissé, tél. 03.85.35.63.65, fax 03.85.35.67.50 ☒ Y r.-v.

LES VIEUX MURS 1997*

□ n.c. n.c. ⦀ 50 à 69 F

Le millésime 91 reçut le coup de cœur. Ce 97 se partage entre le coing, la vanille et le miel. Relativement persistant, un peu sec, il n'a pas les épaules très larges mais l'équilibre est solide. A attendre un à deux ans.
⊶ Ets Loron et Fils, Pontanevaux, 71570 La Chapelle-de-Guinchay, tél. 03.85.36.81.20, fax 03.85.33.83.19, e-mail vinloron@wanadoo.fr

RICHARD LUQUET 1997

□ 72,95 ha 2 800 ⦀ 50 à 69 F

Les pièces du puzzle sont à rassembler, à ordonner, mais on voit où l'on va car le tableau - la Roche de Solutré bien sûr, en mille pièces ! - se dessine peu à peu. Mise en bouteille récente. Il y a de l'or très brillant dans ce puzzle, du fruit, du tilleul, de l'acacia, de l'amande grillée. On pourrait bien se régaler, mais pas avant... assez longtemps. De garde.
⊶ Richard Luquet, 2816, rte de Davayé, 71850 Charnay-lès-Mâcon, tél. 03.85.34.41.56 ☒ Y r.-v.

DOM. DES MAILLETTES
Les Cruzettes 1997*

□ 0,7 ha 5 000 ▮♁ 50 à 69 F

Un vin aux saveurs complexes et durables. C'est déjà beaucoup. Un peu muscaté mais assez vif, nous épargnant le fût, il chante les fruits, les fleurs, l'herbe fraîche et une pointe exotique. Destiné aux coquillages et crustacés.
⊶ Guy Saumaize, Dom. des Maillettes, 71960 Davayé, tél. 03.85.35.82.65, fax 03.85.35.86.69 ☒ Y r.-v.

PASCAL RENAUD
Cuvée Vieilles vignes 1998**

□ 2 ha 10 000 ▮♁ 50 à 69 F

Un 98 qui retrousse déjà ses manches et prend le bon élan. Or blanc, d'une nuance nette et franche, il suggère la mie de pain, le chèvrefeuille. A défaut d'opulence, il possède une finesse fruitée qu'une touche d'amertume équilibre de façon harmonieuse. **Aux Chailloux 97** reçoivent deux étoiles ; on retrouve toute l'expression du terroir, la fleur blanche, le miel et la fleur d'oranger.
⊶ Pascal et Mireille Renaud, 71960 Solutré-Pouilly, tél. 03.85.35.84.62, fax 03.85.35.87.42 ☒ Y r.-v.

MICHEL REY Les Crays 1997*

□ 0,13 ha n.c. ⦀ 50 à 69 F

Chaleureux, profond, tannique, ce vin possède une structure suffisante pour lui permettre de s'épanouir davantage - et dans la finesse - avec l'âge. Ses reflets dorés sont accentués. Le fût s'exprime façon noisette. Les Crays sont un des *climats* susceptibles de devenir des 1ers crus... Si cette question se règle un jour. Quant aux **Charmes 97, vieilles vignes**, ils sont également conseillés pour leur harmonie. Une étoile (70 à 99 F).
⊶ Michel Rey, Le Repostère, 71960 Vergisson, tél. 03.85.35.85.78, fax 03.85.35.87.91 ☒ Y t.l.j. 8h-12h 13h30-18h

DOM. ROBERT-DENOGENT
Cuvée Claude Denogent 1997**

□ 0,7 ha 2 800 ⦀ 100 à 149 F

Ceux qui nous suivent le savent bien : coup de cœur en 1990 et en 1997, ce viticulteur ne passe pas inaperçu. Et voici encore un pouilly-fuissé très bien fait, boisé avec modération, équilibré en tout et plein d'impulsion, d'une concentration exceptionnelle. On en a discuté pour le coup de cœur, et il en fut tout près.
⊶ Dom. Robert-Denogent, Le Plan, 71960 Fuissé, tél. 03.85.35.65.39, fax 03.85.35.66.69 ☒ Y r.-v.

CAVE PRIVEE D'ANTONIN RODET 1996*

□ n.c. n.c. ⦀ 100 à 149 F

Même si ce 96 a de la bouteille, il pourra se conserver quelques années. Ce qu'on appelle un vin chat. Ronronnant dans le verre, appelant la caresse, d'un beau jaune doré, aux arômes frais et jeunes (noisette, vanille). Sans beaucoup d'ampleur mais plaisant au palais. Exemple de réussite d'un élevage sous bois qui sait rester discret et agréable.
⊶ Antonin Rodet, 71640 Mercurey, tél. 03.85.98.12.12, fax 03.85.45.25.49, e-mail rodet@rodet.com ☒ Y t.l.j. sf sam. dim. 9h-12h 13h30-18h

DOM. DU ROURE DE PAULIN 1997*

□ 4 ha 8 000 ▮⦀♁ 50 à 69 F

Un chêne trône au milieu du blason familial porté sur l'étiquette. Ce 97 est donc conforme à l'héraldique : d'un bel or, nuancé de sinople, mais le boisé est là et bien là. Un trait original : une vendange très mûre, donnant du caractère à ce chardonnay bien né. Petites notes abricotées. Très réussi.
⊶ Jean-Claude du Roure, 71960 Fuissé, tél. 03.85.35.65.48, fax 03.85.35.68.50 ☒ Y r.-v.

DOM. SIMONIN Vieilles vignes 1997**

□ 1 ha n.c. ⦀ 70 à 99 F

Tout vient à point à qui sait attendre. Ne vous précipitez pas sur cette bouteille - du moins après l'achat ! Sa pâleur va se dorer, son nez floral (aubépine, eucalyptus) se développer à partir d'un nid très frais. Au palais, rien que des compliments. Du caractère !
⊶ Dom. Simonin, Le Bourg, 71960 Vergisson, tél. 03.85.35.84.72, fax 03.85.35.85.34 ☒ Y r.-v.

DOM. THIBERT 1997

□ 3 ha 21 400 ⦀ 50 à 69 F

Certains l'aiment chaud... Un bon film. Certains - aussi - aiment le pouilly-fuissé assez marqué par l'alcool, tout corps et tout esprit, pour le chapon. Celui-ci leur plaira. Son nez est fin, racé. Puis il y a du boisé, mais aussi du vin. Il présente une bonne vivacité : le temps fera bien les choses pour l'arrondir.

BOURGOGNE

⊶ GAEC Dom. Thibert Père et Fils, Au Bourg, 71960 Fuissé, tél. 03.85.35.61.79, fax 03.85.35.66.21, e-mail domthib@clubinternet.fr ☑ ⊤ r.-v.

DOM. DES TROIS TILLEULS 1996

☐ 2 ha 10 000 ▮▮ 70 à 99 F

Intéressant pour son âge, car cette appellation s'envole souvent très vite. Sa couleur demeure présente. Son nez caresse le silex. Encore vif et assez riche, il n'a rien perdu de son boisé.

⊶ Paul Beaudet, rue Paul-Beaudet, 71570 Pontanevaux, tél. 03.85.36.72.76, fax 03.85.36.72.02, e-mail paulbeaudet@compuserve.com ☑ ⊤ t.l.j. sf sam. dim. 8h-12h 13h30-17h30; f. août

DOM. DU VAL DES ROCHES
Vieilli en fût de chêne 1997*

☐ 4,5 ha 3 000 ▮▮ 50 à 69 F

Minéralité Vergisson ? Un de nos fins œnologues ne s'y trompe pas et, à l'aveugle, va droit au but. Toujours le chêne mais qui laisse vivre le cépage et le terroir. Un vin élégant, tant par son nez (raisins et abricots secs accompagnés de notes de vanille), que par sa bouche fraîche, minérale, boisée, mais fine.

⊶ Dom. du Val des Roches, Régine et Jacky Moulins, 71960 Vergisson, tél. 03.85.35.81.05 ☑ ⊤ t.l.j. 8h-18h

DOM. DES VIEILLES PIERRES
La Roche Vieilles vignes 1997***

☐ 0,36 ha 2 000 ▮ 🌡 70 à 99 F

Le coup de cœur, et la dégustation était longue... Il sort bon premier de la file. Pourquoi ? Un bouquet formidable : miel, épices, fruits mûrs. Une bouche somptueuse, alliant richesse et complexité. On comprend pourquoi les Américains en sont fous. Capable de rivaliser d'intelligence gustative avec le plus succulent foie gras, demain ou dans cinq ans.

⊶ Jean-Jacques Litaud, Les Nembrets, 71960 Vergisson, tél. 03.85.35.85.69, fax 03.85.35.86.26 ☑ ⊤ r.-v.

CH. VITALLIS Vieilles vignes 1997**

☐ 3 ha 18 000 ▮▮ 70 à 99 F

Demandez « Vieilles vignes ». Pas tellement de puissance mais c'est le petit Jésus en culotte de soie... Dans son berceau aux langes or-vert, il chardonne. Citron léger, églantine, vanille fraîche, un vin d'une rectitude absolue. Il manque seulement d'un peu de gras (millésime 97) mais le fût tout en finesse contribue à son charme.

⊶ Denis Dutron, 71960 Fuissé, tél. 03.85.35.64.42, fax 03.85.35.66.47 ☑ ⊤ r.-v.

Pouilly loché et pouilly vinzelles

Beaucoup moins connues que leur voisine, ces petites appellations situées sur les communes de Loché et Vinzelles produisent des vins de même nature que le pouilly-fuissé, avec peut-être un peu moins de corps. La production a atteint en 1998 1 443 hl en loché et 2 487 hl en vinzelles, uniquement en vins blancs.

Pouilly loché

DOM. CORDIER PERE ET FILS 1997

☐ 0,45 ha 3 000 ▮▮ 50 à 69 F

Or soutenu et brillant, le 97 du domaine Cordier. Ses arômes restent discrets ; ils auraient tendance à beurrer. Le boisé est déjà fondu, correctement réparti entre le nez et la bouche. Quelques notes de coing ponctuent une très bonne persistance. Un vin agréable, à déboucher maintenant.

⊶ Dom. Cordier Père et Fils, 71960 Fuissé, tél. 03.85.35.62.89, fax 03.85.35.64.01, e-mail domcordier@aol.com ☑ ⊤ r.-v.

DOM. DES DUC 1997

☐ 0,6 ha 4 000 ▮▮ 50 à 69 F

Or brillant, un vin élégant et vif, bien équilibré et typé. Il n'attendra pas longtemps.

⊶ Dom. des Duc, La Piat, 71570 Saint-Amour-Bellevue, tél. 03.85.37.10.08, fax 03.85.36.55.75 ☑ ⊤ r.-v.

DOM. GIROUX 1997

☐ 1,2 ha 5 000 ▮ ▮▮ 🌡 50 à 69 F

Neuf mois en fût de chêne. Un petit bout de nez floral sous une robe or pâle et brillant. Vif et élégant en bouche, révélant des saveurs de fruits secs, il n'insiste pas trop sur le gras tout en respectant le caractère du cru. Représentatif et dans la moyenne.

⊶ Yves Giroux, Les Molards, 71960 Fuissé, tél. 03.85.35.63.64, fax 03.85.32.90.08 ☑ ⊤ r.-v.

CAVE DES GRANDS CRUS BLANCS
Délice d'Automne 1996**

☐ 1 ha 6 000 ▮ 🌡 50 à 69 F

Le meilleur pouilly-loché de la dégustation. Sous un nom de fantaisie (« Délice d'Automne »), une typicité excellente tant au

regard de l'AOC que du millésime. Un 96 vif et gras, puissant et complexe, aux accents épicés, aux arômes d'agrumes exotiques. Bien bâti, il peut vieillir encore un an ou deux.
Cave des Grands Crus blancs, 71680 Vinzelles, tél. 03.85.35.61.88, fax 03.85.35.60.43 r.-v.

Pouilly vinzelles

CORON PERE ET FILS
Dom. du Château de Loché 1997*

☐ n.c. 6 000 70 à 99 F

« Cueillez le doux fruit de l'allègre printemps », comme disait le poète espagnol Garcilaso de La Vega. Car voici un vinzelles très fruité, limpide et jeune, si long qu'on n'en voit pas le bout. Il s'exprime peu à peu, et s'améliore sensiblement dans le verre. Discret quant à l'ampleur, mais complexe, un tantinet nerveux. Coron fait partie de l'ensemble Misserey et Jules Belin. Coup de cœur dans le Guide 1995 pour le millésime 92.
Maison Coron Père et Fils, 3, rue des Seuillets, B.P. 10, 21701 Nuits-Saint-Georges Cedex, tél. 03.80.24.78.58, fax 03.80.61.31.40 r.-v.

CAVE DES GRANDS CRUS BLANCS
Les Quarts 1997

☐ 6,85 ha 14 400 50 à 69 F

Un des *climats* de l'appellation, présenté par la coopérative. Il donne un chardonnay bien en couleur, sans grande complexité, mais floral et aimable, au corps cohérent. Petite sensation d'amertume sur la fin. Classique.
Cave des Grands Crus blancs, 71680 Vinzelles, tél. 03.85.35.61.88, fax 03.85.35.60.43 r.-v.

JEAN-JACQUES ET SYLVAINE MARTIN 1997*

☐ 0,3 ha 2 000 30 à 49 F

A boire ou à attendre, ce 97 est un peu particulier, et il s'affirme dans son style puissant, intense, très expressif, gras et soyeux. Un peu de réduction avant aération, un côté surmûri et du sucre résiduel. Cela dit, il a du panache. Déconseillé à l'apéritif car trop expansif pour cette heure, mais capable d'épauler un plat solide.
Jean-Jacques Martin, Les Verchères, 71570 Chânes, tél. 03.85.37.42.27, fax 03.85.37.47.43 r.-v.

DOM. MATHIAS 1997*

☐ 1,13 ha 6 000 50 à 69 F

Une source vive et fraîche, d'un jaune pâle mais profond. Le vin a du fond, et pourtant c'est sa souplesse citronnée qui nous plaît. Les grenouilles de la Dombes s'offriront volontiers à ce 97 qui a du nerf et du répondant.
Dom. Béatrice et Gilles Mathias, rue Saint-Vincent, 71570 Chaintré, tél. 03.85.27.00.50, fax 03.85.27.00.54 r.-v.

DOM. DES PERELLES 1997*

☐ 0,6 ha 2 000 30 à 49 F

Vif à reflets verts, il a un nez intense de fruits frais vanillés, mêlés à des notes discrètes de miel et de cire. L'élevage en fût a été parfaitement maîtrisé. La bouche montre un bon équilibre entre l'acidité et le gras ; sa finale citronnée et longue confirme la typicité de ce vin très réussi.
Jean-Marc Thibert, Les Pérelles, 71680 Crèches-sur-Saône, tél. 03.85.37.14.56, fax 03.85.37.46.02 r.-v.

RENE PERRATON 1997

☐ 0,3 ha 2 000 30 à 49 F

Jaune doré, la robe est brillante, le nez fruité. Puis la bouche se laisse attendre, et finit par exprimer les fruits secs, la cire, sur des notes beurrées. Bon équilibre entre gras et acidité.
Dom. René Perraton, rue du Paradis, Cidex 411, 71570 Chaintré, tél. 03.85.35.63.36, fax 03.85.35.67.45 r.-v.

DOM. THIBERT PERE ET FILS 1997**

☐ 1,1 ha 6 500 50 à 69 F

Notre préféré. Pour des ris de veau, mais ne pressons pas trop la cuisinière. On a tout le temps... D'ici un an, en tout cas, il sera à point. Très jolie robe, nez de miel et d'acacia, bouche accommodante entre l'acidité et le gras. Un peu de grillé, un rien de poire ; une bonne bouteille produite par un domaine que le lecteur aura plaisir à retrouver.
GAEC Dom. Thibert Père et Fils, Au Bourg, 71960 Fuissé, tél. 03.85.35.61.79, fax 03.85.35.66.21, e-mail domthib@clubinternet.fr r.-v.

CH. DE VINZELLES 1997

☐ n.c. n.c. 30 à 49 F

Ce vin ne ressemble pas aux tours carrées du château. Il est au contraire tout en rondeur. Jaune serin, légèrement muscaté, il présente un style assez végétal (foin coupé), après un épisode très fleur blanche. Astringence marquée.
Ets Loron et Fils, Pontanevaux, 71570 La Chapelle-de-Guinchay, tél. 03.85.36.81.20, fax 03.85.33.83.19, e-mail vinloron@wanadoo.fr

Saint-véran

Réservée aux vins blancs produits sur huit communes de la Saône-et-Loire, saint-véran est la dernière née des appellations du Mâconnais (1971). La production, en 1998, de 36 226 hl, peut être située dans la hiérarchie entre le pouilly et les mâcons suivis d'un nom de village. Ces vins sont légers, élégants, fruités, et accompagnent à merveille les débuts de repas.

BOURGOGNE

Produite surtout sur des terroirs calcaires, l'appellation constitue la limite sud du Mâconnais.

AUVIGUE Les Chênes 1997★★

□ n.c. 7 000 ◖◗ 30 à 49 F

Tout en finesse, en harmonie, linéaire sans doute mais droit, élégant. La concentration est moyenne, dans les limites du millésime. Le reste est très agréable : sous une robe cristalline, argentée, des parfums de citron et d'épices et une bouche expressive. Malgré son nom, le chêne de l'élevage reste à sa place. Un bon point de plus.

⊶ Auvigue-Burrier-Revel, Le Moulin du Pont, 71850 Charnay-lès-Mâcon, tél. 03.85.34.17.36, fax 03.85.34.75.88, e-mail vins.auvigue@wanadoo.fr ☑ Y r.-v.

DOM. DES CAVES 1997★

□ 0,53 ha n.c. ▮ 30 à 49 F

Un air de vacances... Ce 97 semble revenir d'un séjour exotique ! Sa peau est bien dorée. Son parfum ? Miel et fleurs séchées, litchi. Dans ce style, c'est vif et léger, typé.

⊶ Jean-Jacques Robin, Dom. des Caves, Les Plantés, 71960 Davayé, tél. 03.85.35.82.96, fax 03.85.35.83.48 ☑ Y r.-v.

CAVE DE CHAINTRE 1998

□ 21 ha 80 000 ▮ 🌡 30 à 49 F

Vendanges sur les derniers jours ? Nos dégustateurs en font le pari. Or gris, ce 98 respire les agrumes et il exprime une certaine chaleur de maturité. L'acidité reste importante et équilibre les bagages du voyageur. Pas grandissime, mais bien fait pour les charcuteries.

⊶ Cave de Chaintré, 71570 Chaintré, tél. 03.85.35.61.61, fax 03.85.35.61.48 ☑ Y r.-v.

DOM. CORSIN 1997★

□ 4,7 ha 37 700 ▮ ◖◗ 🌡 50 à 69 F

Très jolie couleur bien typée du cépage avec ce reflet vert toujours prometteur. Le nez est déjà très ouvert, beurré, floral. Après une attaque plutôt souple, la matière est bien associée au boisé. Le vigneron a su, sur un millésime assez peu structuré, marier parfaitement l'élevage en fût. Bonne longueur.

⊶ Dom. Corsin, Les Plantés, 71960 Davayé, tél. 03.85.35.83.69, fax 03.85.35.86.64 ☑ Y r.-v.

DOM. MICHEL DELORME 1997★★

□ 0,3 ha n.c. ▮ 🌡 30 à 49 F

Voulez-vous voir une maison à galerie typiquement mâconnaise ? Rendez visite à ce producteur. Son saint-véran 97 est excellent, gentiment citronné, riche et gras, bien équilibré et long. En accord avec une blanquette à l'ancienne si l'idée vous séduit.

⊶ Michel Delorme, Le Bourg, 71960 Vergisson, tél. 03.85.35.84.50, fax 03.85.35.84.50 ☑ Y t.l.j. 9h30-19h30

DOM. DES DEUX ROCHES
Les Terres-Noires 1997★★

□ 2,8 ha n.c. ▮ ◖◗ 50 à 69 F

Coup de cœur pour les millésimes 87, 90, 93 et 96, ce domaine est toujours présent. Mais il faut défendre ses couleurs chaque année et remettre le titre en jeu. Ici une couleur « jaune bourgogne » (or à reflets verts), des arômes puissants et avancés (poire notamment, sur fond minéral) ainsi qu'un corps structuré tout en finesse et élégance, d'une remarquable longueur.

⊶ Dom. des Deux Roches, 71960 Davayé, tél. 03.85.35.86.51, fax 03.85.35.86.12 ☑ Y r.-v.

GEORGES DUBŒUF 1997

□ n.c. 12 000 ▮ 🌡 30 à 49 F

Bel or soutenu pour ce vin qui suggère le fruit mûr, l'amande fraîche. Du gras comme il en faut, une persistance honorable, et cette petite note d'amertume en fin de bouche qui ne surprend pas quand on connaît l'appellation. Bouteille à déguster dans l'année.

⊶ Les Vins Georges Dubœuf, La Gare, B.P. 12, 71570 Romanèche-Thorins, tél. 03.85.35.34.20, fax 03.85.35.34.25 Y t.l.j. 9h-18h; f. janv.

DOM. GONON 1997★

□ 0,38 ha 3 300 ▮ 🌡 30 à 49 F

Il ne lâche pas la proie pour l'ombre, celui-ci. Il mord dans le fruit. D'un or vert léger, il présente un nez charmant, miel et aubépine, assez ouvert. Un peu citronné, souple et rond, il est classique et de bonne compagnie.

⊶ Dom. Gonon, 71960 Vergisson, tél. 03.85.37.78.42, fax 03.85.37.77.14 ☑ Y r.-v.

DOM. JEAN GOYON Les Bruyères 1997★

□ 0,32 ha 2 400 ▮ 🌡 30 à 49 F

Fin et simple, assez rond, il illustre Les Bruyères. Au départ, sous décor doré, le nez semble quelque peu confiné. Puis il s'élargit. Evolue. La bouche dit l'essentiel. Avant ou après l'ascension rituelle de la Roche de Solutré, François Mitterrand honorait cette cave de sa présence.

⊶ Jean Goyon, Au Bourg, 71960 Solutré-Pouilly, tél. 03.85.35.81.15, fax 03.85.35.87.03 ☑ Y r.-v.

LES VILLAGES DE JAFFELIN 1997★

□ n.c. 16 000 50 à 69 F

Le saumon frais ? C'est dans cet environnement que ce 97 se plaira le mieux. Or argenté à l'éclat brillant, il joue habilement le fruit jaune, le citron et la vanille. Assez gras et long, il offre un bon retour d'arômes.

⊶ Jaffelin, 2, rue Paradis, 21200 Beaune, tél. 03.80.22.12.49, fax 03.80.24.91.87

DOM. DE LA CERISAIE
Vieilli en fût de chêne 1997★★

□ 1,3 ha 2 500 ◖◗ 30 à 49 F

Tout à fait honnête, ce saint-véran réjouit le regard avant de décliner des notes séveuses d'eucalyptus et de citron. Charpenté, boisé, concentré, complexe, il fait partie du peloton de tête. Sous le couvert de la vanille, la matière est là.

Gérard Besson, En Bossu, 71570 Chânes, tél. 03.85.33.83.27, fax 03.85.33.86.87 r.-v.

DOM. DE LA FEUILLARDE 1997

☐ 6 ha 40 000 30 à 49 F

Bouteille encore fermée, mais c'est le style du domaine : une certaine sécheresse dans la jeunesse, du bonheur ensuite. Tendre, pâle mais brillant, il devra attendre Noël 99 pour s'exprimer.

Lucien Thomas, Dom. de La Feuillarde, 71960 Prissé, tél. 03.85.34.54.45, fax 03.85.34.31.50 t.l.j. 8h-12h 13h-19h

DOM. DE LALANDE 1997

☐ 0,55 ha 40 000 30 à 49 F

Il faut l'attendre. Pas tellement en cave, mais en bouche, dans le verre. Car ce paresseux met du temps à s'éveiller. Il est douillet. Sa finesse soyeuse plaide sa cause en bouche. L'air lui fait du bien.

Dominique Cornin, chem. du Roy-de-Croix, 71570 Chaintré, tél. 03.85.37.43.58, fax 03.85.37.43.58 r.-v.

LA MAISON BLEUE 1997*

☐ n.c. 25 000 30 à 49 F

Une étiquette évoquant un masque du carnaval vénitien. D'une tonalité jaune dépourvue de reflets, c'est un saint-véran relativement corsé, bien dans ses bottes, avec de la fraîcheur affectueuse.

Janny, La Maison Bleue, 71260 Péronne, tél. 03.85.36.97.03, fax 03.85.36.96.58

DANIEL LAROCHETTE 1997**

☐ 1,3 ha 2 000 30 à 49 F

L'andouillette mâconnaise semble indiquée pour faire escorte à ce vin d'un or profond, d'une certaine complexité aromatique à touches florales. La bouche ? Il s'y cale bien, et un peu d'astringence ne nuit pas au tableau. Bref, un vin structuré et d'un bon niveau car le gras est bien présent.

Daniel Larochette, Les Barbiers, 71570 Chânes, tél. 03.85.37.17.45, fax 03.85.37.17.45 r.-v.

ROGER LASSARAT Fournaise 1997*

☐ 0,98 ha 5 000 50 à 69 F

L'année dernière, nous avons goûté le Cras. Autre *climat* cette fois : Fournaise. Quel nom ! Il est vrai que le soleil tape fort sur la vigne... D'où cet or intense, ces arômes suaves de tilleul mêlés à la pierre à fusil, cette bouche grasse et riche. Un peu tannique et donc sec en finale aujourd'hui, il devrait être prêt à Noël 1999. On nous parle d'andouillette braisée pour l'accompagner.

Roger Lassarat, Le Martelet, 71960 Vergisson, tél. 03.85.35.84.28, fax 03.85.35.86.73 r.-v.

LOUIS LATOUR Les deux Moulins 1997*

☐ n.c. 50 000 30 à 49 F

Or argenté, balançant entre l'iode et le silex, un vin d'équerre, à angle droit, où le vif et le gras se répondent et s'équilibrent en un dialogue plaisant. C'est un saint-véran bonhomme et sans complications. A associer à une terrine de poissons, en entrée froide.

Maison Louis Latour, 18, rue des Tonneliers, 21204 Beaune Cedex, tél. 03.80.24.81.00, fax 03.80.22.36.21, e-mail louislatour@louislatour.com r.-v.

CLOS DE L'ERMITAGE Vieilles vignes 1997*

☐ 5 ha 13 000 30 à 49 F

Un 97 bien équilibré sur ses deux jambes, agréable sous tous rapports et d'une netteté très correcte. Quelques nuances de fruits cuits et de la vivacité en bouche.

Jean-Claude Thévenet, Le Bourg, 71960 Pierreclos, tél. 03.85.35.72.21, fax 03.85.35.72.03 t.l.j. sf dim. 7h30-12h 13h30-18h

LES CORNILLAUDS 1997*

☐ 2,5 ha 7 000 50 à 69 F

Un vin attachant. On tourne autour du mot juste et celui-ci s'impose. Or mat, citron frais, légèrement vanillé, il montre ce qui est plutôt rare parmi les 97, de la structure, de la concentration. Capable de durer, très sûr, il est à acheter en toute confiance pour une consommation d'ici un an ou deux.

B. Léger-Plumet, Les Gerbeaux, 71960 Solutré-Pouilly, tél. 03.85.35.80.07, fax 03.85.35.85.95 r.-v.

DOM. DES MAILLETTES La Bruyère 1997*

☐ 1,3 ha 11 000 30 à 49 F

Saumaize. Voir le prénom car ils sont légion. Voici un La Bruyère qui a du caractère, de la concentration. Très saint-véran, or vert, minéral et fermé, la bouche séduisante par son équilibre et sa longueur ; il se tient déjà à table mais ses qualités réelles exigent une attente de deux à trois ans. Ce fut un coup de cœur en 1997 pour un 94.

Guy Saumaize, Dom. des Maillettes, 71960 Davayé, tél. 03.85.35.82.65, fax 03.85.35.86.69 r.-v.

MAISON MACONNAISE DES VINS 1997*

☐ n.c. 18 000 30 à 49 F

Cristallin, argenté, or blanc, un saint-véran dont la simplicité fait la classe. Pour poisson noble sans trop de sauce. Le fruit jaune prend au nez le relais habituel de la robe. Structure et ampleur ne font pas défaut. La Maison mâconnaise des Vins est une vitrine. Le modèle dans cette vitrine correspond à ce qu'on en attend.

Maison Mâconnaise des Vins, 484, av. de Lattre-de-Tassigny, 71000 Mâcon, tél. 03.85.38.36.70, fax 03.85.38.62.51, e-mail maisondesvins@wanadoo.fr t.l.j. 10h-19h; f. 25 déc.-1er mai

GENEVIEVE ET BERNARD MONTEIRO Elevé en fût de chêne 1997*

☐ 2 ha 10 000 30 à 49 F

Une bouteille savoureuse, qu'un léger boisé aide à franchir les étapes successives de la dégustation. Sur un ton calcaire, après une note beurrée et florale en appel, avec une touche de fruits blancs, sa finesse conviendra à un fromage de chèvre mâconnais (le chèvreton, ou le bouton de culotte).

Dom. Bernard et Geneviève Monteiro, En Durandys, 71960 Davayé, tél. 04.85.35.82.40, fax 04.85.35.81.32 r.-v.

DOM. DES PIERRES ROUGES
Vieilles vignes 1997★★

☐ 2,4 ha 5 000 50 à 69 F

Des vignes de cinquante ans, c'est respectable ! Le vin qu'elles produisent ici, même dans un millésime difficile, est un oiseau rare, or pâle. Son bouquet est... gourmand. Souple, avec des arômes de miel et de pâtisserie, il est rond et gras, très agréable et bien typé.

Dom. des Pierres Rouges, La Place, 71570 Chasselas, tél. 03.85.35.12.25, fax 03.85.35.10.96 r.-v.

Jullin

DOM. DU POETE 1997

☐ 4 ha 25 000 30 à 49 F

Le Poète (Jojo Lardet pour les intimes et ils sont nombreux au pays) a confié sa lyre à la maison Paul Beaudet. D'un bel or jaune brillant, ce 97 offre un nez de noix de coco et fleurs blanches ; il se montre souple.

Paul Beaudet, rue Paul-Beaudet, 71570 Pontanevaux, tél. 03.85.36.72.76, fax 03.85.36.72.02, e-mail paulbeaudet@compuserve.com t.l.j. sf sam. dim. 8h-12h 13h30-17h30; f. août

DOM. DES PONCETYS 1998★

☐ 2 ha 17 000 30 à 49 F

Le lycée viticole passe le bac... et il l'obtient avec mention « assez bien ». A l'écrit comme à l'oral, il montre ses qualités. Au nez, fruits secs, semoule au lait avec un rien d'acidité citronnée. En bouche, le coefficient lui permet de marquer le point. Pas trop de concentration, le sujet rêve un peu. Mais il a de l'avenir.

Lycée viticole de Mâcon-Davayé, Les Poncetys, 71960 Davayé, tél. 03.85.33.56.20, fax 03.85.35.86.34, e-mail legta.macon@wanadoo.fr t.l.j. sf dim. 9h-12h 14h-17h30; sam. 9h-13h

GROUPEMENT DES PRODUCTEURS DE PRISSE 1997

☐ 150 ha 500 000 30 à 49 F

« O temps suspends ton vol ! » disait Lamartine, le grand homme du pays. N'en croyez rien, ce 97 est à boire maintenant, sans remettre cette affaire à plus tard. Beurré frais, foin coupé, un vin rapide, pressé, qui ne fait pas de longs discours mais qui manifeste élégance et finesse.

Groupement des Producteurs de Prissé-Sologny-Verzé, 71960 Prissé, tél. 03.85.37.82.53, fax 03.85.37.61.76 r.-v.

DOM. SIMONIN 1997

☐ 0,36 ha n.c. 30 à 49 F

Que de brillance sous notre regard ! Ses arômes font fantasmer. Il a l'acidité du millésime, du fruit cuit en rétro. Complexe, un peu singulier et bien dans l'ensemble.

Dom. Simonin, Le Bourg, 71960 Vergisson, tél. 03.85.35.84.72, fax 03.85.35.85.34 r.-v.

DOM. DES VALANGES
Cuvée hors Classe 1997★★★

☐ 1,65 ha 9 600 50 à 69 F

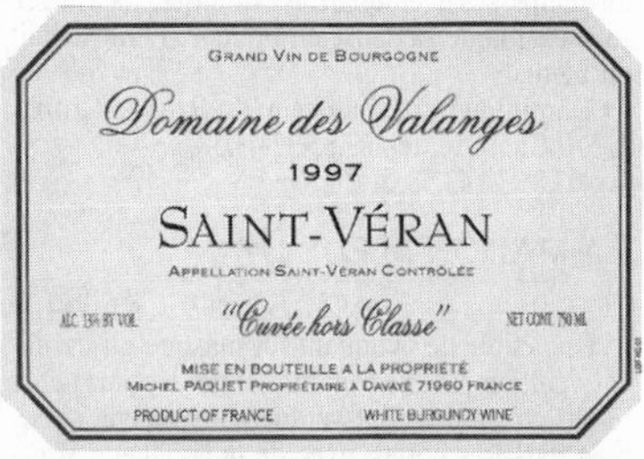
GRAND VIN DE BOURGOGNE
Domaine des Valanges
1997
SAINT-VÉRAN
APPELLATION SAINT-VÉRAN CONTRÔLÉE
"Cuvée hors Classe"
MISE EN BOUTEILLE A LA PROPRIÉTÉ
MICHEL PAQUET PROPRIÉTAIRE A DAVAYÉ 71960 FRANCE
PRODUCT OF FRANCE
WHITE BURGUNDY WINE

Sans prétendre rivaliser avec le *Livre des records*, on signale tout de même que ce domaine reçoit son cinquième coup de cœur en saint-véran, après les millésimes 88, 89, 94 et 95 ! Cuvée hors classe, en effet. C'est bon, terriblement bon. Un vin très lumineux, d'une fraîcheur de fleur et de pain grillé, porté par des accents de pêche. Fin de bouche pleine de gratitude.

Michel Paquet, Dom. des Valanges, 71960 Davayé, tél. 03.85.35.85.03, fax 03.85.35.86.67 r.-v.

DOM. DES VIEILLES PIERRES
Les Pommards 1997★

☐ 0,8 ha 6 000 50 à 69 F

Les Pommards sont l'un des *climats* de l'AOC qui se font peu à peu un nom, et qui, comme Jully, deviendront peut-être un jour des 1ers crus. Pas forcément typé, ce vin très original, harmonieux, est d'une richesse extrême. Vinifié à très basse température ? Sans doute, et cela explique peut-être ce nez de bourgeon de cassis qui nous rappelle un autre... pommard. Intéressant en tout cas. Et un saumon fumé ne lui fera pas peur.

Jean-Jacques Litaud, Les Nembrets, 71960 Vergisson, tél. 03.85.35.85.69, fax 03.85.35.86.26 r.-v.

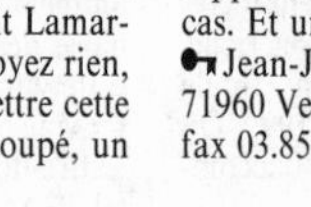

LA CHAMPAGNE

Vin des rois et des princes devenu celui de toutes les fêtes, le champagne s'auréole de la gloire et du prestige de porter dans le monde entier l'élégance et la séduction françaises. Son illustre réputation, il la doit autant à son histoire qu'à ses traits spécifiques qui font que, pour beaucoup, il n'est vin de Champagne que le champagne ; ce n'est pourtant pas si simple...

En effet, la région champenoise, située à moins de 200 km au nord-est de Paris, constitue l'aire délimitée de trois appellations d'origine contrôlée : le champagne, les coteaux champenois et le rosé des riceys, sur une aire spécifique, les deux dernières AOC ne donnant naissance qu'à une centaine de milliers de bouteilles. Cette zone, la plus septentrionale des régions vinicoles de France, s'étend principalement sur les départements de la Marne et de l'Aube, avec de modestes extensions dans l'Aisne, la Seine-et-Marne et la Haute-Marne. Le tout couvre plus de 34 000 ha, dont 31 000 sont effectivement plantés.

De part et d'autre de la Marne, Reims et Epernay se partagent le rôle de capitale du champagne ; la première bénéficie en outre de l'attrait de ses monuments et musées pour attirer la foule des visiteurs qui peuvent découvrir également l'univers surprenant des caves, parfois fort anciennes, des « grandes maisons ».

Un même paysage vallonné se révèle dans tout le vignoble, où l'on distingue cependant traditionnellement quatre régions principales : la Montagne de Reims, où certaines vignes sont orientées au nord, avec des sols sablonneux ; la Côte des Blancs, bénéficiant, aux portes d'Epernay, d'une relative régularité climatique ; la vallée de la Marne, prolongée par le vignoble de l'Aisne (2 000 ha plantés), et qui se coule entre les reliefs crayeux dont les pentes sont couvertes de vignes sur les deux rives, la qualité de la production ne variant guère, contrairement à ce que l'on pourrait croire, selon l'orientation au nord ou au sud ; le vignoble de l'Aube, enfin, à l'extrême sud-est de l'aire d'appellation et séparé des autres secteurs par une zone de 75 km où la vigne n'est pas cultivée. Plus élevé et davantage exposé aux gelées de printemps, il n'en produit pas moins des vins de qualité ; c'est là que se trouve la seule appellation communale : celle du rosé des riceys.

Le retrait de la mer, il y a quelque 70 millions d'années, puis les bouleversements dus aux secousses telluriques ont formé un socle crayeux dont la perméabilité et la richesse en principes minéraux apportent leur finesse aux vins de la Champagne ; une couche superficielle argilo-calcaire recouvre ce socle sur près de 60 % des terroirs actuellement plantés. Dans l'Aube, la composition des sols les rapproche de ceux de la Bourgogne voisine (marnes).

Si le gel - à une telle latitude, les gelées de printemps sont fréquentes - rend difficile la régularité de la production, les écarts climatiques sont cependant tempérés par la présence d'importants massifs forestiers ; ils équilibrent la douceur atlantique et la rigueur continentale, en entretenant une relative humidité. L'absence d'excès de chaleur est également un élément déterminant de la finesse des vins. Le choix des cépages, bien sûr, s'adapte aux variations pédologiques et climatiques. Pinot noir (37,5 % de la surface plantée), pinot meunier (35,5 %), chardonnay (27 %) se partagent les 31 000 ha plantés, où la viticulture et l'élaboration des vins occupent environ 31 000 personnes, dont 15 500 vignerons exploitants.

Après une production relativement faible dans les années 1978, 1980 et 1981, 268,9 millions de bouteilles ont été commercialisées en 1997 et 292 millions en 1998. L'élaboration particulière du champagne sur plusieurs années (en moyenne trois ans et beaucoup plus pour les millésimés) oblige à un stockage proche de 1 milliard de

Champagne

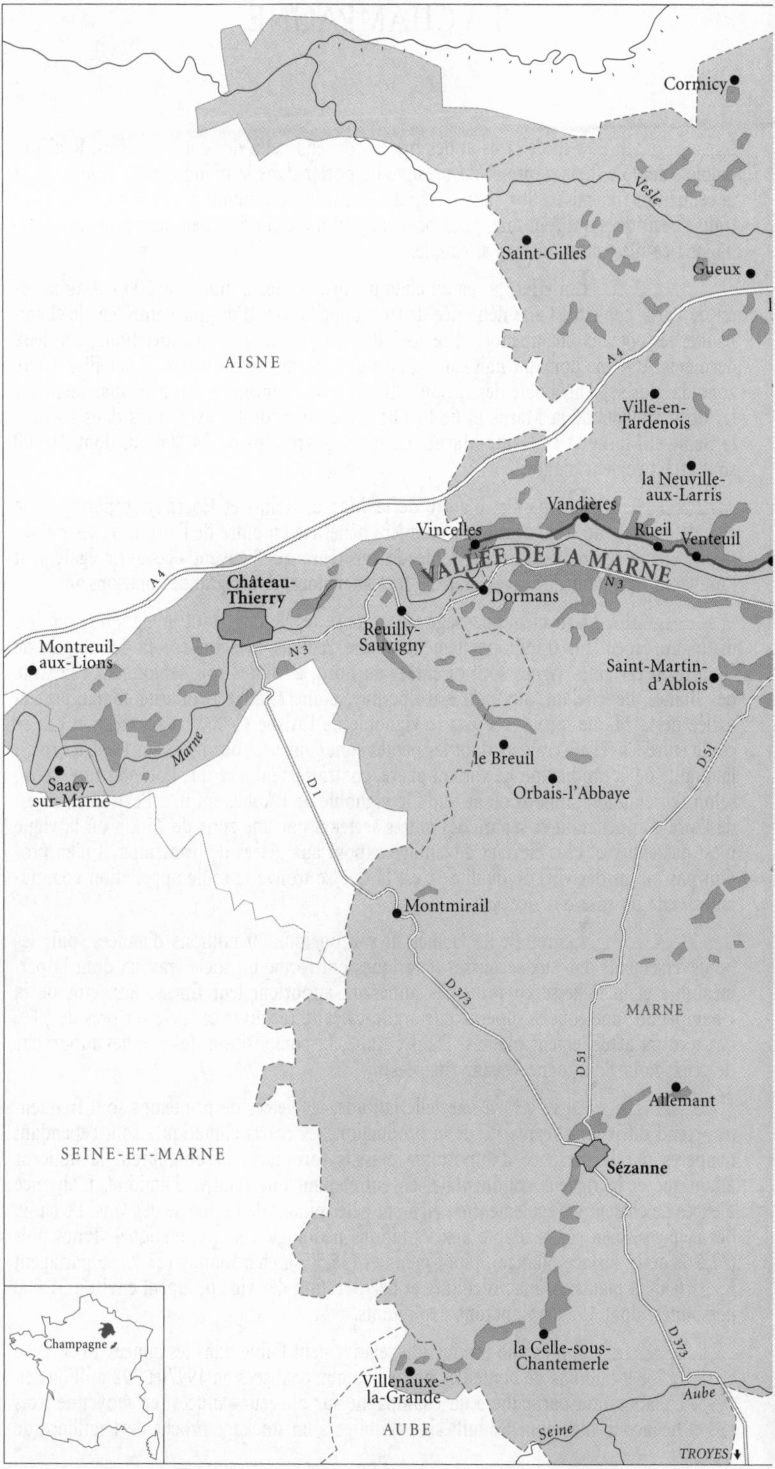
Cormicy
Vesle
Saint-Gilles
Gueux
AISNE
A 4
Ville-en-Tardenois
la Neuville-aux-Larris
Vandières
Vincelles
Rueil
Venteuil
VALLÉE DE LA MARNE
N 3
Château-Thierry
Dormans
Reuilly-Sauvigny
Montreuil-aux-Lions
Saint-Martin-d'Ablois
D 51
le Breuil
Marne
Orbais-l'Abbaye
Saacy-sur-Marne
D 1
Montmirail
D 373
MARNE
Allemant
Sézanne
SEINE-ET-MARNE
Champagne
la Celle-sous-Chantemerle
Villenaux-la-Grande
Aube
AUBE
Seine
TROYES

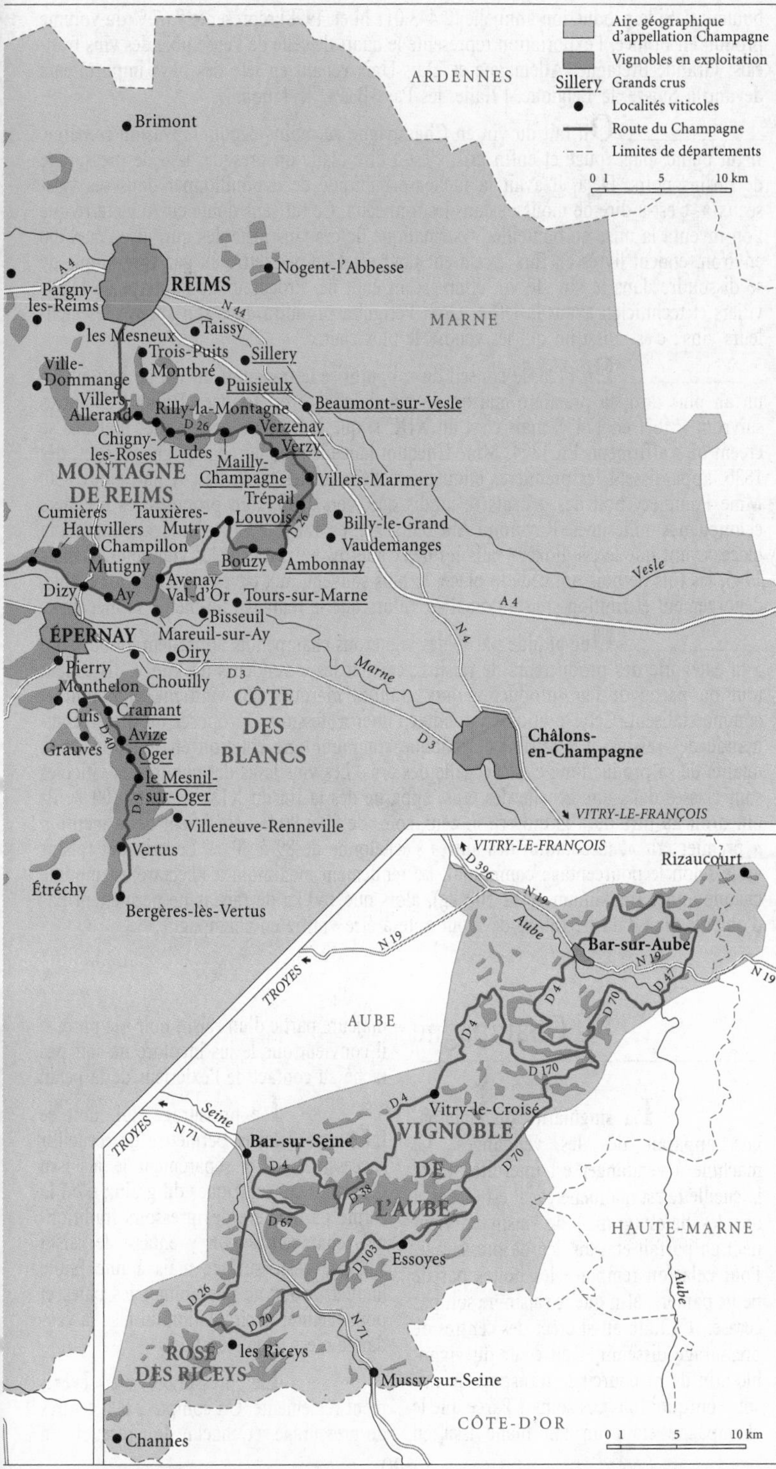

Aire géographique d'appellation Champagne
Vignobles en exploitation
Sillery Grands crus
Localités viticoles
Route du Champagne
Limites de départements
0 1 5 10 km
ARDENNES
MARNE
Brimont
Nogent-l'Abbesse
REIMS
Pargny-les-Reims
les Mesneux
Taissy
Trois-Puits
Sillery
Ville-Dommange
Montbré
Puisieulx
Villers-Allerand
Rilly-la-Montagne
Beaumont-sur-Vesle
Chigny-les-Roses
Ludes
Verzenay
Verzy
Mailly-Champagne
Villers-Marmery
MONTAGNE DE REIMS
Trépail
Cumières
Tauxières-Mutry
Louvois
Billy-le-Grand
Hautvillers
Champillon
Vaudemanges
Mutigny
Bouzy
Ambonnay
Dizy
Ay
Avenay-Val-d'Or
Tours-sur-Marne
Bisseuil
ÉPERNAY
Mareuil-sur-Ay
Oiry
Pierry
Chouilly
Monthelon
CÔTE DES BLANCS
Cuis
Cramant
Avize
Grauves
Oger
le Mesnil-sur-Oger
Villeneuve-Renneville
Vertus
Étréchy
Bergères-lès-Vertus
Châlons-en-Champagne
Vesle
Marne
A 4
N 44
N 4
D 3
D 26
D 40
D 9
VITRY-LE-FRANÇOIS
Rizaucourt
Aube
Bar-sur-Aube
N 19
D 396
D 4
D 47
D 70
D 170
TROYES
AUBE
Vitry-le-Croisé
VIGNOBLE DE L'AUBE
Seine
N 71
Bar-sur-Seine
D 38
D 67
D 103
D 26
Essoyes
HAUTE-MARNE
les Riceys
ROSÉ DES RICEYS
Mussy-sur-Seine
CÔTE-D'OR
Channes
0 1 5 10 km

bouteilles. Si la production annuelle (2 443 011 hl en 1998) représente 9,67 % du volume produit en France, l'exportation représente le quart de celle de l'ensemble des vins français, Grande-Bretagne, Allemagne et Etats-Unis venant en tête des pays importateurs devant la Suisse, la Belgique, l'Italie, les Pays-Bas et le Japon.

On fait du vin en Champagne au moins depuis l'invasion romaine. Il fut blanc, puis rouge et enfin gris, c'est-à-dire blanc ou presque, issu de pressurage de raisins noirs. Déjà, il avait la fâcheuse habitude de « bouillonner dans ses vaisseaux », c'est-à-dire de mousser dans les tonneaux. Ce fut sans doute en Angleterre que l'on inventa la mise en bouteilles systématique de ces vins instables qui, jusqu'en 1700 environ, étaient livrés en fûts ; cela eut pour effet de permettre au gaz carbonique de se dissoudre dans le vin : le vin effervescent était né. Procureur de l'abbaye de Hautvillers et technicien avant la lettre, Dom Pérignon produira dans son abbaye les meilleurs vins ; c'est aussi lui qui les vendra le plus cher...

En 1728, le conseil du roi autorise le transport du vin en bouteilles ; un an plus tard, la première maison de vin de négoce est fondée : Ruinart. D'autres suivront (Moët en 1743), mais c'est au XIXe s. que la plupart des grandes maisons se créent ou s'affirment. En 1804, Mme Clicquot lance le premier champagne rosé, et, dès 1830, apparaissent les premières étiquettes collées sur les bouteilles. A partir de 1860, Mme Pommery boit des « bruts », tandis que, vers 1870, sont proposés les premiers champagnes millésimés. Raymond Abelé invente, en 1884, le banc de dégorgement à la glace, avant que le phylloxéra puis les deux guerres ne ravagent les vignobles. Depuis 1945, les fûts de bois ont cédé la place, le plus souvent, aux cuves en acier inoxydable, dégorgement et finition sont automatisés, alors que le remuage lui-même se mécanise.

Une grande partie des vignerons champenois appartient aujourd'hui à la catégorie des producteurs de raisins : ce sont les « vendeurs au kilo ». Ils cèdent tout ou partie de leur production aux grandes marques qui vinifient, élaborent et commercialisent. Cette pratique a conduit l'interprofession à proposer un prix recommandé des raisins et à attribuer à chaque commune une cotation en fonction de la qualité de sa production : c'est l'échelle des crus. Les vins issus des communes viticoles sont classés dans une échelle des crus, apparue dès la fin du XIXe s. Cotés 100 %, ils ont droit au titre de « grand cru », ceux cotés de 99 à 90 % bénéficient de la mention « premier cru », la cotation des autres s'échelonne de 89 à 80 %. Le prix des raisins varie selon le pourcentage communal. Le rendement maximum à l'hectare est modulé chaque année (maximum = 12 500 kg), alors que 160 kg de raisins ne permettent pas d'obtenir plus d'un hectolitre de moût apte à être vinifié en champagne.

Champagne

La singularité du champagne apparaît dès les vendanges. La machine à vendanger est interdite ; toute la cueillette est manuelle car il est essentiel que les baies (grains) de raisin parviennent en parfait état au lieu de pressurage. Pour cela, on remplace les hottes par de petits paniers, afin que le raisin ne soit pas écrasé. Il a fallu aussi créer des centres de pressurage disséminés au cœur du vignoble afin de raccourcir le transport du raisin. Pourquoi tous ces soins ? Parce que le champagne étant un vin blanc issu en majeure partie d'un raisin noir - le pinot -, il convient que le jus incolore ne soit pas taché au contact de l'extérieur de la peau.

Le pressurage, lui, doit se faire sans délai et permettre de recueillir successivement et séparément le jus issu des zones concentriques du grain ; d'où la forme particulière des pressoirs traditionnels champenois : on y entasse le raisin sur une vaste surface mais à une faible hauteur, pour ne pas abîmer les baies et pour faciliter la circulation du jus ; la vendange n'est jamais éraflée.

Le pressurage est sévèrement réglementé. On compte 2 000 centres de pressurage, et chacun doit recevoir un agrément pour avoir le droit de fonctionner. De 4 000 kg de raisins, on ne peut extraire que 25,50 hl de moût. Cette unité s'appelle un marc. Le pressurage est fractionné entre la cuvée (20,50 hl) et la taille (5 hl). On peut presser encore, mais on obtient alors un jus sans intérêt qui ne bénéficie d'aucune appellation, la « rebêche » (on a « bêché » à nouveau le marc), et destiné à la distillerie. Plus on pressure, plus la qualité s'affaiblit. Les moûts, acheminés par camion au cuvier, sont vinifiés très classiquement comme tous les vins blancs, avec beaucoup de soin.

A la fin de l'hiver, le chef de cave procède à l'assemblage de la cuvée. Pour cela, il goûte les vins disponibles et les mêle dans des proportions telles que l'ensemble soit harmonieux et corresponde au goût suivi de la marque. S'il élabore un champagne non millésimé, il fera appel aux vins de réserve, produits des années précédentes. Légalement, il est possible, en Champagne, d'ajouter un peu de vin rouge au vin blanc pour obtenir un ton rosé (ce qui est interdit partout ailleurs). Cependant, quelques rosés champenois sont obtenus par saignée.

Ensuite, l'élaboration proprement dite commence. Il s'agit de transformer un vin tranquille en vin effervescent. Une liqueur de tirage, composée de levures, de vieux vins et de sucre, est ajoutée au vin, et l'on procède à la mise en bouteilles : c'est le tirage. Les levures vont transformer le sucre en alcool et il se dégage du gaz carbonique qui se dissout dans le vin. Cette deuxième fermentation en bouteilles s'effectue lentement, à basse température (11 °C), dans les fameuses caves champenoises. Après un long vieillissement sur lies, qui est indispensable à la finesse des bulles et aux qualités aromatiques des vins, les bouteilles seront dégorgées, c'est-à-dire purgées des dépôts dus à la seconde fermentation.

Chaque bouteille est placée sur les célèbres pupitres, afin que la manipulation fasse glisser le dépôt dans le col, contre le bouchon. Durant deux ou trois mois, les bouteilles vont être remuées et de plus en plus inclinées, la tête en bas, jusqu'à ce que le vin soit parfaitement limpide (le remuage automatique en gyropalette se développe). Pour chasser le dépôt, on gèle alors le col dans un bain réfrigérant et on ôte le bouchon ; le dépôt expulsé, il est remplacé par un vin plus ou moins édulcoré : c'est le dosage. Si l'on ajoute du vin pur, on obtient un brut 100 % (brut sauvage de Piper-Heidsieck, ultra-brut de Laurent-Perrier, et les champagnes dits non dosés, aujourd'hui appelés bruts nature). Si l'on ajoute très peu de liqueur (1 %), le champagne est brut ; 2 à 5 % donnent les secs, 5 à 8 % les demi-secs, 8 à 15 % les doux. Les bouteilles sont ensuite « poignettées » pour homogénéiser le mélange et se reposent encore un peu pour laisser disparaître le goût de levure. Puis elles sont habillées et livrées à la consommation. Dès lors, le champagne est prêt à être apprécié au mieux de sa forme. Le laisser vieillir trop longtemps ne peut que lui nuire : les maisons sérieuses se flattent de ne commercialiser le vin que lorsqu'il a atteint son apogée.

D'excellents vins de belle origine issus du début de pressurage, de nombreux vins de réserve (pour les non-millésimés), le talent du créateur de la cuvée et son dosage discret, minimum, indécelable, s'allieront donc à un long mûrissement du champagne sur ses lies pour donner naissance aux vins de la meilleure qualité. Mais il est peu fréquent que l'acheteur soit informé, du moins avec précision, de l'ensemble de ces critères.

Que peut-on lire en effet sur une étiquette champenoise ? La marque et le nom de l'élaborateur ; le dosage (brut, sec, etc.) ; le millésime - ou son absence ; la mention « blanc de blancs » lorsque seuls des raisins blancs participent à la cuvée ; quand cela est possible - cas rare - la commune d'origine des raisins ; parfois enfin, mais cela est peu fréquent, la cotation qualitative des raisins : « grand cru » pour les dix-sept communes qui ont droit à ce titre ou « premier cru » pour les quarante et une autres. Le statut professionnel du producteur, lui, est une mention obligatoire, portée en petits caractères sous forme codée : NM, négociant-manipulant ; RM, récoltant-manipulant ; CM, coopérative de manipulation ; MA, marque d'acheteur ; RC, récoltant-coopérateur ; SR, société de récoltants.

Que déduire de tout cela ? Que les Champenois ont délibérément choisi une politique de marque ; que l'acheteur commande du Moët et Chandon, du Bollinger, du Taittinger, parce qu'il préfère le goût suivi de telle ou telle marque. Cette conclusion est valable pour tous les champagnes de négociants-manipulants, de coopératives et des marques auxiliaires, mais ne concerne pas les récoltants-manipulants qui, par obligation, n'élaborent de champagne qu'à partir des raisins de leurs propres vignes, généralement groupées dans une seule commune. Ces champagnes sont dits monocrus, et le nom de ce cru figure en général sur l'étiquette.

En dépit de l'appellation unique « champagne », il existe un très grand nombre de champagnes différents, dont les caractères organoleptiques variables sont susceptibles de satisfaire tous les usages et tous les goûts des consommateurs. Ainsi, le champagne peut-il être blanc de blancs ; blanc de noirs (de pinot meunier, de pinot noir ou des deux) ; issu du mélange blanc de blancs/blanc de noirs, dans toutes les proportions imaginables ; d'un seul cru ou de plusieurs ; originaire d'un grand cru, d'un premier cru ou de communes de moindre prestige ; millésimé ou non (les non-millésimés peuvent être composés de vins jeunes, ou faire appel à plus ou moins de vins de réserve ; parfois ils sont le produit de l'assemblage d'années millésimées) ; non dosé ou dosé très variablement ; mûri brièvement ou longuement sur ses lies ; dégorgé depuis un temps plus ou moins long ; blanc ou rosé (rosé obtenu par mélange ou par saignée)... La plupart de ces éléments pouvant se combiner entre eux, il existe donc une infinité de champagnes. Quel que soit son type, on s'accorde à penser que le meilleur est celui qui a mûri le plus longtemps sur ses lies (cinq à dix ans), consommé dans les six mois suivant son dégorgement.

En fonction de ce qui précède, on s'explique mieux que le prix des bouteilles puisse varier de un à huit, et qu'il existe des « hauts de gamme » ou des « cuvées spéciales ». Il est malheureusement certain que, dans les grandes marques, les champagnes les moins chers sont les moins intéressants. En revanche, la grande différence de prix qui sépare la gamme intermédiaire (millésimés) de la plus élevée ne traduit pas toujours rigoureusement un saut qualitatif.

Le champagne se boit entre 7 ° et 9 °, frais pour les blancs de blancs et les champagnes jeunes, moins rafraîchi pour les millésimés et les champagnes vineux. Outre la bouteille classique de 75 cl, le champagne est proposé en quart, demi, « magnum » (2 bout.), « jéroboam » (4 bout.), « mathusalem » (8 bout.), « salmanazar » (12 bout.)... La bouteille sera refroidie progressivement par immersion dans un seau à champagne contenant de l'eau et de la glace. Pour la déboucher, enlever ensemble muselet et habillage. Si le bouchon tend à être expulsé par la pression, on le laissera venir avec habillage et muselet. Lorsque le bouchon résiste, on le maintient d'une main alors que l'on fait tourner la bouteille de l'autre. Le bouchon est extrait lentement, sans bruit, sans décompression brutale.

Le champagne ne doit pas être servi dans des coupes, mais dans des verres de cristal, étroits et élancés, secs, non refroidis par des glaçons, exempts de toute trace de détergent qui tuerait les bulles et la mousse. Il se boit aussi bien en apéritif, qu'avec les entrées et les poissons maigres. Les vins vineux, à majorité blanc de noirs, et les grands millésimés sont souvent servis avec les viandes en sauces. Au dessert et avec les mets sucrés, on boira un demi-sec plutôt qu'un brut, le sucre renforçant trop la sensibilité du palais aux structures acides.

Les derniers millésimes : 1982, grand millésime complet ; 1983, droit, sans artifices ; 1984 n'est pas un millésime, n'en parlons pas ; 1985, grandes bouteilles ; 1986, qualité moyenne, rarement millésimé ; 1987, un mauvais souvenir ; 1988, 1989, 1990, trois belles années à savourer ; 1991 : faible, généralement non millésimé ; 1992, 1993, 1994 : années moyennes ; quelques grandes maisons ont millésimé 92 ou 93 ; 1995 : la meilleure année depuis 1990 ; 1996 : grande année (sera millésimée en janvier 2000).

HENRI ABELE 1990

○ n.c. n.c. 150 à 199 F

Fondée au XVIII[e]S. par un Belge, Théodore Vander Veken, la maison Henri Abelé est l'une des plus anciennes maisons de Champagne. Le 90 (deux tiers de chardonnay, un tiers de pinot noir) est un vin vif, équilibré et jeune, ce qui est rare dans ce millésime opulent. A servir en entrée ou à l'apéritif. Pour le brut **rosé**, cité également, les raisins noirs sont dominants (45 % de pinot noir, 25 % de meunier). On y trouve la fraise et la cerise. Sans excès de vivacité, c'est un rosé de repas. (NM)

⊶ Champagne Henri Abelé, 50, rue de Sillery, 51100 Reims, tél. 03.26.87.79.80, fax 03.26.87.79.81 ☑ Y r.-v.

HENRI ABELE Le Sourire de Reims 1986★

○ n.c. n.c. 300 à 499 F

En blanc comme en **rosé**, la cuvée de prestige de la maison Abelé reçoit une étoile. Deux bouteilles à inclure dans la catégorie des champagnes coûteux (même fourchette de prix). Ce blanc 86 - un millésime difficile - est issu de 80 % de chardonnay et de 20 % de pinot noir. Il a atteint son apogée : on y découvre les fruits secs briochés. La bouche est équilibrée. Un bon 86. Le rosé, un champagne saumoné, est jeune, framboisé, puissant et long. (NM)

⊶ Champagne Henri Abelé, 50, rue de Sillery, 51100 Reims, tél. 03.26.87.79.80, fax 03.26.87.79.81 ☑ Y r.-v.

ACHILLE PRINCIER 1990★★

○ n.c. n.c. 100 à 149 F

Marque d'Epernay lancée depuis quelques années. Le chardonnay et les pinots (pinot noir presque exclusivement) entrent dans ce beau 90, issu de grands crus et de premiers crus. Sa complexité aromatique (notes beurrées, briochées et vanillées, fleurs, épices), son ampleur et sa souplesse le destinent aux grands repas. Pour les fêtes de fin d'année. Le **Grande Tradition**, à peine plus noir que blanc (46 % de chardonnay), un sans année qui « a fait » quatre ans de bouteille, s'est fondu dans un fruité rond. Il a obtenu une citation (70 à 99 F). (NM)

⊶ Achille Princier, 9, rue Jean-Chandon-Moët, 51207 Epernay, tél. 03.26.54.04.06, fax 03.26.59.16.90 ☑ Y t.l.j. 10h-18h

⊶ Jean-Claude Hébert

ACHILLE PRINCIER Grand Art 1988★★

◑ n.c. n.c. 250 à 299 F

Dix ans de bouteille ! Ce rosé 88 mi-blanc mi-noir teinté au vin rouge de Bouzy a atteint son apogée. Sous-bois et fruits confits s'y marient. Son équilibre le destine à la table. Sous la même étiquette en blanc **Grand Art**, le **88** obtient une citation. C'est un champagne mi-blanc mi-noir d'une vivacité ronde. (NM)

⊶ Achille Princier, 9, rue Jean-Chandon-Moët, 51207 Epernay, tél. 03.26.54.04.06, fax 03.26.59.16.90 ☑ Y t.l.j. 10h-18h

ADAM-GARNOTEL Cuvée Louis Adam★

○ 9,17 ha 5 000 100 à 149 F

Cette cuvée spéciale porte le nom du fondateur de la maison, créée il y a tout juste cent ans. Elle est très blanche (10 % de pinot noir, pour 90 % de chardonnay). Un champagne miellé, brioché, rond et long en bouche. Le millésime **93**, un assemblage identique, doit à sa jeunesse son attaque vive. Il a obtenu une citation (70 à 99 F). (NM)

⊶ Champagne Adam-Garnotel, 17, rue de Chigny, 51500 Rilly-la-Montagne, tél. 03.26.03.40.22, fax 03.26.03.44.47 ☑ Y r.-v.

AGRAPART ET FILS
Blanc de blancs 1988★

○ Gd cru 2 ha 10 000 100 à 149 F

Le chardonnay grand cru de la Côte des Blancs s'exprime bien dans ce champagne typé, fin, très frais malgré son âge, complexe à cause de son âge. (RM)

⊶ EARL Agrapart et Fils, 57, av. Jean-Jaurès, 51190 Avize, tél. 03.26.57.51.38, fax 03.26.57.05.06 ☑ Y r.-v.

ARISTON FILS

◑ 10 ha 3 000 100 à 149 F

Cette propriété de 10 ha, dont l'origine remonte à la Révolution française, propose un rosé sans année. Il s'agit presque d'un rosé de noirs, puisqu'il ne comporte que 10 % de chardonnay. Corsé et long, il pourra être servi avec une viande rouge. Il faut le boire, car il ne progressera plus. (RM)

⊶ Rémi Ariston, 4-8, Grande-Rue, 51170 Brouillet, tél. 03.26.97.43.46, fax 03.26.97.49.34, e-mail champagne.ariston.fils@wanadoo.fr ☑ Y t.l.j. 9h-18h; dim. sur r.-v., f. 3e semaine d'août

MICHEL ARNOULD ET FILS
Tradition★★

○ Gd cru 6 ha 40 000 70 à 99 F

Marque lancée en 1961, disposant d'un vignoble de 12 ha. La fresque de 550 m^2 ornant la maison de Michel Arnould (à 10 km d'Epernay) vaut le détour, comme ce Brut Tradition, issu exclusivement de pinot noir. C'est un champagne équilibré, où le caramel et la cannelle s'allient à un beau fruité. La grande fraîcheur est remarquable pour un blanc de noirs. (RM)

⊶ Michel Arnould et Fils, 28, rue de Mailly, 51360 Verzenay, tél. 03.26.49.40.06, fax 03.26.49.44.61 ☑ Y r.-v.

L. AUBRY FILS Tradition 1993

○ 1er cru 1,4 ha 3 500 100 à 149 F

Vignerons depuis le XVIII[e]s. et à la tête aujourd'hui de 16,5 ha, les Aubry vinifient du champagne de caractère. Ce 93 est élevé neuf mois sous bois. Il assemble 70 % de chardonnay à 30 % de pinot meunier. C'est un champagne floral s'ouvrant sur le confit, équilibré et harmonieux en bouche. (RM)

⊶ SCEV Champagne L. Aubry Fils, 4-6, Grande-Rue, 51390 Jouy-lès-Reims, tél. 03.26.49.20.07, fax 03.26.49.75.27 ☑ Y r.-v.

⊶ Aubry Frères

L. AUBRY FILS
Le Nombre d'Or Campanae Veteres Vites

○ 1er cru   0,45 ha   3 300   150 à 199 F

Campanae veteres vites, ou « vieilles vignes de Champagne ». Avec cette bouteille, le consommateur remonte le temps et découvre d'anciens cépages de la région : le petit meslier (30 % de l'assemblage), l'arbanne (10 %) et le pinot gris (60 %). Sans doute le petit meslier donne-t-il le mordant et le pinot gris la rondeur. Un champagne plein de jeunesse. Le **Nombre d'Or sablé** (tiré à demi-pression) **blanc de blancs 93** est également cité (250 à 299 F). Issu de trois cépages blancs, dont deux archaïques (10 % d'arbanne, 60 % de petit meslier, 30 % de chardonnay), c'est un vin d'hiver, un vin de repas, harmonieux et long. (RM)

🔑 SCEV Champagne L. Aubry Fils, 4-6, Grande-Rue, 51390 Jouy-lès-Reims, tél. 03.26.49.20.07, fax 03.26.49.75.27 ☑ 🍷 r.-v.

🔑 Aubry frères

AUTREAU DE CHAMPILLON

○ 1er cru   11,5 ha   n.c.   ▮   70 à 99 F

Depuis plus de trois siècles, les Autréau sont vignerons à Champillon. Dans ce 1er cru, un tiers de chardonnay et deux tiers de raisins noirs (dont 28 % de pinot meunier) sont à l'origine d'arômes d'agrumes, de miel, de notes torréfiées assorties d'une touche mentholée. Une citation encore pour le **92 Les Perles de la Dhuy**, presque un blanc de blancs (5 % de pinot noir). Un champagne à la fois nerveux et rond, quelque peu évolué (100 à 149 F). (NM)

🔑 SARL Vignobles Champenois, 15, rue René-Baudet, 51160 Champillon, tél. 03.26.59.46.00, fax 03.26.59.44.85 ☑ 🍷 t.l.j. 9h-12h 14h-17h30; sam. dim. sur r.-v.

🔑 Eric Autréau

AUTREAU-LASNOT Cuvée de l'An 2000*

○   0,6 ha   4 000   100 à 149 F

Les Autréau-Lasnot cultivent un vignoble de 10 ha à Venteuil, dans la vallée de la Marne, sur le versant sud. La Cuvée de l'An 2000 assemble autant de chardonnay que de pinot noir. Nez floral, vivacité, équilibre, harmonie : une belle réussite. Le **rosé** et le **blanc Carte d'Or** (tous deux de 70 à 99 F) méritent d'être cités. Ils naissent du même assemblage : 40 % de chardonnay, 40 % de pinot noir, complétés de 20 % de pinot meunier. Deux champagnes équilibrés, frais, assez puissants. (RM)

🔑 Champagne Autréau-Lasnot, 6, rue du Château, 51480 Venteuil, tél. 03.26.58.49.35, fax 03.26.58.65.44 ☑ 🍷 t.l.j. 9h-12h 14h-18h; dim. matin sur r.-v.

🔑 Gérard Autréau

AYALA 1993

○   n.c.   n.c.   150 à 199 F

Sous le second Empire, le jeune Raphaël Edmond Louis Gonzague de Ayala, fils d'un diplomate colombien, épouse une aristocrate de Champagne qui lui apporte en dot un vignoble implanté à Ay. Ainsi naît cette maison qui connut une immense célébrité au début du XX[e]s. Le 93 - un millésime difficile - est léger, aromatique (cire, amande, tilleul...). Une touche citronnée lui assure une bonne finale. (NM)

🔑 Champagne Ayala, 2, bd du Nord, 51160 Ay, tél. 03.26.55.15.44, fax 03.26.51.09.04 ☑ 🍷 r.-v.

🔑 Famille Ducellier

CHRISTIAN BANNIERE Tradition

○ Gd cru   2 ha   15 000   ▮ 🌡   70 à 99 F

Le pinot noir domine (90 %, complétés par du chardonnay) dans ce brut sans année qui comprend 20 % de vins de réserve. Un champagne fruité au nez, vif et frais en bouche. (RM)

🔑 Christian Bannière, 5, rue Yvonnet, 51150 Bouzy, tél. 03.26.57.08.15, fax 03.26.59.35.02 ☑ 🍷 r.-v.

PAUL BARA Réserve*

○ Gd cru   11,05 ha   40 000   ▮ 🌡   70 à 99 F

Ce domaine fondé en 1860 s'étend sur 11 ha. 80 % de pinot noir et 20 % de chardonnay sont mariés dans ce Réserve floral, jeune, aux arômes de groseille. Le **Grand Rosé de Bouzy grand cru** (90 % de pinot noir, 10 % de chardonnay) obtient également une étoile (100 à 149 F). C'est un vin vif, très équilibré et d'une grande finesse Deux autres cuvées spéciales reçoivent la même note : le **Spécial Club 94 en blanc**, complexe, généreux ; et la **Comtesse Marie de France 88** florale, élégante. Deux champagnes entre 150 et 199 F. (RM)

🔑 Champagne Paul Bara, 4, rue Yvonnet, 51150 Bouzy, tél. 03.26.57.00.50, fax 03.26.57.81.24 ☑ 🍷 r.-v.

BARDOUX PERE ET FILS
Cuvée Prudent Bardoux 1993*

○   n.c.   3 000   ▮ 🌡   100 à 149 F

Prudent Bardoux a créé son domaine en 1929 ; Pascal Bardoux exploite aujourd'hui un vignoble de 4 ha dans la Montagne de Reims. Cette cuvée de prestige assemble chardonnay et pinot meunier en parts sensiblement égales. Son attaque est vive, des arômes complexes d'agrumes, de brioche, d'épices accompagnent son bel équilibre. A servir lors d'un grand repas. (RM)

🔑 Pascal Bardoux, 5-7, rue Saint-Vincent, 51390 Villedommange, tél. 03.26.49.25.35, fax 03.26.49.23.15 ☑ 🍷 r.-v.

EDMOND BARNAUT Authentique

◐ Gd cru   11,5 ha   n.c.   ▮ 🌡   100 à 149 F

Deux jolis vins retenus pour cette marque fondée il y a cent vingt-cinq ans, disposant de 14,5 ha de vignes. Ce rosé Authentique, presque un rosé de noirs (10 % de chardonnay), aux arômes de fruits rouges confits, d'orange sanguine, souple et rond en bouche ; et la **cuvée blanche Douceur** (60 % de pinot noir pour 40 % de chardonnay), un demi-sec qui doit sa qualité à l'équilibre intéressant entre fraîcheur et douceur. A marier avec une charlotte aux fraises. (RM)

🔑 Champagne Edmond Barnaut, 2, rue Gambetta, B.P. 19, 51150 Bouzy, tél. 03.26.57.01.54, fax 03.26.57.09.97, e-mail champagne-barnaut@csi.com ☑ 🍷 r.-v.

🔑 Philippe Secondé

ROGER BARNIER Blanc de blancs 1993★

○ 1,5 ha 4 326 ▯ ▮▯ 70 à 99 F

Vignoble de 7 ha exploité par Frédéric Berthelot, petit-fils du fondateur de la marque (1932). Ce champagne est un blanc de blancs, qui a passé sept mois en fût. Il est légèrement vanillé ; c'est surtout le miel et les amandes qui dominent la dégustation. Complexe, élégant et long, c'est un champagne destiné à l'une des fêtes de fin d'année ! (RM)

☛Champagne Roger Barnier, 1, rue Marais-de-Saint-Gond, 51270 Villevenard, tél. 02.26.52.82.77, fax 02.26.52.81.09 ☑ ⵑ r.-v.
☛ Berthelot

BARON ALBERT Tradition★

○ n.c. 97 000 ▯ ▮ 70 à 99 F

Les Baron sont vignerons depuis trois siècles à Charly-sur-Marne. Albert Baron a lancé sa marque en 1946. Le vignoble couvre aujourd'hui 30 ha. Ce Tradition est presque un blanc de noirs : le pinot meunier est relevé de 10 % de chardonnay. Il présente des arômes fins et complexes, où l'aubépine et le chèvrefeuille animent un côté minéral. Le **brut rosé** (70 % pinot meunier, 30 % chardonnay, assemblage de trois récoltes) mérite d'être cité pour sa vivacité. (NM)

☛Champagne Baron Albert, Grand-Porteron, 02310 Charly-sur-Marne, tél. 03.23.82.02.65, fax 03.23.82.02.44 ☑ ⵑ r.-v.

BARON-FUENTE 1992★★

○ 18 ha n.c. ▯ ▮ 70 à 99 F

En 1961, le Champenois Gabriel Baron épouse Dolorès Fuenté, venue d'Andalousie. De cette union est née la marque Baron-Fuenté, qui fait coup double cette année avec deux remarquables champagnes. Ce 92 - millésime difficile - est issu de pinot meunier à 50 % complété à parts égales par du pinot noir et du chardonnay. Sa séduction tient à ses arômes fumés et vanillés et à sa belle harmonie. On suggère de le servir avec des bouchées à la reine ou avec des noix de Saint-Jacques au beurre blanc. Deux étoiles encore pour la cuvée **Grand Millésime 90**, mi-blanche mi-noire (20 % de pinot noir) pour sa vinosité ronde et son attaque fraîche. Elle aura sa place de l'apéritif au dessert ! (100 à 149 F). (NM)

☛Champagne Baron-Fuenté, 21, av. Fernand-Drouet, 02310 Charly-sur-Marne, tél. 03.23.82.01.97, fax 03.23.82.12.00 ☑ ⵑ r.-v.

BAUCHET PERE ET FILS Réserve

○ 1er cru n.c. 20 000 70 à 99 F

Marque familiale, créée en 1960, disposant d'un vignoble de 36 ha. Son Réserve, issu de chardonnay (60 %) et de pinot noir, possède un nez fruité ; il est long et typé en bouche. Il pourra être servi tout au long d'un repas. (RM)

☛Sté Bauchet Frères, rue de la Crayère, 51150 Bisseuil, tél. 03.26.58.92.12, fax 03.26.58.94.74 ☑ ⵑ r.-v.

BAUGET-JOUETTE Carte blanche

○ n.c. n.c. ▮ 100 à 149 F

En cinq générations, les vignerons de la maison Bauget-Jouette ont réuni 15 ha de vignes. Leur Carte blanche, issu d'un peu plus de chardonnay (55 %) que de pinots (dont 5 % de pinot noir) est à servir avec une pâtisserie car son dosage est sensible. Quant au **Grande Réserve** (70 % de chardonnay pour 30 % de pinot noir), il mérite d'être cité pour sa vinosité, ses arômes d'agrumes et sa longueur. Il conviendra à un apéritif. (NM)

☛Champagne Bauget-Jouette, 1, rue Champfleury, 51200 Epernay, tél. 03.26.54.44.05, fax 03.26.55.37.99 ⵑ r.-v.
☛ Bauget

MICHEL BAUJEAN Tradition

○ 8 ha 70 000 ▯ ▮ 70 à 99 F

La maison, créée en 1904, exploite un vignoble de 12 ha. La cuvée Tradition naît de l'assemblage des trois cépages champenois à parts égales. Elle leur doit son attaque fraîche, son équilibre et sa longueur. (RM)

☛Michel Baujean, La Mansardière, 10340 Bagneux-la-Fosse, tél. 03.25.29.37.44, fax 03.25.38.58.45 ☑ ⵑ r.-v.
☛ Jean-Michel Beau

ANDRE BEAUFORT Cuvée de l'An 2000

○Gd cru 1,5 ha n.c. 150 à 199 F

Jacques Beaufort, qui élabore des champagnes André Beaufort, est un partisan de la culture biologique ; il fait figurer sur ses étiquettes la date du dégorgement qu'il exécute à la volée. Sa cuvée **Réserve** au nez floral apparaît évoluée en bouche et obtient une citation, tout comme cette cuvée de l'An 2000 : fleurs blanches (acacia) et violettes au nez, elle devient fruitée (abricot) en bouche avec une pointe de beurre frais. Un champagne harmonieux. (RM)

☛Jacques Beaufort, 1, rue de Vaudemanges, 51150 Ambonnay, tél. 03.26.57.01.50, fax 03.26.52.83.50 ⵑ r.-v.

HERBERT BEAUFORT
Cuvée Muse Uranie 1995★

○Gd cru n.c. 12 000 ▮ 150 à 199 F

Domaine de 16,50 ha et marque lancée en 1932. Issu d'un assemblage de 40 % de chardonnay et de 60 % de pinot noir, ce champagne n'a pas fait sa fermentation malolactique. Cela contribue à sa jeunesse extrême, à sa vivacité mais aussi à son élégance. (RM)

☛Herbert Beaufort, 32, rue de Tours-sur-Marne, 51150 Bouzy, tél. 03.26.57.01.34, fax 03.26.57.09.08 ☑ ⵑ r.-v.
☛ Henri et Hugues Beaufort

BEAUMET Cuvée brut

○ n.c. n.c. ▯ ▮ 100 à 149 F

Cette marque, fondée en 1878 et rachetée en 1977 par Jacques Trouillard, dispose aujourd'hui d'un vaste vignoble de 83 ha. Sa Cuvée brut, qui réunit les trois cépages champenois à parts égales, est florale, équilibrée, fraîche et vive. Pour l'apéritif ou le début du repas. (RM)

☛Champagne Beaumet, 3, rue Malakoff, 51207 Epernay Cedex, tél. 03.26.59.50.10, fax 03.26.54.78.52
☛ J. et M. Trouillard

BEAUMONT DES CRAYERES
Rosé Privilège

◑ 4 ha 30 000 ▮ ⅢD ⌂ 70 à 99 F

Groupement de producteurs créé en 1955, Beaumont des Crayères vinifie la production de 75 ha. 70 % de raisins noirs - dont 20 % de pinot noir - et 30 % de chardonnay sont à l'origine de ce rosé, aux arômes de fruits rouges et de violette, assez léger mais très agréable. Cité également, le **Fleur de rosé 95**, issu du même assemblage mais millésimé, qui possède une robe cuivrée, un nez floral avec une touche de groseille. Un champagne jeune et harmonieux (100 à 149 F). (CM)

Champagne Beaumont des Crayères, B.P. 1030, 51318 Epernay Cedex, tél. 03.26.55.29.40, fax 03.26.54.26.30, e-mail champagne-beaumont@wanadoo.fr ☒ Y t.l.j. 10h-12h 14h-18h; f. de Noël à Pâques

ALAIN BEDEL

○ 6,11 ha 18 000 ▮ 70 à 99 F

Cette exploitation familiale disposant d'un vignoble de 6 ha propose un brut sans année qui est presque un blanc de noirs (8 % de chardonnay, 92 % de pinots, dont 75 % de pinot meunier). Vif à l'attaque, il est fruité et long. Champagne de repas. (RM)

Alain Bédel, 1, rue des Glauriettes, Grand Porteron, 02310 Charly-sur-Marne, tél. 03.23.82.02.74, fax 03.23.82.08.15 ☒ Y r.-v.

L. BENARD-PITOIS Réserve

○ 1er cru n.c. n.c. ▮ 100 à 149 F

Domaine créé en 1938 par le grand-père du propriétaire actuel. Le vignoble s'étend sur 10 ha. Ce Réserve est issu d'autant de chardonnay que de pinot noir, récoltés en 1993 et en 1994. Encore marqué par sa jeunesse à l'œil, il libère un nez complexe de fruits jaunes. En bouche, l'impression de légèreté domine. Egalement cité, le **blanc de blancs 92** a été retenu pour sa finesse aérienne en bouche (100 à 149 F). (RM)

Champagne L. Bénard-Pitois, 23, rue Duval, 51160 Mareuil-sur-Ay, tél. 03.26.52.60.28, fax 03.26.52.60.12 ☒ Y r.-v.

BERECHE ET FILS

○ 1er cru 2 ha n.c. 70 à 99 F

Maison fondée à la fin du siècle, disposant d'un vignoble de 8 ha. Les trois cépages champenois se trouvent à égalité dans ce champagne puissant, équilibré, qui a atteint son apogée. (RM)

Champagne Berèche et Fils, Le Craon de Ludes, 51500 Ludes, tél. 03.26.61.13.28, fax 03.26.61.14.14 ☒ Y t.l.j. 9h-12h 14h-19h

J.-P. Berèche

PAUL BERTHELOT Blason d'Or*

○ n.c. n.c. ▮ 70 à 99 F

Maison fondée en 1884, exploitant un vignoble de 22 ha. Autant de chardonnay que de pinot noir dans ce Blason d'Or, au nez de sous-bois et d'agrumes, complexe, équilibré, vineux et riche. La cuvée **Eminence**, issue des trois cépages champenois à parts égales, mérite d'être citée pour sa bouche équilibrée et flatteuse. (NM)

SARL Paul Berthelot, 889, av. du Gal-Leclerc, 51530 Dizy, tél. 03.26.55.23.83, fax 03.26.54.36.31 ☒ Y r.-v.

BERTIN ET FILS Carte blanche 1995*

○ 2 ha 20 000 ▮ 70 à 99 F

En deux générations, les Bertin ont constitué un vignoble de 4 ha. Leur Carte blanche est un blanc de blancs. Au nez comme en bouche, fruits secs et fruits cuits se conjuguent. Ce champagne se montre souple et équilibré. (RM)

Champagne Bertin et Fils, 64, rue Saint-Gibrien, 51530 Cramant, tél. 03.26.57.93.38, fax 03.26.58.46.79 ☒ Y t.l.j. 8h-12h30 13h30-19h, dim. sur r.-v.

BESSERAT DE BELLEFON
Grande Cuvée*

○ n.c. n.c. 250 à 299 F

Cette maison, fondée en 1843 par Edmond Besserat, natif d'Hautvillers, a changé plusieurs fois de mains depuis 1959. Ce Grande Cuvée naît d'un mariage à parts égales de pinot noir et de chardonnay. Il est évolué, long et équilibré. A boire maintenant. (NM)

Besserat de Bellefon, 19, av. de Champagne, 51200 Epernay, tél. 03.26.78.50.50, fax 03.26.78.50.99, e-mail info@besseratdebellefon.com

BILLECART-SALMON
Cuvée Nicolas François Billecart Brut 1990**

○ n.c. n.c. 300 à 499 F

Héritier d'un vaste vignoble, Nicolas François Billecart fonda en 1818, avec son beau-frère Louis Salmon, une maison de champagne. Celle-ci, demeurée familiale, est connue pour ses champagnes hauts de gamme. Cette cuvée de prestige est livrée dans une bouteille semblable à celle commercialisée en 1818. C'est une grande bouteille qui allie puissance et finesse. Avec sa palette aromatique - fruits confits mais aussi citron, fruits frais, notes biscuitées - et sa belle longueur, elle « donne envie d'en reprendre », écrit un dégustateur. Quant au brut **Réserve 2000**, nerveux et frais, il a été cité (100 à 149 F). (NM)

Champagne Billecart-Salmon, 40, rue Carnot, 51160 Mareuil-sur-Ay, tél. 03.26.52.60.22, fax 03.26.52.64.88 ☒ Y r.-v.

BINET Sélection*

○ n.c. 2 000 ▮ 250 à 299 F

Fondée en 1849, reprise par Piper Heidsieck puis par Germain, la maison Binet appartient aujourd'hui au groupe Frey. Ce Sélection est un champagne vinifié avec beaucoup de soin, sous liège. Il a du corps, de l'équilibre. Son dosage est sensible. Le **Brut Elite** (60 % de pinots, dont 40 % de meunier), droit, vif et frais, mérite d'être cité (100 à 149 F). (NM)

Champagne Binet, 31, rue de Reims, 51500 Rilly-la-Montagne, tél. 03.26.03.49.18, fax 03.26.03.43.11, e-mail info@champagne-binet.com ☒ Y r.-v.

R. BLIN ET FILS 1992**

○ n.c. n.c. 70 à 99 F

C'est un champagne de connaisseur, de couleur or paille, aux arômes puissants mêlant

beurre, brioche, noisette et miel. La bouche est bien structurée. L'harmonie de ce 92 est saluée par tous les dégustateurs. (RM)
🔑 R. Blin et Fils, 11, rue du Point-du-Jour, 51140 Trigny, tél. 03.26.03.10.97, fax 03.26.03.19.63 ☑ 🍷 r.-v.

TH. BLONDEL Blanc de blancs 1993★★

○ 1er cru | n.c. | 6 000 | ▮🌡 | 70 à 99 F

Le domaine de 9,5 ha a été acquis en 1904 par l'arrière-grand-père de l'actuel récoltant, qui était notaire dans le village de Ludes. Ce chardonnay 93 est typé, c'est-à-dire tout en finesse, tout en fraîcheur, tout en équilibre... enfin tout en plaisir ! (NM)
🔑 Th. Blondel, Dom. des Monts-Fournois, 51500 Ludes, tél. 03.26.03.43.92, fax 03.26.03.44.10 ☑ 🍷 r.-v.

BOIZEL Brut Réserve★

○ | n.c. | n.c. | ▮🌡 | 100 à 149 F

La maison Boizel, créée en 1834 par Auguste Boizel, originaire d'Etoges, est dirigée par les descendants du fondateur, associés au groupe BCC. Ce Réserve (30 % de chardonnay, 55 % de pinot noir et 15 % de meunier) séduit par sa palette aromatique - grillé, fruits et fleurs blanches sur fond minéral -, par son équilibre et son harmonie. A signaler encore, cité par le jury, le **rosé**, presque un rosé de noirs (10 % de chardonnay complétant les deux pinots) : de teinte légère, œil-de-perdrix, un champagne fruité et vineux. (NM)
🔑 Champagne Boizel, 46, av. de Champagne, 51200 Epernay, tél. 03.26.55.21.51, fax 03.26.54.31.83, e-mail evboizel.chmp@wanadoo.fr
🔑 Groupe Boizel

BOLLINGER Grande Année 1990★★

○ | n.c. | n.c. | ❚❚ | 250 à 299 F

Depuis 1829 - date du mariage de Josef Bollinger, originaire de Wurtemberg, avec une aristocrate d'Ay -, Bollinger vinifie de grands champagnes, comme ce 90. Issu de 69 % de pinot noir et de 31 % de chardonnay élevés sept mois en fût, celui-ci a déjà atteint son apogée. Sans doute l'acidité moyenne de l'année y a-t-elle contribué. La richesse du millésime s'exprime pleinement par sa palette de fruits secs, de fruits confits, de miel, par son ampleur et sa complexité en bouche. Sa longueur, son fondu, sa richesse aromatique ont enthousiasmé le jury. (NM)
🔑 Bollinger, 16, rue Jules-Lobet, 51160 Ay-Champagne, tél. 03.26.53.33.66, fax 03.26.54.85.59

BONNAIRE★★

◐ | 10 ha | n.c. | ▮🌡 | 70 à 99 F

Cette maison fondée en 1932, l'une des grandes marques de Cramant, propose un remarquable rosé, assemblage de 60 % de chardonnay, 30 % de pinot meunier teinté de 10 % de bouzy. Saumon orangé, ce champagne au fruité de fraise, généreux, souple, acidulé, brille par son équilibre et son élégance. Il sera parfait à l'apéritif, tout comme le **blanc de blancs Cramant 92**, élégant et long, qui reçoit une étoile. Du même producteur, le **champagne Gelminer 1er cru blanc de blancs**, nerveux, dominé par la violette, a été cité par le jury. (RM)
🔑 SA Bonnaire, 120, rue d'Epernay, 51530 Cramant, tél. 03.26.57.50.85, fax 03.26.57.59.17 ☑ 🍷 t.l.j. 9h-11h 14h-17h; sam. dim. sur r.-v.

ALEXANDRE BONNET Perle rosée

◐ | 4,5 ha | 40 000 | ▮🌡 | 70 à 99 F

Cette marque des Riceys, fondée en 1932, a été récemment incorporée au groupe BCC. Son champagne Perle rosée est un rosé de noirs (pinot noir). Habillé d'une robe bien soutenue, il livre des arômes de pruneau et de citron. Egalement cité, le **Madrigal 93**, une cuvée de prestige mi-blanche mi-noire : un champagne floral et frais, une réussite dans un millésime difficile (100 à 149 F). (NM)
🔑 SA Alexandre Bonnet, 138, rue du Gal-de-Gaulle, 10340 Les Riceys, tél. 03.25.29.30.93, fax 03.25.29.38.65 ☑ 🍷 r.-v.
🔑 Philippe Baijot

BONNET-PONSON

◐ 1er cru | 1 ha | 5 000 | ▮ | 70 à 99 F

Domaine créé en 1862 exploitant un vignoble de 10 ha à Chamery, dans la Montagne de Reims. Ce rosé naît d'autant de chardonnay que de pinot noir. Il est teinté par 15 % de vin rouge, et pourtant sa robe est rose clair, un peu saumonée. Un champagne agréable, fruité, acidulé, frais. (RM)
🔑 Champagne Bonnet-Ponson, 20, rue du Sourd, 51500 Chamery, tél. 03.26.97.65.40, fax 03.26.97.67.11, e-mail champagne.bonnet.ponson@wanadoo.fr ☑ 🍷 r.-v.
🔑 Bonnet

FRANCK BONVILLE Blanc de blancs Prestige★

○ Gd cru | 18 ha | 10 000 | ▮🌡 | 100 à 149 F

Cette marque, lancée en 1945, dispose de 18 ha de vignes en grand cru. Olivier Bonville, œnologue, a rejoint l'exploitation en 1996. Ce Prestige s'exprime par des arômes briochés et des nuances de moka, de miel, de coing. Sa bouche est fraîche et longue. A signaler encore, le **blanc de blancs 93**, cité pour sa puissance. (RM)
🔑 Champagne Franck Bonville, 9, rue Pasteur, 51190 Avize, tél. 03.26.57.52.30, fax 03.26.57.59.90 ☑ 🍷 r.-v.

RAYMOND BOULARD

◐ | 2 ha | 4 000 | ❚❚ | 70 à 99 F

Etablis à La Neuville-aux-Larris en 1792, les Boulard sont viticulteurs depuis cinq générations. Ils ont fondé leur marque en 1952 et exploitent un vignoble de 10 ha. Cette cuvée est un rosé de saignée, donc de noirs. Les deux pinots y collaborent également. Ce champagne très coloré, rond, brioché, fruité et frais, accompagnera un dessert. (NM)

🔑 Champagne Raymond Boulard, 1, rue du Tambour, 51480 La Neuville-aux-Larris, tél. 03.26.58.12.08, fax 03.26.58.13.02, e-mail info@champagne.boulard.fr ☑ Y r.-v.

JEAN-PAUL BOULONNAIS Réserve*

○ 1er cru 5 ha 4 000 ▮ 100 à 149 F

Depuis cinq générations, les Boulonnais exploitent leur vignoble (5 ha aujourd'hui) de Vertus, dans la Côte des Blancs. Parmi les cuvées retenues, le jury a préféré ce Réserve, un blanc de blancs. Ce champagne, qui fleure la pomme, la poire et la pêche, possède une bonne bouche, vive et corpulente. Un champagne prometteur, que l'on peut servir à l'apéritif. Ont été cités le **Tradition** (80 % de chardonnay), floral et de bonne longueur, et le **blanc de blancs** aux arômes d'agrumes, vif et frais (70 à 99 F). (NM)

🔑 Jean-Paul Boulonnais, 14, rue de l'Abbaye, 51130 Vertus, tél. 03.26.52.23.41, fax 03.26.52.27.55 ☑ Y r.-v.

R. BOURDELOIS*

◑ 1er cru 5,8 ha 6 000 ▮ 70 à 99 F

Domaine situé à Dizy, dans la vallée de la Marne, et fondé au début du siècle. Les trois cépages champenois collaborent également à son rosé, cuivré à l'œil, mêlant fruits rouges, notes vanillées et réglissées, vif et direct en bouche. En **blanc, la cuvée de l'An 2000 millésimée 95** (100 à 145 F) obtient une citation. 70 % de chardonnay lui confèrent jeunesse et élégance. (RM)

🔑 Raymond Bourdelois, 737, av. Gal Leclerc, 51530 Dizy, tél. 03.26.55.23.34, fax 03.26.55.29.81 ☑ Y r.-v.

BOURGEOIS Cuvée de l'Ecu*

○ 3,3 ha n.c. ▮ 70 à 99 F

Installé à Crouttes-sur-Marne, les Bourgeois sont vignerons de père en fils depuis trois générations. Leur cuvée de l'Ecu est marquée par son cépage dominant (le chardonnay, 90 % de l'assemblage), ainsi que par son mode de vinification, sans fermentation malolactique : c'est un vin très élégant à l'œil, tout en jeunesse, en fleurs blanches, en vivacité, en fraîcheur. Un champagne au potentiel intéressant, à attendre. (NM)

🔑 Champagne Bourgeois, 43, Grande-Rue, 02310 Crouttes-sur-Marne, tél. 03.23.82.15.71, fax 03.23.82.55.11, e-mail bourgeois-mhb@compuserve.com ☑ Y r.-v.

🔑 Michel Bourgeois

BOURGEOIS-BOULONNAIS Blanc de blancs*

○ 1er cru 5 ha n.c. ▮ 70 à 99 F

Les Bourgeois-Boulonnais exploitent depuis plusieurs générations un vignoble de 5,5 ha à Vertus, premier cru de la Côte des Blancs. Ce blanc de blancs est classique, floral et frais. Son acidité est compensée par un dosage généreux. Un ensemble agréable. (RM)

🔑 Champagne Bourgeois-Boulonnais, 8, rue de l'Abbaye, 51130 Vertus, tél. 03.26.52.26.73, fax 03.26.52.06.55 ☑ Y r.-v.

CH. DE BOURSAULT Tradition

◑ 1 ha 3 200 ▮ 🌡 100 à 149 F

Ce château a été élevé par madame veuve Clicquot en 1845, qui y vécut et y mourut. Il appartient aujourd'hui aux Fringhian qui l'ont acquis en 1927. Le vignoble s'étend sur 10,3 ha. Pinot noir et pinot meunier collaborent à parts égales à cette cuvée très colorée, aux arômes de groseille, équilibrée et d'une bonne longueur. Ce vin ne manque pas de caractère. (NM)

🔑 Champagne Ch. de Boursault, 2, rue Maurice-Gilbert, 51480 Boursault, tél. 03.26.58.42.21, fax 03.26.58.66.12 ☑ Y r.-v.

BOUTILLEZ-GUER Blanc de blancs*

○ 1er cru 1 ha n.c. ▮ 70 à 99 F

Les Boutillez-Guer sont installés depuis cinq siècles à Villers-Marmery. Les chardonnays de cette commune bénéficient d'une excellente réputation, que devrait conforter ce blanc de blancs, assemblage de vendanges de 1992 à 1996. Ses arômes de brioche, de pain grillé et de fleurs blanches composent une palette aromatique complexe. Un champagne structuré et équilibré, pour l'apéritif, le poisson et les fruits de mer. (RM)

🔑 Champagne Boutillez-Guer, 38, rue Pasteur, 51380 Villers-Marmery, tél. 03.26.97.91.38, fax 03.26.97.94.95 ☑ Y r.-v.

G. BOUTILLEZ-VIGNON 1993*

○ 1er cru 0,3 ha n.c. ▮ 100 à 149 F

Enracinés dans le terroir de Villers-Marmery depuis des siècles, les Boutillez-Vignon ont diversifié leur vignoble par l'acquisition de parcelles de pinot noir, puis lancé leur marque en 1976. Ils exploitent 5 ha de vignes. Ce vin de chardonnay est discret au nez, mais harmonieux avec ses arômes de brioche beurrée sur fond de réglisse. Sa rondeur fruitée inspire à un dégustateur un compliment rare : « la puissance dans l'élégance ». Quant au **brut** (70 à 99 F), issu de chardonnay (70 %) et de pinot noir, il se distingue par une acidité vive, source de fraîcheur. Il a été cité par le jury. (RM)

🔑 G. Boutillez-Vignon, 26, rue Pasteur, 51380 Villers-Marmery, tél. 03.26.97.95.87, fax 03.26.97.97.93 ☑ Y t.l.j. 8h30-12h 13h30-19h ; groupes sur r.-v.

BOUTILLIER-BAUCHET*

○ 3 ha 20 000 ▮ 70 à 99 F

Propriété de 8 ha sise dans la vallée de la Marne. 30 % de raisins blancs, 70 % de raisins noirs (dont 20 % de pinot noir) sont à l'origine de ce champagne « au nez frais et gentil », caractérisé par sa souplesse et sa fraîcheur. Pour l'apéritif. (RM)

🔑 René Boutillier, 85, rue de Reuil, 51700 Villers-sous-Châtillon, tél. 03.26.58.02.37, fax 03.26.52.90.53 ☑ Y r.-v.

BRETON FILS Brut de brut★★

| ○ | | 3 ha | 10 000 | 🍾↓ | 70 à 99 F |

Domaine familial fondé en 1953, situé non loin des marais de Saint-Gond, exploitant un vignoble de 17 ha. Ce Brut de brut, une cuvée mi-blanche mi-noire, a été très remarqué : robe jaune pâle à reflets verts, nez discret de fleurs blanches, bouche équilibrée, franche et vive, aux arômes d'agrumes et de miel, finale agréable. Il devrait bien vieillir. (RM)
☙SCEV Breton Fils, 12, rue Courte-Pilate, 51270 Congy, tél. 03.26.59.31.03, fax 03.26.59.30.60 ☑ 🍷 t.l.j. 9h-12h 14h-17h

BRICE Cramant★★

| ○ Gd cru | n.c. | n.c. | 150 à 199 F |

Cette maison de Bouzy présente des champagnes de cru. Ce Cramant, issu de la vendange 1996, très grande année, n'est pas millésimé. Il a infiniment séduit les dégustateurs par sa fraîcheur d'agrumes où ressort le citron, et de fruits charnus. En bouche, on trouve intensité, fraîcheur, longueur et grand caractère. Un blanc de blancs de table, charnu à souhait. Le **Verzenay**, du même négociant, un champagne fortement dosé aux arômes de fleurs blanches, mérite d'être cité. (NM)
☙Champagne Brice, 3, rue Yvonnet, 51150 Bouzy, tél. 03.26.52.06.60, fax 03.26.57.05.07 ☑ 🍷 r.-v.

BRICOUT★

| ◑ | | n.c. | n.c. | 🍾↓ | 100 à 149 F |

La maison, fondée en 1820 par Charles Koch, un des premiers Allemands à s'installer en Champagne, a pris le nom de Bricout en 1858 à la suite d'un mariage. Elle a récemment changé de mains. Ce rosé est presque un blanc de blancs, teinté par du vin rouge de Bouzy. Sa robe est saumoné cuivré, son nez complexe et sa bouche équilibrée. Le « bijou de Bricout », dit-on au château d'Avize, siège de ce négociant. Pour le repas ou le dessert. (NM)
☙SA Champagne Bricout et Koch, 59, rte de Cramant, 51190 Avize, tél. 03.26.53.30.00, fax 03.26.57.59.26, e-mail chbricout@aol.com ☑ 🍷 r.-v.

BROCHET-HERVIEUX
Spécial HBH 1991

| ○ 1er cru | n.c. | 6 000 | 🍾 | 100 à 149 F |

Cette marque exploitant un vignoble de 15 ha à Ecueil, près de Reims, a élaboré cette cuvée dans un millésime difficile, dont la longévité n'est pas la qualité dominante. Ce vin, fruité,

fumé et acidulé, est agréable mais ne doit plus être attendu. (RM)
☙Brochet-Hervieux, 12, rue de Villers-aux-Nœuds, 51500 Ecueil, tél. 03.26.49.77.44, fax 03.26.49.77.17 ☑ 🍷 r.-v.

ANDRE BROCHOT Cuvée

| ○ | | 1 ha | n.c. | 🍾↓ | 70 à 99 F |

La marque a été lancée en 1949. Francis Brochot conduit son vignoble de façon traditionnelle et dans le souci de l'environnement, avec labours, lutte raisonnée... Cette cuvée est un blanc de noirs de pinot meunier. Son nez allie fumé et caramel ; sa fraîcheur nerveuse lui assure un bon équilibre. (RM)
☙Francis Brochot, 50, rue Julien-Ducos, 51530 Saint-Martin-d'Ablois, tél. 03.26.59.91.39, fax 03.26.59.91.39 ☑ 🍷 r.-v.

M. BRUGNON 1995★

| ○ | | 4 ha | 20 000 | 🍾↓ | 70 à 99 F |

Cette marque créée en 1947 exploite un vignoble de 8 ha. Son brut ne souffre que de la jeunesse de ce millésime de belle qualité. Son nez floral évoque les fleurs blanches, avec des nuances de sous-bois. En bouche, apparaissent la violette et les agrumes. Un vin d'avenir, d'un bon rapport qualité-prix. (RC)
☙Champagne Brugnon, 1, rue Brûlée, 51500 Ecueil, tél. 03.26.49.25.95, fax 03.26.49.76.56, e-mail brugnon@cder.fr ☑ 🍷 r.-v.

EDOUARD BRUN ET CIE
Cuvée du Centenaire 1990

| ○ 1er cru | n.c. | n.c. | 🍾◫ | 100 à 149 F |

« Cuvée du Centenaire » ? Elle célèbre le centenaire de la marque Edouard Brun. Elle naît d'à peine plus de pinot noir que de chardonnay. Ce beau millésime 90 atteint son apogée. Fleurs blanches et pâte d'amande se fondent dans ce vin équilibré. Le **Réserve** 1er cru, issu de 80 % pinot noir pour 20 % de chardonnay, mérite d'être cité pour sa bouche ronde et fraîche (70 à 99 F). (NM)
☙Champagne Edouard Brun et Cie, 14, rue Marcel-Mailly, B.P. 11, 51160 Ay, tél. 03.26.55.20.11, fax 03.26.51.94.29 ☑ 🍷 t.l.j. 8h-12h 14h-18h; sam. dim. sur r.-v.

ERIC BUNEL Réserve

| ○ Gd cru | 1 ha | 8 000 | 🍾 | 70 à 99 F |

Marque lancée en 1970 par son propriétaire actuel. Le vignoble s'étend sur près de 8 ha, autour de Louvois, sur le coteau sud de la Montagne de Reims. Ce Réserve est une cuvée classique (70 % de pinot noir, 30 % de chardonnay). Son nez est séduisant et sa bouche aussi fraîche que jeune. (RM)
☙Eric Bunel, 32, rue Michel-Letellier, 51150 Louvois, tél. 03.26.57.03.06, fax 03.26.52.31.66 ☑ 🍷 t.l.j. 9h30-12h 14h-18h

CHRISTIAN BUSIN★

| ○ Gd cru | 3 ha | 40 000 | 🍾 | 70 à 99 F |

Les Busin furent parmi les premiers, à Verzenay, à se lancer dans l'élaboration de champagne. Actuellement, la quatrième génération exploite le vignoble de 6 ha. Cette cuvée naît d'un

CHAMPAGNE

assemblage de 95 et 96 (80 % de pinot noir pour 20 % de chardonnay), ce qui lui assure un nez floral élégant (violette), une attaque vive et une bonne complexité en bouche. (RM)
Champagne Christian Busin, 4, rue d'Uzès, 51360 Verzenay, tél. 03.26.49.40.94, fax 03.26.49.44.19, e-mail champagne.christian.busin@wanadoo.fr r.-v.

JACQUES BUSIN 1990

○ Gd cru 0,8 ha 6 000 100 à 149 F

Jacques Busin a la chance d'être propriétaire de 8,5 ha de vignes exclusivement situées en grands crus : Verzy, Verzenay, Ambonnay et Sillery. Ce 90, mi-noir mi-blanc, dont les arômes rappellent le caramel et le pain grillé, a atteint son apogée. Sa bouche est d'une belle longueur. (RM)
Jacques Busin, 17, rue Thiers, 51360 Verzenay, tél. 03.26.49.40.36, fax 03.26.49.81.11 r.-v.

GUY CADEL Grande Réserve

○ 2 ha 20 000 70 à 99 F

Une famille qui s'est lancée dans la champagnisation dès 1936. Le vignoble, qui s'étend sur 10 ha, est exploité par la troisième génération. Ce Grande Réserve naît de pinot meunier et de chardonnay à parts égales. Robe or vert, nez fin citronné, arômes d'agrumes que l'on retrouve dans une bouche fraîche. Egalement cité, le **Carte blanche** comprend 80 % de pinot meunier pour 20 % de chardonnay. C'est un champagne d'une grande vivacité. (RM)
Champagne Guy Cadel, 13, rue Jean-Jaurès, 51530 Mardeuil, tél. 03.26.55.24.59, fax 03.26.55.25.83 r.-v.
P. Thiébault

DANIEL CAILLEZ

○ 4 ha 25 000 50 à 69 F

Daniel Caillez exploite un vignoble de 5 ha. Son brut, un blanc de noirs de pinot meunier, possède un nez complexe. Sa bouche donne à penser qu'il a atteint son apogée. Le **rosé** est aussi issu exclusivement de pinot meunier. De couleur soutenue, il s'impose par des arômes de framboise et de cassis. Le prix de vente de ces deux champagnes doit retenir l'attention ! (RM)
Daniel Caillez, 19, rue Pierre-Curie, 51480 Damery, tél. 03.26.58.46.02, fax 03.26.52.04.24 r.-v.

CAILLEZ-LEMAIRE Grande Réserve*

○ 2 ha 16 948 70 à 99 F

Propriété de 6 ha créée en 1942. Les raisins noirs dominent dans ce Grande Réserve (42 % de chardonnay, 24 % de pinot noir, 34 % de meunier) au nez citronné nuancé de tilleul, à l'attaque franche, dont le dosage de 10 g/l semble généreux. Le **94** (60 % de chardonnay, 40 % de pinots dont 10 % de pinot meunier) a bénéficié d'une élaboration de luxe avec vinification dans le bois et tirage sous liège. Un vin délicat aux arômes de citron confit et de violette et une belle réussite dans un millésime difficile. Il a obtenu également une étoile (100 à 149 F). (RM)
SARL champagne Caillez-Lemaire, 25, rue Pierre-Curie, B.P. 11, 51480 Damery, tél. 03.26.58.41.85, fax 03.26.52.04.23 r.-v.

PIERRE CALLOT
Blanc de blancs Grande Réserve

○ Gd cru 0,5 ha 4 000 100 à 149 F

Les Callot sont établis à Avize depuis la fin du XVIIIes. mais ils n'ont lancé leur marque qu'en 1955. Leur vignoble s'étend sur 5 ha. Leur blanc de blancs est classique et sobre, assez rond, direct, aux arômes de pomme et de citron. (RM)
Champagne Pierre Callot et Fils, 100, av. Jean-Jaurès, 51190 Avize, tél. 03.26.57.51.57, fax 03.26.57.99.15 r.-v.

CANARD-DUCHENE*

n.c. n.c. 100 à 149 F

Cette maison, fondée au second Empire par un couple d'épiciers de Ludes, s'est développée au siècle suivant. Elle est aujourd'hui incorporée au groupe LVMH. Ce rosé, issu des trois cépages champenois, est coloré par 16 % de pinot noir vinifié en rouge. Equilibré, il révèle des arômes de fruits rouges frais et fondus. La **Cuvée spéciale Charles VII rosée**, (36 % de chardonnay, 12 % de meunier, 52 % de pinot noir dont 13 % vinifié en rouge) est fraîche, florale, minérale, longue ; le dosage est sensible (150 à 199 F). (NM)
Champagne Canard-Duchêne, 1, rue Edmond-Canard, 51500 Ludes, tél. 03.26.61.10.96, fax 03.26.61.13.90, e-mail info@canard-duchene.fr t.l.j. sf lun. 11h-13h 14h-17h ; f. 15 oct.-15 mars

CANARD-DUCHENE Demi-sec*

○ n.c. n.c. 70 à 99 F

Une étoile pour un demi-sec, du jamais vu ! Celui-ci, issu des deux pinots à parts égales (ou presque) et de 20 % de chardonnay, propose des arômes flatteurs et complexes et une bouche évidemment sucrée. A essayer sur une crème brûlée. Il faut encore citer la **cuvée Charles VII blanc de noirs** issue du pinot noir (73 %) et du meunier (27 %), aux arômes de fleurs blanches, de pamplemousse et de citron, dotée d'un bon équilibre (100 à 149 F). (NM)
Champagne Canard-Duchêne, 1, rue Edmond-Canard, 51500 Ludes, tél. 03.26.61.10.96, fax 03.26.61.13.90, e-mail info@canard-duchene.fr t.l.j. sf lun. 11h-13h 14h-17h ; f. 15 oct.-15 mars

CASTELLANE Cuvée royale 1990*

○ n.c. n.c. 100 à 149 F

Célèbre par la tour qui orne son établissement d'Epernay, cette maison, fondée en 1985, est aujourd'hui dans l'orbite de Laurent-Perrier. La Cuvée royale est issue exclusivement de chardonnay de grands crus. C'est donc un blanc de blancs. Des arômes très fins de citron confit et de fleurs blanches précèdent une bouche ample et fraîche. Le **blanc de blancs**, étiquette jaune, floral au nez, agrumes et végétal en bouche, vif et fin, mérite d'être cité (70 à 99 F). (NM)

🔑 Champagne de Castellane, 57, rue de Verdun, B.P. 136, 51200 Epernay, tél. 03.26.51.19.19, fax 03.26.54.24.81, e-mail info@castellane.com ☑ Ɪ t.l.j. 10h-12h 14h-18h; f. 1er nov. à Pâques

CASTELLANE Cuvée Commodore 1989★★

○ n.c. n.c. 150 à 199 F

La cuvée de prestige Commodore a été lancée il y a plus de trente ans. Issu de pinot noir (70 %) complété de chardonnay (30 %), le millésime 89 a enthousiasmé les dégustateurs subjugués par la complexité et la puissance de ses arômes (aubépine, acacia, moka, abricot) et par l'harmonie fraîche et ample de sa bouche. Le **brut 92** (40 % de chardonnay et 60 % de pinot noir) doit être cité pour ses arômes de poire et de pêche briochée et ses saveurs fruitées (100 à 149 F). (NM)

🔑 Champagne de Castellane, 57, rue de Verdun, B.P. 136, 51200 Epernay, tél. 03.26.51.19.19, fax 03.26.54.24.81, e-mail info@castellane.com ☑ Ɪ t.l.j. 10h-12h 14h-18h; f. 1er nov. à Pâques

CATTIER Clos du Moulin★

○ 1er cru 2,2 ha 12 000 150 à 199 F

Marque lancée en 1920 disposant de 18 ha de vignes. Le Clos du Moulin, l'un des rares clos champenois, mi-noir mi-blanc, au nez de pâte de coing et de brioche, est équilibré en bouche où la fraîcheur se conjugue à la complexité des arômes. Il sera agréable sur le poisson ou à l'apéritif. 75 % de raisins noirs (dont 35 % de pinot noir) et 25 % de chardonnay donnent naissance à un **brut sans année** aux arômes d'amande et d'abricot, frais, jeune et équilibré, qui reçoit une étoile, alors que le **rosé** fruité et vif obtient une citation (70 à 99 F). (NM)

🔑 Cattier, 6, rue Dom-Pérignon, 51500 Chigny-les-Roses, tél. 03.26.03.42.11, fax 03.26.03.43.13, e-mail jeancatt@cattier.com ☑ Ɪ t.l.j. sf sam. dim. 9h-11h 14h-17h; groupes sur r.-v.

CLAUDE CAZALS
Blanc de blancs Carte Or

○ Gd cru 3 ha 20 000 70 à 99 F

Marque créée en 1950, disposant d'un vignoble de 9 ha dans la Côte des Blancs. Son Carte Or, typé par le chardonnay, présente un nez discret du fait de sa jeunesse et révèle en bouche une vinosité fruitée. Un champagne d'apéritif. (RC)

🔑 Mme Claude Cazals, 28, rue du Grand-Mont, 51190 Le Mesnil-sur-Oger, tél. 03.26.57.52.26, fax 03.26.57.78.43 ☑ Ɪ r.-v.

CHARLES DE CAZANOVE
Grand Apparat★

○ n.c. n.c. 100 à 149 F

Cette marque, fondée en 1811, porte toujours le nom de son créateur. La cuvée de prestige Grand Apparat naît de l'assemblage de 60 % de chardonnay et de 40 % de pinots (dont 10 % de pinot meunier). Son nez d'agrumes est évolué ; la bouche offre des arômes de fruits confits et d'abricot. Le dosage est sensible. L'autre cuvée de prestige, baptisée **Stradivarius**, plus blanche que noire, 70 % de chardonnay, beaucoup plus chère, présente un nez intense de fleurs fraîches et de poire, et une bouche vineuse et citronnée. Elle garde son étoile. (NM)

🔑 Charles de Cazanove, 1, rue des Cotelles, 51200 Epernay, tél. 03.26.59.57.40, fax 03.26.54.16.38

🔑 Lombard

CHARLES DE CAZANOVE
Tradition Père et Fils 1993★

○ n.c. n.c. 100 à 149 F

Ce millésime 93 naît de l'assemblage de pinot noir (60 %) et de chardonnay. Il s'exprime au nez par l'agrume vanillé, en bouche par les fruits frais et des notes mentholées. Une étoile encore pour le **demi-sec** (30 % chardonnay, 70 % de pinots, dont 20 % de pinot meunier) au nez de violette et de cuir. En bouche, on retrouve la violette mariée aux fruits rouges, arômes en harmonie avec la douceur du palais (70 à 99 F). (NM)

🔑 Charles de Cazanove, 1, rue des Cotelles, 51200 Epernay, tél. 03.26.59.57.40, fax 03.26.54.16.38

CHANOINE Tsarine Tête de cuvée★★

○ n.c. n.c. 100 à 149 F

Fondée en 1730, cette marque est l'une des plus anciennes de Champagne. Après une période de sommeil, elle a trouvé un nouveau souffle. La cuvée Tsarine se présente dans des bouteilles originales. Elle brille par la fraîcheur de ses arômes de fruits à chair blanche évoluant vers des notes miellées et d'abricot, et par la finesse de ses saveurs d'agrumes (citron) harmonieuses et élégantes. A retenir encore, cité par le jury, le **Chanoine 91**, un millésime fragile qu'il ne faut plus attendre, proposé à un prix attrayant (70 à 100 F). (NM)

🔑 Champagne Chanoine, av. de Champagne, 51100 Reims, tél. 03.26.36.61.60, fax 03.26.36.66.62

JACQUES CHAPUT Traditionnel

○ 10 ha 70 000 70 à 99 F

Ce brut sans année (étiquette verte) est d'une extrême jeunesse : il est issu de raisins récoltés en 1997 (80 % de pinot noir, 20 % de chardonnay). Nerveux, il a la fougue d'un jeune poulain... il se cabre. Sa démarche doit s'assouplir. (NM)

🔑 EARL Champagne Jacques Chaput, La Haie Vignée, 10200 Arrentières, tél. 03.25.27.00.14, fax 03.25.27.01.75 ☑ Ɪ r.-v.

CHAPUY
Blanc de blancs Réserve Carte verte★★

○ Gd cru 6,25 ha 16 000 100 à 149 F

Cette marque a été lancée en 1952 par une vieille famille d'Oger, au cœur de la Côte des Blancs. Elle dispose d'un vignoble de plus de 6 ha. Sa Carte verte est chaudement recommandée : le nez riche mêle pêche blanche, églantine, vanille, amande et fruits secs. En bouche, après une attaque franche, le vin s'assouplit et s'éternise sur des notes vives et miellées. Un archétype du blanc de blancs : coup de cœur. (NM)

CHAMPAGNE
CHAPUY
GRAND CRU
BLANC de BLANCS   à OGER
BRUT RESERVE
Elaboré par Chapuy sa, 51190 Oger, France.

☛SA Champagne Chapuy, 8 bis, rue de
Flavigny, B.P. 14, 51190 Oger,
tél. 03.26.57.51.30, fax 03.26.57.59.25,
e-mail champagne.chapuy@oger.51.telepost.fr
☑ ⲙ r.-v.

GUY CHARLEMAGNE
Blanc de blancs Mesnillésime 1995

| ○ Gd cru | 1,5 ha | 10 000 | ⦀ 100 à 149 F |

Les Charlemagne sont vignerons de père en
fils depuis 1892. Ils exploitent un vignoble de
14 ha. Une étiquette baroque, voire rococo, pour
un blanc de blancs classique qui n'a qu'un seul
défaut : sa jeunesse. Le nez citron-aubépine est
encore discret, la bouche est vive et harmonieuse.
Un ensemble prometteur. (RM)
☛Champagne Guy Charlemagne, 4, rue de La
Brèche-d'Oger, 51190 Le Mesnil-sur-Oger,
tél. 03.26.57.52.98, fax 03.26.57.97.81 ☑ ⲙ r.-v.

ROBERT CHARLEMAGNE
Blanc de blancs de l'An 2000

| ○ Gd cru | 2,83 ha | 6 000 | ▮♦ 70 à 99 F |

Ancienne propriété familiale et marque lancée
au début des années quarante. Le **Réserve**, issu
de la vendange de 1996, réputée pour sa qualité,
est un blanc de blancs dominé au nez et en bouche par la poire. La finale est fraîche, marquée
par les agrumes. Il est cité, tout comme cette
cuvée de l'An 2000 née du chardonnay récolté en
1995. Le chèvrefeuille, les agrumes et la noisette
s'y donnent rendez-vous autour d'un bel équilibre. Une expression du cépage digne d'un poisson grillé (bar). (RM)
☛Champagne Robert Charlemagne,
av. Eugène-Guillaume, B. P. 25, 51190 Le
Mesnil-sur-Oger, tél. 03.26.57.51.02,
fax 03.26.57.58.05 ☑ ⲙ r.-v.

CHARLIER ET FILS Spécial Club 1995*

| ○ | n.c. | 10 000 | ⦀ 100 à 149 F |

Cette exploitation de 14 ha élève tous ses vins
un an en foudre de chêne. Ce Spécial Club 95
est mi-noir mi-blanc (dont 20 % de pinot meunier). Nez floral discret, bouche d'agrumes, de
fruits verts et de fruits secs : un 95 paisible. Une
étoile encore pour le **93** issu des trois cépages
champenois à parts égales. Un vin équilibré,
épicé, torréfié, miellé et minéral. Une citation
enfin pour le **brut sans année Carte noire** issu de
65 % de meunier et des deux autres cépages
champenois. Un champagne ample et long (70 à
99 F). (RM)
☛Champagne Charlier et Fils, 4, rue des
Pervenches, 51700 Montigny-sous-Châtillon,
tél. 03.26.58.35.18, fax 03.26.58.02.31 ☑ ⲙ r.-v.

JEAN-MARC ET CELINE
CHARPENTIER Réserve*

| ○ | 0,6 ha | 5 000 | ▮♦ 70 à 99 F |

La calèche figurant sur l'étiquette rappelle
qu'un ancêtre possédait un relais de poste. Viticulteur, il vendait son vin - tranquille à l'époque -
aux cochers et bateliers qui naviguaient sur la
Marne. En sept générations, les Charpentier ont
constitué un vignoble de 9 ha. Leur Réserve est
dominé par les raisins noirs (80 % de l'assemblage, dont 10 % de pinot noir). C'est un champagne fruité, empyreumatique et harmonieux.
(RC)
☛Jean-Marc et Céline Charpentier, 4, rue de
l'Ecole, 02310 Charly-sur-Marne,
tél. 03.23.82.10.72, fax 03.23.82.31.80 ☑ ⲙ r.-v.

J. CHARPENTIER Prestige**

| ○ | 2 ha | 15 000 | ▮♦ 70 à 99 F |

Cette marque lancée en 1954 dispose d'un
vignoble de 12 ha, rive droite de la vallée de la
Marne, sur la route touristique du champagne.
80 % de pinots (dont 20 % de pinot meunier) et
20 % de chardonnay composent cette cuvée Prestige florale au nez, aux arômes de pamplemousse, de fougère, de pain grillé brioché, ronde
et équilibrée. (RM)
☛Charpentier, 88, rue de Reuil, 51700 Villers-
sous-Châtillon, tél. 03.26.58.05.78,
fax 03.26.58.36.59 ☑ ⲙ r.-v.

CHARTOGNE-TAILLET
Cuvée Sainte-Anne

| ○ | n.c. | n.c. | 70 à 99 F |

A Merfy on cultivait la vigne en 850 ! Elle
appartenait alors à l'abbaye de Saint-Thierry,
haut lieu du vignoble champenois. 60 % de raisins noirs (dont 20 % de pinot meunier) et 40 %
de chardonnay récoltés en 1994 et 1995 sont
mariés dans cette cuvée aux arômes briochés et
fruités, dominés par les agrumes (citron et pamplemousse). La bouche, équilibrée, signe un vrai
brut sans année. (RM)
☛Philippe Chartogne, 37-39, Grande-Rue,
51220 Merfy, tél. 03.26.03.10.17,
fax 03.26.03.19.15,
e-mail champagne@chartogne-taille.com
☑ ⲙ r.-v.

GUY DE CHASSEY
Cuvée réservée Nicolas d'Olivet

| ○ | 9,42 ha | n.c. | ▮ 70 à 99 F |

Entreprise familiale exploitant un vignoble de
près de 10 ha. Du pinot noir (60 %) et du chardonnay (40 %) récoltés en 1992 donnent charpente et puissance à ce champagne d'une bonne
complexité. (RM)
☛Champagne Guy de Chassey, 1, pl. de la
Demi-Lune, 51150 Louvois, tél. 03.26.57.04.45,
fax 03.26.57.82.08 ☑ ⲙ t.l.j. 9h-12h 14h-18h30;
f. août

A. CHAUVET Carte jaune**

| ○ | n.c. | n.c. | ▮♦ 100 à 149 F |

Cuvée élaborée pour fêter le 150e anniversaire
du champagne Chauvet, dont le vignoble s'étend
sur 10 ha. La liqueur de dosage - dont l'influence
est grande - a été spécialement et symbolique-
ment composée avec quinze grands millésimes

de la maison, de 1893 à 1985. Il en résulte une bouteille remarquablement réussie, au nez d'agrumes, d'amande fraîche et de fleurs blanches. Ces arômes se retrouvent en bouche, avec des notes de cire et de miel en finale. La **cuvée Cachet vert**, un blanc de blancs très frais et équilibré (70 à 99 F), et le **rosé** (100 à 149 F) séduisent par leur charme et leur élégance. Ces deux champagnes reçoivent chacun une étoile. (NM)

☛Chauvet, 41, av. de Champagne, 51150 Tours-sur-Marne, tél. 03.26.58.92.37, fax 03.26.58.96.31 ☑ ⌔ r.-v.

☛ Mme J. Paillard-Chauvet

MARC CHAUVET 1994

○ 1er cru	1,5 ha	12 000	▐ ♦	100 à 149 F

Marc Chauvet exploite 12 ha dans la commune de Rilly-la-Montagne. Cette cuvée assemble pinot noir (60 %) et chardonnay (40 %) sans fermentation malolactique. On y découvre la pomme, les fruits jaunes, et de la fraîcheur. (RM)

☛Champagne Marc Chauvet, 1 et 3, rue de la Liberté, 51500 Rilly-la-Montagne, tél. 03.26.03.42.71, fax 03.26.03.42.38 ☑ ⌔ t.l.j. 8h-19h; dim. sur r.-v.

H. CHAUVET ET FILS 1994*

○ 1er cru	2 ha	3 000	▐ ♦	70 à 99 F

Les Chauvet sont viticulteurs à Rilly-la-Montagne, près de Reims, depuis quatre générations. Leur vignoble s'étend sur près de 8,5 ha. Trois de leurs champagnes jouant dans la même fourchette de prix méritent une étoile : ce 94, mi-noir mi-blanc, floral, frais et équilibré ; le **brut Réserve**, un blanc de noirs comprenant 30 % de vins de réserve, harmonieux, vif, bien construit ; et le **rosé** (70 % de pinot noir et 30 % de chardonnay) aux riches arômes de fraise, très équilibré. (RM)

☛ Damien Chauvet, 6, rue de la Liberté, 51500 Rilly-la-Montagne, tél. 03.26.03.42.69, fax 03.26.03.45.14 ☑ ⌔ r.-v.

ANDRE CHEMIN

◗ 1er cru	0,5 ha	n.c.	▐	70 à 99 F

Le petit-fils du fondateur s'est installé en 1997 sur ce domaine de 6,5 ha établi à Sacy, dans la Montagne de Reims. La marque a été lancée en 1948. Ce rosé de noirs (pinot noir) de couleur cuivrée, aux arômes de framboise et de fraise est tout en fraîcheur. (RM)

☛Champagne André Chemin, 3, rue de Châtillon, 51500 Sacy, tél. 03.26.49.22.42, fax 03.26.49.74.89 ☑ ⌔ r.-v.

☛ Jean-Luc Chemin

RICHARD CHEURLIN Carte Or*

○	1,5 ha	10 000	▐ ♦	70 à 99 F

Ce récoltant-manipulant a lancé sa marque en 1978 lorsque son père lui a confié 1,80 ha de vigne et une terre où planter. Il exploite aujourd'hui un vignoble de 7 ha. Son Carte Or, issu de pinot noir (70 %), bien équilibré, a retenu l'attention par ses arômes empyreumatiques, fondus et persistants. (RM)

☛ Richard Cheurlin, 16, rue des Huguenots, 10110 Celles-sur-Ource, tél. 03.25.38.55.04, fax 03.25.38.58.33 ☑ ⌔ r.-v.

CHEURLIN-DANGIN Cuvée spéciale*

○	1,5 ha	12 000	▐ ♦	70 à 99 F

La marque, lancée en 1960, dispose d'un vignoble de 18 ha. Mi-noire mi-blanche, cette Cuvée spéciale présente au nez des arômes de miel et de fruits confits, auxquels s'ajoutent en bouche le pamplemousse et les fruits blancs. Une citation pour le **Carte Or Réserve**, plus noir que blanc (70 % de pinots) aromatiquement proche du précédent. Les deux champagnes sont généreusement dosés. (RM)

☛Champagne Cheurlin-Dangin, 17, Grande-Rue, B.P. 2, 10110 Celles-sur-Ource, tél. 03.25.38.50.26, fax 03.25.38.58.51 ☑ ⌔ r.-v.

CHEURLIN ET FILS
Cuvée An 2000 - 1990*

○	0,9 ha	4 000	▐ ♦	250 à 299 F

La maison Cheurlin dispose d'un vignoble de 25 ha et propose un 90 issu de 80 % de pinot noir complété par du chardonnay. Un champagne d'une délicatesse féminine où se marient violette et agrumes. Il pourra être servi sans honte avec des fruits de mer (huîtres) lors des festivités du changement de millénaire. Le **rosé brut**, issu exclusivement de pinot noir, tendre, velouté et équilibré, a été cité (70 à 99 F). (NM)

☛Champagne Cheurlin et Fils, 13, rue de la Gare, 10250 Gyé-sur-Seine, tél. 03.25.38.20.27, fax 03.25.38.24.01 ☑ ⌔ t.l.j. sf dim. 8h-12h 14h-18h

GASTON CHIQUET
Réserve du Millénaire**

○ 1er cru	3 ha	10 000	▐	100 à 149 F

Voici une vraie cuvée de fête et dont l'étiquette reste sobre. Les trois cépages champenois participent également à cette cuvée assemblant des vins de 1991, 1992 et 1993 ; ce vin est délicieusement subtil. Son nez ample et fin, sa bouche délicate sont particulièrement séduisants. « Il est si bon », note un juré qui le proposait en coup de cœur. Le jury a également retenu, sans étoile, un blanc de blancs d'une origine rare : **Ay**, les dégustateurs rendent hommage à sa puissance et à sa construction rigoureuse (70 à 99 F). (RM)

☛Champagne Gaston Chiquet, 912, av. du Gal-Leclerc, 51530 Dizy, tél. 03.26.55.22.02, fax 03.26.51.83.81 ☑ ⌔ r.-v.

CHARLES CLEMENT
Cuvée spéciale Grande Réserve*

○	n.c.	n.c.	▐	70 à 99 F

Marque d'un groupement de producteurs exploitant 175 ha. Les trois cépages champenois se rejoignent dans cette cuvée bien franche aux arômes d'agrumes confits, d'amande et de citron jaune, à la finale de poire mûre. A signaler encore, citée sans étoile, la **cuvée Tradition** issue de chardonnay et de pinot noir, franche à l'attaque, pleine et ronde en bouche. (CM)

☛Champagne Charles Clément, 10200 Colombé-le-Sec, tél. 03.25.92.50.71, fax 03.25.92.50.79, e-mail champagne-charles-clément@wanadoo.fr ☑ ⌔ t.l.j. sf dim. lun. 8h-12h 14h-17h30

CLERAMBAULT Carte Or 1991★

| ○ | n.c. | n.c. | 100 à 149 F |

Elaborée par un groupement de producteurs de Neuville-sur-Seine, cette cuvée très classique (40 % de pinot noir, 60 % de chardonnay) privilégie ce dernier cépage par ses arômes d'agrumes fumés et de pomme. Son équilibre est réussi. (CM)

➥Champagne Clérambault, 122, Grande-Rue, 10250 Neuville-sur-Seine, tél. 03.25.38.38.60, fax 03.25.38.24.36, e-mail champagne-clerambault@wanadoo.fr ☑

JOEL CLOSSON Cuvée Prestige

| ○ | 5,13 ha | 30 000 | ▤ 70 à 99 F |

Héritier du vignoble familial situé dans la vallée de la Marne, Joël Closson a lancé sa marque en 1984. Il exploite plus de 5 ha de vignes. Il obtint un coup de cœur l'an dernier pour cette cuvée qui assemblait les millésimes 94 et 95. Cette année, il a choisi d'assembler les récoltes de 1995 et de 1996. Les raisins noirs dominent largement (10 % de chardonnay, 30 % de pinot noir, 60 % de pinot meunier). C'est un brut sans année vif et fin. (RM)

➥Joël Closson, 155, rte Nationale, 02310 Saulchery, tél. 03.23.70.17.34, fax 03.23.70.15.24 ☑ ⴲ r.-v.

ANDRE CLOUET U J 1911

| ○ | 0,3 ha | 1 911 | ▤ 250 à 299 F |

La bouteille dégustée portait le numéro 582 de la cuvée 1911 et avait été dégorgée le 14 octobre 1998. Il n'est produit que 1 911 exemplaires de ce champagne, identifiés par l'étiquette reproduisant celle qui fut scellée sur les bouteilles de 1911, très grande année en Champagne. C'est un blanc de noirs de Bouzy né de l'assemblage des récoltes de 1989 et 1990, ample, long et élégant. (SR)

➥Champagne André Clouet, 8, rue Gambetta, 51150 Bouzy, tél. 03.26.57.00.82, fax 03.26.51.65.13 ☑ ⴲ r.-v.

PAUL CLOUET★

| ◑ | 3 ha | n.c. | ▤ 70 à 99 F |

Les Seneuze, imprimeurs du Roi au XVIᵉ s., ont acquis un vignoble à Bouzy. Leurs descendants, la famille Clouet, l'exploitent et ont lancé leur marque en 1950. Leur brut rosé, d'une teinte assez soutenue, offre un nez puissant de fraise avec des notes mentholées et vanillées. La bouche, fruitée, harmonieuse, apparaît généreusement dosée. (RM)

➥SCEV Paul Clouet, 10, rue Jeanne-d'Arc, 51150 Bouzy, tél. 03.26.57.07.31, fax 03.26.52.64.65 ☑ ⴲ t.l.j. 10h-12h 14h-16h

MICHEL COCTEAUX
Chardonnay 1992★★

| ○ | 1,5 ha | 7 800 | ▤ 70 à 99 F |

Michel Cocteaux a créé sa marque et son vignoble en 1965. Il exploite 9,5 ha. Son blanc de blancs est exemplaire avec son nez puissant de fruits confits, sa bouche complexe, riche et longue où se marient des touches de torréfaction, de réglisse, de fruits mûrs. Quelle finesse ! Quel équilibre ! Et quelle longueur ! « On a envie de le mâcher », écrit un dégustateur. Un coup de cœur vendu à un prix attrayant. Un autre juré propose de le marier avec des viandes épicées ! (RM)

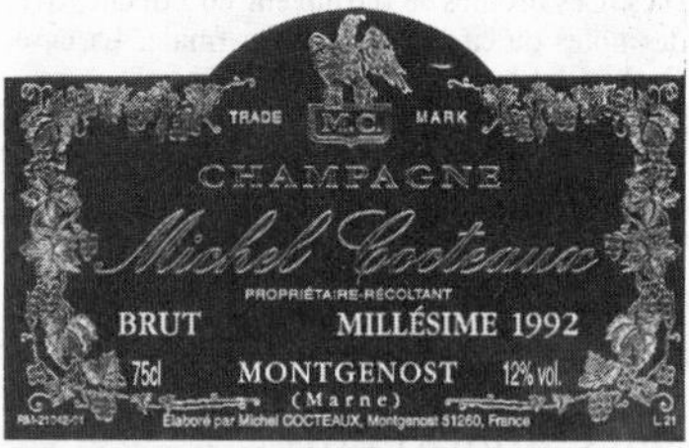

➥Michel Cocteaux, 12, rue du Château, 51260 Montgenost, tél. 03.26.80.49.09, fax 03.26.80.44.60 ☑ ⴲ r.-v.

COLIN Cuvée Alliance★

| ○ 1er cru | n.c. | 10 000 | ▤ⴼ 70 à 99 F |

Etablie à Vertus en Côtes des Blancs, l'exploitation remonte à 1828. Cette cuvée, assemblage classique de 60 % de chardonnay et de 40 % de pinot noir, mérite bien son nom, car ces deux cépages réalisent une très bonne alliance. De couleur or pâle, elle présente un nez fin et mûr, avec des notes gourmandes de brioche et de biscuit, puis des nuances épicées. Après une belle attaque vive, la bouche apparaît ample, équilibrée, bien dosée, conjuguant fraîcheur et vinosité. La finale est intense. Un dégustateur suggère de servir ce champagne avec des crustacés. (RM)

➥Champagne Colin, 101, av. du Gal-de-Gaulle, 51130 Vertus, tél. 03.26.58.86.32, fax 03.26.51.69.79, e-mail colin@terre-net.fr ⴲ t.l.j. sf dim. 9h-12h 14h-17h

COLLARD-CHARDELLE
Cuvée Prestige★★

| ○ | n.c. | 40 000 | ◧ 70 à 99 F |

Marque lancée en 1974, exploitant 8,2 ha de vignes. Un tiers de blancs, deux tiers de noirs (dont 23 % de pinot noir) composent cette cuvée élevée en fût. L'alliance des millésimes 95 et 96, deux bonnes années, ne peut que séduire : un nez intéressant, original, épicé ; du corps, du charme : un champagne à découvrir sur une sauce au poivre vert, suggère un dégustateur. Le brut rosé accompagnera une tarte aux fruits (une étoile, 70 à 99 F). Le millésime 86, en blanc, a semblé encore jeune malgré son âge. On y découvre le miel, les raisins secs, la brioche, et une élégante note minérale (cité, 100 à 149 F). (RM)

➥Collard-Chardelle, 68, rue de Reuil, 51700 Villers-sous-Châtillon, tél. 03.26.58.00.50, fax 03.26.58.34.76 ☑ ⴲ r.-v.

RAOUL COLLET Carte d'Or 1991★

| ○ | 25 ha | 180 000 | 100 à 149 F |

Fondé en 1921, ce groupement de producteurs trouve son origine dans la crise qui a secoué le vignoble champenois en 1911. Il vinifie la production de 600 ha. Ce 91, mi-noir mi-blanc, affiche déjà des arômes tertiaires. Il est équilibré, assez long. A boire dès maintenant. (CM)

➥Champagne Raoul Collet, 14, bd Pasteur, 51160 Ay, tél. 03.26.55.15.88, fax 03.26.54.02.40 ☑ ⴲ r.-v.

COLLON Brut Réserve

○ 0,5 ha 35 000 70 à 99 F

Marque lancée en 1932, disposant d'un vignoble de 7,5 ha. Ce brut comporte 80 % de pinot noir pour 20 % de chardonnay récoltés en 1996. Un champagne fruité, brioché, équilibré, et surtout joyeux. (RM)

⊶ Michel Collon, 27, Grande-Rue, 10110 Landreville, tél. 03.25.38.53.04, fax 03.25.38.53.04 ☑ Y r.-v.

COMTE DE NOIRON Cœur de Cuvée*

○ 20 ha 130 000 70 à 99 F

Cette maison de négoce rémoise propose une cuvée issue d'un assemblage classique (40 % de pinot noir, 60 % de chardonnay) privilégiant les raisins blancs au service d'un vin équilibré, biscuité et long. (NM)

⊶ Champagne Comte de Noiron, 17, rue des Créneaux, 51100 Reims, tél. 03.20.51.06.33, fax 03.26.54.41.58 ☑ Y r.-v.

⊶ Rapeneau

JACQUES COPINET Blanc de blancs Cuvée Marie-Etienne 1990**

○ 5 ha n.c. 100 à 149 F

Cette marque fondée en 1975, exploitant un vignoble de 7 ha, propose un blanc de blancs 90 remarquablement réussi. Riche et complexe, celui-ci associe l'amande, la brioche, le citron, l'orange, les fruits secs et les fruits confits. Puissant, gras, vineux en bouche, il honorera un repas fin. Quant au **blanc de blancs Sélection sans année**, équilibré, floral et noiseté, il mérite d'être cité (70 à 99 F). (RM)

⊶ Jacques Copinet, 11, rue de l'Ormeau, 51260 Montgenost, tél. 03.26.80.49.14, fax 03.26.80.44.61 ☑ Y r.-v.

STEPHANE COQUILLETTE 1993*

○ 1,1 ha 4 000 100 à 149 F

Stéphane Coquillette est à la tête de ses 6 ha depuis vingt ans. Le chardonnay est privilégié (70 %) dans ce 93 aux arômes de pain grillé et de caramel, frais, équilibré et citronné en bouche. (RM)

⊶ Stéphane Coquillette, 31 bis, rue des Bergers, 51530 Chouilly, tél. 03.26.51.74.12, fax 03.26.54.96.55 ☑ Y r.-v.

CORDEUIL PERE ET FILS Brut Réserve Fondateurs*

○ n.c. 5 000 70 à 99 F

Une propriété familiale cultivée selon les principes de la lutte raisonnée, non seulement par respect de l'environnement mais aussi pour produire des raisins de qualité. La Réserve des Fondateurs est une cuvée mi-noire mi-blanche, au nez de fruits confits, d'abricot et de coing, arômes que l'on retrouve avec puissance dans une bouche structurée et vineuse, très typée. Pour saumon frais ou volaille grillée. A retenir encore, cité, le **brut sans année** fortement marqué par le pinot noir (85 %) : « Un champagne gourmand », écrit un dégustateur, ou encore le **millésimé 93**, dans lequel le chardonnay n'entre qu'à hauteur de 25 %, miellé, souple (une étoile). (RM)

⊶ Cordeuil Père et Fils, 2, rue de Fontette, 10360 Noë-les-Mallets, tél. 03.25.29.65.37, fax 03.25.29.65.37 ☑ Y r.-v.

COUCHE PERE ET FILS Cuvée Sélection

○ n.c. 11 000 70 à 99 F

La famille Couche dispose d'un vignoble de 7 ha et a choisi de commercialiser ses vins en 1992. Elle présente une cuvée classique pinot-chardonnay privilégiant le pinot noir (60 %). Un champagne puissant et évolué, au bouquet complexe, empyreumatique et long. Il pourrait accompagner des plats forts en goût, et même du brie ou du coulommiers. (RM)

⊶ EARL Champagne Couche, 29, Grande-Rue, 10110 Buxeuil, tél. 03.25.38.53.96, fax 03.25.38.41.69 ☑ Y r.-v.

ROGER COULON

◑ 0,75 ha 5 000 70 à 99 F

Ancienne famille de vignerons de la Montagne de Reims exploitant un vignoble de 9 ha. Puissant mais évolué, ce rosé de noirs (pinot meunier 30 %), vêtu d'une robe légèrement saumonée, a des arômes de fruits rouges à l'alcool. Il est prêt à boire. (RM)

⊶ Eric Coulon, 12, rue de la Vigne-du-Roi, 51390 Vrigny, tél. 03.26.03.61.65, fax 03.26.03.43.68 Y r.-v.

ALAIN COUVREUR

○ 1,5 ha 9 000 70 à 99 F

Un brut sans année très noir (80 % de pinots dont 10 % de pinot meunier). Un vin controversé. Ceux qui l'apprécient mettent en avant ses arômes de fruits confits et de café, ainsi que son ampleur. Une bouteille à son apogée. A retenir encore un **blanc de blancs** aux arômes de poire et de coing, dont l'acidité est vive. (RM)

⊶ Alain Couvreur, 18, Grande-Rue, 51140 Prouilly, tél. 03.26.48.58.95, fax 03.26.48.26.29 ☑ Y r.-v.

DOMINIQUE CRETE ET FILS Réserve

○ 4 ha 20 000 70 à 99 F

Propriété de 7 ha dont le vignoble est implanté dans la Côte des Blancs ainsi que sur les coteaux situés au sud d'Epernay. Son brut Réserve est issu de 80 % de pinot meunier et de 20 % de chardonnay récoltés en 1995. Son nez est puissant et sa bouche très vive assez classique. Le **brut Sélection**, presque un blanc de blancs (10 % de pinot meunier), issu de la vendange de 1994, apparaît fin, frais, jeune et ample. (RM)

⊶ Dominique Crété, 63, rte Nationale, 51530 Moussy, tél. 03.26.54.52.10, fax 03.26.52.79.93 ☑ Y t.l.j. 10h-12h30 14h30-18h; dim. sur r.-v.

LYCEE AGRICOLE DE CREZANCY Blanc de blancs*

○ 2,84 ha 3 000 70 à 99 F

Un blanc de blancs issu du chardonnay récolté en 1995 dans le vignoble du lycée agricole et viticole de Crézancy. Un champagne remarqué pour sa souplesse, son équilibre et son dosage juste. (RM)

🔑 Lycée agricole et viticole de Crézancy, 02650 Crézancy, tél. 03.23.71.50.70, fax 03.23.71.50.71 ☑ 𝐓 t.l.j. 8h-12h 13h30-17h; sam. dim. oct. nov. sur r.-v.

COMTE AUDOIN DE DAMPIERRE
Cuvée des Ambassadeurs*

○ n.c. n.c. 100 à 149 F

Cette cuvée des Ambassadeurs, mi-blanche mi-noire, séduit par son nez frais de citron et de pamplemousse, et par sa bouche jeune et fruitée, équilibrée. La cuvée **Prestige blanc de blancs** dont le bouchon est maintenu par un muselet à ficelle à l'ancienne, très coûteuse (plus de 300 F) obtient la même note ; un champagne fin et ample à la fois, de belle longueur. (MA)

🔑 Comte A. de Dampierre, 5, Grande-Rue, 51140 Chenay, tél. 03.26.03.11.13, fax 03.26.03.18.05, e-mail champagne.dampierre@wanadoo.fr ☑ 𝐓 r.-v.

DANTAN OUDIT

◕ 4 ha 10 000 70 à 99 F

Les Dantan disposent d'un vignoble de 4 ha, proche de Vitry-le-François, repris par leur fils œnologue, en 1995. Un quart de chardonnay et trois quarts de pinots se marient dans ce rosé tendre à l'œil, au nez et en bouche, aux jolis arômes de fruits rouges. Il est destiné à une tarte aux cerises. (RC)

🔑 Dantan Oudit, 35, rue de Vavray, 51300 Bassuet, tél. 03.26.97.72.47, fax 03.26.40.52.90, e-mail h.dantan@wanadoo.fr ☑ 𝐓 r.-v.

HENRI DAVID-HEUCQ
Cuvée de réserve*

◕ 1,5 ha 4 000 70 à 99 F

Cette exploitation créée en 1977 dispose d'un vignoble de 8 ha. Ce rosé de noirs doit presque tout au pinot meunier (90 %) des années 95 et 96. Il est coloré par 15 % de vin rouge issu de ce même cépage. Sa robe est rose orangé soutenu ; un fruité puissant (fruits rouges, pamplemousse) assure son équilibre. (RM)

🔑 Champagne Henri David-Heucq, rte de Romery, 51480 Fleury-la-Rivière, tél. 03.26.58.47.19, fax 03.26.52.36.25 ☑ 𝐓 r.-v.

JACQUES DEFRANCE
Blanc de blancs Hermitage du père Champion

○ 0,7 ha n.c. 70 à 99 F

Une curiosité, un blanc de blancs de la commune des Riceys, célèbre pour ses pinots noirs et ses rosés. Un vin puissant, fin, au dosage sensible. (RM)

🔑 Jacques Defrance, 24, rue de la Plante, 10340 Les Riceys, tél. 03.25.29.32.20, fax 03.25.29.77.83 ☑ 𝐓 r.-v.

DEHOURS Grande Réserve 1992**

○ n.c. n.c. 70 à 99 F

Maison fondée en 1930 par le grand-père de l'exploitant actuel. Chardonnay et pinot noir à parts égales composent ce 92 où l'amande et la noisette grillée rejoignent le pain d'épice. Un champagne élégant et riche. Le jury a par ailleurs cité la **Cuvée confidentielle**, issue de chardonnay (40 %) et de pinot noir (60 %), tout en souplesse et en longueur, marquée par le coing, et la **cuvée Ludovic Dehours**, un blanc de blancs 90 grand cru, frais et équilibré (100 à 149 F). (NM)

🔑 Diffusion Dehours, 2, rue de la Chapelle, Cerseuil, 51700 Mareuil-le-Port, tél. 03.26.52.71.75, fax 03.26.52.73.83 ☑ 𝐓 r.-v.

DEHU PERE ET FILS 1993*

○ n.c. 2 000 100 à 149 F

Les Déhu sont vignerons à Fossoy depuis la fin du XVIII^{e}s. En sept générations, ils ont constitué un vignoble de 10 ha. Le pinot, majoritaire (65 % de pinot meunier et 13 % de pinot noir), et le chardonnay (22 %) collaborent à ce 93 aux arômes de miel d'acacia, de brioche. Un champagne bien structuré mais qu'il ne faut plus attendre. Ont été citées : la **cuvée Léon Lhermitte** et la **cuvée de l'An 2000**. Issues d'assemblages voisins (environ un tiers de chardonnay, le reste en pinots, dont 15 % de pinot noir), celles-ci offrent pourtant des caractères différents : la première est souple, la seconde nerveuse. (RC)

🔑 Champagne Déhu Père et Fils, 3, rue Saint-Georges, 02650 Fossoy, tél. 03.23.71.90.47, fax 03.23.71.88.91, e-mail varocien@aol.com ☑ 𝐓 r.-v.

DELABARRE

○ 2,5 ha 20 000 70 à 99 F

En trois générations, les Delabarre ont acquis 6 ha de vignes dans la vallée de la Marne. A 5 % près, ce brut est un blanc de noirs (75 % de pinot meunier, 20 % de pinot noir). Les raisins ont été récoltés en 1995. Arômes d'agrumes (citron et pamplemousse) et vivacité le caractérisent. Citée également, la **Cuvée de prestige**, mi-blanche mi-noire (dont 20 % de pinot meunier), a un grand air de famille avec le brut standard (100 à 149 F). (RM)

🔑 Christiane Delabarre, 26, rue de Chatillon, 51700 Vandières, tél. 03.26.58.02.65, fax 03.26.57.10.94 ☑ 𝐓 r.-v.

DELAHAIE Cuvée Prestige*

○ n.c. 8 000 70 à 99 F

Cette cuvée Prestige dont le prix de vente demeure sage, naît du mariage de 60 % de chardonnay et de 40 % de pinot noir. Le vin est floral, élégant et surtout très jeune. On peut lui prédire une bonne évolution. A retenir encore, cité par le jury, le **blanc de blancs 93** : vif en attaque puis gras, il finit sur une touche d'amertume (100 à 149 F). (NM)

🔑 Champagne Delahaie, 22, rue des Rocherets, 51200 Epernay, tél. 03.26.54.08.74, fax 03.26.54.34.45 ☑ 𝐓 r.-v.

🔑 Brochet

DELBECK *

○ Gd cru n.c. n.c. 100 à 149 F

Fondée à Reims en 1832, cette maison connut rapidement la gloire en fournissant la cour. Puis elle s'assoupit pour se réveiller il y a quelques années. Sans surprise, les pinots sont largement majoritaires (80 %) dans ce champagne de Bouzy, équilibré, gras et long. Une étoile encore pour le **blanc de blancs Cramant grand cru** aux notes de miel, d'agrumes et de pain grillé. Idéal sur des crustacés. (NM)

⊶ Champagne Delbeck, 46, bd Lundy, 51053 Reims Cedex, tél. 03.26.77.58.00, fax 03.26.77.58.01, e-mail chdelbeck@aol.com ☒

DELOUVIN NOWACK Carte d'Or*

○ 5 ha 30 000 ▮ ⚱ 70 à 99 F

Vignerons depuis le XVI[e]s., les Delouvin-Nowack se sont lancés dans la manipulation en 1930. Ils disposent d'un vignoble de 6,5 ha dans la vallée de la Marne. Leur Carte d'Or est un blanc de noirs de pinot meunier aux arômes de coing et d'abricot sec, d'une bonne vinosité. Les viandes blanches lui conviendront. Une étoile encore pour **l'Extra Sélection 92** ; chardonnay et pinot meunier à parts égales contribuent au fruité confit, à la souplesse de ce champagne qualifié de féminin par quelques dégustateurs. (RM)

⊶ Bertrand Delouvin, 29, rue Principale, 51700 Vandières, tél. 03.26.58.02.70, fax 03.26.57.10.11 ☒ Y r.-v.

MARIE DEMETS Cuvée de réserve

○ 1,7 ha 15 000 ▮ ⊕ 70 à 99 F

Cette maison auboise dispose de plus de 12 ha. Elle propose un brut sans année assemblant 80 % de pinot noir provenant des récoltes de 1995 et 1996 à 20 % de chardonnay de la vendange de 1996. L'élevage est effectué partiellement dans le bois. Le nez mêle des arômes de pain grillé et de liqueur de framboise ; la bouche équilibrée fait preuve d'une certaine vinosité. A servir avec des viandes blanches. (MN)

⊶ Marie Demets, 7, rue des Vignes, 10250 Gyé-sur-Seine, tél. 03.25.38.23.30, fax 03.25.38.25.04 ☒ Y r.-v.

SERGE DEMIERE Réserve*

○ Gd cru 1,6 ha 12 000 ▮ ⊕ ⚱ 70 à 99 F

Marque lancée en 1976, disposant d'un vignoble de 6 ha. Ce Réserve est un champagne mi-blanc mi-noir, né de la vendange de 1996. Il présente un nez intense, séveux, une attaque vive, un palais floral et printanier. La **cuvée Prestige** est issue d'un assemblage identique, mais elle a un an de plus (1995). Elle mérite d'être citée pour son équilibre et sa fraîcheur. (RM)

⊶ Serge Demière, 7, rue de la Commanderie, 51150 Ambonnay, tél. 03.26.57.07.79, fax 03.26.57.82.15 ☒ Y r.-v.

DEMOISELLE*

○ n.c. n.c. ▮ ⚱ 100 à 149 F

Le groupe Vranken, créé en 1976, a lancé la marque « Demoiselle » en 1985 et a été introdruit sur le second marché de la Bourse de Paris en 1998. Ce brut sans année (étiquette rouge) 1er choix de cuvée, assemblage de chardonnay (60 %) et de pinot noir (40 %), est un classique au nez fruité, flatteur, assorti de notes d'amande fraîche. Une citation pour la **Demoiselle 94** (100 à 149 F), qui porte l'empreinte du chardonnay (80 % de l'ensemble, complété par du pinot noir) avec sa robe pâle, son nez fin et frais d'agrumes et de menthol, sa bouche légère et délicate. (NM)

⊶ Vranken Monopole, 17, av. de Champagne, 51200 Epernay, tél. 03.26.59.50.50, fax 03.26.52.19.65 ☒ Y t.l.j. 9h30-16h30; sam. 10h-16h; dim. et groupes sur r.-v.

MICHEL DERVIN MD*

○ 4 ha 30 202 ▮ ⚱ 70 à 99 F

Ce jeune domaine, constitué à partir de 1980, compte aujourd'hui 4 ha. La marque a été lancée en 1983. La cuvée MD, issue de la récolte 1996, est un blanc de noirs des deux pinots (75 % de pinot meunier). Le nez est intense, fin et fruité ; la bouche, un peu en retrait, est cependant bien construite. (NM)

⊶ SARL Dervin, rte de Belval, 51480 Cuchery, tél. 03.26.58.15.22, fax 03.26.58.11.12 ☒ Y r.-v.

DESBORDES-AMIAUD Cuvée An 2000 - 1989*

○ 1er cru n.c. n.c. ▮ 100 à 149 F

L'exploitation - 9 ha dans la Montagne de Reims - est gérée par des femmes depuis 1935. La marque a été lancée en 1968. Cette cuvée issue à 80 % de pinot noir n'a pas fait sa fermentation malolactique, ce qui lui donne longévité et fraîcheur, quoique au prix d'une touche d'amertume. Un champagne intéressant, complexe, aux arômes tertiaires mais également fruités. Le **brut sans année, Grande Réserve 1er cru**, assemblage et vinification identiques, doit être cité pour son caractère, la franchise de son attaque et sa longueur (70 à 99 F). (RM)

⊶ Marie-Christine Desbordes, 2, rue de Villers-aux-Nœuds, 51500 Ecueil, tél. 03.26.49.77.58, fax 03.26.49.27.34 ☒ Y r.-v.

LAURENT DESMAZIERES Cuvée Tradition*

○ 18 ha n.c. ▮ ⚱ 70 à 99 F

Cette marque est contrôlée par le champagne Cattier. La cuvée Tradition est issue de 80 % de pinots (noir et meunier à parts égales) complétés par 20 % de chardonnay. Un champagne équilibré, floral avec des touches mentholées. Le **rosé Tradition**, très noir (10 % de chardonnay), mérite d'être cité. Il est léger, équilibré, de bonne longueur. (NM)

⊶ Laurent Desmazières, 9, rue Dom-Pérignon, 51500 Chigny-les-Roses, tél. 03.26.03.42.11, fax 03.26.03.43.13 ☒

⊶ Cattier

PAUL DETHUNE Princesse des Thunes

○ Gd cru 0,5 ha 2 000 ▮ ⚱ 100 à 149 F

Créé en 1840, ce domaine familial s'étend sur 7 ha. Il propose une cuvée spéciale issue de chardonnay et de pinot noir à parts égales. Un champagne au nez discret, à la bouche fine, ronde et équilibrée. (RM)

⊶ Paul Déthune, 2, rue du Moulin, 51150 Ambonnay, tél. 03.26.57.01.88, fax 03.26.57.09.31 ☒ Y t.l.j. 9h-12h 14h-18h; dim. sur r.-v.

DEUTZ Cuvée William Deutz 1990**

○ n.c. 30 000 ▮ ⚱ 300 à 499 F

En 1839, sous la monarchie de Juillet, William Deutz, fils d'un épicier d'Aix-la-Chapelle, s'associe avec le fils d'un tonnelier de la même cité pour fonder la maison de champagne qui portera son nom, reprise aujourd'hui par Roederer. La cuvée William Deutz, fleuron de la marque, naît de l'assemblage de deux tiers de pinots (dont 10 % de pinot meunier) et d'un tiers de chardonnay. Ce vin a séjourné huit ans sur ses lies. Un grand champagne à son apogée, complexe, ample, harmonieux et chaleureux. Le coup de cœur s'impose. (NM)

🔑 Champagne Deutz, 16, rue Jeanson, 51160 Ay, tél. 03.26.56.94.00, fax 03.26.56.94.10 ☑ 🍷 r.-v.

DEUTZ Cuvée William Deutz 1990*

◑ n.c. n.c. ▮🌡 +de 500 F

Outre le champagne coup de cœur, quatre cuvées de la maison Deutz ont été sélectionnées : la cuvée William Deutz en rosé, assemblage de 75 % de pinot noir et de 25 % de chardonnay, élevée huit ans sur lies ; une cuvée spéciale coûteuse, de couleur rose tuilé, aux arômes de fraise des bois et de cassis, équilibrée avec nervosité. Ont été cités le **brut Classic** (150 à 199 F), issu des trois cépages champenois, fondu et équilibré ; le **1993** (250 à 299 F), marqué par les pinots (70 %), floral et ample, qui a atteint son apogée ; le **blanc de blancs 93** beurré, brioché au nez, agrumes en bouche, dont la nervosité est gage d'une bonne garde. (NM)

🔑 Champagne Deutz, 16, rue Jeanson, 51160 Ay, tél. 03.26.56.94.00, fax 03.26.56.94.10 ☑ 🍷 r.-v.

DOM BASLE Cuvée 2000

○ 6,5 ha 2 000 ▮ 100 à 149 F

Cette exploitation, qui a plus d'un siècle, a lancé sa marque Dom Basle en souvenir d'un ermite enterré dans l'église de Verzy. Cette cuvée naît de l'assemblage de 60 % de pinot noir et de 40 % de chardonnay récoltés en 1992 et en 1993. Son nez est discrètement fruité alors qu'en bouche son expression est directe. Un ensemble honorable. (RM)

🔑 Lallement-Deville, 28, rue Irénée-Gass, B.P. 29, 51380 Verzy, tél. 03.26.97.95.90, fax 03.26.97.98.25 ☑ 🍷 r.-v.

DOQUET-JEANMAIRE
Cuvée An 2000 Blanc de blancs 1990*

○ 1er cru 2 ha 5 000 ▮🌡 100 à 149 F

Nicole et Michel Doguet ont créé la marque en s'installant à Vertus en 1974. Pascal, leur fils, gère depuis 1995 cette exploitation spécialisée dans les blancs de blancs et disposant d'un vignoble de 14 ha. La cuvée An 2000 n'a pas fait sa fermentation malolactique. Elle est issue de raisins de Vertus et du Mesnil-sur-Oger. Ses arômes évoquent les fruits jaunes, la mandarine confite et les épices : un vin complexe et plein. Un autre **blanc de blancs 90** a fait sa fermentation malolactique ; rond, évolué, d'une belle longueur, il pourra accompagner un chapon. Il a obtenu la même note, tout comme le **blanc de blancs Cœur de terroir 85**, élevé treize ans sur ses lies, véritable champagne d'amateurs. (SR)

🔑 Champagne Doquet-Jeanmaire, 44, chem. Moulin-Cense-Bizet, 51130 Vertus, tél. 03.26.52.16.50, fax 03.26.59.36.71 ☑ 🍷 r.-v.

ETIENNE DOUE Cuvée Sélection*

○ 3 ha 20 000 ▮ 70 à 99 F

Les champagnes de Montgueux - près de Troyes - sont rares. En voici un, issu d'un vignoble de 4,5 ha. La marque a été fondée en 1977. Ce Sélection marie du chardonnay (60 %) et du pinot noir récoltés en 1995, 1996 et 1997. Un champagne puissant, souple et frais, d'une grande finesse, à la finale quelque peu couverte par le dosage. (RM)

🔑 Etienne Doué, 11, rte de Troyes, 10300 Montgueux, tél. 03.25.74.84.41, fax 03.25.79.00.47 ☑ 🍷 r.-v.

DOYARD-MAHE Blanc de blancs 1993*

○ 1er cru n.c. 2 000 ▮🌡 100 à 149 F

Cette marque lancée en 1953, disposant d'un vignoble de 6 ha, propose un blanc de blancs brioché, fruité, équilibré avec rondeur, très agréable. Elle obtient une citation pour deux autres cuvées : le **rosé** qui est presque un blanc de blancs coloré par 15 % de pinot noir vinifié en rouge, un champagne léger, frais avec une pointe d'amertume (70 à 99 F) et la **cuvée spéciale An 2000**, un blanc de blancs controversé, quelques dégustateurs relevant une certaine astringence, mais auquel tous reconnaissent de la finesse (200 à 249 F). (RM)

🔑 Philippe Doyard-Mahé, Le Moulin d'Argensole, 51130 Vertus, tél. 03.26.52.23.85, fax 03.26.59.36.69 ☑ 🍷 t.l.j. 10h-12h 14h-19h; dim. 10h-12h

DRAPPIER Grande Sendrée 1990**

◑ n.c. 4 000 150 à 199 F

Etablis dans le vignoble d'Urville depuis 1808, les Drappier cultivent 40 ha et achètent des raisins produits sur une vingtaine d'hectares dans la Côte des Blancs et la Montagne. Leur rosé de noirs (pinot noir) est très apprécié par les dégustateurs pour son originalité : « surprenant à chaque gorgée, il se démarque des autres », lit-on sur les fiches. On lui découvre des parfums de fruits confits, de fruits rouges, de groseille, auxquels viennent s'ajouter en bouche la finesse et le miel. L'ensemble est bien fondu, équilibré par

une pointe d'acidité. La cuvée **Signature**, un blanc de blancs non millésimé, obtient une citation (100 à 149 F). (NM)
⊶ Champagne Drappier, Grande-Rue, 10200 Urville, tél. 03.25.27.40.15, fax 03.25.27.41.19, e-mail champagne.drappier@wanadoo.fr ☑ Ỿ r.-v.

DRIANT-VALENTIN

○ 1er cru 2 ha n.c. ▮ 🌡 70 à 99 F

Lancée en 1972, cette marque exploite un vignoble de 5,5 ha. Son brut sans année est issu du mariage du chardonnay (60 %) et du pinot noir (40 %) récoltés en 1993 : un champagne souple et élégant. Egalement cité, le **90**, issu de 80 % de chardonnay pour 20 % de pinot noir, reflète l'opulence du millésime, son évolution souvent rapide, mais aussi sa richesse. Un champagne de repas (100 à 149 F). (RM)
⊶ Jacques Driant, 4, imp. de la Ferme, 51190 Grauves, tél. 03.26.59.72.26, fax 03.26.59.76.55 ☑ Ỿ r.-v.

GERARD DUBOIS Tradition★★★

○ 2 ha 14 000 ▮ 70 à 99 F

Gérard Dubois exploite ce domaine de 6 ha, fondé en 1920. La marque a été lancée en 1970. Ce Tradition est issu des trois cépages champenois à parts à peu près égales, vendangés en 1992. Il offre un nez expressif et racé, beurré et brioché. La bouche confirme le nez avec un fruité de mirabelle au sirop, révélant un équilibre parfait et une grande longueur. (RM)
⊶ Gérard Dubois, 67, rue Ernest-Vallé, 51190 Avize, tél. 03.26.57.58.60, fax 03.26.57.99.26 ☑ Ỿ r.-v.

ROBERT DUFOUR ET FILS
Cuvée Prestige 1989★★

○ 3 ha 3 600 ▮ 100 à 149 F

Ce n'est plus une surprise mais une confirmation, car ce vin avait déjà obtenu deux étoiles il y a deux ans (édition 1998). Une double confirmation : celle de la qualité du vin, toujours égal à lui-même, et celle de la compétence des dégustateurs. Un blanc de blancs remarquable, à la palette aromatique complexe mêlant le beurre, la noisette et les fruits confits. La bouche est ample, grasse, ronde. Un membre du jury écrit : « Vin complet très singulier ». Ce champagne riche suggère de nombreuses idées d'accords gourmands : canard en sauce, bar au fenouil et jusqu'au brie de Meaux ! A signaler, citée sans étoile, la **cuvée Benjamine** (75 % de pinot noir, 25 % de chardonnay), puissante et ronde (70 à 99 F). (RM)
⊶ EARL Robert Dufour et Fils, 4, rue de la Croix-Malot, 10110 Landreville, tél. 03.25.29.66.19, fax 03.25.38.56.50 Ỿ r.-v.

J. DUMANGIN FILS

◐ 1er cru 5 ha 2 000 70 à 99 F

Un rosé mi-blanc mi-noir, teinté de 10 % de vin rouge de pinot meunier. Tuilé clair à l'œil, il offre un nez de marmelade de citron avec des notes mentholées et florales. En bouche, on trouve la fraîcheur du pamplemousse, de la framboise, de la fraise, un peu de fruits secs. Très agréable. (RM)
⊶ Champagne Jacky Dumangin, 3, rue de Rilly, B.P. 23, 51500 Chigny-les-Roses, tél. 03.26.03.46.34, fax 03.26.03.45.61, e-mail info@champagne-dumangin.fr ☑ Ỿ r.-v.

DANIEL DUMONT
Grande Réserve de l'An 2000

○ 5 ha 40 000 ▮ 70 à 99 F

Cette marque exploite un vignoble de 10 ha dans la Montagne de Reims. Ce Grande Réserve est plus noir que blanc (40 % de chardonnay, 40 % de pinot noir et 20 % de pinot meunier récoltés en 1994 et 1995). Au nez, du foin fraîchement coupé ; en bouche, une symphonie de fleurs blanches. Le **Tête de cuvée 93 Excellence de l'An 2000**, mi-noir mi-blanc, vanille et pamplemousse au nez, franc en attaque, corpulent et épicé, a obtenu la même note (100 à 149 F). (RM)
⊶ Champagne Daniel Dumont, 11, rue Gambetta, 51500 Rilly-la-Montagne, tél. 03.26.03.40.67, fax 03.26.03.44.82 ☑ Ỿ r.-v.

R. DUMONT ET FILS

○ 22 ha 70 000 ▮ 🌡 70 à 99 F

Cette marque fondée en 1983, exploitant un vignoble de 22 ha, a élaboré un brut sans année issu de pinot noir à 80 %, complété par du chardonnay. Avec son nez de pomme verte, c'est un champagne jeune et complexe, agréable à boire. La **cuvée 2000** (60 % de pinot noir, 35 % de chardonnay) s'exprime allègrement par des arômes de citron cuit et de pamplemousse. En bouche, on retrouve les agrumes soutenus par une forte structure (100 à 149 F). (RM)
⊶ R. Dumont et Fils, 10200 Champignol-lez-Mondeville, tél. 03.25.27.45.95, fax 03.25.27.45.97 ☑ Ỿ r.-v.

DUVAL-LEROY
Fleur de Champagne 1992★

○ n.c. 40 000 ▮ 🌡 100 à 149 F

Cette petite affaire fondée en 1854 a pris de l'importance après la guerre, tout en restant familiale. Elle dispose d'un vaste vignoble (140 ha). Ce 92 illustre le style Duval-Leroy, axé sur la prééminence du chardonnay. Il comporte 70 % de raisins blancs pour 30 % de pinot noir. C'est un champagne classique : fleurs blanches au nez, agrumes en bouche, frais et équilibré. Avec son **Fleur de Champagne Blanc de noirs** (pinot meunier 40 %), Duval-Leroy veut montrer sa maîtrise du pinot. Ce champagne rond, vineux, souple et long, a obtenu également une étoile. (NM)

⊶ Champagne Duval-Leroy,
69, av. de Bammental, B.P. 37, 51130 Vertus,
tél. 03.26.52.10.75, fax 03.26.52.37.10,
e-mail champagne@duval-leroy.com ☒ ⏉ r.-v.

CHARLES ELLNER Réserve

○ 1er cru | n.c. | 30 000 | ▮ | 70 à 99 F

La maison Ellner a pris le statut de négociant-manipulant en 1972 et choisi de jolies étiquettes. Une maison discrète qui dispose d'un vignoble de 54 ha. Ce 1er cru privilégie le pinot noir (70 %), épaulé par 30 % de chardonnay. Il présente un nez discret et une bouche légère. Un champagne d'apéritif. Le **90**, issu des mêmes cépages mais dans des proportions inversées, est de style floral ; il demeure frais en dépit d'une acidité moyenne (100 à 149 F). (NM)

⊶ Champagne Charles Ellner, 6, rue Côte-Legris, 51200 Epernay, tél. 03.26.55.60.25,
fax 03.26.51.54.00, e-mail info@champagne-ellner.com ☒ ⏉ r.-v.

CHRISTIAN ETIENNE
Cuvée de l'Espérance★★

○ | 2 ha | 2 000 | ▮ ⚲ | 70 à 99 F

Christian Etienne s'est installé en 1978 et exploite 9 ha de vignes dans l'Aube. Sa cuvée de l'Espérance, élaborée à partir des millésimes 89 et 90, porte la marque du pinot noir (90 % de l'assemblage) dans sa robe or soutenu et dans son élégant nez fruité. La bouche harmonieuse, ample, fraîche, équilibrée, offre une très bonne finale. Un champagne d'apéritif « tonique et vivifiant », pour reprendre les termes d'un dégustateur. (RM)

⊶ Christian Etienne, rue de la Fontaine,
10200 Meurville, tél. 03.25.27.46.66,
fax 03.25.27.45.84 ☒ ⏉ r.-v.

JEAN-MARIE ETIENNE★

◐ 1er cru | n.c. | 2 000 | ▮ | 70 à 99 F

L'exploitation, située dans la vallée de la Marne, est aujourd'hui dirigée par les fils de Jean-Marie Etienne. Ce rosé naît de l'assemblage de 25 % de chardonnay et de 75 % de pinots (dont 15 % de pinot meunier), récoltés en 1995, 1996 et 1997. La robe est soutenue, le nez léger, tout comme la bouche fraîche et mentholée avec des accents de sous-bois. La **Cuvée spéciale brut** (chardonnay 60 %, pinot noir 40 %), briochée, biscuitée, citronnée et vanillée, équilibrée et fraîche, et le **brut sans année**, plus noir que blanc (20 % de chardonnay), aromatique et équilibré, méritent tous deux d'être cités. (RM)

⊶ Champagne Etienne, 33, rue Louis-Dupont,
51480 Cumières, tél. 03.26.51.66.62,
fax 03.26.55.04.65 ☒ ⏉ r.-v.

EUSTACHE DESCHAMPS
Blanc de blancs★

○ | 5 ha | 30 000 | ▮ ⚲ | 70 à 99 F

Groupement de producteurs gérant 117 ha, créateur du champagne Eustache Deschamps, ainsi baptisé en hommage à ce poète né à Vertus en 1346. Les champagnes de cette marque ne font pas de fermentation malolactique. Ce blanc de blancs, dégorgé en 1998, est demeuré sept ans sur ses lies. Il a acquis de la complexité. Cire d'abeille, moka, praline, fruits secs, épices donnent de la suavité à ce vin rond qui a atteint son apogée. (CM)

⊶ Champagne Eustache Deschamps, 38, av. de Bammental, 51130 Vertus, tél. 03.26.52.18.95,
fax 03.26.58.39.47 ☒ ⏉ r.-v.

FRANCOIS FAGOT

○ 1er cru | n.c. | 55 000 | ▮ ⚲ | 70 à 99 F

Un tiers de chardonnay et deux tiers de pinots (dont 30 % de pinot meunier) collaborent à ce 1er cru jaune à reflets verts, au nez discret et à la bouche structurée et fruitée. (NM)

⊶ SARL François Fagot, 26, rue Gambetta,
51500 Rilly-la-Montagne, tél. 03.26.03.42.56,
fax 03.26.03.41.19 ☒ ⏉ r.-v.

FALLET-DART Cuvée de réserve

○ | 9 ha | 58 000 | ▮ ⚲ | 70 à 99 F

Gérard Fallet, établi à Charly dans la vallée de la Marne, mène ce domaine créé en 1910. Le vignoble s'étend sur 17 ha. Issue de 80 % de pinot meunier complétés à parts égales de pinot noir et de chardonnay récoltés en 1995 et 1996, sa Cuvée de réserve présente un nez brioché, une bouche ronde mais ferme et une finale fruitée. (RM)

⊶ Fallet-Dart, Drachy, 2, rue des Clos-du-Mont, 02310 Charly-sur-Marne,
tél. 03.23.82.01.73, fax 03.23.82.19.15 ☒ ⏉ r.-v.

FANIEL-FILAINE Cuvée Eugénie★

○ | n.c. | n.c. | | 100 à 149 F

Vignerons à Damery depuis 1696, les Faniel ont lancé leur marque en 1992. Ils exploitent un vignoble de plus de 5 ha. Cette cuvée Eugénie est un blanc de blancs, d'où l'élégance de ce vin biscuité aux arômes d'agrumes, vif et équilibré, à marier à une tarte à l'orange. Quant au **Réserve** - à 5 % près un blanc de noirs -, c'est un champagne d'apéritif, jeune et nerveux. Il est cité sans étoile (70 à 99 F). (RM)

⊶ Faniel-Filaine, 48, quai de Verdun,
51480 Damery, tél. 03.26.58.62.67,
fax 03.26.58.03.26 ☒ ⏉ r.-v.

SERGE FAYE Tradition★

○ 1er cru | 2,1 ha | 24 000 | ▮ | 70 à 99 F

Marque exploitant un vignoble de 4 ha. Les champagnes Serge Faÿe ne font pas leur fermentation malolactique. Ce Tradition est un vin de pinot noir additionné de 10 % de chardonnay. Bien construit, il montre une belle personnalité. Sa palette aromatique associe la mûre, la pêche, l'abricot et le pain beurré, avec du citron en finale. (RM)

⊶ Serge Faÿe, 2 bis, rue André-Le-Nôtre,
51150 Louvois, tél. 03.26.57.81.66,
fax 03.26.59.45.12 ☒ ⏉ r.-v.

M. FERAT ET FILS 1995★

○ 1er cru | n.c. | n.c. | | 70 à 99 F

Pascal Férat reçut l'an dernier un coup de cœur pour sa cuvée Prestige 90. Ce 95 est un blanc de blancs dont la robe d'or pâle à reflets verts séduit d'emblée. Très fin mais aussi très riche, très floral, très frais, c'est un champagne d'apéritif. (RM)

🔑 Pascal Férat, rte de la Cense-Bizet, 51130 Vertus, tél. 03.26.52.25.22, fax 03.26.52.23.82 ☑ 🍷 r.-v.

FLEURY PERE ET FILS
2000 et Une Nuits 1992

○ 1,5 ha 10 000 200 à 249 F

Cette marque créée dans les années 20 dispose d'un vignoble de 13 ha qu'elle conduit en biodynamie. Cette cuvée spéciale naît de 90 % de chardonnay et de 10 % de pinot noir. C'est un champagne de repas d'une belle couleur dorée au nez expressif : pain d'épice, miel, fruits confits, orange, liqueur de framboise, avec une note briochée. Le palais est rond et frais. Le **rosé** est obtenu par saignée. Il est donc issu exclusivement du pinot noir, récolté en 1996. Le vin est élevé six mois dans le bois. Un rosé vineux, sans astringence, fraise des bois, cassis, mûre et cuir (100 à 149 F). (NM)

🔑 Champagne Fleury, 43, Grande-Rue, 10250 Courteron, tél. 03.25.38.20.28, fax 03.25.38.24.65 ☑ 🍷 r.-v.

G. FLUTEAU Carte Rubis★★

◐ n.c. 10 000 70 à 99 F

Maison de négoce de l'Aube, créée en 1935 et disposant d'un vignoble de 8 ha. Ce rosé 100 % pinot noir est très complimenté. Il a atteint son apogée, et séduit par ses arômes complexes évoquant le pain grillé beurré et la confiture de fraises. Un ensemble harmonieux et élégant. A signaler, citée par le jury, la **cuvée Prestige 95** issue exclusivement de chardonnay : un champagne qui brille par sa fraîcheur et ses arômes floraux. (NM)

🔑 Hérard et Fluteau, 5, rue de la Nation, 10250 Gyé-sur-Seine, tél. 03.25.38.20.02, fax 03.25.38.24.84, e-mail champagne.fluteau@wanadoo.fr ☑ 🍷 r.-v.

FORGET-BRIMONT

○ 1er cru n.c. 100 000 70 à 99 F

Ce brut fait la part belle aux pinots (80 % dont 20 % de pinot meunier) qui sont à l'origine de son fruité ample aux accents de noisette. Un vin équilibré. (NM)

🔑 Forget-Brimont, 51500 Ludes, tél. 03.26.61.10.45, fax 03.26.61.11.58 ☑ 🍷 t.l.j. sf dim. 8h-12h 13h-18h; sam. sur r.-v.; f. août

🔑 Michel Forget

FORGET-CHEMIN Carte blanche★★

○ 11 ha 60 000 70 à 99 F

Cette entreprise familiale établie à Ludes (Montagne de Reims) exploite un vignoble de 11 ha. Les trois cépages champenois à parts égales sont à l'origine de cet excellent champagne proche du coup de cœur. Le jury a été sensible à ses arômes de fleurs blanches et d'agrumes briochés, que l'on retrouve en bouche avec l'abricot confit ; le palais, gourmand, élégant et complexe, est bien structuré. Une étoile pour le **86 Année de la Comète**, souple et gourmand, dont l'apogée s'éloigne. Et une citation pour le **rosé** (25 % de chardonnay), élégant, frais et équilibré. (RM)

🔑 Champagne Forget-Chemin, 15, rue Victor-Hugo, 51500 Ludes, tél. 03.26.61.12.17, fax 03.26.61.14.51 ☑ 🍷 r.-v.

FOURNAISE-THIBAUT
Cuvée de l'An 2000 - 1995★

○ n.c. n.c. 70 à 99 F

Marque de Châtillon-sur-Marne, fondée en 1973. Cette cuvée de l'An 2000, millésime 95, fait appel au pinot noir et au chardonnay à parts égales. La noisette et l'amande se disputent le nez ; la bouche est riche et charnue. Deux autres vins sont cités : la **cuvée Prestige** - les trois cépages champenois à parts égales vendangés en 1995 - au nez très proche du millésimé 95 mais plus évolué en bouche ; le **93**, mi-noir mi-blanc, vif, fruité et miellé. (RM)

🔑 Daniel Fournaise, 2, rue des Boucheries, 51700 Châtillon-sur-Marne, tél. 03.26.58.06.44, fax 03.26.51.60.91 ☑ 🍷 t.l.j. 8h-12h 13h30-19h

TH. FOURNIER Cuvée Prestige

○ 2,5 ha n.c. 100 à 149 F

En 1983, après des études d'œnologie, Thierry Fournier a repris le domaine de ses grands-parents. Il exploite 8 ha de vignes. Sa cuvée Prestige, mi-blanche mi-noire, (dont 30 % de pinot meunier), issue de raisins récoltés en 1993, est très puissante, évoluée et souple. Egalement citée, la **cuvée du Millénaire**, issue des trois cépages champenois vendangés en 1994, paie sa forte évolution au prix de sa légèreté. (RM)

🔑 Thierry Fournier, 8, rue du Moulin, Meuville, 51700 Festigny, tél. 03.26.58.04.23, fax 03.26.58.09.91 ☑ 🍷 r.-v.

FRANÇOIS-BROSSOLETTE Tradition★

○ 10 ha 21 635 50 à 69 F

Les Brossolette exploitent un vignoble de 12 ha dans l'Aube. 80 % de pinot noir, 17 % de chardonnay et un soupçon de pinot meunier récoltés en 1996 composent ce brut sans année fin et vif, adapté à l'heure de l'apéritif. (RM)

🔑 François-Brossolette, 42, Grande-Rue, 10110 Polisy, tél. 03.25.38.57.17, fax 03.25.38.51.56 ☑ 🍷 r.-v.

FRESNET-BAUDOT★

◐ Gd cru 0,5 ha 2 000 70 à 99 F

Ce récoltant manipulant, exploitant 3 ha à Sillery, présente un rosé assemblant 70 % de pinot noir à 30 % de chardonnay récoltés en 1995. Il est teinté par 15 % de vin rouge. Fruits rouges citronnés, groseille et arômes floraux animent ce champagne équilibré, tout en finesse. (RM)

🔑 Fresnet-Baudot, 9, rue de Puisieulx, 51500 Sillery, tél. 03.26.49.11.74, fax 03.26.49.10.72, e-mail champagne.fresnet-baudot@wanadoo.fr ☑ 🍷 r.-v.

FRESNET-JUILLET

○ 1er cru 4 ha 60 000 70 à 99 F

Marque lancée en 1954 disposant d'un vignoble de 9 ha. Ce brut sans année assemble 80 % de pinot noir à 20 % de chardonnay récoltés en 1996 ; il comprend 40 % de vin de réserve. C'est un champagne léger et frais, déjà à son apogée. Egalement cité, le **Verzy 95** est un blanc de noirs.

Ses arômes sont discrets ; il est équilibré et a atteint son apogée (100 à 149 F). (NM)

☛Champagne Fresnet Distribution, 10, rue de Beaumont, 51380 Verzy, tél. 03.26.97.93.40, fax 03.26.97.93.40 ☑ Ⴈ r.-v.

MICHEL FURDYNA Réserve★

| ○ | | 4 ha | 30 000 | ▮ ▮ | 70 à 99 F |

Marque lancée en 1976, disposant d'un vignoble de 8 ha. Ce Réserve est un blanc de noirs flatteur, d'acidité modérée. Son dosage est sensible. Même note pour le **Prestige 91**, mariage réussi de 70 % de pinot noir et de 30 % de chardonnay, aux arômes de fleurs blanches et de fruits exotiques, à la bouche tendre et généreuse (100 à 149 F). (RM)

☛Champagne Michel Furdyna, 13, rue du Trot, 10110 Celles-sur-Ource, tél. 03.25.38.54.20, fax 03.25.38.25.63,
e-mail champagne.furdyna@wanadoo.fr
☑ Ⴈ r.-v.

G. DE BARFONTARC Extra Quality★

| ○ | | | n.c. | 150 000 | ▮ ▮ | 50 à 69 F |

Groupement de producteurs de la Côte des Bar, fondé en 1964 et vinifiant la production de 90 ha. L'Extra-Quality, qui naît de l'assemblage de 88 % de vin du millésime 95 à 12 % de vin de 94, comprend 45 % de pinot noir et 40 % de meunier, complétés par 15 % de chardonnay. Sa fraîcheur minérale est soulignée par une touche de citron vert. Tout aussi réussie, la **cuvée de prestige 93** réunit 40 % de pinot noir et de chardonnay et 20 % de pinot meunier. C'est un champagne vif, épicé, vanillé, avec des arômes de violette (70 à 99 F). (CM)

☛Champagne G. de Barfontarc, 10200 Baroville, tél. 03.25.27.07.09, fax 03.25.27.23.00 ☑ Ⴈ t.l.j. sf dim. 8h-12h 13h30-16h30

LUC GAIDOZ Tradition

| ○ | | n.c. | n.c. | ▮ | 70 à 99 F |

Domaine créé en 1983 dans la Montagne de Reims. Assemblage de meunier (80 %), de pinot noir et de chardonnay (10 % chacun), cette cuvée Tradition est un champagne agréable, au nez très fin, à la bouche équilibrée mais au dosage sensible. (RM)

☛Luc Gaidoz, 4, rue Gambetta, 51500 Ludes, tél. 03.26.61.13.73 ☑ Ⴈ r.-v.

GAIDOZ-FORGET Cuvée de réserve

| ○ | | n.c. | n.c. | ▮ | 100 à 149 F |

Daniel Gaidoz cultive un vignoble de 9 ha. Sa Cuvée de réserve marie un quart de chardonnay à trois quarts de pinot (dont 25 % de pinot noir) récoltés dans les années 1990 et 1991. Aromatiquement puissante, elle est marquée en bouche par les fruits rouges. Les dégustateurs apprécient sa persistance et son équilibre. (RM)

☛Daniel Gaidoz, 1, rue Carnot, 51500 Ludes, tél. 03.26.61.13.03, fax 03.26.61.11.65 ☑ Ⴈ r.-v.

GALLIMARD PERE ET FILS
Cuvée Prestige 1993

| ○ | | n.c. | 10 000 | | 70 à 99 F |

Les Gallimard élaborent du champagne depuis 1930. Ils exploitent un vignoble de 10 ha.

Leur cuvée Prestige est un blanc de noirs (pinot noir) au très joli nez de fruits rouges miellés, léger au palais. (RM)

☛SCE Champagne Gallimard Père et Fils, 18-20, rue Gaston-Cheq, 10340 Les Riceys, tél. 03.25.29.32.44, fax 03.25.38.55.20 ☑ Ⴈ r.-v.

GATINOIS Tradition

| ○ Gd cru | | 6 ha | 25 000 | ▮ ▮ | 70 à 99 F |

Récoltant-manipulant exploitant un vignoble de 7,3 ha. Les pinots d'Ay comptent parmi les meilleurs des grands crus. Ils composent 90 % de cette cuvée fruitée, à la robe d'or ambré, qui a retenu l'attention par sa grande finesse en bouche. (RM)

☛Champagne Gatinois, 7, rue Marcel-Mailly, 51160 Ay, tél. 03.26.55.14.26, fax 03.26.52.75.99 ☑ Ⴈ r.-v.

GAUDINAT-BOIVIN Grande Réserve

| ○ | | 0,5 ha | 3 500 | ▮ ▮▮ | 70 à 99 F |

Ce domaine familial de 5 ha, créé en 1920, s'est lancé dans la vente directe en 1960. La marque Gaudinat-Boivin est apparue en 1970. Issu à parts égales de pinot noir et de chardonnay récoltés en 1996, ce champagne offre des arômes de tilleul et d'amande. Après une attaque vive, l'équilibre s'impose en bouche. (RM)

☛EARL Gaudinat-Boivin, 6, rue des Vignes, Le Mesnil-le-Huttier, 51700 Festigny, tél. 03.26.58.01.52, fax 03.26.58.97.46 ☑ Ⴈ r.-v.

☛Roger Gaudinat

GAUTHEROT Cuvée de réserve★★

| ○ | | 7,5 ha | 55 460 | ▮ ▮ | 70 à 99 F |

Ce domaine viticole vieux de trois siècles élabore du champagne depuis 1935 à partir d'un vignoble de 12 ha. Assemblage de trois quarts de pinot noir et d'un quart de chardonnay récoltés en 1994 et 1995, voici un excellent brut sans année, au nez brioché avec des fruits secs et du miel. En bouche, il est réglissé, long et équilibré. Le **Sélection 95**, assemblage proche du précédent, frais, nerveux, citronné, direct, a obtenu une citation. (RM)

☛François Gautherot, 29, Grande-Rue, 10110 Celles-sur-Ource, tél. 03.25.38.50.03, fax 03.25.38.58.14 ☑ Ⴈ r.-v.

GAUTHIER Grande Réserve★

| ○ | | n.c. | n.c. | | 100 à 149 F |

Une des marques du groupe Marne et Champagne. Les trois cépages champenois participent à peu près également à cette cuvée équilibrée qui a la fraîcheur de la poire et de la pêche. (NM)

☛Marne et Champagne, 22, rue Maurice-Cerveaux, 51200 Epernay, tél. 03.26.78.50.50, fax 03.26.78.50.99, e-mail info@m-c-d.fr

MICHEL GENET
Blanc de blancs Brut Esprit

| ○ Gd cru | | n.c. | 26 000 | ▮ | 70 à 99 F |

Michel Genet s'est installé en 1997 sur ce domaine de 7,2 ha créé en 1965. Son Brut Esprit est un blanc de blancs du grand cru Chouilly. Ces chardonnays, récoltés en 1995, s'expriment avec puissance et longueur, libérant des arômes de fruits secs, d'amande fraîche et de coing. (RM)

⊶ Michel Genet, 22, rue des Partelaines, 51530 Chouilly, tél. 03.26.55.40.51, fax 03.26.59.16.92 ☒ Y r.-v.

RENE GEOFFROY*

◐ 1er cru 1,2 ha 10 000 ▮◍ 70 à 99 F

Cette propriété exploite un vignoble de 13 ha à Cumières, dans la vallée de la Marne. Ses champagnes ne font pas de fermentation malolactique. Produisant aussi du coteaux champenois rouge, le domaine élabore ses champagnes rosés par saignée. Ce vin est donc un rosé de noirs. Ses arômes vifs et intenses associent groseille, sureau, menthe et framboise ; sa longueur et son équilibre lui donnent du caractère. Rappelons que la cuvée Prestige 94 fut coup de cœur l'an dernier. (RM)

⊶ René Geoffroy, 150, rue du Bois-des-Jots, 51480 Cumières, tél. 03.26.55.32.31, fax 03.26.54.66.50, e-mail champ-geoffroy@wanadoo.fr ☒ Y r.-v.

PIERRE GERBAIS Cuvée de réserve*

○ 6,25 ha 50 000 ▮🌡 70 à 99 F

Un des assemblages classiques - chardonnay 30 %, pinot noir 70 % - qui se traduit par de jolis arômes de coing et de fruits exotiques et par une bouche dominée par les agrumes. (NM)

⊶ Pierre Gerbais, 13, rue du Pont, B.P. 17, 10110 Celles-sur-Ource, tél. 03.25.38.51.29, fax 03.25.38.55.17 ☒ Y r.-v.

H. GERMAIN Blanc de blancs 1992***

○ n.c. 15 000 ▮ 100 à 149 F

Une marque centenaire née en 1898, disposant d'un vaste vignoble de 80 ha. Ce blanc de blancs remporte tous les suffrages pour son nez dominé par les fleurs blanches (acacia), pour sa finesse, sa rondeur, son ampleur et sa belle finale. « Génial », « grandiose », conclut le jury, qui cite par ailleurs le **brut Prestige, tête de cuvée**, une composition classique faisant appel à 30 % de chardonnay pour 70 % de pinot noir : un champagne ample et évolué. (NM)

⊶ Champagne Germain, 31, rue de Reims B.P. 1, 51500 Rilly-la-Montagne, tél. 03.26.03.40.19, fax 03.26.03.43.11, e-mail info@champagne-germain.com ☒ Y r.-v.

PIERRE GIMONNET ET FILS
Blanc de blancs*

○ 1er cru 14 ha 100 000 ▮🌡 70 à 99 F

Pierre Gimonnet exploite 26 ha de chardonnay exclusivement situés dans la Côte des Blancs. Ce blanc de blancs s'annonce par une belle robe d'or, qui s'accorde avec des parfums de fruits confits et de fruits blancs. Le nez est classique, aérien et fondu, l'attaque nerveuse, la bouche persistante. La **cuvée Fleuron blanc de blancs 93** reçoit une étoile : ses arômes sont puissants, et le vin est « mature » (100 à 149 F). (RM)

⊶ Pierre Gimonnet et Fils, 1, rue de la République, 51530 Cuis, tél. 03.26.59.78.70, fax 03.26.59.79.84 ☒ Y t.l.j. sf dim. 8h30-12h 14h-18h; sam. sur r.-v.; f. 15-30 août

GIMONNET-GONET
Blanc de blancs Brut Or*

○ 1er cru 2 ha 10 000 ▮🌡 70 à 99 F

Ce domaine, qui a lancé sa marque en 1986, exploite un vignoble de 7 ha dans la Côte des Blancs. Un nez floral et vanillé, pour ce Brut Or, une attaque vive, voire mordante, de la fraîcheur, du pamplemousse et du miel... A retenir encore, pour sa rondeur et sa puissance, le **brut cuvée Prestige**. (RM)

⊶ Gimonnet-Gonet, 166, rue du Gal-de-Gaulle, 51530 Cramant, tél. 03.26.57.51.44, fax 03.26.58.00.03 ☒ Y t.l.j. 8h-12h 13h30-19h; sam. dim. sur r.-v.

BERNARD GIRARDIN Cuvée Vibrato*

○ 1,5 ha 5 000 ▮ 70 à 99 F

Sandrine Britès-Girardin exploite le domaine fondé en 1970 par son père. Ce Vibrato est un blanc de blancs à la belle robe d'or intense ; le chardonnay, récolté en 1995, s'exprime par des arômes de fleurs blanches et d'amande d'un bout à l'autre de la dégustation, révélant une note briochée en finale. Une cuvée spéciale agréable dès maintenant mais qui pourra « vieillir noblement ». Un vin complexe et long. (RM)

⊶ Sandrine Britès-Girardin, 14, Grande-Rue, 51530 Mancy, tél. 03.26.59.70.78, fax 03.26.51.55.45 ☒ Y r.-v.

HENRI GIRAUD
Blanc de blancs Cuvée spéciale 1993**

○ Gd cru 0,5 ha 5 000 ▮🌡 100 à 149 F

Un vignoble familial de 13 ha, déjà remarqué dans le Guide. Ce blanc de blancs du millésime 93 atteint son apogée. Son nez livre des notes briochées, miellées, mentholées. Des arômes torréfiés - moka et cacao - apparaissent en bouche. Un excellent champagne « doux et vivace », selon les termes d'un dégustateur. (NM)

⊶ Champagne Henri Giraud, 71, bd Charles-de-Gaulle, 51160 Ay, tél. 03.26.55.18.55, fax 03.26.55.33.49 ☒ Y t.l.j. sf dim. 9h-12h30 13h30-19h

PHILIPPE GLAVIER Blanc de blancs

○ 3,3 ha 6 000 ▮ 70 à 99 F

Philippe Glavier est vigneron à Cramant. Son vignoble s'étend sur 3,3 ha. Il a présenté un blanc de blancs issu de la vendange 96. Un champagne floral et brioché, à l'attaque franche, d'un bon équilibre. (RM)

⊶ Philippe Glavier, 82, rue Nestor-Gaunel, 51530 Cramant, tél. 03.26.57.58.86, fax 03.26.57.58.86 ☒ Y t.l.j. 8h-19h

PIERRE GOBILLARD

○ 1er cru 5 ha 40 000 ▮ 70 à 99 F

Cette propriété de 7,6 ha, fondée en 1947, est située dans la commune d'Hautvillers, berceau du champagne, classée en 1er cru. Son brut sans année est un assemblage de 25 % de chardonnay

CHAMPAGNE

et de 75 % de pinots (dont 20 % de pinot noir). Avec ses arômes frais de fruits blancs (pêche) et d'agrumes, c'est un champagne bien agréable. Cité également, le **blanc de blancs** présente un nez floral, avec des notes de citronnelle. Frais, il est idéal pour l'apéritif. (RM)

🔑 Champagne Pierre Gobillard, 341, rue des Côtes-de-l'Héry, 51160 Hautvillers, tél. 03.26.59.40.67, fax 03.26.59.45.80 ☒ 🍷 r.-v.

PAUL GOBILLARD Cuvée An 2000*

○ n.c. 8 000 ▮ ⬮ 🌡 100 à 149 F

Une maison de négoce fondée en 1858 par Paul Gobillard, vigneron à Pierry, au sud d'Epernay, installée dans le ravissant château de Pierry datant du XVIII[e]s. Issue de vin tiré en 1995 et comprenant 35 % de chardonnay et 65 % de pinots (25 % de pinot noir), cette cuvée An 2000 est un champagne mentholé, élégant et fin, d'une belle ampleur fleurie au palais. Digne d'un poisson blanc. A signaler encore, cité par le jury, le **Carte blanche** (70 à 99 F), cuvée proche de la précédente (25 % de chardonnay, 75 % de pinots), pour ses arômes de pain grillé, son équilibre et sa longueur, et le **89** comportant davantage de chardonnay (50 %), équilibré mais un peu bref (100 à 149 F). (NM)

🔑 Paul Gobillard, Ch. de Pierry, B.P. 1, 51530 Pierry, tél. 03.26.54.05.11, fax 03.26.54.46.03 ☒ 🍷 t.l.j. sf dim. 16h30; groupes sur r.-v.

J.-M. GOBILLARD ET FILS
Grande Réserve

○ 1er cru 3 ha 60 000 ▮ 🌡 70 à 99 F

Cette maison fondée en 1955 exploite un vignoble de 25 ha et accueille le visiteur dans un caveau situé face à l'abbaye d'Hautvillers. Elle obtient trois citations. Ce Grande Réserve, mi-blanc mi-noir (avec les deux pinots à égalité), est issu de la récolte de 1996 : un champagne acidulé et souple aux arômes de fruits rouges mûrs. La **cuvée Prestige 95** (60 % de chardonnay, 40 % de pinot noir) est florale, nerveuse et fraîche (100 à 149 F), tandis que le **blanc de blancs**, issu de la récolte de 1996, séduit par sa franchise, sa vivacité et sa puissance (70 à 99 F). (NM)

🔑 J.-M. Gobillard et Fils, 38, rue de l'Eglise , 51160 Hautvillers, tél. 03.26.51.00.24, fax 03.26.51.00.18 ☒ 🍷 r.-v.

GODME PERE ET FILS 1993*

○ Gd cru 2 ha 10 000 ▮ ⬮ 🌡 100 à 149 F

En cinq générations, les Godmé ont constitué un vignoble de qualité s'étendant sur 12 ha, dans les communes de Verzy, Verzenay, Beaumont-sur-Vesle (grand cru), Villers-Marmery et Ville-Dommange (1er cru). Dans ce 93 se marient 80 % de pinot noir et 20 % de chardonnay - les vins « passent » par le bois. Au nez, l'évolution de ce champagne est sensible ; en bouche, apparaissent des arômes de fruits à chair blanche (pêche). (RM)

🔑 Champagne Godmé Père et Fils, 10, rue de Verzy, 51360 Verzenay, tél. 03.26.49.48.70, ☒ 🍷 r.-v.

PAUL GOERG*

◐ n.c. 50 000 ▮ 🌡 70 à 99 F

Marque d'un groupement de producteurs créée en 1985, vinifiant la production d'un vignoble de 120 ha. Ce rosé est presque un blanc de blancs, coloré par 13 % de vin rouge. Il est fruité, équilibré, frais et d'une bonne longueur. Le **blanc de blancs** doit être cité pour ses arômes d'agrumes (citron) et son équilibre. (CM)

🔑 Champagne Paul Goerg, 4, pl. du Mont-Chenil, 51130 Vertus, tél. 03.26.52.15.31, fax 03.26.52.23.96, e-mail champagnegoerg@wanadoo.fr ☒ 🍷 r.-v.

FRANCOIS GONET
Blanc de blancs Cuvée de réserve

○ Gd cru n.c. n.c. ▮ 70 à 99 F

François Gonet cultive son vignoble du Mesnil-sur-Oger, un grand cru de la Côte des Blancs. Sa Cuvée de réserve marie au nez fleurs et pain grillé ; la bouche est souple, ample et élégante. (RM)

🔑 François Gonet, 5, rue du Stade, 51190 Le Mesnil-sur-Oger, tél. 03.26.57.53.71, fax 03.26.57.93.66 ☒

MICHEL GONET Réserve*

○ Gd cru 30 ha 150 000 ▮ 70 à 99 F

Michel Gonet succède à six générations de vignerons. Il est à la tête de 40 ha en Champagne et possède aussi un vaste vignoble de 200 ha dans le Bordelais. Son Réserve, un brut sans année, mi-blanc mi-noir, ne suscite que des compliments. Le jury loue tour à tour sa puissance, sa complexité, sa générosité, son caractère. Il accompagnera un repas. Une citation pour le **blanc de blancs** grand cru, une spécialité de Michel Gonet, dans lequel les dégustateurs découvrent des arômes de gelée de coing. Equilibre et longueur sont à l'appel. (RM)

🔑 Michel Gonet et Fils, 196, av. Jean-Jaurès, 51190 Avize, tél. 03.26.57.50.56, fax 03.26.57.91.98 ☒ 🍷 r.-v.

PHILIPPE GONET ET FILS Réserve

○ 8 ha 40 000 ▮ 🌡 70 à 99 F

Si la marque n'a été lancée qu'en 1972, c'est la septième génération de vignerons qui exploite ce domaine de 18 ha situé dans la Côte des Blancs. 25 % de chardonnay et 75 % de pinots (dont 25 % de meunier) constituent cette cuvée aux arômes de miel et d'abricot, très évoluée. Un champagne de repas qui pourra accompagner le foie gras et même un fromage fort. (RM)

🔑 Champagne Philippe Gonet et Fils, 1, rue de la Brèche-d'Oger, 51190 Le Mesnil-sur-Oger, tél. 03.26.57.53.47, fax 03.26.57.51.03 ☒ 🍷 r.-v.

GONET-SULCOVA
Blanc de blancs Spécial Club 1992

○ Gd cru n.c. n.c. ▮ 🌡 100 à 149 F

Ce domaine de 14,5 ha propose un blanc de blancs logé dans la bouteille Spécial Club du même millésime que l'an dernier. Un champagne aux arômes de pain grillé, relevé d'une touche végétale, léger et équilibré mais à ne plus attendre. (RM)

Champagne Gonet-Sulcova, 13, rue Henri-Martin, 51200 Epernay, tél. 03.26.54.37.63, fax 03.26.55.36.71 ☑ Y r.-v.

GOSSET Grand Millésime 1993★★

○ n.c. 120 000 250 à 299 F

En 1584, Pierre Gosset était vigneron à Ay. Depuis quelques années, les Renaud-Cointreau ont succédé à la quatorzième génération de Gosset. Un 93 d'école, d'autant plus remarquable que ce millésime n'est pas répertorié parmi les meilleurs. Un champagne fondu, subtil, à la fois fin et complexe. « La perfection dans l'assemblage », « Du grand art », concluent les dégustateurs, accordant un coup de cœur à ce champagne « sans malo ». (NM)

Champagne Gosset, 69, rue Jules-Blondeau, B.P. 7, 51160 Ay, tél. 03.26.56.99.56, fax 03.26.51.55.88, e-mail champagne.gosset@wanadoo.fr ☑

GOSSET Grande Réserve★

○ n.c. 400 000 200 à 249 F

Ce Grande Réserve naît d'un assemblage où les pinots sont légèrement majoritaires. Ce vin ne fait pas de fermentation malolactique. Minéral et empyreumatique, il emplit bien toute la bouche et manifeste sa jeunesse. Un champagne de repas idéal. Une étoile encore pour le **Grand Rosé**, presque un blanc de blancs teinté par du vin rouge de Bouzy, qui ne fait pas non plus de fermentation malolactique. D'une jolie couleur pétale de rose, il mêle au nez notes florales et cassis. Frais, nerveux, équilibré, il est bien agréable. (NM)

Champagne Gosset, 69, rue Jules-Blondeau, B.P. 7, 51160 Ay, tél. 03.26.56.99.56, fax 03.26.51.55.88, e-mail champagne.gosset@wanadoo.fr ☑

GOSSET-BRABANT★★

◐ 1er cru 5 ha 2 000 70 à 99 F

Ce domaine, qui s'est lancé dans la vente directe en 1930, dispose d'un vignoble de 7,5 ha. Ce rosé de teinte soutenue comprend 80 % de pinots (dont 10 % de meunier) et 20 % de chardonnay. Il est coloré par 11 % de vin rouge. Le vin de base est de 1996, complété de 30 % de vin de réserve. Avec son nez intense de fruits rouges, voire de kirsch, ce champagne puissant et typé a séduit le jury. A noter encore deux citations, pour le **brut 1er cru**, assemblage identique au précédent, au nez complexe, peu flatté par un dosage généreux, et pour la **Cuvée de réserve grand cru** (vin de base de 1995, assemblage proche, sans pinot meunier) empyreumatique, un peu légère (100 à 149 F). (RM)

Champagne Gosset-Brabant, 23, bd du Mal-de-Lattre-de-Tassigny, 51160 Ay, tél. 03.26.55.17.42, fax 03.26.54.31.33 ☑ Y r.-v.

GEORGE GOULET★

○ n.c. n.c. 70 à 99 F

Cette maison, fondée en 1834 par un négociant en laine et fabricant de couvertures, a changé de propriétaire en 1989. Elle propose un brut classique né d'un assemblage tout aussi classique (60 % de pinot noir, 40 % de chardonnay). Un vin droit, vif, équilibré. Cité par le jury, le brut **91 bouteille spéciale** (100 à 149 F) est un champagne mi-noir mi-blanc, aux arômes discrets de fruits secs, légèrement végétal, direct en bouche. (NM)

Champagne George Goulet, 1, av. de Paris, 51100 Reims, tél. 03.26.66.44.88, fax 03.26.67.99.36 ☑

Lionel Chaudron

GOUSSARD ET DAUPHIN Tradition★

○ 7 ha 1 200 70 à 99 F

Etablie non loin des Riceys, dans l'Aube, cette exploitation s'est lancée dans la manipulation en 1989. Elle propose un rosé de noirs bien coloré, aux arômes de framboise citronnée, souple, frais et fin. (RM)

Goussard et Dauphin, GAEC du Val de Sarce, 2, chem. Saint-Vincent, 10340 Avirey-Lingey, tél. 03.25.29.30.03, fax 03.25.29.85.96, e-mail goussard.dauphin@wanadoo.fr ☑ Y r.-v.

HENRI GOUTORBE 1993★

○ n.c. 3 000 70 à 99 F

Pépiniéristes viticoles au début du siècle, puis vignerons, enfin récoltants-manipulants à partir de 1945, les Goutorbe disposent d'un vignoble de 18 ha. Une belle harmonie des noirs et des blancs (75 % de pinot noir et 25 % de chardonnay) dans ce 93 aux arômes de coing et d'abricot. (RM)

Champagne Goutorbe, 9 *bis*, rue Jeanson, 51160 Ay, tél. 03.26.55.21.70, fax 03.26.54.85.11 ☑ Y r.-v.

ALFRED GRATIEN Cuvée Paradis★★★

◐ n.c. n.c. 250 à 299 F

Maison fondée en 1864, spécialisée dans l'élaboration de champagnes de caractère : les vins fermentent dans le bois, et le champagne est tiré sous liège. Cette cuvée de prestige rosée, qui naît du mariage de deux tiers de chardonnay et d'un tiers de pinot (dont 16 % de pinot noir), mérite bien son nom. Equilibre parfait, complexité des arômes où des notes boisées jouent avec de multiples nuances fruitées, longueur. Un champagne sensuel. Deux cuvées ont été sélectionnées en blanc : le **90** (deux tiers de raisins blancs) est épicé, beurré, grillé, puissant ; il obtient une étoile. La **cuvée Paradis** est citée. Le 90 se mariera à une viande blanche, la cuvée Paradis se prêtera plutôt à l'apéritif. Trois champagnes jouant dans la même fourchette de prix. (NM)

Champagne Alfred Gratien, 30, rue Maurice-Cerveaux, B.P. 3, 51201 Epernay Cedex, tél. 03.26.54.38.20, fax 03.26.54.53.44, e-mail contact@alfredgratien.com ☑ Y r.-v.

GRUET Cuvée Tradition**

○ n.c. 184 816 ▮ 70 à 99 F

Aux origines de cette maison, un domaine créé en 1670 par les ancêtres de Claude Gruet dans la Côte des Bar. Le vignoble compte aujourd'hui 10 ha. Ce Tradition, un blanc de noirs (pinot noir), a été fort apprécié pour l'harmonie de ses arômes d'agrumes confits et de noisette et pour son parfait équilibre. Une étoile pour le **rosé**, très noir puisque le chardonnay n'intervient que pour 10 %, teinté par 15 % de vin rouge. De couleur saumoné tuilé, il offre des arômes classiques et plaisants de framboise. Bon équilibre et belle puissance. Une citation enfin pour la **cuvée de l'An 2000** (75 % de pinot noir, 25 % de chardonnay), un champagne frais et délicat aux arômes de confiture de citron. (NM)

⊶ Champagne Gruet, 48, Grande-Rue, 10110 Buxeuil, tél. 03.25.38.54.94, fax 03.25.38.51.84 ☒ Y t.l.j. 8h-12h 14h-18h; sam. dim. sur r.-v.

ROMAIN GUISTEL Réserve**

○ n.c. n.c. 70 à 99 F

Romain Guistel exploite depuis 1970 ce domaine fondé à la fin du XIX[e]s. Ce Réserve est issu de l'assemblage de deux tiers de pinot meunier et d'un tiers de pinot noir : c'est donc un blanc de noirs. Robe jaune doré, richesse, vinosité, palette aromatique complexe où le fruit mûr se mêle au miel, à l'amande et à la vanille. Un ensemble remarquable. (RM)

⊶ Romain Guistel, 1, rue des Remparts-de-l'Ouest, 51480 Damery, tél. 03.26.58.40.40, fax 03.26.52.04.28 Y r.-v.

HAMM 1992

○ n.c. 5 000 ▮ 100 à 149 F

Cette maison de négoce, fondée en 1910, propose une cuvée mi-noire mi-blanche qui divise les dégustateurs, car ses arômes de cire d'abeille très puissants, presque caramélisés, étonnent. Un champagne très particulier. (NM)

⊶ Champagne Hamm, 16, rue N.-Philipponnat, 51160 Ay, tél. 03.26.55.44.19, fax 03.26.51.98.68 ☒ Y t.l.j. 9h-12h 14h-18h; sam. dim. sur r-.v.

HARLIN PERE ET FILS

○ Gd cru 2 ha 10 000 ▮ 70 à 99 F

Située dans la vallée de la Marne, cette exploitation familiale créée en 1974 dispose d'un vignoble de 8 ha. Un assemblage classique (40 % de chardonnay et 60 % de pinot noir récoltés en 1996) pour un champagne rond, aux arômes de mirabelle. Vin de repas. (RM)

⊶ Harlin Père et Fils, 8, rue de la Fontaine, 51700 Port-à-Binson, tél. 03.26.58.34.38, fax 03.26.58.63.78 ☒ Y r.-v.

JEAN-NOEL HATON Cuvée Prestige

○ n.c. n.c. ▮ 100 à 149 F

Marque lancée en 1928, disposant d'un vignoble de 13 ha. Cette cuvée, à l'élégante étiquette vert et or, marie à parts égales le pinot noir et le chardonnay. Elle est or pâle à reflets verts. Le nez est discret mais la bouche s'impose avec un dosage sensible. (NM)

⊶ Jean-Noël Haton, 5, rue Jean-Mermoz, 51480 Damery, tél. 03.26.58.40.45, fax 03.26.58.63.55 ☒ Y r.-v.

HATON ET FILS Grande Réserve*

◑ 7 ha n.c. ▮ 70 à 99 F

Cette cuvée Grande Réserve est un rosé de noirs (95 % de pinot meunier) au fruité abondant ; il se montre vif, puissant, avec une pointe de nervosité. La **cuvée Prestige**, mi-blanche mi-noire, d'une bonne complexité, avec des notes minérales, toastées et grillées, mérite d'être citée tout comme le **blanc de blancs, Grande Réserve**, issu de chardonnay récolté en 1995, aux arômes floraux (aubépine) et citronnés. (NM)

⊶ Haton et Fils, 3, rue Jean-Mermoz, 51480 Damery, tél. 03.26.58.41.11, fax 03.26.58.45.98 ☒ Y t.l.j. sf dim. 8h-12h 14h-18h

MARC HEBRART Cuvée de réserve

○ 1er cru n.c. n.c. ▮ 70 à 99 F

Cette exploitation, constituée en 1963, propose une Cuvée de réserve assemblant 80 % de pinot noir et 20 % de chardonnay. Un champagne souple, assez évolué, aux arômes de mirabelle et de poivre. Egalement cité, le **Prestige 95** comprend une plus forte proportion de chardonnay (40 %). Son fruité exotique est souligné par un dosage indiscret (100 à 149 F). (RM)

⊶ Marc Hébrart, 18-20, rue du Pont, 51160 Mareuil-sur-Ay, tél. 03.26.52.60.75, fax 03.26.52.92.64 ☒ Y t.l.j. 9h-12h 13h-19h; dim. et groupes sur r.-v.

JEAN-PAUL HEBRART Prestige 1995

○ 1er cru n.c. 2 000 ▮ 100 à 149 F

Cette jeune exploitation, constituée à partir de 1983 par achat de parcelles, a réalisé un assemblage classique : 40 % de pinot noir et 60 % de chardonnay. Ce dernier cépage donne un nez de noisette à ce champagne frais, rond, plaisant en finale. (RM)

⊶ Jean-Paul Hébrart, 18, rue du Pont, 51160 Mareuil-sur-Ay, tél. 03.26.52.60.75, fax 03.26.52.92.64 ☒ Y t.l.j. 8h-12h 13h30-19h

HEIDSIECK & CO MONOPOLE Diamant blanc*

○ n.c. n.c. 100 à 149 F

Les origines de la maison Heidsieck & Co Monopole remontent à 1785. Elle a été reprise en 1995 par Vranken. Ce Diamant blanc, cuvée de prestige présentée en bouteille verte, assemble chardonnay et pinot noir à parts égales. Un champagne fin, floral au nez, complexe et élégant. La **cuvée Red Top** (80 % de pinots) est un champagne sec (70 à 99 F) qui a su trouver son équilibre. Elle est citée sans étoile (70 à 99 F). (NM)

⊶ Heidsieck & Co Monopole, 17, av. de Champagne, 51200 Epernay, tél. 03.26.59.50.50, fax 03.26.52.19.65 ☒ Y t.l.j. 9h30-16h30; sam. 10h-16h; dim. et groupes sur r.-v.

⊶ P.-F. Vranken

D. HENRIET-BAZIN Sélection

○ 1er cru   6 ha   10 000   `70 à 99 F`

Deux citations pour ce domaine familial de 6 ha, créé en 1890. Ce Sélection, assemblage à parts égales de chardonnay et de pinot noir récoltés en 1994 et 1995, est un champagne brioché, submergé par son dosage. Le **millésime 91 grand cru** (30 % de chardonnay pour 70 % de pinot noir), à la bouche légère et fruitée, alourdie cependant par un dosage généreux. (RM)

☛ D. Henriet-Bazin, 9 bis, rue Dom-Pérignon, 51380 Villers-Marmery, tél. 03.26.97.96.81, fax 03.26.97.97.30, e-mail henriet.bazin@wanadoo.fr ☑ ▼ r.-v.

HENRIOT Cuvée des Enchanteleurs★★

○   n.c.   n.c.   `300 à 499 F`

Les Henriot s'intéressent aux vins de champagne depuis le XVIIIᵉs. La cuvée Baccarat, qui a fait les beaux jours de la maison, est aujourd'hui baptisée Cuvée des Enchanteleurs. Elle est toujours aussi bien faite : d'un beau jaune doré, elle se montre empyreumatique, fine, équilibrée et longue. Un champagne de repas, que l'on dégustera sur du foie gras ou du gibier. Une étoile pour le **blanc de blancs**, floral au nez, amande grillée et fruits confits en bouche, « original et bien né », et pour le **90**, d'une belle fraîcheur. (NM)

☛ Champagne Henriot, 3, pl. des Droits-de-l'Homme, B.P. 457, 51066 Reims, tél. 03.26.89.53.00, fax 03.26.89.53.10 ▼ r.-v.

PAUL HERARD Cuvée Paul

○   2 ha   9 000   `100 à 149 F`

Cette maison auboise, fondée en 1929, propose une cuvée spéciale, assemblage de 60 % de chardonnay et de 40 % de pinot noir. Un nez discret, citronné et brioché, une bonne attaque, une bouche assez bien équilibrée, aux arômes de fruits exotiques et d'agrumes, plutôt longue, composent une bouteille honorable. Un champagne léger mais de bonne prestance. (NM)

☛ Champagne Paul Hérard, 31, Grande-Rue, 10250 Neuville-sur-Seine, tél. 03.25.38.20.14, fax 03.25.38.21.73 ☑ ▼ r.-v.

DIDIER HERBERT★

◒ 1er cru   n.c.   5 000   `70 à 99 F`

Didier Herbert représente la troisième génération sur cette exploitation fondée en 1920 ; il dispose d'un vignoble de 8 ha dans la Montagne de Reims. Les trois cépages champenois collaborent à parts égales à son rosé sans année. Mêlant le pamplemousse et la framboise, acidulé avec une pointe d'amertume en finale, c'est un champagne somme toute agréable. (RM)

☛ Didier Herbert, 32, rue de Reims, 51500 Rilly-la-Montagne, tél. 03.26.03.41.53, fax 03.26.03.44.64, e-mail champagne-herbert@terre.net.fr ☑ ▼ t.l.j. sf dim. 8h-18h; f. août

M. HOSTOMME ET SES FILS
Blanc de blancs Grande Réserve★

○ Gd cru   n.c.   40 000   `70 à 99 F`

Ce champagne a toutes les qualités du blanc de blancs : la robe or vert, les arômes frais et floraux, le fruité des fruits à chair blanche, la finesse et l'élégance. (NM)

☛ M. Hostomme et ses Fils, 5, rue de l'Allée, 51530 Chouilly, tél. 03.26.55.40.79, fax 03.26.55.08.55 ☑ ▼ r.-v.

BERNARD HUBSCHWERLIN
Tradition★★★

○   0,85 ha   7 000   `50 à 69 F`

Propriété de 4 ha, sise dans l'Aube. Ce brut Tradition est un blanc de noirs né du mariage du pinot noir (55 %) et du pinot meunier (45 %). Il n'a pas fait sa fermentation malolactique. Il a enthousiasmé les dégustateurs, tant par sa palette aromatique complexe mêlant l'aubépine, le tilleul, les agrumes, le menthol, la pêche et le miel que par sa bouche à la fois fine et corpulente, réglissée et flatteuse. « J'achète et je partage avec des connaisseurs ! », écrit un membre du jury. L'une des grandes surprises du Guide. (RM)

☛ EARL Bernard Hubschwerlin, 12, Grande-Rue, 10250 Courteron, tél. 03.25.38.24.11, fax 03.25.38.47.80 ☑ ▼ t.l.j. 8h30-18h30; sam. dim. sur r.-v.

HUGUENOT-TASSIN Cuvée Tradition

○   3,5 ha   25 000   `50 à 69 F`

Domaine créé en 1980, exploitant un vignoble de près de 6 ha. Beaucoup de pinot noir complété d'un soupçon de chardonnay dans ce brut sans année. Il « fait l'œil », disent les Champenois : cela signifie qu'il a un peu de couleur... rosée. Mais il est fraîchement floral et bien équilibré en bouche. (RM)

☛ Benoît Huguenot, 4, rue du Val-Lune, 10110 Celles-sur-Ource, tél. 03.25.38.54.49, fax 03.25.38.50.40 ☑ ▼ r.-v.

HUSSON Rosé de Mme Husson

◒   1 ha   n.c.   `70 à 99 F`

Un assemblage qui a fait ses preuves : 70 % de pinot noir et 30 % de chardonnay pour un rosé tuilé qui annonce visuellement son âge. Il est moelleux et puissant ; les arômes évoluent. (NM)

☛ Jean-Pierre Husson, 2, rue Jules-Lobet, 51160 Ay, tél. 03.26.55.43.05, fax 03.26.55.03.02 ☑ ▼ r.-v.

JACQUART Mosaïque★★

○   n.c.   n.c.   `100 à 149 F`

Une belle moisson d'étoiles pour ce groupement de producteurs, fondé en 1962. La préférence va au Brut Mosaïque, une cuvée mi-blanche mi-noire (35 % de pinot noir, 15 % de pinot meunier). Encore fruité, ce champagne a sans doute atteint son apogée. Il est vineux, assagi.

Un champagne de plénitude. Une étoile pour le **Tradition**, assemblant à parts égales les trois cépages champenois : un champagne aux arômes grillés et torréfiés, agréable et fin. (CM)
• SA Jacquart, 6, rue de Mars, 51100 Reims, tél. 03.26.07.88.40, fax 03.26.07.12.07, e-mail jacquart@ebc.net ☑ ⊺ r.-v.

JACQUART 1992★

○		n.c.	n.c.	🍾 Ⅱ❶♦ 100 à 149 F

Issu de chardonnay et de pinot noir à parts égales, ce 92 est empyreumatique, minéral et structuré. Une étoile encore pour la **Cuvée Mosaïque 90**, mi-blanche mi-noire également, complexe, ample et harmonieuse, et pour la **Cuvée Mosaïque blanc de blancs 92**, fraîche et pleine de jeunesse, mêlant des notes épicées et briochées aux agrumes confits (150 à 199 F). (CM)
• SA Jacquart, 6, rue de Mars, 51100 Reims, tél. 03.26.07.88.40, fax 03.26.07.12.07, e-mail jacquart@ebc.net ☑ ⊺ r.-v.

ANDRE JACQUART ET FILS
Blanc de blancs Spécial Club 1995★

○	1,5 ha	7 000	🍾 ♦ 150 à 199 F

Ce domaine, créé en 1956, dispose aujourd'hui d'un vignoble de 18 ha. Il obtient une étoile pour cette cuvée spéciale 95 qui a atteint son apogée. Elle est complexe, équilibrée. Peut-être manque-t-elle de longueur ? Une citation pour le **blanc de blancs sans année**, fruité, évolué, nerveux en finale (70 à 99 F). (RM)
• André Jacquart et Fils, 6, av. de la République, 51190 Le Mesnil-sur-Oger, tél. 03.26.57.52.29, fax 03.26.57.78.14 ☑ ⊺ r.-v.

YVES JACQUES Tradition

○	10 ha	n.c.	70 à 99 F

Trois citations pour ce domaine de 16 ha, créé après la guerre dans la vallée du Petit-Morin. Ce Tradition, issu des trois cépages champenois, est un vin élégant et floral, destiné à l'apéritif. Le **Sélection**, un blanc de blancs, présente un nez fin et élégant et une bouche un peu courte (70 à 99 F). Quant au **rosé**, assemblant les trois cépages, il est vif, frais et équilibré. (RM)
• Champagne Yves Jacques, 1, rue de Montpertuis, 51270 Baye, tél. 03.26.52.80.77, fax 03.26.52.83.97 ☑ ⊺ t.l.j. 8h-12h 14h-19h

JACQUINET-DUMEZ
Carte d'Or Cuvée Jean-Guy Jacquinet

○	1 ha	7 000	🍾 70 à 99 F

Cette exploitation de 7 ha, établie tout près de Reims, propose un brut sans année à dominante de pinots (pinot noir 50 %, meunier 30 %, chardonnay 20 %). Une petite bulle régulière dans une robe à reflets dorés, un très joli nez, intense, évoluant du fruit frais aux fruits confits, attirent l'attention. Après une bonne attaque, on découvre une bouche légère, un peu en retrait par rapport au nez, mais agréable. Un champagne d'apéritif. (RM)
• Jacquinet-Dumez, 26, rue de Reims, 51370 Les Mesneux, tél. 02.26.36.25.25, fax 02.26.36.58.92 ☑ ⊺ r.-v.

CHAMPAGNE E. JAMART ET CIE
Cuvée de réserve★

○		n.c.	15 000	🍾 70 à 99 F

Cette maison fondée en 1934 signe un blanc de noirs de pinot meunier qui a atteint son apogée. Des arômes de miel et de fruits confits marquent ce champagne assez long en bouche. (NM)
• Champagne E. Jamart et Cie, 13, rue Marcel-Soyeux, 51530 Saint-Martin-d'Ablois, tél. 03.26.59.92.78, fax 03.26.59.95.23 ☑ ⊺ t.l.j. sf lun. 8h-12h 14h-18h; dim. sur r.-v., f. 15-31 août
• J.-M. Oudart

PH. JANISSON 1995★

○ Gd cru	2 ha	3 000	🍾 ♦ 100 à 149 F

Cette propriété familiale a créé sa marque en 1984. Elle propose une cuvée mi-noire mi-blanche, grillée, épicée et vanillée, charpentée et généreusement dosée, destinée au repas. (RM)
• Philippe Janisson, 17, rue Gougelet, 51500 Chigny-les-Roses, tél. 03.26.03.46.93, fax 03.26.03.49.00, e-mail champagne.ph.janisson@wanadoo.fr ☑ ⊺ r.-v.

JANISSON-BARADON ET FILS
Cuvée Prestige Georges Baradon 1990★★

○	2 ha	4 000	100 à 149 F

Ce domaine de 9 ha a été créé en 1922 par Georges Baradon et Maurice Janisson, son gendre, qui étaient respectivement remueur et tonnelier dans une maison de champagne. Il possède des vignes sur les coteaux d'Epernay, à Chouilly et à Brimont. Chardonnay (70 %) et pinot noir contribuent au nez expressif et original de ce champagne, où l'on reconnaît la pistache et le moka. Epicée en bouche, avec un soupçon de cire et de cèdre, c'est une excellente bouteille qui atteint son apogée. On pourra la servir avec un grenadin de veau aux morilles. Le **brut sans année** du même producteur a obtenu une étoile. (RM)
• Champagne Janisson-Baradon, 65, rue Chaude-Ruelle, 51203 Epernay, tél. 03.26.54.45.85, fax 03.26.54.25.54, e-mail champagne.jb@wanadoo.fr ☑ ⊺ r.-v.
• R. Janisson

RENE JARDIN
Cuvée Prestige Blanc de blancs 1990

○ Gd cru	2 ha	6 000	🍾 150 à 199 F

Le domaine a plus de cent ans et s'étend sur 15 ha dans la Côte des Blancs. Son blanc de blancs 90 mêle au nez les fleurs (lilas, rose) et les agrumes. Un champagne qui ne montre pas la fatigue de certains 90. (RM)
• René Jardin, 3, rue Charpentier-Laurain, 51190 Le Mesnil-sur-Oger, tél. 03.26.57.50.26, fax 03.26.57.98.22, e-mail champagne-jardin@bpchamp.com ☑ ⊺ r.-v.

JEEPER Cuvée Femina Blanc de blancs★

○	12 ha	27 860	🍾 ♦ 100 à 149 F

Le nom de cette marque rend hommage à Armand Goutorbe, invalide de guerre, qui utilisait une Jeep pour se déplacer dans le vignoble. Celui-ci s'étend sur 26 ha. La cuvée Femina n'est issue que de chardonnay : c'est un blanc de

blancs. Les arômes classiques, floraux (fleurs blanches), beurrés et briochés sont bien présents. L'attaque est vive et la fraîcheur s'impose en bouche. (NM)
🔑 SA Champagne Jeeper, 8, rue Georges-Clemenceau, 51480 Damery, tél. 03.26.58.41.23, fax 03.26.58.65.67,
e-mail info@champagnejeeper.com ☑ Y r.-v.

RENE JOLLY Blanc de noirs*

○ 9,29 ha 14 200 ▮ 70 à 99 F

Pierre-Eric Jolly travaille maintenant aux côtés de ses parents sur le domaine familial situé dans l'Aube, après une solide formation. Quatre mentions dans le Guide témoignent de leur savoir-faire : une étoile pour ce blanc de noirs au nez puissant, biscuité et long au palais, ainsi que pour un **blanc de blancs** plein de vivacité, où les fleurs s'accompagnent de notes fraîches de citron, au nez comme en bouche. Deux citations pour la **Collection 2000** (100 à 149 F), mi-blanche mi-noire, riche et puissante, et pour le **rosé** de noirs (pinot noir récolté en 1995) (70 à 99 F), un champagne vif aux arômes de groseille et de cannelle. (RM)
🔑 Hervé Jolly, 10, rue de la Gare, 10110 Landreville, tél. 03.25.38.50.91, fax 03.25.29.12.43 ☑ Y r.-v.

BERTRAND JOREZ Sélection*

○ 1er cru n.c. n.c. 70 à 99 F

Domaine de 4,5 ha sis à Ludes. Les trois cépages champenois collaborent également à ce Sélection issu de la vendange de 1994. Le nez est floral (fleurs blanches), la bouche marquée par le citron un peu confit. Un champagne gai et frais. (RM)
🔑 Bertrand Jorez, rue de Reims, 51500 Ludes, tél. 03.26.61.14.05, fax 03.26.61.14.96 ☑ Y r.-v.

JEAN JOSSELIN Carte noire

○ 8,83 ha 69 500 ▮ 70 à 99 F

Cette propriété auboise, née en 1854, a lancé sa marque en 1957 ; elle exploite un vignoble de près de 10 ha. Le Carte noire est un blanc de noirs, le vin de base étant un 96 complété par des 94 et 95. Le nez, d'une grande séduction, livre des arômes subtils de fruits secs et de biscotte, que l'on retrouve en bouche avec une touche de violette. Cité également, le **brut Cordon royal**, un autre blanc de noirs issu majoritairement de la vendange de 1994 complétée par des vins de 1996, est proche du précédent. (RM)
🔑 Jean-Pierre Josselin, 14, rue des Vannes, 10250 Gyé-sur-Seine, tél. 03.25.38.21.48, fax 03.25.38.25.00 ☑ Y r.-v.

CHARLES KINDLER Cuvée Excellence

○ n.c. 2 000 100 à 149 F

Cette marque, fondée en 1906, est contrôlée par le champagne Lenoble. 80 % de pinot noir et 20 % de chardonnay composent cette cuvée au nez à la fois minéral et fruité, ample et grasse en bouche. (NM)
🔑 Champagne A. R. Lenoble, 35-37, rue Paul-Douce, 51480 Damery, tél. 03.26.58.42.60, fax 03.26.58.65.57,
e-mail champagne.lenoble@wanadoo.fr Y r.-v.
🔑 Malassagne

KRUG Collection 1979**

○ n.c. n.c. ▮▮ + de 500 F

Une maison qu'on ne présente plus, fondée en 1843 par Johann Josef Krug, natif de Mayence, qui fut naturalisé trois ans plus tard. Si son capital est, depuis 1999, détenu par LVMH, elle est toujours conduite par les descendants du fondateur. Spécialisée dans les cuvées haut de gamme, elle exporte 85 % de sa production. Ce champagne est si particulier que l'on ne saurait le comparer aux autres vins mentionnés dans ce Guide. Son âge est beaucoup plus élevé - vingt ans -, en rapport avec son prix - de l'ordre de 1 400 F - et son style est unique. Plus qu'aux cépages qui le composent (36 % de pinot noir et de chardonnay, complétés par 28 % de pinot meunier), celui-ci tient à sa vinification et à son élevage menés en fût. Un vin remarquable, à son apogée, aux arômes complexes, miellés, briochés, beurrés et boisés, rond, riche et long. Autre cuvée célèbre et atteignant des prix aussi élevés, **Le Clos du Mesnil 86** est un champagne pour amateurs. (NM)
🔑 Krug Vins fins de Champagne, 5, rue Coquebert, B.P. 22, 51100 Reims, tél. 03.26.84.44.20, fax 03.26.84.44.49 ☑ Y r.-v.

KRUG 1989**

○ n.c. n.c. ▮▮ + de 500 F

On est tenté de comparer ce 89 avec le 79. L'assemblage est cependant légèrement différent, avec 47 % de pinot noir, 24 % de meunier et 29 % de chardonnay. Les dégustateurs saluent en lui un « grand vin » : robe or intense, nez complexe, associant notes grillées et fruits secs sur fond boisé, équilibre, cohérence du nez et de la bouche, belle matière, fraîcheur... Une vraie cuvée de prestige même si ce n'est pas écrit sur l'étiquette ! (700 à 800 F.) Autre célèbre cuvée Krug, **La Grande Cuvée**, non millésimée, est vinifiée en fût. Elle reçoit deux étoiles pour son fruité parfaitement marié au boisé, sa bouche rigoureusement construite. « Champagne des grands repas » (550 à 680 F). (NM)
🔑 Krug Vins fins de Champagne, 5, rue Coquebert, B.P. 22, 51100 Reims, tél. 03.26.84.44.20, fax 03.26.84.44.49 ☑ Y r.-v.

LACROIX**

◐ n.c. 8 000 ▮▮▮ 70 à 99 F

Ce domaine, qui a lancé sa marque en 1974, exploite un vignoble de 11 ha. Issu d'un assemblage dominé par les pinots (50 % de pinot meunier, 25 % de pinot noir pour 25 % de chardonnay), son rosé est coloré par du coteaux champenois rouge. D'un rose saumoné à reflets cuivrés, il associe, comme beaucoup de rosés, des notes citronnées et framboisées. La vivacité de son attaque se prolonge dans une bouche tout en fraîcheur et en élégance. Un dégustateur servirait bien ce champagne fruité sur une tarte aux myrtilles. A signaler encore, cité sans étoile, le **Grande Réserve** qui fait appel à un tiers de vin de réserve vieilli en foudre et qui privilégie les pinots (80 %). Un champagne équilibré qui a atteint son apogée. (RM)

🔑 Champagne Jean Lacroix, 14, rue des Genêts, 51700 Montigny-sous-Châtillon, tél. 03.26.58.35.17, fax 03.26.58.36.39 ☒ Y t.l.j. 9h-12h 14h-18h; dim. sur r.-v.

CHARLES LAFITTE Grande Cuvée*

○ n.c. n.c. ▮ 🌡 70 à 99 F

Marque de Vranken lancée en 1983. Cette Grande Cuvée assemble 60 % de pinots (le pinot noir et le meunier à parts égales) à 40 % de chardonnay. Un champagne au nez fruité, à la bouche vineuse, structurée et équilibrée, où l'on décèle des notes de fruits à chair blanche. (NM)

🔑 Charles Lafitte, 17, av. de Champagne, 51200 Epernay, tél. 03.26.59.50.50, fax 03.26.52.19.65 ☒ Y r.-v.

🔑 P. F. Vranken

JEAN DE LA FONTAINE 1992

○ n.c. 10 000 ▮ 🛢 🌡 70 à 99 F

Jean de La Fontaine, natif de Champagne, a donné son nom à cette cuvée mi-noire mi-blanche (50 % de chardonnay, 40 % de pinot meunier, 10 % de pinot noir), élaborée par Baron-Albert et citée pour sa légèreté et sa finesse. (NM)

🔑 Champagne Jean de La Fontaine, Grand-Porteron, 02310 Charly-sur-Marne, tél. 03.23.82.02.65, fax 03.23.82.02.44 ☒ Y r.-v.

LAHAYE-WAROQUIER Cuvée Prestige

○ 0,5 ha 2 000 ▮ 🌡 70 à 99 F

Benoît Lahaye exploite depuis 1992 un vignoble de 4,3 ha, planté en 1920. La marque a été créée en 1960. Ce blanc de noirs divise les dégustateurs car il est évolué - la robe est ambrée/vieil or - tout en demeurant jeune par son acidité qui justifie un dosage remarqué. (RM)

🔑 Benoît Lahaye, 33, rue Jeanne-d'Arc, 51150 Bouzy, tél. 03.26.57.03.05, fax 03.26.52.79.94 ☒ Y r.-v.

LAHERTE FRERES Cuvée An 2000 - 1995

○ n.c. 6 000 🛢 100 à 149 F

Cette propriété a lancé sa marque en 1889 ; elle exploite un vignoble de 8 ha. Sa cuvée An 2000 privilégie fortement le chardonnay (85 % à côté du pinot meunier). Le vin fermente en barrique et ne fait que partiellement sa fermentation malolactique. Vivacité et moelleux s'équilibrent dans ce vin flatteur. (SR)

🔑 Laherte Frères, 3, rue des Jardins, 51530 Chavot, tél. 03.26.54.32.09, fax 03.26.51.54.77 ☒ Y r.-v.

ALAIN LALLEMENT
Cuvée Prestige 1994*

○ Gd cru 0,5 ha 2 000 ▮ 70 à 99 F

Cette exploitation située dans le grand cru de Verzy a lancé sa marque en 1975. Sa cuvée Prestige privilégie le pinot noir (70 %), complété de 30 % de chardonnay. On y découvre des arômes délicats - notes florales, agrumes avec une pointe mentholée. Des notes briochées s'ajoutent dans une bouche gourmande, vive et souple à la fois. (RM)

🔑 Alain Lallement, 19, rue Carnot, 51380 Verzy, tél. 03.26.97.92.32, fax 03.26.97.92.32 ☒ Y r.-v.

LAMIABLE Extra Brut*

○ Gd cru n.c. 5 000 ▮ 70 à 99 F

Un tiers de chardonnay pour deux tiers de pinot noir dans cet extra-brut, réservé aux amateurs avertis. L'or de la robe est parsemé d'une mousse élégante. Un champagne très fruité, riche et généreux, équilibré et long. (RM)

🔑 Champagne Lamiable, 8, rue de Condé, 51150 Tours-sur-Marne, tél. 03.26.58.92.69, fax 03.26.58.76.67, e-mail champagne.lamiable@wanadoo.fr ☒ Y r.-v.

JEAN-JACQUES LAMOUREUX*

◐ 0,5 ha 5 000 ▮ 🌡 70 à 99 F

Cette jeune exploitation a lancé sa marque en 1985. Elle dispose d'un vignoble de 7 ha aux Riceys, pays du rosé. C'est justement un champagne rosé que le jury a préféré parmi les cuvées présentées. Ce vin provient d'une saignée, et donc de raisins noirs, du pinot noir récolté en 1996. Au nez, il offre un florilège d'exotisme - fruit de la passion, mangue, litchi - ; en bouche, rondeur, puissance et équilibre. Le **Brut Réserve** (80 % de pinot noir, 20 % de chardonnay) est cité. (RM)

🔑 EARL Jean-Jacques Lamoureux, 27, rue du Gal-de-Gaulle, 10340 Les Riceys, tél. 03.25.29.11.55, fax 03.25.29.69.22 ☒ Y r.-v.

VINCENT LAMOUREUX Réserve 1994

○ 0,25 ha 1 200 ▮ 70 à 99 F

Marque récemment créée (1987) par un jeune couple qui exploite 7 ha de vignes aux Riceys. Le pinot noir (40 %) et le chardonnay (60 %), récoltés en 1994, sont mariés dans ce Réserve jaune pâle à reflets verts, crémeux, ample et d'un bon équilibre. Egalement cité, le **rosé** n'est issu que du pinot noir, des raisins vendangés en 1995. Ils confèrent puissance et rondeur à ce champagne minéral et fruité. (RM)

🔑 Vincent Lamoureux, 2, rue du Sénateur-Lesache, 10340 Les Riceys, tél. 03.25.29.39.32, fax 03.25.29.80.30 ☒ Y r.-v.

LANCELOT FILS
Blanc de blancs Cuvée spéciale Cramant 1993*

○ Gd cru 0,7 ha 6 000 ▮ 100 à 149 F

Claude Lancelot cultive un vignoble de 4,7 ha. Son blanc de blancs 93 séduit par sa palette aromatique - notes vanillées, fruits secs, miel et acacia - et sa bouche équilibrée, ronde et nerveuse à la fois, à la finale de velours. Un joli champagne à servir à l'apéritif ou avec les entrées. Sous une étiquette **Claude Lancelot Réserve**, cette maison propose un blanc de blancs assemblant des raisins provenant de Cramant, d'Oiry, de Chouilly et d'Epernay, des vendanges 95 et 96. Fin et équilibré, il a atteint son apogée. Cité par le jury (70 à 99 F). (RM)

⊶ Claude Lancelot, 30, rue Ernest-Vallé, 51190 Avize, tél. 03.26.57.94.68, fax 03.26.57.79.02 ☒ Ɪ r.-v.

LANCELOT-PIENNE Sélection 1991★★

○ 2,5 ha 20 000 ▮ 70 à 99 F

Quatre générations se sont succédé sur ce domaine de 5,5 ha situé dans la Côte des Blancs, qui a lancé sa marque en 1970. Le fils, Gilles Lancelot, apporte ses compétences d'œnologue. Issu d'un tiers de chardonnay pour deux tiers de pinots (dont 15 % de pinot noir), ce brut Sélection 91 a conquis les dégustateurs par l'harmonie de ses parfums mêlant orange-citron et cire d'abeille. Quant à la bouche, qui évoque les fruits à chair blanche et les fruits confits, elle fait l'unanimité par son équilibre exemplaire. (RM)

⊶ A. Lancelot-Pienne, 1, allée de la Forêt, 51530 Cramant, tél. 03.26.57.55.74, fax 03.26.57.53.02 ☒ Ɪ r.-v.

P. LANCELOT-ROYER
Blanc de blancs Cuvée de réserve R.R. 1995

○ 2 ha n.c. ▮ 70 à 99 F

Un vignoble de 5 ha situé dans la Côte des Blancs, et une marque fondée en 1960. Frais et plein, ce blanc de blancs attire l'attention par la complexité de sa palette aromatique où l'on décèle tour à tour du fruité, du moka, du miel, des notes mentholées, lactées, de la noisette, du citron... Egalement cité, le **blanc de blancs Extra dry** trouve son équilibre grâce à sa bouche dense. (RM)

⊶ EARL P. Lancelot-Royer, 540, rue du Gal-de-Gaulle, 51530 Cramant, tél. 03.26.57.51.41, fax 03.26.57.12.25 ☒ Ɪ r.-v.

⊶ Sylvie Lancelot

LANG-BIEMONT
Blanc de blancs Cuvée 111 1989★

○ n.c. n.c. ▮ 100 à 149 F

Marque fondée en 1875 et reprise en 1995 par Lionel Chaudron. Les blancs de blancs évoluent très bien, témoin cette cuvée 111, or paille à l'œil, tout en finesse, en élégance et en harmonie, et surtout d'une belle fraîcheur. (NM)

⊶ Champagne Georges Goulet, 1, av. de Paris, 51100 Reims, tél. 03.26.66.44.88, fax 03.26.67.99.36 ☒

⊶ Lionel Chaudron

LANSON Black Label★

○ n.c. n.c. 100 à 149 F

La vénérable maison, fondée en 1760, a été reprise par le groupe Marne et Champagne, mais la tradition est maintenue à travers la gamme proposée et la vinification sans fermentation malolactique. Le **Black label**, 65 % de pinots (dont 15 % de pinot meunier) pour 35 % de chardonnay, frais, harmonieux et long, accompagné d'un cordon remarquable évoluant dans une belle couleur or vert, est « parfaitement typé champagne », note un dégustateur. Le **rosé**, assemblage assez proche du précédent, léger et vif (150 à 199 F), et le **blanc de blancs 90**, fin, élégant et de bonne longueur (300 à 499 F) sont cités. (NM)

⊶ Lanson, 12, bd Lundy, 51100 Reims, tél. 03.26.78.50.50, fax 03.26.78.53.88 ☒ Ɪ r.-v.

DE L'ARGENTAINE Tradition★★

○ n.c. 240 000 ▮ 70 à 99 F

Ce groupement de producteurs, créé après la dernière guerre, vinifie la récolte de 178 ha de vignes. Ce Tradition, un brut sans année, naît des vendanges de 1992, 1993 et 1994. Très noir (moins de 10 % de chardonnay, 90 % de pinots dont 25 % de pinot noir), il présente un nez délicat de fleurs blanches, de pêche blanche et d'amande, tandis que la bouche est marquée par les agrumes. Son équilibre et sa légèreté lui valent des compliments. (CM)

⊶ Coopérative vinicole L'Union, Cidex 318, 51700 Vandières, tél. 03.26.58.68.68, fax 03.26.58.68.69 ☒ Ɪ r.-v. (à partir de mai 2000)

GUY LARMANDIER
Cramant Blanc de blancs 1994

○ Gd cru 4,3 ha 4 000 100 à 149 F

Les Larmandier sont nombreux dans la Côte des Blancs. Guy Larmandier et ses enfants y exploitent un vignoble de 9 ha. Ce blanc de blancs à la très jolie couleur (or brillant à reflet vert) est franc, structuré, équilibré. Très jeune pour son âge, il n'a pas dit son dernier mot. On peut déjà l'apprécier à l'apéritif. (RM)

⊶ EARL Champagne Guy Larmandier, 30, rue du Gal-Koenig, 51130 Vertus, tél. 03.26.52.12.41, fax 03.26.52.19.38 ☒ Ɪ r.-v.

LARMANDIER-BERNIER
Blanc de blancs

○ 1er cru n.c. 20 000 ▮ 70 à 99 F

Vignoble de 11 ha spécialisé dans la production de blanc de blancs. Les dégustateurs prédisent un avenir intéressant à celui-ci, jeune et frais, à l'attaque franche. Egalement cité, un champagne très sérieusement défini : **blanc de blancs grand cru extra brut 95** (100 à 149 F), un champagne agréable, vif sans excès, léger, aux arômes d'agrumes. On pourra le servir avec du poisson cuisiné au beurre. (RM)

⊶ Champagne Larmandier-Bernier, 43, rue du 28-Août, B.P. 28, 51130 Vertus, tél. 03.26.52.13.24, fax 03.26.52.21.00, e-mail larmandier@terre-net.fr ☒ Ɪ r.-v.

J. LASSALLE Préférence

○ 1er cru 6 ha n.c. ▮ 70 à 99 F

Un vignoble créé par Jules Lassalle en 1942. 75 % de pinots (dont 15 % de pinot noir) et 25 % de chardonnay, récoltés en 1994, s'associent dans ce champagne aux arômes torréfiés, frais et léger, qui conviendra pour l'apéritif. (RM)

⊶ Champagne J. Lassalle, 21, rue du Châtaignier, 51500 Chigny-les-Roses, tél. 03.26.03.42.19, fax 03.26.03.45.70 ☑ Y r.-v.

P. LASSALLE-HANIN Grande Réserve*

◑ 1 ha 4 000 ▮ 70 à 99 F

Cette exploitation familiale, qui a lancé sa marque en 1953, dispose d'un vignoble de 9 ha. Ce rosé de noirs couleur pétale de rose évoque indiscutablement le citron et la fraise. Le pain d'épice s'ajoute en bouche. Le **blanc de blancs**, issu de la vendange de 1996, possède un nez floral (aubépine) et une bouche fraîche et maltée. Il a obtenu la même note. (RM)

⊶ Champagne P. Lassalle-Hanin, 2, rue des Vignes, 51500 Chigny-les-Roses, tél. 03.26.03.40.96, fax 03.26.03.42.10 ☑ Y r.-v.

CH. DE L'AUCHE Cuvée Tradition

○ n.c. 120 000 ▮ 🌡 70 à 99 F

Ce groupement de producteurs créé en 1961 a lancé cette marque en 1974. Il vinifie la vendange de 125 ha de vignes. Cette cuvée Tradition est un blanc de noirs ne comportant que 15 % de pinot noir. Agrumes au nez, il se montre jeune - malgré quelques signes d'évolution -, vif et rond. (CM)

⊶ Coop. vinicole Germigny-Janvry-Rosnay, rue de Germigny, 51390 Janvry, tél. 03.26.03.63.40, ☑ Y r.-v.

LAUNOIS PERE ET FILS
Blanc de blancs Cuvée réservée

○ Gd cru 10 ha 80 000 ▮ 70 à 99 F

Cette exploitation créée en 1872 et disposant d'un vignoble de 10 ha propose un blanc de blancs issu des vendanges 95 qui n'a qu'un défaut, sa jeunesse. Brioché et équilibré, il va gagner en complexité. Egalement cité, le **Spécial Club 95** - cuvée spéciale -, toujours un blanc de blancs (100 à 149 F), séduit par ses arômes - pêche, fruits cuits et notes briochées. C'est aussi un champagne jeune. (RM)

⊶ Champagne Launois Père et Fils, 2, av. Eugène-Guillaume, 51190 Le Mesnil-sur-Oger, tél. 03.26.57.50.15, fax 03.26.57.97.82 ☑ Y r.-v.

LAURENT-PERRIER*

◑ n.c. n.c. ▮ 🌡 200 à 249 F

Lorsque M. Laurent, ancien tonnelier, installa en 1812 sa maison de champagne dans les murs d'une vénérable abbaye sise à Tours-sur-Marne, pressentait-il la prospérité future de son entreprise, aujourd'hui cotée en bourse ? Celle-ci propose un rosé de pinot noir en tous points agréable : par sa jolie robe pâle à la belle mousse, par son nez intense, fin et riche, déclinant la citronnelle, la prune, et par sa bouche moelleuse et miellée, d'un bon équilibre. Une étoile également pour **La Cuvée**, champagne prestigieux et cher (300 à 499 F), issu de pinot et de chardonnay ; un vin qui brille par son équilibre, sa longueur et ses saveurs de miel et de fruits rouges. (NM)

⊶ Champagne Laurent-Perrier, Dom. de Tours-sur-Marne, 51150 Tours-sur-Marne, tél. 03.26.58.91.22, fax 03.26.58.77.29 ☑ Y r.-v.

LAURENT-PERRIER
Grand Siècle Alexandra 1988**

◑ n.c. n.c. ▮ 🌡 300 à 499 F

Une cuvée prestigieuse de la grande marque de Tours-sur-Marne faisant appel au pinot noir et au chardonnay. La teinte est rose pâle, le vin complexe et le palais fin, balsamique, long et structuré. Un ensemble remarquable. Même note pour **Le Grand Siècle Lumière du millénaire 90**, un grand vin au nez envoûtant mêlant des notes de grillé, d'amande fraîche et de miel, fin, léger et frais. Un très beau 90 (plus de 500 F) auquel l'un des grands œnologues du jury attribuait un coup de cœur enthousiaste ! Pour le réveillon de l'an 2000. (NM)

⊶ Champagne Laurent-Perrier, Dom. de Tours-sur-Marne, 51150 Tours-sur-Marne, tél. 03.26.58.91.22, fax 03.26.58.77.29 ☑ Y r.-v.

ALBERT LE BRUN Vieille France*

○ n.c. n.c. 70 à 99 F

Les Le Brun sont vignerons et négociants depuis 1860. Les vignobles sont à Avize (Côte des Blancs), berceau de la famille ; le siège social et les caves sont situés à Châlons-en-Champagne. La cuvée Vieille France, logée dans sa bouteille de modèle ancien, est issue de 60 % de pinot noir pour 40 % de chardonnay. Elle est appréciée pour ses arômes complexes - sous bois et notes briochées - et pour son équilibre. (NM)

⊶ Albert Le Brun, 93, av. de Paris, 51000 Châlons-en-Champagne, tél. 03.26.68.18.68, fax 03.26.21.53.31, e-mail info@champagne-lebrun.com ☑ Y r.-v.

PAUL LEBRUN
Blanc de blancs Cuvée Prestige 1995

○ 1,15 ha 11 500 ▮ 70 à 99 F

Cette maison familiale fondée en 1902 a son siège à Cramant, dans la Côte des Blancs. Elle exploite un vignoble de 16,5 ha, exclusivement planté de chardonnay. Ce blanc de blancs, issu de la récolte de 1995, est agréable avec son nez floral (aubépine et fleur d'oranger) et ses arômes fruités ; le dosage n'est pas discret. (NM)

⊶ Champagne Vignier-Lebrun SA, 35, rue Nestor-Gaunel, 51530 Cramant, tél. 03.26.57.54.88, fax 03.26.57.90.02 ☑ Y t.l.j. sf dim. 8h-12h 14h-18h; f. août

LE BRUN DE NEUVILLE
Cuvée Sélection*

○ 145 ha 100 000 ▮ 🌡 70 à 99 F

Groupement de producteurs créé en 1963, vinifiant la production de 145 ha de vignes. 70 % de chardonnay associés à 30 % de pinot noir sont à la base d'un champagne fin et vif où les agrumes confits ressortent au nez comme en bouche. Un dégustateur suggère de le servir avec un dessert aux fruits frais. (CM)

⊶ Sté Coop. vinicole Le Brun de Neuville, rte de Chantemerle, 51260 Bethon, tél. 03.26.80.48.43, fax 03.26.80.43.28 ☑ Y r.-v.

LE BRUN-SERVENAY
Cuvée chardonnay 1992*

○ 1,5 ha 10 000 ▮ 100 à 149 F

Cette propriété familiale exploite 7,5 ha dans la Côte des Blancs. Elle a lancé sa marque en 1945. Ce 92 est un blanc de blancs. Si ce millésime n'a pas une vocation de garde, ce champagne est encore frais, avec des notes grillées, miellées et une touche de caramel. Son équilibre séduit. Cité par le jury, le rosé (70 à 99 F) est issu de la récolte de 1994. Marqué par le chardonnay (85 % de l'assemblage complété par le pinot noir et le meunier à parts égales), il est frais, long, bien adapté à l'apéritif. (RM)

🔑 EARL Le Brun-Servenay, 14, pl. Léon-Bourgeois, 51190 Avize, tél. 03.26.57.52.75, fax 03.26.57.02.71 ☑ Y r.-v.

LECLAIRE-THIEFAINE
Blanc de blancs Cuvée Sainte-Apolline

○ Gd cru 1 ha 10 000 ▮ 70 à 99 F

Cette exploitation de 3,8 ha établie dans la Côte des Blancs a lancé sa marque en 1993. Un vin destiné aux dentistes puisqu'il porte le nom de leur sainte patronne ! Ce blanc de blancs qui a atteint son apogée associe le miel, l'acacia, les agrumes et l'amande et possède un bon équilibre. (RM)

🔑 Claude Leclaire, 22-24, rue Pasteur, 51190 Avize, tél. 03.26.57.55.66, fax 03.26.52.36.08 ☑ Y t.l.j. sf dim. 8h-12h 14h-18h; f. 10-30 août

LECLERC BRIANT
Le Clos des Champions

○ 1er cru 0,5 ha 5 000 ▮🌡 150 à 199 F

Des Leclerc cultivaient déjà la vigne à Ay en 1664. La maison de négoce, fondée en 1872, dispose d'un vignoble de 30 ha. Pascal Leclerc a isolé trois crus particuliers dans la commune de Cumières. Le clos des Champions est un vrai clos, ceint de murs, complanté à 70 % de pinot noir et à 30 % de chardonnay et cultivé sans engrais chimiques. Il a donné un champagne plein et dense avec des notes aromatiques caractéristiques du pinot noir. La **cuvée Divine 89**, mi-blanche mi-noire, privilégie l'ampleur plutôt que la finesse. Elle a obtenu une citation (200 à 249 F). (NM)

🔑 Champagne Leclerc Briant, 67, rue Chaude-Ruelle, B.P. 108, 51204 Epernay Cedex, tél. 03.26.54.45.33, fax 03.26.54.49.59 ☑ Y t.l.j. 9h-12h 13h30-17h30; sam. dim. sur r.-v.; f. 5-25 août

LECLERC-MONDET 1993

○ 8 ha 3 994 ▮ 70 à 99 F

Cette jeune exploitation située dans l'Aisne s'est lancée dans la manipulation en 1960 ; elle dispose d'un vignoble de 8 ha. Les trois cépages champenois à parts sensiblement égales collaborent à ce vin vieilli six ans sur lattes. Ses arômes sont développés, et son équilibre est satisfaisant. (RM)

🔑 Leclerc-Mondet, 5, rue Beethoven, Chassins, 02850 Trélou-sur-Marne, tél. 03.23.70.26.40, fax 03.23.70.10.59 ☑ Y r.-v.

MARIE-NOELLE LEDRU
Cuvée du Goulté 1994**

○ Gd cru n.c. 2 000 100 à 149 F

Deux familles originaires des villages voisins de Bouzy et d'Ambonnay, classés en grand cru, se sont alliées en 1946, union à l'origine de ce champagne. Le vignoble compte 6 ha. Cette cuvée vieil or séduit par la richesse de sa palette aromatique où l'on décèle le pain d'épice, le miel, le caramel, les fruits confits, le café puis, en bouche, des notes épicées (poivre, cannelle) et de l'anis étoilé. La bouche est équilibrée dans la rondeur. Deux autres cuvées, moins chères (70-99 F) ont obtenu chacune une étoile. Le **brut sans année grand cru** (85 % de pinot noir, 15 % de chardonnay récoltés en 1995), aux arômes complexes, avec des nuances d'abricot cuit, et le **rosé grand cru** (90 % de pinot noir, 10 % de chardonnay de la récolte de 1996), fin, vineux et long. Trois champagnes de repas. (RM)

🔑 Marie-Noëlle Ledru, 5, pl. de la Croix, 51150 Ambonnay, tél. 03.26.57.09.26, fax 03.26.58.87.61 ☑ Y r.-v.

CHAMPAGNE

ETIENNE LEFEVRE Carte blanche

○ Gd cru n.c. 30 000 ▮ 70 à 99 F

Etabli depuis 1976 à Verzy dans la Montagne de Reims, Etienne Lefèvre exploite un vignoble de 7 ha. Cette cuvée Carte blanche naît de l'assemblage de 80 % de pinot noir et de 20 % de chardonnay. Un champagne au nez frais, floral (tilleul), fraîcheur que l'on retrouve en bouche. Pour l'apéritif. (RM)

🔑 Etienne Lefèvre, 30, rue de Villers, B.P. 14, 51380 Verzy, tél. 03.26.97.96.99, fax 03.26.97.97.59 ☑ Y r.-v.

ERIC LEGRAND Cuvée Prestige*

○ 0,4 ha 4 000 ▮🌡 100 à 149 F

Cette jeune exploitation auboise a lancé son champagne en 1982. Elle dispose d'un vignoble de près de 7 ha. Cette cuvée Prestige assemble 70 % de chardonnay à 30 % de pinot noir récoltés en 1995. Son point fort est l'équilibre. Sa fraîcheur, son élégance et sa longueur lui valent largement une étoile. Deux cuvées jouant dans la même fourchette de prix obtiennent chacune une citation. La **Bulle de Folie 94** (100 % chardonnay), fermentée et élevée dans le bois, y a gagné en complexité bien que le boisé n'apparaisse pas. Un champagne équilibré, long et intéressant. La cuvée **Rubis 95** n'est pas rosée mais or très pâle. Mi-blanche mi-noire, elle est souple et dosée très généreusement. (RM)

🔑 Eric Legrand, 39, Grande-Rue, 10110 Celles-sur-Ource, tél. 03.25.38.55.07, fax 03.25.38.56.84, e-mail champagne.legrand@wanadoo.fr ☑ Y t.l.j. sf mer. sam. dim. 9h-12h30 14h-18h; f. 10 août-3 sept.

R. ET L. LEGRAS
Blanc de blancs Tour d'Argent Cuvée 2000 1990**

○ 10 ha 60 000 ▮🌡 300 à 499 F

Une maison deux fois centenaire, établie à Chouilly près d'Epernay, à la tête d'un vignoble de 14 ha. A cette coûteuse cuvée spéciale, il n'a manqué qu'une voix pour obtenir un coup de cœur. Les dégustateurs apprécient son nez complexe, brioché et fumé, et sa bouche beurrée, légère et élégante, parfaitement dosée. Le **blanc de blancs** « normal », issu de la vendange de 1995, mérite d'être cité. Avec beaucoup de modestie (dans le prix également - 70 à 99 F), il tend à ressembler au précédent. (NM)

☛Champagne R. et L. Legras, 10, rue des Partelaines, 51530 Chouilly, tél. 03.26.54.50.79, fax 03.26.54.88.74, e-mail contact@legras.fr ☑ Ⴢ r.-v.

LEGRAS ET HAAS Tradition★★

| ○ | 10 ha | n.c. | 🔳 ♦ 70 à 99 F |

Maison de négoce familiale disposant d'un vignoble de 25 ha constitué en cinq générations. 40 % de pinot noir assemblés à 60 % de chardonnay donnent la cuvée Tradition fortement empyreumatique (grillé) tant au nez qu'en bouche. Un champagne très équilibré. Pour l'apéritif et le premier plat. (NM)

☛Legras et Haas, 7-9, Grande-Rue, 51530 Chouilly, tél. 03.26.54.92.90, fax 03.26.55.16.78 ☑ Ⴢ r.-v.

LELARGE-PUGEOT Cuvée Prestige★★

| ○ | 0,5 ha | 3 500 | 🔳 70 à 99 F |

Ce vignoble de création ancienne, situé dans la Montagne de Reims, s'est lancé dans la vente directe en 1986. 60 % de chardonnay complétés des deux pinots (20 % chacun) récoltés en 1993 constituent cette cuvée Prestige aux arômes multiples, tout en fraîcheur, en équilibre, en harmonie et en longueur. Elle attend quelque turbot ou brochet, ou des crustacés. Le **brut sans année** « normal » se situe dans la même fourchette de prix. Dominé par le meunier (60 %, complété par du pinot noir et du chardonnay à parts égales), ce champagne « gourmand » (selon un dégustateur) a obtenu une citation. (RM)

☛Dominique Lelarge, 30, rue Saint-Vincent, 51390 Vrigny, tél. 03.26.03.69.43, fax 03.26.03.68.93 ☑ Ⴢ t.l.j. sf dim. 9h-12h 14h-18h

CLAUDE LEMAIRE Tradition★

| ○ | n.c. | n.c. | ⬓ 70 à 99 F |

Champagne lancé en 1950 pour exploiter un vignoble proche du château de Boursault. 65 % de pinots (dont 25 % de pinot noir) et 35 % de chardonnay élevés partiellement dans le bois sont à l'origine de ce Tradition floral, avec des nuances d'agrumes. Un champagne « tout en dentelle », selon un dégustateur. (RM)

☛Patrice Lemaire, 9, rue Croix-Saint-Jean, 51480 Boursault, tél. 03.26.58.40.58, fax 03.26.52.30.67 ☑ Ⴢ r.-v.

PHILIPPE LEMAIRE Vieille Cuvée 1992

| ○ | 1 ha | 500 | 🔳⬓♦ 70 à 99 F |

Installé en 1988, Philippe Lemaire a lancé sa marque en 1992. C'est justement le millésime de cette Vieille Cuvée, assemblage dominé par le meunier (80 % pour 20 % de chardonnay), dont la particularité réside dans un court passage dans le bois. Cet élevage particulier a légué quelques arômes boisés et empyreumatiques en bouche. Pour le reste, ce champagne en robe dorée, vineux, un peu évolué, privilégie la puissance, tant au nez qu'au palais. (RM)

☛Philippe Lemaire, 40, rue du 8-Mai, 51480 Œuilly, tél. 03.26.58.30.82, fax 03.26.52.92.44 ☑ Ⴢ r.-v.

R.C. LEMAIRE★

| ◐ | 1er cru | 0,5 ha | 5 000 | 🔳♦ 70 à 99 F |

Gilles Tournant représente la quatrième génération sur le vignoble familial de 10 ha situé dans diverses communes de la vallée de la Marne. Il propose un rosé de noirs assemblant à parts égales les deux pinots. La robe, rose à reflets saumonés, est assez pâle ; le nez, délicatement fruité, livre des fragrances de pêche blanche ; la bouche apparaît fruitée, puissante, vive et longue. (RM)

☛Gilles Tournant, rue de la Glacière, 51700 Villers-sous-Châtillon, tél. 03.26.58.36.79, fax 03.26.58.39.28, e-mail tournant@clubinternet.fr ☑ Ⴢ t.l.j. 9h-12h 14h-18h

MICHEL LENIQUE
Réserve Blanc de blancs★

| ○ | | n.c. | 29 037 | 🔳♦ 70 à 99 F |

Les Lenique ont été chefs de cave de grandes maisons depuis 1768. Aujourd'hui, ils disposent d'un vignoble de plus de 9 ha. Leur Réserve assemble des chardonnays des vendanges 93 (20 %) et 95. Or vert brillant, ce champagne a un joli nez de fruits secs, noisette fraîche et fleurs blanches. La bouche, légèrement évoluée, retrouve les mêmes arômes ; elle est équilibrée. La cuvée **Sélection**, située dans la même fourchette de prix, est citée par le jury. (NM)

☛SA Lenique et Fils, 20, rue Gal-de-Gaulle, 51530 Pierry, tél. 03.26.54.03.65, fax 03.26.51.57.14, e-mail champagne.michel.lenique@wanadoo.fr ☑ Ⴢ t.l.j. sf dim. 8h-11h30 13h30-18h; groupes sur r.-v.

A.R. LENOBLE Blanc de blancs 1990★★

| ○ | Gd cru | n.c. | 30 000 | 🔳 100 à 149 F |

Maison fondée en 1920, disposant d'un vignoble de 18 ha. Ce 90 a atteint son apogée. Plein, long, complexe, avec des arômes de fruits secs et confits, de torréfaction, de réglisse... il a bien évolué mais ne cache pas son âge. Une étoile pour le **grand cru Gentilhomme** (150-199 F), pour sa fraîcheur nerveuse et briochée. Une citation enfin pour le **brut Réserve** (70-99 F) issu des trois cépages champenois à parts presque égales, au nez épicé et de bonne persistance. (NM)

☛Champagne A. R. Lenoble, 35-37, rue Paul-Douce, 51480 Damery, tél. 03.26.58.42.60, fax 03.26.58.65.57, e-mail champagne.lenoble@wanadoo.fr ☑ Ⴢ r.-v.
☛Malassagne

LES ALMANACHS Grande Réserve★★

| ○ | 0,5 ha | n.c. | ⬓ 70 à 99 F |

Claude Dubois, établi à Venteuil, dans la vallée de la Marne, a déposé sa marque en 1960. Il exploite 7 ha, dont une parcelle nommée « Les Almanachs ». Ce Grande Réserve, un blanc de noirs (pinot noir 80 %, pinot meunier 20 %), offre un nez intense et une bouche ample et riche, fraîche et longue. Il plaira à l'apéritif. La **cuvée**

Claude Dubois, un blanc de noirs (pinot noir 40 %, pinot meunier 60 %) très fruité, mentholé et long, a obtenu une citation. (RM)

🔑 Champagne du Rédempteur Dubois Père et Fils, rte d'Arty-les-Almanachs, 51480 Venteuil, tél. 03.26.58.48.37, fax 03.26.58.63.46 ☑ Y r.-v.

🔑 Claude Dubois

LIEBART-REGNIER Brut de brut*

○ 3 ha 4 000 70 à 99 F

Domaine constitué en 1964, exploitant un vignoble de 8 ha dans la vallée de la Marne. Issu des deux pinots (dont 30 % de pinot noir), faiblement dosé, ce champagne net, sapide et droit, a trouvé son équilibre. Deux autres cuvées méritent d'être citées : le **brut**, un autre blanc de noirs (les deux pinots à peu près à égalité), très nerveux à l'attaque et de bonne longueur, et enfin la **cuvée Excelia** (80 % de pinots, 20 % de chardonnay), un champagne très jeune, bien structuré, aux arômes de fruits verts, de pomme et de quetsche (100-149 F). (RM)

🔑 Liébart-Régnier, 6, rue Saint-Vincent, 51700 Baslieux-sous-Châtillon, tél. 03.26.58.11.60, fax 03.26.52.34.60, e-mail liebart-regnier@wanadoo.fr ☑ Y r.-v.

🔑 Laurent Liébart

LILBERT-FILS
Blanc de blancs Cramant 1995*

○ Gd cru 1 ha 8 000 100 à 149 F

Le vignoble des Lilbert s'étend sur 4 ha à Cramant (Côte des Blancs). Leur blanc de blancs conjugue des arômes de jeunesse et d'évolution : agrumes, fleurs blanches (acacia), miel, brioche et beurre. A servir à l'apéritif. (RM)

🔑 Georges Lilbert , B.P. 14, 51530 Cramant, tél. 03.26.57.50.16, fax 03.26.58.93.86 ☑ Y r.-v.

LOCRET-LACHAUD Tradition

○ 1er cru n.c. 80 000 70 à 99 F

On trouve des Locret à Hautvillers à l'époque de Dom Pérignon. La marque, lancée en 1920, dispose d'un vignoble de 13 ha. Le pinot noir (40 %), le chardonnay (40 %), complétés de 20 % de meunier récoltés en 1996 constituent ce Tradition agréable par son petit côté floral (rose et violette). Citée également, la **Cuvée spéciale** (même fourchette de prix) est un rosé, un assemblage semblable au précédent, coloré par du coteaux champenois rouge. Un vin fruité, gai, bien équilibré. (RM)

🔑 Champagne Locret-Lachaud, 40, rue Saint-Vincent, 51160 Hautvillers, tél. 03.26.59.40.20, fax 03.26.59.40.92 ☑ Y r.-v.

MICHEL LORIOT Carte d'or

○ 6,25 ha 26 000 70 à 99 F

Cette exploitation de la vallée de la Marne s'est lancée dans la manipulation en 1931 ; elle dispose d'un vignoble de plus de 6 ha. Ce Carte d'or, un blanc de noirs de meunier, se montre floral au nez. En bouche apparaissent les épices et le fruit de la passion. Egalement cité, le **rosé** est issu majoritairement de meunier, récolté en 1996 ; il est coloré par un vin rouge de pinot noir vendangé en 1993. On y décèle le poivre, le café et le noyau de cerise. Même note encore pour la **cuvée du Millénaire** (100-149 F), assemblage de 80 % de meunier et de 20 % de chardonnay, vineuse, vive et équilibrée. (RM)

🔑 Michel Loriot, 13, rue de Bel-Air, 51700 Festigny, tél. 03.26.58.33.44, fax 03.26.58.03.98 ☑ Y r.-v.

JOSEPH LORIOT-PAGEL
Blanc de blancs*

○ 1,2 ha 5 000 70 à 99 F

Le vignoble de Joseph Loriot couvre 8 ha. Ce blanc de blancs naît du pressurage de raisins récoltés à Avize et à Cramant, nous dit le producteur. Dans ce cas, pourquoi ne pas faire figurer la mention grand cru sur l'étiquette ? Quoi qu'il en soit, ce champagne est très frais, mentholé, « tout en dentelle », écrit un dégustateur. Il faut citer la **Cuvée de réserve 90** (même fourchette de prix), un blanc de noirs des deux pinots (dont 20 % de pinot noir) qui a fortement évolué, au nez délicat évoquant les épices (cannelle et même poivre). (RM)

🔑 Joseph Loriot, 33, rue de la République, 51700 Festigny, tél. 03.26.58.33.53, fax 03.26.58.05.37 ☑ Y r.-v.

YVES LOUVET Cuvée de réserve

○ 1 ha 8 000 70 à 99 F

Yves Louvet dispose d'un vignoble de 6,5 ha pour élaborer divers champagnes dont cette Cuvée de réserve (75 % pinot noir, 25 % chardonnay) ronde et équilibrée ; ses arômes évoquent une tartine de pain grillé, beurré et miellé. « Un champagne de terroir », note un dégustateur. (RM)

🔑 Yves Louvet, 21, rue du Poncet, 51150 Tauxières, tél. 03.26.57.03.27, fax 03.26.57.67.77 ☑ Y r.-v.

PHILIPPE DE LOZEY
Cuvée An 2000 - 1993*

○ n.c. 4 000 100 à 149 F

Maison de négoce fondée en 1990. La cuvée An 2000 favorise le chardonnay : 70 % pour 30 % de pinot noir. On y trouve la brioche, les fruits confits, les fruits secs. La bouche concentrée, marquée par des touches anisées, finit sur une pointe d'amertume. Une citation pour le **rosé**, un rosé de saignée, donc 100 % pinot (noir). De teinte cuivrée, il livre des arômes de fruits rouges à l'eau-de-vie, réglissés en finale. (NM)

🔑 Champagne Philippe de Lozey, 72, Grande-Rue, B.P. 3, 10110 Celles-sur-Ource, tél. 03.25.38.51.34, fax 03.25.38.54.80, e-mail de.lozey@wanadoo.fr ☑ Y r.-v.

🔑 Ph. Cheurlin

M. MAILLART Blanc de blancs 1989**

○ n.c. 2 500 70 à 99 F

Cette exploitation, située près de Reims, dispose d'un vignoble de 8,5 ha. Elle a lancé sa marque en 1965. Dix ans d'âge pour ce blanc de blancs qui, dans sa maturité, a séduit le jury et auquel il ne manquait qu'une voix pour le coup de cœur : à une palette aromatique d'une belle complexité, déclinant des notes briochées et miellées, les fruits confits et même la noix s'ajoutent l'équilibre, l'élégance et la longueur. Un champagne racé pour un apéritif ou un buffet. Plus diversement appréciée, la **Cuvée de réserve** (pinot noir 60 %, chardonnay 40 %, raisins vendangés en 1991) mérite tout de même une citation : un champagne rond, aux arômes tertiaires et au dosage indiscret. (RM)

⊶ Michel Maillart, 13, rue de Villers, 51500 Ecueil, tél. 03.26.49.77.89, fax 03.26.49.24.79 ☑ Y r.-v.

MAILLY GRAND CRU
Cuvée des Echansons★★

○ Gd cru n.c. 10 000 ▮ 🌡 [200 à 249 F]

Groupement de producteurs fondé en 1929 exploitant 70 ha de vignes exclusivement situées dans la commune de Mailly. Cette cuvée spéciale comprend trois fois plus de pinot noir que de chardonnay ; pourtant, elle attaque sur des arômes de grillé et de noisette qui font songer à ce dernier cépage, avant de se développer en rondeurs fruitées. Equilibre et longueur sont à l'appel. Avec ses arômes de fruits secs où l'on reconnaît la figue, sa bouche équilibrée quoiqu'un peu brève, le **blanc de noirs** doit être cité. (CM)

⊶ Champagne Mailly Grand Cru, 28, rue de la Libération, 51500 Mailly-Champagne, tél. 03.26.49.41.10, fax 03.26.49.42.27, e-mail champagnemailly@wanadoo.fr ☑ Y r.-v.

JEAN-LOUIS MALARD
Cuvée Excellence★

○ Gd cru 1,5 ha 15 000 ▮ 🌡 [100 à 149 F]

Marque lancée en 1996 par Jean-Louis Malard dans le but de réaliser des vinifications par crus. Issu exclusivement de chardonnay, ce champagne offre un nez typé, brioché avec une touche de zeste de citron. En bouche, attaque vive, fraîcheur et équilibre composent un agréable ensemble. Plus discret, le **brut 1er cru** (pinot noir 60 %, chardonnay 40 %) obtient une citation pour la finesse de son nez et la complexité aromatique de sa bouche (70 à 99 F). (NM)

⊶ Champagne Jean-Louis Malard, 19, rue Jeanne-d'Arc, B.P. 95, 51203 Epernay Cedex, tél. 03.26.57.77.24, fax 03.26.52.75.54, e-mail chamexport@wanadoo.fr ☑ Y r.-v.

HENRI MANDOIS

◑ 1er cru 3 ha 20 000 ▮ 🌡 [70 à 99 F]

En cinq générations, les Mandois ont constitué un vignoble de 30 ha. Leurs caves datent du XVIIIes. Ce rosé, une cuvée mi-blanche mi-noire (20 % de pinot noir), est issu de la vendange de 1996. Elle retient surtout l'attention par sa palette aromatique déclinant des notes originales de jasmin, de kiwi et de réglisse et, plus classiquement, des nuances de pâte à pain et de citronnelle. (NM)

⊶ Champagne Henri Mandois, 66, rue du Gal-de-Gaulle, 51530 Pierry, tél. 03.26.54.03.18, fax 03.26.51.53.66 ☑ Y r.-v.

PATRICE MARC Grande Cuvée★

○ 0,5 ha 2 000 ▮ 🌡 [70 à 99 F]

Cette exploitation qui a lancé sa marque en 1977 dispose d'un vignoble de 3 ha. Les deux pinots à égalité et 50 % de chardonnay récoltés dans les années 1991 et 1992 se marient dans cette cuvée briochée, équilibrée, de bonne longueur. Une belle harmonie digne d'une cuvée spéciale. (RM)

⊶ Patrice Marc, 1, rue du Creux-Chemin, 51480 Fleury-la-Rivière, tél. 03.26.58.46.88, fax 03.26.59.48.21, e-mail marc@caves-particulieres.com ☑ Y r.-v.

A. MARGAINE Cuvée traditionnelle

○ 1er cru 6 ha 49 000 ▮ [70 à 99 F]

Arnaud Margaine, arrière-petit-fils du fondateur, s'est aujourd'hui installé sur ce domaine de 6 ha constitué en 1913. Sa Cuvée traditionnelle privilégie le chardonnay (90 %), le pinot noir n'intervenant que pour 10 %. Les raisins ont été récoltés en 1991, 1992, 1995 et 1996. Aromatiquement discret, ce vin fin, jeune, est axé sur la fraîcheur. (RM)

⊶ Champagne A. Margaine, 3, av. de Champagne, 51380 Villers-Marmery, tél. 03.26.97.92.13, fax 03.26.97.97.45 ☑ Y r.-v.

MARIE STUART Blanc de blancs

○ n.c. 50 000 ▮ 🌡 [100 à 149 F]

Cette maison, fondée en 1867 et reprise en 1994 par Alain Thiénot, propose un blanc de blancs classique, au nez discret mais fin de fleur blanche, vif et ferme en bouche. Pour l'apéritif et les fruits de mer qui suivront. (NM)

⊶ Champagne Marie Stuart, 8, pl. de la République, 51100 Reims, tél. 03.26.77.50.50, fax 03.26.77.50.59 ☑ Y r.-v.

G. H. MARTEL & C° Prestige★

○ 40 ha 250 000 ▮ 🌡 [70 à 99 F]

Cette maison de négoce, fondée en 1869, disposant d'un vignoble de 40 ha, a élaboré une cuvée mi-noire mi-blanche à partir de raisins récoltés en 1996. Un champagne vif, miellé, fugace mais équilibré. (NM)

⊶ Champagne G.H. Martel, 69, av. de Champagne, B.P. 1011, 51318 Epernay Cedex, tél. 03.26.51.06.33, fax 03.26.54.41.52 ☑ Y r.-v.

⊶ Rapeneau

MARX-BARBIER ET FILS★

○ n.c. n.c. ▮ [70 à 99 F]

Cette exploitation familiale dispose d'un vignoble de 7 ha dans la vallée de la Marne. Elle a lancé sa marque en 1962. Issu de 25 % de chardonnay pour 75 % de pinots (dont 35 % de pinot noir), son brut sans année attire par son nez délicat de pomme, d'abricot et de fleurs blanches, suivi d'une bouche fortement citronnée. (RM)

⊶ EARL Champagne Marx-Barbier, 1, rue du Château, 51480 Venteuil, tél. 03.26.58.48.39, fax 03.26.58.67.06, e-mail marx-barbieretfils@wanadoo.fr ☑ Y t.l.j. 9h-18h; dim. sur r.-v.

D. MASSIN Cuvée Prestige★

○ 0,3 ha 3 000 ▮ [70 à 99 F]

Si les Massin sont vignerons depuis cinq générations, la marque n'a été lancée qu'en 1975. Elle dispose d'un vignoble de 11 ha situé dans l'Aube. Un assemblage de 75 % de chardonnay de 1992 et de 25 % de pinot noir de 1993 est à l'origine de cette cuvée Prestige aux arômes floraux et biscuités et d'une rondeur équilibrée. Elle accompagnera un repas (viande blanche à la crème). (RM)

🔑 Dominique Massin, rue Coulon, 10110 Ville-sur-Arce, tél. 03.25.38.74.97, fax 03.25.38.77.51 ☑ 🍷 r.-v.

THIERRY MASSIN 1994★

○ n.c. 7 500 [70 à 99 F]

Cette exploitation, qui a créé sa marque en 1977, dispose d'un vignoble de 10 ha. Son 94, né de 65 % de raisins noirs pour 35 % de chardonnay, est un champagne minéral à l'acidité accentuée. A réserver à l'heure de l'apéritif. (RM)

🔑 Thierry Massin, 10110 Ville-sur-Arce, tél. 03.25.38.74.01, fax 03.25.38.79.10 ☑ 🍷 t.l.j. 9h-12h 13h30-19h; sam. dim. sur r.-v.

REMY MASSIN ET FILS Brut Réserve★★

○ 2,9 ha 20 000 ▮🌡 [70 à 99 F]

Si la marque n'a été lancée qu'en 1974, cette famille est au service du vin depuis plus d'un siècle. Le domaine de 20 ha est dirigé depuis 1981 par Sylvère Massin. 70 % de pinot noir associé à 30 % de chardonnay récoltés dans les années 1995 et 1996 se conjuguent dans ce Réserve élégant, équilibré, harmonieux, dont le fruité fait songer au coing et aux agrumes. Un champagne miellé et frais, gras et long, « à goûter dès le petit-déjeuner », note un dégustateur enthousiaste... Quant à la **cuvée Prestige**, mi-noire mi-blanche, issue de raisins récoltés en 1994 et 1995, elle doit être citée pour son équilibre et sa rondeur. (RM)

🔑 Champagne Rémy Massin et Fils, Grande-Rue, 10110 Ville-sur-Arce, tél. 03.25.38.74.09, fax 03.25.38.77.67 ☑ 🍷 t.l.j. 9h-12h 14h-18h30; sam. dim. sur r.-v.

LOUIS MASSING Blanc de blancs

○ Gd cru 6 ha 50 000 ▮🌡 [70 à 99 F]

Cette marque, créée en 1976 et disposant d'un vignoble de 11 ha, propose un blanc de blancs issu de la vendange 1995 aux arômes intenses grillés, fumés, noisetés. Une cuvée équilibrée, citronnée et fraîche, qui conviendra à l'apéritif. (NM)

🔑 SA Champagne Deregard-Massing, La Haie-Maria, R.D. 9, 51190 Avize, tél. 03.26.57.52.92, fax 03.26.57.78.23 ☑ 🍷 r.-v.

🔑 Elia Deregard

HERVE MATHELIN Cuvée Privilège★

○ 9 ha n.c. ▮🌡 [70 à 99 F]

Jean Mathelin était déjà vigneron en 1721 mais la marque n'a été lancée qu'en 1961. Le domaine compte 9 ha. Le chardonnay intervient pour 90 % dans cette cuvée Privilège, légèrement évoluée, marquée par les fruits confits, et d'une belle longueur. Quant au **Réserve**, issu des trois cépages champenois, il mérite d'être cité pour sa richesse, sa vivacité et son équilibre. (RM)

🔑 Hervé Mathelin, 1, rue de la Paix, 51700 Troissy, tél. 03.26.52.70.25, fax 03.26.52.75.04 ☑ 🍷 t.l.j. sf dim. 10h-12h 14h-18h

SERGE MATHIEU★

◐ n.c. 6 000 ▮🌡 [70 à 99 F]

La famille Mathieu cultive la vigne depuis 1854 et a lancé sa marque en 1970. Ses 11 ha de vignes sont situés dans la Côte des Bars, à 8 km de la commune des Riceys, célèbre par ses rosés. Flatteur et fin avec son joli fruité où l'on décèle la fraise des bois, équilibré, ce rosé pourra être servi à l'apéritif. Le **Tête de cuvée** et le **brut sans année**, deux cuvées de même composition (70 % de pinot noir, 30 % de chardonnay) ont obtenu une citation ; la première est droite, jeune et fraîche, la seconde offre des arômes de framboise et d'agrumes. (RM)

🔑 Champagne Serge Mathieu, 6, rue des Vignes, 10340 Avirey-Lingey, tél. 03.25.29.32.58, fax 03.25.29.11.57, e-mail champagne.mathieu@wanadoo.fr ☑ 🍷 r.-v.

PASCAL MAZET Cuvée du Millénaire

○ 1er cru 2 ha 2 000 ▮🛢 [70 à 99 F]

Ce domaine, fondé en 1930, exploite un vignoble dans la Montagne de Reims. Sa cuvée du Millénaire fait appel aux trois cépages champenois à peu près à parts égales, des raisins récoltés en 1993 et 1994. Le vin a été élevé un an dans le bois. Il en résulte un champagne fruité, rond et long, plus puissant que fin avec ses arômes intenses de raisin frais. (RM)

🔑 Pascal Mazet, 8, rue des Carrières, 51500 Chigny-les-Roses, tél. 03.26.03.41.13, fax 03.26.03.41.74 ☑ 🍷 r.-v.

CLAUDE MEA Cuvée Belle de Jour

○ 1er cru 0,5 ha 1000 ▮ [70 à 99 F]

Marque créée en 1988, et cuvée spéciale issue d'autant de chardonnay que de pinot noir récoltés en 1996. Les dégustateurs sont subjugués par la puissance de son nez. En bouche, ils apprécient son équilibre. (RC)

🔑 Claude Méa, 2, rue de la Noue-du-Puits, 51150 Bouzy, tél. 03.26.57.80.24, fax 03.26.51.71.42 ☑

GUY MEA★

○ 1er cru n.c. n.c. ▮🌡 [70 à 99 F]

Ce domaine exploite un vignoble dans la Montagne de Reims. Il a lancé sa marque en 1955. Deux tiers de pinot noir et un tiers de chardonnay collaborent à cette cuvée aux arômes de fruits à chair blanche et d'agrumes, ample et équilibrée en bouche. (RM)

🔑 La Voie des Loups, 1, rue de l'Eglise, 51150 Louvois, tél. 03.26.57.03.42, fax 03.26.57.66.44 ☑ 🍷 r.-v.

MERCIER Cuvée Eugène Mercier★

○ n.c. n.c. 100 à 149 F

En 1858, Eugène Mercier réunit sous sa direction plusieurs marques de champagne ; de cette union, il réalisa une affaire prospère grâce à son génie du marketing. Les gigantesques caves, organisées en dizaines de galeries (18 km), qu'il fit construire à Epernay constituent encore une attraction touristique. La maison dispose aujourd'hui de 231 ha de vignes. Quantité peut rimer avec qualité, témoin cette cuvée spéciale privilégiant fortement les raisins noirs (10 % de chardonnay pour 90 % de pinots, dont 35 % de meunier). Le nez est minéral avec une touche végétale, la bouche, nerveuse et fine, révèle un dosage exemplaire. A retenir encore, cités par le jury, le **rosé**, un rosé de noirs aussi fruité au nez qu'en bouche, frais et long, et, pour les inconditionnels, le **demi-sec**, bien dans sa catégorie. (NM)

Champagne Mercier, 75, av. de Champagne, B.P. 134, 51333 Epernay, tél. 03.26.51.22.00, r.-v.

DE MERIC
Cuvée Prestige Catherine de Médicis

○ Gd cru n.c. n.c. 100 à 149 F

Les Besserat cultivent la vigne depuis 1843. La marque de Meric a été créée en 1960. Le pinot et le chardonnay qui composent cette cuvée de prestige (50 % chacun) proviennent d'Ay, berceau de la famille. La dégustation révèle un champagne évolué, à ne plus attendre. Sa robe est jaune paille, son nez de fruits confits musqués s'impose, comme sa bouche qui est pleine, puissante et longue. Un tel caractère lui permettrait d'affronter un chaource. (NM)

SA Christian Besserat Père et Fils, Champagne de Meric, 17, rue Gambetta, 51160 Ay, tél. 03.26.55.20.72, fax 03.26.55.69.23 r.-v.

G. MICHEL Tradition 1989★

○ 2,5 ha 22 000 100 à 149 F

Une cuvée mi-noire mi-blanche (50 % de chardonnay, 40 % de meunier, 10 % de pinot noir) issue de la vendange de 1989. Le coing ressort dans un nez intense, grillé et fumé. Le miel marque la bouche, qui montre des signes d'évolution. Un champagne pour le repas. (RM)

G. Michel, 19 bis, Route Nationale, Le Clos du Prieuré, 51530 Moussy, tél. 03.26.54.03.17, fax 03.26.58.15.84 r.-v.

J.B. MICHEL 1990

○ 1 ha 3 000 100 à 149 F

Bruno Michel exploite un vignoble morcelé de 10 ha. Ce 90 naît d'un assemblage particulier : 70 % de chardonnay associé à 30 % de pinot meunier. C'est un champagne riche, onctueux, crémeux, corpulent, à la fois puissant et complexe. (RM)

Bruno Michel, 4, allée de la Vieille-Ferme, 51530 Pierry, tél. 03.26.55.10.54, fax 03.26.54.75.77 r.-v.

GUY MICHEL ET FILS Réserve★★

○ n.c. 80 000 70 à 99 F

Le champagne Guy Michel de Pierry dispose d'un vignoble de 20 ha sur les coteaux sud d'Epernay. 70 % de pinots (dont 20 % de pinot noir) et 30 % de chardonnay se marient dans ce Réserve floral et remarquablement équilibré. Sa forte sapidité lui donne du caractère. La **cuvée Tradition 93**, mi-noire mi-blanche, a été citée. Elle présente un nez d'amande et paraît évoluée en bouche (100 à 149 F). (RM)

SCEV G. Michel et Fils, 54, rue Léon-Bourgeois, 51530 Pierry, tél. 03.26.54.67.12 r.-v.

JOSE MICHEL ET FILS★

◐ 1 ha 8 000 70 à 99 F

Exploitation de 10 ha établie à Moussy, au sud d'Epernay. Un rosé issu d'un assemblage de 70 % de chardonnay et de 30 % de pinot noir, de teinte saumonée ; au nez, des parfums élégants, à la fois discrètement fruités, beurrés et briochés ; au palais, harmonie et équilibre, arômes de petits fruits rouges et belle fraîcheur de pamplemousse en finale. Même note pour le **blanc de blancs Clos des Plants de chênes 92**, floral (acacia) et miellé, ample et suffisamment vif, mais au dosage perceptible. (RM)

José Michel, 14, rue Prelot, 51530 Moussy, tél. 03.26.54.04.69, fax 03.26.55.37.12 r.-v.

PIERRE MIGNON
Cuvée de Madame 1988

○ n.c. 5 000 100 à 149 F

Ce domaine familial, à la tête d'un vignoble de 10,5 ha, a lancé sa marque en 1970. Il propose une cuvée spéciale mi-blanche mi-noire (50 % de pinots dont 20 % de meunier). Très évolué, aussi bien au nez qu'en bouche, c'est un champagne très représentatif de son millésime et destiné à un amateur averti. Assez ample, marqué par les arômes tertiaires, il est à boire. (NM)

Pierre Mignon, 5, rue des Grappes-d'Or, 51210 Le Breuil, tél. 03.26.59.22.03, fax 03.26.59.26.74, e-mail p.mignon@lemel.fr r.-v.

MIGNON ET PIERREL Cuvée florale

◐ 1er cru n.c. n.c. 100 à 149 F

Marque de négociants, lancée en 1911. Ce rosé, presque exclusivement issu de chardonnay, tire sa couleur de 10 % de pinot noir vinifié en rouge. Il comprend une forte proportion de vins de réserve (50 %). De couleur légèrement tuilée, c'est un champagne plaisant par ses arômes d'agrumes (orange confite) présents au nez comme en bouche et par son bon équilibre. (NM)

SA Pierrel et Associés, 26, rue Henri-Dunant, B.P. 295, 51200 Epernay, tél. 03.26.51.00.90, fax 03.26.51.69.40, e-mail pierre@clubinternet.fr r.-v.

JEAN MILAN
Blanc de blancs Cuvée de réserve élevée en fût de chêne★

○ Gd cru n.c. n.c. 70 à 99 F

Domaine familial créé en 1864, disposant d'un vignoble de 5 ha. Ce blanc de blancs fait appel à des vins de réserve de 1992, 1993, 1994. Le vin est élevé dans le bois deux années et, pourtant, il ne porte pas la marque du fût. C'est un champagne ample, plus puissant que fin, à servir au cours d'un repas. Le **brut spécial**, un **blanc de blancs grand cru**, assemblage des millésimes 94, 95 et 96, tout en fraîcheur et en finesse, plein de jeunesse, mérite d'être cité : un joli champagne d'apéritif. (RM)

⊶ Champagne Milan, 6, rue d'Avize,
51190 Oger, tél. 03.26.57.50.09,
fax 03.26.57.78.47 ☑ Y t.l.j. 9h30-12h
13h30-18h; dim. sur r.-v.

⊶ Henry-Pol Milan

MOET ET CHANDON
Dom Pérignon 1988★★

◐ n.c. n.c. 🍾🌡 +de 500 F

Inutile de présenter Moët et Chandon. Fondée en 1746, la maison Moët a connu une renommée précoce, avec d'illustres clients comme la marquise de Pompadour. C'est aujourd'hui la plus grande maison de champagne. Le Dom Pérignon est sa cuvée prestige. Le jury a goûté le **Dom Pérignon blanc 92**, d'une extrême jeunesse, et ce rosé, plus mûr. Bien qu'il ait plus de dix ans d'âge, ce vin ne montre aucune fatigue. La fraîcheur exemplaire se découvre dans son nez minéral au fruité de fraise, fruit que l'on retrouve en bouche, soutenu par le citron. Sa rondeur généreuse contribue à son équilibre. Le **Brut Impérial 93** est également retenu par les dégustateurs qui apprécient son nez floral puis fruité et sa grande fraîcheur en bouche (150 à 199 F). (NM)

⊶ Moët et Chandon, 20, av. de Champagne,
B.P. 140, 51333 Epernay Cedex,
tél. 03.26.51.20.00, fax 03.26.54.84.23 ☑ Y t.l.j.
9h30-11h30 14h-16h45; groupes sur r.-v.; f. 15
nov.-15-mars

PIERRE MONCUIT
Blanc de blancs Vieilles vignes Cuvée Nicole Moncuit 1990★★

○ Gd cru 0,6 ha 9 000 🍾 150 à 199 F

Cette propriété familiale, fondée il y a plus de cent ans, dispose d'un vignoble de 15 ha dans la Côte des Blancs. Les dégustateurs ont été séduits, voire enthousiasmés pour certains, par cette cuvée 100 % chardonnay. A l'or intense de sa robe répond un nez puissant et complexe fait de notes briochées, de noisette grillée et de fruits confits. La bouche associe douceur et fraîcheur dans un bel équilibre. Un grand champagne que l'on pourra servir sur un poisson à la crème ou une viande blanche. (RM)

⊶ Champagne Pierre Moncuit, 11, rue Persault-Maheu, 51190 Le Mesnil-sur-Oger,
tél. 03.26.57.52.65, fax 03.26.57.97.89 ☑ Y r.-v.

MONDET Réserve★

○ 3,2 ha 53 000 70 à 99 F

Marque lancée en 1959, disposant d'un vignoble de 6,75 ha. Issue en grande majorité de raisins noirs (88 % dont 18 % de pinot noir), cette cuvée apparaît vineuse, équilibrée et évoluée. (NM)

⊶ Champagne Mondet, 2, rue Dom-Pérignon,
51480 Cormoyeux, tél. 03.26.58.64.15,
fax 03.26.58.44.00 ☑ Y r.-v.

MONTAUDON Grande Rose★

◐ n.c. n.c. 70 à 99 F

Cette maison de négoce rémoise, fondée en 1891, propose trois cuvées jugées très réussies : ce Grande Rose, dont l'étiquette s'orne d'une photo de la plus belle rosace de la cathédrale de Reims, un rosé mi-noir mi-blanc, coloré par 15 % de vin rouge de pinot noir ; un champagne fruité, gras, équilibré et long ; le **blanc de blancs 1er cru**, élégant et frais, complexe avec ses notes d'agrumes assortis d'une touche de pomme verte acidulée, qu'il faudrait marier à une rémoulade de pétoncles ; et, enfin, le **95** (40 % pinot noir, 60 % chardonnay), frais, jeune, floral et légèrement miellé (100 à 149 F). (NM)

⊶ Champagne Montaudon, 6, rue Ponsardin,
51100 Reims, tél. 03.26.79.01.01,
fax 03.26.47.88.82 ☑ Y r.-v.

DE MONTESPAN

○ 1er cru n.c. 28 800 🍾🌡 70 à 99 F

« Nouveau champagne pour un nouveau millénaire », écrit le négociant qui propose ce brut sans année premier cru, aux arômes de pomme et de fruits rouges, auquel les dégustateurs reconnaissent de l'élégance et de la finesse. Classique et agréable. (NM)

⊶ Champagne de Montespan et Cie, Galerie Sacres, 18, rue Tronsson-du-Coudray,
51100 Reims, tél. 03.26.86.81.14,
fax 03.26.40.54.18 ☑ Y r.-v.

⊶ Desbleds

DANIEL MOREAU
Blanc de blancs Carte d'or★

○ 1 ha 6 000 🍾 70 à 99 F

Cette exploitation familiale de 6,5 ha a créé sa marque en 1971 et élabore ses champagnes depuis 1978. Le Carte d'or est un blanc de blancs. Les chardonnays, récoltés en 1996, assurent charpente, arômes de fruits secs et de fruits confits, et une bonne longueur. (RM)

⊶ Daniel Moreau, 5, rue du Moulin,
51700 Vandières, tél. 03.26.58.01.64,
fax 03.26.58.15.64 ☑ Y r.-v.

MOREL PERE ET FILS

○ n.c. 10 000 🍾🌡 70 à 99 F

Les Morel sont à la tête de 6,7 ha. Pendant longtemps, ils n'ont vinifié que du rosé des Riceys. Aujourd'hui, ils élaborent également du champagne, comme ce brut sans année issu de trois années « millésimables » : 1993, 1995 et 1996. 90 % de pinot noir et 10 % de chardonnay sont au service d'un vin frais, fruité, où la finesse l'emporte sur la corpulence. (RM)

⊶ Pascal Morel, 93, rue du Gal-de-Gaulle,
10340 Les Riceys, tél. 03.25.29.10.88,
fax 03.25.29.66.72 ☑ Y r.-v.

MORIZE PERE ET FILS
Cuvée de l'An 2000 - 1995

○ 2 ha 12 160 🍾🌡 100 à 149 F

Etablie aux Riceys depuis 1830, la famille Morize a lancé sa marque en 1964 et exploite 11 ha de vignes. Elle dispose de caves du XIIe s. Sa Cuvée de l'An 2000 privilégie les raisins blancs, le chardonnay composant 90 % de l'assemblage. On la boira à l'apéritif pour apprécier toute sa finesse et ses arômes de fleurs blanches (aubépine, fleur d'oranger) et d'agrumes. (RM)

🔑 Morize Père et Fils, 122, rue du Gal-de-Gaulle, 10340 Les Riceys, tél. 03.25.29.30.02, fax 03.25.38.20.22 ☒ Ÿ r.-v.

PIERRE MORLET Grande Réserve

◑ 1er cru 0,6 ha 5 190 ▮◖◗🌡 70 à 99 F

Marque lancée en 1920 par Gaston Morlet (elle est devenue Pierre Morlet en 1994). Le vignoble s'étend sur 7 ha. Ce Grande Réserve est un blanc de noirs issu de l'assemblage de 1993, 1995 et 1996. Les vins passent en cuves et en fûts. C'est un champagne souple dont la structure légère est au service d'arômes de fraise citronnée. Un champagne fugace, pour l'apéritif. (NM)

🔑 Champagne Pierre Morlet, 7, rue Paulin-Paris, 51160 Avenay-Val-d'Or, tél. 03.26.52.32.32, fax 03.26.59.77.13 ☒ Ÿ r.-v.

JEAN MOUTARDIER★

◑ 3 ha 25 000 ▮🌡 70 à 99 F

Cette marque lancée en 1926 et disposant d'un vignoble de 16 ha a obtenu deux mentions : une étoile pour ce rosé de noirs (100 % pinot meunier) vineux, puissant, équilibré et riche ; une citation pour la **cuvée La Centenaire** (85 % de chardonnay et 15 % de pinot noir) pour ses arômes intenses de pain grillé et beurré. Un champagne évolué en bouche : il faut le boire. (NM)

🔑 SA Champagne Jean Moutardier, 51210 Le Breuil, tél. 03.26.59.21.09, fax 03.26.59.21.25 ☒ Ÿ r.-v.

MOUTARD PERE ET FILS
Blanc de blancs Grande Réserve★

○ 3 ha 18 000 ▮🌡 70 à 99 F

Marque de négoce dont le siège est à Buxeuil dans la région de Bar-sur-Seine. Ce Grande Réserve est un pur chardonnay, et ce cépage marque sa présence par des arômes de miel et de fleur d'acacia. En bouche, on trouve une belle fraîcheur et des notes de tabac blond. Une étoile également pour la **cuvée Prestige**, assemblant chardonnay et pinot noir à parts égales, complexe au nez, avec ses fragrances de fleurs (aubépine, tilleul), d'agrumes et de noisette, frais et ample en bouche (100 à 149 F). (NM)

🔑 SARL Champagne Moutard-Diligent, 6, rue des Ponts, B.P. 1, 10110 Buxeuil, tél. 03.25.38.50.73, fax 03.25.38.57.72 ☒ Ÿ r.-v.

R. MOUZON-JUILLET★

○ 1er cru n.c. 1 600 ◖◗ 100 à 149 F

Autre marque du Champagne Mouzon-Leroux. Ce vin n'a pas fait sa fermentation malolactique. Le chardonnay entre dans sa composition pour 90 %, complété par du pinot noir. Ce champagne évoque la noisette grillée et d'autres fruits secs. Après une belle attaque, il se développe avec ampleur et complexité. (RM)

🔑 EARL Mouzon-Leroux, 16, rue Basse-des-Carrières, 51380 Verzy, tél. 03.26.97.96.68, fax 03.26.97.97.67 ☒ Ÿ r.-v.

Y. MOUZON-LECLERE
Grande Réserve★

○ 1er cru n.c. 20 000 ▮🌡 70 à 99 F

Représentant la cinquième génération sur ce domaine de Verzy (Montagne de Reims), Yvon Mouzon a lancé la marque Mouzon-Leclère en 1959. Sa cave, il l'a creusée lui-même à la pioche, de 1959 à 1976. Le pinot noir représente 90 % de l'assemblage de son Grande Réserve, complété par le chardonnay. Tous les vins n'ont pas fait leur fermentation malolactique. Une cuvée florale, intense, harmonieuse, plus ample que fine, que l'on destinera au repas. Une étoile également pour la **cuvée spéciale Carte d'or 1er cru** issue majoritairement de chardonnay (75 %) et qui ne fait pas sa fermentation malolactique. Un champagne ample, souple, néanmoins nerveux et assez complexe. (RM)

🔑 Yvon Mouzon, 1, rue Haute-des-Carrières, 51380 Verzy, tél. 03.26.97.91.19, fax 03.26.97.97.89 ☒ Ÿ r.-v.

PH. MOUZON-LEROUX Cuvée 2000★

○ n.c. 2 500 100 à 149 F

Etablis à Verzy, dans la Montagne de Reims, les Mouzon-Leroux ont lancé leur marque en 1946. Ils disposent de plus de 9,5 ha de vignes. Leur Cuvée 2000, issue à 75 % de pinot noir complété par du chardonnay, est un assemblage de vins avec ou sans fermentation malolactique. Le nez évoque la pomme au four, le miel avec une pointe d'acacia, alors qu'en bouche se développent des saveurs d'agrumes cuits et de kumquat. Bon potentiel de garde. A signaler encore, cité par le jury, le **Grande Réserve grand cru** provenant pour moitié de la vendange de 1995 et pour l'autre de vins de réserve des années 1991 à 1994. Privilégiant fortement le pinot noir (90 %), il est fruité et équilibré (70 à 99 F). (RM)

🔑 EARL Mouzon-Leroux, 16, rue Basse-des-Carrières, 51380 Verzy, tél. 03.26.97.96.68, fax 03.26.97.97.67 ☒ Ÿ r.-v.

G.-H. MUMM ET CIE
Cordon rouge Cuvée limitée 1990★

○ n.c. 360 000 ▮🌡 250 à 299 F

La maison a gardé le nom de famille de son fondateur, propriétaire d'un vignoble dans la vallée du Rhin, qui vint s'établir à Reims en 1827. Elle dispose d'un important vignoble (220 ha). C'est en 1875 qu'est apparu sur les bouteilles le cordon rouge évoquant le ruban de la Légion d'honneur, emblématique de la marque. A peine plus de pinot noir (55 %) que de chardonnay (45 %) dans cette cuvée souple, grasse et complexe, associant les fruits confits à des notes miellées et briochées. Une citation pour le **Mumm de Cramant**, qui fut célèbre sous le nom de Crémant de Cramant, un blanc de blancs vif, agrumes et pomme verte (200 à 249 F), et pour le **Cordon rosé**, agréable par son gras et ses arômes de fruits rouges où ressort la groseille (100 à 149 F). (NM)

🔑 G.-H. Mumm et Cie, 29, rue du Champ-de-Mars, 51100 Reims, tél. 03.26.49.59.69, fax 03.26.77.40.69 Ÿ t.l.j. 9h-11h 14h-17h

NAPOLEON Réserve Carte verte

○ n.c. n.c. 100 à 149 F

Une maison de négoce familiale de Vertus fondée sous la Restauration, en 1825. Comme on peut s'en douter, la marque Napoléon n'a été lancée que des décennies plus tard, pour appuyer la politique d'exportation de la société. Trois de ses champagnes doivent être cités : le Réserve Carte verte, au nez discrètement confit, à la bouche puissante, marquée par le coing et la réglisse ; le **Tradition Carte or, 1er cru** floral (fleurs blanches), vif et élégant, et le **Grand Millésime 90**, amande et aubépine au nez et agrumes en bouche. Rappelons le coup de cœur de l'édition 1999 pour le millésime 89. (NM)

🔑 Champagne Napoléon, 2, rue de Villers-aux-Bois, 51130 Vertus, tél. 03.26.52.11.74, fax 03.26.52.29.10 ☒ 🍷 r.-v.

🔑 Ch. et A. Prieur

CHARLES ORBAN Carte blanche*

○ 2 ha 16 000 ▮ 🌡 70 à 99 F

Marque fondée en 1948, exploitant un vignoble de 6 ha. 75 % de pinots (dont 10 % de pinot noir) et 20 % de chardonnay composent ce Carte blanche apéritif, frais, minéral, nerveux, aux effluves de fleurs blanches. (SR)

🔑 Champagne Charles Orban, 44, rte de Paris, 51700 Troissy, tél. 03.26.52.70.05, fax 03.26.52.74.66 ☒ 🍷 r.-v.

🔑 Rapeneau

DE SAINT GALL CUVEE ORPALE Blanc de blancs 1990*

○ Gd cru n.c. 50 000 ▮ 🌡 150 à 199 F

Le groupement de producteurs Union Champagne a créé une marque Saint-Gall, dont la cuvée Orpale représente le haut de gamme. Ce champagne offre un nez grillé et une bouche intéressante par ses arômes briochés-beurrés et sa finale miellée. Un étoile encore pour le **blanc de blancs 1er cru sans année** de Saint-Gall (100 à 149 F) floral, vif après une attaque souple, laissant une impression de fraîcheur. (CM)

🔑 Union Champagne, 7, rue Pasteur, 51190 Avize, tél. 03.26.57.94.22, fax 03.26.57.57.98, e-mail info@de-saint-gall.com ☒ 🍷 r.-v.

OUDINOT Cuvée blanc de blancs**

○ n.c. n.c. ▮ 🌡 100 à 149 F

Cette maison, fondée en 1889 et reprise en 1981 par les Trouillard, dispose d'un vignoble de 83 ha dans la Côte des Blancs. C'est précisément un blanc de blancs qui a eu la préférence du jury, séduit tant par la complexité de sa palette aromatique associant l'orange, le citron, la pivoine et la pomme mûre, que par l'équilibre parfait de la bouche, fait de fraîcheur et de vivacité. Quant au **rosé**, il n'est pas mal du tout. Sa légèreté et son équilibre flatteur lui valent une citation. (NM)

🔑 Champagne Oudinot, 12, rue Godart-Roger, 51200 Epernay, tél. 03.26.59.50.10, fax 03.26.54.78.52

🔑 M. et J. Trouillard

BRUNO PAILLARD 1989*

○ n.c. 37 000 ▮ (▮) 🌡 150 à 199 F

Une maison tournée vers l'exportation principalement, créée en 1981 par son propriétaire, Bruno Paillard. Son 89 (pinot noir 60 %, chardonnay 40 %) ne montre pas la fatigue parfois observée dans ce millésime. Il est fin, floral, vif et long. A signaler encore, cités par le jury, la **Première Cuvée** (pinot noir 85 %, chardonnay 15 %), un champagne rosé équilibré, vineux et long, au dosage sensible, et le **Réserve privée chardonnay**, aux arômes de noisette et de brioche, un blanc de blancs aux fortes épaules. (NM)

🔑 Champagne Bruno Paillard, av. de Champagne, 51100 Reims, tél. 03.26.36.20.22, fax 03.26.36.57.72 ☒ 🍷 r.-v.

PIERRE PAILLARD 1990**

○ Gd cru 10,6 ha 9 000 ▮ 100 à 149 F

Cette marque, créée en 1946 et disposant d'un vignoble de 10,6 ha, propose un beau 90, mi-noir mi-blanc, au nez mêlant notes grillées et amande, rond, équilibré, vanillé en bouche. Une étoile pour le brut sans année (60 % de pinot noir, 40 % de chardonnay récoltés en 1995). Un champagne puissant, équilibré, persistant (70 à 99 F). (RM)

🔑 Pierre Paillard, 2, rue du XXe Siècle, 51150 Bouzy, tél. 03.26.57.08.04, fax 03.26.57.83.03 ☒ 🍷 t.l.j. sf dim. 9h30-11h30 14h-18h; f. 10 au 30 août

PALMER Amazone**

○ n.c. n.c. ▮ 🌡 150 à 199 F

Un groupement de producteurs créé en 1947, dont le développement s'accélère depuis une dizaine d'années. Cette cuvée Amazone, mi-noire mi-blanche, est logée dans une singulière bouteille ovale. C'est un champagne d'un or intense, au nez intéressant, épicé, animal et torréfié, long et tout aussi complexe en bouche. Plein de charme, il accompagnera une poularde aux morilles ou une fin de repas. Une étoile pour le **blanc de blancs 93**, qui ajoute aux classiques arômes beurrés-briochés une pointe minérale, des notes de fruits à chair blanche et une touche lactique, très frais et très long en bouche (100 à 149 F). Même note encore pour le **brut sans année**, fin et léger (70 à 99 F). (CM)

🔑 Palmer et Cie, 67, rue Jacquart, 51100 Reims, tél. 03.26.07.35.07, fax 03.26.07.45.24 ☒ 🍷 r.-v.

PANNIER Egérie 1995**

○ n.c. n.c. ▮ 🌡 150 à 199 F

Joli score pour ce groupement de producteurs, exploitant 560 ha de vignes : trois de ses cuvées spéciales ont été jugées remarquables. Cette Egérie (issue des trois cépages champenois avec dominante de chardonnay) séduit par son nez élégant et riche, fait de fleurs et de fruits secs, de figue et d'amande fraîche, par sa bouche ronde et longue où l'on perçoit des notes d'abricot sec. A marier avec la truffe ou quelque volaille grasse. La cuvée **Louis Eugène** (assemblage des trois cépages où le pinot noir est majoritaire) marie dans une palette aromatique complexe des notes minérales, florales, exotiques et du cuir ; un champagne gracieux sans mièvrerie ; la cuvée **Louis Eugène en rosé** conjugue fruité et praliné ;

structuré, généreux, pulpeux, c'est un vin plaisir, une « gâterie », dit un dégustateur. (CM)
🔑 SCVM COVAMA, 25, rue Roger-Catillon, B.P. 55, 02403 Château-Thierry Cedex, tél. 03.23.69.51.30, fax 03.23.69.51.31, e-mail chppannier@aol.com ☑ Y r.-v.

PASCAL-DELETTE Cuvée An 2000 - 1995

○ 1 ha 8 550 ▮ 70 à 99 F

Cette exploitation familiale située dans la vallée de la Marne propose, pour fêter le jeune millénaire, un 95... très jeune (chardonnay 40 %, les deux pinots à parts égales, 60 %) ; tout l'atteste : sa robe pâle et lumineuse, son nez réservé, tirant vers le végétal et le minéral, sa bouche vive et franche aux arômes discrets (végétal et pomme verte). Un champagne bien fait, encore fermé. (RM)
🔑 Pascal-Delette, 48, rue Valentine-Régnier, 51700 Baslieux-sous-Châtillon, tél. 03.26.58.11.35, fax 03.26.57.11.93 ☑ Y r.-v.

ERIC PATOUR Cuvée de réserve

○ n.c. n.c. ▮ 70 à 99 F

Eric Patour s'est installé en 1984 sur le domaine familial situé dans l'Aube et a lancé sa marque en 1993. Sa Cuvée de réserve, assemblage classique de 60 % de pinot noir et de 40 % de chardonnay, n'a pas encore atteint son optimum, comme le montrent sa robe claire, son nez discret et sa vivacité très marquée. Franche en attaque et complexe en bouche, elle mérite de vieillir. Elle accompagnera un poisson en sauce. (RM)
🔑 Eric Patour, 11, rue du Vivier, 10110 Celles-sur-Ource, tél. 03.25.38.51.32, fax 03.25.38.22.65 ☑ Y r.-v.

DENIS PATOUX

◐ n.c. n.c. ▮🌡 70 à 99 F

Cette propriété de 8 ha, qui a lancé sa marque en 1945, obtient deux citations : l'une pour ce rosé, de teinte soutenue, aux arômes de fruits rouges. Un champagne bien construit, coulant, facile ; l'autre pour un **92 cuvée Prestige** assez proche, qui sera excellent à l'apéritif. (RM)
🔑 Denis Patoux, 1, rue Bailly, 51700 Vandières, tél. 03.26.58.36.34, fax 03.26.59.16.10 ☑ Y r.-v.

PEHU-SIMONET Cuvée Junior 1992★★

○ Gd cru 0,15 ha 1 200 ▮▮ 100 à 149 F

Vignerons depuis cinq générations, les Pehu-Simonet ont lancé leur marque en 1974. Ils exploitent leur vigne de 5 ha dans le respect de l'environnement, pratiquant la lutte raisonnée. Leur cuvée Junior, mi-noire mi-blanche, a été très bien accueillie, avec son nez de sous-bois, vanille et camphre, suivi d'une bouche ronde, intense et équilibrée. (RM)
🔑 Champagne Pehu-Simonet, 7, rue de la Gare, B.P. 22, 51360 Verzenay, tél. 03.26.49.43.20, fax 03.26.49.45.06 ☑ Y r.-v.

JEAN-MICHEL PELLETIER
Cuvée Anaëlle 1993★

○ 4 ha 1 200 ▮▮ 70 à 99 F

Jean-Michel Pelletier exploite depuis 1982 un vignoble de 4 ha situé dans la vallée de la Marne. Sa cuvée Anaëlle (50 % de pinot meunier, 50 % de chardonnay) est un champagne puissant et fin, à l'attaque vive, généreux en bouche, structuré et dominé par des arômes de torréfaction. Cité sans étoile, le **brut Tradition** est pratiquement un blanc de noirs (meunier 90 %, pinot noir 7 %). Il est souple et empyreumatique (50 à 69 F). (RC)
🔑 Jean-Michel Pelletier, 22, rue Bruslard, 51700 Passy-Grigny, tél. 03.26.52.65.86, fax 03.26.52.65.86 ☑ Y r.-v.

JEAN PERNET
Blanc de blancs Cuvée Prestige

○ Gd cru 1 ha 6 000 ▮🌡 100 à 149 F

Elaboré par une exploitation familiale disposant d'un vignoble de 16 ha, un blanc de blancs au nez discret, minéral, doublé d'une touche animale (cuir), à la bouche fraîche et souple. (RM)
🔑 Champagne Jean Pernet, 6, rue de la Brèche-d'Oger, 51190 Le Mesnil-sur-Oger, tél. 03.26.57.54.24, fax 03.26.57.96.98, e-mail pernet@sirtem.fr ☑ Y r.-v.

JOSEPH PERRIER Cuvée royale 1995★★

○ n.c. 120 000 ▮🌡 100 à 149 F

Cette maison de Châlons-en-Champagne, fondée en 1825, propose une cuvée mi-noire mi-blanche, à la couleur lumineuse, au nez délicat marqué par le chardonnay, à la bouche corpulente, fraîche, équilibrée. Un beau champagne millésimé qui restera élégant trois à quatre ans. (NM)
🔑 SA Champagne Joseph Perrier, 69, av. de Paris, B.P. 31, 51000 Châlons-en-Champagne, tél. 03.26.68.29.51, fax 03.26.70.57.16 ☑ Y r.-v.

PERRIER-JOUET Belle Epoque 1990★

○ n.c. n.c. ▮🌡 300 à 499 F

Succédant à des générations de bouchonniers, Pierre Perrier-Jouët fonde en 1811 une maison de champagne à Epernay. Dès le siècle dernier, sa prospérité s'appuie sur l'exportation. La cuvée Belle Epoque, logée dans sa superbe bouteille décorée par Gallé, est puissante au nez comme en bouche. On y découvre des arômes de sous-bois et d'amande, des notes confites, puis la nervosité du pamplemousse rose. Un champagne typé, équilibré.(NM)
🔑 Champagne Perrier-Jouët, 28, av. de Champagne, 51200 Epernay, tél. 03.26.53.38.00, fax 03.26.54.54.55 ☑ Y r.-v.

DANIEL PERRIN
Cuvée spéciale An 2000★

○ 1 ha 5 000 ▮🌡 100 à 149 F

Cette exploitation auboise de 10 ha s'est lancée dans l'élaboration du champagne en 1957. Sa cuvée spéciale pour l'an 2000 naît de l'assemblage de 90 % de pinot noir et de 10 % de chardonnay ; elle associe au nez notes toastées et raisin sec puis évolue vers la mirabelle, fruit que l'on retrouve en bouche avec des nuances fleuries. (RM)
🔑 EARL Champagne Daniel Perrin, 10200 Urville, tél. 03.25.27.40.36, fax 03.25.27.74.57 ☑ Y r.-v.

PERSEVAL-FARGE Blanc de blancs*

○ 1er cru	1 ha	4 500	▮♦ 70 à 99 F

La famille Perseval est établie à Chamery - commune de la Montagne de Reims classée en 1er cru - depuis le XVIIIe s. Elle a lancé son champagne en 1955 et exploite un vignoble divisé en cinq lots dans le respect de l'environnement. Son blanc de blancs, de type généreux et rond, long en bouche, est bien adapté aux repas. A retenir encore, le **Brut Réserve**, issu à parts égales des trois cépages champenois récoltés en 1996. Un vin très jeune, très vif en bouche : il a obtenu une citation. (RM)

🕭 Isabelle et Benoist Perseval, 12, rue du Voisin, 51500 Chamery, tél. 03.26.97.64.70, fax 03.26.97.67.67 ☑ ☗ r.-v.

CHAMPAGNE PERTOIS-MORISET
Blanc de Blancs 1992

○ Gd cru	14 ha	20 000	▮ 100 à 149 F

Cette propriété établie dans la Côte des Blancs a lancé sa marque en 1952 et exploite un vignoble de 20 ha. Elle propose un 92 issu de pur chardonnay, au nez complexe mais léger en bouche comme de nombreux vins de ce millésime. (RM)

🕭 Dominique Pertois, 13, av. de la République, 51190 Le Mesnil-sur-Oger, tél. 03.26.57.52.14, fax 03.26.57.78.98 ☑ ☗ t.l.j. sf dim. 8h-12h 14h-18h; f. août

PIERRE PETERS
Blanc de blancs Cuvée de réserve

○ Gd cru	10 ha	100 000	70 à 99 F

Propriété comptant 17,5 ha, établie au cœur de la Côte des Blancs. Un blanc de blancs, étiquette blanche, en robe pâle, au nez riche, plutôt minéral, assorti de notes d'agrumes et de fleurs. La bouche équilibrée est marquée par l'amande verte en finale. (RM)

🕭 Champagne Pierre Peters, 26, rue des Lombards, 51190 Le Mesnil-sur-Oger, tél. 03.26.57.50.32, fax 03.26.57.97.71 ☑ ☗ t.l.j. sf dim. 8h-12h 13h30-18h; f. 24 déc.-2 jan.

PETIT-LE BRUN ET FILS
Blanc de blancs 1994

○ Gd cru	1 ha	7 000	70 à 99 F

Vigneron dans la Côte des Blancs, Henri Le Brun lance sa marque en 1925, transformée en Petit-Le Brun en 1960. Le domaine s'étend sur 6,5 ha. Ce blanc de blancs, issu de vieilles vignes de cinquante ans, fleure la menthe fraîche. En bouche, la poire et la mandarine s'expriment avec une grande nervosité. (RM)

🕭 Petit-Le Brun, 10, rue de Lombardie, 51190 Avize, tél. 03.26.57.51.63, fax 03.26.58.62.89 ☑ ☗ t.l.j. 8h-20h

PHILIPPONNAT Le Reflet**

○	n.c.	n.c.	150 à 199 F

Fondée en 1910 par une vieille famille présente en Champagne dès le XVIIe s., la maison Philipponnat fait partie depuis 1997 du groupe Boizel-Chanoine. Le Reflet est un champagne haut de gamme élaboré par Philipponnat avec autant de chardonnay que de pinot noir. Son nez délicat associe les fleurs blanches, le miel et le caramel. La bouche séduit par son harmonie, son

équilibre et sa persistance. A signaler encore, le **Royale Réserve** (100 à 149 F) et le **Réserve rosé** (150 à 199 F), issus des trois cépages champenois qui ont été cités pour leur fruité. De ce dernier, un dégustateur a écrit : « De la pâte de fruits liquide. » (NM)

🕭 Champagne Philipponnat, 13, rue du Pont, 51160 Mareuil-sur-Ay, tél. 03.26.56.93.00, fax 03.26.56.93.18, e-mail champagnephilipponnat@wanadoo.fr ☗ r.-v.

🕭 Groupe Boizel

PHILIPPONNAT Clos des Goisses 1989*

○	5,5 ha	30 490	+ de 500 F

Le Clos des Goisses (5,5 ha), acquis en 1935, est l'un des fleurons de Philipponnat. Il s'agit d'un coteau aux pentes abruptes exposé plein sud. Il a donné un 89 dépourvu de toute fatigue, contrairement à de nombreux champagnes du même millésime, dont l'évolution a été rapide. Avec deux fois plus de pinot noir que de chardonnay, ce vin affirme année après année sa qualité et sa régularité. Il offre ici un nez fin, brioché et minéral, et se montre très plein en bouche, complexe, miellé et vanillé. (NM)

🕭 Champagne Philipponnat, 13, rue du Pont, 51160 Mareuil-sur-Ay, tél. 03.26.56.93.00, fax 03.26.56.93.18, e-mail champagnephilipponnat@wanadoo.fr ☗ r.-v.

JACQUES PICARD
Cuvée de l'An 2000 - 1995*

○	1 ha	5 000	▮♦ 100 à 149 F

Cette exploitation élabore du champagne depuis 1960. Elle dispose de 15 ha de vignes. Sa cuvée de l'An 2000 est un assemblage de 60 % de chardonnay et de 40 % de pinots (dont 35 % de pinot noir). Le nez est fin, fruité avec des notes de tabac blond, le palais construit et de bonne longueur, bien typé dans son millésime. (RM)

🕭 SCEV Champagne Jacques Picard, 12, rue de Luxembourg, 51420 Berru, tél. 03.26.03.22.46, fax 03.26.03.26.03 ☑ ☗ r.-v.

PICARD ET BOYER Tradition

○	2 ha	n.c.	▮⬥ 70 à 99 F

A. Picard a repris cette exploitation en 1993. Celle-ci, qui s'étend sur 4,7 ha, avait déjà changé de mains en 1960. La Tradition est un blanc de noirs de pinot meunier, lequel passe brièvement dans le bois. C'est un champagne floral, frais et long, pour l'apéritif. (RM)

🕭 SCEV Picard et Boyer, chem. de Vrilly, 51100 Reims, tél. 03.26.85.11.69, fax 03.26.82.60.88 ☑ ☗ r.-v.

🕭 A. Picard

PIPER-HEIDSIECK*

◑	n.c.	n.c.	150 à 199 F

A l'origine de cette maison, un mariage : celui, en 1785, de Florens-Louis Heidsieck, originaire de Westphalie, avec Agathe Perthois, fille d'un négociant en laine rémois. Un rosé à la robe assez accusée. A l'olfaction, le cassis, la griotte, la mûre et la framboise. En bouche, en contraste, le moelleux et une acidité, gage de fraîcheur. A citer un **90** souple, délicat, de petit format pour ce millé-

sime, et le **brut sans année** aux arômes de tabac blond et de brioche. (NM)

☛Piper-Heidsieck, 51, bd Henry-Vasnier, 51100 Reims, tél. 03.26.84.43.00, fax 03.26.84.43.49 ⵙ r.-v.

POL ROGER Extra Cuvée de réserve 1990★★

○	n.c.	n.c.	▮ ⵚ 250 à 299 F

Cette maison fondée en 1849 a conservé un caractère familial. Elle dispose d'un vignoble de 85 ha. 40 % de chardonnay pour 60 % de pinot noir dans ce 90 qui a toutes les qualités du millésime sans en avoir les défauts, défauts que l'on observe lorsque le vin évolue trop vite. Celui-ci a un nez empyreumatique intense et une bouche ronde, grasse, briochée-beurrée, soulignée d'une touche d'acidité qui anime son opulence. « Une belle bouteille pour fêter l'an 2000 », conclut le jury. (NM)

☛SA Pol Roger Cie, 1, rue Henri-Lelarge, 51206 Epernay, tél. 03.26.59.58.00, fax 03.26.55.25.70, e-mail polroger@abc.net ☑ ⵙ r.-v.

POMMERY Royal Apanage★

○	40 ha	n.c.	▮ ⵚ 150 à 199 F

L'une des grandes maisons de champagne, aujourd'hui dans le giron du groupe LVMH. Madame Pommery a été l'une des plus célèbres « veuves champenoises », popularisant le champagne brut avec la création, en 1974, du Pommery Nature, et faisant aménager dans des crayères d'immenses caves où peuvent vieillir vingt millions de bouteilles. Ce brut Apanage comprend 45 % de chardonnay et 55 % de pinots (dont 20 % de meunier). Il se caractérise par sa finesse et sa fraîcheur. Cité, le **92**, mi-noir mi-blanc, est empyreumatique, ample en début de bouche, un peu fugace. (NM)

☛Pommery, 5, pl. du Gal-Gouraud, B.P. 87, 51100 Reims, tél. 03.26.61.62.63, fax 03.26.61.63.98 ☑ ⵙ r.-v.

☛LVMH

PASCAL PONSON Rosé des Gentes Dames

◔	1 ha	4 013	▮ ⵚ 70 à 99 F

Récoltants-manipulants depuis 1930, les Ponson exploitent un vignoble de 12 ha. Ce rosé de noirs est issu de 75 % de pinot meunier et de 15 % de pinot noir récoltés en 1996. Il est teinté par 10 % de coteaux champenois rouge. Son nez est discret alors qu'en bouche se révèle un fruité qui le rend persistant. (RM)

☛Pascal Ponson, 2, rue du Château, 51390 Coulommes-la-Montagne, tél. 03.26.49.20.17, fax 03.26.49.76.48 ☑ ⵙ r.-v.

ROGER POUILLON ET FILS
Extra brut Chardonnay 1992★★

○ Gd cru	n.c.	4 000	▮ ⵙⵙ 100 à 149 F

Domaine fondé en 1947 exploitant un vignoble de 6,5 ha. Ce blanc de blancs présente à l'olfaction des notes grillées, évoluées et légèrement boisées, ce qui n'a rien d'étonnant car le vin « fait du bois ». En bouche, il est incisif, net et gai. Un remarquable champagne pour amateur de vin non dosé. Une étoile pour la **Cuvée de réserve** (15 % chardonnay, 85 % pinots) légèrement boisée, puissante et longue ; une autre encore pour le **brut Vigneron**, 1er cru, mi-noir mi-blanc, souple après une attaque ferme, frais et équilibré. (RM)

☛Roger Pouillon et Fils, 3, rue de la Couple, 51160 Mareuil-sur-Ay, tél. 03.26.52.60.08, fax 03.26.59.49.83, e-mail champagne.pouillon@wanadoo.fr ☑ ⵙ t.l.j. 8h-12h 14h-19h; dim. sur r.-v.

PRESTIGE DES SACRES 1992★★

○	n.c.	3 700	▮ ⵚ 100 à 149 F

Lancée en 1986, une marque d'un groupement de producteurs créé en 1961. La vendange provient de 125 ha. Ce 92 naît de l'assemblage de blanc de noirs et de blanc de blancs à parts égales. Un nez intéressant, épicé et fruité (coing), une bouche nerveuse et fraîche en font un champagne remarquable pour ce millésime de petite réputation. (CM)

☛Coop. vinicole Germigny-Janvry-Rosnay, rue de Germigny, 51390 Janvry, tél. 03.26.03.63.40, ⵙ r.-v.

YANNICK PREVOTEAU Carte d'or★

○	5 ha	42 386	▮ 70 à 99 F

Le domaine, qui s'est lancé dans la vente directe en 1970, est géré par le père et ses deux fils. Il dispose d'un vignoble de 9 ha. Ce brut sans année est né des trois cépages champenois à parts égales. Il n'a pas fait sa fermentation malolactique. Son nez est intense, floral, sa bouche ample, fraîche et équilibrée. Une étoile encore pour le **rosé** (35 % de pinot noir, 35 % de meunier, 20 % de chardonnay), teinté par 10 % de coteaux champenois. Un champagne subtil et élégant. (RM)

☛Gérald Prévoteau, 4 bis, av. de Champagne, 51480 Damery, tél. 03.26.58.41.65, fax 03.26.58.61.05 ☑ ⵙ t.l.j. 8h-12h 13h30-19h

QUENARDEL ET FILS
Cuvée de réserve★★

◔	1 ha	n.c.	▮ 70 à 99 F

Les Quenardel exploitent un vignoble de 8 ha. Le chardonnay (40 %) et le pinot noir sont presque à parts égales dans ce rosé teinté par 15 % de coteaux champenois rouge, issu de vieilles vignes. Sa robe est jeune, son nez citronné ; framboise et citron se disputent la bouche. Une belle fraîcheur. Une étoile pour le **Spécial Club 89**, né de 70 % de chardonnay et de 30 % de pinot, extrêmement fruité, fondu, équilibré et long, véritable champagne de repas. (RM)

☛Champagne Quenardel et Fils, 1, place de la Mairie, 51360 Verzenay, tél. 03.26.49.40.63, fax 03.26.49.45.21 ☑ ⵙ r.-v.

RASSELET PERE ET FILS 1995

○ 2 ha 2 500 ▮ 100 à 149 F

Les Rasselet exploitent 7,8 ha de vignes. Ils proposent une cuvée mi-noire mi-blanche typée, où l'on découvre des notes de figues sèches. On retrouve ces arômes dans une bouche vineuse qui possède aussi un côté minéral. (RM)

⊶ SCEV Rasselet Père et Fils, 13, rue des Hussards, Montvoisin, 51480 Œuilly, tél. 03.26.58.30.26, fax 03.26.57.10.65 ☒ Y t.l.j. sf dim. 9h-12h 14h-18h

CHAMPAGNE DU REDEMPTEUR

Blanc de blancs★★

○ 0,8 ha n.c. ⬮ 70 à 99 F

Cette cuvée rend hommage au grand-père de Claude Dubois, Edmond Dubois, surnommé le Rédempteur pour saluer son attitude lors de la révolte des vignerons qui agita la Champagne en 1911. Ce blanc de blancs passe un an en foudre. On y découvre des arômes d'acacia et de fruits légèrement boisés. En bouche, la fraîcheur se conjugue avec la délicatesse. Jeune et vif, un beau champagne d'apéritif. (RM)

⊶ Champagne du Rédempteur Dubois Père et Fils, rte d'Arty-les-Almanachs, 51480 Venteuil, tél. 03.26.58.48.37, fax 03.26.58.63.46 ☒ Y r.-v.

PASCAL REDON Cuvée du Hordon★

○ 1er cru 0,3 ha 2 500 ▮🌡 100 à 149 F

Ce vignoble de plus de 4 ha est exclusivement complanté de chardonnay et de pinot noir. Cette cuvée spéciale naît de raisins blancs et de raisins noirs à parts égales. Au nez miel et pain grillé, en bouche, ampleur et richesse. Le **rosé**, une cuvée très blanche (chardonnay 75 %) teintée par 10 % de vin rouge de Trépail doit être cité pour sa souplesse et ses arômes de petits fruits rouges (70 à 99 F). (RM)

⊶ Pascal Redon, 2, rue de la Mairie, 51380 Trépail, tél. 03.26.57.06.02, fax 03.26.58.66.54 ☒ Y r.-v.

BERNARD REMY Carte blanche★

○ 3,5 ha n.c. ▮🌡 70 à 99 F

Marque lancée après la guerre, disposant d'un vignoble de 6,5 ha. Le Carte blanche naît de pinot noir (70 %) et de chardonnay (30 %). Son nez discret mais agréable fait songer au tilleul, au miel et au citron. Tout aussi fraîche, la bouche apparaît mentholée et réglissée. Le **blanc de blancs** et le **rosé** doivent être cités. Ils sont frais, légers, et de bonne persistance. (RM)

⊶ Bernard Rémy, 19, rue des Auges, 51120 Allemant, tél. 03.26.80.60.34, fax 03.26.80.37.18 ☒ Y r.-v.

R. RENAUDIN Grande Réserve 1993★★

○ n.c. 40 000 ▮🌡 100 à 149 F

Marque créée en 1933, disposant d'un vignoble de 24 ha. Ce Grande Réserve marie chardonnay (70 %) et pinot noir (30 %). Cassis et framboise s'y expriment avec rondeur. On pourra le servir avec un dessert. Le blanc de blancs **Réserve spéciale An 2000** issu de la récolte de 1996 mérite d'être cité pour sa vivacité citronnée (150 à 199 F). (RM)

⊶ SCEV Champagne R. Renaudin, 31, rue de la Liberté, 51530 Moussy, tél. 03.26.54.03.41, fax 03.26.54.31.12 ☒ Y r.-v.

ROBERT ALLAIT

Blanc de blancs Cuvée Stéphanie 1995★

○ 0,5 ha 3 500 ▮ 70 à 99 F

Ce domaine familial qui a lancé sa marque en 1981 exploite 9 ha de vignes dans la vallée de la Marne. La cuvée Stéphanie est tout en finesse, axée sur les agrumes (pamplemousse). A retenir encore, la **cuvée Prestige**, 35 % chardonnay, 65 % pinots (dont 15 % de pinot noir), provenant des vendanges de 1994 et 1995, citée pour sa fraîcheur au nez et en bouche. (RM)

⊶ Régis Robert, 6, rue du Parc, 51700 Villers-sous-Châtillon, tél. 03.26.58.37.23, fax 03.26.58.39.26 ☒ Y r.-v.

ERIC RODEZ Blanc de noirs★★

○ 6,12 ha n.c. 70 à 99 F

Ce domaine de plus de 6 ha, créé en 1984, propose un blanc de noirs subtilement vinifié, à la fois sous bois et en cuve, et ne faisant que partiellement sa fermentation malolactique. Un champagne aux arômes de fruits cuits et d'épices, dense et équilibré. Fait pour la table, il s'accordera avec une viande blanche à la crème. Une étoile pour le **rosé**, pinot noir (60 %) chardonnay (40 %), qui marie le pamplemousse rose et les baies sauvages. Une citation enfin pour la **cuvée des Crayères**, mi-noire mi-blanche, pour la complexité de ses arômes de pêche et d'abricot. (RM)

⊶ Eric Rodez, 4, rue d'Isse, 51150 Ambonnay, tél. 03.26.57.04.93, fax 03.26.57.02.15, e-mail e.rodez@champagne-rodez.fr ☒ Y r.-v.

LOUIS ROEDERER 1993★★

○ n.c. n.c. ▮🌡 250 à 299 F

Fondée à la fin du XVIIIe s., la maison engagea au début du siècle suivant Louis Roederer, natif de Strasbourg. Celui-ci en devint directeur et lui donna son nom. Il développa les exportations tout en constituant un superbe vignoble (190 ha aujourd'hui). Louis Roederer est à présent la plus importante maison de champagne restée familiale. Son 93 est issu de deux tiers de pinot noir et d'un tiers de chardonnay. Le vin est élevé cinq ans minimum en cave. Des arômes de torréfaction, une bonne attaque, une bouche fraîche et équilibrée contribuent à sa séduction. Le **brut Premier**, assemblage identique mais avec 10 % de pinot meunier, vieilli trois ans, a obtenu la même note pour son harmonie et son élégance (150 à 199 F). (NM)

⊶ Champagne Louis Roederer, 21, bd Lundy, 51100 Reims, tél. 03.26.40.42.11, fax 03.26.47.66.51, e-mail com@champagne-roederer.com Y r.-v.

MICHEL ROGUE Blanc de blancs★

○ 1er cru 7 ha 20 000 ▮🌡 70 à 99 F

Domaine de 10 ha constitué progressivement à partir de 1960 et situé dans la Côtes des Blancs. Un blanc de blancs classique, né des vendanges de 1993, 1994 et 1995, puissant, structuré, long et nerveux ; il s'accordera avec des coquillages.

Le **blanc de blancs 95** 1er cru mérite d'être cité pour sa fraîcheur nerveuse (100 à 149 F). (RM)
🔑 Michel Rogué, 15, rue du Gal-Leclerc, 51130 Vertus, tél. 03.26.52.15.68, fax 03.26.52.21.08 ☒ Y r.-v.

ALFRED ROTHSCHILD ET CIE 1990*

○ n.c. n.c. 100 à 149 F

Une des marques du groupe Marne et Champagne. Une cuvée mi-noire mi-blanche appréciée des dégustateurs pour ses arômes empyreumatiques (grillé, fruits secs, caramel), son attaque puissante et son équilibre. (NM)
🔑 Marne et Champagne, 22, rue Maurice-Cerveaux, 51200 Epernay, tél. 03.26.78.50.50, fax 03.26.78.50.99, e-mail info@m-c-d.fr

JACQUES ROUSSEAUX**

◑ Gd cru 0,5 ha 3 000 70 à 99 F

Enracinée dans le vignoble de Verzenay, la famille y exploite un domaine de 8 ha et a lancé sa marque en 1970. Elle propose un rosé de noirs dont le vin de base est de 1996. Ce champagne a été fort complimenté avec sa robe vieux rose engageante, ses arômes complexes - fruités, briochés, épicés -, sa structure ronde et corpulente. (RM)
🔑 Jacques Rousseaux, 5, rue de Puisielx, 51360 Verzenay, tél. 03.26.49.42.73, fax 03.26.49.40.72 ☒ Y r.-v.

ROUSSEAUX-BATTEUX Cuvée RB**

○ 0,3 ha 3 000 70 à 99 F

Ce domaine de 3,3 ha a lancé sa marque en 1978. Il propose une cuvée spéciale assemblant 80 % de pinot noir et 20 % de chardonnay, récoltés en 1994. Un champagne vineux, souple, équilibré pour l'apéritif. A citer le **rosé**, un rosé de noirs rond, fruité et structuré. (RM)
🔑 Rousseaux-Batteux, 17, rue de Mailly, 51360 Verzenay, tél. 03.26.49.81.81, fax 03.26.49.48.49 ☒ Y r.-v.

PAUL ROYER Cuvée réservée**

○ n.c. n.c. 70 à 99 F

Cette marque, créée en 1888, a été reprise en 1928 par la société Edouard Brun. La Cuvée réservée est très noire : elle assemble 50 % de pinot meunier, 36 % de pinot noir et 14 % de chardonnay. Les dégustateurs la trouvent remarquable d'équilibre, de finesse et de longueur. (NM)
🔑 Champagne Edouard Brun et Cie, 14, rue Marcel-Mailly, B.P. 11, 51160 Ay, tél. 03.26.55.20.11, fax 03.26.51.94.29 ☒ Y t.l.j. 8h-12h 14h-18h; sam. dim. sur r.-v.

ROYER PERE ET FILS

◑ 1 ha 7 000 70 à 99 F

Ce domaine familial, situé dans la Côte des Bars (Aube), exploite un vignoble de 21 ha. Il a lancé sa marque en 1963. Il obtient une citation pour un rosé de noirs né de l'assemblage de vins de 1996 et 1997. Saumonée, voire orangé soutenu, sa robe montre des signes d'évolution. Par sa richesse et sa puissance, ce champagne est destiné à la table. Egalement cité, le **blanc de blancs**, issu de chardonnay de 1996 et 1997, est caractéristique du cépage, équilibré et long. (RM)
🔑 Champagne Royer Père et Fils, 120, Grande-Rue, 10110 Landreville, tél. 03.25.38.52.16, fax 03.25.29.92.26, e-mail champagne.royer@wanadoo.fr ☒ Y r.-v.

RUELLE-PERTOIS

○ 3 ha 15 000 70 à 99 F

Domaine de 6 ha dans la Côte des Blancs et aux environs d'Epernay ; la marque a été créée en 1970. Une cuvée très noire : 80 % de pinot meunier et 10 % de pinot noir complétés de 10 % de chardonnay. Une bonne vinosité, avec des arômes de miel et de fleurs blanches assortis d'une touche de réglisse : ce champagne apparaît bien adapté aux repas. (RM)
🔑 Michel Ruelle-Pertois, 11, rue de Champagne, 51530 Moussy, tél. 03.26.54.05.12, fax 03.26.52.87.58 ☒ Y t.l.j. 9h-12h 13h30-19h; sam. dim. sur r.-v.; f. 8-25 août

RUFFIN ET FILS Cuvée Saphir 1990*

○ 1 ha 9 000 100 à 149 F

Marque lancée en 1946, disposant d'un vignoble de 11 ha. Ce 90 est issu exclusivement de chardonnay. La puissance du millésime s'y manifeste. Son évolution aussi, arômes confits, coing, pain d'épice, une richesse presque lourde. Toute l'ambiguïté des 90. On pourra servir ce champagne avec du foie gras chaud ou, au dessert, avec une brioche aux raisins ou une glace aux épices. Le jury a par ailleurs cité le **Chardonnay d'Or** (récolte 1996), floral et plus nerveux. (NM)
🔑 Champagne Ruffin et Fils, 20, Grande-Rue, 51270 Etoges, tél. 03.26.59.30.14, fax 03.26.59.34.96 ☒ Y t.l.j. sf dim. 8h-12h 13h30-17h30; f. fin nov.-fin fév.

DOM RUINART 1986**

◑ n.c. n.c. + de 500 F

Dom Thierry Ruinart connut bien Dom Pérignon, bénédictin comme lui à l'abbaye d'Hautvillers. En 1729, peu après la mort des deux religieux, son neveu Nicolas, drapier à Epernay, s'intéressa lui aussi au vin, fondant la plus ancienne maison de champagne, aujourd'hui liée au groupe LVMH. Ce rosé est un bel hommage au grand ancêtre. D'un or rose lumineux, il est marqué par le chardonnay et teinté par du coteaux champenois rouge. Il présente un nez de rêve, plein de caractère. On y découvre des traces de fumée, une touche balsamique, le fruité mûr du pinot. En bouche le fruité se développe, incomparablement harmonieux, long et fin. Rappelons le **Dom Ruinart blanc de blancs 90**, coup de cœur l'an dernier, très belle expression du cépage et du millésime cette année encore. Enfin, la cuvée **R 93** reçoit une étoile. A l'opposé du champagne banal, ce millésime offre des arômes de fougères, d'amande fraîche puis d'agrumes

dans une bouche complexe et équilibrée (200 à 249 F). (NM)
⊶ Champagne Ruinart, 4, rue des Crayères, B.P. 85, 51053 Reims Cedex, tél. 03.26.77.51.51, fax 03.26.82.88.43 ☑ Y r.-v.

RENE RUTAT Blanc de blancs*

○ 1er cru n.c. n.c. ▮ 70 à 99 F

Michel Rutat a repris en 1985 l'exploitation familiale de 6 ha qui s'est lancée dans la vente directe en 1960. Issu des vendanges de 1995 et 1996, son brut blanc de blancs évite le piège de la simplicité, de la mièvrerie, de la brièveté. Bien structuré, il présente des arômes complexes (brioche, fleurs blanches, agrumes, grillé). Le **Grande Réserve**, lui aussi un blanc de blancs, est un assemblage des vins de 1994 et de 1995. Il est cité pour sa bonne attaque et sa fraîcheur. (RM)
⊶ Champagne René Rutat, av. du Gal-de-Gaulle, 51130 Vertus, tél. 03.26.52.14.79, fax 03.26.52.97.36 ☑ Y r.-v.
⊶ Michel Rutat

LOUIS DE SACY 1989*

○ Gd cru 4 ha 20 000 ▮ ▮ ▮ 100 à 149 F

Les Sacy sont en Champagne depuis 1633. Ils exploitent un vignoble de 25 ha. On le sait, le millésime 89 est un millésime à évolution rapide. Celui-ci, mi-blanc mi-noir (dont 10 % de pinot meunier), le confirme mais il a gagné en complexité. Il est puissant, onctueux, confit. (NM)
⊶ Champagne Louis de Sacy, 6, rue de Verzenay; B.P. 2, 51380 Verzy, tél. 03.26.97.91.13, fax 03.26.97.94.25, e-mail contact@champagne-louis-de-sacy ☑ Y r.-v.
⊶ Alain Sacy

SADI-MALOT*

◑ 1er cru n.c. 3 000 ▮ ▮ 70 à 99 F

Les Sadi-Malot sont récoltants-manipulants depuis quatre générations. Leur domaine de près de 10 ha est situé dans une commune réputée pour ses chardonnays : Villers-Marmery. Cette qualité apparaît dans ce rosé qui est presque un blanc de blancs (seulement 15 % de pinot noir), coloré par un coteaux champenois rouge. Sa robe est soutenue, son nez offre un fruité de fraise et de framboise qui se retrouve en bouche. Même réussite pour la **cuvée SM** (100 à 149 F) du beau millésime **90**. Elle est plus évoluée au nez qu'en bouche, laquelle demeure très fraîche, équilibrée, riche et longue. (RM)
⊶ Sadi-Malot, 35, rue Pasteur, 51380 Villers-Marmery, tél. 03.26.97.90.48, fax 03.26.97.97.62 ☑ Y t.l.j. 8h-12 14h-19h; dim. sur r.-v.

CHAMPAGNE SAINT-CHAMANT Carte Crème Blanc de blancs**

○ n.c. 13 188 ▮ 70 à 99 F

Un vignoble de 11,5 ha exclusivement planté de chardonnay dans la commune de Chouilly, classée grand cru. Cette cuvée Carte crème a charmé les dégustateurs, séduits par un nez fin, élégant, léger ; élégance et légèreté qu'ils retrouvent en bouche après une attaque aérienne. Un modèle de blanc de blancs. (RM)

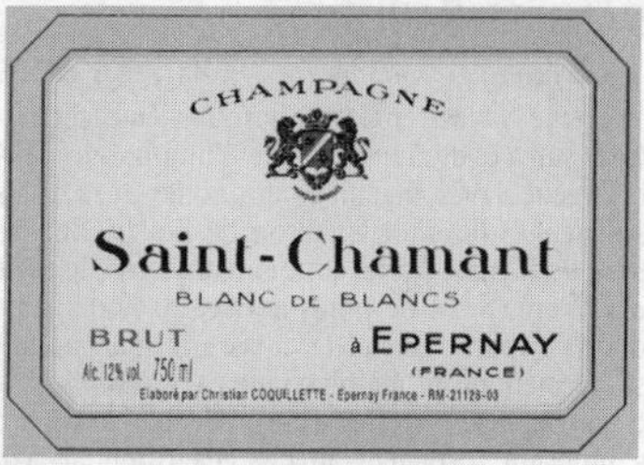

⊶ Christian Coquillette, Champagne Saint-Chamant, 50, av. Paul-Chandon, 51200 Epernay, tél. 03.26.54.38.09, fax 03.26.54.96.55 ☑ Y r.-v.

DENIS SALOMON Blanc de blancs Cuvée Elégance

○ n.c. 2 552 100 à 149 F

Cette exploitation, qui élabore du champagne depuis 1974, dispose de vignes plantées sur des coteaux très pentus de la vallée de la Marne, exposés au sud. Sa cuvée Elégance, un blanc de blancs issu de vendanges de 1993 et 1994, offre des arômes typiques du chardonnay et une bouche d'une grande vivacité. (RM)
⊶ Denis Salomon, 5, rue Principale, 51700 Vandières, tél. 03.26.58.05.77, fax 03.26.58.00.25 ☑ Y r.-v.

SALON Blanc de blancs Le Mesnil 1985*

○ 15 ha n.c. ▮ + de 500 F

Le champagne Salon est un blanc de blancs monocru (grand cru). Toujours millésimé, il n'est élaboré que dans les grandes années. Ce 85 - assurément un grand millésime - n'est ainsi que le trente-deuxième millésime commercialisé depuis la création de la marque en 1911. Tout dans ce champagne dit l'évolution : sa robe or soutenu, son nez un peu capiteux où la fleur se fait miel. Il faut boire ce vin qui a atteint son apogée, pour apprécier l'élégance de son bouquet, la plénitude et la finesse de son palais qui finit sur une touche d'amande. (NM)
⊶ Champagne Salon, 5, rue de la Brèche-d'Oger, 51190 Le Mesnil-sur-Oger, tél. 03.26.57.51.65, fax 03.26.57.79.29 ☑ Y r.-v.
⊶ Groupe Laurent-Perrier

SANGER 1992**

○ Gd cru n.c. 9 600 ▮ ▮ 70 à 99 F

Marque lancée en 1952 par le Lycée agricole de la Champagne dont le siège est à Avize. Ce grand cru 92 aux arômes de citronnelle et de miel montre une attaque douce et révèle en bouche des arômes de fruits confits, ce qui traduit une certaine évolution. Il pourra accompagner du foie gras. Une étoile pour le **blanc de blancs grand cru 92** (même fourchette de prix), fin et plus nerveux que le précédent. (CM)
⊶ Coopérative des Anciens Elèves du Lycée viticole d'Avize, 51190 Avize, tél. 03.26.57.79.79, fax 03.26.57.58.78 ☑ Y t.l.j. sf sam. dim. 8h-12h 14h-18h

CAMILLE SAVES 1994★

○ Gd cru 4,3 ha 10 000 ▮🌡 **100 à 149 F**

Hervé Savès représente la quatrième génération sur ce domaine né de l'union, en 1894 d'Eugène Savès, ingénieur agronome, avec Anaïs Jolicœur, fille d'un vigneron de Bouzy. Sur les 9 ha de vignes, 7,5 ha sont en grand cru, le reste en 1er cru. 80 % de pinot noir et 20 % de chardonnay composent cette cuvée qui n'a pas fait sa fermentation malolactique. La robe s'orne d'un petit œil (reflet rose), les fruits rouges s'imposent fortement au nez et en bouche. Un champagne rond et équilibré (RM)

⊶ Camille Savès, 4, rue de Condé,
51150 Bouzy, tél. 03.26.57.00.33,
fax 03.26.57.03.83 ☑ Y r.-v.
⊶ Hervé Savès

FRANCOIS SECONDE

◑ Gd cru 4 ha 2 500 ▮ **70 à 99 F**

Ce vignoble de près de 5 ha, situé à Sillery - grand cru - a lancé sa marque en 1976. Son brut rosé est issu de pinot noir récolté en 1996, teinté par 15 % de vin rouge. Son nez exubérant associe aux classiques fruits rouges le bonbon anglais que l'on retrouve dans une bouche moelleuse. Quelques dégustateurs auraient souhaité un dosage plus discret. (RM)

⊶ François Secondé, 6, rue des Galipes,
51500 Sillery, tél. 03.26.49.16.67,
fax 03.26.49.11.55 ☑ Y r.-v.

CRISTIAN SENEZ Carte verte★★

○ n.c. 113 000 ▮ **70 à 99 F**

Cette marque, créée en 1973, dispose d'un vignoble de 30 ha. Ce Carte verte est une cuvée mi-noire mi-blanche qui n'a pas fait sa fermentation malolactique. Elle est fort complimentée pour ses arômes intenses et complexes où l'on décèle de la réglisse, des fruits confits et exotiques, de la vanille. « Atypique pour un brut sans année », conclut un dégustateur. « Il faut l'avoir dans sa cave », ajoute un autre membre du jury. Tous votent pour le coup de cœur. (NM)

⊶ Champagne Cristian Senez, 6, Grande-Rue,
10360 Fontette, tél. 03.25.29.60.62,
fax 03.25.29.64.63, e-mail senez@wanadoo.fr
☑ Y r.-v.

SERVEAUX FILS Carte noire★

○ 5 ha 30 000 ▮ **70 à 99 F**

Pascal Serveaux a repris en 1993 ce domaine créé par son père ; les vignes s'étendent sur 10,5 ha dans la vallée de la Marne. Ce blanc de noirs assemble les deux pinots (75 % de meunier, 25 % de pinot noir, récoltés en 1995 et 1996). Un champagne nerveux, léger, quelque peu sauvage et de bonne longueur. Le **rosé** (même fourchette de prix) issu des deux pinots à parts égales, récoltés en 1995 et 1996, est à la fois souple et ample. Il a obtenu une citation. (RM)

⊶ Pascal Serveaux, Champagne Serveaux Fils,
2, rue de Champagne, 02850 Passy-sur-Marne,
tél. 03.23.70.35.65, fax 03.23.70.15.99,
e-mail serveau@aol.com ☑ Y r.-v.

SIMART-MOREAU Cuvée spéciale

○ 1er cru 1,5 ha 13 000 ▮🌡 **70 à 99 F**

Pascal Simart a lancé sa marque en 1976 ; il exploite un vignoble de près de 4 ha. Assemblage de 75 % de chardonnay et de 25 % de pinot noir, récoltés en 1993, ce champagne apparaît vif quoique légèrement évolué ; équilibré, il présente un dosage sensible. (RM)

⊶ Pascal Simart, 9, rue du Moulin,
51530 Chouilly, tél. 03.26.55.42.06,
fax 03.26.57.53.66 ☑ Y r.-v.

SIMON-DEVAUX★

○ 0,8 ha 6 600 ▮ **50 à 69 F**

Marque fondée en 1927 disposant d'un vignoble de 5,3 ha, mais qui a fait élaborer ce cru par un négociant. Cette cuvée fait appel à 80 % de pinot noir, pour 20 % de chardonnay. Elle est or vert très pâle ; son nez associe un côté floral et des notes d'amande fraîche ; la bouche miellée s'exprime très finement, avec élégance. (NM)

⊶ Monique Simon, 2, rue du Clamart,
10110 Celles-sur-Ource, tél. 03.25.38.54.08,
fax 03.25.38.58.62 ☑ Y r.-v.

SIMON-SELOSSE
Blanc de blancs Extra Brut★

○ Gd cru n.c. n.c. ▮ **70 à 99 F**

Cette exploitation établie dans la Côte des Blancs a lancé sa marque en 1960 pour exploiter un vignoble de 4,5 ha. Ce champagne extra-brut provient de chardonnay récolté en 1995. Equilibré, long, très vif, il peut être servi sur des maquereaux au citron, note un dégustateur-sommelier. Le **blanc de blancs, grand cru** floral et minéral, classique, a été cité. (RM)

⊶ Champagne Simon-Selosse, 20, rue d'Oger,
51190 Avize, tél. 03.26.57.52.40,
fax 03.26.58.97.47 ☑ Y t.l.j. 10h-12h 14h-19h

DE SOUSA ET FILS Blanc de blancs 1993

○ Gd cru 2 ha 5 000 ▮🌡 **100 à 149 F**

Etabli dans la Côte des Blancs, Erick de Sousa exploite son vignoble de 6 ha depuis 1986. Ce blanc de blancs 93 aux arômes de citron et de pamplemousse légèrement mentholés a évolué. Un dégustateur loue son « merveilleux dosage ». Ce vin est très faiblement dosé : 3 g/l. Egalement cité, un autre blanc de blancs, la **cuvée des Caudalies**, élevé en fût, mais pas boisé pour autant, au fruité exotique et frais. (RM)

⊶ Erick de Sousa, 12, pl. Léon-Bourgeois,
51190 Avize, tél. 03.26.57.53.29,
fax 03.26.52.30.64,
e-mail contact@champagnesousa.com ☑ Y r.-v.

PATRICK SOUTIRAN Blanc de blancs

○ Gd cru 0,75 ha 6 000 ▮🍷 70 à 99 F

Gérard Soutiran a développé la commercialisation dans les années 50, Patrick Soutiran lui a succédé en 1974. Il exploite un vignoble de 3 ha. Son blanc de blancs, dans sa robe or soutenu, présente des caractères évolués : miel au nez, miel en bouche, avec une touche d'amertume. (RM)

🗝 Patrick Soutiran, 3, rue des Crayères, 51150 Ambonnay, tél. 03.26.57.08.18, fax 03.26.57.81.87, e-mail soutiran@caves-particulieres.com ☑ Y r.-v.

A. SOUTIRAN-PELLETIER*

○ Gd cru 7 ha 58 000 ▮🍷 70 à 99 F

Héritier de cinq générations de viticulteurs, Alain Soutiran s'installe et lance sa marque en 1970. Il élabore ses champagnes depuis 1986, exploitant en propre un vignoble de plus de 8 ha, complété par des achats de raisins. Son grand cru assemble des raisins d'Ambonnay et d'Avize, 70 % de pinot noir et 30 % de chardonnay récoltés en 1993. L'attaque directe, les arômes légèrement fumés et la finale riche lui valent une étoile. (NM)

🗝 Soutiran-Pelletier, 12, rue Saint-Vincent, 51150 Ambonnay, tél. 03.26.57.07.87, fax 03.26.57.81.74, e-mail alain.soutiran@wanadoo.fr ☑ Y r.-v.

🗝 Alain Soutiran

STEPHANE ET FILS Carte blanche*

○ 2 ha 12 000 ▮ 70 à 99 F

Xavier Foin s'est installé en 1985 sur ce domaine de 4 ha. C'est son grand-père qui a créé la marque, en 1907. Les deux pinots se trouvent à égalité dans cette cuvée aux arômes de fleurs blanches, d'amande et de réglisse, marquée par la rondeur en bouche, surtout en finale. (RM)

🗝 Stéphane et Fils, 1, pl. Berry, 51480 Boursault, tél. 03.26.58.40.81, fax 03.26.51.03.79 ☑ Y r.-v.

🗝 Xavier Foin

SUGOT-FENEUIL
Spécial club 90 Blanc de blancs 1990**

○ Gd cru 1 ha 6 800 ▮🍷 100 à 149 F

Ce domaine de 10 ha a lancé en 1970 l'étiquette Sugot-Feneuil. Ce Spécial Club est un beau 90, qui avait déjà obtenu deux étoiles il y a deux ans (Ed. 98). Il a maintenant atteint son apogée, comme le montrent la teinte or soutenu de sa robe et ses arômes de miel. En bouche, harmonie et rondeur. (RM)

🗝 Champagne Sugot-Feneuil, 40, imp. de la Mairie, 51530 Cramant, tél. 03.26.57.53.54, fax 03.26.57.92.91 ☑ Y r.-v.

JEAN-PAUL SUSS Extra Brut

○ n.c. n.c. ▮ 100 à 149 F

Marque auboise créée en 1992. Une cuvée sans dosage, mi-noire mi-blanche, au nez peu intense mais agréable par ses notes de petits fruits rouges. La bouche affiche une certaine amertume mais trouve son équilibre. (MA)

🗝 Jean-Paul Suss, 7, rue des Ponts, 10110 Buxeuil, tél. 03.25.38.56.22, fax 03.25.38.58.58 ☑ Y r.-v.

TAITTINGER Brut Réserve**

○ n.c. n.c. 150 à 199 F

La célèbre maison de Reims possède 250 ha de vignes. Sa grande cuvée **Comtes de Champagne 94** beurrée, citronnée, avec des notes de pamplemousse, agréable dès aujourd'hui (une étoile) devrait grandir encore d'ici deux ou trois ans (plus de 500 F). Le **blanc de blancs** non millésimé, très bien accueilli par les dégustateurs qui lui attribuent deux étoiles, est complexe, mûr, brioché. Mais c'est cet assemblage des deux pinots avec 40 % de chardonnay qui emporte la palme des bruts sans année, pour la puissance et la persistance de ses arômes, ainsi que pour l'élégance de son corps. (NM)

🗝 Taittinger, 9, pl. Saint-Nicaise, 51100 Reims, tél. 03.26.85.45.35, fax 03.26.85.17.46 Y r.-v.

TANNEUX-MAHY Prestige

○ n.c. n.c. ▮⏺ 70 à 99 F

Ce domaine de 6 ha a lancé sa marque en 1921. Il propose un champagne tout en fraîcheur et en vivacité, au nez floral doublé d'amande. La bouche, d'une bonne longueur, révèle des notes de citron vert. Une bouteille pour l'apéritif. (RM)

🗝 Jacques Tanneux, 7, rue Jean-Jaurès, 51530 Mardeuil, tél. 03.26.55.24.57, fax 03.26.52.84.59 ☑ Y r.-v.

TARLANT Cuvée Louis vinifiée en fût*

○ n.c. 5 000 ⏺ 150 à 199 F

Exploitation familiale de 12 ha sise à Œuilly et Boursault. La cuvée Louis, mi-noire mi-blanche, le fleuron de la production du champagne Tarlant, est issue d'une vinification spéciale dans des fûts des Vosges. Le vin séjourne brièvement dans du bois neuf. Un champagne ample, structuré, légèrement boisé, particulièrement à l'aise avec la volaille et la viande blanche. (RM)

🗝 Champagne Tarlant, 51480 Œuilly, tél. 03.26.58.30.60, fax 03.26.58.37.31 ☑ Y t.l.j. 8h-12h 14h-18h; dim. sur r.-v.; f. 14-16 août

EMMANUEL TASSIN Cuvée Tradition

○ 1,5 ha 10 000 50 à 69 F

La famille Tassin exploite un vignoble de 5,5 ha dans l'Aube. Elle élabore du champagne depuis 1930 et a créé sa marque en 1987. Ce Tradition est un blanc de noirs aromatique et long. La sagesse de son prix de vente devrait tenter de nombreux amateurs. Cité également, le **Réserve** (80 % de pinot noir pour 20 % de raisin blanc) est un vin assez discret, de bonne longueur (70 à 99 F). (RM)

Emmanuel Tassin, 104, Grande-Rue, 10110 Celles-sur-Ource, tél. 03.25.38.59.44, fax 03.25.29.94.59 r.-v.

J. DE TELMONT
Cuvée Grand Couronnement 1990**

○ 4 ha 30 000 100 à 149 F

Marque dynamique créée en 1949 disposant d'un vignoble de 30 ha. Le Grand Couronnement est un blanc de blancs de prestige. Un classique par ses arômes beurrés, briochés et ses notes d'agrumes, où l'on relève pourtant une pointe d'exotisme : rhum et citron vert. Les dégustateurs saluent son équilibre et sa fraîcheur. Une étoile pour le **blanc de blancs 93** floral, élégant, souple et équilibré, et pour le **Grand Vintage 93** (33 % de chardonnay, 67 % de pinots dont 27 % de meunier), très marqué par les agrumes. (RM)

Champagne J. de Telmont, 1, av. de Champagne, B.P. 17, 51480 Damery, tél. 03.26.58.40.33, fax 03.26.58.63.93 r.-v.
MM. Lhopital

V. TESTULAT Carte d'or**

○ 15 ha 140 000 70 à 99 F

Marque familiale créée en 1864, exploitant un vignoble de 20 ha. Le Carte d'or est un blanc de noirs issu des deux pinots à parts égales, vendangés en 1995. Ce brut sans année brille par son équilibre et sa complexité, déclinant la vanille, le chèvrefeuille, le tilleul, la pêche avec une touche minérale. Une étoile pour le **rosé**, un rosé de noirs, puissant et frais, et pour le **blanc de blancs**, majoritairement issu de la vendange de 1995, à l'attaque franche, riche, parfaitement équilibré. (NM)

Champagne V. Testulat, 23, rue Léger-Bertin, 51200 Epernay, tél. 03.26.54.10.65, fax 03.26.54.61.18, e-mail vtestulat@champagne-testulat.com r.-v.

JACKY THERREY Cuvée François 1995

○ 1 ha 5 000 100 à 149 F

Jacky Therrey a débuté dans une maison de la Côte des Blancs avant de créer sa propre exploitation en 1965. Il exploite un vignoble de 6 ha à Montgueux, commune de l'Aube connue pour ses chardonnays. Sa cuvée François, caractéristique de ce cépage, propose des arômes de fleurs, de brioche beurrée ; son attaque est franche et sa fraîcheur contribue à son harmonie. (RM)

Jacky Therrey, 8, rte de Montgueux, La Grange-au-Rez, 10300 Montgueux, tél. 03.25.70.30.87, fax 03.25.70.30.84 r.-v.

LUCIEN THEVENET Réserve**

○ 0,6 ha 4 000 70 à 99 F

Proposé par une petite propriété familiale établie dans la vallée de la Marne, ce Réserve naît d'un quart de chardonnay et de trois quarts de pinots (dont 35 % de pinot noir). Il a séduit le jury par la délicatesse de ses arômes, la finesse et l'élégance de sa bouche. (RM)

Michèle Thévenet, 3, rue Jean-York, 51700 Passy-Grigny, tél. 03.26.52.90.63, fax 03.26.52.97.63 r.-v.

GUY THIBAUT

○ Gd cru n.c. n.c. 70 à 99 F

Cette exploitation a lancé sa marque en 1957. Son vignoble s'étend dans la commune de Verzenay. 80 % de pinot noir et 20 % de chardonnay composent ce champagne structuré, équilibré, assez évolué, de bonne longueur. (RM)

SCEV Guy Thibaut, 7, rue des Perthois, 51360 Verzenay, tél. 03.26.08.41.30, fax 03.26.49.42.16 r.-v.

ALAIN THIENOT***

○ n.c. 200 000 70 à 99 F

Alain Thiénot dirige sa propre maison ainsi que le Champagne Marie Stuart ; il possède également un important vignoble dans le Bordelais. 25 % de chardonnay, 35 % de pinot noir, 20 % de pinot meunier complétés par 20 % de vins de réserve composent ce brut sans année aux arômes empyreumatiques et fins. La bouche conjugue finesse et puissance, équilibre et longueur. Un dégustateur suggère de servir ce vin avec une volaille de Bresse. La **Grande Cuvée 90** et le **millésime 93** reçoivent chacun une étoile (150 à 199 F). (NM)

Alain Thiénot, 4, rue Joseph-Cugnot, 51500 Taissy, tél. 03.26.77.50.10, fax 03.26.77.50.19 r.-v.

DIOGENE TISSIER ET FILS
Cuvée de réserve*

○ 8,5 ha 15 000 70 à 99 F

Cette maison, fondée en 1931, dispose d'un vignoble de 8,5 ha au sud d'Epernay. Sa Cuvée de réserve assemble 70 % de chardonnay à 30 % de pinots (pinot noir et meunier à parts égales) vendangés en 1993 et 1994. Elle est discrète au nez, fraîche et de bonne longueur en bouche. (SR)

GIE Diogène Tissier et fils, 10, rue du Gal-Leclerc, 51530 Chavot-Courcourt, tél. 03.26.54.32.47, fax 03.26.51.88.94 t.l.j. 9h-12h 14h-18h; dim. sur r.-v.

GUY TIXIER*

◐ 0,25 ha 2 000 70 à 99 F

Olivier Tixier, fils de Guy, a succédé en 1989 à son père, créateur de la marque. Il exploite un vignoble de 5 ha. Son brut rosé est presque un rosé de noirs (10 % de chardonnay pour 40 % de pinot meunier et 50 % de pinot noir récoltés en 1995) ; il est teinté par 10 % de coteaux champenois rouge de pinot noir. Il est marqué par des saveurs de fruits rouges, des notes d'évolution et un dosage sensible. (RC)

Olivier Tixier, 12, rue Jobert, 51500 Chigny-les-Roses, tél. 03.26.03.42.51, fax 03.26.03.43.00 r.-v.

TRIBAUT-SCHLŒSSER*

○ n.c. 300 000 70 à 99 F

Cette maison de négoce créée en 1929 dispose d'un vignoble de 30 ha. Trois de ses champagnes ont mérité une étoile. La première va au **brut sans année**, issu des trois cépages champenois à parts sensiblement égales, au nez étrange rappelant le poivron, intense, frais et long en bouche. La deuxième est décernée au **rosé** de noirs, floral, élégant et fin, et la troisième étoile au **blanc de blancs brut extra**, au dosage plus marqué que son nom pourrait le laisser supposer, très frais, minéral, équilibré et long. (NM)

Tribaut-Schlœsser, 21, rue Saint-Vincent, 51480 Romery, tél. 03.26.58.64.21, fax 03.26.58.44.08 r.-v.

ALFRED TRITANT Cuvée Prestige***

○ Gd cru 3,4 ha 12 000 70 à 99 F

Un grand vin de plaisir proposé par ce vigneron exploitant 3,5 ha entièrement situés dans la commune de Bouzy, classée grand cru. 6 % de pinot noir sont associés au chardonnay dans cette cuvée or pâle. Le nez est d'une extrême complexité, mêlant les notes fruitées, florales, minérales avec une pointe de truffe blanche. Puissante et fraîche à la fois, la bouche est tout en subtilité. Il ne manquait qu'une voix pour le coup de cœur. (RM)

Alfred Tritant, 23, rue de Tours, 51150 Bouzy, tél. 03.26.57.01.16, fax 03.26.58.49.56 t.l.j. 9h-12h 14h-18h; sam. dim. sur r.-v.

JEAN VALENTIN ET FILS
Blanc de blancs Saint-Avertin

○ 0,3 ha 2 500 70 à 99 F

Gilles Valentin gère depuis 1994 le domaine familial de 6 ha. Il fut auparavant responsable du service viticulture au C.I.V.C. Le chardonnay, à l'origine de ce blanc de blancs, provient de Sacy, dans la Montagne de Reims. Floral et pain grillé, un champagne tout en fraîcheur. (RC)

EARL Les Coteaux Valentin, 9, rue Saint-Remi, 51500 Sacy, tél. 03.26.49.21.91, fax 03.26.49.27.68 r.-v.
Gilles Valentin

JEAN-CLAUDE VALLOIS
Blanc de blancs Assemblage noble*

○ n.c. 35 000 70 à 99 F

Etabli à Cuis (Côte des Blancs), ce récoltant-manipulant exploite un vignoble de 6 ha. Son Assemblage noble (mais ne le sont-ils pas tous par définition ?) est un blanc de blancs fin, citronné, réglissé, mentholé, léger et élégant. Le **blanc de blancs 93**, lui aussi léger avec des arômes de citron vert, a été cité (même fourchette de prix). (RM)

Jean-Claude Vallois, 4, rte des Caves, 51530 Cuis, tél. 03.26.59.78.46, fax 03.26.58.16.73 r.-v.

VARNIER-FANNIERE

◐ Gd cru 0,3 ha 2 000 70 à 99 F

Installés dans la Côte de Blancs, les Varnier exploitent 4 ha et commercialisent leur production depuis 1946. Ce rosé, issu majoritairement de chardonnay (88 %), est teinté par un vin rouge de pinot noir. Son nez vif tire vers la groseille ; sa bouche fruitée, d'une belle longueur, finit sur une pointe d'amertume apportée par le vin rouge. (RM)

Champagne Varnier-Fannière, 23, rempart du Midi, 51190 Avize, tél. 03.26.57.53.36, fax 03.26.57.17.07 r.-v.
Denis Varnier

F. VAUVERSIN Blanc de blancs 1990*

○ Gd cru n.c. 1000 100 à 149 F

Attaché à la vigne depuis 1640, ce domaine de 3 ha s'est lancé dans la vente directe en 1930. Il propose un blanc de blancs classique d'un beau millésime. Un champagne élégant, ample, à la finale longue, qui a atteint son apogée. (RM)

F. Vauversin, 9 bis, rue de Flavigny, 51190 Oger, tél. 03.26.57.51.01, fax 03.26.51.64.44, e-mail bruno.vauversin@wanadoo.fr r.-v.

JEAN VELUT Tradition**

○ 6 ha 15 000 70 à 99 F

Ce domaine aubois de 7 ha a créé sa marque en 1976. Beaucoup de chardonnay (85 %) associé à 15 % de pinot noir compose cette cuvée comprenant un tiers de vins de réserve (1996, 1995, 1994). Le nez, fin et élégant, mêle d'agréables arômes de fruits confits et de raisin de Corinthe. Souple et ronde, la bouche fait preuve d'une belle longueur. La **Cuvée du Millénaire** - mise en cave en 1995 - même assemblage et même fourchette de prix, a été citée. Un champagne rond, aux arômes de tilleul et de citron. (RM)

Champagne Velut, 9, rue du Moulin, 10300 Montgueux, tél. 03.25.74.83.31, fax 03.25.74.17.25 r.-v.

VELY-RASSELET
Blanc de blancs Cœur de cuvée*

○ 3,5 ha n.c. 70 à 99 F

Cette exploitation de près de 4 ha élabore du champagne depuis 1945. Son Cœur de cuvée est un blanc de blancs qui n'a pas fait de fermentation malolactique. Elégant et fin, le nez livre des notes de poire et d'agrumes. La noisette grillée vient compléter en bouche cette palette d'arômes. Bonne finale. La **Cuvée de l'An 2000**, 70 % de pinot meunier pour 30 % de pinot noir, obtient une citation pour son bon équilibre et sa persistance. (RM)

Françoise Vély, 4, rue du Château, 51480 Reuil, tél. 03.26.58.38.60, fax 03.26.57.15.50 r.-v.

DE VENOGE Blanc de noirs*

○ n.c. 40 000 150 à 199 F

Fondée en 1837 par Henri-Marc de Venoge, originaire de Suisse, cette maison a récemment changé de mains. Ce blanc de noirs est issu de raisins récoltés en 1993. Son nez épicé s'accorde bien avec sa puissance chaude. On pourra le servir avec une volaille. Une étoile également pour

CHAMPAGNE

le **blanc de blancs 90** (même fourchette de prix) au nez fumé, avec des notes d'abricot sec et de pâte de coing, à la bouche harmonieuse, torréfiée et vive. (NM)

🔑 Champagne de Venoge, av. de Champagne, 51200 Epernay, tél. 03.26.53.34.34, fax 03.26.53.34.35 ☑ 🍷 r.-v.

ALAIN VESSELLE Cuvée Saint-Eloi

○ 18 ha n.c. ▮🌡 70 à 99 F

Alain Vesselle, établi à Bouzy, dispose de 18 ha de vignes. Sa Cuvée Saint-Eloi, mi-noire mi-blanche, présente un nez fin et agréable ; l'attaque est fraîche, la bouche, marquée par les fleurs et les fruits blancs, termine sur une pointe d'amertume. (RM)

🔑 SCEV Alain Vesselle, 8, rue de Louvois, 51150 Bouzy, tél. 03.26.57.00.88, fax 03.26.57.09.77 ☑ 🍷 r.-v.

B. VESSELLE★★

○ 1er cru n.c. 50 000 ▮🌡 70 à 99 F

Marque lancée par Bruno, fils de Georges Vesselle, en 1994. 70 % de pinots (dont 20 % de meunier) et 30 % de chardonnay composent cette cuvée épicée, printanière, fraîche et longue, pour l'heure apéritive. (NM)

🔑 Georges Vesselle, 16, rue des Postes, 51150 Bouzy, tél. 03.26.57.00.15, fax 03.26.57.09.20, e-mail contact@champagne-vesselle.fr 🍷 t.l.j. sf sam. dim. 9h-12h 14h-17h

GEORGES VESSELLE

○ Gd cru 10 ha 90 000 ▮🌡 100 à 149 F

Héritier d'une lignée de vignerons qui remonte au XVI[e]s., Georges Vesselle fut maire de Bouzy pendant vingt-cinq ans. Il a lancé sa marque en 1954. Le vignoble s'étend sur 17,5 ha. Ce brut sans année est très marqué par le pinot noir (90 %) de l'assemblage. Un champagne équilibré, aux arômes grillés mais aussi évolués. (NM)

🔑 Georges Vesselle, 16, rue des Postes, 51150 Bouzy, tél. 03.26.57.00.15, fax 03.26.57.09.20, e-mail contact@champagne-vesselle.fr ☑ 🍷 t.l.j. sf sam. dim. 9h-12h 14h-17h

MAURICE VESSELLE 1988

○ Gd cru n.c. 15 000 ▮ 100 à 149 F

Cette exploitation familiale dispose de 8,5 ha de vignes uniquement en grand cru. Ce 88 est presque un blanc de noirs de pinot noir. Il présente un nez toasté, torréfié, nuancé de fruits confits et se montre vif en bouche. (RM)

🔑 Maurice Vesselle, 2, rue Yvonnet, 51150 Bouzy, tél. 03.26.57.00.81, fax 03.26.57.83.08 ☑ 🍷 r.-v.

VEUVE A. DEVAUX Distinction 1990★

◑ n.c. 10 000 ▮🌡 150 à 199 F

Lancée en 1846 à Epernay, cette marque est depuis 1967 propriété de l'Union auboise des producteurs. Ce 90 est un rosé haut de gamme issu d'une cuvée pratiquement mi-blanche mi-noire, teintée par du vin rouge des Riceys, commune connue pour ses rosés. Agé de près de dix ans, il est mature évidemment ! Un champagne complexe, riche, ample, épicé et long, à découvrir sans tarder. Le **90 blanc** (55 % de chardonnay, 45 % de pinot noir, même fourchette de prix) doit être cité pour sa rondeur, sa puissance et sa richesse marquée par les fruits confits. (CM)

🔑 Union auboise prod. de vin de Champagne, Dom. de Villeneuve, 10110 Bar-sur-Seine, tél. 03.25.38.30.65, fax 03.25.29.73.21, e-mail champagnedevaux@wanadoo.fr ☑ 🍷 t.l.j. sf sam. dim. 8h30-12h 14h-17h30; groupes sur r.-v.

VEUVE CLEMENCE Blanc de blancs★

○ n.c. n.c. 70 à 99 F

Autre marque d'un producteur de la Côte des Blancs. Un blanc de blancs habillé d'or jaune soutenu, fort apprécié par le jury pour son nez riche, explosif, aux arômes de miel et de fruits secs et pour sa bouche intense, structurée et longue. (RM)

🔑 Champagne Launois Père et Fils, 2, av. Eugène-Guillaume, 51190 Le Mesnil-sur-Oger, tél. 03.26.57.50.15, fax 03.26.57.97.82 🍷 r.-v.

VEUVE CLICQUOT-PONSARDIN La Grande Dame 1990★★★

○ n.c. n.c. ▮🌡 + de 500 F

1805 : à la suite de la mort prématurée de son époux, Mme Clicquot prend, à vingt-sept ans, la tête de la maison de négoce fondée par son beau-père en 1772. Sous sa direction, la prospérité s'installe. Cette cuvée de prestige de la maison (aujourd'hui dans le giron de LVMH) rend hommage à la Grande Dame de la Champagne. C'est la bouteille de la fin du millénaire. Elle assume brillamment cette responsabilité avec ses pinots noirs (61 %) et son chardonnay (39 %), provenant exclusivement de grands crus. Un beau mariage de fleurs blanches, d'agrumes et de fruits à chair blanche, d'arômes et de saveurs empyreumatiques. Tout cela amplement, puissamment, longuement, sans jamais s'éloigner de l'essentiel : la finesse. Le **Vintage Réserve 93** (200 à 249 F) très jeune, or blanc, minéral et frais, ainsi que le **Rich Reserve 93** (200 à 249 F), dosé à 28 g de sucre, trois fois plus que le brut, reçoivent chacun une étoile. (NM)

🔑 Veuve Clicquot-Ponsardin, 12, rue du Temple, 51100 Reims, tél. 03.26.89.54.40, fax 03.26.40.60.17, e-mail marketing@veuve-clicquot.fr ☑ 🍷 r.-v.

VEUVE FOURNY ET FILS Réserve

○ 1er cru 5 ha n.c. ▮🌡 70 à 99 F

La marque a été créée en 1955 pour l'exploitation d'un vignoble familial situé à Vertus (commune classée en 1er cru dans la Côte des Blancs). Trois de ses champagnes sont cités : ce Réserve (80 % de chardonnay, 20 % de pinot noir, dont 50 % de vins de réserve), frais et équilibré, pour l'apéritif ; le **blanc de blancs**, mêlant notes florales, fruits secs et à chair blanche ; enfin, la **Cuvée Clos Notre-Dame** (150 à 199 F), provenant d'un clos complanté de chardonnay âgé de quarante-cinq ans : un champagne frais, jeune - trop ? -, de bonne longueur pour l'apéritif. (NM)

🔑 Champagne Veuve Fourny et Fils, 5, rue du Mesnil, 51130 Vertus, tél. 03.26.52.16.30, fax 03.26.52.20.13 ☑ 🍷 t.l.j. sf dim. 9h-12h30 14h-18h

VEUVE MAURICE LEPITRE 1991

○ 1er cru 1,2 ha 5 000 ▮ ♁ 100 à 149 F

Maurice Lepitre a donné son nom à ce champagne, lancé en 1905. Le vignoble de 7 ha est situé à Rilly-la-Montagne (Montagne de Reims). Ce brut 1er cru naît de 60 % de chardonnay et de 40 % de pinot noir, récoltés en 1991. Le nez est discrètement épicé. Le miel apparaît en bouche ; elle est marquée par une grande vivacité. (RM)

⊶ Veuve Maurice Lepitre, 26, rue de Reims, 51500 Rilly-la-Montagne, tél. 03.26.03.40.27, fax 03.26.03.45.76, e-mail lepitrem@aol.com
☑ Y r.-v.
⊶ B. Rilliex

MARCEL VEZIEN
Cuvée de prestige Double Eagle II

○ 1,2 ha 8 000 ▮ 70 à 99 F

Cette exploitation auboise dispose d'un vignoble de 14 ha. La cuvée Double Eagle II porte le nom du premier ballon qui traversa l'Atlantique. Elle comporte 80 % de pinot noir pour 20 % de chardonnay et fait appel aux vendanges de 1993 et 1994. Sa palette aromatique associe l'amande, le citron et les feuilles vertes. Son attaque est vive et sa bouche puissante. (RM)

⊶ SCEV Champagne Marcel Vézien et Fils, 68, Grande-Rue, 10110 Celles-sur-Ource, tél. 03.25.38.50.22, fax 03.25.38.56.09 ☑ Y t.l.j. 8h30-18h; sam. dim. sur r.-v.

VILMART Cœur de cuvée 1992*

○ 0,5 ha 4 000 ⏸ 200 à 249 F

Etabli dans la Montagne de Reims, ce domaine, fondé il y a plus de cent ans, exploite un vignoble de 11 ha. Elaborés avec beaucoup de soin, les vins fermentent dans le bois et y vieillissent dix mois. Ce Cœur de cuvée privilégie le chardonnay (80 % de l'assemblage, complété par du pinot noir). Le nez est puissant, fin, mentholé ; la bouche, d'un excellent équilibre, offre des arômes suaves, miellés, et une longue persistance. (RM)

⊶ Champagne Vilmart et Cie, 4, rue de la République, B.P. 4, 51500 Rilly-la-Montagne, tél. 03.26.03.40.01, fax 03.26.03.46.57 ☑ Y r.-v.
⊶ René Champs

VOIRIN-DESMOULINS Cuvée An 2000*

○ Gd cru 1 ha 6 000 ▮ 70 à 99 F

Cette propriété familiale a lancé sa marque en 1962 ; elle exploite un vignoble de 9,4 ha. Sa cuvée An 2000 (60 % de pinot noir, 40 % de chardonnay) mêle au nez des notes lactiques, du caramel, du miel et des fruits confits, arômes que l'on retrouve en bouche avec des nuances de pain grillé et de noisette. Même note pour la **cuvée Prestige 94** (100 à 149 F), un champagne « juvénile », vif et frais. (RM)

⊶ SCEV Voirin-Desmoulins, 41, rue Dom-Pérignon, 51530 Chouilly, tél. 03.26.54.50.30, fax 03.26.52.87.87 ☑ Y r.-v.

VOLLEREAUX Cuvée Marguerite 1993*

○ 6 ha 50 000 ▮ ♁ 100 à 149 F

Cette maison familiale, fondée en 1920, exploite un vignoble de 42 ha. Sa cuvée de prestige est issue de 75 % de chardonnay complété par du pinot noir. On ne lui adresse qu'un reproche : sa jeunesse. Un champagne épicé et citronné auquel équilibre et puissance assureront un bon avenir. (NM)

⊶ Champagne Vollereaux, 48, rue Léon-Bourgeois, B.P. 4, 51530 Pierry, tél. 03.26.54.03.05, fax 03.26.54.88.36, e-mail champagne.vollereauxsa@wanadoo.fr
☑ Y t.l.j. 9h-12h 14h-18h; dim. 9h-12h

VRANKEN Monopole Cuvée de l'An 2000

○ n.c. n.c. ▮ ♁ 100 à 149 F

La marque a été lancée en 1976. Introduit sur le second marché de la Bourse de Paris en 1998, le groupe Vranken constitue l'une des plus grandes réussites de ces dernières années. Cette cuvée est née exclusivement du chardonnay. Elle est fraîche, minérale ; on y décèle la mirabelle et la prunelle. La bouche est pleine, légère et longue. (NM)

⊶ Vranken Monopole, 17, av. de Champagne, 51200 Epernay, tél. 03.26.59.50.50, fax 03.26.52.19.65 ☑ Y t.l.j. 9h30-16h30; sam. 10h-16h; dim. et groupes sur r.-v.
⊶ P.-F. Vranken

Coteaux champenois

Appelés vins nature de Champagne, ils devinrent AOC en 1974 et prirent le nom de coteaux champenois. Tranquilles, ils sont rouges, plus rarement rosés ; on boira les blancs avec respect et curiosité historique, en songeant qu'ils sont la survivance de temps anciens, antérieurs à la naissance du champagne. Comme lui, ils peuvent naître de raisins noirs vinifiés en blanc (blanc de noirs), de raisins blancs (blanc de blancs), ou encore d'assemblages.

Le coteau champenois rouge le plus connu porte le nom de la célèbre commune de Bouzy (grand cru de pinot noir). Dans cette commune, on peut admirer l'un des deux vignobles les plus étranges au monde (l'autre est situé à Ay) : un vaste panneau indique « vieilles vignes françaises préphylloxériques » ; on ne les distinguerait pas des autres si elles n'étaient conduites « en foule », selon une technique immémoriale abandonnée partout ailleurs. Tous les travaux sont exécutés artisanalement, à l'aide d'outils anciens. C'est la maison Bollinger qui entretient ce joyau destiné à l'élaboration du champagne le plus rare et le plus cher.

Les coteaux champenois se boivent jeunes, à 7-8 ° et avec les plats convenant aux vins très secs pour les blancs, à 9-10 ° et avec des mets légers (viandes blanches et... huîtres) pour les rouges que l'on pourra, pour quelques années exceptionnelles, laisser vieillir.

PAUL BARA Bouzy 1990*

■ 3 ha 15 000 100 à 149 F

Bouzy, un grand cru ; 1990, un grand millésime, cela vaut une étoile à ce vin rouge habillé d'une robe jeune, violine, aux arômes de tabac, de cassis et de sureau, élégant, équilibré et long. (RM)

🔑 Champagne Paul Bara, 4, rue Yvonnet, 51150 Bouzy, tél. 03.26.57.00.50, fax 03.26.57.81.24 ☑ Y r.-v.

CLAUDE CAZALS Blanc de blancs*

□ 0,5 ha 1000 70 à 99 F

Les coteaux champenois blancs sont rares ; en voici un originaire de la Côte des Blancs, habillé de jaune d'or soutenu, beurré, vanillé au nez, fleur blanche et amande fraîche en bouche. Son acidité résistera aux huîtres et aux fruits de mer. (RC)

🔑 Mme Claude Cazals, 28, rue du Grand-Mont, 51190 Le Mesnil-sur-Oger, tél. 03.26.57.52.26, fax 03.26.57.78.43 ☑ Y r.-v.

CHARLES DE CAZANOVE 1993**

■ n.c. n.c. 70 à 99 F

Fondée en 1811 à Avize, cette maison reste familiale. Son siège se trouve aujourd'hui à Epernay. Son coteaux champenois rouge a la particularité de naître de pinot meunier et non de pinot noir. Le vin est élevé sous bois, en pièces champenoises de 205 l. Sa teinte presque noire n'est pas marquée par son âge. En bouche, les petits fruits rouges, la mûre, la framboise s'ajoutent à la compote de prunes discrètement boisée.

🔑 Charles de Cazanove, 1, rue des Cotelles, 51200 Epernay, tél. 03.26.59.57.40, fax 03.26.54.16.38 ☑

🔑 Lombard

FRESNET-BAUDOT Sillery*

■ 0,5 ha 1000 70 à 99 F

Né à Sillery, terroir historique de Champagne, ce vin de pinot noir a été élevé dix mois en barrique (de deux ans). Des reflets violets nimbent sa robe, signe de jeunesse. Outre les arômes propres au pinot - cerise, framboise -, on y découvre la myrtille. Une composition harmonieuse. (RM)

🔑 Fresnet-Baudot, 9, rue de Puisieulx, 51500 Sillery, tél. 03.26.49.11.74, fax 03.26.49.10.72, e-mail champagne.fresnet-baudot@wanadoo.fr ☑ Y r.-v.

GATINOIS Ay 1996**

■ 0,2 ha 2 000 100 à 149 F

Bien que le producteur ne prenne pas la peine de l'indiquer sur l'étiquette, ce vin provient d'un terroir classé en grand cru, et non des moindres : Henri IV et François Ier se flattaient d'y avoir des vignes ! C'est un vin rouge parfait, très coloré, aux arômes de cassis et de griotte, à la fois intense et fin, qui a enthousiasmé le grand jury des coteaux qui lui a décerné un coup de cœur. (RM)

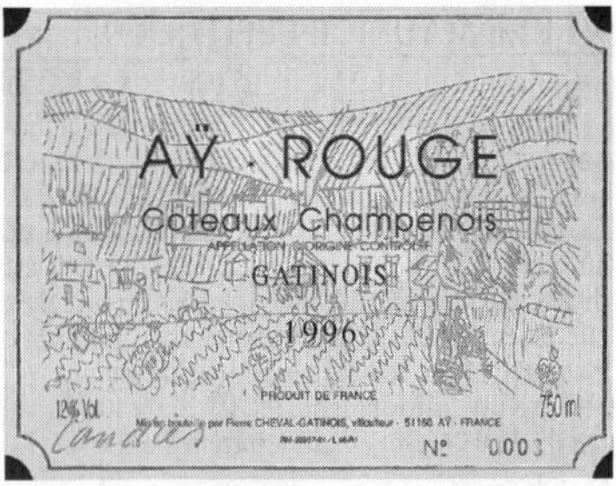

🔑 Champagne Gatinois, 7, rue Marcel-Mailly, 51160 Ay, tél. 03.26.55.14.26, fax 03.26.52.75.99 ☑ Y r.-v.

🔑 Pierre Cheval

GUY LARMANDIER Vertus*

■ 0,7 ha 2 000 70 à 99 F

A l'extrémité sud de la Côte des Blancs, à Vertus, les raisins noirs sont nombreux. Ils révèlent leur qualité dans ce coteaux champenois de belle facture, cerise à l'œil, au nez et en bouche, où le sureau, la vanille et l'airelle créent la complexité, pour notre plus grand plaisir. (RM)

🔑 EARL Champagne Guy Larmandier, 30, rue du Gal-Koenig, 51130 Vertus, tél. 03.26.52.12.41, fax 03.26.52.19.38 ☑ Y r.-v.

🔑 Guy et François Larmandier

LARMANDIER-BERNIER Vertus 1996*

■ 0,35 ha 1000 70 à 99 F

Prendre du pinot noir, érafler les raisins sans les fouler, ajouter 10 % de rafles, piger, remonter souvent, cuver longuement et élever dix-huit mois dans le bois pour obtenir ce vertus rouge - car il faut des raisins de Vertus - frais, tannique et persistant. (RM)

🔑 Champagne Larmandier-Bernier, 43, rue du 28-Août, B.P. 28, 51130 Vertus, tél. 03.26.52.13.24, fax 03.26.52.21.00, e-mail larmandier@terre-net.fr ☑ Y r.-v.

LAURENT-PERRIER
Blanc de blancs de chardonnay*

□ n.c. n.c. 70 à 99 F

On retrouve en coteaux champenois la célèbre maison de Tours-sur-Marne, dans les deux couleurs. Le blanc ? On passera sur le libellé pléonastique « blanc de blancs de chardonnay » pour un coteaux champenois... Le vin est nerveux et aromatiquement intéressant, mêlant cassis, pêche blanche, poire, cire, miel et vanille. Sa longueur en bouche est un atout supplémentaire. Cité par le jury, le **rouge** est un **bouzy**, terroir de grand cru : il est donc issu de pinot noir. De type léger et fin, tant en couleur qu'en arômes, ce vin séduit par son équilibre. (NM)

🔑 Champagne Laurent-Perrier, Dom. de Tours-sur-Marne, 51150 Tours-sur-Marne, tél. 03.26.58.91.22, fax 03.26.58.77.29 ☑ Y r.-v.

PAUL-LOUIS MARTIN Bouzy 1995**

■ 2,5 ha 10 000 70 à 99 F

Ce vin de pinot noir subit deux ans d'élevage après avoir été vinifié dans des cuves à chapeau immergé dont la température est soigneusement régulée. Il est vineux, équilibré, ses tanins se sont assouplis. On le boira avec du veau à la crème. (RM)

🕭 Paul-Louis Martin, 3, rue d'Ambonnay, 51150 Bouzy, tél. 03.26.57.01.27, fax 03.26.57.83.25 ☑ 𝖸 r.-v.

🕭 Rapeneau

PIERRE PAILLARD Bouzy 1996*

| ■ | 1 ha | n.c. | 🔳🔘 70 à 99 F |

Ses quatorze mois de fût l'ont légèrement boisé et ont affiné ses tanins. Son fruité tend vers le cassis, il demeure frais et devient confituré en fin de bouche. (RM)

🕭 Pierre Paillard, 2, rue du XXe Siècle, 51150 Bouzy, tél. 03.26.57.08.04, fax 03.26.57.83.03 ☑ 𝖸 t.l.j. sf dim. 9h30-11h30 14h-18h; f. 10 au 30 août

R. POUILLON ET FILS
Mareuil Vieilles vignes

| ■ | n.c. | 1 500 | 🔘 70 à 99 F |

Ce pinot noir de Mareuil, commune toute proche d'Ay, laisse deviner sa jeunesse par les nuances violacées de sa robe. Il est né de la récolte de 1996. Sa jeunesse apparaît encore en bouche au travers d'une touche d'astringence. Le cassis et les fruits rouges sont présents à l'appel. Il peut vieillir. (RM)

🕭 Roger Pouillon et Fils, 3, rue de la Couple, 51160 Mareuil-sur-Ay, tél. 03.26.52.60.08, fax 03.26.59.49.83, e-mail champagne.pouillon@wanadoo.fr ☑ 𝖸 t.l.j. 8h-12h 14h-19h; dim. sur r.-v.

ERIC RODEZ Ambonnay*

| ■ | 0,35 ha | n.c. | 🔘 70 à 99 F |

Une vinification traditionnelle et un élevage de dix-huit mois en cuves neutres et sous bois ont donné le coteaux rouge, dont le boisé enrobe le fruité. Le rouge de la robe évolue, prenant des nuances tuilées, des arômes tertiaires apparaissent, ce qui laisse penser que ce vin a atteint son apogée. (RM)

🕭 Eric Rodez, 4, rue d'Isse, 51150 Ambonnay, tél. 03.26.57.04.93, fax 03.26.57.02.15, e-mail e.rodez@champagne-rodez.fr ☑ 𝖸 r.-v.

A. SOUTIRAN Ambonnay Les Crupots*

| ■ | 0,35 ha | 2 500 | 🔳♦ 70 à 99 F |

Ce pinot noir d'Ambonnay n'est pas millésimé car il naît de l'assemblage de vins de grandes années : 1985, 1988, 1989, 1990 et 1994. A l'œil, sa teinte est intense ; au nez, le cassis est doublé d'arômes tertiaires ; en bouche, équilibre et longueur s'imposent. (RM)

🕭 Soutiran-Pelletier, 12, rue Saint-Vincent, 51150 Ambonnay, tél. 03.26.57.07.87, fax 03.26.57.81.74, e-mail alain.soutiran@wanadoo.fr ☑ 𝖸 r.-v.

🕭 Alain Soutiran

EMMANUEL TASSIN Les Fioles 1996**

| ■ | 0,25 ha | n.c. | 🔘 50 à 69 F |

Un remarquable coteaux champenois de pinot noir, originaire de la Champagne du Sud, vinifié selon la tradition et élevé quinze mois dans le bois (dont 25 % de bois neuf). Sa robe est parfaite et jeune (vendange de 1996), son nez complexe

évoque le cassis, le sous-bois et les épices. Le vin se développe largement en bouche, soutenu par des tanins nobles. Le meilleur rapport qualité/prix de l'appellation. Coup de cœur ! (RM)

🕭 Emmanuel Tassin, 104, Grande-Rue, 10110 Celles-sur-Ource, tél. 03.25.38.59.44, fax 03.25.29.94.59 ☑ 𝖸 r.-v.

GEORGES VESSELLE Bouzy 1990

| ■ | 1,3 ha | 10 500 | 🔳🔘♦ 100 à 149 F |

Deux citations pour Georges Vesselle dans cette appellation : ce bouzy 90, puissant au nez et ample en bouche, corpulent et quelque peu astringent, à réserver à une côte de bœuf ; et un **coteaux champenois cuvée Véronique-Sylvie,** issu de vendanges foulées et éraflées à 70 % et d'un long élevage : un vin équilibré, où le boisé se mêle aux arômes tertiaires. (NM)

🕭 Georges Vesselle, 16, rue des Postes, 51150 Bouzy, tél. 03.26.57.00.15, fax 03.26.57.09.20, e-mail contact@champagne-vesselle.fr ☑ 𝖸 t.l.j. sf sam. dim. 9h-12h 14h-17h

JEAN VESSELLE Bouzy 1995*

| ■ | 1 ha | 5 000 | 70 à 99 F |

Sa teinte rouge foncé attire ; ses arômes évoquent les fruits rouges et les fruits cuits. La bouche est dans le prolongement du nez, avec un bon soutien tannique. (RM)

🕭 Champagne Jean Vesselle, 4, rue Victor-Hugo, 51150 Bouzy, tél. 03.26.57.01.55, fax 03.26.57.06.95 ☑ 𝖸 r.-v.

Rosé des riceys

Les trois villages des Riceys (Haut, Haute-Rive et Bas) sont situés à l'extrême sud de l'Aube, non loin de Bar-sur-Seine. La commune des Riceys accueille les trois appellations : champagne, coteaux champenois et rosé des riceys. Ce dernier est un vin tranquille, d'une grande rareté (seuls 471 hl ont été récoltés en 1998) et d'une grande qualité, l'un des meilleurs rosés de France. C'est un vin que buvait déjà Louis XIV : il aurait été apporté à Versailles par les spécialistes établissant les fondations du château, les « canats », originaires des Riceys.

Ce rosé est issu de la vinification par macération courte de pinot noir, dont le degré alcoolique naturel ne peut être inférieur à 10 °. Il faut interrompre la macération - « saigner la cuve » - à l'instant précis où apparaît le « goût des riceys », qui, sinon, disparaît. Ne sont labellisés que les rosés marqués par ce goût spécial. Elevé en cuve, le rosé des riceys se boit jeune, à 8-9 °C ; élevé en pièces, il attendra entre trois et dix ans, et on le servira alors à 10-12 °C, pendant le repas. Jeune, il se boira à l'apéritif ou au début du repas.

ALEXANDRE BONNET 1997*

4,75 ha 7 000 70 à 99 F

Cette maison fondée au début des années trente est régulièrement mentionnée en rosé des riceys. Habillé de rose saumoné, son 97 offre des arômes de coing et de fruits rouges. La bouche, intéressante, harmonieuse et typée, est marquée par le bourgeon de cassis. Une viande blanche lui siéra.

SA Alexandre Bonnet, 138, rue du Gal-de-Gaulle, 10340 Les Riceys, tél. 03.25.29.30.93, fax 03.25.29.38.65 r.-v.
Philippe Baijot

JACQUES DEFRANCE 1996**

2,5 ha n.c. 70 à 99 F

Les pinots noirs ont été légèrement foulés et cuvés brièvement, de trois à six jours, pour obtenir ce rosé soutenu sans être rouge. Ce 96 doit ses deux étoiles à sa complexité, à son framboisé, à sa richesse, mais aussi à sa rondeur sensuelle, rare dans ce type de vin.

Jacques Defrance, 24, rue de la Plante, 10340 Les Riceys, tél. 03.25.29.32.20, fax 03.25.29.77.83 r.-v.

GUY DE FOREZ 1996

1 ha 3 300 70 à 99 F

Une marque souvent distinguée dans le Guide (le 90 avait obtenu un coup de cœur). Plus modeste, le 96 affiche une robe très soutenue, rubis clair, proche d'un bourgogne léger. Le nez est fait de griotte épicée, et la bouche fait songer au sous-bois et au cassis. Ce vin pourra accompagner une viande rouge.

SCEA du Val du Cel, 32 bis, rue du Gal-Leclerc, 10340 Les Riceys, tél. 03.25.29.98.73, fax 03.25.38.23.01 r.-v.

JEAN-JACQUES LAMOUREUX 1996

0,5 ha 2 500 70 à 99 F

Jean-Jacques Lamoureux a acheté sa propriété en 1985. Son rosé des riceys mérite d'être cité pour sa belle ampleur en bouche et sa longueur. Plus réservé au nez qu'au palais, il offre des arômes de framboise et de fruits à noyau. Un vin rafraîchissant.

EARL Jean-Jacques Lamoureux, 27, rue du Gal-de-Gaulle, 10340 Les Riceys, tél. 03.25.29.11.55, fax 03.25.29.69.22 r.-v.

LEGRAS ET HAAS 1996

1 ha n.c. 70 à 99 F

Une maison souvent présente dans cette appellation. Son rosé naît d'une vinification en grains entiers (sans foulage). Il est foncé, presque rouge. Au nez comme en bouche, il est ample et vineux. Il accepte la compagnie de viandes rouges.

Legras et Haas, 7-9, Grande-Rue, 51530 Chouilly, tél. 03.26.54.92.90, fax 03.26.55.16.78 r.-v.

MARCEL VEZIEN 1996*

2,5 ha 2 000 70 à 99 F

Un rosé saumoné à nuances dorées, au nez complexe de fruits rouges qui évolue vers la réglisse. Des arômes de framboise fraîche marquent la bouche, d'une bonne longueur. Les viandes blanches lui conviennent.

SCEV Champagne Marcel Vézien et Fils, 68, Grande-Rue, 10110 Celles-sur-Ource, tél. 03.25.38.50.22, fax 03.25.38.56.09 t.l.j. 8h30-18h; sam. dim. sur r.-v.

VINCENT-LAMOUREUX 1996*

0,5 ha 2 500 50 à 69 F

Sylviane et Jean-Michel Vincent, installés en 1982, ont créé la marque Vincent-Lamoureux en 1987. Leur rosé des riceys est élevé très brièvement en fût - pas plus de trois mois pour conserver sa fraîcheur - puis demeure en cuve jusqu'à sa mise en bouteilles. Sa robe est rose soutenu, voire rubis clair, ses arômes sont ceux d'une pâte de fruits épicée, alors que groseille, fraise et framboise se disputent la bouche.

Vincent-Lamoureux, 2, rue du Sénateur-Lesaché, 10340 Les Riceys, tél. 03.25.29.39.32, fax 03.25.29.80.30 r.-v.

LE JURA, LA SAVOIE ET LE BUGEY

Le Jura

Faisant le pendant de celui de la haute Bourgogne, de l'autre côté de la vallée de la Saône, ce vignoble occupe les pentes qui descendent du premier plateau des monts du Jura vers la plaine, selon une bande nord-sud traversant tout le département, depuis la région de Salins-les-Bains jusqu'à celle de Saint-Amour. Ces pentes, beaucoup plus dispersées et irrégulières que celles de la Côte-d'Or, se répartissent sous toutes les expositions, mais ce ne sont que les plus favorables qui portent des vignes, à une altitude se situant entre 250 et 400 m. Le vignoble couvre environ 1 828 ha sur lesquels ont été produits, en 1998, année abondante, environ 102 000 hl.

Nettement continental, le climat voit ses caractères accusés par l'orientation générale en façade ouest et par les traits spécifiques du relief jurassien, notamment l'existence des « reculées » ; les hivers sont très rudes et les étés très irréguliers, mais avec souvent beaucoup de journées chaudes. La vendange s'effectue pendant une période assez longue, se prolongeant parfois jusqu'à novembre en raison des différences de précocité qui existent entre les cépages. Les sols sont en majorité issus du trias et du lias, surtout dans la partie nord, ainsi que des calcaires qui les surmontent, surtout dans le sud du département. Les cépages locaux sont parfaitement adaptés à ces terrains argileux et sont capables de réaliser une remarquable qualité spécifique. Ils nécessitent toutefois un mode de conduite assez élevé au-dessus du sol, pour éloigner le raisin d'une humidité parfois néfaste à l'automne. C'est la taille dite « en courgées », longs bois arqués que l'on retrouve sur les sols semblables du Mâconnais. La culture de la vigne est ici très ancienne : elle remonte au moins au début de l'ère chrétienne si l'on en croit les textes de Pline ; et il est sûr que le vignoble du Jura, qu'appréciait tout particulièrement Henri IV, était fort en vogue dès le Moyen Age.

Pleine de charme, la vieille cité d'Arbois, si paisible, est la capitale de ce vignoble ; on y évoque le souvenir de Pasteur qui, après y avoir passé sa jeunesse, y revint souvent. C'est là, de la vigne à la maison familiale, qu'il mena ses travaux sur les fermentations, si précieux pour la science œnologique ; ils devaient, entre autres, aboutir à la découverte de la « pasteurisation ».

Des cépages locaux voisinent avec d'autres, issus de la Bourgogne. L'un d'entre eux, le poulsard (ou ploussard), est propre aux premières marches des monts du Jura ; il n'a été cultivé, semble-t-il, que dans le Revermont, ensemble géographique incluant également le vignoble du Bugey, où il porte le nom de mècle. Ce très joli raisin à gros grains oblongs, délicieusement parfumé, à pellicule fine peu colorée, contient peu de tanin. C'est le cépage type des vins rosés, qui sont en fait vinifiés ici le plus souvent comme des rouges. Le trousseau, autre cépage local, est en revanche riche en couleur et en tanin, et c'est lui qui donne les vins rouges classiques très caractéristiques des appellations d'origine du Jura. Le pinot noir, venu de la Bourgogne, lui est souvent associé en petites proportions pour l'élaboration des vins rouges. Il a par ailleurs un avenir important pour la vinification de vins blancs de noirs destinés à des assemblages avec le blanc de blancs, pour élaborer des mousseux de qualité. Le chardonnay, comme en Bourgogne, réussit ici parfaitement sur les terres argileuses, où il apporte aux vins blancs leur bouquet inégalable. Le savagnin, cépage blanc local, cultivé sur les marnes les plus ingrates, donne, après plus de six ans d'élevage spécial dans des fûts en vidange, le magnifique vin jaune de très grande classe. Le vin de paille est également l'une des grandes productions du Jura.

La région paraît spécialement favorable à l'obtention d'un type d'excellents mousseux de belle classe, issus, comme on l'a dit, d'un assemblage de blanc de noirs (pinot) et de blanc de blancs (chardonnay). Ces mousseux sont de grande qualité, depuis que les vignerons ont compris qu'il fallait les élaborer avec des raisins d'un niveau de maturité assurant la fraîcheur nécessaire.

Les vins blancs et rouges sont de style classique, mais, du fait semble-t-il d'une attraction pour le vin jaune, on cherche à leur donner un caractère très évolué, presque oxydé. Il y a un demi-siècle, il existait même des vins rouges de plus de cent ans, mais on est maintenant revenu à des évolutions plus normales.

Le rosé, quant à lui, est en fait un vin rouge peu coloré et peu tannique, qui se rapproche souvent plus du rouge que du rosé des autres vignobles. De ce fait, il est apte à un certain vieillissement. Il ira très bien sur les mets assez légers, les vrais rouges - surtout issus de trousseau - étant réservés aux mets puissants. Le blanc a les usages habituels, viandes blanches et poissons ; s'il est vieux, il sera un bon partenaire du fromage de comté. Le vin jaune excelle sur le comté mais aussi sur le roquefort et sur certains plats difficiles à accorder aux vins tels le canard à l'orange ou les préparations en sauce américaine.

Arbois

La plus connue des appellations d'origine du Jura s'applique à tous les types de vins, produits sur douze communes de la région d'Arbois, soit environ 849 ha ; la production a atteint 45 590 hl en 1998, dont 24 414 hl de rouges et rosés, 20 604 hl de blancs ou jaunes. Il faut rappeler l'importance des marnes triasiques dans cette zone, et la qualité toute particulière des « rosés » de poulsard qui sont issus des sols correspondants.

FRUITIERE VINICOLE D'ARBOIS
Vin jaune 1992★★★

□ 35 ha 40 000 150 à 199 F

Les années passent et la fruitière d'Arbois demeure, présentant des vins jaunes toujours appréciés. Mais celui-ci, les dégustateurs l'ont vraiment beaucoup aimé. Jaune doré avec quelques reflets verts, il a bien une robe de vin jaune. Le nez flatteur joue sur la noix verte et les fruits secs. Une pointe d'acidité à l'attaque en bouche laisse présager un bel avenir. Les arômes de noix et de vanille sont intenses et persistants. Agréable, élégant et typé, ce 92 a toutes les qualités.

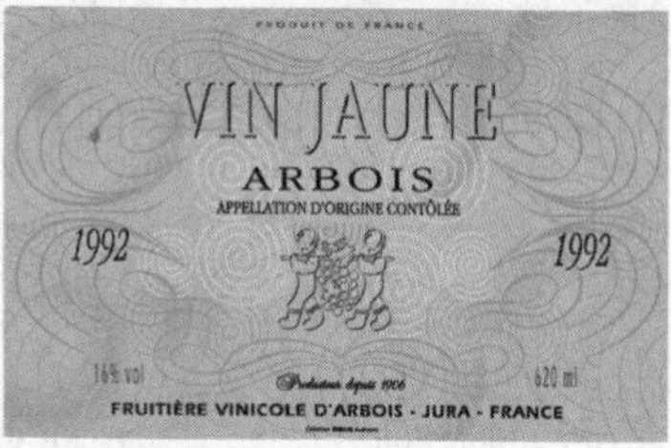

⊶ Fruitière vinicole d'Arbois, 2, rue des Fossés, 39600 Arbois, tél. 03.84.66.11.67, fax 03.84.37.48.80 ☑ Y t.l.j. 9h-12h 14h-18h

FRUITIERE VINICOLE D'ARBOIS
Cuvée Béthanie 1994★★★

■ 30 ha 80 000 50 à 69 F

La cuvée Béthanie fait honneur à l'appellation et à cette cave coopérative très ancienne et réputée. Remarqué pour sa robe élégante, ce 94 possède également un nez très caractéristique du vignoble jurassien, complexe et bien évolué. Il est gras et chaleureux en bouche ; la forte présence de la noix que tempère la douceur du miel nous plonge dans un monde de sensualité et de plaisir. Très typé « jura », ce vin ne demande qu'une chose : un bon morceau de comté pour l'accompagner. En **rouge, la cuvée Coraline 97** (30 à 49 F) assemble les trois cépages jurassiens et devra être attendue deux ans. Elle a reçu une citation.

🕊 Fruitière vinicole d'Arbois, 2, rue des Fossés, 39600 Arbois, tél. 03.84.66.11.67, fax 03.84.37.48.80 ☿ t.l.j. 9h-12h 14h-18h

LUCIEN AVIET
Vin jaune Cuvée de la Confrérie 1990*

| ☐ | 0,4 ha | 900 | ⬙ | 150 à 199 F |

Lucien Aviet est connu de nos lecteurs ; son caveau de Bacchus a vu passer bien des célébrités. Ce 90 porte une robe jaune ambré intense. Le nez est ouvert, intense. La noix domine, mais les épices et le grillé sont là aussi. Bien que puissant, ce vin possède une certaine rondeur. Les fruits secs et le pain grillé donnent à la bouche une belle présence aromatique. Une bouteille agréable qui mérite d'attendre de cinq à dix ans.

🕊 Lucien Aviet, 39600 Montigny-lès-Arsures, tél. 03.84.66.11.02 ☑ ☿ r.-v.

LUCIEN AVIET
Cuvée des Géologues 1997*

| ■ | 0,55 ha | 2 800 | ⬙ | 50 à 69 F |

Cette cuvée des Géologues est souvent très réussie. C'est quelquefois une merveille, comme le millésime 96. Pour le 97, fruits rouges, sous-bois et notes animales forment toujours un nez très typique. La bouche est intense et harmonieuse. Un vin chaleureux et bien vinifié.

🕊 Lucien Aviet, 39600 Montigny-lès-Arsures, tél. 03.84.66.11.02 ☑ ☿ r.-v.

VINCENT AVIET
Le P'tiot Bacchus Trousseau 1997*

| ■ | 0,5 ha | 1 500 | ⬙ | 50 à 69 F |

Fils de Lucien Aviet, Vincent est à bonne école. Pour sa deuxième année de vinification, il a su élaborer ce trousseau, fruits rouges et sous-bois au nez, avec un réel savoir-faire. Malgré une attaque vive, la bouche est élégante et assez longue. Boisé, ce vin présente une belle matière. Le P'tiot Bacchus a de l'avenir.

🕊 Vincent Aviet, quartier de l'Eglise, 39600 Montigny-lès-Arsures ☑

PAUL BENOIT Pupillin Pinot noir 1997*

| ■ | 1,5 ha | 8 000 | ⬙ | 30 à 49 F |

Pour bien connaître le vignoble d'Arbois, il faut aller à Pupillin, village fleuri qualifié de « belvédère » du vignoble. C'est là qu'est installé Paul Benoit, dont l'**arbois blanc 97** issu de chardonnay a reçu une citation pour sa belle complexité aromatique. La préférence va à ce pinot noir : de bonnes nuances odorantes viennent à nous. Sur un fond de fruits rouges, le cassis s'exprime nettement. S'il montre un peu d'astringence due à sa jeunesse, le palais est toujours sur la note fruits rouges. Un beau vin à attendre un an.

🕊 Paul Benoit, rue du Chardonnay, La Chenevière, 39600 Pupillin, tél. 03.84.66.15.61, fax 03.84.37.40.17 ☑ ☿ t.l.j. 9h-19h30

COLETTE ET CLAUDE BULABOIS
Chardonnay 1996

| ☐ | 0,95 ha | 4 600 | ▮▮ | 30 à 49 F |

Coopérateurs jusqu'en 1993, Colette et Claude Bulabois se sont lancés dans la vente directe en 1996. Ce premier millésime, pur chardonnay, est d'un jaune assez intense. Le nez de miel se montre puissant et fin alors que les arômes restent discrets en bouche. Cependant, la structure est équilibrée et l'on devrait avoir une belle bouteille d'ici un an ou deux.

🕊 Claude Bulabois, 1, Petite-Rue, 39600 Villette-lès-Arbois, tél. 03.84.66.01.96 ☑ ☿ t.l.j. 12h-13h30 17h-20h30

JOSEPH DORBON
Chardonnay Vieilles vignes 1996*

| ☐ | 1,7 ha | 2 500 | ⬙ | 30 à 49 F |

A partir de plantations effectuées en 1989, de l'achat de plusieurs petites parcelles sur Vadans, et enfin de la location d'un hectare sur Arbois, Joseph Dorbon s'est installé en 1996 comme viticulteur. Cette cuvée de vieilles vignes délivre des parfums puissants d'infusion, floraux à souhait. Sa bonne bouche vanillée n'est pas très longue mais se montre équilibrée. Bien constitué, harmonieux tant en bouche qu'au nez, et tout à fait représentatif, ce vin sera un compagnon apprécié des poissons grillés.

🕊 Joseph Dorbon, pl. de la Liberté, 39600 Vadans, tél. 03.84.37.47.93 ☑ ☿ r.-v.

DANIEL DUGOIS Vin jaune 1990*

| ☐ | 0,5 ha | 3 000 | ⬙ | 150 à 199 F |

Deux coups de cœur pour les vins jaunes 88 et 89, ces deux dernières années, ce n'est pas

Le Jura

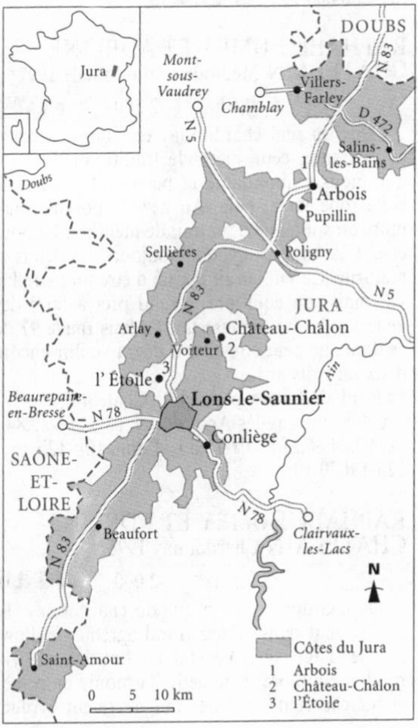

courant. Le 90 possède un nez intense et racé où s'épanouissent les fruits secs tels l'amande et la noix. L'équilibre alcool-acidité est bien respecté et donne un vin à la fois puissant et agréable, marqué de notes épicées et grillées. Le **chardonnay 96 en arbois AOC** reçoit la même note. Jaune paille à reflets verts, il est de bonne longueur, marqué par un aspect oxydatif qui en fait un vin d'initié.

🔑 Daniel Dugois, 4, rue de la Mirode,
39600 Les Arsures, tél. 03.84.66.03.41,
fax 03.84.37.44.59 ☒ 🍷 r.-v.

DANIEL DUGOIS Trousseau 1997*

■ 1 ha 6 000 ⦀ 30 à 49 F

Si la robe est légère, le nez est vif, constitué d'abord de petits fruits puis de gibier et de vieux cuir. Bien que relativement léger en bouche, ce trousseau séduit par sa note de fruits et de fraîcheur. Il faut le prendre pour ce qu'il est : un bon vin, harmonieux et agréable qui se prêtera à un accord facile avec une grillade.

🔑 Daniel Dugois, 4, rue de la Mirode,
39600 Les Arsures, tél. 03.84.66.03.41,
fax 03.84.37.44.59 ☒ 🍷 r.-v.

DOM. FORET
Rosé de saignée de Trousseau 1997*

◪ 1 ha 2 000 ▮🌡 30 à 49 F

Le domaine Foret exploite 13 ha de vignes à Arbois et à Montigny-lès-Arsures. Parmi elles, 1 ha de trousseau a donné naissance à ce rosé presque rubis. Son très joli nez de fruits donne dans la framboise, la fraise et la groseille. Puissant mais élégant en bouche où la fraîcheur est de mise, ce vin reste harmonieux et donne un intense plaisir à la dégustation.

🔑 Dom. Foret, 13, rue de la Faïencerie,
39600 Arbois, tél. 03.84.66.23.01,
fax 03.84.66.10.98 ☒ 🍷 r.-v.

RAPHAEL FUMEY ET ADELINE CHATELAIN Méthode traditionnelle 1997*

○ 0,4 ha 2 500 ▮ 30 à 49 F

Issue du seul chardonnay et vinifiée à basse température, cette méthode traditionnelle offre une mousse abondante et persistante dans une belle robe jaune pâle. Au nez, la pomme bien mûre est soutenue d'un trait de menthol. La bouche, très souple, évoque toujours les fruits à maturité. Ce vin aurait mérité d'être un peu plus vif, mais son équilibre le rend prêt à faire des heureux. Issu du trousseau, l'**arbois rouge 97** de ce domaine peut être cité. Il devra vieillir encore deux ou trois ans.

🔑 Raphaël Fumey et Adeline Chatelain,
39600 Montigny-lès-Arsures, tél. 03.84.66.27.84,
fax 03.84.66.27.84 ☒ 🍷 t.l.j. sf dim. 10h-12h
12h-19h30

RAPHAEL FUMEY ET ADELINE CHATELAIN Chardonnay 1996*

□ 0,5 ha 2 000 ▮ 30 à 49 F

Du chardonnay, rien que du chardonnay. Et cela se sent dans ce nez floral agrémenté d'une touche d'agrumes. Végétal en bouche, un vin rond et équilibré. Une belle harmonie entre nez et bouche et des arômes qui devraient évoluer favorablement. « Enfin, un vrai blanc jurassien », écrit un dégustateur.

🔑 Raphaël Fumey et Adeline Chatelain,
39600 Montigny-lès-Arsures, tél. 03.84.66.27.84,
fax 03.84.66.27.84 ☒ 🍷 t.l.j. sf dim. 10h-12h
12h-19h30

DOM. AMELIE GUILLOT
Chardonnay Vieilles vignes 1996

□ 0,4 ha 2 590 ⦀ 50 à 69 F

Cette jeune productrice-œnologue était répertoriée l'an dernier sous le nom de Domaine Amélie Thorez. Plutôt timide, le nez de ce blanc pur chardonnay n'est pas très floral mais marqué de notes de torréfaction (pain grillé). Discret en bouche sur le plan aromatique, ce vin est assez vif et demande un vieillissement de trois à cinq ans.

🔑 Amélie Guillot, 37, rue de Courcelles,
39600 Arbois, tél. 03.84.66.11.78,
fax 03.84.66.11.78 ☒ 🍷 r.-v.

DOM. DE LA CROIX D'ARGIS 1997*

■ n.c. 25 000 ▮🌡 30 à 49 F

Le plus jeune des domaines de Henri Maire produit un vin rouge à base des cépages trousseau, poulsard et pinot noir. La robe pourpre est intense et profonde. De bonnes nuances de fruits rouges s'expriment au nez où le cassis domine. La bouche est souple, avec une belle matière qui se goûte bien.

🔑 Dom. de La Croix d'Argis, 39600 Arbois,
tél. 03.84.66.12.34, fax 03.84.66.42.42 ☒ 🍷 r.-v.
🔑 Henri Maire

DOM. DE LA PINTE
Vin de paille 1995***

□ 2 ha 2 000 ⦀ 150 à 199 F

Au domaine de La Pinte, on fait le vin de paille avec 95 % de savagnin et 5 % de poulsard. La robe est superbe, d'une teinte caramel intense. Le nez puissant est dominé par le pain d'épice. L'équilibre sucre-alcool est parfait et la complexité aromatique exceptionnelle : noix sèche, agrumes, abricot sec se marient dans une très grande harmonie. Un très bel exemple de vin de paille.

🔑 Dom. de La Pinte, rte de Lyon, B.P. 16,
39601 Arbois Cedex, tél. 03.84.66.06.47,
fax 03.84.66.24.58 ☒ 🍷 t.l.j. sf dim. 9h-12h
14h-18h

DOM. DE LA PINTE
Les Grandes Gardes 1996★★

■ 2 ha 6 000 🛢 50 à 69 F

Ce vin est le fruit d'un assemblage dominé par le pinot noir, ce que confirme la robe rouge grenat profond. Le nez est encore fermé, mais la bouche offre déjà une expression intéressante. Assez riche, chaude, elle est soutenue par des tanins de qualité. Bien vinifié, sans doute à partir de raisins issus de vignes à rendements modérés, voilà un vin qui mérite une belle table.

⚷ Dom. de La Pinte, rte de Lyon, B.P. 16, 39601 Arbois Cedex, tél. 03.84.66.06.47, fax 03.84.66.24.58 ☑ 🍷 t.l.j. sf dim. 9h-12h 14h-18h

⚷ Famille Martin

DOM. DE LA RENADIERE
Pupillin Trousseau 1997★★

■ 0,5 ha 2 500 🛢 30 à 49 F

Jean-Michel Petit aime rappeler que Paul-Emile Victor avait inscrit sur le livre d'or de la commune : « Pupillin le bon, le très bon, le meilleur » ! Il le prouve avec ce vin. Racé et fin, le nez de résine, mentholé et épicé, porte en lui élégance et puissance. Une belle structure, de beaux tanins et une bouche toute ronde donnent envie de le boire, là, tout de suite. Mais patience, laissons venir la fin de bouche, poivrée, torréfiée, et la note de cacao si élégante. Quelle matière ! Quel équilibre ! Un bien joli vin pour gigot ou pintade qui pourra vieillir une bonne dizaine d'années, mais qui est déjà plaisant...

⚷ Jean-Michel Petit, rue du Chardonnay, 39600 Pupillin, tél. 03.84.66.25.10, fax 03.84.66.25.10 ☑ 🍷 t.l.j. 10h-12h 14h-19h

DOM. DE LA TOURNELLE
Trousseau 1997

■ 0,9 ha 2 500 🛢 30 à 49 F

Pascal Clairet vend exclusivement aux particuliers, à la propriété. Le jeu de mots est facile, mais, ironie du sort, ce vin est bien un peu clairet. Plutôt discret, le nez est fruité et fin. Le côté frais et fruité qui se retrouve en bouche rend ce 97 agréable. A boire dès à présent sur un chèvre chaud.

⚷ Dom. de La Tournelle, 5, Petite-Place, 39600 Arbois, tél. 03.84.66.25.76, fax 03.84.66.27.15 ☑ 🍷 t.l.j. 10h-12h30 15h-19h30

⚷ Pascal Clairet

LE COUVENT DES DAMES
Poulsard 1997

◪ n.c. 30 000 ▮🌡 30 à 49 F

Le Couvent des Dames est l'une des marques développée au sein de l'activité de négoce créée par Bénédicte et Stéphane Tissot, belle-fille et fils d'André et Mireille Tissot, vignerons réputés de Montigny-lès-Arsures. Le nez de ce 97 est discret mais agréable par la fraîcheur qu'il dégage. L'impression générale reste sur la légèreté. Un vin technologique à boire frais comme un rosé.

⚷ SARL Le Cellier des Tiercelines, 54, Grande-Rue, 39600 Arbois, tél. 03.84.66.25.79, fax 03.84.66.25.08 🍷 r.-v.

DOM. LIGIER PERE ET FILS
Trousseau 1997★

■ 1,2 ha 3 000 ▮ 30 à 49 F

Ce domaine, créé en 1986, vient d'accueillir pour son installation en 1999 le plus jeune frère, Stéphane. Cette jeunesse, on la retrouve dans le nez de ce pur trousseau, tout de petits fruits rouges composés. Un fruité de printemps et d'été fait de fraise, de groseille et de cassis. Si la bouche est peu charpentée, on y retrouve la même explosion aromatique. Un vin typique du cépage, à essayer avec une caille aux raisins.

⚷ Ligier Père et Fils, 7, rte de Poligny, 39380 Mont-sous-Vaudrey, tél. 03.84.71.74.75, fax 03.84.81.59.82 ☑ 🍷 r.-v.

JEAN-FRANCOIS NEVERS 1994★

□ 1 ha 2 000 🛢 50 à 69 F

Voici un blanc sec très jaune à reflets ambrés. Si la robe ne le laisse pas passer inaperçu, son nez est plus discret bien que marqué par une note d'alcool. En bouche, on retrouve une touche d'alcool de fruits et des fruits cuits. Compte tenu de sa souplesse, il ne faut plus le laisser vieillir.

⚷ Jean-François Nevers, 4, rue du Lycée, 39600 Arbois, tél. 03.84.66.01.73, fax 03.84.37.49.68 ☑ 🍷 r.-v.

DESIRE PETIT ET FILS
Pupillin Chardonnay 1997★

□ 2,1 ha 13 000 ▮🛢🌡 30 à 49 F

Si vous voulez profiter des « portes ouvertes » de la maison Désiré Petit, sachez que c'est le week-end de l'Ascension. Ouvert, cet arbois Pupillin l'est aussi. Le nez de miel, de tilleul et de fruits mûrs est intense. La bouche apparaît dense, équilibrée avec de jolis arômes de coing et de miel. Une belle finale pour ce vin typique que l'on peut boire mais aussi attendre.

⚷ Désiré Petit, rue du Ploussard, 39600 Pupillin, tél. 03.84.66.01.20, fax 03.84.66.26.89 ☑ 🍷 r.-v.

⚷ Gérard Marcel Petit

DESIRE PETIT ET FILS
Pupillin Vin de paille 1995★★

□ 0,65 ha 3 000 🛢 100 à 149 F

Caramel à l'œil, ce vin de paille est marqué par l'alcool au nez et en bouche ; il arrive néanmoins à nous séduire par une bouche équilibrée où les fruits secs (noix, noisette, abricot) forment un bouquet aromatique élégant. Le foie gras semble tout indiqué ici comme plat d'accompagnement.

⚷ Désiré Petit, rue du Ploussard, 39600 Pupillin, tél. 03.84.66.01.20, fax 03.84.66.26.89 ☑ 🍷 r.-v.

DESIRE PETIT ET FILS
Pupillin Ploussard 1997★

◪ 3,3 ha 16 000 ▮🛢🌡 30 à 49 F

Robe rouge légèrement orangée. Ce vin se présente mieux au nez après aération. Il développe alors une nuance animale intéressante. Riche, équilibré et d'une bonne longueur, il est déjà évolué. La belle expression du poulsard pourrait s'allier avec une autre richesse du patrimoine

JURA

gastronomique jurassien qu'est la saucisse de Morteau.

☛ Désiré Petit, rue du Ploussard, 39600 Pupillin, tél. 03.84.66.01.20, fax 03.84.66.26.89 ☑ ⵏ r.-v.

JACQUES PUFFENEY Trousseau 1997★

| ■ | 0,7 ha | n.c. | ◫ | 70 à 99 F |

Jacques Puffeney vendange exclusivement à la main. Ses vignes de trousseau ne font pas exception. Rouge sang aux reflets violacés, voilà une robe qui ne passe pas inaperçue ! Le nez, assez léger, demande à s'exprimer, mais déjà fraise, cassis et même un peu de gibier pointent. Tannique, avec beaucoup de matière, le palais n'est pourtant pas agressif. Bien charpenté, il s'épanouit en fin de bouche sur des arômes de fraise. A attendre.

☛ Jacques Puffeney, Saint-Laurent, 39600 Montigny-lès-Arsures, tél. 03.84.66.10.89, fax 03.84.66.08.36 ☑ ⵏ r.-v.

JACQUES PUFFENEY Vin jaune 1991

| ☐ | 1,9 ha | 900 | ◫ | 150 à 199 F |

S'il est exaltant de découvrir que chaque millésime a vraiment ses particularités, il est quelquefois terrible de constater que la nature donne mais reprend aussi. Ainsi, le 21 avril 1991, une forte gelée a réduit la récolte de manière significative. Les vignes de Jacques Puffeney ont été touchées, et il n'a produit que 900 bouteilles de vin jaune. Puissant tant au nez qu'en bouche, ce 91 est représentatif de son appellation.

☛ Jacques Puffeney, Saint-Laurent, 39600 Montigny-lès-Arsures, tél. 03.84.66.10.89, fax 03.84.66.08.36 ☑ ⵏ r.-v.

FRUITIERE VINICOLE A PUPILLIN Ploussard grande garde 1994★

| ■ | 5 ha | 26 000 | ◫ | 50 à 69 F |

Fondée en 1909 par quinze producteurs, soit vingt-sept ans avant l'accession en AOC de l'arbois, la fruitière vinicole de Pupillin compte désormais quarante adhérents. Cuvé dix-huit jours, le ploussard a été vinifié pour s'imposer et durer. Et cela se sent : le nez de gibier est épicé et poivré. Encore jeune, la bouche est plus conventionnelle mais confirme une forte carrure et un potentiel de garde important. Splendide avec un filet de bœuf aux herbes.

☛ Fruitière vinicole de Pupillin, 39600 Pupillin, tél. 03.84.66.12.88, fax 03.84.37.47.16 ☑ ⵏ r.-v.

FRUITIERE VINICOLE DE PUPILLIN Brut Papillette 1994★

| ○ | 3,5 ha | 28 000 | ▮ | 30 à 49 F |

Les papilles gustatives vont être mises à contribution pour apprécier cette Papillette. La mousse qui s'en échappe est durable et persistante. Sur un léger fond arome de pomme, le nez apparaît fruité et brioché. La bouche tout en rondeur, sans agressivité aucune, fait de cette méthode traditionnelle un vecteur naturel de convivialité.

☛ Fruitière vinicole de Pupillin, 39600 Pupillin, tél. 03.84.66.12.88, fax 03.84.37.47.16 ☑ ⵏ r.-v.

FRUITIERE VINICOLE DE PUPILLIN Chardonnay 1996★★

| ☐ | 30 ha | 160 000 | ▮ | 30 à 49 F |

Une bonne présence florale au nez, associée à des nuances de grillé : une bien belle entrée en matière pour cet arbois Pupillin 96. Pas de surprise en bouche : dans le prolongement du nez, on retrouve un fond floral associé à des notes grillées et des arômes de pomme cuite. C'est splendide et tellement bien mis en valeur par la structure ronde et souple ! A boire avec une volaille en sauce, ou à attendre.

☛ Fruitière vinicole de Pupillin, 39600 Pupillin, tél. 03.84.66.12.88, fax 03.84.37.47.16 ⵏ r.-v.

ROLET PERE ET FILS Vin de paille 1995

| ☐ | 2 ha | 6 000 | ◫ | 100 à 149 F |

Elaboré essentiellement à partir de cépages blancs (chardonnay et savagnin), ce vin de paille affiche une robe cuivrée qui lui assure une très belle présentation. Puissant, le nez diffuse un mélange de fruits secs et de notes torréfiées. La bouche, bien que peu ample, est intéressante sur le plan aromatique. A boire mais peut attendre. (demi-bouteilles)

☛ Rolet Père et Fils, 39600 Montigny-lès-Arsures, tél. 03.84.66.00.05, fax 03.84.37.47.41, e-mail rolet@wanadoo.fr ☑ ⵏ r.-v.

ROLET PERE ET FILS Vin jaune 1991★★

| ☐ | 4 ha | 8 000 | ◫ | 150 à 199 F |

Comme pour le 1989, il va falloir s'armer de patience. Si ce vin jaune porte en lui d'immenses qualités, il ne pourra véritablement les exprimer que dans quelques années. Le nez est tout de même déjà intense et typé (noix verte, curry, notes grillées). C'est en bouche que la matière demande à s'arrondir, mais les arômes sont déjà là : curry, fruits secs et pain grillé explosent dans une bouche longue, très longue. Tout ce qui s'annonce exige vraiment le sacrifice d'une petite décennie d'attente. Le plaisir sera alors total.

☛ Rolet Père et Fils, 39600 Montigny-lès-Arsures, tél. 03.84.66.00.05, fax 03.84.37.47.41, e-mail rolet@wanadoo.fr ☑ ⵏ r.-v.

JEAN-LOUIS TISSOT Chardonnay 1996★

| ☐ | 1 ha | 6 500 | ▮ | 30 à 49 F |

Deux lieux de dégustation vous sont ouverts pour découvrir les vins de Jean-Louis Tissot : au caveau de Vauxelles à Montigny-lès-Arsures et au domaine de la Mirode, aux Arsures. Très floral au nez, avec une belle note d'amande, cet arbois blanc devient très discret en bouche. Ce vin bien élaboré demande un peu de temps pour pouvoir s'affirmer.

☛ Jean-Louis Tissot, Vauxelles, 39600 Montigny-lès-Arsures, tél. 03.84.66.13.08, fax 03.84.66.08.09 ☑ ⵏ t.l.j. 9h-12h 14h-18h; dim. sur r.-v.

☛ Jean-Louis Tissot

JEAN-LOUIS TISSOT Vin jaune 1988

| ☐ | 0,7 ha | 1000 | ◫ | 150 à 199 F |

Jean-Louis Tissot reçut un coup de cœur pour son arbois jaune 87 dans le Guide 97. Le millésime suivant est habillé d'une robe vieil or. Le

nez apparaît franc, assez intense ; on perçoit déjà une note d'évolution. L'attaque en bouche est parfaite, sur une belle acidité de vin jaune. Les arômes de noix fraîche laissent une bonne impression. A boire ou à attendre cinq ans ou plus. Du même producteur, notre jury a attribué une note identique à un **arbois rosé 97** tout en petits fruits, à boire sur une saucisse de Morteau.
Jean-Louis Tissot, Vauxelles, 39600 Montigny-lès-Arsures, tél. 03.84.66.13.08, fax 03.84.66.08.09 t.l.j. 9h-12h 14h-18h; dim. sur r.-v.

JACQUES TISSOT Chardonnay 1996*

☐ 2 ha 10 000 30 à 49 F

Alors que son père fut coopérateur pendant cinquante ans, Jacques Tissot a préféré, après un passage de dix ans à la cave coopérative, développer un domaine indépendant. Légèrement gazeux, cet arbois blanc tire un peu sur le macvin au nez. Très concentré et puissant en bouche, il est assez vineux. Il devrait bien évoluer. Il faut le laisser se développer car il a une belle matière.
Jacques Tissot, 39, rue de Courcelles, 39600 Arbois, tél. 03.84.66.14.27, fax 03.84.66.24.88 r.-v.

JACQUES TISSOT Vin de paille 1995*

☐ 1 ha 4 000 100 à 149 F

La robe est orangé soutenu. Le nez puissant évolue sur le caramel, le vieux marc et le coing. La bouche ronde, équilibrée possède beaucoup de matière ainsi que des arômes de fruits secs et de pain grillé. A déguster en fin d'après-midi d'automne avec quelques carrés de chocolat, pour se donner le moral.
Jacques Tissot, 39, rue de Courcelles, 39600 Arbois, tél. 03.84.66.14.27, fax 03.84.66.24.88 r.-v.

ANDRE ET MIREILLE TISSOT Vin de paille 1995*

☐ 0,7 ha 1 800 100 à 149 F

A l'entrée de Montigny, un arrêt à la tour du Zouave Coco (ancienne tour de la prévôté) permet d'avoir une vue sur le village et sur tout le vignoble arboisien. C'est au cœur de ce vignoble qu'est né ce vin de paille ambré. Très marqué pâte de fruits au nez, il donne une impression fort suave en bouche. Les beaux arômes de fruits secs sont un peu écrasés par une teneur en sucre importante. Dans la même appellation, le **chardonnay 97** peut être cité pour son fruité agréable. (demi-bouteilles)
André et Mireille Tissot, 39600 Montigny-lès-Arsures, tél. 03.84.66.08.27, fax 03.84.66.25.08 r.-v.
André et Stéphane Tissot

ANDRE ET MIREILLE TISSOT Trousseau 1997**

■ 4 ha 19 000 30 à 49 F

Cuvé pendant vingt-deux jours, le trousseau s'est exprimé ici avec force. Sous une belle robe rouge à reflets framboise se cache un nez qui ne s'exprime pas encore. En bouche, on sent une matière si riche qu'elle demande encore du temps pour s'affirmer. Cela vous donne largement le temps d'aller chasser le chevreuil qui l'accompagnera si bien.
André et Mireille Tissot, 39600 Montigny-lès-Arsures, tél. 03.84.66.08.27, fax 03.84.66.25.08 r.-v.

Château-chalon

Le plus prestigieux des vins du Jura, produit sur 45 ha, est exclusivement du vin jaune, le célèbre vin de voile élaboré selon des règles strictes. Le raisin est récolté dans un site remarquable, sur les marnes noires du lias ; les falaises, au-dessus desquelles est établi le vieux village, le surplombent. La production est limitée mais a atteint, en 1998, 1 761 hl, et la mise en vente s'effectue six ans et trois mois après la vendange. Il est à noter que, dans un souci de qualité, les producteurs eux-mêmes ont refusé l'agrément en AOC pour les récoltes de 1974, 1980 et 1984.

BAUD 1991*

☐ 1,8 ha 3 000 150 à 199 F

Une belle robe dorée bien sous tous rapports ! Le nez est discret mais de qualité : pain d'épice, noix sèche et pomme. La bouche arrive à nous séduire par sa finesse et sa longueur. Quelle délicatesse ! Ce vin très féminin fait honneur à ces abbesses de l'abbaye de Château-Chalon, filles de haute lignée, que l'on appelait « les dames ». Déjà bon à boire, il peut attendre néanmoins quelques années. Avez-vous pensé au homard braisé au vin jaune ?
Baud Père et Fils, rte de Voiteur, 39210 Le Vernois, tél. 03.84.25.31.41, fax 03.84.25.30.09 r.-v.

DOM. BERTHET-BONDET 1992

☐ 5 ha 12 000 150 à 199 F

Le château-chalon de cette exploitation apparaît de manière très régulière dans le Guide depuis des années. Le 92 possède une robe profonde, très dorée, presque déjà patinée. Le nez est fort ouvert, avec une touche de curry. La bouche est souple, un peu trop sans doute pour que ce millésime vieillisse longtemps, mais cela permet de l'apprécier dès maintenant. Pour les gens pressés.
Dom. Berthet-Bondet, 39210 Château-Chalon, tél. 03.84.44.60.48, fax 03.84.44.61.13, e-mail bondet@caves-parti r.-v.

PHILIPPE BUTIN 1992

☐ 0,16 ha 1000 150 à 199 F

Il y avait 1 000 bouteilles pour le millésime 90. Il y en a autant pour ce 92 au nez très avenant et bien typé. Si la structure apparaît un peu légère, l'expression aromatique est fine, ce qui

JURA

forme un ensemble agréable et consommable dès à présent.

🔑 Philippe Butin, 21, rue de la Combe, 39210 Lavigny, tél. 03.84.25.36.26, fax 03.84.85.29.31 ☑ 🍷 r.-v.

MARIE ET DENIS CHEVASSU 1991

□ 0,7 ha 600 🛢 150 à 199 F

C'est entre Château-Chalon et Poligny, dans une ferme fleurie, que l'on vous fera découvrir cette toute petite production du roi des vins jaunes. Le nez est bien présent, assez complexe, avec une dominante de cacao. La bouche se montre souple mais reste marquée du sceau de l'appellation. Sans être ému, on est heureux. A boire sans trop attendre.

🔑 Denis et Marie Chevassu, Granges Bernard, 39210 Menétru-le-Vignoble, tél. 03.84.85.23.67, fax 03.84.85.23.67 ☑ 🍷 r.-v.

DESIRE PETIT 1992*

□ 0,24 ha 1 470 🛢 150 à 199 F

Cette importante propriété de l'Arboisien n'exploite que 24 ares en château-chalon mais fait preuve d'un réel savoir-faire avec ce premier millésime issu de jeunes vignes. Puissant au nez, à en être presque agressif, il offre une belle composition aromatique en bouche et une bonne longueur. Il semble un peu « rude » : il faudra attendre 2003 ou 2004 pour qu'il s'assagisse.

🔑 Désiré Petit, rue du Ploussard, 39600 Pupillin, tél. 03.84.66.01.20, fax 03.84.66.26.89 ☑ 🍷 r.-v.

FRUITIERE VINICOLE DE VOITEUR 1988**

□ 12 ha 30 000 🛢 150 à 199 F

Important producteur de château-chalon, la fruitière vinicole de Voiteur propose ce millésime plus tout jeune mais en pleine forme. Son beau nez est à la fois discret et très complexe (sous-bois, noix, champignon). Presque totalement ouverte, la bouche laisse deviner le cheminement vers la plénitude et la maturité. Riche, puissant, fin et aromatique, c'est un très beau vin aujourd'hui, mais qui sera superbe dans quelques années. « Un vin plaisir pour les quadras », note un dégustateur. « Essayez-le avec un foie gras de canard sauté, déglacé au château-chalon, sur un lit de lentilles vertes », conseille un autre membre du jury.

🔑 Fruitière vinicole de Voiteur, 60, rue de Nevy-sur-Seille, 39210 Voiteur, tél. 03.84.85.21.29, fax 03.84.85.27.67 ☑ 🍷 r.-v.

Côtes du jura

L'appellation englobe toute la zone du vignoble de vins fins. La surface en production est de 619 ha en 1998 et donne 31 884 hl, comportant tous les types de vins.

CH. D'ARLAY 1994

□ 8 ha 20 000 ▮ 🛢 🌡 50 à 69 F

Classé, le château d'Arlay, ancien domaine des princes d'Orange-Nassau, possède des vignes depuis le XIIᵉs. Chardonnay et savagnin sont vinifiés ensemble, puis élevés en vieux foudres ouillés. Robe limpide et nette, d'un beau jaune doré ; nez franc, surtout caractérisé par les agrumes. Encore fermé ou discret par nature, ce vin est souple en bouche. Il ne faudra pas attendre trop longtemps pour le boire.

🔑 Ch. d'Arlay, rte de Saint-Germain, 39140 Arlay, tél. 03.84.85.04.22, fax 03.84.48.17.96, e-mail arlay@caves-particulieres.com ☑ 🍷 t.l.j. sf dim. 8h-12h 14h-18h

🔑 Comte R. de Laguiche

BAUD Chardonnay 1996*

□ n.c. n.c. 30 à 49 F

Belle complexité du nez : les notes de miel et de beurre se complètent parfaitement. La bouche est très équilibrée. Légère mais bien constituée, elle dévoile une jolie palette aromatique dont le grillé est l'un des éléments forts. Une élégance de premier ordre.

🔑 Baud Père et Fils, rte de Voiteur, 39210 Le Vernois, tél. 03.84.25.31.41, fax 03.84.25.30.09 ☑ 🍷 r.-v.

BERNARD FRERES Pinot noir 1996***

■ 0,35 ha 2 200 🛢 30 à 49 F

A Gevingey, les prés côtoient les vignes. Dans cette zone de polyculture-élevage, on trouve des vignerons méticuleux, qui élaborent de bonnes bouteilles, comme ce côtes du jura, pur pinot noir, qui annonce la couleur dans une robe rouge rubis. Cassis, griotte, sous-bois et cannelle s'expriment au nez. La bouche est charpentée mais veloutée. Les fruits rouges sont toujours là, soulignés d'un trait de cuir. Une très belle harmonie générale. A sortir pour les grandes occasions, avec du gibier bien sûr !

🔑 Bernard Frères, 39570 Gevingey, tél. 03.84.47.33.99 ☑ 🍷 r.-v.

DOM. BERTHET-BONDET Tradition 1996*

□ 3 ha 13 000 🛢 50 à 69 F

Elevée en fût pendant deux ans, cette cuvée d'assemblage (chardonnay, savagnin) a une bien jolie robe avec ses reflets d'or. Le nez est puissant, avec une bonne expression du savagnin sur des notes d'amande et de noisette. L'attaque en bouche est un peu pointue, mais on sent derrière une structure solide et une belle richesse aromatique à venir. Un peu de repos est demandé pour ce beau vin qui a du corps.

🔑 Dom. Berthet-Bondet, 39210 Château-Chalon, tél. 03.84.44.60.48, fax 03.84.44.61.13, e-mail bondet@caves-parti ☑ 🍷 r.-v.

BLONDEAU ET FILS Blanc de blancs Méthode traditionnelle

○ 3 ha n.c. ▮ 30 à 49 F

Les Blondeau élaborent deux types de côtes du jura méthode traditionnelle : un brut et un demi-sec. C'est le brut que nous avons dégusté.

La mousse est compacte, riche. Le nez est ouvert, fruité avec une jolie nuance de pain grillé. Ce vin laisse une bonne impression, fondée sur l'équilibre et l'harmonie.
🔑 Dom. Blondeau et Fils, 39210 Menétru-le-Vignoble, tél. 03.84.85.21.02, fax 03.84.44.90.56 ☑ Y r.-v.

LUC BOILLEY 1996★★★

■ 5 ha 30 000 ◍ 30 à 49 F

A Chissey-sur-Loue, il y a fort longtemps, une nuit était dédiée aux fous. Ce côtes du jura ne porte en lui aucun grain de folie. Il est même tout à fait dans le ton « Jura ». C'est un très beau vin qui offre un nez à la fois fruits rouges et épices. Très charpenté en bouche, il possède de riches arômes, où l'on perçoit le cassis avec une nuance de grillé. Ses tanins sont très ronds ; il finit néanmoins sur une note de fraîcheur splendide. Issu du trousseau, un vin traditionnel et parfaitement réussi.
🔑 Luc Boilley, 39380 Chissey-sur-Loue, tél. 03.84.37.64.43, ☑ Y r.-v.

LUC BOILLEY 1996★★

□ 5 ha 40 000 ◍ 30 à 49 F

Pomme de reinette et noix, noix fraîche : on pourrait presque en faire une rengaine... Et bien agréable, ma foi ! Le nez est simple, mais sympathique. Bien structuré, riche, ample et long en bouche, avec une note miellée et légèrement boisée en finale, c'est une belle réussite, à déguster avec une blanquette de veau.
🔑 Luc Boilley, 39380 Chissey-sur-Loue, tél. 03.84.37.64.43, ☑ Y r.-v.

CLAUDE BUCHOT Cuvée Baudelaire 1995

□ 1,5 ha 5 000 ▮◍🌡 30 à 49 F

Claude Buchot s'est installé en 1975. Tout son vignoble a été planté par ses soins. Cette cuvée chardonnay-savagnin a passé dix mois en cuve et trente mois en fût. On aime sa belle couleur or jaune. La bouche présente une structure légère : la matière première était probablement difficile à travailler, mais le résultat est intéressant.
🔑 Claude Buchot, 39190 Maynal, tél. 03.84.85.94.27, fax 03.84.85.94.27 ☑ Y r.-v.

PHILIPPE BUTIN Cuvée spéciale 1995★★

□ 1 ha 4 000 ◍ 50 à 69 F

La cuvée de Philippe Butin a de l'équilibre. D'abord, au niveau des cépages : 50 % savagnin, 50 % chardonnay ; ensuite, entre un nez très aromatique (pomme, fruits secs, miel) et une bouche riche et complexe ; enfin, au niveau de la structure, réussie dans ce millésime difficile. Sa très belle harmonie générale sera appréciée notamment avec des langoustines ou du poisson.
🔑 Philippe Butin, 21, rue de la Combe, 39210 Lavigny, tél. 03.84.25.36.26, fax 03.84.85.29.31 ☑ Y r.-v.

CAVEAU DES BYARDS
Chardonnay 1996★★★

□ 0,95 ha 5 800 ◍ 30 à 49 F

Le caveau des Byards est une fruitière vinicole, c'est-à-dire une coopérative. On y produit ce côtes du jura blanc qui affiche déjà sa qualité par un nez empreint d'une belle complexité : à dominante végétale, il associe les fruits secs et une pointe de grillé. Il y a vraiment beaucoup de chaleur dans sa bouche ample qui développe des notes épicées et de fruits secs. L'équilibre remarquable vient conforter l'idée que l'on est en présence d'un grand vin.
🔑 Caveau des Byards, 39210 Le Vernois, tél. 03.84.25.33.52, fax 03.84.25.38.02 ☑ Y r.-v.

MARCEL CABELIER Chardonnay 1996★

□ n.c. 35 000 ▮◍ 30 à 49 F

Le principal élaborateur de crémant du jura produit également un vin rouge issu du **pinot noir 96**, cité par le jury qui a préféré ce chardonnay. L'eau de fleur d'oranger et l'amande sont assez marquées au nez de même que les fruits mûrs. La bouche est en continuité avec le nez sur le plan aromatique, marquée par le bois ; il y a tout de même un côté chaleureux dans ce vin qui est déjà bon à boire.
🔑 Cie des Grands Vins du Jura, rte de Champagnole, 39570 Crançot, tél. 03.84.87.61.30, fax 03.84.48.21.36 ☑

JURA

DANIEL ET PASCAL CHALANDARD
1996★★★

□ 2 ha 8 000 ▮◍ 30 à 49 F

« Ce vin me plaît ! », cette remarque d'un dégustateur résume presque tout. La robe jaune d'or est sympathique. Le nez agréable, complexe, riche, de bonne qualité s'exprime sur un fond de foin coupé, de noisette et de noix fraîche. Très puissante, la bouche fait une large place à la noix dans un contexte bien structuré. La finale agréable laisse un sentiment de plaisir accompli. Oui, ce vin nous plaît vraiment.
🔑 Daniel et Pascal Chalandard, GAEC du Vieux Pressoir, rte de Voiteur, 39210 Le Vernois, tél. 03.84.25.31.15, fax 03.84.25.37.62 ☑ Y r.-v.

DENIS ET MARIE CHEVASSU
Chardonnay 1996★

□ n.c. 3 000 ▮◍ 30 à 49 F

Un domaine exploité en polyculture où comté et vin font bon ménage. Couleur franche, avec de jolis reflets verts, ce chardonnay présente un nez assez frais : noix, noisette, acacia puis foin coupé. Il est un peu vif en bouche et laisse une impression générale de fraîcheur même sur le plan aromatique où l'on retrouve la noix fraîche et des notes citronnées. A servir plutôt sur les entrées ou avec un poisson grillé. Cité par le jury,

le **côtes du jura rouge (pinot noir) 97** est flatteur au nez mais il devra vieillir.
🗝 Denis et Marie Chevassu, Granges Bernard, 39210 Menétru-le-Vignoble, tél. 03.84.85.23.67, fax 03.84.85.23.67 ☑ Ỵ r.-v.

GABRIEL CLERC Chardonnay 1996*

☐ 0,94 ha 10 000 30 à 49 F

Le père de Gabriel Clerc a racheté cette propriété sise à Mantry au marquis de Vaulchier en 1930. En ce qui concerne ce blanc, le nez est resté très jeune : les notes d'agrumes, puis de fleurs blanches, accompagnées d'un soupçon de vanille donnent une impression de fraîcheur intense. L'acidité est marquée en bouche et les arômes floraux naissants devraient se développer au cours d'un vieillissement nécessaire.
🗝 Gabriel Clerc, rte de Recanoz, 39230 Mantry, tél. 03.84.85.50.98 ☑ Ỵ t.l.j. sf dim. 8h-12h 14h-20h

ELISABETH ET BERNARD CLERC
Cuvée du Pré Cottin Chardonnay 1997**

☐ 1,5 ha 3 000 30 à 49 F

Ce vin offre un nez ample, fait de notes de fruits secs mais aussi de pomme bien mûre. La bouche est beaucoup plus jeune que ne le laissait supposer le nez. L'acidité y est en effet bien présente, sans que cela soit excessif. Déjà long en bouche où l'on trouve des arômes de noix verte, ce joli vin devrait évoluer dans le sens d'une plus grande souplesse. Donnez-lui quelques années.
🗝 Elisabeth et Bernard Clerc, rue de Recanoz, 39230 Mantry, tél. 03.84.85.58.37 ☑ Ỵ r.-v.

DOM. VICTOR CREDOZ
Vin de paille 1995**

☐ 0,2 ha 800 70 à 99 F

Jean-Claude et Daniel Credoz ont élaboré ce vin de paille à l'aide des cépages chardonnay, poulsard et savagnin, assemblage typique. Remarquable intensité au nez, sur des notes d'amande et de miel. La bouche est très concentrée, très riche en sucre mais complexe : figue mûre, miel, pruneau et fruits secs composent une belle palette aromatique. Il est conseillé de le boire suffisamment frais.
🗝 Dom. Victor Credoz, 39210 Menétru-le-Vignoble, tél. 06.80.43.17.44, fax 06.84.44.62.41 ☑ Ỵ t.l.j. 8h-12h 13h-19h

DOM. VICTOR CREDOZ 1996*

■ 1 ha 5 000 30 à 49 F

Dans cet assemblage pinot-poulsard, c'est le pinot noir qui prend le dessus. Le nez légèrement vanillé par l'élevage sous bois donne dans les fruits rouges. La bouche est aromatique et élégante. Le bourgeon de cassis est relayé par une note de cuir qui confère un côté animal à ce vin aux accents un peu bourguignons. On apprécie quand même !
🗝 Dom. Victor Credoz, 39210 Menétru-le-Vignoble, tél. 06.80.43.17.44, fax 06.84.44.62.41 ☑ Ỵ t.l.j. 8h-12h 13h-19h

RICHARD DELAY Pinot noir 1997**

■ 1,75 ha 5 400 30 à 49 F

Après un millésime 95 splendide (coup de cœur) et un 96 très réussi, ce 97, pur pinot noir, nous séduit toujours. Robe rouge intense, nez racé de pruneau et de mûre, bouche d'abord ferme puis douce et souple. Les arômes fruités persistent au sein d'une chair pleine. Le boisé est très présent mais n'étouffe pas la personnalité initiale de ce vin élégant qui peut se boire ou être conservé quelques années.
🗝 Richard Delay, 37, rue du Château, 39570 Gevingey, tél. 03.84.47.46.78, fax 03.84.43.26.75 ☑ Ỵ r.-v.

RICHARD DELAY
Cuvée Paul Delay 1996*

☐ n.c. 4 000 30 à 49 F

La cuvée Paul Delay ne nous est pas inconnue. Ce millésime 96 porte en lui un nez discret, un peu iodé mais élégant. Solide, nerveux en bouche, il ne se livre pas encore totalement. On perçoit pourtant déjà des arômes légers de foin coupé et de citronnelle. C'est en tout cas bien travaillé.
🗝 Richard Delay, 37, rue du Château, 39570 Gevingey, tél. 03.84.47.46.78, fax 03.84.43.26.75 ☑ Ỵ r.-v.

JACQUES ET BARBARA DURAND-PERRON Savagnin 1993*

☐ n.c. n.c. 50 à 69 F

Dans cette exploitation productrice de château-chalon, tout le savagnin mis en fût ne peut aboutir à la réalisation du roi des vins jaunes. Il n'est pas perdu pour autant. La preuve : ce côtes du jura est parfaitement représentatif et sans aucune trace d'oxydation. Le nez développe la pomme verte, le miel et la fleur d'acacia. Après une très jolie pointe d'acidité à l'attaque, la bouche se comporte très agréablement, dans un bon équilibre et avec longueur.
🗝 Jacques et Barbara Durand-Perron, 9, rue des Roches, 39210 Voiteur, tél. 03.84.44.66.80, fax 03.84.44.62.75 ☑ Ỵ r.-v.

DOM. GRAND FRERES Tradition 1993*

☐ 3 ha 15 000 50 à 69 F

Cette cuvée Tradition associe chardonnay et savagnin élevés en fût pendant trois ans. Tilleul et miel au nez, ce vin se révèle très équilibré en bouche. Pomme cuite, églantine et note miellée forment un bouquet aromatique séduisant qu'une petite pointe d'acidité pas désagréable du tout vient relever en finale. Une bouteille prête à boire sur un beau poisson de rivière.
🗝 Dom. Grand Frères, rue du Savagnin, 39230 Passenans, tél. 03.84.85.28.88, fax 03.84.44.67.47, e-mail grandfrere@caves-particulieres.com ☑ Ỵ t.l.j. 9h-12h 14h-18h

PATRICK GRANDMAISON
Chardonnay 1997**

☐ 0,7 ha 3 200 30 à 49 F

Cette propriété a été créée en 1992 à partir d'achats de vignes en place, de plantations nouvelles et de métayage. Ce vin vêtu de jaune pâle avec quelques nuances dorées se montre très « fleurs blanches » au nez ; même s'il n'est pas très intense, il n'en est pas moins agréable. La bouche est à l'image du nez : discrète mais sympathique. Ce 97 bien équilibré devrait s'ouvrir avec le temps. « Ça vaut le coup d'attendre »,

note le jury. Du même producteur, un pur **trousseau 97** dans cette AOC est retenu sans étoile : un joli fruité permet de le boire dès à présent.
Patrick Grandmaison, 7, rue des Orcière, 39110 Aiglepierre, tél. 03.84.73.26.16 r.-v.

CH. GREA Vin de paille 1995*

□ n.c. 250 100 à 149 F

Le vignoble du château Gréa a été créé en 1679 par Claude Gréa. Couleur jaune ambré, ce vin de paille présente un nez encore assez fermé mais qui laisse tout de même échapper quelques notes torréfiées. Si la bouche n'est pas très riche, elle est très équilibrée et agréable. A déguster sur un foie gras.
Nicolas Caire, Ch. Gréa, 39190 Rotalier, tél. 03.84.24.05.47 r.-v.

CH. GREA Trousseau 1996*

■ 0,5 ha 1000 30 à 49 F

Vinifié dans des cuves inox, ce côtes du jura pur trousseau a passé ensuite douze mois en fût. Derrière une robe vermillon, on découvre un nez d'une bonne intensité, épicé avec des notes de petits fruits, d'une parfaite franchise. Très friand en bouche, ce vin possède des tanins souples et un fond aromatique composé de griotte et d'épices qui forme un ensemble racé et élégant. Il est bon d'en profiter tout de suite.
Nicolas Caire, Ch. Gréa, 39190 Rotalier, tél. 03.84.24.05.47 r.-v.

CLOS DES GRIVES Vin jaune 1990

□ 0,8 ha 1 200 150 à 199 F

Par principe, le vin est biologique. Mais celui-ci est issu de raisins cultivés en agrobiologie, une méthode de culture qui a tendance à se développer. Une robe très jaune. Nuances de pomme au nez. Evolué en bouche, il peut être bu dès à présent. Egalement cité, le **côtes du jura blanc 96 pur chardonnay**, minéral et pomme mûre. Souple, il est agréable à déguster (30 à 49 F).
Claude Charbonnier, Clos des Grives, 39570 Chillé, tél. 03.84.47.23.78, fax 03.84.47.29.27 r.-v.

CAVEAU DES JACOBINS
Vin jaune 1992*

□ 8 ha 7 000 100 à 149 F

Lieu de culte jusqu'à la Révolution, l'église des Jacobins servit de fabrique de salpêtre, d'écurie et enfin de halle aux grains avant de devenir le siege de la coopérative vinicole de Poligny en 1907. On n'y produit pas de vin de messe mais un côtes du jura jaune au nez de noisette et de miel. Equilibré en bouche, il donne une impression de distinction et de finesse. Souple, il demande à être bu dans les cinq ans à venir. Un vin bien représentatif du millésime 1992.
Caveau des Jacobins, Fruitière vinicole, ZI, rue Nicolas-Appert, 39800 Poligny, tél. 03.84.37.01.37, fax 03.84.37.30.47 r.-v.

CAVEAU DES JACOBINS
Chardonnay 1997*

□ 21 ha 20 000 30 à 49 F

Ce 97 sera à servir sur des viandes blanches en sauce à la crème : sa couleur est d'un bel or pâle. Le nez est de bonne intensité, s'exprimant d'abord sur des notes de fruits secs puis de fruits exotiques ; une nuance vanillée apporte une touche élégante. La bouche est un peu jeune avec une pointe d'acidité ; on y retrouve des notes de fruits secs. Il faut laisser passer le temps d'une nécessaire évolution.
Caveau des Jacobins, Fruitière vinicole, ZI, rue Nicolas-Appert, 39800 Poligny, tél. 03.84.37.01.37, fax 03.84.37.30.47 r.-v.

CLAUDE JOLY Pinot noir 1997**

■ 0,7 ha 5 000 30 à 49 F

Il existe dans le nez de ce côtes du jura une élégante subtilité autour de la fraise confite, de notes de cerise noire et de cassis. La même sensation de fruité se dégage de la bouche, racée et expressive. Une harmonie totale se réalise entre alcool, acide et tanins. La finale boisée et réglissée clôt cette superbe dégustation qui nous laisse dans un état persistant de satisfaction.
Claude Joly, chem. des Patarattes, 39190 Rotalier, tél. 03.84.25.04.14, fax 03.84.25.14.48 r.-v.

ALAIN LABET Vin de paille 1995***

□ 1 ha 1000 100 à 149 F

Essentiellement élaboré à partir de savagnin, ce vin de paille est un modèle de richesse et de complexité. De couleur topaze dorée, il offre un nez de raisins secs splendide. Riche en sucre, mais sans aucun déséquilibre, il affiche une très belle palette aromatique, principalement constituée de cacao, de miel, de pruneau et de notes torréfiées. Long, élégant et fin, il a un petit goût de paradis que l'on n'est pas prêt d'oublier.
Alain Labet, 39190 Rotalier, tél. 03.84.25.11.13, fax 03.84.25.06.75 r.-v.

ALAIN LABET
Fleur de Marne La Bardette 1996*

□ 0,5 ha 2 800 50 à 69 F

Cette Fleur de Marne est plutôt pâle. Floral, le nez est encore dans un esprit de jeunesse et de

fraîcheur où se côtoient le tilleul, l'acacia et quelques notes plus fruitées. La bouche a tendance à l'embonpoint (présence dominante de l'alcool) mais elle reste agréable. C'est maintenant qu'il faut l'apprécier.

⌖ Alain Labet, 39190 Rotalier,
tél. 03.84.25.11.13, fax 03.84.25.06.75 ☑ ⏀ r.-v.

LA VIGNIERE Vin de paille 1996*

☐	n.c.	n.c.	🔲⌖ 100 à 149 F

On ne présente plus cette maison jurassienne. Son 96, 50 % chardonnay, 20 % savagnin et 30 % poulsard présente une belle robe orangée. Au nez, on note des nuances de miel, d'abricot confit et de coing qui sont loin d'être déplaisantes ! S'il manque un peu d'équilibre entre sucre et alcool, il devrait bien se comporter en compagnie d'une petite brioche toute chaude !

⌖ Henri Maire, Dom. de Boichailles,
39600 Arbois, tél. 03.84.66.12.34,
fax 03.84.66.42.42 ☑ ⏀ t.l.j. 9h-18h

DOM. MOREL-THIBAUT
Vin jaune 1992*

☐	0,5 ha	1 500	⏀ 100 à 149 F

Voilà plus de dix ans que Jean-Luc Morel et Michel Thibaut travaillent ensemble. Peut-être même plus d'ailleurs, puisque c'est sur les bancs de l'école qu'ils se sont connus. Ce vin jaune aussi est le témoin de cette amitié qui se décline également dans une association professionnelle efficace. Fin tant au nez qu'en bouche, il laisse un bon goût de noisette et de pommes caramélisées, soutenu par une belle acidité. Avec de l'équilibre et de la longueur, c'est assurément un bon jaune.

⌖ Dom. Morel-Thibaut, 8, rue Coittier,
39800 Poligny, tél. 03.84.37.07.61,
fax 03.84.37.07.61 ☑ ⏀ r.-v.

PIGNIER PERE ET FILS
Trousseau 1997**

■	0,6 ha	2 000	⏀ 30 à 49 F

Depuis le XIIIᵉs., les millésimes se succèdent dans cet ancien cellier monastique, acheté par la famille Pignier en 1794. Ce 97 porte une robe rubis impeccable. Son nez est jeune, très aromatique ; fruité, légèrement épicé, avec une pointe de musc, il est d'une finesse de bon augure. Encore fermée, la bouche promet le plaisir des fruits rouges. Ce côtes du jura est traité dans l'élégance. Essayez-le avec des côtes d'agneau.

⌖ Pignier Père et Fils, Cellier des Chartreux,
39570 Montaigu, tél. 03.84.24.24.30,
fax 03.84.47.46.00 ☑ ⏀ t.l.j. 8h-12h 13h30-19h;
dim. 8h-12h; groupes sur r.-v.

AUGUSTE PIROU Rouge chaud 1997**

■	n.c.	25 000	30 à 49 F

Le rouge chaud d'Auguste Pirou, marque de la société Henri Maire, fut coup de cœur dans le précédent Guide pour l'année 96. Le millésime suivant a un nez marqué par le pinot noir qui est le cépage dominant dans cet assemblage. Mûre et cassis sont en effet légion. Elégant, assez long, construit sur une structure tannique qui a de l'avenir, il finit sur une note poivrée d'une belle finesse. Sous la même marque, le **chardonnay côtes du jura 97** reçoit une étoile pour sa bouche

où, en rétro-olfaction, on découvre une belle série aromatique.

⌖ Auguste Pirou, Les Caves Royales,
39600 Arbois, tél. 03.84.66.42.70,
fax 03.84.66.42.42

CH. DE QUINTIGNY Vin jaune 1990**

☐	1 ha	n.c.	⏀ 100 à 149 F

Anne-Marie Bougaud, Guy Cartaux et leurs deux enfants exploitent en GAEC 15 ha de vignes dans les appellations arbois, côtes du jura et l'étoile. Le côtes du jura jaune a été mis en bouteilles en septembre 1997. La robe jaune d'or est soutenue. Puissant au nez, ce vin évoque la noix mûre, le sous-bois et le champignon. Avec juste ce qu'il faut d'acidité en bouche, il développe dans une belle rondeur, et tout en finesse, une remarquable palette aromatique. Un vin jaune fin et harmonieux qui peut être bu, mais qui peut encore attendre plusieurs années.

⌖ GAEC Cartaux-Bougaud, Ch. de Quintigny,
39570 Quintigny, tél. 03.84.48.11.51,
fax 03.84.48.19.08 ☑ ⏀ r.-v.

XAVIER REVERCHON
Vin de paille 1995**

☐	4 ha	1 200	⏀ 100 à 149 F

Issu de grappes séchées sur claie, ce vin de paille a subi une fermentation lente et un vieillissement de trois ans en petits fûts de 110 l. Il faudra prendre également du temps pour savourer ce produit d'une très grande complexité aromatique, mais assez marqué par le sucre. Figue, pruneau, cacao, amande et miel se bousculent pour notre plus grand bonheur. Attendre dix ans pour le boire ! Les bonnes choses se font toujours désirer. Attention, ce prix correspond à une bouteille de 37,5 cl.

⌖ Xavier Reverchon, EARL Chantemerle, 2,
rue du Clos, 39800 Poligny, tél. 03.84.37.02.58,
fax 03.84.37.00.58 ☑ ⏀ r.-v.

XAVIER REVERCHON
Les Trouillots 1997*

☐	0,65 ha	3 500	■⏀⌖ 30 à 49 F

Cette cuvée 100 % chardonnay est élevée sept mois en foudre de chêne. Si la robe fait très jeune, le reste de la dégustation laisse l'impression d'un vin déjà évolué. On retient au nez des notes de fruits mûrs - pomme et poire blettes - que l'on retrouve en bouche. Celle-ci est plutôt ample avec une impression de gras qui donne un trait de générosité à ce vin bon à boire.

⌖ Xavier Reverchon, EARL Chantemerle, 2,
rue du Clos, 39800 Poligny, tél. 03.84.37.02.58,
fax 03.84.37.00.58 ☑ ⏀ r.-v.

PIERRE RICHARD Vin jaune 1990*

☐	1 ha	1 500	⏀ 100 à 149 F

C'est dans le village du Vernois que fut lancée une vaste expérience de remembrement en 1970, permettant d'améliorer les structures des exploitations viticoles. Structuré, ce vin jaune 90 l'est parfaitement. Avec son joli nez de noisette, il va en séduire plus d'un. Même si l'intensité en bouche n'est pas très importante, il est d'une grande finesse. Il peut attendre mais ne tardez pas à rendre visite à Pierre Richard.

⊶ Pierre Richard, rte de Voiteur, 39210 Le Vernois, tél. 03.84.25.33.27, fax 03.84.25.36.13 ☑ Y r.-v.

DOM. DES ROUSSOTS 1997**

■ 2 ha 6 000 ▮ 30 à 49 F

Si vous ne connaissez pas la Percée du vin jaune, grande fête viticole et populaire, parlez-en à Bernard Badoz. C'est en connaissance de cause qu'il vous donnera tous les renseignements, puisqu'il en est l'initiateur. Quant à son rouge vermeil, fruit de l'assemblage de trousseau et de poulsard, le terme « gouleyant » le caractérise bien. Sans aucune fausse note, très fruité, il semble qu'il ait plutôt le type dominant du poulsard : du fruit et encore du fruit. C'est très élégant et fort agréable.

⊶ Bernard Badoz, 15, rue du Collège, 39800 Poligny, tél. 03.84.37.11.85, fax 03.84.37.11.18 ☑ Y t.l.j. 8h-12h 14h-19h

DOM. DE SAVAGNY Chardonnay 1996*

□ 4 ha 20 000 ⬮ 30 à 49 F

Puissant et élégant au nez, ce côtes du jura blanc nous offre une note de beurre frais appétissante. La bouche est ample, avec des arômes de noix bien présents. S'il est encore un peu vert, c'est un vin bien charpenté dont le potentiel de garde est réel. Claude Rousselot-Pailley a également proposé un **rosé 97, 100 % poulsard** aux arômes expressifs (groseille, airelle, griotte et note épicée), agréable dès maintenant : il est cité.

⊶ Claude Rousselot-Pailley, 140, rue Neuve, 39210 Lavigny, tél. 03.84.25.38.38, fax 03.84.25.31.25 ☑ Y r.-v.

CH. DE SELLIERES 1996

■ 1 ha 6 000 ⬮ 30 à 49 F

Sellières est situé aux confins du Revermont et de la Bresse. On y fête la pomme, mais on produit aussi du vin, tel ce côtes du jura pur pinot noir. La robe est d'un très beau rouge profond et brillant. Marqué par le boisé aussi bien au nez qu'en bouche, c'est un vin qui possède une bonne harmonie générale. A attendre de deux à trois ans.

⊶ P. Sandoz, rue du Château, 39230 Sellières, tél. 03.84.85.57.87, fax 03.84.85.52.33 ☑ Y r.-v.

SERMIER 1996*

■ 0,6 ha 3 000 ⬮ 30 à 49 F

Cramans est à deux pas de la saline royale d'Arc-et-Senans, modèle d'organisation industrielle, sociale et technique d'un temps révolu. La technique, on la retrouve également dans ce vin qui est assez surprenant pour un vin du Jura. Le nez est très puissant et persistant, déclinant tour à tour les fruits exotiques, le tabac, le cassis ou le genêt. Toujours très fruité en bouche, il possède heureusement quelques tanins. Cité - sans étoile - par le jury, dans cette même AOC, le **chardonnay 95** boisé est agréable dès maintenant.

⊶ EARL Jean-Marie et Patricia Sermier, Grande-Rue, 39600 Cramans, tél. 03.84.37.67.23, fax 03.84.37.73.52 ☑ Y r.-v.

JACQUES TISSOT 1995*

■ 1,5 ha 5 500 ▮⬮🌡 30 à 49 F

Ce pur pinot noir plaît. Très riche au nez, il est à la fois fruité (griotte, fruits rouges), végétal (sous-bois), épicé et animal. Il développe une belle bouche, riche et équilibrée, avec des tanins élégants bien qu'encore très présents. A boire avec du gibier.

⊶ Jacques Tissot, 39, rue de Courcelles, 39600 Arbois, tél. 03.84.66.14.27, fax 03.84.66.24.88 ☑ Y r.-v.

JEAN TRESY ET FILS Poulsard 1997*

◪ 0,6 ha n.c. ▮ 30 à 49 F

Passez donc à Passenans. Niché entre les vignes, les bois et les prés, c'est un petit village actif où l'on trouve hébergement et restauration. Mais il y a bien sûr aussi des vignerons. Denis Trésy, fils de Jean, est l'un de ceux-là. Il y élabore un vin de poulsard riche et élégant au nez. En bouche, c'est l'impression d'équilibre qui domine. Malgré une très légère amertume en finale, les notes de fruits rouges, d'épices et de menthol laissent un souvenir agréable.

⊶ Jean Trésy et Fils, rte des Longevernes, 39230 Passenans, tél. 03.84.85.22.40, fax 03.84.44.99.73 ☑ Y r.-v.

JURA

JEAN TRESY ET FILS
Cuvée Mont Royal 1997*

□ 0,6 ha n.c. ⬮ 30 à 49 F

Robe jaune très pâle. Nez puissant et original développant des notes de cassis. En arrière-nez, on retrouve des arômes d'amande verte et de fruits mûrs plus classiques et une légère pointe de vanille. La bouche est bien ronde. Très souple, ce vin né du chardonnay doit être bu assez rapidement et servi frais.

⊶ Jean Trésy et Fils, rte des Longevernes, 39230 Passenans, tél. 03.84.85.22.40, fax 03.84.44.99.73 ☑ Y r.-v.

FRUITIERE VINICOLE DE VOITEUR
Vin jaune 1988**

□ 10 ha n.c. ▮⬮ 100 à 149 F

En vin jaune, la fruitière vinicole de Voiteur produit de l'appellation château-chalon et côtes du jura. Pour cette dernière, le millésime 88 se montre particulièrement réussi. Robe jaune soutenu et reflets verts. Le nez va chercher du côté du sous-bois et des champignons. Rond et très harmonieux en bouche, le palais développe les mêmes arômes qu'au nez en y ajoutant une note de noisette élégante et typée. C'est excellent. Les **rouges** sont aussi présents dans cette coopérative. Le **96**, fruit de l'assemblage du pinot noir (40 %), du trousseau (40 %) et du poulsard, est cité par le jury et devra être attendu six mois (30 à 49 F).

⊶ Fruitière vinicole de Voiteur, 60, rue de Nevy-sur-Seille, 39210 Voiteur, tél. 03.84.85.21.29, fax 03.84.85.27.67 ☑ Y r.-v.

Trouver un vin ? Consultez l'index en fin de volume.

Crémant du jura

Reconnue par décret du 9 octobre 1995, l'AOC crémant du jura s'applique à des mousseux élaborés selon les règles strictes des crémants, à partir de raisins récoltés à l'intérieur de l'aire de production de l'AOC côtes du jura. Les cépages rouges autorisés sont le poulsard (ou ploussard), le pinot noir appelé localement gros noirien, le pinot gris et le trousseau ; les cépages blancs sont le savagnin (appelé localement naturé), le chardonnay (appelé melon d'Arbois ou gamay blanc). Notez qu'en 1998, ont été déclarés 14 883 hl de crémant.

BAUD 1996★★

○　　　　3,5 ha　　20 000　　30 à 49 F

Chardonnay et pinot noir composent cette cuvée qui s'ajoute à la gamme complète des vins du Jura produite sur le domaine. La mousse est abondante et persistante. Sans aucun défaut, le nez est même très flatteur, tirant sur le foin et la pomme. La bouche est ronde avec juste ce qu'il faut d'acidité : sa structure quasi parfaite et son expression aromatique qui devrait bien évoluer en font un digne représentant d'un crémant du jura ; on ne peut que souhaiter qu'il remplisse nos verres pour le plaisir.
☛ Baud Père et Fils, rte de Voiteur, 39210 Le Vernois, tél. 03.84.25.31.41, fax 03.84.25.30.09 ✔ ☒ r.-v.

MARCEL CABELIER 1996★

○　　　　n.c.　　359 000　　📷 30 à 49 F

La Compagnie des Grands Vins du Jura est spécialiste du crémant du jura. Vous trouverez cette cuvée en grande distribution. Une jolie mousse, vive et fine, un nez un peu fermé, une bouche fraîche : son côté agrumes (citron) sera apprécié, notamment, à l'apéritif.
☛ Cie des Grands Vins du Jura, rte de Champagnole, 39570 Crançot, tél. 03.84.87.61.30, fax 03.84.48.21.36 ✔

DOM. GRAND FRERES Brut Prestige★

○　　　　7 ha　　40 000　　50 à 69 F

La pomme verte donne à ce crémant du jura un fond de fraîcheur et de fruité très agréable. Bien équilibré en bouche, il est rond avec juste ce qu'il faut de vivacité. D'une belle longueur, il est à boire sans attendre à l'apéritif ou au dessert... voire entre les deux.
☛ Dom. Grand Frères, rue du Savagnin, 39230 Passenans, tél. 03.84.85.28.88, fax 03.84.44.67.47, e-mail grandfrere@caves-particulieres.com ✔ ☒ t.l.j. 9h-12h 14h-18h

CAVEAU DES JACOBINS 1996★

○　　　　2,3 ha　　15 500　　📷 30 à 49 F

Une nouvelle référence dans ce chapitre, mais une coopérative connue de nos lecteurs. Cette structure collective a élaboré ce crémant à partir de vignes de chardonnay de quelques adhérents. Il offre une belle mousse dans une robe d'un beau jaune. Le nez est fruité et d'une bonne intensité. Presque gouleyant en bouche, ce 96 possède des arômes de pomme mûre et de poire qui forment un fruité agréable. Un bon crémant, bien équilibré, qui se déguste avec plaisir.
☛ Caveau des Jacobins, Fruitière vinicole, ZI, rue Nicolas-Appert, 39800 Poligny, tél. 03.84.37.01.37, fax 03.84.37.30.47 ✔ ☒ r.-v.

CH. DE L'ETOILE 1996★

○　　　　4 ha　　20 000　　30 à 49 F

Un millésime 96 généreux, de la trempe des précédents. Si la mousse est fine, elle est en revanche peu persistante. Le nez est très flatteur. Léger et épanoui, il dégage un fruité discret sur une base de pomme verte. La bouche est bien typée. La présence aromatique de la pomme est soutenue par une belle vivacité. S'il doit encore s'épanouir, ce vin d'une bonne ampleur est déjà une valeur sûre.
☛ Vandelle et Fils, GAEC Ch. de L'Etoile, 39570 L'Etoile, tél. 03.84.47.33.07, fax 03.84.24.93.52 ✔ ☒ r.-v.

DOM. DE MONTBOURGEAU

○　　　　2 ha　　13 000　　📷 ⬇ 30 à 49 F

Sur le vignoble de L'Etoile, on a toujours produit des vins effervescents de qualité. Petit à petit, la nouvelle appellation crémant du jura remplace les méthodes traditionnelles vendues sous l'appellation l'étoile. C'est le cas de cette exploitation bien connue du Jura. Avec un fruité plaisant en bouche, cette bouteille, si elle manque un peu de longueur, est dans l'ensemble assez réussie et laisse une bonne impression.
☛ Jean Gros, Dom. de Montbourgeau, 39570 L'Etoile, tél. 03.84.47.32.96, fax 03.84.24.41.44 ✔ ☒ r.-v.

PIGNIER Brut 1996★★

○　　　　3 ha　　20 000　　📷 30 à 49 F

Cette très ancienne maison s'impose une méthode de culture qui fait de plus en plus d'adeptes : la lutte intégrée. Marie-Florence, Antoine et Jean-Etienne Pignier vous en parleront autour d'un verre de crémant du jura. Ce vin, les dégustateurs l'ont trouvé remarquable. Sous sa belle mousse, il se fait agréable et fruité au nez, tandis que s'offre une bouche acidulée où se mêlent des arômes de citron et de fruits exotiques. C'est harmonieux et équilibré. Une façon pétillante de prendre la vie du bon côté.
☛ Pignier Père et Fils, Cellier des Chartreux, 39570 Montaigu, tél. 03.84.24.24.30, fax 03.84.47.46.00 ✔ ☒ t.l.j. 8h-12h 13h30-19h; dim. 8h-12h; groupes sur r.-v.

AUGUSTE PIROU Chardonnay 1996★★

○　　　　n.c.　　8 000　　30 à 49 F

Elaboré par la maison Henri Maire, ce crémant du jura est principalement destiné à la grande distribution. Fruit d'une sélection de chardonnay, il offre une mousse vive et intense. Le nez est un peu fermé pour le moment mais devrait se révéler intéressant. L'attaque en bouche est franche, fraîche et fruitée, puis le vin

poursuit la conquête de notre palais dans l'équilibre et la rondeur. Charmant, il montre un caractère féminin auquel il convient d'apporter toute son attention.
🔑 Auguste Pirou, Les Caves Royales, 39600 Arbois, tél. 03.84.66.42.70, fax 03.84.66.42.42

DOM. PIERRE RICHARD

○ 2 ha 10 000 30 à 49 F

Les bulles foisonnent au sein d'une robe jaune paille dans une belle persistance, mais ce brut est encore un peu trop brutal ! Il se sera assagi à l'automne.
🔑 Pierre Richard, rte de Voiteur, 39210 Le Vernois, tél. 03.84.25.33.27, fax 03.84.25.36.13 ☑ Y r.-v.

ROLET PERE ET FILS Cuvée 2000★★★

○ 3 ha 16 000 50 à 69 F

Déjà le crémant du jura 1994 de la famille Rolet avait frôlé le coup de cœur. Avec cette cuvée 2000, pas d'hésitation, on est dans le « top niveau ». « Ces petites bulles-là nous font vibrer », note le jury. La belle mousse est fine et persistante. Le nez est tout de fraîcheur habillé : à la fois floral et fruité, il est enchanteur. La bouche est fraîche, mais sans excès de vivacité. La pomme verte domine dans cet ensemble particulièrement bien élaboré, qui séduit de la première bulle à la dernière goutte.
🔑 Rolet Père et Fils, 39600 Montigny-lès-Arsures, tél. 03.84.66.00.05, fax 03.84.37.47.41, e-mail rolet@wanadoo.fr ☑ Y r.-v.

CLAUDE ROUSSELOT-PAILLEY 1997★

○ 10 ha 3 000 30 à 49 F

Seulement 3 000 bouteilles de crémant produites pour ce millésime, mais de bonnes bouteilles ! Les bulles sont fines et s'échappent à grande vitesse. Le nez est très ouvert, puissant, fait de notes de bonbon anglais et de fruits exotiques. Le chardonnay s'exprime dans une bouche équilibrée et de bonne longueur. Tout est plaisant dans ce vin. Traditionnel, comme le revendique son propriétaire.
🔑 Claude Rousselot-Pailley, 140, rue Neuve, 39210 Lavigny, tél. 03.84.25.38.38, fax 03.84.25.31.25 ☑ Y r.-v.

ANDRE ET MIREILLE TISSOT Brut 1996

○ 2,5 ha 17 000 30 à 49 F

C'est la première fois qu'apparaît dans le Guide le crémant du jura de cette exploitation que nous connaissons bien par ailleurs pour ses vins tranquilles. Issu pour moitié de chardonnay et pour l'autre moitié de pinot noir, ce 96 dégage de belles petites bulles. Le premier nez est charmant, évoluant sur des notes de fleurs blanches et de bonbon anglais. La bouche est vive et fruitée. Un vin équilibré mais encore un peu vert.
🔑 André et Mireille Tissot, 39600 Montigny-lès-Arsures, tél. 03.84.66.08.27, fax 03.84.66.25.08 ☑ Y r.-v.

L'étoile

Le village doit son nom à des fossiles, segments de tiges d'encrines (échinodermes en forme de fleurs), petites étoiles à cinq branches. Son vignoble (76 ha) a produit en 1998 4 396 hl de vins blancs, jaunes, de paille et mousseux.

BAUD 1996★

□ 3 ha 8 000 30 à 49 F

Vignerons au Vernois, dans l'aire des côtes du jura, le GAEC Baud possède néanmoins 3 ha de vignes dans l'appellation l'étoile. Derrière une jolie robe couleur paille se cache un vin au nez si plaisant qu'on ne s'en lasse pas : fleur d'acacia, d'aubépine et miel forment un bouquet persistant. La bouche est puissante et riche. Cette bouteille convient parfaitement à un dessert au chocolat.
🔑 Baud Père et Fils, rte de Voiteur, 39210 Le Vernois, tél. 03.84.25.31.41, fax 03.84.25.30.09 ☑ Y r.-v.

MARCEL CABELIER 1996★

□ n.c. 31 000 30 à 49 F

Disponible en grande distribution, ce vin offre un nez flatteur, délivrant des notes de fleurs d'acacia et de vanille. Frais et franc en bouche, il est tout aussi floral avec une finale légèrement citronnée. D'une belle harmonie, sans passage à vide, cette bouteille est à la fois facile à boire et le reflet de son appellation.
🔑 Cie des Grands Vins du Jura, rte de Champagnole, 39570 Crançot, tél. 03.84.87.61.30, fax 03.84.48.21.36 ☑

DANIEL ET PASCAL CHALANDARD 1996★

□ 1 ha 4 000 30 à 49 F

Souvent cité dans le Guide, ce domaine propose une cuvée composée de 70 % de chardonnay et de 30 % de savagnin. Dans une belle robe jaune pâle limpide, cet étoile nous offre un nez expressif et chaleureux composé de noisette, de miel, de coing, et souligné d'un peu de grillé. La bouche, vanillée, apparaît assez vive mais de bonne qualité.

☛ Daniel et Pascal Chalandard, GAEC du Vieux Pressoir, rte de Voiteur, 39210 Le Vernois, tél. 03.84.25.31.15, fax 03.84.25.37.62 ☑ ⵏ r.-v.

CLAUDE JOLY 1994*

☐	1 ha	4 500	⬛ 50 à 69 F

Egalement producteur de côtes du jura, Claude Joly est installé depuis 1965 à Rotalier. Avec ses reflets à peine rosés dans une robe d'or, son étoile brille ! Le nez est assez fermé mais on devine quelques notes torréfiées. En bouche, ce 94 se montre plus minéral que floral et l'empreinte du boisé est nette. A la fois représentatif du millésime et de l'appellation.

☛ Claude Joly, chem. des Patarattes, 39190 Rotalier, tél. 03.84.25.04.14, fax 03.84.25.14.48 ☑ ⵏ r.-v.

CH. DE L'ETOILE Vin jaune 1990**

☐	5 ha	12 000	⬛ 100 à 149 F

Déjà coup de cœur pour son vin jaune 1987, cette propriété, qui constitue une étape charmante sur la route des vins du Jura, est à l'honneur pour celui de 1990. Sur les flancs de la colline au mont Muzard, le savagnin mûrit lentement mais sûrement pour donner cet étoile de grande classe. La robe est très dorée. Le nez est sans doute encore un peu fermé, mais dégage déjà des notes de fruits secs, de pâte de coings et de vanille. La bouche, assez souple, se montre puissante. Une belle complexité aromatique se développe : miel, noix, amande grillée constituent un corps d'ambassadeurs de charme. Ce vin très bien équilibré peut être bu dès à présent et supportera sans problème de nombreuses années de cave.

☛ Vandelle et Fils, GAEC Ch. de L'Etoile, 39570 L'Etoile, tél. 03.84.47.33.07, fax 03.84.24.93.52 ☑ ⵏ r.-v.

DOM. DE MONTBOURGEAU
Vin de paille 1995***

☐	0,5 ha	2 000	⬛ 100 à 149 F

Ce n'est pas la « robe de cuir » de la chanson C'est extra de Léo Ferré, mais cette robe de cuivre est tout aussi féminine, tout autant attirante et réellement extraordinaire. Une très jolie palette se développe au nez : confiture de coings, miel, feuilles sèches, pain d'épice, cannelle. Quelle richesse ! La bouche est ample et voluptueuse. Tant de richesse et de longueur en bou-

che ! Un vin de paille de référence. Déjà à boire, il peut attendre... trente ans !

☛ Jean Gros, Dom. de Montbourgeau, 39570 L'Etoile, tél. 03.84.47.32.96, fax 03.84.24.41.44 ☑ ⵏ r.-v.

DOM. DE MONTBOURGEAU 1996**

☐	5,5 ha	30 000	⬛ 30 à 49 F

Coup de cœur pour la même cuvée en millésime 95, ce domaine propose un 96 qui n'atteint certes pas la classe de son aîné mais est très bon quand même ! Le nez est puissant, acacia et miel, sans être agressif. L'attaque en bouche est vive et franche, puis la matière se développe en exprimant des notes de noix, de noisette et de miel. Surprenant pour un 96 par son côté très ouvert, il est bon à boire mais a des atouts pour la garde. A servir avec un poisson chaud. Le **vin jaune 92** reçoit une étoile : il est à attendre deux ou trois ans.

☛ Jean Gros, Dom. de Montbourgeau, 39570 L'Etoile, tél. 03.84.47.32.96, fax 03.84.24.41.44 ☑ ⵏ r.-v.

CH. DE PERSANGES Vin jaune 1992*

☐	1 ha	2 000	⬛ 100 à 149 F

Ce vin jaune, non ensemencé en levures, s'affiche sous une robe bronze. Très intéressant au nez, il développe de manière intense la truffe et les fruits secs. La bouche est un peu plus lourde alors que la présence aromatique est bien assurée par des notes d'amande grillée et de fruits secs. Ce sera un régal pour l'an 2000 mais, compte tenu de sa constitution et de son état actuel d'évolution, il vaut mieux ne pas le garder trop longtemps en cave.

☛ Ch. de Persanges, rte de Saint-Didier, 39570 L'Etoile, tél. 03.84.86.03.36, fax 03.84.47.46.56 ☑ ⵏ t.l.j. 9h30-12h 14h30-19h; f. mer. dim.

☛ Lionel-Marie d'Arc

CH. DE PERSANGES Vin de paille 1994*

☐	0,5 ha	1 500	⬛ 70 à 99 F

Du savagnin, du poulsard et du chardonnay sont à la base de ce vin de paille qui possède une robe brune. Caramel et cuir au nez, il n'est pas désagréable mais simple, développant beaucoup de gras et d'onctuosité en bouche. Une bonne longueur et une présence de l'alcool assez marquée n'affectent pas l'harmonie générale. Une bonne bouteille.

☛ Ch. de Persanges, rte de Saint-Didier, 39570 L'Etoile, tél. 03.84.86.03.36, fax 03.84.47.46.56 ☑ ⵏ t.l.j. 9h30-12h 14h30-19h; f. mer. dim.

CH. DE QUINTIGNY 1995

□ 7 ha 4 000 30 à 49 F

Le château de Quintigny est une ancienne ferme fortifiée du XIVe s. Exploité en GAEC, ce domaine produit un vin floral au nez. Riche en alcool - ce qui lui donne un caractère puissant -, il est déjà prêt à boire.

GAEC Cartaux-Bougaud, Ch. de Quintigny, 39570 Quintigny, tél. 03.84.48.11.51, fax 03.84.48.19.08 r.-v.

La Savoie

Du lac Léman à la vallée de l'Isère, dans les deux départements de la Savoie et de la Haute-Savoie, le vignoble occupe les basses pentes favorables des Alpes. En constante extension (près de 1 800 ha), il produit bon an mal an environ 130 000 hl. Il forme une mosaïque complexe au gré des différentes vallées dans lesquelles il est établi en îlots plus ou moins importants. Cette diversité géographique se retrouve dans les variantes climatiques, accentuées par le relief ou tempérées par le voisinage des lacs Léman et du Bourget.

Vin de savoie et roussette de savoie sont les appellations régionales, utilisées dans toutes les zones ; elles peuvent être suivies de la mention d'un cru, mais ne s'appliquent alors qu'à des vins tranquilles, uniquement blancs pour les roussettes. Les vins des secteurs de Crépy et de Seyssel ont droit chacun à leur propre appellation.

SAVOIE

La Savoie

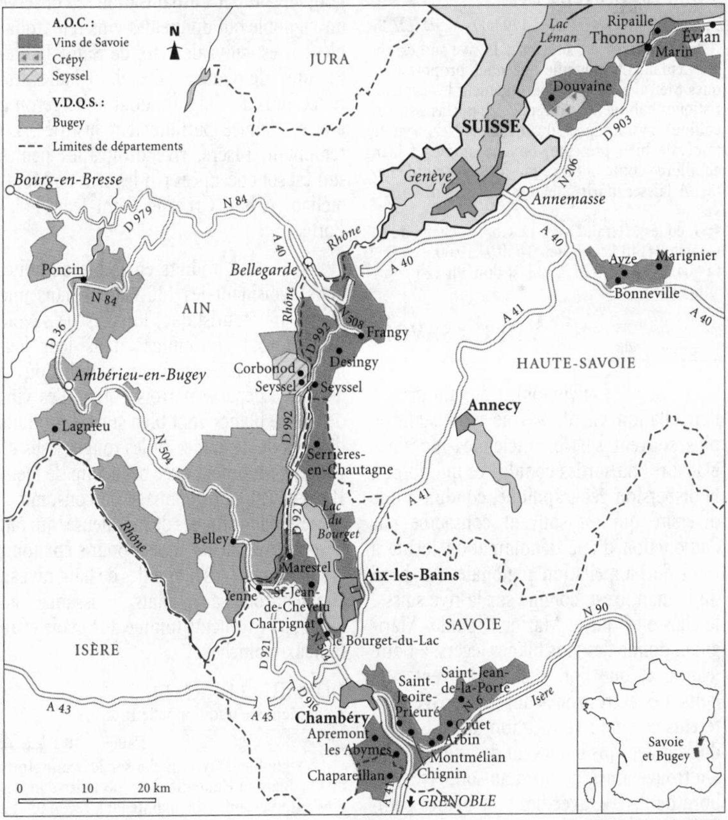

Les cépages, du fait de la grande dispersion du vignoble, sont assez nombreux, mais, en réalité, un certain nombre n'existent qu'en très faible quantité : le pinot et le chardonnay, notamment. Quatre blancs et deux noirs sont les principaux, en même temps que ceux qui donnent des vins originaux spécifiques. Le gamay, importé du Beaujolais voisin après la crise phylloxérique, est celui des vins frais et légers, à consommer dans l'année. La mondeuse, cépage local de qualité, donne des vins rouges bien charpentés, notamment à Arbin, dont elle est la variété exclusive ; c'était, avant le phylloxéra, le cépage le plus important de la Savoie ; il est souhaitable qu'il reprenne sa place, car ses vins sont de belle qualité et ont beaucoup de caractère. La jacquère est le cépage blanc le plus répandu ; elle donne des vins blancs frais et légers, à consommer jeunes. L'altesse est un cépage très fin, typiquement savoyard, celui des vins blancs vendus sous le nom de roussette de savoie. La roussanne, enfin, portant le nom local de bergeron, donne également des vins blancs de haute qualité, spécialement à Chignin, avec le chignin-bergeron.

Crépy

Comme sur toute la rive du lac Léman, c'est le chasselas qui est planté dans le vignoble de Crépy (80 ha), dont il est le cépage unique. Il donne environ 4 800 hl de vin blanc léger. Cette petite région a obtenu l'AOC en 1948.

DOM. LE CHALET 1998*

□ 30 ha 120 000 ▮▮ 30 à 49 F

L'AOC crépy est située sur la rive sud-est du lac Léman. La bouteille que nous propose Jacques Métral extériorise parfaitement les caractéristiques habituelles du cépage chasselas issu des collines morainiques du Léman. Nez à note minérale bien présente, bouche ample et bien équilibrée confèrent à ce vin une classe indéniable. A laisser mûrir quelques mois avant de servir.

Jacques Métral, Dom. Le Chalet, chem. du Chalet, 74140 Loisin, tél. 04.50.94.10.60, fax 04.50.94.18.39 ☑ Y t.l.j. sf dim. 9h-12h 14h-19h

Vin de savoie

Le vignoble donnant droit à l'appellation vin de savoie est installé le plus souvent sur les anciennes moraines glaciaires ou sur les éboulis, ce qui, joint à la dispersion géographique, conduit à une diversité qui est souvent consacrée par l'adjonction d'une dénomination locale à celui de l'appellation régionale. Au bord du Léman, c'est, comme sur la rive suisse, le chasselas qui, à Marin, Ripaille, Marignan, donne des vins blancs légers, à boire jeunes, et que l'on élabore souvent perlants. Les autres zones ont des cépages différents et, selon la vocation des sols, produisent des vins blancs ou des vins rouges. On trouve ainsi, du nord au sud, Ayze, au bord de l'Arve, avec des vins blancs pétillants ou mousseux, puis, au bord du lac du Bourget (et au sud de l'appellation seyssel), la Chautagne, dont les vins rouges en particulier ont un caractère affirmé. Au sud de Chambéry, les bords du mont Granier recèlent des vins blancs frais, comme l'apremont et le cru des Abymes, vignoble établi sur un effondrement qui, en 1248, fit des milliers de victimes. En face, Monterminod, envahi par l'urbanisation, a conservé un vignoble qui donne des vins remarquables ; il est suivi de ceux de Saint-Jeoire-Prieuré, de l'autre côté de Challes-les-Eaux, puis de Chignin, dont le bergeron a une renommée parfaitement justifiée. En remontant l'Isère, rive droite, les pentes sud-est sont occupées par les crus de Montmélian, Arbin, Cruet et Saint-Jean-de-la-Porte.

Produits en faible quantité, mais avoisinant les 130 000 hl dans une région très touristique, les vins de savoie sont surtout consommés dans leur jeunesse, sur place, avec un marché où la demande dépasse parfois l'offre. Les vins de savoie blancs vont bien sur les produits des lacs ou de la mer, et les rouges issus de gamay s'accordent avec beaucoup de mets. Il est cependant dommage de consommer jeunes les vins rouges de mondeuse, qui ont besoin de plusieurs années pour s'épanouir et s'assouplir : ces bouteilles de haut niveau conviendront aux plats puissants, au gibier, à l'excellente tomme de Savoie et au fameux reblochon.

DOM. BELLUARD FILS
Ayze Méthode traditionnelle Brut 1997*

○ 8 ha 55 000 ▮ 30 à 49 F

Le vignoble d'Ayze, niché sur les contreforts du Chablais en Haute-Savoie, spécialisé dans les vins effervescents, est maintenant reconnu. La

maison Belluard est un artisan actif de cette reconnaissance. Son vin à la mousse fine et légère invite à la fête. Il offre des arômes intenses, marqués par la brioche, qui se confirment en bouche. Une finale fraîche et légèrement citronnée fait de cette bouteille un produit réussi.
Dom. Belluard, Les Chenevaz, 74130 Ayze, tél. 04.50.97.05.63, fax 04.50.25.79.66 ☒ Y t.l.j. sf sam. dim. 8h-12h 14h-18h

DOM. G. BLANC ET FILS
Apremont Sélection 1998

□ 1,5 ha 13 300 20 à 29 F

Depuis 1996, Willy a rejoint son père Gilbert à la tête du vignoble familial qui est passé de 2 ha en 1982 à 7,5 ha en 1998. Notre jury a cité ce 98 au nez intense où se mêlent des notes de buis, de fleurs blanches, voire de poivre vert. La bouche harmonieuse et élégante en fait un vin d'une certaine classe, typique de son appellation ; il devrait pouvoir accompagner les poissons de nos lacs et rivières.
Dom. Gilbert Blanc et Fils, 73, chem. de Revaison, 73190 Saint-Baldoph, tél. 04.79.28.36.90, fax 04.79.28.36.90 ☒ Y t.l.j. sf mar. dim. 9h-12h 15h-19h

BLARD ET FILS
Abymes Cuvée Hubert Vieilles vignes 1998

□ n.c. 4 000 30 à 49 F

D'un blanc cristallin, typique des vins des Abymes, ce 98 présente une bonne intensité aromatique où dominent des notes minérales. La prise en bouche confirme son allure primesautière. Ce vin facile, frais, équilibré, laisse une agréable impression de rondeur suave.
Blard et Fils, Le Darbé, 73800 Les Marches, tél. 04.79.28.16.64, fax 04.79.28.01.35 ☒ Y r.-v.

EUGENE CARREL ET FILS
Jongieux Mondeuse 1997*

■ 2 ha 10 000 20 à 29 F

Une mondeuse dans toute sa splendeur ! Robe soutenue, pourpre, odeurs de fruits rouges (framboise) et pointe poivrée, attaque en bouche franche donnent à ce 97 une vigueur prometteuse. Il deviendra sans nul doute un grand vin.
GAEC Eugène Carrel et Fils, Le Haut, 73170 Jongieux, tél. 04.79.44.00.20, fax 04.79.44.03.06 ☒ Y r.-v.

EUGENE CARREL ET FILS
Jongieux Cuvée Prestige Gamay Vieilles vignes 1998*

■ 5 ha 10 000 30 à 49 F

Tout ici se bouscule dans une généreuse vigueur. Ce vin, à peine sorti de ses langes, fait preuve d'une santé turbulente. Nul doute que cette bouteille solide pourra accompagner sans faillir gibier et viandes en sauce.
GAEC Eugène Carrel et Fils, Le Haut, 73170 Jongieux, tél. 04.79.44.00.20, fax 04.79.44.03.06 ☒ Y r.-v.

CAVE DE CHAUTAGNE Chautagne 1998

□ 23 ha 100 000 30 à 49 F

Nos dégustateurs ont tenu à citer ce vin aux arômes marqués par des notes d'agrumes, voire de fruits exotiques. La bouche, plutôt souple et ample, offre une belle persistance. Un 98 incontestablement bien vinifié, très assagi.
Cave de Chautagne, 73310 Ruffieux, tél. 04.79.54.27.12, fax 04.79.54.51.37, e-mail servicevente@dial.oleane.com ☒ Y t.l.j. 9h-12h 14h-19h; f. 30-31 août

CAVE DE CHAUTAGNE
Chautagne Gamay 1998

■ 80 ha 300 000 30 à 49 F

Aucune fioriture dans ce vin franc et charpenté. Son nez de fruits noirs indique une matière première de qualité. Cette impression est confirmée en bouche par la présence de tanins encore rustiques mais néanmoins enrobés. Ce 98 devrait tenir ses promesses.
Cave de Chautagne, 73310 Ruffieux, tél. 04.79.54.27.12, fax 04.79.54.51.37, e-mail servicevente@dial.oleane.com ☒ Y t.l.j. 9h-12h 14h-19h; f. 30-31 août

MADAME ALEXIS GENOUX
Arbin 1998**

■ 2 ha 12 000 30 à 49 F

Aidée de ses fils, Mme Genoux propose un très joli vin. Typique du cépage mondeuse, celui-ci présente toutes les qualités pour évoluer favorablement dans le temps. Le jury a particulièrement apprécié la rondeur de ses tanins presque soyeux. Un 98 tout en équilibre qui devrait ravir les amateurs de vins fins.
Mme Alexis Genoux, 335, chem. des Moulins, 73800 Arbin, tél. 04.79.84.24.30, ☒ Y t.l.j. 8h-12h 14h-20h

FREDERIC GIACHINO Abymes 1998

□ n.c. n.c. 20 à 29 F

Très typique du cépage jacquère, voici une bouteille très représentative des vins de l'appellation. Le jury a aimé la vivacité et la note d'amertume de ce 98 marqué par des odeurs fraîches. Facile à boire, sans histoire, il passera bien à l'apéritif.
Frédéric Giachino, 38530 Chapareillan, tél. 04.76.45.57.11 ☒ Y r.-v.

CHARLES GONNET Chignin 1998

□ 5 ha 45 000 30 à 49 F

A partir d'une vinification simple mais respectueuse de la matière première, Charles Gonnet a élaboré un vin solide, développant des arômes complexes. Bien présent en bouche, ce 98 garde suffisamment de vivacité pour tenir dans le temps. Un vin franc et loyal, à servir sur le poisson.
Charles-Humbert Gonnet, Chef-lieu, 73800 Chignin, tél. 04.79.28.09.89 ☒ Y r.-v.

LA CAVE DU PRIEURE
Jongieux Gamay 1998

■ 7 ha 50 000 20 à 29 F

Les vins de cépage gamay sont les produits phares de la maison Barlet. Le millésime 98 ne dément pas cette affirmation avec ce produit aux accents typiques. D'une couleur rubis intense, il dégage au nez la panoplie habituelle des arômes de fruits rouges. En bouche, la dégustation est marquée par la présence de tanins carrés qui ne manqueront pas de s'arrondir avec le temps.

🔑 Raymond Barlet et Fils, La Cave du Prieuré, 73170 Jongieux, tél. 04.79.44.02.22, fax 04.79.44.03.07 ☑ 🍷 r.-v.

LES VIGNERONS DES TERROIRS SAVOYARDS Chignin 1998

☐ n.c. 60 000 🍾🌡 -de 20 F

Joli travail effectué par la coopérative de Montmélian sur cette cuvée aux arômes typiques de fleurs blanches accompagnés d'un soupçon de minéralité. Son équilibre presque parfait entre acidité et rondeur ainsi qu'une pointe d'amertume bienvenue lui confèrent une certaine aptitude à résister au temps. Une bouteille parfaite pour la sortie du Guide.

🔑 Les Vignerons des Terroirs Savoyards, La Maladière, 73800 Montmélian, tél. 04.79.28.33.29 ☑ 🍷 r.-v.

LE VIGNERON SAVOYARD
Mondeuse 1998★★

■ 1,03 ha 7 000 🍾 30 à 49 F

C'est la surprise de ce millésime ! Dans ce terroir d'Apremont, voilà que la mondeuse atteint les sommets ! Notre jury a applaudi ce cru drapé dans une robe d'un rubis profond. La jeunesse, sans doute, explique un complexe aromatique encore sur la réserve, où percent néanmoins des odeurs de fruits rouges. Puissance et équilibre enchantent le palais. Un vin à attendre absolument quelques années.

🔑 Le Vigneron Savoyard, rte du Crozet, 73190 Apremont, tél. 04.79.28.33.23, fax 04.79.28.26.17, e-mail vigneron-savoyard@epicuria.fr ☑ 🍷 t.l.j. sf dim. lun.8h-12h 14h-18h; f. 1er-20 mai

LOUIS MAGNIN
Arbin Cuvée Vieilles vignes 1997

■ n.c. n.c. 🍾 50 à 69 F

Bien qu'élaboré en 1997, ce vin de mondeuse est apparu encore muré dans son silence. Peu d'intensité aromatique - malgré une finesse certaine - mais des tanins complets, bien enrobés, issus d'une bonne matière première, lui confèrent une très belle longueur en bouche. Une bouteille à attendre encore un peu, qu'il faudra impérativement aérer avant le service.

🔑 Louis Magnin, 90, chem. des Buis, 73800 Arbin, tél. 04.79.84.12.12, fax 04.79.84.40.92 ☑ 🍷 r.-v.

J.-F. MARECHAL Apremont 1998★

☐ 3,5 ha 32 000 🍾 20 à 29 F

Depuis le début des années 1990, Jean-François Maréchal a entrepris un travail de modernisation de sa cave. Poursuivant parallèlement le rajeunissement de son vignoble, ce jeune vigneron commence à obtenir de bons résultats comme le prouve ce joli vin blanc, au nez ouvert et assez complexe où se mêlent notes fruitées et florales. Son attaque en bouche, à la fois vive et harmonieuse, lui confère une présence indéniable. Une bouteille qui devrait être au mieux de sa forme à la parution du Guide.

🔑 Jean-François Maréchal, Coteau des Belettes, 73190 Apremont, tél. 04.79.28.33.22 ☑ 🍷 t.l.j. 9h-17h

CHRISTOPHE PERRIER
Abymes Cuvée Prestige Vieilles vignes 1998

☐ 3 ha n.c. 🍾🌡 20 à 29 F

Les fils de Gilbert (Philippe et Christophe) exploitent chacun une partie du vignoble familial mais les vins sont vinifiés au domaine. Chacun présente ainsi le résultat de ses vignes, perpétuant le savoir-faire de la maison depuis 1853. Le jury a retenu ce 98 pour sa présence en bouche de bon aloi. La finale offre une note minérale marquée. Encore fermé au nez le jour de la dégustation, ce vin maintenu sur lie quelques mois devrait exprimer les caractères typiques de l'appellation lors de la parution du Guide.

🔑 Christophe Perrier, Saint-André, 73800 Les Marches, tél. 04.79.28.13.97, fax 04.79.28.09.91 ☑ 🍷 t.l.j. sf dim. 9h-12h 14h-18h; sam. sur r.-v.

JEAN PERRIER ET FILS
Arbin Cuvée Gastronomie 1997★★

■ n.c. 6 000 🍾🌡 30 à 49 F

La maison Perrier présente ici un remarquable ambassadeur du cru Arbin. Très complet tant au nez qu'en bouche, ce vin est déjà accompli. La solidité de sa charpente, son harmonie en bouche permettent à cette mondeuse d'affronter les produits de venaison.

🔑 Jean Perrier et Fils, Saint-André, 73800 Les Marches, tél. 04.79.28.11.45, fax 04.79.28.09.91 ☑ 🍷 t.l.j. sf dim. 9h-12h 14h-18h; sam. sur r.-v.

DOM. DANIEL PERRIN
Arbin Cuvée Prestige Perrin Sylvain 1997

■ 4,2 ha 1000 🍾 30 à 49 F

Notre jury a été surpris par des nuances aromatiques à caractère végétal (poivron vert), peu fréquentes dans la mondeuse. Encore fermé pour un 97, ce vin devra être attendu encore un peu. Il est recommandé de l'aérer au service.

🔑 Daniel Perrin, 35, imp. du Manoir, 73800 Arbin, tél. 04.79.65.22.14, fax 04.79.65.22.14 ☑ 🍷 t.l.j. sf dim. 14h-19h

DOM. MARC PORTAZ Apremont 1998★

☐ 0,56 ha 5 000 🍾🌡 30 à 49 F

Notre jury a reconnu dans ce vin toutes les caractéristiques des vins d'Apremont. Au nez intense, dominé par des notes de fleurs blanches, succède une prise en bouche fraîche et élégante. Une matière indéniable lui confère une longueur de grande classe. Une bouteille à acquérir sans états d'âme.

🔑 Dom. Marc Portaz, allée du Colombier, 38530 Chapareillan, tél. 04.76.45.23.51, fax 04.76.45.57.60 ☑ 🍷 r.-v.

ANDRE ET MICHEL QUENARD
Chignin Mondeuse Coteau de Torméry 1998

■ 1,38 ha 10 000 🍾🌡 30 à 49 F

Incontestablement encore trop jeune lors de notre dégustation, voici un produit très prometteur que l'élevage habituel de la maison Quénard devrait amener à maturité lors de la sortie du Guide. Une complexité aromatique en devenir, une tenue en bouche due à une matière première de grande qualité, garante d'une évolution sereine, marquent la signature de la maison.

André et Michel Quénard, Torméry, 73800 Chignin, tél. 04.79.28.12.75, fax 04.79.28.19.36 r.-v.

JEAN-PIERRE ET JEAN-FRANCOIS QUENARD
Chignin Bergeron Vieilles vignes 1998

□ 0,7 ha 5 000 30 à 49 F

Jean-François Quénard, fils de Jean-Pierre, a fait des études d'œnologie à Dijon avant de partir dans un laboratoire-conseil à Bordeaux, puis dans la Napa Valley en Californie. Un parcours qui lui permet aujourd'hui de maîtriser son sujet. Le chignin bergeron est sans conteste l'un des fleurons de l'appellation. Son élaboration requiert un grand soin dans l'obtention de la matière première et de la patience œnologique. Intensité aromatique et charpente caractérisent ce 98 qui semble promis à un bel avenir. A mettre en cave pour le laisser mûrir quelques années.

Jean-Pierre et Jean-François Quénard, Le Villard, 73800 Chignin, tél. 04.79.28.08.29, fax 04.79.28.18.92 r.-v.

CLAUDE QUENARD ET FILS
Mondeuse 1998★

■ 1,4 ha 12 000 20 à 29 F

L'arrivée sur l'exploitation d'André en 1988 puis de Guy en 1990, tous deux titulaires d'un BTSA viticulture œnologie, a abouti en 1993 à l'exploitation commune d'un vignoble de 14 ha. La recherche d'une viticulture raisonnée est à l'ordre du jour. L'âge moyen des vignes dont est issu ce vin est de quarante-cinq ans. Les frères Quénard ont su en tirer profit. Derrière une note aromatique plutôt fraîche, légèrement épicée, la bouche révèle une bonne extraction des tanins. Tout cela apparaît déjà bien fondu et confère à ce vin une harmonie de bon aloi. Il sera prêt pour la sortie du Guide.

EARL Claude Quénard et Fils, Le Villard, 73800 Chignin, tél. 04.79.28.12.04, fax 04.79.28.00.55 r.-v.

PHILIPPE RAVIER
Chignin Bergeron 1998

□ 2,4 ha 15 000 30 à 49 F

Des coteaux de Francin et Montmélian, Philippe Ravier a tiré ce vin puissant, charpenté comme un athlète, presque rustique. Un produit à attendre un peu.

Philippe Ravier, Léché, 73800 Myans, tél. 04.79.28.17.75, fax 04.79.28.17.75 r.-v.

DOM. DE ROUZAN Gamay 1998

■ 0,4 ha 3 500 20 à 29 F

Denis Fortin, installé depuis 1991 dans le secteur des vins blancs d'Apremont, soigne particulièrement sa cuvée issue de gamay. Ce 98, encore fermé, est plein de promesses. Des arômes encore peu évolués, à dominante fruitée, laissent entrevoir un avenir intéressant. Des tanins fermes en fin de dégustation soutiennent une bonne longueur en bouche. Un vin qui sera parfait à la sortie du Guide.

Denis Fortin, 152, chem. de la Mairie, 73190 Saint-Baldoph, tél. 04.79.28.25.58, fax 04.79.28.21.63 r.-v.

SAINTE-DOMINIQUE
Chignin Bergeron 1997★

□ 2 ha 15 500 50 à 69 F

Gilbert Bouvet nous présente souvent des vins du millésime antérieur. Le jury semble lui donner raison, en retenant ce 97 aux arômes très marqués d'abricot sec. La bouche, franche et nette, déroule une finale relevée par une pointe d'orange amère. Un joli vin à qui il faut laisser encore quelques années d'épanouissement.

Dom. G. et G. Bouvet, Le Villard, 73250 Fréterive, tél. 04.79.28.54.11, fax 04.79.28.51.97 t.l.j. sf dim. 8h-12h 14h-19h

Roussette de savoie

Issue du seul cépage altesse (depuis le nouveau décret du 18 mars 1998), la roussette de savoie se trouve essentiellement à Frangy, le long de la rivière des Usses, à Monthoux et à Marestel, au bord du lac du Bourget. L'usage qui veut que l'on serve jeunes les roussettes de ce cru est regrettable, puisque, bien épanouies avec l'âge, elles font merveille avec des préparations de poisson ou de viandes blanches ; ce sont elles qui accompagnent le beaufort local.

SAVOIE

DOM. G. BLANC ET FILS 1998★

□ 0,5 ha 5 300 20 à 29 F

Le domaine réussit régulièrement ses vins de roussette de savoie. Notre jury a unanimement reconnu à cette bouteille des qualités d'élégance et de typicité. Ce vin, facile à boire, encore riche en gaz carbonique, devrait être au mieux de sa forme à la sortie du Guide, lorsque de surcroît les sucres restants seront liés à l'ensemble.

Dom. Gilbert Blanc et Fils, 73, chem. de Revaison, 73190 Saint-Baldoph, tél. 04.79.28.36.90, fax 04.79.28.36.90 t.l.j. sf mar. dim. 9h-12h 15h-19h

DOM. DUPASQUIER Marestel 1997★★

□ 3 ha 12 000 30 à 49 F

Notre jury a accordé à l'unanimité la meilleure note de l'AOC à ce vin de 1997, d'œnologie lente. Très complexe tant en bouche qu'au nez, voilà un produit à déguster religieusement afin de mesurer son long discours. Incontestablement une grande bouteille, toute en harmonie, et en finesse. A encaver et à attendre quelques années.

Noël Dupasquier, Aimavigne, 73170 Jongieux, tél. 04.79.44.02.23, fax 04.79.44.03.56 r.-v.

CHARLES GONNET 1998

□ 1 ha 8 000 30 à 49 F

Malgré des vignes encore jeunes, Charles Gonnet nous offre un 98 très classique, marqué par un nez ouvert où se mêlent épices et fruits mûrs. Son attaque vive et franche lui donne une élégance que ne dément pas une fin de bouche qui, cependant, mériterait un peu plus d'ampleur. Un vin sympathique qui s'invitera sans façon sur un poisson en sauce par exemple.

☛ Charles-Humbert Gonnet, Chef-lieu, 73800 Chignin, tél. 04.79.28.09.89 ☑ ⵝ r.-v.

JEAN-PIERRE ET PHILIPPE GRISARD 1998★

□	1,24 ha	10 000	ⵝⵝ	30 à 49 F

Notre jury a été séduit par ce vin déjà à maturité. Large éventail aromatique, allant du floral au fruité voire au miel, et présence en bouche font de ce produit un bon représentant de l'appellation. Un vin que l'on pourra servir à l'apéritif puis à l'entrée du repas.

☛ Jean-Pierre et Philippe Grisard, Chef-lieu, 73250 Fréterive, tél. 04.79.28.54.09, fax 04.79.71.41.36 ☑ ⵝ r.-v.

PHILIPPE VIALLET
Elevé en fût de chêne 1997★

□	5 ha	4 000	ⵝⵝ	30 à 49 F

La roussette de savoie bien née peut assurément vieillir avec bonheur. Philippe Viallet en

fait la démonstration avec ce vin aux arômes de fruits confits et de figue. Après une attaque en bouche vive, plutôt agréable, la dégustation se termine par l'omniprésence des arômes boisés.

☛ Maison Philippe Viallet, Le Gaz, 73190 Apremont, tél. 04.79.28.33.29, ☑ ⵝ r.-v.

DOM. JEAN VULLIEN 1998★

□	1,2 ha	9 000	ⵝⵝ	30 à 49 F

Installé depuis 1973 avec une activité de pépiniériste, Jean Vullien a développé un vignoble de 16 ha dont les produits sont commercialisés en bouteilles. L'AOC roussette de savoie a assurément un bel avenir. Jean Vullien le démontre dans ce vin aux nuances aromatiques complexes, évoluant des fruits confits aux notes grillées. Malgré une attaque en bouche un peu molle (malolactique), il garde une longueur des plus prometteuses. Une bouteille très typique de cette AOC.

☛ Jean Vullien, Chef-lieu, 73250 Fréterive, tél. 04.79.28.61.58, fax 04.79.28.69.37 ☑ ⵝ t.l.j. sf dim. 8h-12h15 14h-18h30; sam. 8h-12h

---

Le Bugey

Bugey AOVDQS

Dans le département de l'Ain, le vignoble du Bugey occupe les basses pentes des monts du Jura, dans l'extrême sud du Revermont, depuis le niveau de Bourg-en-Bresse jusqu'à Ambérieu-en-Bugey, ainsi que celles qui, de Seyssel à Lagnieu, descendent sur la rive droite du Rhône. Autrefois important, il est aujourd'hui réduit et dispersé.

Il est établi le plus souvent sur des éboulis calcaires de pentes assez fortes. L'encépagement reflète la situation de carrefour de la région : en rouge, le poulsard jurassien - limité à l'assemblage des effervescents de Cerdon - y voisine avec la mondeuse savoyarde, le pinot et le gamay de Bourgogne ; de même, en blanc, la jacquère et l'altesse sont en concurrence avec le chardonnay - majoritaire - et l'aligoté, sans oublier la molette, seul cépage vraiment local.

ANGELOT Roussette du Bugey 1998★

□	1 ha	5 300	ⵝⵝ	30 à 49 F

Au premier abord, voilà un vin discret dans ses notes aromatiques. Il faut le prendre en bouche pour mesurer sa richesse. Assez complexe, mêlant fruits et notes grillées, sa dégustation dénote une finale vive et relevée lui apportant personnalité et élégance. Un vin classique mais très représentatif de l'AOC.

☛ Eric et Philippe Angelot, 01300 Marignieu, tél. 04.79.42.18.84, fax 04.79.42.13.61 ☑ ⵝ t.l.j. 9h-12h 14h-19h; groupes sur r.-v.

BANCET L'Unique 1997

■	1 ha	4 000	ⵝ	30 à 49 F

Depuis le début des années 1990, Yves et Denis Duport développent le vignoble familial de 10 ha. Ce rouge d'assemblage mondeuse-pinot noir a une robe rubis profond. Un nez fruité, où percent quelques nuances vanillées, introduit une prise en bouche de bonne facture. Malgré une structure tannique encore un peu pointue, cette bouteille devrait être prête à la sortie du Guide.

☛ Maison Duport, Le Lavoir, 01680 Groslée, tél. 04.74.39.74.33, fax 04.74.39.74.33 ☑ ⵝ r.-v.

CHRISTIAN BEAULIEU
Roussette de Virieu Cuvée de l'Astrée 1997★

□	3 ha	12 000	ⵝ	50 à 69 F

Sur les traces de Brillat-Savarin, Christian Beaulieu s'attache à faire revivre les hauts lieux du Bugey viticole. Voici donc, issue de jeunes

vignes replantées sur le célèbre coteau de Virieu, une déjà bien belle bouteille. Un maître mot ressort de sa dégustation : de la race ! Malgré un ensemble encore fermé, assurément un grand vin, à attendre sagement.
Christian Beaulieu, 01510 Cheignieu-la-Balme, tél. 04.79.87.20.12, fax 04.79.87.21.61 r.-v.

BONNARD FILS Mondeuse 1997*

■ n.c. 4 000 20 à 29 F

Les frères Bonnard exploitent l'un des plus beaux sites viticoles du Bugey, particulièrement adapté à la mondeuse. L'âge des vignes aidant (cinquante ans ici), ils nous livrent une bouteille fort réussie avec ce 97 très intense, tant au nez qu'en bouche. Complet, il présente toutes les qualités d'un grand vin rouge et pourra vieillir sans dommages.
GAEC Bonnard Fils, Crept, 01470 Seillonnaz, tél. 04.74.36.73.11, fax 04.74.36.14.50 r.-v.

CAVEAU BUGISTE
Pinot Cuvée sélectionnée 1997*

■ n.c. 30 000 30 à 49 F

Le pinot noir trouve en certains lieux du Bugey des sites où il exprime parfaitement son potentiel. C'est le cas dans ce vin, globalement « très cépage » cependant. Aux arômes classiques et intenses succède une structure souple et relativement longue. Un joli vin, à boire sans attendre. Le Caveau Bugiste propose aussi un **blanc de blancs méthode traditionnelle** cité, à servir en apéritif.
Caveau Bugiste, 01350 Vongnes, tél. 04.79.87.92.32, fax 04.79.87.91.11 t.l.j. 9h-12h 14h-19h

CAVEAU BUGISTE Tradition 1998*

□ n.c. 100 000 30 à 49 F

Le jury a apprécié ce vin au bouquet floral intense, marqué par quelques notes plus complexes de type grillé. Sa prise en bouche est tout en rondeur avec notamment un bon équilibre entre l'acidité et le corps. Un vin plaisir, féminin, facile à boire, à réserver aux apéritifs entre amis.
Caveau Bugiste, 01350 Vongnes, tél. 04.79.87.92.32, fax 04.79.87.91.11 t.l.j. 9h-12h 14h-19h

PATRICK CHARLIN Montagnieu*

○ 3 ha 21 000 30 à 49 F

Assemblage de chardonnay et de pinot noir (30 %). Très bien élaboré, d'une intensité aromatique dominée par les fleurs blanches, ce vin ravira les amateurs par son équilibre et sa longueur presque suave. Une bouteille de classe à faire découvrir sans plus tarder. Le **pinot noir 97** dans cette AOVDQS reçoit la même note. Un petit rendement a donné un vin ample et noble.
Patrick Charlin, 01680 Groslée, tél. 04.74.39.73.54, fax 04.74.39.75.16 r.-v.

DUPORT ET DUMAS Mondeuse 1997

■ 1 ha 7 500 30 à 49 F

Jacques Duport a pris la présidence du Syndicat des vins du Bugey depuis 1997. Installé depuis quelques années avec son gendre, il développe une production commercialisée en bouteilles. Nos jurés ont tenu à citer ce 97 complet et équilibré en bouche. Des tanins encore rigoureux qui s'arrondiront rapidement lui confèrent pour l'instant un côté rustique. Un vin solide, franc et droit qui ne devrait pas décevoir ceux qui recherchent des bouteilles à la personnalité affirmée.
EARL Jacques Duport et J.-Ph. Dumas, Caveau du Pont Bancet, 01680 Groslée, tél. 04.74.39.74.21, fax 04.74.39.70.95 t.l.j. 9h-19h

MARJORIE GUINET ET BERNARD RONDEAU
Cerdon Méthode ancestrale 1998**

◐ 0,75 ha 5 000 30 à 49 F

Installés depuis 1998 sur l'exploitation du père de Marjorie Guinet, ces producteurs n'ont pas manqué leur entrée dans le Guide. Nul doute qu'il s'agit de futurs brillants ambassadeurs des vins de Cerdon car ils obtiennent la meilleure note de notre jury pour ce 98 au nez joliment marqué par des parfums de cerise et de fraise. La prise en bouche est remarquable d'équilibre ; les notes de fruits rouges le disputent à une fraîcheur de bon aloi. Un produit superbe, très rare dans le vignoble français.
Marjorie Guinet et Bernard Rondeau, Cornelle, 01640 Boyeux-Saint-Jérôme, tél. 04.74.37.12.34 r.-v.

DOM. MONIN Les Batarde 1998

□ 1,03 ha 9 000 30 à 49 F

La maison Monin est l'une des grandes maisons du Bugey. Par la qualité de ses vins certes, mais aussi par le rôle de président du syndicat que tint durant de nombreuses années Eugène, le père. Toute la finesse du terroir se retrouve dans ce blanc aux fragrances discrètes de beurre et de noix fraîche. Convivial, à servir à l'apéritif.
Dom. Hubert et Philippe Monin, 01350 Vongnes, tél. 04.79.87.92.33, fax 04.79.87.93.25 t.l.j. 8h-12h 14h-19h; groupes sur r.-v.

ALAIN RENARDAT-FACHE
Cerdon Méthode ancestrale 1998*

◐ 7 ha 85 000 50 à 69 F

Comme chaque année ou presque, la maison Renardat nous livre un produit très réussi. Maîtrisant bien une méthode qui pour être ancestrale n'en est pas moins très technique, A. Renardat et son fils proposent un vin de gamay fort classique dans cette catégorie. Très intense au nez (fraise, groseille), il se révèle équilibré en bouche ; il sera parfait à l'apéritif et sur des desserts peu sucrés.
Alain et Elie Renardat-Fache, Le Village, 01450 Mérignat, tél. 04.74.39.97.19, fax 04.74.39.93.39 r.-v.

BUGEY

LE LANGUEDOC ET LE ROUSSILLON

Entre la bordure méridionale du Massif central et les régions orientales des Pyrénées, c'est une mosaïque de vignobles et une large palette de vins qui s'offrent à travers quatre départements côtiers : le Gard, l'Hérault, l'Aude, les Pyrénées-Orientales, grand cirque de collines en pentes parfois raides se succédant jusqu'à la mer, constituant quatre zones successives : la plus haute, formée de régions montagneuses,

Le Languedoc

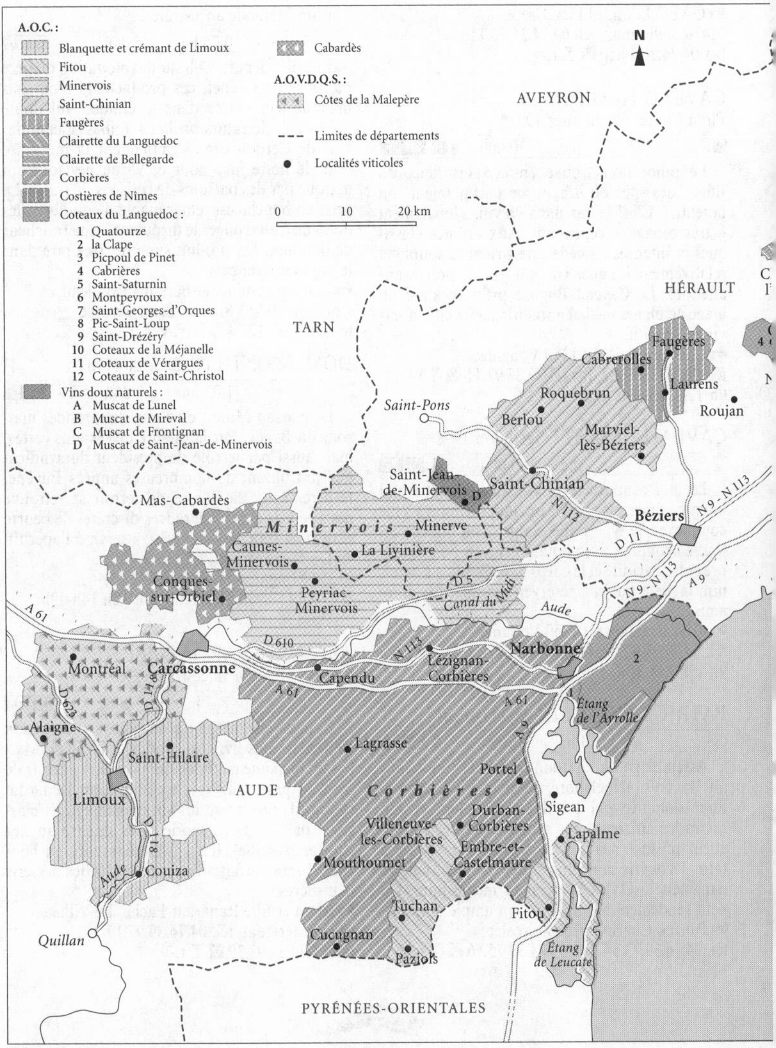

notamment de terrains anciens du Massif central ; la seconde, région des soubergues et des garrigues, la partie la plus ancienne du vignoble ; la troisième, la plaine alluviale assez bien abritée présentant quelques coteaux peu élevés (200 m) ; et la quatrième, zone littorale formée de plages basses et d'étangs dont les récents aménagements ont fait l'une des régions de vacances les plus dynamiques d'Europe. Ici encore, c'est aux Grecs que l'on doit sans doute l'implantation de la vigne, dès le VIIIe s. av. J.-C., au voisinage des points de pénétration et d'échanges. Avec les Romains, le vignoble se développa rapidement et concurrença même le vignoble romain, si bien qu'en l'an 92 l'empereur Domitien ordonna l'arrachage de la moitié des surfaces plantées ! La culture de la vigne resta alors une spécificité de la Narbonnaise pendant deux siècles. En 270, Probus redonna au vignoble du Languedoc-Roussillon un nouveau départ, en annulant les décrets de 92. Celui-ci se maintint sous les Wisigoths, puis dépérit lorsque les Sarrasins

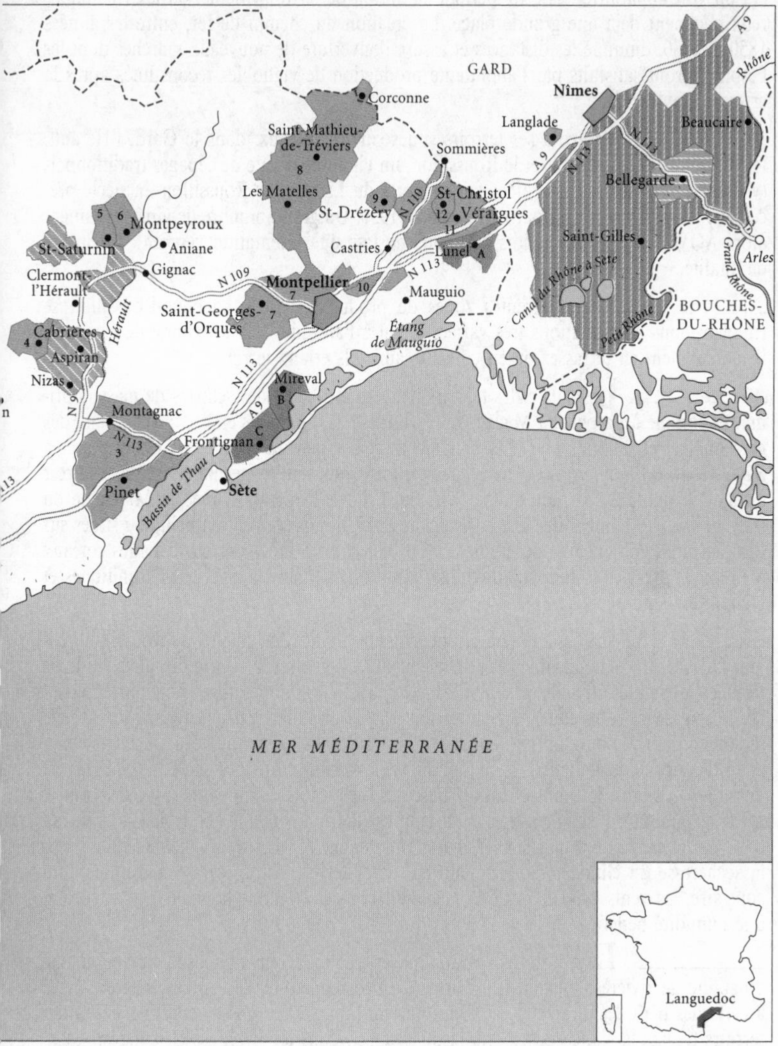

LANGUEDOC

intervinrent dans la région. Le début du IXe s. marqua une renaissance du vignoble, dans laquelle l'Eglise joua un rôle important grâce à ses monastères et à ses abbayes. La vigne est alors placée surtout sur les coteaux, les terres de plaine étant réservées aux cultures vivrières.

__________ **L**e commerce du vin s'étendit surtout aux XIVe et XVe s., de nouvelles technologies voyant le jour, tandis que les exploitations se multipliaient. Aux XVIe et XVII^{e}s. se développa aussi la fabrication des eaux-de-vie.

__________ **A**ux XVIIe et XVIIIe s., l'essor économique de la région passe par la création du port de Sète, l'ouverture du canal des Deux Mers, la réfection de la voie romaine, le développement des manufactures de tissage de draps et de soieries. Il donne une nouvelle impulsion à la viticulture. Facilitée par les nouvelles infrastructures de transport, l'exportation du vin et des eaux-de-vie est encouragée.

__________ **O**n assiste alors au développement d'un nouveau vignoble de plaine, et l'on voit apparaître dès cette période la notion de terroir viticole, où les vins liquoreux occupent déjà une grande place. La création du chemin de fer, entre les années 1850 et 1880, diminue les distances et assure l'ouverture de nouveaux marchés dont les besoins seront satisfaits par l'abondante production de vignobles reconstitués après la crise du phylloxéra.

__________ **G**râce à ses terroirs situés sur les coteaux, dans le Gard, l'Hérault, le Minervois, les Corbières et le Roussillon, un vignoble planté de cépages traditionnels (voisin des vignobles qui avaient fait la gloire du Languedoc-Roussillon au siècle précédent) va se développer à partir des années 1950. Un grand nombre de vins deviennent alors AOVDQS et AOC, tandis que l'on constate une orientation vers une viticulture de qualité.

__________ **L**es différentes zones de production du Languedoc-Roussillon se trouvent dans des situations très variées quant à l'altitude, à la proximité de la mer, à l'établissement en terrasses ou en coteaux, aux sols et aux terroirs.

__________ **L**es sols et les terroirs peuvent être ainsi des schistes de massifs primaires comme à Banyuls, à Maury, en Corbières, en Minervois et à Saint-Chinian ; des grès du lias et du trias alternant souvent avec des marnes comme en Corbières et à Saint-Jean-de-Blaquière ; des terrasses et cailloux roulés du quaternaire, excellent terroir à vignes comme à Rivesaltes, Val-d'Orbieu, Caunes-Minervois, dans la Méjanelle ou les Costières de Nîmes ; des terrains calcaires à cailloutis souvent en pente ou situés sur des plateaux, comme en Roussillon, en Corbières, en Minervois ; ou, dans les coteaux du Languedoc, des terrains d'alluvions récentes (sans oublier les arènes granitiques et gneiss des Fenouillèdes).

__________ **L**e climat méditerranéen assure l'unité du Languedoc-Roussillon, climat fait parfois de contraintes et de violence. C'est en effet la région la plus chaude de France (moyenne annuelle voisine de 14 ° C, avec des températures pouvant dépasser 30 ° C en juillet et en août) ; les pluies sont rares, irrégulières et mal réparties. La belle saison connaît toujours un manque d'eau important du 15 mai au 15 août. Dans beaucoup d'endroits du Languedoc-Roussillon, seule la culture de la vigne et de l'olivier est possible. Il tombe 350 mm d'eau au Barcarès, la localité la moins arrosée de France. Mais la quantité d'eau peut varier du simple au triple suivant l'endroit (400 mm au bord de la mer, 1 200 mm sur les massifs montagneux). Les vents viennent renforcer la sécheresse du climat lorsqu'ils soufflent de la terre (mistral, cers, tramontane) ; au contraire, les vents provenant de la mer modèrent les effets de la chaleur et apportent une humidité bénéfique à la vigne.

__________ **L**e réseau hydrographique est particulièrement dense ; on compte une vingtaine de rivières, souvent transformées en torrents après les orages, souvent à sec à certaines périodes de sécheresse. Elles ont contribué à l'établissement du relief et des terroirs depuis la Vallée du Rhône jusqu'à la Têt, dans les Pyrénées-Orientales.

Sols et climat constituent un environnement très favorable à la vigne en Languedoc-Roussillon, ce qui explique qu'y soient localisés près de 40 % de la production nationale, dont annuellement environ 2 700 000 hl en AOC et 50 000 hl en AOVDQS.

Les vins AOC se composent de 550 000 hl de vins doux naturels produits en majeure partie dans les Pyrénées-Orientales, le reste venant de l'Hérault (voir le chapitre les concernant) ; 66 000 hl de vins mousseux dans l'Aude ; 1 950 000 hl de vins rouges et 120 000 hl de vins blancs. Les AOVDQS, produits dans les départements de l'Aveyron et de l'Aude, sont constitués à 95 % de vins rouges.

Dans le vignoble de vins de table, on constate depuis 1950 une évolution de l'encépagement : régression importante de l'aramon, cépage de vins de table légers planté au XIX^e^s., au profit des cépages traditionnels du Languedoc-Roussillon (carignan, cinsault, grenache noir, syrah et mourvèdre) ; et implantation d'autres cépages plus aromatiques (cabernet-sauvignon, cabernet franc, merlot et chardonnay).

Dans le vignoble de vins fins, les cépages rouges sont essentiellement le carignan, qui représente plus de 50 % de l'encépagement en raison de sa rusticité, et qui apporte au vin structure, tenue et couleur ; le grenache, cépage sensible à la coulure, qui donne au vin sa chaleur, participe au bouquet mais s'oxyde facilement lors du vieillissement ; la syrah, cépage de qualité, qui apporte ses tanins et un arôme se développant avec le temps ; le mourvèdre, qui vieillit bien et donne des vins corsés, colorés, riches en tanins, résistants à l'oxydation ; le cinsault enfin, qui, cultivé en terrain pauvre, donne un vin souple présentant un fruité agréable.

Les blancs sont produits à base de grenache blanc pour les vins tranquilles, de picpoul, de bourboulenc, de macabeu, de clairette - donnant une certaine chaleur mais madérisant assez rapidement. Depuis peu, marsanne, roussanne et vermentino agrémentent cette production. Pour les vins effervescents, on fait appel au mauzac, au chardonnay et au chenin.

Le Languedoc

Blanquette de limoux

Ce sont les moines de l'abbaye Saint-Hilaire, commune proche de Limoux, qui, découvrant que leurs vins repartaient en fermentation, ont été les premiers élaborateurs de blanquette de limoux. Trois cépages sont utilisés pour son élaboration : le mauzac (90 % minimum), le chenin et le chardonnay, ces deux derniers cépages étant introduits à la place de la clairette et apportant à la blanquette acidité et finesse aromatique.

La blanquette de limoux est élaborée suivant la méthode traditionnelle et se présente sous dosages brut, demi-sec ou doux.

AOC à part entière, la blanquette méthode ancestrale reste un produit confidentiel. Le principe d'élaboration réside dans une fin de fermentation en bouteille. Aujourd'hui, les techniques modernes permettent d'élaborer un vin peu alcoolisé, doux, provenant du seul cépage mauzac.

Dans le Limouxin, outre blanquette et crémant de limoux, il existe une autre appellation très confidentielle : un vin blanc sec tranquille, le « limoux ».

CUVEE PRINCESSE D'AIMERY★★★

○ n.c. 150 000 ▮ ◍ 🌡 30 à 49 F

L'engagement qualitatif de la cave, qui regroupe la production de 40 communes, n'est pas un vain mot. Chaque parcelle est connue, répertoriée et orientée vers la production la mieux conforme à son terroir. Résultat : cette Princesse unanimement courtisée dans une superbe robe d'un doré soutenu autour d'une effervescence vive et régulière. Tout y est : le grillé, la force aromatique mêlant fleurs jaunes, abricot et une surprenante touche de sous-bois. L'équilibre est parfait tant la bouche se montre charnue, intense, miellée ; la pêche vient enlever la finale.

🔑 Aimery Sieur d'Arques, av. de Carcassonne, B.P. 30, 11303 Limoux, tél. 04.68.74.63.00, fax 04.68.74.63.13 Y t.l.j. 9h-12h 14h-18h

DOM. COLLIN Cuvée Jean Philippe 1997★

○ 10 ha 56 000 ▮ 🌡 30 à 49 F

Régulièrement, cette cuvée se fait remarquer dans le Guide. C'est là tout le travail d'experts de ces vignerons-négociants qui confirment la qualité de leur prestation. Beaucoup de finesse dans l'approche autour d'une robe or pâle à reflets verts. Le mauzac s'exprime par une note de pomme verte coupée caractéristique et une touche d'amertume qui confère une fraîcheur agréable à ce vin dominé par la pomme et le grillé de la biscotte.

🔑 Dom. Collin-Rosier, rue Farman, 11300 Limoux, tél. 04.68.31.48.38, fax 04.68.31.34.16 ☒ Y r.-v.

JEAN LAFON Tête de cuvée★★

○ n.c. n.c. ▮ 🌡 30 à 49 F

Avec Georges, Roger et Françoise - qui a abandonné une brillante carrière parisienne pour revenir au pays - la blanquette est plus que jamais une affaire de famille. Dans cette Tête de cuvée, tout est finesse et délicatesse, de l'effervescence qui se dégage d'une robe limpide, très pâle, jusqu'aux senteurs fleuries de rose et de pêche fraîche. C'est le fruit que l'on retrouve en bouche, avec le grillé de la noisette, dans un bel équilibre. A noter, une finale très fraîche, qui suggère de servir ce vin à l'apéritif.

🔑 Georges et Roger Antech, Dom. de Flassian, 11300 Limoux, tél. 04.68.31.15.88, fax 04.68.31.71.61 ☒ Y t.l.j. sf sam. dim. 8h-12h 14h-18h

DOM. DE MARTINOLLES 1996★

○ 11 ha 60 000 ▮ 🌡 30 à 49 F

A deux pas de l'abbaye de Saint-Hilaire, berceau de la blanquette, les Vergnes vous accueillent dans un superbe paysage méditerranéen, havre de quiétude qu'embellit encore la chaleur de la réception. La sage évolution de ce 96 se traduit par une robe vieil or, des senteurs de brugnon, de pomme mûre et un équilibre savoureux, grillé, qu'agrémente une finale relevée.

🔑 Vignobles Vergnes, Dom. de Martinolles, 11250 Saint-Hilaire, tél. 04.68.69.41.93, fax 04.68.69.45.97 ☒ Y t.l.j. sf dim. 8h-12h 14h-19h; groupes sur r.-v.

SALASAR Carte noire Extra-Dry★

○ 7 ha n.c. ▮ 30 à 49 F

Impossible de passer à Campagne-sur-Aude sans être attiré par l'expression à la fois baroque et latino-américaine de la maison Salasar. Pour corser le tout, on vous parlera de dinosaure entre deux flûtes d'effervescent. Choisissez celui-ci, couvert d'or, brillant, au nez de fleurs et de senteurs normandes - pomme et foin coupé. La bouche est ample, très fruit mûr, de belle longueur. Une finale *dry* lui permettra d'accompagner le poisson, voire les crustacés.

🔑 René Salasar, Ste Ets Salasar S.A., 11260 Campagne-sur-Aude, tél. 04.68.20.04.62, fax 04.68.20.91.06 ☒ Y t.l.j. 8h-12h 14h-18h; sam. dim. sur r.-v.

SIEUR D'ARQUES
Tête de cuvée Alain Gayda★★

○ 500 ha 150 000 30 à 49 F

Entre les deux Alain, c'est cette tête de cuvée, signée par l'œnologue Alain Gayda, qui a pris le pas sur un très élégant **Alain de Chabassol,** car il y a de la noblesse dans ce vin à l'approche vive, limpide, auréolée d'un très beau jaune doré. Il est présent, intense, très frais ; la fleur d'acacia domine la pêche. La suite est équilibrée et la pêche de vigne ne cède qu'au grillé de l'amande. A oser sur des fruits de mer !

🔑 Aimery Sieur d'Arques, av. de Carcassonne, B.P. 30, 11303 Limoux, tél. 04.68.74.63.00, fax 04.68.74.63.13 ☒ Y t.l.j. 9h-12h 14h-18h

DOM. DES TROIS FONTAINES 1997

○ 5 ha 15 000 ▮ 20 à 29 F

Réputée pour sa blanquette méthode ancestrale produite à partir de mauzac avec première fermentation en bouteille, la famille Capdepon démontre aussi sa compétence en blanquette avec ce vin paré d'or, dont l'effervescence est généreuse. Le nez propose des notes à la fois grillées et exotiques. Ce 97 est bien équilibré.

L'évolution perce en bouche et se développe sur des notes miellées très agréables.
GAEC du Dom. des Trois Fontaines, Villelongue d'Aude, 11300 Limoux, tél. 68.69.51.81, fax 68.69.51.69 r.-v.
Capdepon

Crémant de limoux

Reconnu par le décret du 21 août 1990, le crémant de limoux n'en est pas pour autant peu expérimenté. En effet, les conditions de production de la blanquette étant très strictes et très proches du crémant, les Limouxins n'ont eu aucune difficulté à intégrer ce groupe d'élite.

Depuis déjà quelques années s'affinaient dans les chais des cuvées issues de subtils mariages entre la personnalité et la typicité du mauzac, l'élégance et la rondeur du chardonnay, la jeunesse et la fraîcheur du chenin.

GRANDE TRADITION D'AIMERY Extra brut 1997***

○ 500 ha 150 000 30 à 49 F

Entre Grande Cuvée d'Aimery et Sieur d'Arques, c'est finalement la Grande Tradition qui a fait le plein d'envies ! Une fois encore, juste récompense des efforts effectués par les vignerons du Sieur d'Arques. D'abord, le vin se montre serein, sûr de son effervescence délicate et persistante. Très florale sur fond de raisin à l'eau-de-vie, l'expression aromatique se poursuit en bouche autour du miel, du grillé, des fruits secs. Magnifique d'équilibre, cette cuvée offre une superbe finale fraîche et persistante.
Aimery Sieur d'Arques, av. de Carcassonne, B.P. 30, 11303 Limoux, tél. 04.68.74.63.00, fax 04.68.74.63.13 t.l.j. 9h-12h 14h-18h

ANTECH Grande Cuvée 1996

○ n.c. n.c. 30 à 49 F

Egalement sélectionnée en blanquette (voir Jean Lafon), cette maison est bien connue de nos lecteurs. L'évolution marque ce crémant depuis l'or soutenu de sa robe, son expression de fruits mûrs et son équilibre, doux, sur des notes de fleurs miellées. Une belle présence pour ce 96 qui surprend par une étonnante touche de petit fruit rouge en cœur de bouche.
Georges et Roger Antech, Dom. de Flassian, 11300 Limoux, tél. 04.68.31.15.88, fax 04.68.31.71.61 t.l.j. sf sam. dim. 8h-12h 14h-18h

JEAN BABOU Cuvée Saint-Vincent**

○ n.c. 20 000 30 à 49 F

Jouissant d'une réputation nationale par ses effervescents, la famille Brouette s'exprime à Limoux avec bonheur dans la plus que centenaire maison Babou. Le vin cache bien son jeu par une approche timide, tant l'or est pâle, l'effervescence sage, la fleur blanche doucement miellée. Ensuite, le vin éclate en bouche, ample, structuré, équilibré, glissant sur des notes réglissées avant une finale surprenante de fraîcheur.
SA Babou-Brouette, 5, av. Charles-de-Gaulle, 11300 Limoux, tél. 04.68.31.00.01, fax 04.68.31.73.40 t.l.j. sf sam. dim. 8h-12h 14h-18h

GUINOT Impérial du Millénaire 1995

○ 1 ha 5 000 70 à 99 F

Cette ancienne maison du Limouxin a su, sans négliger les techniques modernes, conserver la tradition. Ainsi sont pratiqués le dégorgeage à la volée, très spectaculaire, et un passage sous bois pour les vins de base. Pour ce 95, l'or est profond autour d'une bonne tenue de mousse. Le vin s'exprime en fleurs miellées. Une belle évolution apporte vinosité et richesse avant une finale délicatement grillée.
Maison Guinot, 3, av. Chemin-de-Ronde, 11304 Limoux, tél. 04.68.31.01.33, fax 04.68.31.60.05, e-mail guinot@cbhouse.fr t.l.j. sf sam. dim. 9h-12h 14h-18h

DOM. DE L'AIGLE**

○ 2 ha 10 000 50 à 69 F

Baroudeur de l'œnologie, Jean-Louis Denois, depuis son nid d'aigle de Roquetaillade, décline le blanc, du liquoreux à l'effervescent. Une belle tenue de mousse, une robe or paille, des senteurs complexes alliant fleurs blanches - rappelant l'acacia - et fruits exotiques, voilà pour la présentation de ce crémant. La bouche hésite entre fleur et fruit et se montre remarquable d'harmonie jusqu'à la finale où perce la noisette.
Dom. de L'Aigle, 11300 Roquetaillade, tél. 04.68.31.39.12, fax 04.68.31.39.14 r.-v.
Denois

MICHEL OLIVIER Tête de cuvée 1997*

○ 3 ha 28 000 30 à 49 F

Sérieux dans les apports, réguliers dans la technicité, ces Limouxins d'adoption font partie des valeurs sûres des vins effervescents. Ce crémant porte une robe pâle, fraîche, rehaussée par une mousse agréable libérant des senteurs fruitées. Très jeune, la bouche conserve une expression florale et se remarque par sa fraîcheur. Un excellent apéritif.
Dom. Collin Rosier, rue Farman, 11300 Limoux, tél. 04.68.31.48.38, fax 04.68.31.34.16 r.-v.
Rosier

ROBERT 1995***

○ 5 ha 20 000 50 à 69 F

Il faut avoir le temps, après quelques lacets, de monter sur le plateau à deux pas de Limoux, de longer la haie et d'aborder au milieu des vignes le domaine de Fourn. Après, ce sont des instants privilégiés que l'on passe chez les Robert. Finesse, élégance, équilibre, tout a plu dans ce vin à l'approche discrète, à l'effervescence délicate, aux senteurs miellées de pêche et de pomme mûre. Suave, harmonieuse, la bouche

LANGUEDOC

est tout en douceur, avant de terminer sur un superbe fondu qui a fait l'unanimité.

ROBERT
CRÉMANT de LIMOUX
12% vol
APPELLATION CRÉMANT DE LIMOUX CONTRÔLÉE
75cl
ÉLABORÉ PAR
ROBERT, PROPRIÉTAIRE PRODUCTEUR, DOMAINE DE FOURN, 11300 PIEUSSE - FRANCE

🔑 GFA Robert, Dom. de Fourn, 11300 Pieusse, tél. 04.68.31.15.03, fax 04.68.31.77.65 ☑ 🍷 r.-v.

Limoux

L'appellation limoux nature reconnue en 1938 était en réalité le vin de base destiné à l'élaboration de l'appellation blanquette de limoux et toutes les maisons de négoce en commercialisaient quelque peu.

En 1981, cette AOC s'est vu interdire à son grand regret l'utilisation du terme nature et elle est devenue limoux. Resté à 100 % mauzac, le limoux a décliné lentement, les vins de base blanquette de limoux étant alors élaborés avec du chenin, du chardonnay et du mauzac.

Cette appellation renaît avec l'intégration, pour la première fois à la récolte 1992, des cépages chenin et chardonnay, le mauzac restant toutefois obligatoire. Une particularité : la fermentation et l'élevage jusqu'au 1er mai, à réaliser obligatoirement en fût de chêne. La dynamique équipe limouxine voit ainsi ses efforts récompensés.

DOM. DELMAS
Elevé en fût de chêne 1997*

☐ 1 ha 3 300 🛢 50 à 69 F

Pas étonnant que le chardonnay se plaise ici, dans ce terroir d'altitude choyé par Bernard Delmas dont on apprécie le retour. Malgré son origine, le vin nous joue un air très méditerranéen. L'or est soutenu ; le grillé s'entoure de la douceur du miel. La pleine expression s'inscrit en bouche sur des notes lactées, riches, et dans une finale grillée.

🔑 Bernard Delmas, Dom. Delmas, 11190 Antugnac, tél. 04.68.74.21.02, fax 04.68.74.19.90 ☑

DOM. DE MARTINOLLES
Vieilles vignes 1997**

☐ 1 ha 4 000 🛢 30 à 49 F

Terroir, cépage et homme, telle est la trilogie qui entre dans la définition de l'appellation. Parfois, l'un de ces éléments domine mais, ici, c'est la belle complicité des trois qui crée la différence. Brillant, l'or danse dans le verre faisant jaillir éclats de garrigue, de pin et grillé discret de la barrique. La bouche, en continuité, offre le plaisir des notes savoureuses et chaudes du terroir méditerranéen.

🔑 Vignobles Vergnes, Dom. de Martinolles, 11250 Saint-Hilaire, tél. 04.68.69.41.93, fax 04.68.69.45.97 ☑ 🍷 t.l.j. sf dim. 8h-12h 14h-19h; groupes sur r.-v.

TOQUES ET CLOCHERS
Terroir Haute Vallée Elevé en fût de chêne 1997***

☐ 50 ha 35 000 🛢 30 à 49 F

Le week-end des Rameaux, il n'y a de vie à Limoux que pour toques et clochers. Les barriques s'arrachent aux enchères, les « toques » s'affairent en cuisine et le clocher restauré avec l'argent de la vente joue au jeune premier. Heureux pays où l'or est dans le verre ! Ce 97, aux senteurs de pêche et d'abricot vanillé, est élégant. Puis le volume surprend, le fruit devient plus mûr. Le vin s'impose et laisse présager un bel avenir.

🔑 Aimery Sieur d'Arques, av. de Carcassonne, B.P. 30, 11303 Limoux, tél. 04.68.74.63.00, fax 04.68.74.63.13 ☑ 🍷 t.l.j. 9h-12h 14h-18h

TOQUES ET CLOCHERS
Terroir océanique Elevé en fût de chêne 1997**

☐ 50 ha 35 000 🛢 30 à 49 F

Parmi les quatre terroirs de Limoux, la lutte est toujours sévère. Après la Haute Vallée, c'est l'Océanique qui a séduit par la fraîcheur de sa robe. Finement boisé, le vin se révèle sur des notes complexes rappelant à la fois la fleur des garrigues et l'abricot mûr. Un très bel équilibre où raisin et fût s'alliant avec bonheur complètent le plaisir.

🔑 Aimery Sieur d'Arques, av. de Carcassonne, B.P. 30, 11303 Limoux, tél. 04.68.74.63.00, fax 04.68.74.63.13 ☑ 🍷 t.l.j. 9h-12h 14h-18h

Clairette de bellegarde

Reconnue AOC en 1949, la clairette de bellegarde est produite dans la partie sud-est des Costières de Nîmes, dans une petite région comprise entre Beaucaire et Saint-Gilles, et entre Arles et Nîmes, sur des sols rouges caillouteux. 2 000 hl de vin présentant un bouquet caractéristique en sont issus.

DOM. DU MAS CARLOT 1998★

□	13 ha	82 000	▮ 🌡 20 à 29 F

Fidèle producteur de clairette de bellegarde, le Mas Carlot nous présente le millésime 98 dont les arômes sont de type floral, accompagnés de notes de fruits à pépins. En bouche, il est très caractéristique de l'AOC clairette de bellegarde avec une note tannique, toujours originale dans un vin blanc. Finale un peu chaude. A apprécier tel.

🔑 Nathalie Blanc-Mares, Mas Carlot, Ch. Paul Blanc, 30127 Bellegarde, tél. 04.66.01.11.83, fax 04.66.01.62.74 ☑ Y t.l.j. 8h-12h 14h-17h; sam. dim. sur r.-v.

🔑 Paul Blanc

CH. CONDAMINE BERTRAND
Cuvée Baron Ferrouil 1998★

□	4 ha	12 000	▮ 🌡 30 à 49 F

Domaine de 70 ha commandé par un château du XVIII^e^s. Une clairette 98 vinifiée en sec et un **coteaux du languedoc rouge 98** reçoivent chacun une étoile. Elégance, finesse aromatique et gustative pour la première avec ses parfums de fleurs et de coing. Structure et rondeur pour la deuxième cuvée caractérisée par son équilibre et son harmonie.

🔑 Bernard Jany, Ch. La Condamine Bertrand, 34230 Paulhan, tél. 04.67.25.27.96, fax 04.67.25.07.55 ☑ Y r.-v.

Clairette du languedoc

Les vignes sont cultivées dans huit communes de la vallée moyenne de l'Hérault et produisent 5 000 hl. Après vinification à basse température avec le minimum d'oxydation, on obtient un vin blanc généreux, d'une robe jaune soutenu. Il peut être sec, demi-sec ou moelleux. En vieillissant, il acquiert un goût de rancio qui plaît à certains consommateurs. Il s'allie bien à la bourride sétoise et à la baudroie à l'américaine.

ADISSAN Moelleux 1998★

□	4 ha	25 000	30 à 49 F

La clairette vient charmer ici nos papilles. Si l'œil perçoit des reflets d'un jaune assez soutenu, le nez n'est pas très expressif. Mais le vin se réveille heureusement en bouche pour laisser passer quelques notes typiques de fruits secs et de fleurs blanches. Pour les amateurs de moelleux.

🔑 Cave coop. La Clairette d'Adissan, 34230 Adissan, tél. 04.67.25.01.07, fax 04.67.25.37.76 ☑ Y t.l.j. sf dim. 9h-12h 15h-18h

DOM. DE CLOVALLON Rancio 1995★

□	0,6 ha	900	◨ 200 à 249 F

Récoltée le 25 novembre 1995, élevée longuement selon les règles de l'art, cette clairette a bien droit à son qualificatif de rancio. Sa robe jaune or est éclatante. Ses arômes évoquent l'abricot mûr et les épices. La bouche riche, d'une belle continuité aromatique, offre notamment des notes de confiture de coings. Un moelleux comme on les aime. A boire pour lui-même ou avec un foie gras.

🔑 Catherine Roque, Dom. de Clovallon, 34600 Bédarieux, tél. 04.67.95.19.72, fax 04.67.95.11.18 ☑ Y r.-v.

Corbières

Les corbières, VDQS depuis 1951, sont passés AOC en 1985. L'appellation s'étend sur quatre-vingt-sept communes, pour une production de 650 000 hl (7 % de blanc et rosé, 93 % de rouge). Ce sont des vins généreux, puisqu'ils titrent entre 11 ° et 13 ° d'alcool. Ils sont élaborés à partir de vignobles comportant dans l'encépagement un maximum de 60% de carignan.

Les Corbières constituent une région typiquement viticole, et n'offrent guère d'autres possibilités de culture. L'influence méditerranéenne dominante, mais également une certaine influence océanique à l'ouest, le cloisonnement des sites par un relief accentué, l'extrême diversité des sols, plantés surtout de carignan, en font une région difficile à classer. Les corbières possèdent une confrérie vineuse, l'Illustre Cour des Seigneurs de Corbières, dont le siège est à Lézignan-Corbières.

CH. AIGUILLOUX 1998★

◪	6 ha	30 000	▮ 🌡 20 à 29 F

Marthe et François Lemarié ont toujours eu une sensibilité particulière pour le corbières. C'est dans un vrai petit château, ombragé de vieux pins parasol et adossé aux pentes de leur vignoble, qu'ils élaborent ce « grand » rosé. Teinte soutenue très légèrement tuilée, nez nuancé et riche où s'entremêlent la groseille, l'aubépine et le cassis, bouche où l'équilibre entre la fleur et le fruit est très harmonieux, suffisamment gras et pourtant frais.

🔑 Marthe et François Lemarié, Ch. Aiguilloux, 11200 Thézan-des-Corbières, tél. 04.68.43.32.71, fax 04.68.43.30.66 ☑ Y r.-v.

CH. CARAGUILHES 1998**

| 20 ha | 10 000 | 100 à 149 F |

Seule l'immense garrigue protège les vignes du château, lesquelles se passent avec succès de pesticides et autres engrais chimiques. Une expression tout entière et naturelle du terroir. Voici un vin rosé soutenu sans excès, et cristallin. Peut-on parler d'arômes ou de parfums ? La pointe d'épices cède sa place aux fruits rouges puis aux fleurs blanches et tout cela dans une joyeuse intensité. La bouche confirme un équilibre à peine rehaussé de vivacité, de force et de finesse.

Ch. Caraguilhes, 11220 Saint-Laurent, tél. 04.68.27.88.99, fax 04.68.27.88.90 r.-v.

CASTELMAURE BOIS 1996**

| 10 ha | 15 000 | 50 à 69 F |

« Je suis né sur le terroir réputé le plus typique des corbières, je suis à l'abri sur les pentes les plus rocailleuses, mi-schistes mi-calcaire, je profite pleinement du soleil, je suis récolté manuellement, livré en petites caissettes et déposé directement dans le cuvier, je profite de la barrique avant d'être versé dans votre verre. Ainsi arrivé, je me livre : chaleureusement, puissamment, harmonieusement, langoureusement. »

SCV Castelmaure, Cave coop., 4, rte des Canelles, 11360 Embres-et-Castelmaure, tél. 04.68.45.91.83, fax 04.68.45.83.56 t.l.j. sf sam. dim. 8h-12h 14h-18h

CELLIER DES DEMOISELLES
Cuvée des Demoiselles 1998**

| 8 ha | 20 000 | 20 à 29 F |

« Si est de bons blancs, va à Saint-Laurent », ce dicton local va bientôt devenir un usage courant car, malgré le gel et la grêle, maître Bernard Codina a réussi sa cuvée des Demoiselles. Présentation brillante à reflets paille ; puissance soutenue par des arômes encore primaires déjà relayés par un fruit se rapprochant de la pêche blanche ; palais équilibré, long et généreux ; voilà le portrait d'un vin remarquable.

SCV Cellier des Demoiselles, 5, rue de la Cave, 11220 Saint-Laurent-de-la-Cabrerisse, tél. 04.68.44.02.73, fax 04.68.44.07.05 r.-v.

DOM. FAILLENC SAINTE-MARIE
1997

| 7 ha | 10 000 | 30 à 49 F |

Un petit domaine blotti au piémont du mont Alaric, où les vignes et le vin sont autant de trésors bichonnés jusqu'à la mise en bouteilles. De quoi inspirer le poète et régaler les palais : matière dense, équilibre respectant boisé et fruité, tanins en relief, autant de sources de plaisir.

Marie-Thérèse Gibert, Dom. Faillenc Sainte-Marie, 11700 Douzens, tél. 04.68.43.93.83, fax 04.68.43.93.83 r.-v.

FLEUR DE BRUYERE
Cuvée boisée 1998*

| 50 ha | 40 000 | 30 à 49 F |

Si vous avez déjà bu et surtout apprécié la Fleur de Bruyère 1997, goûtez le 98. C'est un vin original, qui se démarque des corbières par ses nuances variées où se mêlent les fruits exotiques, les fruits à noyau et des senteurs subtiles résultant d'un très léger élevage en fût. Ces mêmes sensations se poursuivent à la dégustation avec finesse, gras, longueur et chaleur.

Les Producteurs du Mont Tauch, 11350 Tuchan, tél. 04.68.45.41.08, fax 04.68.45.45.29 t.l.j. sf dim. 9h-12h 14h-18h

DOM. DE FONTSAINTE
Réserve La Demoiselle 1996**

| 8,4 ha | 41 000 | 30 à 49 F |

Fontsainte, un superbe domaine qui domine tout le terroir de Boutenac. A ses pieds, des vignes de mourvèdre, des ceps âgés de carignan et de vieilles souches de grenache ; le terroir et les cépages ne seraient pas suffisants sans Bruno Laboucarié, maître vigneron. Sa Demoiselle se révèle d'une teinte tendrement mordorée, s'épanouit en fleurs sauvages, épices et vanille, s'apprécie en souplesse, gras, finesse et délicatesse.

SEP Laboucarié, Dom. de Fontsainte, 11200 Boutenac, tél. 04.68.27.07.63, fax 04.68.27.62.01 r.-v.

CH. GLEON MONTANIE
Sélection Combe de Berre 1997*

| 4 ha | 20 000 | 30 à 49 F |

Le château, les grandes bâtisses, une splendide chapelle du Ves. témoignent d'un passé glorieux. Aujourd'hui, Gléon doit sa renommée au vignoble : les plantations de syrah deviennent matures, les grenaches donnent le ton, les quelques vieux carignans apportent l'ossature ; d'où l'élégance, l'équilibre et l'harmonie de ce 97.

Jean-Pierre et Philippe Montanié, Ch. Gléon, 11360 Villesèque-des-Corbières, tél. 04.68.48.28.25, fax 04.68.48.83.39 r.-v.

DOM. DU GRAND ARC
La Tour Fabienne 1998*

| 1 ha | 5 000 | 20 à 29 F |

Le terroir, le cépage, l'homme : ce sont les trois paramètres de l'équilibre. Ce rosé 98 poursuit la réussite du 97. Il s'habille d'une robe légère, presque transparente, à peine teintée de pivoine ; sa finesse de fruits exotiques se hume avec délicatesse et se déguste en douceur. Un millésime qui charme par sa parfaite harmonie.

Bruno et Fabienne Schenck, Dom. du Grand Arc, 11350 Cucugnan, tél. 04.68.45.04.16, fax 04.68.45.01.03 r.-v.

CH. DU GRAND CAUMONT
Cuvée Tentation 1997**

| 1,8 ha | 10 500 | 30 à 49 F |

Le château du Grand Caumont devint essentiellement viticole vers 1850, et fut acheté en 1906 par un certain Louis Rigal du célèbre roquefort du même nom. Cette Tentation 97 pourrait bien avoir un égal renom. Elle est typiquement corbières par une bonne assise de carignan et de grenache noir, mais 40 % de syrah lui donnent le profil d'un vin moderne avec toutefois un réel respect de la tradition par un élevage de huit mois en fût. Plaisant et riche, sans être capiteux, ce 97 offre du fruit rouge vanillé, une bonne tenue et une longueur s'appuyant sur des arômes

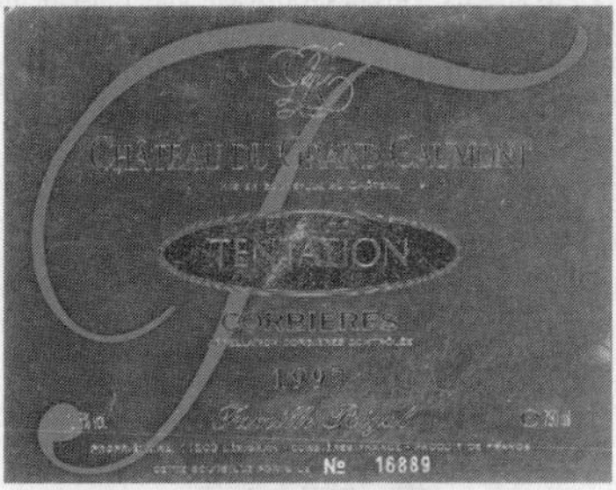

grillés et un peu de menthe. Allez, laissez-vous tenter !

☛ SARL F.L.B. Rigal, Ch. du Grand Caumont, 11200 Lézignan-Corbières, tél. 04.68.27.10.82, fax 04.68.27.54.59 ☑ ⵍ t.l.j. sf sam. dim. 8h-12h 13h-18h

☛ Françoise Rigal

DOM. DU GRAND CRES
Cuvée majeure 1996★★

■		3 ha	7 800	⬛ 70 à 99 F

Après avoir exercé à l'INAO, puis été régisseur de la Romanée Conti, Hervé Leferrer a eu le désir de devenir vigneron en Corbières. Voilà le cursus singulier d'un homme qui ne pouvait que réussir comme le prouve sa remarquable Cuvée majeure. Ce 96 apparaît limpide, brillant, vif, à reflets violacés. La puissance aromatique surprend par ses notes empyreumatiques de café et de torréfaction. La bouche, charnue, souple, révèle une parfaite harmonie entre tanins et alcools, puis s'éternise avec élégance, fluidité et finesse.

☛ Hervé et Pascaline Leferrer, Dom. du Grand Crès, 40, av. de la Mer, 11200 Ferrals-les-Corbières, tél. 04.68.43.69.08, fax 04.68.43.58.99 ☑ ⵍ r.-v.

CH. GRAND MOULIN
Vieilles vignes 1996★

■		12 ha	65 000	⬛ 30 à 49 F

Pas si simple de vouloir créer son vignoble, d'agencer un moulin en cave et caveau de réception, de mettre en bouteilles, de vendre et surtout d'exporter, et pourtant Jean-Noël Bousquet l'a fait. Il l'a même très bien fait... La preuve : un Grand Moulin 96 judicieusement élevé en fût, aux senteurs de raisins à l'eau-de-vie, de pruneau, de fruits mûrs ; il est rond, souple mais soutenu, tout en nuances avec toujours autant d'arômes.

☛ Jean-Noël Bousquet, Ch. Grand Moulin, 11200 Luc-sur-Orbieu, tél. 04.68.27.40.80, fax 04.68.27.47.61 ☑ ⵍ t.l.j. sf dim. 8h-12h 14h-19h

GRAND OPERA 1997

■		n.c.	n.c.	⬛ 30 à 49 F

Comme les grands airs de *bel canto*, il existe des corbières classiques, incontournables. Ce Grand Opéra 97 se présente en grenat foncé, s'ouvre sur des arômes et parfums de garrigue, d'épices et de cacao, s'offre charpenté, généreux,

et baisse le rideau sur une finale très légèrement soutenue par des tanins présents et prometteurs.
☛ Caves Rocbère, 11490 Portel-des-Corbières, tél. 04.68.48.28.05, fax 04.68.48.45.92 ⵍ t.l.j. sf dim. 9h-12h 14h30-18h30

CH. HAUTE-FONTAINE 1997★

■		15 ha	20 000	⬛ 30 à 49 F

Voilà un corbières très conventionnel : absence de syrah, vendanges manuelles, cuvées en grain entier pour le carignan et éraflées pour le grenache, pas d'élevage sous bois. Le résultat est des plus satisfaisants : robe rubis aux nuances tuilées, arômes typiques où se mêlent poivre et curry, palais ample et gras, où ressort la garrigue et peut-être même le laurier. La persistance est à la hauteur de la structure agréable et méridionale.
☛ SCEA Haute-Fontaine, Ch. Haute-Fontaine, Prat-de-Cest, 11100 Narbonne, tél. 04.68.41.03.73, fax 04.68.41.76.03 ☑ ⵍ r.-v.
☛ Paule et Robert Vigneron

CH. HELENE Cuvée Ulysse 1997

■		10 ha	30 000	⬛ 50 à 69 F

Son château porte son prénom, la bouteille son renom : Hélène, vigneronne jusqu'au bout des ongles, aime autant cultiver sa vigne que les bons mots. Sa cuvée Ulysse en témoigne. Belle intensité colorante nuancée de violine, arômes surtout épicés dus à son élevage en fût. Équilibré, franc, intense, ce vin en devenir a un relief qui traduit une vraie personnalité.
☛ Marie-Hélène Gau, 11800 Barbaira, tél. 04.68.79.00.69, fax 04.68.79.06.97 ☑ ⵍ t.l.j. 9h30-12h 13h30-19h

CH. LA BARONNE Vigne La Prière 1997

☐		10 ha	15 000	⬛ 30 à 49 F

Suzette et André Lignères se sont découvert très tôt une passion pour le vin. Ils ont acheté ce domaine en 1957 tout en poursuivant l'exercice de la médecine. Ils ont transmis à leurs enfants cet amour de la vigne. Ils offrent une vision différente des corbières blancs ; celui-ci n'est commercialisé qu'après dix-huit mois. Il révèle beaucoup de finesse, de beaux arômes mûrs, tout en légèreté ; bien présent, à peine ferme, avec des saveurs de fruits, il peut prétendre être encore apprécié dans deux ou trois ans.
☛ Suzette Lignères, Ch. La Baronne, 11700 Fontcouverte, tél. 04.68.43.90.20, fax 04.68.43.96.73, e-mail baronne@epicuria.fr ☑ ⵍ r.-v.

DOM. DE LA PEYROUSE
Cuvée Tradition 1997

■		7 ha	10 000	⬛ 20 à 29 F

Trop amoureux de la vigne et du vin, Jean-Louis et Laurent Gili n'ont pu résister à l'envie de vinifier, élever et commercialiser leur corbières. En 1995, ils abandonnent donc la vinification communale. Malgré un millésime difficile, cette cuvée Tradition a une couleur pourpre, vive et intense. Le nez hésite entre fruits rouges (fraise, cerise, mûre) et arômes grillés ; la bouche ample s'appuie sur un parfait équilibre au relief fruité.

LANGUEDOC

Jean-Louis Gili, Dom. de la Peyrouse, av. de Narbonne, 11360 Durban-Corbières, tél. 04.68.45.85.69, fax 04.68.45.85.69 t.l.j. 10h-12h 16h-19h

CH. DE LASTOURS
Arnaud de Berre 1997*

■ 8 ha 32 000 30 à 49 F

Au château de Lastours vous avez tout : la tradition, avec son château (XIIe s.) sur la route d'Espagne, la générosité à travers son Centre d'aide par le travail destiné aux handicapés, l'évasion, avec ses pistes d'essai pour rallyes 4x4 (Paris-Dakar). Et bien sûr, le vin lui-même, aux arômes puissants de fruits mûrs, d'huile d'olive, de garrigue. Il a une forte présence, tout en tanins volumineux mais doux, aux nuances variées, riches et généreuses.

C.A.T. Ch. de Lastours, 11490 Portel-des-Corbières, tél. 04.68.48.29.17, fax 04.68.48.29.14, e-mail chateau.lastours@epicuria.fr r.-v.

CH. LA VOULTE-GASPARETS
Cuvée Romain Pauc 1997**

■ 9 ha 24 000 70 à 99 F

Doit-on une fois de plus présenter le La Voulte-Gasparets de Patrick Reverdy ? Son **blanc 98** est plus que parfait, le **rosé 98** déjà presque tout dégusté et ce Romain Pauc toujours de haute renommée. Paré d'une robe soutenue, très nuancée, ce 97 révèle des arômes de fruits, de vanille, de grillé, d'épices, de réglisse, le tout dans une élégance gustative peu commune ; une présence et une personnalité affirmées, des tanins splendides, ronds, fondus... L'ensemble est riche et généreux, et, comme tous les grands vins, peut s'apprécier maintenant ou bien se garder.

Patrick Reverdy, Ch. La Voulte-Gasparets, 11200 Boutenac, tél. 04.68.27.07.86, fax 04.68.27.41.33 t.l.j. 9h-12h 14h-19h

CH. LES PALAIS Randolin 1997*

■ 10 ha 13 000 50 à 69 F

Ami gourmet, ne vous inquiétez pas ! Le château Les Palais est bien classé dans le Guide de l'an 2000. Impossible d'esquiver cette cuvée Randolin, elle exhale déjà l'eau-de-vie de fruits cuits, mais aussi le cassis frais et également la garrigue, le sous-bois, les épices... Le concert gustatif peut commencer avec classe et élégance, accompagné par la douceur des tanins. Ce vin de charme offre beaucoup de personnalité et régale le palais.

Ch. Les Palais, 11220 Saint-Laurent-de-la-Cabrerisse, tél. 04.68.44.01.63, fax 04.68.44.07.42 t.l.j. 8h-12h 14h-19h
de Volontat

CH. LES PUJOTS 1996***

■ 5,4 ha 13 500 30 à 49 F

Le vignoble s'étale sur la presqu'île Saint-Martin, entre mer, salins et étangs : la Méditerranée au plus près des Corbières ; pour ajouter à la perfection, l'encépagement s'appuie sur le mourvèdre, ici dans son jardin de terroir ; il profite également de la syrah mais a préféré éviter totalement le carignan. La robe cristalline de ce 96 se teinte d'un rouge sombre presque noir ; le nez mérite attention ; discret mais d'une grande finesse, on y découvre des nuances minérales et des arômes de garrigue sèche. En bouche, les tanins soyeux, enrobés, tapissent généreusement le palais et délivrent des saveurs de vanille, de grillé et de fruits noirs. Ce vin s'estompe lentement, tout en élégance ; un corbières qui a de la race et du grain.

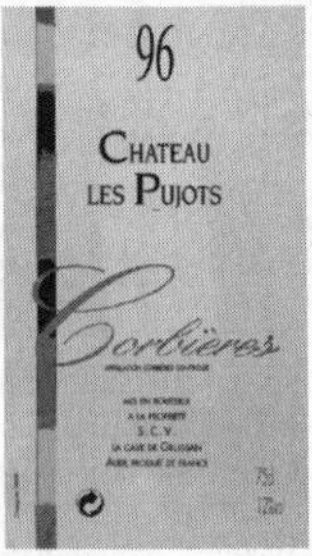

SCV La Cave de Gruissan, av. de la Douane, 11430 Gruissan, tél. 04.68.49.01.17, fax 04.68.49.34.99 r.-v.

CH. DE L'HORTE Réserve spéciale 1997

■ 3 ha 16 000 30 à 49 F

Dix ans déjà que Jean-Pierre Biard a reconquis le château de l'Horte ; que d'efforts à la vigne et à la cave ! La renommée et la réputation s'installent, ouvrant de nouveaux marchés. Ce millésime 97, pourtant difficile, s'affirme par un joli vanillé accompagné de prune et de café ; une attaque très légèrement tannique annonce un boisé pas encore parfaitement fondu. Mais le vin est prometteur.

J. Van der Spek & Jean-Pierre Biard, Ch. de L'Horte, 11700 Montbrun-des-Corbières, tél. 04.68.43.91.70, fax 04.68.43.95.36, e-mail horte@cbhouse.fr r.-v.

CH. DE L'ILLE 1997*

■ 17 ha 10 000 30 à 49 F

Une approche différente pour ce corbières des temps modernes d'où le carignan est totalement absent ; grenache, syrah et mourvèdre sont vinifiés séparément et, seule, la syrah bénéficie d'un élevage en fût. Le vin mérite un « coup d'air » avant d'être dégusté ; franc, avec du gras, des tanins et une touche de réglisse, il a une réelle présence : un bel ensemble.

Roger Geens, rue de l'Etang, 11440 Peyriac-de-Mer, tél. 04.68.41.05.96, fax 04.68.42.81.73

CH. MANSENOBLE Réserve 1997*

■ 6,5 ha 32 000 50 à 69 F

Déjà remarqué dans le Guide 1998, notre vigneron des Corbières, mais néanmoins chroniqueur et œnologue belge, veut que l'on « critique » sa Réserve 97. Présentation parfaite, arômes élégants de sous-bois, légèrement sauvages, avec une pointe de vanille et de fruits rouges, attaque gustative élégante et ronde, tanins soyeux et finale persistante. Une cuvée indiscutablement très réussie.

Guido Jansegers, Ch. Mansenoble, 11700 Moux, tél. 04.68.43.93.39, fax 04.68.43.97.21, e-mail mansenoble@wanadoo.fr r.-v.

CH. DE MATTES-SABRAN
Cuvée Sabran 1997★★

■ 15,38 ha 10 428 20 à 29 F

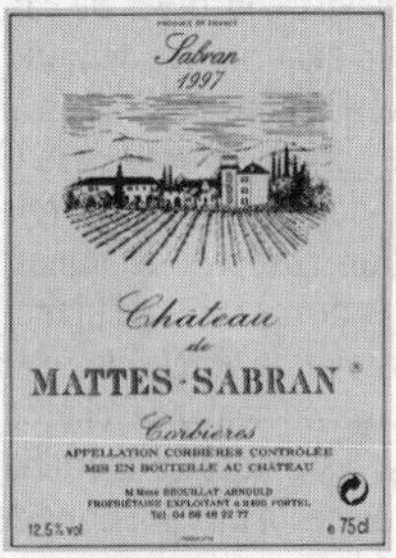

Le château de Mattes voit la Méditerranée, et son vignoble plonge ses racines dans le sol caillouteux d'une terrasse ancienne, terroir tout à fait singulier en corbières ; son encépagement ne l'est pas moins avec une forte proportion de syrah particulièrement bienvenue pour la récolte 1997. Produit d'un élevage marqué par une absence totale de fût, la cuvée Sabran est d'un grenat lumineux. A peine décantée, elle s'exprime en fruits mûrs, épices (plutôt poivre, réglisse) avec une bouche dynamique et fraîche. Singulier, particulier, original, un corbières qui ne laisse pas indifférent.

Brouillat-Arnould, Dom. de Mattes, B.P. 44, 11130 Sigean, tél. 04.68.48.22.77, fax 04.68.48.55.32, e-mail jlbrouillat@compuserve.com ☑ Y t.l.j. 8h30-19h30

CH. MEUNIER SAINT-LOUIS 1998★

□ n.c. 10 055 30 à 49 F

Martine et Philippe Pasquier-Meunier ne proposent que de beaux millésimes. Après un coup de cœur pour un corbières rouge 95, leur blanc 98 donne toute satisfaction. La robe est cristalline, jaune paille à reflets verts. Le nez, expressif et de qualité, développe fruits, épices et anis. L'attaque suave précède un bon équilibre des saveurs. Un vin méridional jusqu'au bout des arômes.

Ch. Meunier Saint-Louis, 11200 Boutenac, tél. 04.68.27.09.69, fax 04.68.27.53.34 ☑ Y r.-v.

Ph. Pasquier-Meunier

CH. PEYRIAC DE MER 1998★

□ 3 ha 6 000 20 à 29 F

« Je suis un pur vin de Méditerranée, mes ceps profitent du soleil de la plage, reçoivent les embruns des étangs ; leurs racines s'efforcent de puiser cette délicate sève qui s'élève lentement jusqu'aux grappes des très vieux cépages des Corbières maritimes que sont le maccabéo et le grenache blanc, et peut-être bien que ce soupçon de muscat me donne de la complexité, de l'originalité et affirme ma personnalité. »

Anne-Marie Fabre, Le Parc, 11440 Peyriac-de-Mer, tél. 04.68.41.53.77, fax 04.68.41.53.77 ☑ Y r.-v.

PRIEURE SAINTE-MARIE D'ALBAS
Clos de Cassis 1997

■ 2,5 ha 8 000 30 à 49 F

Cuvée très limitée, presque confidentielle, issue d'un clos de 2,50 ha. L'assemblage judicieux de grenache et de syrah est complété du traditionnel carignan qui apporte l'accent de l'Alaric. Nez boisé, agrémenté d'épices et de crème de marrons, attaque un peu vive, mais l'équilibre subsiste ; l'harmonie révèle un vin gourmand et friand.

Gisèle et Jean-Louis Galibert, Prieuré Sainte-Marie d'Albas, 11700 Moux, tél. 04.68.79.09.64, fax 04.68.79.28.39 ☑ Y r.-v.

CH. DE ROQUENEGADE 1997

□ 3 ha 10 000 30 à 49 F

Frédéric Juvet a choisi Roquenegade en 1992, à l'ouest de l'Alaric, là où les vins semblent moins rocailleux qu'au cœur des Corbières. Ce blanc, net, simple, droit et franc est également fin ; des arômes tendres de fenouil lui donnent de l'originalité ; l'équilibre est à peine surmonté d'un peu de fraîcheur qui laisse aller une saveur soutenue.

Frédéric Juvet, Dom. de Roquenegade, 11220 Pradelles-en-Val, tél. 04.68.24.01.24, fax 04.68.24.01.58 ☑ Y r.-v.

ROQUE SESTIERE Vieilles vignes 1998★

□ 3 ha 13 000 30 à 49 F

Les années passent, les ceps demeurent et les vieilles vignes sont de plus en plus vieilles ; quant au maître du chai (Roland Lagarde), il profite de chaque millésime pour parfaire un Roque Sestière qui affirme une fois encore sa personnalité : nez de bonne intensité oscillant entre fruit et fleur, saveur identique avec gras, rondeur et finissant chaleureusement.

EARL Roland Lagarde, Roque Sestière, rue des Etangs, 11200 Luc-sur-Orbieu, tél. 04.68.27.18.00, fax 04.68.27.18.00 ☑ Y r.-v.

CH. SAINT-ESTEVE Cuvée Altaïr 1997

■ 2 ha 6 000 50 à 69 F

Ni trop sur les hauteurs, ni sur les terrasses, ni trop près, ni trop loin de la Méditerranée, le château Saint-Estève est géographiquement au cœur des Corbières. Cette situation avantageuse associée à des attentions particulières accordées à la vendange (manuelle), à la vinification (grain entier et éraflage), à l'élevage (fût) et à la mise en marché (familiale) donne un corbières franc, plaisant, équilibré et élégant.

GFA Ch. de Saint-Estève, 11200 Thézan-des-Corbières, tél. 04.68.79.16.04, fax 04.68.79.16.19 ☑ Y r.-v.

Eric Latham

DOM. SAINT-JEAN DE LA GINESTE
Rosée de la Saint-Jean 1998★

◪ 4 ha 10 000 20 à 29 F

Un domaine situé sur les fameuses molasses de Boutenac et une envie de bien faire, comme l'atteste la toute récente rénovation du vignoble et des chais, menée avec application et bon sens. La notoriété vient récompenser la quatrième génération de La Gineste. Ce rosé pâle, d'une teinte réussie, s'exprime avec netteté et franchise par des arômes à dominante de fruits frais et par une belle harmonie gustative. Après une attaque fraîche, la rondeur s'installe. La finale vient rappeler les fruits.

🔑 Marie-Hélène Bacave, Dom. Saint-Jean de la Gineste, 11200 Saint-André-de-Roquelongue, tél. 04.68.45.12.58, fax 04.68.45.12.58 ☒ Y r.-v.

DOM. SERRES-MAZARD 1996★★

■ 9 ha 60 000 ⏸ 30 à 49 F

On ne sait si l'on doit s'intéresser au personnage ou à son vin ! A vrai dire, aux deux, Jean-Pierre Mazard est un homme de passions, de convictions et de sincérité ; son vin, tout aussi sincère, est plein et généreux. Ce dernier est doté d'une personnalité locale très affirmée : il développe, tant au nez qu'en bouche, toute la palette « garriguesque » des Corbières : thym, romarin, ciste, laurier... dans un équilibre parfait, posé, d'où ressort très discrètement une pointe de violette.

🔑 Annie et Jean-Pierre Mazard, 11220 Talairan, tél. 04.68.44.02.22, fax 04.68.44.08.47 ☒ Y t.l.j. 8h-20h

LE BLANC DE VILLEMAJOU
Terroir de Boutenac Vinifié en barrique 1998★★

□ 5 ha 20 000 ⏸ 30 à 49 F

Le domaine de Villemajou est bien né puisqu'il est situé au cœur du terroir de Boutenac. Il s'est distingué en **corbières rouge**, est cité en **rosé 98**, et s'offre un coup de cœur en blanc 98. Gérard Bertrand peut être fier d'avoir su doser un délicat élevage en barrique ; pas si facile sur un vin de l'année. Le boisé se perçoit à travers des arômes de grillé et de pierre chaude, mais l'âme du vin, élégante et attrayante, s'exhale aussi en fruits exotiques ; le palais, d'un équilibre à la fois frais et rond, volumineux en même temps que léger, musarde avant de s'estomper.

🔑 Gérard Bertrand, av. de Lézignan, 11200 Saint-André-de-Roquelongue, tél. 04.68.42.68.69, fax 04.68.42.68.71 ☒

Costières de nîmes

25 000 ha de terrains ont été classés en AOC ; 12 000 ha sont actuellement plantés dans ce périmètre. Les vins rouges, rosés ou blancs sont élaborés dans un vignoble établi sur les pentes ensoleillées de coteaux constitués de cailloux roulés, dans un quadrilatère délimité par Meynes, Vauvert, Saint-Gilles et Beaucaire, au sud-est de Nîmes, au nord de la Camargue. 150 000 hl de vin sont commercialisés sous l'appellation costières de nîmes (75 % de rouge, 22 % de rosé, 3 % de blanc), produits sur le territoire de vingt-quatre communes. Les rosés s'associent aux charcuteries des Cévennes, les blancs se marient fort bien aux coquillages et aux poissons de la Méditerranée et les rouges, chaleureux et corsés, préfèrent les viandes grillées. Une confrérie vineuse, l'Ordre de la Boisson de la Stricte Observance des Costières de Nîmes, a repris une tradition créée en 1703. Une route des Vins parcourt cette région au départ de Nîmes.

CH. DES AVEYLANS 1998★

□ 1 ha 4 000 ⏸ 20 à 29 F

Ce domaine de 32,55 ha reçoit trois fois une étoile sur ce joli millésime 98. La cuvée **Tradition en rouge** (30 à 49 F) a passé dix mois en barrique. Charpentée, vanillée et fumée, encore tannique mais longue, elle devra être attendue deux à trois ans. La **cuvée principale** élevée en cuve laisse davantage parler le fruit (20 à 29 F). Quant à ce vin jaune pâle à reflets vert grisé, il montre beaucoup d'élégance : des arômes floraux au premier nez, une touche d'abricot et de peau de pêche, suivis de litchi en rétro-olfaction. D'une belle finesse, la bouche allie fraîcheur et rondeur.

🔑 EARL Hubert Sendra, Dom. des Aveylans, 30127 Bellegarde, tél. 04.66.70.10.28, fax 04.66.01.01.26 ☒ Y r.-v.

CH. BEAUBOIS Cuvée Elégance 1998★

■ 7 ha n.c. ▮ 30 à 49 F

Domaine familial depuis trois générations, cette propriété a la particularité d'avoir toujours été dirigée par des femmes. Si la cuvée **Tradition rouge 98** du château Beaubois - stylisé sur l'étiquette blanche - peut être citée, le jury a aimé cette cuvée Elégance (étiquette bleue) pour sa belle robe rouge profond à reflets bleutés, son nez peu intense mais plaisant de garrigue et de fruits confits. La bouche est assez ample, avec des tanins très fermes quoique de bonne qualité. Il faudra savoir attendre pour apprécier ce 98, au moins pendant deux campagnes.

🔑 Boyer-Mouret, Ch. Beaubois, 30640 Franquevaux, tél. 04.66.73.30.59, fax 04.66.73.33.02 ☒ Y t.l.j. sf dim. 8h-12h 14h-18h

CELLIER DU BONDAVIN 1998★

■ 7,12 ha 20 000 ▮🌡 20 à 29 F

Bondavin, c'est ainsi qu'est appelé le quartier le plus ancien de Redessan. Belle image pour cette coopérative dont le 98 n'est pas mal du tout ! De couleur très foncée à reflets violets, il avance un nez dominé par les fruits rouges. L'attaque ronde et la belle charpente donnent un vin de structure, concentré et généreux.

⊶ Cellier du Bondavin, 43, av. de Provence, 30129 Redessan, tél. 04.66.20.22.06, fax 04.66.20.59.41 ☒ Y r.-v.

CH. BONICE 1998*

■ 5 ha 30 000 ▮ ♁ 20 à 29 F

11 ha pour ce château à l'étiquette originale. La robe grenat à reflets violets, les arômes de fruits rouges et de pain beurré annoncent un vin bien équilibré qui bénéficie d'une fin de bouche longue et agréable.

⊶ Philippe Bois, SCEA La Fruitière, mas Sainte-Olympe, 30129 Manduel, tél. 04.66.01.10.35, fax 04.66.01.75.35 ☒ Y r.-v.

DOM. DE CAMPAGNOL 1998*

■ 7 ha 50 000 ▮ 30 à 49 F

Ce domaine a été créé en 1974, et planté de cépages nobles. Repris par Marc Jacquet en 1998, Campagnol propose ce premier millésime grenat à reflets violets. Le nez laisse apparaître des senteurs de violette et de cassis. Doté d'une belle structure, ce vin ne manque pas de finesse, ni d'harmonie.

⊶ Marc Jacquet, Dom. de Campagnol, Ch. du Grand-Luc, 30540 Milhaud, tél. 04.66.74.20.44 Y r.-v.

CH. DE CAMPUGET

Tradition de Campuget 1998*

□ 40 ha 300 000 ▮ ♁ 20 à 29 F

Le Château de Campuget est un habitué du Guide et une valeur sûre, témoin ce rouge Tradition 98 d'une belle couleur profonde et brillante, présentant des arômes très plaisants de cassis et de bourgeon de cassis. La bouche est ample et ronde. Les tanins encore jeunes mais sans excès lui assureront une bonne longévité.

⊶ SCA Ch. de Campuget, 30129 Manduel, tél. 04.66.20.20.15, fax 04.66.20.60.57 ☒ Y t.l.j. sf dim. 10h-12h 14h-18h
⊶ Jean-Lin Dalle

DOM. DES CANTARELLES

Cuvée Vieilles vignes 1998**

■ 2,85 ha 13 000 ▮ ⅡⅡ ♁ 30 à 49 F

Jean-François Fayel a présenté sa **cuvée principale rouge 98** - 40 000 bouteilles de 20 à 29 F, deux étoiles pour la robe, la complexité des arômes et la structure remarquable, ainsi que son frère né de vieilles vignes (trente ans) qui en est assez proche. La robe est profonde ; le nez intense de fruits rouges (cassis, mûre), d'épices et de cannelle révèle la présence de syrah. Des notes grillées agréables apparaissent en rétro-olfaction. La bouche est pleine et ample, avec une structure tannique très ferme et une finale un peu dure qui demande à s'assouplir. Beau vin, puissant. En **blanc 98**, Cantarelles reçoit une étoile : son élégance lui permettra d'être servi en apéritif ou sur des poissons grillés (20 à 29 F).

⊶ Jean-François Fayel, Dom. des Cantarelles, 30127 Bellegarde, tél. 04.66.01.16.78, fax 04.66.01.02.80 ☒ Y r.-v.

DOM. DE CESAR 1998*

■ 10 ha n.c. ▮ ♁ 30 à 49 F

Le domaine de Générac et le domaine de La Cassagnette ont été regroupés par Florence Vialla de Soleyrol sous le nom d'un ancien propriétaire, César Guiot. Né sur galets roulés, ce 98 se présente dans une belle robe rouge rubis. Le nez est complexe (mûre, épices, tabac). L'équilibre est bien réussi, avec un tanin de qualité.

⊶ SCA Costières et Soleil, rue Emile-Bilhau, B.P. 25, 30510 Générac, tél. 04.66.01.31.31, fax 04.66.01.38.85 ☒ Y t.l.j. sf dim. 10h-12h30 15h30-19h

CH. DE CONTEVALL 1998**

■ 6 ha 10 000 ▮ ♁ 30 à 49 F

Ancien relais de pèlerins sur la route de Compostelle, ce cru propose la remarquable première récolte de Jean-Luc Gibelin. La robe grenat offre de beaux reflets violets. Le nez concentré doit se développer. On décèle déjà une touche de grillé et de fumée. L'équilibre allie la rondeur à des tanins savoureux. Elégance et structure sont la marque de ce vin.

⊶ Jean-Luc Gibelin, Ch. de Contevall, 30600 Vauvert, tél. 04.66.73.37.20 ☒ Y r.-v.

CELLIER DU DELTA 1997*

■ 10 ha 30 000 ▮ ⅡⅡ ♁ -de 20 F

Ce négociant propose un vin dont 60 % ont passé six mois en barrique. Sa belle robe rouge grenat a des reflets carminés. Le nez est complexe et intense, avec des arômes de fruits cuits et confits évoluant sur des notes épicées et réglissées, alors que les saveurs boisées apparaissent en fin de bouche. La structure est souple et équilibrée, avec une bonne longueur. Excellent vin à apprécier dès aujourd'hui.

⊶ La Compagnie rhodanienne, 30210 Castillon-du-Gard, tél. 04.66.37.49.50, fax 04.66.37.49.51

DOM. DE DEVEZE Cuvée spéciale 1998**

■ 20 ha 40 000 ▮ ♁ 20 à 29 F

Situé sur les contreforts de Garons, le domaine est à dix minutes de Nîmes par la D. 42, sur le chemin des Canaux. Son 98 porte une robe de couleur foncée très intense. Le nez, encore fermé, laisse entrevoir de belles possibilités. En rétro-olfaction, on perçoit des arômes de fruits noirs et de fruits confits. En bouche, le vin apparaît charpenté et puissant. Une bouteille à conserver quelques années dans sa cave.

⊶ Simone Camfrancq, Dom. du Mas Devèze, rte de Saint-Gilles, 30900 Nîmes, tél. 04.66.38.05.27, fax 04.66.38.14.21 ☒ Y r.-v.

CH. GRANDE CASSAGNE 1998*

■ 7 ha 46 000 ▮ ♁ 20 à 29 F

Hippolyte Dardé acheta cette propriété en 1887. Ses descendants ont baptisé **Hippolyte** une cuvée spéciale élevée neuf mois en fût et dont le millésime 98 (qui ne s'exprimera que dans un à deux ans) reçoit une étoile (30 à 49 F), tout comme cette cuvée principale d'un noir profond. Ce vin éclate au nez avec ses arômes de fruits frais et sa note poivrée. La bouche est charnue,

bien équilibrée, prometteuse, dotée de tanins encore jeunes qui accrochent un peu le palais en finale. Assurément un très beau vin d'ici un à deux ans.
Dardé, La Grande Cassagne, 30800 Saint-Gilles, tél. 04.66.87.32.90, fax 04.66.87.32.90 t.l.j. sf dim. 9h-12h 16h-19h

CH. DU GRES DES OLIVIERS 1998*

■ 20 ha 160 000 20 à 29 F

La cave coopérative de Jonquières voit la confirmation de ses efforts en signant ici un très joli vin à reflets noirs et brillants. Malgré un nez encore fermé, on devine un fort potentiel, confirmé par une bouche équilibrée, ample et déjà souple avec des tanins plaisants. Peut être bu dès à présent.
Les Vignerons de Jonquières, 20, rue de Nîmes, 30300 Jonquières-Saint-Vincent, tél. 04.66.74.50.07, fax 04.66.74.49.40 t.l.j. sf dim. lun. 8h-12h30 14h-18h

CH. GUIOT 1998**

47 ha 50 000 -de 20 F

La famille Cornut acheta ce domaine en 1977. Sortant de la coopérative en 1985, elle planta grenache et syrah et agrandit le vignoble qui atteint aujourd'hui 70 ha. Ce château Guiot propose ce vin rosé au bel équilibre, à la couleur soutenue et vive, au nez flatteur par ses arômes puissants de fruits - framboise et cassis. La bouche bien structurée est fraîche et généreuse. François Cornut a aussi élaboré un **rouge 98** très réussi (une étoile), également à moins de 20 F, très plaisant à ouvrir sur un civet de lapin dès cet automne mais qui saura aussi attendre. Notez la démarche sympathique du vigneron qui inscrit sur son étiquette le nom des œnologues-conseils, Maryse et Alain Demezon.
GFA Ch. Guiot, Dom. de Guiot, 30800 Saint-Gilles, tél. 04.66.73.30.86, fax 04.66.73.32.09 r.-v.
François Cornut

CH. DE LA CADENETTE 1998*

■ 30 ha 30 000 20 à 29 F

Une terrine de gibier ou une daube conviendront à ce beau 98 rouge profond aux arômes complexes, assez intenses, de garrigue et d'épices. En bouche, il est équilibré, avec de bons tanins bien constitués. La rétro-olfaction légèrement épicée donne de la longueur à ce vin plaisant. A boire avec modération dans l'année. Pour des œufs en piperade, ce domaine nous propose aussi un **rosé 98** très réussi où acidité et rondeur s'équilibrent.
Pierre Dideron, Dom. de La Cadenette, 30600 Vestric-et-Candiac, tél. 04.66.88.21.76, fax 04.66.88.20.59 t.l.j. sf dim. 9h-19h

CH. LAMARGUE Cuvée Prestige 1998*

3 ha 13 000 20 à 29 F

Situé à 4 km de Saint-Gilles, ce vignoble, créé en 1979, est implanté sur d'anciennes terres abbatiales dont l'origine remonte au XIe s. Grenache noir (80 %), mourvèdre et syrah composent ce rosé à la belle robe claire, au bouquet composé de fleurs blanches et de violette. Tendre en bouche, agréable, il se montre équilibré, offrant une finale tout en finesse. Qu'attendre de plus ? Un vin très réussi à apprécier sans tarder.
Ch. Lamargue, rte de Vauvert, 30800 Saint-Gilles, tél. 04.66.87.31.89, fax 04.66.87.41.87 t.l.j. sf sam. dim. 9h-12h 14h-18h
Anders Bergengren

DOM. DE LA MIRAVINE 1998*

■ 6,4 ha 51 000 20 à 29 F

La coopérative de Vauvert vinifie le domaine de La Miravine, propriété d'un médecin. Son vin, d'une belle couleur grenat foncé, possède des arômes complexes de fruits rouges, de cassis et de mûre, évoluant sur des notes de fumée et de cuir en rétro-olfaction. La bouche est ample, équilibrée, avec des tanins très présents, encore fermes. La finale est agréable. Une très belle bouteille à apprécier dans un an ou deux.
SCA Cave des Costières de Vauvert, 12, rue de l'Ausselon, 30600 Vauvert, tél. 04.66.88.20.31, fax 04.66.88.35.09 t.l.j. sf dim. 8h-12h 14h-18h

CH. DE LA TUILERIE Vieilles vignes 1998*

□ 1,8 ha 14 300 50 à 69 F

Chantal Comte a déposé 32 marques et exporte 50 % de sa production. Cela ne l'empêche pas de suivre de près cette propriété. Deux blancs ont retenu l'attention du jury en costières de nîmes. Celui-ci, au nez complexe de citron, de cire et de miel, se montre rond en bouche. Sa rétro-olfaction complexe où se mélangent la vanille et la cire persiste dans une finale agréable. C'est manifestement un blanc très réussi dont l'élevage a été maîtrisé. La cuvée **Carte blanche blanc 98** (30 à 49 F) reçoit la même note. On a aimé ses arômes de pêche et de fruits jaunes ainsi que la fraîcheur de sa bouche ronde.
Chantal et Pierre-Yves Comte, SCA Ch. de La Tuilerie, rte de Saint-Gilles, 30900 Nîmes, tél. 04.66.70.07.52, fax 04.66.70.04.36, e-mail chateau.tuilerie@wanadoo.fr r.-v.

DOM. DU MAS DE LA TOUR 1998*

■ 12 ha 50 000 30 à 49 F

Vin à dominante de syrah d'un rouge très profond, presque noir. Son nez peu intense est composé de fruits confits et d'épices. La bouche est ample ; ses tanins très présents n'ont pas encore l'élégance optimale mais ils devraient se bonifier et s'adoucir dans les mois à venir. Peut attendre deux ans. A réserver aux amateurs de vins solides.
SCA Costières et Soleil, rue Emile-Bilhau, B.P. 25, 30510 Générac, tél. 04.66.01.31.31, fax 04.66.01.38.85 t.l.j. sf dim. 10h-12h30 15h30-19h

CH. MAS NEUF 1998*

■ 40 ha 200 000 30 à 49 F

Un rouge et deux blancs de ce domaine reçoivent une étoile ! La **cuvée des Gibelins 98**, vinifiée et élevée cinq mois en fût, offre un nez de cire et de vanille ; elle est élaborée avec art. A réserver aux amateurs de vins blancs boisés. Dans la même couleur, la **cuvée principale 98** porte sur les fruits confits, la pêche et l'abricot. Un vin ample et équilibré. Quant à ce rouge resté huit

mois en barrique, il faut l'aérer un peu au départ pour qu'apparaissent des senteurs de fruits rouges, puis en bouche, des notes savoureuses et réglissées. Un vin agréable et plein de charme.
🕊 Olivier Gibelin, Ch. Mas Neuf des Costières, 30600 Gallician, tél. 04.66.73.33.23, fax 04.66.73.33.49, e-mail olivier.gibelin@wanadoo.fr ☑ Ⴖ t.l.j. 9h-12h 14h-18h

CH. MOURGUES DU GRES
Galets roses 1998★★

◢		6 ha	40 000	🍶🍷	30 à 49 F

Jusqu'à la Révolution, ces terres dépendaient des ursulines de Beaucaire. François Collard, depuis 1963, rénove le vignoble de 30 ha. Il présente un très joli rosé à la robe brillante, couleur pétale de rose. Le nez est puissant et élégant, avec des notes amyliques, de violette, de sirop de fraise, de fruits mûrs. La bouche s'ouvre sur un panier de fruits. Cet excellent rosé a du grain et de la fraîcheur. En **rouge**, dans ce **même millésime**, tout aussi remarquables, les cuvées du château **Terre d'Argence** et **Capitelle des Mourgues** accompagneront dignement un agneau au thym.
🕊 François Collard, Ch. Mourgues du Grès, 30300 Beaucaire, tél. 04.66.59.46.10, fax 04.66.59.34.21 ☑ Ⴖ r.-v.

CH. DE NAGES
Cuvée Joseph Torres 1998★★

☐		n.c.	n.c.	🍷🍷	30 à 49 F

La Révolution décapita le maire de Nîmes qui possédait ici 240 ha. Vendu comme bien national, le domaine fut morcelé. Voici la part qui revint à la famille Gassier en 1940. Leur 98 est tout simplement superbe. D'un très beau jaune limpide et brillant, il est à dominante de roussanne. Le nez intense et complexe de cire et de vanille séduit, tout comme la bouche équilibrée et la rétro-olfaction (notes de fumée). Finale agréable et longue.
🕊 Roger Gassier, Ch. de Nages, 30132 Caissargues, tél. 04.66.38.15.68, fax 04.66.38.16.47 ☑ Ⴖ r.-v.

CH. PAUL BLANC 1997★

■		6 ha	25 000	🍶🍷	30 à 49 F

Une fois de plus, le château Paul Blanc se distingue. Ce 97 est d'une couleur soutenue et brillante. Le nez, d'abord discret, s'ouvre peu à peu sur des notes élégantes de fruits rouges et des nuances végétales (bourgeon de cassis). La bouche, ample et longue, est soutenue par des tanins fermes pouvant encore s'assouplir, qui laissent présager un bel avenir pour ce vin.
🕊 Nathalie Blanc-Mares, Mas Carlot, Ch. Paul Blanc, 30127 Bellegarde, tél. 04.66.01.11.83, fax 04.66.01.62.74 ☑ Ⴖ t.l.j. 8h-12h 14h-17h; sam. dim. sur r.-v.

DOM. DE POSQUIERES 1998★

◢		6 ha	40 000	🍶🍷	20 à 29 F

L'étiquette porte fièrement un gardian sur sa monture. Rien d'étonnant : nous sommes à un kilomètre de la Petite Camargue. Le vin a lui aussi belle allure dans une jolie robe rouge profond à reflets brillants. Le nez, d'abord discret, s'exprime ensuite en livrant des arômes de fruits

à l'alcool, de beurre, de vanille. L'équilibre privilégie la finesse plutôt que la puissance. A boire.
🕊 Olivier Gibelin, Ch. Mas Neuf des Costières, 30600 Gallician, tél. 04.66.73.33.23, fax 04.66.73.33.49, e-mail olivier.gibelin@wanadoo.fr ☑ Ⴖ t.l.j. 9h-12h 14h-18h

CH. DE RATY 1998★★

■		30 ha	150 000		30 à 49 F

La coopérative de Générac vinifie ce vin, l'un des plus anciens châteaux des Costières. Plein succès une fois encore. Beau rouge profond pour ce 98 à dominante de syrah. Le nez est végétal et rappelle le bourgeon de cassis. En bouche, des tanins fondus mais puissants supportent à merveille une rétro-olfaction complexe où l'on retrouve le côté végétal avec une note fumée. Belle finale. Ce vin peut attendre un an avant d'être apprécié.
🕊 SCA Costières et Soleil, rue Emile-Bilhau, B.P. 25, 30510 Générac, tél. 04.66.01.31.31, fax 04.66.01.38.85 ☑ Ⴖ t.l.j. sf dim. 10h-12h30 15h30-19h

CH. ROUBAUD Cuvée Prestige 1998★

■		20 ha	40 000	🍶🍷	30 à 49 F

Ce domaine familial de 75 ha embouteille ses vins depuis... 1927. Annie Molinier propose aujourd'hui une cuvée d'un beau rouge profond. Le nez est flatteur avec ses arômes de sous-bois, de violette, de cassis et de myrtille. La bouche, bien équilibrée, souple et charnue, en fait un vin agréable, à apprécier dès aujourd'hui.
🕊 Annie Molinier, Ch. Roubaud, Gallician, 30600 Vauvert, tél. 04.66.73.30.64, fax 04.66.73.34.13 ☑ Ⴖ r.-v.

DOM. DE SAINT-ANTOINE 1998★★

■		12 ha	30 000	🍶🍷	20 à 29 F

Pour sa première présentation au Guide, le domaine de Saint-Antoine y fait une entrée remarquée. Tout d'abord avec un **rosé 98** très frais, friand et léger (une étoile) ; ensuite avec ce rouge dont le nez fin et élégant, à dominante de cassis, annonce la bouche équilibrée par des tanins de qualité. La rétro-olfaction de cassis, et de fumée confère à ce beau vin une note finale très harmonieuse. Devrait atteindre son apogée dans un an.
🕊 Jean-Louis Emmanuel, Dom. de Saint-Antoine, 30800 Saint-Gilles, tél. 04.66.01.87.29, fax 04.66.01.87.29 ☑ Ⴖ r.-v.

DOM. SAINT-BENEZET 1998★

◢		15 ha	3 000		20 à 29 F

Jusqu'en 1964, on ne trouvait sur ces terres que des arbres fruitiers et des cultures maraîchères. Achetées alors par ses deux propriétaires actuels, celles-ci furent reconverties en vigne. Voici leur 98 d'une jolie couleur assez soutenue, avec des nuances de bonbon et des reflets brillants. Le nez agréable rappelle la fraise. En bouche, une touche de gaz carbonique apporte à ce rosé une belle fraîcheur. La finale, assez nerveuse, est plaisante.

➤ Sté Saint-Bénézet, Dom. Saint-Bénézet,
30800 Saint-Gilles, tél. 04.66.70.17.45,
fax 04.66.70.05.11 ☑ ⵏ t.l.j. 8h-20h
➤ Bohé et Combarieu

CH. SAINT-CYRGUES 1998★★★

| □ | 1,5 ha | 10 000 | 🍷🍂 30 à 49 F |

Beau millésime dans ce domaine très ancien
- il existait déjà en 1600 - et dont l'un des propriétaires participa à la guerre d'Indépendance
des Etats-Unis. Rouge, rosé et blanc sortent du
lot. Mais c'est surtout le blanc qui enthousiasme
le jury avec son nez complexe et fin, dominé par
l'abricot frais, qui persiste aussi longuement dans
une bouche ronde et très plaisante ; à apprécier
sans tarder. Le **rosé 98** s'est également distingué
(une étoile) par l'agrément de ses arômes.
➤ Guy de Mercurio, Ch. Saint-Cyrgues, rte de
Montpellier, 30800 Saint-Gilles,
tél. 04.66.87.31.72, fax 04.66.87.70.76

CH. SAINT-CYRGUES 1998★★

| ■ | 9 ha | 50 000 | 🍷🍂 30 à 49 F |

Des notes animales et confiturées pour ce beau
rouge des costières. En bouche, il est ample. Une
note de fumée lui confère la complexité des vins
bien nés. La finale agréable et distinguée contribue à l'élégance de cette bouteille complexe, à
attendre un an. La **cuvée Amérique 97, rouge**,
reçoit une étoile. Après onze mois en fût, elle
révèle un mariage du vin et du bois bien réussi.
➤ Guy de Mercurio, Ch. Saint-Cyrgues, rte de
Montpellier, 30800 Saint-Gilles,
tél. 04.66.87.31.72, fax 04.66.87.70.76

DOM. SAINTE-COLOMBE ET LES RAMEAUX 1998★

| ◪ | 3,57 ha | 27 000 | 🍷🍂 20 à 29 F |

Depuis 1974, ce domaine est entre les mains
d'une famille attachée à sa production. Son rosé
d'une teinte vive et soutenue offre des arômes de
fraise et de bonbon aux fruits. La bouche donne
la sensation de croquer le fruit juste mûr. Très
rafraîchissant.
➤ Philippe Guillon, Dom. Sainte-Colombe et
les Rameaux, 30800 Saint-Gilles,
tél. 04.66.87.30.30, fax 04.66.87.17.46 ☑ ⵏ r.-v.

CH. DE SURVILLE
Prestige de Surville 1998★★

| ■ | 10 ha | 15 000 | 🍷🍂 20 à 29 F |

Petit frère du château de Valcombe, Surville
porte un habit très foncé qui laisse entrevoir sur
les bords du verre des reflets violets. Le bouquet,
encore fermé, est à base de fruits noirs, avec une

touche de fumée et, en rétro-olfaction, une note
de réglisse. En bouche, le vin se révèle harmonieux, avec un tanin de qualité.
➤ Dominique et Bénédicte Ricome, Ch. de
Valcombe, 30510 Générac, tél. 04.66.01.32.20,
fax 04.66.01.92.24 ☑ ⵏ r.-v.

CH. DES TOURELLES 1998★

| ■ | 3 ha | 10 000 | 🍷🍷 30 à 49 F |

Dans la famille Durand depuis 1726, le château des Tourelles est une construction du
XVIIᵉs. Passionné d'archéologie, Hervé Durand
a procédé à la fouille d'une *villa* gallo-romaine
et a reconstitué une cave de cette époque où il
produit des vins en se référant à des textes
d'auteurs latins. Il est également producteur, au
Québec, du célèbre vin de l'Orpailleur. D'un
rouge moyennement intense, ce 98 offre un nez
noyau de cerise, tabac, vanille. En bouche, les
tanins sont fins ; la rétro-olfaction, très vanillée,
porte la marque de l'élevage. La finale est assez
longue et agréable. A réserver aux amateurs de
vins élevés en barrique.
➤ Hervé et Guilhem Durand, Ch. des
Tourelles, 4294, rte de Bellegarde,
30300 Beaucaire, tél. 04.66.59.19.72,
fax 04.66.59.50.80 ☑ ⵏ r.-v.

DOM. DES TROIS-PIERRES 1998★★

| ■ | 30 ha | 200 000 | 🍷🍂 20 à 29 F |

Cette coopérative, créée en 1924, a proposé,
élevé en fût pendant douze mois, un **domaine de
la Boissière 97**, cité pour son équilibre. Mais il
faudra attendre que le bois laisse parler le vin.
Ce Domaine des Trois-Pierres affiche une robe
très foncée, à reflets carminés. Le nez est encore
fermé, mais concentré et prometteur. L'équilibre
est de qualité, avec un couple tanins-acidulé laissant présager un bel avenir à ce vin. La finale est
longue et savoureuse.
➤ SCA Les Vignerons de Jonquières Saint-
Vincent, 20, rue de Nîmes, 30300 Jonquières-
Saint-Vincent, tél. 04.66.74.50.07,
fax 04.66.74.49.40 ☑ ⵏ t.l.j. sf dim. lun.
8h-12h30 14h-18h

CH. DE VALCOMBE 1998★

| ■ | 40 ha | 20 000 | 🍷🍂 20 à 29 F |

Appartenant depuis deux cents ans à la famille
Ricome, Valcombe est un superbe château bien
connu de nos lecteurs. Ce 98 est paré d'une robe
rouge profond à reflets noirs. Le nez exprime des
arômes intenses et expressifs de violette et de
mûre alliées à des notes végétales en rétro-olfaction. La bouche est persistante, avec des tanins
puissants et jeunes qui tapissent tout le palais.
D'une belle longueur, ce vin fougueux demande
à attendre un peu.
➤ Dominique et Bénédicte Ricome, Ch. de
Valcombe, 30510 Générac, tél. 04.66.01.32.20,
fax 04.66.01.92.24 ☑ ⵏ r.-v.

CELLIER DES VESTIGES ROMAINS 1998★★

| ■ | n.c. | 34 000 | 🍷🍂 20 à 29 F |

Une robe pourpre, un bouquet intense de cassis et d'épices, une bouche équilibrée, assez
ronde, aux tanins de qualité encore très présents,
une rétro-olfaction végétale avec une note de

fumée complexe et une finale en harmonie : voici un vin qui devrait se présenter d'une façon très satisfaisante d'ici un à deux ans.
🍷 Cellier des Vestiges romains, 30230 Bouillargues, tél. 04.66.20.14.79, fax 04.66.20.13.04 ☑ 𝖸 t.l.j. sf dim. 8h-12h 14h-18h

Coteaux du languedoc

Cent soixante-huit communes, dont cinq dans l'Aude et dix-neuf dans le Gard, les autres étant dans l'Hérault, constituent un ensemble de terroirs disséminés dans le Languedoc, dans la zone des coteaux et des garrigues s'étendant de Narbonne à Nîmes. Ces terroirs spécialisés plus particulièrement dans le vin rouge et rosé produisent des AOC coteaux du languedoc, appellation générale depuis 1985, à laquelle peuvent être ajoutées onze dénominations particulières en rouge et rosé : la Clape et Quatourze dans l'Aude, Cabrières, Montpeyroux, Saint-Saturnin, Pic-Saint-Loup, Saint-Georges-d'Orques, les coteaux de la Méjanelle, Saint-Drézéry, Saint-Christol et les coteaux de Vérargues dans l'Hérault ; ainsi que deux dénominations en blanc : la Clape et Picpoul de Pinet.

Toutes sont issues des vins renommés dans les siècles passés. Les coteaux du languedoc produisent 340 000 hl de vins rouges et rosés et 50 000 hl de vins blancs.

Une confrérie vineuse a été créée pour les coteaux du languedoc, l'Ordre des Ambassadeurs des Coteaux du Languedoc.

ABBAYE DE VALMAGNE 1998★

■		17,25 ha	85 000	▮ 30 à 49 F

Cette majestueuse abbaye cistercienne du XII°s. a toujours perpétué la culture de la vigne. Ses vins n'ont pas manqué un seul rendez-vous dans le Guide. Et voici donc le 98, le tout jeune millésime, avec sa robe rubis intense, ses arômes de fruits mûrs, d'épices et de tapenade. Beaucoup de fruit en bouche à côté de tanins riches et fondus. Déjà très harmonieux, ce vin saura vous attendre sans problème durant deux à trois ans. Il s'imprègnera d'autant plus de l'esprit de ce lieu magique et sacré dont les portes vous sont toujours ouvertes.

🍷 D'Allaines, SCEA Abbaye de Valmagne, 34560 Villeveyrac, tél. 04.67.78.06.09, fax 04.67.78.02.50 ☑ 𝖸 r.-v.

DOM. ARNAL 1997★

■		10 ha	n.c.	▮ ⚭ 30 à 49 F

Cet assemblage de mourvèdre et de syrah, rouge pourpre avec des notes de gibier, de fruits et de sous-bois, mêlées à des odeurs de garrigue, est tout en équilibre avec une belle structure de tanins doux, s'étirant longuement.
🍷 Dom. Arnal, 251, chem. des Aires, 30980 Langlade, tél. 04.66.81.31.37, fax 04.66.81.83.08 ☑ 𝖸 t.l.j. sf dim. 8h-12h 14h-19h

ARNAUD DE NEFFIEZ
Elevé en fût de chêne 1997★

■		2 ha	2 500	▥ 50 à 69 F

Arnaud de Neffiez, arborant une belle étoile à son écu, ainsi que sa compagne **Catherine de Saint Juéry 97**, citée par le jury, témoignent aux yeux de tous de la noblesse des cuvées des vignerons de Neffiès. Si la robe est sombre, d'un grenat bien prononcé, le nez, de bonne intensité, richesse et complexité, est tout en fruits mûrs, épices, réglisse, décoré d'un bouquet de fleurs cueillies dans la garrigue. La bouche en devenir est équilibrée et à l'image des terres pierreuses où les vignes sont nées.
🍷 Cave coop. de Neffiès, av. de la Gare, 34320 Neffiès, tél. 04.67.24.61.98, fax 04.67.24.62.12 ☑ 𝖸 r.-v.

DOM. HONORE AUDRAN
Cuvée Terroir 1997★

■		2 ha	4 000	▮ ▥ ⚭ 30 à 49 F

Le jeune propriétaire du domaine Honoré Audran perpétue depuis quelques années la tradition de ses aïeux avec un certain bonheur que l'on retrouve dans ce vin à la couleur encore jeune, au joli nez fin, élégant, bien que timide, tout en fruits épicés. Soyeuse, bien campée sur sa rondeur et son volume, la bouche persiste. A boire pendant deux ans. La **Cuvée gourmande 98 en rouge**, citée par le jury, est droite et bien faite, avec un nez flatteur. Elle n'a pas connu le chêne et se boit dès maintenant (20 à 29 F).
🍷 Luc Biscarlet, Dom. Honoré Audran, 34700 Saint-Alban-du-Bosc, tél. 04.67.44.73.44, fax 04.67.44.73.44 ☑ 𝖸 r.-v.

CH. DE BELLES EAUX
Cuvée Sylveric Elevé en fût de chêne 1997★

■		1,5 ha	10 000	▥ 50 à 69 F

Voilà les Ariégeois qui se mettent à faire du vin en Languedoc ! Il paraît que les frères Mir ont fait un long détour par l'Amérique latine avant de s'installer en 1995 chez eux à Belles-Eaux. Tout s'est métamorphosé comme par miracle : chai, vignes, et les vins qui en découlent, comme ce millésime profondément coloré, tout en finesse et fermeté ; des arômes en veux-tu en voilà et une bouche bien née, présente et longue à souhait. Avec leur troisième vendange, on s'approche du succès.

🔑 SCEA Ch. de Belles Eaux, Dom. de Belles-Eaux, 34720 Caux, tél. 04.67.09.30.96, fax 04.67.09.30.96 ☑ 𝐈 t.l.j. sf dim. 10h-12h 17h-19h30; f. jan.-fév.

BERGERIE DE LUNES
Elevé en fût de chêne 1997*

■ 92 ha 22 000 30 à 49 F

La famille Jeanjean ne se contente pas d'acheter et de vendre du vin. Elle possède aussi quelques domaines. Au causse quasi désertique d'Aumelas s'ancrent de petits vallons aux adrets recouverts par les syrahs et grenaches de cette bouteille enjôleuse. La robe rouge est bien teintée dans la profondeur et la jeunesse, le nez développe beaucoup de finesse mais il est intense par ses notes fumées et épicées. Malgré la force encore marquée des tanins puissants, ce vin laisse une agréable sensation de rondeur et de plénitude sur une bonne longueur.

🔑 Hugues Jeanjean, Cabrials, 34230 Aumelas, tél. 04.67.88.41.34, fax 04.67.88.41.33

BOIS D'ELEINS
Grande Réserve Elevé en fût de chêne 1997**

■ 10 ha 4 000 30 à 49 F

Ce n'est pas la première fois que les vignerons de Crespian et de Montmirat se font remarquer dans cet ouvrage. La couleur de ce 97 Grande Réserve est bien foncée. Au nez, il a tout : des épices, du grillé, de la réglisse, du fumé, un boisé princier. En bouche, les tanins sont toujours là, harmonieusement fondus, dans un équilibre remarquable. La cuvée principale **Bois d'Eleins 98 élevée en cuve** reçoit une note aussi brillante. Elle est à goûter pour son fruit, sa chair mûre et ses longs arômes typés.

🔑 SCA Crespian, 30260 Crespian, tél. 04.66.77.81.87, fax 04.66.77.81.43 ☑ 𝐈 r.-v.

MAS DES BROUSSES Puéchabon 1997

■ 2,5 ha 7 500 50 à 69 F

Le Guide aime encourager les nouveaux vignerons. Cependant, si ce 97 est la première récolte AOC des Combes, ce n'est pas leur première expérience de la vigne car cette propriété est familiale, et reprise par la fille de Jean-Pierre Combes. Elle connaît bien « le métier » et est secondée par Xavier Peyraud qui a vinifié plusieurs millésimes à Bandol, pour le célèbre domaine Tempier. 97 n'était pas facile à assumer ! Mais ce Mas, bien coloré, au nez expressif de cuir, de fumé, d'épices et de petits fruits rouges bien mûrs, possède du volume en bouche et des tanins doux d'une bonne longueur.

🔑 Jean-Pierre Combes, 2, chem. du Bois, 34150 Puéchabon, tél. 04.67.57.33.75, fax 04.67.57.33.75 ☑ 𝐈 r.-v.

MAS BRUGUIERE
Pic Saint-Loup Elevé en fût de chêne 1997*

■ 3,5 ha 17 000 50 à 69 F

On ne présente plus cet habitué du Guide : son rouge 97, année malaisée où se révèlent les bons vignerons, n'a rien à envier aux merveilleuses bouteilles que se partagent de trop rares privilégiés - la demande court plus vite que l'offre ! Le jury a savouré ce vin rouge sombre, pourpre, aux reflets délicatement violets, au nez intense de fruits rouges mûrs, de garrigue, de moka, d'épices. Fine et dense à la fois, la bouche, généreuse et persistante, montre son grand caractère, ; elle a pour le moins besoin de deux ou trois années pour apprendre à raconter la passion de vinifier de Guilhem Bruguière. Citée par le jury, sa cuvée **Les Mûriers en blanc 98** est fraîche, ronde et fruitée (30 à 49 F).

🔑 Guilhem Bruguière, La Plaine, 34270 Valflaunès, tél. 04.67.55.20.97, fax 04.67.55.20.97 ☑ 𝐈 t.l.j. sf dim. 17h-20h

CH. CABRIERES
Cabrières Terres des Guilhem 1998**

■ 20 ha 5 000 50 à 69 F

Jugé remarquable et pressenti pour le coup de cœur, il a dû s'incliner devant le grand jury. Certes, il possède toutes les qualités requises pour décrocher la plus haute distinction mais peut-être que sa jeunesse lui aurait permis d'attendre la prochaine sélection avec une inébranlable confiance et une meilleure chance. Ce 98 a tout du grand vin, la couleur profonde et chatoyante, le panier de fruits, la boîte à épices bien garnie, le feu de bois dans la cheminée, la réserve animale, puis du gras et une jolie charpente puissante et cependant finement ciselée. Le servir dans un an, après l'avoir aéré. Le **97 élevé en fût** a reçu une étoile.

🔑 Cave des Vignerons de Cabrières, 34800 Cabrières, tél. 04.67.88.91.60, fax 04.67.88.00.15 ☑ 𝐈 t.l.j. sf dim. 9h-12h 14h-18h

MAS CAL DEMOURA 1998*

■ 5 ha 21 000 50 à 69 F

Jean-Pierre Jullien, père d'Olivier Jullien, a beaucoup de joie à vivre, à déguster chaque heure qu'il passe dans ses vignes. Si vous goûtez à son Mas Cal Demoura 98, rouge bigarreau très vif et foncé, vous comprendrez son bonheur. Le nez plaisant, un tantinet fermé, offre des notes torréfiées épicées avec une pointe poivrée et un fruité évoquant le sous-bois ; la bouche franche, pleine, aux tanins « force tranquille », provoque de longues sensations.

🔑 Jean-Pierre Jullien, Mas Cal Demoura, 34725 Jonquières, tél. 04.67.88.61.51, fax 04.67.88.61.51 ☑ 𝐈 r.-v.

CH. DE CAPITOUL
La Clape Grand Terroir 1997*

■ 4 ha 12 000 30 à 49 F

Rouge sombre et bleuté, du fruit, des épices, du brûlé, des agrumes confits aussi : surprenant n'est-ce pas ? Mais l'Espagne, comme chante le poète, « pousse un peu sa corne » au nord des Pyrénées. Quant à la bouche, elle est de belle rondeur, élégante et délicieusement charnue, avenante et séduisante.

🔑 Ch. de Capitoul, rte de Gruissan, 11100 Narbonne, tél. 04.68.49.23.30, fax 04.68.49.55.71, e-mail charles.mock@wanadoo.fr ☑ 𝐈 t.l.j. 8h-20h

🔑 Charles Mock

DOM. CASTAN Les Terres rouges 1997*

■ 37 ha 7 000 30 à 49 F

Cazouls-lès-Béziers est une commune proche de Saint-Chinian qui a rejoint l'appellation coteaux du languedoc en 97 : André Castan est donc nouveau dans l'aire AOC. Mais il n'est pas débutant. Pour son premier coteaux, il sert de main de maître un vin grenat foncé au nez plaisant et quelque peu racé, fruité, floral, d'une exquise épice, à l'attaque sereine, ronde et doucement musclée se prolongeant sur l'harmonie et la générosité. A boire dès à présent.

André Castan, av, Jean-Jaurès, 34370 Cazouls-lès-Béziers, tél. 04.67.93.60.77, fax 04.67.93.54.45 ☑ Ῑ t.l.j. sf dim. 10h-12h 17h30-19h30

CH. DE CAZENEUVE
Pic Saint-Loup Carline 1998**

■ 1,5 ha 2 500 100 à 149 F

Cazeneuve est un véritable petit paradis retiré à l'écart de la bourgade de Lauret, bien qu'il y ait, juste en face, une auberge à la terrasse ombragée d'un cèdre et d'autres essences méditerranéennes. Cuves et barriques sont installées sous les belles voûtes de la cave d'André Leenhardt. Ce dernier a présenté son millésime 98 : deux étoiles pour l'excellente cuvée Carline à la robe d'une incroyable profondeur, bien noire et concentrée, à la nuance violine, au nez d'une intensité remarquable, particulièrement riche et complexe, bien expressive avec ses notes de grillé, de fumé, d'épices douces, ses fruits rouges, son humus et son cuir. Après une attaque splendide, le vin se montre puissamment structuré par des tanins persistants. La cuvée **Le Roc des Mates 98 en rouge** obtient une étoile. C'est également un vin de garde.

André Leenhardt, Ch. de Cazeneuve, 34270 Lauret, tél. 04.67.59.07.49, fax 04.67.59.06.91 ☑ Ῑ r.-v.

DOM. CELINGUET 1997**

■ 5 ha 11 000 30 à 49 F

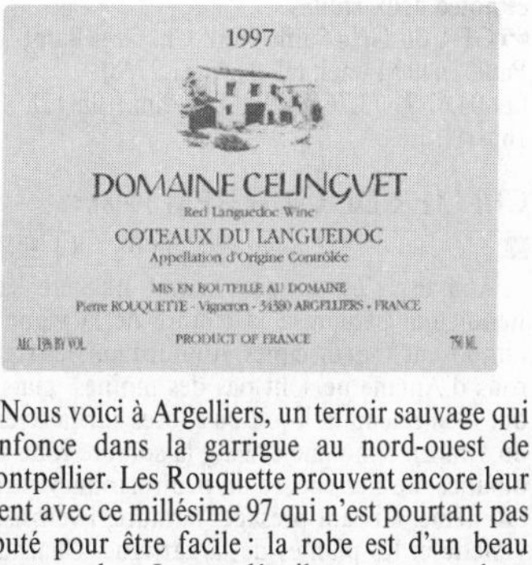

Nous voici à Argelliers, un terroir sauvage qui s'enfonce dans la garrigue au nord-ouest de Montpellier. Les Rouquette prouvent encore leur talent avec ce millésime 97 qui n'est pourtant pas réputé pour être facile : la robe est d'un beau grenat sombre. Le nez dévoile toute une palette d'arômes dans des tons de fumé, de confit, de cachou et de poivre. La bouche, consistante et enrobée, est envoûtante avec sa belle expression méditerranéenne. Bravo !

Pierre Rouquette, Le Pla, 34380 Argelliers, tél. 04.67.55.62.36, fax 04.67.55.52.11 ☑ Ῑ r.-v.

DOM. DE COURSAC 1997

■ 4,49 ha 7 000 20 à 29 F

Voici un 97 réussi, arborant une robe rouge vif assez intense, un nez bien né aux senteurs de térébinthe, de garrigue, de fruits rouges évidemment, et de quelque chose de réglissé. Le tout est bien rond en bouche, d'une honnête longueur. Prêt à boire.

SCA Les Vignerons de Carnas, 30260 Carnas, tél. 04.66.77.30.76, fax 04.66.77.14.20 ☑ Ῑ t.l.j. sf dim. 8h-12h 14h-18h

DOM. CROIX MARO 1997

■ 14 ha 20 000 -de 20 F

La famille Clarou est installée au centre de ce domaine de 26 ha depuis près de deux siècles. Elle présente, pour son entrée dans le Guide, un 97 à la robe soutenue ; le nez mêle olives noires, sous-bois, fruits rouges, que l'on retrouve dans une bouche bien structurée. Atteindra l'automne 2000.

Alain Clarou, Dom. Croix Maro, 34720 Caux, tél. 01.43.54.42.49, fax 01.40.46.89.01 ☑ Ῑ r.-v.

CH. DEL RANQ Pic Saint-Loup 1998

■ 15 ha 15 000 30 à 49 F

Voici une entrée dans le Guide remarquée par les jurés qui citent les vignerons d'Assas pour leur château del Ranq 98, joli millésime d'un beau rouge soutenu, richement ourlé de reflets violets, suggérant des senteurs complexes de cassis, de violette, d'épices et de fumée encore contenues. Cette cuvée s'équilibre autour d'une charpente serrée, enrobée par le gras et la rondeur. Pour vos repas de bonnes viandes, dans les tout premiers temps du troisième millénaire.

Les Vignerons du Pic, 285, av. de Sainte-Croix, 34820 Assas, tél. 04.67.59.62.55, fax 04.67.59.56.39 ☑ Ῑ r.-v.

DOM. DESHENRYS
Elevé en fût de chêne 1997*

■ 5 ha 16 000 30 à 49 F

Voici un vin de schistes de couleur soutenue exhalant intensément des notes de grillé, de fumé, de réglisse, encore sur un boisé qui ne demande qu'à se fondre. En bouche, il se révèle puissant, chaleureux, de bonne amplitude, avec une certaine insistance, polie tout de même ; les tanins vous suggèrent de patienter encore une année ou deux, le temps que l'élevage, à terme, soit réussi et son éducation parachevée.

Henry Ferdinand Bouchard, Dom. Deshenrys, 34290 Alignan-du-Vent, tél. 04.67.24.91.67, fax 04.67.24.94.21 ☑ Ῑ t.l.j. sf dim. 8h-12h 14h-19h

MAS DOMERGUE
Cuvée de l'Espérance 1998**

■ 1,1 ha 4 500 20 à 29 F

Entrer dans le Guide avec deux étoiles et s'appeler cuvée de l'Espérance, un beau présage. Voici un 98 à la robe profonde et pourpre, au nez un peu sauvage où se succèdent des notes animales, des senteurs de garrigue et du Zan. Sa bouche, concentrée et très jeune, est encore fougueuse. Mais son gras, ses tanins serrés et fins et sa belle persistance aromatique confirment son aptitude à la garde.

⊶ Olivier Bouis, 12, rue des Aires, 34160 Sussargues, tél. 04.67.86.61.06 ☑ Y t.l.j. sf mer. sam. 8h-12h 14h-19h

DUC DE MORNY Picpoul de Pinet 1998

□ 30 ha 160 000 ▮🌡 20 à 29 F

Et voici l'incontournable cave de Pinet, avec sa sélection de vieilles vignes de piquepoul âgées de plus de trente-cinq ans. La robe de ce 98 est déjà expressive avec sa forte brillance et ses tons bien dorés. Le nez associe des fruits exotiques et des agrumes bien mûrs, presque confits, ce qui est le signe d'une bonne maturité. Après la rondeur de l'attaque en bouche, on reconnaît l'arête acide bien caractéristique du terroir et du cépage. Voici, sans hésiter, un vin pour les coquillages de Bouzigues.

⊶ SCA Cave de L'Ormarine, 1, av. du Picpoul, 34850 Pinet, tél. 04.67.77.03.10, fax 04.67.77.76.23 ☑ Y t.l.j. sf dim. 8h-12h 14h-18h

DOM. DURAND-CAMILLO 1997*

■ 4 ha 7 500 ▮⦀ 30 à 49 F

Carignan, syrah, grenache et mourvèdre composent ce très beau vin rouge foncé, violet, au nez intense, très fumé, grillé même, puis balsamique, réglissé et mentholé. La bouche, équilibrée, ronde, un peu animale, est longue à souhait.

⊶ Armand Durand, 26, av. de Fontes, 34720 Caux, tél. 04.67.09.32.46, fax 04.67.09.32.46 ☑ Y r.-v.

DOM. FAURMARIE 1997

■ 1,5 ha 6 000 ▮ 20 à 29 F

Ici le vignoble a été en partie gagné sur la garrigue. Ce rouge 97, moins expressif que le 96, se présente pourtant dans une belle robe rubis brillant. Le nez de fruits confits et de poivre accompagne la bouche, fondue et équilibrée. Un agréable plaisir à partager dès maintenant.

⊶ Christian Faure, rue du Mistral, 34160 Galargues, tél. 04.67.86.87.26, fax 04.67.86.87.26 ☑ Y r.-v.

DOM. FERRI ARNAUD
La Clape Elevé en fût de chêne 1997

■ 2,5 ha 12 000 ⦀ 50 à 69 F

Un vin simple mais bien fait, au boisé discret ; sa robe est très convenable, ses parfums évoquent la fraise mûre et le pain d'épice.

⊶ EARL Ferri Arnaud, av. de l'Hérault, 11560 Fleury-d'Aude, tél. 04.68.33.62.43, fax 04.68.33.74.38 ☑ Y t.l.j. 9h30-13h 15h-19h

⊶ Joseph Ferri

MAS GRANIER 1997**

■ 3 ha 10 000 ⦀ 30 à 49 F

Première récolte AOC pour une cave centenaire puisque les foudres sont installés depuis 1896. Jolie réussite que ce Mas Granier 97, rouge encore soutenu avec quelques reflets bruns. Le nez complexe fait respirer la garrigue, le sous-bois, du grillé ainsi qu'une pointe de miel. Avec beaucoup de rondeur en bouche, le vin offre un bel équilibre, des tanins fondus et soyeux. La cuvée **Les Grès 97, en rouge**, reçoit une étoile mais ses tanins encore très présents conseillent une bonne garde.

⊶ EARL Granier, Cellier du Mas Montel, 30250 Aspères, tél. 04.66.80.01.21, fax 04.66.80.01.87, e-mail montel@wanadoo.fr ☑ Y t.l.j. sf dim. 9h-19h

DOM. DE GRANOUPIAC 1997**

■ 5,2 ha 16 000 ▮🌡 30 à 49 F

Granoupiac n'est pas sur le causse (du Larzac) mais s'en approche. Il est là où le paysage commence à s'appeler piémont, où le terroir s'étale en larges terrasses calcaires d'origine lointaine. Ce millésime sort sa robe profonde des grandes soirées, se parfume d'une intense et élégante complexité poivrée, fumée, douce comme du pain d'épice, agrémentée de violette et d'autres petites fleurs sauvages, et d'un peu de cuir, puis il attaque doucement avant de révéler sa puissance contenue par une structure fondue et s'étire longuement. Avant d'entreprendre la montée du pas de l'Escalette, une halte à la cave s'impose.

⊶ Claude Flavard, Dom. de Granoupiac, 34725 Saint-André-de-Sangonis, tél. 04.67.57.58.28, fax 04.67.57.95.83 ☑ Y r.-v.

CH. GRES SAINT-PAUL
Cuvée Antonin 1997***

■ 1,3 ha 5 300 ⦀ 30 à 49 F

Superbe cette cuvée Antonin ! Elle nous transporte au cœur d'un magnifique terroir de galets roulés (classé aussi muscat de lunel). Tout est dans la puissance et l'élégance : la robe grenat profond, le bouquet complexe où les fruits rouges se mêlent aux épices, à la vanille et au grillé ; et puis la bouche, soyeuse et volubile, ample et charnue, avec ses tanins fins et serrés. On distingue à peine les petites touches classiques de la barrique qui n'ont pas masqué la forte personnalité de ce vin. Le millésime **98** nous fait déjà signe avec l'autre **cuvée du Grès Saint-Paul**, élevée en cuve et donc commercialisée plus jeune, et notée deux étoiles.

⊶ GFA du Grès Saint-Paul, Ch. Grès Saint-Paul, 34400 Lunel, tél. 04.67.71.27.90, fax 04.67.71.73.76 ☑ Y t.l.j. sf dim. 10h-12h 16h-19h

CELLIER DE GUILHEM 1998**

■ 2,5 ha 7 000 ▮🌡 20 à 29 F

Aniane : c'est là que naquit naguère saint Benoît qui pérennisa la culture de la vigne en l'imposant à ses disciples. Aujourd'hui, les vignerons d'Aniane ne sont pas des moines, mais ils ont bien retenu la leçon de choses sur la science du vin. En témoigne ce 98 à la sombre robe cardinalice, au nez encore un peu recroquevillé sur lui-même, laissant présager la mûre, le cassis, la violette et les plantes de la garrigue. Charnu et long en bouche, ce vin est structuré autour des tanins « fins et serrés, soyeux » ; il est recommandé de l'oublier quatre à six années.

⊶ SCA Les Treilles, 18, av. de la Gare, 34150 Aniane, tél. 04.67.57.70.06, fax 04.67.57.41.33 ☑ Y t.l.j. sf dim. 10h-12h 14h30-18h30

GUILLAUME DE GUERSE
Picpoul de Pinet Les Sautarochs 1998

☐ 93 ha 66 000 -de 20 F

Du clocher de l'église de Castelnau, ancienne tour de défense, vous dominerez le vignoble de Picpoul de Pinet, et la Méditerranée. Les sols, issus de calcaires sédimentaires marins ou fluviatiles, donnent au piquepoul son expression très caractéristique : une robe claire à reflets verts, des arômes d'anis, de fleurs blanches et d'agrumes. La vivacité de sa bouche fruitée et sa pointe d'amertume typique du cépage en font le parfait compagnon des coquillages. La **cuvée Guillaume de Guerse 98**, issue de grenache blanc, de rolle et de roussanne est, elle aussi, citée par le jury.

Cave coop. Castelnau-de-Guers, av. de Florensac, 34120 Castelnau-de-Guers, tél. 04.67.98.13.55, fax 04.67.98.86.55 r.-v.

DOM. GUINAND
Saint-Christol Elevé en fût de chêne 1997

■ 4 ha 15 000 30 à 49 F

Les frères Guinand quittèrent il y a peu la coopération pour tenter l'aventure de la vigne et du vin en leur cave. Le nez de cassis, de buis, d'épices et la bouche légère et chaleureuse incitent à boire cette cuvée 97 assez vite.

Dom. Guinand, 36, rue de l'Epargne, 34400 Saint-Christol, tél. 04.67.86.85.55, fax 04.67.86.07.59 t.l.j. 10h-12h 16h-19h

CH. DES HOSPITALIERS
Saint-Christol Prestige 1998★

■ 5 ha 18 000 20 à 29 F

Monsieur Martin père délaissa jadis l'enseignement des belles lettres pour se consacrer à la vigne et au vin, un retour à la nature, sinon aux sources, que son fils poursuit avec le même bonheur depuis 1978. Bourru, ce 98 l'est certes encore et nécessite une longue période d'élevage pour s'exprimer sans retenue. Le potentiel est là, bien présent. Ecoutons l'intéressante question soulevée par l'un des éminents jurés : « Il y a une belle matière mais pourquoi l'avoir emprisonnée si vite en bouteille ? » Pour connaître la réponse, vous devrez attendre le moment venu de la délivrer de sa « prison de verre ». Deux ou trois ans.

Martin-Pierrat, Ch. des Hospitaliers, rue des Chardonnerets, 34400 Saint-Christol, tél. 04.67.86.01.15, fax 04.67.86.00.19 t.l.j. 8h-20h

HUGUES DE BEAUVIGNAC
Picpoul de pinet 1998★★

☐ 150 ha 300 000 20 à 29 F

Encore de très beaux lauriers pour la cave de Pomérols qui sait mettre en valeur le caractère de ce terroir très original dominant l'étang de Thau. Une robe éclatante et très jeune introduit ce 98. C'est ensuite l'élégance et la finesse des arômes qui subjuguent : des fleurs blanches, des notes douces de fruits, une pointe de fenouil. La bouche marie vivacité et rondeur puis la finale citronnée accentue la sensation de fraîcheur. Un vin de très belle facture et qui correspond bien à la typicité de l'appellation. Pour vos achats sur place, vous entrerez au cœur même de la cave de vinification, et vous dégusterez ce picpoul de pinet sur une table en verre dont le socle est une immense huître...

Cave Coopérative de Pomérols, Les Costières de Pomérols, 34810 Pomérols, tél. 04.67.77.01.59, fax 04.67.77.77.21

JEAN DE LETTES 1998

◪ 60 ha 60 000 20 à 29 F

C'est au nord de Pézenas que Gabian déploie ses terroirs aux multiples facettes. Ce rosé, né sur un sol de schistes, marie avec bonheur le grenache et la syrah. La robe est pâle, le nez subtil et fruité. Le gras et la rondeur signent la bouche.

Cave coopérative La Carignano, 13, rte de Pouzolles, 34320 Gabian, tél. 04.67.24.65.64, fax 04.67.24.80.98

MAS DE LA BARBEN 1998★

■ 8,2 ha 33 000 20 à 29 F

Changement de propriétaire à La Barben. Les nouveaux se distinguent par ce 98 issu de jolies vignes de syrah et de grenache, le tandem qui a le vent en poupe. Ce millésime se caractérise par une couleur sombre et des tanins présents bien enrobés par le gras. Le nez ne va pas tarder à se réveiller pour fleurer subtilement les fruits rouges et les épices, le cuir et le fumé, les fleurs et le balsamique. Cette bouteille est bien représentative de cette très bonne année-là. Le **rosé 98** a récolté une étoile, lui aussi.

SARL Bru et Diaz, Mas de La Barben, rte de Sauve, 30900 Nîmes, tél. 04.66.81.15.88, fax 04.66.63.80.43 t.l.j. sf dim. 10h-12h 14h-19h

DOM. DE LA COSTE Saint-Christol 1998★

◪ 8 ha 24 000 20 à 29 F

Nous avons encore en tête le coup de cœur de l'an dernier obtenu par Luc Moynier avec son 96, Cuvée sélectionnée, rouge. Mais on oublie souvent que, sur les terroirs de galets roulés qui emmagasinent le jour la chaleur qu'ils vont restituer la nuit, les rosés ont un caractère très intéressant ! Ce 98 en est la preuve par sa robe pâle et brillante et surtout par ses arômes bien expressifs de fruits mûrs et de groseille. Le gras et la rondeur s'imposent en bouche et s'harmonisent à ravir avec les épices douces retrouvées en finale.

Luc et Elisabeth Moynier, Dom. de La Coste, 34400 Saint-Christol, tél. 04.67.86.02.10, fax 04.67.86.07.71 t.l.j. sf dim. 9h-12h30 14h-19h

DOM. L'AIGUELIERE
Montpeyroux Côte rousse 1997★★

■ n.c. 10 000 100 à 149 F

Cette Côte rousse fait le tour du monde ! Syrah 100 %, elle joue dans la cour des grands vins de France. Même dans les millésimes difficiles comme ce 97. Seule la robe révèle son année de naissance car le nez est un éblouissant feu d'artifice : fruits confits, griotte, cannelle, raisin de Corinthe, poivre, avec des notes grillées et une présence de truffe, étonnante dans un vin jeune. La bouche, équilibrée et capiteuse, ample et complexe, toastée, est déjà superbe. Atypique, certes. Mais quel bonheur pour les deux ans à venir !

🔑 Dom. L'Aiguelière, 2, pl. du square,
34150 Montpeyroux, tél. 04.67.96.61.43,
fax 04.67.96.61.43 ☒ Y r.-v.
🔑 Aimé Commeyras

CH. DE LANCYRE
Pic Saint-Loup Grande Cuvée 1997*

■ 4,5 ha 20 000 ◍ 50 à 69 F

Sur d'anciennes terres perdues et réservées aux brebis, MM. Durand et Valentin ont commencé à aligner à partir de la fin des années 60 des rangées de syrah, mourvèdre et carignan qui composent cette Grande Cuvée d'un rubis foncé, cuivré par douze mois de chêne, au nez fin de fruits rouges bien mûrs enveloppés de notes de fumée et de sous-bois. Sa matière abondante et ses tanins particulièrement présents et fondus confèrent une certaine personnalité à ce vin. La cuvée **Vieilles vignes 98**, syrah (65 %) et grenache (35 %), obtient la même note. Elle n'a pas connu le fût (30 à 49 F).
🔑 GAEC de Lancyre, 34270 Valflaunès,
tél. 04.67.55.22.28, fax 04.67.55.23.84 ☒ Y r.-v.
🔑 Durand et Valentin

CH. DE LA NEGLY La Côte 1998***

■ 15 ha 70 000 ▮◍ 30 à 49 F

Perchée depuis 1860 sur une colline calcaire, enserrée dans un écrin de garrigue et de pinède où le vignoble domine la Méditerranée, près d'étangs bordés de roselières et de l'immense étendue de la plage - tout un paysage au goût sauvage - la Négly propose là son deuxième coup de cœur. Rien n'est à critiquer dans la Côte 98, un très grand vin de syrah, grenache et mourvèdre, rouge sombre, au nez riche, complexe, remarquable, de cacao, de fruits rouges confits, d'épices... La bouche, gourmande, pleine, charnue et voluptueuse, aux tanins nombreux et très fondus, grasse, est exceptionnelle, tout comme la longue finale. **La Falaise 97 en cru La Clape**, ayant passé douze mois en barrique, est remarquable pour son millésime. Deux étoiles la récompensent (50 à 69 F).
🔑 SCEA Ch. de La Négly, 6, rue de l'Albigeois,
11100 Narbonne, tél. 04.68.33.87.17,
fax 04.68.32.10.69 ☒ Y r.-v.
🔑 Paux-Rosset

CH. LANGLADE Cuvée Prestige 1997

■ 4 ha 5 000 30 à 49 F

Quand on consulte les archives, on constate que les vins des terroirs de Langlade sont connus depuis fort longtemps et qu'ils sont cités dans les textes des anciens, parmi les meilleurs crus, au même niveau que ceux de Bordeaux et de Bourgogne. La tradition se maintient. Les vignerons ne sont pas nombreux (c'est un tout petit vignoble) mais ils se distinguent. Les frères Cadene ont réussi un 97 rouge vif, à l'œil profond, développant une belle complexité tout en fruits rouges et senteurs de garrigue avec, plus subtile, une pointe de réglisse. D'un bon équilibre il est soutenu par la fonte des tanins.
🔑 Ch. Langlade, chem. des Aires,
30980 Langlade, tél. 04.66.81.30.22,
fax 04.67.59.14.50, e-mail chlanglade@aol.com
☒ Y t.l.j. sf lun. mer. dim. 9h30-12h30
17h-19h30
🔑 Cadene Frères

DOM. DE LA PERRIERE
Cuvée Prestige 1997*

■ 5,2 ha 29 000 ▮♁ 30 à 49 F

Nichées entre le nord de Montpellier et le pic Saint-Loup sur des galets silicieux et argilo-calcaires, les vignes de syrah et de mourvèdre ont fait naître ce vin très charmeur. Juste après la robe violine encore bien jeune, ce sont de sympathiques notes de fruits rouges déclinant le cassis, la mûre et la cerise qui ont séduit le jury. La bouche est ronde et charnue avec des notes de poivre et de pain grillé. Elle supportera d'être un peu rafraîchie.
🔑 Thierry Sauvaire, Dom. de la Perrière,
34730 Saint-Vincent-de-Barbeyrargues,
tél. 04.67.59.61.75, fax 04.67.59.52.52 ☒ Y r.-v.

DOM. DE LA PROSE
Saint-Georges d'Orques 1997**

■ 6 ha 12 000 ▮♁ 30 à 49 F

Le domaine de la Prose est une affaire familiale. Père, mère et fils président à la destinée d'un vignoble créé en 1995 et qui a fait parler de lui en inscrivant sa première vinification dans le Guide 98. Un vin remarquable pour la troisième sélection : d'une appétissante couleur grenat sombre, avec de riches arômes évoquant la garrigue languedocienne, le minéral, la truffe et le sous-bois, il nous réserve une bouche franche, ronde et grasse, alliant concentration et finesse à des tanins fondus. D'une jolie longueur, une bouteille à servir pendant un an ou deux. Le **blanc 98** est réussi et pourrait accompagner un loup au fenouil.
🔑 De Mortillet, Dom. de La Prose, B.P. 25,
34570 Pignan, tél. 04.67.03.08.30,
fax 04.67.03.48.70 ☒ Y r.-v.

CH. LAQUIROU
La Clape Les Ausines 1997

■ 1,5 ha 8 000 ▮◍♁ 30 à 49 F

Erika Hug Harke commercialisait des instruments de musique en Suisse, lorsqu'elle s'éprit de ce cru de La Clape. Conseillée par Georges Paulin, elle propose deux cuvées : Les Ausines, un vin rouge suave et capiteux, d'un beau grenat, aux notes de bois brûlé, de fruits, de violette et de réglisse ; il est charnu et souple avec des tanins enrobés et une finale capiteuse ; la cuvée **Roxanne blanche 98** (50 à 69 F), qui a passé six mois en barrique. Il faudra attendre que la marque du chêne s'atténue.

🔑 Ch. Laquirou, rte de Saint-Pierre,
11560 Fleury-d'Aude, tél. 04.68.33.91.90,
fax 04.68.33.84.12 ☑ 🍷 r.-v.
🔑 Erika Hug

CH. LA ROQUE
Pic Saint-Loup Cupa Numismae 1997

■ 40 ha 50 000 ▮ (|) 🌡 **50 à 69 F**

Jack Boutin construit sa passion en élaborant, au fil des millésimes, des cuvées concentrées représentatives du terroir du pic Saint-Loup. Témoin ce Château La Roque 97 qui, élevé quatorze mois en fût de chêne, ne se révèle pas encore. Cependant, la robe pourpre aux nuances cuivrées relève d'une bonne intensité. Le dégagement aromatique, encore contenu, témoigne de la finesse qui viendra quand les notes de moka, de vanille et de bois brûlé se seront fondues et harmonisées avec les épices, les fruits mûrs et le cuir qui pointent leur nez. Quant à l'équilibre en bouche, il est marqué par la présence dominante des tanins qui ne demandent qu'à séduire dans quelques années.

🔑 Jack Boutin, Dom. de La Roque,
34270 Fontanès, tél. 04.67.55.34.47,
fax 04.67.55.10.18 ☑ 🍷 r.-v.

CH. DE LASCOURS Pic Saint-Loup 1997★

■ 2,5 ha 12 000 ▮ 🌡 **30 à 49 F**

Avec plus de vingt ans d'un métier dont il connaît bien des secrets, Claude Arlès a confectionné ce Lascours 97 rouge grenat tirant sur le violet, d'une flatteuse luminosité, au nez opulent, subtilement épicé, grillé, sur des notes de garrigue, de fruits rouges, de sous-bois. Dans la bouche fondante, la rondeur, le gras et une bonne longueur s'harmonisent parfaitement avec des tanins en partie assouplis. Vous pouvez déboucher la bouteille ou l'attendre un an.

🔑 Claude Arlès, Lascours,
34270 Sauteyrargues, tél. 04.67.59.00.58,
fax 04.67.59.00.58 ☑ 🍷 t.l.j. 9h-20h

MAS DE LA SERANNE 1998

◪ 0,6 ha 3 600 ▮ 🌡 **30 à 49 F**

Quel bonheur quand un tout nouveau vigneron passionné comme Jean-Pierre Venture s'installe en Languedoc ! Voici sa première vinification dans une cave créée en 1998 au pied de la Séranne ; à quelques kilomètres de Saint-Guilhem-le-Désert où se trouve son caveau de dégustation. Une très belle robe, pâle et brillante, introduit ce vin. Les arômes rappellent la framboise et les fruits mûrs avec une fine touche fleurie. La maturité et la rondeur de la bouche lui permettront de bien s'affirmer à table.

🔑 Venture, Mas de La Seranne, Les Clavellies,
34150 Aniane, tél. 04.67.57.37.99,
fax 04.67.57.37.99 ☑ 🍷 t.l.j. 10h30-12h 15h-17h

DOM. DES LAURIERS
Picpoul de Pinet 1998★

□ 5 ha 10 000 ▮ 🌡 **30 à 49 F**

Dans une bouteille au col étiré comme une flûte, le domaine des Lauriers propose un vin de couleur or pâle où se dessine encore la verdeur de sa jeunesse. Le nez attrayant par ses dominantes fruitées - pêche blanche, fruits exotiques - saupoudré de senteurs de buis annonce une belle présence en bouche : on croque dans sa fraîcheur et son fruit. « Finesse et élégance » sont les maîtres mots de cette dégustation gourmande.

🔑 Dom. des Lauriers, 15, rte de Pézenas,
34120 Castelnau-de-Guers, tél. 04.67.98.18.20,
fax 04.67.98.96.49 ☑ 🍷 r.-v.

CH. DE L'ENGARRAN
Saint-Georges d'Orques 1998★★★

◪ 8 ha 27 000 (|) **30 à 49 F**

Le château de l'Engarran, superbe monument historique du XVIIIᵉs., a toujours été mené par des femmes. Diane Losfelt, ingénieur agronome, continue cette lignée. On peut l'entendre affirmer que « l'image du rosé colle bien à la peau de la propriété ». Et cette année, on ne risque pas de la contredire à la vue de cette magnifique cuvée à la robe pastel. Le nez enchante par sa farandole d'arômes : des agrumes, du menthol, de la pêche, du cassis. La bouche est à la fois fraîche et charnue, complexe et élégante et intensément fruitée. Un rosé pour les gourmets qui ne manqueront pas d'apprécier aussi la cuvée **Quetton Saint-Georges, rouge 97**, citée par le jury.

🔑 SCEA du Ch. de L'Engarran,
34880 Laverune, tél. 04.67.47.00.02,
fax 04.67.27.87.89 ☑ 🍷 t.l.j. 12h-19h; sam. dim. 10h-19h; f. 25 déc. et 1er jan.
🔑 Grill

DOM. LE NOUVEAU MONDE 1997★

■ 9,5 ha 25 000 ▮ 🌡 **50 à 69 F**

Le Nouveau Monde n'est pas loin de la mer ; son vignoble prend racine sur les plateaux de graves du quaternaire qui la dominent à quelques lieues de la grève. Le climat généreux en soleil colore ce vin d'un beau grenat nuancé de doré, développe le fruit bien mûr sur des notes balsamiques relevées d'une pointe de cuir. La bouche, somme toute puissante, est onctueuse, chaleureuse, assouplie par de jolis tanins fondus et persistants.

🔑 Any et Jacques Gauch, Dom. Le Nouveau Monde, 34350 Vendres, tél. 04.67.37.33.68,
fax 04.67.37.58.15 ☑ 🍷 r.-v.

MAS LES CATALOGNES
Cuvée Dionysos 1997★

■ 6 ha 13 300 (|) **50 à 69 F**

Jean Clavel, vigneron et historien, aura toujours quelque chose à vous apprendre sur le Languedoc. Il défend aujourd'hui avec ardeur les Grès de Montpellier, la région climatique des coteaux du languedoc sur laquelle est implanté son vignoble. Ses vins expriment bien la typicité du sol villafranchien par leurs arômes d'épices et de fruits mûrs et leur bouche ample et soyeuse. Les fines notes boisées et vanillées témoignent d'un élevage en barrique. Un mariage harmonieux entre le bois et le terroir.

🔑 GFA Les Catalognes, 4, pl. de la Champagne, 34670 Saint-Brès,
tél. 04.67.70.27.76, fax 04.67.70.41.83,
e-mail jean.clavel@wanadoo.fr ☑ 🍷 t.l.j. 18h-20h; sam. 9h-18h
🔑 Jean Clavel

LES COTEAUX DU PIC

Pic Saint-Loup Cuvée spéciale 1997★

■ n.c. 10 000 🛢 50 à 69 F

Remarquable progression de cette cave des vignerons de Saint-Mathieu. Cette Cuvée spéciale 97 porte une robe pourpre et violine impressionnante par son intensité pour un millésime qui fut difficile. Le nez d'une belle complexité est plaisant, et ouvert sur des notes de fruits caramélisés et séchés, mêlant les épices à la résine de pin, la vanille au bois brûlé. La bouche, jeune encore, est ferme dans sa structure, solidement charpentée par des tanins fondus et cependant présents. La cuvée des **Champs noirs 97** (30 à 49 F) est citée par le jury qui note que sa matière tendre a été très bien élevée. A consommer en attendant que la Cuvée spéciale soit prête (deux ans). Quant au **Château Boisset rosé 98** (20 à 29 F), il reçoit une étoile.

🔑 Les Coteaux du Pic, 34270 Saint-Mathieu-de-Tréviers, tél. 04.67.55.81.21, fax 04.67.55.81.20, e-mail coteaux-pic@top-mail.com ☒ 🍷 t.l.j. sf dim. 8h-12h 14h-18h

DOM. DE L'HORTUS

Pic Saint-Loup 1997★

■ 12 ha 50 500 🛢 70 à 99 F

Le domaine de l'Hortus de Jean Orliac, c'est un peu « ma cabane au Canada » avec la maison et la cave en bois, de même que les barriques et les pins qui entourent le mas dans ce vallon encaissé entre l'abrupt du pic Saint-Loup et les falaises de l'Hortus ; mais ici, le climat est moins rigoureux que dans le Grand Nord américain. De bons vieux grenaches et mourvèdres, de vénérables syrahs bien exposés donnent ce rouge 97 à la robe sombre et finement cuivrée, au nez dense et élégant avec ses petits fruits confits, ses épices, sa vanille, son cacao et sa frange balsamique, au boisé judicieusement dosé. La bouche attaque finement, se révèle ronde, pleine avec de beaux tanins doux, d'une bonne longueur. L'Hortus 97, du velours qui tiendra pendant deux à trois années.

🔑 Jean Orliac, Dom. de l'Hortus, 34270 Valflaunès, tél. 04.67.55.31.20, fax 04.67.55.38.03 ☒ 🍷 r.-v.

CH. MANDAGOT Montpeyroux 1997★

■ 2 ha 12 000 🛢 50 à 69 F

Comme son aîné qui fut un jour coup de cœur, Château Mandagot est de bonne facture. Belle présence de parfums de garrigue avec quelque chose de fumé, quelques languettes de cuir, une nuance épicée. Suffisamment charpenté, il attaque franchement en bouche où les tanins sont encore adolescents. Il a toute la vie devant lui. Son cousin, le **Domaine Les Thérons, un Saint-Saturnin 97 cuvée Sélection rouge,** est cité par le jury (30 à 49 F).

🔑 Jean-François Vallat, Dom. Les Thérons, 34150 Montpeyroux, tél. 04.67.96.64.06, fax 04.67.96.67.63 ☒ 🍷 r.-v.

CLOS MARIE

Pic Saint-Loup Elevé en fût de chêne Simon 1997★

■ 2 ha 5 800 🛢 50 à 69 F

Après avoir pendant cinq ans parcouru les mers avec la Marine nationale, Christophe Peyrus s'est mis à faire du vin. On se demande où il a appris. Il est vrai qu'il est petit-fils de vigneron ! Sa cuvée Simon du Clos Marie 97 enchante avec sa robe grenat plutôt intense, son nez puissant, vanillé, de fruits rouges et de fruits à l'alcool. Florale et épicée, sa bouche charnue, ronde et fraîche repose sur des tanins soyeux, où le boisé n'est cependant pas encore tout à fait fondu. Un vin à suivre.

🔑 Christophe Peyrus, Clos Marie, 34270 Lauret, tél. 04.67.59.06.96, fax 04.67.59.08.56 ☒ 🍷 r.-v.

DOM. DE MAUZAC 1998★

■ 0,5 ha 1 300 🍾 20 à 29 F

Une belle entrée dans le Guide pour ce nouveau domaine. Ce premier millésime a déjà une bonne personnalité : la robe rubis laisse place à un nez intense de fruit confit et de réglisse. La bouche est ferme et charnue avec une finale rappelant le cachou. Ce vin, encore très jeune, est promis à un bel avenir.

🔑 Hubert Jeanjean, rue des Micocouliers, 34270 Valflaunès, tél. 04.67.55.28.98 ☒ 🍷 r.-v.

DOM. DU METEORE 1998★

□ 2 ha 3 500 🍾 20 à 29 F

Le domaine doit son nom à un cratère de 220 m de diamètre et 60 m de profondeur dont l'origine pourrait être la chute d'une météorite il y a dix mille ans. C'est vraiment une curiosité de voir ce paysage avec ses vignes implantées au fond du cratère. Les sols, eux, sont des schistes. La roussanne et la marsanne y puisent un caractère bien particulier : une robe d'un doré soutenu, des arômes puissants de fruits surmûris, de noisette et une pointe minérale. La bouche, très présente, étonne par sa concentration et son gras. Un vin qui a encore beaucoup de choses à dire.

🔑 Geneviève Libes-Coste, Dom. du Météore, 34480 Cabrerolles, tél. 04.67.90.21.12, fax 04.67.90.11.92 ☒ 🍷 t.l.j. en été 10h-12h30 15h-19h30

CH. MIRE L'ETANG

La Clape Cuvée Tradition 1998★

■ 8 ha 10 000 🍾 🌡 30 à 49 F

Avec La Négly et d'autres domaines, Mire-l'Etang partage la même colline qui admire l'étang. La robe de ce vin est aussi sombre que les ténèbres mais l'impression qui s'en dégage, confirmée par la dégustation, est un maintien de grande classe ; le nez encore un peu fermé ne tardera pas à révéler ses fruits. Déjà on perçoit les épices, les notes d'olives noires et de grillé. Ample, suave et longue, la bouche possède des tanins fins et serrés. La cuvée des **Ducs de Fleury rouge 97** passe onze mois en barrique. Elle est citée (50 à 69 F).

🔑 Ch. Mire L'Etang, 11560 Fleury-d'Aude, tél. 04.68.33.62.84, fax 04.68.33.99.30 ☒ 🍷 r.-v.

🔑 Chamayrac

CH. DE MONTBAZIN 1998**

■ n.c. 22 700 30 à 49 F

Situé à 10 km à l'ouest de Montpellier sur un terroir argilo-calcaire, le petit village de Montbazin s'est fait remarquer par le jury avec cette cuvée 98. La robe est d'un pourpre violacé presque noir. Le nez rappelle la violette, les épices et le cassis. La bouche, concentrée et fondue, imposante mais fine, est un joli reflet du millésime. Ce vin va très certainement s'épanouir encore dans les mois à venir, à l'exemple de la **cuvée 97 élevée en fût de chêne**, et notée aussi deux étoiles.

Cave coop. Les Costières, 305, av. de la Gare, 34560 Montbazin, tél. 04.67.18.63.80, fax 04.67.78.64.46 ☑ Y t.l.j. sf dim. 9h-12h 14h-18h

LES VIGNERONS DE MONTPEYROUX Montpeyroux 1995

■ 5 ha 12 500 20 à 29 F

Sympathique, cette cuvée - un des rares 95 encore en circulation : belle robe, nez plaisant et bonne bouche équilibrée. Le **rosé 98**, friand et charmeur, est retenu lui aussi.

SCAV les coteaux du Castellas, 5, pl. T.-Villon, 34150 Montpeyroux, tél. 04.67.96.61.08, fax 04.67.88.60.91 ☑ Y r.-v.

CH. DE MONTPEZAT 1997**

■ 0,71 ha n.c. 50 à 69 F

Christophe Blanc a choisi de ne produire ses vins qu'à partir de très faibles rendements. C'est l'un des secrets de sa réussite. Ce 97, paré d'une robe pourpre, est concentré, mûr à souhait. Les fruits rouges sont soulignés par les épices, la réglisse, la vanille, une pointe de menthol - c'est original - et une pincée chocolatée. La sensation est ronde en bouche, grasse, ample, vanillée, puissante et soyeuse, presque aussi longue que l'éternité. Le boisé est savamment dosé.

Christophe Blanc, Ch. de Montpezat, 34120 Pézenas, tél. 04.67.98.10.84, fax 04.67.98.98.78 ☑ Y t.l.j. 10h-19h; hiver et dim. sur r.-v.

MORTIES
Pic Saint-Loup Que sera sera 1998***

■ 10 ha 20 000 50 à 69 F

1994, MM. Duchemin et Jorcin tentent le pari insensé de faire renaître de ses cendres un domaine en ruine abandonné depuis fort longtemps et situé au pied du pic Saint-Loup. De la vigne à la cave, tout était à reconstruire. A la quatrième récolte, les vignerons approchent de la consécration avec ce 98 qui témoigne de la qualité exceptionnelle de ce millésime en Languedoc. Mortiès se pare d'une magnifique robe violine foncé aux reflets noirs de bigarreau, découvre un nez riche et complexe aux notes de fumée, de cuir, d'épices, de garrigue et de pin. La bouche ample, volumineuse, est tout en rondeur. Les tanins fins ont beaucoup de grain ; ils se font oublier et laissent augurer un bel avenir. A conserver dans une bonne cave, au moins cinq ans.

Duchemin-Jorcin, GAEC du Mas de Mortiès, 34270 Saint-Jean-de-Cuculles, tél. 04.67.55.11.12, fax 04.67.55.11.12 ☑ Y r.-v.

CH. NOTRE-DAME DU QUATOURZE
Quatourze 1997

■ 25 ha 30 000 20 à 29 F

Quatourze est l'un des plus anciens vignobles de France, sinon le patriarche, là où nos ancêtres les Gaulois auraient appris à vinifier pour égayer follement leurs soirées ! Georges Ortola a su perpétuer cette tradition comme le prouve ce vin à la robe soutenue et chamarrée de violet, aux senteurs intenses et confites de cassis, de mûre, de garrigue brûlée par la fournaise de l'été, frais, vif et plaisant par son équilibre.

SCEA Ortola, Ch. Notre-Dame-du-Quatourze, 11100 Narbonne, tél. 04.68.41.58.92, fax 04.68.42.41.88, e-mail georges.ortola@wanadoo.fr ☑ Y t.l.j. sf dim. 8h-12h 14h-19h

CH. PECH REDON
La Clape Sélection 1998*

■ n.c. 40 000 50 à 69 F

Empruntez la route pittoresque et sinueuse qui grimpe au sommet du Coffre de Pech Redon. Là vous dominerez les étangs de Gruissan, de l'Ayrolle, de Bages et de Sigean. Les syrahs, grenaches et mourvèdres ont assemblé leur récolte maigrichonne (c'est du 98) pour vous servir cette cuvée rouge sombre, à larges reflets bleus, concentrée. Le nez tout en fruits rouges, confiture de baies des bois aux notes douces caramélisées, et la bouche aux tanins très très présents et cependant fins autorisent une garde de trois à six ans.

Christophe Bousquet, Ch. Pech Redon, rte de Gruissan, 11100 Narbonne, tél. 04.68.90.41.22, fax 04.68.65.11.48 ☑ Y t.l.j. sf dim. 10h-12h 14h-19h

CH. PERRY 1998*

□ 6 ha n.c. 30 à 49 F

A peine à 15 km au nord de Montpellier, et nous voici transportés en pleine garrigue, dans ces lieux où la vigne humanise le paysage. C'est ici, il y a dix ans, que les Ponson-Nicot ont parié que ce terroir pouvait donner de beaux blancs et ont planté du grenache blanc et de la marsanne. Leurs espoirs ne sont pas déçus avec ce 98 : la robe, pâle et brillante, laisse apparaître de beaux reflets or et verts. Ce sont ensuite de jolies touches citronnées et grillées qui réveillent nos sens avant de passer à la bouche, pleine et très équilibrée. Un loup grillé en sera ravi.

Ponson-Nicot, Ch. Perry, 34980 Murles, tél. 04.67.84.40.89, fax 04.67.84.45.89 ☑ Y r.-v.

DOM. PEYRE-ROSE
Clos des Cistes 1995***

■ 11 ha 16 000 150 à 199 F

Ah !... ce millésime 95... Marlène Soria nous rappelle combien c'était une grande année. Les bouteilles de cette date-là commencent à se faire rares. Chez Marlène, les grenaches sont aussi noirs que les syrahs. On en perd son latin devant tant de concentration, et cela force à la considération. C'est de l'orfèvrerie, du grand art ! C'est rouge soutenu, sombre, ça saute tout de suite au nez et ça y reste avec plein d'épices, de petits fruits rouges ; ça fleure bon le chocolat et la tapenade, le pruneau, le cuir. C'est puissant, racé, remarquable, puis ample, charnu, onctueux en

bouche. Quant aux tanins, on peut dire que cette cuvée possède ce qu'il faut pour explorer au moins les cinq prochaines années. De quoi espérer sereinement d'autres grandes récoltes.
Marlène Soria, Dom. Peyre-Rose, 34230 Saint-Pargoire, tél. 04.67.98.75.50, fax 04.67.98.71.88 ☒ Y r.-v.

DOM. DU POUJOL 1997*

■ 4 ha 14 700 30 à 49 F

En Angleterre, il n'y a pas beaucoup de vignes mais on rencontre nombre d'amateurs de bons vins. C'est pourquoi Mr. and Mrs. Cripps se sont installés en Languedoc, après un détour de cinq ans en Californie et d'un an en Bourgogne, le temps de bien mûrir leur réflexion. Ils restaurent avec courage et détermination ce domaine. Cela nous donne ce 97 rouge tendre, aux senteurs fruitées douces comme la rhubarbe confite, florales comme la garrigue toute proche, le tout souligné d'un léger boisé. Il se laisse couler, rond, gras, onctueux, tout en équilibre sur sa bonne longueur.
Robert et Kim Cripps, EARL dom. du Poujol, 34570 Vailhauquès, tél. 04.67.84.47.57, fax 04.67.84.47.57, e-mail kcripps@aol.com ☒ Y r.-v.

DOM. PUECH Cuvée spéciale 1997

■ 2 ha 1 450 50 à 69 F

Ce millésime est un peu plus discret que le précédent qui avait reçu deux étoiles. Mais on retrouve bien la robe profonde ainsi que les arômes de cassis et d'épices mêlés aux senteurs boisées. La bouche de ce 97 est agréablement solide et dominée par les tanins du bois qui méritent de se fondre durant quelques mois encore.
Christine et Jean-Louis Puech, 25, rue du Four, 34980 Saint-Clément-de-Rivière, tél. 04.67.84.12.31, fax 04.67.66.63.16 ☒ Y r.-v.

CH. PUECH-HAUT
Saint-Drézéry Tête de cuvée 1997***

■ 15 ha 40 000 100 à 149 F

A Puech-Haut, tout est pharaonique : un océan de vignes, des cuves inox ou de bois, ces dernières supportées par des têtes de bélier en pierre, et des barriques, le tout à perte de vue. Songez un instant qu'avant 1981 il n'y avait rien sur la colline (*puech* ou *pech* en occitan), or le grand jury a placé le domaine en tête des coups de cœur. Superbe. Une couleur profonde augure une bonne concentration. Respirez les parfums de toutes provenances y compris d'îles lointaines, épices et fruits secs qui attendent que le boisé s'estompe pour mieux s'exprimer. La bouche, encore austère, révélera une surprenante harmonie lorsque les tanins s'assagiront.
Ch. Puech-Haut, 2250, rte de Teyran, 34160 Saint-Drézéry, tél. 04.67.86.93.70, fax 04.67.86.94.07 ☒ Y r.-v.
Gérard Bru

LES VIGNERONS DE PUISSERGUIER
Cuvée Saint-Christophe 1998

□ 25 ha 18 000 20 à 29 F

Nous voici à quelques minutes à vol d'oiseau de l'abbaye de Fontcaude, une étape bien connue des pèlerins en route pour Saint-Jacques-de-Compostelle. Ce terroir argilo-calcaire nous a déjà dévoilé l'an dernier la grande finesse de ses blancs, et l'on a plaisir à la retrouver dans ce 98. Vous aimerez sa robe pâle et brillante, ses arômes de fleurs capiteuses et d'agrumes, sa bouche à la fois ample et vive.
Les Vignerons de Puisserguier, 29, rue Georges-Pujol, 34620 Puisserguier, tél. 04.67.93.74.03, fax 04.67.93.87.73 ☒ Y r.-v.

CH. RIVIERE-LE-HAUT
La Clape Les Dryades 1998*

□ 0,45 ha 2 300 70 à 99 F

Rivière-le-Haut : un nom très chantant pour ce domaine aux collines douces situé sur le versant sud du massif de La Clape. 1998 marque l'arrivée d'un nouveau propriétaire, mais confirme toujours la prédilection de ce vignoble pour les vins blancs. Ce millésime se présente dans une robe brillante, pâle et cristalline. Le nez est d'une belle puissance avec ses notes de vanille, de miel, de fleurs et de boisé. « Gras et fondu, au boisé fin », voici les qualificatifs du jury, ce qui permet de l'imaginer sur une bourride de baudroie de la Méditerranée.
Ch. Rivière-le-Haut, 11560 Fleury-d'Aude, tél. 04.68.33.61.33, fax 04.68.33.90.32 ☒ Y r.-v.
Segondy

ROSE MARINE Vermeil du Crès 1998**

◢ 2,6 ha 13 000 20 à 29 F

Nous voici à Sérignan, petit village bien méridional situé à 3 km de la première « écoplage » de France. La cave nous a habitués à de jolis rosés. Le 98 est bien sûr au rendez-vous avec sa robe pivoine soutenu, son nez de cerise et de fleurs. Du gras en attaque, de la fraîcheur en finale, une belle présence en permanence : vous vous imaginez déjà sous un pin parasol... et vous enchaînerez avec le **rouge 97, collection Vermeil**, cité par le jury.
SCAV les Vignerons de Sérignan, av. Roger-Audoux, 34410 Sérignan, tél. 04.67.32.23.26, fax 04.67.32.59.66 ☒ Y t.l.j. sf dim. 9h-12h 15h-18h

ROUCAILLAT
Hautes Terres de Comberousse 1998**

□ 3,5 ha 14 000 30 à 49 F

A 10 km à peine de Montpellier, vous atteindrez le bout du monde en montant sur les « hautes terres de Comberousse », cette garrigue sauvage et rocailleuse qui regarde la mer. Ici, le paysage, le vin et le vigneron sont tous trois inoubliables. Avec ce 98, se retrouve la belle robe

dorée que l'on aime tant. Puis de fortes sensations lorsque le nez s'approche : c'est toute une palette d'arômes déclinant des tons de grillé, de fruits mûrs, d'anis et de réglisse. Enfin, la bouche s'impose, ronde, ample et généreuse. Sa puissance et son fort caractère lui permettront d'affronter une rouille sétoise.

🔑 Alain Reder, SCEA du Djebel, Comberousse, rte de Gignac, 34660 Cournonterral, tél. 04.67.85.05.18, fax 04.67.85.05.18 ☒ Y r.-v.

CH. ROUQUETTE-SUR-MER
La Clape Cuvée Henry Lapierre 1997★

■ 45 ha 1 600 ◍ 70 à 99 F

Trois vins présentés par Jacques Boscary, trois bouteilles gagnantes. Une étoile pour ce vin à la robe pourpre et aux arômes d'épices et de garrigue, de fruits rouges, rond et agréable en bouche. **Henry Lapierre 98 blanc**, généreux, assemblant bourboulenc - la malvoisie de la Grèce antique, le vin des sages - et roussanne, pâle et cristallin, floral, fruité et fin, se montre bienséant au palais, tout comme le **rosé 98 cuvée Tradition**. Ces deux dernières cuvées sont citées.

🔑 Jacques Boscary, rte Bleue, 11100 Narbonne-Plage, tél. 04.68.49.90.41, fax 04.68.65.32.01 ☒ Y t.l.j. 10h-12h 15h-19h

CAVE DES VIGNERONS DE SAINT-GELY-DU-FESC
Pic Saint-Loup Vieilli en fût de chêne 1996★

■ n.c. 4 727 ▮ ◍ 30 à 49 F

Très belle couleur grenat, vive et lumineuse, subtilement agrémentée de reflets violets. Le nez s'avère dense, riche et intense avec des dominantes boisées - et même de sous-bois -, fumée, moka avec une pointe de fruits rouges bien mûrs complétant la palette des senteurs. Quant au palais, il regorge lui aussi de richesses aromatiques présentées sur un tapis de tanins fondus et élégants.

🔑 Cave coop. Les Coteaux, 2, av. du Pic-Saint-Loup, 34980 Saint-Gély-du-Fesc, tél. 04.67.84.21.96, fax 04.67.84.36.57 ☒

DOM. SAINT-JEAN-DE-L'ARBOUSIER 1997★

■ 3 ha n.c. 30 à 49 F

C'est à 5 km de Castries, village célèbre par son magnifique château, qu'est implanté ce vignoble, ancienne propriété des Templiers. Le jury a relevé l'originalité du nez de ce vin aux notes de melon confit et de groseille. Sa bouche, ronde et généreuse, ne manque pourtant pas de structure et saura s'affirmer sur des bécasses rôties.

🔑 EARL Saint-Jean-de-l'Arbousier, Dom. Saint-Jean-de-l'Arbousier, 34160 Castries, tél. 04.67.87.04.13, fax 04.67.70.15.18 ☒ Y r.-v.

🔑 Viguier

MAS SAINT-LAURENT
Picpoul de Pinet Cuvée réservée 1998

□ 3 ha 20 000 ▮ 🌡 30 à 49 F

Et voici le Picpoul de Pinet qui a remporté le coup de cœur l'an dernier. Ce millésime est un peu plus discret mais toujours séduisant avec sa robe très fraîche, or pâle à reflets verts. Le nez, frais et délicat, évoque à la fois des agrumes, des fleurs et des épices. Vif et équilibré en bouche, ce vin mérite que vous découvriez son « fabuleux » terroir, au nord de Mèze, où se cachent encore des œufs de dinosaures.

🔑 Roland Tarroux, Mas Saint-Laurent, Montmèze, 34140 Mèze, tél. 04.67.43.92.30, fax 04.67.43.99.61 ☒ Y r.-v.

CH. SAINT-MARTIN DE LA GARRIGUE 1998★

□ 8 ha 10 000 ▮ ◍ 🌡 30 à 49 F

Ce blanc 98 ? Pas moins de six cépages dont les racines vont puiser dans les sols de grès calcaire la typicité du terroir. La robe, brillante et légère, ne laissait pas supposer une telle puissance et complexité dans les arômes : des fleurs blanches, des agrumes et des notes de grillé. Mais la bouche confirme le caractère affirmé de ce vin qui sait marier avec grâce rondeur et vivacité. L'harmonie est très réussie, comme d'ailleurs dans le **Château Saint-Martin de la Garrigue, rouge 97**, cité par le jury.

🔑 SCEA Saint-Martin de la Garrigue, Ch. Saint-Martin de la Garrigue, 34530 Montagnac, tél. 04.67.24.00.40, fax 04.67.24.16.15 ☒ Y r.-v.

CH. SALELLES 1998★

■ 6 ha 34 000 ▮ 🌡 20 à 29 F

Les vignerons de Saint-Félix ont des vignes à Salelles, à deux pas du joli lac du Salagou. Elles sont plantées dans ces terres rouges ingrates, tout juste de la roche décomposée. Toutefois, le bon vin ne craint pas l'austérité, au contraire, il s'en accommode fort bien. Bien sombre et joliment violet, celui-ci fleure bon les petits fruits rouges à noyau, les épices, le brûlé, avec une double pointe de réglisse et de violette. Il attaque franchement, étalant ses tanins fondus sur une longueur en bouche très honorable. La cuvée **rosée 98 Saint-Jacques** se tiendra fort bien à table. Une étoile.

🔑 Cave des vignerons de Saint-Félix, 21, av. Marcelin-Albert, 34725 Saint-Félix de Lodez, tél. 04.67.96.60.61, fax 04.67.88.61.77 ☒ Y r.-v.

SEIGNEUR DES DEUX VIERGES 1997★★

■ 6,35 ha 30 000 ▮ ◍ 50 à 69 F

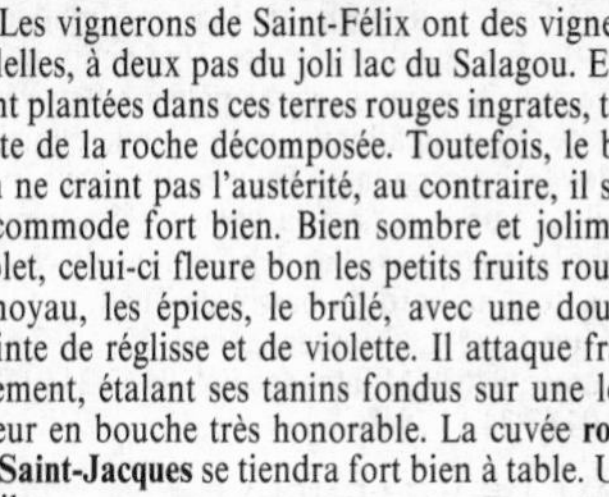

Bruno Raymond, maître de chai et œnologue, rugbyman à ses heures, pratique une bonne et solide gestion des nombreuses parcelles rattachées à la cave. En voici le fruit : un coup de cœur pour le Seigneur des Deux Vierges rouge ; et un 97 encore, une année impossible... C'est un

véritable festival : pourpre, intense, profond et soutenu, pas un qualificatif ne manque. Nez fin, élégant, grillé, fumé, épicé, feuille de cassis, fruité, truffé. Gras, rond, ample, moelleux, bien équilibré en bouche par des tanins ronds et fins, c'est un vin d'une généreuse élégance. La cuvée **Lucian rouge 98**, puissante et jeune, qui ne connaît pas le chêne, devra attendre deux ou trois ans. Elle reçoit deux étoiles alors que le **blanc 98 Lucian** détient une étoile (30 à 49 F).
➥ Les Vins de Saint-Saturnin, rte d'Arboras, 34725 Saint-Saturnin-de-Lucian, tél. 04.67.96.61.52, fax 04.67.88.60.13 ☑ ⊤ r.-v.

DOM. DU TEMPLE
Ch. Tiberet Cabrières 1997

| ■ | 3 ha | 6 000 | ⦀ | 50 à 69 F |

Tiberet le Templier s'en va tout doucement à l'attaque, paré de sa belle robe rouge orangé. Ses armoiries aromatiques demandent à s'épanouir : sa bouche et son cœur sont encore retranchés derrière son bouclier de chêne.
➥ SCEA Dom. du Temple, Les Crozes, 34800 Cabrières, tél. 04.67.96.07.64, fax 04.67.96.17.20 ☑ ⊤ t.l.j. 8h-20h
➥ Guy Mathieu

TERRES ROUGES Picpoul de Pinet 1998

| ☐ | 10 ha | 37 500 | ▮▯ | 20 à 29 F |

Les Terres rouges 98 et le **Mas de Mathilde 98** sont deux picpoul attrayants. Une petite préférence pour le premier, jaune pâle à reflets verts, avec de très sympathiques notes florales, anisées, et des fruits exotiques. Tout en fraîcheur, bien équilibré sur le gras et la vivacité, il accompagnera les traditionnelles dégustations de coquillages, tout au bord du bassin de Thau.
➥ Cave coop. La Montagnacoise, 15, av. d'Aumes, 34530 Montagnac, tél. 04.67.24.03.74, fax 04.67.24.14.78 ☑ ⊤ r.-v.

DOM. DE VILLENEUVE
Pic Saint-Loup Vieilles vignes 1998

| ■ | 1 ha | 3 000 | | 30 à 49 F |

Le domaine de Villeneuve étend son vignoble dans un des meilleurs terroirs du pic Saint-Loup, dans cette vaste combe où serpente paresseusement le chemin des Verriers. Les Vieilles vignes nous offrent un 98 d'une couleur grenat, soutenue et limpide, aux parfums assez intenses de cuir, d'épices, d'olive noire et de fruits mûrs. Les tanins sont enrobés et encore présents, l'équilibre est toujours sur la retenue - timidité de jeunesse. Bonne persistance en bouche. A oublier trois ou quatre ans en cave.
➥ Myriam et Christian Florac, Dom. de Villeneuve, 34270 Claret, tél. 04.67.59.00.42, fax 04.67.59.07.76 ☑ ⊤ r.-v.

CH. DE VIRES La Clape Carte Or 1998★

| ◪ | 2 ha | 6 700 | ▮▯ | 30 à 49 F |

Le domaine de Vires éparpille son vignoble en bas de la falaise de La Clape, non loin de la route, près de la mer. On y trouve entre autres ce rosé gourmand, vif, soutenu, joliment bordé de reflets violets. Les fruits confits, les fleurs séchées, les fruits rouges s'affichent dans un effluve caramélisé. Un vin rond, gras et vif sur la langue.

➥ GFA du Dom. de Vires, rte de Narbonne-Plage, 11100 Narbonne, tél. 04.68.45.30.80, fax 04.68.45.25.22 ☑ ⊤ t.l.j. 9h-12h 14h-19h
➥ Yves Ligneres

Faugères

Les vins de Faugères sont des vins AOC depuis 1982, comme les saint-chinian leurs voisins. La région de production, qui comporte sept communes situées au nord de Pézenas et de Béziers et au sud de Bédarieux, produit 60 à 70 000 hl de vin. Les vignobles sont plantés sur des coteaux à forte pente, d'altitude relativement élevée (250 m), dans les premiers contreforts schisteux peu fertiles des Cévennes. Le faugères est un vin bien coloré, pourpre, capiteux, aux arômes de garrigue et de fruits rouges.

CH. DES ADOUZES Cuvée Elégance 1998

| ■ | 6 ha | 8 000 | ⦀ | 70 à 99 F |

Vous pouvez dès maintenant réserver cette bouteille, mais il vous faudra attendre pour l'apprivoiser. Le beau grenat sombre largement agrémenté de violet augure une bonne concentration ; et le nez, quoique fermé, diffuse des notes de cuir, de moka, d'épices, toute une palette marquée par l'empyreumatique. L'attaque débute en douceur puis se fait chaleureuse. Les tanins, par leur persistance, et bien qu'ils soient déjà enrobés, laissent présager une longue vie.
➥ Jean-Claude Estève, Tras du Castel, 34320 Roquessels, tél. 04.67.90.24.11, fax 04.67.90.12.74 ☑ ⊤ r.-v.

CH. DES ESTANILLES 1997★★

| ■ | 10 ha | 16 000 | ⦀ | 70 à 99 F |

Un Guide sans Louison, ça n'existe pas. Ce collectionneur de bons millésimes - nous parlons du vigneron et non du présent ouvrage qui, lui aussi, ne fait que ça - présente chaque année un grand vin. 16 000 flacons renferment ce 97. Le grenat est intense, sombre, et paré de reflets rubis. Le nez dégage avec une certaine force d'enivrants arômes : cèdre, fruits rouges, réglisse, vanille, un boisé léger. En bouche, l'attaque est à la fois ronde et puissante, et dévoile ensuite de l'ampleur et du gras ; les tanins sont bien là et ne craignent pas quelques années de vieillissement. Rappelons le coup de cœur décerné au 96 l'an dernier.
➥ EARL Michel Louison, Ch. des Estanilles, Lenthéric, 34480 Cabrerolles, tél. 04.67.90.29.25, fax 04.67.90.10.99 ☑ ⊤ r.-v.

CLOS FANTINE 1998

■ 7,25 ha 25 000 30 à 49 F

C'est la troisième vendange qu'a engrangée Olivier Andrieu depuis que, tout jeune, il a repris la destinée familiale qui est d'élaborer de bons vins. Il dose subtilement les cinq cépages de l'appellation en une liqueur colorée de multiples reflets noirs et violets, sur fond de cassis, de mûre, de cerise bien gorgée de soleil estival, de fleurs, d'épices et de grillé, s'équilibrant sur une matière dense aux tanins duvetés.

🔑 Olivier Andrieu, La Grange, La Liquière, 34480 Cabrerolles, tél. 04.67.90.20.89, fax 04.67.90.20.89 ☑ Y r.-v.

DOM. DE FENOUILLET 1997★★

■ 13 ha 8 000 20 à 29 F

Voilà un domaine suivi avec beaucoup d'attention par les frères Jeanjean. Fenouillet se fait souvent remarquer ! Il y a de quoi être charmé par ce 97, un vin séveux rouge très sombre, d'une complexité aromatique surprenante tant par sa force que par son étendue, allant du fruit très mûr comme le pruneau ou la figue sèche, aux odeurs de cuir et de gibier en passant par des notes florales (violette) ou réglissées. Epais, puissant, chaleureux et rond au palais, soutenu par une ossature de tanins bien présents, ce vin offre un plaisir rare et précieux comme le sang de la terre.

🔑 SA Jeanjean, B.P. 1, 34725 Saint-Félix-de-Lodez, tél. 04.67.88.80.00, fax 04.67.96.65.67

CH. GREZAN Cuvée Arnaud Lubac 1997★

■ 7 ha 25 000 30 à 49 F

Une très belle robe pour commencer, encore parée de violet, des fruits bien mûrs, confits même, certains exotiques, une pointe florale, une autre vanillée, un boisé on ne peut plus subtil et discret. La bouche attaque avec de la rondeur et du gras. L'harmonie est très belle tant les tanins se concentrent sur un tapis de velours.

🔑 Ch. de Grézan, 34480 Laurens, tél. 04.67.90.27.46, fax 04.67.90.29.01 ☑ Y t.l.j. 9h-12h 13h30-18h

CH. HAUT LIGNIERES 1998

◪ 3,5 ha 6 000 20 à 29 F

Ce rosé a « ... la plus jolie nuance de la série, pâle avec (une) légère note violacée... ». C'est ce qu'a écrit un des jurés. Quant au nez, l'opinion lui attribue une certaine réserve, même s'il laisse percevoir des notes fines et fruitées. La bouche est d'un bon équilibre accordant notamment le gras et la vivacité.

🔑 SCEA Ch. Haut Lignières, Lieu-dit Bel-Air, 34600 Faugères, tél. 04.67.95.38.27, fax 04.67.25.38.58 ☑ Y t.l.j. sf dim. 10h-13h 16h-19h

CH. DE LA LIQUIERE
Les Amandiers 1998★

◪ 10 ha 38 000 30 à 49 F

Tout autour de la Liquière, village camouflé dans l'arrière-pays, les vignes le disputent aux bosquets de chêne vert sur les terres du piémont. Bernard, Claudie et Mademoiselle Vidal produisent ce château 98 à la jolie robe rose pâle. Le nez évoque sans conteste la bonne saison, floral et fruité, plein de cerises et de pêches blanches. Ronde et fraîche, grasse et longue, la bouche ravit. Un vin à croquer.

🔑 Bernard Vidal, Ch. de La Liquière, 34480 Cabrerolles, tél. 04.67.90.29.20, fax 04.67.90.10.00 ☑ Y t.l.j. sf dim. 9h-12h 14h-18h

DOM. DE LA REYNARDIERE 1997

■ 6 ha 12 000 30 à 49 F

A la Reynardière, il est un faugères 97 d'une franche et brillante couleur grenat, de bonne intensité aromatique, jouant des notes de fruits rouges mûris au soleil estival, de cuir, animales, ces senteurs que le terroir exprime fidèlement dans la bouteille. Plaisant et bien agréable en bouche, ce vin équilibré, tout en rondeur et en finesse, possède des tanins suavement assouplis.

🔑 SCEA Dom. de La Reynardière, 7, cours Jean-Moulin, 34480 Saint-Geniès-de-Fontedit, tél. 04.67.36.25.75, fax 04.67.36.15.80 ☑ Y t.l.j. sf dim. 9h-12h 14h-19h

🔑 Mège; Pons

DOM. DES LAURIERS 1996★★

■ 10 ha 40 000 30 à 49 F

En 1996, la récolte de grenache fut maigre et donna sur les schistes arides un vin coloré, mûri et chaleureux. En sa troisième année, ce Domaine des Lauriers est toujours bien sombre, puissant, au nez dominé par les fruits rouges bien mûrs, confits, caramélisés pour certains. Le boisé est fin. Ronde en attaque, avec beaucoup de gras, la bouche est structurée par des tanins présents en douceur. Cette cuvée atteint pratiquement sa plénitude. Cette même cave coopérative a présenté un **Domaine Mas Blanc 97** riche et expressif, noté une étoile.

🔑 Cave coop. de Laurens, 34480 Laurens, tél. 04.67.90.28.23, fax 04.67.90.25.47

LE MOULIN COUDERC
Elevé en fût de chêne 1997★

■ 5 ha 5 000 30 à 49 F

Depuis 1990, après avoir investi dans une cave qui n'existait pas et un vignoble familial à rénover, Vincent Fonteneau nous procure le plaisir de goûter à quelques bons flacons. En guise d'illustration, ce 97, rubis, brillant, aux bonnes odeurs de sous-bois, de mûre, d'épices, d'olive noire, de tabac, riche, gras, plein, d'un grand équilibre dans une jolie bouche structurée par des tanins soyeux et fondus ; avec en prime un

mariage bois-vin réussi. Cela prouve bien que les passions, ça fait des merveilles.
⊶ Vincent Fonteneau, chem. de l'Aire, 34320 Roquessels, tél. 04.67.90.23.25, fax 04.67.90.11.05 ☑ Y r.-v.

DOM. OLLIER TAILLEFER
Cuvée Castel Fossibus 1997

■ 5 ha 10 000 ⊕ 50 à 69 F

On cueille l'élégance avec cette cuvée 97 d'un rouge profond qui flirte avec la jeunesse, au nez épicé, au boisé encore marqué, qui respire les épices, les fruits, avec un soupçon de bois brûlé. L'attaque est souple dans un premier temps puis monte en puissance ; les tanins se dévoilent alors avec toute leur fougue primesautière. Il faudra deux ans à ce Castel Fossibus pour nous convaincre.
⊶ Dom. Ollier-Taillefer, rte de Gabian, 34320 Fos, tél. 04.67.90.24.59, fax 04.67.90.12.15 ☑ Y r.-v.
⊶ Alain Ollier

CH. DES PEYREGRANDES 1997*

■ 4 ha 13 000 ⊕ 30 à 49 F

Quel autre nom pourrait-on donner aux « Grandepierres » sinon celui de rochers qu'il fallut domestiquer pour y planter des vignes ? Ces ceps, pleurant leur récolte comme on crie misère, se saignent aux quatre veines pour nous offrir cette liqueur d'un beau grenat qui fleure bon les fruits - pruneau, cerise -, fait un tour dans les sous-bois, revient sur la garrigue, cueillant au passage quelques feuilles de laurier, puis attaque en rondeur dans une bouche gourmande où elle s'équilibre avec ce qu'il lui faut de gras, de puissance et de sérénité.
⊶ Boudal, Dom. Pierre Bénézech, Tras du Castel, 34320 Roquessels, tél. 04.67.90.15.00, fax 04.67.90.15.60 ☑ Y t.l.j. sf dim. 13h30-18h

Fitou

L'appellation fitou, la plus ancienne appellation AOC rouge du Languedoc-Roussillon (1948), est située dans la zone méditerranéenne de l'aire des corbières ; elle s'étend sur neuf communes qui ont également le droit de produire les vins doux naturels rivesaltes et muscat rivesaltes. La production est de 90 000 hl. C'est un vin d'une belle couleur rubis foncé qui compte au moins 12 ° d'alcool et dont l'élevage dure au minimum neuf mois.

DOM. DES ARDOISES 1996**

■ 4,4 ha 26 000 ⊕ 30 à 49 F

Vignoble traditionnel de vins d'élevage, le fitou a toujours eu des rapports privilégiés avec le vrai négoce éleveur. Ce dernier a d'ailleurs joué une carte essentielle dans la renommée du fitou à l'étranger. Les frères Lurton nous proposent ce 96 d'un rouge intense où transparaissent la syrah fondue dans la cannelle et la réglisse de la barrique. Un ensemble agréable, ample, de belle facture. Le tanin doux et vanillé invite à l'attente ou au jeune sanglier.
⊶ Jacques et François Lurton, Dom. de Poumeyrade, 33870 Vayres, tél. 05.57.74.72.74, fax 05.57.74.70.73, e-mail jflurton@jflurton.com Y r.-v.

DOM. BERTRAND-BERGE
Cuvée ancestrale 1997**

■ n.c. 5 500 30 à 49 F

Au cœur des hautes Corbières, le vieux village de Paziols semble garder le sauvage défilé du Verdouble et veille sur le vignoble qui monte à l'assaut du mont Tauch. Remarquable Cuvée ancestrale : le rubis de sa robe est profond, limpide, et, dès l'approche, le fruit rouge est intense, doucement épicé. Le corps se montre gras, puissant, aromatique ; sa charpente est souple, le fruit encore jeune. Un vin plaisir.
⊶ Dom. Bertrand-Bergé, av. du Roussillon, 11350 Paziols, tél. 04.68.45.41.73, fax 04.68.45.41.73 ☑ Y t.l.j. 8h-12h30 13h30-19h
⊶ Jérôme Bertrand

LES MAITRES VIGNERONS DE CASCASTEL Cuvée spéciale 1997

■ 50 ha 100 000 30 à 49 F

Dans ces lieux, les Romains avaient trouvé quiétude et un certain art de vivre. Depuis, la vigne n'a plus quitté ce sol schisteux des Corbières. Une touche d'évolution, et le fruit se fait plus confit, l'épice fondue. Surprenante, la bouche reste fraîche, sur une structure agréable. La finale souple et de belle longueur annonce un vin prêt à être consommé.
⊶ Les Maîtres Vignerons de Cascastel, 11360 Cascastel, tél. 04.68.45.91.74, fax 04.68.45.82.70 ☑ Y r.-v.

DOM. DE LA CONDAMINE 1997***

■ 28 ha 80 000 30 à 49 F

A chaque campagne, la cave de Tuchan apporte une remarquable palette de produits. Cette année entre un Baron Latour et un Moulin de la Doline, c'est finalement La Condamine qui a eu les faveurs du jury. L'approche est franche, jeune, d'un rouge profond, poursuivie par un nez de cassis, de petits fruits rouges aux senteurs poivrées. Gras, puissant mais retenu, l'équilibre est parfait, le tanin velouté. Le vin saura attendre.
⊶ Les Producteurs du Mont Tauch, 11350 Tuchan, tél. 04.68.45.41.08, fax 04.68.45.45.29 ☑ Y t.l.j. sf dim. 9h-12h 14h-18h

DOM. DE LA ROCHELIERRE
Elevé en fût de chêne 1997***

■ 2 ha 6 200 ⊕ 30 à 49 F

Révélé avec un beau 96, J.-L. Fabre, héritier de quatre générations de vignerons, a su à nouveau cette année nous convaincre par un subtil mariage de cépages traditionnels avec syrah et mourvèdre. Avenant, le vin s'ouvre sur une robe rouge intense d'où s'échappent au fil du vin, fruits rouges, épices et grillé de la barrique. La bouche est à l'avenant, ample, chaleureuse, gorgée de fruits et d'épices, sur un tanin velouté, remarquable de longueur.

🔑 Jean-Louis Fabre, 17, rue du Vigné, Dom. de la Rochelierre, 11510 Fitou, tél. 04.68.45.70.52, fax 04.68.45.70.52 ☑ Y r.-v.

DOM. LEPAUMIER 1997*

■ 3,31 ha 8 000 🍷 20 à 29 F

Maigre garrigue, calcaire blanc, étang et mer, la façade maritime du fitou a un charme sauvage rehaussé par le lacet encaissé du village de Fitou serpentant au gré d'un ruisseau. L'encépagement est classique. La macération carbonique permet l'expression du fruit sur des senteurs de garrigue. Puissants, des tanins présents s'allient au pruneau dans l'excellente finale réglissée. Belle carrière en vue.

🔑 Fernand Lepaumier, 12, rue de l'Eglise, 11510 Fitou, tél. 04.68.45.66.95 ☑ Y t.l.j. 9h-12h30 14h-19h30

DOM. MAYNADIER
Cuvée de l'Ancêtre 1997*

■ 3 ha 7 500 🍷 20 à 29 F

Dans la même famille depuis 1707, le vignoble se glisse dans les veines de terre autour des calcaires purs, jusqu'auprès de l'étang. Après, c'est la Méditerranée. Dans cette cuvée, le grenat domine, puis les senteurs de fruits mûrs, de griotte et de pain grillé arrivent, en prélude à l'harmonie de la bouche. Ce vin généreux et soyeux, à la charpente souple, offre une belle longueur.

🔑 Maynadier, R.N. 9, 11510 Fitou, tél. 04.68.45.63.11, fax 04.68.45.60.94 ☑ Y t.l.j. 9h-12h 14h-18h

CH. DE MONTMAL
Elevé en fût de chêne 1996*

■ 40 ha 15 000 🍷 50 à 69 F

Villenouvelle, le nom pourrait sembler prétentieux, mais le village, lové sur son ruisseau, cerné par les collines de schiste, n'a d'ambition que dans la qualité de son terroir. Le regard profond, le nez grillé, épices et fruit mûr de ce 96 témoignent de la présence du carignan et du grenache. La bouche confirme ces premières impressions, affichant un bel équilibre où s'expriment la douceur suave du terroir et la typicité des cépages traditionnels pour un vin prêt à procurer du plaisir.

🔑 Cave pilote de Villeneuve-les-Corbières, 11360 Villeneuve-les-Corbières, tél. 04.68.45.91.59, fax 04.68.45.81.40 ☑ Y t.l.j. sf dim. 8h15-12h 14h-18h

DOM. SAINT-AUBIN-DU-PLA 1997*

■ n.c. 25 000 🍷 30 à 49 F

Après de bons et loyaux services, Madame Loubatière vient de laisser la présidence de la cave en confiant des fitou de caractère, tel ce vin traditionnel de grenache et de carignan, à la robe profonde, aux senteurs de sous-bois et de venaison. De bonne structure, présent, le tanin encore ferme, c'est à la fois une valeur sûre et un beau classique.

🔑 Cave des producteurs de Fitou, Les Cabanes de Fitou, RN 9, 11510 Fitou, tél. 04.68.45.71.41, fax 04.68.45.60.32 Y t.l.j. sf dim. 8h-12h 14h-18h

Minervois

Le minervois, vin AOC, est produit sur soixante et une communes, dont quarante-cinq dans l'Aude et seize dans l'Hérault. Cette région plutôt calcaire, aux collines douces et au revers exposé au sud, protégée des vents froids par la Montagne Noire, produit des vins blancs, rosés et rouges : ces derniers représentent 95 % ; en tout 230 000 hl dans les trois couleurs sur près de 5 000 ha. La commune de la Livinière s'inscrit désormais dans le cadre d'une appellation minervois-la-livinière regroupant cinq communes.

Le vignoble du Minervois est sillonné de routes séduisantes ; un itinéraire fléché constitue la route des Vins, bordée de nombreux caveaux de dégustation. Un site célèbre dans l'histoire du Languedoc (celui de l'antique cité de Minerve, où eut lieu un acte décisif de la tragédie cathare), de nombreuses petites chapelles romanes et les intéressantes églises de Rieux et de Caune sont les atouts touristiques de la région. La confrérie locale, les Compagnons du Minervois, a son siège à Olonzac.

ABBAYE DE THOLOMIES 1996*

■ 5 ha 30 000 30 à 49 F

Sous les voûtes millénaires de l'abbaye bénédictine se trouve désormais une cave moderne. C'est dans ce cadre que ce 96 a été vinifié en macération traditionnelle pour le grenache et le mourvèdre et carbonique pour la syrah. Il est d'un rouge flamboyant. Les petits fruits rouges accompagnent la dégustation de ce vin équilibré et puissant dont les tanins demandent à se fondre. Il s'épanouira après quelques mois de garde.

🔑 Lucien Rogé, 34210 La Livinière, tél. 04.68.78.10.21, fax 04.68.78.36.04

CH. BELVIZE 1998★★

□	2 ha	10 000	20 à 29 F

Dans le livre d'or du domaine figure la signature du célèbre footballeur Cantona. Ce blanc en tunique dorée a du tempérament. Vif en attaque et bien équilibré, il varie à souhait le jeu aromatique entre pêche et agrumes. Sa puissance et sa prestance déclenchent l'enthousiasme. A choisir pour un grand poisson grillé.

Ch. Belvize, La Lecugne, 11120 Bize-Minervois, tél. 04.68.46.22.70, fax 04.68.46.35.72 t.l.j. 9h-12h 14h-19h

Amiel

DOM. BORIE DE MAUREL Cuvée Sylla 1997★★★

■	3 ha	9 000	70 à 99 F

Quatrième coup de cœur pour cette cuvée Sylla. La voici désormais imitée, jalousée mais jamais égalée. Reconnue outre-Atlantique parmi les dix meilleurs vins du monde, elle est l'expression d'un artiste vigneron. Et le vin ? Salvador Dali disait : « Il ne faut pas avoir peur de la perfection car vous ne l'atteindrez jamais » ; on peut sans prétention affirmer le contraire, ce vin côtoie les anges.

GAEC Escande, rue de la Sallèle, 34210 Félines-Minervois, tél. 04.68.91.68.58, fax 04.68.91.63.92 r.-v.

CH. CANET 1996★

■	36 ha	60 000	50 à 69 F

Lionel Ciechoki, maître de chai, nous présente cette année un vin bien élevé, d'un pourpre soutenu, qui décline en douceur des gammes vanillées et épicées. Puissant, ce 96 joue juste pour livrer une finale envoûtante et bien enrobée. Idéal sur grillades et petit gibier.

Domaines du Soleil, Ch. Canet, 11800 Rustiques, tél. 04.90.12.32.45, fax 04.90.12.32.49 r.-v.

DOM. DE CERENS 1998★

◪	2,5 ha	3 333	20 à 29 F

Le domaine de Cerens est à l'image de son maître de chai, Christian Lauber : dynamique. Sous la teinte délicate de ce 98 se cache un rosé franc et généreux, élégant et superbement fruité. Son équilibre est éloquent, sa persistance remarquable. Il sera le compagnon idéal de vos soirées dès cet automne.

Cellier Armand de Bezons, av. Jean-Jaurès, 11600 Villalier, tél. 04.68.77.16.69, fax 04.68.77.15.85 r.-v.

CH. DE CESSERAS Cuvée Olric 1996★

■	5 ha	26 000	30 à 49 F

Olric est un prénom d'origine wisigothe. Ce minervois affiche un caractère bien trempé et équilibré. Ses notes animales et sa charpente expriment le fruit de l'expérience, tandis que sa finale réglissée est là pour rappeler tout l'éclat de sa jeunesse chaleureuse. Il est prêt à boire.

Jean-Yves et Pierre-André Ournac, Dom. de Coudoulet, chem. de Minerve, 34210 Cesseras, tél. 04.68.91.15.70, fax 04.68.91.15.78 r.-v.

DOM. CHABBERT-FAUZAN 1996★★

■	2,5 ha	7 000	30 à 49 F

Situé dans les zones d'altitude du Minervois, ce domaine, bien exposé, produit un vin rouge racé dans lequel la puissance florale côtoie harmonieusement un équilibre tout en fruit. Charnue, corsée, la bouche est bien fondue et sa persistance atteint des sommets. Ce 96 est à boire sur un civet ou sur des perdrix aux cèpes.

Gérard Chabbert, Fauzan-Cesseras, 34210 Cesseras, tél. 04.68.91.23.64, fax 04.68.91.31.17 t.l.j. sf ven. 11h-12h 18h-19h; f. 15 sept.-15 oct.

CH. COUPE ROSES 1998

□	6,5 ha	6 600	30 à 49 F

Issu des plus beaux coteaux de l'austère village troglodytique de La Caunette, ce vin généreux à la tenue dorée embaume par ses fruits exotiques et ses caractères miellés. Puissant, chaud, de belle longueur, il révèle une aptitude certaine à l'élevage.

Françoise Frissant-Le Calvez, Ch. Coupe Roses, rue de la Poterie, 34210 La Caunette, tél. 04.68.91.21.95, fax 04.68.91.11.73 t.l.j. 8h30-12h30 14h-18h

DOM. CROS Les Aspres 1997★

■	1,5 ha	6 000	50 à 69 F

Une coupe supplémentaire pour notre rugbyman au tournoi du Guide. Fidèle à la tenue grenat, ce 97 attaque puissamment en ligne. Les senteurs mêlent pruneau et café ; les tanins débordent aisément avec grâce. Massif et chaleureux, ce vin jouera dans la cour des grands après s'être bonifié au fil des saisons.

Pierre Cros, 20, rue du Minervois, 11800 Badens, tél. 04.68.79.21.82, fax 04.68.79.24.03 r.-v.

CH. DE FELINES Réserve 1996

■	n.c.	24 000	30 à 49 F

A force de sélections, les vignerons de Félines imposent ici le fleuron de leur gamme. Ce vin pourpre impressionne par ses nuances capiteuses de fruits rouges et noirs. Fin, friand, il reste soyeux sur toute sa longueur. Il est prêt.

Cellier d'Hautpoul, 34210 Félines-Minervois, tél. 04.68.91.41.66, fax 04.68.91.57.99 r.-v.

CH. GIBALAUX-BONNET 1998★★

◪	4 ha	n.c.	30 à 49 F

La succession est assurée à Gibalaux par Olivier et Didier qui viennent de rejoindre le domaine familial. Ce rosé scintillant, aux nuances violettes, complexe, livre sans retenue ses notes de pêche et d'abricot. Bien épaulé par des arômes épicés et une belle acidité, c'est un vin dont l'ampleur et la persistance dépassent toutes les espérances.

☛ SCEA Ch. Gibalaux-Bonnet, 11800 Laure-Minervois, tél. 04.68.78.12.02, fax 04.68.78.30.02 ☑ 🍷 t.l.j. 8h-12h 14h-18h; sam. dim. sur r.-v.

DOM. DES GRANDES MARQUISES
1997★★

■	n.c.	n.c.	50 à 69 F

Marguerite et Aimé Gastou créèrent le domaine en 1935. Yves, leur petit-fils, a su faire fructifier l'héritage comme le montre cette syrah charnue et corsée où les arômes de cannelle, d'eucalyptus, de fruits cuits et d'olive noire mènent un quadrille soutenu au palais. Volumineux, acidulé, ample, ce 97 attendra.

☛ Monique et Yves Gastou, Dom. des Grandes-Marquises, 11600 Villalier, tél. 04.68.77.19.89, fax 04.68.77.58.94, e-mail yves.gastou@wanadoo.fr ☑ 🍷 t.l.j. 17h-19h; sam. 15h-19h

CH. LA GRAVE Privilège 1996★

■	n.c.	10 000	🍷 30 à 49 F

« Grappe de bronze » du Guide Hachette 1999, ce virtuose de l'appellation réussit cette année un très joli rosé 98 qui joue de concert avec cette cuvée Privilège. Soutenu, ce 96 attaque avec légèreté et finesse devant un parterre de fleurs. Ses tanins, bien dans le rythme, roulent sur des accents giboyeux. La finale est enlevée, et signe un beau vin de garde.

☛ Jean-Pierre Orosquette, Ch. La Grave, 11800 Badens, tél. 04.68.79.16.00, fax 04.68.79.22.91 ☑ 🍷 r.-v.

LAURAN CABARET 1998★

□	7 ha	17 000	🍷 20 à 29 F

Les vignerons de Laure imposent pour la deuxième année consécutive leur blanc élaboré à partir de roussanne et de macabeu. Scintillant avec ses reflets verts, ce 98 dévoile d'élégantes senteurs florales et fruitées. Doux, savoureux et chaud en finale, ce méridional donnera sa pleine mesure sur des poissons grillés.

☛ Cellier de Lauran Cabaret, 11800 Laure-Minervois, tél. 04.68.78.12.12, fax 04.68.78.17.34 ☑ 🍷 t.l.j. sf dim. 8h-12h 14h-18h; ouv. le dim. en juil.-août

DOM. LES DEUX TERRES
Cuvée limitée 1997

■	2 ha	5 100	🍷 50 à 69 F

Exemples de courage et d'abnégation, ces deux vignerons ont réussi à créer le domaine des Deux Terres qui présente cette Cuvée limitée à la robe profonde. Fruits rouges et violette redoublent d'intensité au nez. Finesse et douceur caractérisent ce vin à boire sur un gigot aux cèpes.

☛ Catherine et Jean-François Prax, Dom. Les Deux Terres, 11700 Azille, tél. 04.68.91.63.28, fax 04.68.91.57.70 ☑ 🍷 r.-v.

CLOS L'ESQUIROL 1997★

■	5 ha	10 000	🍷 30 à 49 F

Notre « écureuil » (en occitan esquirol) sort de son clos pour la troisième année consécutive !

Intense par ses arômes de fruits noirs et de cerise, il séduit par son velouté et la douceur de sa finale épicée. Il est prêt à boire mais peut également se garder quelques années.

☛ Cave coop. La Siranaise, 34210 Siran, tél. 04.68.91.42.17, fax 04.68.91.58.41 ☑ 🍷 r.-v.

CH. MASSAMIER LA MIGNARDE
1998★

◢	2 ha	10 500	🍷 20 à 29 F

Les successeurs de Maximus, légionnaire romain, premier propriétaire de la villa qui fut à l'origine du domaine, imposent à nouveau leur rosé fuchsia très tendre qui dévoile ses charmes fruités et floraux. Harmonieux, délicatement acidulé, rond et charnu, c'est un vin plaisir par excellence.

☛ Jacques Venes, Ch. Massamier la Mignarde, 11700 Pépieux, tél. 04.68.91.40.74, fax 04.68.91.44.40 ☑ 🍷 r.-v.

CELLIER DE MERINVILLE 1998

□	11 ha	n.c.	🍷 20 à 29 F

Si l'on trouve à Rieux une des trois églises heptagonales du monde, ses vignerons ne s'en remettent pas à la providence mais à la technique pour offrir un blanc éclatant de jeunesse, à l'auréole brillante, aux arômes de fruits exotiques, friand et délicatement acidulé en finale.

☛ SCV les Vignerons mérinvillois, 41, av. Joseph-Garcia, B.P. 41, 11160 Rieux-Minervois, tél. 04.68.78.10.22, fax 04.68.78.13.03 ☑ 🍷 r.-v.

CH. D'OUPIA Les Barons 1997

◢	7 ha	24 000	🍷 30 à 49 F

Toujours fidèle aux joutes du Guide, la maison d'Oupia ramène cette année deux trophées. Si le blanc 98 a passé avec succès les épreuves, c'est encore la cuvée des Barons, en robe burlat, qui se distingue par son attaque enrobée. Un vin souple, élégant, et dont la dégustation se termine sur des notes de fruits rouges et des parfums vanillés.

☛ Famille André Iché, EARL Ch. d'Oupia, 34210 Oupia, tél. 04.68.91.20.86, fax 04.68.91.18.23 ☑ 🍷 t.l.j. sf dim. 10h-12h 15h30-18h30

DOM. PICCININI 1998★

◢	12 ha	17 000	🍷 30 à 49 F

Si la cave est aménagée sur d'anciennes douves, voici un rosé à ne pas mettre aux oubliettes car on tombe sous le charme devant la pâleur de son teint et ses reflets violets. Le nez est moderne, empli de cerise. Vif, gras, équilibré, ce 98 taquine les papilles avec sa pétillance finale. Idéal sur poissons de rivière.

☛ Dom. Piccinini, rte des Meulières, 34210 La Livinière, tél. 04.68.91.44.32, fax 04.68.91.58.65 ☑ 🍷 r.-v.

CH. PIQUE-PERLOU
Elevé en fût de chêne 1997

■	4 ha	n.c.	🍷 30 à 49 F

« Aller à Pique-Perlou » en occitan, désigne l'éloignement des vignes et le caractère escarpé des coteaux. Avec ses arômes caractéristiques de garrigue et de fruits confits, ce vin reste souple, élégant, chaleureux et tient la distance !...

↘ Serge Serris, 12, av. des Ecoles, 11200 Roubia, tél. 04.68.43.22.46, fax 04.68.43.22.46 ☑ ⅂ r.-v.

CH. REMAURY
Grande Réserve Cuvée élevée en fût 1997

| ■ | 13,75 ha | 73 000 | ⅢⅠ 20 à 29 F |

Voilà cinq siècles que la famille Remaury façonne la propriété. Aujourd'hui, Damien apporte sa pierre à l'édifice avec un vin délicatement charpenté et vanillé, bien élevé, tout en douceur et souplesse.
↘ Philippe et Damien Remaury, GAEC de Floris, 11700 Azille, tél. 04.68.91.40.30, fax 04.68.91.58.56

CH. SAINT-LEON Cuvée Amour 1996***

| ■ | 1,5 ha | 6 000 | ▌ⅢⅠ♦ 30 à 49 F |

C'est une belle histoire que Guy Giva entretient avec ses vignes au château Saint-Léon. Preuve de cette complicité : ce coup de cœur décerné par le grand jury. Profond, brillant, ce 96 exhale des parfums sincères, épicés ; l'attaque est franche. La charpente solide mais enrobée libère réglisse et clou de girofle. Harmonieux, doux et équilibré, ce superbe vin éveille de grands sentiments.
↘ Guy Giva, Ch. Saint-Léon, 11800 Badens, tél. 04.68.79.29.29, fax 04.68.79.29.25, e-mail giva.dany@infonie.fr ☑ ⅂ r.-v.

DOM. SAINT SERNIN
Le Bois des Merveilles 1996**

| ■ | 1,85 ha | 9 800 | ⅢⅠ 50 à 69 F |

« A âme bien née, la valeur n'attend pas le nombre des années » ; troisième millésime pour J.-B. Senat et sortie remarquée du Bois des Merveilles avec également la cuvée **La Caramangue 97**. Si le ton tuilé est donné d'emblée par le grenache dominant, il faut relever aussi le bouquet fin et complexe. Epices, poivre, cassis font une harmonieuse sarabande autour des tanins. La finale est fondante et chaleureuse.
↘ Jean-Baptiste Senat, 12, rue de l'Argent-Double, 11160 Trausse-Minervois, tél. 04.68.78.38.17, fax 04.68.78.38.17 ☑ ⅂ r.-v.

DOM. SANCORDO 1996

| ■ | n.c. | 5 000 | ⅢⅠ 30 à 49 F |

Voici un mourvèdre au cordeau, issu des plus beaux terroirs de Siran. De couleur pourpre, il exhale les parfums des garrigues toutes proches. Chaleureux, typé cerise à l'eau-de-vie, ses tanins sont en droite ligne sur une finale très mûre.

↘ Eric Bonnet, Dom. Sancordo, rue Neuve-des-Garrrigues, 34210 Siran, tél. 04.68.91.46.49

DOM. TAILHADES MAYRANNE
Cuvée Pierras 1996

| ■ | 12 ha | 8 000 | ▌ⅢⅠ 20 à 29 F |

A proximité de Minerve, carignan et grenache ont trouvé leur terre de prédilection pour donner un vin rouge, fièrement adossé à sa structure rocailleuse, où fruits rouges et arômes minéraux se confondent avec finesse et chaleur.
↘ André Tailhades, Dom. Mayranne, 34210 Minerve, tél. 04.68.91.26.77, fax 04.68.91.11.96 ☑ ⅂ t.l.j. 10h30-13h 15h-19h; f. 15 nov.-30 mars

CH. VIDAL LA MARQUISE 1998

| ◢ | 1,5 ha | 6 600 | ▌♦ 30 à 49 F |

Un rosé de belle lignée, très seyant dans sa robe pivoine. Frais, nuancé entre framboise et fleur d'oranger, il se montrera magnanime devant vos entrées ou vos fromages à pâte molle.
↘ Les Vignerons du Haut-Minervois, Cave coopérative, 34210 Azillanet, tél. 04.68.91.22.61, fax 04.68.91.19.46 ☑ ⅂ r.-v.

Minervois la livinière

CH. DE GOURGAZAUD Réserve 1997**

| ■ | 15 ha | 70 000 | ⅢⅠ 30 à 49 F |

Le château, bastion du cru, fait honneur à sa classification en minervois la livinière. Sa robe est intense, son nez, complexe, mêle des arômes épicés, vanillés, doublés d'essence mentholée. La bouche, dans le tempo, est fondue, charnue et puissante. La longueur de l'édifice augure une garde certaine. A découvrir sur viandes rouges et gibier.
↘ SA Ch. de Gourgazaud, 34210 La Livinière, tél. 04.68.78.10.02, fax 04.68.78.30.24 ⅂ r.-v.

CH. LAVILLE BERTROU 1997*

| ■ | 10 ha | 40 000 | ▌ 50 à 69 F |

S'il y a eu passation récente, ce domaine reste sur sa lancée et nous propose une « cuvée limitée » (tout de même 40 000 bouteilles) délicatement boisée où se mêlent des notes de venaison et de sous-bois. La bouche, plus juvénile, surprend par ses tons de violette. Harmonieuse et ample, la saveur des tanins indique la maturité du vin.
↘ Gérard Bertrand, av. de Lézignan, 11200 Saint-André-de-Roquelongue, tél. 04.68.42.68.69, fax 04.68.42.68.71

CLOS DE L'ESCANDIL
Elevé en fût de chêne 1997***

| ■ | 4 ha | 10 000 | ⅢⅠ 50 à 69 F |

Coup de cœur en AOC minervois dans l'édition 1999, ce champion n'a pas été effrayé par le changement de cylindrée car le voici gagnant de la première coupe du Guide en minervois la livinière. Les couleurs de l'écurie sont intenses et pourpres. Il négocie l'épreuve du nez dans des méandres très prononcés de cassis et de réglisse. Dès le départ en bouche, on est surpris par sa puissance. Bien chaussé par ses tanins, équilibré, il évolue parfaitement. Il passe en apothéose la ligne finale.

🔎 Gilles Chabbert, chem. des Aires, 34210 Siran, tél. 04.68.91.54.40, fax 04.68.91.54.40 ☑ 🍷 r.-v.

Saint-chinian

VDQS depuis 1945, le saint-chinian est devenu AOC en 1982 ; cette appellation couvre vingt communes et produit 130 000 hl de vins rouges et rosés. Dans l'Hérault, au nord-ouest de Béziers, sur des coteaux s'élevant à 100 ou 200 m d'altitude, le vignoble est orienté vers la mer. Les sols sont constitués de schistes, surtout dans la partie nord, et de cailloutis calcaires, dans le sud. Le vin est réputé depuis très longtemps : on en parlait déjà en 1300. Une maison des Vins a été créée à Saint-Chinian même.

BERLOUP SCHISTEIL 1998★

◳ | 20 ha | 34 000 | 🍶 30 à 49 F

Cette coopérative, qui vinifie 600 ha, propose, sous une étiquette rose, un rosé dont les raisins ont été vendangés à la main. Ce 98 présente une intensité aromatique élégante, tout en fruits (framboise, fraise). L'attaque en bouche est fine, puis la puissance et l'amplitude s'affirment vite : un vin bien construit.
🔎 Les Coteaux du Rieu Berlou, av. des Vignerons, 34360 Berlou, tél. 04.67.89.58.58, fax 04.67.89.59.21 ☑ 🍷 r.-v.

BORIE LA VITARELE 1997

■ | 1,7 ha | 5 000 | 🍶 🔲↓ 50 à 69 F

Un vin qui gagnera des étoiles rien qu'en dormant dans votre cave. Sa jeunesse ne cache pas sa générosité et son caractère qui provient d'un terroir unique situé sur l'îlot d'un paléofleuve. Un joli vin pour un millésime difficile, souligne le jury.

🔎 Jean-François Izarn et Cathy Planes, chem. de la Vernède, 34490 Saint-Nazaire-de-Ladarez, tél. 04.67.89.50.43, fax 04.67.89.50.43 ☑ 🍷 r.-v.

CANET VALETTE Le Vin Maghani 1997★

■ | 7,5 ha | 35 000 | 🍶 🔲↓ 70 à 99 F

Fidèle à son habitude, Marc Valette propose un joli vin composé de grenache et de syrah à parts égales. Ce 97 possède une belle structure tannique et concentrée, un nez complexe aux puissantes notes de garrigue, de cyste, d'eucalyptus, dénominateur commun des différentes cuvées de ce vigneron. A attendre de cinq à huit ans.
🔎 EARL Canet-Valette, rte de Causses-et-Veyran, 34460 Cessenon, tél. 04.67.89.37.50, fax 04.67.89.37.50 ☑ 🍷 r.-v.

CH. CAZAL-VIEL Cuvée des Fées 1998★

■ | 13 ha | 40 000 | 🍶↓ 50 à 69 F

La famille Miquel a acquis en 1789 cette propriété créée en 1202 par les moines de l'abbaye de Fontcaude. Elle compte aujourd'hui 90 ha. Cette cuvée des Fées vinifiée à partir d'une dominante de syrah présente une belle robe grenat profond à reflets violacés. Elle possède un bouquet de bonne intensité avec une jolie présence de fruits rouges et d'épices. Trop jeunes à ce jour, ses tanins sont intéressants. Structuré et généreux, un 98 à attendre au moins deux ans.
🔎 SCEA du Dom. Cazal-Viel, 34460 Cessenon, tél. 04.67.89.63.15, fax 04.67.89.65.17, e-mail l-miquel@mnet.fr ☑ 🍷 t.l.j. 8h30-12h30 13h30-18h; dim. sur r.-v.
🔎 Henri Miquel

DOM. COMPS Cuvée le Soleiller 1996

■ | 3 ha | 5 000 | 🍶 🔲↓ 30 à 49 F

Ce millésime 96 est un assemblage de 40 % de mourvèdre, 30 % de grenache et 30 % de syrah. Cela a donné un vin charmeur qui n'impressionne pas par sa puissance mais séduit par ses arômes fruités. Un 96 agréable, pouvant être bu dès à présent.
🔎 SCEA Martin-Comps, 23, rue Paul-Riquet, 34620 Puisserguier, tél. 04.67.93.73.15 ☑ 🍷 t.l.j. 9h-12h 14h-19h
🔎 Pierre Comps

CH. ETIENNE LA DOURNIE
Elevé en fût de chêne 1997

■ | 15 ha | 8 500 | 🔲↓ 50 à 69 F

Des arômes de fruits rouges, de torréfaction, de pierre à fusil typiques du terroir de saint-chinian pour un 97 qui a très bien évolué. Un peu sévère, un vin assez caractéristique du millésime, agréable et à consommer sans attendre.
🔎 EARL Ch. La Dournie, 34360 Saint-Chinian, tél. 04.67.38.19.43, fax 04.67.38.00.37, e-mail ladournie@caves.particulieres.com ☑ 🍷 r.-v.
🔎 Etienne

DOM. DE GABELAS 1998★

◳ | 2 ha | 3 000 | 🍶↓ 20 à 29 F

Une robe très pâle, reposante, pour ce vin original par sa conception : peu d'acidité mais un mariage réussi entre le cinsault et le grenache

(50 % chacun) qui lui donne finesse et élégance. Un rosé plaisir.
🗝 Pierrette Cravero, Dom. de Gabelas, 34310 Cruzy, tél. 04.67.93.84.29, fax 04.67.93.84.29 ☑ 𝐈 r.-v.

JEAN DE ROUEYRE 1998*

◪ 6 ha 22 000 ▮🌡 20à29F

La première cave vinicole construite en ces lieux le fut en 1710. A l'entrée, une éolienne datée de 1898 est classée : on la doit à Bollée. Voici un joli rosé avec des reflets violines, un nez chatoyant associant des senteurs de fruits rouges à des notes de brûlé. La bouche, assez intense, affiche un bel équilibre et de la générosité en finale. Un vin gai.
🗝 Les Vignerons de Roueïre, Dom. de Roueïre, 34310 Quarante, tél. 04.67.89.40.10, fax 04.67.89.32.20 ☑ 𝐈 t.l.j. 10h-12h 15h-18h30

DOM. LA CROIX SAINTE EULALIE Elevé en fût de chêne 1997

■ 2 ha 5 000 ⬮ 30à49F

Racé, agréable mais un peu marqué par l'élevage, ce vin de schiste mettra en fête un sanglier en sauce. Un millésime difficile mais un vigneron qui a su maîtriser ses rendements. A suivre de près.
🗝 Dom. La Croix Sainte Eulalie, Combejean, 34360 Pierrerue, tél. 04.67.38.08.51, fax 04.67.38.08.51 ☑ 𝐈 t.l.j. 11h30-13h30 17h-21h
🗝 Michel Gleizes

MAS CHAMPART Causse du Bousquet 1997

■ 3 ha 9 000 ▮⬮🌡 50à69F

Le Mas Champart, créé en 1976, est une valeur sûre de l'appellation. Il a réussi un beau vin dans ce millésime difficile. Ce 97 est assez typé, avec des notes épicées, mentholées et une pointe florale. Sa bouche se distingue par des tanins présents sans agressivité qui lui donnent un bel équilibre.
🗝 EARL Champart, rte de Villespassans, Bramefan, 34360 Saint-Chinian, tél. 04.67.38.20.09, fax 04.67.38.20.09 ☑ 𝐈 r.-v.

DOM. DES MATHURINS 1997

■ 3 ha 10 000 ▮ 20à29F

Même s'il n'est pas destiné à séjourner longtemps dans la cave, ce 97 saura satisfaire les amateurs de bons vins souples avec ses notes fruitées et florales (violette, jasmin). A boire sur des grillades et des fromages à pâte persillée.
🗝 Louis Pistre, 6, rue Dufrêne, 34460 Cazedarnes, tél. 04.67.38.08.33, fax 04.67.38.08.33 ☑ 𝐈 t.l.j. sf dim. 9h30-12h 17h-19h30

CH. MAUREL FONSALADE Cuvée Frédéric 1997**

■ 3,2 ha 15 000 ⬮ 30à49F

Fruit du travail d'une famille et d'un œnologue qui cherchent à exprimer la typicité du terroir, ce vin fera honneur à votre cave. Il est authentique, avec des vertus de garde. Le nez s'émeut et reste en suspens sur des notes de garrigue évoluant vers le sous-bois, puis vers le pruneau à l'eau-de-vie. Les tanins de qualité et la finale réglissée et chaleureuse sont le signe d'un élevage parfait comme dans bien des cuvées de ce domaine.
🗝 Philippe et Thérèse Maurel, Ch. Maurel Fonsalade, 34490 Causses-et-Veyran, tél. 04.67.89.57.90, fax 04.67.89.72.04 ☑ 𝐈 r.-v.

CH. MILHAU-LACUGUE 1998

◪ 2,42 ha 17 378 ▮🌡 30à49F

Ce château occupe une ancienne métairie des hospitaliers de Saint-Jean de Jérusalem située sur la route de Saint-Jacques-de-Compostelle. Le grenache domine et apporte du gras à ce rosé dont on a apprécié la bouche très fruitée, d'une belle persistance aromatique. Un style méditerranéen avec beaucoup de finesse : le rosé du premier plat, s'il n'est bu avant.
🗝 Ch. Milhau-Lacugue, Dom. de Milhau, 34620 Puisserguier, tél. 04.67.93.64.79, fax 04.67.93.51.93 ☑ 𝐈 t.l.j. 9h30-12h 13h30-17h; sam. dim. sur r.-v.
🗝 Lacugue

CH. MOULIN DE CIFFRE 1998

◪ 1,5 ha 5 000 ▮🌡 30à49F

Un domaine repris en juillet 98 et qui a su se faire remarquer par la qualité de son rosé, vin parfaitement équilibré, au nez légèrement fruité mais très plaisant.
🗝 SARL Ch. Moulin de Ciffre, 34480 Autignac, tél. 04.67.90.11.45, fax 04.67.90.12.05 ☑ 𝐈 r.-v.

DOM. NAVARRE Cuvée Olivier 1998

■ 6 ha 10 000 ⬮ 50à69F

A l'évidence, ce 98 a l'avenir devant lui. Une robe pourpre, un nez encore fermé, mais il tient bien sur ses deux jambes. Puissance et jeunesse embellissent ce vin qui brûle d'en dire plus. Il faut avoir la sagesse d'attendre.
🗝 Thierry Navarre, av. de Balaussan, 34460 Roquebrun, tél. 04.67.89.53.58, fax 04.67.89.70.88 ☑ 𝐈 r.-v.

CH. DU PRIEURE DES MOURGUES 1997

■ 20 ha 37 000 ⬮ 30à49F

Il n'atteindra certainement pas l'âge d'un patriarche mais se montre complexe et élégant. On le servira un jour de fête, à la maison, sur du petit gibier ou sur des fromages secs.
🗝 SARL des Vignobles Roger, Ch. du Prieuré des Mourgues, 34360 Pierrerue, tél. 04.67.38.18.19, fax 04.67.38.27.29 ☑ 𝐈 r.-v.

DOM. RIMBERT Le Mas au schiste 1998**

■ 15 ha 15 000 ▮⬮🌡 50à69F

Que d'élégance ! Quelle forte personnalité ! Un terroir qui s'exprime entre le fruit frais, les nuances grillées (café), le cade, le laurier, pour terminer sur les épices. Un vin charnu, frais en milieu de bouche, réglissé et velouté en finale. Du schiste en bouteille. Bravo !
🗝 Jean-Marie Rimbert, 4, av. des Mimosas, 34360 Berlou, tél. 04.67.89.73.98, fax 04.67.89.73.98 ☑ 𝐈 r.-v.

LES VINS DE ROQUEBRUN
Cuvée Prestige 1998*

■   35 ha   140 000   ▮ `30 à 49 F`

Cette petite cave coopérative privilégie la qualité. Elle a l'avantage de se trouver sur un superbe terroir de schiste. Elle a reçu une étoile pour le **coteaux du languedoc blanc 98**. Cette cuvée d'un rouge intense présente un nez complexe et riche, une bouche franche où la typicité procure un plaisir immense.

☛ Cave Les Vins de Roquebrun, av. des Orangers, 34460 Roquebrun, tél. 04.67.89.64.35, fax 04.67.89.57.93,
e-mail info@cave.roquebrun.fr ☑ Ⴤ t.l.j. sf dim. 8h-12h 14h-18h

DOM. DU SACRE-CŒUR
Cuvée Kevin 1997

■   5,5 ha   20 000   ◫ `30 à 49 F`

Si vous cherchez à marier un *coustillon* de porc fermier aux navets de Pardailhan n'hésitez pas, dégustez la cuvée Kevin. Ce beau vin rouge intense, profond, présente les parfums de griotte avec des notes vanillées et une bouche puissante. Il demande à être attendu pour affiner ses tanins. Ce sera un vin plaisir de Pâques 2000.

☛ GAEC du Sacré-Cœur, Dom. du Sacré-Cœur, 34360 Assignan, tél. 04.67.38.17.97, fax 04.67.38.24.52 ☑ Ⴤ t.l.j. 9h-12h 14h-18h30
☛ Cabaret Père et Fils

CH. SAINT-JEAN DE CONQUES 1998*

■   2,8 ha   15 000   `30 à 49 F`

Ancienne métairie des Templiers au XIII°s., cette propriété compte aujourd'hui 38 ha. Issu d'un terroir argilo-calcaire, ce vin ne se contente pas d'une belle robe rouge profond à reflets violets. Il affiche sa personnalité par une complexité encore un peu cachée par sa jeunesse, et par un palais bien construit qui prolonge très agréablement une attaque harmonieuse. Un 98 qui va se révéler.

☛ François-Régis Boussagol, Dom. Saint-Jean de Conques, 34310 Quarante, tél. 04.67.89.34.18, fax 04.67.89.35.46 ☑ Ⴤ r.-v.

DOM. SORTEILHO 1998★★★

■   20 ha   60 000   ▮ `20 à 29 F`

Un remarquable saint-chinian pour basculer dans le XXI°s. Un vrai bonheur ! Superbe vin méridional ! Tout simplement, un coup de cœur. Une robe profonde, un nez encore un peu fermé mais typé schiste (notes fumées, minérales, épices) avec une bouche puissante qui s'impose et

séduit le grand jury. À déguster pour les curieux, à attendre pour les amateurs de plaisir.

☛ Cave des Vignerons de Saint-Chinian, rte de Sorteilho, 34360 Saint-Chinian, tél. 04.67.38.28.48, fax 04.67.38.28.49 ☑ Ⴤ r.-v.

DOM. DE TUDERY 1997*

■   7 ha   40 000   ◫ `30 à 49 F`

Né d'une sélection rigoureuse de la coopérative de Cazedarnes, ce vin a étonné notre jury par sa bonne constitution. Le nez épicé avec des notes de petits fruits rouges et de garrigue ne fait qu'évoquer ce que la bouche vient révéler. Des tanins encore jeunes lui promettent un bel avenir.

☛ CCV Cazedarnes, 34460 Cazedarnes, tél. 04.67.38.02.35, fax 04.67.38.19.25

VAL DONNADIEU Cuvée Mathieu 1998

■   2 ha   4 000   ▮◫⚬ `30 à 49 F`

Cette cuvée d'un rouge intense, au nez à dominante fruitée, demande quelque temps d'élevage en bouteille pour affiner ses tanins. Une bonne aération en carafe permettra d'apprécier sa fraîcheur sur un gigot d'agneau de Saint-Chinian.

☛ Christine Simon, 9, bd Pasteur, 34370 Cazouls-les-Béziers, tél. 04.67.93.61.63, fax 04.67.93.68.84 ☑ Ⴤ t.l.j. sf dim. 8h-12h 13h-19h

CH. VEYRAN 1998

■   19,41 ha   100 000   ▮⚬ `30 à 49 F`

Cet assemblage de syrah et de grenache est plein de promesses. Sa robe est sans faille, encore jeune, et les parfums de fruits rouges sont discrets. Vin agréable à boire dès à présent pour son côté friand.

☛ Gérard Antoine, Ch. Veyran, 34490 Causses-et-Veyran, tél. 06.08.99.69.72, fax 04.67.89.65.77 ☑ Ⴤ r.-v.

CH. VIRANEL Cuvée traditionnelle 1997*

■   9 ha   50 000   ▮◫⚬ `30 à 49 F`

Les Bergasse-Milhé dirigent depuis 1988 ce domaine entré dans leur famille en 1550 ! Monsieur Bergasse brille sur un millésime difficile. Son vin a belle allure avec sa robe pourpre, son nez à la persistance aromatique intéressante. Harmonieux et élégant, il est prêt à boire. Le **rosé 98** reçoit également une étoile.

☛ GFA de Viranel, 34460 Cessenon, tél. 04.90.55.85.82, fax 04.90.55.88.97 ☑ Ⴤ r.-v.
☛ Bergasse-Milhé

Cabardès

LES vins des Côtes de Cabardès et de l'Orbiel proviennent de terroirs situés au nord de Carcassonne et à l'ouest du Minervois. Le vignoble s'étend sur 2 200 ha et dix-huit communes. Il produit 15 000 hl de vins rouges associant les cépages méditerranéens et atlantiques. Ces vins d'appellation sont assez différents des autres vins du Languedoc-Roussillon : produits dans la région la plus occidentale, ils subissent davantage l'influence océanique.

CH. D'ARAGON 1997*

■ 7,35 ha 6 700 ▮🌡 50 à 69 F

Aragon, superbe village au cœur de l'appellation, avec de nombreux chemins de randonnées alentour où l'on peut admirer des capitelles, constructions paysannes, héritage d'une période où l'agriculture occupait tout l'espace. Si la robe de ce 97 est de moyenne intensité, avec quelques reflets d'évolution, le nez se montre très épicé. Ample et élégant en bouche avec un grain de tanins très fin, c'est un vin à boire.

⊶ SCV Les Celliers du Cabardès, av. du Gal-de-Gaulle, 11170 Pézens, tél. 04.68.24.90.64, fax 04.68.24.87.09 ☒ Y r.-v.

DOM. CABROL Cuvée Vent d'Est 1997**

■ n.c. 15 000 ▮🌡 30 à 49 F

Très joli vignoble, en partie gagné sur la garrigue, constitué des dernières vignes plantées avant d'aborder la Montagne Noire. Cette situation confère une maturité lente mais parfaite à la vigne et explique que cette région soit souvent distinguée. Une robe sombre et brillante habille ce 97. Des notes de griotte et de fruits très mûrs accompagnées par des senteurs de la garrigue environnante composent la palette aromatique de ce vin complet en bouche. Un beau mariage de syrah et de cabernet-sauvignon.

⊶ Claude et Michel Carayol, Dom. de Cabrol, 11600 Aragon, tél. 04.68.77.19.06, fax 04.68.77.54.90 ☒ Y t.l.j. 11h-19h

DOM. DE CAUNETTES HAUTES 1998

◪ n.c. 5 000 ▮🌡 20 à 29 F

Joli vignoble en limite de causse calcaire. Un circuit ampélographique, qui traverse la propriété, permet de découvrir les cépages de l'appellation. Ce rosé à la robe rose tendre légèrement saumonée offre une belle harmonie aromatique entre le nez et la bouche, faite de fruits rouges et de notes de confiserie. Un vin tout en douceur.

⊶ SCEA Dom. de Caunettes Hautes, 11170 Moussoulens, tél. 04.68.24.93.15, fax 04.68.24.81.77 ☒ Y r.-v.

⊶ Gilbert Rouquet

CH. JOUCLARY 1997***

■ n.c. 12 500 ⦀ 30 à 49 F

Guillaume de Jouclary, consul de Carcassonne, créa le domaine en 1530. Son fils n'eut que deux filles et le nom se perdit définitivement. Heureusement pour l'actuel propriétaire, son fils montre déjà beaucoup de talent. Le nez de ce 97, encore discret, s'ouvre progressivement sur une grande richesse. C'est en bouche que ce rouge s'exprime pleinement sur une très belle matière, mariage parfait entre le vin et le boisé de l'élevage en barrique. Un 97 qu'il faut savoir attendre. Les dégustateurs ont également retenu la **cuvée classique**, de très belle facture.

⊶ Robert Gianesini, Ch. Jouclary, 11600 Conques-sur-Orbiel, tél. 04.68.77.10.02, fax 04.68.77.00.21 ☒ Y r.-v.

CH. SALITIS Cuvée Premium 1997***

■ 8,5 ha 37 500 ▮🌡 30 à 49 F

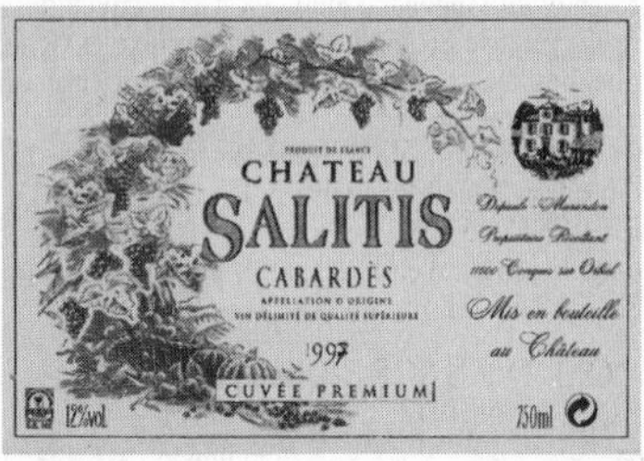

Cette exploitation, ancienne dépendance de l'abbaye de Lagrasse, sait marier à la perfection les cépages atlantiques et méditerranéens. De très vieilles vignes de grenache confèrent à ce vin toute son originalité. Il est aussi remarquable par son élégance, sa complexité au nez, mariage de fruits noirs et de cannelle. En bouche, la réglisse est présente avec un tanin puissant mais velouté et une très belle finale.

⊶ Alice Depaule-Marandon, Dom. de Salitis, 11600 Conques-sur-Orbiel, tél. 04.68.77.16.10, fax 04.68.77.05.69 ☒ Y r.-v.

CH. VENTENAC Cuvée Les Pujols 1997**

■ 30 ha 30 000 ⦀ 30 à 49 F

Ce vigneron, régulièrement retenu par notre Guide, vient d'inaugurer de nouveaux chais qui allient modernisme et vieilles pierres. A visiter pour découvrir également ce produit plein et charnu, dont les arômes associent poivre et fruits mûrs au nez, cacao et fruits confits en bouche. Celle-ci offre une belle longueur. Les dégustateurs ont retenu le **rosé 98** et le **rouge 97** élevé en fût.

⊶ Alain Maurel, 1, pl. du Château, 11610 Ventenac-Cabardès, tél. 04.68.24.93.42, fax 04.68.24.81.16, e-mail alainmaurel@wanadoo.fr ☒ Y r.-v.

Côtes de la malepère AOVDQS

On produit 40 000 hl de cette AOVDQS sur trente et une communes de l'Aude, dans un terroir soumis à l'influence océanique et situé au nord-ouest des Hauts-de-Corbières qui le protègent de l'influence méditerranéenne. Ces vins rouges ou rosés, corsés et fruités, comprennent non pas du carignan, mais, en plus du grenache et du cot, les cépages bordelais cabernet-sauvignon, cabernet franc et merlot dominants.

CH. DE COINTES 1998★★

■ 1,5 ha 10 000 ■ 30 à 49 F

André et Jean Cointes, premiers consuls de Carcassonne au XVIIe s., ont donné leur nom à ce domaine. Cette propriété familiale propose un 98 d'une magnifique couleur rose cerise, d'une grande fraîcheur. Au nez, on décèle des notes de fraise mûre. Très équilibré en bouche, à la fois rond et vif, ce vin offre une bonne persistance aromatique.

Anne Gorostis, Ch. de Cointes, 11290 Roullens, tél. 04.68.26.81.05, fax 04.68.26.84.37 r.-v.

DOM. LE FORT

Elevé en fût de chêne 1996★

■ 4 ha 15 000 30 à 49 F

Le retour d'une nouvelle génération relance le domaine familial ; la mise en bouteilles a débuté il y a quatre ans. Marc Pagès est à la recherche de la perfection. Ce 96 s'annonce par une robe profonde aux reflets encore très jeunes et par un nez puissant de bigarreau bien mûr, accompagné par une évolution sur le cacao. Les fruits sont présents en bouche avec un tanin souple de bonne facture. Joli produit.

Marc Pagès, Dom. Le Fort, 11290 Montréal-de-l'Aude, tél. 04.68.76.20.11, fax 04.68.76.20.11 r.-v.

CH. DE MONTCLAR 1996★★★

■ 20 ha 26 000 30 à 49 F

Cédé à un compagnon de Simon de Montfort après la tragédie cathare, ce château appartient à la famille Guiraud depuis le milieu du XIXe s. Une fois de plus, ce vin reçoit le coup de cœur du Guide. Un mariage parfait entre une matière concentrée et son élevage en fût. Robe grenat à reflets sombres. Puissantes senteurs de garrigue et bouche charnue, pleine et harmonieuse, sur un fond délicatement vanillé. Ont été cités le **château Guiraud**, et le **château de Fournery 98** pour son rosé.

Cave du Razès, 11240 Routier, tél. 04.68.69.02.71, fax 04.68.69.00.49 t.l.j. sf sam. dim. 8h-12h 14h-18h

DOM. NOTRE-DAME 1996★

■ n.c. 9 000 30 à 49 F

Un vin à la robe rouge profond, au nez original de cacao, de tabac et d'épices. Puissante à l'attaque, la bouche révèle un tanin encore jeune. Un joli produit qui devra attendre. Le **domaine de Foucauld** a également été retenu par le jury.

Cave La Malepère, av. des Vignerons, 11290 Arzens, tél. 04.68.76.71.71, fax 04.68.76.71.72, e-mail oeno@cavelamalepere.com r.-v.

ROUSSILLON

Le Roussillon

L'implantation de la vigne en Roussillon, sous l'impulsion des marins grecs attirés par les richesses minières de la côte catalane, date du VIIe s. avant notre ère. Elle se développa au Moyen Age, et les vins doux de la région connurent de bonne heure une solide réputation. Après l'invasion phylloxérique, la vigne a été replantée en abondance sur les coteaux du plus méridional des vignobles de France.

Amphithéâtre tourné vers la Méditerranée, le vignoble du Roussillon est bordé par trois massifs : les Corbières au nord, le Canigou à l'ouest, les Albères au sud, qui font la frontière avec l'Espagne. La Têt, le Tech et l'Agly sont des fleuves qui ont modelé un relief de terrasses dont les sols caillouteux et lessivés sont propices aux vins de qualité, et particulièrement aux vins doux naturels (voir ce chapitre). On rencontre également des sols d'origine différente avec des schistes noirs et bruns, des arènes granitiques, des argilo-calcaires ainsi que des collines détritiques du Pliocène.

Le vignoble du Roussillon bénéficie d'un climat particulièrement ensoleillé, avec des températures clémentes en hiver, chaudes en été. La pluviométrie (350 à 600 mm) est mal répartie, et les pluies d'orages ne profitent guère à la vigne. Il s'ensuit une période estivale sèche, dont les effets sont souvent accentués par la tramontane qui favorise la maturation des raisins.

La vigne est conduite en gobelet, avec une densité de 4 000 pieds. La culture reste traditionnelle, souvent peu mécanisée. L'équipement des caves se modernise avec la diversification des cépages et des techniques de vinification. Après de rigoureux contrôles de maturité, la vendange est transportée en comportes ou petites bennes sans être écrasée ; une partie des raisins est traitée par macération carbonique. Les températures au cours de la vinification sont de mieux en mieux maîtrisées, afin de protéger la finesse des arômes : tradition et technicité se côtoient.

Côtes du roussillon et côtes du roussillon-villages

Ces appellations sont issues des meilleurs terroirs de la région. Le vignoble, de 6 800 ha environ, produit 300 à 320 000 hl dans l'ensemble des appellations. Les côtes du roussillon-villages sont localisés dans la partie septentrionale du département des Pyrénées-Orientales ; deux communes bénéficient de l'appellation avec le nom du village : Caramany et Latour-de-France. Terrasses de galets, arènes granitiques, schistes confèrent aux vins une richesse et une diversité qualitatives que les vignerons ont bien su mettre en valeur.

Les vins blancs sont produits principalement à partir des cépages macabeu, malvoisie du Roussillon et grenache blanc, mais également avec la marsanne, la roussanne et le rolle, vinifiés par pressurage direct. Ils sont de type vert, légers et nerveux, avec un arôme fin, floral (fleur de vigne). Ce sont des compagnons de choix pour les fruits de mer, les poissons et les crustacés.

Les vins rosés et les vins rouges sont obtenus à partir de plusieurs cépages : le carignan noir (60 % maximum), le grenache noir, le lladonner pelut, le cinsaut, comme cépages principaux, et la syrah, le mourvèdre et le macabeu (10 % maximum dans les vins rouges) comme cépages complémentaires ; il faut obligatoirement deux cépages principaux et un cépage complémentaire. Tous ces cépages (sauf la syrah) sont conduits en taille courte à deux yeux. Souvent, une partie de la vendange est vinifiée en macération carbonique, surtout à partir du carignan qui donne, avec cette méthode de vinification, d'excellents résultats. Les vins rosés sont vinifiés obligatoirement par saignée.

Les vins rosés sont fruités, corsés et nerveux ; les vins rouges sont fruités, épicés, avec une richesse alcoolique de 12 °C environ. Les côtes du roussillon-villages sont plus corsés et chauds ; certains peuvent se boire jeunes, mais d'autres peuvent se garder plus longtemps et développer alors un bouquet intense et complexe. Leurs qualités organoleptiques bien personnalisées et diversifiées leur permettent de s'associer avec les mets les plus variés.

Côtes du roussillon

DOM. ALQUIER Cuvée des Filles 1998*

□ 2,35 ha 7 000 ▮ 30 à 49 F

Cette cuvée des Filles constitue un bel exemple de l'expression aromatique du vermentino assemblé ici aux cépages traditionnels catalans. La robe d'or pâle nuancée de reflets verts annonce les notes de fleurs blanches, de pomelo et de pêche. Fraîcheur et onctuosité se conjuguent en bouche où les arômes persistent.

Pierre Alquier, Dom. Alquier, 66490 Saint-Jean-Pla-de-Corts, tél. 04.68.83.20.66, fax 04.68.83.55.45 ▣ Y t.l.j. 9h-12h 14h-18h; f. mer. et dim.

DOM. JEAN AMOUROUX El Vi 1996

■　　5,5 ha　5 000　■ **20 à 29 F**

El Vi signifie « le vin » en catalan. Beau nom pour ce 96 aux arômes de fruits rouges en confiture. Les tanins fins donnent une impression de souplesse. La note d'ensemble est séduisante.
☛Dom. Amouroux, 15, rue du Pla-del-Rey, 66300 Tresserre, tél. 04.68.38.87.54, fax 04.68.38.89.90 ☑ ⍭ r.-v.

CH. DE BLANES
Cuvée de la Marquise 1997★

■　　26 ha　10 000　■↓ **30 à 49 F**

Le vignoble de Pézilla s'étend sur les collines schisteuses qui dominent la vallée de la Têt. Une dominante fruitée et épicée, au nez comme en bouche, pour ce vin habillé d'une robe d'un rubis clair et brillant. Les tanins se fondent peu à peu et donnent une impression de souplesse en finale.
☛SCV Les Vignerons de Pézilla, 66370 Pézilla-la-Rivière, tél. 04.68.92.00.09, fax 04.68.92.49.91 ☑ ⍭ t.l.j. sf dim. 8h30-12h30 14h-18h30

CH. DE CALADROY 1997

■　　20 ha　10 000　■↓ **20 à 29 F**

Le château de Caladroy, maison forte médiévale située au sommet de collines schisteuses, domine les vallées de la Têt et de l'Agly. Les arômes évoquent les fleurs de garrigue et les baies sauvages dans un écrin pourpre aux reflets soutenus. La charpente, encore trop présente et virile, laisse augurer un bel avenir.
☛SARL Arnold Bobo, Ch. de Caladroy, 66720 Belesta, tél. 04.68.57.10.25, fax 04.68.57.27.76, e-mail chateau.caladroy@wanadoo.fr ☑ ⍭ r.-v.

CH. CAP DE FOUSTE
Elevé en fût de chêne 1997★

■　　19 ha　120 000　■↓ **30 à 49 F**

Haut lieu de réception situé en bordure du lac de Villeneuve-de-la-Raho aux portes de Perpignan, le château Cap de Fouste possède un vignoble remarquable. Voici un vin déjà bien mûr où des notes de fenaison, de cuir et de réglisse se fondent avec les touches boisées et empyreumatiques en bouche. Une citation encore pour la cuvée **Le P'tit Bonheur 97** (- de 20 F) des vignerons Catalans, un vin rond et souple à boire frais.
☛Vignerons catalans, 1870, av. Julien-Panchot, B.P. 2035, 66011 Perpignan Cedex, tél. 04.68.85.04.51, fax 04.68.55.25.62 ☑ ⍭ r.-v.
☛SCI Ch. Cap de Fouste

DOM. DES CHENES
Les Magdaléniens 1997★★

▢　　2 ha　6 800　■◫↓ **30 à 49 F**

Les reflets légèrement paillés de la robe annoncent des arômes mûrs de fleurs d'amandier séchées, de genêt, se mêlant aux touches de vanille douce qui se développent en bouche. Un vin d'une grande harmonie où puissance, onctuosité et persistance aromatique jouent une bonne partition d'ensemble. La délicatesse d'un turbot grillé lui donnera une savoureuse réplique.
☛Razungles, Dom. des Chênes, 7, rue Mal-Joffre, 66600 Vingrau, tél. 04.68.29.40.21, fax 04.68.29.10.91 ☑ ⍭ r.-v.

DOM. FERRER-RIBIERE
Empreinte des Temps 1997★★

■　　3 ha　6 000　■◫ **30 à 49 F**

Un domaine situé au cœur des Aspres et né de la rencontre entre un jeune vigneron et un ancien

Le Roussillon

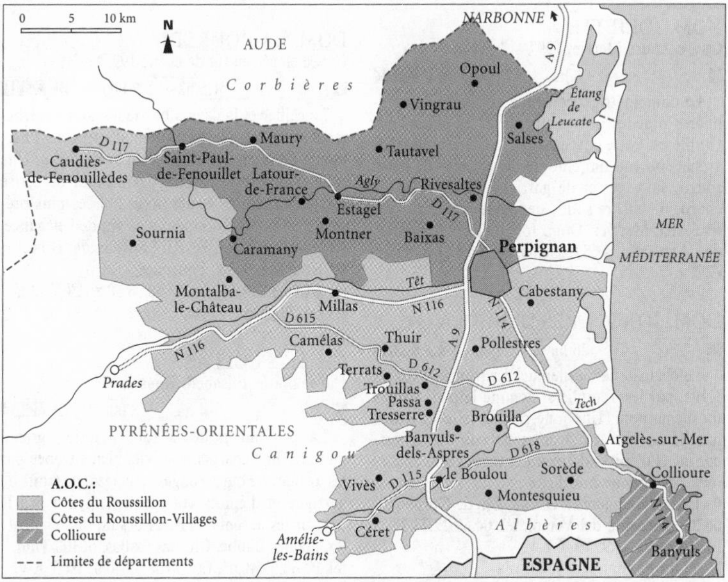

cadre d'une organisation professionnelle viti-cole. Les notes de vendanges parfaitement mûries séduisent dès le premier coup de nez et se pro-longent en bouche autour des accents réglissés du tanin. La charpente est harmonieusement enrobée par l'ampleur et l'onctuosité accompa-gnées de touches d'élevage qui viennent en ren-fort des sensations gustatives.

☛ Denis Ferrer et Bruno Ribière, Dom. Ferrer-Ribière, 5, rue du Colombier, 66300 Terrats, tél. 04.68.53.24.45, fax 04.68.53.10.79 ☑ ⵀ t.l.j. sf sam. dim. 8h30-12h 14h-18h

LES VIGNERONS DE FOURQUES
1998

◲ | | n.c. | 7 000 | 🍶 | 20 à 29 F

C'est un vignoble situé sur les collines domi-nant les Aspres qui a donné naissance à ce rosé à la robe bien vive, aux arômes fruités, intenses et francs. La fraîcheur est savoureuse en bouche. Un bon exemple de rosé destiné à accompagner buffets et pique-niques.

☛ SCV Les Vignerons de Fourques, 1, rue des Taste-Vin, 66300 Fourques, tél. 04.68.38.80.51, fax 04.68.38.89.65 ☑ ⵀ t.l.j. sf dim. 9h-12h 14h-18h

DOM. GALY Tradition 1996

■ | 35 ha | 50 000 | | 20 à 29 F

Un assemblage judicieux des principaux cépa-ges de l'appellation donne ce 96 paré d'une belle robe rubis, et dont les arômes commencent à évo-luer vers des notes balsamiques et épicées. Des touches réglissées, en bouche, donnent au tanin un caractère à la fois viril et savoureux.

☛ Dom. Galy, 33, av. Jean-Jaurès, 66670 Bages, tél. 04.68.21.71.52, fax 04.68.21.61.66 ☑ ⵀ t.l.j. 10h-12h30 16h-18h

DOM. JOLIETTE
Cuvée André Mercier 1997

■ | 8 ha | 17 000 | 🍶 | 30 à 49 F

Le domaine s'est constitué en lisière des pre-mières pinèdes qui grimpent sur le massif des Corbières. Cette cuvée est parée d'une robe d'un grenat soutenu qui entoure des arômes de baies rouges sauvages et de garrigue. En bouche, la charpente encore solide demande à mûrir.

☛ EARL Mercier, Dom. Joliette, 66600 Espira-de-l'Agly, tél. 04.68.64.50.60, fax 04.68.64.18.82 ☑ ⵀ r.-v.

DOM. JONQUERES D'ORIOLA 1995

■ | 26 ha | 120 000 | | 🍶 | 20 à 29 F

Le château de Corneilla, construit à la fin du XIIᵉs. par les Templiers, domine le petit village du même nom. Une jolie robe à reflets vermeil habille ce vin aux arômes de cuir, de griotte confite et d'épices douces. Les tanins sont encore bien présents en bouche.

☛ EARL Jonquères d'Oriola, Ch. de Corneilla, 66200 Corneilla-del-Vercol, tél. 04.68.22.73.22, fax 04.68.22.43.99 ☑ ⵀ r.-v.

☛ Philippe Jonquères d'Oriola

LE CELLIER DE LA BARNEDE
Cuvée élevée en fût de chêne 1995

■ | 50 ha | 15 000 | 🍾🍶 | 30 à 49 F

Autrefois réputée pour ses alicantes puis pour ses vins verts, la coopérative de Bages s'est orien-tée aujourd'hui vers des vins d'appellation. Les nuances légèrement tuilées de la robe annoncent ce millésime 95 qui garde encore quelques notes fruitées dans la fragrance des arômes grillés apportés par l'élevage en fût.

☛ SCAV les producteurs de Barnède, 5, av. du 8-Mai-1945, 66670 Bages, tél. 04.68.21.60.30, fax 04.68.37.50.13 ☑ ⵀ r.-v.

DOM. LAPORTE Domitia 1997★★★

■ | 4 ha | 16 000 | | 🍶 | 50 à 69 F

Encore un millésime superbement réussi pour ce vignoble situé aux portes de Perpignan, sur l'ancienne voie Domitia. Ses arômes de baies rouges intenses et persistants sont bien caracté-ristiques des vendanges de syrah parfaitement conduites. En bouche, le tanin devient charnu et se fond dans une parfaite harmonie gustative, laissant aux arômes le soin de conclure en beauté.

☛ Dom. Laporte, Château-Roussillon, 66000 Perpignan, tél. 04.68.50.06.53, fax 04.68.66.77.52 ☑ ⵀ r.-v.

DOM. LA ROUREDE
Cuvée élevée en fût de chêne 1997★

■ | 1,5 ha | 7 000 | 🍾 | 30 à 49 F

Le cellier et la cave à barriques sont superbe-ment aménagés ; ils permettent d'apprécier l'har-monie de la modernité alliée à la tradition. Une robe d'un rubis brillant, des arômes de cerise légèrement épicés et des notes boisées plus pré-sentes en bouche donnent à ce vin de l'élégance.

☛ Jean-Luc Pujol, EARL La Rourède, Dom. La Rourède, 66300 Fourques, tél. 04.68.38.84.44, fax 04.68.38.88.86 ☑ ⵀ t.l.j. sf dim. 9h-12h 15h-18h

CH. LAS COLLAS
Cuvée boisée Elisabeth Rous 1997★

■ | 4 ha | 8 000 | 🍾 | 30 à 49 F

La profondeur de la robe à reflets grenat annonce une charpente solide, bien enrobée par les arômes de baies rouges sauvages, de fruits de garrigue et d'épices qui prennent peu à peu le pas sur les accents réglissés des tanins.

☛ Jacques Bailbé, Ch. Las Collas, 66300 Thuir, tél. 04.68.53.40.05, fax 04.68.53.40.05 ☑ ⵀ r.-v.

DOM. DU MAS CREMAT
Elevé en fût de chêne 1997★★★

■ n.c. 11 000 50 à 69 F

Un Bourguignon qui a choisi de s'installer sur des terroirs méditerranéens. Comment s'étonner d'une parfaite maîtrise de l'élevage en fût qui apporte ici ses touches légèrement vanillées tout en mettant en valeur les arômes de cerise confite de la vendange ? D'une belle harmonie, ce 97 accompagnera une épaule d'agneau des terres catalanes.

Jeannin-Mongeard, Dom. du Mas Crémat, 66600 Espira-de-l'Agly, tél. 04.68.38.92.06, fax 04.68.38.92.23 r.-v.

DOM. DU MAS ROUS 1997★★★

■ 7 ha 20 000 20 à 29 F

Ce domaine situé au pied des Albères propose de belles cuvées. On ne manquera pas de visiter à Montesquieu l'église Saint-Saturnin du XIIe s. dont le portail en marbre blanc comporte des décors en fer forgé. Une robe d'un rubis peu soutenu habille ce vin qui a su séduire par la complexité et l'intensité de ses arômes : épices douces, café, cuir, fourrure sont au rendez-vous avec des touches sensuelles d'onctuosité. Un gibier à plume s'impose.

José Pujol, Dom. du Mas Rous, traverse du Mas Rous, 66740 Montesquieu-des-Albères, tél. 04.68.89.64.91, fax 04.68.89.80.88 r.-v.

CH. MOSSE 1997★

■ 20 ha 40 000 30 à 49 F

Le petit village de Sainte-Colombe-de-la-Commanderie, ancien fief des Templiers, domine la plaine de l'Aspre du toit de ses maisons en « cayron ». Ce vin plein de rondeur et de souplesse privilégie les arômes marqués par la syrah. Cassis, épices et notes florales jouent de concert dès le premier coup de nez. La cuvée **Temporis**, élevée en fût, a également séduit les dégustateurs.

Jacques Mossé, 66300 Ste-Colombe-de-la-Commanderie, tél. 04.68.53.08.89, fax 04.68.53.35.13, e-mail mosse@cavesparticulieres.com r.-v.

DOM. DE NIDOLERES 1995★

■ 12 ha 3 000 30 à 49 F

Belle robe à reflets cerise, arômes de fruits rouges bien mûrs. En bouche, le tanin est en harmonie avec la bonne onctuosité et se fond dans la persistance aromatique. A déguster à la ferme auberge autour des spécialités catalanes cuisinées par Pierre Escudié.

Pierre Escudié, Dom. de Nidolères, 66300 Tresserre, tél. 04.68.83.15.14, fax 04.68.83.31.26 r.-v.

DOM. PAGES HURE 1997★

■ 2 ha 8 000 20 à 29 F

Un vignoble situé au pied des Albères dont la silhouette figure sur l'étiquette de ce domaine tout proche de la remarquable église romane Saint-Michel qu'on ne manquera pas de visiter. Ce vin à la belle robe rubis aux reflets déjà vermeil annonce les petits fruits rouges en confiture. Des tanins fins et élégants donnent une réelle harmonie à l'ensemble où la rondeur domine.

Dom. Pages Huré, 2, allée des Moines, 66740 Saint-Génis-des-Fontaines, tél. 04.68.89.82.62, fax 04.68.89.82.62 r.-v.

Jean-Louis Pages

DOM. PARCE Vieilli en fût de chêne 1996★

■ 5 ha 16 000 30 à 49 F

Une robe sombre et des arômes de baies sauvages et de sous-bois. En bouche, les tanins commencent à mûrir peu à peu en se fondant avec les notes épicées et les touches vanillées apportées par l'élevage en fût. Même note pour le **rosé 98** d'une belle persistance aromatique (20 à 29 F).

EARL A. Parcé, 21 ter, rue du 14-Juillet, 66670 Bages, tél. 04.68.21.80.45, fax 04.68.21.69.40 t.l.j. sf dim. 9h30-12h15 16h-19h30

DOM. PIQUEMAL 1997★★

■ 11 ha 75 000 30 à 49 F

Une véritable corbeille de fruits s'offre au nez et en bouche, ces arômes étant rehaussés par des notes d'épices orientales et de fenaison. La douceur du tanin et l'onctuosité des sensations tactiles donnent à ce vin un fondu élégant et persistant. Le **blanc, Les Terres grillées 98** élevé en fût a été cité pour ses arômes complexes (genêt, miel, garrigue, notes empyreumatiques) et pour son ampleur (50 à 69 F).

Dom. Pierre et Franck Piquemal, 1, rue Pierre-Lefranc, 66600 Espira-de-l'Agly, tél. 04.68.64.09.14, fax 04.68.38.52.94 t.l.j. sf dim. 9h-12h 15h-18h

CH. PLANERES Prestige 1998★

□ 10 ha 30 000 30 à 49 F

Un des rares vins qui possède de la malvoisie du Roussillon dans son encépagement. On lui trouve une fraîcheur savoureuse, des arômes à la fois floraux et légèrement citronnés, et une harmonie où onctuosité et vivacité se donnent la réplique. A accompagner de fruits de mer. On retiendra aussi, cité par le jury, le **rosé Prestige 98**, qui accompagnera tout un repas.

Jaubert-Noury, Ch. Planères, 66300 Saint-Jean-Lasseille, tél. 04.68.21.74.50, fax 04.68.37.51.95 t.l.j. sf sam. dim. 8h30-12h 14h-17h30

ROC DU GOUVERNEUR 1998★★

◪ n.c. 10 000 20 à 29 F

Une véritable profusion de parfum offerte dès le premier coup de nez. Un écrin d'un rose vermeil très soutenu. En bouche, le concert d'arômes continue, rehaussé par des notes amyliques. Puissance, onctuosité et longueur en bouche en font un rosé de gastronomie. Le **rouge Roc du Gouverneur 98** a obtenu une étoile.

Les Vignobles du Rivesaltais, 1, rue de la Roussillonnaise, 66602 Rivesaltes-Salses, tél. 04.68.64.06.63, fax 04.68.64.64.69

CH. ROMBEAU
Pierre de la Fabrègue Cuvée élevée en fût de chêne 1996*

| ■ | 3 ha | 13 000 | ◖▮▮◗ | 30 à 49 F |

Le château Rombeau est devenu un lieu incontournable de la viticulture catalane. Visite des chais, restauration, animations culturelles se conjuguent au quotidien sous la houlette de Pierre-Henry de Fabrègue. Ce 96, encore bien charpenté, se fond peu à peu en bouche avec des notes réglissées. Parfait avec les grillades servies au château.

☛P.-H. de La Fabrègue, SCEA ch. Rombeau, 66600 Rivesaltes, tél. 04.68.64.05.35, fax 04.68.64.64.66 ☑ ☚ t.l.j. 9h-20h

CH. SAINT-MARTIN
Elevé en fût de chêne 1994**

| ■ | n.c. | 17 000 | ◖▮▮◗ | 30 à 49 F |

Une très belle bouteille, reflet du millésime 94 qui a donné de nombreuses cuvées de haute expression en Roussillon. Les reflets tuilés de la robe annoncent la maturité de ce vin aux accents délicatement boisés et fondus avec des notes réglissées et épicées. Très bonne longueur.

☛Cave Les Vignerons d'Elne, 67, av. Paul-Reig, 66200 Elne, tél. 04.68.22.06.51, fax 04.68.22.83.31 ☑ ☚ r.-v.

DOM. SALVAT
Taïchac Elevé en fût de chêne 1996

| ■ | 14 ha | 28 000 | ◖▮▮◗ | 30 à 49 F |

Ce vignoble, dont une partie se trouve en altitude à Saint-Martin en Fenouillèdes, propose cette cuvée Taïchac dont la robe se pare déjà de reflets tuilés, annonçant des arômes évolués de fruits cuits, de cuir et d'épices. En bouche, les notes balsamiques apportées par l'élevage en fût se fondent harmonieusement.

☛Dom. Salvat Père et Fils, Pont-Neuf, 66610 Villeneuve-la-Rivière, tél. 04.68.92.17.96, fax 04.68.38.00.50 ☑ ☚ r.-v.

DOM. SARDA-MALET Réserve 1996**

| ■ | 12 ha | 28 000 | ◖▮▮◗ | 50 à 69 F |

Situé aux portes de Perpignan, ce domaine offre régulièrement de très belles cuvées présentées avec passion par Suzy Malet. Ce 96 se distingue par l'élégance des arômes et la puissance des sensations en bouche où arômes et tanins se déclinent sans fausse note. A noter également une cuvée **Terroir Mailloles**, dont la production est plus limitée, pour les amateurs de vins fortement charpentés et de longue garde.

☛Dom. Sarda-Malet, Mas Saint-Michel, chem. de Sainte-Barbe, 66000 Perpignan, tél. 04.68.56.72.38, fax 04.68.56.47.60 ☑ ☚ t.l.j. 8h-12h30 14h-19h; sam. dim. sur r.-v.
☛ Suzy Malet

LES VIGNERONS DE TARERACH
Roc de Maure 1997

| ■ | 26,05 ha | 8 735 | ▮♦ | 20 à 29 F |

Ce roc des Maures domine la cave coopérative. Une belle robe d'un rubis à reflets cerise entoure ce vin élégant et souple où les arômes de fruits rouges dominent. La rondeur prend le pas sur la charpente.

☛SCV Tarérach Roc de Maure, B.P. 31, 66320 Tarérach, tél. 04.68.96.54.96, fax 04.68.96.17.91 ☑ ☚ t.l.j. sf dim. lun. 10h-12h 15h-18h

TERRASSOUS
Les Pierres Plates Elevé en fût de chêne 1996*

| ■ | 10 ha | 30 000 | ▮◖▮▮◗ | 50 à 69 F |

Une belle robe rubis aux reflets légèrement tuilés, des arômes où les fruits rouges s'expriment dès le premier coup de nez et se prolongent par des notes grillées et épicées caractérisent ce vin dont le bon équilibre gustatif s'établit autour de touches boisées agréables.

☛SCV Les Vignerons de Terrats, B.P. 32, 66302 Terrats, tél. 04.68.53.02.50, fax 04.68.53.23.06 ☑ ☚ t.l.j. sf dim. 8h-12h 14h-18h

TREMOINE DE RASIGUERES 1998*

| ◣ | 25 ha | 44 053 | | 30 à 49 F |

Un des premiers rosés à avoir donné ses lettres de noblesse à ce type de vin, élaboré par les vignerons de Rasiguères-Planèzes. Il se présente dans une robe d'un rose à peine soutenu, avec des arômes complexes et fins allant de la fraise écrasée aux épices douces. En bouche, une touche d'onctuosité donne la réplique à la fraîcheur attendue.

☛Vignerons Catalans, 1870, av. Julien-Panchot, B.P. 2035, 66011 Perpignan Cedex, tél. 04.68.85.04.51, fax 04.68.55.25.62 ☑ ☚ r.-v.

LE CELLIER DE TROUILLAS
Pierre d'Aspres Vieilli en fût de chêne 1997

| ■ | 12 ha | 13 000 | ◖▮▮◗ | 30 à 49 F |

Ce vin est un bon exemple de l'expression qualitative de ce terroir de collines qui domine les Aspres. Son harmonie est savoureuse grâce à la douceur des tanins que l'on découvre derrière une robe aux reflets de cerise bien mûre. Les notes épicées, poivrées et fruitées se déclinent avec légèreté, du premier coup de nez à la fin de bouche.

☛SCV Le Cellier de Trouillas, 1, av. du Mas-Deu, 66300 Trouillas, tél. 04.68.53.47.08, fax 04.68.53.24.56 ☑ ☚ r.-v.

CH. DE VESPEILLES 1996*

| ■ | n.c. | 25 000 | ▮ | 20 à 29 F |

Un vin qui permet d'apprécier à la fois le fruité de la jeunesse et les notes épicées et grillées de la maturité. Les tanins sont délicats et se fondent parfaitement dans l'harmonie gustative qui se prolonge en bouche par des arômes de fruits confits.

☛SA Destavel, 7bis, av. du Canigou, 66000 Perpignan, tél. 04.68.68.36.00, fax 04.68.54.03.54 ☑
☛ M. G. Baissas

CH. DE VILLECLARE 1995*

| ■ | 23 ha | 85 000 | ▮♦ | 30 à 49 F |

Les Jonquères d'Oriola possèdent ce château du XIIᵉˢ., construit sur des ruines romaines. Ce vin est déjà assagi par le temps comme en témoignent ses notes légèrement tuilées, ses arômes de vieux cuir et de venaison, et le velours de sa

charpente. A boire pour profiter tout de suite de ce millésime réussi.
🔑 F. Jonquères d'Oriola, Ch. de Villeclare, 66690 Palau-del-Vidre, tél. 04.68.22.14.92, fax 04.68.22.23.15 ☑ 🍷 t.l.j. sf dim. 10h-12h 15h-19h

Côtes du roussillon-villages

CLOS AYMERICH
Latour de France 1997★

■ n.c. 2 600 30 à 49 F

Ce tout jeune domaine exploite un vignoble dans l'AOC côtes du roussillon-villages Latour de France. Avec ses arômes de cassis et d'épices et ses notes discrètement fumées et réglissées en bouche, son 97 nous rappelle les aptitudes remarquables de ce terroir.
🔑 Jean-Pierre et Catherine Grau-Aymerich, 6, av. Dr-Cartade, 66310 Estagel, tél. 04.68.29.45.45, fax 04.68.29.10.35 ☑ 🍷 t.l.j. sf dim. 9h-12h 14h-19h

CH. DONA BAISSAS
Cuvée Vieilles vignes Elevé en fût de chêne 1996

■ 10 ha 40 000 30 à 49 F

Ce négociant propose une cuvée déjà évoluée comme le montrent ses arômes de vieux cuir et de sous-bois. La robe rubis vermeil entoure des tanins bien polis laissant à la puissance chaleureuse le soin d'orchestrer les sensations gustatives.
🔑 SA Destavel, 7*bis*, av. du Canigou, 66000 Perpignan, tél. 04.68.68.36.00, fax 04.68.54.03.54 ☑
🔑 G. Baissas

DOM. REGIS BOUCABEILLE 1997★

■ 1,2 ha 3 000 70 à 99 F

Agent commercial international, Régis Boucabeille a choisi le Roussillon pour y acheter un vignoble. Ses cuvées sont à la hauteur de sa réussite commerciale. Ce vin déjà mûr possède des arômes épicés, légèrement fumés et rappelant les fruits rouges macérés en compote. On appréciera la qualité du tanin au grain très fin, enrobé de notes boisées délicates.
🔑 Régis Boucabeille, rte Nationale, 66550 Corneilla-la-Rivière, tél. 04.68.57.38.93, fax 04.68.57.23.36 ☑ 🍷 r.-v.

DOM. BOUDAU
Cuvée Henri Boudau 1997★

■ 5 ha 3 000 50 à 69 F

Un domaine familial repris avec passion par Pierre et Véronique Boudau qui font ici leurs preuves avec la réalisation de cuvées de haute expression, comme le montre ce vin, fidèle à ce terroir de terrasses et de terres rouges, où la puissance des tanins n'empêche pas les arômes de fruits rouges bien mûrs de se développer tout au long de la dégustation. Onctuosité et chaleur apportent leur touche méditerranéenne.
🔑 Dom. Véronique et Pierre Boudau, 6, rue Marceau, B.P. 60, 66602 Rivesaltes, tél. 04.68.64.45.37, fax 04.68.64.46.26 ☑ 🍷 t.l.j. sf sam. dim. 10h-12h 15h-18h

CARAMANY
Caramany Elevé en fût de chêne 1997★★

■ n.c. n.c. 30 à 49 F

Les côtes du roussillon-villages Caramany se distinguent habituellement par la souplesse de leurs tanins. Cette cuvée, élevée en fût, nous montre d'autres expressions de ce terroir. Les arômes de fruits rouges et de poivre sont subtilement relayés par des notes empyreumatiques ; la souplesse du tanin est épaulée par l'apport du bois avec une bonne onctuosité... Une parfaite harmonie gustative. En Caramany également, on retiendra la **Cuvée du Presbytère 97**, qui a obtenu une étoile.
🔑 Vignerons Catalans, 1870, av. Julien-Panchot, B.P. 2035, 66011 Perpignan Cedex, tél. 04.68.85.04.51, fax 04.68.55.25.62 ☑ 🍷 r.-v.

VIGNERONS CATALANS
Tautavel L'Ancestrale Elevé en fût de chêne 1996★★

■ n.c. 50 000 30 à 49 F

L'appellation côtes du roussillon-villages Tautavel semble bien partie si l'on en juge par le nombre de cuvées présentées et le bon niveau qualitatif de l'ensemble. Celle-ci présente un caractère légèrement évolué avec des notes de cacao, d'épices et de pain grillé. Sa charpente charnue et sa persistance aromatique ont séduit le jury.
🔑 Vignerons Catalans, 1870, av. Julien-Panchot, B.P. 2035, 66011 Perpignan Cedex, tél. 04.68.85.04.51, fax 04.68.55.25.62 🍷 r.-v.
🔑 SCV Vingrau

DOM. DES CHENES Les Alzines 1996★

■ 3 ha 7 000 30 à 49 F

Ce terroir exceptionnel donne de grands vins, et ce domaine réputé sait l'exploiter comme le prouve ce 96 dont les arômes s'ouvrent peu à peu, allant des notes de fruits à noyau à celles, plus empyreumatiques, de l'élevage en fût. La robe à reflets grenat enveloppe des tanins fermes mais élégants. Une cuvée de garde mais qui sait déjà plaire.
🔑 SCEA Razungles, Dom. des Chênes, 7, rue Mal-Joffre, 66600 Vingrau, tél. 04.68.29.40.21, fax 04.68.29.10.91 ☑ 🍷 r.-v.

CH. CUCHOUS 1997★★

■ n.c. 80 000 30 à 49 F

Les vignerons de Cassagnes ont élaboré ce *villages* dont les reflets grenat de la robe annoncent un vin bien charpenté. Les sensations gustatives nous font découvrir des tanins doux et épicés permettant aux arômes de noyau et de fruits mûrs de s'exprimer longuement.
🔑 Vignerons Catalans, 1870, av. Julien-Panchot, B.P. 2035, 66011 Perpignan Cedex, tél. 04.68.85.04.51, fax 04.68.55.25.62 ☑ 🍷 r.-v.
🔑 Vignerons de Cassagnes

ROUSSILLON

DOM BRIAL Elevé en fût de chêne 1996★

■   20 ha   90 000 ▮◫▰ 30 à 49 F

Une robe d'un rubis profond avec quelques reflets tuilés. Dès le premier coup de nez, on apprécie la complexité des arômes arrivés à une bonne maturité comme le prouvent leurs notes de fruits rouges grillés, de torréfaction, d'épices et de cuir. La bouche, où les tanins se font velours, est bien équilibrée.
🖝Cave des Vignerons de Baixas, 14, av. Mal-Joffre, 66390 Baixas, tél. 04.68.64.22.37, fax 04.68.64.26.70 ☑ ⅄ r.-v.

DOM. FONTANEL
Tautavel Prieuré Vieilli en fût de chêne 1996★★

■   11 ha   13 000   ◫ 30 à 49 F

Un millésime 96 encore en pleine jeunesse avec sa robe grenat, ses arômes de baies rouges, ses notes vanillées, boisées et un solide tanin que l'on apprécie grâce à l'onctuosité gustative et à la persistance des arômes. La qualité de ces éléments laisse augurer un bel avenir pour ce vin.
🖝Dom. Fontanel, 25, av. Jean-Jaurès, 66720 Tautavel, tél. 04.68.29.04.71, fax 04.68.29.19.44 ☑ ⅄ r.-v.

DOM. GARDIES Tautavel 1997★★★

■   5 ha   12 000   ◫ 30 à 49 F

Plusieurs cuvées toutes aussi intéressantes les unes que les autres chez ce jeune vigneron installé dans le vignoble de Tautavel. Celle-ci présente des arômes concentrés et intenses, rappelant le cassis et les eaux-de-vie à noyau, particulièrement persistants en fin de bouche. La robe d'un grenat profond enveloppe une charpente aux tanins puissants et élégants, virils et doux à la fois. Un cuissot de chevreuil sera le parfait complice de ce vin exceptionnel.
🖝Dom. Jean Gardiés, 66600 Vingrau, tél. 04.68.64.61.16, fax 04.68.64.69.36 ☑ ⅄ r.-v.

DOM. GARDIES Les Millères 1997★★★

■   10 ha   20 000 ▮▰ 30 à 49 F

Les arômes de baies rouges et de vendanges bien mûres évoluent en bouche vers des notes réglissées qui persistent avec beaucoup d'élégance. Un tanin puissant mais bien enveloppé dans un équilibre chaleureux assure à ce vin un bel avenir.
🖝Dom. Jean Gardiés, 66600 Vingrau, tél. 04.68.64.61.16, fax 04.68.64.69.36 ☑ ⅄ r.-v.

DOM. GAUBY Vieilles vignes 1997★★★

■   n.c.   n.c. ◫ 70 à 99 F

La réputation des vins du domaine Gauby n'est plus à faire et ses cuvées sont souvent retenues longtemps à l'avance. L'expression du terroir, un savoir-faire rassurant et le charisme du vigneron en sont certainement la cause. Une robe d'un grenat profond annonce un vin riche en tanins et des arômes de mûre et de cassis. En bouche, la touche subtilement boisée habille la charpente, laissant à l'onctuosité et aux arômes le soin de parfaire l'harmonie. Un cuissot de sanglier lui donnera la réplique.
🖝Ghislaine et Gérard Gauby, Le Faradjal, 66600 Calce, tél. 04.68.64.35.19, fax 04.68.64.41.77 ☑ ⅄ r.-v.

CH. DE JAU 1997★★

■   55 ha   260 000   ▮▰ 30 à 49 F

Pourquoi ne pas apprécier ce vin au « grill » du château qui abrite chaque année une exposition d'art contemporain ? Les arômes, élégants et francs, évoquent griotte et mûre dans un écrin rubis. Des tanins délicats s'expriment en bouche où l'harmonie privilégie la rondeur à la charpente, l'élégance à la puissance.
🖝Ch. de Jau, 66600 Cases-de-Pène, tél. 04.68.38.90.10, fax 04.68.38.91.33, e-mail jau66@aol.com ☑ ⅄ t.l.j. 10h-19h; f. sam. dim. en hiver
🖝Famille Dauré

DOM. LA PLEIADE 1996

■   1,3 ha   n.c.   ▮ 30 à 49 F

Le terroir de schistes noirs de Maury donne également des vins secs de haute maturité... Voici un millésime en pleine croissance, avec des notes de fruits rouges en clafoutis et de vieux cuir. La charpente commence cependant à mûrir et domine l'équilibre en bouche.
🖝Dom. La Pléiade, Hameau de La Roque, 66200 Saint-Paul-de-Fenouillet, tél. 04.68.52.21.66, fax 04.68.52.21.66 ☑ ⅄ r.-v.
🖝Delcour

DOM. DE LA SALINE 1996

■   14 ha   40 000   ▮ 30 à 49 F

Reflets tuilés dans la robe, arômes de fruits grillés puis de cuir, tanins bien patinés nous indiquent que ce vin a déjà atteint sa pleine maturité. A apprécier dès les premiers froids, au coin du feu, avec une poêlée de champignons.
🖝Vignerons catalans, 1870, av. Julien-Panchot, B.P. 2035, 66011 Perpignan Cedex, tél. 04.68.85.04.51, fax 04.68.55.25.62 ⅄ r.-v.
🖝Vignerons d'Aglya

LES HAUTS DE FORÇA REAL 1996★★★

■   4 ha   13 000 ◫ 70 à 99 F

Toujours en haut de l'affiche avec ses cuvées, J.-P. Henriquès ne nous surprend pas avec ce millésime 96 élevé en fût avec art. La robe est d'un rubis profond alors que le nez exprime des notes balsamiques, puis de baies rouges confites. En bouche, le tanin est en subtile harmonie avec les notes boisées et se fond dans l'harmonie gustative grâce à l'onctuosité de la chair.
🖝J.-P. Henriquès, Dom. Forçà Réal, Mas de la Garrigue, 66170 Millas, tél. 04.68.85.06.07, fax 04.68.85.49.00 ☑ ⅄ r.-v.

CH. LES PINS 1996

■ 25 ha 100 000 ■ ◖◗ ♨ 50 à 69 F

Le château Les Pins devient un centre culturel autour du vin. Il n'en reste pas moins producteur, et propose ce vin à la robe rubis. Des arômes de fruits épicés au nez cèdent le pas en bouche à une charpente où les notes boisées dominent. Ce 96 devrait s'affirmer après quelques années de bouteille.

➔ Cave des Vignerons de Baixas, 14, av. Mal-Joffre, 66390 Baixas, tél. 04.68.64.22.37, fax 04.68.64.26.70 ☑ Y r.-v.

LESQUERDE

Lesquerde Cuvée Georges Pous 1996

■ 11,25 ha 40 000 ■ ♨ 30 à 49 F

Ce terroir d'arènes granitiques est renommé pour la finesse tannique des vins qu'il produit. On retrouve cette caractéristique dans ce millésime 96 avec des arômes de baies rouges plus marqués en bouche qu'au nez.

➔ SCV Lesquerde, 66220 Lesquerde, tél. 04.68.59.02.62, fax 04.68.59.08.17 ☑ Y t.l.j. sf dim. 8h-12h 14h-18h

LES VIGNERONS DE MAURY

Cuvée du Président Bories 1997

■ n.c. 10 000 ■ ◖◗ ♨ 30 à 49 F

Connue pour ses vins doux naturels, la cave de Maury possède également de belles cuvées en côtes du roussillon-villages. Une robe d'un rubis cerise, des arômes de fruits rouges en surmaturation où se mêlent des notes épicées et une sensation de chaleur et de souplesse en bouche donnent à ce vin son caractère méditerranéen.

➔ SCAV Les Vignerons de Maury, 128, av. Jean-Jaurès, 66460 Maury, tél. 04.68.59.00.95, fax 04.68.59.02.88 ☑ Y r.-v.

CH. MONTNER 1997

■ 85 ha 50 000 ■ ♨ 30 à 49 F

Ce vignoble entièrement sur schistes domine la vallée de l'Agly. La robe de ce 97 a des reflets grenat. Les arômes de petits fruits rouges s'expriment pleinement en bouche où les sensations gustatives mettent en avant ampleur, onctuosité et longueur.

➔ SCAV Les Vignerons des Côtes d'Agly, 66310 Estagel, tél. 04.68.29.00.45, fax 04.68.29.19.80 ☑ Y t.l.j. 8h-12h 14h-18h

DOM. DU MOULIN Romani 1996*

■ 3 ha 5 000 ■ 50 à 69 F

Le *romani* signifie romarin en catalan. Il est vrai que ce vin nous offre quelques senteurs des garrigues environnantes ainsi que des notes de fruits rouges bien mûris au soleil. De beaux tanins en bouche, encore trop virils, mais qui ne demandent qu'à s'attendrir. A essayer avec un civet de marcassin.

➔ Henri Lhéritier, av. Gambetta, 66600 Rivesaltes, tél. 04.68.38.56.53, fax 04.68.38.56.52 ☑ Y t.l.j. 9h-12h 14h-19h

LES VIGNERONS DE PEZILLA 1997*

■ 11 ha 10 000 ■ ♨ 30 à 49 F

Les amateurs de vins ronds et amples à la fois, d'arômes de vendanges fraîches bien mûres, de notes épicées et de tanins doux apprécieront ce millésime 97 déjà prêt à boire. Un aloyau grillé sera un parfait compagnon.

➔ SCV Les Vignerons de Pézilla, 66370 Pézilla-la-Rivière, tél. 04.68.92.00.09, fax 04.68.92.49.91 ☑ Y t.l.j. sf dim. 8h30-12h30 14h-18h30

ROC DU GOUVERNEUR 1997

■ n.c. 30 000 ■ ♨ 30 à 49 F

Une robe d'un rubis assez clair annonce un vin plein de rondeur et de souplesse. Les arômes évoquent les fruits en sangria et persistent tout au long de la dégustation.

➔ Les Vignobles du Rivesaltais, 1, rue de la Roussillonnaise, 66602 Rivesaltes-Salses, tél. 04.68.64.06.63, fax 04.68.64.64.69 ☑

DOM. DU ROUVRE

Terroir Força Réal 1997**

■ 4 ha 6 000 ◖◗ 30 à 49 F

Ce vignoble s'étend sur les pentes schisteuses de Força Réal. Ce 97 se présente dans une belle robe d'un rubis brillant avec des arômes où épices et fruits mûrs se donnent la réplique. En bouche, les notes vanillées donnent aux tanins de l'élégance et, en finale, de la douceur.

➔ GFA Domaines du Château Royal, Los Parès, 66550 Corneilla-la-Rivière, tél. 04.68.57.22.02, fax 04.68.57.11.63 ☑ Y r.-v.

➔ R. Pouderoux

DOM. SAINT-FRANCOIS 1997

■ 6 ha 8 000 ■ ♨ 30 à 49 F

Une robe rubis soutenu, des arômes de cassis et d'eau-de-vie de fruits à noyau. Les sensations tanniques sont encore un peu fermes mais bien équilibrées par l'onctuosité en bouche.

➔ Jean-Marie Sire, 21, av. Henri-Barbusse, 66310 Estagel, tél. 04.68.29.05.64, fax 04.68.29.19.14 ☑ Y r.-v.

LES VIGNERONS DE SAINT-PAUL

Cuvée du Chapitre 1996

■ 30 ha 6 000 ■ 30 à 49 F

Un vin en pleine maturation où les notes de fruits rouges confits côtoient les arômes de pain grillé. Une robe d'un rubis profond enveloppe des tanins au grain doux dans une harmonie où l'onctuosité prend le pas sur la charpente.

➔ SCV Les Vignerons de Saint-Paul, 17, av. Jean-Moulin, 66220 Saint-Paul-de-Fenouillet, tél. 04.68.59.02.39, fax 04.68.59.07.97 ☑ Y r.-v.

DOM. DES SCHISTES Tradition 1997**

■ 5 ha 12 000 ■ ♨ 30 à 49 F

Un vignoble conduit avec passion par Jacques et Nadine Sire. Les terroirs de schistes donnent souvent des vins aux tanins fins, charmeurs, mûrissant rapidement. C'est le cas de ce millésime 97 qui nous offre un bouquet de fruits rouges en cuisson, d'épices variées et quelques touches de réglisse en bouche.

➔ Jacques Sire, 1, av. Jean-Lurçat, 66310 Estagel, tél. 04.68.29.11.25, fax 04.68.29.47.17 ☑ Y r.-v.

LES MAITRES VIGNERONS DE TAUTAVEL
Tautavel Vieilli en fût de chêne 1997★★

■　　　　　54 ha　　19 000　　◨ 30 à 49 F

Coup de cœur l'an dernier pour une de ses cuvées, la cave de Tautavel continue à présenter des vins de haute expression comme le prouve ce millésime 97 paré d'une robe d'un rubis profond et brillant à la fois. Les arômes de cassis et de mûre commencent à se fondre peu à peu avec les notes boisées. En bouche, l'excellence des tanins fait l'unanimité et ne laisse aucun doute sur le devenir de cette bouteille. Aura-t-on la patience d'attendre ?
➥Les Maîtres Vignerons de Tautavel, 24, av. Jean-Badia, 66720 Tautavel, tél. 04.68.29.12.03, fax 04.68.29.41.81,
e-mail vignerons.tautavel@wanadoo.fr
☑ ⌥ t.l.j. 8h-12h 14h-18h

Collioure

C'est une toute petite appellation : actuellement, 330 ha produisent quelque 12 000 hl. Le terroir est le même que celui de l'appellation banyuls : les quatre communes de Collioure, Port-Vendres, Banyuls-sur-Mer et Cerbère.

L'encépagement est à base de grenache noir, carignan et mourvèdre, avec la syrah et le cinsault comme cépages accessoires. Ce sont uniquement des vins rouges et rosés, qui sont élaborés en début de vendanges, avant la récolte des raisins pour le banyuls. La faiblesse des rendements est à l'origine de vins bien colorés, assez chauds, corsés, avec des arômes de fruits rouges bien mûrs. Les rosés sont aromatiques, riches et néanmoins nerveux.

ABBAYE DE VALBONNE 1997★

■　　　　45 ha　　178 059　　▮↧ 50 à 69 F

Un millésime déjà dans sa pleine maturité comme l'atteste la robe aux reflets vermeil. Les arômes de fruits bien mûris au soleil se mêlent à des notes poivrées. L'élégance et la gourmandise sont au rendez-vous ; l'équilibre est presque trop souple.
➥Cellier des Templiers, rte du Balcon-de-Madeloc, 66650 Banyuls-sur-Mer, tél. 04.68.98.36.70, fax 04.68.98.36.91 ☑ ⌥ t.l.j. 9h30-12h30 14h-18h

CH. DES ABELLES 1997★★

■　　　　　n.c.　　98 516　　▮↧ 70 à 99 F

Un millésime qui a su garder sa parure de jeunesse. Ses expressions rappellent les épices de l'Orient avec des notes poivrées en bouche où

l'onctuosité habille la structure tannique. Un vin de séduction qui saura se marier parfaitement avec quelque spécialité culinaire catalane alliant les produits de la mer à ceux de la montagne.
➥Cellier des Templiers, rte du Balcon-de-Madeloc, 66650 Banyuls-sur-Mer, tél. 04.68.98.36.70, fax 04.68.98.36.91 ☑ ⌥ t.l.j. 9h30-12h30 14h-18h

DOM. DE BAILLAURY 1997★★

■　　　　　n.c.　　15 000　　▮↧ 50 à 69 F

Un vin à sa pleine maturation qui permet d'apprécier la richesse aromatique d'un collioure évolué. Une robe rubis cerise, aux nuances légèrement tuilées ; peu à peu se dévoilent des arômes de cerise confite, d'épices orientales et de cuir. Le tanin fait patte de velours et permet aux arômes de se prolonger en finale. De jeunes perdreaux sauront donner à ce 97 une savoureuse réplique.
➥La Cave de L'Abbé Rous, 56, av. du Gal-de-Gaulle, 66650 Banyuls-sur-Mer, tél. 04.68.88.72.72, fax 04.68.88.30.57,
e-mail contact@banyuls.com

CASTELL DES HOSPICES 1996★

■　　　　　n.c.　　11 000　　◨ 70 à 99 F

Un vin encore dans sa phase de jeunesse comme l'attestent le grenat profond de la robe et une trame tannique qui commence à peine à se fondre. Beaucoup de matière en bouche en attente de maturation.
➥La Cave de L'Abbé Rous, 56, av. du Gal-de-Gaulle, 66650 Banyuls-sur-Mer, tél. 04.68.88.72.72, fax 04.68.88.30.57,
e-mail contact@banyuls.com

CLOS CHATART 1996

■　　　　1,2 ha　　2 000　　▮◨↧ 70 à 99 F

Le clos Chatart, qui doit son nom au célèbre entomologiste banyulencq, se trouve juste à côté du tombeau du sculpteur Aristide Maillol. Une belle robe rubis sert de parure à ce vin aux arômes de fruits confits et aux tanins très fins, un peu dominés par la puissance chaleureuse.
➥Clos Chatart, 66650 Banyuls-sur-Mer, tél. 04.68.88.12.58, fax 04.68.88.51.51 ☑ ⌥ r.-v.
➥Laverrière

DOM. DE LA MARQUISE
Rosé de l'Arquette 1998★★

◰　　　　0,6 ha　　2 500　　▮↧ 30 à 49 F

Un vignoble offrant une vue panoramique sur le site enchanteur de Collioure. Belle robe d'un rose soutenu laissant peu à peu se développer un monde séduisant de senteurs de fleurs et d'épices. C'est en bouche que les notes de fruits rouges s'expriment autour d'un équilibre ample et persistant. Une sarguella sera la bienvenue.
➥Dom. de La Marquise, 17, rue Pasteur, 66190 Collioure, tél. 04.68.98.01.38, fax 04.68.82.51.77 ☑ ⌥ r.-v.
➥Jacques Py

DOM. LA TOUR VIEILLE
Puig Ambeille 1997★★★

■　　　　2,5 ha　　9 378　　▮↧ 50 à 69 F

Des cuvées élaborées avec passion par Vincent et Christine, fille du célèbre œnologue banyulencq J.-P. Campadieu. Dans une belle robe rubis, ce vin de gourmandise et de terroir exhale des notes de baies rouges sauvages et de fruits à noyau qui accompagnent la dégustation dès le premier coup de nez et bien longtemps encore après. Les tanins, présents mais soyeux, laissent une impression charnue en bouche. L'accord sera parfait avec un aloyau à la braise.

DOMAINE LA TOUR VIEILLE
Collioure
Appellation Collioure Contrôlée
RED COLLIOURE WINE
Puig Ambeille
1997
750 ML.   ALC. 14% BY VOL.

☛ Dom. La Tour Vieille, 3, av. du Mirador, 66190 Collioure, tél. 04.68.82.44.82, fax 04.68.82.38.42 ☑ ⟂ r.-v.

DOM. LA TOUR VIEILLE
Rosé des Roches 1998★

	2 ha	8 500	🍶	30 à 49 F

Une belle robe d'un rose très vif et soutenu. Le nez est dominé par l'intensité des fruits rouges. Chaleur et onctuosité en bouche viennent rehausser la sensation fruitée particulièrement persistante.
☛ Dom. La Tour Vieille, 3, av. du Mirador, 66190 Collioure, tél. 04.68.82.44.82, fax 04.68.82.38.42 ☑ ⟂ r.-v.

LE CASOT DES MAILLOLES
Le Clôt de Taillelauque 1997

■	2 ha	4 000	🍶	70 à 99 F

Un vignoble conduit en culture biologique par ces nouveaux vignerons venus des hautes Corbières et pris de passion par le terroir de Banyuls. Leur cuvée respecte la grande tradition de l'assemblage des grenaches et du carignan qui déclinent leurs arômes fruités et leur charpente tannique bien équilibrée par la puissance chaleureuse.
☛ Alain Castex et Ghislaine Magnier, 17, av. du Puig-del-Mas, 66650 Banyuls-sur-Mer, tél. 04.68.88.59.37, fax 04.68.88.54.03 ☑ ⟂ r.-v.

CELLIER LE DOMINICAIN
Cuvée de la Colline Matisse 1997

■	5 ha	20 000	🍶	30 à 49 F

Une cave installée dans un ancien couvent de dominicains datant du XIII[e]s. Belle robe rubis aux nuances tuilées. Les arômes rappellent les grenaches surmûris. Une harmonie chaleureuse et des tanins doux donnent à ce vin toute son expression méditerranéenne.
☛ Cave coopérative Le Dominicain, pl. Orfila, 66190 Collioure, tél. 04.68.82.05.63, fax 04.68.82.43.06 ☑ ⟂ t.l.j. 8h-12h30 13h30-19h

L'ETOILE 1998★★

	2 ha	9 300	🍶	30 à 49 F

Une cave qui a fait ses preuves depuis fort longtemps dans la production de vieux banyuls mais a réussi aussi fort bien ce collioure d'un

rosé très pâle dont les notes élégantes et subtiles rappellent les fruits rouges, les épices et la banane. Savoureux et frais en bouche, avec une finale harmonieuse, c'est un rosé de gastronomie. Le **rouge L'Etoile 97** (50 à 69 F), a obtenu quant à lui une étoile.
☛ Sté coop. L'Etoile, 26, av. du Puig-del-Mas, 66650 Banyuls-sur-Mer, tél. 04.68.88.00.10, fax 04.68.88.15.10 ☑ ⟂ t.l.j. sf sam. dim. 8h-12h 14h-18h

DOM. DU MAS BLANC
Les Junquets 1997★★★

■	0,7 ha	3 800	▥	100 à 149 F

Dernier millésime du Dr Parcé, cette cuvée à la robe pourpre allie puissance et délicatesse. Des arômes de griotte confite, d'épices méditerranéennes, un boisé délicat s'expriment au nez. En bouche, l'impression charnue enrobe la charpente et permet une bonne persistance aromatique. Une épaule d'agneau des Albères fera un mariage d'amour entre le verre et l'assiette.
☛ SCA Parcé et Fils, 9, av. du Gal-De-Gaulle, 66650 Banyuls-sur-Mer, tél. 04.68.88.32.12, fax 04.68.88.72.24 ☑ ⟂ t.l.j. sf sam.-dim. 9h-12h 14h-18h

LES CLOS DE PAULILLES 1997★★

	7 ha	35 000	▥	70 à 99 F

Belle robe d'un grenat soutenu. Les arômes de cassis et de mûre se mêlent harmonieusement en bouche avec les notes boisées. La charpente solide assure à ce vin de longue garde un bon avenir. Deux étoiles également pour le **rosé 98** qui fait preuve d'une belle régularité ; obtenu par macération pelliculaire d'une vendange dominée par la syrah, il est toujours d'un rose très soutenu. Un vin fruité, charnu et onctueux (30 à 49 F).
☛ Les Clos de Paulilles, Baie de Paulilles, 66660 Port-Vendres, tél. 04.68.38.90.10, fax 04.68.38.91.33, e-mail jau66@aol.com ☑ ⟂ r.-v.
☛ Famille Dauré

DOM. PIETRI-GERAUD 1998

	0,6 ha	3 300	🍶	30 à 49 F

Les générations se succèdent pour maintenir ce domaine aujourd'hui conduit par Maguy et sa fille Laetitia. Elles proposent ce rosé à reflets vermeil où l'expression des fruits rouges domine autour d'une harmonieuse sensation de fraîcheur et d'épices en bouche.
☛ Maguy et Laetitia Piétri-Géraud, 22, rue Pasteur, 66190 Collioure, tél. 04.68.82.07.42, fax 04.68.98.02.58 ☑ ⟂ t.l.j. 10h-12h30 15h30-18h30

CELLIER DES TEMPLIERS
Cuvée du Seris 1997★

■	n.c.	52 260	🍶	50 à 69 F

Un vin qui reflète bien la typicité du grenache sur le terroir de Banyuls. Cette cuvée déjà bien mûrie offre des notes de fruits surmûris, de cannelle et de foin coupé. Chaleur, onctuosité, douceur des tanins entourent les sensations gustatives. Bonne persistance aromatique. Le cellier des Templiers propose aussi un **Domaine de Roumani**

98 rouge et une **Cuvée de la Salette en rosé 98**, que le jury cite sans étoile.
⊶ Cellier des Templiers, rte du Balcon-de-Madeloc, 66650 Banyuls-sur-Mer, tél. 04.68.98.36.70, fax 04.68.98.36.91 ☑ Y t.l.j. 9h30-12h30 14h-18h

DOM. DU TRAGINER

Cuvée d'Octobre 1997*

■ 4 ha 2 600 ⦀ 50 à 69 F

Le *traginer* était celui qui conduisait le mulet qui transportait les vendanges à travers les terrasses de Banyuls. La belle robe d'un rubis cerise annonce les arômes de cassis et de fruits à noyau. L'empreinte de l'élevage dans le bois se fait sentir en bouche mais se fond dans la puissance onctueuse de ce vin.

⊶ Dom. du Traginer, 56, av. du Puig-del-Mas, 66650 Banyuls-sur-Mer, tél. 04.68.88.15.11, fax 04.68.88.31.48 ☑ Y r.-v.
⊶ J.-F. Deu

Trouver un vin ? Consultez l'index en fin de volume.

DOM. VIAL-MAGNERES

Les Espérades 1996**

■ n.c. 5 000 ⦀ 70 à 99 F

Bernard Sapéras est un ardent défenseur du paysage viticole de Banyuls et de ses terrasses étayées par les murettes en schiste. Une robe grenat accompagne les premières sensations de baies rouges sauvages rehaussées de notes de poivre. Les tanins sont élégants et se fondent dans l'harmonie gustative. Belle persistance aromatique.

⊶ Dom. Vial-Magnères, 14, rue Edouard-Herriot, 66650 Banyuls-sur-Mer, tél. 04.68.88.31.04, fax 04.68.55.01.06, e-mail lacapa@wanadoo.fr ☑ Y r.-v.
⊶ M. Sapéras

LA PROVENCE ET LA CORSE

La Provence

La Provence, pour tout un chacun, c'est un pays de vacances, où « il fait toujours soleil » et où les gens, à l'accent chantant, prennent le temps de vivre... Pour les vignerons, c'est aussi un pays de soleil, qui brille trois mille heures par an. Les pluies y sont rares mais violentes, les vents fougueux et le relief tourmenté. Les Phocéens, débarqués à Marseille vers 600 av. J.-C., ne se sont pas étonnés d'y voir de la vigne, comme chez eux, et ont participé à sa diffusion. Plus tard, les Romains puis les moines et les nobles, et jusqu'au roi-vigneron René d'Anjou, comte de Provence, les ont imités.

Éléonore de Provence, épouse d'Henri III, roi d'Angleterre, sut donner aux vins de Provence un grand renom, tout comme sa belle-mère, Aliénor d'Aquitaine, l'avait fait pour les vins de Gascogne. Ils furent par la suite un peu oubliés du commerce international, faute de se trouver sur les grands axes de circulation. Ces dernières décennies, le développement du tourisme les a remis à l'honneur, et spécialement les vins rosés, vins joyeux s'il en fut, symboles de vacances estivales et dignes accompagnements des plats provençaux.

La structure du vignoble est souvent morcelée, ce qui explique que près de la moitié de la production soit élaborée en caves coopératives : il n'y en a pas moins de cent dans le département du Var. Mais les domaines, pour la plupart embouteilleurs, ont toujours leur importance, et leur présence active sur le marché et dans la promotion s'avère précieuse pour toute la région. La production annuelle atteint deux à trois millions d'hectolitres, dont sept à huit cent mille dans les sept appellations d'origine contrôlée dont environ un million dans les huit appellations d'origine. Pour le seul département du Var, le vin représente encore 45 % du produit agricole brut, pour 51 % de la surface.

Comme dans les autres vignobles méridionaux, les cépages sont très variés : l'appellation côtes de provence en admet treize. Encore que les muscats, qui firent la gloire de bien des terroirs provençaux avant la crise phylloxérique, aient aujourd'hui disparu. Le vignoble est le plus souvent conduit en gobelet bas ; cependant, les formes palissées se font de plus en plus fréquentes. Vins rosés et vins blancs (ceux-ci plus rares, mais souvent surprenants) sont généralement bus jeunes ; et peut-être pourrait-on revoir cette habitude si l'on trouvait des conditions de maturation en bouteilles moins sévères que celles de notre climat. Il en est de même pour beaucoup de rouges, lorsqu'ils sont légers. Mais les plus corsés, dans toutes les appellations, vieillissent fort bien.

Tout petit, le vignoble de Palette, aux portes d'Aix, englobe l'ancien clos du bon roi René. On signalera ici ses blancs, rosés et rouges.

Et puisqu'on parle encore provençal dans quelques domaines, sachez qu'un « avis » est un sarment, qu'une « tine » est une cuve et qu'une « crotte » est une cave ! Peut-être vous dira-t-on aussi qu'un des cépages porte le nom de « pecouitouar » (queue tordue) ou encore « ginou d'agasso » (genou de pie), à cause de la forme particulière du pédoncule de sa grappe...

Côtes de provence

Cette appellation dont la production est considérable (près de 800 000 hl par an) occupe un bon tiers du département du Var, avec des prolongements dans les Bouches-du-Rhône, jusqu'aux abords de Marseille, et une enclave dans les Alpes-Maritimes. Elle produit en moyenne 850 000 hl dont 80 % de rosés, 15 % de rouges et 5 % de blancs. Trois terroirs la caractérisent : le massif siliceux des Maures, au sud-est, bordé au nord par une bande de grès rouge allant de Toulon à Saint-Raphaël et, au-delà, l'importante masse de collines et de plateaux calcaires qui annonce les Alpes. On conçoit que les vins issus de nombreux cépages différents, en proportions variables, sur des sols et des expositions tout aussi divers, présentent, à côté d'une parenté due au soleil, des variantes qui font précisément leur charme... Un charme que le Phocéen Protis goûtait sans doute déjà, 600 ans avant notre ère, lorsque Gyptis, fille du roi, lui offrait une coupe en aveu de son amour...

Sur les blancs tendres, mais sans mollesse, du littoral, les nourritures maritimes et très fraîches seront tout à fait à leur place, tandis que ceux qui sont un peu plus « pointus », un peu plus au nord, apaiseront mieux les irritations des écrevisses à l'américaine et des fromages piquants. Les rosés, tendres ou nerveux, selon l'humeur et le goût, seront les meilleurs compagnons des fragrances puissantes de la soupe au pistou, de l'anchoïade, de l'aïoli, de la bouillabaisse, et aussi des poissons et des fruits de mer aux arômes iodés : rougets, oursins, violets. Enfin, dans les rouges, ceux qui sont tendres (à boire frais) conviennent aux gigots, aux rôtis, mais aussi aux pot-au-feu, et en particulier au pot-au-feu froid en salade ; quelques rouges corsés, puissants, généreux, conviendront aux civets, aux daubes, aux bécasses. Et pour ceux qui ne sont pas ennemis d'harmonies insolites, rosé frais et champignons, rouge et crustacés en civet, blanc avec daube d'agneau (au vin blanc) procurent de bonnes surprises.

DOM. DES ASPRAS Cuvée réservée 1997★

■ 3,2 ha 10 000 ▮ ◍ ⫰ 30 à 49 F

Le domaine des Aspras, sur la commune de Correns, zone la plus septentrionale de l'appellation repose sur un sol riche en calcaire blanc. Il est situé à quatre kilomètres du paradis de l'escalade : le vallon Sourn. Ce rouge 97, avec sa robe sombre légèrement ambrée, son nez encore fermé, mais qui, à l'aération, développe des notes de fleurs, de fruits avec une nuance de réglisse, vous emplira la bouche avec des arômes de fruits cuits mêlés de poivre et de réglisse. Le **rosé 98** a également été distingué d'une étoile.

🔑 SCEA Lisa Latz, Dom. des Aspras, 83570 Correns, tél. 04.94.59.59.70, fax 04.94.59.53.92 ☑ 🍸 r.-v.

CH. BARBANAU 1998★★★

◪ 6 ha 30 000 ▮ ⫰ 30 à 49 F

Toujours fidèle, ce domaine se fait à nouveau remarquer par la qualité de son vin, juste équilibre entre l'intensité et la nuance. Pâle, sa robe s'agrémente d'élégants reflets roses tandis qu'on se laisse bercer par ses arômes d'agrumes et de fraise et la fraîcheur de sa bouche. Sous la même étiquette, le **blanc 98** a obtenu une étoile.

🔑 GAEC Ch. Barbanau, Hameau de Roquefort, 13830 Roquefort-la-Bédoule, tél. 04.42.73.14.60, fax 04.42.73.17.85, e-mail barbanau@aol.com ☑ 🍸 t.l.j. 10h-12h 15h-18h

🔑 Cerciello

CH. BARON GEORGES 1997★★

■ 4 ha 15 000 ▮ ◍ ⫰ 30 à 49 F

Ce domaine produit des coteaux varois, ainsi que ce côtes de provence très équilibré qui possède un réel potentiel de garde sous ses tanins intenses et souples. Son harmonie et son élégance se parent de notes variées : sous-bois, fruits rouges, cacao.

🔑 Baron Georges Antony Gassier, Ch. Baron Georges, 13114 Puyloubier, tél. 04.42.66.31.38, fax 04.42.66.31.38 ☑ 🍸 r.-v.

BASTIDE DES BERTRANDS 1998★

■ 3 ha 17 500 🍾 **30 à 49 F**

Ce vaste domaine, de 200 ha de terre, situé sur la dalle permienne au cœur du massif des Maures, a implanté un vignoble de 90 ha grâce à d'importants travaux de défrichement et de dérochement menés entre 1968 et 1980. Ce rouge 98 prend la succession des millésimes 94 (deux étoiles dans le Guide 98) et 97 (deux étoiles dans le Guide 99). Il présente une robe rouge sombre, un nez marqué de poivron. D'une attaque vive, il est très fruité en bouche avec une charpente équilibrée, sans tanins agressifs. Comme ces deux dernières années, le **rosé 98** décroche une étoile.

⊶ Dom. des Bertrands, rte de La Garde-Freinet, 83340 Le Cannet-des-Maures, tél. 04.94.99.79.00, fax 04.94.99.79.09 ☑ 🍷 t.l.j. sf dim. 8h-12h 13h-17h

⊶ Marotzki

DOM. DE BEAUMET
Cuvée Raymond Meynial 1998★

□ 5 ha n.c. 🍾🌡 **30 à 49 F**

Au pied des Maures, Gonfaron est tout entier dévoué au vin. L'industrie bouchonnière s'y est en effet développée au XIXᵉs., à la faveur des vastes forêts de chênes-lièges environnantes. Le soleil omniprésent illumine jusqu'aux vins produits dans cette commune varoise. Voyez celui-ci dans sa robe virevoltante. Il exprime de jolis accents de fruits de saison et de fenaison. Sa bouche élégante et équilibrée est un plaisir. Laissez-vous tenter par le **rosé du même millésime**, également très réussi.

⊶ Dom. de Beaumet, Quartier Beaumet, 83590 Gonfaron, tél. 04.94.78.23.63, fax 04.94.78.27.40 ☑ 🍷 r.-v.

⊶ Ch. Dumont

CH. DE BERNE Cuvée spéciale 1997★★

■ 10 ha 40 000 🛢 **50 à 69 F**

Le château de Berne, déjà connu pour la qualité de ses vins et celle de ses manifestations culturelles, ouvre, en 1999, une école du vin. Cépages puissants, longues macérations et élevage en fût sont à l'origine de cette cuvée. Derrière les notes boisées, on apprécie ses caractères de fruits noirs, de griotte et d'épice. La bouche est soyeuse et persistante avec des tanins souples et fondus qui rendent ce 97 agréable dès maintenant tout en présageant un bon avenir. Notez également une **Cuvée spéciale rosé 98** réussie, fruitée et florale, très friande.

⊶ Ch. de Berne, Flayosc, 83510 Lorgues, tél. 04.94.60.43.60, fax 04.94.60.43.58 ☑ 🍷 t.l.j. 10h-19h

CH. DE BREGANCON
Cuvée Prestige 1998★★

◢ Cru clas. 3 ha 10 000 **30 à 49 F**

Depuis quelques années, Jean-François Tézenas a cédé la main à son fils, dont on peut ici saluer le succès. Nos précédentes éditions avaient déjà relevé la qualité des rosés du domaine. Ce 98 est encore plus remarquable par sa robe pâle et finement nuancée, ses arômes floraux riches et profonds ; il est séduisant, expressif, harmonieux et très bien équilibré. Le parfait reflet de l'idée que tout amateur se fait d'un rosé de provence.

⊶ Jean-François Tézenas, Ch. de Brégançon, 639, rte de Léoube, 83230 Bormes-les-Mimosas, tél. 04.94.64.80.73, fax 04.94.64.73.47, e-mail chbregancon@terre.net.fr ☑ 🍷 t.l.j. sf sam. dim. 9h-12h 14h-18h

MAS DE CADENET 1997★★

■ 17,5 ha 30 000 🛢 **30 à 49 F**

A la recherche de son identité, le vignoble de Sainte-Victoire ne manque pas d'arguments pour affirmer sa qualité. Le Mas de Cadenet en est un parmi d'autres et il nous propose cette cuvée, certes encore jeune, mais aux caractères prometteurs : nez concentré de fruits rouges et de truffe, saveurs puissantes, amples et équilibrées. Un vin qu'un juré a qualifié de « main de fer dans un gant de velours ». Toute une promesse...

⊶ Guy Négrel, Mas de Cadenet, 13530 Trets, tél. 04.42.29.21.59, fax 04.42.61.32.09 ☑ 🍷 t.l.j. sf dim. 8h-12h 14h-19h

CH. CARPE DIEM Plus 1998★

◢ 1,3 ha 10 000 🍾🌡 **30 à 49 F**

Comme l'indique le nom du domaine, un épicurien a construit sa cave en 1992 et il exploite ses vignes en culture biologique avec pour objectif la qualité et le plaisir de déguster ses œuvres. Il sait aussi les partager. Ce rosé pâle, avec dans la robe de légers reflets violines, présente un nez très fin aux nuances de petits fruits rouges, une bouche bien équilibrée aux arômes de cassis et de framboise d'une grande persistance.

⊶ Francis Adam, Ch. Carpe Diem, R.D. 13, rte de Carces, 83570 Cotignac, tél. 04.94.04.76.65, fax 04.94.04.77.50 ☑ 🍷 r.-v.

CH. DU CARRUBIER 1998★

■ 25 ha n.c. 🍾 **30 à 49 F**

Un vin rouge franc d'intensité moyenne dont le nez légèrement végétal est marqué par le cabernet. La bouche est structurée par des tanins présents. Une bouteille solide encore jeune, à laisser vieillir.

⊶ SC du Dom. du Carrubier, rte de Brégançon, 83250 La Londe-les-Maures, tél. 04.94.66.82.82, fax 04.94.35.00.01 ☑ 🍷 r.-v.

CH. CAVALIER 1998★

◢ 6 ha 27 200 🍾🌡 **30 à 49 F**

Ce château est né en 1991 de la réunion de trois domaines. Il compte aujourd'hui 50 ha de vignes. Voici un rosé équilibré dont l'attaque un peu vive ouvrira l'appétit. Sa finesse s'exprime jusqu'en finale où l'expression aromatique se montre élégamment fruitée.

⊶ SCEA Ch. Cavalier, Chem. de Marafiance, 83550 Vidauban, tél. 04.94.73.56.73, fax 04.94.73.10.93 ☑ 🍷 r.-v.

⊶ Colombina et Zech

CH. DE CHAUSSE 1996★★

■ 7 ha 25 000 🍾🛢🌡 **50 à 69 F**

Le domaine ouvre ses portes à des expositions d'art contemporain. Un élevage patient pour ce 96 qui livre des arômes vanillés, réglissés et s'équilibre en bouche avec une structure puissante à la chute expressive. Prêt au palais, il vous attendra cependant au moins deux ans.

⊶ Ch. de Chausse, 83420 La Croix-Valmer, tél. 04.94.79.60.57, fax 04.94.79.59.19 ☑ Y t.l.j. 10h-12h 15h-18h

⊶ Schelcher

CH. CLARETTES Grande Cuvée 1997★

■ 2 ha 7 000 ⓘ 30 à 49 F

Dans la trilogie des vignobles Crocé Spinelli, le château Clarettes présente ce rouge 97 à la robe cerise soutenu. Malgré un nez encore fermé, la bouche est plaisante ; structure et matière s'équilibrent, laissant augurer une belle évolution. Le temps passé en barrique est bien dosé.

⊶ EARL Crocé Spinelli, Dom. des Clarettes, 83460 Les Arcs-sur-Argens, tél. 04.94.47.45.05, fax 04.94.73.30.73 ☑ Y t.l.j. 8h-12h 14h-18h

LA CAVE DES VIGNERONS DE COGOLIN Grande Réserve 1998

□ 2 ha 5 000 ▮ 20 à 29 F

Cogolin doit son nom au provençal *cougouillon* qui désigne une butte vallonnée. La ville se trouve en effet à la lisière de la forêt des Maures et des coteaux viticoles. Sa cave coopérative a présenté cette cuvée Grande Réserve, certes dis-

La Provence

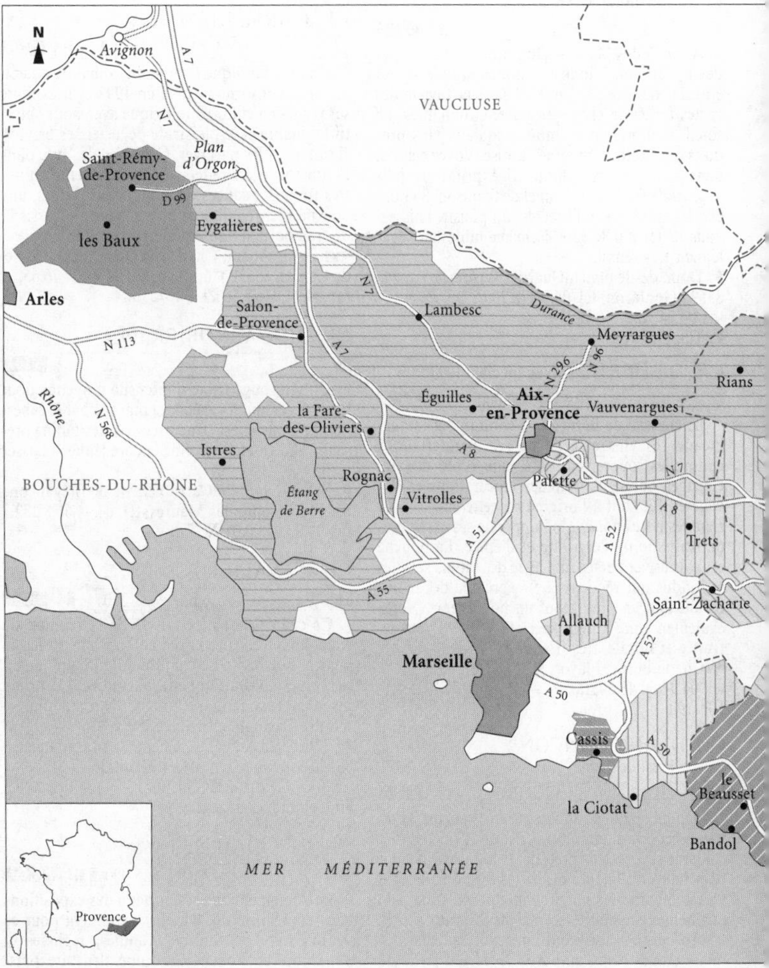

crète, mais fine et harmonieuse dans sa robe pâle limpide.

🔑 Cave des Vignerons de Cogolin, rue Marceau, 83310 Cogolin, tél. 04.94.54.40.54, fax 04.94.54.08.75 ☑ Ɪ r.-v.

COMMANDERIE DE PEYRASSOL
Cuvée Eperon d'Or 1998★★

□ n.c. 10 000 50 à 69 F

Les Templiers firent de Peyrassol leur commanderie en 1204. L'ordre de Malte leur succéda un siècle plus tard, mais la vigne demeura comme un lien historique au fil des siècles. Depuis 1979, une femme, Françoise Rigord, défend la production de ce domaine. Son côte de provence blanc pâle est cette année encore remarquable. Déjà prometteur au nez, il se dessine au palais sous des teintes d'agrumes. La fraîcheur lui sert de support. Equilibré, il saura envisager l'avenir avec sérénité.

🔑 SCEA Rigord, Ch. Commanderie-de-Peyrassol, 83340 Flassans, tél. 04.94.69.71.02, fax 04.94.59.69.23, e-mail peyrassol@caves-particulieres.com ☑ Ɪ t.l.j. 8h-12h 14h-18h; sam. dim. 9h-13h 14h-19h

COSTE BRULADE Vieilles vignes 1998★

■ 10 ha 20 000 50 à 69 F

Les vieilles vignes de carignan du terroir de Puget-Ville ont depuis fort longtemps produit des vins de grande qualité. Ce Coste-Brulade 98 ne déroge pas à cette règle. L'approche est rebelle, la bouche solide et persistante. Laissez

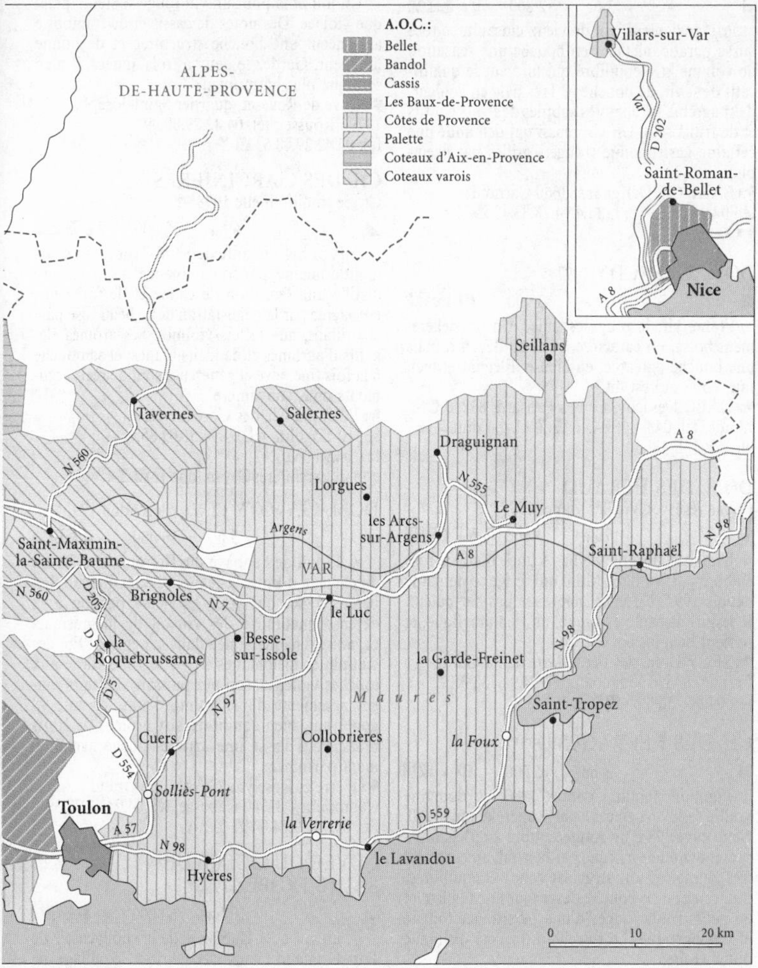

PROVENCE

vieillir quelques années ce jeune vin fringant et vous serez étonné !

☛SCA Cellier Saint-Sidoine, rue de la Libération, 83390 Puget-Ville, tél. 04.98.01.80.50, fax 04.98.01.80.59 ☑ ⵈ t.l.j. sf dim. 8h-12h 14h-18h

LES VIGNERONS DE COTIGNAC
Cuvée spéciale 1998★★

◢	2,8 ha	15 000	▮	30 à 49 F

Le 21 février 1660, Louis XIV, accompagné de sa mère Anne d'Autriche, fit étape et action de grâce à Cotignac. Le prince de Condé y acquit des terres. Connaissait-il le rosé ? Celui-ci est fort odorant et élégant. La bouche pleine d'entrain s'épanouit dans la douceur, avec une certaine carrure. Des qualités qui le rendent prêt pour la table.

☛Les Vignerons de Cotignac, 83570 Cotignac, tél. 04.94.04.60.04, fax 04.94.04.79.54 ☑ ⵈ r.-v.

CH. DEFFENDS Cuvée première 1998★

◢	3 ha	12 800	▮	30 à 49 F

Principalement issu de vieux cinsault, ce rosé laisse paradoxalement en bouche une sensation de volume et d'équilibre qui lui vaut le qualificatif de « vin de bouche ». Très pâle en couleur, il est agrémenté de notes subtiles de fruits confits et de fruits secs. Un vin réussi qui demande une certaine gastronomie (rougets grillés par exemple).

☛EARL Ch. Deffends, 83660 Carnoules, tél. 04.94.28.33.12, fax 04.94.28.33.12 ☑ ⵈ r.-v.
☛Verges

DOM. DESACHY 1997★

■	0,6 ha	3 200	ⅡⅠ	30 à 49 F

Franc, vif, le rouge est mis ! Un nez légèrement boisé, un caractère fruité en devenir, mais une bouche agréable, enjôleuse. Elégant et bien fait, voilà qui est dit !

☛GAEC Desachy, Le Bas Pansard, 83250 La-Londe, tél. 04.94.66.84.46 ☑ ⵈ t.l.j. sf dim. 9h-12h 15h-18h30

DOM. DES FERAUD
Cuvée réservée Vieilles vignes 1998★

◢	4,17 ha	13 666	▮▮	30 à 49 F

Une sélection de vieilles vignes pour ce rosé élaboré par Nathalie Millo qui dirige ce domaine depuis 1997. Ne vous méprenez pas sur pâleur. Il respire la santé exotique, un rien amylique, et se tient bien en bouche.

☛SECV Dom. des Féraud, rte de La Garde-Freinet, 83550 Vidauban, tél. 04.94.73.03.12, fax 04.94.73.08.58 ☑ ⵈ r.-v.

CH. DES FERRAGES 1998★★

■	3 ha	15 000	ⅡⅠ	30 à 49 F

Vignoble familial depuis 1900, ce domaine vinifie ses 39 ha en cave particulière depuis 1980. Cette cuvée 98 d'un rouge sombre à reflets noirs présente un nez marqué par la syrah au caractère très animal. D'une structure ronde et équilibrée, il développe en bouche des arômes de réglisse et de petits fruits rouges d'une persistance longue et très agréable. Le rosé 98 a, lui, été distingué d'une étoile.

☛José Garcia, Ch. des Ferrages RN 7, 83470 Pourcieux, tél. 04.94.59.45.53, fax 04.94.59.72.49 ☑ ⵈ t.l.j. sf dim. 8h30-12h 13h30-18h

CH. FERRY LACOMBE
Cuvée Lou Cascaï 1996★

■	8 ha	25 000	▮ⅡⅠ↓	50 à 69 F

On a déjà raconté l'histoire de Ferry Lacombe et de son activité de maître verrier. Cette cuvée, rouge intense, a intéressé le jury ; sa structure puissante et ses tanins encore un peu jeunes devraient bien évoluer après un ou deux ans de garde. Le nez mêle note de poivron vert, cassis et évocation animale. Viandes en sauce et fromages lui conviendront.

☛Ch. Ferry-Lacombe, 13530 Trets, tél. 04.42.29.40.04, fax 04.42.61.46.65 ☑ ⵈ t.l.j. 8h-12h 14h-18h; sam. dim. sur r.-v.

FONTJUANE Cuvée spéciale 1997★

■	4,5 ha	15 000	▮	20 à 29 F

Un joli nom pour un vin rouge soutenu, presque violacé. Des notes de cassis et de framboise annoncent une bouche structurée et de bonne longueur. Gardez-le deux à trois années, il n'en sera que plus harmonieux !

☛Cave de Rousset, quartier Saint-Joseph, 13790 Rousset, tél. 04.42.29.00.09, fax 04.42.29.08.63 ☑ ⵈ r.-v.

CH. DES GARCINIERES
Cuvée traditionnelle 1998★★

◢	6 ha	30 000	▮↓	30 à 49 F

Aux portes du golfe de Saint-Tropez, ce charmant domaine, par son ambiance et son accueil, distille une sensation de calme et de fraîcheur, consacrée par la dégustation de ce beau rosé pâle et brillant, aux reflets violines. Ses arômes élégants d'agrumes et de fruits blancs, et sa bouche à la fois fine, vive et généreuse sont de réels arguments pour convaincre.

☛Valentin, Ch. des Garcinières, 83310 Cogolin, tél. 04.94.56.02.85, fax 04.94.56.07.42, e-mail garcinières@wanadoo.fr ☑ ⵈ r.-v.

DOM. GAVOTY Cuvée Clarendon 1998★

◢	2,5 ha	16 000	▮	50 à 69 F

A 12 km de l'abbaye du Thoronet et à 20 km du château d'Entrecasteaux, ce domaine familial depuis 1806, qui voue la même passion à la défense qualitative des vins et de la musique, organise, chaque année dans ses chais, l'Eté des œnophiles mélomanes. Avec sa robe claire aux touches violettes, son nez puissant de fruits rouges agrémenté d'une pointe d'anis, ce rosé 98 gouleyant, bien équilibré, aux arômes de fruits mûrs, vous laisse une arrière-bouche agréablement parfumée.

☛Pierre et Roselyne Gavoty, Le Grand Campdumy, 83340 Cabasse, tél. 04.94.69.72.39, fax 04.94.59.64.04 ☑ ⵈ r.-v.

CUVEE DU GOLFE DE SAINT-TROPEZ 1998★

◢	10 ha	60 000	▮	20 à 29 F

A un vol de « Gabian » de la cité lacustre de Port-Grimaud, vous découvrirez le village de

Grimaud avec son château du XIVe s., ses chapelles et sa cave coopérative. Avec ce rosé intense à reflets violines, au nez fin et fruité, à la bouche souple et équilibrée qui finit sur des petits fruits rouges, vous dégusterez le vin type des côtes de provence rosés.
🔑 Les Vignerons de Grimaud, 36, av. des Oliviers, 83310 Grimaud, tél. 04.94.43.20.14, fax 04.94.43.30.00 ☑ 🍷 t.l.j. sf dim. 8h30-12h30 14h-18h30

DOM. DU GRAND CROS
Esprit de Provence 1998★

◪ 3 ha 16 000 ▮ 🌡 30 à 49 F

Une bâtisse du XVIIe s., achetée en 1989 par la famille Faulkner qui préside aux destinées de ce vignoble de 20 ha. Ce rosé incarne bien l'esprit de la Provence par son habit saumoné, son nez plutôt floral et sa personnalité savoureuse, franche et équilibrée.
🔑 EARL Dom. du Grand Cros, 83660 Carnoules, tél. 04.98.01.80.08, fax 04.98.01.80.09, e-mail info@grandcros.fr
☑ 🍷 t.l.j. sf sam. dim. 10h-18h
🔑 Faulkner

DOM. DE GRANDPRE
Cuvée spéciale 1997★★

■ 3 ha 5 000 ▮ 30 à 49 F

Coup de cœur l'an passé pour son rosé, Emmanuel Plauchut réitère l'exploit cette année avec le rouge 97. Il a de qui tenir puisqu'il représente la quatrième génération sur ce domaine. Attiré par sa robe pourpre profond à reflets violacés, le jury s'est enthousiasmé pour cette cuvée dont le fruit rouge et la violette n'ont d'égale qu'une bouche réglissée parée de tanins doux...
🔑 Emmanuel Plauchut, Dom. de Grandpré, 83390 Puget-Ville, tél. 04.94.48.32.16, fax 04.94.33.53.49 ☑ 🍷 t.l.j. 9h-12h 13h30-18h30

CLOS D'IERE Cuvée II 1996★

■ 4 ha 8 000 🛢 70 à 99 F

Propriété de la Société suédoise des vins et spiritueux, dont une grande partie de la production est exportée, cette cuvée comporte autant de grenache que de carignan complétés par 4 % de cabernet-sauvignon. Sous une robe vive, intense, ce 96 bien structuré s'exprime au mieux. Un vieillissement en cave de quelques années contribuera à arrondir son boisé, présent à la dégustation.
🔑 Rabiega Vin - Dom. Rabiega, Rte de Lorgues, 83300 Draguignan, tél. 04.94.68.44.22, fax 04.94.47.17.72, e-mail vin@rabiega.com
☑ 🍷 r.-v.
🔑 Vin & Sprit

IMPERIAL PRADEL 1998★

◪ n.c. 200 000 ▮ 🌡 20 à 29 F

Créée en 1945, Pradel est une des premières marques de Provence. Depuis le rapprochement avec la famille Fabre, la gamme Imperial est le fleuron de la société. Avec une belle robe saumonée pâle, un nez frais, fruité, aux nuances de pêche et d'abricot, cette cuvée présente une bouche riche et ample, où l'on retrouve les arômes développés au nez, une bonne persistance avec une finale un peu lourde. Ce vin saura accompagner toute la cuisine provençale.
🔑 Pradel, rte de Puget-Ville, 83390 Pierrefeu, tél. 04.94.48.13.40, fax 04.94.28.28.43
🔑 Val d'Orbieux Listel

DOM. DU JAS D'ESCLANS
Cuvée Clos d'Esclans 1997

■ Cru clas. 25 ha 100 000 🛢 30 à 49 F

Des archives du XVIIe s., une bergerie, une magnanerie témoignent de l'activité agricole et de l'ancienneté du Clos d'Esclans. La cave a bien sûr été rénovée, et le vignoble est conduit en agriculture biologique. Ce 97 à la robe grenat, aux tanins souples et fins, est à boire dès maintenant.
🔑 René et Christiane Lorgues, Dom. du Jas d'Esclans, rte de Callas, 83920 La Motte, tél. 04.94.70.27.86, fax 04.94.84.30.45 ☑ 🍷 t.l.j. sf dim. 8h30-12h 14h-18h

CH. DE JASSON Cuvée Eléonore 1998★★★

◪ 8,5 ha 49 000 ▮ 🌡 30 à 49 F

De la cuisine au chai, la transition est désormais assurée, et notre ancien restaurateur est devenu maître en vigneronnage et autres alchimies fermentaires. Aussi est-ce toujours avec des compliments que notre jury commente cette dégustation, qu'il s'agisse de la robe finement ciselée, de la richesse des arômes d'agrumes, de fruits exotiques, de garrigue et d'encens, ou de la plénitude et de l'harmonie de la bouche. Et ils en redemandent...
🔑 Marie-Andrée et Benjamin de Fresne, Ch. de Jasson, R.D. 88, 83250 La Londe-les-Maures, tél. 04.94.66.81.52, fax 04.94.05.24.84 ☑ 🍷 t.l.j. 9h-12h30 14h30-18h30; dim. 9h-12h30

DOM. LA BERNARDE 1997★

■ 9 ha 50 000 70 à 99 F

De très vieilles vignes et un assemblage équilibré de syrah, cabernet-sauvignon et grenache ont donné ce vin franc, fruité et épicé dont nos dégustateurs ont apprécié l'équilibre et la rondeur. Jugé encore un peu jeune, ce 97 devrait s'épanouir dans les dix-huit mois à venir.
🔑 Meulnart Père et Fils, Dom. La Bernarde, 83340 Le Luc, tél. 04.94.60.71.31, fax 04.94.47.96.04 ☑ 🍷 r.-v.

DOM. DE LA BOUISSE
Le Clos du Paradis 1998★

◣ n.c. 8 000 🔳 ▮ ▲ 30 à 49 F

Repris en 1994, ce domaine vinifie dans une cave aménagée au début du siècle dans un moulin à huile d'olive de plus de deux cents ans. On peut toujours y admirer le pressoir de 1912 en bon état de marche. D'un rose clair avec une nuance vive et éclatante, ce vin présente un nez simple et agréable, jugé coquin par un dégustateur ; sa belle structure et ses notes fruitées bien présentes donnent beaucoup de rondeur et de persistance.
☛ Mathilde Merle, Dom. de la Bouisse, la Moutonne, 83260 La Crau, tél. 04.94.57.94.93, fax 04.94.38.51.88 ☑ Ⲩ t.l.j. 10h-13h 15h-19h; dim. 10h-13h

DOM. DE LA BOUVERIE 1998★

☐ 2 ha 10 000 ⬛ 30 à 49 F

Si vous remontez la vallée de l'Argens pour découvrir les rochers de Roquebrune, faites un détour par le vieux bourg pittoresque de Roquebrune-sur-Argens, ne serait-ce que pour déguster ce vin blanc délicat par sa robe pâle et ses arômes. Un peu chaud au palais, ce 98 est néanmoins de bonne facture. Son boisé, présent mais jamais agressif, porte des notes de miel non dénuées de charme.
☛ Jean Laponche, Dom. de La Bouverie, 83520 Roquebrune-sur-Argens, tél. 04.94.44.00.81, fax 04.94.44.04.73 ☑ Ⲩ t.l.j. 9h-12h 14h-19h

DOM. DE LA CRESSONNIERE
Cuvée Prunelle 1998★

◣ 1,3 ha 7 000 🔳 ▮ ▲ 30 à 49 F

Au XIXᵉ s., le domaine abandonna l'élevage du ver à soie et reprit sa vocation viticole. Du fruité, de la rondeur, pour ce rosé plaisant et harmonieux.
☛ Dom. de La Cressonnière, R.N. 97, 83790 Pignans, tél. 04.94.48.81.22, fax 04.94.48.81.25 ☑ Ⲩ t.l.j. 10h-12h 15h-19h
☛ Gourdon et Depeursinge

DOM. DE LA GARNAUDE
Cuvée Santane 1997

◣ 2 ha 5 000 🔳 ▮▮ ▲ 30 à 49 F

Légèrement tuilé, vous l'ignorez presque ; vous l'agitez, et c'est un enchantement : cuir, tabac, orange confite... En bouche, sa simplicité et ses notes de fruit à l'eau-de-vie engagent à ne pas l'attendre.
☛ SCEA Martel-Lassechère, Dom. de La Garnaude, 83590 Gonfaron, tél. 04.94.78.20.42, fax 04.94.78.24.71 ☑ Ⲩ t.l.j. 9h-12h 14h-18h; dim. sur r.-v.

DOM. DE LA GERADE 1997★★

◼ n.c. 3 000 🔳 ▮ ▲ 30 à 49 F

Une robe attrayante aux nuances rubis, un bouquet quelque peu fermé au nez mais dont le fruité se développe au palais, expressif, dense et harmonieux. Un beau vin de l'appellation, qui pourra vous attendre de deux à trois ans.
☛ EARL de La Gérade, 1300, chem. des Tourraches, 83260 La Crau, tél. 04.94.66.13.88, fax 04.94.66.73.52 ☑ Ⲩ lun. mer. ven. sam. 9h-12h 15h-18h
☛ Henry

DOM. DE LA GISCLE
Moulin de l'Isle 1998★

◣ 2 ha 6 600 🔳 ▮ ▲ 30 à 49 F

Comme pour beaucoup de domaines provençaux, l'histoire remonte à une magnanerie, ainsi qu'à un moulin à farine ! Mais dès le XVIᵉ s., la vigne prend sa place sur ce domaine. Ce rosé est mis en valeur par des notes fruitées et fleuries. Après une attaque franche, il devient volumineux et persiste longtemps. Elégant, ce vin laisse une bonne impression.
☛ EARL Dom. de La Giscle, hameau de l'Amirauté, rte de Collobrières, 83310 Cogolin, tél. 04.94.43.21.26, fax 04.94.43.37.53 ☑ Ⲩ t.l.j. 9h-12h30 14h-19h; dim. 9h-12h30
☛ Audemard

DOM. DE LA LAUZADE 1998★★

◣ 10 ha 45 000 🔳 ▲ 20 à 29 F

Le domaine de La Lauzade est implanté au Luc, ancienne ville au centre du Var qui tire son nom du latin *lucus*, bois sacré. Par la qualité et la régularité de sa production, cette propriété pourrait bien gagner le surnom de « vigne sacrée ». Plusieurs fois coup de cœur, elle renouvelle ici l'exploit grâce à un rosé brillant dans sa robe claire. Celui-ci s'ouvre sans retenue, libérant des arômes de fruits frais (mangue et citron). Complexe, il s'exprime avec force et élégance avant de conclure dans une longueur respectable. On ne s'en lasse pas... Ce côtes de provence est sans nul doute l'un des fleurons de l'appellation. Le **blanc 98** reçoit deux étoiles. Il est savoureux et de haute tenue. (30 à 49 F)
☛ SARL Dom. de La Lauzade Kinu-Ito, 3423, rte de Toulon, 83340 Le Luc-en-Provence, tél. 04.94.60.72.51, fax 04.94.60.96.26, e-mail lauzade.abouvier@wanadoo.fr ☑ Ⲩ t.l.j. sf dim. 8h-12h 14h-18h; sam. sur r.-v.

CH. LA MOUTTE 1998★

◣ 3,51 ha 8 600 🔳 30 à 49 F

Ce domaine s'étend sur 4 ha, autour d'un authentique château qui fut la résidence d'un ministre de l'Empire. Au cours d'un repas pris sur la terrasse d'un restaurant de Saint-Tropez, vous apprécierez l'approche charnue du rosé 98,

ainsi que sa finale sur des notes de fruits mûrs et de grenadine.
🔑 La Cave de Saint-Tropez, av. Paul-Roussel, 83990 Saint-Tropez, tél. 04.94.97.01.60, fax 04.94.97.70.24 ☑ Y t.l.j. sf lun. sam. dim. 8h30-12h 14h-18h

DOM. DE LA NAVARRE 1998★★

□ 1,1 ha 6 000 ▮ 50 à 69 F

Saint Jean Bosco fonda au XIXᵉs. un orphelinat à La Crau. Depuis les années cinquante, des religieux salésiens dirigent le collège privé et le domaine viticole. Leur côtes de provence blanc 98 a enthousiasmé le jury par ses arômes riches et intenses de citron, de fruits exotiques et de fleurs. La bouche franche ne manque pas de fraîcheur avec ses notes plus minérales. Un ensemble harmonieux, bien équilibré et gourmand. Notez que le **côtes de provence rouge 98**, encore très jeune, est cité par les dégustateurs.
🔑 Fondation La Navarre, Cave du Navarre, B.P. 24, 83260 La Crau, tél. 04.94.66.04.08, fax 04.94.35.10.66 ☑ Y r.-v.

DOM. DE L'ANGUEIROUN 1998

□ 2 ha 12 000 ▮ ♁ 30 à 49 F

Les sentiers de promenade ne manquent pas depuis Bormes-les-Mimosas pour vous offrir le dépaysement. Suivez par exemple la corniche des Crêtes. Et si, de retour chez vous, la nostalgie vous envahit, débouchez cette bouteille fleurie, ronde et fraîche. La note finale exotique renforce l'harmonie de ce vin blanc simple mais réussi, qui ouvrira l'appétit.
🔑 Louis Lorne, 1077, chem. de l'Angueiroun, 83230 Bormes-les-Mimosas, tél. 04.94.71.11.39, fax 04.94.71.75.51 ☑ Y t.l.j. sf dim. 8h-12h 14h-19h
🔑 Eric Dumon

LES VIGNERONS DE LA PRESQU'ILE DE SAINT-TROPEZ

Carte noire 1997★★

■ 25 ha 150 000 ▮ ♁ 30 à 49 F

Située au célèbre rond-point de La Foux, passage obligé pour les millions d'estivants qui se rendent dans le golfe de Saint-Tropez, cette coopérative porte très haut les couleurs de l'appellation côtes de provence. Ce rouge 97 avec sa robe foncée, son nez frais surprenant par ses nuances d'agrumes et de menthol présente une structure et une amplitude qui en font un vin dense, original et d'une grande longueur en bouche. Par ailleurs, le **blanc 98** et le **rosé carte noire 98** ont obtenu chacun une étoile.
🔑 Maîtres vignerons de La Presqu'île de Saint-Tropez, 83580 Gassin, tél. 04.94.56.32.04, fax 04.94.43.42.57 ☑ Y t.l.j. sf dim. 9h-12h 15h-19h

CH. L'ARNAUDE 1998★★

■ n.c. 35 000 ▮ 30 à 49 F

La famille Knapp s'est installée dans le Var en 1986. Les journées portes ouvertes en août permettront aux œnophiles d'y venir découvrir les vins du domaine. Le millésime 98 est remarquable par son élégance et sa complexité. Le fruit rouge sur de notes de torréfaction annonce des tanins fondus, prêts pour une belle dégustation.
🔑 Ch. L'Arnaude, rte de Vidauban, 83510 Lorgues, tél. 04.94.73.70.67, fax 04.94.67.61.69 ☑ Y t.l.j. 9h-12h 14h-18h; dim. 10h-12h
🔑 H. et A. Knapp

DOM. DE LA ROSE TREMIERE

Cuvée Amandine 1997

■ 5 ha 5 000 ◖◗ 30 à 49 F

La robe soutenue, presque grenat, annonce un nez fleuri, élégant. Ce vin, ample et souple, est de bonne longueur, équilibré et droit.
🔑 Pierre Maunier, Dom. La Rose Trémière, quartier Saint-Jaume, 83510 Lorgues, tél. 04.94.73.26.93, fax 04.94.73.26.93 ☑ Y r.-v.

DOM. DE LA ROUILLERE

Cuvée Grand Large Grande Réserve 1998★

◪ 1,35 ha 5 000 ▮ 50 à 69 F

Hissons la grand'voile et emportons dans les soutes ce rosé très fruité, à la teinte corail, à l'attaque franche ; son nez mêle raisins frais et fruits rouges des bois. L'ensemble est équilibré et élégant.
🔑 SCEA La Rouillère, Rte de Ramatuelle, 83580 Gassin, tél. 04.94.55.72.60, fax 04.94.55.72.61 ☑ Y t.l.j. sf sam. dim. 9h-12h 14h-19h
🔑 Letartre

DOM. DE LA SAUVEUSE 1998★

◪ 29 ha 134 000 30 à 49 F

Graves et alluvions se partagent le terroir. On prend un certain plaisir à sentir les effluves de fruits exotiques et la finesse du palais de ce rosé rond, gras et bien persistant. Sans agressivité, il promet un bel été.
🔑 SCEA Dom. de La Sauveuse, chem. de la Sauveuse, 83390 Puget-Ville, tél. 04.94.28.59.60, fax 04.94.28.52.48 ☑ Y t.l.j. sf dim. 8h-18h
🔑 Salinas

CH. LA TOUR DE L'EVEQUE

Cuvée noir et or 1997

■ 1,5 ha 7 500 ▮ ◖◗ ♁ 70 à 99 F

Régine Sumeire, l'une des dames provençales de la viticulture, présente ici son 97 de la Tour de l'Evêque ; il a la robe rouge profond, presque violacé. Les tanins encore vifs et sévères mettent en relief des arômes boisés et des notes de fruits sauvages. Il faut lui laisser du temps.
🔑 Régine Sumeire, Ch. La Tour de l'Evêque, 83390 Pierrefeu-du-Var, tél. 04.94.28.20.17, fax 04.94.48.14.69 ☑ Y r.-v.

DOM. LA TOURRAQUE 1998★

□ 1 ha 3 000 ▮ ♁ 50 à 69 F

Le circuit de la presqu'île de Saint-Tropez mène immanquablement au village de Rama-

PROVENCE

tuelle. Il sera donc aisé de s'arrêter dans ce domaine, implanté sur le site classé des Trois Caps et qui propose un vin blanc plein de jeunesse, au bouquet printanier (tilleul, sève). Ce 98 se tient bien en bouche, sans agressivité.

☛ GAEC Brun Craveris, Dom. La Tourraque, 83350 Ramatuelle, tél. 04.94.79.25.95, fax 04.94.79.25.95 ☑ ☒ t.l.j. sf dim. 8h-12h 14h-18h

CH. LA TOUR SAINT-HONORE
Grande Réserve 1998★

| ◢ | 10 ha | 50 000 | 🍴🥂 | 30 à 49 F |

Le Londais Serge Portal propose dans le millésime 98 un vin rosé saumoné, fort aromatique (note d'agrumes). Le leitmotiv de la dégustation est « franchise ». L'ensemble, nerveux, se conclut par une finale certes chaude, mais souple et ample. Dans la même lignée, le **côtes de provence blanc 98** est cité.

☛ Serge Portal, Ch. La Tour Saint-Honoré, RD 559, 83250 La-Londe-les-Maures, tél. 04.94.66.98.22, fax 04.94.66.52.12 ☑ ☒ r.-v.

CH. DES LAUNES Cuvée Prestige 1996★★

| ■ | 1 ha | 3 400 | ◫ | 50 à 69 F |

Le millésime 95 avait déjà séduit notre jury. Dans la même lignée, ce 96 se fait enjôler par ses arômes de fruits rouges, d'épices et de cacao, tout en offrant une belle consistance en bouche, que prolongent des tanins soyeux et fondus. Un vin riche, équilibré et plaisant dès maintenant.

☛ H.-Y. et B. Handtmann, Ch. des Launes SA, 83680 La Garde-Freinet, tél. 04.94.60.01.95, fax 04.94.60.01.43 ☒ ☒ r.-v.

CH. LE MAS 1998★

| ◢ | n.c. | n.c. | 🍴 | 30 à 49 F |

Comme les terroirs dont il est issu, ce rosé se montre généreux et intense en bouche. La subtilité de ses arômes floraux et amyliques lui apporte la finesse et la nuance qui sont de rigueur pour un excellent rosé.

☛ SCEA Ch. Le Mas, quartier La Tuilerie, 83390 Puget-Ville, tél. 04.94.48.30.21, fax 04.94.48.30.21 ☑ ☒ r.-v.

CH. LES CROSTES 1998★

| ☐ | 17 ha | 50 000 | 🍴🥂 | 30 à 49 F |

Coup de cœur l'an dernier, le château Les Crostes trouve à nouveau sa place dans le Guide grâce à ce côtes de provence blanc bien construit, d'une vivacité appétissante. Ce vin auréolé de vert séduit au nez par son intense bouquet de fleurs et d'agrumes.

☛ SARL H.L. Ch. Les Crostes, 83510 Lorgues, tél. 04.94.73.98.40, fax 04.94.73.97.93 ☑ ☒ r.-v.

DOM. DE L'ESPARRON
Cuvée spéciale 1998★★

| ◢ | 1 ha | 5 300 | 🍴🥂 | 20 à 29 F |

A 5 km du Village des Tortues et à 10 km de Notre-Dame-des-Anges qui domine le massif des Maures, ce domaine familial étend ses 40 ha depuis 1937. Avec sa robe d'un rose vif et gai et son nez complexe qui explose en fruits exotiques, fraise et fleurs blanches, cette cuvée très élégante

vous offrira à la dégustation les arômes d'une corbeille de fruits et une très grande longueur qui vous laissera une bouche agréablement fruitée.

☛ EARL Migliore, Dom. de l'Esparron, 83590 Gonfaron, tél. 04.94.78.32.23, fax 04.94.78.24.85 ☑ ☒ t.l.j. 8h-12h 13h30-20h

L'ESTANDON 1998★

| ◢ | n.c. | n.c. | | 30 à 49 F |

Ce rosé brillant à reflets légèrement saumonés, au nez de fruits rouges mûrs, de pêche de vigne, présente une bouche ronde, bien équilibrée avec une persistance aromatique où l'on retrouve des notes de fruits rouges nuancées de pamplemousse et de fruits exotiques.

☛ SA Bagnis et Fils, quartier des Aubregades, 83390 Cuers, tél. 04.94.48.50.08, fax 04.94.48.50.18 ☑ ☒ r.-v.

L'ESTELLO Sextant d'or 1998★

| ■ | 1,3 ha | 8 600 | ◫ | 30 à 49 F |

Après avoir navigué plus de quinze ans sur les mers et les océans, Roger Tordjman vient de jeter l'ancre à Lorgues au domaine de l'Estello. Désormais, il se consacre à la vigne et au vin. Sa cuvée Sextant d'or présente de beaux arômes de fruits rouges (framboise, cassis) et d'épices. L'attaque est franche, les tanins fondus. Deux mots : agréable et harmonieux !

☛ GFA Dom. de L'Estello, chem. de Belinarde, 83510 Lorgues, tél. 04.94.73.22.22, fax 04.94.73.29.29, e-mail r.tordjman@wanadoo.fr ☑ ☒ t.l.j. sf dim. 9h30-17h30

CH. LES VALENTINES 1998★

| ◢ | 9,16 ha | 62 000 | ◫ | 30 à 49 F |

A base de cépages traditionnels de la Provence, ce rosé, né sur un jeune domaine dont c'est la deuxième vendange, se présente bien. Equilibré, il est vif en bouche et laisse ressortir des notes de petits fruits rouges (fraise, cerise, mûre...). Sa franchise et son potentiel aromatique le préparent pour l'automne.

☛ SCEA Pons-Massenot, Ch. Les Valentines Lieu-dit Les Jassons, 83250 La-Londe-les-Maures, tél. 04.94.15.95.50, fax 04.94.15.95.55, e-mail gilles.pons@wanadoo.fr ☑ ☒ t.l.j. 9h-19h
☛ Gilles Pons

CUVEE DE L'OPPIDUM 1997★

| ■ | 3 ha | 16 000 | ◫ | 30 à 49 F |

Elaborée principalement à partir de mourvèdre, cette cuvée a atteint une bonne maturité ; on apprécie sa souplesse, la finesse de ses tanins et ses arômes variés de poire, de sous-bois et de clou de girofle. Un vin équilibré à ne pas attendre après Pâques 2 000.

☛ SCA Les Vignerons de Taradeau, rte D 10, 83460 Taradeau, tél. 04.94.73.02.03, fax 04.94.73.56.69 ☒ ☒ r.-v.

LOU BASSAQUET RASCAILLES
Cuvée spéciale 1998★

| ◢ | 7 ha | 27 000 | 🍴🥂 | 30 à 49 F |

Tête de cuvée de la cave, la cuvée Lou Bassaquet est une sélection de syrah nuancée de grenache. Heureuse alliance qui révèle un vin riche,

concentré et structuré, mais aussi rond et fondu dont on apprécie les odeurs de fruits rouges, de garrigue et de cacao.

🕿 Coopérative Vinicole Le Mont Aurélien, 13530 Trets, tél. 04.42.29.20.20, fax 04.42.29.32.03 ▼

MANON 1998★

◪　　　n.c.　45 000　▮▯ 30 à 49 F

Manon a le tempérament du grenache et de la syrah, et la beauté du Luberon. Joliment habillé d'une robe limpide et brillante, à reflets rose vif, ce côtes de provence sent bon les agrumes. Sa bouche puissante s'ouvre sur le pamplemousse et la pêche, puis se développe tout en rondeur.

🕿 Cellier Val de Durance, Z.A., 84160 Cadenet, tél. 04.90.68.36.66, fax 04.90.68.38.44

CH. MARAVENNE
Collection privée 1998★★

■　　4,5 ha　30 000　▮▮▯ 50 à 69 F

Ce grand vignoble du bord de mer se distingue ici par son rouge à la robe soutenue d'un grenat profond, au nez puissant de fruits rouges (cassis, mûre, cerise) qui évolue vers des notes de grillé et d'épices. En bouche, la rondeur et le volume affinent ce vin de caractère.

🕿 EARL Jean-Louis Gourjon, Ch. Maravenne, rte de Valcros, 83250 La Londe-les-Maures, tél. 04.94.66.80.20, fax 04.94.66.97.79 ▼ ⵉ t.l.j. sf dim. 9h-12h 14h-18h

DOM. DE MARCHANDISE 1998★★

◪　　n.c.　n.c.　▮◪ 30 à 49 F

A l'image de l'élégante étiquette, la carte de visite de ce vin se décline ainsi : sous son air pâle, il donne le ton avec vivacité. La souplesse vient par la suite, agrémentée de notes fruitées. L'ensemble est bien construit. On le propose sur des grillades et des hors-d'œuvre. Pour des plats plus élaborés, le **rouge 97**, également deux étoiles, sera préféré.

🕿 GAEC Chauvier Frères, Dom. de Marchandise, 83520 Roquebrune-sur-Argens, tél. 04.94.45.42.91, fax 04.94.81.62.82 ▼ ⵉ t.l.j. 9h-12h 14h-19h

CH. MAROUINE 1998★★

◪　　n.c.　10 000　50 à 69 F

Objet d'une toute récente rénovation, ce petit vignoble bénéficie de l'excellence des coteaux de Puget-Ville. L'énergie et le professionnalisme de ses propriétaires ont su en tirer la quintessence. Celle-ci se traduit par un superbe rosé, à la robe certes très pâle, mais qui hausse nettement le ton par ses arômes typés d'agrumes, de fruit exotique et de garrigue. Equilibré, consistant et généreux, il se laisse agréablement « croquer » en bouche.

🕿 Marie-Odile Marty, Ch. Marouïne, 83390 Puget-Ville, tél. 04.94.48.35.74, fax 04.94.48.35.74 ▼ ⵉ r.-v.

CH. DE MAUPAGUE 1998★

◪　　9 ha　50 000　▮▮ 30 à 49 F

C'est ici, au pied de la montagne Sainte-Victoire, qu'est situé ce château dont le nom signifie « donne peu ». En matière de vin, petits rendements donnent grande bouteille. Ce rosé peut

être servi à table, sur des poissons grillés, par exemple. Son attaque est souple, le palais bien structuré, fruité (bourgeon de cassis), harmonieux jusqu'à la finale ronde et suave. Du même producteur, le **rosé du Château Coussin Sainte Victoire 98** reçoit la même note.

🕿 Famille Elie Sumeire, Ch. de Maupague, 13114 Puyloubier, tél. 04.42.61.20.00, fax 04.42.61.20.01, e-mail sumeire@chateaux-elie-sumeire.fr ▼ ⵉ r.-v.

DOM. DE MAUVAN
Vieilles vignes 1997★★

■　　2 ha　8 000　▮▮ 30 à 49 F

Après des débuts difficiles, le millésime 97 confirme sa clémence dans les secteurs tardifs qui ont su et pu attendre la juste maturité. Parmi eux la sélection Vieilles vignes du domaine de Mauvan, heureux assemblage de grenache et de carignan, dont on apprécie la fraîcheur aromatique, et où dominent des notes de fraise, de mûre et de cassis. Souple et harmonieux de prime abord, il monte en volume pour finir sur des tanins déjà ronds mais encore bien présents.

🕿 Gaëlle Maclou, Dom. de Mauvan, R.N. 7, 13114 Puyloubier, tél. 04.42.29.38.33, fax 04.42.29.38.33 ▼ ⵉ r.-v.

CH. DES MESCLANCES
Cuvée Saint-Honorat 1998★

◪　　2 ha　10 000　▮ 30 à 49 F

Tout comme les terroirs qu'il cultive, ce château ne manque ni de charme, ni de typicité, ni de caractère. Le maître des lieux y vinifie des rosés régulièrement plébiscités par notre jury, tel ce Saint-Honorat 98 très aromatique, fruité et fleuri, très féminin au palais, se faisant suave et chatoyant. Un vin harmonieux enclin à d'heureuses alliances gastronomiques.

🕿 Xavier de Villeneuve Bargemon, Les Mesclances, chem. du Moulin Premier, 83260 La Crau, tél. 04.94.66.75.07, fax 04.94.35.10.03, e-mail mesclances@wanadoo.fr ▼ ⵉ t.l.j. 9h-12h 14h-18h

CH. MIRAVAL 1998★

☐　　2 ha　12 000　▮▮▯ 30 à 49 F

Aux environs de Brignoles, le château Miraval produit non seulement des côtes de provence mais aussi des coteaux varois. A base de rolle, ce vin blanc à reflets verts se distingue par d'intenses arômes floraux, légèrement épicés. Sa bouche, extrêmement douce, est rehaussée par une note poivrée en finale.

🕿 SA Ch. Miraval, 83143 Le Val, tél. 04.94.86.46.80, fax 04.94.86.46.79

DOM. DE MONT REDON
Cuvée Louis Joseph 1998★★

◪　　1,5 ha　3 600　▮▮ 30 à 49 F

Sélection des plus vieilles vignes et alliance originale du cépage tibouren aux classiques grenache et cinsault sont à l'origine de cette cuvée. A ces cépages, elle doit sa robe très pâle à reflets de soie et aux nuances dorées. Généreuse, intense et fruitée, dotée de notes d'abricot et de pêche blanche, elle ne manque ni de volume ni

PROVENCE

d'audace pour d'originales associations culinaires.

☛ Françoise Torné, SCEA Dom. Mont Redon, 2496, rte Pierrefeu, 83260 La Crau, tél. 04.94.66.73.86, fax 04.94.57.82.12 ☑ ⊥ r.-v.

MOURBASE 1996★★

■   3,5 ha   5 500   ■ ⦀ ⬧ 50 à 69 F

Cette marque, lancée en 1997, propose son deuxième millésime. Sa complexité aromatique est intéressante (à la fois cuir, grillé, fruits rouges...). S'ajoute une belle structure aux nuances plus boisées, mais fondues. Un vrai plaisir dès à présent, sur des viandes en sauce.
☛ Rabiega Vin, Ch. d'Esclans, rte de Callas, 83920 La Motte, tél. 04.94.60.40.40, fax 04.94.70.28.61, e-mail vin@rabieg.com ☑ ⊥ r.-v.

CH. MOURESSE
Elevé en fût de chêne 1997★

■   2,2 ha   4 000   ⦀❚ 30 à 49 F

Mouresse présente ce joli vin de garde aux caractères boisé, réglissé et vanillé dans un écrin de pourpre. Le jury remarque un passage en fût bien négocié et une bouche charpentée que l'on saura attendre deux à trois ans.
☛ Jean-François Galas, Ch. Mouresse, quartier Mouresse orientale, 83550 Vidauban, tél. 04.94.73.12.38, fax 04.94.73.57.04, e-mail p-horst@yahoo.com ☑ ⊥ t.l.j. sf dim. 8h-12h 13h-18h
☛ Michel Horst

DOM. DES MYRTES
Cuvée spéciale 1998★

☐   2 ha   4 500   ■ ⬧ 30 à 49 F

Le myrte est un arbuste aromatique très présent sur le littoral méditerranéen, dont on tire une liqueur fort appréciée. Les lauriers et les myrtes récompenseront cette cuvée spéciale à dominante florale, d'une réelle expression en bouche. Du relief et une finale acidulée ! Le rosé 98, fougueux, ouvrira l'appétit. Il est cité par le jury.
☛ GAEC Barbaroux, Dom. des Myrtes, 83250 La Londe-les-Maures, tél. 04.94.66.83.00, fax 04.94.66.65.73 ☑ ⊥ t.l.j. sf dim. 9h-12h 15h-18h; groupes sur r.-v.; f. sam. a.-m. hors saison

DOM. DES PEIRECEDES 1998★

◣   10 ha   20 000   ■ ⬧ 20 à 29 F

Témoignage d'une bonne vinification, il réunit en sa faveur franchise et équilibre sous une robe aux nuances orangées.
☛ Alain Baccino, SCEA de Beauvais, Dom. des Peirecèdes, 83390 Pierrefeu, tél. 04.94.48.67.15, fax 04.94.48.52.30, e-mail alain.baccino@wanadoo.fr ☑ ⊥ r.-v.

DOM. PINCHINAT 1997★

■   4 ha   17 000   ■ 30 à 49 F

Un domaine traditionnel où plusieurs générations d'une même famille se sont entièrement consacrées à la vigne. Il est conduit depuis 1990 en agriculture biologique. Sa vinification est aussi orientée selon les mêmes principes. Elle a permis d'élaborer ce vin à la robe intense et profonde, qui exhale des odeurs lourdes et complexes de fruits noirs et de violette. Bien campé dans ses tanins, il ne manque pas de noblesse et d'expression en bouche. Joli vin méditerranéen.
☛ Alain de Welle, Dom. de Pinchinat, 83910 Pourrières, tél. 04.42.29.28.99, fax 04.42.29.29.92 ☑ ⊥ r.-v.

CH. DE POURCIEUX 1998★★

◣   6 ha   40 000   ■ ⬧ 30 à 49 F

Le château et les jardins datent du XVIIIᵉs. et ont été classés à l'inventaire des Monuments historiques. Leur propriétaire, Michel d'Espagnet, n'a pas regretté d'avoir abandonné la recherche minière pour reprendre le domaine familial, le vin étant devenu une passion récompensée par de nombreux succès. Agréable à l'œil, son rosé 98 développe un bouquet explosif, citronné et amylique. Le palais se montre plus frais et, sous la rondeur finale, il perpétue une expression exotique.
☛ Michel d'Espagnet, Ch. de Pourcieux, 83470 Pourcieux, tél. 04.94.59.78.90, fax 04.94.59.32.46, e-mail pourcieux@terre-net.fr ☑ ⊥ r.-v.

DOM. POUVEREL 1998

◣   10 ha   60 000   ■ ⬧ 20 à 29 F

Le domaine Pouverel se situe à Cuers, ancien castrum de Corio des Romains. Après avoir parcouru les ruelles du village médiéval, goûtez ce rosé d'une belle harmonie. Si la robe manque un peu de vivacité, vous vous laisserez séduire par ses arômes évolués de cire et de miel qui se développent longuement.
☛ Dom. Pouverel, 83390 Cuers, e-mail infos@maitrevigneronsttropez.com
☛ Massel

CAVE DE PUYLOUBIER Floralies 1998★

◣   30 ha   200 000   ■ ⬧ - de 20 F

Implantée dans l'ouest de l'appellation, près de la montagne Sainte-Victoire, la coopérative de Puyloubier a soumis à la dégustation un rosé de syrah et de grenache, à la robe soutenue. Le nez évoque avec finesse les fruits rouges, tandis que la bouche séduit par sa puissance et sa longueur. Un dégustateur aurait volontiers accompagné ce vin de filets de rouget à l'huile d'olive.
☛ Cave de Puyloubier, av. d'Aix, 13114 Puyloubier, tél. 04.42.66.32.31, fax 04.42.66.34.20 ⊥ r.-v.

CH. RASQUE Cuvée Alexandra 1998★

◣   12 ha   50 000   ■ ⬧ 50 à 69 F

Un cocktail de fruits : cerise pour la robe, fraise et banane pour le nez. La bouche charnue et ronde a le goût du bonbon anglais, avec un soupçon de grenadine. Un dégustateur la propose sur un dessert, pourquoi pas ?
☛ SCEA Ch. Rasque, rte de Draguignan, 83460 Taradeau, tél. 04.94.99.52.20, fax 04.94.99.52.21 ☑ ⊥ r.-v.
☛ Biancone

CH. REILLANNE Cuvée Prestige 1998★★

◣   5 ha   30 000   ■ ⬧ 30 à 49 F

Un bouquet à dominante de fleurs blanches, agrémenté de notes d'agrumes. Le vin s'épanouit au palais avec ce qu'il faut de matière, de longueur et d'élégance. Des qualités qui le destinent à tout un repas. A moins que vous ne choisissiez le **rouge 97** auréolé d'une étoile.

⊶ Comte G. de Chevron Villette, Ch. Reillanne, rte de Saint-Tropez, 83340 Le Cannet-des-Maures, tél. 04.94.60.73.31, fax 04.94.47.92.06 ☑ Ⲧ t.l.j. sf sam. dim. 8h-12h 14h-17h

CH. REQUIER Cuvée spéciale 1998*

◪ 10 ha 10 000 ▮🌡 30 à 49 F

Voici Cabasse. Savez-vous que l'église de ce petit bourg, également connu pour ses vestiges préhistoriques (dolmens) et gallo-romains, renferme l'un des plus beaux retables de Provence, réalisé au XVIᵉs ? Cabasse, c'est aussi un vignoble : celui du château Réquier qui a produit un rosé 98 saumoné, fin et fruité. La bouche de ce vin laisse une sensation agréable en finale, traduisant sa bonne harmonie générale.

⊶ Ch. Réquier, La Plaine, 83340 Cabasse, tél. 04.94.80.22.01, fax 04.94.80.21.14 ☑ Ⲧ t.l.j. sf dim. 9h-12h 14h-17h

RIMAURESQ 1997**

■ Cru clas. 13,94 ha 75 000 ▮⦀ 50 à 69 F

Déjà remarqué pour ses blancs et ses rosés, ce domaine original et perfectionniste nous rappelle aujourd'hui la qualité de ses cuvées rouges, fondée sur des terroirs d'arènes et de schistes et sur un encépagement parfaitement adapté. Puissant, complexe, à la fois fruité et animal, son côtes de provence séduit par sa structure et sa charpente mais aussi par son élégance. A une voix du coup de cœur.

⊶ SA Dom. de Rimauresq, rte de Notre-Dame-des-Anges, 83790 Pignans, tél. 04.94.48.80.45, fax 04.94.33.22.31 ☑ Ⲧ t.l.j. sf sam. dim. 8h-12h 14h-17h30

⊶ Wemyss Cie

CH. DE ROQUEFORT Vieilles vignes 1997**

■ 4 ha 6 900 ▮⦀🌡 100 à 149 F

Elaborée essentiellement à partir de très vieux grenaches complétés de mourvèdre, cette cuvée a fait l'objet de soins tout particuliers, pour donner un vin très épicé, profond, dont on apprécie la longueur et la finesse des tanins.

⊶ EARL Raimond de Villeneuve Flayosc, Ch. de Roquefort, 13830 Roquefort-la-Bédoule, tél. 04.42.73.20.84, fax 04.42.73.11.19 ☑ Ⲧ t.l.j. sf dim. lun. 9h-12h 15h-18h

CH. DU ROUET Cuvée Belle Poule 1998**

□ 2 ha 13 000 ⦀ 50 à 69 F

Le vignoble du château du Rouët a été planté en tranchées (pare-feu) après les incendies de 1927, afin de protéger la forêt de l'Estérel. En 1998, le rolle et l'ugni blanc, cultivés sur un sol acide et forestier, ont produit un vin ponctué de reflets verts. Encore timide au nez, celui-ci devient plus audacieux en bouche : il s'ouvre alors pleinement, en gardant sa finesse et un boisé discret. Ses partisans étaient nombreux au sein du jury de dégustation ! La **même cuvée 98 en rouge** obtient une étoile.

⊶ Ch. du Rouët, 83490 Le Muy, tél. 04.94.99.21.10, fax 04.94.99.20.42 ☑ Ⲧ t.l.j. sf dim. matin 8h-12h 14h-18h

⊶ B. Savatier

CH. DE ROUX 1997*

■ 3,34 ha 5 000 ▮🌡 30 à 49 F

Situé au pied des Maures, ce domaine, dont l'origine remonte au XVᵉs., étend son vignoble en bordure de la base aérienne de l'EALAT. Le rouge 97, d'un bordeaux profond mais lumineux, présente un nez intense et franc aux senteurs de gibier, de garrigue nuancée de violette. En le dégustant frais, vous apprécierez sa bouche fondue avec des arômes de petits fruits. Le **rosé 98**, dans la même lignée, frais et fruité, décroche une étoile.

⊶ Paul Dyens, Ch. de Roux, rte de la Garde-Freneit, 83340 Le Cannet-des-Maures, tél. 04.94.60.73.10, fax 04.94.60.89.79 ☑ Ⲧ r.-v.

⊶ Giraud-Dyens

CH. SAINTE-BEATRICE Cuvée Vaussière 1996*

■ 8 ha n.c. ⦀ 30 à 49 F

Ce domaine récent de 30 ha, créé en 1980 par la famille Novaretti, fut gagné sur la garrigue et la forêt. Ce 96 assemble grenache et mourvèdre à parts égales, plus 20 % de cabernet-sauvignon. Elevé douze mois en fût, c'est un vin très réussi qu'il convient de boire ; des arômes agréables, une attaque franche, puis une note rancio qui surprend, car la robe est jeune.

⊶ GFA Dom. Sainte-Béatrice, BP 112, 83510 Lorgues, tél. 04.94.67.62.36, fax 04.94.73.72.70 ☑ Ⲧ r.-v.

⊶ J. Novaretti

DOM. SAINT-ELOI 1998*

◪ 2,5 ha n.c. ▮ 30 à 49 F

Carcès, où est implanté le domaine Saint-Eloi, s'est bâti autour de son château, dans une imbrication de maisons, d'escaliers et de passages voûtés. Après une partie de pêche dans le lac de Carcès, laissez-vous tenter par l'harmonie florale de ce rosé 98. Gras et puissant, il fait preuve d'équilibre, même si un dégustateur le juge un peu chaud.

⊶ Maurice Ambard, 47, av. Ferrandin, 83570 Carcès, tél. 04.94.04.52.88, fax 04.94.04.52.88 ☑ Ⲧ r.-v.

CH. SAINTE-MARGUERITE Cuvée Saint-Pons 1998*

◪ Cru clas. 2 ha 12 000 ▮🌡 50 à 69 F

Parmi les différentes cuvées que le domaine propose, ce Saint-Pons se réfère à une parcelle et à un cépage, le grenache. L'âge des vignes n'est certainement pas étranger à sa concentration en bouche, à la fois très fruitée, friande et très longue. Grande discrétion de la robe.

⊶ Jean-Pierre Fayard, Dom. de la Source Sainte-Marguerite B.P. 1, 83250 La Londe-les-Maures, tél. 04.94.66.81.46, fax 04.94.66.51.05 ☑ Ⲧ t.l.j. sf dim. 9h-12h30 14h-18h

DOM. DE SAINTE-MARIE
Cuvée spéciale 1998★

◢ 2,35 ha 12 000 ▮🌡 30 à 49 F

Ancienne propriété des Chartreux de La Verne, ce domaine s'est définitivement voué à la culture exclusive de la vigne, il y a quarante ans, sous l'impulsion du propriétaire actuel. L'étiquette originale de cette cuvée reprend l'œuvre « le Printemps » d'Arcimboldo avec toutes ses fleurs et tous ses fruits. Un rosé nuancé, lui aussi fruité et floral, mais légèrement iodé, à la fois rond et alerte, long et équilibré, et qui laisse un agréable souvenir.

🔑 SA Dom. de Sainte-Marie, 9013 rte du Dom, RN 98, 83230 Bormes-les-Mimosas, tél. 04.94.49.57.15, fax 04.94.49.58.57, e-mail domaine.saintemarie@wanadoo.fr ☑ Y r.-v.
🔑 Henri Vidal

DOM. SAINT-JEAN 1998★

■ 2 ha 10 000 ▮🌡 30 à 49 F

Ce domaine, créé en 1973 par un couple amoureux de grands vins rouges, présente cette année ses premières bouteilles en côtes de provence. Avec un rendement moyen de 35 hl/ha, des vendanges manuelles en caissettes avec tri sélectif, il met tous les atouts de son côté. Ce rouge 98 d'une couleur soutenue avec de légers reflets tuilés présente un nez de confiture dès qu'il est aéré. Après une attaque riche, ce vin très gras développe des arômes de fruits cuits avec des tanins soyeux ; d'une très bonne persistance, il laisse une bouche agréablement parfumée. De son côté, le premier **rosé 98** obtient lui aussi une étoile.

🔑 SA Dom. Saint-Jean, 83690 Villecroze, tél. 04.94.59.12.96, fax 04.94.59.16.11 ☑ Y t.l.j. 9h-12h 15h-19h

DOM. DE SAINT-MARC 1998★

◢ 3 ha 6 000 ▮🌡 30 à 49 F

Masayoshi Miyamoto est le propriétaire de ce domaine de 6 ha dont les cuves inox sont thermorégulées. Elaboré en macération pelliculaire, ce vin révèle un grand équilibre de saveurs et de senteurs - avec ce qu'il faut de fraîcheur et de gras. Un rosé pâle, tout en finesse.

🔑 Miyamoto, Dom. de Saint-Marc Leï Crottes, 83310 Cogolin, tél. 04.94.54.69.92, fax 04.94.54.01.41 ☑ Y t.l.j. 8h-19h; dim. sur r.-v.

CH. SAINT-PIERRE
Cuvée du Prieuré 1997★

■ 2 ha 10 000 ⏸ 30 à 49 F

L'histoire du domaine remonte à fort longtemps, 1050, mais la famille Victor n'est présente que depuis quatre générations. Cette cuvée, élaborée à partir de 75 % de syrah et de 25 % de cabernet-sauvignon, présente une continuité dans son expression aromatique, marquée par les griottes à l'eau-de-vie, en confiture... La bouche très agréable est faite de rondeur. Ce vin rouge charmant est à boire dans l'année qui vient.

🔑 Jean-Philippe Victor, Ch. Saint-Pierre, Les Quatre-Chemins, 83460 Les Arcs, tél. 04.94.47.41.47, fax 04.94.73.34.73 ☑ Y r.-v.

DOM. DE SAINT-QUINIS 1998

◢ 7 ha 16 000 ▮🌡 20 à 29 F

Le domaine de Saint-Quinis est lié à la légende des « ânes volants », qui auraient pris leur envol de la chapelle de Saint-Quinis. Ancré dans l'imaginaire de cette région sauvage du massif des Maures, le domaine l'est aussi dans l'appellation côtes de provence. En témoigne ce rosé plutôt vif sous son habit pâle, et à la bouche fruitée.

🔑 Les Maîtres Vignerons de Gonfaron, Cave coopérative, 83590 Gonfaron, tél. 04.94.78.30.02, fax 04.94.78.27.33 ☑ Y t.l.j. 8h-12h 14h-18h

DOM. DE SAINT-SER 1998★★

◢ n.c. 65 000 ▮🌡 30 à 49 F

Accrochées aux contreforts de la montagne Sainte-Victoire, les vignes du domaine de Saint-Ser tirent leur essence du sol argilo-calcaire de ce terroir. En 1998, les cépages rouges ont produit un rosé remarquable, à la teinte franche. Le nez frais et puissant réserve de belles surprises : agrumes (pamplemousse rose) et fruit de la passion. La bouche complète à merveille la palette aromatique, avec vivacité puis rondeur. Un rosé féminin et convivial qui enchantera de l'apéritif au dessert. Le **côtes de provence rouge 97** est, quant à lui, très réussi ; il reçoit une étoile.

🔑 Dom. de Saint-Ser, R.D. 17, 13114 Puyloubier, tél. 04.42.66.30.81, fax 04.42.66.37.51, e-mail saintser@europost.org ☑ Y t.l.j. 10h-12h 14h-18h
🔑 Pierlot

DOM. SIOUVETTE
Cuvée Marcel Galfard 1998★

□ 2,8 ha 7 000 ▮⏸🌡 30 à 49 F

Les pères chartreux cultivaient sans doute la vigne dans cette ferme du XVIII[e]s. Ce n'est que vers 1836 qu'il la cédèrent à des laïcs. Le domaine Siouvette s'est distingué cette année par deux vins très réussis du millésime 98 : le **Domaine Siouvette rosé** et ce blanc vinifié à la bourguignonne et élevé sur lies fines. Illuminé de reflets verts, ce dernier s'impose par sa palette aromatique délicate qui laisse poindre une note d'anis. De bonne ampleur, il accompagnera tout un repas.

🔑 Sylvaine Sauron, Dom. Siouvette, 83310 La Mole, tél. 04.94.49.57.13, fax 04.94.49.59.12 ☑ Y t.l.j. 8h-12h 14h-19h; groupes sur r.-v.

DOM. SORIN Cuvée privée 1997★★

■ 1 ha 5 000 ⏸ 50 à 69 F

A la fois producteur de bandol et de côtes de provence, ce vigneron d'origine bourguignonne a la passion du bois. Vinifiée en foudres et élevée en barrique, cette cuvée présente une réelle complexité, tant par ses arômes de grillé, de musc et de pruneau que par la finesse de ses tanins en bouche qui lui confèrent tenue et longueur. Un vin riche, équilibré, qui offre de belles perspectives pour l'avenir.

Dom. Sorin, 1617, rte de La Cadière-d'Azur, 83270 Saint-Cyr-sur-Mer, tél. 04.94.26.62.28, fax 04.94.26.40.06 ☑ Y r.-v.

DOM. ELIE SUMEIRE Cézanne 1997*

■ 12 ha 80 000 20 à 29 F

Cette cuvée est le deuxième vin du château Maupague, propriété de la famille Elie Sumeire. La situation géographique du domaine, au pied de la montagne Sainte-Victoire, rappelle une toile de Cézanne qui est reproduite sur l'étiquette. On appréciera les notes de sous-bois et les senteurs animales du bouquet, encore sur sa réserve. Le palais déploie sa générosité sous des tanins très mûrs. « Persistant, rond et suave, un vin au sommet de son appellation », nous dit un dégustateur. Il supportera une garde de trois ou quatre ans.

Famille Elie Sumeire, Ch. de Maupague, 13530 Trets-en-Provence, tél. 04.42.61.20.00, fax 04.42.61.20.01, e-mail sumeire@chateau-elie-sumeire.fr ☑ Y r.-v.

CH. TESTAVIN 1997**

■ 2 ha 5 000 50 à 69 F

Cette magnanerie du XIX^{e}s. se distingue avec ce 97 aux nuances bleutées, tant la robe est sombre et profonde. Le boisé, bien supporté par la charpente tannique, se prolonge par une expression vanillée et épicée dans un bon équilibre général. D'ici trois à cinq ans, ce vin réjouira sur un magret ou une viande en sauce.

Dom. du Thouar, 2349, rte d'Aix, 83490 Le Muy, tél. 04.94.45.10.35, fax 04.94.45.15.44, e-mail domaine du thouar@wanadoo.fr ☑ Y t.l.j. 9h-12h 14h-18h

Lehmann

DOM. DES THERMES 1998**

◪ 2,5 ha 15 000 20 à 29 F

Si les vestiges romains nous rappellent le passé, c'est vers un avenir prometteur que nous entraîne ce viticulteur dont le millésime 98 représente la première vinification. Quelle allure a ce rosé ! Sa fierté embaume les agrumes, joue de sa robe à la fois pâle et d'une belle nuance rose. Son expression aromatique, sa complexité ouvrent leur générosité au palais. Un coup de cœur unanime salue son élégance, sa finesse, son équilibre. Avec une étoile, le **blanc 98** est à découvrir également. Une entrée en fanfare dans ce guide.

EARL Robert, Dom. des Thermes, 83340 Le Cannet-des-Maures, tél. 04.94.60.73.15, fax 04.94.60.73.15 ☑ Y t.l.j. sf dim. 9h-12h 14h-18h30

DOM. TURENNE Cuvée Camille 1998**

◪ 6 ha 20 000 30 à 49 F

D'une parure plutôt discrète, ce rosé, remarquable d'élégance, offre une plénitude de bouche joliment égayée par ses odeurs de banane, de litchi et d'autres fruits exotiques.

Philippe Benezet, Dom. Turenne, 83390 Cuers, tél. 04.94.48.68.77, fax 04.94.28.57.13 ☑ Y r.-v.

CH. VANNIERES 1997*

■ 6 ha 18 000 70 à 99 F

De cette cuvée très sombre, notre jury a apprécié l'intensité des expressions et la puissance des tanins. Mais il a été surpris par quelques notes amères et boisées ; nous ne pourrons lui répondre car les méthodes de vinification du domaine restent secrètes !

Ch. Vannières, 83740 La Cadière-d'Azur, tél. 04.94.90.08.08, fax 04.94.90.15.98 ☑ Y t.l.j. sf dim. 8h-12h 14h-18h

Boisseaux

CH. VEREZ 1998*

◪ 25 ha 14 000 30 à 49 F

Situé dans le bourg viticole de Vidauban, sur la rive droite de l'Argens, le château Verez exporte 50 % de sa production. Son côtes de provence rosé 98 fera l'unanimité, en France comme à l'étranger. Très aromatique, il allie les fruits rouges et jaunes, relevés d'épices douces. C'est un vin friand, rond et souple, long et puissant, qui témoigne d'une bonne maîtrise de la vinification.

Ch. Verez, Le Grand Pré, 83550 Vidauban, tél. 04.94.73.69.90, fax 04.94.73.55.84 ☑ Y t.l.j. sf dim. 9h-19h

N. Rosinoer

CH. VERT 1997**

■ 8 ha 5 000 20 à 29 F

Sur les sols schisteux du littoral varois, la syrah et le grenache s'associent au cabernet. Il en résulte ce provence rouge dont le nez présente des notes de cuir et de venaison. La bouche fraîche de fruits macérés est harmonieuse et dure longtemps.

SCEA du Ch. Vert, 83250 La Londe-les-Maures, tél. 04.94.66.80.59 ☑ Y t.l.j. sf dim. 9h-12h 14h30-18h

DOM. DES VINGTINIERES 1998*

◪ 2,5 ha 10 000 30 à 49 F

Situé à 4 km du vieux village du Cannet, le domaine des Vingtinières a proposé au jury un vin rosé encore timide dans sa robe pelure d'oignon. Frais en bouche, celui-ci possède une matière à la fois fruitée (pêche blanche et abricot) et florale (fleur d'acacia). Sa finale est d'une bonne longueur et son équilibre harmonieux. Un vin à déguster dès à présent, lors d'un été indien.

Patrice Moreux, Dom. des Vingtinières, rte de Saint-Tropez, 83340 Le Cannet-des-Maures, tél. 04.94.99.81.12, fax 04.94.99.81.12 ☑ Y r.-v.

PROVENCE

Cassis

Un creux de rochers, auquel on n'accède que par des cols relativement hauts depuis Marseille ou Toulon, abrite, au pied des plus hautes falaises de France, des calanques, des anchois et une certaine fontaine qui, selon les Cassidens, rendait leur ville plus remarquable que Paris... Mais aussi un vignoble que se disputaient déjà au XIe s. les puissantes abbayes, en demandant l'arbitrage du pape. Le vignoble occupe aujourd'hui environ 175 ha, dont 123 en cépages blancs. Les vins sont rouges et rosés, mais surtout blancs. Mistral disait de ces derniers qu'ils sentaient le romarin, la bruyère et le myrte. Ne cherchez pas les grandes cuvées : elles sont bues au fur et à mesure, avec les bouillabaisses, les poissons grillés et les coquillages.

DOM. CAILLOL 1998★★

| □ | 3 ha | 13 000 | 🍾🍷 30 à 49 F |

La marsanne s'est remarquablement mariée à l'ugni blanc et à la clairette pour offrir sur la petite aire de cassis un vin blanc à l'exubérance printanière. L'iris et l'aubépine apparaissent au nez sous d'agréables notes de citron. Sous-tendu par une fraîcheur pleine de gaieté, le palais est franc et parfaitement équilibré. Un vin enjôleur. A noter le **rosé 98**, très réussi : dans sa robe d'une teinte soutenue, il propose un bel enchaînement de sensations vives et douces. Le fruit persiste longtemps.
🖝 Caillol Frères, 11, chem. du Bérard, 13260 Cassis, tél. 04.42.01.05.35, fax 04.42.01.31.59 ☑ 🍷 r.-v.

DOM. COURONNE DE CHARLEMAGNE 1998

| □ | 4 ha | 18 000 | 🍾🍷 30 à 49 F |

Les vignes du domaine s'élancent vers un magnifique rocher dont la forme rappelle celle d'une couronne. A défaut d'être couronné, ce cassis mérite d'être cité. Sa robe à reflets citrins annonce un vin complexe mais encore fermé.

L'ensemble, renforcé par une matière volumineuse et grasse, est fort capiteux. A déguster au cours d'un repas, sinon gare !
🖝 Bernard Piche, Les Janots, 13260 Cassis, tél. 04.42.01.15.83, fax 04.42.01.15.83 ☑ 🍷 t.l.j. 11h-13h 14h-18h

CH. DE FONTCREUSE Cuvée F 1998★★

| ◢ | 3,48 ha | 20 000 | 🍾🍷 30 à 49 F |

Le cassis blanc du domaine a obtenu deux ans de suite le coup de cœur. Dans le millésime 98, le rosé lui vole la vedette en remportant deux étoiles. Sous une fraîcheur bien maîtrisée, sa palette fleurie (œillet et iris) s'enveloppe en bouche d'une matière ronde et fine. Ce vin sympathique donnera la réplique à un poisson grillé.
🖝 SA J.-F. Brando, Ch. de Fontcreuse, 13, rte de La Ciotat, 13260 Cassis, tél. 04.42.01.71.09, fax 04.42.01.32.64 ☑ 🍷 t.l.j. sf sam. dim. 8h30-12h 14h-17h30

DOM. LA FERME BLANCHE 1998★

| □ | 22 ha | 75 400 | 🍾🍷 50 à 69 F |

Le comte François de Garnier, riche armateur de Marseille, prit possession du domaine en 1714. L'élégante étiquette des vins de cette propriété porte encore ses armoiries. Tout aussi distingué, ce cassis nuancé de vert marie les parfums floraux aux arômes chaleureux de bonbon au miel. Bien encadrée, sa bouche charnue se prolonge généreusement. Le vin de cassis tel que l'appréciait Frédéric Mistral : « L'abeille n'a pas de miel plus doux... ».
🖝 Dom. de La Ferme Blanche, RN 559, 13260 Cassis, tél. 04.42.01.00.74, fax 04.42.01.73.94 ☑ 🍷 t.l.j. 9h-19h
🖝 F. Paret

DOM. DU PATERNEL 1998

| □ | 11 ha | 70 000 | 🍾🍷 30 à 49 F |

Le vignoble est constitué de restanques, du flanc du massif de la Couronne de Charlemagne jusqu'au cap Canaille. Complanté de marsanne, de clairette et d'ugni blanc, il ajoute une variété originale : le doucillon, qui entre pour 10 % dans ce vin. Ce cassis a l'attrait gourmand d'une brioche au beurre de cacao et un cœur très tendre sous son chapeau de paille. Dans la même veine, notez le **rosé 98**, tout rond et tout doux dans sa robe rose-gris très pâle.
🖝 Jean-Pierre Santini, Dom. du Paternel, 11, rte Pierre-Imbert, 13260 Cassis, tél. 04.42.01.76.50, fax 04.42.01.09.54 ☑ 🍷 r.-v.

CLOS SAINTE-MAGDELEINE 1997

| □ | 10 ha | 35 000 | 🍾🍷 50 à 69 F |

C'est au nez que ce cassis blanc s'exprime le mieux. Sa complexité se dévoile progressivement : la verveine, le muguet se mêlent au buis avant d'évoluer vers la douce chaleur de la pâte de fruit et de la mangue bien mûre. Le palais, d'une longueur moyenne, est un ton en dessous... Dommage car l'étoile n'était pas loin. Le **rosé 98** mérite lui aussi d'être cité pour sa longueur et ses savoureux arômes d'abricot sec.
🖝 Sack-Zafiropulo, Clos Sainte-Magdeleine, av. du Revestel, 13714 Cassis Cedex, tél. 04.42.01.70.28, fax 04.42.01.15.51 ☑ 🍷 t.l.j. sf sam. dim. 10h-12h 15h-19h

CLOS VAL BRUYERE 1997★★

☐ 7 ha 20 000 ▮♨ 50 à 69 F

Sophie Cerciello s'était abstenue de présenter son cassis blanc 97 l'an dernier. Sage décision ! Son vin a certainement gagné en expressivité et en intensité derrière sa robe à reflets encore verts. Les notes de litchi, de mangue et de lait d'amande perçues à l'olfaction invitent à découvrir une bouche aux contours minéraux, d'un volume avenant et frais. Un vin complet.
☛ GAEC Ch. Barbanau, Hameau de Roquefort, 13830 Roquefort-la-Bédoule, tél. 04.42.73.14.60, fax 04.42.73.17.85, e-mail barbanau@aol.com ☑ ⍟ t.l.j. 10h-12h 15h-18h
☛ Cerciello

Bellet

De rares privilégiés connaissent ce minuscule vignoble (32 ha) situé sur les hauteurs de Nice, dont la production est réduite (environ 800 hl) et presque introuvable ailleurs qu'à Nice. Elle est faite de blancs originaux et aromatiques, grâce au rolle, cépage de grande classe, et au chardonnay (qui se plaît à cette latitude quand il est exposé au nord et suffisamment haut) ; de rosés soyeux et frais ; de rouges somptueux, auxquels deux cépages locaux, la fuella et le braquet, donnent une originalité certaine. Ils seront à leur juste place avec la riche cuisine niçoise si originale, la tourte de blettes, le tian de légumes, l'estoficada, les tripes, sans oublier la soca, la pissaladière ou la poutine.

DOM. AUGIER 1998★

◣ 0,14 ha 800 ▮ 70 à 99 F

Entre blanc et rouge, l'AOC bellet produit aussi, presque confidentiellement, des rosés qui tirent leur originalité des cépages braquet et folle noire. Notre jury a retenu ce vin saumoné, très fruité (senteurs de pêche, abricot et fruits exotiques). Elégant et harmonieux, il est aussi plaisant qu'original ; peut être un exemple de typicité...
☛ Rose Augier, 680, rte de Bellet, 06200 Nice, tél. 04.93.37.81.47, fax 04.93.37.81.47 ☑ ⍟ r.-v.

CH. DE BELLET Cuvée Baron G. 1997★

☐ 1,5 ha n.c. ◫ 100 à 149 F

Certainement le plus important producteur de cette minuscule appellation, mais toujours régulier au rendez-vous de nos dégustations. Après un millésime 96 superbe, le 97 se veut dans la même lignée avec ses notes boisées et ses nuances d'acacia. Caractéristique d'un millésime plus généreux, il est plus chaud et un peu lourd, le boisé prenant le pas sur l'acidité. Sa structure et sa longueur laissent cependant présager une bonne évolution.
☛ Ghislain de Charnacé, Ch. de Bellet, 440, chem. de Saquier, 06200 Nice, tél. 04.93.37.81.57, fax 04.93.37.93.83 ☑

CLOT DOU BAILE 1998★★

☐ 0,9 ha 4 000 ▮♨ 70 à 99 F

Une belle récompense pour ce domaine créé il y a vingt ans sur des terres en friche. Le cépage rolle, cueilli à bonne maturité, est à l'origine de ce beau vin aux fragrances de fleurs et d'agrumes égayées de notes poivrées et vanillées. Tendre et généreux au palais, il manifeste des accents de jeunesse qui laissent augurer d'agréables surprises pour les prochaines années.
☛ SCEA Clot Doù Baile, 277-305 ch. de Saquier, Saint-Roman-de-Bellet, 06200 Nice, tél. 04.93.29.85.87, fax 04.93.29.85.87 ☑ ⍟ r.-v.

LES COTEAUX DE BELLET 1998★

☐ 2,2 ha 10 600 ◫ 70 à 99 F

Presque exclusivement issu de cépage rolle, fermenté et élevé en barrique, ce blanc à reflets verts allie complexité et élégance ; il distille avec générosité ses senteurs vanillées, fruitées et épicées. Encore jeune lors de la dégustation, il est apparu typé, complet et prometteur. Il mérite encore un peu de vieillissement et une légère aération pour s'exprimer pleinement.
☛ SCEA Les Coteaux de Bellet, 325, chem. de Saquier, 06200 Nice, tél. 04.93.29.92.99, fax 04.93.18.10.99 ☑ ⍟ r.-v.
☛ Hélène Calviera

CLOS SAINT-VINCENT 1997★★

◼ 1 ha 4 000 ◫ 100 à 149 F

L'originalité des terroirs et des cépages, doublée d'un été indien autorisant des maturations tardives a permis l'élaboration de ce vin typé aux odeurs profondes de cassis, d'épices, de poivre et de cuir. Concentré en bouche, il séduit par la finesse et la densité de ses tanins qui laissent présager un bel avenir.
☛ Joseph Sergi et Roland Sicardi, Collet des Fourniers, Saint-Roman-de-Bellet, 06200 Nice, tél. 04.92.15.12.69, fax 04.92.15.12.69 ☑ ⍟ r.-v.

PROVENCE

Bandol

Noble vin, qui n'est d'ailleurs pas produit à Bandol même, mais sur les terrasses brûlées de soleil des villages alentour recouvrant une superficie de 1 300 ha, le bandol est blanc, rosé ou rouge. Ce dernier est corsé et tannique grâce au mourvèdre, cépage qui le compose pour plus de la moitié. Vin généreux, compagnon idéal des venaisons et des viandes rouges, il apporte ses subtilités aromatiques faites de poivre, de cannelle, de vanille et de cerise noire. Il supporte fort bien une longue garde.

CH. DES BAUMELLES 1997*

■　　　　5 ha　23 000　**(III)** 50 à 69 F

Le château du XVᵉˢ., flanqué de tours, se profile au détour d'un virage sur la route menant de Bandol à Saint-Cyr. Le domaine, héritier d'un vignoble monastique, est exploité par Thierry Grand. Son bandol rouge 97, encore fermé, devrait s'ouvrir sur le fruit et les épices. La matière est belle, quoiqu'encore un peu brute. Les arômes rappellent ceux du nez. Un vin à attendre pour lui permettre de s'affiner.
☛ Thierry Grand, EARL Les Baumelles, 83270 Saint-Cyr-sur-Mer, tél. 04.94.32.63.20, fax 04.94.32.63.20 ☑ ⍭ r.-v.

DOM. DU CAGUELOUP 1998**

◢　　　　6 ha　25 000　■ 50 à 69 F

Ce domaine qui collectionne les étoiles propose un rosé expressif et chaleureux. Pâle à l'œil, fin au nez, ce vin donne toute sa mesure au palais. Il va crescendo pour finir en « queue de paon ». Complexité, puissance et longueur : un ensemble remarquable.
☛ SCEA Dom. de Cagueloup, quartier Cagueloup, 83270 Saint-Cyr-sur-Mer, tél. 04.94.26.15.70, fax 04.94.26.54.09 ☑ ⍭ t.l.j. 8h30-18h30; dim. 8h30-12h

DOM. CASTELL-REYNOARD 1998*

◢　　　　2 ha　n.c.　■ 30 à 49 F

Beaucoup de franchise et d'harmonie caractérisent ce rosé bien typé, qui évoque une corbeille de fruits et enchaîne fraîcheur et consistance au palais. Un bon ambassadeur de l'appellation.
☛ Alexandre Castell, Dom. Castell-Reynoard, 83740 La Cadière-d'Azur, tél. 04.94.90.10.16, fax 04.94.90.10.16 ☑ ⍭ t.l.j. sf dim. 9h-12h 14h30-19h

CH. DE CASTILLON 1997*

■　　　　1,5 ha　5 000　**(III)** 30 à 49 F

Habillé d'une robe profonde, ce bandol encore très jeune se fait discret de prime abord puis dévoile des arômes plaisants de prune, de noyau, de réglisse et d'épices. Généreux et harmonieusement structuré, il demande encore deux à trois ans de conservation pour affirmer son caractère.
☛ René de Saqui de Sannes, Dom. de Castillon, 83330 Sainte-Anne-du-Castellet, tél. 04.94.32.66.74, fax 04.94.32.67.36 ☑ ⍭ t.l.j. sf dim. 8h-18h

DOM. DE FONT-VIVE 1998**

◢　　　6,5 ha　15 000　■ ♦ 50 à 69 F

Sa robe pâle aux nuances framboisées est une charmante introduction à une dégustation pleine de fruits et d'épices où l'on apprécie l'équilibre et la longueur. Un très beau rosé qui accompagnera aussi bien les produits de la mer que les viandes légères.
☛ Philippe Dray, quartier Val-d'Arenc, 83330 Le Beausset, tél. 04.94.98.60.06, fax 04.94.98.65.31 ☑

DOM. DE FREGATE 1998**

◢　　　3 ha　13 000　■ ♦ 30 à 49 F

Ne cherchez pas une origine maritime au nom du domaine, celui-ci dérive du terme provençal *fragat* qui signifie « casser » : il fallait effectivement casser les pierres pour planter la vigne. Ce terroir rocailleux et pauvre donne un caractère particulier aux vins du domaine, sensible dans ce rosé floral, puissant mais tout en finesse, et d'une belle complexité aromatique.
☛ Dom. de Frégate, rte de Bandol, 83270 Saint-Cyr-sur-Mer, tél. 04.94.32.57.57, fax 04.94.32.24.22, e-mail domainedefregate@wanadoo.fr ☑ ⍭ r.-v.

CH. JEAN-PIERRE GAUSSEN
Longue garde 1997*

■　　　4 ha　20 000　**(III)** 70 à 99 F

Le Château Jean-Pierre Gaussen n'est autre que le Château de La Noblesse des éditions précédentes du Guide. Jean-Pierre et Julia Gaussen, rejoints récemment par leur fille, tiennent désormais à signer leur production. Celle-ci est de qualité, témoin ce bandol rouge, dont le millésime 92 avait obtenu un coup de cœur. La robe du 97 est profonde comme de l'encre, avec des reflets noirs. Le nez laisse s'échapper après agitation des notes de café et de cacao, que l'on retrouve en bouche avec des nuances de fruits rouges. Un vin équilibré, très tannique, qui gagnera à mûrir quelques années en cave.
☛ Jean-Pierre Gaussen, La Noblesse, 1585, chem. de l'Argile, B.P. 23, 83740 La Cadière-d'Azur, tél. 04.94.98.75.54, fax 04.94.98.65.34 ☑ ⍭ r.-v.

LA BASTIDE BLANCHE 1997*

■　　　12 ha　50 000　**(III)** 50 à 69 F

Le 96 fut coup de cœur. Quant au 97, on lui prédit une longue vie (de cinq à dix ans). D'emblée, il montre sa densité par sa robe grenat profond. Mais c'est surtout au palais que cette qualité se manifeste - c'est un « vin de bouche », note un dégustateur. Sa matière, ses arômes de fruits rouges très mûrs, sa finale ample, balsami-

que et poivrée composent un bel ensemble, qui pourra accompagner une daube provençale.
⊶ Louis et Michel Bronzo, 367, rte des Oratoires, 83330 Sainte-Anne-du-Castellet, tél. 04.94.32.63.20, fax 04.94.32.63.20 ☒ Y r.-v.

DOM. DE LA BEGUDE 1998★

◪ 5 ha 13 000 ◙ 50 à 69 F

Le maître des lieux a fait ses armes dans quelque grand cru bordelais avant de venir chercher la quiétude sur ces restanques de Provence. Il a été à bonne école, témoin ce rosé typé et racé aux effluves d'agrumes et d'épices dont notre jury a apprécié l'équilibre et la typicité. Un bon compagnon des préparations méditerranéennes.
⊶ Guillaume et Louis Tari, Dom. de La Begude, la Cadière-d'Azur, 83330 Le Camp-du-Castellet, tél. 04.42.08.92.34, fax 04.42.08.27.02 ☒ Y r.-v.

LA CADIERENNE 1997

■ n.c. 80 000 ◙ 30 à 49 F

Rigueur et sélection sont à l'origine de ce rouge élégant, aux notes fruitées et épicées. Moyennement charpenté, il séduit par son harmonie et s'épanouit dès à présent.
⊶ SCV La Cadiérenne, quartier Le Vallon, 83740 La Cadière-d'Azur, tél. 04.94.90.11.06, fax 04.94.90.18.73 ☒ Y r.-v.

DOM. LAFRAN-VEYROLLES
Longue garde 1997★★

■ n.c. 15 000 ◙ 70 à 99 F

Un beau potentiel de garde pour ce bandol intense, profond et typé, souple et dense à la fois, avec des expressions de terroir prononcées aux nuances fruitées, réglissées et mentholées. Un vin d'avenir qui crée déjà l'émotion.
⊶ Jouve-Férec, Dom. Lafran-Veyrolles, 83740 La Cadière-d'Azur, tél. 04.94.90.13.37, fax 04.94.90.11.18 ☒ Y r.-v.

DOM. DE LA LAIDIERE 1998★

◪ 8,5 ha 40 000 ▮🌡 50 à 69 F

Par ses terroirs marno-sableux et son exposition, le domaine de La Laidière entretient une typicité propre qui lui vaut d'être régulièrement présent dans le Guide. Notre jury a beaucoup apprécié son **blanc** auquel il décerne une étoile, et peut-être encore plus ce rosé à la fois généreux et rafraîchissant, noble dans ses équilibres mais aussi féminin dans sa légèreté, et très plaisant par ses effluves d'ananas et de pamplemousse.
⊶ SCEA Estienne, Dom. de La Laidière, 426, chem. de Font-Vive, 83330 Sainte-Anne-d'Evenos, tél. 04.94.90.35.29, fax 04.94.90.38.05 ☒ Y t.l.j. sf dim. 9h30-12h 13h30-18h; sam. sur r.-v.

LA ROQUE
Cuvée Grande Réserve Elevé en fût de chêne 1998★

□ n.c. n.c. ◙ 30 à 49 F

Ce bandol blanc est une agréable découverte. Très floral et vanillé au nez, tout en rondeur, il offre équilibre et persistance en bouche, ponctués de notes boisées. Un vin joliment présenté qui se suffit à lui-même.
⊶ La Roque, quartier Vallon, 83740 La Cadière-d'Azur, tél. 04.94.90.10.39, fax 04.94.90.08.11 ☒ Y r.-v.

CH. LA ROUVIERE 1998★

◪ 2,5 ha 16 000 ▮🌡 70 à 99 F

Le château La Rouvière est l'un des vignobles exploités par la famille Bunan au Moulin des Costes. Heureux assemblage de cinsaut, de grenache et de mourvèdre plantés sur des marnes calcaires, ce rosé pâle est un digne représentant de l'appellation, tant par ses arômes floraux et épicés que par l'étoffe qu'il développe au palais. Sous la même étiquette, notre jury a apprécié le **blanc 98** auquel il décerne également une étoile.
⊶ Dom. Bunan, B.P. 17, 83740 La Cadière-d'Azur, tél. 04.94.98.58.98, fax 04.94.98.60.05, e-mail bunan@bunan.com ☒ Y r.-v.

DOM. LA SUFFRENE 1997★★

■ 12 ha 50 000 ◙ 50 à 69 F

Cette ancienne bastide tire son nom du bailli de Suffren qui en fut le propriétaire. Réhabilitée en 1996, cette exploitation gagne ses lettres de noblesse avec ce rouge 97 expressif et intense, qui sent bon la garrigue et le sous-bois. Les tanins élégants tapissent le palais avec des notes d'olive noire et de cuir. Un joli bandol qui saura se tenir dans les années à venir.
⊶ Cédric Gravier, GAEC Gravier-Piche, 1066, chem. de Cuges, 83740 La Cadière-d'Azur, tél. 04.94.90.09.23, fax 04.94.90.02.21 ☒ Y t.l.j. sf dim. 9h-12h 14h-18h; sam. 9h-12h

DOM. DE LA TOUR DU BON 1998★★

□ n.c. 2 000 ▮🌡 50 à 69 F

L'oratoire du domaine, classé monument historique, constitue l'un des attraits du lieu. Mais c'est surtout sa production viticole qui retiendra l'attention du visiteur. Après un bandol rouge 96, coup de cœur l'an dernier, celui-ci pourra apprécier ce blanc très floral qui développe toute la maturité du raisin en bouche. On y retrouve le fruité de la clairette, principal cépage de cette cuvée.

⊶ Hocquard - SCEA Saint-Vincent, Dom. La Tour du Bon, 714, chem. de l'Olivette, 83330 Le Brûlat-du-Castellet, tél. 04.94.32.61.62, fax 04.94.32.71.69, e-mail tourdubon@ad.com ☑ Y r.-v.

DOM. DE LA VIVONNE 1997*

■ 6,09 ha 20 000 ⊕ 50 à 69 F

Ce bandol 100 % mourvèdre a déjà beaucoup de carrure : des tanins puissants et fins, un bouquet fruité et épicé sur sa réserve. En phase d'élevage, il devrait évoluer et montrer une personnalité intéressante.

⊶ EARL Walter Gilpin, 3345, montée du Château, 83330 Le Castellet, tél. 04.94.98.70.09, fax 04.94.90.59.98 ☑ Y r.-v.

LE GALANTIN 1998**

◪ 10 ha 45 000 ▮🌡 30 à 49 F

Il a tout pour séduire : une robe pâle, une réelle qualité odorante, qui se combine à une rondeur fruitée, animée d'une touche fraîche à la limite du perlant. Un modèle de « vin plaisir ».

⊶ Achille Pascal, Dom. Le Galantin, 83330 Le Plan-du-Castellet, tél. 04.94.98.75.94, fax 04.94.90.29.55, e-mail galantin@caves-particulieres.com ☑ Y r.-v.

DOM. LES LUQUETTES 1998

◪ 4 ha n.c. ▮🌡 50 à 69 F

Une marque créée depuis peu (1996), et un rosé qui donne envie de le boire tout de suite, bien frais, pour ne pas laisser s'échapper son fruité acidulé.

⊶ SCEA Le Lys, 20, chem. des Luquettes, 83740 La Cadière-d'Azur, tél. 04.94.90.02.59, fax 04.94.98.31.95 ☑ Y t.l.j. 7h-21h

⊶ E. Lafourcade

DOM. DE L'HERMITAGE 1998**

◪ 25 ha 90 000 ▮🌡 50 à 69 F

La propriété a été rachetée en 1975 par la famille Duffort. Gérard Duffort exploite les vignes de bandol, tandis que son fils s'occupe du domaine de La Moutète, en côtes de provence. Ce rosé a fière allure ! On apprécie sa fraîcheur, sa franchise et sa profusion d'arômes où les agrumes (pamplemousse, mandarine...) dominent, au nez comme au palais. De belle tenue, la bouche est grasse et longue.

⊶ SCEA Gérard Duffort, Dom. de l'Hermitage, B. P. 41, 83330 Le Beausset, tél. 04.94.98.71.31, fax 04.94.90.44.87 ☑ Y t.l.j. sf dim. 8h-12h 14h-18h; sam. 8h-12h

DOM. DE L'OLIVETTE 1997

■ 4 ha 20 000 ⊕ 50 à 69 F

Ce domaine, fondé en 1790, est l'un des plus anciens de l'appellation, et l'un des plus vastes (54 ha). D'un grenat pourpre, son bandol rouge présente un nez discret de sous-bois et de venaison. Le palais, plus évolué, s'exprime par des notes fruitées, boisées et épicées, sans aucune agressivité. La finale est un peu chaude. A servir avec un veau marengo.

⊶ SCEA Dumoutier, Dom. de L'Olivette, 83330 Le Castellet, tél. 04.94.32.62.89, fax 04.94.32.68.43 ☑ Y r.-v.

DOM. MAUBERNARD 1998*

◪ 3 ha 13 000 ▮ 30 à 49 F

L'amphore qui figure sur l'étiquette rappelle l'époque où les vins de cette région de Provence arrivaient à Rome par le port d'Ostie. Voici un rosé plaisant à reflets cuivrés, original par l'alliance d'agrumes et de grillé. Plus classique, par sa rondeur rafraîchissante. Un ensemble à la fois léger et présent.

⊶ Dom. Maubernard, chem. de Roumanieu, 83270 Saint-Cyr-sur-Mer, tél. 04.91.37.03.44, fax 04.91.57.01.52 ☑ Y r.-v.

DOM. MAZET DE CASSAN 1998*

◪ 13 ha 63 300 ▮🌡 50 à 69 F

Un rosé typique par sa robe saumonée. Bien équilibré entre rondeur et nervosité, il réserve un bouquet riche et plaisant de fleurs et d'épices. Un excellent vin à servir à l'apéritif ou en entrée. Vendu sous l'étiquette **Domaine Barthès, le blanc 98** de l'exploitation pourra prendre le relais sur un poisson en sauce. Floral et exotique au nez, il se montre gras en bouche. Il a obtenu également une étoile.

⊶ Monique Barthès, chem. du Val-d'Arenc, 83330 Le Beausset, tél. 04.94.98.60.06, fax 04.94.98.65.31 ☑ Y r.-v.

MOULIN DES COSTES 1997*

■ 15 ha 60 000 ⊕ 50 à 69 F

Cette vaste propriété (29 ha) offre une palette de vins régulièrement distingués dans le Guide. Parmi eux, la cuvée Moulin des Costes se veut très caractéristique de l'appellation. Sous-bois, cuir et pain grillé créent un environnement aromatique complexe, tandis qu'en bouche des tanins denses et serrés lui confèrent une belle typicité. Un ensemble fort réussi qui se laisse boire mais peut largement attendre. Le 95 avait obtenu un coup de cœur.

⊶ Dom. Bunan, B.P. 17, 83740 La Cadière-d'Azur, tél. 04.94.98.58.98, fax 04.94.98.60.05, e-mail bunan@bunan.com ☑ Y r.-v.

DOM. DU PEY-NEUF 1998*

◪ 12 ha n.c. ▮🌡 50 à 69 F

Un domaine familial fondé en 1802, que l'on retrouve sans surprise dans le Guide pour un rosé. Très pâle dans le verre, il révèle pourtant une belle progression aromatique. Facile en bouche, il laisse une impression d'harmonie. Son côté exotique incite à l'essayer sur des spécialités vietnamiennes.

⊶ Guy Arnaud, Dom. Pey-Neuf, 367, rte de Sainte-Anne, 83740 La Cadière-d'Azur, tél. 04.94.90.14.55, fax 04.94.26.13.89 ☑ Y t.l.j. 9h-12h30 14h30-19h30

> Lumière et odeurs sont les ennemis du vin : attention à votre cave !

CH. DE PIBARNON 1997★★

■ 25 ha 90 000 🛢 70 à 99 F

Un domaine dont la notoriété n'est plus à faire et dont les millésimes antérieurs ont su convaincre nos jurys (le 94 avait obtenu un coup de cœur). Ce 97 a su tirer la quintessence d'un millésime tardif. Derrière des senteurs complexes - épices, cannelle, poivre et fruits noirs - se révèle un vin élégant et harmonieux aux tanins riches et éloquents, mais aussi bien enrobés. Un bandol déjà très plaisant et promis à un bel avenir.

⊶ Ch. de Pibarnon, Eric de Saint-Victor, 83740 La Cadière-d'Azur, tél. 04.94.90.12.73, fax 04.94.90.12.98 ☑ Y r.-v.

DOM. ROCHE REDONNE 1998★

◪ 4 ha 16 000 🍾🌡 50 à 69 F

Dominé par le village médiéval de La Cadière, ce domaine de 12 ha propose un rosé pâle dans le verre mais expressif, aux arômes fruités. Faisant preuve d'un bel équilibre entre la vivacité et le moelleux, il finit sur une note acidulée. Un bandol typique.

⊶ Tournier, Dom. Roche Redonne, 83740 La Cadière-d'Azur, tél. 04.94.90.11.83, fax 04.94.90.00.96 ☑ Y r.-v.

CH. ROMASSAN-DOMAINES OTT 1996★

□ 2 ha 5 000 🍾🌡 100 à 149 F

Les domaines Ott ont été créés à partir de 1896 par Marcel Ott, dont la famille avait quitté l'Alsace rattachée à l'Empire allemand. Ils ont été constitués progressivement à partir du château de Selle, puis du clos Mireille qui élaborent des côtes de provence. Le château Romassan, d'où provient ce bandol blanc, a été acquis en 1956. Ce 96 a gardé des airs juvéniles. Il séduit par une palette aromatique complexe (bonbon au miel légèrement mentholé, cèdre) alliée à une fraîcheur de bon aloi.

⊶ Dom. Ott, Ch. Romassan, 601, rte des Mourvèdres, 83330 Le Castellet, tél. 04.94.98.71.91, fax 04.94.98.65.44, e-mail domaineott@wanadoo.fr ☑ Y r.-v.

⊶ Famille Ott

CH. SALETTES 1998★

◪ 11 ha 48 000 🍾🌡 50 à 69 F

Un très ancien vignoble dont le propriétaire a pris aussi en charge la destinée de l'association des vignerons de Bandol. Son rosé 98 en robe pâle livre des senteurs discrètes mais élégantes de citron et d'anis. Très équilibré, il se montre plein, rond et persistant en bouche.

⊶ Jean-Pierre Boyer, Ch. Salettes, 83740 La Cadière-d'Azur, tél. 04.94.90.06.06, ☑ Y t.l.j. 8h-12h 14h-19h; dim. sur r.-v.

DOM. SORIN 1997★

■ 2,2 ha 10 000 🛢 70 à 99 F

Ce domaine de 12 ha, repris en 1994, propose un bandol rouge qui ne peut cacher une vinification et un élevage en fût. La bouche révèle une forte extraction, avec un heureux mariage des arômes de bois neuf, de cuir et d'épices. A oublier en cave pour lui laisser le temps de s'assagir.

⊶ Dom. Sorin, 1617, rte de La Cadière-d'Azur, 83270 Saint-Cyr-sur-Mer, tél. 04.94.26.62.28, fax 04.94.26.40.06 ☑ Y r.-v.

DOM. DE SOUVIOU 1998★★

◪ 10 ha 40 000 🍾🌡 50 à 69 F

Suivant l'antique tradition romaine qui mettait à l'honneur la culture de la vigne et de l'olivier, le domaine de Souviou se partage entre viticulture et oléiculture. C'est surtout ce rosé qui retient notre attention. Avec des arômes encore jeunes mais très complexes, un palais ample et généreux, il donne une sensation de richesse et laisse deviner un potentiel certain. Une consécration pour ce domaine déjà couronné l'an passé pour un rosé.

⊶ SCEA Dom. de Souviou, R.N. 8, 83330 Le Beausset, tél. 04.94.90.57.63, fax 04.94.98.62.74 ☑ Y r.-v.

⊶ Cagnolari

DOM. DE TERREBRUNE 1997

■ 10 ha 40 000 🛢 70 à 99 F

Dans ce pays très connu pour ses floralies, la vigne se cantonne aux coteaux austères mais ensoleillés. Elle a donné ce vin rouge aux effluves végétaux et boisés, typiques des bandol. Ces senteurs préludent à une dégustation pleine de sève dont on apprécie l'expression tannique. Un vin jeune qui devrait s'arrondir avec la maturité.

⊶ Delille, Dom. de Terrebrune,724, chem. de la Tourelle, 83190 Ollioules, tél. 04.94.74.01.30, fax 04.94.88.47.51 ☑ Y t.l.j. sf dim. 9h-12h30 14h-18h30

CH. VANNIERES 1997**

■ 12 ha 40 000 🛢 70 à 99 F

Les vins du domaine sont élevés à l'ancienne. Ce 97 a séjourné dix-huit mois en fût. Profondeur et densité sont les maîtres mots de la dégustation, avec une robe sombre à légers reflets bruns, un bouquet puissant et une bouche charpentée et tannique, révélant un potentiel de garde de dix ans. Les arômes sont là aussi, intenses et complexes : fruits rouges mûrs ou cuits, sous-bois, épices... A conserver bien sûr, mais on pourra se laisser tenter par ses arômes de jeunesse.

Ch. Vannières, 83740 La Cadière-d'Azur, tél. 04.94.90.08.08, fax 04.94.90.15.98 ☑ Y t.l.j. sf dim. 8h-12h 14h-18h

Boisseaux

Palette

Tout petit vignoble, aux portes d'Aix, qui englobe l'ancien clos du bon roi René.

Blancs, rosés et rouges sont produits régulièrement. Le plus souvent, et après une bonne maturation (car le rouge est de longue garde), on y retrouve une odeur de violette et de bois de pin.

CH. SIMONE 1996**

□ 6,5 ha 26 000 🛢 100 à 149 F

Château Simone, qui fut longtemps l'unique domaine de cette minuscule appellation, n'est plus à présenter. La majesté du lieu comme l'agrément des vins ont déjà séduit nombre d'amateurs. Très complexe, ce blanc aux senteurs évoluées a besoin d'aération pour dévoiler ses nuances de petites fleurs, de miel et d'épices. Ample et souple en bouche, il se pare d'arômes plus élaborés de fruits confits et de coing et finit sur des notes minérales.

René Rougier, Ch. Simone, 13590 Meyreuil, tél. 04.42.66.92.58, fax 04.42.66.80.77 ☑ Y t.l.j. sf dim. 8h-12h 14h-18h

Coteaux d'aix

Sise entre la Durance au nord et la Méditerranée au sud, entre les plaines rhodaniennes à l'ouest et la Provence triasique et cristalline à l'est, l'AOC coteaux d'aix-en-provence appartient à la partie occidentale de la Provence calcaire. Le relief est façonné par une succession de chaînons, parallèles au rivage marin, et couverts naturellement de taillis, de garrigue ou de résineux : chaînon de la Nerthe près de l'étang de Berre, chaînon des Costes prolongé par les Alpilles, au nord.

Entre ces reliefs s'étendent des bassins sédimentaires d'importance inégale (bassin de l'Arc, de la Touloubre, de la basse Durance) où se localise l'activité viticole, soit sur des formations marno-calcaires donnant des sols caillouteux à matrice argilo-limoneuse, soit sur des formations de molasses et de grès avec des sols très sableux ou sablo-limoneux caillouteux. 3 500 ha produisent 170 000 hl en moyenne. La production de vins rosés s'est développé récemment (70 %). Grenache et cinsaut forment encore la base de l'encépagement, avec une prédominance du grenache ; syrah et cabernet-sauvignon sont en progression et remplacent progressivement le carignan.

Les vins rosés sont légers, fruités et agréables ; ils ont largement profité des améliorations des techniques de vinification. Ils doivent être bus jeunes avec des plats provençaux : ratatouille, artichauts barigoule, poissons grillés au fenouil, aïoli...

Les vins rouges sont des vins équilibrés, quelquefois rustiques. Ils bénéficient d'un contexte pédologique et climatique favorable. Jeunes et fruités, avec des tanins souples, ils peuvent accompagner viandes grillées et gratins. Ils atteignent leur plénitude après deux ou trois ans d'élevage et peuvent accompagner alors viandes en sauce et gibier. Ils méritent que l'on parte à leur (re)découverte.

La production de vins blancs est limitée. La partie nord de l'aire de production est plus favorable à leur élaboration qui mêle la rondeur du grenache blanc à la finesse de la clairette, du rolle et du bourboulenc

CH. BARBEBELLE Réserve 1997

■ 4 ha 24 000 🍷 30 à 49 F

Difficile d'en juger au moment de la dégustation, à cause de sa forte extraction. Mais sans doute n'est-ce là qu'un péché de jeunesse, car on devine le vin de garde, marqué par le cabernet-sauvignon (présent à 45 %). Les 35 % de syrah devraient se faire entendre en 2000 et rééquilibrer ces diverses sensations.

☛ Brice Herbeau, Ch. Barbebelle, 13840 Rognes, tél. 04.42.50.22.12, fax 04.42.50.10.20 ☑ ⚍ r.-v.

CH. BAS Cuvée du Temple 1997★

| ☐ | 2 ha | 2 000 | 🆔 | 50 à 69 F |

Pas de doute : Philippe Pouchin et Denis Langue ont beaucoup fait pour cette exploitation. Dans leur constante recherche de vins de personnalité, c'est un blanc de garde qu'ils signent ici. Lumineuse, la robe or à reflets verts annonce à la fois complexité et plénitude. Pour reprendre les mots d'un dégustateur, une « remarquable fougue », encore contenue, permettra à ce 97 de s'exprimer agréablement dans les années à venir.

☛ EARL Georges de Blanquet, Ch. Bas, 13116 Vernègues, tél. 04.90.59.13.16, fax 04.90.59.44.35 ☑ ⚍ t.l.j. 9h-12h30 14h30-18h30

CH. BAS Pierres du Sud 1998

| ☐ | n.c. | n.c. | 🍶 | 30 à 49 F |

Le jury s'est plu à reconnaître en lui un vin très particulier, qui restait encore un peu austère au moment de la dégustation. Son potentiel devrait s'exprimer à la sortie du Guide, car il est des indices qui ne trompent pas : un nez de pierre à fusil et de bourgeon de cassis, une bonne persistance... Faisons confiance à Philippe Pouchin : il a la « patte » pour réussir ses blancs.

☛ EARL Georges de Blanquet, Ch. Bas, 13116 Vernègues, tél. 04.90.59.13.16, fax 04.90.59.44.35 ☑ ⚍ t.l.j. 9h-12h30 14h30-18h30

DOM. DES BÉATES 1997

| ■ | 20 ha | 55 000 | 🍶 | 50 à 69 F |

Les « Béates » étaient les pensionnaires du couvent qui s'élevait jadis sur le site de l'exploitation. Un beau nom aussi pour ces produits plus terrestres, parmi lesquels le jury a retenu le rouge 97. De couleur foncée, livrant des senteurs animales et de fruits des bois, il possède une bonne structure qui lui permettra de vieillir, car, encore un peu austère, il demande à s'épanouir avec le temps. A noter également le rosé 98 (50 à 69 F), passé en barrique, atypique mais intéressant.

☛ Dom. des Béates, rte de Caireval, 13410 Lambesc, tél. 04.42.57.07.58, fax 04.42.57.07.58, e-mail chapoutier@chapoutier.com ☑ ⚍ r.-v.

☛ Chapoutier et Terrat

CH. BEAUFERAN 1998

| ◩ | 15 ha | 20 000 | 🍶 | 20 à 29 F |

Une vinification complexe, avec macération pelliculaire à 12 °C pendant quatorze heures, saignée, puis fermentation à 19 °C ont donné ce vin de couleur framboise soutenue et au nez discret de fruits rouges. Du gras, de la rondeur et une douce finale en feront l'accompagnement d'un plat un peu épicé.

☛ Ch. Beauferan, 870, chem. de la Degaye, 13880 Velaux, tél. 04.42.74.73.94, fax 04.42.87.42.96, e-mail beauferan@cavesparticulieres.com ☑ ⚍ t.l.j. sf sam. dim. 9h-12h 14h-16h

☛ Sauvage-Veysset

CH. DE BEAUPRE
Collection du Château 1997

| ■ | 3 ha | 12 000 | 50 à 69 F |

Cette ancienne bastide parlementaire appartient depuis le XIXᵉs. à la famille du baron Double. Le **Beaupré blanc 98** (30 à 49 F) aimera les coquillages alors que cette Collection du Château conviendra au gibier. Les neuf mois de fût sont encore sensibles, et des notes de grillé et de vanille viennent compléter des arômes de fruits cuits. Un joli vin de plaisir, que d'aucuns conseillent pourtant d'attendre un peu.

☛ Christian Double, Ch. de Beaupré, 13760 Saint-Cannat, tél. 04.42.57.33.59, fax 04.42.57.27.90, e-mail chbeaupre@aol.com ☑ ⚍ t.l.j. 9h-12h 14h-18h30

CH. DE CALAVON Cuvée Tradition 1998

| ◪ | 8 ha | n.c. | 20 à 29 F |

La cave est située au cœur du vieux village de Lambesc, dans un ancien relais de poste. Le carignan, présent pour moitié dans l'assemblage, donne de la nervosité à ce rosé dont les arômes ont plus de finesse que d'intensité. Motifs de fleurs blanches sur un fond amylique : on sent une thermorégulation bien maîtrisée.

☛ EARL Michel Audibert, Ch. de Calavon, 13410 Lambesc, tél. 04.42.57.15.37, fax 04.42.57.15.37 ☑ ⚍ t.l.j. sf dim. 9h-12h 15h-18h

CH. CALISSANNE
Cuvée Prestige 1997★★★

| ■ | 6 ha | 25 000 | 🆔 | 30 à 49 F |

La cuvée Prestige de Calissanne existe dans les trois couleurs. Si les deux premières sont déjà qualifiées de très réussies (une étoile), c'est le rouge qui remporte la palme : « le plus beau de la dégustation », écrivent les jurés. Bravo à Jean Bonnet, dont les rouges auront obtenu un coup de cœur deux années consécutives. On serait tenté de parler de magie, si l'on ne connaissait pas le don d'observation et le professionnalisme de l'homme. Vanille, fruits rouges très mûrs, longueur, fondu, finesse... Tout y est.

⊶ Ch. Calissanne, R.D. 10, 13680 Lançon-de-Provence, tél. 04.90.42.63.03, fax 04.90.42.40.00 ☑ Y r.-v.
⊶ Compass & UAP

CH. CALISSANNE Clos Victoire 1997*

■ 4 ha 12 000 ⓑ 70 à 99 F

Tout a été mis en œuvre pour réusir une belle bouteille, depuis la sélection des parcelles jusqu'aux quatorze mois de fût. Le résultat est là, et le potentiel de ce rouge lui permettra de vieillir cinq ans sans problème. Encore dominant (quoique avec mesure), le bois cède la place à des notes empyreumatiques et épicées, en un ensemble empreint de complexité et de richesse.
⊶ Ch. Calissanne, R.D. 10, 13680 Lançon-de-Provence, tél. 04.90.42.63.03, fax 04.90.42.40.00 ☑ Y r.-v.
⊶ Compass et UAP

DOM. CAMAISSETTE 1998

◪ 5,5 ha 30 000 ▮🌡 30 à 49 F

C'est le rosé du domaine qui se signale cette année à l'attention du jury. D'un rose pâle à reflets saumonés, il oscille entre fruits sucrés et notes florales. De l'intensité et de la longueur, de la fraîcheur et de la vivacité - le vin des tartines de tapenade.
⊶ Michelle Nasles, Dom. de Camaïssette, 13510 Eguilles, tél. 04.42.92.57.55, fax 04.42.28.21.26 ☑ Y t.l.j. sf dim. 9h30-12h 14h30-18h30

DOM. D'EOLE Cuvée Léa 1997*

■ n.c. 10 000 ▮ⓑ🌡 70 à 99 F

Si le **rosé 98** (30 à 49 F) n'a été que cité par le jury, le rouge 97, lui, recueille une étoile. Décrit comme un « vin du Sud », c'en est un par son assemblage : syrah, grenache et un zeste de mourvèdre, sans cabernet-sauvignon. Très avenant par sa rondeur, il révèle au nez et en bouche ses douze mois passés en fût. Du beau travail.
⊶ EARL Dom. d'Eole, rte de Mouries, 13810 Eygalières, tél. 04.90.95.93.70, fax 04.90.95.99.85 ☑ Y t.l.j. sf sam. dim. 9h-12h30 13h30-17h30
⊶ C. Raimont

CH. DE FONSCOLOMBE
Cuvée spéciale 1998

◪ 25 ha 120 000 ▮🌡 30 à 49 F

D'une couleur foncée et soutenue, voici un rosé dont l'intensité est essentiellement olfactive, évoquant la pêche et le fruit de la passion très mûr. Il accompagnera une viande blanche en sauce.
⊶ SCA des Domaines de Fonscolombe, 13610 Le Puy-Sainte-Réparade, tél. 04.42.61.89.62, fax 04.42.61.93.95 ☑ Y r.-v.
⊶ de Saporta

DOM. DES GLAUGES 1997*

■ 4,5 ha 20 000 ▮🌡 20 à 29 F

Les trois couleurs de ce domaine ont toutes reçu leur étoile : le **blanc 98** (20 à 29 F) pour sa finesse aromatique, le **rosé 98** (même prix) pour son nez intense et sa longueur en bouche, et enfin ce rouge, dont le côté épicé (clou de girofle) mêlé à des senteurs de fruits rouges compose un ensemble très agréable. Complexité des arômes, équilibre des tanins... Une réussite pour ce domaine en pleine rénovation.
⊶ SCEV Dom. des Glauges, rte d'Aureille, 13430 Eyguières, tél. 04.90.59.81.45, fax 04.90.57.83.19 ☑ Y t.l.j. sf dim. 10h-12h30 14h30-18h30

CH. GRAND SEUIL 1997**

■ 9 ha 12 000 ⓑ 50 à 69 F

Voilà un rouge qui vient confirmer tout le bien qu'on dit de ce domaine. De sa robe pourpre, foncée et brillante, s'exhalent des arômes de fruits rouges très mûrs, saupoudrés de vanille. Les dix-huit mois de fût se ressentent encore, mais la finesse des tanins et l'équilibre d'ensemble nous promettent d'ici deux ans une bien agréable surprise. Un vin qui joue dans la cour des grands.
⊶ Philippe et Janine Carreau-Gaschereau, Ch. du Seuil, 13540 Puyricard, tél. 04.42.92.15.99, fax 04.42.28.05.00 ☑ Y t.l.j. 9h-12h 14h-19h

CH. LA COSTE Cuvée Lisa 1998

□ 2 ha 12 000 ▮🌡 30 à 49 F

Un vin léger et frais, dont l'abord est aisé. Sans doute faut-il y voir la marque de l'ugni blanc, qui forme 40 % de l'assemblage. Rolle et sauvignon en proportions égales viennent opportunément y ajouter leur touche aromatique de petites fleurs blanches et de pêche de vigne.
⊶ GFA du Ch. La Coste, CD 14, 13610 Le Puy-Sainte-Réparade, tél. 04.42.61.89.98, fax 04.42.61.89.41 ☑ Y t.l.j. sf dim. 8h-12h 14h-18h
⊶ Bordonado

MAS DE LA DAME
Blanc des roches 1998*

□ 4,15 ha 6 800 ▮🌡 30 à 49 F

Ce « Blanc des Roches » est tout en finesse ! Un nez discret de biscottes grillées et de fleurs, une bouche ample et équilibrée en font un beau produit, dont le jury a apprécié l'harmonie.
⊶ Mas de La Dame, RD 5, 13520 Les Baux-de-Provence, tél. 04.90.54.32.24, fax 04.90.54.40.67 ☑ Y r.-v.
⊶ A. Poniatowski et C. Missoffe

DOM. DE LA REALTIERE
Cuvée Elise 1997

■ 1,5 ha 4 000 ⓑ 50 à 69 F

Un vignoble en pleine rénovation, acheté en 1994 par Jean-Louis Michelland. Il fait face à la montagne Sainte-Victoire. Douze mois en fût ont très nettement marqué ce vin qui devra attendre un meilleur fondu. Mais déjà les fruits rouges confits sont perceptibles au nez, pruneau et boisé l'emportant en bouche.
⊶ Jean-Louis Michelland, Dom. de la Réaltière, rte de Jouques, 83560 Rians, tél. 04.94.80.32.56, fax 04.94.80.55.70 ☑ Y r.-v.

DOM. DE LA VALLONGUE 1998

□ 3 ha 5 000 ▮🌡 50 à 69 F

L'exploitant, qui produit également des baux de provence, a fait entrer cinq cépages à parts

égales dans l'élaboration de ce blanc des Alpilles. Flatteur par son intensité aromatique, c'est un vin de plaisir immédiat. On aime son côté chaleureux en bouche, qui prolonge en les mariant arômes de fruits blancs et notes amyliques.
Ph. Paul-Cavallier, Dom. de La Vallongue, B.P. 4, 13810 Eygalières, tél. 04.90.95.91.70, fax 04.90.95.97.76, e-mail vallongue@caves-particulieres.com r.-v.

DOM. LES TOULONS
Cuvée du Pressoir romain Cuvée spéciale 1996★★

■ 2 ha 5 000 30 à 49 F

Implanté sur un ancien site gallo-romain où fut découvert un pressoir, le domaine des Toulons a assemblé ici cabernet-sauvignon et syrah nés sur un sol calcaire. Ce vin de caractère et de terroir allie force et harmonie, élégance et souplesse, cassis et violette. Et - ce qui ne gâte rien -, il est déjà prêt à être savouré.
Denis Alibert, Dom. Les Toulons, 83560 Rians, tél. 04.94.80.37.88, fax 04.94.80.57.57 t.l.j. 9h-12h 14h-19h

MAS SAINTE BERTHE 1998★

□ 4 ha 25 000 30 à 49 F

Une présentation brillante, de couleur or pâle. Le nez, marqué par le sauvignon en attaque, se corse ensuite de notes florales. Les quelque 50 % de grenache blanc présents dans l'assemblage ne sont pas pour rien dans la rondeur de la bouche. On sent une bonne maîtrise des macérations pelliculaires chez Christian Nief.
GFA Mas Sainte-Berthe, 13520 Les Baux-de-Provence, tél. 04.90.54.39.01, fax 04.90.54.46.17 r.-v.
David

CH. MONTAURONE 1997

■ 20 ha 50 000 20 à 29 F

La présence de syrah a été décelée à l'olfaction par tous les dégustateurs, qui relèvent des odeurs de fraise et de cerise confite ou macérée. Un côté kirsch qu'on retrouve en bouche, dans un ensemble très chaleureux. Le **rosé 98**, également retenu, a obtenu la même note.
Pierre Decamps, SCEA Berthoune, Ch. Montaurone, 13760 Saint-Cannat, tél. 04.42.57.20.04, fax 04.42.57.32.80 r.-v.

DOM. DES OULLIERES
Cuvée Tradition 1998

□ 3 ha 6 000 30 à 49 F

« Trop d'ugni blanc pour qu'il obtienne son étoile », écrit un dégustateur à l'aveugle. En effet, ce vin en comporte 70 %, le grenache blanc le complétant. Le vin est frais, léger, fruité. Pour un aïoli.
EARL Les Treilles de Cézanne, RN 7, 13410 Lambesc, tél. 04.42.92.83.39, fax 04.42.92.70.83 r.-v.

CH. PIGOUDET 1998★

□ 12 ha 7 000 20 à 29 F

Originaires de Hambourg, les familles Schmidt et Weber, propriétaires du domaine depuis 1991, peuvent se féliciter de leur acquisition : les vins du château Pigoudet sont mentionnés avec une belle régularité dans le Guide ; ainsi ce blanc or pâle, brillant et limpide, qui développe des arômes d'acacia, d'agrume et de mangue. Une attaque vive, mais aussi de la longueur en bouche, et de l'élégance, beaucoup d'élégance... Fruits de mer ou apéritif.
SCA Ch. Pigoudet, rte de Jouques, 83560 Rians, tél. 04.94.80.31.78, fax 04.94.80.54.25 r.-v.
Schmidt-Weber

CH. PIGOUDET La Tourelle 1998★★

◢ 20 ha 3 500 30 à 49 F

A l'unanimité, le jury a salué ce rosé pour sa finesse. Une saignée d'une cuve de cabernet-sauvignon et d'une cuve de syrah donne à cet assemblage une attaque franche, qui éclate en senteurs de fleurs de buis et de pamplemousse ; et une longueur en bouche qui fait durer le plaisir...
SCA Ch. Pigoudet, rte de Jouques, 83560 Rians, tél. 04.94.80.31.78, fax 04.94.80.54.25 r.-v.

CH. PONT-ROYAL Cuvée gourmande 1998

◢ 3,5 ha 10 000 20 à 29 F

Un ancien relais de poste, où l'on servait déjà aux voyageurs le vin de la propriété au XVII[e]s.... Quant à celui-ci, il enchantera les amateurs de rosés modernes par l'intensité de ses notes amyliques. Vivacité de bouche et dominante fruitée : pas de doute, c'est un vin à boire dès à présent.
Sylvette Jauffret, Ch. Pont-Royal, 13370 Mallemort, tél. 04.90.57.40.15, fax 04.90.59.12.28, e-mail chateau-pont-royal@mnet.fr r.-v.
Jacques-Alfred Jauffret

CELLIER DES QUATRE TOURS
Cuvée Prestige Vinifié en fût de chêne 1998

□ 0,8 ha 3 600 30 à 49 F

Cette cave s'était fait connaître dans le Guide par ses rouges, et c'est le blanc qui, cette fois, l'emporte - ses 3 600 bouteilles trouveront vite amateurs. Il a du gras, de la rondeur, des arômes de fruits à chair blanche très mûrs, toutes qualités qui en feront un bon blanc de repas.
Cellier des Quatre Tours, R.N. 96, 13770 Venelles, tél. 04.42.54.71.11, fax 04.42.54.11.22 t.l.j. sf dim. 8h30-12h 14h-19h

CH. REVELETTE 1998

□ 3 ha 8 900 30 à 49 F

Prenez un tiers d'ugni, un tiers de rolle et un tiers de sauvignon, et vous obtenez du Revelette blanc. Marqué par des notes d'agrumes, il a du gras, une bonne fraîcheur en finale... Que vouloir de plus ?
Peter Fischer, Ch. Revelette, 13490 Jouques, tél. 04.42.63.75.43, fax 04.42.67.62.04 r.-v.

LES VIGNERONS DU ROY RENE
Cuvée royale 1998

◢ 20 ha 40 000 20 à 29 F

Très fraise, beaucoup de douceur et de gras... La macération pelliculaire de huit heures puis la saignée expliquent en partie ces impressions. Un vin à boire sans trop tarder.

⊶ Les Vignerons du Roy René, R.N. 7, 13410 Lambesc, tél. 04.42.57.00.20, fax 04.42.92.91.52 ☑ Ῑ r.-v.

CH. SAINT-JEAN Cuvée Natacha 1997

■ 10 ha 6 500 ⓿ [30 à 49 F]

L'originalité de ce vin rouge réside dans la présence importante de counoise (40 % de l'assemblage) qui lui confère une remarquable souplesse. Ensuite viennent le grenache et ses fruits rouges, la syrah et son côté animal. Cette jolie Natacha saura séduire, si l'on sait dès à présent « cueillir les roses de la vie... ».

⊶ Charles Sardou, 15, av. de la Méditerranée, 13620 Carry-le-Rouet, tél. 04.42.44.70.14, fax 04.42.45.17.28 ☑ Ῑ r.-v.

⊶ Somatal

DOM. DE SAINT JULIEN LES VIGNES Cuvée du Château 1998*

□ 2 ha 6 000 ▮🌡 [30 à 49 F]

Si la **cuvée du Château rouge 97** (30 à 49 F) a partagé le jury, hésitant entre la simple citation et l'attribution d'une étoile, c'est avec une belle unanimité que ce blanc a été déclaré « très réussi ». Fleurs de sureau et raisins secs au nez, une attaque fraîche, pamplemousse rose en bouche, épices, l'équilibre est assuré. Sole au beurre blanc ou loup au fenouil feront l'affaire !

⊶ Dom. de Saint-Julien-les-Vignes, 2495, rte du Seuil, 13540 Puyricard, tél. 04.42.92.10.02, fax 04.42.92.10.74 ☑ Ῑ r.-v.

⊶ Famille Reggio

CH. DU SEUIL 1998**

◪ 25 ha 80 000 ▮🌡 [30 à 49 F]

Pas de doute, le « Seuil » est une valeur sûre : deux coups de cœur consécutifs pour son rosé ! Un « tour de main » pour cette couleur, et de la constance dans la qualité... Equilibré, franc, vif, ce 98 fait l'unanimité. Sa rondeur et son gras sont couronnés par des notes de fruits rouges et exotiques, composant un ensemble plein d'harmonie.

⊶ Philippe et Janine Carreau-Gaschereau, Ch. du Seuil, 13540 Puyricard, tél. 04.42.92.15.99, fax 04.42.28.05.00 ☑ Ῑ t.l.j. 9h-12h 14h-19h

LA SOURCE DE VIGNELAURE 1998*

◪ 12 ha 80 000 ▮🌡 [30 à 49 F]

Plus connu pour ses vins rouges, le domaine, qui abrite aussi une galerie d'Art moderne, se signale cette année par un rosé. Son acidité rend ce dernier nerveux comme les chevaux qu'entraîne l'Irlandais David O'Brien, propriétaire des lieux. La complexité florale du nez (aubépine) possède une remarquable intensité alors que la robe est d'un joli rose très pâle. La bouche est vive, équilibrée et fraîche.

⊶ Ch. Vignelaure, rte de Jouques, 83560 Rians, tél. 04.94.37.21.10, fax 04.94.80.53.39, e-mail david.obrien@wanadoo.fr ☑ Ῑ t.l.j. 9h30-12h30 14h-18h

Les baux-de-provence

Les Alpilles, chaînon le plus occidental des anticlinaux provençaux, est un massif érodé, au relief pittoresque taillé en biseau, fait de calcaires et calcaires marneux du crétacé. C'est le paradis de l'olivier. Le vignoble trouve également dans ce secteur un milieu favorable, sur les dépôts caillouteux très caractéristiques de cette région. Les grèzes litées sont peu épaisses et la fraction fine, dont dépend la réserve hydrique du sol, est importante. Au sein de l'AOC coteaux d'aix-en-provence, ce secteur se distingue par une nuance climatique qui en fait une zone précoce, peu gélive, chaude et plus arrosée (650 mm).

Des règles de production plus affinées (rendement plus bas, densité plus élevée, taille plus restrictive, élevage de douze mois minimum pour les vins rouges, minimum de 50 % de saignée pour les vins rosés), un encépagement mieux défini reposant sur le couple grenache-syrah, accompagné quelquefois du mourvèdre, sont à la base de la reconnaissance de cette appellation sous-régionale en 1995. Elle est réservée aux vins rouges (80 %) et rosés, et met en valeur un terroir original autour de la citadelle des Baux-de-Provence sur une superficie de 300 ha.

DOM. DES GLAUGES 1998*

◪ 6 ha 7 000 ▮🌡 [20 à 29 F]

Trois changements de propriétaires en dix ans pour ce domaine situé dans un vallon des Alpilles. Les investissements ont été nombreux et l'équipement est flambant neuf. Ce 98 porte une jolie robe rose à reflets blancs. Son nez fruité explosif, l'harmonie flatteuse de sa bouche, son gras, intéresseront les connaisseurs.

🔑 SCEV Dom. des Glauges, rte d'Aureille, 13430 Eyguières, tél. 04.90.59.81.45, fax 04.90.57.83.19 ☑ 🍷 t.l.j. sf dim. 10h-12h30 14h30-18h30

DOM. HAUVETTE 1996

■ 5 ha 12 000 ■ ⊕ 100 à 149 F

Viticultrice, Dominique Hauvette pratique l'agrobiologie. Il est temps de déguster son 96 car sa puissance commence à s'estomper - même si son équilibre demeure. Pour sa souplesse, qui tend à devenir son caractère dominant, on le servira sans tarder à un amateur de vin vieux.

🔑 Dominique Hauvette, chem. du Trou-des-Bœufs, la Haute Galine, 13210 Saint-Rémy-de-Provence, tél. 04.90.92.03.90, fax 04.90.92.08.91 ☑

HOSPICE D'AUGE 1996

■ 13 ha 14 000 ⊕ 30 à 49 F

Est-ce le grenache qui manque à cette cuvée ? Elaborée dans un magnifique édifice du XVᵉs., elle a passé dix-huit mois en fût qui lui ont apporté des notes boisées. On a apprécié son côté réglissé, même si ses tanins un peu trop présents demandent encore à s'assouplir.

🔑 Olivier Penel, Mas d'Auge, 13990 Fontvieille, tél. 04.90.54.62.95, fax 04.90.54.63.09 ☑ 🍷 r.-v.

MAS DE LA DAME Rosé du Mas 1998

◪ 35 ha 30 000 🌡 30 à 49 F

Au Mas de la Dame, qu'immortalise Van Gogh (voir l'étiquette), officient deux viticultrices dont on a retenu le rosé tout en framboise - un peu au nez, mais surtout en bouche. Belle vivacité, qui contribue à faire durer la dégustation.

🔑 Mas de La Dame, RD 5, 13520 Les Baux-de-Provence, tél. 04.90.54.32.24, fax 04.90.54.40.67 ☑ 🍷 r.-v.

🔑 A. Poniatowski et C. Missoffe

DOM. DE LA VALLONGUE 1998★★

◪ 15 ha 20 000 ■ 🌡 30 à 49 F

Un savant assemblage de six cépages - est-ce un hommage à la biodiversité ? Cette recherche d'équilibre a porté ses fruits, car le jury a beaucoup apprécié l'élégance et la souplesse de ce rosé de Provence qui sait ménager ses sensations d'un bout à l'autre de la dégustation.

🔑 Ph. Paul-Cavallier, Dom. de La Vallongue, B.P. 4, 13810 Eygalières, tél. 04.90.95.91.70, fax 04.90.95.97.76, e-mail vallongue@caves-particulieres.com ☑ 🍷 r.-v.

MAS SAINTE-BERTHE
Cuvée Passe-Rose 1998

◪ 9 ha 50 000 ■ 🌡 30 à 49 F

Christian Nief est une autorité en matière d'œnologie. Il sait apporter la touche qu'il faut pour rendre un vin flatteur. En témoigne ce rosé, qui associe finesse des arômes et puissance en bouche : un bon vin de repas.

🔑 GFA Mas Sainte-Berthe, 13520 Les Baux-de-Provence, tél. 04.90.54.39.01, fax 04.90.54.46.17 ☑ 🍷 r.-v.

🔑 David

MAS SAINTE-BERTHE
Cuvée Louis David 1997★★

■ 4 ha 20 000 ■ ⊕ 🌡 30 à 49 F

Largement supérieur aux autres vins de l'appellation, ce vin a manqué de peu le coup de cœur ; il a conquis le jury par le parti qu'il tire de ses 34 % de grenache et par son côté réglissé associé à une bouche animale. S'y ajoutent des arômes de garrigue et une pointe d'épices. Intensité, finesse des tanins... « La force tranquille », résume un dégustateur.

🔑 GFA Mas Sainte-Berthe, 13520 Les Baux-de-Provence, tél. 04.90.54.39.01, fax 04.90.54.46.17 ☑ 🍷 r.-v.

CH. ROMANIN 1997★

■ 33 ha 60 000 ■ ⊕ 🌡 70 à 99 F

Des vignes cultivées en biodynamie depuis 1989. Le terroir s'exprime dans les notes minérales de ce rouge 97. A la fois rustique et racé, avec ses nuances de cerise et de sous-bois, il n'a pas besoin d'être attendu : le plaisir est déjà là. On retiendra aussi, cité par le jury, le **rosé 98** du même producteur (prix 30 à 49 F).

🔑 SCEA Ch. Romanin, 13210 Saint-Rémy-de-Provence, tél. 04.90.92.45.87, fax 04.90.92.24.36 ☑ 🍷 t.l.j. 9h-18h30; sam. dim. 11h-19h

DOM. TERRES BLANCHES 1998★

◪ 10 ha 35 000 ■ 30 à 49 F

Au pays de la lavande, du thym et du romarin, ce domaine se consacre à la vigne et propose un rosé qui se maintiendra, car un fort pourcentage de mourvèdre (40 %) assurera son vieillissement. Déjà il se caractérise par une dominante groseille et allie puissance et fraîcheur ; mais attendez l'arrière-saison...

🔑 SCEA Dom. de Terres Blanches, 13210 Saint-Rémy-de-Provence, tél. 04.90.95.91.66, fax 04.90.95.99.04 ☑ 🍷 t.l.j. 9h-12h30 14h30-18h30; sam. dim. 11h-18h30

Coteaux varois

Les coteaux varois sont produits au centre du département, autour de Brignoles. Les vins, à boire jeunes, sont friands, gais et tendres, à l'image de cette jolie petite ville provençale qui fut résidence d'été des comtes de Provence. Ils ont été reconnus en AOC par décret du 26 mars 1993 et recouvrent 1 700 ha ; 60 % de rosés, 35 % de rouges et 5 % de blancs se partagent les 55 000 hl de l'AOC.

CH. DE CANCERILLES
Cuvée spéciale 1997

■ 1 ha 6 000 🛢 30 à 49 F

La situation géographique du château de Cancerilles est propice à la randonnée : aux portes de la vallée du Gapeau, au pied des forêts de Montrieux et des Morières, le village de Signes offre également un beau patrimoine architectural (fontaines du XVIe et XVIIIe s., église gothique). Un détour par les caves du château vous permettra de découvrir ce vin harmonieux à la robe rubis soutenu. Après une attaque généreuse, la bouche révèle sa rondeur et de beaux arômes de fruits (cassis, myrtille). Longue, la finale s'achève sur une note végétale.

🔑 Chantal et Serge Garcia, Ch. de Cancerilles, vallée du Gapeau, 83870 Signes,
tél. 04.94.90.83.93, fax 04.94.90.83.93 ☑ Y t.l.j. 10h-12h 14h-19h

DOM. DES CHABERTS
Cuvée Prestige 1998★★

◪ n.c. 15 000 30 à 49 F

La réputation du domaine des Chaberts est bien établie. La cuvée Prestige n'était-elle pas déjà à la table du grand jury dans le Guide 99 ? Ce millésime garde tout au long de la dégustation un esprit de légèreté : rose pâle, floral, frais, il possède un réel équilibre entre acidité et moelleux. Expressif et délicat, c'est un coteaux varois bien fait qui est arrivé troisième au grand jury. Dans la même lignée, le **domaine des Chaberts blanc 98** mérite une étoile pour sa palette aromatique.

🔑 SCI Dom. des Chaberts, 83136 Garéoult,
tél. 04.94.04.92.05, fax 04.94.04.00.97 ☑ Y t.l.j. 9h-12h 14h-19h; dim. sur r.-v.

CH. DE CLAPIERS 1998★

◪ 1,5 ha 6 500 30 à 49 F

A proximité de Saint-Maximim, la vigne du château de Clapiers pousse sur un sol argilo-calcaire, en vallons et en terrasses. En partie adossée à la colline, elle reste à l'abri du vent. Le grenache, le cinsault et la syrah composent ce vin d'un rose franc. Une tonalité fruitée souligne sa fraîcheur : citron vert et pamplemousse se mêlent au nez comme en bouche. Ample et généreux au palais, voilà un digne représentant de l'appellation. Le **blanc** du même millésime est tout aussi méritant.

🔑 Pierre Burel, rte de Saint-Maximin, 83149 Bras, tél. 04.94.69.95.46,
fax 04.94.69.99.36 ☑ Y r.-v.

DOM. DES DEOUX
Cuvée Rouvel Vieilli en fût de chêne 1997

■ 3 ha 4 000 🛢 20 à 29 F

Le domaine des Déoux appartient à un hameau du XIIIe s., établi au pied des ruines du château fort du Castellas. Il a produit dans le millésime 97 un vin de terroir, au nez très original : garrigue, sarriette, épices. S'il apparaît encore fermé sous sa charpente tannique, ce coteaux varois rubis soutenu promet une meilleure harmonie pour l'hiver prochain.

🔑 Yves Odasso, Dom. des Déoux, 83136 Forcalqueiret, tél. 04.94.86.73.76,
fax 04.94.86.64.69 ☑

DOM. DE GARBELLE 1997

■ 1 ha 3 000 🛢 30 à 49 F

De la douceur (violette et réglisse) dans cet univers massif et carré. Attaque puissante, bonne longueur : ce domaine de Garbelle ne manque pas d'atouts. Sa robe aux jolis reflets rubis annonce d'emblée sa qualité.

🔑 M. Gambini, Vieux chemin de Brignoles, 83136 Garéoult, tél. 04.94.04.86.30 ☑ Y r.-v.

CH. DE LA BESSONNE
Les Cabrians Vieilles vignes 1997

■ 4 ha 10 000 🛢 30 à 49 F

Un frelon, *cabrian* en provençal, figure sur l'étiquette de ce coteau varois presque noir. Des notes boisées se libèrent d'un nez encore fermé. Mais la matière est bien belle sous ses accents de réglisse. De l'épaisseur et du caractère.

🔑 Vignobles de La Cloche, Dom. de La Cloche, 83670 Châteauvert, tél. 04.94.04.10.70,
fax 04.94.04.10.72 ☑ Y r.-v.

CH. LA CALISSE Patricia Ortelli 1997★

■ 0,5 ha 2 000 🛢 50 à 69 F

Entièrement reconstitué par Patricia et Jean-Paul Ortelli, le vignoble de La Calisse pratique l'agriculture biologique depuis 1998. A peine 2 000 bouteilles de ce coteaux varois rouge d'une profondeur étonnante ont été produites. Aromatique (fruits rouges, cassis, cacao), il développe une matière charnue et élégante, un parfum de vanille très flatteur se prolongeant en finale. Le **rosé 98** obtient également une étoile.

🔑 Patricia Ortelli, Ch. La Calisse, 83670 Pontevès, tél. 04.93.99.11.01,
fax 04.93.99.06.10 ☑ Y t.l.j. 9h-19h

CH. LA LIEUE 1997

■ 5 ha 10 000 🛢 30 à 49 F

Jean-Louis Vial appartient à une ancienne famille brignolaise. Sur son domaine, la forêt de genévriers, de pins parasols, de chênes, côtoie les oliviers et, bien sûr, la vigne. Son vin rustique et solide, profond à reflets violacés, repose sur des tanins encore fermes. Le nez, plus abordable, décline la violette, le cuir et la mûre. D'un caractère bien trempé, ce coteaux varois saura attendre un an ou deux dans votre cave.

🔑 Jean-Louis Vial, Ch. La Lieue, rte de Cabasse, 83170 Brignoles, tél. 04.94.69.00.12,
fax 04.94.69.47.68 ☑ Y t.l.j. 9h-19h

DOM. LA ROSE DES VENTS 1998★

◪ 8 ha 40 000 30 à 49 F

Dans la plaine fertile de l'Issole où se situe le bourg de La Roquebrussanne, mûriers, oliviers et vignes se côtoient dans un paysage harmonieux. La même harmonie se retrouve dans ce vin rosé, beau et bon qui exprime des arômes intenses. S'il n'est pas de toute puissance, il sait être d'une grande tendresse dans sa robe rose cristallin et brillant. « Vin de diamant, vin de fête », dit un dégustateur. Le **rouge 98**, plus simple que le millésime 97 (coup de cœur du Guide 99), est encore jeune mais la structure est là.

⊶ EARL Baude, Dom. La Rose des Vents, rte de Toulon, 83136 La Roquebrussanne, tél. 04.94.86.99.28, fax 04.94.86.99.28 ☒ Y t.l.j. sf lun. dim. 9h-12h 15h-18h

CH. DE L'ESCARELLE
Les Hautes Bastides 1998★★

□ 2,4 ha 9 500 ▮ 30 à 49 F

Situé à 4 km de l'abbaye de La Celle, célèbre désormais pour son conservatoire ampélographique, le château de l'Escarelle étend son vignoble sur 100 ha, entouré de plus de 1 000 ha de forêts. Le rolle et l'ugni blanc ont offert, dans le millésime 98, un vin d'une excellente présentation, au parfum de fleurs blanches. Une pointe minérale se distingue au nez, annonçant une attaque en bouche franche et fraîche. La structure s'enrobe avant de laisser place à une finale longue sur des notes d'agrumes. Vous pouvez dès à présent réserver à ce coteau varois un accueil chaleureux. De la même veine, le **rosé 98** est élégant, enveloppé et sensuel. Remarquable !

⊶ SA Escarelle, Ch. de L'Escarelle, 83170 La Celle, tél. 04.94.69.09.98, fax 04.94.69.55.06 ☒ Y r.-v.

DOM. DU LOOU 1998★

◪ 15 ha 25 000 ▮ 20 à 29 F

Le village de La Roquebrussanne s'est constitué au XIVe s. à l'emplacement d'un ancien camp celto-ligure. Une *villa* gallo-romaine, datant du IVe s. ap. J.-C., a été découverte à proximité du domaine du Loou. Si vous avez l'âme d'un archéologue, aurez-vous celle d'un dégustateur ? Ce rosé agréable à l'œil devrait vous convaincre. Charpenté sans lourdeur, il conserve de la fraîcheur jusqu'en finale. Des accents de bonbon acidulé, de fruits rouges et de miel montent intensément au nez.

⊶ SCEA di Placido, Dom. du Loou, 83136 La Roquebrussanne, tél. 04.94.86.94.97, fax 04.94.86.80.11 ☒ Y r.-v.

CH. MARGILLIERE 1998

◪ 3 ha 15 000 ▮ 20 à 29 F

Le château Margillière s'est éveillé d'un long sommeil en 1996, lorsque Patrick Caternet l'acquit et décida de rénover son vignoble. Le **coteau varois rouge 96** (déjà récompensé dans le Guide 99 par une étoile) ainsi que ce rosé du millésime 98 méritent d'être cités. Ce dernier propose un nez discrètement fruité dans un ensemble équilibré, un rien capiteux.

⊶ Ch. La Margillière, rte de Cabasse, 83170 Brignoles, tél. 04.94.69.05.34, fax 04.94.72.00.98 ☒ Y r.-v.

⊶ Patrick Caternet

CH. MIRAVAL 1998

□ 3 ha 15 000 30 à 49 F

En coteaux varois, ce domaine n'élabore que des vins blancs. A base de rolle et de grenache blanc, celui-ci embaume les agrumes. Persistant en bouche, il masque son gras sous une pointe de gaz carbonique. Si vous passez par Le Val début septembre, ne manquez pas la procession qui part de la chapelle Notre-Dame-de-Paracols jusqu'à l'église romane de ce petit village. A découvrir également un charmant musée du Santon.

⊶ SA Ch. Miraval, 83143 Le Val, tél. 04.94.86.46.80, fax 04.94.86.46.79

DOM. DE RAMATUELLE 1998

■ 5 ha 32 000 ▮ 20 à 29 F

Vif et souple, ce joli coteau varois d'un rouge assez profond offre un nez intense, à la fois balsamique et floral. Bien bâti, il est prêt à boire mais gagnera encore à vieillir une petite année.

⊶ Bruno Latil, Dom. de Ramatuelle, Les Gaëtans, 83170 Brignoles, tél. 04.94.69.10.61, fax 04.94.69.51.41 ☒ Y r.-v.

CH. ROUTAS Pyramus 1998★

□ 4,3 ha 10 500 ▮ 30 à 49 F

Mais qui est donc ce Pyramus ? Ce n'est autre que le célèbre botaniste suisse du XVIIIe s., Augustin Pyrame de Candolle, qui se consacra à la classification du règne végétal. C'est aussi l'ancêtre de Philippe Bieler qui nous propose aujourd'hui un coteaux varois savamment organisé. Le bois est certes présent (nez de vanille) mais pas omniprésent. La bouche structurée et ronde est équilibrée, accompagnée de notes de miel et de pâtisserie. Il sera intéressant de suivre l'évolution de ce vin, même s'il est déjà prêt à boire.

⊶ Ch. Routas, 83149 Châteauvert, tél. 04.94.69.93.92, fax 04.94.69.93.61, e-mail rouviere.plane@wanadoo.fr ☒ Y r.-v.

⊶ P. Bieler

CH. SAINT-ESTEVE Prestige 1997★

■ 5 ha 2 000 30 à 49 F

Depuis l'automne 1998, le château Sainte-Estève est passé aux mains de Jacques Ortet. Nous dégustons aujourd'hui une cuvée de l'ancienne équipe. Ce vin rouge très réussi, à reflets presque noirs, allie notes de torréfaction et arômes de biscuit. Il se structure autour de tanins bien présents puis s'adoucit dans une finale aux notes grillées. Deux petites années de garde lui permettront de révéler tout son potentiel.

⊶ Jacques Ortet, Ch. Saint-Estève, 83119 Brue-Auriac, tél. 04.94.72.14.70, fax 04.94.72.11.89 ☒ Y t.l.j. 9h-19h

DOM. SAINT-JEAN DE VILLECROZE
Cuvée Spéciale 1995★

■ 8 ha 30 000 30 à 49 F

La robe, profonde, conserve une tonalité vive de jeunesse. Toutefois, ce millésime 95 affiche au nez une réelle complexité. Soyeux et généreux, il est désormais épanoui et ne demande qu'à être dégusté en toute simplicité sur un poulet de Bresse croustillant. De la gaieté et de la fraîcheur pour le **rosé 98** qui mérite lui aussi une étoile.

🔑 Dom. Saint-Jean de Villecroze, 83690 Villecroze, tél. 04.94.70.63.07, fax 04.94.70.67.41 ☑ 𝐘 r.-v.

DOM. DE SAINT-JEAN-LE-VIEUX
1997

■ 4 ha 20 000 30 à 29 F

Saint-Maximin-la-Sainte-Baume est connu pour l'orgue monumental de sa basilique, dont on peut apprécier l'harmonie à l'occasion des Six soirées de musique française, en juillet. En attendant cet été musical, laissez-vous séduire par les notes épicées et animales de ce vin rouge typique de l'appellation, rond et équilibré. Une légère aération sera favorable à sa dégustation.

🔑 GAEC Dom. Saint-Jean-le-Vieux, rte de Bras, 83470 Saint-Maximin, tél. 04.94.59.77.59, fax 04.94.59.73.35 ☑ 𝐘 t.l.j. 8h-12h 14h-18h30

🔑 Boyer

CH. THUERRY
Les Abeillons de Tourtour 1997★★

■ 4 ha 20 000 50 à 69 F

Ce vin comme le site où il est produit méritent un coup de cœur. Villecroze est en effet située au pied d'une splendide falaise de tuf percée de grottes à stalactites. Là, les Romains, les moines de Saint-Victor de Marseille et les Templiers se sont succédé. Déjà salué l'an dernier pour son coteaux varois rouge 96, le château Thuerry propose ici un vin chatoyant et prometteur. Une large palette épicée et empyreumatique se développe, allant du tabac au cuir en passant par le pain d'épice et des accents chauds de figue sèche et de noix de muscade. S'il montre un caratère tannique, ce coteaux varois ne perd jamais sa rondeur et sa finesse... Honneur et fidélité à l'appellation. Le **rosé 98**, une étoile, est également charnu, rond et parfumé.

🔑 SCEA Les Abeillons, Ch. Thuerry, 83690 Villecroze, tél. 04.94.70.63.02, fax 04.94.70.67.03 ☑ 𝐘 r.-v.

🔑 Parmentier

CH. TRIANS 1996★

■ 5 ha 15 000 30 à 49 F

Cette année encore, le château de Trians a séduit le jury par un coteaux varois rouge profond. Rappelons qu'il avait obtenu le coup de cœur pour le millésime 94. Attrayant au nez, ce 96 est d'une bonne facture, soutenu par des tanins savoureux. La finale évoluée reste très agréable. Un vin gouleyant, à boire dès à présent sur un gigot à la ficelle comme le propose un dégustateur.

🔑 Dom. de Trians, chem. des Rudelles, 83136 Néoules, tél. 04.94.04.08.22, fax 04.94.04.84.39 ☑ 𝐘 t.l.j. 8h-20h

🔑 Jean-Louis Masurel

La Corse

Une montagne dans la mer : la définition traditionnelle de la Corse est aussi pertinente en matière de vins que pour mettre en évidence ses attraits touristiques. La topographie est en effet très tourmentée dans toute l'île, et même l'étendue que l'on appelle la côte orientale - et qui, sur le continent, prendrait sans doute le nom de costière - est loin d'être dénuée de relief. Cette multiplication des pentes et des coteaux, inondés le plus souvent de soleil mais maintenus dans une relative humidité par l'influence maritime, les précipitations et le couvert végétal, explique que la vigne soit présente à peu près partout. Seule l'altitude en limite l'implantation.

Le relief et les modulations climatiques qu'il entraîne s'associent à trois grands types de sols pour caractériser la production vinicole, dont la majeure partie est constituée de vins de pays et de vins de table. Le plus répandu des sols est d'origine granitique ; c'est celui de la quasi-totalité du sud et de l'ouest de l'île. Au nord-est se rencontrent des sols de schistes, et, entre ces deux zones, existe un petit secteur de sols calcaires.

Associés à des cépages importés, on trouve en Corse des cépages spécifiques d'une originalité certaine, en particulier le niellucio, au caractère tannique dominant et qui excelle sur le calcaire. Le sciacarello, lui, présente plus de fruité et donne des vins que l'on apprécie davantage dans leur jeunesse. En blanc, le malvasia (vermentino ou malvoisie) est, semble-t-il, apte à produire les meilleurs vins des rivages méditerranéens.

En règle générale, on consommera plutôt jeunes les blancs et surtout les rosés ; ils iront très bien sur tous les produits de la mer et avec les excellents fromages de chèvre du pays, ainsi qu'avec le brocciu. Les rouges, eux, conviendront, selon leur âge et la vigueur de leurs tanins, aux différentes préparations de viande et, bien sûr, à tous les fromages de brebis.

Vins de corse

Les vignobles de l'appellation vins de corse couvrent une superficie de 1 803 ha. Selon les régions et les domaines, les proportions respectives des différents cépages ajoutées aux variétés des sols apportent des tonalités diverses qui, dans la plupart des cas, justifient une indication spécifique de la sous-région dont le nom peut être associé à l'appellation (Coteaux du Cap Corse, Calvi, Figari, Porto-Vecchio, Sartène). Ces vins peuvent en effet être produits partout, excepté dans l'aire de Patrimonio. La majeure partie des 67 593 hl vinifiés chaque année est issue de la côte orientale, où les coopératives sont nombreuses. Les rouges représentent 56,33 %, les rosés 34 %, les blancs 9,65 %.

DOM. D'ALZIPRATU Calvi 1998

◪ 8 ha 40 000 20 à 29 F

Joli vin rosé de Calvi, très clair, de teinte saumonée, cité pour son caractère agréable et ses arômes de fenouil. A boire bien frais avec un poisson grillé aux herbes du maquis.

⊶ Maurice et Pierre Acquaviva, Dom. d'Alzipratu, 20214 Zilia, tél. 04.95.62.75.47, fax 04.95.60.42.41 ☑ Y t.l.j. 8h-19h

DOM. J.-B. CASABIANCA
Coteaux de Santa Maria-Bravone 1997*

■ 90 ha 600 000 20 à 29 F

Jean-Bernardin Casabianca est à la tête du plus grand vignoble Corse (350 ha). Son rouge 97 est très réussi : belle couleur rubis soutenue teintée de reflets orangés, nez ouvert et assez puissant de fruits rouges, attaque agréable suivie d'une bonne longueur assurée par des tanins bien présents et des arômes de fruits mûrs persistants. A découvrir avec une marinade de sanglier.

⊶ Dom. de Santa Maria, Coteaux de Santa Maria, 20230 Bravone, tél. 04.95.38.81.91, fax 04.95.38.81.91

⊶ Famille J.-B. Casabianca

CORSICAN 1997*

■ 50 ha 100 000 -de 20 F

Entre mer et montagne la Sica UVAL fait naître le Corsican dont l'étiquette évoque une île aux trésors... Belle réussite pour le rouge 97 où le niellucciu domine à 75 %. Très séduisante, la robe est d'un rubis profond. Le nez complexe associe cassis, cuir, notes boisées et iodées. Très bel équilibre gustatif où puissance et harmonie s'épousent dans une belle matière. A boire, mais pouvant attendre, ce 97 accompagnera volontiers une côte de bœuf grillée et une tomme de brebis.

⊶ SICA UVAL, lieu-dit Rasignani, 20290 Borgo, tél. 04.95.58.44.00, fax 04.95.38.38.10, e-mail uval.sia@wanadoo.fr ☑ Y t.l.j. 9h-12h 15h-19h; f. lun. matin, sam. ap.-m. et dim.

ROSE COSTA SERENA 1998

◪ n.c. 150 000 30 à 49 F

Les vignerons de l'UVIB nous confient leur rosé Costa Serena. Couleur lumineuse, nez intense de fruits rouges, joli vin agréable, dont le nom évocateur fait déjà rêver. A boire bien frais lorsqu'il fait très chaud.

🔑 Union de Vignerons de l'île de Beauté, 20270 Aléria, tél. 04.95.57.02.48, fax 04.95.57.09.59 ☒ Y t.l.j. sf dim. 8h30-12h 15h-18h30

CLOS CULOMBU Calvi Prestige 1998*

◪ 5 ha 20 000 ▮🌡 30 à 49 F

Ce vigneron, installé depuis 1989, progresse à pas de géant (il dépasse 2 m) dans la maîtrise de la qualité. Cette année, son rosé 98 reçoit une étoile tandis que **blanc** et **rouge 98** sont cités. Ce rosé gris, typique de Calvi, est une ode à la finesse, portée par des odeurs d'agrumes, rappelant celles du vermentinu. La puissance aromatique en bouche est impressionnante, accompagnée d'épices et de notes muscatées en finale. A découvrir avec une dorade en croûte de sel ! Le blanc est très aromatique et très gras en bouche. Quant au rouge, assez caractéristique du niellucciu, il est encore trop jeune pour exprimer ses réelles potentialités, mais il est prometteur.

🔑 Etienne Suzzoni, Dom. Culombu, chem. San-Petru, 20260 Lumio, tél. 04.95.60.70.68, fax 04.95.60.63.46, e-mail culumbu.suzzoni@wanadoo.fr ☒ Y t.l.j. 9h-12h 14h-20h

DOM. FIUMICICOLI Sartène 1998**

◪ 17 ha n.c. ▮🌡 30 à 49 F

La famille Andréani exploite la propriété depuis 1962 et livre, une fois encore, une agréable surprise avec deux vins remarquables. Le rosé 98, exclusivement vinifié avec du sciaccarellu, est d'un rose vif intense. Le nez très expressif s'ouvre sur des arômes secondaires fins et subtils. En bouche, équilibre et vivacité délivrent des arômes de fruits qui habillent une finale douce et délicate.

🔑 EARL Andréani, Marina 2, 20110 Propriano, tél. 04.95.76.14.08, fax 04.95.76.24.24 ☒ Y r.-v.

DOM. FIUMICICOLI Sartène 1997**

■ 20 ha n.c. ▮🌡 30 à 49 F

Ce judicieux assemblage de nielluciu, sciaccarellu et grenache, est rubis foncé. Des arômes très intenses de fruits rouges et d'épices déferlent en cascade, tandis qu'en bouche le vin puissant aux accents répétés de fruits rouges et d'épices, s'attarde longuement sur les papilles enjouées, pour conclure sur des notes de café. Le **blanc 98** est cité pour son caractère agréable.

🔑 EARL Andréani, Marina 2, 20110 Propriano, tél. 04.95.76.14.08, fax 04.95.76.24.24 ☒ Y r.-v.

DOM. DE LA FIGARELLA Calvi 1997*

■ n.c. n.c. 20 à 29 F

Le domaine d'Achille Acquaviva se situe non loin de l'aéroport de Calvi sur la route de Calenzana. Ce vigneron, toujours de bonne humeur, vous invite à découvrir son rouge 97, très réussi, issu des terroirs de la Balagne. La robe, légère, est rubis à reflets tuilés. Les fruits rouges s'habillent de senteurs animales. La bouche est ronde, patinée d'arômes complexes. Un beau dépaysement !

🔑 Achille Acquaviva, dom. La Figarella, rte de l'Aéroport, Suare, 20214 Calenzana, tél. 04.95.65.07.24, fax 04.95.65.41.58

CLOS LANDRY Rosé-gris 1998*

◪ 12 ha 45 000 ▮🌡 30 à 49 F

Fabien le père et Cathy la fille mènent en tandem ce domaine de 24 ha. Très bien située, presque aux portes de Calvi, la propriété possède un vignoble très ancien (soixante ans d'âge moyen). Le rosé 98, très pâle, est limpide et séducteur. Des arômes de raisin frais et de fleurs blanches s'entrecroisent avec finesse. Sur les papilles éveillées de curiosité, des notes rappelant le chardonnay, surprenantes, s'échappent d'un bel équilibre gustatif. Le **blanc 98** est cité : sympathique et très agréable par ses arômes floraux discrets, il est beaucoup plus expressif en bouche où les agrumes dominent.

🔑 Fabien et Cathy Paolini, Clos Landry, rte de l'Aéroport, 20260 Calvi, tél. 04.95.65.04.25, fax 04.95.65.37.56 ☒ Y r.-v.

LE ROI DU MAQUIS 1998

◪ 20 ha n.c. ▮🌡 -de 20 F

Le roi du maquis c'est lui ! Vin bien fait, cité pour sa typicité due à 70 % de niellucciu. Vin sympathique, pas cher, à boire bien frais !

🔑 Cave de Saint-Antoine, Saint-Antoine, 20240 Ghisonaccia, tél. 04.95.56.61.00, fax 04.95.56.61.60 ☒ Y t.l.j. sf sam. dim. 8h-12h 14h-18h

DOM. MAESTRACCI Calvi E Prove 1998**

◪ 20 ha 20 000 ▮🌡 50 à 69 F

La propriété de 24 ha, d'où l'on peut contempler le Monte Grossu, est entourée d'un site sauvage merveilleux. Le rosé 98 de Michel Raoust est orangé pâle. Le nez est discret mais complexe, épicé (de type curry), fruité et légèrement fumé. En bouche, un festival aromatique persistant est mis en valeur par un équilibre irréprochable et une bonne persistance. Le **rouge 96** (une étoile) est d'un beau grenat profond. L'assemblage de niellucciu, sciaccarellu, grenache et syrah élevé un an en cuve et un an en barrique confère à ce vin des arômes de fruits rouges complexes qui se dévoilent surtout en bouche dans une belle harmonie. Bien que prêt à boire, ce rouge gagnera à être attendu.

🔑 Michel Raoust, Clos Reginu, E Prove, 20225 Feliceto, tél. 04.95.61.72.11, fax 04.95.61.80.16, e-mail clos.reginu@wanadoo.fr ☒ Y été t.l.j. sf dim. 8h-12h30 14h-19h30

DOM. MAESTRACCI Calvi Reginu 1998

■ 20 ha 20 000 ▮🌡 30 à 49 F

Le Clos Reginu rouge est élevé six mois en cuve. Il est moins complexe que le « E Prove » mais possède un intérêt certain. Il obtient une citation pour sa qualité et sa typicité mais gagnera à vieillir. Le **rosé**, également cité, est bien fait, typique, d'expression aromatique complexe (amande verte, fruits rouges, réglisse...). Bouche agréable et équilibrée.

Michel Raoust, Clos Reginu, E Prove, 20225 Feliceto, tél. 04.95.61.72.11, fax 04.95.61.80.16, e-mail clos.reginu@wanadoo.fr ☑ 𝐘 été t.l.j. sf dim. 8h-12h30 14h-19h30

CLOS MILELLI 1998

◪ 15 ha 100 000 -de 20 F

Le **rouge 97** et le rosé 98 du clos Milelli sont tous deux retenus et cités par le jury. Le rouge a une belle couleur rubis, des arômes discrets de fruits rouges, une bouche tannique. Il faut laisser vieillir ce vin deux ans afin de l'apprécier à sa juste valeur. Le rosé, pétale de rose, est fin et fruité ; en bouche il est léger et agréable.

Coop. vinicole d'Aghione, Samuletto, 20270 Aghione, tél. 04.95.56.60.20, fax 04.95.56.61.27 ☑ 𝐘 t.l.j. sf sam. dim. 8h30-12h 14h-17h

COMTE PERALDI 1998

□ 5,5 ha 14 000 30 à 49 F

Le terroir d'Ajaccio peut aussi donner des vins d'AOC corse. Une citation pour ce joli blanc de vermentinu, fruité et typique, peu nerveux mais très souple, agréable en bouche. A boire accompagné d'un saumon fumé ou d'un poisson en sauce.

Guy Tyrel de Poix, Dom. Peraldi, chem. du Stiletto, 20167 Mezzavia, tél. 04.95.22.37.30, fax 04.95.20.92.91 ☑ 𝐘 r.-v.

DE PERETTI DELLA ROCCA
Figari Prestige Cuvée Alexandra 1997★★★

■ 5,5 ha 20 000 30 à 49 F

La cave du domaine de Tanella, rénovée en 1998, enfante chaque année son fleuron, la cuvée Alexandra. Celle-ci, déclinée dans les trois couleurs, est régulièrement plébiscitée dans le Guide, et le rouge 97 s'affirme aujourd'hui par un coup de cœur et les trois étoiles d'un vin exceptionnel. Assemblage de niellucciu (50 %), sciaccarellu (30 %) et syrah (20 %), ce vin de très belle allure est d'un rouge intense. Ses arômes expressifs de fruits rouges associés à des fragrances animales s'épanouissent en bouche sur une charpente puissante et équilibrée ponctuée de notes iodées et boisées en finale. Un vin merveilleux qui doit se faire un peu attendre.

de Peretti della Rocca, Dom. de Tanella, 20114 Figari, tél. 04.95.70.46.23, fax 04.95.70.54.40 ☑ 𝐘 r.-v.

DE PERETTI DELLA ROCCA
Figari Prestige Cuvée Alexandra 1998★★

□ 3 ha 10 000 30 à 49 F

Un bonheur double grâce à la cuvée Alexandra blanc 98. Quelle réussite cette année pour ce domaine ! Ce blanc est incontournable : sa couleur dorée comme des blés mûrs parsemés çà et là d'épis verts, ses arômes floraux et fruités caractéristiques du vermentinu, annoncent un grand plaisir gustatif. Attaque tranquille mais puissante, longue persistance légèrement miel-vanille. Ce vin a un très bel avenir ; pour ceux qui sauront attendre.

de Peretti della Rocca, Dom. de Tanella, 20114 Figari, tél. 04.95.70.46.23, fax 04.95.70.54.40 ☑ 𝐘 r.-v.

DOM. PERO LONGO Sartène 1998★

◪ 4 ha 13 000 20 à 29 F

La création du vignoble remonte à 1850. Vinifié à la cave coopérative de Sartène de 1966 à 1996, le domaine de 12 ha a été repris par Pierre Richarme en 1993. Celui-ci rénove alors la vieille cave de vinification et réalise ses premiers vins en 1996. Première entrée au Guide avec ce très beau rosé 98 (30 % niellucciu, 70 % sciaccarellu)

La Corse

rose pâle mais vif, aux arômes développés et nuancés, légèrement amyliques. Bouche agréable, aromatique et bien typée. Ensemble très harmonieux à découvrir.
🔑 Pierre Richarme, Lieu-dit Navara, 20100 Sartène, tél. 04.95.77.10.74, fax 04.95.77.10.74 ☑ 🍷 r.-v.

DOM. DE PIANA 1998★★

◪ 12 ha 15 000 30 à 49 F

Ange Poli dirige avec ses deux fils, Eric et Antoine, le domaine de Piana. Après une restructuration progressive en AOC, il crée sa marque en 1996. Deuxième vinification, première présentation au Guide et voici un rosé 98 doublement étoilé et un **rouge 97** très réussi. Le rosé, vêtu de rose vif, parfumé d'effluves floraux et poivrés, offre à la bouche une brassée d'arômes de fruits rouges macérés et de fraîcheur. A boire en toute occasion. Le rouge, rubis clair et brillant, se tuile légèrement. Le nez franc et puissant exprime des notes épicées de fruits cuits et de cuir. La bouche est distinguée, les tanins fins et l'ensemble bien équilibré.
🔑 Ange Poli, Lingoizzetta, 20230 San Nicolao, tél. 04.95.38.86.38, fax 04.95.38.94.71 ☑ 🍷 r.-v.

DOM. PIERETTI
Coteaux du Cap Corse 1997★★

■ 2,2 ha 6 600 30 à 49 F

Comme une proue dans la Méditerranée, le cap Corse s'avance et défie les éléments. A son bord un des matelots s'appelle Lina Venturi et tient bon la barre. Remarquable rouge 97 arrivé à quai. Très belle allure rubis profond, senteurs denses et complexes, bouche souple et harmonieuse. Ce vin emplit la bouche d'une impression de bien-être, où rondeur et fruité se mêlent agréablement. Le **blanc 98**, bien fait, est cité. Jaune pâle, il a un nez sympathique et discret, un bon équilibre gustatif.
🔑 Lina Venturi-Pieretti, Santa-Severa, 20228 Luri, tél. 04.95.35.01.03, fax 04.95.35.03.93 ☑ 🍷 r.-v.

DOM. DE PIETRI
Coteaux du Cap Corse Cuvée Antoine de Pietri 1998★

□ 2,5 ha 5 000 50 à 69 F

A la sortie de Morsiglia au nord du cap Corse, la cave moderne et récente du domaine de Pietri domine la mer. Coup double très réussi en blanc 98 et en **rouge 97** pour ce vigneron amoureux de son village et de son métier. Ce blanc 98 est d'un beau jaune intense ; ses parfums sont complexes et délicats, de type floral. En bouche, il est rond, souple et bien équilibré et se termine par une touche fraîche et florale. Le rouge 97 (élevé deux ans en barrique de chêne renouvelée tous les cinq ans) est d'un rouge tuilé attrayant ; le boisé domine et la bouche bien équilibrée révèle une belle souplesse. Perdant sa typicité originelle par la présence marquée du bois, il est cependant intéressant et demande à vieillir.
🔑 Dom. de Pietri, Mucchieta, 20238 Morsiglia, tél. 04.95.35.60.93, fax 04.95.35.65.01 ☑ 🍷 r.-v.
🔑 Eugène Paoli

VIGNERONS DES PIEVE 1997★

■ 50 ha 140 000 -de 20 F

La cave coopérative de La Marana nous offre ce rouge 97 (100 % niellucciu) et un **blanc 98** très réussi. Beau rouge rubis soutenu, et arômes intenses de fruits rouges légèrement réglissés. En bouche, ce vin est équilibré et rond. Très harmonieux et long, il sera parfait pour accompagner une viande rouge en sauce. Le blanc 98 (100 % vermentinu) est jaune pâle. Le nez dévoile des senteurs fraîches d'agrumes et la bouche souple et persistante s'habille d'arômes de fleurs jaunes et de notes amyliques. L'associer à une dorade au four.
🔑 Cave coopérative de La Marana, Lieu-dit Rasignani, 20290 Borgo, tél. 04.95.58.44.00, fax 04.95.38.38.10 ☑ 🍷 t.l.j. sf dim. 9h-12h 15h-19h; f. lun. matin sam. ap.-m.

PRESTIGE DU PRESIDENT 1997★

■ n.c. 60 000 30 à 49 F

A proximité de l'étang de Diana réputé pour ses coquillages et proche de la mer, la coopérative d'Aléria, la plus importante unité de vinification de l'île, élabore avec régularité la cuvée « Prestige du Président ». Une étoile pour le rouge 97 très réussi élevé douze mois en barrique. Sa robe rubis clair engage à la découverte d'arômes intenses de café torréfié et de fruits rouges bien mûrs. Le palais est séduit par un bel équilibre des saveurs et une bonne finale légèrement amère. Prêt à boire, ce vin peut cependant attendre.
🔑 Union de Vignerons de l'île de Beauté, 20270 Aléria, tél. 04.95.57.02.48, fax 04.95.57.09.59 ☑ 🍷 t.l.j. sf dim. 8h30-12h 15h-18h30

DOM. RENUCCI Calvi 1998★

□ 1,25 ha n.c. 30 à 49 F

Le domaine Renucci figure pour la première fois dans ce Guide. Cette petite propriété familiale, transmise depuis plusieurs générations de père en fils, a été reprise par Bernard Renucci, jeune agriculteur, en 1991. La cave très ancienne est au cœur du village de Feliceto. Le caveau de dégustation vous permettra de déguster ce blanc 98, très réussi. Belle allure jaune clair à reflets verts, nez caractéristique du vermentinu, fleurs blanches et agrumes. Bouche adorable et séductrice, marquée d'une puissance aromatique typique et complexe. Le **rosé 98** est cité : bien qu'un peu atypique par son côté « bonbon anglais », il est intéressant et fort agréable.
🔑 Bernard Renucci, 20225 Feliceto, tél. 04.95.61.71.08, fax 04.95.61.71.08 ☑ 🍷 t.l.j. 10h-12h 16h30-20h; f. automne-hiver

DOM. DE SAN-MICHELE Sartène 1997★

■ 10 ha 60 000 30 à 49 F

Dans un environnement exceptionnel et retiré du monde se cache le domaine de San Michele, propriété de la famille Phelip de Mazarin depuis les années 1700. L'exploitation viticole de 19 ha aujourd'hui existe depuis 1910. Le **rosé 98** à robe claire, légèrement orangée, murmure des arômes discrets et agréables. La bouche avec une bonne attaque est beaucoup plus bavarde ; très ronde, elle s'achève cependant sur une finale un peu lourde mais pas déplaisante. Le rouge 97 est légèrement tuilé. Le nez est intéressant par ses expressions fugaces de maquis d'immortelles sur fruits rouges. En bouche, la vivacité domine, tempérée par une belle rondeur et un caractère épicé. Vin à boire avec un repas traditionnel corse ou campagnard.

➥ EARL Dom. San-Michele, 24, rue Jean-Jaurès, 20100 Sartène, tél. 04.95.77.06.38, fax 04.95.77.00.60 ☑

➥ Phelip

DOM. DE TORRACCIA
Porto-Vecchio 1998*

◢ 10 ha 50 000 ▮↓ 30 à 49 F

En habitué du Guide, Christian Imbert s'invite cette année encore avec son rosé 98, très réussi, de couleur rose pâle à reflets vifs. Des arômes primaires mêlés à des arômes de cépage éclaboussent le nez avec finesse. En bouche, ce rosé câline les papilles grâce à un très bon équilibre, de la rondeur et un léger perlant.

➥ Christian Imbert, Dom. de Torraccia, Lecci, 20137 Porto-Vecchio, tél. 04.95.71.43.50, fax 04.95.71.50.03 ☑ ⵑ t.l.j. sf dim. 8h-12h 14h-18h

DOM. DE TORRACCIA
Porto-Vecchio Oriu 1997*

■ 12 ha 45 000 ▮↓ 50 à 69 F

La sérénité et l'harmonie caractérisent d'emblée cette cuvée. La robe rouge clair est brillante, nuancée de reflets or ; le nez original diffuse des senteurs de cuir et de goudron ; quant à la bouche, élégante et racée, elle délivre sa puissance longuement et tout en finesse. Vin typique du sud de la Corse, à consommer sur un gibier ou un figatellu cuit au feu de bois.

➥ Christian Imbert, Dom. de Torraccia, Lecci, 20137 Porto-Vecchio, tél. 04.95.71.43.50, fax 04.95.71.50.03 ☑ ⵑ t.l.j. sf dim. 8h-12h 14h-18h

DOM. VICO 1998**

◢ 25 ha 100 000 ▮↓ 30 à 49 F

Le domaine Vico est le dernier vignoble implanté à l'intérieur de l'île. Sur la commune de Ponte-Leccia à mi-chemin entre Bastia et Corte, il déploie ses 83 ha sur des coteaux argilo-schisteux bien exposés. Ce rosé 98 qui obtient deux étoiles est à découvrir. Adorable robe rose vif, joli nez très odorant et typé, belle attaque en bouche, richesse gustative bien nuancée et harmonieuse. Le **blanc 98**, une étoile, possède un nez intense, typé fleurs jaunes du maquis et miel. L'attaque est vive et l'expression aromatique persistante. Un vin ensoleillé. Le **rouge 97** est cité pour son caractère aromatique intéressant et son bon équilibre.

➥ SCEA Dom. Vico, 20218 Ponte-Leccia, tél. 04.95.36.51.45, fax 04.95.36.50.26 ☑ ⵑ t.l.j. sf dim. 9h-12h 14h30-18h30

Trouver un vin ? Consultez l'index en fin de volume.

Les vignes de l'appellation ajaccio couvrent 205 ha sur les collines dans un rayon de quelques dizaines de kilomètres autour du chef-lieu de la Corse du Sud et de son illustre golfe, sur des terrains en général granitiques, avec une dominante du cépage sciacarello. Les rouges, que l'on peut laisser vieillir, sont majoritaires avec 60,5 % au sein d'une production moyenne d'environ 5 981 hl déclarés en 1998, les rosés représentant 25,5 % et les blancs 14 %.

CUVEE ANTOINE ABBATUCCI
1998**

☐ 10 ha 10 000 ▮↓ 30 à 49 F

Jean Charles Abbatucci, issu d'une vieille famille corse, est très soucieux de préserver et de perpétuer le patrimoine familial. Défi relevé remarquablement et accompli avec Christophe Georges, l'œnologue talentueux du domaine Peraldi. Sélectionné pour le grand jury, le blanc 98 du domaine frôle le coup de cœur. Belle robe jaune citronnée, claire et brillante, senteurs élégantes et intenses de fruits acidulés (pomme verte), saveurs équilibrées, bouche ronde et longue... Accompagnement parfait d'un poisson grillé.

➥ Dom. Comte Abbatucci, Lieu-dit Chiesale, 20140 Casalabriva, tél. 04.95.74.04.55, fax 04.95.74.04.55 ☑ ⵑ r.-v.

CUVEE ANTOINE ABBATUCCI
1997**

■ 10 ha 10 000 ▮↓ 30 à 49 F

Non content de nous ravir avec le blanc, ce domaine signe un **rosé 98** (une étoile) et un rouge 97 de sa belle plume. Le rosé diaphane (assemblage de 50 % de sciacarellu, 30 % de vermentinu, 20 % de barbarossa) a un joli nez fin et distingué, une bouche légère et vive. Le rouge 97, grenat vif, exhale des arômes de fruits noirs (mûre) épicés et de cuir, pour une bouche nerveuse aux tanins fins et légers, parfumée de fruits et d'épices. Belle réussite d'ensemble.

➥ Dom. Comte Abbatucci, Lieu-dit Chiesale, 20140 Casalabriva, tél. 04.95.74.04.55, fax 04.95.74.04.55 ☑ ⵑ r.-v.

CLOS D'ALZETO 1994*

■ 20 ha 30 000 ▮ 50 à 69 F

Déjà présenté l'an dernier et étoilé, ce vin, seulement mis en vente fin 1999, confirme sa tenue dans le temps et ses qualités. L'altitude exceptionnelle (500 m) des arènes granitiques dont il provient, le passage en foudre durant un an après trois années en cuve, lui confèrent son caractère original et rare. Belle couleur assez sombre (donnée par 20 % de niellucciu), intensité aromatique soutenue et complexe, structure bien charpentée et équilibrée. Vin typé et inimitable.

•⊣Pascal Albertini, Clos d'Alzeto, 20151 Sari-d'Orcino, tél. 04.95.52.24.67, fax 04.95.52.27.27 ☑ ⊺ r.-v.

CLOS CAPITORO 1998★★

◢ 20 ha 50 000 ▮▮ 30 à 49 F

Créé en 1856 par Louis Bianchetti, le Clos Capitoro a défié le temps et les infortunes. Depuis 1980, Jacques Bianchetti gère le domaine avec une passion rare. Ses vins sont à son image, élégants et joyeux. Le rosé 98, superbe, est mis en valeur par une bouteille sérigraphiée de blanc. Couleur vive et tendre comme une fleur de pêcher. Une ronde intense d'arômes de fruits des bois. En bouche, une symphonie fruitée très glamour. Un régal pour les sens, à boire sous n'importe quel prétexte. A signaler le **blanc 98**, pur vermentinu, cité pour son bel équilibre des saveurs et sa typicité.
•⊣Jacques Bianchetti, Clos Capitoro, Pisciatella, 20166 Porticcio, tél. 04.95.25.19.61, fax 04.95.25.19.33 ☑ ⊺ t.l.j. sf dim. 8h-12h 14h-19h

CLOS CAPITORO 1997★

■ 38 ha 60 000 ▮▮ 30 à 49 F

Le sciaccarellu a trouvé son terroir de prédilection dans l'AOC ajaccio. Chez Jacques Bianchetti, il s'exprime avec régularité sur des sols argilo-siliceux grâce à des rendements peu élevés. Le rouge 97 décroche une étoile dans le ciel ajaccien grâce à sa typicité marquée, sa robe grenat légèrement tuilée, son nez complexe aux arômes multiples d'épices et de fruits rouges. A boire dès à présent.
•⊣Jacques Bianchetti, Clos Capitoro, Pisciatella, 20166 Porticcio, tél. 04.95.25.19.61, fax 04.95.25.19.33 ☑ ⊺ t.l.j. sf dim. 8h-12h 14h-19h

DOM. ALAIN COURREGES 1997

■ 2 ha 6 500 ▮▮ 30 à 49 F

Régulièrement présent dans le Guide, Alain Courrèges est cité cette année encore. Son 97 offre une belle couleur, très foncée pour un ajaccio, et un nez de fruits noirs. Sa charpente puissante est enrobée de notes de fruits secs et de fruits cuits. Un vin atypique mais intéressant.
•⊣Alain Courrèges, A Cantina, 20123 Cognocoli, tél. 04.95.24.35.54, fax 04.95.24.38.07 ☑ ⊺ t.l.j. sf dim. 9h-12h 15h30-18h

CLOS ORNASCA 1996★★

■ n.c. n.c. ▮▮ 30 à 49 F

Le clos Ornasca est une petite propriété d'une dizaine d'hectares d'un seul tenant. Dès 1995, Vincent-Antoine Tola rénove le vignoble, construit une très grande cave et s'équipe du matériel dernier cri. Sa fille Laetitia, installée depuis peu, relève le défi. Première présentation au Guide et déjà deux étoiles qui célèbrent ce rouge 96, finaliste au grand jury ! Ce vin remarquable s'impose par sa forte typicité, grâce au tandem sciaccarellu (dominant), - terroir ajaccien sillico-calcaire. Couleur rubis clair, arômes de fruits rouges épicés et notes de sous-bois, belle bouche équilibrée aux saveurs complexes et minérales de sciaccarellu : ne pas résister à la tentation. Le **rosé 99**, une étoile, gris saumoné, offre un nez aux fragrances empyreumatiques et fruitées. Bouche équilibrée et complète.
•⊣Laetitia Tola, Clos Ornasca, Eccica Suarella, 20117 Cauro, tél. 04.95.25.09.07, fax 04.95.25.96.05 ☑ ⊺ r.-v.

COMTE PERALDI
Clos du Cardinal 1997★★

■ 5 ha n.c. ▮◫▮ 70 à 99 F

Le duo Guy Tyrel de Poix (propriétaire) et Christophe Georges (œnologue) fonctionne à merveille. De la passion dans ce vin splendide, élevé six à huit mois en cuve et huit mois en barrique. De couleur grenat, il impressionne par son langage olfactif complexe de fruits rouges mûrs, épicés et boisés. En bouche, des tanins fins, souples et raffinés charpentent son corps, dans une belle expression du terroir et de 100 % de sciaccarellu. On peut déjà se faire plaisir ou attendre encore, selon sa patience !
•⊣Guy Tyrel de Poix, Dom. Peraldi, chem. du Stiletto, 20167 Mezzavia, tél. 04.95.22.37.30, fax 04.95.20.92.91 ☑ ⊺ r.-v.

DOM. COMTE PERALDI 1997★

■ 20 ha 140 000 ▮▮ 30 à 49 F

Ce deuxième vin rouge, différent (60 % de sciaccarellu), élevé plus longuement en cuve (quatorze mois) et en barrique (dix mois), s'affirme lui aussi par sa typicité et sa prestance. Sa robe, d'un rouge léger, a des reflets orangés. Ses parfums d'épices (poivre vert, santal) et de framboise sont très intenses. Long en bouche, équilibré et doux au palais, ce 97 est chaleureux et typé, bien dans son origine.
•⊣Guy Tyrel de Poix, Dom. Peraldi, chem. du Stiletto, 20167 Mezzavia, tél. 04.95.22.37.30, fax 04.95.20.92.91 ☑ ⊺ r.-v.

DOM. DE PRATAVONE 1998★★

□ 4 ha 25 000 ▮▮ 30 à 49 F

Isabelle Courrèges entre dans le Guide par la grande porte ! Coup de cœur unanime pour son superbe blanc issu à 100 % de vermentinu. Créé en 1964 par son père, Jean, arrivé d'Algérie, le domaine de Pratavone s'épanouit dans un site lumineux et retiré, à 8 km de Porto-Polo face au célèbre site préhistorique de Filitosa. A l'image du lieu, le vin blanc 98 d'Isabelle est magnifique. Expression aromatique intense de subtiles associations de fleurs blanches et de fruits exotiques, bouche équilibrée, ample, tout en rondeur, en grâce fruitée et persistante. Un vin aux accents du Sud à déguster à l'ombre d'un menhir...

🔑 SCEA Dom. de Pratavone, 20123 Cognocoli-Monticchi, tél. 04.95.24.34.11, fax 04.95.24.34.74 ☑ Y t.l.j. sf dim. 8h30-12h 15h30-19h30, hors-saison sur r.-v.
🔑 Jean Courrèges

DOM. DE PRATAVONE 1996★

■ 6,5 ha 65 000 ▮🌡 30 à 49 F

Après un coup de maître avec son blanc 98, Isabelle Courrèges confirme son talent avec deux mentions complémentaires sur le **rosé 98** et le rouge 96. Le rosé (assemblage de sciaccarellu, barbarossa, vermentinu), retenu sans étoile, paré d'une belle robe rose vif, est assez discret au nez mais très équilibré et gras en bouche. Le rouge, une étoile, très coloré pour un ajaccio, possède un nez encore fermé et une très bonne structure en bouche ; il accompagnera un gibier. (Aération conseillée.)

🔑 SCEA Dom. de Pratavone, 20123 Cognocoli-Monticchi, tél. 04.95.24.34.11, fax 04.95.24.34.74 ☑ Y t.l.j. sf dim. 8h30-12h 15h30-19h30, hors-saison sur r.-v.

Patrimonio

La petite enclave (388 ha en 1998) de terrains calcaires, qui, depuis le golfe de Saint-Florent, se développe vers l'est et surtout vers le sud, présente vraiment les caractères d'un cru bien homogène dans lequel l'encépagement, s'il est bien adapté, permet d'obtenir des vins de très haut niveau. Ce sont le nielluccio en rouge et le malvasia en blanc qui devraient devenir, à brève échéance, les cépages uniques ; ils donnent déjà ici des produits très typés et d'excellente qualité, notamment des rouges somptueux et de bonne garde. La production a atteint 14 000 hl, avec 49,46 % de vins rouges, 31,2 % de rosés et 19,34 % de blancs.

DOM. GENTILE Sélection Noble 1996★★

■ 1,5 ha 7 000 ▮◖◗🌡 70 à 99 F

La Sélection Noble rouge 96, née d'un mariage réussi du niellucciu et d'un terroir argilo-calcaire, exprime toutes les potentialités de l'appellation patrimonio. Un coup de cœur pour ce vin rouge profond, d'expression aromatique complexe de fruits rouges et d'épices. Sa structure irréprochable, harmonieuse, enveloppe le palais de rondeur et de persistance. Laisser vieillir deux ans minimum pour un plaisir maximum. Le **rosé 98**, aérien, est cité pour sa finesse et son friand, à déguster très frais en apéritif avec une assiette de charcuterie corse et une anchoïade.

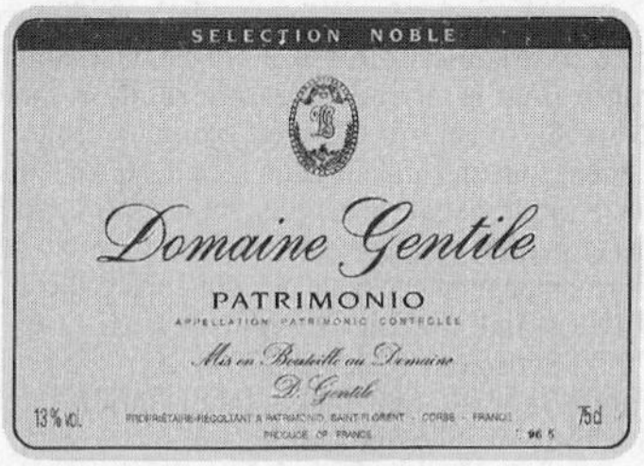

🔑 Dominique Gentile, Olzo, 20217 Saint-Florent, tél. 04.95.37.01.54, fax 04.95.37.16.69 ☑ Y t.l.j. 9h-12h 14h30-19h; r.v. hors saison

DOM. LAZZARINI 1998★★

◩ 11 ha n.c. 30 à 49 F

Les frères Lazzarini ont la terre dans le sang ! Ces vignerons accomplis s'occupent de leur domaine de 35 ha avec passion et progressent en œnologie au fil des ans pour nous offrir cette année un magnifique rosé plébiscité. Un coup de cœur joyeux, à l'image de ces trois frères, pour ce vin élégant, vêtu de rose clair, paré d'arômes de fruits rouges intenses, que l'on savoure en bouche où il se montre d'un parfait équilibre. Plaisir garanti à partager au son d'une guitare sèche sur les rythmes italiens chers à Maurice Lazzarini. Comme un bonheur ne vient jamais seul, le **rouge** est décoré d'une étoile.

🔑 GAEC Maurice et Maxime Lazzarini, rte de la Cathédrale, 20217 Saint-Florent, tél. 04.95.37.13.17, fax 04.95.37.13.17 ☑ Y t.l.j. 9h-12h 14h-19h

DOM. LECCIA E Croce 1998★

□ 4 ha 10 000 ▮🌡 50 à 69 F

Yves Leccia est œnologue et vigneron ; il exploite avec sa sœur Annette (à l'intendance), un domaine de 20 ha. Beau vignoble, cave superbe et très fonctionnelle, vins de caractère, typés et typiques. Le blanc 98 exprime magnifiquement le vermentinu par des arômes élégants de fleurs blanches, portés sur un très bel équilibre gustatif. Rond et persistant, ce vin sait chanter comme son maître.

🔑 GAEC Dom. Leccia, 20232 Poggio-d'Oletta, tél. 04.95.37.11.35, fax 04.95.37.17.03 ☑ Y t.l.j. sf dim. 9h-12h 15h-18h

CORSE

CLOS MARFISI Rosé d'une Nuit 1998★

◪ 2 ha 10 000 50 à 69 F

Sur la route de Farinole, de magnifiques coteaux argilo-calcaires surplombent la Méditerranée. C'est le secret de la réussite du Rosé d'une Nuit 98. Ce vin très réussi est saumoné, fruité et aérien, tout en rondeur et en souplesse. Le **blanc 98**, typique, exhale le maquis, roule sur les papilles et persiste longuement en bouche. Deux vins d'accompagnement pour des poissons grillés.

Toussaint Marfisi, Clos Marfisi, 20253 Patrimonio, tél. 04.95.37.01.16, fax 04.95.37.01.16 t.l.j. sf dim. 9h-12h30 14h30-19h; f. déc.-Janv.

ORENGA DE GAFFORY
Cuvée des Gouverneurs 1997★

■ 4,6 ha 18 500 50 à 69 F

La cave du domaine, d'architecture moderne, surprend au premier coup d'œil et ne laisse pas indifférent. Dans ce sanctuaire original et unique en Corse, grandit une des valeurs sûres de l'appellation. Cette cuvée des Gouverneurs, élevée en barrique, porte une belle robe rouge intense et possède des arômes fruités et boisés ; sa structure équilibrée repose sur des tanins charpentés. La présence boisée dominant encore, il est sage d'attendre deux à trois ans pour déguster ce nielluccio encore jeune.

Orenga de Gaffory, Morta Majo, 20253 Patrimonio, tél. 04.95.37.45.00, fax 04.95.37.14.25 r.-v.

ORENGA DE GAFFORY 1998★

□ 12,35 ha n.c. 50 à 69 F

Un blanc enchanteur, très élégant, parfumé, vif et typique, pour des moments de légèreté et d'insouciance. A marier avec un filet de mérou à l'estragon à l'ombre d'un figuier, les yeux dans la mer. Le **rosé 98** est cité pour sa fraîcheur et la brassée aromatique florale et fruitée.

Orenga de Gaffory, Morta Majo, 20253 Patrimonio, tél. 04.95.37.45.00, fax 04.95.37.14.25 r.-v.

DOM. PASTRICCIOLA 1997★★

■ 4,45 ha n.c. 30 à 49 F

Marc, Eric et Guy, tels des mousquetaires, conjuguent leurs talents respectifs pour gérer admirablement leur vignoble créé en 1989. Leur cave, récente, est bien située, au bord de la route qui chemine vers Saint-Florent, au pied du vignoble tout en coteaux. Pour ce dixième anniversaire, ils nous offrent ce vin dans lequel le terroir argilo-calcaire s'exprime à travers un niellucciu charpenté, de structure équilibrée par des tanins souples. Au nez et en bouche, les arômes de fruits rouges sont ponctués de notes épicées.

GAEC Pastricciola, rte de Saint-Florent, 20253 Patrimonio, tél. 04.95.37.18.31, fax 04.95.37.08.83 t.l.j. 9h-19h; f. nov.

DOM. PASTRICCIOLA 1998★

◪ 4 ha 15 000 30 à 49 F

Ce rosé de nielluciu (95 %) et de malvoisie (5 %) obtenu par saignée est de couleur rose pâle. Il exprime intensément des senteurs de fruits rouges et s'épanouit en bouche dans un bel équilibre frais et joyeux. A accompagner de charcuterie corse ou de cuisine asiatique.

GAEC Pastricciola, rte de Saint-Florent, 20253 Patrimonio, tél. 04.95.37.18.31, fax 04.95.37.08.83 t.l.j. 9h-19h; f. nov.

DOM. SAN QUILICO 1998★★

◪ 11,36 ha n.c. 30 à 49 F

Le domaine San Quilico s'impose par la qualité constante de sa production. Le rosé 98 (90 % de nielluccіu, 10 % de grenache) donne une des plus belles expressions de ce millésime. A l'image des collines qui entourent la propriété, il offre au palais un torrent de fraîcheur et d'arômes, fruités et affirmés. Sa robe pâle et délicate est une invitation au plaisir.

EARL du Dom. San Quilico, Morta Majo, 20253 Patrimonio, tél. 04.95.37.45.00, fax 04.95.37.14.25 r.-v.

LE SUD-OUEST

Groupant sous la même bannière des appellations aussi éloignées qu'irouléguy, bergerac ou gaillac, la région viticole du Sud-Ouest rassemble ce que les Bordelais appelaient « les vins du Haut-Pays » et le vignoble de l'Adour. Jusqu'à l'apparition du rail, le premier groupe, qui correspond aux vignobles de la Garonne et de la Dordogne, a vécu sous l'autorité bordelaise. Fort de sa position géographique et des privilèges royaux, le port de la Lune dictait sa loi aux vins de Duras, Buzet, Fronton, Cahors, Gaillac et Bergerac. Tous devaient attendre que la récolte bordelaise soit entièrement vendue aux amateurs d'outre-Manche et aux négociants hollandais avant d'être embarqués, quand ils n'étaient pas utilisés comme vin « médecin » pour remonter certains clarets. De leur côté, les vins du piémont pyrénéen ne dépendaient pas de Bordeaux, mais étaient soumis à une navigation hasardeuse sur l'Adour avant d'atteindre Bayonne. On peut comprendre que, dans ces conditions, leur renommée ait rarement dépassé le voisinage immédiat.

Et pourtant, ces vignobles, parmi les plus anciens de France, sont le véritable musée ampélographique des cépages d'autrefois. Nulle part ailleurs on ne trouve une telle diversité de variétés. De tout temps, les Gascons ont voulu avoir leur vin et, quand on connaît leur individualisme forcené et leur goût du particularisme, on ne s'étonne pas de la découverte de ces terroirs épars et de leur forte personnalité. Les cépages manseng, tannat, négrette, duras, len-de-l'el (loin-de-l'œil), mauzac, fer servadou, arrufiac ou baroque (cot) ainsi que le raffiat de Moncade au nom charmant sont sortis de la nuit des temps viticoles et donnent à ces vins des accents d'authenticité, de sincérité et de typicité inimitables. Loin de renier le qualificatif de vin « paysan », toutes ces appellations le revendiquent avec fierté en donnant à ce terme toute sa noblesse. La viticulture n'a pas exclu les autres activités agricoles, et les vins côtoient sur le marché les produits fermiers avec lesquels ils se marient tout naturellement. Les cuisines locales trouvent dans les vins de « leur » pays une confraternité qui fait de ce Sud-Ouest l'une des régions privilégiées de la gastronomie de tradition.

Tous ces vignobles sont aujourd'hui en plein renouveau sous l'impulsion de la coopération ou de propriétaires passionnés. Un grand effort d'amélioration de la qualité, tant par les méthodes culturales ou la recherche de clones mieux adaptés que par les techniques de vinification, conduit peu à peu ces vins vers l'un des meilleurs rapports qualité/prix de l'Hexagone.

Cahors

D'origine gallo-romaine, le vignoble de Cahors (4 236 ha pour 247 588 hl en 1998) est l'un des plus anciens de France. Jean XXII, pape d'Avignon, fit venir des vignerons quercinois pour cultiver le châteauneuf-du-pape, et François Ier planta à Fontainebleau un cépage cadurcien ; l'Eglise orthodoxe l'adopta comme vin de messe et la cour des tsars comme vin d'apparat... Pourtant, le vignoble de Cahors revient de loin ! Totalement anéanti par les gelées de 1956, il était retombé à 1 % de sa surface antérieure. Reconstitué dans les méandres de la vallée du Lot avec des cépages nobles traditionnels, le principal étant l'auxerrois qui porte aussi les noms de cot ou malbec représentant 70 % de l'encépagement, complété par le tannat (moins de 2 %) ou le merlot (environ 20 %), le terroir de Cahors a retrouvé la place qu'il mérite parmi les terres productrices de vins de qualité. On assiste d'ailleurs à des tentatives courageuses de reconstitution sur les causses, comme dans les temps anciens.

Les cahors sont puissants, robustes, hauts en couleur (le *black wine* des Anglais) ; ce sont incontestablement des vins de garde. Un cahors peut toutefois être bu jeune : il est alors charnu et aromatique avec un bon fruité, et doit être consommé légèrement rafraîchi, sur des grillades par exemple. Après deux ou trois années où il devient fermé et austère, le cahors se reprend, pour donner toute son harmonie au bout d'un délai égal, avec des arômes de sous-bois et d'épices. Sa rondeur, son ampleur en bouche en font le compagnon idéal des truffes sous la cendre, des cèpes et des gibiers. Les différences de terroir et d'encépagement donneront des vins plus ou moins aptes à la garde, la tendance actuelle étant de produire des vins plus légers et rapidement consommables.

CH. BEAUVILLAIN-MONPEZAT
Elevé en fût de chêne 1997★

■ 10 ha 45 000 ⦀ 30 à 49 F

La cave des Côtes-d'Olt élabore de bons produits en cuve comme en fût. Les cuvées **Cayrou d'Albas** et **Comte André de Montpezat dans ce même millésime** méritent votre attention. Quant à ce vin, il se distingue par sa robe d'un rouge rubis brillant. Son nez s'ouvre sur les fruits confiturés avant de prendre des accents boisés-vanillés et des senteurs balsamiques (eucalyptus et résine). Sa bouche est fermement structurée, intensément boisée, chaleureuse. Elle présente un bon volume mais ses tanins doivent s'affiner. Un beau potentiel.

⊶ Côtes-d'Olt, 46140 Parnac, tél. 05.65.30.71.86, fax 05.65.30.35.28 ☒ I r.-v.

CH. DE CAIX 1997★

■ 15 ha n.c. ⦀ 50 à 69 F

De ce producteur et négociant renommé, deux vins ont été retenus : le **Château de Mercuès 97** cité pour sa fraîcheur et sa typicité (30 à 49 F), et celui-ci, habillé d'une robe chatoyante, noire à reflets pourpres. Le nez est encore sur sa réserve mais il laisse présumer une forte concentration ; il est aujourd'hui dominé par un boisé réglissé. La bouche est d'abord veloutée puis un renfort de tanins de chêne qui devront se fondre vient renforcer sa charpente. Un vin prometteur.

⊶ Georges Vigouroux, Ch. de Mercuès, 46090 Mercuès, tél. 05.65.20.80.80, fax 05.65.20.80.81 ☒ I r.-v.

CH. DE CALASSOU 1997★

■ 7,4 ha 16 000 ▮ 20 à 29 F

Le vignoble du château de Calassou, victime du phylloxéra au tournant du siècle dernier, a été reconstitué en 1974 sur les coteaux de Duravel. Le malbec joue le rôle vedette sur ces sols argilo-calcaires. Vinifié seul, il a produit en 1997 ce vin profond, à reflets violets. Discret, un peu fermé, le nez libère des arômes de fruits rouges. Après une attaque souple, le vin, assez gras, fait preuve d'équilibre. La matière reste bien présente dans une finale plus aromatique que le milieu de bouche. Un vin à deux vitesses mais très réussi.

⊶ Michel Souveton, GAEC Ch. de Calassou, 46700 Duravel, tél. 05.65.24.62.67, fax 05.65.36.47.22 ☒ I t.l.j. 8h-21h

⊶ Souveton

CH. CAMP-D'AURIOL 1997

■ 3 ha 21 000 ▮ 20 à 29 F

Le millésime 97, issu de 90 % de cot et de 10 % de merlot, a revêtu une robe cerise lumineuse, à frange rosée. Simple et assez vif, le nez consacre les fruits rouges. La bouche, souple, possède une matière délicate. C'est un ensemble bien frais qui s'apprécie jusqu'en finale, construit autour de tanins au grain soyeux. Un sympathique compagnon des plats de gibier.

⊶ GAEC de L'Oriol, Camp-d'Auriol, 46140 Luzech, tél. 05.65.20.12.90, fax 05.65.30.72.88 ☒ I r.-v.

⊶ G. Souques

CH. DE CASTELA 1997

■ 2 ha 4 000 ▮ 30 à 49 F

Situé sur le plateau du Causse, en Quercy, le château de Castela privilégie le cot dans ses cuvées, en alliance avec le merlot. Voici un vin de bonne intensité, parfaitement limpide. Le premier nez est axé sur le boisé puis montent des senteurs variées, plus discrètes. Souple et légère, la bouche présente des arômes d'évolution. L'ensemble est assez bien équilibré. Un millésime à découvrir dès maintenant.

⊶ GAEC Le Castela, Castela, 46700 Mauroux, tél. 05.65.36.51.18, fax 05.65.24.68.21 ☒ I t.l.j. 9h-12h 14h-20h

⊶ Guy Delbès

DOM. DE CAUSE
Notre-Dame des Champs 1997★

■ 0,5 ha 3 200 ⦀ 50 à 69 F

Le nom de cette cuvée est un clin d'œil à la statue édifiée au sommet du hameau, au milieu des vignes. Vinifiée de manière traditionnelle, la vendange de tannat et de cot a subi une macération de vingt-huit jours, ce qui explique la couleur soutenue et les nuances mauves de la robe. S'il est intensément boisé, le nez apparaît toutefois complexe après aération : il dévoile alors des notes de fruits à l'eau-de-vie puis de truffe. Les polyphénols (tanins) sont bien présents en bouche, mais la chair et le gras équilibrent l'ensemble. Quelques années de garde seront bénéfiques à ce vin. Une deuxième cuvée, **La Lande Cavagnac 97**, est tout aussi intéressante (une étoile).

⊶ Serge Costes, Dom. de Cause, 46700 Soturac, tél. 05.65.36.41.96, fax 05.65.36.41.95 ☒ I t.l.j. 9h30-12h 14h-18h30; dim. sur r.-v.

CH. DU CEDRE Le Cèdre 1997*

■ 5 ha 20 000 50 à 69 F

La réputation du château du Cèdre et de la famille Verhaeghe n'est plus à faire, comme en témoignent les dernières éditions du Guide. La cuvée Le Cèdre a pris son envol l'an dernier en recevant un coup de cœur. Dans le millésime 97, elle se pare d'une robe pourpre très sombre. Son nez puissant et complexe fait la part belle à la griotte, à la violette, à la réglisse et à un boisé épicé. Des accents balsamiques et empyreumatiques apparaissent. La bouche, volumineuse et solidement charpentée, présente des tanins encore très serrés. Le bois domine à ce jour mais saura se fondre dans les mois à venir.

Verhaeghe Fils, Bru, 46700 Vire-sur-Lot, tél. 05.65.36.53.87, fax 05.65.24.64.36 ☑ Y t.l.j. sf dim. 9h-12h 14h-18h

CH. DE CHAMBERT 1996*

■ 45 ha 200 000 30 à 49 F

Ce vin, composé de 75 % de cot, 15 % de merlot et 10 % de tannat, a macéré pendant trois à quatre semaines et a subi de nombreux pigeages. Ces méthodes d'élaboration ont permis d'obtenir cette teinte rubis, profonde et intense, ce nez élégant et flatteur, à la fois fruité, épicé et généreusement vanillé. La bouche a de la mâche. Ronde, équilibrée et sans aspérité, elle offre un beau volume avant de conclure sur des notes discrètement boisées. Un vin bien fait. Une autre cuvée, **Les Hauts de Chambert 97**, mérite aussi une étoile.

Joël Delgoulet, Les Hauts Coteaux, 46700 Floressas, tél. 05.65.31.95.75, fax 05.65.31.93.56 ☑ Y t.l.j. 8h30-12h30 13h30-19h

LE CLOS DU CHENE Elevé et vieilli en fût de chêne 1996

■ 10 ha 50 000 20 à 29 F

Ce vin à la robe grenat, d'intensité moyenne, est le résultat d'une vinification traditionnelle et d'une cuvaison de dix à quinze jours. Son nez assez expressif évoque le cuir et les fruits cuits avec une pincée d'épices. L'attaque est soyeuse. Chaude et grasse, la bouche conserve un bon fruité et se structure autour de tanins lisses, légèrement épicés. Un ensemble plutôt séduisant.

M. Roussille, SARL Le Clos du Chêne, Clos du Chêne, 46700 Duravel, tél. 05.65.36.50.09, fax 05.65.24.67.64 ☑ Y t.l.j. 9h-12h 14h-19h

DOM. CHEVALIERS D'HOMS 1997*

■ 2 ha 12 000 30 à 49 F

Ancien fief des chevaliers d'Homs, ce vignoble fut entièrement détruit par le phylloxéra. Il fallut attendre 1969 pour assister à sa renaissance. En 1997, c'est un vin rouge profond aux beaux reflets noirs qui a vu le jour. Le nez fin, à la fois fruité et épicé, laisse poindre une note mentholée. La bouche ample conserve ces qualités aromatiques, soutenues par une structure solide et des tanins ronds, dont la perception se prolonge agréablement. Un vin encore prometteur.

SCEA Dom. d'Homs, Les Homs, 46800 Saux, tél. 05.65.31.92.45, fax 05.65.31.96.21 ☑ Y t.l.j. 8h-20h

Le Sud-Ouest

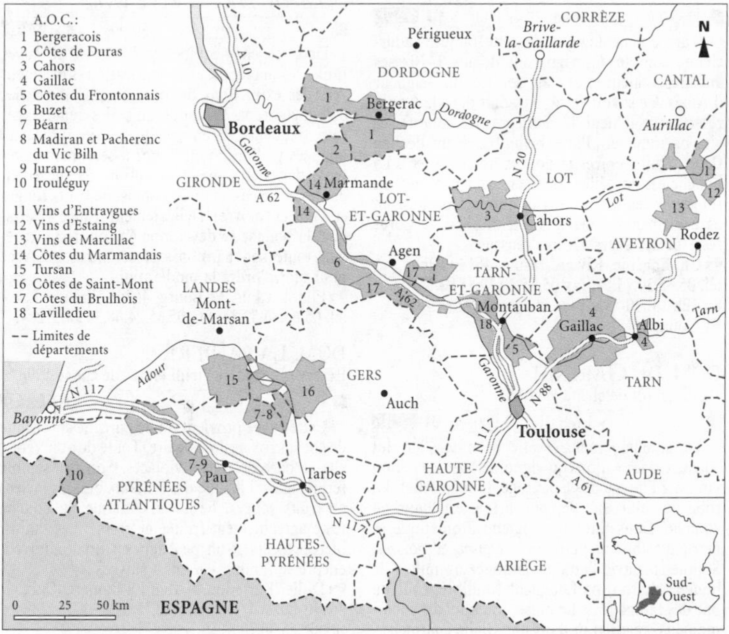

CH. COUAILLAC
L'Authentique Vieilli en fût de chêne 1996★

■	2 ha	10 666	❙❙❙	30 à 49 F

En 1925, après la crise phylloxérique, Léon Couaillac acheta cette propriété et y planta son premier hectare de vignes. Aujourd'hui, Viviane et Franck exploitent un vignoble de 14 ha. L'Authentique 96 se présente sous une robe pourpre, de bonne intensité. Corsé, le nez livre généreusement des parfums de violette, de fruits noirs et des notes boisées (vanille, café torréfié). La bouche, fraîche, n'en est pas moins riche et concentrée. Les tanins fermes renforcent leur astringence dans une finale bien vive. Un vin fougueux qui devrait s'assagir avec le temps.
☛ Franck et Viviane Pasbeau-Couaillac, La Séoune, 46140 Sauzet, tél. 05.65.36.90.82, fax 05.65.36.96.41 ☑ ⵑ t.l.j. sf dim. 9h-12h 14h-19h

CH. CROZE DE PYS 1997★

■	18 ha	120 000	▬	30 à 49 F

Issu de 70 % de cot, 20 % de merlot et 10 % de tannat plantés sur sols silico-argileux, ce vin rouge vif à reflets violets s'exprime avec retenue dans un registre fruité, frais et séduisant. L'attaque souple fait place à une matière structurée. On peut suivre une belle évolution aromatique. Les tanins sont encore très fermes en finale mais ils devraient s'amabiliser avec le temps.
☛ SCEA des Dom. Roche, Ch. Croze de Pys, 46700 Vire-sur-Lot, tél. 05.65.21.30.13, fax 05.65.30.83.76 ☑ ⵑ t.l.j. sf dim. 9h-12h 15h-19h

CH. EUGENIE
Cuvée réservée de l'Aïeul 1997★★

■	8 ha	40 000	❙❙❙	30 à 49 F

L'arbre généalogique de cette famille cadurcienne compte des vignerons depuis 1470 ; ses ancêtres étaient alors au service du seigneur d'Albas. Ce savoir-faire se traduit dans la Cuvée réservée de l'Aïeul 97. Pourpre très sombre, ce vin parfumé et d'une belle fraîcheur décline fleurs, fruits, épices et douces notes boisées. La bouche est un délice, riche en arômes et tout en rondeur. Les tanins fins et enrobés prolongent agréablement la finale. A retenir aussi, la **Cuvée réservée des Tsars 97**, très réussie.
☛ Ch. Eugénie, Rivière-Haute, 46140 Albas, tél. 05.65.30.73.51, fax 05.65.20.19.81 ☑ ⵑ t.l.j. 8h-12h 13h30-19h; dim. et groupes sur r.-v.
☛ Couture

DOM. DU GARINET
Vieilli en fût de chêne 1996★★

■	1,6 ha	7 000	❙❙❙	30 à 49 F

Le domaine ménage une belle vue sur les coteaux et les vallons du vignoble cadurcien. Son vin est à l'image de ce paysage, tout en relief. La robe du millésime 96, purpurine, est haute en couleur. Dans une large palette aromatique se marient subtilement notes vineuses et boisées. Souple et suave, l'attaque annonce un milieu de bouche charnu, parfaitement équilibré, soutenu par des tanins fins. Le boisé, toujours aussi harmonieux, réapparaît dans une finale charmeuse.

☛ Michael et Susan Spring, Dom. du Garinet, 46800 Le Boulve, tél. 05.65.31.96.43, fax 05.65.31.96.43 ☑ ⵑ t.l.j. 11h-18h30; dim. 14h-18h30

CH. DE GAUDOU 1997★

■	27,92 ha	60 000	❙❙❙	30 à 49 F

Le château de Gaudou possède un vignoble de 30 ha sur la commune de Vire-sur-Lot. Récoltés sur des coteaux argilo-siliceux et caillouteux, l'auxerrois, le merlot et le tannat ont produit ce vin rubis intense et brillant. Floral et fruité, légèrement chocolaté, le nez a de l'élégance. Son côté boisé se traduit par des notes d'épices et de fumée. Souple à l'attaque, la bouche assez concentrée se structure autour de tanins fins mais encore un peu secs. Un vin bien typé qui mérite quelques années de garde. A goûter aussi, la **cuvée Renaissance 97**, citée par le jury.
☛ René Durou, Gaudou, 46700 Vire-sur-Lot, tél. 05.65.36.52.93, fax 05.65.36.53.60 ☑ ⵑ r.-v.

DOM. DES GRAVALOUS
Cuvée réservée Vieillie en fût de chêne 1996

■	3 ha	11 000	❙❙❙	30 à 49 F

L'auxerrois (95 %) a concédé une place au merlot (5 %) dans ce vin élevé douze mois en fût de chêne. Rouge sombre, la Cuvée réservée propose un nez moyennement intense, s'ouvrant sur les fruits noirs (cassis), les épices et la résine. L'attaque ferme introduit une bouche dense et massive, d'une concentration tannique imposante. La finale épicée est un peu sévère. Un vin pastoral.
☛ Fabbro et Fils, 46220 Pescadoires, tél. 05.65.22.40.46, fax 05.65.30.68.15 ☑ ⵑ t.l.j. 9h-12h30 14h-19h30

DOM. DE HAUTERIVE 1997

■	8 ha	50 000	▬ ♦	30 à 49 F

Dans ce chai équipé de batteries de cuves Inox, les méthodes de vinification s'orientent vers des extractions douces ; on procède à des délestages espacés plutôt qu'à des remontages trop fréquents. Il en résulte ce vin rubis aux nuances violines, dont le nez assez intense présente déjà des signes d'évolution. Se succèdent des notes de cuir et de sous-bois, de fruits rouges et d'épices (poivre). Délicatement fruitée à l'attaque, la bouche se développe en souplesse, révélant toute son harmonie et ses nuances. Avec pour mot d'ordre la modération.
☛ Filhol et Fils, Le Bourg, 46700 Vire-sur-Lot, tél. 05.65.36.52.84, fax 05.65.24.68.36 ☑ ⵑ r.-v.

DOM. LA BANIERE
Réserve Borredon Vieilli en fût de chêne 1996★

■	1 ha	6 000	❙❙❙	30 à 49 F

Cette cuvée provient d'une parcelle spécifique de cot sur sol argilo-calcaire. Toute de noir vêtue, elle se pare de reflets violacés. Son nez semble fermé, mais il distille des senteurs boisées mêlées de fruits rouges. Ferme à l'attaque, la bouche reste agréablement fruitée et grasse. Les tanins, bien présents et un peu durs en finale, doivent encore se fondre. Un vin à suivre.
☛ Didier Borredon, EARL La Banière, Caix, 46140 Luzech, tél. 05.65.20.15.35, fax 05.65.30.70.81 ☑ ⵑ r.-v.

CH. LA CAMINADE
La Commandery 1997★★

■ 10 ha 35 000 🍷 50 à 69 F

La Commandery doit sa personnalité au cépage auxerrois, cultivé sur des sols de graves argilo-calcaires. Intensément colorée, elle ne manque ni de prestance ni de complexité au nez : d'abord animale, elle révèle ensuite des notes de truffe puis élargit sa palette à des odeurs florales et à de chauds accents boisés. En bouche, on perçoit une forte montée en puissance des arômes, de la matière et de la chaleur. Les tanins suaves constituent une charpente harmonieuse. Un beau potentiel pour ce vin qui se déroule comme un long ruban en finale.

🔑 Resses et Fils, SCEA Ch. La Caminade, 46140 Parnac, tél. 05.65.30.73.05, fax 05.65.20.17.04 ☒ 𝐈 t.l.j. sf sam. dim. 9h-12h 14h-19h

CLOS LA COUTALE 1997★

■ 48 ha 280 000 30 à 49 F

Cot, merlot et tannat récoltés sur un sol de graves ont été vinifiés dans les règles de l'art pour obtenir ce vin rouge sombre, au nez plutôt fin. Les notes florales (pivoine) se mêlent à des accents végétaux qui évoluent vers l'anis. Souple à l'attaque, la bouche prend ensuite de l'ampleur. Elle doit son caractère boisé harmonieux à des tanins bien fondus. La persistance aromatique est moyenne. Un vin à déguster d'ici deux ans.

🔑 V. Bernède et Fils, 46700 Vire-sur-Lot, tél. 05.65.36.51.47, fax 05.65.24.63.73 ☒ 𝐈 t.l.j. 8h-20h

CH. LAGREZETTE 1996★

■ 24 ha 145 000 70 à 99 F

C'est en 1980 qu'Alain-Dominique Perrin racheta le château Lagrezette, classé monument historique. Il y produit depuis des vins réussis, issus de longues macérations. Le 96, d'un grenat foncé aux nuances mauves, est intensément aromatique : les senteurs de sous-bois, les notes à la fois boisées et animales se marient à de jolis arômes de griotte et d'épices. Tout aussi agréable et subtilement boisée, la bouche assez grasse et chaleureuse propose à son tour une large palette aromatique de bonne persistance, soutenue par des tanins fins. L'élégance !

🔑 Alain-Dominique Perrin, SCEV Lagrezette, Dom. de Lagrezette, 46140 Caillac, tél. 05.65.20.07.42, fax 05.65.20.06.95 ☒ 𝐈 t.l.j. 9h-19h

CH. LAMARTINE
Cuvée particulière 1997★★

■ 9 ha 50 000 50 à 69 F

Fort d'une parfaite connaissance du terroir et d'une grande rigueur, le château Lamartine, qui avait obtenu un coup de cœur l'an passé, nous offre une fois encore un vin de haut rang. Vêtu d'une robe grenat soutenu, ce 97 s'ouvre généreusement, livrant au premier nez des arômes fruités avant d'évoluer vers la réglisse mêlée aux senteurs boisées. Après une attaque soyeuse, la bouche se développe en rondeur grâce à une matière bien concentrée. La persistance aromatique est ici remarquable.

🔑 SCEA Ch. Lamartine, 46700 Soturac, tél. 05.65.36.54.14, fax 05.65.24.65.31 ☒ 𝐈 t.l.j. 9h-18h; dim. sur r.-v.

🔑 Alain Gayraud

DOM. LE PASSELYS 1997★

■ 7 ha 20 000 30 à 49 F

Couleur aubergine, bien lustré et brillant, ce vin net et assez intense s'ouvre sur des notes animales (cuir). Il apporte ensuite une corbeille de fruits mûrs agrémentés d'une pointe d'épices. La bouche, charnue et ample, s'achève sur des tanins serrés d'où émane une saveur agréablement réglissée. Un vin de qualité.

Cahors

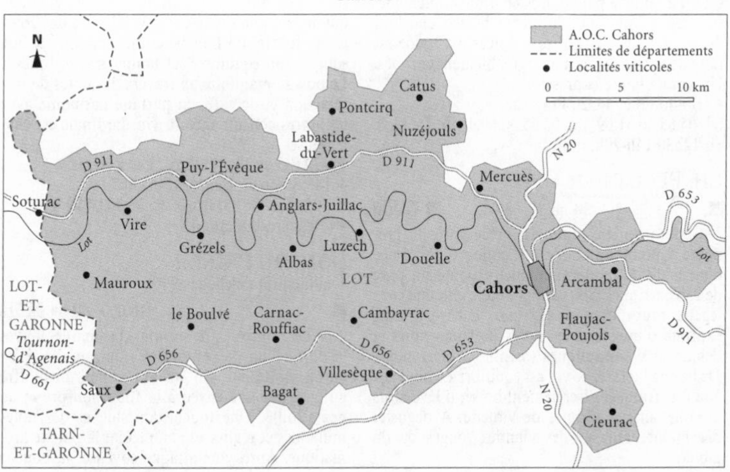

SUD-OUEST

🔑 Thierry Baudel, 46140 Douelle,
tél. 05.65.20.05.76, fax 05.65.30.99.37 ☒ 🍷 t.l.j.
8h-13h 14h-20h

CH. LES IFS 1997★

■ 8 ha 30 000 ▮🌡 30 à 49 F

Deux cuvées issues à 80 % de cot et à 20 % de merlot, dont une **cuvée Prestige Elevée en fût de chêne**, nous ont séduits. Notre préférence est toutefois revenue à la plus traditionnelle. Est-ce pour sa robe cerise bigarreau ? Pour son nez intense, chaud et complexe, exprimant les petits fruits rouges et noirs ainsi que les épices ? Ou encore pour sa bouche ronde, fraîche et aromatique ? Bien enveloppé en finale, ce vin sait être agréable, en toute simplicité.

🔑 Buri et Fils, EARL La Laurière,
46220 Pescadoires, tél. 05.65.22.44.53,
fax 05.65.30.68.52 ☒ 🍷 t.l.j. sf dim. 8h-12h
14h-19h

CH. LES RIGALETS
La Quintessence 1997★★

■ 2 ha 9 500 🛢 70 à 99 F

Cette année, le Guide réserve son coup de cœur à ce seul vin élaboré avec passion par A. Bouloumié, également producteur du Clos de Gamot. Cette Quintessence est irréprochable dans sa robe d'un noir intense, aux nuances violettes. Le nez, à la fois fin et puissant, livre de subtils parfums de fleurs, accompagnés de notes de fruits rouges et noirs. La vanille enveloppe le tout. La bouche pleine, très charnue et bien corsée, repose sur une charpente boisée que l'on devine aux arômes grillés et épicés. La trame est faite de tanins serrés mais agréablement enrobés. Un vin de haute expression.

🔑 Bouloumié, 46220 Prayssac,
tél. 05.65.30.61.69, fax 05.65.30.60.46 ☒ 🍷 t.l.j.
8h-12h30 14h-20h; dim. sur r.-v.

CH. PECOT 1997★

■ 14 ha 8 000 🛢 20 à 29 F

Cette propriété familiale, créée après la Première Guerre mondiale, est aujourd'hui dotée d'un matériel moderne auquel s'ajoute un parc de 250 barriques. Son cahors 97 a revêtu une robe légère, rouge carminé. Le nez, encore timide, exprime d'intéressantes notes de fruits noirs et des arômes balsamiques (menthol, eucalyptus). De bonne facture, ce vin est équilibré en bouche : à la fois fruité et discrètement boisé, il lève alors le voile sur des arômes de violette. A déguster dès maintenant sur des viandes rouges ou du gibier.

🔑 Gilberte Siutat, av. Uxellodunum,
46140 Luzech, tél. 05.65.20.10.73,
fax 05.65.30.55.74 ☒ 🍷 t.l.j. sf dim. 9h30-12h30
14h30-20h; f. 5 jan.-5 fév.

DOM. DU PEYRIE 1997★

■ 13,93 ha n.c. ▮🌡 20 à 29 F

« Peyrie » dérive du mot occitan « pierrier », lieu où le sol est couvert de pierres. En effet, ce domaine est situé sur les terrasses graveleuses du Lot. Le vin qui en provient est habillé d'une belle robe rouge purpurin. Nez discret ? Soit, mais il est plein d'agrément, à la fois fruité et réglissé. Attaquant en souplesse, la bouche se fait toute douce. Elle présente une ossature déliée et un volume oblong. Les tanins qui accompagnent la finale sont veloutés.

🔑 Christian et Pascal Gilis, Dom. du Peyrie,
46700 Soturac, tél. 05.65.36.57.15,
fax 05.65.36.57.15 ☒ 🍷 t.l.j. sf dim. 8h-12h
13h30-19h

CH. PINERAIE 1997

■ 25 ha 150 000 🛢 30 à 49 F

Ce 97, assemblage de malbec (85 %) et de merlot, est le produit d'une vinification traditionnelle suivie d'une longue macération. D'une belle couleur rouge profond, il offre un nez ouvert et de bonne intensité, au fruité fin dominé par le boisé. La bouche manque quelque peu d'ampleur mais non d'agrément, dans un style souple et friand.

🔑 Burc et Fils, Leygues, 46700 Puy L'Evêque,
tél. 05.65.30.82.07, fax 05.65.21.39.65 ☒ 🍷 t.l.j.
sf dim. 8h-12h 14h-19h

CH. DU PLAT FAISANT
Cuvée des générations Vieilli en fût de chêne 1996★

■ 2 ha n.c. 🛢 30 à 49 F

Deux cuvées aux noms évocateurs de Cuvée des Générations et de **Cuvée des Ancêtres** (une étoile) doivent être mentionnées dans le Guide. Mais c'est à la première que nous consacrerons nos commentaires, car elle est la plus riche. A l'œil d'abord, par sa robe d'un rouge profond. Au nez ensuite, par ses arômes intenses et boisés qui mêlent notes toastées et vanillées à des volutes de fumée. En bouche enfin, par son attaque souple, son équilibre, ses tanins gras et fondus. Le bois se manifeste au travers des notes de torréfaction et de café, en parfaite harmonie avec les autres constituants du vin. La finale est chaleureuse.

🔑 GAEC du Plai Faisant, Les Roques,
46140 Saint-Vincent-Rive-d'Olt,
tél. 05.65.30.76.38, fax 05.65.36.70.04 ☒ 🍷 r.-v.
🔑 Bessières-Dumond

DOM. DU PRINCE
Vieilli en fût de chêne 1996

■ 2 ha 10 000 ▮🛢 30 à 49 F

« Le Prince ». Ce surnom, la famille Jouves le doit à l'un de ses ancêtres qui, au XVIII[e]s., aurait porté du vin au roi. Elle nous offre aujourd'hui une cuvée à la robe pourpre et au nez vanillé. Une touche animale et des notes minérales et réglissées complètent la palette aromatique. Après une attaque soyeuse, la bouche évolue en rondeur puis prend de l'ampleur en relevant ses saveurs de fruits noirs et d'épices. La finale est chaleureuse et tannique.

☛ GAEC de Pauliac, Dom. du Prince, Cournou, 46140 Saint-Vincent-Rive-d'Olt, tél. 05.65.20.14.09, fax 05.65.30.78.94
☑ ⊺ t.l.j. sf dim. 8h-12h30 13h30-19h
☛ Jouves

CH. ROUQUETTE
Cuvée d'honneur Vieilli en fût de chêne 1996

| ■ | 1 ha | 10 000 | ◫ | 30 à 49 F |

Cépage roi de l'appellation, l'auxerrois compose à 100 % cette Cuvée d'honneur qui, dans le millésime 96, s'affiche dans une robe d'un rouge profond. Encore sur la réserve, le nez exprime les fruits noirs et d'agréables notes boisées. Droite, la bouche possède une matière suffisamment concentrée et bien mûre. Le bois se traduit par des tanins un peu secs. Un peu de patience trouvera récompense.

☛ GAEC Ch. Rouquette, Les Roques, 46140 Saint-Vincent-Rive-d'Olt, tél. 05.65.20.14.84, fax 05.65.30.52.99 ☑ ⊺ r.-v.

CH. SAINT-DIDIER-PARNAC 1997

| ■ | 60 ha | 400 000 | ◫ | 30 à 49 F |

Le domaine tire son nom d'un saint évêque qui y aurait vécu à l'époque mérovingienne. Il s'est tourné très tôt vers l'exportation, écoulant au XVIIᵉs. ses vins vers les Indes et l'Europe de l'est. Ce 97 est d'un rubis intense et brillant. Son nez copieusement boisé, avec des accents de torréfaction, réserve un joli fruit. La bouche, souple et chaleureuse, se concentre en finale sur des tanins de bois encore marqués. Un vin qui doit s'affiner.

☛ SCEA Ch. Saint-Didier-Parnac, 46140 Parnac, tél. 05.65.30.70.10, fax 05.65.20.16.24 ☑ ⊺ t.l.j. 8h-12h 14h-18h

DOM. DU THERON
Cuvée Tradition 1997★★

| ■ | 10 ha | 56 000 | ▤◫♦ | 30 à 49 F |

Ce joli vignoble en terrasse est devenu en 1997 la propriété d'un industriel belge, grand amateur de vins français, qui réalise ainsi un vieux rêve. La cuvée Tradition 97 surpasse aujourd'hui la **cuvée Prestige**. Sa robe d'un rouge cerise burlat, plutôt mat, annonce un nez puissant, tout en nuances : le dégustateur y perçoit notamment des fruits mûrs et de la violette. La matière, grasse et assez dense, laisse paraître une agréable trame aromatique et tannique qui perdure longuement en bouche. Un beau vin.

☛ SCEA Dom. du Théron, Le Théron, 46220 Prayssac, tél. 05.65.30.64.51, fax 05.65.30.69.20, e-mail vic.pauwels@pauwels.com
☑ ⊺ t.l.j. 9h30-19h; dim. sur r.-v.
☛ Vic Pauwels

CLOS TRIGUEDINA Prince Probus 1997★

| ■ | 10 ha | 50 000 | ◫ | 70 à 99 F |

L'empereur romain Probus autorisa en l'an 280 la culture de la vigne dans le haut Quercy. Voilà donc un bel hommage que lui rend Jean-Luc Baldes à travers cette cuvée de pur auxerrois, toujours bien concentrée et d'une couleur

intense. Fine et complexe, elle s'ouvre sur les fruits mûrs. Viennent ensuite des notes de chocolat et une pointe de réglisse subtilement boisées. En bouche, une matière grasse et une structure tannique harmonieuse font suite à une attaque douce. « Me triguedina » signifie en occitan « il me tarde de dîner ». Autant dire qu'il nous tarde de redécouvrir cette bouteille dans quelques mois.

☛ Baldes et Fils, Clos Triguedina, 46700 Puyl'Evêque, tél. 05.65.21.30.81, fax 05.65.21.39.28
☑ ⊺ t.l.j. 9h30-12h 14h-18h; dim. sur r.-v.

Gaillac

Comme l'attestent les vestiges d'amphores fabriquées à Montels, les origines du vignoble gaillacois remontent à l'occupation romaine. Au XIIIᵉ s., Raymond VII, comte de Toulouse, prit à son endroit un des premiers décrets d'appellation contrôlée, et le poète occitan Auger Gaillard célébrait déjà le vin pétillant de Gaillac bien avant l'invention du champagne. Le vignoble (2 500 ha) se divise entre les premières côtes, les hauts coteaux de la rive droite du Tarn, la plaine, la zone de Cunac et le pays cordais pour une production de 130 000 hl dont 60 % de vins rouges.

Les coteaux calcaires se prêtent admirablement à la culture des cépages blancs traditionnels comme le mauzac, le len-de-l'el (loin-de-l'œil), l'ondenc, le sauvignon et la muscadelle. Les zones de graves sont réservées aux cépages rouges, duras, braucol ou fer servadou, syrah, gamay, négrette, cabernet, merlot. La variété des cépages explique la palette des vins gaillacois.

Pour les blancs, on trouvera les vins secs et perlés, frais et aromatiques, et les vins moelleux des premières côtes, riches et suaves. Ce sont ces vins, très marqués par le mauzac, qui ont fait la renommée du gaillac. Le gaillac mousseux peut être élaboré soit par une méthode artisanale à partir du sucre naturel du raisin, soit par la méthode champenoise, que la législation européenne appelle désormais méthode traditionnelle ; la première donne des vins plus fruités, avec du caractère. Les rosés de saignée sont légers et faciles à boire, les vins rouges dits de garde, typés et bouquetés.

MAS D'AUREL 1997

■ 2,5 ha 20 000 ▮♦ 20 à 29 F

 Duras, merlot, syrah et braucol sont à l'origine de ce gaillac légèrement évolué, habillé d'une robe rouge à la frange brune. Le nez, assez intense et complexe, laisse d'abord percevoir ses notes animales, puis s'ouvre sur les fruits rouges à l'eau-de-vie et les épices. A la fois fraîche et généreuse en alcool, pleine et ample, la bouche évolue de manière très aromatique et reste souple jusqu'en finale.

☛ Mas d'Aurel, 81170 Donnazac,
tél. 05.63.56.06.39, fax 05.63.56.09.21
☑ ⚕ t.l.j. 8h-12h 14h-19h
☛ Albert Ribot

DOM. DE BALAGES
Cuvée Rêveline 1996*

■   3 ha 4 500 ▮ 50 à 69 F

 Voici un assemblage fort réussi dans le millésime 96 : 60 % de syrah et 40 % de merlot récoltés sur un sol de graves. Il en résulte un vin intense et légèrement tuilé, dont le nez assez frais étonne par ses notes de buis et réjouit par celles de fruits rouges écrasés et ses odeurs mentholées. La bouche reste fraîche et parfumée. Elle évolue en souplesse sur une trame de tanins bien fondus, à l'accent un peu végétal... La fraîcheur est décidément le maître mot de la dégustation.

☛ Claude Candia, Dom. de Balagès,
81150 Lagrave, tél. 05.63.41.74.48,
fax 05.63.81.52.12 ☑ ⚕ r.-v.

BARON THOMIERES Sec 1998

□ 1,5 ha 10 000 ▮♦ 20 à 29 F

 Cette cuvée porte le nom d'un aïeul de la famille Thomières, général des armées napoléoniennes tombé en Espagne à la bataille des Arapiles, en juillet 1812. Vêtu d'une robe claire nuancée d'or vert, ce vin propose un nez d'intensité moyenne, dominé par les agrumes (pamplemousse et citron). La fraîcheur caractérise la bouche, de l'attaque à la finale. Quelques perles de gaz carbonique sont perceptibles.

☛ Laurent Thomières, La Raffinié,
81150 Castelnau-de-Lévis, tél. 05.63.53.11.99,
fax 05.63.53.11.99 ⚕ r.-v.

DOM. DE BOSC LONG 1997*

■   6 ha 30 000 ▮▮ 30 à 49 F

 Ce vaste domaine, constitué en 1855 par un amateur d'opéra, appartient depuis 1980 à un industriel allemand qui s'est pris de passion pour le vin. Ludwig Willenborg a ici trouvé la récompense de son travail. Son gaillac rouge se présente dans une robe magnifique, profonde et presque noire. Puis se révèle un nez capiteux, alliant notes de gibier et épices à un fort arôme de pain grillé. La bouche, bien ferme, à la carrure impressionnante, est charnue : elle est construite sur des tanins puissants. Un vin inébranlable qui demande quelques années de vieillissement.

☛ Ludwig Willenborg, Dom. de Bosc-Long,
81140 Cahuzac-sur-Vère, tél. 05.63.33.94.45,
fax 05.63.33.90.81 ☑ ⚕ t.l.j. 9h-12h 13h30-18h

DOM. DES BOUSCAILLOUS Sec 1998*

□ 4,65 ha 31 000 ▮♦ 20 à 29 F

 Issu de vignes implantées sur les premiers coteaux de Gaillac, à dominante calcaire et propices aux cépages blancs, ce vin brillant aux jolis reflets verts possède un nez riche en senteurs fraîches, florales et fruitées. La bouche conserve cette fraîcheur et ses parfums. Bien équilibrée, elle finit sur une sensation acidulée et une pointe d'amertume. Une jeunesse vivifiante.

☛ Annie Caussé, Dom. des Bouscaillous, Le Village, 81170 Noailles, tél. 05.63.56.85.34, fax 05.63.56.85.56 ☑ ⚕ t.l.j. 8h-18h; dim. sur r.-v.

CH. CLEMENT TERMES Sec 1998*

□ 14 ha 70 000 ▮♦ 20 à 29 F

 Ce domaine, qui produisait autrefois du vin de messe blanc, développe aujourd'hui une large gamme de vins, dont ce gaillac blanc sec d'un jaune d'or pâle. Le nez de ce 98 est intense, fin et frais. Il se compose de notes florales, végétales et fruitées. Vive à l'attaque, la bouche gagne en douceur et en rondeur au cours de l'analyse gustative. Elle évolue vers le fruit sur fond d'amande. Un vin aromatique.

☛ GAEC J.-P. et F. David, Les Fortis,
81310 Lisle-sur-Tarn, tél. 05.63.40.47.80,
fax 05.63.40.45.08 ☑ ⚕ t.l.j. sf dim. 9h-12h 14h-19h

DELIRES D'AUTOMNE Doux 1997***

□ 11,83 ha 1 500 ▮▮▮ 100 à 149 F

 Encore du délire... ! 269 g/l de sucres résiduels dans ce nectar exceptionnel élaboré par Patrice Lescarret. Une concentration inouïe dans ce vin produit en très petite quantité, qui passe à deux doigts du coup de cœur. Un sirop qui coule épais sous un drapé vieil or, ambré. Le nez mêle généreusement les fruits en compote, voire confits, le zeste d'orange et le miel. Extrêmement liquoreuse, d'une concentration énorme et d'une persistance infinie sur les notes confiturées... les superlatifs ne manquent pas pour qualifier la bouche. Diablement bon !

☛ Patrice Lescarret, Dom. de Causse-Marines,
81140 Vieux, tél. 05.63.33.98.30,
fax 05.63.33.96.23 ☑ ⚕ r.-v.

CH. DONAT Cuvée spéciale 1997*

■ 1,5 ha 6 000 ▮♦ 30 à 49 F

 Les cinq principaux cépages rouges de l'appellation - merlot, cabernet-sauvignon, braucol, syrah et duras - sont réunis dans cette Cuvée spéciale à la jolie robe grenat nuancée de reflets violacés. Le nez est d'emblée expressif et déjà animal. Il se développe sur les fruits des bois sous couvert végétal, puis décline longuement les épices. Après une attaque franche, la bouche droite et nette conserve une agréable vivacité. Elle est soutenue par des tanins fermes mais élégants.

☛ SCEA Ch. Donat, Donat, 81600 Gaillac,
tél. 05.63.57.06.88, fax 05.63.57.06.88,
e-mail glarroux@aol.com ☑ ⚕ r.-v.
☛ Larroux

DOM. D'ESCAUSSES
La Croix petite 1997★

■ 1 ha 6 000 🛢 30 à 49 F

Denis Balaran réussit cette année encore une jolie cuvée rubis intense, élevée en fût. Aux arômes boisés marqués, accompagnés de notes de poivre et de poivron vert, succède une bouche généreuse en alcool, tannique et aux arômes assez persistants. Le boisé reste dominant dans ce gaillac de bonne stature, mais encore jeune.

🔑 EARL Denis Balaran , Dom. d'Escausses, 81150 Sainte-Croix, tél. 05.63.56.80.52, fax 05.63.56.87.62 ☒ 🍷 t.l.j. 9h-19h; dim. sur r.-v.

🔑 Jean-Marc Balaran

FASCINATION 1998★★

◪ n.c. n.c. 🍾🌡 30 à 49 F

La cave de Técou vinifie le raisin de 850 ha de vignes et produit une gamme de vins de qualité aux noms charmants : Séduction, Passion... Fascination résume bien l'état d'âme de nos jurys après la dégustation de ce gaillac rosé saumoné, très brillant à l'œil. Son nez est vif et intense, riche en arômes de fruits rouges et de bonbon anglais. Haute en saveurs et parfaitement équilibrée, sa bouche se développe en rondeur. Ce vin est si gouleyant qu'on ne saurait en perdre une goutte !

🔑 Cave de Técou, 81600 Gaillac, tél. 05.63.33.00.80, fax 05.63.33.06.69, e-mail passion@cave-de-tecou.fr ☒

DOM. LA CROIX DES MARCHANDS
Blanc perlé 1998★

□ 2 ha 15 000 🍾🌡 20 à 29 F

A l'époque gallo-romaine, le site de l'actuelle Croix des marchands était le lieu de rendez-vous des potiers. Depuis, la vigne a toujours prospéré sur ce terroir de graves. Dans le millésime 98, le domaine a proposé à la dégustation un gaillac jaune pâle, limpide, animé de fines bulles. Au nez, c'est un mélange fin et agréable de senteurs florales et fruitées. Après une attaque vive, la bouche s'arrondit et les bulles se manifestent avec mesure. L'ensemble est longuement aromatique, finissant sur une note acidulée. Le **gaillac rouge 97**, élevé en fût, est également très réussi : souple, il révèle un boisé bien fondu.

🔑 J.-M. et M.-J. Bezios, av. des Potiers, 81600 Montans, tél. 05.63.57.19.71, fax 05.63.57.48.56 ☒ 🍷 t.l.j. sf dim. 9h-12h 13h30-19h

CH. DE LACROUX 1997★

■ 18 ha n.c. 🍾🌡 30 à 49 F

Rouge moyen aux nuances violines, le Château de Lacroux 97 se distingue par un nez intense de fruits rouges et noirs bien mûrs, complétés de notes de réglisse. L'attaque franche, sur le fruit, annonce une matière ample, portée par les arômes. Toujours équilibrée, la bouche s'appuie sur des tanins de bonne composition qui laissent une légère pointe d'amertume en finale.

🔑 Pierre Derrieux et Fils, Lacroux de Lincarque, 81150 Cestayrols, tél. 05.63.56.88.88, fax 05.63.56.86.18 ☒ 🍷 r.-v.

Gaillac

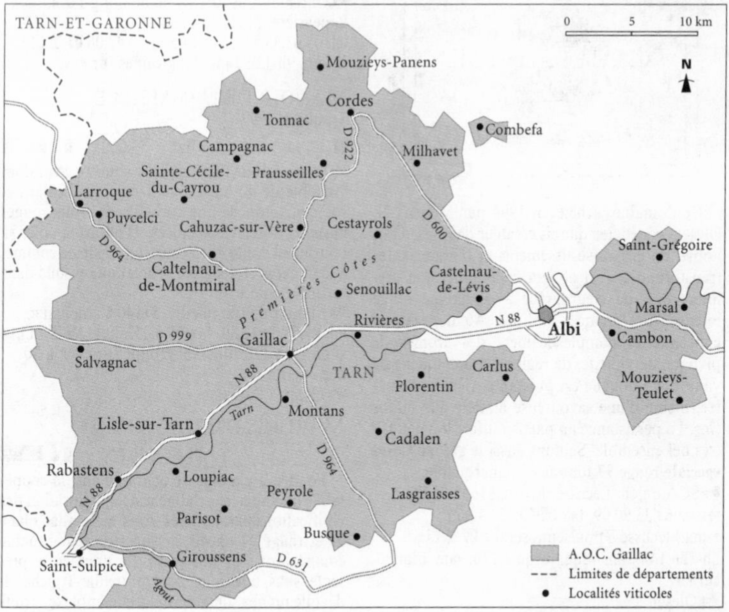

DOM. DE LARROQUE
Cuvée Privilège d'antan 1997★

■ 1 ha 7 000 ▮↓ 30 à 49 F

Après avoir séjourné deux hivers en cave, ce vin conserve une teinte rouge bien soutenue, aux nuances violettes. Le nez se concentre sur les fruits noirs et les épices plutôt corsées. Tout aussi puissante, la bouche se dessine, ample et chaleureuse. On perçoit dans sa charpente une forte présence de beaux tanins réglissés, qui perdure jusqu'en finale.
☛ Patrick Nouvel, Dom. de Larroque, 81150 Cestayrols, tél. 05.63.56.80.90, fax 05.63.56.87.40 ✅ ⊺ t.l.j. sf dim. 9h-19h

CH. LARROZE Sec 1998★

☐ 7,73 ha n.c. ▮↓ 30 à 49 F

Un 100 % sauvignon soigneusement vinifié après une phase de macération pelliculaire qui permet de préserver tous les arômes du fruit. Le nez est en effet intense, ouvert sur les fleurs, le buis, les agrumes et les fruits exotiques. Assez vive de prime abord, la bouche conserve cette ligne acidulée et reprend les arômes du nez, en plus prononcé.
☛ SARL La Colombarie, Vignobles Jean Cros, 81140 Cahuzac-sur-Vère, tél. 05.63.33.92.62, fax 05.63.33.92.49 ✅ ⊺ t.l.j. sf dim. 9h-12h 14h-18h

CH. LECUSSE
Vieilli en fût de chêne 1997★★

■ 3,5 ha 24 200 ▮⊞↓ 50 à 69 F

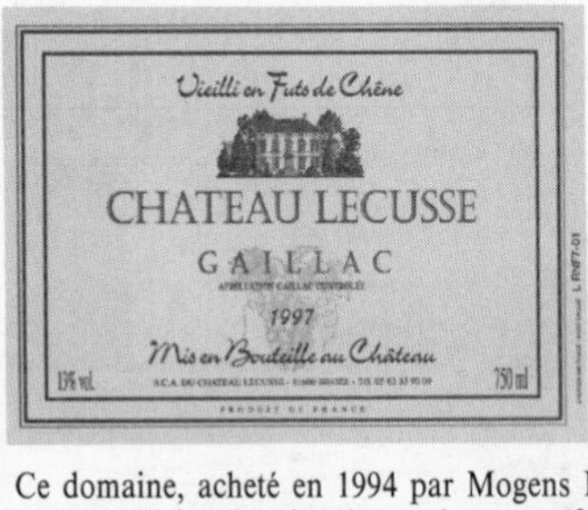

Ce domaine, acheté en 1994 par Mogens N. Olesen, généticien danois créateur de roses, a fait l'objet de gros investissements et d'importantes transformations. Il obtient cette année son premier coup de cœur grâce à ce gaillac rouge intense, aux nuances violines. Au nez, ce vin concentré et complexe libère des arômes de pivoine, de violette, de réglisse et une touche de vanille. La bouche est puissante, riche et veloutée, pleine d'une savoureuse matière aux tanins fins. La persistance au palais est fort longue. Un très bel ensemble. Saluons aussi le **gaillac Cuvée spéciale rouge 97** tout aussi remarquable.
☛ SCA du ch. Lecusse, Broze, 81600 Gaillac, tél. 05.63.33.90.09, fax 05.63.33.94.36, e-mail lecusse@poulsenoser.dlc ✅ ⊺ t.l.j. 8h-12h 14h-18h; vend. jusqu'à 17h; sam. dim. sur r.-v.
☛ Olesen

CH. LES MERITZ Cuvée Prestige 1997★

n.c. 50 000 ▮↓ 30 à 49 F

Merlot, syrah et braucol constituent cette cuvée Prestige, à la teinte rouge cerise bien soutenue. Le nez ne manque pas d'intérêt avec ses accents de sous-bois, ses notes végétales et ses arômes de fruits rouges, le tout relevé d'épices. Déjà ample à l'attaque, la bouche évolue sous un bon volume. Riche en fruits et large d'épaule, ce vin possède des tanins bien marqués qui témoignent d'un beau potentiel.
☛ Les Dom. Philippe Gayrel, 81140 Cahuzac-sur-Vère, tél. 05.63.33.91.16, fax 05.63.33.95.76 ⊺ r.-v.

CH. LES VIGNALS Sec 1998★

☐ 2 ha 13 000 ▮↓ 20 à 29 F

De belle présentation, ce gaillac blanc propose au nez une corbeille de fruits exotiques et, notamment, d'agrumes. Du fruit, toujours du fruit dans une bouche fraîche et de bonne tenue, tout en souplesse. Une agréable composition. A découvrir aussi la cuvée **L'Innocent 97** du château Les Vignals, un **gaillac brut de méthode traditionnelle** très réussi.
☛ SCEA Ch. Les Vignals, Les Vignals, 81150 Cestayrols, tél. 05.63.55.41.53, fax 05.63.53.28.18 ✅ ⊺ r.-v.

DOM. DE LONG PECH Doux 1997★

☐ 1,3 ha 2 600 ▮↓ 70 à 99 F

Voici un vin de belle facture (70 % de mauzac, 20 % de sauvignon et 10 % de len-de-l'el), qui se présente dans une robe dorée et limpide. Très fin et profond, le nez se compose essentiellement de nuances fruitées comme la pomme et le coing préparés en confitures légères. La bouche, toujours fine et aromatique, est pleine et équilibrée, sans trop de sucrosité.
☛ Christian Bastide, Dom. de Long-Pech, Lapeyrière, 81310 Lisle-sur-Tarn, tél. 05.63.33.37.22, fax 05.63.40.42.06 ✅ ⊺ t.l.j. sf dim. 9h-12h 14h-19h; groupes sur r.-v.

MANOIR DE L'EMMEILLE
Tradition 1997

■ 9 ha 55 000 ▮↓ 30 à 49 F

Le manoir de l'Emmeillé se situe au cœur d'un vignoble de 40 ha. Ce gaillac rouge, brillant et soutenu, propose une corbeille de fruits rouges macérés et relevés d'épices. D'abord souple, sa bouche est svelte, bien construite. Elle ne commet aucun excès et demeure aromatique jusque dans sa finale épicée.
☛ Manoir de l'Emmeillé, 81140 Campagnac, tél. 05.63.33.12.80, fax 05.63.33.20.11 ⊺ t.l.j. sf dim. 8h-12h 14h-19h; groupe sur r.-v.; f. 20 déc.-4 jan.
☛ Charles Poussou

MARQUIS D'ORIAC Sec 1998★★

☐ 30 ha 150 000 ▮↓ 20 à 29 F

Fondée il y a plus de quarante ans, la coopérative de Rabastens s'attache à l'amélioration des vinifications particulières. Ainsi ses gaillac blanc 98 et **rouge 97** ont-ils été jugés de remarquable composition par nos jurys. Le premier se présente sous une jolie couleur paille fraîche. Il dévoile un nez soutenu, riche et complexe : fruits à chair blanche, agrumes rehaussés de nuances florales. La bouche, parfaitement équilibrée, évolue en rondeur, tandis que les arômes se prolongent dans une finale agréablement acidulée.

☞ Cave de Rabastens, 33, rte d'Albi, 81800 Rabastens, tél. 05.63.33.73.80, fax 05.63.33.85.82 ☙ r.-v.

DOM. DU MAS PIGNOU
Sec Cuvée Mélanie 1998★

| ☐ | 3 ha | 11 000 | ☷♨ | 30 à 49 F |

Len-de-l'el et sauvignon sont assemblés dans cette cuvée brillante, teintée de jaune et de vert. Le nez agréable et racé, longuement fruité et délicatement floral, invite à poursuivre la dégustation en bouche. Après une attaque fraîche, la matière apparaît grasse et aromatique, bien équilibrée par le support acide. Un bel ensemble.

☞ Jacques et Bernard Auque, Dom. du Mas Pignou, 81600 Gaillac, tél. 05.63.33.18.52, fax 05.63.33.11.58 ☑ ☙ t.l.j. sf dim. 9h-12h 14h-19h

CH. DE MAYRAGUES Doux 1997★★

| ☐ | 2,76 ha | 3 200 | ◫ | 50 à 69 F |

Alan Geddes, d'origine écossaise, a consacré de nombreuses années à la restauration du domaine comme du château fortifié du XVIᵉs. qui le commande. Son gaillac doux ravit nos lecteurs depuis déjà trois millésimes. Dans le 97, la belle robe or paille met en valeur de jolies jambes. Son nez bien concentré traduit la surmaturation par des nuances d'agrumes confits et de fruits secs. Plus délicat, il s'oriente ensuite vers les fleurs blanches. L'harmonie n'est jamais rompue au palais : sphérique, pleine et suave, la bouche conserve une bonne fraîcheur et de nombreux arômes jusqu'en finale.

☞ Alan et Laurence Geddes, Ch. de Mayragues, 81140 Castelnau-de-Montmiral, tél. 05.63.33.94.08, fax 05.63.33.98.10 ☑ ☙ t.l.j. 8h30-13h 14h-19h30

CH. MONTELS Cuvée Prestige 1996★★

| ■ | 2 ha | 10 000 | ☷♨ | 30 à 49 F |

Deux vins remarquables ont été présentés par le château Montels : un **gaillac blanc sec 97 élevé en fût** et ce rouge composé à parts égales de fer-servadou et de cabernet-sauvignon macérés pendant trois semaines. Ce dernier, d'un rouge sombre très profond, surprend par la fraîcheur de ses arômes floraux et sa note mentholée. Il évolue ensuite vers les fruits rouges macérés.Cette fraîcheur réapparaît dans une bouche ample et harmonieuse, structurée par des tanins de qualité. Un joli vin.

☞ Bruno Montels, Burgal, 81170 Souel, tél. 05.63.56.01.28, fax 05.63.56.15.46 ☑ ☙ t.l.j. 9h30-12h30 14h-19h30

CH. MOUSSENS 1997★

| ■ | 2 ha | 6 000 | ☷♨ | 30 à 49 F |

Cette propriété, restée familiale depuis la Révolution, propose des vins bien typés, tel ce gaillac rouge 97 à base de braucol, de syrah et de merlot. À l'œil, la teinte tire vers le tuilé, signe incontestable d'un début d'évolution. Le nez offre un modeste menu de fruits rouges bien mûrs et d'épices douces. Plus généreuse, la bou-

che est chaude, bien ronde et de belle ampleur. Ses arômes de fruits écrasés persistent longuement.

☞ Alain Monestié, Moussens, 81150 Cestayrols, tél. 05.63.56.86.60, fax 05.63.56.86.60 ☑ ☙ t.l.j. sf dim. 8h-12h 14h-20h

DOM. DES PARISES
Loin de l'Œil Doux 1997★★

| ☐ | 1,3 ha | 4 100 | ☷♨ | 30 à 49 F |

Coup de cœur l'an passé, le gaillac doux du domaine des Parises, issu à 100 % du len-de-l'el (loin de l'œil), s'avère remarquable dans le millésime 97. D'un joli jaune serin aux nuances dorées, il laisse s'échapper des notes confites bien marquées et intenses (écorce d'orange et raisins secs). La vivacité perçue à l'attaque est relayée par une agréable sucrosité. L'ensemble, de bonne tenue, possède beaucoup de gras et de beaux arômes.

☞ SCEV Arnaud, rue de la Mairie, 81150 Lagrave, tél. 05.63.41.78.63, fax 05.63.41.78.63 ☑ ☙ t.l.j. 8h-12h 14h-18h
☞ Jean Arnaud

PERLE D'AMOUR Sec 1998★

| ☐ | 10 ha | 70 000 | ☷♨ | 30 à 49 F |

La cave de Labastide-de-Lévis produit tous les types de vins autorisés en appellation d'origine gaillac. La marque Perle d'Amour a été créée en 1998 pour célébrer la Saint-Valentin. La perle de ce vin blanc tranquille est fine, sur fond nuancé de vert. Intense, franchement fruité et amylique (banane), le nez laisse place à une bouche fraîche et puissamment aromatique, dont le perlant est très plaisant. Un gaillac parfaitement maîtrisé.

☞ Cave de Labastide-de-Lévis, 81150 Marssac-sur-Tarn, tél. 05.63.53.73.73, fax 05.63.53.73.74 ☑ ☙ r.-v.

PEYRES-COMBE Doux 1997★

| ☐ | 1,25 ha | 3 000 | ☷♨ | 30 à 49 F |

Desherbage mécanique, engrais organique... Ici, on privilégie les pratiques culturales respectueuses du terroir. Et c'est tout bénéfice pour ce vin de pur mauzac, cépage blanc chéri de l'appellation. Jaune paille, vif, celui-ci décline en finesse les arômes floraux, évoquant le miel d'acacia. La bouche, à la fois puissante et délicate, équilibrée et ample, aromatique, est très agréable.

☞ GAEC de Peyres-Combe, 81140 Andillac, tél. 05.63.33.94.67, fax 05.63.33.94.67 ☑ ☙ r.-v.
☞ Brureau-Marty

CH. DE RHODES 1997

| ■ | 6,5 ha | 11 000 | ☷♨ | 30 à 49 F |

Sur le circuit des bastides, le château de Rhodes est plus connu pour l'élaboration de vins effervescents. Pourtant, ses autres produits ne manquent pas d'intérêt, comme en témoigne ce vin rouge à la belle robe rubis et aux nuances brique. Au nez, celui-ci livre intensément des senteurs épicées de poivre et de genièvre, accompagnées de notes de pruneau et de cerise à l'eau-de-vie. Souple à l'attaque, la bouche se fait plus discrète mais reprend les arômes de fruits macérés. Sa structure est légère et souple.

SUD-OUEST

🔑 Assié, EARL Ch. de Rhodes, Boissel, 81600 Gaillac, tél. 05.63.57.06.07, fax 05.63.57.66.63 ☑ Y t.l.j. 8h-12h30 14h-19h; groupes sur r.-v.

DOM. RENE RIEUX
Concerto Elevé en fût de chêne 1997★★

■ 3 ha 5 800 30 à 49 F

Un concerto parfaitement interprété, orchestré par l'œnologue du CAT de Boissel, M. Papaïx. La syrah, le braucol, le cabernet-sauvignon et le merlot entrent dans la formation. Voici donc un gaillac rubis foncé, dont le gras est déjà perceptible à l'œil. Le nez, tout en finesse et complexité, marie les senteurs de fruits en confiture et de fleurs à un riche boisé. Ample et volumineuse, la bouche développe son fruit autour d'une structure puissante de tanins au grain soyeux. On joue là sur du velours.

🔑 CAT Boissel-Dom. René Rieux, hameau de Boissel, rte de Cordes, 81600 Gaillac, tél. 05.63.57.29.29, fax 05.63.57.51.71 ☑ Y t.l.j. sf dim. 8h-12h 14h-18h

DOM. ROTIER Doux Renaissance 1997★★

□ 4,5 ha 12 000 70 à 99 F

Toujours aussi talentueux, Alain Rotier compte parmi les meilleurs producteurs de gaillac doux dans le millésime 97. Cette cuvée Renaissance, avec 135 g/l de sucres résiduels, est un vin liquoreux. Un véritable lingot d'or se forme dans le verre au versement, brillant de mille reflets. Puis une large palette de fruits exotiques confits et de marc de raisin se dessine. La bouche, grasse et capiteuse, offre une liqueur aromatique qui persiste sous des nuances de miel et d'épices. Un vin très gourmand.

🔑 Dom. Rotier, Petit Nareye, 81600 Cadalen, tél. 05.63.41.75.14, fax 05.63.41.54.56 ☑ Y t.l.j. sf dim. 8h-12h 14h-19h

🔑 Alain Rotier et Francis Marre

CH. DE SAURS 1998★★

◪ 1,8 ha 12 500 20 à 29 F

Ce joli rosé de pure syrah a été obtenu par pressurage direct du raisin. Il affiche une robe rose clair, légèrement saumoné, puis libère un nez assez intense, caractérisé par des arômes de bonbons aux fruits. Bâtie sur une dorsale vive, la bouche évolue en rondeur et dévoile son gras. Plutôt corsée, elle révèle toutefois une indéniable fraîcheur en proposant un retour sur le fruité avec des notes de banane. Un vin enjôleur.

🔑 Marie-Paule Burrus, Ch. de Saurs, 81310 Lisle-sur-Tarn, tél. 05.63.57.09.79, fax 05.63.57.09.79, e-mail chateau-de-saurs@epicuria.fr ☑ Y r.-v.

CH. DE TAUZIES Sec 1998★

□ n.c. 9 000 20 à 29 F

Les cépages locaux mauzac et loin de l'œil s'associent au sauvignon pour composer ce vin de couleur pâle à reflets verts. Moyennement intense, le nez n'en est pas moins complexe avec ses notes plutôt marquées agrumes. La matière, fraîche, ne manque pas de gras et demeure très aromatique d'un bout à l'autre de la dégustation en bouche.

🔑 Ch. de Tauziès, rte de Cordes, 81600 Gaillac, tél. 05.63.57.06.06, fax 05.63.41.01.92 ☑ Y t.l.j. sf dim. 8h-12h 14h-18h

🔑 Mouly

DOM. DES TERRISSES
Méthode gaillacoise Cuvée Saint-Laurent 1998★★

○ 1 ha 5 000 50 à 69 F

Un gaillac effervescent jaune clair aux bulles volcaniques... Le nez, montant et complexe, livre des arômes de pomme et de fruits confits, soulignés d'une touche de miel. La bouche est bien équilibrée, douce mais jamais pâteuse. Ses arômes harmonieux témoignent de la bonne maturité du raisin. Nos dégustateurs ont aimé ! Ne manquez pas de découvrir aussi le **gaillac blanc sec 98 vieilli en fût** de ce domaine.

🔑 Brigitte et Alain Cazottes, Dom. des Terrisses, 81600 Gaillac, tél. 05.63.57.16.80, fax 05.63.41.05.87, e-mail domaine.des.terrisses@wanadoo.fr ☑ Y t.l.j. sf dim. 9h-12h 14h-18h

DOM. DE VAYSSETTE 1997★★

■ 5 ha 12 000 30 à 49 F

Ce domaine a obtenu de nombreux coups de cœur pour ses gaillac doux dans les éditions précédentes du Guide. Dans le millésime **97**, son **gaillac doux vendangé par tries** est d'ailleurs une fois encore remarquable. Mais c'est le gaillac rouge qui remporte aujourd'hui tous les suffrages et fait chavirer les cœurs. Grenat pourpre et intense, il possède un nez très expressif et concentré où se mêlent la violette et le cassis, le kirsch et la myrtille, et bien d'autres notes encore. La bouche, puissante, toute ronde, offre une superbe matière riche et veloutée. Sans rien modifier de l'équilibre, la finale se prolonge sur des tanins d'une grande finesse. Un régal !

🔑 GAEC Dom. de Vayssette, Laborie, 81600 Gaillac, tél. 05.63.57.31.95, fax 05.63.81.56.84 ☑ Y t.l.j. 9h-12h 14h-19h

CH. VIGNE-LOURAC
Doux Vieilles vignes 1997★★

□ n.c. 20 000 30 à 49 F

Voici une remarquable réussite pour ce domaine plus souvent distingué pour ses vins rouges que pour ses vins blancs moelleux. La robe de ce Vieilles vignes 97 a la couleur de la paille fraîchement coupée, animée de reflets verts. Le nez délicat mêle les senteurs d'abricot, d'amande grillée et d'agrumes confits. Plénitude, suavité et onctuosité définissent un palais équi-

libré, sans aucune lourdeur. La finale, aromatique, s'effile longuement.

☛ Alain Gayrel, 81140 Cahuzac-sur-Vère, tél. 05.63.81.21.05, fax 05.63.81.21.09

VIN D'AUTAN DE ROBERT PLAGEOLES ET FILS Doux 1997★★★

☐	3 ha	2 500	▮	300 à 499 F

Les Plageoles ont une passion pour les cépages ancestraux et font naître de leurs raisins des vins originaux, tel ce vin d'Autan de pur ondenc qui n'en est pas à son premier coup de cœur. Ce vin d'anthologie (238 g/l de sucres résiduels) porte un drapé d'une couleur vieil or, profonde et soutenue, qui souligne de longues jambes. Le nez, d'une rare puissance, révèle un bouquet racé : confiture de pommes, de coings et d'abricots, miel. La bouche évoque une corbeille de fruits confits et de pain d'épice. D'une harmonie parfaite et d'une longueur infinie, c'est une œuvre magistrale !

☛ Les vins de Robert Plageoles et Fils, Dom. des Très-Cantous, 81140 Cahuzac-sur-Vère, tél. 05.63.33.90.40, fax 05.63.33.95.64 ☑ ⵅ t.l.j. 8h-12h 14h-19h; dim. sur r.-v.

Buzet

Connu depuis le Moyen Age comme partie intégrante du haut-pays bordelais, le vignoble de Buzet s'étageait entre Agen et Marmande. D'origine monastique, il a été développé par les bourgeois d'Agen. Réduit à l'état de souvenir après la crise phylloxérique, il est devenu à partir de 1956 le symbole de la renaissance du vignoble du haut-pays. Deux hommes, Jean Mermillod et Jean Combabessouse, ont présidé à ce renouveau, qui a dû aussi beaucoup à la Cave coopérative des Producteurs réunis, laquelle élève toute sa production en barriques régulièrement renouvelées. Ce vignoble s'étend aujourd'hui entre Damazan et Sainte-Colombe, sur les premiers coteaux de la Garonne ; il irrigue les villes touristiques de Nérac et Barbaste.

L'alternance de boulbènes, de sols graveleux et argilo-calcaires permet d'obtenir des vins à la fois variés et typés. Les rouges, puissants, profonds, charnus et soyeux, rivalisent avec certains de leurs voisins girondins. Ils s'accordent à merveille avec la gastronomie locale : magret, confit et lapin aux pruneaux. Le buzet est rouge par tradition, mais blancs et rosés complètent une palette consacrée aux harmonies pourpres, grenat et vermillon.

LES VIGNERONS DE BUZET Grande Réserve 1996★★★

▮	32 ha	83 000	▮ ◖▯	150 à 199 F

Ce buzet obtient une note exceptionnelle, car sa richesse et sa complexité en font un vin difficile à apprécier aujourd'hui, mais destiné à un grand avenir. Fruits mûrs, fruits confits, pruneau et bien entendu vanille et grillé forment un nez intense et complexe. Le volume et le gras sont impressionnants en bouche où l'on trouve beaucoup de profondeur et de complexité. Une belle harmonie de notes suaves et savoureuses. Il faudra avoir la patience de l'attendre au minimum cinq ans. On appréciera par ailleurs, la **cuvée Jean-Marie Hébrard 96**, baptisée en hommage au directeur disparu accidentellement, ainsi que la **cuvée Excellence 98 en rosé**.

☛ Les Vignerons de Buzet, B.P. 17, 47160 Buzet-sur-Baïse, tél. 05.53.84.74.30, fax 05.53.84.74.24, e-mail buzet@gci-sa.fr ☑ ⵅ t.l.j. sf dim. 9h-12h30 14h-18h30

CH. DU FRANDAT Cuvée Privilège 1997★

▮	2 ha	12 000	◖▯	30 à 49 F

C'est une cuvée intéressante que l'élevage en fût ne met pas pleinement en valeur aujourd'hui. Le nez est agréable, complexe, très vanillé et torréfié. La matière est riche avec des notes de café et de cacao. Les tanins sont soutenus et fins mais manquent encore un peu de souplesse. Devrait se bonifier avec le temps.

☛ Patrice Sterlin, Ch. du Frandat, 47600 Nérac, tél. 05.53.65.23.83, fax 05.53.97.05.77 ☑ ⵅ t.l.j. sf dim. 10h-12h 14h-18h; f. janv.

CH. DE GACHE 1997★★

▮	18 ha	62 904	▮ ◖	30 à 49 F

La majesté de la bâtisse et des anciens chais témoigne d'un passé viticole riche. Le nez de ce 97 est fait de fruits mûrs mais aussi de cuir, de sous-bois, presque animal, un peu sauvage. Ample et long en bouche, avec de la mâche et une belle expression finale, ce vin a beaucoup de densité et de présence ! Généreux, il est à boire sans trop attendre.

☛ Les Vignerons de Buzet, B.P. 17, 47160 Buzet-sur-Baïse, tél. 05.53.84.74.30, fax 05.53.84.74.24, e-mail buzet@gci-sa.fr ⵅ t.l.j. sf dim. 9h-12h30 14h-18h30

☛ J. de Royer

CH. DE GUEYZE 1996★

■ 78 ha 236 000 🖫 ⬛ 50 à 69 F

On peut noter que, entre autres, trente journalistes du monde du vin possèdent des parts dans ce magnifique vignoble de près de 80 ha. 20 % de merlot accompagnent les deux cabernets à parts égales. Le nez complexe de ce 96 mêle des notes boisées vanillées, avec des arômes de cuir et de havane. Le fruit mûr s'exprime à l'agitation. Après une attaque souple, fruitée et vanillée, les tanins denses mais bien enrobés tapissent le palais. Un vin puissant, au caractère gascon, qui se bonifiera avec le temps.
🍷 Les Vignerons de Buzet, B.P. 17,
47160 Buzet-sur-Baïse, tél. 05.53.84.74.30,
fax 05.53.84.74.24, e-mail buzet@gci-sa.fr
☑ 🍷 t.l.j. sf dim. 9h-12h30 14h-18h30

CH. GUILLAMBOIS 1997★

■ 28 ha 102 168 🖫 ⬛ 30 à 49 F

« Guillambois » signifie la clairière dans la forêt, ce qui est en partie vrai pour ce vignoble. Ce 97 assemble 40 % de merlot à 32 % de cabernet franc et à 28 % de cabernet sauvignon. Le nez révèle des notes épicées et aussi animales. La bouche est ample et ronde mais les tanins manquent un peu de puissance comme beaucoup de 97. Un vin léger et gouleyant que l'on appréciera plutôt en entrée sur la charcuterie.
🍷 Les Vignerons de Buzet, B.P. 17,
47160 Buzet-sur-Baïse, tél. 05.53.84.74.30,
fax 05.53.84.74.24, e-mail buzet@gci-sa.fr
🍷 t.l.j. sf dim. 9h-12h30 14h-18h30
🍷 Philippe Labat

DOM. DE LA CROIX 1997★

■ 55 ha 160 000 🖫 ⬛ 30 à 49 F

Le nom du domaine vient de celui du lieu-dit, La Croix basque. Le nez est tout en légèreté avec des notes florales. En bouche, le fruité et la rondeur reposent sur une structure tannique de bonne ampleur. Equilibre et finesse définissent ce vin déjà prêt à boire.
🍷 Les Vignerons de Buzet, B.P. 17,
47160 Buzet-sur-Baïse, tél. 05.53.84.74.30,
fax 05.53.84.74.24, e-mail buzet@gci-sa.fr
🍷 t.l.j. sf dim. 9h-12h30 14h-18h30
🍷 P. Pozzoli

MARQUIS DU GREZ
Sélection Vieilles vignes 1996★★

■ 350 ha 710 000 🖫 ⬛ 30 à 49 F

Issue d'une sélection au terroir rigoureuse, cette cuvée est l'une des plus importantes de la coopérative de Buzet puisqu'elle représente 710 000 bouteilles. Le nez est un festival de senteurs parmi lesquelles on reconnaît le cassis, la mûre, la griotte ainsi que des notes de chocolat, de cuir avec bien entendu des notes vanillées et boisées. La structure tannique est impressionnante : c'est à la fois dense et racé, charpenté et élégant, charnu et savoureux. Un vin puissant et distingué qui dispose d'un énorme potentiel de vieillissement.
🍷 Les Vignerons de Buzet, B.P. 17,
47160 Buzet-sur-Baïse, tél. 05.53.84.74.30,
fax 05.53.84.74.24, e-mail buzet@gci-sa.fr
🍷 t.l.j. sf dim. 9h-12h30 14h-18h30

CH. SAUVAGNERES
Elevé en fût de chêne 1997★★

■ 1 ha 8 000 ⬛ 30 à 49 F

De nouveau la cuvée élevée en fût de chêne a obtenu une étoile de plus que la **cuvée classique 97** mais les deux vins sont intéressants. Celui-ci offre beaucoup de fruits rouges au nez avec un boisé bien présent. La bouche confirme le nez bien que le fruit soit encore un peu masqué par le bois. La matière tannique, puissante et agréable, est très prometteuse pour les deux années à venir.
🍷 Bernard Therasse, Sauvagnères,
47310 Sainte-Colombe-en-Bruilhois,
tél. 05.53.67.20.23, fax 05.53.67.20.86 ☑ 🍷 r.-v.
🍷 Jacques Therasse

Côtes du frontonnais

Vin des Toulousains, le côtes du frontonnais provient d'un très ancien vignoble, autrefois propriété des chevaliers de l'ordre de Saint-Jean-de-Jérusalem. Lors du siège de Montauban, Louis XIII et Richelieu se livrèrent à force dégustations comparatives... Reconstitué grâce à la création des coopératives de Fronton et de Villaudric, le vignoble a conservé un encépagement original avec la négrette, cépage local que l'on retrouve à Gaillac ; lui sont associés le cot, le cabernet franc et le cabernet-sauvignon, la syrah, le gamay, et le mauzac.

Le terroir occupe sur près de 2 000 ha les trois terrasses du Tarn, avec des sols de boulbènes, graves ou rougets. Les vins rouges, à forte proportion de cabernet, gamay ou syrah, sont légers, fruités et aromatiques. Les vins les plus riches en négrette sont plus puissants, tanniques, dotés d'un fort parfum de terroir. Les vins rosés sont francs, vifs, avec un agréable fruité. La production est de l'ordre de 80 000 hl.

CH. BAUDARE 1997*

■ 13 ha 100 000 ▮🌡 20 à 29 F

Installé sur cette propriété en 1966, Claude Vigouroux, vigneron passionné, a pu créer petit à petit son propre domaine. Celui-ci compte aujourd'hui 25 ha. Son 97 présente une robe d'intensité moyenne, rouge rubis à reflets brillants. Plus soutenu, assez complexe, le nez mêle fruits, épices et notes fumées. Après une attaque vive, on découvre une bouche de bonne tenue, équilibrée, plutôt ronde, d'une structure correcte enveloppée par le fruit. Malgré une finale un peu austère, ce vin constitue une belle expression de l'appellation.

Claude Vigouroux, 82370 Labastide-Saint-Pierre, tél. 05.63.30.51.33, fax 05.63.64.07.24 ☑ 𝐈 r.-v.

CH. BELLEVUE LA FORET 1997*

■ 82 ha 600 000 ▮🌡 30 à 49 F

Régulièrement présent dans le Guide, ce domaine de 138 ha a acquis une solide réputation grâce à une production importante et de qualité. Ce 97 est issu à 50 % de négrette, complétée par les deux cabernets et la syrah. Sa robe violine, bien dense, a de jolis reflets. Son nez intense distille des senteurs de fruits mûrs et d'épices macérées dans l'alcool, ainsi qu'une note végétale plus fraîche. Après une attaque franche, la bouche ronde révèle un bon volume, du gras et des tanins enrobés. Un vin bien fait.

Ch. Bellevue la Forêt, 4500, av. de Grisolles, 31620 Fronton, tél. 05.61.82.43.21, fax 05.61.82.39.70, e-mail chateau.bellevue@wanadoo.fr ☑ 𝐈 r.-v.

Patrick Germain

CH. BOUISSEL 1997

■ 2 ha 15 000 ▮🌡 30 à 49 F

Situé sur une ancienne terrasse du Tarn, à l'emplacement d'un site préhistorique de taille de pierre, ce domaine souvent remarqué réapparaît dans notre Guide avec ce 97 d'un rouge profond de cerise noire. Le nez assez simple est néanmoins agréable par ses senteurs de petits fruits rouges et d'épices et sa note fumée. L'attaque se montre douce ; la bouche, à la fois chaleureuse et acidulée, laisse une bonne impression générale malgré des tanins un peu austères en finale.

EARL Pierre Selle, Ch. Bouissel, 82370 Campsas, tél. 05.63.30.10.49, fax 05.63.64.01.22 ☑ 𝐈 t.l.j. sf dim. 9h30-12h30 14h-19h30

CH. CAHUZAC

Fleuron de Guillaume Elevé en fût de chêne 1997*

■ 6,85 ha 32 000 ▮🛢🌡 30 à 49 F

Ce domaine dynamique de 68 ha a plus de deux siècles d'existence. Elevée six mois en fût, sa cuvée Fleuron de Guillaume s'annonce par une robe nette et colorée à nuances violines. Moyennement intense, le nez exprime les fruits noirs ; le boisé apporte son accent d'épices douces. Toujours fruitée, la bouche apparaît souple à l'attaque puis se fait plus vive pour finir sur une note plus austère, légèrement amère. Un côtes du frontonnais assez typé.

EARL de Cahuzac, Les Peyronnets, 82170 Fabas, tél. 05.63.64.10.18, fax 05.63.67.36.97 ☑ 𝐈 r.-v.

Ferran Père et Fils

CH. CLOS-MIGNON 1997

■ 33,7 ha 70 000 ▮🌡 20 à 29 F

Ce vaste domaine (100 ha), détenu par la famille Muzart depuis 1955, propose un 97 d'un rouge intense, au nez à l'expression d'abord animale, viandée, puis nettement épicée. L'attaque est franche, la bouche fraîche, gouleyante, souple et légère. « Sympathique », conclut un dégustateur.

GAEC du Cap de l'Homme, Ch. Clos-Mignon, 31620 Villeneuve-les-Bouloc, tél. 05.61.82.10.89, fax 05.61.82.99.14, e-mail omuzart@aol.com ☑ 𝐈 r.-v.

Muzart

COMTE DE NEGRET Excellence 1998*

◩ n.c. 165 000 ▮🌡 - de 20 F

La cuvée Excellence de la Cave de Fronton mérite bien son nom, car elle recueille souvent beaucoup d'éloges dans le Guide. Le rosé 98 affiche une robe brillante, d'un rose intense, un nez plaisant, ouvert, qui évoque quelque friandise. L'attaque tout en douceur amorce une montée aromatique et une bouche rafraîchissante, grasse et sur un très bon équilibre. Un ensemble agréable.

Cave de Fronton, av. des Vignerons, 31620 Fronton, tél. 05.62.79.97.79, fax 05.62.79.97.70 ☑ 𝐈 r.-v.

CH. COUTINEL 1998*

◩ 2,2 ha 12 000 ▮ 20 à 29 F

Jean-Claude Arbeau exploite 42 ha de vignes. Issu de boulbènes sablonneuses et obtenu par saignée, son rosé réunit plusieurs cépages de l'appellation (négrette 60 %, complétée par de la syrah et du cot). Parfaitement limpide, la robe est d'un rose saumoné. Le nez est intense, frais et fruité avec un côté bonbon anglais. La bouche se montre tonique, gourmande et persistante. Un ensemble agréable.

Jean-Claude Arbeau, 82370 Labastide-Saint-Pierre, tél. 05.63.64.01.80, fax 05.63.30.11.42, e-mail arbeau@wanadoo.fr ☑ 𝐈 r.-v.

CH. FERRAN 1997*

■ n.c. 100 000 20 à 29 F

Nicolas Gélis, propriétaire de ce domaine de 24 ha, vient d'acquérir, dans la même appellation, le château de Montauriol, d'excellente réputation. Son Château Ferran présente une robe brillante à nuances évoluées. Ouvert et assez complexe, le nez associe des notes animales, fruitées et épicées. La bouche vive, à la structure légère et aux arômes agréables, est de bonne tenue, malgré des tanins un peu austères en finale. Un bon représentant de l'appellation, comme le **rosé 98**, cité par le jury.

Nicolas Gélis, Ch. Ferran, 31620 Fronton, tél. 05.61.82.39.23, fax 05.61.82.39.23 ☑ 𝐈 r.-v.

SUD-OUEST

CH. JOLIET 1998

◢ 4 ha 20 000 ▮ 20 à 29 F

La robe délicate, légèrement perlante, évoque la rose ou les murs de brique de la ferme typiquement toulousaine d'où provient ce rosé. Le nez est fin, tout en douceur, à la fois floral et fruité. La bouche ronde, aromatique, est soutenue par une fraîcheur acidulée et un peu de gaz carbonique. Un vin plaisant, d'un joli fruité.
☞ François Daubert, Dom. de Joliet,
31620 Fronton, tél. 05.61.82.46.02,
fax 05.61.82.34.56 ☑ ▼ r.-v.

CH. LA COLOMBIERE
Villaudric Vin gris Baron de D 1998★

◢ 3 ha n.c. 30 à 49 F

Ce domaine dépendait jadis de l'abbaye de la Daurade à Toulouse. Il propose de jolis rosés, comme celui-ci, limpide et brillant, d'un rose presque « fluo ». Le nez, fort agréable et de bonne intensité, décline le bonbon anglais, la cerise, la banane et les agrumes. L'attaque est franche ; la bouche vive, bien équilibrée, monte en puissance pour finir sur une plaisante gamme de fruits acidulés.
☞ SCEA Baron François de Driesen,
Ch. La Colombière, 31620 Villaudric,
tél. 05.61.82.44.05, fax 05.61.82.57.56,
e-mail fdedriesen@aol.com ☑ ▼ t.l.j. sf dim. j.f.
9h-12h 14h-18h

CH. LE ROC Cuvée Don Quichotte 1997★★

■ n.c. 7 000 ◨ 50 à 69 F

Régulièrement présent dans le Guide, souvent aux meilleures places, ce jeune vigneron œnologue persévère dans son art et signe cette belle cuvée à la gloire de Don Quichotte. La robe cerise burlat soutenu a été très remarquée. Intense, tout en finesse, le nez est composé de réglisse et de violette ; il conserve sa typicité sous un boisé discret. L'attaque est souple ; la bouche fringante, tout en nuances et d'une parfaite harmonie, distille ses arômes fruités et floraux dans une finale persistante.
☞ GAEC Ribes, Dom. Le Roc, 31620 Fronton,
tél. 05.61.82.93.90, fax 05.61.82.72.38 ☑ ▼ t.l.j.
sf dim. 10h-12h 14h-18h

CH. PLAISANCE 1997★

■ 17 ha 80 000 ▮↓ 30 à 49 F

Installé sur l'exploitation familiale en 1991, Marc Penavayre, ingénieur agronome, l'a modernisée et considérablement agrandie puisque le vignoble est passé de 7 ha à 23 ha. Son 97 rouge possède une belle robe cerise à nuances violettes. Très typé par la négrette, le nez livre des notes de réglisse et d'épices, assorties d'une pointe végétale plus caractéristique du cabernet. L'attaque est souple et soyeuse, la bouche, d'une bonne harmonie, ronde, richement fruitée et suffisamment structurée. Un vin de qualité.
☞ EARL de Plaisance, pl. de la Mairie,
31340 Vacquiers, tél. 05.61.84.97.41,
fax 05.61.84.11.26 ☑ ▼ r.-v.
☞ Penavayre

CH. VIGUERIE DE BEULAYGUE 1997★★★

■ 5,64 ha 4 000 20 à 29 F

Cette petite propriété familiale fait une entrée très remarquée dans le Guide avec ce vin de négrette (50 %), syrah et cabernet, paré d'une robe profonde au disque brillant et aux reflets violines. Très plaisant, le nez frais, complexe et persistant, allie fruits rouges, réglisse et poivre blanc. La bouche est parfaitement équilibrée et d'une bonne ampleur. Tout en rondeur et plein d'arômes, un fronton séducteur.
☞ Jeanine Faure, Beulaygues, chem. de Bonneval, 82370 Labastide-Saint-Pierre,
tél. 05.63.30.54.72, fax 05.63.30.54.72 ☑ ▼ r.-v.

VILLEROSE 1998

◢ 3 ha 18 000 ▮ 20 à 29 F

La robe d'un rose bonbon est parcourue de quelques perles. Le nez, frais, bien fruité, a conservé des arômes fermentaires (banane et fruits rouges). Après une attaque ronde, la bouche développe de jolis arômes sur fond de gras relevé d'une pointe d'acidité. Un rosé bien agréable.
☞ SA Arbeau, 6, rue Demages, B.P. 1,
82370 Labastide-Saint-Pierre, tél. 05.63.64.01.80,
fax 05.63.30.11.42, e-mail arbeau@wanadoo.fr
☑ ▼ r.-v.

Lavilledieu AOVDQS

Au nord du frontonnais, sur les terrasses du Tarn et de la Garonne, le petit vignoble de Lavilledieu couvre environ 150 ha et produit des vins rouges et rosés. La production, classée en AOVDQS, est encore très confidentielle. La négrette (30 %), le cabernet franc, le gamay, la syrah et le tannat sont les cépages autorisés.

CUVEE DES CAPITOULS 1997★

■ 15 ha 80 000 ▮↓ 20 à 29 F

Des assemblages de plusieurs cépages - la négrette et le tannat du Sud-Ouest, le gamay, le cabernet franc et la syrah - sont à l'origine des différentes cuvées élaborées par la Cave de La Ville-Dieu-du-Temple. Celle-ci séduit par sa robe rouge profond à reflets violets et son nez typé, marqué par les épices, la violette et les fruits rouges. La bouche n'est pas en reste : homogène et équilibrée, elle présente des saveurs agréables et une finale persistante, fraîche et légère. Une étoile également pour la **cuvée des Templiers rouge 97**.
☞ Cave de La Ville-Dieu-du-Temple, 82290 La Ville-Dieu-du-Temple, tél. 05.63.31.60.05,
fax 05.63.31.69.11 ☑ ▼ r.-v.

Côtes du brulhois AOVDQS

Passés de la catégorie des vins de pays à celle des AOVDQS en novembre 1984, ces vins sont produits de part et d'autre de la Garonne, autour de la petite ville de Layrac, dans les départements du Lot-et-Garonne et du Tarn-et-Garonne sur une superficie d'environ 200 ha. Essentiellement rouges, ils sont issus des cépages bordelais et des cépages locaux tannat et cot. La majeure partie de la production est assurée par deux caves coopératives.

CARRELOT DES AMANTS 1997

■ 50 ha 400 000 ▮ 🌡 **20 à 29 F**

Dans un carrelot (ruelle, en occitan) de Dunes, la reine Margot aurait rencontré Philippe de Balzac, d'où le nom de cette cuvée en robe cerise burlat à nuances brique. Au nez, ce 97 apparaît fruité et épicé, avec une note de tabac. Souple en attaque, il révèle en bouche des arômes évolués et une structure tannique un peu austère en finale. Un vin chaleureux que l'on peut déjà boire.

🔑 Vignerons du Brulhois, 82340 Dunes,
tél. 05.63.39.91.92, fax 05.63.39.82.83 🍷 t.l.j. sf dim. lun. 8h-12h 14h-18h

CH. GRAND CHENE Prestige 1996★★

■ 10 ha 35 000 ◍ **30 à 49 F**

Cette coopérative bien équipée propose deux cuvées particulièrement et également appréciées : le **rosé Tradition 98** et ce rouge élevé en fût. Il provient d'une propriété qui doit son nom à un chêne vieux, dit-on, de sept cents ans. C'est un « vin noir » à reflets grenat. Complexe et de bonne intensité, le nez marie harmonieusement le vin et le bois. Après une attaque presque moelleuse, la bouche allie charpente et richesse aromatique, avec des notes de confiture et d'épices. Des tanins bien fondus marquent la finale persistante. Un vin qui honore l'appellation.

🔑 Cave de Donzac, 82340 Donzac,
tél. 05.63.39.91.92, fax 05.63.39.82.83 ☒ 🍷 t.l.j. sf dim. lun. 8h-12h 14h-18h

🔑 Delpech

Côtes du marmandais

Non loin des graves de l'Entre-deux-Mers, des vins de Duras et de Buzet, les côtes du marmandais sont produits en majorité par les coopératives de Beaupuy et de Cocumont, sur les deux rives de la Garonne. Les vins blancs, à base de sémillon, sauvignon, muscadelle et ugni blanc, sont secs, vifs et fruités. Les vins rouges, à base de cépages bordelais et d'abouriou, syrah, cot et gamay, sont bouquetés et d'une bonne souplesse. Le vignoble occupe environ 1 500 ha.

CH. DE BEAULIEU 1996

■ 23 ha 96 000 ▮ ◍ 🌡 **30 à 49 F**

Le château de Beaulieu est un vieux fortin gascon plein de charme. Le vignoble est exploité par les Schulte qui ont créé une cave particulière en 1991. Deux cuvées de la propriété ont été citées cette année. Ce 96 livre au nez des senteurs de cassis et de fruit en surmaturation mêlées de notes de sous-bois. L'attaque est souple, la structure plutôt légère, la finale assez vive. Un vin à boire maintenant, de même que la **cuvée de l'Oratoire**, un **rouge 95** qui a aussi connu le bois.

🔑 Robert et Agnès Schulte, SARL Ch. de Beaulieu, 47180 Saint-Sauveur-de-Meilhan,
tél. 05.53.94.30.40, fax 05.53.94.30.40 ☒ 🍷 t.l.j. 9h-19h; groupe sur r.-v.

CHAPELLE SAINT-BENOIT 1997★★

■ n.c. 120 000 ▮ 🌡 **20 à 29 F**

Voilà décidément une année fructueuse pour la coopérative de Beaupuy. La cuvée Chapelle Saint-Benoît offre un nez de fruits et d'épices avec des notes animales et des nuances de sous-bois. Après une attaque franche et puissante, le côté sauvage ressort un peu dans une bouche aux tanins charpentés et souples. La finale est longue et structurée. Le **Château des Faures 97, en rouge**, a obtenu la même note, et la **cuvée Rosaline 98, en rosé**, une étoile.

🔑 Les Vignerons de Beaupuy, Cave coop. de Beaupuy, 47200 Beaupuy, tél. 05.53.76.05.10,
fax 05.53.64.63.90,
e-mail cave.de.beaupuy@wanadoo.fr ☒ 🍷 t.l.j. sf dim. 8h-12h 14h-18h30

CAVE DE COCUMONT Tersac 1996★

■ 50 ha 65 000 ◍ **20 à 29 F**

Cette cuvée présente un nez intense et complexe, dominé par des notes boisées avec un petit côté animal. La bouche pleine révèle des tanins qui commencent à bien se fondre. La finale longue montre une pointe d'acidité. Ce vin peut vieillir deux à trois ans. A retenir encore, le **blanc Tradition 98**, un sauvignon qui a obtenu la même note.

🔑 Cave coop. de Cocumont, La Vieille Eglise, 47250 Cocumont, tél. 05.53.94.50.21,
fax 05.53.94.52.84 ☒ 🍷 t.l.j. sf dim. 8h-12h 14h-18h

CAVE DE COCUMONT Beroy 1996★

■ 20 ha n.c. ◍ **30 à 49 F**

Cette cuvée Beroy se caractérise par un nez puissant de fruits rouges. C'est un vin très charpenté avec des tanins encore un peu austères et une longue finale. L'équilibre sera harmonieux dans deux ou trois ans. Dans le même millésime et la même couleur, **Tap de Perbos**, autre cuvée

élevée en fût de chêne, a obtenu elle aussi une étoile.
🔑 Cave coop. de Cocumont, La Vieille Eglise, 47250 Cocumont, tél. 05.53.94.50.21, fax 05.53.94.52.84 ☑ 🍷 t.l.j. sf dim. 8h-12h 14h-18h

CONFIDENTIEL 1996**

■ 15 ha 22 000 ◖◗ 30 à 49 F

Un nom étrange pour une cuvée haut de gamme, certes, mais qui représente tout de même quelque 22 000 bouteilles ! On s'en félicitera, car elle a fait l'unanimité ! Le nez puissant, encore un peu fermé mais prometteur, allie dans une agréable palette les fruits rouges, les épices, et des notes boisées et toastées. On retrouve ces mêmes arômes dans une bouche pleine à la solide structure tannique. Un vin déjà harmonieux, mais dont les tanins ne sont pas entièrement fondus : il sera à son apogée d'ici deux à trois ans.
🔑 Les Vignerons de Beaupuy, Cave coop. de Beaupuy, 47200 Beaupuy, tél. 05.53.76.05.10, fax 05.53.64.63.90, e-mail cave.de.beaupuy@wanadoo.fr ☑ 🍷 t.l.j. sf dim. 8h-12h 14h-18h30

DOM. DES GEAIS 1997*

■ 6,5 ha 55 000 🍾🌡 30 à 49 F

Pour ce côtes du marmandais, la technique de vinification a privilégié le fruit et la fraîcheur. Le résultat est appréciable, à en juger par ce 97 au nez franc et intense, très fruité avec des notes d'épices et de poivron. On retrouve les fruits dans une bouche à l'attaque souple de structure moyenne. Cette bouteille, qui rappelle un vin primeur, est à boire jeune avec de la charcuterie ou des grillades.
🔑 Vignobles Boissonneau, Cathelicq, 33190 Saint-Michel-de-Lapujade, tél. 05.56.61.72.14, fax 05.56.61.71.01, e-mail vignobles.boissonneau@wanadoo.fr ☑ 🍷 r.-v.

Vins d'estaing AOVDQS

Entouré par les causses de l'Aubrac, les monts du Cantal et le plateau du Lévezou, le vignoble de l'Aveyron serait plutôt à classer parmi ceux du Massif central. Ces petites appellations sont très anciennes ; leur fondation par les moines de Conques remonte au IXᵉs.

Les vins d'estaing (7 ha) se partagent entre rouges frais et parfumés (cassis, framboise), à base de fer et de gamay, et blancs très originaux, mélanges de chenin, de mauzac et de rousselou. Ils sont vifs et rocailleux, avec des parfums de terroir.

LES VIGNERONS D'OLT

Cuvée Prestige 1997

■ 3,5 ha 10 000 🍾 20 à 29 F

Cette cuvée est composée de cabernet franc (40 %), de cabernet-sauvignon (40 %) et de fer-servadou (20 %). Sa robe est vive et légère, d'un rouge grenat. Le nez est dominé par des notes animales, accompagnées de nuances de poivron et d'épices. La bouche se montre souple et légère, gouleyante avec ses tanins fins. Pour accompagner, en toute simplicité, l'aligot ou les tripoux de la région.
🔑 Coop. Les Vignerons d'Olt, Z.A. La Fage, 12190 Estaing, tél. 05.65.44.04.42, fax 05.65.44.04.42 ☑ 🍷 r.-v.

Vins d'entraygues et du fel AOVDQS

Les vins blancs d'entraygues (9 ha), cultivés sur d'étroites banquettes à flanc de coteaux abrupts, sont également issus de chenin et de mauzac, sur des sols schisteux ; ils sont frais et fruités à la fois. Ils font merveille sur les truites sauvages et le fromage de Cantal doux. Les vins rouges du fel, solides et terriens, seront bus sur l'agneau des causses et la potée auvergnate.

JEAN-MARC VIGUIER 1997

□ n.c. 6 666 🍾🌡 30 à 49 F

Sur ce terroir de coteaux surplombant le Lot et la Truyère, le gamet d'Entraygues, plus connu sous le nom de chenin, est le cépage roi. Il donne ici un vin couleur paille fraîche, au nez bien net à la fois floral et fruité (agrumes). La bouche, assez ronde et grasse, révèle un fort support acide ; elle est bien équilibrée et délicatement parfumée.
🔑 Jean-Marc Viguier, Les Buis, 12140 Entraygues, tél. 05.65.44.50.45, fax 05.65.48.62.72 ☑ 🍷 t.l.j. 8h30-12h30 14h-19h

Vins de marcillac

Dans une cuvette naturelle, le « vallon », au microclimat favorable, le mansoi (fer servadou) donne aux vins rouges de marcillac une grande originalité empreinte d'une rusticité tannique et d'arômes de framboise. En 1990, cette démarche de typicité, cette volonté d'originalité ont été reconnues par l'accession à l'AOC qui recouvre aujourd'hui 140 ha et produit 5 000 hl d'un vin reconnaissable entre tous.

DOM. DU CROS
Cuvée spéciale Vieilles vignes 1997★

■ 3,5 ha 20 000 🛢 **30 à 49 F**

Installé en 1984, Philippe Teulier a pu acquérir une parcelle de vignes plantées en 1912 sur un coteau exceptionnel. Il en tire une cuvée de grande expression. Le 97 affiche une robe soutenue et brillante, à reflets violines. Le nez, encore sur sa retenue, laisse poindre des senteurs de fruits noirs (myrtille, mûre, cassis) assorties de notes empyreumatiques. L'attaque franche est suivie d'une bouche bien fraîche, agréablement fruitée. La structure révèle une solide charpente tannique qui devra s'assouplir.

🔑 Philippe Teulier, Dom. du Cros, 12390 Goutrens, tél. 05.65.72.71.77, fax 05.65.72.68.80 ☑ 🍷 r.-v.

DOM. DE LADRECHT 1997★

■ 4,3 ha 11 000 ▮🌡 **30 à 49 F**

La coopérative du Vallon a élaboré cette cuvée provenant d'un domaine particulier. Il s'agit d'un vin de pur mansoi, issu de sols argilo-calcaires. Sa robe cerise burlat est limpide et brillante. Son nez intense décline des notes sauvages de cuir, de baies noires et d'épices relevées. L'attaque est souple, la structure légère. Les tanins se renforcent dans une finale épicée.

🔑 Les Vignerons du Vallon, RN 140, 12330 Valady, tél. 05.65.72.70.21, fax 05.65.72.68.39 ☑ 🍷 t.l.j. sf dim. 9h-12h 14h-18h

JEAN-LUC MATHA
Cuvée spéciale 1997★★

■ 3 ha 12 000 🛢 **30 à 49 F**

Autre valeur sûre de l'appellation, à la tête d'un domaine de 14 ha, Jean-Luc Matha a élaboré **deux cuvées 97** saluées par le jury. L'une, **vinifiée en cuve**, a obtenu une étoile. L'autre, cuvée spéciale élevée en fût, témoigne d'un grand savoir-faire qui lui vaut un coup de cœur. La robe est d'un pourpre intense avec de nombreux reflets. Surprenant par sa puissance et sa richesse aromatique, le nez révèle une belle maturité du fruit et des notes de poivre moulu. Après une attaque franche, la bouche apparaît parfaitement équilibrée, homogène, volumineuse et grasse. Toujours épicée, la finale se prolonge sur des tanins fondants. Un vin à la fois typique et harmonieux.

🔑 Jean-Luc Matha, Bruejouls, 12330 Clairvaux, tél. 05.65.72.63.29, fax 05.65.72.70.43 ☑ 🍷 r.-v.

LES VIGNERONS DU VALLON
Saveur du rougier 1997★

■ 7 ha 12 500 🛢 **30 à 49 F**

Cette toute petite cave par la taille se distingue par la grande qualité de ses vins authentiques, telle cette cuvée d'un beau rouge à nuances violines. Le nez, fin et expressif, rappelle le poivron et les épices, avec des touches de fruits rouges sur un fond légèrement boisé et vanillé. La bouche est bien équilibrée, plutôt grasse, marquée en finale par une certaine nervosité et par des tanins un peu austères, largement épicés. Un vin de forte typicité aux saveurs du rougier.

🔑 Les Vignerons du Vallon, RN 140, 12330 Valady, tél. 05.65.72.70.21, fax 05.65.72.68.39 ☑ 🍷 t.l.j. sf dim. 9h-12h 14h-18h

Côtes de millau AOVDQS

L'appellation AOVDQS côtes de millau a été reconnue le 12 avril 1994. La production atteint environ 1 500 hl. Les vins sont composés de syrah et de gamay noir et, dans une moindre proportion, de cabernet-sauvignon et de fer servadou.

DOM. DE BOURJAC 1997★

■ n.c. n.c. ▮ **20 à 29 F**

Cette exploitation familiale, où le père et le fils sont associés, a proposé un vin à la robe d'un rouge peu intense, au nez caractéristique, à la fois animal et épicé assorti d'une nuance de poivron vert. En bouche, son attaque est souple, presque ronde. Ses tanins fins accompagnent des notes végétales et épicées. La finale est agréable. L'ensemble, intéressant, doit être apprécié sans tarder.

🔑 Olivier Toulouse, Le Bourg, 12480 Broquiès, tél. 05.65.99.48.17, fax 05.65.99.48.17 ☑ 🍷 r.-v.

SUD-OUEST

Béarn

Les vins du Béarn peuvent être produits sur trois aires séparées. Les deux premières coïncident avec celles du jurançon et du madiran. La zone purement béarnaise comprend les communes qui entourent Orthez et Salies-de-Béarn. C'est le béarn de Bellocq. Cette AOC couvre environ 160 ha et produit 8 000 hl de vin.

Reconstitué après la crise phylloxérique, le vignoble occupe les collines prépyrénéennes et les graves de la vallée du Gave. Les cépages rouges sont constitués par le tannat, les cabernet-sauvignon et cabernet franc (bouchy), les anciens manseng noir, courbu rouge et fer servadou. Les vins sont corsés et généreux, et accompagnent garbure (soupe régionale) et palombe grillée. Les rosés de Béarn, les meilleurs produits de l'appellation, sont vifs et délicats, avec des arômes fins de cabernet et une bonne structure en bouche.

DOM. GUILHEMAS 1997★

■ 2 ha 13 000 ▮ ◍ ⚲ 30 à 49 F

On retrouve le domaine Lapeyre avec ce béarn, savant assemblage de tannat, de cabernet franc et de cabernet-sauvignon. Ce 97 est de belle présentation dans sa robe profonde à nuances violettes. Le nez expressif s'ouvre sur des senteurs de cuir puis de fruits noirs légèrement vanillés avec une note de laurier. La bouche généreuse, chaleureuse, largement charpentée et très aromatique offre une belle finale épicée.

⊶ Pascal Lapeyre , 52, av. des Pyrénées, 64270 Salies-de-Béarn, tél. 05.59.38.10.02, fax 05.59.38.03.98 ☑ Y r.-v.

CLOS MIRABEL 1997

■ 0,7 ha 5 600 ▮ ⚲ 20 à 29 F

Cette cuvée tire son nom d'une ancienne propriété de Jurançon mentionnée au début du siècle. La robe est d'un beau rouge à nuances violacées. Le nez réservé offre des notes animales et fruitées. L'attaque souple est suivie d'une bouche svelte évoluant sur la fraîcheur du fruit, puis soutenue par des tanins un peu rustiques. Un vin encore jeune.

⊶ Cave des Producteurs de Jurançon, 53, av. Henri-IV, 64290 Gan, tél. 05.59.21.57.03, fax 05.59.21.72.06 ☑ Y t.l.j. sf dim. 8h-12h30 13h30-19h

DOM. OUMPRES 1997

■ 13 ha 20 000 ▮ ⚲ - de 20 F

La cave des vignerons de Bellocq se distingue cette année par cette cuvée authentique (tannat 50 %, cabernets 50 %) de vinification traditionnelle. De couleur bigarreau, ce béarn présente un nez plaisant de fruits rouges avec des nuances végétales et une note boisée. Après une attaque souple, la bouche propose une matière agréable s'appuyant sur une trame de tanins lisses mais serrés, épicés en finale. Un vin bien fait. Vinifié par la coopérative, le **domaine Larribère 97** a été cité pour sa franche typicité.

⊶ Les Vignerons de Bellocq, 64270 Bellocq, tél. 05.59.65.10.71, fax 05.59.65.12.34 ☑ Y r.-v.

Irouléguy

Dernier vestige d'un grand vignoble basque dont on trouve la trace dès le XIe s., l'irouléguy (le chacoli, côté espagnol) témoigne de la volonté des vignerons de perpétuer l'antique tradition des moines de Roncevaux. Le vignoble s'étage sur le piémont, dans les communes de Saint-Etienne-de-Baïgorry, d'Irouléguy et d'Anhaux sur quelque 200 ha et produit 7 000 hl.

Les cépages d'autrefois ont à peu près disparu pour laisser place au cabernet-sauvignon, au cabernet franc et au tannat pour les vins rouges, au courbu et aux gros et petit manseng pour les blancs. La presque totalité de la production est vinifiée par la coopérative d'Irouléguy, mais de nouveaux vignobles sont en train de voir le jour. Le vin rosé est vif, bouqueté et léger, avec une couleur cerise ; il accompagnera la piperade et la charcuterie. L'irouléguy rouge est un vin parfumé, parfois assez tannique, qui conviendra aux confits.

DOM. ABOTIA 1997

■ 4,5 ha 18 000 ◍ 30 à 49 F

Ce vignoble spectaculaire, couvrant le flanc sud de l'Arradoy à la pente vertigineuse, bénéficie d'une excellente exposition. Le millésime 97, d'un beau rouge d'intensité moyenne, présente un nez surprenant où l'on trouve de la garrigue, des agrumes (pamplemousse), du cuir et du sous-bois. L'attaque douce et ronde est suivie d'une bouche harmonieuse, fruitée et grasse, qui finit sur des tanins bien enrobés.

⊶ Jean-Claude Errecart, Dom. Abotia, 64220 Ispoure, tél. 05.59.37.03.99, fax 05.59.37.23.57 ☑ Y r.-v.

DOM. ARRETXEA Cuvée Haitza 1997★★

■ 2 ha 4 800 ◍ 50 à 69 F

Située en zone de montagne, cette petite exploitation pratique aujourd'hui la viticulture biologique. Sa cuvée Haitza particulièrement « bichonnée » recueille pour la deuxième année consécutive un coup de cœur ! Le jury a été sensible à sa robe noire profonde et brillante à reflets violets, à son nez dense, concentré : des fruits noirs habillés d'un boisé aux accents d'épices et de torréfaction. La bouche est tout aussi séduisante : douce en attaque, ample, équilibrée, elle évolue sur une sève riche et gourmande soutenue par des tanins très prometteurs, gras et déjà en train de se fondre. Deux autres cuvées ont été remarquées : la **cuvée tradition 97** et la **cuvée blanc sec 98** reçoivent chacune une étoile.

●┐Thérèse et Michel Riouspeyrous, Dom. Arretxea, 64220 Irouléguy, tél. 05.59.37.33.67, fax 05.59.37.33.67 ☑ ⅄ r.-v.

DOM. ETXEGARAYA 1997★

▪ 　　　4 ha　　18 000　▪ ♦ 30 à 49 F

Le couple Hillau, qui a repris ce domaine en 1995, propose deux cuvées de même niveau : la **cuvée Lehengoa 97** et celle-ci, de couleur cerise burlat à nuances violines. Le nez intense associe les fruits rouges et noirs, le poivron et les épices, avec une légère note de cuir. Après une attaque souple, la bouche monte en puissance, tant en structure qu'en arômes. Une pointe d'amertume marque la finale. L'ensemble reste cependant agréable.
●┐EARL Hillau, Dom. Etxegaraya,
64430 Saint-Etienne-de-Baïgorry,
tél. 05.59.37.23.76, fax 05.59.37.23.76,
e-mail etxegaraya@caves.particulieres.com
☑ ⅄ t.l.j. sf dim. 10h-12h30 15h-19h30

DOM. ILARRIA Cuvée Bixintxo 1997

▪ 　　1,9 ha　　5 900　Ⅲ 70 à 99 F

Cette cuvée de pur tannat, issue de sols calcaires ou schisteux, fait très belle impression, avec sa robe profonde, rouge violacé, et son nez puissant, aux accents d'épices exotiques assorties de quelques notes fruitées bien mûres et de boisé. La bouche se montre douce et aromatique en attaque, puis des tanins plutôt enrobés et un boisé discret prennent le relais. Un ensemble agréable, bien équilibré.
●┐Dom. Ilarria, 64220 Irouléguy,
tél. 05.59.37.23.38, fax 05.59.37.23.38 ☑ ⅄ r.-v.

DOM. DE MIGNABERRY 1997★

▪ 　　21,3 ha　105 000　▪ Ⅲ ♦ 30 à 49 F

Fondée en 1953, la cave d'Irouléguy s'est beaucoup développée après 1985. Le domaine de Mignaberry, qui remonte au XIIIe s., produit sa cuvée prestige. D'un rouge profond à nuances violacées, ce rouge 97 offre un nez épicé et végétal, mais surtout boisé. Souple en attaque, la bouche est ronde, bien équilibrée, fruitée et relevée

d'épices. La finale est encore marquée par un boisé vanillé, avec des tanins très présents mais de bonne qualité. Un vin de belle facture. Autre vin de la coopérative : les **Terrasses de l'Arradoy 97** reçoivent une étoile.
●┐Les Vignerons du Pays Basque, 64430 Saint-Etienne-de-Baïgorry, tél. 05.59.37.41.33, fax 05.59.37.47.76 ☑ ⅄ r.-v.

Jurançon et jurançon sec

« Je fis, adolescente, la rencontre d'un prince enflammé, impérieux, traître comme tous les grands séducteurs : le jurançon », écrit Colette. Célèbre depuis qu'il servit au baptême d'Henri IV, le jurançon est devenu le vin des cérémonies de la maison de France. On trouve ici les premières notions d'appellation protégée - car il était interdit d'importer des vins étrangers - et même des notions de cru et de classement, puisque toutes les parcelles étaient répertoriées suivant leur valeur par le parlement de Navarre. Comme les vins de Béarn, le jurançon, alors rouge ou blanc, était expédié jusqu'à Bayonne, au prix de navigations parfois hasardeuses sur les eaux du Gave. Très prisé des Hollandais et des Américains, le jurançon parvint à un vedettariat qui ne prit fin qu'avec le phylloxéra. La reconstitution du vignoble (1 000 ha aujourd'hui) fut effectuée avec les méthodes et les cépages anciens, sous l'impulsion de la cave de Gan et de quelques propriétaires fidèles.

Ici plus qu'ailleurs, le millésime revêt une importance primordiale, surtout pour les jurançon moelleux qui demandent une surmaturation tardive par passerillage sur pied. Les cépages traditionnels, uniquement blancs, sont le gros et le petit manseng, et le courbu. Les vignes sont cultivées en hautains pour échapper aux gelées. Il n'est pas rare que les vendanges se prolongent jusqu'aux premières neiges.

Le jurançon sec, 75 % de la production, est un blanc de blancs d'une belle couleur claire à reflets verdâtres, très aromatique, avec des nuances miellées. Il accompagne truites et saumons du Gave. Les jurançon moelleux ont une belle couleur dorée, des arômes complexes de fruits exotiques (ananas et goyave) et d'épices, comme la muscade et la cannelle. Leur équilibre acide-liqueur en fait des faire-valoir tout indiqués du foie gras. Ces vins peuvent vieillir très longtemps et donner de grandes bouteilles qui accompagneront un repas, de l'apéritif au dessert en passant par les poissons en sauce et le fromage pur brebis de la vallée d'Ossau. Meilleurs millésimes : 1970, 1971, 1975, 1981, 1982, 1983, 1987, 1989, 1990, 1995. La production atteint en cette fin de siècle, une moyenne de 50 000 hl.

Jurançon

DOM. BELLEGARDE
Cuvée Thibault 1997★

□ 7 ha 15 000 70 à 99 F

Vigneron de la jeune génération - il s'est installé en 1986 -, Pascal Labasse est régulièrement mentionné dans le Guide. On retrouve cette année sa cuvée Thibault, une valeur sûre. D'un jaune d'or brillant, elle offre un nez de figue et de raisin, agrémenté de notes de noisette et de nuances épicées et grillées. L'attaque est franche ; la bouche ronde, d'une belle expression fruitée, à la fois acidulée et corsée, finit sur une note légèrement beurrée. Pas mal...

Pascal Labasse, EARL Dom. Bellegarde, quartier Coos, 64360 Monein, tél. 05.59.21.33.17, fax 05.59.21.44.40 t.l.j. sf dim. 10h30-12h 14h-18h30

CLOS BELLEVUE
Cuvée spéciale Elevé en fût de chêne 1997★

□ 1 ha 1 650 50 à 69 F

Une cuvée particulièrement soignée, de pur petit manseng, fermentée puis élevée en fût. Sa robe claire montre des reflets verts. Le nez exhale des senteurs de brioche, de pain d'épice et de pain grillé puis viennent des notes de fruits. L'attaque est fraîche. La bouche équilibrée, toujours vive, révèle une matière intéressante, soutenue par un boisé bien maîtrisé.

Jean Muchada, Clos Bellevue, chem. des Vignes, 64360 Cuqueron, tél. 05.59.21.34.82, fax 05.59.21.34.82 r.-v.

DOM. P. BORDENAVE
Cuvée Savin 1997★★

□ n.c. n.c. 100 à 149 F

On retrouve le domaine Bordenave, cette année, avec une cuvée de petit manseng qui a fait très bonne impression. Le jury a été sensible aux reflets d'or de sa robe, à son nez intense d'acacia, d'agrumes, de beurre frais et de fruits secs grillés. La bouche n'est pas en reste, élégante, très équilibrée, grasse, fraîche, ronde, d'un joli volume et agréablement aromatique.

Pierre et Gisèle Bordenave, quartier Ucha, 64360 Monein, tél. 05.59.21.34.83, fax 05.59.21.37.32

DOM. BRU-BACHE
La Quintessence 1997★★

□ n.c. n.c. 70 à 99 F

Les lecteurs du Guide connaissent bien ce domaine, dont la cuvée L'Eminence a obtenu trois coups de cœur consécutifs dans les dernières éditions. Ils trouveront cette année des cuvées remarquables : la **cuvée des Casterrasses 97 en sec** (de 50 à 69 F) et cette Quintessence. Si les dégustateurs ont trouvé sa robe un peu trouble, ils ont apprécié son nez tout en finesse, où bois et vin se marient harmonieusement. Attaque suave, présence en bouche, superbe matière concentrée, savoureuse et aromatique, enveloppant le palais : le reste convainc définitivement.

Dom. Bru-Baché, rue Barada, 64360 Monein, tél. 05.59.21.36.34, fax 05.59.21.32.67 r.-v.

Claude Loustalot

DOM. DE CABARROUY
Cuvée Sainte-Catherine Elevé en fût de chêne 1996★

□ 2 ha 5 000 50 à 69 F

Ce domaine date de la fin du XVIIIes. Il a été racheté en 1988 par des vignerons venus de la région de Nantes. Un passage réussi du muscadet aux liquoreux, témoin cette cuvée d'un vieil or brillant. Le nez, plutôt intense mais délicat, associe les fruits mûrs, la vanille et des notes de crème brûlée signant un élevage sous bois. L'attaque est vive, la bouche souple et douce, assez harmonieuse et d'une longueur intéressante, avec un boisé bien fondu. (bouteille de 50 cl)

Patrice Limousin et Freya Skoda, Dom. de Cabarrouy, 64290 Lasseube, tél. 05.59.04.23.08, fax 05.59.04.21.85 t.l.j. sf dim. 9h-12h 14h-19h

CANCAILLAU Gourmandise 1997★★

□ 1,5 ha 4 200 70 à 99 F

Une remarquable cuvée de pur petit manseng, issue des dernières tries. La robe attire, évoquant l'or fin. Puis le nez délicat livre des senteurs de raisin frais, de noisette, d'agrumes et de pain toasté. La bouche, ronde et charnue, ample et fraîche, finit sur une belle note de crème à la vanille. Un vin « bien drapé ».

EARL Barrère, 64150 Lahourcade, tél. 05.59.60.08.15, fax 05.59.60.08.15 t.l.j. sf dim. 8h-12h 14h-19h; f. 8 oct.-15 nov.

DOM. CAPDEVIELLE
Noblesse d'automne 1997★

□ 3,5 ha 12 000 50 à 69 F

Les Capdevielle sont cultivateurs à Monein depuis 1847 et ont commencé à planter des vignes au début du siècle. Leur cuvée Noblesse d'automne (100 % petit manseng) présente une robe dorée à reflets orangés, un nez agréable et doux, fait de tilleul, de fruits confits ou secs et de notes miellées. On retrouve la douceur dans une bouche chaleureuse, grasse, confiturée et beurrée en finale. Une matière bien mûre.

Didier Capdevielle, quartier Coos, 64360 Monein, tél. 05.59.21.30.25, fax 05.59.21.30.25 t.l.j. 8h30-12h 13h-19h30; dim. sur r.-v.

CLOS CASTET Cuvée spéciale 1997*

□ 2 ha n.c. 70 à 99 F

La robe est cristalline, d'un joli jaune à reflets orangés. Le nez expressif livre des notes de miel et de fleur d'acacia relevées d'agrumes confits. La bouche agréable, souple et bien équilibrée, ne manque pas de fraîcheur. Les arômes sont fins et persistants.

Alain Labourdette, 64360 Cardesse, tél. 05.59.21.33.09, fax 05.59.21.28.22 t.l.j. 8h-12h 14h-19h30

DOM. CAUHAPE
Noblesse du temps 1997**

□ 2 ha 4 000 150 à 199 F

Encore un coup de cœur pour ce domaine de renommée mondiale, dans un millésime particulièrement difficile. Ce 97 se pare d'une robe limpide à reflets dorés. Remarquable, très fin et riche, le nez mêle harmonieusement les fleurs, les fruits exotiques et des notes délicates de pain toasté et beurré. L'attaque vive est relayée par une superbe liqueur, grasse, séveuse et onctueuse, qui se prolonge infiniment dans une belle harmonie. Du grand art. Le **jurançon sec 98** a obtenu aussi deux étoiles.

Henri Ramonteu, Dom. Cauhapé, 64360 Monein, tél. 05.59.21.33.02, fax 05.59.21.41.82 t.l.j. 8h-12h30 13h30-18h; sam. 10h-12h; groupes sur r.-v.

COLLECTION ROYALE
Premières Neiges 1998*

□ n.c. n.c. 50 à 69 F

Plus d'un siècle d'existence pour cette entreprise de négoce (fondée en 1897), qui se consacre en outre à la distillation (depuis 1974) et à la viticulture (depuis 1985). Elle propose un moelleux de pur gros manseng, or pâle à reflets verts. Le joli nez est axé sur les fruits frais - fruit de la passion, pêche et autres fruits à chair blanche ou jaune - tout comme la bouche. Après une attaque franche, le palais se montre frais, plutôt léger. Un vin bien fait - un peu technologique pour certains - à boire jeune.

Etienne Brana, 3 bis, av. du Jaï-Alaï, 64220 Saint-Jean-Pied-de-Port, tél. 59.37.00.44, fax 59.37.14.28 t.l.j. sf sam. dim. 9h-12h 14h-18h

CLOS GUIROUILH 1997**

□ 4 ha 12 000 50 à 69 F

La belle robe paille dorée d'une grande intensité annonce un nez puissant, fait de fruits en surmaturation ou confits sur fond de boisé fondu. Après une attaque douce, on découvre une matière riche et suave, bien présente en bouche, de haute et longue expression. Bien équilibré, un vin d'une forte personnalité.

Jean Guirouilh, rte de Belair, 64290 Lasseube, tél. 05.59.04.21.45, fax 05.59.04.22.73 r.-v.

CH. JOLYS Cuvée Jean 1996*

□ 12 ha 30 000 50 à 69 F

Les vignes du château Jolys couvrent les coteaux très pentus de Chapelle-de-Rousse, fermés par les moraines des glaciers pyrénéens. Elles ont donné ce jurançon d'un très beau vieil or, au nez encore discret évoquant les fruits secs ou confits, la vanille et le pain d'épice. La bouche est nerveuse et corsée, fermée par une dorsale acide. Elle se prolonge sur le fruit dans une finale acidulée.

Sté Domaines Latrille, Ch. Jolys, 64290 Gan, tél. 05.59.21.72.79, fax 05.59.21.55.61 t.l.j. sf sam. dim. 8h-12h 13h30-17h30

CAVE DES PRODUCTEURS DE JURANCON Prestige d'automne 1997*

□ 100 ha 130 000 50 à 69 F

Ce vin passerillé, d'un jaune d'or brillant, présente un nez vif, à la fois floral et fruité, accompagné d'une note plus douce, un peu vanillée. Très expressive et ample, la bouche révèle un bon équilibre entre sucre et acidité. Une belle harmonie. La cave de Gan propose d'autres jurançon intéressants, comme la cuvée **Privilège d'automne 95**, une vendange tardive qui a obtenu la même note (de 100 à 149 F).

Cave des Producteurs de Jurançon, 53, av. Henri-IV, 64290 Gan, tél. 05.59.21.57.03, fax 05.59.21.72.06 t.l.j. sf dim. 8h-12h30 13h30-19h

DOM. LARROUDE
Un jour d'automne 1997**

□ n.c. 1 500 100 à 149 F

Encore à la gloire de l'automne, cette jolie cuvée, à 100 % de petit manseng, a été élevée dix-huit mois en fût de chêne. Elle s'annonce par une robe d'un bel or soutenu. Le nez, intense et complexe, mêle les fruits, les fleurs et les épices exotiques, avec une note mentholée. La bouche propose une bonne liqueur grasse et chaleureuse, toujours largement parfumée ; elle finit sur un fond grillé et brioché.

•┐EARL du dom. Larroudé, 64360 Lucq-de-Béarn, tél. 05.59.34.35.92, fax 05.59.34.35.92 ☑ ⊤ r.-v.

CLOS THOU Suprême de Thou 1997★★

□	2,2 ha	6 300	ⅰ◫ 70à99F

Un domaine qui tire probablement son nom de Raymonde de Thou, propriétaire en 1538. Le Clos a proposé une cuvée de pur petit manseng qui n'est pas loin du coup de cœur : un vin à la robe paille soutenu parfaitement limpide, au nez profond, dont la large palette aromatique mêle fruits confits, ananas, pêche, agrumes, avec une touche de pralin. La bouche, harmonieuse, complexe, riche, concentrée, aromatique et longue conclut agréablement la dégustation. Un très beau jurançon.

•┐Henri Lapouble-Laplace, chem. Larredya, 64110 Jurançon, tél. 05.59.06.08.60, fax 05.59.06.08.60 ☑ ⊤ t.l.j. sf dim. 9h-12h30 14h-19h

CLOS UROULAT 1997★

□	5 ha	12 000	◫ 70à99F

Charles Hours s'illustre chaque année par des cuvées uniques. En sec, la cuvée Marie 97 (coup de cœur dans le millésime précédent) a obtenu une étoile, tout comme ce liquoreux d'un jaune d'or intense légèrement ambré. Richement parfumé, tout en nuances, le nez évolue des fleurs au miel, des agrumes confits aux épices exotiques... Vive dès l'attaque, la bouche se montre aussi très liquoreuse et grasse, ce qui donne un ensemble équilibré et élégant.

•┐Charles Hours, Clos Uroulat, quartier Trouilh, 64360 Monein, tél. 05.59.21.46.19, fax 05.59.21.46.90 ☑ ⊤ r.-v.

Jurançon sec

DOM. CASTERA 1998★★

□	1,6 ha	14 000	ⅰ♦ 30à49F

Régulièrement mentionné dans le Guide, le domaine Castéra propose un excellent jurançon sec issu de gros manseng. Ses qualités ? Une robe d'un joli jaune doré à reflets verts, un nez délicat associant les fleurs, les fruits à chair blanche et la pâte briochée, une bouche très ronde, ample, équilibrée, d'une belle fraîcheur, dont le fruit se prolonge agréablement. Les amateurs de moelleux apprécieront également la cuvée Privilège 97, 100 % petit manseng, qui a obtenu la même note.

•┐Christian Lihour, quartier Uchaa, 64360 Monein, tél. 05.59.21.34.98, fax 05.59.21.46.32 ☑ ⊤ t.l.j. sf dim. 9h-12h 14h-19h

CLOS GASSIOT
Cuvée spéciale Elevé en fût de chêne 1997★

□	1 ha	4 000	◫ 30à49F

Cette exploitation familiale est pleinement viticole depuis 1988. Elle propose une cuvée de jurançon sec, élaborée exclusivement à partir de petit manseng, fermentée puis élevée en fût de chêne. La robe est brillante, teintée d'or, le nez intense, chaudement toasté, doucement beurré et vanillé, avec quelques notes de fruits à chair blanche. Les accents briochés marquent encore l'attaque ronde et grasse, puis la bouche se fait plus vive et plus complexe. Une pointe d'amertume apparaît en finale. Intéressant.

•┐Clos Gassiot, rte de Pau, 64360 Abos, tél. 05.59.60.10.22, fax 05.59.71.58.92 ☑ ⊤ r.-v.
•┐Tavernier

CLOS LAPEYRE
Cuvée Vitatge Vielh 1997★★

□	1,5 ha	7 000	◫ 70à99F

Vitatge Vielh, ou « vieille vigne » : cette cuvée, souvent décrite dans le Guide, est issue de ceps âgés de soixante ans. Le 97 est aussi réussi que le millésime précédent. D'une belle teinte dorée, il est limpide et brillant. Déjà bien ouvert, le nez mêle les fruits frais et les fruits secs à des notes boisées légèrement grillées. Après une attaque franche, on découvre une bouche fraîche où les saveurs et les arômes s'équilibrent harmonieusement, venant se fondre dans une finale à peine acidulée. Cette bouteille peut encore attendre.

•┐Jean-Bernard Larrieu, Chapelle-de-Rousse, 64110 Jurançon, tél. 05.59.21.50.80, fax 05.59.21.51.83 ☑ ⊤ t.l.j. sf dim. hors saison 10h-12h 14h-18h

DOM. LARREDYA 1998★★

□	2 ha	12 000	ⅰ♦ 30à49F

Ce domaine élabore ses vins en cave particulière depuis 1988. Issu à 100 % de gros manseng, son jurançon a été vinifié à 50 % en pressurage direct et pour l'autre moitié après fermentation pelliculaire. Il a bénéficié de six mois d'élevage sur lies. D'un jaune paille intense, il offre un nez expressif et d'une belle vivacité, mêlant le buis et les fruits exotiques bien mûrs. La bouche reste bien fraîche et bien construite. On y trouve du volume, du gras, beaucoup d'harmonie et une bonne persistance aromatique. Un vin plein de charme.

•┐Jean-Marc Grussaute, La Chapelle-de-Rousse, 64110 Jurançon, tél. 05.59.21.74.42, fax 05.59.21.76.72 ☑ ⊤ r.-v.

CLOS DE LA VIERGE
Confidences du Clos 1997★★

□	0,15 ha	1 500	◫ 30à49F

Une vendange de qualité et une bonne maîtrise des vinifications ont permis d'obtenir ce jurançon tout en finesse, issu à 100 % de gros manseng. La robe à reflets verts évoque quelque métal précieux. Le nez, très net et expressif, associe les fleurs blanches, la pêche blanche, l'amande et de délicates nuances boisées. L'attaque est fraîche, la bouche, elle aussi doucement boisée, se montre équilibrée et souple, avec ce qu'il faut de gras. Un vin plaisant.

•┐EARL Barrère, 64150 Lahourcade, tél. 05.59.60.08.15, fax 05.59.60.08.15 ☑ ⊤ t.l.j. sf dim. 8h-12h 14h-19h; f. 8 oct.-15 nov.

LES HAUTS DE MONTESQUIOU
Cuvée Marine 1997★

□ 0,6 ha 2 000 ⓘ 50 à 69 F

Jacques Balent s'est installé en 1993 en louant 3 ha de vignes. Sa cuvée Marine, d'un bel or dans le verre, offre un nez de bonne intensité, mêlant fleurs et fruits variés, amande et pain beurré. La bouche est bien faite, fraîche et fruitée. Equilibrée, elle repose sur un joli boisé.

Jacques Balent, av. de la Résistance, 64360 Monein, tél. 05.59.21.49.44, fax 05.59.21.43.01 Y r.-v.

DOM. NIGRI 1998★

□ 2 ha 8 000 50 à 49 F

On retrouve ce domaine tricentenaire dirigé depuis 1993 par Jean-Louis Lacoste, œnologue. Fort d'une longue expérience acquise d'abord à Bordeaux puis à l'étranger, celui-ci a bien réussi ce 98 revêtu d'une robe paille à reflets verts prononcés. Le nez, assez intense et bien net, livre de jolies notes de fruits exotiques et surtout d'agrumes. L'attaque est vive, relevée d'une pointe de gaz carbonique. La bouche apparaît ronde, fraîche et bien enlevée. Le **jurançon moelleux 97** a obtenu la même note.

Jean-Louis Lacoste, Dom. Nigri, Candeloup, 64360 Monein, tél. 05.59.21.42.01, fax 05.59.21.42.59 ☑ Y r.-v.

Madiran

D'origine gallo-romaine, le madiran fut pendant longtemps le vin des pèlerins de Saint-Jacques-de-Compostelle. La gastronomie du Gers et ses ambassadeurs dans la capitale représentent ce vin pyrénéen. Sur les 1 400 ha de l'appellation, le cépage roi est le tannat, qui donne un vin âpre dans sa jeunesse, très coloré, avec des arômes primaires de framboise ; il s'exprime après un long vieillissement. Lui sont associés cabernet-sauvignon et cabernet franc (ou bouchy), fer servadou (ou pinenc). Les vignes sont conduites en demi-hautain. La production s'établit autour de 75 000 hl.

Le vin de Madiran est le vin viril par excellence. Quand sa vinification est adaptée, il peut être bu jeune, ce qui permet de profiter de son fruité et de sa souplesse. Il accompagne les confits d'oie et les magrets saignants de canard. Les madiran traditionnels, à forte proportion de tannat, supportent très bien le passage sous bois et doivent attendre quelques années. Les vieux madiran sont sensuels, charnus et charpentés, avec des arômes de pain grillé, et s'allient avec le gibier et les fromages de brebis des hautes vallées.

CH. D'AYDIE Odé d'Aydie 1996★

■ 15 ha 100 000 ⓘ 50 à 69 F

Pour l'élaboration de cette cuvée, les parcelles et les cépages sont séparés ; la macération longue permet une extraction optimale. L'assemblage se fait après un élevage de douze mois en barrique d'un ou deux vins. La robe de ce 96 est soutenue, d'un beau rouge cerise. Le nez d'une belle expression associe les fruits rouges et les épices, enrobés d'un joli boisé. La bouche se montre ronde et grasse, pleine de fruits mûrs et agrémentée d'un boisé bien fondu qui s'intègre à l'équilibre de ce vin. Même note pour le **pacherenc du vic-bilh moelleux 97** du domaine.

Ch. d'Aydie et vignobles Laplace, 64330 Aydie, tél. 05.59.04.01.17, fax 05.59.04.01.53 ☑ Y t.l.j. 9h-13h 14h-19h

DOM. BERNET 1997

■ 9 ha 10 000 20 à 29 F

Ce madiran est issu de 60 % de tannat et de 40 % de cabernet entièrement vendangés à la main. Sa couleur attire, presque noire avec des nuances violacées. D'intensité moyenne, le nez est dominé par les fruits rouges et noirs. La bouche franche évolue sur une fraîcheur un peu végétale et fruitée. La masse tannique, importante, confère au vin une finale un peu austère.

Yves Doussau, Bernet, 32400 Viella, tél. 05.62.69.71.99, fax 05.62.69.75.08 ☑ Y t.l.j. 9h-19h

DOM. BERTHOUMIEU
Cuvée Charles de Batz Fût de chêne 1996★★

■ 4,7 ha 30 000 ⓘ 50 à 69 F

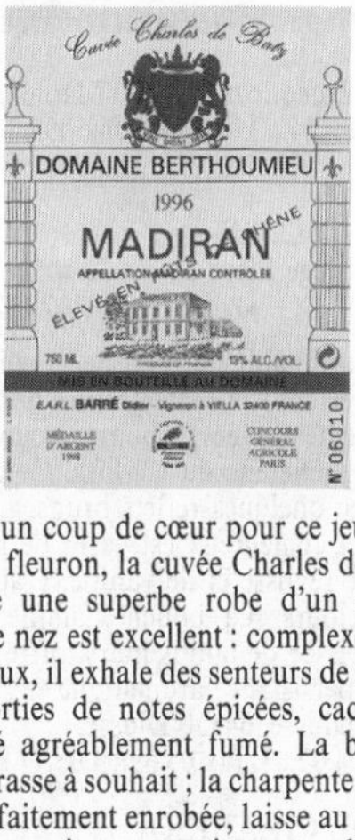

Encore un coup de cœur pour ce jeune vigneron et son fleuron, la cuvée Charles de Batz. Ce 96 affiche une superbe robe d'un rubis très intense. Le nez est excellent : complexe, concentré, généreux, il exhale des senteurs de fruits bien mûrs assorties de notes épicées, cacaotées, et d'un boisé agréablement fumé. La bouche est ample et grasse à souhait ; la charpente bien équilibrée, parfaitement enrobée, laisse au palais une longue impression aromatique et veloutée. Du grand art.

Didier Barré, Dutour, 32400 Viella, tél. 05.62.69.74.05, fax 05.62.69.80.64 ☑ Y t.l.j. 8h-12h 14h-19h; dim. 15h-19h

CH. BOUSCASSE 1996★★

■ n.c. n.c. 50 à 69 F

Ce 96 a bien vieilli : sa robe profonde montre des reflets cuivrés d'évolution. Son nez, proche de la maturité, mêle des notes animales, des fruits confits, du sous-bois et un boisé épicé. Ce caractère évolué se confirme dans une bouche ample, chaude et grasse, dotée d'une solide structure parfaitement enveloppée. Un madiran que l'on aura déjà plaisir à déguster.

🗝 Alain Brumont, Ch. Bouscasse, 32400 Maumusson-Laguian, tél. 05.62.69.74.67, fax 05.62.69.70.46 ☑ Y t.l.j. sf dim. 9h-12h 14h-18h

CHAPELLE LENCLOS 1997★★★

■ 4 ha n.c. 50 à 69 F

Toujours aussi passionné et inventif, Patrick Ducournau nous ressert cette cuvée qui obtient un nouveau coup de cœur (le 93 avait mérité la même distinction). Les commentaires sont éloquents : la robe ? Magnifique, profonde comme de l'encre. Le nez ? Envoûtant, intense, dévoilant une large palette aromatique qui marie harmonieusement le vin et le bois. Quant à la bouche, elle révèle concentration et rondeur, puissance et élégance, richesse et ampleur. Elle finit longuement sur des tanins savoureux. Du grand art. Patrick Ducournau est aussi l'auteur du **Domaine Mouréou 97**, un vin élégant et remarquable (deux étoiles).

🗝 Patrick Ducournau, 32400 Maumusson-Laguian, tél. 05.62.69.78.11, fax 05.62.69.75.87 ☑ Y r.-v.

CH. DE DIUSSE
Cuvée Privilège Elevé en fût de chêne 1996★

■ 2,5 ha 15 000 50 à 69 F

Ce Centre d'aide par le travail, qui fait participer ses résidents à l'élaboration des vins, produit différentes cuvées de bonne qualité en madiran et en pacherenc du vic-bilh. Ce 96 est bien foncé, avec quelques reflets bruns. Le nez harmonieux et chaleureux est garni de fruits mûrs (cassis), de réglisse et de vanille. L'attaque joue sur du velours. La bouche, ample, ronde et grasse, tapissée de tanins mûrs, offre une finale de bonne persistance aromatique.

🗝 Ch. de Diusse, 64330 Diusse, tél. 05.59.04.02.83, fax 05.59.04.05.77 ☑ Y r.-v.

DOM. DE GRABIEOU
Cuvée Prestige 1997★

■ 1 ha 7 500 30 à 49 F

Cette année, le domaine de Grabieou a bien réussi ce madiran d'un rouge rubis très foncé. D'intensité moyenne, le nez livre des arômes de fruits noirs à l'eau-de-vie, puis quelques notes épicées. La bouche, chaleureuse et ample, révèle une structure tannique imposante ; des tanins épicés, encore austères, marquent la finale. Un vin de garde.

🗝 Dessans, Dom. de Grabieou, 32400 Maumusson-Laguian, tél. 05.62.69.74.62, fax 05.62.69.73.08, e-mail dessans@wanadoo.fr ☑ Y r.-v.

DOM. DE LACAVE 1997

■ 4,36 ha n.c. 30 à 49 F

Vingt-quatre mois d'élevage en cuve pour ce vin issu à 70 % de tannat et 30 % de cabernet franc. Sa robe est brillante, d'un rouge rubis intense. Le nez de bonne intensité privilégie les notes de cuir et de gibier ; on y trouve aussi des senteurs de petits fruits noirs. L'attaque souple est suivie d'une bouche ample et chaleureuse, relevée d'épices sur fond d'arômes de gibier. Les tanins sont puissants, un peu austères en finale.

🗝 Patrick Ponsolle, EARL Dom. de Lacave, 32400 Cannet, tél. 05.62.69.77.38, fax 05.62.69.83.10 ☑ Y r.-v.

DOM. LAFFONT
Elevé en fût de chêne 1996★★

■ 1,28 ha 10 500 30 à 49 F

Pierre Speyer est à la tête de la propriété depuis 1993. Il se hisse déjà parmi les meilleurs, témoin cette cuvée élevée en fût de chêne, dont le millésime 93 avait obtenu un coup de cœur. La robe est d'un rouge profond. Le nez intense révèle un boisé prononcé aux effluves de café ou de torréfaction, copieusement épicé et assorti d'une touche animale. La mâche et le gras s'installent dès la mise en bouche. Le palais est puissant, et la charpente prometteuse s'appuie sur des tanins de qualité encore austères. Un bel avenir.

🗝 Pierre Speyer, Dom. Laffont, 32400 Maumusson, tél. 05.62.69.75.23, fax 05.62.69.80.27 ☑ Y r.-v.

CH. DE LA MOTTE 1997

■ 10 ha 50 000 30 à 49 F

Une robe claire et limpide, d'un beau rouge grenat ; un nez plutôt expressif à dominante de fruits rouges, évoluant vers des nuances de confiture. Une attaque franche, une bouche simple mais bien faite, ronde, fraîche et agréablement fruitée : un vin plaisant.

🗝 Michel et Ghislaine Arrat, Ch. de La Motte, 64350 Lasserre, tél. 05.59.68.16.98, fax 05.59.68.26.83 ☑ Y t.l.j. sf dim. 9h-18h

DOM. DU MOULIE 1997

■ 2 ha 13 000 30 à 49 F

On trouve la trace du domaine du Moulié dans des terriers du XVIII^{e}s. Les quatre cépages de l'appellation - tannat (60 %), cabernet franc (25 %), cabernet-sauvignon (12 %) et fer servadou (3 %) composent cette cuvée d'une couleur assez intense à reflets rouge vif. Le nez ouvert associe le gibier et des notes épicées, avec des nuances de fruits mûrs. Plus austère, la bouche s'avère chaleureuse et puissamment tannique, notamment en finale. On y retrouve le côté épicé du

nez, avec des arômes végétaux. Un madiran rustique mais honorable.
🗝 Michel Charrier, Dom. du Moulié, 32400 Cannet, tél. 05.62.69.77.73, fax 05.62.69.83.66 ☑ Y t.l.j. sf dim. 8h-19h

DOM. DE MOURCHETTE 1996*

■ 13 ha 66 000 30 à 49 F

Seulement 53 % de tannat complétés par 47 % de cabernets (dont 40 % de cabernet franc) plantés sur sol de graves fines et sous-sol argileux ont donné ce vin de domaine suivi par la Cave de Crouseilles. Ce 96 possède une robe rouge plutôt claire et brillante, un nez délicat où se fondent, sous un boisé vanillé, des fruits mûrs et des épices. La bouche est ronde et harmonieuse, adoucie par la vanille d'un boisé bien intégré. Un madiran qui a du charme.
🗝 Cave de Crouseilles, 64350 Crouseilles, tél. 05.59.68.10.93, fax 05.59.68.14.33 ☑ Y t.l.j. sf dim. 9h-12h 14h-18h; groupes sur r.-v.

CRU DU PARADIS Réserve royale 1996**

■ 20 ha 10 000 50 à 69 F

On retrouve cette année le Cru du Paradis, propriété familiale de 20 ha créée en 1918. Sa Réserve royale mérite vraiment son nom : sa robe est somptueuse, d'un rouge profond. Son nez distingué, richement boisé, enveloppe des fruits en confiture d'une touche chocolatée. D'une belle tenue, le palais apparaît ample et gras, très bien équilibré, avec des tanins tout enrobés. Du même domaine, le **pacherenc du vic-bilh 97** mérite d'être cité, en **sec** comme en **moelleux**.
🗝 Jacques Maumus, Cru du Paradis, lieu-dit Le Paradis, 65700 Saint-Lanne, tél. 05.62.31.98.23, fax 05.62.31.93.23 ☑ Y r.-v.

COLLECTION PLAIMONT
Elevé en fût de chêne neuf 1996*

■ n.c. 60 000 30 à 49 F

On retrouve la Collection Plaimont de la cave de Saint-Mont, de même qualité que dans le millésime précédent. La robe est rouge, légèrement violacée et brillante. Le nez ouvert révèle déjà des notes un peu animales et des nuances de sous-bois ; on y trouve aussi du fruit, des épices et des notes franchement boisées. La bouche assez ample, bien construite, sans excès de force, plutôt fraîche, est somme toute agréable. Un grand classique.
🗝 Producteurs Plaimont, 32400 Saint-Mont, tél. 05.62.69.62.87, fax 05.62.69.61.68 ☑ Y t.l.j. sf. dim. 9h-12h 14h-18h; groupes sur r.-v.

DOM. RENGOUER 1996**

■ n.c. n.c. 30 à 49 F

Une cave toute neuve pour l'élaboration de ce vin du domaine Rengouer qui fait une brillante entrée dans le Guide avec ce 96. La robe apparaît presque noire avec des nuances d'acajou. Le nez très ouvert est axé sur les fruits mûrs, voire surmûris, et sur un boisé aux tonalités épicées et réglissées. La bouche puissante et corsée, longue et structurée, offre une bonne mâche riche et bien mûre. Un vin parfaitement typé, étonnamment mature.
🗝 SA Producteurs réunis, 65700 Castelnau-Rivière-Basse, tél. 05.62.31.96.21 ☑ Y t.l.j. sf dim. 9h-12h30 14h30-18h

CH. SAINT-BENAZIT 1996*

■ 24 ha 150 000 30 à 49 F

La robe est profonde, violacée. Le nez reste sur la réserve, dominé par un joli boisé enveloppant quelques notes de fruits rouges. La bouche bien équilibrée propose une belle mâche avec un fruit plus affirmé. D'une longueur satisfaisante, la finale est assez ferme.
🗝 Vignoble de Gascogne, 32400 Saint-Mont, tél. 05.62.69.62.87, fax 05.62.69.61.68 ☑ Y t.l.j. sf dim. 9h-12h 14h-18h; groupes sur r.-v.

DOM. SERGENT 1997*

■ 3 ha 23 000 20 à 29 F

Ce 97 est issu de 70 % de tannat, 20 % de cabernet franc et 10 % de cabernet-sauvignon. Sa robe d'un noir profond montre des nuances violettes. Le nez est fort, animal ou foxé, très épicé avec quelques notes de fruits noirs. La bouche reste franche et puissante, corsée, soutenue par une charpente massive de tanins fermes et rugueux.
🗝 Gilbert Dousseau, Dom. Sergent, 32400 Maumusson-Laguian, tél. 05.62.69.74.93, fax 05.62.69.75.85 ☑ Y t.l.j. sf dim. 8h-12h30 14h-19h30

DOM. TAILLEURGUET
Elevé en fût de chêne 1996*

■ 1 ha 5 000 30 à 49 F

Tannat, cabernet franc et cabernet-sauvignon entrent dans cette cuvée rubis foncé. Le nez intense est marqué de fruits et d'épices assortis d'une légère note florale. La bouche attaque en rondeur, puis la matière s'intensifie, les tanins se renforcent en finale. Un vin robuste.
🗝 EARL Tailleurguet, 32400 Maumusson, tél. 05.62.69.73.92, fax 05.62.69.83.69 ☑ Y t.l.j. sf dim. 9h-19h
🗝 Bouby

Pacherenc du vic-bilh

Sur la même aire que le madiran, ce vin blanc est issu de cépages locaux (arrufiac, manseng, courbu) et bordelais (sauvignon, sémillon) ; cet ensemble apporte une palette aromatique d'une extrême richesse. Suivant les conditions climatiques du millésime, les vins seront secs et parfumés ou moelleux et vifs. Leur finesse est alors remarquable ; ils sont gras et puissants avec des arômes mariant l'amande, la noisette et les fruits exotiques. Ils feront d'excellents vins d'apéritif et, moelleux, seront parfaits sur le foie gras en terrine.

CH. BARREJAT Sec 1998★★

☐ 1,5 ha 10 000 ▮🌡 -de 20 F

Un des préférés de notre grand jury ! Sa robe jaune paille est lumineuse. Le nez, riche et intense, décline toute une palette de fruits variés à chair jaune ou blanche, avec des notes briochées. Souple et harmonieuse, très pure et de belle tenue, la bouche révèle une grande fraîcheur et une superbe évolution aromatique. Un vin d'une grande cohérence. Le **madiran Tradition 97** du même producteur, également fort apprécié, a obtenu une étoile.

🔑 Denis Capmartin, Ch. Barréjat, 32400 Maumusson, tél. 05.62.69.74.92, fax 05.62.69.77.54 ☒ Y t.l.j. sf dim. 8h-12h 14h-18h

ALAIN BRUMONT
Doux Vendémiaire 1997★★

☐ n.c. n.c. ⬮ 50 à 69 F

Alain Brumont nous a impressionnés plus d'une fois avec ce moelleux Vendémiaire, issu de tries de petit manseng mûri au soleil d'octobre, puis élevé en fût de chêne. La robe du 97 est brillante, jaune d'or à reflets ambrés. Le nez, intense et agréable, est dominé par le miel et les fruits exotiques enveloppés de parfums vanillés. La bouche ample, très bien équilibrée, ronde et fraîche, est garnie de fruits confits et soigneusement boisée. Du même producteur, il faut aussi goûter le **pacherenc sec 98 du Château Montus**, lui aussi remarquable.

🔑 Alain Brumont, Ch. Bouscasse, 32400 Maumusson-Laguian, tél. 05.62.69.74.67, fax 05.62.69.70.46 ☒ Y t.l.j. sf dim. 9h-12h 14h-18h

DOM. CAPMARTIN Sec 1998★★

☐ 0,7 ha n.c. ▮⬮🌡 30 à 49 F

On ne présente plus le domaine Capmartin, qui collectionne étoiles et coups de cœur dans le Guide (une cuvée du Couvent, en madiran, a obtenu cette distinction dans la précédente édition). Cette année, il se distingue avec un très beau pacherenc sec à la robe paille dorée pleine de reflets. Toute la dégustation se déroule sous le signe de la fraîcheur : le nez, vif et expressif, associe un fruité exubérant de pêche de vigne à des notes florales ; l'attaque, nerveuse, révèle une pointe de gaz carbonique en fines perles ; la bouche, franche, pleine d'arômes, est portée par un délicat boisé parfaitement intégré.

🔑 Guy Capmartin, Le Couvent, 32400 Maumusson, tél. 05.62.69.87.88, fax 05.62.69.83.07 ☒ Y t.l.j. sf dim. 9h-13h 14h-19h

DOM. DU CRAMPILH
Sec Cuvée traditionnelle 1998★

☐ 3 ha 5 000 ▮🌡 30 à 49 F

Une demeure béarnaise, une salle de dégustation originale et une surprenante terrasse dominant un paysage de vignes sur fond de Pyrénées, voilà le domaine du Crampilh. On y découvrira ce joli pacherenc à la robe claire et limpide. Le nez, très ouvert, est dominé par les fruits - pêche, poire, abricot - avec quelques épices douces. L'attaque souple est suivie d'une bouche ronde, d'une bonne harmonie, dont les arômes bien présents évoluent agréablement et se prolongent sur le fruit. Un vin bien fait.

🔑 Alain Oulie, 64350 Aurions-Idernes, tél. 05.59.04.00.63, fax 05.59.04.04.97, e-mail crampilh@épicuria.fr ☒ Y t.l.j. sf dim. 8h-12h 14h-19h

CAVE DE CROUSEILLES
Moelleux hivernal 1997★★

☐ n.c. 1 300 ⬮ 150 à 199 F

Le petit manseng qui a donné ce moelleux a été vendangé le 22 décembre, premier jour de l'hiver. Vinifiée puis élevée en fût de chêne neuf, cette cuvée a été saluée par un coup de cœur. Elle affiche une robe d'un superbe éclat, ciselée d'or et de cuivre. Puissant, profond et complexe, le nez est tout miel et fruits exotiques en confiture, relevé d'épices et couvert de nuances boisées et fumées. On retrouve le miel, avec des accents toastés, dans une bouche très grasse, concentrée et d'une parfaite harmonie, qui enveloppe le palais. « Fastueux ! », s'exclame un dégustateur.

🔑 Cave de Crouseilles, 64350 Crouseilles, tél. 05.59.68.10.93, fax 05.59.68.14.33 ☒ Y t.l.j. sf dim. 9h-12h 14h-18h; groupes sur r.-v.

DOM. DAMIENS Moelleux 1997★

☐ 1,3 ha 6 000 ⬮ 30 à 49 F

Ce domaine de 15 ha d'un seul tenant, adossé à l'un des cinq coteaux d'Aydie propose un pacherenc paré d'une robe très franche à reflets dorés et cuivrés. Le nez intense, fait de pâte de fruits, de miel et de jasmin, est enveloppé de nuances boisées particulièrement fumées. Après une attaque souple, on découvre une bouche volumineuse, pleine, aromatique. Une bonne fraîcheur se maintient en finale sur un fond boisé. (bouteille de 50 cl)

🔑 André Beheity, Dom. Damiens, 64330 Aydie, tél. 05.59.04.03.13, fax 05.59.04.02.74 ☒ Y t.l.j. sf sam. dim. 8h-30-12h30 14h-19h

CH. LAFFITTE-TESTON
Sec Cuvée Ericka Elevé en fût de chêne 1998★★

☐ 3 ha 20 000 ⬮ 30 à 49 F

Jean-Marc Laffitte a fait construire un chai souterrain d'une capacité de huit cents barriques pour l'élevage de ses vins. On retrouve sa cuvée Ericka dont le millésime 94 avait eu un coup de cœur. C'est encore un vin superbe, avec sa robe vive d'un jaune doré brillant, son nez intense d'agrumes et de fruits exotiques mûrs à point, mariés à un joli boisé qui en accroît la complexité. L'attaque est très ronde ; la bouche équilibrée, grasse et riche d'une belle palette aromatique, finit longuement sur d'agréables notes fruitées et briochées. Le **moelleux 97 élevé en fût** (coup de cœur dans le millésime 92) obtient une étoile.

Jean-Marc Laffitte, 32400 Maumusson, tél. 05.62.69.74.58, fax 05.62.69.76.87 t.l.j. sf dim. 8h-12h30 14h-19h

DOM. LAOUGUE Doux 1997**

□ 2 ha n.c. 30 à 49 F

Un assemblage judicieux de gros et petit manseng à parts égales, suivi d'un élevage sur lies avec un bâtonnage régulier, a donné ce pacherenc remarquable, qui s'annonce par une séduisante robe paille dorée. Le nez, franc et puissant, livre des notes de fruits confits ou surmûris et de miel, sur un fond boisé délicat. La bouche évolue sur du gras, confirmant une surmaturité du fruit. Elle se montre harmonieuse jusqu'à la longue finale agréablement acidulée. Un beau potentiel.

Pierre Dabadie, rte de Madiran, 32400 Viella, tél. 05.62.69.90.05, fax 05.62.69.71.41 t.l.j. 8h-18h

L'OR DU VIEUX PAYS Moelleux 1997*

□ 15 ha 100 000 50 à 69 F

Ce moelleux a belle allure dans sa robe dorée et brillante. Le nez, complexe et soutenu, associe l'abricot, le coing, les fruits exotiques, le miel et les épices. La bouche se montre douce dès l'attaque ; ample et suave, elle révèle un joli développement aromatique. Un très bon vin, tout comme le **madiran 97 La Chênaie du Tilh, élevé en fût de chêne**, qui a obtenu la même note.

Vignoble de Gascogne, 32400 Saint-Mont, tél. 05.62.69.62.87, fax 05.62.69.61.68 t.l.j. sf dim. 9h-12h 14h-18h; groupes sur r.-v.

CH. DE VIELLA Moelleux 1997**

□ 5 ha 12 000 30 à 49 F

Bravo à Alain Bortolussi pour les deux vins remarquables qu'il a présentés : un **madiran 96** de pur tannat, **vieilli en fût de chêne**, et ce pacherenc moelleux, vendange tardive de petit manseng (80 %) et d'arrufiac (20 %). Une robe dorée laissant des jambes sur le verre, un nez franc, très agréable, composé de fleurs blanches et de miel, de fruits exotiques et confits, accompagnés d'une touche de vanille : voilà qui est de bon augure. Quant à la bouche, elle se montre riche, ample et grasse, avec une pointe de vivacité, et offre une longue finale boisée et citronnée. Un très bel équilibre

SCEA Ch. de Viella, Alain Bortolussi, rte de Maumusson, 32400 Viella, tél. 05.62.69.75.81, fax 05.62.69.79.81 t.l.j. sf dim. 8h30-12h30 14h-19h

> L'alcool assure corps et rondeur au vin ; l'acidité lui donne l'attaque et la nervosité ; les tanins lui procurent structure et charpente.

Tursan AOVDQS

Autrefois vignoble d'Aliénor d'Aquitaine, le terroir de Tursan représente aujourd'hui 460 ha pour une production moyenne de 20 000 hl. Il produit des vins rouges, rosés et blancs (35 %). Les plus intéressants sont les blancs, issus d'un cépage original, le baroque. Sec et nerveux, au parfum inimitable, le tursan blanc accompagne alose, pibale et poisson grillé.

CH. DE BACHEN Climat océanique 1997**

□ 17 ha 26 000 50 à 69 F

Elle n'est pas loin du coup de cœur, cette jolie cuvée présentée par le chef Michel Guérard, propriétaire du château de Bachen. La robe est superbe, d'un jaune d'or très brillant. Le nez s'ouvre sur les fruits mûrs, avec une note de vanille fort agréable. La suite ne déçoit pas : attaque ronde et grasse, bouche parfaitement équilibrée, ample et puissante, extrêmement aromatique. Un bel exercice de style. Tout aussi appréciée, la **cuvée boisée Baron de Bachen**, Climat océanique, un autre **blanc 97**, a obtenu la même note.

SA Michel Guérard, Cie fermière et thermale d'Eugénie-les-Bains, 40800 Duhort-Bachen, tél. 05.58.05.06.44, fax 05.58.05.06.36 r.-v.

LES VIGNERONS DE TURSAN Baron d'Orvignan 1998**

■ 15 ha 30 000 20 à 29 F

Parmi les cuvées de rouge présentées par la cave du Tursan, le jury a retenu celle-ci pour son excellent rapport qualité-prix. Sa robe est d'un pourpre très intense. Son nez puissant, évolué, offre des senteurs de gibier et de fruits rouges bien mûrs, relevées d'épices. La bouche révèle une bonne matière, solidement structurée. Elle évolue sur des tanins fondants et réglissés. Une très belle bouteille.

Vignerons du Tursan, 40320 Geaune, tél. 05.58.44.51.25, fax 05.58.44.40.22, e-mail tursan.vin@wanadoo.fr r.-v.

LES VIGNERONS DE TURSAN Haute Carte 1998*

□ 40 ha 50 000 20 à 29 F

Dans cette gamme de Haute Carte déclinée dans les trois couleurs par la cave du Tursan, le blanc, assemblage original de baroque (50 %), gros manseng (30 %) et sauvignon, est apparu comme le plus intéressant. Sa robe jaune clair est parcourue de fines perles. Son nez, très intense, est axé sur les fruits frais, en particulier le pamplemousse. La vivacité de l'attaque est renforcée par la présence de gaz carbonique. La bouche s'équilibre entre la fraîcheur acide et le gras de l'alcool ; cette sensation se prolonge dans une finale de fruits acidulés.

Vignerons du Tursan, 40320 Geaune, tél. 05.58.44.51.25, fax 05.58.44.40.22, e-mail tursan.vin@wanadoo.fr r.-v.

SUD-OUEST

Côtes de saint-mont AOVDQS

Prolongement du vignoble de Madiran, les côtes de saint-mont sont la dernière-née des appellations pyrénéennes en vins de qualité supérieure (1981). Le vignoble couvre environ 1 000 ha, produisant en moyenne 60 000 hl. Le cépage rouge principal est encore ici le tannat, les cépages blancs se partageant entre la clairette, l'arrufiac, le courbu et les mansengs. L'essentiel de la production est assuré par l'union dynamique des caves coopératives Plaimont. Les vins rouges sont colorés et corsés, et deviennent vite ronds et plaisants. Ils seront bus avec des grillades et de la garbure gasconne. Les rosés sont fins et estimables par leurs arômes fruités. Les blancs ont des parfums de terroir et sont secs et nerveux.

CRETES DE TILLAN 1997

□ 45 ha 300 000 🛢 30 à 49 F

Voici un blanc bien réussi parmi les classiques de la cave, à base de gros et de petit manseng, de petit courbu et d'arrufiac. De couleur paille fraîche, il présente un nez assez intense, qui évolue des fleurs blanches aux fruits secs et exotiques. Après une attaque franche, la bouche se montre souple, sans excès de vivacité. Bien fruitée, elle offre aussi une note beurrée.

🔑 Vignoble de Gascogne, 32400 Saint-Mont, tél. 05.62.69.62.87, fax 05.62.69.61.68 ☑ 🍷 t.l.j. sf dim. 9h-12h 14h-18h; groupes sur r.-v.

LE PASSE AUTHENTIQUE 1998★★

□ 30 ha 200 000 ▮ 🌡 30 à 49 F

Grâce à un chai de réception ultramoderne - pressoirs pneumatiques, cuves d'égouttage, maîtrise de la température - la cave des producteurs de Plaimont élabore des vins blancs technologiques certes, mais d'une qualité remarquable, témoin cette cuvée d'un jaune d'or limpide et brillant, orné de reflets verts. Le nez très intense décline les fleurs (rose), les fruits (ananas, litchi et pamplemousse), avec quelques accents boisés. La bouche, fraîche et grasse, puissamment aromatique, sans lourdeur, parfaitement équilibrée, finit sur une note acidulée fort agréable.

🔑 Vignoble de Gascogne, 32400 Saint-Mont, tél. 05.62.69.62.87, fax 05.62.69.61.68 ☑ 🍷 t.l.j. sf dim. 9h-12h 14h-18h; groupes sur r.-v.

MONASTERE DE SAINT-MONT 1997★

■ 7 ha 10 000 🛢 70 à 99 F

Voici une cuvée haut de gamme produite en quantité limitée. La robe est d'un grenat profond et soutenu. Le nez fortement concentré, un peu fermé, laisse percevoir des fruits noirs et des épices sous un manteau sérieusement boisé. L'attaque est franche, la bouche puissante, très structurée, grâce à une matière charnue et des tanins massifs qui s'imposent en finale. Un vin qu'il faut savoir attendre.

🔑 Producteurs Plaimont, 32400 Saint-Mont, tél. 05.62.69.62.87, fax 05.62.69.61.68 ☑ 🍷 t.l.j. sf. dim. 9h-12h 14h-18h; groupes sur r.-v.

CH. DE SABAZAN 1997★

■ 14 ha 35 000 🛢 50 à 69 F

On retrouve cette année le Château de Sabazan souvent mentionné par le passé (le 90 avait eu un coup de cœur). Cette cuvée, qui rassemble tous les cépages de l'appellation, est d'une couleur pourpre intense, très limpide. Le nez, marqué par le boisé, laisse filtrer des senteurs animales (cuir), mais aussi quelques notes de fruits noirs et d'épices. La bouche offre une belle montée en puissance ; ample et structurée, elle finit sur d'austères tanins boisés. Un vin solide et encore jeune, à attendre.

🔑 Producteurs Plaimont, 32400 Saint-Mont, tél. 05.62.69.62.87, fax 05.62.69.61.68 ☑ 🍷 t.l.j. sf. dim. 9h-12h 14h-18h; groupes sur r.-v.

Les vins de la Dordogne

Suite naturelle du vignoble libournais, celui de Dordogne n'en est séparé que par une frontière administrative. Avec des cépages classiques girondins, le vignoble périgourdin est caractérisé par une production très diversifiée et un grand nombre d'appellations. Il s'épanouit en coteaux sur les deux rives de la Dordogne.

L'appellation régionale bergerac comprend des blancs, des rosés et des rouges. Les côtes de bergerac sont des vins blancs moelleux, au bouquet délicat, et des rouges charpentés et ronds, à boire avec des volailles et des viandes en sauce. L'appellation saussignac désigne d'excellents vins moelleux qui possèdent un équilibre idéal entre vivacité et sucre, vins d'apéritif intermédiaires entre le bergerac et le monbazillac. Montravel, proche de Castillon, est le vignoble de Montaigne ; la production s'y divise en montravel blanc sec, très typé par le sauvignon, et en côtes de montravel et haut-montravel, moelleux, élégants et racés, excellents vins de dessert. Le pécharmant est un vin rouge récolté sur les coteaux du Bergeracois, où des sols riches en fer lui donnent un goût de terroir très typé ; vin de garde, au bouquet fin et subtil, il accompagnera les classiques de la cuisine périgourdine. Le rosette est un blanc moelleux issu des mêmes cépages que les bordeaux et récolté dans une petite zone de la rive droite de la Dordogne autour de Bergerac.

Connu depuis le XIVe s., le monbazillac est l'un des vins « liquoreux » les plus célèbres. Son vignoble est exposé au nord sur des terrains argilo-calcaires. Le microclimat qui y règne est particulièrement favorable au développement d'une forme particulière du botrytis : la pourriture noble. D'une belle couleur dorée, les monbazillac ont des arômes de fleurs sauvages et de miel. Très longs en bouche, ils peuvent être bus à l'apéritif, dégustés avec du foie gras, du roquefort et des desserts à base de chocolat. Gras et puissants, ils deviennent en vieillissant de grands liquoreux au goût de « rôti ».

Bergerac

Les vins peuvent être produits dans 90 communes de l'arrondissement de Bergerac ; le vignoble représente 12 633 ha. Le rosé, frais et fruité, est souvent issu de cabernet ; le rouge, aromatique et souple, est un assemblage des cépages traditionnels.

CH. BINASSAT 1997

■ 0,5 ha 1 400 30 à 49 F

Ancienne bâtisse datant de l'époque des Templiers, le chai jouxte l'église de Saint-Nexans, ce qui constitue un point de repère intéressant. Il recèle ce 97 au nez très intense, alliant des parfums fruités de cassis, de fruits rouges et de menthe à quelques discrets arômes boisés. La bouche, où l'on retrouve le fruit, montre beaucoup de souplesse et finit sur une note épicée. Un vin plutôt simple, mais très agréable.

Francine Jeante, Le Bourg, 24520 Saint-Nexans, tél. 05.53.58.56.59, fax 05.53.58.56.59 r.-v.

CH. BRIAND 1998★

■ 7,5 ha 6 000 20 à 29 F

Fermé, solide et austère : ce vin est à l'image de la maison forte qui l'abrite, dépendance du château de Bridoire voisin. Le nez encore discret laisse deviner des notes de fruits mûrs. En bouche, ce vin apparaît très charpenté avec des tanins charnus qui ont besoin de s'arrondir. Quelques années de garde lui seront bénéfiques.

Gilbert et Kathy Rondonnier, Les Nicots, 24240 Ribagnac, tél. 05.53.58.23.50 mar. mer. sam. 10h-19h

CH. BUISSON DE FLOGNY 1998

■ n.c. 18 000 20 à 29 F

Le château du XVIIIe s. accueillit quelque temps Saint-Just. Il a été rénové après son rachat

Le Bergeracois

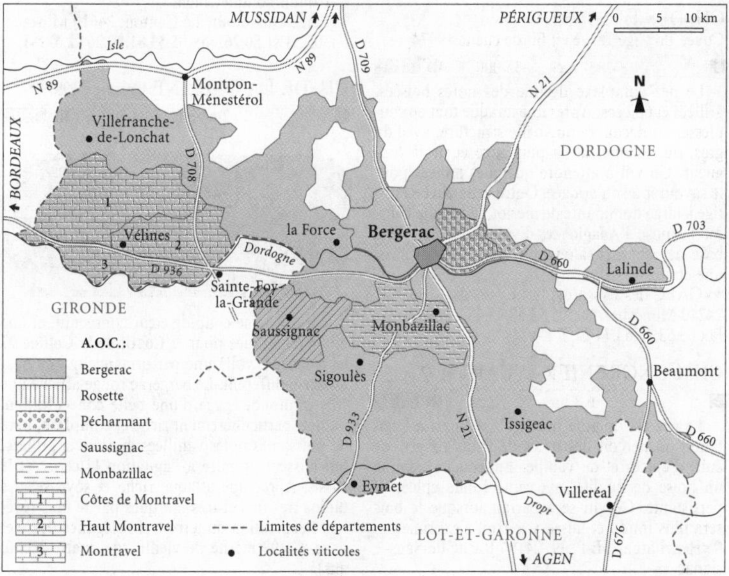

en 1992. Le nez de ce 98, intense, mêle des notes de fruits des bois très mûrs à des notes chocolatées. La bouche surprend par sa puissance tannique. Elle manque encore de rondeur, aussi oubliera-t-on ce vin quelques années au fond de sa cave.
⊶ Bighetti de Flogny, Le Buisson, 24610 Saint-Méard-de-Gurçon, tél. 05.53.81.00.87, fax 05.53.80.61.39 Y r.-v.
⊶ SCEA Ch. Saint-Méard

PIERRE CHANAU 1998

■ 40 ha 300 000 -de 20 F

Producta nous présente une gamme de vins rouges intéressante puisque, en plus de cette cuvée, le **Château Charmeil 97** et le **Château de Métairie Haute 97** ont été cités en **pécharmant**. La cuvée Pierre Chanau se caractérise par des arômes de fruits rouges et de cassis. En bouche, on trouve du gras et du volume, soutenus par une belle structure tannique. Ce vin sera bon à boire dans un an.
⊶ Producta SA, 21, cours Xavier-Arnozan, 33082 Bordeaux Cedex, tél. 05.57.81.18.18, fax 05.56.81.22.12 Y mar. mer. jeu. ven. 12h-18h

DOM. CONSTANT 1997

■ 4,5 ha 20 000 20 à 29 F

Cette cuvée est le produit d'une vendange soigneusement récoltée et triée à la main puis d'une cuvaison longue. Le nez propose des arômes très mûrs au nez, associant des notes de fruits rouges et des nuances grillées. En bouche, ce vin est souple, ample et complet. Les tanins présentent une bonne longueur avec des notes torréfiées et un bon retour de fruits rouges en finale.
⊶ Jean-Louis Constant, Castang, 24680 Lamonzie-Saint-Martin, tél. 05.53.24.07.08, fax 05.53.24.28.43 ☒ Y t.l.j. 9h-12h 14h-16h30; dim. sur r.-v.
⊶ GFA Constant

CH. DES EYSSARDS
Cuvée Prestige Elevé en fût de chêne 1997*

■ n.c. 35 000 30 à 49 F

Le nez complexe décline des notes boisées, grillées et épicées. Après une attaque tout en souplesse, on découvre une belle structure, avec du gras, du volume, de la puissance et de la longueur. Un vin à attendre quelques années pour le savourer à son apogée. Outre cette cuvée Prestige à large dominante de merlot, la famille Cuisset propose l'**Adagio des Eyssards 97**, cuvée à base de cabernet-sauvignon qui a obtenu aussi une étoile.
⊶ GAEC des Eyssards, Les Eyssards, 24240 Monestier, tél. 05.53.58.45.48, fax 05.53.58.63.74 ☒ Y r.-v.

CH. FONGRENIER-STUART 1997

■ 6,3 ha n.c. 30 à 49 F

Le nez est dominé par le boisé, mais à l'agitation on perçoit des notes de fruits rouges, de cuir, d'épices et de vanille. En bouche domine un boisé de qualité, avec une finale épicée et persistante. Ce vin sera parfait lorsque le bois sera plus fondu et laissera le fruit s'exprimer.
⊶ Henri Stuart, B.P. 39, 24104 Razac-de-Saussignac

DOM. DES GRANDS QUINTINS 1997

■ 9,5 ha 30 000 20 à 29 F

La prédominance du merlot dans ce 97 explique la souplesse de ce vin. Sans surprise, le fruité domine au nez. Après une attaque assez souple, des tanins nerveux et corsés se développent en bouche. Assez harmonieux et de moyenne puissance, c'est un bergerac très caractéristique de son millésime.
⊶ EARL des Grands Quintins, Patrick Vergnol Les Quintins, 24240 Monestier, tél. 05.53.58.42.75, fax 05.53.73.03.04 ☒ Y r.-v.
⊶ Patrick Vergnol

CH. GRINOU
Réserve Elevé en fût de chêne 1997**

■ 6 ha 24 000 50 à 69 F

Une production d'une qualité régulière pour ce domaine : certes, son **bergerac sec Grande Réserve** qui fut coup de cœur l'an passé a seulement une étoile dans le millésime 98, mais le rouge obtient une étoile de plus ! Intense et riche, le nez marie parfaitement le boisé, le café et le chocolat avec les notes de fruits rouges très mûrs. La structure, impressionnante pour le millésime, supporte parfaitement le bois. Les tanins apparaissent fondus et la longueur est idéale. Un vin très féminin, doux et puissant, fin et complexe.
⊶ Catherine et Guy Cuisset, Ch. Grinou, 24240 Monestier, tél. 05.53.58.46.63, fax 05.53.61.05.66 ☒ Y r.-v.

CH. HAUT MINZAC 1997*

■ 9,5 ha 3 500 30 à 49 F

Cette cuvée presque essentiellement composée de merlot révèle un subtil élevage en barrique. Au nez, c'est le cassis qui explose. La matière souple, dense et corsée, évolue sur un beau tanin qui a encore besoin de quelques mois pour s'arrondir complètement.
⊶ Serge Dussutour, Le Canton, 24610 Minzac, tél. 05.53.81.80.26, fax 05.53.81.80.26 ☒ Y r.-v.

CH. DE LA COLLINE Carminé 1997**

■ 2,68 ha 4 500 70 à 99 F

Un troisième coup de cœur consécutif, et une étoile remarquée pour le **Confit de la Colline 97 en moelleux**, voilà une performance qui ne peut laisser indifférent. Le bergerac rouge affiche une robe profonde, gage d'une belle concentration. Le nez, particulièrement riche et complexe, livre de puissantes notes vanillées, boisées et grillées, qui laissent poindre à l'agitation la cerise et le cassis. Après une attaque riche et soyeuse, des tanins très fins et très marqués par le bois révèlent l'expression du terroir et l'élégance de l'élevage. Ce 97 mérite de vieillir (de quatre à cinq ans).

⊶ Ch. de La Colline, 24240 Thénac, tél. 05.53.61.87.87, fax 05.53.61.71.09, e-mail la.colline@wanadoo.fr ☑ Y r.-v.
⊶ B.K. Timms and Sons

DOM. DE LA COMBE 1998

■ 3 ha 20 000 ▮🌡 30 à 49 F

Trois citations pour cette exploitation de quelque 29 ha : pour le **bergerac sec 98**, le **saussignac 97** de type moelleux et ce Domaine de La Combe 98. Ses arômes, d'une bonne maturité, livrent des notes de fruits rouges et de cassis. En bouche, les tanins présentent beaucoup de rondeur et de longueur. Un vin déjà prêt à boire.
⊶ Sylvie et Claude Sergenton, Dom. de La Combe, 24240 Razac-de-Saussignac, tél. 05.53.27.86.51, fax 05.53.27.99.87 ☑ Y r.-v.

CH. LA GRANDE BORIE 1998

■ 6 ha 30 000 ▮🌡 20 à 29 F

Cette cuvée à dominante de merlot est issue d'une macération longue. Au nez, on peut apprécier des notes fruitées et florales de cerise et de violette. L'attaque fondue est suivie d'une bouche assez volumineuse et aux tanins gras, qui finit sur des notes de cassis. Un vin équilibré, très réussi.
⊶ Claude Lafaye, La Grande Borie, 24520 Saint-Nexans, tél. 05.53.24.33.21, fax 05.53.24.97.74 ☑ Y t.l.j. 9h-12h 14h-18h; sam. dim. sur r.-v.

CH. LA GRANDE PLEYSSADE
Vieilli en fût de chêne 1998★

■ 18 ha 104 000 ⦀ -de 20 F

Repris en 1993 par M. Laumond, ce domaine est aujourd'hui doté d'un chai de vinification moderne ainsi que d'un superbe chai à barriques. Il propose une cuvée au nez flatteur associant de délicates notes de cassis, de pruneau et de fruits mûrs. La bouche riche et charnue fait preuve d'une bonne persistance. Encore un peu amer en finale, ce vin sera très agréable dans un an.
⊶ SCEA La Grande Pleyssade, 24240 Mescoulès, tél. 05.53.73.21.79, fax 05.53.24.27.61 ☑ Y r.-v.
⊶ Laumond

CH. LAULERIE
Vieilli en fût de chêne 1997★

■ 20 ha 120 000 ⦀ 30 à 49 F

Point n'est besoin d'aller chercher des techniques sophistiquées, on peut faire de grands vins traditionnellement et sans micro-oxygénation. Si ce bergerac est dominé au nez par le boisé, avec ses notes torréfiées et épicées, on apprécie les parfums de fruits noirs, de cerise et de mûre. La bouche est aujourd'hui trop marquée par le bois, mais elle révèle une belle matière qui s'exprimera dans deux à trois ans. Le 93 avait eu un coup de cœur. On trouvera aussi au château Laulerie un joli **montravel 98** (une étoile) et un **côtes de montravel 97** bien moelleux (cité).
⊶ Vignobles Dubard, Le Gouyat, 24610 Saint-Méard-de-Gurçon, tél. 05.53.82.48.31, fax 05.53.82.47.64, e-mail gitesdugouyat@perigord.com ☑ Y t.l.j. 8h-12h30 14h-19h

CLOS LE JONCAL Mirage du Joncel 1997★

■ 1,15 ha 4 500 ▮⦀🌡 70 à 99 F

Pourquoi le « Mirage » ? Parce que le propriétaire est officier dans l'armée de l'air. En fait, ce bergerac n'a rien d'évanescent. Au nez, c'est un festival d'arômes : fraise, violette, cassis, épices assortis d'une forte note boisée. En bouche, le torréfié et le café sont présents sur une structure riche et une finale assez longue. Un vin à fort potentiel qui peut être attendu entre trois et quatre ans.
⊶ SCEA Le Joncal, Le Bourg, 24500 Saint-Julien-d'Eymet, tél. 05.53.61.84.73, fax 05.53.61.84.73 ☑ Y r.-v.
⊶ Tatard

LE PAJOT 1997

■ 2,5 ha 20 000 ▮ -de 20 F

Les récents investissements réalisés à la coopérative de Saint-Vivien trouvent leur justification dans cette bouteille bien venue. Le nez de mûre et de groseille, typique de ce terroir argilo-calcaire, se révèle à l'agitation. La structure tannique est souple et bien équilibrée. Un vin gouleyant à boire rapidement. Le **rosé 98 La Tour Saint-Vivien**, discrètement fruité, a lui aussi été cité.
⊶ Viticulteurs réunis de Saint-Vivien et Bonneville, 24230 Saint-Vivien-de-Vélines, tél. 05.53.27.52.22, fax 05.53.22.61.12 ☑ Y r.-v.

CH. LE PUCH Elevé en fût de chêne 1997

■ 2 ha 8 500 ⦀ 30 à 49 F

Lorsqu'on arrive au château, on ne peut manquer le pigeonnier ancien ; le chai moderne est particulièrement bien équipé. Ce bergerac rouge est typé et révèle un élevage en fût bien maîtrisé. Le fruité et le boisé se mêlent au nez. Les tanins présentent un bon volume en bouche. Ce vin déjà prêt à boire peut vieillir deux à trois ans.
⊶ SARL des Vignobles J.-P. Hembise, Ch. Le Puch, 24240 Monbazillac, tél. 05.53.58.85.85, fax 05.53.61.67.78, e-mail vignoblesjphembise@wanadoo.fr ☑ Y t.l.j. 8h-12h 14h-18h; sam. dim. sur r.-v.

CH. LE TOURON 1998★★

■ 6,88 ha 25 000 ▮🌡 20 à 29 F

Le jury a préféré cette cuvée non boisée à la **cuvée Prestige** qui a vieilli en fût (une étoile). Le nez, complexe et intense, révèle de belles notes de griotte et de cassis. L'attaque est pleine, charnue, avec des tanins gras. La finale, où l'on retrouve les fruits, d'une bonne sucrosité, laisse une agréable impression. Un vin puissant et prometteur que l'on doit attendre. De la même cave, on appréciera le **Marquis de Chanterac 98** en **côtes de bergerac moelleux**.
⊶ Cave coopérative de Monbazillac, rte de Mont-de-Marsan, 24240 Monbazillac, tél. 05.53.63.65.00, fax 05.53.63.65.09 ☑ Y t.l.j. sf dim. 8h30-12h30 13h30-19h

DOM. DU LYS PICOTS 1997★

■ 3 ha 15 000 ▮🌡 20 à 29 F

Il y a des circonstances où l'on a envie d'une bouteille agréable mais pas très complexe. C'est le cas de ce Domaine du Lys Picots à la fois

souple, harmonieux et... commercial. Le nez est frais, floral, un peu mentholé. L'attaque, franche et souple, laisse la place à des tanins mûrs, harmonieux, avec une finale légèrement boisée. Un travail bien fait pour un « vin plaisir ». A noter aussi : un **saussignac 97** gras et fruité a été cité.
☛ Serge Pialat, Domaine du Lys Picots, 24240 Razac-de-Saussignac, tél. 05.53.22.41.12, fax 05.53.23.46.81 ⊼ t.l.j. 10h-13h 14h-19h

CH. MEYRAND-LACOMBE 1998

■	15 ha	25 000	▮	20 à 29 F

Le nez, d'une puissance moyenne, est dominé par des arômes de cassis et de fraise des bois. En bouche, ce vin très rond révèle une structure tannique solide mais bien équilibrée.
☛ Michel Lorenzon, Le Meyrand, 24240 Cunèges, tél. 05.53.58.46.32, fax 05.53.58.29.61 ☑ ⊼ r.-v.

CH. MOULIN CARESSE
Cuvée Vieilles vignes 1997★★

■	4,5 ha	27 000	⦿	30 à 49 F

Cette cuvée issue majoritairement de merlot (45 %) et de cabernet-sauvignon (30 %), fruit d'une cuvaison longue, exprime parfaitement le terroir de Montravel. Le nez, très beau, complexe et fin, allie des notes vanillées, fruitées, épicées et mêmes florales. La bouche apparaît corsée et dense. Si la matière tannique, très présente, se montre encore un peu austère, elle révèle un superbe potentiel. Le **haut-montravel cuvée Vieilles vignes 97**, très gras et très rond, a largement mérité son étoile.
☛ Sylvie et Jean-François Deffarge-Danger, Couin, 24230 Saint-Antoine-de-Breuilh, tél. 05.53.27.55.58, fax 05.53.27.07.39 ☑ ⊼ t.l.j. 9h-12h 15h-19h; sam. dim. sur r.-v.

CAVE DE PORT SAINTE-FOY
Bouteille noire Elevé en fût de chêne 1997★★

■	2 ha	11 000	⦿	30 à 49 F

Un conditionnement original pour les vins de cette cave, des bouteilles noires pour ce bergerac rouge, satinées pour le **rosé 98** et bleues pour le **montravel Duc de Mézière 98**. Ces deux derniers ont obtenu une étoile. Le rouge offre un nez puissant et fin, mêlant des notes de réglisse et de fruits noirs. Après une attaque somptueuse, on découvre un palais fondu, mariant harmonieusement le vin et le bois. Un travail d'élevage intelligent sur une superbe matière première.
☛ Union de viticulteurs de Port-Sainte-Foy, 78, rte de Bordeaux, 33220 Port-Sainte-Foy, tél. 05.53.27.40.70, fax 05.53.27.40.71 ☑ ⊼ t.l.j. sf dim. 9h-12h 14h-19h

ROSE DE SIGOULES
Elevé en fût de chêne 1997

■	10 ha	15 000	⦿	30 à 49 F

La production de la coopérative de Montravel et Sigoulès est toujours de qualité puisque, outre cette Rose de Sigoulès, la **Rose de l'Ecrivain** en **saussignac 97** et **Diane de Périgord en bergerac sec 98** ont été cités par le jury. Dans ce bergerac rouge, la vanille et le boisé se marient parfaitement avec des arômes de fruits sauvages. Après une attaque souple, les tanins apparaissent bien

équilibrés ; la finale est très marquée par le bois. Un vin qui a besoin de deux ans pour se fondre.
☛ Cave coop. des Producteurs de Montravel et Sigoulès, 24240 Sigoulès, tél. 05.53.61.55.00, fax 05.53.61.55.10 ☑ ⊼ t.l.j. sf dim. 8h-12h 14h-18h

CH. RUINE DE BELAIR
Cuvée Tradition 1997★

■	10 ha	16 000	▮⦿♦	30 à 49 F

Situé à la limite du département de la Gironde, ce domaine a aussi présenté un **saussignac cuvée Cécile 97** qui a obtenu la même note. Le bergerac possède un nez particulièrement fin et agréable, fait de notes fruitées et balsamiques, puis de nuances vanillées résultant d'un vieillissement en fût. La bouche, souple et très plaisante en attaque, révèle ensuite un tanin consistant, un peu amer en finale. Le boisé demande à se fondre encore un peu.
☛ EARL Vignobles Rigal, Dom. du Cantonnet, 24240 Razac-de-Saussignac, tél. 05.53.27.88.63, fax 05.53.23.77.11 ☑ ⊼ r.-v.

CH. SINGLEYRAC Cuvée Tradition 1998

■	10 ha	70 000	▮♦	30 à 49 F

Le château Singleyrac est de nouveau cité dans la sélection pour ce **bergerac rouge 98** ainsi que pour la cuvée sur lie du **bergerac sec 98**. Le premier présente un nez de fruits rouges (cassis, fraise des bois) très agréable. La bouche offre un volume intéressant, avec des tanins encore un peu austères. D'une bonne longueur, ce vin doit être attendu quelques années.
☛ SCEA Ch. Singleyrac, Le Bourg, 24500 Singleyrac, tél. 05.53.58.41.98, fax 05.53.58.37.07 ☑ ⊼ r.-v.

CH. THEOBON 1998

■	5,5 ha	40 000	▮♦	20 à 29 F

Producta diversifie sa gamme et met en avant le Château Théobon, vinifié par la cave de Port-Sainte-Foy, le **Domaine de Barbeyrolles**, vinifié par celle de Fleix, en rouge, ou bien encore la **cuvée Fruits de mer** en **bergerac sec**. Tous ces vins ont été cités dans le **millésime 98**. Le Château Théobon offre un nez puissant, avec du fruit, de la vanille et des notes déjà évoluées. La bouche, malgré une certaine rondeur, révèle quelques défauts de jeunesse qui devraient s'estomper avec le temps.
☛ Producta SA, 21, cours Xavier-Arnozan, 33082 Bordeaux Cedex, tél. 05.57.81.18.18, fax 05.56.81.22.12 ⊼ mar. mer. jeu. ven. 12h-18h

CH. TOURMENTINE Barrique 1997★★

■	5 ha	25 000	⦿	30 à 49 F

Cette cuvée Barrique du Château Tourmentine a obtenu une étoile supplémentaire pour ce millésime. Le nez puissant - mais sans excès - développe des notes fruitées bien mûres, ainsi que du boisé et du vanillé agréablement fondus. La bouche, particulièrement harmonieuse, offre une finale longue et complexe. Les tanins, déjà fondus, gagneront encore en rondeur. Du même domaine, le **saussignac liquoreux 96 Chemin Neuf** a été cité.

➛Jean-Marie Huré, Tourmentine,
24240 Monestier, tél. 05.53.58.41.41,
fax 05.53.63.40.52 ☑ ⟊ r.-v.

Bergerac rosé

CH. BRUNET-CHARPENTIERE 1998★

◢ | 0,5 ha | 1 200 | 🍾 | 20 à 29 F

Issu exclusivement de cabernet-sauvignon, ce rosé est de type demi-sec. Le cépage s'exprime nettement au nez par des notes fruitées auxquelles s'ajoutent des arômes de bonbon anglais. Le gras et le sucre confèrent un bon équilibre au palais. La finale superbement longue offre un beau retour de fruits.
➛Pierrette Descoins, 24230 Montazeau,
tél. 05.53.27.54.71, ☑ ⟊ r.-v.

CLOS DES CABANES
Cuvée Tradition 1998

◢ | 0,29 ha | 2 500 | 🍾 | 30 à 49 F

Pour ses premières vendanges au clos des Cabanes, G. Lafont obtient deux citations : l'une pour le **bergerac sec cuvée Tradition 98**, et l'autre pour ce rosé. La couleur, soutenue, est celle de la groseille ou de la grenadine. Le fruité, plutôt discret au nez, se développe en bouche après une attaque souple et ronde. Un vin bien équilibré à la fois gras et vif grâce à l'apport du gaz carbonique.
➛EARL des Vignobles Lafont, Clos des Cabanes, 24100 Saint-Laurent-des-Vignes, tél. 05.53.24.85.03, fax 05.53.24.85.03 ☑ ⟊ t.l.j. sf dim. 8h-12h 14h-18h; f. avril
➛ Georges Lafont

JULIEN DE SAVIGNAC 1998★★

◢ | n.c. | 20 000 | 🍾 | 30 à 49 F

Deux étoiles attribuées tant à ce rosé qu'au **bergerac sec 98** couronnent une coopération fructueuse entre H. Ryman, œnologue, et P. Montfort, président de l'entreprise de négoce. Ce rosé s'annonce par un nez puissant et très complexe où se côtoient le cassis, l'ananas, la framboise et la fraise. L'attaque fondue montre un peu de mordant, grâce à une bonne acidité. Un vin superbement équilibré, alliant structure et fraîcheur, richesse et élégance.
➛ Julien de Savignac, av. de la Libération, 24260 Le Bugue, tél. 05.53.07.10.31, fax 05.53.07.16.41, e-mail julien.de.savignac@wanadoo.fr ☑ ⟊ r.-v.

CH. MONPLAISIR 1998

◢ | 0,44 ha | 2 500 | 🍾 | 20 à 29 F

Cette propriété de 22 ha, reprise en 1997, propose un rosé de couleur très soutenue. Si le fruité reste d'intensité moyenne au nez, il marque fort agréablement la bouche. Très tannique, ce vin pourra être apprécié tout au long d'un repas.

➛SARL Ch. Monplaisir, Ch. Monplaisir, 24240 Gageac-et-Rouillac, tél. 05.53.23.93.92, fax 05.53.23.93.83 ☑ ⟊ r.-v.
➛ David Baxter

CH. DU PRIORAT 1998★

◢ | 5,14 ha | 43 000 | 🍾 | 20 à 29 F

Ce domaine de 23 ha est régulièrement mentionné dans le Guide pour ses bergerac secs ou rosés. Son rosé 98, plutôt pâle dans le verre, offre en revanche un nez exubérant, dominé par des arômes de bourgeon de cassis évoquant le sauvignon. En bouche, ce vin présente un bel équilibre. S'il manque un peu de structure, il séduit par son côté désaltérant. Le **bergerac blanc 98** du domaine a obtenu la même note.
➛GAEC du Priorat, Le Priorat, 24610 Saint-Martin-de-Gurson, tél. 05.53.80.76.06, fax 05.53.81.21.83 ☑ ⟊ t.l.j. sf dim. 8h-12h 14h-19h
➛ Maury

CH. TOUR MONTBRUN 1998★★

◢ | 0,4 ha | 3 500 | 🍾 | 20 à 29 F

Cité l'année précédente, ce rosé a fait l'unanimité. Le nez, exubérant, est une corbeille de fruits - framboise, cassis, groseille ; on retrouve ces arômes en bouche, parfaitement soutenus par un bel équilibre alcool-acide et par une pointe de gaz carbonique. Un très joli vin à boire sous la tonnelle...
➛ Philippe Poivey, Montravel, 24230 Montcaret, tél. 05.53.58.66.93, fax 05.53.58.66.93, e-mail philippe.poivey@wanadoo.fr ☑ ⟊ r.-v.

BERNARD TURQUAUD
Clos le Casteleau 1998★

◢ | 0,34 ha | 1 800 | 🍾 | - de 20 F

Bernard Turquaud s'est installé en 1996 sur cette propriété de quelque 9 ha, achetée en 1895 par son arrière-grand-père. Issu exclusivement de cabernet-sauvignon, son rosé se rapproche d'un clairet par sa couleur. Présents au repos, les arômes du cépage explosent au nez à la première agitation. La bouche est ronde et fruitée, avec des notes amyliques. Ce vin très carbonique mérite d'être ouvert quelque temps avant la dégustation.
➛ Bernard Turquaud, Clos le Casteleau, 24560 Colombier, tél. 05.53.58.34.39 ⟊ t.l.j. 8h-20h

SUD-OUEST

Bergerac sec

La diversité des sols (calcaire, graves, argile, boulbènes) donne des expressions aromatiques variées. Jeunes, les vins sont fruités et élégants, avec une pointe de nervosité. S'ils sont vinifiés dans le bois, il faudra patienter un an ou deux pour obtenir l'expression du terroir.

BARON DES REAUX 1998

☐ 4,5 ha 32 000 ■ 20 à 29 F

Un bergerac sec typique et particulièrement classique. Le sauvignon (50 %) s'exprime au nez avec des notes d'agrumes. L'équilibre en bouche ne déçoit pas car le vin se montre souple en attaque, fruité au développement et frais en finale. Un compagnon idéal pour les fruits de mer.

Union Prodiffu, 17-19, rte des Vignerons, 33790 Landerrouat, tél. 05.56.61.33.73, fax 05.56.61.40.57

CH. CAPULLE Sauvignon 1998*

☐ 2,5 ha 4 000 ■ -de 20 F

On trouve à Thénac des calcaires de l'Aquitanien qui typent assez fortement les vins. C'est un mélange de fleurs blanches et de fruits exotiques qui caractérise les arômes de ce 98. Souple en attaque, il surprend par son gras, par son ampleur en bouche. La finale est persistante avec un beau retour de fruits.

Jean-Paul Migot, Ch. Capulle, 24240 Thénac, tél. 05.53.58.42.67, fax 05.53.58.39.50 r.-v.

DOM. DU CASTELLAT 1998

☐ 2,8 ha 17 000 ■ 20 à 29 F

De nouveau une cuvée de sauvignon ayant subi un élevage sur lies. Le nez est très fin avec des notes de fruits mûrs et de citronnelle. La finale est longue mais quelque peu acide. A réserver aux fruits de mer.

Jean-Luc Lescure, Le Castellat, 24240 Razac-de-Saussignac, tél. 05.53.27.08.83, fax 05.53.27.08.83 t.l.j. 8h-20h

CH. FONTPUDIERE 1998*

☐ 7 ha 26 000 ■ 20 à 29 F

Le **bergerac rouge 97** a été cité mais ce bergerac sec semble plus intéressant par l'équilibre des cépages qui le composent. Le nez est très typique d'un sauvignon (50 %) avec ses arômes un peu sauvages. En revanche, le sémillon (35 %) et la muscadelle apportent beaucoup de gras et d'ampleur en bouche. Finesse, puissance, structure sont au rendez-vous. C'est une belle réussite.

GAEC Durand, Le Malveyrein, 24240 Pomport, tél. 05.53.58.39.45, fax 05.53.58.39.48 r.-v.

CH. DES GANFARDS 1998*

☐ 7 ha 20 000 ■ 20 à 29 F

Du même producteur vous pourrez apprécier le **bergerac rouge 98** ainsi que le **côtes de bergerac moelleux 97 Château Haute-Fonrousse**, tous deux cités par le jury. La préférence va à ce bergerac sec qui présente un nez fin, vif, très typé par le sauvignon. Après une attaque tout en finesse, la bouche, d'une bonne longueur, est soutenue par une acidité sans excès. C'est un vin élégant et très frais.

GAEC des Ganfards Haute-Fonrousse, Ch. des Ganfards, 24240 Saussignac, tél. 05.53.27.92.18, fax 05.53.22.37.82 r.-v.

J.-Claude Géraud

CH. LA BRIE

Cuvée spéciale Elevée sur lies 1998

☐ 11,8 ha 100 000 ■ 20 à 29 F

La technique de l'élevage sur lies a été appliquée avec bonheur pour cette cuvée du lycée viticole. Aux arômes classiques d'agrumes et de fleurs blanches se mêlent des notes de fruits exotiques et de banane. L'attaque est souple et grasse malgré une forte présence de gaz carbonique. La finale est longue avec un beau retour de fruits sur les agrumes.

Lycée viticole Dom. de La Brie, 24240 Monbazillac, tél. 05.53.74.42.42, fax 05.53.58.24.08, e-mail lpa.bergerac@educagri.fr t.l.j. sf dim. 10h-12h 13h30-19h30; f. jan.

CH. DE LA JAUBERTIE 1998*

☐ 25 ha 169 333 ■ 30 à 49 F

Le **bergerac rouge 97 dénommé Mirabelle** a été cité par le jury, mais c'est surtout le bergerac sec, issu de macération pelliculaire, qui a retenu l'attention des dégustateurs. Le nez est très classique avec des arômes variétaux de sauvignon (67 % de l'assemblage). C'est en bouche que l'on apprécie le gras, la rondeur et la richesse. Un vin plaisir très harmonieux.

SA Ryman, Ch. de La Jaubertie, 24560 Colombier, tél. 05.53.58.32.11, fax 05.53.57.46.22 r.-v.

Hugh Ryman

CH. LA RAYRE 1998

☐ 10 ha 80 000 ■ 20 à 29 F

Ce château a proposé un bergerac sec issu d'un assemblage de sauvignon (60 %) et de sémillon qui a été apprécié pour son nez intense offrant des arômes de fleurs blanches, d'agrumes et de mangue. La rondeur en bouche est particulièrement réussie ainsi que la finale fraîche, ample et fruitée.

Jean Revol, La Rayre, 24560 Colombier, tél. 05.53.58.32.17, fax 05.53.24.55.58 t.l.j. sf dim. 10h-12h 14h-18h; f. jan.

CH. LE FAGE Sauvignon 1998

☐ 5 ha 32 000 ■ 30 à 49 F

L'élevage sur lies fines a permis une meilleure expression de ce vin blanc sec. Le nez de sauvignon est on ne peut plus classique : agrumes (pamplemousse), fleurs blanches, le tout avec une certaine finesse. La bouche fait ressortir le gras et la puissance du fruit. Un bon compagnon pour le début du repas.

François Gérardin, Ch. Le Fagé, 24240 Pomport, tél. 05.53.58.32.55, fax 05.53.24.57.19 t.l.j. 9h-12h30 14h-19h; sam. dim. sur r.-v.; f. 24 déc.-1er janv.

CH. THEULET 1998*

☐ 6 ha 40 000 ■ 20 à 29 F

Ce producteur est plus réputé pour ses monbazillac et côtes de bergerac rouge ; pourtant on appréciera cette année le bergerac sec du château Theulet et le **rosé 98 du Domaine du Haut-Rauly**. Ici, le nez est fin et floral avec des notes d'agrumes et les nuances de bourgeon de cassis si typiques du sauvignon. En bouche la rondeur, le

gras, la souplesse et la persistance donnent un vin léger et fin, particulièrement agréable.
SCEA Alard, Le Theulet, 24240 Monbazillac, tél. 05.53.57.30.43, fax 05.53.58.88.28 t.l.j. 9h-18h

Côtes de bergerac

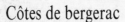

Cette dénomination ne définit pas un terroir mais des conditions de récolte plus restrictives qui doivent permettre d'obtenir des vins riches et charpentés. Ils sont recherchés pour leur concentration et leur durée de conservation plus longue.

DOM. DE BEAUREGARD
Vieilli en fût de chêne 1997★

■ 2 ha 6 500 30 à 49 F

Bien que le boisé soit présent au nez, il est assez fondu et laisse se développer des notes fraîches de fruits rouges. Plus présent en bouche, après une attaque ronde et ample, le bois laisse deviner une jolie matière tannique. Elégant et fin, ce vin doit s'affiner pour aboutir à une certaine harmonie.
Jean-Marie Teillet, Dom. de Beauregard, 24610 Villefranche-de-Lonchat, tél. 05.53.80.76.34, fax 05.53.80.76.34 t.l.j. sf dim. 10h-12h 15h-17h

CH. BELINGARD
Cuvée Blanche de Bosredon 1997★

■ 9 ha 40 000 30 à 49 F

Ce château dont le vignoble, d'origine monastique, remonte au XIes., se signale par la qualité de ses vins, régulièrement décrits dans ce Guide. Cette année, deux cuvées ont mérité une étoile : le **Château Belingard en bergerac rouge 98**, et cette Blanche de Bosredon 97. Son nez intense livre des notes fruitées fondues dans un joli boisé où pointent des arômes de réglisse et de rancio. La bouche se montre souple tout en révélant des tanins serrés. Ce vin manque un peu de complexité et de gras aujourd'hui, mais il s'affinera dans quelques années.
SCEA Comte de Bosredon, Belingard, 24240 Pomport, tél. 05.53.58.28.03, fax 05.53.58.38.39 r.-v.

CH. DU BLOY 1997★

■ 15 ha n.c. 30 à 49 F

Le nez est vineux, charnu, très typé par le fruit mûr. La bouche présente une attaque moelleuse et savoureuse qui laisse la place à des tanins bien présents mais assez arrondis. Parfaitement maîtrisé, ce vin est très harmonieux et ne demande qu'à s'épanouir. Du même producteur, le jury a cité dans le millésime **97**, le **Château Cafurlet** dans la même AOC et le **Château du Bloy** en **côtes de montravel moelleux**. Même note encore pour le **bergerac rosé 98**.
Guillermier Frères, EARL du Bloy, Bonneville, 24230 Vélines, tél. 05.53.27.50.59, fax 05.53.27.56.34 r.-v.

DOM. DU BOIS DE POURQUIE
Vieilli en fût de chêne 1997★★

■ 2 ha 13 000 30 à 49 F

Un superbe coup de cœur pour ce domaine qui produit aussi du monbazillac. Si la dominante est boisée et vanillée, les arômes de cassis et de pruneau donnent au nez un caractère élégant et racé. Egalement boisée, ronde et charnue, l'attaque est pleine de charme. La bouche puissante révèle une belle matière bien mariée avec le bois. Un vin flatteur, qui sera bientôt prêt mais qui pourra vieillir. A essayer avec un salmis de palombe. Le **rosé 98** du domaine mérite d'être cité.
Marlène et Alain Mayet, Le Bois de Pourquié, 24560 Conne-de-Labarde, tél. 05.53.58.25.58, fax 05.53.61.34.59 r.-v.

CH. CAILLAVEL
Elevé en fût de chêne 1997

■ 12 ha 6 000 30 à 49 F

On connaissait Caillavel pour ses bergerac secs et ses monbazillac ; il faut aussi tenir compte de ses rouges, témoin ce 97 pour le moins original, car il est issu à 100 % de cabernet-sauvignon. Au nez comme en bouche, ce vin est dominé par le cassis et la groseille. Souple à l'attaque et rond au palais, c'est un véritable régal pour les amateurs de vins fruités.
GAEC Ch. Caillavel, Caillavel, 24240 Pomport, tél. 05.53.58.43.30, fax 05.53.58.20.31 t.l.j. sf sam. dim. 8h-19h
M. Lacoste

CH. CAILLEVET 1998

■ 1 ha 7 700 30 à 49 F

Agréable à l'œil, discrètement fruité au nez, ce 98 se montre souple en bouche, presque gouleyant. Ses arômes de petits fruits se développent sur une structure tannique moyenne. Cette bouteille évoque davantage un primeur qu'un vin de garde : à consommer rapidement.
D. et A. Goyon, GFA du Ch. Caillevet, 24240 Thénac, tél. 05.53.58.80.71, fax 05.53.61.39.94 t.l.j. sf mer. sam. dim. 9h-12h 13h-17h

CH. GRAVILLAC 1997

■ 1 ha 5 300 20 à 29 F

Nicolas Eckert s'est installé sur cette exploitation en 1989. Son côtes de bergerac présente

un nez dominé par les fruits mûrs assortis d'une pointe animale et même oxydée. C'est la rondeur qui marque la bouche ; on y retrouve le petit côté rancio, avec une certaine chaleur. L'ensemble est fondu et harmonieux. A boire rapidement.
🔑 Nicolas Eckert, La Cardinolle, 24130 Prigonrieux, tél. 05.53.63.28.77, fax 05.53.63.28.77 ☑ Y r.-v.

CH. LA BARDE-LES TENDOUX
Vieilli en fût de chêne 1997★

■ 7,44 ha 21 000 🛢 70 à 99 F

Le château actuel, construit à la fin du XVII^e^s., repose sur les fondations d'un ancien prieuré du XI^e^s. Le domaine viticole a élaboré une cuvée fort réussie qui témoigne d'un travail d'extraction remarquable. Le nez mêle le cassis et le pruneau à la vanille. Cette dernière est encore très présente en bouche, associée à des notes grillées sur un fond de fruits bien mûrs. La saveur tannique est impressionnante. Un vin concentré, en cours d'élevage, qui devrait réserver de bonnes surprises dans cinq ou six ans.
🔑 J-P. Marmin, SOCAV, La Barde, 24560 Saint-Cernin-de-Labarde, tél. 05.53.57.63.61, fax 05.53.58.08.12 Y r.-v.

CH. LA RESSAUDIE
Elevé en fût de chêne 1997★

■ 1,45 ha 10 000 🛢 30 à 49 F

Depuis 1995, Jean Rebeyrolle élabore deux cuvées dont la plus concentrée est vieillie en fût de chêne. Celle-ci s'annonce par un nez intense mêlant le grillé, le boisé et les fruits mûrs. En bouche, on trouve une matière importante mais assez souple à l'attaque, avec des tanins bien remplis et charnus. Le palais, déjà harmonieux, gagnera à s'affiner pendant deux à trois ans. Le vin élevé en cuve (même millésime) est déclaré en **bergerac rouge** ; il a obtenu la même note.
🔑 Jean Rebeyrolle, La Ressaudie, 33220 Port-Sainte-Foy, tél. 05.53.24.71.48, fax 05.53.58.52.29 ☑ Y r.-v.

CH. LAROQUE 1997

■ 7,4 ha 20 000 ▮ 🛢 ♁ 30 à 49 F

Ce domaine, dont l'existence est attestée dès le Moyen Age, est cultivé aujourd'hui en biodynamie. Son 97 offre un nez à la fois intense et d'une grande finesse mêlant des notes de cassis et de boisé. La structure est simple mais harmonieuse. Une certaine vivacité - dénuée d'agressivité - lui confère de la personnalité. A boire rapidement.
🔑 Jacques de La Bardonnie, Laroque, 24230 Saint-Antoine-de-Breuilh, tél. 05.53.24.81.43, fax 05.53.24.13.08 ☑ Y t.l.j. 8h-19h

CH. LE CHABRIER
Elevé en fût de chêne 1997

■ 12,85 ha 18 000 ▮ 🛢 ♁ 30 à 49 F

1997, souligne Pierre Carle, fut une année difficile qui, plus que jamais, a demandé de petits rendements et des macérations longues. Dans cette cuvée, groseille, framboise, vanille et épices se mêlent agréablement au nez. Très souple à l'attaque, le vin évolue sur des tanins mûrs et fins. Malgré le millésime, c'est un vin réussi qui sera prêt à consommer rapidement.
🔑 Pierre Carle, Ch. Le Chabrier, 24240 Razac-de-Saussignac, tél. 05.53.27.92.73, fax 05.53.23.39.03, e-mail chateau.le.chabrier@wanadoo.fr
☑ Y r.-v.

CH. LE MAYNE Cuvée réservée 1997★

■ 6 ha 15 000 🛢 30 à 49 F

Au château Le Mayne, afin d'extraire le meilleur du raisin, on attend la maturité optimale vers la fin d'octobre ; on procède ensuite à des macérations longues avant le vieillissement en fût. Le résultat ? Un vin au nez alliant le fruit mûr et la vanille avec des notes un peu animales ; une attaque fraîche mais agréable, une belle matière sur des tanins boisés. Comme on dit dans le milieu du rugby, c'est viril mais correct.
🔑 Les Vignobles du Mayne, Le Mayne, 24240 Sigoulès, tél. 05.53.58.40.01, fax 05.53.24.67.76 ☑ Y t.l.j. sf dim. 8h-12h 14h-18h; sam. sur r.-v.; f. 18 déc.-2 janv.
🔑 J.-P. Martrenchard

CH. LE RAZ Cuvée Grand Chêne 1997★

■ 5,48 ha 37 000 🛢 30 à 49 F

Présents dans le Guide dès la première édition, les vignobles Barde y font régulièrement bonne figure. Cette année, trois de leurs vins obtiennent une étoile : en **bergerac 98, le rosé et le rouge élevé en cuve**, et en côtes de bergerac, cette cuvée Grand Chêne. Celle-ci mêle au nez des arômes de fruits mûrs et des notes boisées et épicées. En bouche, on apprécie la puissance mais aussi la rondeur des tanins. Un vin, particulièrement harmonieux, d'une belle longueur, qui accompagnera les viandes rouges.
🔑 Vignobles Barde, Le Raz, 24610 Saint-Méard-de-Gurçon, tél. 05.53.82.48.41, fax 05.53.80.07.47 ☑ Y t.l.j. sf dim. 8h30-12h30 14h-19h; sam. sur r.-v.

CH. LES GRIMARD 1997

■ 5 ha 22 000 ▮ 20 à 29 F

Cette propriété, qui compte aujourd'hui 21 ha, appartient à la même famille depuis des siècles. Le vin offre un nez un peu fermé où pointent des notes de fruits rouges et de fraise des bois. S'il se montre moyennement intense en bouche, on apprécie sa vivacité et sa fraîcheur, ainsi que ses arômes fruités. Cela prouve que l'on peut faire un bon vin harmonieux sans passer par le fût.
🔑 J. et P. Joyeux, GAEC Les Grimard, 24230 Montazeau, tél. 05.53.63.09.83, fax 05.53.24.90.14 ☑ Y r.-v.

CH. LES MARNIERES
La Côte fleurie Elevé en fût de chêne 1997★★

■ 1,5 ha 5 300 🛢 70 à 99 F

La Côte fleurie : quel joli nom pour une cuvée coup de cœur ! C'est celui du lieu-dit où se trouve la parcelle de vigne. Les arômes de cassis, typiques du terroir de Saint-Nexans, et les épices explosent au nez. La structure se montre particulièrement charnue, charpentée avec des tanins ronds et gras. L'équilibre entre le vin et le bois est remarquable. A boire dans cinq ans. Du même domaine, le **rouge 98** élevé en cuve et un

monbazillac 97 confidentiel, élevé en fût, ont obtenu chacun une étoile.

🔑 Alain et Christophe Geneste, GAEC des Brandines, Les Brandines, 24520 Saint-Nexans, tél. 05.53.58.31.65, fax 05.53.73.20.34 ☒ Y r.-v.

CH. LES TOURS DES VERDOTS

Les Verdots selon David Fourtout 1997*

■ 2,5 ha 8 900 ⓘ **70 à 99 F**

Si le nom de ces Verdots est un calembour (« cuvée des Verres d'eau » en liaison avec une rivière souterraine qui traverse le sous-sol de la cave), le vin est élaboré avec tout le sérieux qui convient à un produit haut de gamme. Dans ce 97, des notes de café grillé et de fruits rouges dominent un nez très puissant et complexe. La structure tannique est riche et charnue et les tanins sont déjà bien arrondis. Ce vin sera harmonieux dans trois à quatre ans. Sous le même nom, Les Verdots selon David Fourtout et toujours dans le **même millésime, le bergerac sec et le côtes de bergerac moelleux** ont mérité aussi une étoile.

🔑 GAEC Fourtout et Fils, Clos des Verdots, 24560 Conne-de-Labarde, tél. 05.53.58.34.31, fax 05.53.57.82.00 ☒ Y t.l.j. sf dim. 9h-12h30 14h-19h

CH. DE PANISSEAU

Cuvée Tradition Elevé en fût de chêne 1997

■ 8 ha 46 000 ⓘ **30 à 49 F**

Une valeur sûre que l'on retrouve régulièrement dans le Guide. Au nez, ce 97 évoque le fruit mûr ou confit, avec quelques discrètes notes épicées. Rond et souple en bouche, il est aujourd'hui un peu dominé par le bois. Une bouteille plaisante, qui devra être bue rapidement. A retenir encore, le **bergerac sec cuvée Tradition 98** qui a eu la même note.

🔑 Panisseau SA, Ch. de Panisseau, 24240 Thénac, tél. 05.53.58.40.03, fax 05.53.58.94.46 ☒ Y r.-v.

CH. RICHARD Elevé en barrique 1997

■ 1,5 ha 9 000 ⓘ **30 à 49 F**

Ce 97 trouvera des amateurs parmi les partisans de l'agriculture biologique et même au-delà. Vanille, fruits noirs, son nez est intense et profond. L'attaque ronde, presque douce, laisse se développer des tanins harmonieux et très fondus. La finale persistante offre un beau retour de fruits c'est un vin savoureux, sans excès de puissance mais très caractéristique du millésime.

🔑 Richard Doughty, Ch. Richard, 24240 Monestier, tél. 05.53.58.49.13, fax 05.53.58.49.30, e-mail richato@club-internet.fr Y t.l.j. 10h-12h30 14h-19h

CH. SARDY Elevé en fût de chêne 1997

■ 4,7 ha 20 000 ⓘ **30 à 49 F**

Le château Sardy est une ferme fortifiée du XII^{e}s. devenue manoir au XVIII^{e}s. Il possède un jardin ouvert au public qui a accueilli plus de sept mille visiteurs en 1998. Il propose un côtes de bergerac au nez très mûr, où les notes de fruits confits et de pruneau voisinent avec le grillé du bois. On retrouve les mêmes caractères en bouche avec un bel équilibre. Un vin harmonieux, qui peut déjà être consommé mais qui gagnera à vieillir.

🔑 Ch. Sardy, 7, rte de Sardy, 24230 Vélines, tél. 05.53.27.51.45 ☒ Y r.-v.

🔑 IMBS

CH. TOUR DES GENDRES

Cuvée La Gloire de mon père 1997*

■ 16 ha 80 000 ▮ⓘ🌡 **50 à 69 F**

Cette cuvée obtient une étoile, tout comme le **bergerac sec 97 Moulin des Dames** du même domaine. Mais ces deux vins, dans le millésime précédent, avaient tous deux obtenu un coup de cœur... 97 est décidément très ingrat. Ce côtes de bergerac n'est cependant pas mal du tout : nez très concentré, dominé par des notes boisées et épicées, bouche parfaitement équilibrée, beaucoup de sucrosité et d'ampleur - boisé certes dominant (l'effet d'une chauffe trop forte ?). Malgré tout, un joli vin, tout en finesse et élégance.

🔑 SCEA de Conti, Tour des Gendres, 24240 Ribagnac, tél. 05.53.57.12.43, fax 05.53.58.89.49 ☒ Y r.-v.

CH. DES VIGIERS

Réserve Jean Vigier 1997*

■ 2 ha 6 700 ⓘ **70 à 99 F**

Les amateurs de golf trouveront ici un agréable parcours. Quant aux œnophiles, ils apprécieront cette cuvée boisée au nez dominé par les épices. La bouche, à la trame tannique souple et charnue, finit sur de belles notes fruitées. Ce vin a cependant besoin de s'affiner (de deux à trois ans). La **cuvée classique 97**, qui n'a pas connu le bois, a obtenu elle aussi une étoile en récompense d'un joli travail d'extraction de la matière.

🔑 SCEA La Font du Roc, Ch. des Vigiers, 24240 Monestier, tél. 05.53.61.50.30, fax 05.53.61.50.31 ☒ Y r.-v.

🔑 Petersson

CLOS D'YVIGNE 1997*

■ 6 ha n.c. ⓘ **30 à 49 F**

On apprécie toujours le saussignac de Patricia Atkinson, mais celle-ci prouve avec ce 97 qu'elle sait aussi faire des rouges de qualité. Le nez, encore un peu fermé mais complexe, livre des notes animales. En bouche on apprécie la souplesse et le gras. La matière tannique est bien présente mais sans agressivité ni grossièreté. Un vin bien élevé dans tous les sens du terme, et qui vous tend la main.

🔑 Patricia Atkinson, Le Bourg, 24240 Gageac-Rouillac, tél. 05.53.22.94.40, fax 05.53.23.47.67 ☒ Y t.l.j. sf dim. 9h-12h 14h-18h

Côtes de bergerac moelleux

Les mêmes cépages que les vins blancs secs, mais récoltés à surmaturité, permettent d'élaborer ces vins moelleux recherchés pour leurs arômes de fruits confits et leur souplesse.

CH. HAUT-FONGRIVE 1998★

☐   1 ha   5 000   ▮◗   20 à 29 F

La première récolte des nouveaux propriétaires installés en 1998 leur permet d'obtenir une étoile pour ce moelleux vendangé à la main. Le nez floral évoque le genêt. Après une belle attaque très fruitée, on apprécie la tenue en bouche et la finale fraîche. « Quel plaisir à l'apéritif ! » note un dégustateur. Le jury a aussi apprécié en **AOC bergerac** le **rosé d'une nuit 98** et le **sec sur lies 98**, deux vins retenus sans étoile.
☛ Sylvie et Werner Wichelhaus, Château Haut-Fongrive, Fongrive-Haut, 24240 Thénac, tél. 05.53.58.56.29, fax 05.53.24.17.75 ☑ ☈ r.-v.

CH. LA BORDERIE
Vieilli en barriques 1997★★

☐   n.c.   20 000   ◖▮   70 à 99 F

Réputé pour ses monbazillac, le château La Borderie sait aussi produire des côtes de bergerac de grande classe. Le nez de celui-ci est rôti, confit, avec des notes d'abricot et de miel ainsi qu'un boisé léger. En bouche, ce vin est riche et équilibré ; on y retrouve des arômes d'abricot marqués. Harmonieux et fondu, il pourra vieillir au moins cinq ans.
☛ SCI La Borderie, Ch. La Borderie, 24240 Monbazillac, tél. 05.53.57.00.36, fax 05.53.63.00.94 ☑ ☈ t.l.j. sf sam. dim. 8h-12h 14h-18h
☛ Vidal

CH. RAULY MARSALET 1998★★

☐   2,4 ha   13 000   ▮◗   30 à 49 F

C'est une gamme intéressante que nous propose Pierre Alard avec ce moelleux remarquable et un **bergerac rosé 98** qui reçoit une étoile. D'abord bonbon anglais, le nez de ce moelleux développe ensuite des notes florales intenses. Si l'équilibre en bouche est des plus agréables, c'est surtout le retour de fruits que l'on appréciera. Un vin éminemment plaisant.
☛ SCEA Alard, Le Theulet, 24240 Monbazillac, tél. 05.53.57.30.43, fax 05.53.58.88.28 ☑ ☈ t.l.j. 9h-18h
☛ GFA du Monbazillacois

CH. REPENTY 1997★

☐   1 ha   5 000   ▮◗   30 à 49 F

Les vendanges d'octobre se prêtent bien à l'élaboration de moelleux de qualité. Celui-ci est très floral au nez où dominent des notes d'acacia. En bouche, on est impressionné par le gras, le volume et le fruit. A cet équilibre s'ajoute une bonne fraîcheur qui en fait un vin plaisant et réussi.
☛ Jean-Pierre Roulet, Repenty, 24240 Monestier, tél. 05.53.58.41.96, fax 05.53.58.41.96 ☑ ☈ r.-v.

CH. THENAC 1997

☐   4,5 ha   n.c.   ▮◗   30 à 49 F

Il s'agit là d'un moelleux classique et bien fait. Le nez est intense avec des notes de fleurs et de bourgeon de cassis rappelant un peu le sauvignon. La bouche est agréable, fruitée et bien équilibrée. Ce vin devrait accompagner les fromages à pâte persillée.
☛ SCEA Ch. Thénac, au bourg, 24240 Thénac, tél. 05.53.61.36.85, fax 05.53.58.37.13, e-mail thenac@casynet.fr ☑ ☈ r.-v.

CH. TOUR DE GRANGEMONT 1997

☐   0,9 ha   6 000   ▮◗   20 à 29 F

Voilà un vin qui ravira les amateurs car c'est un vrai moelleux de terroir, pas sophistiqué, mais plaisant et bon. C'est très net au nez avec des notes de fruits blancs et de poire. Après une belle attaque, on apprécie sa vivacité et sa persistance. Aussi agréable en apéritif, qu'en entrée ou au dessert.
☛ EARL Lavergne, Ch. Tour de Grangemont, 24560 Saint-Aubin-de-Lanquais, tél. 05.53.24.32.89, fax 05.53.24.64.32 ☑ ☈ r.-v.

DOM. DU VIGNEAUD 1998

☐   7 ha   46 000   ▮◗   20 à 29 F

La famille Lagarde exploite ce domaine de près de 20 ha depuis cinq générations. Ce 98 se révèle très floral au nez où les arômes de sauvignon (10 % de l'encépagement) dominent. En bouche, le vin est fruité, équilibré, frais. C'est un vin plaisant, léger à boire jeune, par exemple en apéritif.
☛ Serge Lagarde, Dom. du Vigneaud, 24240 Monestier, tél. 05.53.58.80.54, fax 05.53.24.88.56 ☑ ☈ r.-v.

Monbazillac

S'étendant sur 2 500 ha, le vignoble de monbazillac produit des vins riches, issus de raisins botrytisés. Le sol argilo-calcaire apporte des arômes intenses ainsi qu'une structure complexe et puissante.

CH. FONMOURGUES 1997★

☐   11 ha   3 000   ◖▮   70 à 99 F

De nouveau, une cuvée digne d'intérêt élaborée sur le versant nord, terroir de prédilection des monbazillac. Le nez est encore un peu fermé, mais des notes de pain frais s'expriment déjà. La bouche est ronde avec un joli volume. On assiste à un beau retour de fruits et à une bonne persistance. Un vin à laisser vieillir.

🔒Dominique Vidal, Ch. Fonmourgues, 24240 Monbazillac, tél. 05.53.63.02.79, fax 05.53.27.20.32 ☑ ⵯ r.-v.

GRANDE MAISON
Cuvée du château 1997★★★

☐	7 ha	10 000	⬛	70 à 99 F

Exceptionnelle par sa qualité, mais aussi par son prix abordable, cette cuvée du château ! Extrêmement riche et complexe, le nez évoque les fruits confits, l'abricot, la noix de coco, le miel, la banane... En bouche, la matière est très concentrée, complexe elle aussi, avec beaucoup de gras, un peu de boisé et une belle présence de fruits. C'est un vin équilibré, charmeur et qu'il faudra avoir la patience d'attendre une dizaine d'années. La **cuvée Monsieur 97**, réservée aux amateurs étrangers de grands vins, a obtenu une étoile.
🔒Thierry Després, Grande Maison, 24240 Monbazillac, tél. 05.53.58.26.17, fax 05.53.24.97.36, e-mail grandemaison@aquinet.tm.fr ☑ ⵯ t.l.j. 9h-19h

CH. HAUT BERNASSE 1997

☐	19 ha	18 000	⬛	100 à 149 F

Elaborée traditionnellement, cette cuvée est aujourd'hui dominée par le boisé. Des notes de fruits confits et d'abricot s'expriment au nez. En bouche, on apprécie la souplesse, la rondeur et l'ampleur, mais la finale est encore un peu trop boisée. A retrouver avec plaisir dans deux à trois ans.
🔒Jacques Blais, Ch. Haut Bernasse, 24240 Monbazillac, tél. 05.53.58.36.22, fax 05.53.61.26.40 ☑ ⵯ r.-v.

CH. LA HAUTE BORIE
Cuvée élevée en barrique 1997★

☐	2 ha	3 800	⬛	50 à 69 F

L'élevage en barrique n'a pas réussi à masquer la concentration et le fruit de ce vin ! Le nez est remarquablement fruits confits et coing. La bouche est ronde avec un beau volume. Bien équilibré et complexe, ce vin ne demande qu'à vieillir pour s'exprimer encore plus aromatiquement.
🔒Dominique Vidal, La Haute Borie, 24240 Monbazillac, tél. 05.53.63.02.79, fax 05.53.27.20.32 ☑ ⵯ t.l.j. 9h-12h 14h-16h

RESERVE LAJONIE 1997

☐	10 ha	10 000	⬛	70 à 99 F

Une large gamme est proposée par ce producteur qui s'affiche depuis quelque temps. Que l'on en juge par ses quatre vins cités par le jury. Sous le nom de **Château Pintouquet**, un **bergerac rouge 97** et un **bergerac sec 98**, sous le nom de **Réserve Lajonie**, un **côtes de bergerac rouge 97** et ce monbazillac dont on peut apprécier le nez de fruits confits. Après une attaque souple, la bouche est un peu dominée par le bois. Mais le retour de fruits en finale promet une belle évolution. Une bouteille à attendre un an ou deux.
🔒Gérard Lajonie, Saint-Christophe, 24100 Bergerac, tél. 05.53.57.17.96, fax 05.53.58.06.46 ☑ ⵯ r.-v.

DOM. DE L'ANCIENNE CURE
Cuvée Abbaye 1997

☐	10 ha	10 000	⬛	100 à 149 F

Voici un liquoreux, fruit d'un travail consciencieux, depuis la récolte quasiment grain par grain à la fermentation et à l'élevage en barrique. Le nez est complexe avec des notes de coing, de confit mais aussi de vanille et de grillé. La bouche ample et ronde est dotée d'une belle matière qui commence à se fondre dans le boisé. C'est un produit plus fin que puissant qui devrait bien vieillir. A boire pour lui-même, pour le plaisir. La même cuvée en **bergerac rouge 98** reçoit la même note.
🔒Christian Roche, L'Ancienne Cure, 24560 Colombier, tél. 05.53.58.27.90, fax 05.53.24.83.95 ☑ ⵯ t.l.j. sf dim. 9h-12h 14h-18h

DOM. DE PECOULA
Vinifié en fût de chêne 1997

☐	17 ha	4 900	⬛	70 à 99 F

Une jolie cuvée dont l'élevage en barrique encore très marqué n'a pas permis d'apprécier toute la puissance et la plénitude. Comme d'habitude, les fruits confits et le miel dominent au nez. Souple et rond, très chaleureux, ce 97 s'améliorera en vieillissant comme tout grand vin.
🔒GAEC de Pécoula, 24240 Pomport, tél. 05.53.58.46.48, fax 05.53.58.82.02 ☑ ⵯ r.-v.
🔒GFA Labaye

CH. TIRECUL LA GRAVIERE
Cuvée Madame 1997

☐	9,2 ha	7 000	⬛	300 à 499 F

Régulièrement coup de cœur dans le Guide, cette cuvée n'était pas au mieux de sa forme lors de la sélection, le boisé ayant tendance à dominer le vin. Il en était de même pour la **Cuvée du château 97**. Ici, les arômes sont très grillés, fumés au nez avec un peu de fruits secs et d'abricot. En bouche, ce vin est extraordinairement gras, dense, puissant. (bouteille de 50 cl)
🔒Claudie et Bruno Bilancini, Ch. Tirecul la Gravière, 24240 Monbazillac, tél. 05.53.57.44.75, fax 05.53.24.85.01 ⵯ r.-v.

CH. VARI Elevé en fût de chêne 1997

☐	10 ha	18 000	⬛	30 à 49 F

Comme pour le **bergerac rouge 98** qui lui aussi a été cité par le jury, c'est avant tout l'équilibre

qui est recherché par le vinificateur qui a élevé ce monbazillac neuf mois en fût. Le nez surprenant évoque plutôt la banane et la réglisse. Ronde et de bonne complexité, la bouche est harmonieuse et équilibrée. On peut déjà apprécier ce vin mais aussi l'attendre.
⊶ Vignobles Jestin, Ch. Vari,
24240 Monbazillac, tél. 05.53.24.97.55,
fax 05.53.24.97.55 ☑ Y r.-v.

Montravel

Sur les coteaux, de Port-Sainte-Foy et Ponchapt jusqu'à Saint-Michel-de-Montaigne, le terroir de Montravel produit sur 1 200 ha des vins blancs secs et des vins blancs moelleux toujours remarqués pour leur élégance.

CH. BONIERES
La Dame de Bonières 1998*

☐ 1,3 ha 8 900 50 à 69 F

Situé sur les hauteurs de Fougueyrolles, ce château de la fin du XIXe s. propose un vin élevé pendant neuf mois en barrique neuve. Vanille, boisé, pain grillé en témoignent largement au nez. En bouche, la matière première est belle et peut supporter la barrique. C'est un vin structuré et bien équilibré que l'on doit attendre encore un peu.
⊶ SCEA Vignobles André Bodin, Ch. Bonières,
33220 Fougueyrolles, tél. 05.53.24.15.16,
fax 05.53.24.17.77 ☑ Y t.l.j. sf dim. lun.
10h30-19h30; f. août

CH. DU FAUGA 1998

☐ 2 ha 17 300 20 à 29 F

Le **Domaine de Mayat 97, en bergerac rouge**, a été cité pour ses arômes fruités (mûre, cassis), ainsi que ce montravel du Château du Fauga, 100 % sauvignon, apprécié pour sa couleur pâle et brillante et son nez qui se caractérise par des notes de fruits assez puissantes. En bouche, on reconnaît la pêche blanche, qui domine largement. C'est bien équilibré, avec une légère fraîcheur en finale.
⊶ Francis Lagarde, Dom. de Mayat,
33220 Fougueyrolles, tél. 05.53.24.84.42,
fax 05.53.58.32.58 ☑ Y t.l.j. 8h-19h
⊶ GFA du Fauga

CH. LA FONT DU PARC 1998

☐ 3,5 ha 15 000 -de 20 F

Une vinification traditionnelle pour une bouteille des plus classiques. Les arômes de fruits manquent un peu de puissance au nez. En revanche, la bouche est très agréable, bien équilibrée, tout en rondeur. C'est un vin de soif, à boire rapidement.
⊶ Pierre Santenero, Laulerie, 24610 Saint-Méard-de-Gurçon, tél. 05.53.82.40.45,
fax 05.53.82.40.45 ☑ Y t.l.j. 9h-12h 13h30-18h

CH. LE BONDIEU 1998

☐ 6,2 ha 31 000 20 à 29 F

Voilà un sec issu d'une technologie parfaitement maîtrisée et qui fera honneur à votre table, tout comme le **bergerac rosé 98** qui reçoit la même note. Le montravel ? Au nez comme en bouche, les arômes dominants sont les agrumes et en particulier le citron. Léger, vif, rehaussé par une pointe de gaz carbonique, ce vin saura accompagner les huîtres d'Arcachon ou du Cap-Ferret.
⊶ EARL d'Adrina, Le Bondieu, 24230 Saint-Antoine-de-Breuilh, tél. 05.53.58.30.83,
fax 05.53.24.38.21 ☑ Y r.-v.
⊶ Didier Feytout

CH. PAGNON Sauvignon 1998**

☐ 5 ha 40 000 20 à 29 F

Cette exploitation fut achetée en 1850 par le bisaïeul de l'actuel propriétaire. Faites 10 km après avoir visité le château de Montaigne pour découvrir ce vin. On a l'impression de mettre le nez dans un panier de pamplemousses bien mûrs. En bouche, ce 98 est particulièrement gras, rond et puissant. Il est plein d'avenir. C'est un joli travail d'extraction du gras et des arômes.
⊶ Dino Moro, Prentygarde, 24230 Vélines,
tél. 05.53.27.10.72, fax 05.53.27.56.00 ☑ Y t.l.j.
8h30-12h30 14h-19h

CH. PUY-SERVAIN Marjolaine 1997**

☐ 2 ha 13 000 50 à 69 F

Une valeur sûre de la sélection que l'on retrouve avec un **bergerac rouge 97, cuvée Vieilles vignes** cité, un **haut-montravel 97**, qui reçoit une étoile, et ce montravel dont le nez est particulièrement puissant et complexe avec des notes d'agrumes et de boisé. En bouche, on apprécie sa rondeur, son fruité, son fondu et le boisé bien élevé. Equilibré, plaisant et d'une bonne longueur, ce vin pourra être servi dans deux ou trois ans sur des viandes blanches ou des poissons en sauce.
⊶ SCEA Puy-Servain-Calabre, Calabre,
33220 Port-Sainte-Foy, tél. 05.53.24.77.27,
fax 05.53.58.37.43 ☑ Y t.l.j. 8h-12h 14h-18h;
sam. dim. sur r.-v.
⊶ Hecquet

Côtes de montravel

DOM. DE PERREAU 1997**

☐ 1 ha 2 000 50 à 69 F

Outre ce blanc liquoreux issu de vendanges par tries successives, on peut apprécier du même producteur le **bergerac rouge 97 du château Marot** pour sa belle finale mariant boisé et fruit. Que dire de ce côtes de montravel retenu par le grand jury ? Rôti, confit, miel, tout y est et avec quelle puissance ! En bouche, on retrouve les fruits confits, l'abricot, l'ananas, beaucoup de gras, mais sans lourdeur - il est « plutôt aérien », comme l'a noté un juré. Ce vin très harmonieux et très équilibré conviendra parfaitement à un foie gras du Périgord.

Produit de France
Domaine de Perreau
CÔTES DE MONTRAVEL
APPELLATION CÔTES DE MONTRAVEL CONTRÔLÉE
1997
75cl
Mis en Bouteille au Domaine

⊶ Jean-Yves Reynou, Perreau, 24230 Saint-Michel-de-Montaigne, tél. 05.53.58.67.31, fax 05.53.73.07.68 ☑ Ɪ r.-v.

Haut-montravel

CH. DAUZAN LA VERGNE

Elevé en fût de chêne 1997★

□ 3 ha 6 000 ⊕ 50 à 69 F

Ce liquoreux élevé en barrique allie les charmes du botrytis et du chêne. Miel, fruits confits, coing sont largement dominants au nez. La bouche ne déçoit pas, offrant une complexité et un équilibre remarquables. La petite touche acide est agréable en finale. Du même producteur, le **bergerac rosé du Château Pique-Sègue 98** est cité pour son fruité, tout comme le **montravel 98**.

⊶ SNC Ch. Pique-Sègue, Ponchapt, 33220 Port-Sainte-Foy, tél. 05.53.58.52.52, fax 05.53.63.44.97 ☑ Ɪ t.l.j. 9h30-12h 14h30-18h

⊶ Philippe et Marianne Mallard

Pécharmant

Au nord-est de Bergerac, ce « Pech », colline couverte de 400 ha de vignes, donne un vin exclusivement rouge, très riche, apte à la garde. L'élevage en barrique, souvent pratiqué, apporte complexité et finesse.

CH. BEAUPORTAIL

Cuvée élevée en fût 1997

■ 1,5 ha 6 000 ⊕ 30 à 49 F

Situé aux portes de Bergerac, ce domaine propose un pécharmant au nez flatteur mêlant fruits rouges, violette et vanille. En bouche, le vin développe une belle structure à la fois souple et charnue mais sans excès d'ampleur et de gras. A consommer assez vite.

⊶ SCEA Feytout, Beauportail, 24100 Bergerac, tél. 05.53.58.30.23, fax 05.53.61.28.63 ☑ Ɪ r.-v.

ETIQUETTE NOIRE DE L'UV BERGERAC-LE FLEIX 1997★

■ 8 ha 40 000 ⊕ 30 à 49 F

Le nez est fin et élégant, à la fois fruité et floral avec quelques notes boisées. La belle attaque en bouche évolue sur des tanins gras et fondus et de puissants arômes de fruits rouges. Très bien réussi, ce 97 aurait obtenu deux étoiles avec une structure plus importante. A signaler encore, dans le **même millésime, le Château Pech Marty** (un pécharmant provenant d'une propriété de la Seita), qui semble très prometteur, et la marque **Peybouquet en bergerac rouge**. Ces deux vins ont été cités par le jury.

⊶ Union vinicole Bergerac-Le Fleix, Le Vignoble, 24130 Le Fleix, tél. 05.53.24.64.32, fax 05.53.24.65.46 ☑ Ɪ r.-v.

DOM. DES BERTRANOUX 1997

■ 8,7 ha n.c. ⊕ 50 à 69 F

C'est un joli petit domaine (8,70 ha) dans lequel on perçoit le soin des détails, la passion des choses bien faites, bref l'amour du vin. Son 97 offre un nez très intense, dominé par la vanille. En bouche on découvre une belle matière qui demande encore à se fondre dans le bois. Capiteux et souple, ce pécharmant devra être attendu (de deux à trois ans).

⊶ Jocelyne Pécou, Les Bertranoux, 24100 Creysse, tél. 05.53.57.28.62, fax 05.53.61.69.64 ☑ Ɪ t.l.j. sf dim. 9h-12h 14h-19h

⊶ Guy Pécou

CH. CHAMPAREL 1997★

■ 6,62 ha 45 000 50 à 69 F

Présent dans le Guide dès la première édition, un des grands classiques de l'appellation dont la qualité ne déçoit pas. Le nez du 97 est intense, avec des notes de poivron et un discret boisé. La bouche révèle un équilibre parfait entre le fruit, le bois et le tanin. Une légère sécheresse en finale devrait s'estomper avec le temps.

⊶ Françoise Bouché, Pécharmant, 24100 Bergerac, tél. 05.53.57.34.76, fax 05.53.73.24.18 ☑ Ɪ r.-v.

DOM. DES COSTES 1997★

■ 10 ha 40 000 ⊕ 50 à 69 F

Pour mieux accueillir le client, le domaine s'est doté d'une salle de dégustation dans un bâtiment du XVIIIe s. ; il s'est également équipé d'un second chai à barriques. Son 97 présente un nez riche et complexe associant des fruits rouges, une note animale et des arômes de torréfaction. Après une attaque souple et harmonieuse, les tanins charpentés se fondent dans le bois. Un joli vin, franc, équilibré qui sera à son apogée dans deux à trois ans. Le 96 avait obtenu un coup de cœur.

⊶ Nicole Dournel, Les Costes, 24100 Bergerac, tél. 05.53.57.64.49, fax 05.53.61.69.08 ☑ Ɪ r.-v.

⊶ Lacroix

SUD-OUEST

DOM. DU GRAND JAURE
Elevé et vieilli en fût de chêne 1997

■ 1,5 ha 6 000 ⦶ 30 à 49 F

Cette cuvée bien travaillée avait obtenu deux étoiles dans l'édition précédente du Guide pour le millésime 96, mais 97 est un millésime ingrat... Le nez, moyennement intense, est dominé par des notes animales. La bouche est particulièrement agréable, ronde, pleine, avec une structure bien présente. Un vin tout en subtilité qui vous satisfera dans deux à trois ans.

⊶ GAEC Baudry, 16, chem. de Jaure, 24100 Lembras, tél. 05.53.57.35.65, fax 05.53.57.10.13 ☑ Y t.l.j. sf dim. 9h-12h 14h-18h

DOM. DU HAUT-PECHARMANT 1997

■ 23 ha 70 000 ▮🌡 30 à 49 F

La cuvée principale du domaine n'a pas subi d'élevage sous bois - 97 n'est pas 95 -, et ce vin est loin du coup de cœur attribué à son aîné : son nez, dominé par les fruits rouges, est plutôt discret ; ses tanins, très souples, sont déjà évolués. Une bouteille agréable, qui ne devra pas vieillir trop longtemps.

⊶ Michel et Didier Roches, Pécharmant, 24100 Bergerac, tél. 05.53.57.29.50, fax 05.53.24.28.05 ☑ Y r.-v.

CH. LA RENAUDIE
Elevé en fût de chêne 1997*

■ 32,72 ha 42 000 ⦶ 30 à 49 F

Ce domaine de près de 33 ha possède un vignoble sur un beau coteau. Il confie à la coopérative de Bergerac la vinification et l'élevage en fût. Son pécharmant présente un nez particulièrement fin et élégant aux arômes très vanillés. La bouche séduit par son ampleur, son fruité et ses tanins bien fondus. Un vin de caractère qu'il est prudent d'attendre encore.

⊶ Union vinicole Bergerac-Le Fleix, Le Vignoble, 24130 Le Fleix, tél. 05.53.24.64.32, fax 05.53.24.65.46 ☑ Y r.-v.

CH. LA TILLERAIE
Vieilli en fût de chêne 1997

■ 6 ha 30 000 ⦶ 30 à 49 F

D'une teinte cerise, la robe attire. Au premier coup de nez, ce sont le boisé, le grillé, le fumé qui dominent. A l'agitation, des notes de fruits et de poivron apparaissent. Après une attaque souple et agréable, les tanins se font très présents, sans grande rondeur : ce vin doit s'affiner mais il ne vieillira pas longtemps.

⊶ Bruno Fauconnier, SARL Ch. La Tilleraie, Pécharmant, 24100 Bergerac, tél. 05.53.57.86.42, fax 05.53.57.86.42 ☑ Y t.l.j. 9h-13h 14h-19h

DOM. LES GRANGETTES 1997*

■ 6 ha 30 000 ▮🌡 30 à 49 F

Le domaine Les Grangettes fait partie d'une vaste propriété (86 ha), ancienne dépendance du château de Monbazillac, acquise par la famille Borderie au fil des ans. Son pécharmant présente un nez intense, original avec ses notes animales. Structuré sans excès, le vin fait preuve d'équilibre et d'une bonne tenue en bouche. Il sort un peu des standards de l'appellation, mais se montre agréable et peut être consommé rapidement.

⊶ Bernard et Francis Borderie, Poulvère, 24240 Monbazillac, tél. 05.53.58.30.25, e-mail vinchateaupoulvere@wanadoo.fr ☑ Y t.l.j. sf dim. 8h-12h 14h-19h

⊶ GFA Poulvère

DOM. PUY DE GRAVE
Elevé en fût de chêne 1997

■ 3 ha 8 000 ▮⦶🌡 70 à 99 F

Ce pécharmant révèle un beau travail d'extraction ; le fruit est malheureusement caché aujourd'hui par le bois. Malgré cela, les tanins sont souples et fondus, ce qui témoigne de leur richesse. Cette bouteille sera beaucoup plus agréable dans un an. Du même producteur mais en montravel, la **cuvée K. de Krevel 97** a également été citée.

⊶ SARL Dom. de La Métairie, Ch. Fonfrède, 24610 Montpeyroux, tél. 05.53.80.09.85, fax 05.53.80.14.72, e-mail metairieetdomaines@wanadoo.fr ☑ Y r.-v.

CH. TERRE VIEILLE
Vieilli en fût de chêne 1997

■ 9 ha 20 000 ⦶ 30 à 49 F

« Terre vieille » mérite bien son nom : bifaces, racloirs, pointes de hache, plus de trois mille pierres taillées, trouvées dans les vignes, témoignent d'une occupation du site à l'époque préhistorique. Plus près de nous, le domaine appartint au philosophe Maine de Biran qui aimait l'arpenter pour trouver l'inspiration. G. et D. Morand-Monteil, qui l'exploitent aujourd'hui, proposent un 97 au nez de fruits mûrs très concentré. Si la finale manque un peu de longueur, la structure tannique est équilibrée, souple et soyeuse. Le **Cros de la Sal 97 vieilli en fût de chêne** est de même facture. Il a été cité.

⊶ Gérôme et Dolorès Morand-Monteil, Grateloup, 24520 Saint-Sauveur-de-Bergerac, tél. 05.53.57.35.07, fax 05.53.61.91.77 ☑ Y t.l.j. 9h-19h

CH. DE TIREGAND 1997

■ 36 ha 80 000 ▮⦶ 30 à 49 F

Un vrai château (XVIIIe-XIX[e]s.) dominant la vallée de la Dordogne, environné d'un parc à la française et d'un vaste domaine de 450 ha. Son 97 reflète le terroir de Pécharmant dans toute son élégance et sa finesse, malgré une actuelle prédominance du bois qui devrait s'estomper avec le temps. A attendre de deux à trois ans avant de le savourer sur un gibier.

⊶ Comtesse F. de Saint-Exupéry, Ch. de Tiregand, 24100 Creysse, tél. 05.53.23.21.08, fax 05.53.22.58.49 ☑ Y t.l.j. sf dim. 9h-12h 14h-18h

DOM. DU VIEUX SAPIN 1997*

■ 7,64 ha 40 000 ⦶ 30 à 49 F

Un « Vieux Sapin » où l'on trouve beaucoup de chêne : au nez, un vanillé intense l'emporte sur les arômes de fruits noirs. Après une belle attaque ample, les tanins bien fondus apparaissent dominés par le bois. Ce vin a beaucoup de caractère et de présence, mais il faudra l'attendre.

Dans le **même millésime, le Château des Hautes Fargues**, un autre pécharmant, ainsi que la **cuvée Paul-André Barriat élevée en fût, en bergerac rouge**, sont un peu dans le même registre et méritent d'être cités.
Union vinicole Bergerac-Le Fleix, Le Vignoble, 24130 Le Fleix, tél. 05.53.24.64.32, fax 05.53.24.65.46 ☑ Y r.-v.

Rosette

Dans un amphithéâtre de collines dominant au nord la ville de Bergerac et sur un terroir argilo-graveleux, rosette est l'appellation la plus méconnue et la plus confidentielle de la région.

DOM. DE COUTANCIE 1997

☐ 1,87 ha 8 750 20 à 29 F

Souvent, lorsque l'on a un beau terroir, les méthodes anciennes, les plus naturelles possible, suffisent à faire un bon vin. C'est le cas de celui-ci, pas très puissant au nez, mais où l'on retrouve des senteurs de fruits et de noix. La bouche est grasse, avec des notes plaisantes. Un vin comme on en faisait il y a trente ans.
Odile Brichèse, Dom. de Coutancie, 24130 Prigonrieux, tél. 05.53.58.01.85, fax 05.53.58.52.76 ☑ Y r.-v.

CH. ROMAIN 1998

☐ 2 ha 3 000 30 à 49 F

Souvent absent de la sélection, le vignoble de Rosette fait pourtant partie du vignoble historique de Bergerac. De petites notes d'abricot s'expriment au nez de ce 98 gras et frais à la fois, alliant charme et élégance. On retiendra de ce vin une certaine vivacité et un retour de fruits sympathique.
Colette Bourgès, Les Costes, 24100 Bergerac, tél. 05.53.57.59.89, fax 05.53.24.20.24 ☑ Y r.-v.

Saussignac

Loué au XVIe s. par le Pantagruel de François Rabelais, inscrit au cœur d'un superbe paysage de plateaux et de coteaux, ce terroir donne naissance à de grands vins moelleux et liquoreux.

CH. COURT LES MUTS 1997

☐ 9 ha 20 000 70 à 99 F

Après une récolte par tries successives, ce 97 a fermenté en barrique. Si les arômes se révèlent assez peu puissants, on note que le bois domine encore le fruit ; ce vin très gras en bouche a besoin de se fondre.
SCEA Vignobles Pierre Sadoux, 24240 Razac-de-Saussignac, tél. 05.53.27.92.17, fax 05.53.23.77.21 ☑ Y t.l.j. sf dim. 9h-11h30 14h-17h30; sam. sur r.-v.

CH. LA MAURIGNE

Cuvée La Maurigne 1997★★

☐ 2 ha 3 000 50 à 69 F

Ce sont des passionnés du vin qui ont repris, en 1997, cette propriété qui, selon la tradition, a été édifiée sur des fortifications gallo-romaines rasées par les Maures au VIII[e]s. Le nez de ce 97 est confit, miellé, avec une touche d'abricot. On retrouve ces mêmes arômes en bouche où s'affirme une structure grasse et ample. Un vrai liquoreux.
Chantal et Patrick Gérardin, La Maurigne, 24240 Razac-de-Saussignac, tél. 05.53.27.25.45, ☑ Y t.l.j. 9h-19h

CH. LE TAP Elevé en fût de chêne 1996

☐ 1,56 ha 2 660 70 à 99 F

Ce vin, issu de vendanges manuelles par tries successives, a ensuite subi un élevage en barrique neuve. Le nez évoque le miel, les fruits confits et la vieille cire. La bouche a l'expression et la structure d'un moelleux classique même si l'équilibre sucre-acide est intéressant. Il ne faudra pas trop tarder à le boire.
SCEA Ch. Le Tap, 38, rue de Charny, 77410 Messy, tél. 05.53.27.53.41, fax 05.53.22.07.55 ☑ Y r.-v.
M. Proffit

CH. MARIE PLAISANCE

Elevé en fût de chêne 1997

☐ 0,63 ha 2 800 30 à 49 F

Vaste propriété familiale, ce château propose un vin à la robe paille. Au nez, les fruits secs se mêlent à la vanille et au boisé. En bouche, le gras et la rondeur sont présents mais encore un peu dominés par les notes boisées. C'est un saussignac à boire assez rapidement. Le jury a attribué la même note au Château Marie Plaisance en **bergerac sec 98**.
Alain Merillier, La Ferrière, 24240 Gageac-Rouillac, tél. 05.53.27.86.23, fax 05.53.27.86.23 ☑ Y r.-v.

CH. MIAUDOUX Réserve 1997★★

☐ 2 ha 6 000 50 à 69 F

L'élevage en fût de chêne a réussi au **bergerac rouge 97** et au **bergerac sec 97**, tous deux cités

SUD-OUEST

par le jury, mais c'est à ce saussignac qu'il a le mieux profité. En effet, ce 97 se montre d'une grande richesse et d'une belle complexité. Les fruits confits et le miel flattent le nez. Ce vin est remarquablement équilibré, avec ce qu'il faut de gras, beaucoup de volume et un superbe retour de fruits en finale. Puissance et souplesse le caractérisent. « C'est du velours en bouche », disent tous les dégustateurs. (bouteille de 50 cl) ☛ Gérard Cuisset, Les Miaudoux, 24240 Saussignac, tél. 05.53.27.92.31, fax 05.53.27.96.60, e-mail chateau.miaudoux@wanadoo.fr ☑ ⍭ r.-v.

CLOS D'YVIGNE
Vendanges tardives 1997★★★

☐	4 ha	1 200	⦀ 150 à 199 F

Les vins de Patricia Atkinson ne passent pas par la petite porte ! Chaque année, le grand jury retient son saussignac et, même si les neuf dégustateurs n'ont pu départager les deux vins en compétition - deux coups de cœur décernés dans l'appellation - ils ont jugé celui-ci exceptionnel tant par sa couleur d'or à reflets paille qui séduit d'emblée, que par ses puissants arômes de fruits confits où la pêche domine, accompagnant une note de botrytis. Après une attaque très souple et très grasse, la barrique commence à s'exprimer (vanille). Mais ce sont surtout la pêche et l'abricot qui l'emportent dans un bouquet complexe et élégant. Un potentiel de garde de dix à quinze ans vous oblige à le mettre en cave. (bouteille de 50 cl) ☛ Patricia Atkinson, Le Bourg, 24240 Gageac-Rouillac, tél. 05.53.22.94.40, fax 05.53.23.47.67 ⍭ t.l.j. sf dim. 9h-12h 14h-18h

Côtes de duras

Les côtes de duras sont issus d'un vignoble de 2 000 ha qui est le prolongement naturel du plateau de l'Entre-deux-Mers. On raconte qu'après la révocation de l'édit de Nantes, les exilés huguenots gascons faisaient venir le vin de Duras jusqu'à leur retraite hollandaise et marquaient d'une tulipe les rangs de vigne qu'ils se réservaient.

Sur des coteaux découpés par la Dourdèze et ses affluents, avec des sols argilo-calcaires et des boulbènes, les côtes de duras ont accueilli tout naturellement les cépages bordelais. En blanc, sémillon, sauvignon et muscadelle ; en rouge, cabernet-franc, cabernet-sauvignon, merlot et malbec. On trouve également le chenin, l'ondenc et l'ugni-blanc. La gloire de Duras, c'est bien le vin blanc : des moelleux suaves, mais surtout des blancs secs à base de sauvignon, qui sont de réelles réussites. Racés, nerveux, au bouquet spécifique, ils accompagnent à merveille fruits de mer et poissons de l'Océan. Les vins rouges, souvent vinifiés en cépages séparés, sont charnus, ronds et d'une belle couleur.

DOM. DES ALLEGRETS
Vieilles vignes Cuvée Armand Gadras 1997★★★

☐	1 ha	2 600	⦀ 100 à 149 F

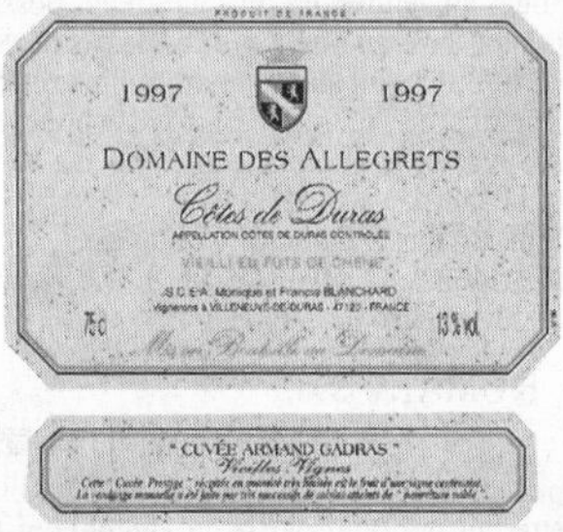

On prend les mêmes et on recommence. Mais comme cela est d'un très haut niveau, il ne faut pas bouder son plaisir. Le bois s'affirme encore au nez mais les arômes de fruits confits sont bien présents. La richesse et le gras en bouche sont exceptionnels avec des notes très complexes où domine le miel. L'harmonie de ce grand liquoreux est parfaite aujourd'hui et le sera encore plus dans quelques années. Le blanc sec 98 a obtenu une étoile. ☛ SCEA Francis et Monique Blanchard, Dom. des Allégrets, 47120 Villeneuve-de-Duras, tél. 05.53.94.74.56, fax 05.53.94.74.56 ☑ ⍭ t.l.j. 10h-12h 14h-18h30

DOM. AMBLARD 1997★

■	26,5 ha	230 000	■ ↓ 20 à 29 F

« Enfin un vin qui n'est pas élevé en barrique et qui peut exprimer les arômes de fruits ! », s'exclame un dégustateur. C'est très puissant et surtout très fruits rouges, fruits mûrs au nez. On apprécie une belle charpente tannique déjà bien fondue et une bonne longueur en finale. Un vin souple, agréable, pour un plaisir immédiat. ☛ Guy Pauvert, 47120 Saint-Sernin-de-Duras, tél. 05.53.94.77.92, fax 05.53.94.27.12 ☑ ⍭ t.l.j. sf dim. 9h-12h30 14h-19h

CLOS DU CADARET
Cuvée Quentin 1997★★

□ 3 ha 600 🛢 150 à 199 F

Le domaine Le Jan nous présente en **97** deux grands liquoreux élevés en barrique : une **Cuvée de vignes centenaires**, une étoile, et cette cuvée Quentin qui a obtenu deux étoiles. On en devine la richesse à la couleur et à l'onctuosité du vin dans le verre. Très fines, des notes de fleurs d'acacia se mêlent au boisé et au vanillé. En bouche, le boisé est remarquable, bien toasté et se marie parfaitement avec le vin. L'équilibre est parfait et la finale longue et complexe. C'est un grand liquoreux qu'il faut attendre quelques années.

🔑 Le Jan, Clos du Cadaret, 47120 Loubès-Bernac, tél. 05.53.94.59.42, fax 05.53.94.59.42 ☑ 🍷 r.-v.

CLOS DU CADARET
Cuvée Raoul Blondin 1997★★★

■ 1 ha 2 400 🛢 70 à 99 F

Ces producteurs reçurent un coup de cœur l'an passé. Cette nouvelle consécration confirme le sérieux et la qualité de leur travail d'autant plus que la **cuvée Classic 97, un autre rouge**, a également obtenu deux étoiles. Que vous dit cette cuvée Blondin ? Puissants, ce sont des parfums de fruits noirs en surmaturation qui s'expriment avec une pointe de vanille. Parfaits à l'attaque, les arômes de boisé, de cuit, de grillé, sont très présents en bouche. La structure est impressionnante avec beaucoup de gras. La finale sur la réglisse est très longue. Ce vin sera excellent dans deux à trois ans lorsqu'il sera un peu plus fondu.

🔑 Le Jan, Clos du Cadaret, 47120 Loubès-Bernac, tél. 05.53.94.59.42, fax 05.53.94.59.42 ☑ 🍷 r.-v.

DOM. DES COURS Sauvignon 1998★

□ 5 ha 15 000 🌡 20 à 29 F

Le savoir-faire se transmet de génération en génération chez les Lusoli. Deux vins très réussis, cette année : le nez du sec présente de jolies notes florales, légèrement muscatées qui rappelleraient presque un vin alsacien. En bouche, on a une agréable impression de fraîcheur ; ample et gras, ce palais offre une belle tenue en finale. Le **rosé de cabernet 98**, très marqué par les fruits rouges, a lui aussi obtenu une étoile.

🔑 EARL Lusoli, Dom. des Cours, 47120 Sainte-Colombe-de-Duras, tél. 05.53.83.74.35, fax 05.53.83.63.18 ☑ 🍷 t.l.j. 10h-12h 14h-19h

DUC DE BERTICOT
Elevé en fût de chêne 1997★

■ 8 ha 40 000 🛢 30 à 49 F

La moitié de la production de côtes de duras est réalisée par cette union de coopératives. Le Duc de Berticot est marqué par son élevage en barrique : les arômes sont très boisés et grillés. Cependant l'équilibre en bouche est agréable avec des tanins fins joliment boisés. Des notes de poivron et d'épices arrivent en finale. Un vin à boire sans trop tarder. Deux cuvées de **rosé 98** ont par ailleurs retenu l'attention du jury : **Les Estivales** et **le Berticot Rosé**.

🔑 SCA Les Vignerons de Landerrouat-Duras, Berticot, 47120 Duras, tél. 05.53.83.75.47, fax 05.53.83.82.40 ☑ 🍷 r.-v.

DOM. DE DURAND Moelleux 1997★

□ 4 ha 8 000 🌡 30 à 49 F

Afin de prendre un peu de hauteur, rien ne vaut la montgolfière de Michel Fonvielhe pour découvrir le domaine et ses environs. Le nez de ce 97 est très fin, fait de notes florales. La bouche, flatteuse, offre des notes complexes d'amande et de praliné. L'équilibre est agréable pour ce type plutôt moelleux. Un peu plus de douceur en aurait fait un vin parfait.

🔑 Michel Fonvielhe, Dom. de Durand, 47120 Saint-Jean-de-Duras, tél. 05.53.89.02.23, fax 05.53.89.03.72 ☑ 🍷 t.l.j. 8h-12h 14h-18h

EXPRESSION Sauvignon 1998★

□ 20 ha 100 000 🌡 30 à 49 F

Expression : voilà un nom qui convient parfaitement à cette cuvée. Les arômes sont typiquement ceux du sauvignon : bourgeon de cassis, agrumes, citron et une petite note de bonbon anglais. L'attaque est souple et le vin offre une bonne tenue en bouche même s'il manque un peu de vivacité. Un vin classique pour les inconditionnels du sauvignon. Pour être complet, il faut aussi mentionner la cuvée **Honoré de Berticot 98** (une étoile).

🔑 SCA Les Vignerons de Landerrouat-Duras, Berticot, 47120 Duras, tél. 05.53.83.75.47, fax 05.53.83.82.40 ☑ 🍷 r.-v.

DOM. DU GRAND MAYNE
Elevé en fût de chêne 1997★★

■ 2,5 ha 20 000 🛢 30 à 49 F

Les vins d'Andrew Gordon sont de nouveau à l'honneur avec un **rosé 98** et **un rouge 97 classique** ayant obtenu une étoile, et cette cuvée vieillie en barrique recevant deux étoiles. Beaucoup de notes de vanille et de grillé au nez masquent encore un peu le fruit. Mais l'attaque est toute en rondeur, et une matière dense se développe sans agressivité. La finale ramène les arômes boisés. L'équilibre acidité-alcool-tanins est très intéressant. Pourra vieillir trois à cinq ans.

🔑 Andrew Gordon, Le Grand Mayne, 47120 Villeneuve-de-Duras, tél. 05.53.94.74.17, fax 05.53.94.77.02 ☑ 🍷 r.-v.

CH. LA MOULIERE Grains tardifs 1997★★

□ 1 ha 2 100 🛢 100 à 149 F

Ici aussi, le millésime 97 fut propice à l'élaboration d'un liquoreux de grande qualité. Les fruits confits dominent largement au nez avec

SUD-OUEST

une petite note boisée. La bouche est riche, très puissante ; le bois sait se faire discret, s'effaçant derrière le fruit. C'est fondu, gras, bien équilibré : un liquoreux de classe. Vous apprécierez aussi du même producteur, le **rosé 98** aux notes de groseille bien marquées (une étoile à moins de 30 F)

Blancheton Frères, La Moulière, 47120 Duras, tél. 05.53.83.70.19, fax 05.53.93.20.20, e-mail patrick.blancheton@wanadoo.fr r.-v.

CH. LA PETITE BERTRANDE
Vieilli en fût de chêne 1997★★

■ 6 ha 30 000 30 à 49 F

De gros travaux ont été entrepris dans le domaine : restructuration du vignoble, rénovation du chai et création d'un chai à barriques. On appréciera le **liquoreux 97**, une étoile, et surtout cette cuvée dont le nez complexe, intense, profond offre des notes de fruits noirs bien mûrs. En bouche, s'affirme un bel équilibre, gras et charpenté. Les tanins sont encore jeunes mais fins, laissant les fruits noirs et les épices s'exprimer en bouche. Un vin de terroir.

Jean-François Thierry, Vignoble Les Guignards, 47120 Saint-Astier-de-Duras, tél. 05.53.94.74.03, fax 05.53.94.75.27, e-mail vguignards@aol.com t.l.j. sf dim. 10h-12h 16h-19h

DOM. LAS BRUGUES-MAU MICHAU
Moelleux 1997★★

□ 1 ha 3 000 70 à 99 F

Voici un côtes de duras moelleux tel qu'on le faisait il y a une trentaine d'années : le nez complexe évoque les fruits mûrs et les fruits confits. L'équilibre en bouche est très agréable, ni trop gras ni trop alcooleux. La finale longue offre un beau retour de fruits. Un vin d'apéritif idéal.

Michel Prévot, Mau Michau, 47120 Monteton, tél. 05.53.20.24.51, fax 05.53.20.80.57 t.l.j. sf dim. 9h-12h 14h-18h

DOM. DE LA SOLLE
Cuvée Fernand Fût de chêne 1997★★

■ 0,22 ha 1 500 50 à 69 F

Le jury a apprécié le **côtes de duras sec 98**, bien équilibré et typique de l'appellation (une étoile, 30 à 49 F). Il lui a cependant préféré le rouge élevé en barrique. Le nez est très expressif avec ses notes de fruits, de poivron, de grillé. La bouche est agréable avec une attaque assez ronde et un bon développement des tanins déjà fondus. Une jolie réussite que le temps améliorera encore.

Roger Visonneau, Boussinet, 47120 Saint-Jean-de-Duras, tél. 05.53.83.07.09, fax 05.53.20.10.54 r.-v.

DOM. DE LAULAN Duc de Laulan 1997★

■ n.c. 13 000 30 à 49 F

Depuis juillet 1998, le fils de Claudie et Gilbert Geoffroy travaille sur ce domaine bien connu de nos lecteurs. Cette cuvée phare dans laquelle entrent 5 % de malbec a passé douze mois en barrique. Des notes de pivoine, de poivron, de cannelle avec un peu de vanille confèrent une grande complexité au nez. En bouche, les tanins sont présents mais souples, le boisé discret et bien fondu. C'est un vin bien fait, équilibré, à boire dans les deux ans.

EARL Geoffroy, Dom. de Laulan, 47120 Duras, tél. 05.53.83.73.69, fax 05.53.83.81.54, e-mail domaine.laulan@wanadoo.fr r.-v.

Gilbert Geoffroy

DOM. DU PETIT MALROME 1997★★

■ 1,25 ha 8 000 20 à 29 F

Un habitué de la sélection qui s'inscrit cette année avec un **blanc sec 98** très réussi et surtout ce rouge remarquable. Au nez, c'est subtil, c'est fin, c'est surtout du fruit bien mûr. En bouche, les tanins sont fins mais puissants avec des notes épicées. On apprécie la longueur en bouche. Une jolie matière bien travaillée qui peut attendre deux à trois ans.

Alain Lescaut, 47120 Saint-Jean-de-Duras, tél. 05.53.89.01.44, fax 05.53.89.01.44 r.-v.

DOM. DU VIEUX BOURG
Vieilli en fût de chêne Cuvée Sainte-Anne 1997

■ n.c. 10 000 30 à 49 F

Sainte-Anne est le nom de la chapelle du château fort dont on peut voir l'emplacement des ruines à proximité du chai. Cette cuvée est constituée de 80 % de cabernet-sauvignon et de 20 % de merlot plantés sur le beau terroir argilo-calcaire de Duras. Au nez se mêlent les notes de cerise, de fruits exotiques et de vanille. Le tanin du vin est dominé par celui de la barrique avec un fort apport vanillé, mais il est préférable de boire ce 97 dès cet hiver.

Bernard Bireaud, 47120 Pardaillan, tél. 05.53.83.02.18, fax 05.53.83.02.37 t.l.j. sf sam. dim. 8h-12h 14h-19h; groupes sur r.-v.

LA VALLEE DE LA LOIRE ET LE CENTRE

Unis par un fleuve que l'on a dit royal, et qui justifierait le qualificatif par sa seule majesté si les rois en effet n'avaient aimé résider sur ses rives, les divers pays de la vallée de la Loire sont baignés par une lumière unique, mariage subtil du ciel et de l'eau qui fait éclore ici le « jardin de la France ». Et dans ce jardin, bien sûr, la vigne est présente ; des confins du Massif central jusqu'à l'estuaire, les vignobles ponctuent le paysage au long du fleuve et d'une dizaine de ses affluents, dans un vaste ensemble que l'on désignera sous le nom de « vallée de la Loire et Centre », plus étendu que ne l'est le Val de Loire au sens strict, sa partie centrale. C'est dire combien le tourisme est ici varié, culturel, gastronomique ou œnologique ; et les routes qui suivent le fleuve sur les « levées », ou celles, un peu en retrait, qui traversent vignobles et forêts sont les axes d'inoubliables découvertes.

Jardin de la France, résidence royale, terre des Arts et des Lettres, berceau de la Renaissance, la région est vouée à l'équilibre, à l'harmonie, à l'élégance. Tantôt étroite et sinueuse, rapide et bruyante, tantôt imposante et majestueuse, calme d'apparence, la Loire en est bien le facteur d'unité ; mais il convient cependant d'être attentif aux différences, surtout lorsqu'il s'agit des vins.

Depuis Roanne ou Saint-Pourçain jusqu'à Nantes ou Saint-Nazaire, la vigne occupe les coteaux de bordure, bravant la nature des sols, les différences de climat et les traditions humaines. Sur près de 1 000 km, plus de 50 000 ha couverts de vignes produisent, avec de grandes variations, autour de 3 000 000 hl. En 1998, le volume des vins d'appellation a représenté 2 828 590 hl, soit 11,19 % de la production française. Les vins de cette vaste région ont pour points communs la fraîcheur et la délicatesse de leurs arômes, essentiellement dues à la situation septentrionale de la plupart des productions.

Vouloir désigner toutes ces productions sous le même vocable est un peu audacieux malgré tout, car, bien qu'identifiés comme septentrionaux, certains vignobles sont situés à une latitude qui, dans la vallée du Rhône, subit l'influence climatique méditerranéenne... Mâcon est à la même latitude que Saint-Pourçain et Roanne que Villefranche-sur-Saône. C'est donc le relief qui influe ici sur le climat pour limiter l'action des courants : le courant d'air atlantique s'engouffre d'ouest en est dans le couloir tracé par la Loire, puis s'estompe peu à peu au fur et à mesure qu'il rencontre les collines du Saumurois et de la Touraine.

Les vignobles formant de véritables entités sont donc ceux de la région nantaise, de l'Anjou et de la Touraine. Mais on y a joint ceux du haut Poitou, du Berry, des côtes d'Auvergne et roannaises ; il faut bien les associer à une grande région, et celle-ci est la plus proche, aussi bien géographiquement que par les types de vins produits. Il paraît donc nécessaire, sur un plan général, de définir quatre grands ensembles, les trois premiers cités, plus le Centre.

Dans la basse vallée de la Loire, l'aire du muscadet et une partie de l'Anjou reposent sur le Massif armoricain, constitué de schistes, de gneiss et d'autres roches sédimentaires ou éruptives de l'ère primaire. Les sols évolués sur ces formations sont très propices à la culture de la vigne, et les vins qui y sont produits sont d'excellente qualité. Encore appelée région nantaise, cette première entité, la plus à l'ouest du Val de Loire, présente un relief peu accentué, les roches dures du Massif armoricain étant entaillées à l'abrupt par de petites rivières. Les vallées escarpées ne permettent pas la formation de coteaux cultivables, et la vigne occupe les mamelons de plateau. Le climat est océanique, assez uniforme toute l'année, l'influence maritime atténuant les variations saisonnières. Les hivers sont peu rigoureux et les étés chauds et souvent humides ; l'ensoleillement est bon. Les gelées printanières viennent cependant parfois perturber la production.

L'Anjou, pays de transition entre la région nantaise et la Touraine, englobe historiquement le Saumurois ; cette région viticole s'inscrit presque entièrement dans le département du Maine-et-Loire, mais géographiquement le Saumurois devrait plutôt être rattaché à la Touraine occidentale avec laquelle il présente davantage de similitudes, tant au point de vue des sols que du climat. Les formations sédimentaires du Bassin parisien viennent d'ailleurs recouvrir en transgression des formations primaires du Massif armoricain, de Brissac-Quincé à Doué-la-Fontaine. L'Anjou se divise en plusieurs sous-régions : les coteaux de la Loire (prolongement de la région nantaise), en pente douce d'exposition nord, où la vigne occupe la bordure du plateau ; les coteaux du Layon, schisteux et pentus, les coteaux de l'Aubance ; et la zone de transition entre l'Anjou et la Touraine, dans laquelle s'est développé le vignoble des rosés.

Le Saumurois se caractérise essentiellement par la craie tuffeau sur laquelle poussent les vignes ; au-dessous, les bouteilles rivalisent avec les champignons de Paris (30 % de la production nationale) pour occuper galeries et caves facilement creusées. Les collines un peu plus élevées arrêtent les vents d'ouest et favorisent l'installation d'un climat qui devient semi-océanique et semi-continental. En face du Saumurois, on trouve sur la rive droite de la Loire les vignobles de Saint-Nicolas-de-Bourgueil, sur le coteau turonien. Plus à l'est, après Tours, et sur le même coteau, le vignoble de Vouvray se partage avec Chinon - prolongement du Saumurois sur les coteaux de la Vienne - la réputation des vins de Touraine. Azay-le-Rideau, Montlouis, Amboise, Mesland et les coteaux du Cher complètent la panoplie de noms à retenir dans ce riche Jardin de la France, où l'on ne sait plus si l'on doit se déplacer pour les vins, les châteaux ou les fromages de chèvre (Sainte-Maure, Selles-sur-Cher, Valençay) ; mais pourquoi pas pour tout à la fois ? Les petits vignobles des coteaux du Loir, de l'Orléanais, de Cheverny, de Valençay et des coteaux du Giennois peuvent être rattachés à la troisième entité naturelle que forme la Touraine.

La Vallée de la Loire

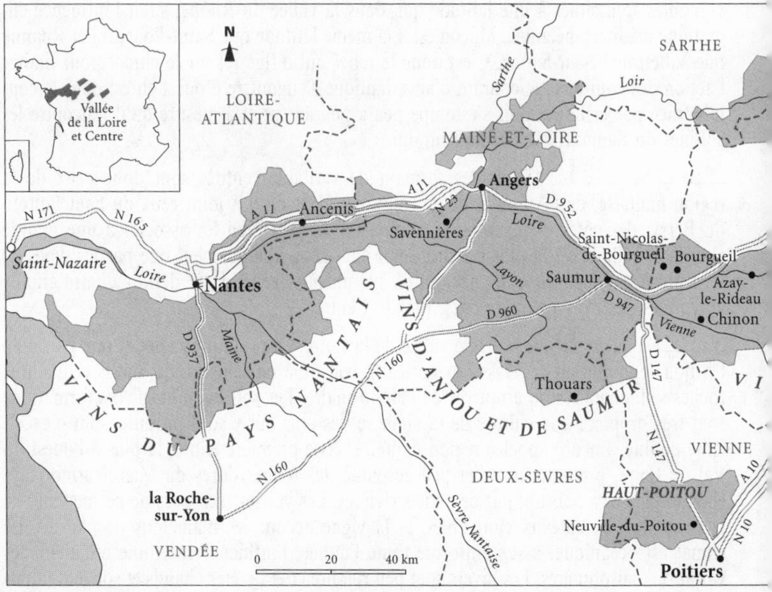

Les vignobles du Berry (ou du Centre) constituent une quatrième région, indépendante et différente des trois autres tant par les sols, essentiellement jurassiques, voisins du Chablisien pour Sancerre et Pouilly-sur-Loire, que par le climat semi-continental, aux hivers froids et aux étés chauds. Pour la commodité de la présentation, nous rattachons Saint-Pourçain, les côtes roannaises et le Forez à cette quatrième unité, bien que sols (Massif central primaire) et climats (semi-continental à continental) soient différents.

Si, pour aborder les domaines spécifiquement viticoles, on reprend la même progression géographique, le muscadet est caractérisé par un cépage unique (le melon) produisant un vin « unique », blanc sec irremplaçable. Le cépage folle blanche est également dans cette région à l'origine d'un autre vin blanc sec, de moindre classe, le gros-plant. La région d'Ancenis, elle, est « colonisée » par le gamay noir.

Dans l'Anjou, en blanc, le cépage chenin ou pineau de la Loire est le principal ; le chardonnay et le sauvignon y ont été récemment associés. Il est à l'origine des grands vins liquoreux ou moelleux, ainsi que, suivant l'évolution des goûts, d'excellents vins secs et mousseux. En cépage rouge, autrefois très répandu, citons le grolleau noir. Il donne traditionnellement des rosés demi-secs. Cabernet franc, anciennement appelé « breton », et cabernet-sauvignon produisent des vins rouges fins et corsés ayant une bonne aptitude au vieillissement. Comme les hommes, les vins reflètent, ou contribuent à constituer la « douceur angevine » : à un fond vif dû à une acidité forte vient souvent s'associer une saveur douce résultant de la présence de sucres restants. Le tout dans une production multiple, à la diversité un peu déroutante.

A l'ouest de la Touraine, le chenin en Saumurois, Vouvray et Montlouis ou dans les coteaux du Loir, et le cabernet franc à Chinon, Bourgueil et dans le Saumurois, puis le grolleau à Azay-le-Rideau, sont les principaux cépages. Le gamay noir en rouge et le sauvignon en blanc produisent, dans la région est, des vins légers, fruités et agréables. Citons enfin, pour être complet, le pineau d'Aunis des coteaux du Loir, à la nuance poivrée, et le gris meunier, dans l'Orléanais.

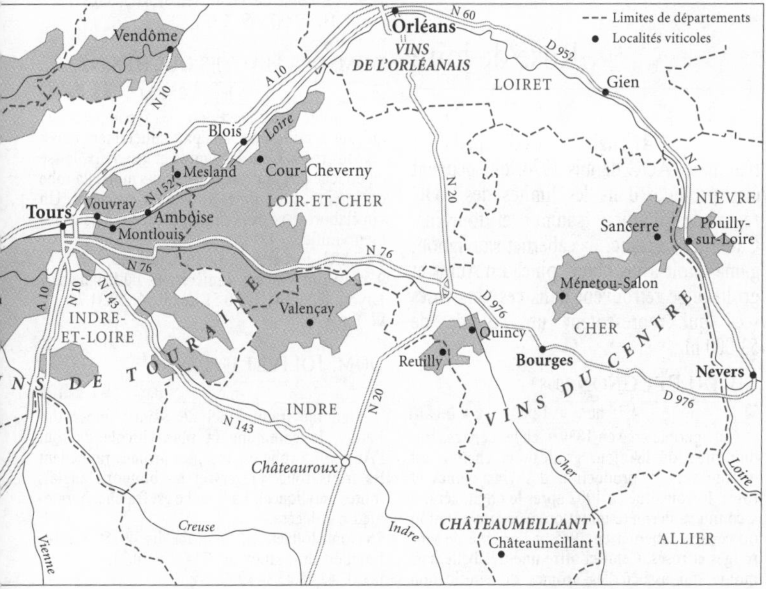

    Dans le vignoble du Centre, le sauvignon (en blanc) est roi à Sancerre, Reuilly, Quincy et Menetou-Salon, ainsi qu'à Pouilly, où il est encore appelé blanc-fumé. Il partage là son territoire avec quelques vignobles vestiges de chasselas, donnant des blancs secs et nerveux. En rouge, on perçoit le voisinage de la Bourgogne, puisqu'à Sancerre et Menetou-Salon les vins sont produits à partir de pinot noir.

    Pour être exhaustif, il convient d'ajouter quelques mots sur le vignoble du haut Poitou, réputé en blanc pour son sauvignon aux vins vifs et fruités, son chardonnay aux vins corsés, et, en rouge, pour ses vins légers et robustes issus des cépages gamay, pinot noir et cabernet. Sous un climat semi-océanique, le haut Poitou assure la transition entre le Val de Loire et le Bordelais. Entre Anjou et Poitou, la production du vignoble du Thouarsais (AOVDQS) est confidentielle. Quant au vignoble des Fiefs vendéens, terroir AOVDQS anciennement dénommé vin des Fiefs du Cardinal et implanté le long du littoral atlantique, ses vins les plus connus sont les vins rosés de Mareuil, issus de gamay noir et pinot noir ; la curiosité de la région étant constituée par le vin de « ragoûtant », issu du cépage négrette et difficile à trouver.

La Vallée de la Loire

Val de Loire

Rosé de loire

Il s'agit de vins d'appellation régionale, AOC depuis 1974, qui peuvent être produits dans les limites des AOC régionales d'anjou, saumur et touraine. Cabernet franc, cabernet-sauvignon, gamay noir à jus blanc, pineau d'Aunis et grolleau se retrouvent dans ces vins rosés secs qui représentent un volume de 53 000 hl.

CH. DU BEUGNON 1998★

◢	4,75 ha	1 000	🍶🍷	20à29F

 Ce vignoble créé en 1830 avec les cépages traditionnels de l'Anjou, grolleau et chenin, est orienté vers la production des vins blancs et rosés. Reconstitué en 1902 après le phylloxéra, il a connu sa dernière mutation avec la plantation du cépage cabernet en 1945, à l'origine de vins rouges et rosés. Celui-ci offre une très belle harmonie qui associe les arômes de vinification (notes de fraise et de banane) à ceux provenant de vendanges récoltées bien mûres (arômes fruités et floraux). Une belle réussite d'ensemble.

☛ Jean-Marie Humeau, Ch. du Beugnon, 49540 La Fosse-de-Tigné, tél. 02.41.59.40.82, fax 02.41.59.99.71 ☑ 🍷 r.-v.

DOM. DES HAUTES OUCHES 1998★

◢	5 ha	25 000	🍶🍷	20à29F

 Vignoble qui collectionne les récompenses et qui, sur le millésime 98, a particulièrement réussi ses vins rosés. Celui-ci, ample et généreux, laisse en bouche une impression de fruits mûrs. La robe est intense, les arômes amyliques et fruités. Un vin élaboré avec des vendanges bien mûres et très bien vinifiées.

☛ EARL Joël et Jean-Louis Lhumeau, 9, rue Saint-Vincent, Linières, 49700 Brigné-sur-Layon, tél. 02.41.59.30.51, fax 02.41.59.31.75 ☑ 🍷 r.-v.

DOM. JOLIVET 1998

◢	n.c.	n.c.	🍶🍷	20à29F

 Vignoble traditionnel de Saint-Lambert-du-Lattay, la commune la plus viticole de tout l'Anjou. La robe est rose, les arômes rappellent les fruits rouges légers et les bonbons anglais (notes amyliques). La bouche est fraîche, harmonieuse et légère.

☛ Dom. Jolivet, 31, rue Rabelais, 49750 Saint-Lambert-du-Lattay, tél. 02.41.78.30.35, fax 02.41.78.45.34 ☑ 🍷 r.-v.

VIGNOBLE DE L'ARCISON 1998

| ◪ | 4 ha | n.c. | 🍷🥄 20 à 29 F |

Ce vignoble a été constitué par le rachat de terroirs de famille dispersés au fil des années. Vif, léger, aromatique (arômes amyliques marqués). Un vin sans prétention, à déguster, comme tel, et qui accompagnera les entrées et les viandes grillées.

🍇 Damien Reulier, Vignoble de l'Arcison, Le Mesnil, 49380 Thouarcé, tél. 02.41.54.16.81, fax 02.41.54.31.12 ☑ 🍷 t.l.j. sf dim. 8h30-13h 14h-19h

LE CLOS DES MOTELES 1998★

| ◪ | 1,5 ha | 3 000 | 🍷 20 à 29 F |

Sainte-Verge est une petite commune située à proximité de Thouars, au sud de l'appellation anjou et à 30 km de Saumur. Cette exploitation familiale produit un rosé de loire typique de son appellation : robe rose pâle, arômes amyliques (fraise, banane, bonbon anglais) et fruités, bouche légère, fraîche, désaltérante, laissant une impression de fruits frais. A servir sur des entrées, des pizzas ou sur des viandes grillées.

🍇 GAEC Le Clos des Motèles, Basset-Baron, 42, rue de la Garde, 79100 Sainte-Verge, tél. 05.49.66.05.37, fax 05.49.66.37.14 ☑ 🍷 r.-v.

LES VIGNERONS DU MILON 1998

| ◪ | 11 ha | 30 000 | - de 20 F |

La SICA des vignerons du Milon est un groupement créé en 1986 par une trentaine de viticulteurs. Un chai moderne a pu alors être construit. Ce vin est agréable, représentatif de l'appellation bien qu'assez léger. A noter la finesse aromatique (notes fruitées et amyliques) et la délicatesse de la robe. Une belle harmonie d'ensemble.

🍇 SICA Les Vignerons du Milon, 49380 Chavagnes, tél. 02.41.54.33.64, fax 02.41.54.33.64 ☑ 🍷 t.l.j. sf dim. lun. 8h30-12h 14h-17h30

LES VIGNES DE L'ALMA 1998

| ◪ | 2 ha | 7 000 | 🍷🥄 - de 20 F |

Situé sur un plateau surplombant la vallée de la Loire et le village de Saint-Florent-le-Vieil, ce domaine produit un 98 agréable et désaltérant, assez léger et aromatique, d'une belle couleur rose intense.

🍇 Roland Chevalier, Les Vignes de l'Alma, 49410 Saint-Florent-le-Vieil, tél. 02.41.72.71.09, fax 02.41.72.63.77 ☑ 🍷 t.l.j. sf dim. 8h-12h 14h-19h

CH. DE MONTGUERET 1998★★

| ◪ | n.c. | 110 000 | 🍷🥄 20 à 29 F |

A. Lacheteau, qui dirige également une maison de négoce, a particulièrement réussi ses vins rosés sur le millésime 98. Un coup de cœur obtenu pour un rosé d'anjou en tant que négociant et un rosé de loire de son exploitation jugé remarquable ! Il a une expression aromatique étonnante dominée par des notes amyliques (fraise des bois, bonbon anglais) avec également une sensation de fruits rouges et de cassis. Harmonieuse, fraîche, la bouche laisse une impression forte de fruits frais. Un vin de plaisir à recommander.

🍇 SCEA Ch. de Montgueret, 49560 Nueil-sur-Layon, tél. 02.41.59.59.33, fax 02.41.59.59.02 ☑ 🍷 r.-v.

🍇 A. Lacheteau

REMY PANNIER
Dames de la Vallée 1998★

| ◪ | n.c. | n.c. | 🍷🥄 - de 20 F |

Le président de cette maison de négoce spécialisée dans les vins effervescents et les vins rosés, M. Amirault, est également responsable du comité interprofessionnel Val de Loire et défend l'idée d'une organisation regroupant l'ensemble des vins de Loire. Voici un très bon représentant de l'appellation par sa fraîcheur et sa légèreté. Il laisse une impression fruitée et harmonieuse typique des vins produits dans cette région du Val de Loire.

🍇 Remy Pannier, rue Léopold-Palustre, 49400 Saint-Hilaire-Saint-Florent, tél. 02.41.53.03.10, fax 02.41.53.03.19 ☑ 🍷 t.l.j. sf dim. 9h-12h 14h-18h30

CH. DE PASSAVANT 1998★

| ◪ | 4,5 ha | 22 000 | 🍷🥄 20 à 29 F |

Le château de Passavant a été bâti au Moyen Age par Foulque Nerra, troisième comte d'Anjou. Il est situé dans un village pittoresque du haut Layon. Ce vin léger est à déguster entre amis par une belle soirée d'automne. Robe rose délicate, arômes aériens de fruits rouges et de fleurs, bouche fraîche laissant une impression de framboise. Charmeur.

🍇 SCEA David Lecomte, Ch. de Passavant, 49560 Passavant-sur-Layon, tél. 02.41.59.53.96, fax 02.41.59.57.91, e-mail passavant@wanadoo.fr ☑ 🍷 t.l.j. 9h-12h 14h-19h; sam. dim. sur r.-v.

DOM. ROMPILLON 1998★★

| ◪ | 1 ha | 7 200 | 🍷🥄 20 à 29 F |

Domaine créé en 1977 avec 5 ha de vignes et qui s'est peu à peu agrandi notamment par l'achat de vieilles vignes de chenin, le cépage roi de l'Anjou. L'exploitation compte aujourd'hui 15 ha. Ce rosé est élaboré à partir de l'assemblage des trois cépages cabernet, gamay, grolleau, en pressurage direct des vendanges et fermentation conduite à 15 °C. Le résultat a été jugé remarquable : une finesse et une délicatesse étonnantes, une présence de tous les instants (richesse aromatique). Peut être servi sur tout un repas.

🍇 Jean-Pierre Rompillon, L'Ollulière, 49750 Saint-Lambert-du-Lattay, tél. 02.41.78.48.84, fax 02.41.78.48.84 ☑ 🍷 r.-v.

DOM. DES TRAHAN
Le Clos Neulet 1998★

| ◪ | 5 ha | 20 000 | 🍷🥄 20 à 29 F |

Le domaine des Trahan est situé au sud du vignoble de l'Anjou, dans le département des Deux-Sèvres. Il propose un rosé de loire puissant, charpenté, dont la couleur rose est soutenue et l'expression aromatique intense. La bouche bien présente signe un rosé élaboré avec des vendanges bien mûres, et l'on ne s'en plaindra pas.

🍇 Dom. des Trahan, 2, rue des Genêts, 79290 Cersay, tél. 05.49.96.80.38, fax 05.49.96.37.23 ☑ 🍷 r.-v.

LOIRE

DOM. DES TROIS MONTS 1998

◪ 10 ha 8 000 🍷 20 à 29 F

Domaine dont le nom « Les trois Monts » est à relier aux trois collines constituant la commune de Trémont. Ce joli vin s'épanouit à l'aération. Sa robe rose pâle, ses arômes fruités, sa bouche agréable et harmonieuse sont autant de caractéristiques que l'on attend dans cette appellation.
SCEA Hubert Guéneau et Fils, 1, rue Saint-Fiacre, 49310 Trémont, tél. 02.41.59.45.21, fax 02.41.59.69.90 ☒ Y r.-v.

DOM. DES TROTTIERES 1998*

◪ 8,6 ha 72 000 🍷 20 à 29 F

Domaine créé en 1905 sur une superficie totale de 110 ha dont 78 ha de vignes. Exploitation dont le fer de lance a été et reste la production de vins rosés. Ce vin a été élaboré à partir d'une macération pelliculaire de dix-huit heures sur 40 % de vendanges, une fermentation à température contrôlée et un élevage de trois mois sur lies fines. Robe rose intense, arômes de fruits mûrs, bouche agréable et plaisante : un vin à boire jeune et frais.
SCEA Dom. des Trottières, Les Trottières, 49380 Thouarcé, tél. 02.41.54.14.10, fax 02.41.54.09.00 ☒ Y r.-v.
Lamotte

Crémant de loire

Ici encore, l'appellation régionale peut s'appliquer à des vins effervescents produits dans les limites des appellations anjou, saumur, touraine et cheverny. La méthode traditionnelle fait ici merveille ; la production de ces vins de fêtes a atteint 37 021 hl en 1998. Les cépages sont nombreux : chenin ou pineau de Loire, cabernet-sauvignon et cabernet franc, pinot noir, chardonnay, etc. Si la plus grande part de la production est constituée de vins blancs, on trouve aussi quelques rosés.

ACKERMAN Privilège**

○ n.c. n.c. 🍷 30 à 49 F

Maison fondée en 1811 par Jean Ackerman qui eut l'idée d'utiliser les caves creusées dans le tuffeau pour élaborer des vins selon la méthode de Dom Pérignon. Une très belle robe jaune pâle à bulles fines et persistantes habille cette cuvée dont l'expression aromatique (notes fruitées de pêche et de raisin) est délicate. L'équilibre et la fraîcheur de la bouche donnent une impression d'harmonie et de fruité. Un vin remarquable qui a fait l'unanimité du jury de dégustation.

Laurance Ackerman, B.P. 45, 49426 Saint-Hilaire-Saint-Florent, tél. 02.41.53.03.20, fax 02.41.53.03.29 ☒ Y t.l.j. sf dim. 9h-12h 14h-18h30

BERGER FRERES*

○ 3 ha 10 000 30 à 49 F

Une famille de l'appellation montlouis, bien connue pour ses vins mousseux et pétillants. La mousse est intense. Le bouquet, frais à l'attaque, se prolonge en nuances plutôt évoluées. Au palais ce vin se révèle équilibré, fin et bien brut.
Berger Frères, 70, rue de Chenonceau, 37270 Saint-Martin-le-Beau, tél. 02.47.50.67.36, fax 02.47.50.21.13 ☒ Y r.-v.

PAUL BUISSE 1995

○ n.c. 20 000 30 à 49 F

Négociant en Touraine et spécialisé dans les vins haut de gamme, Paul Buisse présente son crémant de loire à la mousse discrète, qui sent bon les fruits mûrs. Le fruité se prolonge en bouche et finit tout en tendresse.
SA Paul Buisse, 69, rte de Vierzon, 41400 Montrichard, tél. 02.54.32.00.01, fax 02.54.71.35.78 ☒ Y t.l.j. sf sam. dim. 8h-12h 14h-18h

FRANCOIS CAZIN*

○ 1 ha 6 600 🍷 30 à 49 F

Voici un joli crémant à découvrir dès maintenant. Sa couleur jaune doré, sa belle tenue de mousse, sa bouche fraîche et délicate lui valent une étoile.
François Cazin, Le Petit Chambord, 41700 Cheverny, tél. 02.54.79.93.75, fax 02.54.79.27.89 ☒ Y r.-v.

COMTE DE MONTMORENCY

○ n.c. 27 000 30 à 49 F

C'est en 1859 que furent fondées les caves de Grenelle spécialisées aujourd'hui dans l'élaboration des vins effervescents. Celui-ci est simple, bien fait et plaira à une clientèle à la recherche de vins non agressifs. Arômes lactiques et fruités, bouche équilibrée, pas trop acide, marquée par l'effervescence.
Caves de Grenelle, 20, rue Marceau, B.P. 206, 49415 Saumur Cedex, tél. 02.41.50.17.63, fax 02.41.50.83.65 ☒ Y t.l.j. 9h-12h 14h-17h; f. sam. dim. 1er oct.-14 mai

JEAN-MICHEL COURTIOUX 1997*

○ 2 ha 5 000 30 à 49 F

Encore jeune, ce crémant aux arômes de pain grillé offre des bulles abondantes et persistantes.

L'astringence de l'attaque fait rapidement place à une belle harmonie et à un bon équilibre. Un vin rafraîchissant.

☛ Jean-Michel Courtioux, Cave Juchepie, 41120 Chitenay, tél. 02.54.70.42.18 ☑ 🍷 r.-v.

DOM. DE FLEURAY★

○　　　　　3,5 ha　　30 000　　　30 à 49 F

Cette famille champenoise est arrivée en Touraine, sur la rive droite de la Loire, au début des années 90. Son crémant est très réussi. Le cordon persiste bien ; le bouquet est puissant (noix, coing, épices). Au palais, un bel équilibre s'affirme ; on y retrouve les mêmes arômes qu'au nez.

☛ Cocteaux, Fleuray, 37530 Cangey, tél. 02.47.30.01.44, fax 02.47.30.05.09 ☑ 🍷 t.l.j. sf dim. 8h-12h 14h-19h

DOM. DE FLINES★★

○　　　　　0,75 ha　　4 000　　　30 à 49 F

Ce domaine de 45 ha, implanté sur la commune de Martigné, joue principalement la carte des vins rosés mais réussit avec ce crémant de loire, un joli coup ! Il est qualifié d'harmonieux à toutes les étapes de sa dégustation : une très belle mousse, une couleur éclatante, une expression aromatique rappelant les fruits secs (noisette), une bouche délicate, désaltérante avec ses notes de fruits frais.

☛ C. Motheron, 102, rue d'Anjou, 49540 Martigné-Briand, tél. 02.41.59.42.78, fax 02.41.59.45.60 ☑ 🍷 t.l.j. 9h-12h 14h-18h; sam. dim. sur r.-v.; f. août

XAVIER FRISSANT Cuvée Millénium★★

○　　　　　1 ha　　1 500　　　📖 50 à 69 F

Un des producteurs « qui montent » en touraine-amboise. Elaborée en quarante mois de prise de mousse, une cuvée « spéciale 2000 » où 70 % de chardonnay donne la réplique à 25 % de chenin et 5 % de cabernet franc récoltés en 1995. La robe diaphane et son bouquet ouvert (miel, citron) éveillent les sens. En bouche, on retrouve ces nuances avec ce qu'il faut de fraîcheur et de longueur. Que de finesse ! Une superbe réussite.

☛ Xavier Frissant, 1, chemin Neuf, 37530 Mosnes, tél. 02.47.57.23.18, fax 02.47.57.23.25 ☑ 🍷 t.l.j. 8h-12h30 14h-19h; dim. sur r.-v.

CHRISTIANE GREFFE

○　　　　　n.c.　　5 000　　　30 à 49 F

Maison d'élaboration créée il y a quarante ans dans le vignoble de Vouvray et qui réalise maintenant ses propres assemblages. Les bulles sont fines, le nez délicat et fruité. L'équilibre ne manque ni de finesse ni de souplesse.

☛ Christiane Greffe, 35, rue Neuve, 37210 Vernou-sur-Brenne, tél. 02.47.52.12.24, fax 02.47.52.09.56 ☑ 🍷 r.-v.

MONMOUSSEAU 1996

○　　　　　n.c.　　85 030　　　📖 30 à 49 F

Fondées il y a plus d'un siècle, les caves Monmousseau sont aujourd'hui filiale du groupe luxembourgeois Bernard Massard. La gamme s'enrichit en vins tranquilles de Touraine, mais la mousse est toujours la spécialité maison. Elle est ici discrète dans ce vin aux reflets dorés, au nez fruité. Une cuvée nerveuse bien faite, de bonne tenue, équilibrée.

☛ SA Monmousseau, 71, rte de Vierzon, B.P. 25, 41400 Montrichard, tél. 02.54.71.66.66, fax 02.54.32.56.09 ☑ 🍷 t.l.j. 10h-18h; groupes sur r.-v.; f. sam. dim. 1ᵉʳ déc.-31 mars
☛ Bernard Massard

MONTVERMEIL 1997★

○　　　　　n.c.　　100 000　　　📖♦ 30 à 49 F

A. Lacheteau, le président de cette maison de négoce, a réussi un très bon coup avec les vins rosés (cité sur toutes les appellations avec l'obtention d'un coup de cœur pour un rosé d'Anjou). Il est sur la même voie avec les vins effervescents. Son crémant de loire laisse une impression de fruité et de légèreté et une très belle expression aromatique de fruits jaunes et d'agrumes (pamplemousse...). Un vin à recommander.

☛ SA Lacheteau, Z.I. de la Saulaie, 49700 Doué-la-Fontaine, tél. 02.41.59.26.26, fax 02.41.59.01.94, e-mail lacheteau@symphonie.fai.fr

DOM. MOREAU★

○　　　　　0,5 ha　　3 000　　　📖♦ 30 à 49 F

Un chai bien équipé, une viticultrice dynamique qui produit aussi du touraine-amboise. Avec des bulles fines dans un vin à reflets verts, ce crémant a du nez : discret, il se développe avec des notes fruitées. Plus souple que brut, il se prolonge agréablement.

☛ Catherine Moreau, Fleuray, 37530 Cangey, tél. 02.47.30.18.82, fax 02.47.30.02.79 ☑ 🍷 r.-v.

DOM. DU MOULIN 1996

○　　　　　1,5 ha　　6 000　　　📖♦ 30 à 49 F

Un vin jaune doré aux nuances vertes, qui offre des senteurs de brioche, de miel, de noisette et un bel équilibre en bouche.

☛ Hervé Villemade, Le Moulin neuf, 41120 Cellettes, tél. 02.54.70.41.76, fax 02.54.70.37.41 ☑ 🍷 r.-v.

DOM. DU PETIT CLOCHER 1996★★

○　　　　　12 ha　　8 000　　　📖♦ 30 à 49 F

Exploitation qui a une solide réputation en matière de vins rouges et qui joue aussi pleinement la carte des vins effervescents. Des vins de

LOIRE

base bien travaillés (malo complète et vinification pour partie en barrique), un élevage sur lattes de deux ans, autant de critères déterminants pour la qualité des vins effervescents. Le résultat est étonnant, tout en délicatesse et harmonie : effervescence très fine, arômes floraux d'acacia donnant une sensation de fraîcheur, bouche souple, fruitée se terminant par des notes de pêche. Remarquable.

🔑 A. et J.-N. Denis, GAEC du Petit Clocher, 3, rue du Layon, 49560 Cléré-sur-Layon, tél. 02.41.59.54.51, fax 02.41.59.59.70 ☑ Y r.-v.

CH. DE PUTILLE 1997*

○ 5 ha 35 000 30 à 49 F

Pascal Delaunay est le président du syndicat des vins rouges d'Anjou. Il produit essentiellement ce type de vin (anjou rouge, anjou-villages) et a une autre corde à son arc avec les vins effervescents qu'il élabore entièrement sur l'exploitation. Ce crémant de loire issu à 100 % du cépage chenin dont une partie a fait une fermentation malolactique donne une très belle expression aromatique fruitée et une impression de fraîcheur en bouche. Ce que l'on attend de l'appellation crémant de loire.

🔑 Pascal Delaunay, EARL Ch. de Putille, 49620 La Pommeraye, tél. 02.41.39.02.91, fax 02.41.39.03.45 ☑ Y t.l.j. sf dim. 8h-12h30 14h-19h

DOM. DE TERREBRUNE 1996

○ 1 ha 10 000 30 à 49 F

Exploitation de 42 ha dont le fer de lance est la production de vins rosés. Le crémant de loire a été élaboré entièrement sur l'exploitation : assemblage de plusieurs cépages, dégorgement après une période de dix-huit mois sur lattes ; un vin qui donne une impression d'équilibre et de fruits frais et qui reste léger (presque trop) en bouche. Un vin facile qui « passe » tout seul.

🔑 Dom. de Terrebrune, La Motte, 49380 Notre-Dame-d'Allençon, tél. 02.41.54.01.99, fax 02.41.54.09.06 ☑ Y t.l.j. sf dim. 9h-12h30 15h-19h

La région nantaise

Ce sont des légions romaines qui apportèrent la vigne il y a deux mille ans en pays nantais, carrefour de la Bretagne, de la Vendée, de la Loire et de l'Océan. Après un hiver terrible en 1709 où la mer gela le long des côtes, le vignoble fut complètement détruit, puis reconstitué principalement par des plants du cépage melon venu de Bourgogne.

L'aire de production des vins de la région nantaise occupe aujourd'hui 16 500 ha et s'étend géographiquement au sud et à l'est de Nantes, débordant légèrement des limites de la Loire-Atlantique vers la Vendée et le Maine-et-Loire. Les vignes sont plantées sur des coteaux ensoleillés exposés aux influences océaniques. Les sols plutôt légers et caillouteux se composent de terrains anciens entremêlés de roches éruptives. Le vignoble de la région nantaise produit quatre vins d'appellations d'origine contrôlée : les muscadet, muscadet des coteaux de la loire, muscadet de sèvre-et-maine, et muscadet côtes de grand-lieu, ainsi que les AOVDQS gros-plant du pays nantais, coteaux d'ancenis et fiefs vendéens.

Les AOC du Muscadet et le gros-plant du pays nantais

Le muscadet est un vin blanc sec qui bénéficie de l'appellation d'origine contrôlée depuis 1936. Il est issu d'un cépage unique : le melon. La superficie du vignoble est de 13 000 ha. Quatre appellations d'origine contrôlée sont distinguées suivant la situation géographique : le muscadet de sèvre-et-maine, qui représente à lui seul 11 000 ha et 541 613 hl, le muscadet côtes de grand-lieu (400 ha et 15 263 hl en 1998), le muscadet des coteaux de la loire (330 ha, 17 144 hl) et le muscadet (2 270 ha, 115 207 hl). Le gros-plant du pays nantais, classé AOVDQS en 1954, est également un vin blanc sec. Issu d'un cépage différent, la folle blanche, il est produit sur 2 700 ha environ. La production a été de 156 758 hl en 1998. Ainsi la région du muscadet produit plus de 846 000 hl de vin.

La mise en bouteilles sur lie est une technique traditionnelle de la région nantaise, qui fait l'objet d'une réglementation précise, renforcée en 1994. Pour bénéficier de cette mention, les vins doivent n'avoir passé qu'un hiver en cuve ou en fût, et se trouver encore sur leur lie et dans leur chai de vinification au moment de la mise en bouteilles ; celle-ci ne peut intervenir qu'à des périodes définies et en aucun cas avant le 1er mars, la commercialisation étant autorisée seulement à partir du troisième jeudi de mars. Ce procédé permet d'accentuer la fraîcheur, la finesse et le bouquet des vins. Par nature, le muscadet est un vin blanc sec, mais sans verdeur, au bouquet épanoui. C'est le vin de toutes les heures. Il accompagne parfaitement les poissons, les coquillages et les fruits de mer et constitue également un excellent apéritif. Il doit être servi frais, mais non glacé (8 °-9 °C). Quant au gros-plant, c'est par excellence le vin d'accompagnement des huîtres.

Muscadet

FIEF DE LA TEGRIE 1998

□ 2,5 ha 24 000 ■ 🌡 20 à 29 F

Pamplemousse et fleurs blanches, voire même des touches minérales au nez et réglisse en bouche, s'allient dans ce vin un peu nerveux, bien équilibré.

🔑 Léone Loiret, Brétigné, 44330 Le Pallet, tél. 02.40.80.98.60, fax 02.40.80.48.11 ☑ 𝐘 r.-v.

Muscadet des coteaux de la loire sur lie

DOM. DU CHAMP CHAPRON 1998★★

□ 10 ha 66 000 ■ 🌡 - de 20 F

Très clair et légèrement perlant, ce vin développe de bons arômes de fruits à chair blanche (pomme verte). Souple et bien équilibré en bouche, avec une pointe de fraîcheur due au gaz, il est très représentatif de l'appellation. Il est produit au sud de la Loire (la majorité des coteaux de la loire viennent de la rive droite) et par des viticultrices.

🔑 SCA Suteau Ollivier, Le Champ Chapron, 44450 Barbechat, tél. 02.40.03.65.27, fax 02.40.33.34.43 ☑ 𝐘 t.l.j. sf dim. 9h30-20h

DOM. DES GALLOIRES
Cuvée de Sélection 1998★

□ 1,83 ha 12 000 ■ 🌡 20 à 29 F

Ce GAEC de cinq associés implanté dans la partie angevine du vignoble nantais produit un vin un peu fermé mais typique des coteaux de la loire, avec un net caractère minéral, une évolution vers la réglisse en fin de bouche, et une pointe acidulée qui lui donne de la fraîcheur. A signaler, un **coteaux d'ancenis gamay 98** cité, souple et aromatique.

le Pays nantais

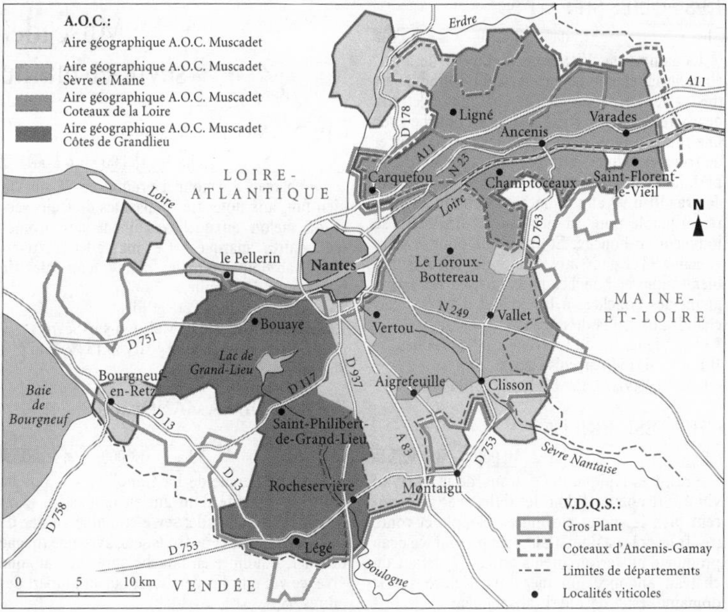

⚮ GAEC des Galloires, La Galloire,
49530 Drain, tél. 02.40.98.20.10,
fax 02.40.98.22.06 ☑ ⊤ r.-v.

DOM. DES GENAUDIERES 1998★

☐	7 ha	42 000	🍾↓	20 à 29 F

Ce très ancien domaine familial magnifiquement situé sur la rive droite de la Loire propose
un muscadet bien rond aux arômes de pomme
verte, minéral et acidulé, très typique des coteaux
de la loire. Evoquons un rare (1 800 bouteilles)
et fameux **coteaux d'ancenis malvoisie 98**, au nez
intense de poire et de pomme, à la bouche ronde
et grasse, très aromatique, également une étoile
(30 à 49 F).
⚮ EARL Athimon et ses Enfants, Dom. des
Génaudières, 44850 Le Cellier,
tél. 02.40.25.40.27, fax 02.40.25.35.61 ☑ ⊤ t.l.j.
sf dim. 8h30-12h30 14h-18h30

CH. HAUTE-ROCHE 1998

☐	19 ha	25 000	🍾↓	20 à 29 F

Un bon potentiel pour ce vin vif et frais, très
jeune mais déjà bien fruité avec une belle fin de
bouche.
⚮ Yves Terrien, Haute-Roche, 44521 Oudon,
tél. 02.40.83.68.88, fax 02.40.83.69.26 ☑ ⊤ t.l.j.
sf dim. 8h-12h 14h-18h

DOM. DE LA PLEIADE 1998★

☐	4 ha	13 000	🍾↓	- de 20 F

Bien perlant, ce vin à la note acidulée, long et
équilibré, est très représentatif des coteaux de la
loire.
⚮ Bernard Crespin, Dom. de La Pléiade,
49530 Liré, tél. 02.40.09.01.39, fax 02.40.09.07.42
☑ ⊤ t.l.j. sf dim. 9h30-12h30 14h-19h30

LES FOLIES SIFFAIT 1998★★

☐	15 ha	80 000	🍾↓	20 à 29 F

La gamme des Vignerons de La Noëlle, principal groupement de producteurs régional, est
très vaste. La palme revient à ce muscadet aux
beaux reflets verts, rond et frais en bouche avec
une finale grillée, dont les arômes de banane et
de fruits exotiques sont plaisants à défaut d'être
parfaitement typiques. Deux étoiles pour le **côtes
de grandlieu 98** aux arômes de bonbon anglais,
remarquable pour sa richesse, sa finesse et sa
longueur en bouche. Et une étoile pour le **sèvre
et maine 98** élégant, aux arômes floraux et fruités
bien fondus en bouche, qu'on imagine accompagnant des bouchées à la reine et d'autres plats
chauds aux fruits de mer.
⚮ Les Vignerons de La Noëlle, bd des Alliés,
B.P. 155, 44154 Ancenis Cedex,
tél. 02.40.98.92.72, fax 02.40.98.96.70 ☑ ⊤ r.-v.

CH. MESLIERE 1998★★★

☐	7,3 ha	10 000	🍾↓	30 à 49 F

Très, très typique des coteaux de la loire, ce
vin à fort potentiel dont les reflets verts annoncent bien les notes citronnées. Souple et rond,
très frais grâce à un perlant bien présent, ce beau
produit d'un terroir préhistorique (à défaut du
château annoncé, un mégalithe s'élève sur le
domaine) est à découvrir absolument.

⚮ Jean-Claude Toublanc, Les Pierres
Meslières, 44150 Saint-Géréon,
tél. 02.40.83.23.95, fax 02.40.83.23.95 ☑ ⊤ r.-v.

DOM. SAINT-MEEN 1998★

☐	n.c.	30 000	🍾↓	30 à 49 F

Déjà renommé pour les sèvre et maine de son
domaine du Landreau, Pierre Luneau lui a
adjoint voici quelques années cette propriété
d'outre-Loire au sol de gneiss antectique, proche
du site des Folies Siffait. La réussite est incontestable. Ce vin gai, bien perlant en bouche, ne
manque ni de gras ni de rondeur. Persistant, il
développe de bons arômes fruités (pêche, abricot) et se montre au total d'une bonne typicité.
En **sèvre et maine**, très réussi, le **Clos des Allées
98** aux reflets bleutés est très agréable pour son
équilibre et sa rondeur.
⚮ Pierre Luneau-Papin, Dom. Pierre de La
Grange, 44430 Le Landreau, tél. 02.40.06.45.27,
fax 02.40.06.46.62 ☑ ⊤ r.-v.

Muscadet
sèvre-et-maine

CH. D'AMOUR Sur lie 1998★

☐	3 ha	16 000	🍾↓	20 à 29 F

Le château d'Amour a produit en 98 un vin
bien fait, aux notes très plaisantes de fruits secs
et de melon auxquelles s'allient des arômes
secondaires marqués. Ce muscadet sèvre-et-
maine accompagnera les plats sucrés-salés de
poisson ou de volaille.
⚮ GAEC Brochard Père et Fils,
La Grenaudière, 44690 Maisdon-sur-Sèvre,
tél. 02.40.03.80.00, fax 02.40.03.85.13 ☑ ⊤ t.l.j.
8h-20h

ARCHE DE LA GANOLIERE
Sur lie 1998

☐	3 ha	18 000	🍾↓	20 à 29 F

Derrière l'arche de La Ganolière - le porche
d'une cave hérité d'un ancien monastère -, on
découvre un muscadet sèvre-et-maine au nez de
fleurs épanouies et de fruits secs, avec une touche
de miel. Equilibré en bouche après une attaque
vive, ce vin est plus persistant que la plupart des
autres 98.

🔑 Christophe et Brigitte Boucher, La Ganolière, 44190 Gorges, tél. 02.40.06.98.87, fax 02.40.06.98.87 ☑ 🍷 r.-v.

CLOS DE BEAUREGARD Sur lie 1998

☐ 3 ha 15 000 🍾🌡 30 à 49 F

Parcelle d'un domaine qui appartint au XV[e]s. au maître d'hôtel du duc de Bretagne Jean V, ce clos propose un vin au nez discret de fleurs blanches et de noisette. Fin et constant en bouche, quoique un peu court, c'est un muscadet sèvre-et-maine typique du millésime.

🔑 Antoine Guilbaud, Beauregard, 44330 Mouzillon, tél. 02.40.33.93.19, fax 02.40.36.27.08 ☑ 🍷 t.l.j. 8h-12h 14h-19h

DOM. DE BEAUREPAIRE Sur lie 1998

☐ 3 ha 20 000 🍾🌡 20 à 29 F

Ce vigneron d'entre Mouzillon et Clisson, engagé dans de nombreuses associations de promotion du muscadet, propose un vin à la robe brillante et fraîche, légèrement perlante. Le nez de fleur blanche laisse percevoir « un brin de muguet » que l'on retrouve dans une bouche équilibrée.

🔑 Jean-Paul Bouin-Boumard, 5, La Recivière, 44330 Mouzillon, tél. 02.40.33.90.37, fax 02.40.36.35.97 ☑ 🍷 t.l.j. 9h-20h

DOM. BEL AIR Sur lie 1998★★

☐ 22,8 ha n.c. 🍾🌡 - de 20 F

La maturité : c'est ce qu'évoquent d'emblée la belle robe paille et le nez intense de fruits secs et d'agrumes, légèrement brioché. Souple et rond en bouche, ce muscadet sèvre-et-maine donne une impression agréable de bon fruit.

🔑 GAEC Audrain Père et Fils, 26, rue de la Caillaudière, 44690 La Haye-Fouassière, tél. 02.40.54.84.11, fax 02.40.36.91.36 ☑ 🍷 t.l.j. sf dim. 8h-12h30 14h-19h30

CLOS DU BIEN-AIME
Sur lie Cuvée Excellence 1998

☐ 2 ha 10 000 🍾🌡 20 à 29 F

Le Clos du Bien-Aimé nous offre un 98 typé et gouleyant, quoique encore un peu fermé lors de la dégustation. En **97**, le domaine a élevé en fût une petite partie de sa production : bien équilibré avec un bon développement aromatique fruité et boisé, il devrait continuer à évoluer favorablement. Egalement cité, le **gros-plant Domaine de La Houssais 98**, au nez bien typé de fruits secs et de coing et à l'attaque fraîche.

🔑 Bernard Gratas, Dom. de La Houssais, 44430 Le Landreau, tél. 02.40.06.46.27, fax 02.40.06.47.25 ☑ 🍷 r.-v.

CLOS DES BOIS GAUTIER Sur lie 1998★

☐ n.c. n.c. 🍾🌡 20 à 29 F

Bois Gautier, Bois Braud et Bois Benoist : les trois marques des Luneau feraient presque oublier la vigne. Ce Clos des Bois Gautier est un vin limpide, riche, plein et puissant en bouche, avec une bonne attaque et une finale ronde.

🔑 Christian et Pascale Luneau, Le Bois-Braud, Mouzillon, 44330 Vallet, tél. 02.40.33.93.76, fax 02.40.36.22.73 ☑ 🍷 r.-v.

DOM. DU BOIS-JOLY
Sur lie Cuvée Harmonie 1998★★

☐ 5 ha 25 000 🍾🌡 20 à 29 F

Encore un terroir de gabbro qui a produit de beaux vins en 1998. Cette cuvée aux reflets verts et au nez floral intense ne laisse pas indifférent grâce à sa bonne attaque, à son perlant sans agressivité et à ses nuances de noisette et de fruits exotiques.

🔑 Henri et Laurent Bouchaud, Le Bois-Joly, 44330 Le Pallet, tél. 02.40.80.40.83, fax 02.40.80.45.85 ☑ 🍷 t.l.j. sf dim. 10h-12h30 14h-19h30

DOM. DU BOIS MALINGE Sur lie 1998★

☐ 9 ha 50 000 🍾🌡 20 à 29 F

Marqué par son terroir au sous-sol de schistes, ce vin végétal (buis, sureau), gras, long et très sec accompagnera volontiers un poisson en sauce, ce qui n'est que justice puisque Saint-Julien-de-Concelles a été le berceau de la cuisine nantaise moderne. En **96** la **cuvée Prestige vinifiée en fût de chêne**, harmonieuse et souple mais à consommer sans tarder, a obtenu une citation.

🔑 Jean-Gilbert Chon, Le Bois Malinge, 44450 Saint-Julien-de-Concelles, tél. 02.40.54.11.08, fax 02.40.54.19.90 ☑

DOM. GILBERT BOSSARD
Sur lie 1998★★

☐ 5,2 ha 24 000 🍾🌡 30 à 49 F

C'est en 1971 que Gilbert Bossard a créé ce domaine, en réunissant d'anciens vignobles morcelés. Son vin aux jolis reflets verts et à l'élégant nez de fleurs blanches révèle en bouche du volume et une bonne structure. Un ton au-dessous (une étoile), le **Domaine Basse Ville 98** n'a pas bénéficié d'une mise en bouteille sur lie mais se montre puissant, gras et typique de son terroir.

🔑 Gilbert Bossard, La Basse-Ville, 44330 La Chapelle-Heulin, tél. 02.40.06.74.33, fax 02.40.06.77.48 ☑ 🍷 r.-v.

PIERRE-LUC BOUCHAUD
Sur lie Sélection Terroir Bois Giraud 1998★

☐ 1 ha 5 000 🍾🌡 20 à 29 F

Cette Sélection est issue de parcelles choisies pour leur aptitude à produire un vin d'une typicité constante. C'est bien le cas de ce 98 encore un peu fermé lors de la dégustation mais jeune et rond, avec en bouche une note grillée.

🔑 Pierre-Luc Bouchaud, La Hautière, 44690 Saint-Fiacre, tél. 02.40.36.95.23, fax 02.40.36.79.56, e-mail pierre-luc.bouchaud@wanadoo.fr ☑ 🍷 r.-v.

A. BREGEON 1993★

☐ 7,6 ha 42 000 🍾 30 à 49 F

Le domaine Brégeon, proche des anciens bâtiments industriels « à l'italienne » d'Angreviers, n'en est pas à son coup d'essai en matière de muscadet millésimé. Très caractéristique de cette année aux nombreux aléas climatiques, son 93 à la belle couleur verdâtre est surprenant de jeunesse. Droit et net en bouche, il évoque la pomme verte avec une note minérale et une bonne longueur.

🔑 André-Michel Brégeon, 5, Les Guisseaux, 44190 Gorges, tél. 02.40.06.93.19, fax 02.40.06.95.91 ☑ Y t.l.j. sf dim. 10h-19h

DOM. BRETONNIERE Sur lie 1998★★★

□ 3 ha 9 000 ▮♦ 30 à 49 F

Né de vieilles vignes plantées sur un sol typique de la région (silico-argileux et gabbro), ce vin limpide manifeste en bouche un excellent équilibre, une bonne intensité aromatique, de la fraîcheur et de la longueur. Ce résultat exceptionnel témoigne du savoir-faire de ses producteurs. Coup de cœur l'an dernier pour leur Domaine de la Grange sur lie 97.

🔑 Béatrice et Dominique Hardy, La Grange, 44330 Mouzillon, tél. 02.40.33.93.60, fax 02.40.36.29.79 ☑ Y t.l.j. sf dim. 8h-19h

DOM. DES CHARMERIES Sur lie 1998★

□ 3,15 ha 18 900 ▮ 20 à 29 F

Un acte de 1626 signale déjà la présence de vignes et d'un pressoir à La Chalousière. Le domaine propose cette année un vin de terroir, au nez puissant. Gras et long, bien équilibré, il pourra attendre quelques mois.

🔑 Roland Sécher, La Chalousière, 44330 Vallet, tél. 02.40.36.26.42 ☑ Y r.-v.

CH. DE CHASSELOIR
Sur lie Comte Leloup Cuvée des Ceps centenaires 1998★★

□ 5 ha n.c. ▮♦ 30 à 49 F

Ce château est célèbre pour sa tour du XVes. dominant la Maine et son cellier aux décors rabelaisiens. Et, bien sûr, pour les ceps centenaires qui ont produit ce vin à fort caractère de terroir. Citronné et minéral au nez, celui-ci se signale en bouche par son bon équilibre et sa très belle finale. Chez le même producteur, mais issu d'un terroir bien différent (Basse-Goulaine), le sèvre-et-maine sur lie **Domaine du Bois Bruley 98**, très réussi (une étoile), vif, frais et parfumé, évoque le bord de mer par ses notes salées et iodées.

🔑 Bernard Chéreau, La Mouzière-Portillon, 44120 Vertou, tél. 02.40.54.81.15, fax 02.40.54.81.70 ☑ Y r.-v.

DOM. DES CHAUSSELIERES
Sur lie Elevé en fût de chêne 1997

□ 0,3 ha 2 000 ⬮⬮ 30 à 49 F

Ce domaine créé en 1910 repose sur un sol silico-argileux. Elevé huit mois en fût de chêne, son vin est bien fait, très riche, à forte expression aromatique, boisée bien sûr, et fruitée. On le boira sans plus attendre.

🔑 Jean Bosseau, 12, rue des Vignes, 44330 Le Pallet, tél. 02.40.80.40.12, fax 02.40.80.46.42 ☑ Y r.-v.

CH. DU CLERAY Sur lie 1998

□ 1,4 ha 10 000 ▮♦ 30 à 49 F

Côté production, les Sauvion proposent un 98 au nez de citron vert, bien acidulé et rond en bouche. Côté négoce, on peut retenir dans leur belle gamme le **Baronne du Cléray 98**, équilibré et frais, qui mérite lui aussi d'être cité.

🔑 SCE Sauvion Fils, Le Cléray, 44330 Vallet, tél. 02.40.36.22.55, fax 02.40.36.34.62 ☑ Y r.-v.

DOM. DU COLOMBIER
Sur lie Cuvée des deux colombes 1998

□ 3 ha 20 000 ▮♦ 20 à 29 F

Bien dans le type de l'appellation, ce vin développe un nez assez complexe à dominante fruitée (agrumes, poire, pomme cuite). Son attaque douce et son bon équilibre, sa jeunesse et sa persistance lui permettront d'accompagner des coquillages.

🔑 Jean-Yves Bretaudeau, Le Colombier, 49230 Tillières, tél. 02.41.70.45.96, fax 02.41.70.45.96 ☑ Y t.l.j. sf dim. 8h-19h

GILDAS CORMERAIS
Sur lie Prestige Vieilles vignes 1998★

□ 2 ha 9 000 ▮♦ 30 à 49 F

Des vignes quinquagénaires plantées sur les terrains argilo-siliceux des coteaux de la Maine ont donné ce vin pâle et perlant. Au nez, apparaissent des notes légèrement empyreumatiques, tandis que la bouche se révèle puissante.

🔑 EARL Gildas Cormerais, La Bretonnière, 44690 Maisdon-sur-Sèvre, tél. 02.40.36.90.13, fax 02.40.36.99.95 ☑ Y t.l.j. sf dim. 9h-19h; f. 15 au 30 août

DOM. MICHEL DAVID
Sur lie Clos du Ferré 1998★

□ 13,25 ha 65 000 ▮♦ 20 à 29 F

Le melon de Bourgogne, cultivé ici sur un sol de micaschistes, offre dans le millésime 98 un vin jaune paille limpide. Minéral et rond, ce muscadet sèvre-et-maine, à la fraîcheur iodée, accompagnera bien les huîtres.

🔑 Dom. Michel David, Le Landreau-Village, 44330 Vallet, tél. 02.40.36.42.88, fax 02.40.33.96.94, e-mail michel.david@lemel.fr ☑ Y t.l.j. sf dim. 8h30-12h15 14h-19h

CHRISTOPHE DROUARD
Sur lie Sélection des Hauts Pémions 1998★

□ 4 ha 24 000 ▮♦ 30 à 49 F

Ce domaine, dont les vignes s'étendent autour des moulins de La Bidière et de La Gustais, propose une cuvée au nez délicat et complexe : notes minérales et florales (aubépine). Bien structuré, ce vin tiendra ses promesses dans les prochains mois.

🔑 Joseph et Christophe Drouard, La Hallopière, 44690 Monnières, tél. 02.40.54.61.26, fax 02.40.54.65.32 ☑ Y r.-v.

CH. ELGET Sur lie 1998★

□ 9 ha 50 000 ▮♦ 30 à 49 F

Cette exploitation familiale applique des techniques modernes servies par un équipement très complet. Son vin au léger nez de terroir, manifeste en bouche un agréable perlant ; très long, il est discret mais toujours bien présent.

🔑 Gilles Luneau, Ch. Elget, Les Forges, 44190 Gorges, tél. 02.40.54.05.09, fax 02.40.54.05.67 ☑ Y t.l.j. 8h-13h 14h-20h; sam. dim. sur r.-v.

FIEF DE LA CHAPELLE Sur lie 1998★

☐ 1,5 ha 10 000 20 à 29 F

Les vignes de ce fief entourent une chapelle dédiée à saint Martin de Tours - originalité dans ce pays où le souvenir de saint Martin de Vertou est partout présent. Elles ont produit en 98 un vin puissant et « terroité », qui méritera d'attendre quelques mois. Il sera alors parfait pour accompagner un poisson en sauce.

⊶ Vincent Babin, 59, rue de la Chapelle Saint-Martin, 44115 Haute-Goulaine, tél. 02.40.54.93.14 ☑ Y t.l.j. sf dim. 8h-12h 14h-18h

DOM. DU FIEF DE LA COUR Sur lie 1998★

☐ 4 ha 15 700 ▮🌡 20 à 29 F

Ce domaine de l'ouest de La Haye-Fouassière, proche de cavernes préhistoriques, exploite un sous-sol d'ortho-gneiss. Frais et typé au nez, acidulé en bouche, avec une note épicée, son vin puissant et équilibré devrait bien résister au temps.

⊶ Jean-Pierre Méchineau, Bégrolles, 44690 La Haye-Fouassière, tél. 02.40.54.80.95, fax 02.40.54.80.95 ☑ Y r.-v.

FONDATION DONATIEN BAHUAUD 1929 Sur lie Réserve particulière 1998★

☐ 4 ha 25 000 ▮🌡 20 à 29 F

La société Donatien Bahuaud célèbre ses soixante-dix ans avec ce vin bien équilibré, au nez de fruits jaunes. Ce 98 est encore fermé en bouche, mais son beau relief acide annonce une réelle capacité de vieillissement. Il sera parfait pour accompagner les huîtres dans un an ou deux. Rappelons que la même marque avait été saluée d'un coup de cœur voici quatre ans.

⊶ Donatien Bahuaud, La Loge, B.P. 1, 44330 La Chapelle-Heulin, tél. 02.40.06.70.05, fax 02.40.06.77.11 ☑ Y r.-v.

CH. DE FROMENTEAU Sur lie 1998★

☐ 13 ha 67 000 ▮🌡 -de 20 F

Une étiquette en noir et blanc, étonnamment minimaliste pour ce nom prestigieux : le marquis de Fromenteau fut, au XVIIe s., l'un des plus puissants seigneurs des environs et fonda la célèbre foire de Vallet (de son vaste château ne demeurent cependant que deux belles caves voûtées). Ce vin aux reflets verts dégage un nez bien présent de réglisse et de fruits mûrs. Rond et bien structuré, avec une belle attaque et une note minérale en finale, il accompagnera dignement un poisson en sauce.

⊶ Christian Braud, Fromenteau, 44330 Vallet, tél. 02.40.36.23.75, fax 02.40.36.23.75 ☑ Y r.-v.

GADAIS PERE ET FILS Sur lie Vieilles vignes 1998

☐ 4 ha 20 000 ▮🌡 30 à 49 F

Jeune retraité après une longue carrière, Michel Gadais laisse désormais à son fils Christophe le soin d'exploiter ces vieilles vignes plantées par son propre père. Ces ceps donnent un vin au nez de terroir, où se mêlent notes végétales et fumées, annonciatrices d'une bouche riche et fraîche.

⊶ EARL Gadais Père et Fils, 16 bis, rue du Coteau, 44690 Saint-Fiacre, tél. 02.40.54.81.23, fax 02.40.36.70.25 ☑ Y r.-v.

CH. DES GILLIERES Sur lie 1998★

☐ 45 ha 250 000 ▮🌡 -de 20 F

Son étendue (50 ha) et son histoire font de ce château l'un des plus célèbres du vignoble nantais. Son 98 propose un nez franc, puis une attaque riche et perlante. Jeune, flatteur, il accompagnera crevettes ou poissons fumés.

⊶ SA Louis Nogue et Fils, Ch. des Gillières, 44690 La Haye-Fouassière, tél. 02.40.54.80.05, fax 02.40.54.89.56 ☑ Y r.-v.

GRANDE GARDE Sur lie 1996★

☐ 2 ha 6 000 ▮🌡 30 à 49 F

Le nom même de ce vin est une proclamation : la famille Boullault défend depuis longtemps l'idée que le muscadet peut être un vin de garde. Ce 96 en apporte la preuve. Son nez aux effluves bourguignons évoque la noisette, l'amande et la minéralité. Très fruité en bouche, fin et bien structuré, ce millésime toujours frais a gardé sa jeunesse.

⊶ SCA Boullault et Fils, La Touche, 44330 Vallet, tél. 02.40.33.95.30, fax 02.40.36.26.85 ☑ Y r.-v.

CH. DES GRANDES NOELLES Sur lie 1998★

☐ n.c. 24 000 ▮🌡 20 à 29 F

La famille Poiron est bien connue dans le vignoble nantais pour ses activités de pépiniériste viticole. Son muscadet brillant et limpide développe un nez tout en finesse de citron et de fleurs blanches, avec une note grillée en finale. Epanoui et gras en bouche, il saura patienter quelques mois.

⊶ SA Henri Poiron et Fils, Dom. des Quatre Routes, 44690 Maisdon-sur-Sèvre, tél. 02.40.54.60.58, fax 02.40.54.62.05 ☑ Y r.-v.

GRAND FIEF DE L'AUDIGERE Sur lie 1998★

☐ 25 ha 150 000 ▮🌡 30 à 49 F

Cette vieille seigneurie de Vallet a appartenu à des familles prestigieuses : les Sévigné, Goulaine, Fromenteau... Elle donne désormais son nom à un vin intense et riche en notes de fruits des bois (fraise, myrtille...). Riche, élégant et « terroité », ce muscadet sèvre-et-maine flatte le palais sans s'imposer outre mesure.

⊶ Jean Aubron, L'Audigère, 44330 Vallet, tél. 02.40.33.91.91, fax 02.40.33.91.31

GRAND MOUTON Sur lie Huissier 1995★★

☐ 2 ha 12 168 ▮🌡 50 à 69 F

Issue des vignes les plus âgées (une soixantaine d'années) du vaste domaine de Grand Mouton, cette cuvée du millésime 95 compte 12 168 bouteilles. Avec son nez fin et droit de pomme verte, son attaque fraîche et suave, sa longue finale, son gras, sa structure, elle représente bien l'appellation et ce beau millésime.

⊶ Dom. du Grand Mouton, 44690 Saint-Fiacre, tél. 02.40.54.81.92, fax 02.40.54.87.83 ☒ ⊤ r.-v.

CH. DES GUERCHES Sur lie 1998

□ 30 ha 180 000 ▮🌡 20 à 29 F

Sur un coteau de la Sèvre, un peu en amont de Monnières, ce château produit un muscadet assez typé, élégant et rond en bouche avec une finale minérale. A boire sur un poisson en sauce.

⊶ Philippe et Christophe Chéneau, Ch. des Guerches, 44690 Monnières, tél. 02.40.36.65.20, fax 02.40.33.99.78 ⊤ r.-v.

PHILIPPE GUERIN
Sur lie Cuvée Souverain 1998

□ 3,7 ha n.c. ▮🌡 20 à 29 F

De couleur paille avec des reflets verts et ocres, ce vin se distingue par un nez original, puissant et frais : d'abord un peu éthérée, sa palette évolue vers les fruits blancs et les fleurs. Très rond et long en bouche, il développe de beaux arômes de brioche et de raisin frais.

⊶ Philippe Guérin, Dom. des Pèlerins, 44330 Vallet, tél. 02.40.36.37.34, fax 02.40.36.40.73 ☒ ⊤ r.-v.

GUILBAUD FRERES
Sur lie Le Soleil nantais Grand Or 1998★

□ n.c. 150 000 ▮🌡 30 à 49 F

Largement diffusé, ce muscadet produit par un important négociant est bien typé sur lie. Complexe au nez, avec ses notes florales et minérales, il est explosif en bouche : son attaque perlante et ses arômes flatteurs en font un bon vin d'apéritif. A citer sans étoile, le plus marginal **fiefs vendéens rouge La Pierre levée 98**. De couleur rubis avec un nez de rafle et de cannelle, souple en bouche, il s'achève sur une note de griotte. Simple et léger, il accompagnera bien une viande sur le gril.

⊶ Guilbaud Frères, Les Lilas, 44330 Mouzillon, tél. 02.40.36.30.55, fax 02.40.36.36.35, e-mail guilbaud.muscadet@wanadoo.fr ☒ ⊤ r.-v.

DOM. GUITONNIERE Sur lie 1997

□ 15 ha 1 500 ▮🌡 20 à 29 F

Implanté autour du centre économique de Vallet, le domaine Guitonnière a su mettre en valeur ses vignes de melon de vingt ans et son terroir silico-argileux. Bien équilibré, ce vin à reflets verts développe un bouquet intense de genêt et une touche minérale.

⊶ Marie-Thérèse Beauquin, 24, av. Gal-Heurtaux, 44330 Vallet, tél. 02.40.36.31.19 ☒ ⊤ r.-v.

HAUTE-COUR DE LA DEBAUDIERE
Sur lie 1998

□ 11 ha 15 000 ▮🌡 20 à 29 F

Produit sur un sol de gabbro, ce muscadet sèvre-et-maine léger et frais développe un nez aromatique de pomme. Tonique et rond en bouche, il séduit par son attaque acidulée mais manque un peu de longueur.

⊶ Chantal et Yves Goislot, La Débaudière, 44330 Vallet, tél. 02.40.36.30.73, fax 02.40.36.20.23 ☒ ⊤ r.-v.

DOM. DES HAUTES-NOELLES
Sur lie 1998

□ 10,8 ha 72 000 ▮🌡 20 à 29 F

Le domaine des Hautes-Noëlles a vendangé tard en 1998 (à partir du 25 septembre). Pourtant, son vin n'en porte pas la marque. Citronné et minéral au nez, il montre en bouche de la finesse et une belle structure. Citée également, une **cuvée Vieilles vignes 98 sur lie**, pas très longue mais bien typée, dont le nez aux légers arômes d'agrumes et la bouche ronde sont fort agréables.

⊶ Pierre Bertin, Dom. des Hautes-Noëlles, 44430 Le Landreau, tél. 02.40.06.44.06, fax 02.40.06.47.90 ☒ ⊤ r.-v.

DOM. DES HAUTES REBOURGERES
Sur lie 1998★★

□ 12 ha 30 000 ▮🌡 20 à 29 F

Une position stratégique, au centre même du triangle viticole délimité par la Sèvre et la Maine : c'est La Rebourgère. Le vin du domaine, jaune pâle à reflets verts, développe un agréable nez de pomme, en parfait accord avec une bouche ample et fruitée. Bien structuré, il pourra être conservé plusieurs mois.

⊶ Roland Cormerais, La Rebourgère, 44690 Maisdon-sur-Sèvre, tél. 02.40.54.60.30, fax 02.40.54.60.30 ☒ ⊤ t.l.j. sf dim. 8h-20h

DOM. DU HAUT-SENCY Sur lie 1997★

□ 1 ha 1 800 ◍ 20 à 29 F

Ce domaine implanté non loin de la Maine vinifie en fût de chêne une petite partie de sa production. Le résultat est harmonieux. Souple et rond avec des arômes vanillés bien fondus, ce vin d'approche facile ne saurait décevoir.

⊶ François Rivière, Le Gast, 44690 Maisdon-sur-Sèvre, tél. 02.40.03.86.28, fax 02.40.33.56.91 ☒ ⊤ t.l.j. 9h30-13h 14h30-19h

DOM. DE LA BIGOTIERE Sur lie 1998★★

□ 6 ha 30 000 ▮🌡 20 à 29 F

Ce muscadet d'entre Sèvre et Maine se signale à l'œil par d'abondantes bulles. Son nez puissant et original évoque la fleur de pêcher. Encore vert en bouche lors de la dégustation, il montre beaucoup d'intensité. Cet intéressant vin de terroir mérite d'attendre un peu pour révéler toute sa personnalité. En **98** cité un **muscadet** élevé en fût de chêne, aux nuances de fruits et de pain grillé, dégusté sans doute un peu trop tôt.

⊶ Pascal Batard, La Bigotière, 44690 Maisdon-sur-Sèvre, tél. 02.40.06.67.02, fax 02.40.33.56.79 ☒ ⊤ r.-v.

CH. DE LA BOTINIERE Sur lie 1998★

□ 40 ha 200 000 ▮🌡 30 à 49 F

Brûlé pendant la Révolution, ce château situé à la limite de Vallet et de Mouzillon conserve néanmoins divers vestiges des XVIes. et XVIIes. Son muscadet, au nez minéral et iodé, emplit la bouche de fraîcheur et s'achève sur une bonne finale végétale. Dans quelques mois, il sera parfait pour accompagner les fruits de mer.

⊶ Jean Beauquin, Sté exploitation du Dom. de La Botinière, 44330 Vallet, tél. 02.40.06.73.83, fax 02.40.06.76.49 ☒ ⊤ r.-v.

CH. DE LA BOURDINIERE
Sur lie Tradition 1998★

□ 10 ha 70 000 30 à 49 F

La Bourdinière, qui conserve une tourelle et des murailles médiévales, appartenait à Pierre Landais, trésorier général du duc François II et champion de l'indépendance bretonne au XVes. Peu intense au nez (fruits à chair blanche), son vin se révèle en bouche, avec une attaque ronde et franche, de la puissance et un bon équilibre.

Pierre et Chantal Lieubeau, La Croix de la Bourdinière, 44690 Château-Thébaud, tél. 02.40.06.54.81, fax 02.40.06.51.08 r.-v.

DOM. DE LA CHENAIE
Sur lie Cuvée Prestige 1998

□ 13,26 ha 42 000 20 à 29 F

Ce domaine se situe sur les bords de la Sanguèze, qui marque à cet endroit la limite entre la Bretagne et l'Anjou. Son vin au nez minéral et fruité mérite de s'ouvrir encore mais montre en bouche un bel équilibre, avec un retour aromatique sur les fruits mûrs.

Dominique Martin, Dom. de la Chenaie, Les Sauvionnières, 44330 Vallet, tél. 02.40.36.23.04, fax 02.40.36.23.04 r.-v.

DOM. DE LA COUR DU CHATEAU DE LA POMMERAIE Sur lie 1998★★

□ 15 ha n.c. 20 à 29 F

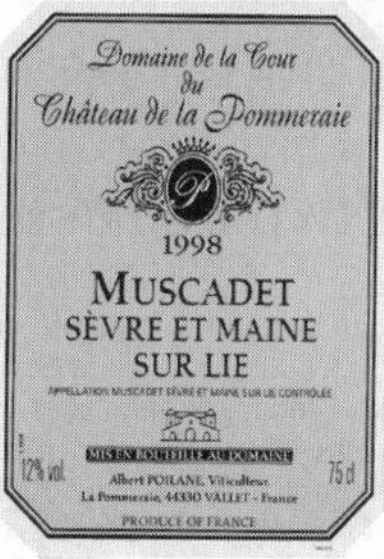

Depuis près d'un demi-siècle, la famille Poilane s'efforce de réunir les parcelles de l'ancien clos viticole du château de La Pommeraie, terroir bien spécifique mais très morcelé, au nord de Vallet. Entreprise réussie à en juger par ce beau vin, long en bouche. Fruité et très bien servi par une acidité qui lui confère de la fraîcheur, il manifeste une excellente harmonie. A retenir aussi, avec une étoile, un **gros-plant 98** plein de caractère, au nez légèrement citronné, souple et charpenté en bouche.

Albert Poilane, Cour du ch. de La Pommeraie, 44330 Vallet, tél. 02.40.33.80.63, fax 02.40.33.80.63 r.-v.

CH. DE LA DIMERIE Sur lie 1998★

□ 15 ha 16 000 20 à 29 F

C'est à l'emplacement de l'actuel domaine que la dîme était autrefois perçue. De ce passé, il reste le nom de la dîmerie. Ce muscadet affiche une forte personnalité avec son nez de genêt et sa bouche puissante au retour aromatique flatteur. Cité, le **muscadet sèvre-et-maine sur lie 98 Château La Mouchetière** est floral et rond.

SA Vignobles Sourice, 44190 Boussay, tél. 02.51.71.70.34, fax 02.51.71.70.33 r.-v.

CH. DE LA FECUNIERE Sur lie 1998★

□ 12,5 ha 10 000 20 à 29 F

Ce château fut la demeure familiale de l'historien Emile Gabory, célèbre pour ses travaux sur les guerres de Vendée. Aujourd'hui, il est à l'origine d'un vin bien travaillé, au nez intense de grillé, de vanille et d'agrumes, si solidement structuré qu'on pourrait le servir sur un fromage.

Jean-François Gabory, Ch. de La Fécunière, 44330 Vallet, tél. 02.40.33.92.63, fax 02.40.36.42.46 r.-v.

LA FLEUR DU CLOS DE LA HAUTE CARIZIERE Sur lie 1998★★

□ 5 ha n.c. 30 à 49 F

Cuvée de prestige d'un domaine situé sur la rive droite de la Sèvre, près du site préhistorique de La Guérivière, ce vin original garde, d'un passage en fût, un nez boisé, vanillé et légèrement beurré. Très rond et souple en bouche, il mérite d'être découvert, sur un poisson en sauce, par exemple.

Vinival, La Sablette, 44330 Mouzillon, tél. 02.40.36.66.00, fax 02.40.33.95.81

DOM. LA FRAIRIE DE LA MOINE
Sur lie 1998

□ 1,5 ha 6 000 20 à 29 F

Les sols sont assez hétérogènes dans ce vignoble, mais les parcelles donnant naissance à ce vin bénéficient d'un terroir de granite et de gneiss des coteaux de la Moine. Plutôt minéral au nez, ce 98 est fin et équilibré en bouche.

Hubert Chapeleau, La Garnière, 49230 Saint-Crespin-sur-Moine, tél. 02.41.70.41.55, fax 02.41.70.49.44 r.-v.

DOM. DE LA FRUITIERE Sur lie 1998

□ 30 ha 180 000 20 à 29 F

Jadis dépendance du château de La Placelière, dont il exploite encore les vignes, ce domaine propose un vin au nez un peu exotique (mangue) et rond en bouche.

Douillard-Boussonnière, La Fruitière, 44690 Château-Thébaud, tél. 02.40.06.53.05, fax 02.40.06.54.55 t.l.j. sf dim. 8h-18h; sam. 8h-12h

DOM. DE LA GARNIERE Sur lie 1998★★

□ n.c. 20 000 20 à 29 F

Ne pas confondre la Maine et la Moine : ce muscadet sèvre-et-maine provient des rives de la seconde. Après un très bon nez de terroir aux notes minérales et florales, ce grand vin à forte personnalité développe une bouche longue et fraîche. Pour la troisième année consécutive, le muscadet sèvre-et-maine de La Garnière obtient deux étoiles.

GAEC Camille et Olivier Fleurance, La Garnière, 49230 Saint-Crespin-sur-Moine, tél. 02.41.70.40.25, fax 02.41.70.68.84 r.-v.

CH. DE LA GRAVELLE

Sur lie Grande cuvée Don Quichotte 1997★★

☐ 3 ha 20 000 ▮ 🌡 30 à 49 F

Les terres de La Gravelle s'étendaient sur 300 ha avant les guerres de Vendée, il reste aujourd'hui 12 ha, sur lesquels se trouve un moulin à vent du XVIII[e]s. Celui-ci a donné son nom à cette cuvée prestige très typique. Après un nez complexe de pêche, de citron et de poivre vert, elle révèle en bouche une forte structure, de la rondeur et de la vivacité. Dans le même millésime le **Château du Coing Comte de Saint-Hubert, sur lie** (une étoile) provient de vignes sexagénaires plantées au confluent de la Sèvre et de la Maine ; ample et riche mais encore plein de fraîcheur, ce vin issu d'une macération pelliculaire et présenté en bouteille sommelière atteindra tout son potentiel dans quelques mois.

⊶ Véronique Günther-Chéreau, Le Coing, 44690 Saint-Fiacre-sur-Maine, tél. 02.40.54.85.24, fax 02.40.54.80.21 ☑ Y r.-v.

DOM. LA HAUTE FEVRIE

Sur lie Excellence Vieilles vignes 1998★

☐ 4 ha 25 000 ▮ 🌡 30 à 49 F

Produit sur les bords de la Sèvre, au nord de la commune de Maisdon (qui s'étend jusqu'à la Maine au sud), ce vin s'avère bien typé : sa robe jaune pale, son fruité, sa bouche riche et longue signent l'âge des vignes (soixante ans).

⊶ Claude Branger, Dom. La Haute Févrie, 44690 Maisdon-sur-Sèvre, tél. 02.40.36.94.08, fax 02.40.36.96.69 ☑ Y t.l.j. sf dim. 8h-12h30 13h30-19h30

DOM. DE LA LANDELLE

Sur lie Vieilles vignes 1998★

☐ 2,5 ha 12 000 ▮ 🌡 20 à 29 F

Situés sur l'un des points culminants du vignoble, les terrains du domaine ménagent une vue exceptionnelle sur la vallée de la Loire jusqu'à Nantes. Ils donnent un vin tout en souplesse, peu ample, mais au nez très typique : fleurs, notes de noisette et touches minérales. La bouche fraîche et ronde évoque les agrumes et un léger grillé.

⊶ Michel Libeau, Dom. de La Landelle, 44430 Le Loroux-Bottereau, tél. 02.40.33.81.15, fax 02.40.33.85.37 ☑ Y r.-v.

DOM. DE LA LEVRAUDIERE

Sur lie Prestige de la Levraudière 1998★★

☐ 5 ha 30 000 ▮ 🌡 20 à 29 F

Les lecteurs du Guide connaissent bien ce domaine maintes fois signalé, sur lequel s'élevait au Moyen Age la demeure du comte Hoël, fondateur de La Chapelle-Heulin. Sa cuvée Prestige, aux beaux reflets verts, développe un nez typé de fleurs d'acacia et de litchi. Généreux et fruité en bouche, ce 98 se signale par un bouquet éclatant et une finale acidulée.

⊶ Bonnet-Huteau, Dom. de La Levraudière, 44330 La Chapelle-Heulin, tél. 02.40.06.73.87, fax 02.40.06.77.56 ☑ Y t.l.j. 8h30-12h30 14h-18h30; dim. sur r.-v.

DOM. DE LA LEVRAUDIERE

Sur lie 1998★

☐ 2 ha 12 000 ▮ 🌡 20 à 29 F

Sur cette Levraudière-ci, voisine du domaine des Bonnet-Huteau, se trouvent les restes de la demeure féodale du comte Hoël. Le domaine propose un vin brillant, bien équilibré, au nez d'agrumes et de raisins mûrs, dont la note minérale se retrouve en bouche.

⊶ Alain Gripon, La Levraudière, 44330 La Chapelle-Heulin, tél. 02.40.06.76.38, fax 02.40.06.76.38 ☑ Y r.-v.

DOM. DE L'ALOUETTE Sur lie 1998★

☐ 4 ha 10 000 ▮ 🌡 20 à 29 F

Tout proche de la chapelle Saint-Barthélemy, lieu de pèlerinage important au Moyen Age, ce domaine donne un beau vin de terroir aux reflets pastel et au nez bien typé de fruits secs, avec une pointe minérale. Rond en bouche, pas très long mais bien équilibré, ce muscadet sèvre-et-maine développe des arômes de fruits frais typiques de l'appellation.

⊶ Jean-Paul Pétard, Le Plessis-Glain, 44450 Saint-Julien-de-Concelles, tél. 02.40.03.60.28, fax 02.40.33.34.81 ☑ Y r.-v.

DOM. DE LA LOUVETRIE Sur lie 1998★

☐ 5 ha 23 000 ▮ 🌡 30 à 49 F

Ce domaine renommé, implanté sur un excellent terroir (grès) des rives de la Sèvre, garde la tradition des vendanges manuelles et de la fermentation lente. Il produit un vin parfaitement typé, au nez fin de terroir, bien structuré et long en bouche. Cité sans étoile, **Les Grands Houx 97**, sur lie, fin et vif, bien représentatif du millésime, atteindra tout son potentiel dans quelques mois.

⊶ Pierre Landron et Fils, Dom. de la Louvetrie, Les Brandières, 44690 La Haye-Fouassière, tél. 02.40.54.83.27, fax 02.40.54.89.82 ☑ Y r.-v.

DOM. DE LA MAINERIE Sur lie 1998★

☐ 2 ha 12 000 ▮ 🌡 30 à 49 F

Voisin du célèbre château de La Noë de Bel-Air, au nord de Vallet, ce domaine se distingue par un vin au nez intense, composé de notes minérales, florales, et fumées. Riche et puissant en bouche, avec une longue finale fraîche et fruitée, son muscadet sèvre-et-maine s'associera bien à un plateau de fruits de mer.

⊶ Alain Merlaud, Les Laures, 44330 Vallet, tél. 40.33.97.21, fax 40.36.26.68 ☑ Y r.-v.

L'AME DU TERROIR Sur lie 1998★

☐ n.c. 210 000 ▮ 🌡 -de 20 F

Malgré son peu d'acidité, ce vin au nez floral, aux riches arômes fermentaires, rond et charpenté, demeure très muscadet. Du même produc-

teur, l'**Eclat de Mer 98**, laisse apparaître un bon savoir-faire (une étoile).

🕯 SA Marcel Sautejeau, Dom. de L'Hyvernière, 44330 Le Pallet, tél. 02.40.06.73.83, fax 02.40.06.76.49 ⊤ r.-v.

DOM. DE LA MOMENIERE Sur lie 1998

□	4 ha	15 000	📗♨ 20 à 29 F

Domaine des coteaux sud du Landreau, aux sols limono-sablonneux, La Momenière produit un muscadet limpide, typé. La bouche, équilibrée, exprime les qualités du terroir.

🕯 EARL Audouin, La Momenière, 44430 Le Landreau, tél. 02.40.06.43.04, fax 02.40.06.47.89 ☑ ⊤ t.l.j. 9h-19h
🕯 Joseph Audouin

CH. LA MORINIERE Sur lie 1998★

□	14 ha	82 000	📗♨ 20 à 29 F

La Regrippière, à l'extrême limite orientale du département de Loire-Atlantique (et de l'ancien duché de Bretagne), nous charme par un vin très agréable : nez floral persistant, grillé en finale, superbe attaque en bouche, un peu citronnée. Son caractère légèrement sauvignonné est compensé par sa matière et sa minéralité.

🕯 Les Frères Couillaud, La Grande Morinière, 44330 La Regrippière, tél. 02.40.33.60.56, fax 02.40.33.61.89 ☑ ⊤ r.-v.

DOM. DE LA NOE Sur lie 1998

□	5,5 ha	30 000	📗 - de 20 F

Ce vin provient de vignes anciennes plantées sur un sol granitique. Souple et tendre en bouche, avec du fruit et une pointe d'amertume que quelques mois devraient effacer, il accompagnera bien un poisson grillé.

🕯 Paul Drouard, La Noë, 44690 Château-Thébaud, tél. 02.40.06.52.02, fax 02.40.06.52.02 ☑ ⊤ t.l.j. 8h-12h30 14h-19h

CH. DE LA PINGOSSIERE Sur lie Tête de cuvée 1998

□	12 ha	40 000	📗◫♨ 30 à 49 F

Sous une étiquette armoriée à la noble devise « Ni vanité ni foiblesse », ce muscadet sèvre-et-maine révèle des arômes de terroir. Sa bouche est riche mais un peu courte.

🕯 Guilbaud-Moulin, 1, rue de la Planche, 44330 Mouzillon, tél. 02.40.33.93.34 ☑ ⊤ r.-v.

DOM. DE LA PYRONNIERE Sur lie 1998★

□	1,4 ha	9 000	📗♨ 20 à 29 F

Encore un sol typique du pays nantais : silico-argileux sur sous-sol de roche éruptive (gabbro). Ce terroir a donné naissance à un vin très ample en bouche et intéressant pour sa finale poivrée.

🕯 EARL Stéphane et Henri Drouet, La Pyronnière, 44190 Gorges, tél. 06.80.10.06.38, fax 06.40.06.98.98 ☑ ⊤ r.-v.

CH. LA RAGOTIERE 1998★

□	24 ha	150 000	♨ 20 à 29 F

Ce domaine, dont certains bâtiments datent du XIVᵉs., a appartenu à un compagnon de du Guesclin. Son muscadet brillant et limpide, à l'agréable nez de pêche mûre, manifeste une bonne harmonie en bouche avec une dominante

de fruits blancs et d'agrumes. Le **muscadet sèvre-et-maine sélection vieilles vignes 97** du domaine mérite lui aussi une étoile. Complexe au nez, avec des arômes de genêts, de fleurs et de fruits mûrs, il se montre en bouche riche, plein et très perlant. Il faudra encore quelques mois pour que ses tanins se fondent totalement.

🕯 Les Frères Couillaud, GAEC de la Grande Ragotière, 44330 La Regrippière, tél. 02.40.33.60.56, fax 02.40.33.61.89 ☑ ⊤ r.-v.

DOM. DE LA REBOURGERE Sur lie Sélection 1998★

□	2 ha	13 000	📗♨ 20 à 29 F

Presque à égale distance de la Sèvre et de la Maine, La Rebourgère a fait du muscadet une vocation. Et ce n'est pas peine perdue, comme en témoigne ce vin au nez un peu fermé mais riche et puissant en bouche, avec une belle finale terroitée.

🕯 Joseph Launais, La Rebourgère, 44690 Maisdon-sur-Sèvre, tél. 02.40.54.61.32, fax 02.40.54.61.32 ☑ ⊤ r.-v.

DOM. DE LA RENOUERE Sur lie 1998★★

□	4 ha	21 000	📗♨ 20 à 29 F

Le travail du domaine de La Renouère qui privilégie notamment les vendanges manuelles est récompensé par ce joli vin de printemps. Le nez, qui évolue vers de séduisantes notes de fruits blancs, incite à poursuivre la dégustation. Ce 98 se révèle en bouche fin, frais et d'une grande jeunesse grâce à ses notes acidulées.

🕯 Vincent Viaud, La Renouère, 44430 Le Landreau, tél. 02.40.06.43.05, fax 02.40.06.46.01 ☑ ⊤ r.-v.

DOM. DE LA ROCHERIE Sur lie 1998

□	14 ha	15 000	📗♨ 20 à 29 F

Si la forme de l'étiquette évoque le fût, c'est par souci esthétique, car ce vin est élevé en cuve. Discret au nez, à dominante d'agrumes, ce 98 se montre souple et frais en bouche, avec un caractère de terroir.

🕯 Daniel Gratas, La Rocherie, 44430 Le Landreau, tél. 02.40.06.41.55, fax 02.40.06.48.92 ☑ ⊤ t.l.j. sf dim. 8h-20h

DOM. DE LA SAULZAIE Sur lie 1998★

□	1,5 ha	10 000	📗♨ 20 à 29 F

Comme cela est fréquent dans la région, après le passage de témoin d'une génération à l'autre, cette exploitation a abandonné la polyculture pour se consacrer à la vigne. Elle a produit en 98 un vin de terroir au nez intense d'abricot mûr et de raisin sec, qui laisse poindre une note anisée. Gras et puissant en bouche, ce muscadet sèvre-et-maine est à boire sans attendre.

🕯 EARL Luc Pétard, 60, rte de la Loire, 44450 La Chapelle-Basse-Mer, tél. 02.40.33.30.92, fax 02.40.33.30.92 ☑ ⊤ r.-v.

DOM. DE LA SENSIVE Sur lie 1998★

□	9,3 ha	60 000	📗♨ 20 à 29 F

Ce domaine, géré par deux sœurs, situé aux portes de l'agglomération nantaise, a produit un 98 à la robe élégante et au nez racé de fleur d'aubépine. Rond en bouche, capiteux et long,

ce vin révèle en finale des notes de noisette et de citron confit très intéressantes.
⊶ GFA Dom. de La Sensive, La Sensive, 44115 Haute-Goulaine, tél. 02.40.36.65.20, fax 02.40.33.99.78 Y r.-v.
⊶ A. Drouet et H. Bonhomme

DOM. DE LA TOURLAUDIERE
Sur lie 1998**

☐ 18 ha 60 000 30 à 49 F

Le Guide a maintes fois signalé les vins de La Tourlaudière, produits sur des sols de gabbro et de micaschistes dans la partie orientale du vignoble nantais. Ce muscadet est remarquable par son nez puissant aux notes minérales et fumées, son attaque souple, sa richesse et sa très belle finale. Autant le savourer dès aujourd'hui : il ne gagnera rien à attendre. A signaler aussi, un **gros plant du pays nantais sur lie 98** (une étoile), typique et fort plaisant, à l'attaque franche, avec une belle évolution aromatique vers le fruité.
⊶ EARL Petiteau-Gaubert, La Tourlaudière, 44330 Vallet, tél. 02.40.36.24.86, fax 02.40.36.29.72, e-mail contact@tourlaudiere.com ☑ Y t.l.j. 10h-12h30 14h-19h
⊶ Famille Petiteau

LE BOUQUET DU CHAMP DORE
Sur lie 1998*

☐ 3,1 ha 20 000 20 à 29 F

Les chanoines de Nantes avaient jadis l'habitude de se réserver une barrique de vin de Bonne-Fontaine, rapporte Jean de Malestroit dans son *Histoire de Vallet.* On le conçoit volontiers en goûtant ce muscadet fin et riche, pas très long en bouche mais bien équilibré.
⊶ Alain Gaubert, Dom. du Champ-Doré, Bonne-Fontaine, 44330 Vallet, tél. 02.40.36.38.05, fax 02.40.36.46.74 ☑ Y t.l.j. sf dim. 9h-13h 14h30-19h

DOM. DE L'ECHASSERIE Sur lie 1998*

☐ 10 ha 65 000 20 à 29 F

Ce vin à la belle couleur paille développe un nez de fleurs et de fruits blancs. Bien équilibré en bouche, il évolue vers le miel et le pain grillé dans une bonne longueur. L'harmonie !
⊶ Victor Honoré, L'Echasserie, 44330 Vallet, tél. 02.40.36.22.75, fax 02.40.36.22.75 ☑ Y r.-v.

LE CLOS ARMAND
Sur lie Vieilles vignes 1997**

☐ 1 ha 6 600 20 à 29 F

Ce vin d'un jaune pâle au nez floral intense propose une bouche parfaitement équilibrée, depuis son attaque franche, relevée d'une note de pierre à fusil, jusqu'à sa finale enchanteresse. Remarquable !
⊶ Michel Delhommeau, La Huperie, 44690 Monnières, tél. 02.40.54.60.37, fax 02.40.54.64.51 ☑ Y r.-v.

LE GRAND R DE LA GRANGE
Sur lie 1996**

☐ 10 ha 10 000 30 à 49 F

Le Grand R est un assemblage des meilleures cuves du domaine R de La Grange. Sous une robe très claire, ce vin développe un nez d'une belle intensité, plutôt minéral, avec des nuances de peau de raisin et d'amande fraîche. Très jeune en bouche, frais et élégant avec un peu de nervosité et de perlant, parfaitement équilibré, il n'a pas dit son dernier mot.
⊶ Rémy Luneau, Dom. R de La Grange, 44430 Le Landreau, tél. 02.40.06.45.65, fax 02.40.06.48.17 ☑ Y t.l.j. sf dim. 9h-12h 14h-19h

LE MUSCADET DE BARRE Sur lie 1998

☐ 4 ha 25 000 50 à 69 F

Ce vin d'assemblage - et fier de l'être - devrait représenter l'archétype du muscadet tel que le conçoit cette importante maison de négoce nantaise créée au XIX^e^s. C'est la vivacité qui l'emporte cette année. A servir sur des huîtres.
⊶ Barré Frères, Beau-Soleil, 44190 Gorges, tél. 02.40.06.90.70, fax 02.40.06.96.52

DOM. DE L'ERRIERE
Sur lie Cuvée Prestige 1998

☐ 2 ha 8 000 - de 20 F

Proche des marais de Goulaine, ce domaine reste fidèle aux vendanges manuelles. Son muscadet sèvre-et-maine aux arômes fruités (agrumes) bien présents fait preuve d'un bon équilibre.
⊶ GAEC Madeleineau Père et Fils, Dom. de L'Errière, 44430 Le Landreau, tél. 02.40.06.43.94, fax 02.40.06.48.82 ☑ Y r.-v.

LES GRANDS PRESBYTERES
Sur lie Vieilles vignes 1997

☐ 1,2 ha 8 000 30 à 49 F

Nelly Marzelleau vinifie sa production par petits lots pour bien différencier les parcelles. Ce qui nous vaut cette cuvée au nez d'acacia, de menthe et de poire mûre, plutôt moelleuse en bouche avec une note épicée en finale.
⊶ Nelly Marzelleau, Les Grands Presbytères, 44690 Saint-Fiacre-sur-Maine, tél. 02.40.54.80.73, fax 02.40.36.70.78 ☑ Y t.l.j. sf dim. 8h-20h

DOM. LES JARDINS DE LA MENARDIERE Sur lie 1998**

☐ 2 ha 10 000 20 à 29 F

Le domaine Les Jardins de La Ménardière a été créé voici quelques années grâce au regroupement de plusieurs parcelles de vignes proches

de la cave de Benoît Grenetier. Dans le millésime 98, il propose un muscadet sèvre-et-maine au nez un peu fermé, mais typé. Bien structuré, équilibré, ce vin vif et expressif pourra être conservé quelque temps.
Benoît Grenetier, La Ménardière, 44330 Vallet, tél. 02.40.33.93.30 ☑ Y r.-v.

L'ESPINOSE Vinifié en fût de chêne 1996★★

□ 1 ha 2 000 20 à 29 F

Cette étiquette aux armes des Espinose, négociants espagnols propriétaires du château de l'Epinay au XVI[e]s., orne un vin étonnant au nez complexe de fraise, d'ananas et de vanille. En bouche, il ne se laisse dépasser ni par le temps ni par le bois : très fruité, bien fondu, ample et fin, il montre un très bon équilibre du fruit, de l'acidité et des tanins. A ce prix-là, c'est un cadeau : dommage que 2 000 bouteilles seulement soient disponibles. Grosse production en revanche pour le **Domaine de l'Epinay 98** au bon nez associant les notes de terroir, de vanille, de cannelle et de grillé, assez rond en bouche (cité sans étoile).
EARL Paquereau, L'Epinay, 44190 Clisson, tél. 02.40.36.13.57, fax 02.40.36.13.57 ☑ Y r.-v.

MAITRES VIGNERONS NANTAIS
Sur lie Terroir la Chapelle Heulin 1998

□ 25 ha 165 000 20 à 29 F

Sans égaler la belle réussite de l'an dernier, ce vin, produit par une jeune coopérative, est agréable par son nez aux nuances minérales de terroir et sa richesse en bouche.
Coop. Les Maîtres Vignerons Nantais, L'Echasserie, 44330 Vallet, tél. 02.40.33.37.01, fax 02.40.03.69.12 ☑

MANOIR DE LA GRELIERE
Cuvée Sélection 1998★

□ 4 ha 20 000 -de 20 F

Ancienne propriété du domaine royal des ducs de Bretagne, le manoir a pour l'essentiel été détruit pendant les guerres de Vendée. Mais ses terres donnent toujours un muscadet sèvre-et-maine sympathique au nez floral (tilleul, litchi), souple et bien typé en bouche. Très réussie également (une étoile), la **cuvée Palmarès 98** développe un nez intense de fruits secs et d'agrumes, annonçant une bouche à la fois vive et ronde d'une belle intensité.
R. Branger et Fils, Manoir de la Grelière, 44120 Vertou, tél. 02.40.05.71.55, fax 02.40.31.29.39 ☑ Y r.-v.

DOM. MARTIN-LUNEAU
Sur lie Cuvée Tradition 1998★★

□ 2 ha 13 000 20 à 29 F

Cette cuvée spéciale d'un grand domaine de Gorges développe un nez élégant, dont la finesse se retrouve en bouche. Rond et équilibré, avec une bonne attaque et beaucoup de longueur, ce muscadet sait se faire discret tout en conservant sa personnalité.
Martin-Luneau, Le Magasin, 44190 Gorges, tél. 02.40.54.38.44, fax 02.40.54.07.23 ☑ Y t.l.j. sf dim. 8h-12h30 14h-18h30; f. vendanges

DOM. DU MONTRU Sur lie 1998★★

□ 10 ha 40 000 20 à 29 F

Ce domaine domine le port du Montru, centre d'un trafic important avant que la construction de la levée de la Divatte ne ferme son accès à la Loire, au milieu du XIX[e]s. Il a produit en 98 un vin à la robe dorée et au nez flatteur de genêt et de fruits jaunes. Bien équilibré, il dévoile en bouche du gras, de la rondeur et de la longueur, avec une pointe de verdeur en finale.
GAEC Baron-Brevet, 8, rue de la Martinière, 44330 La Chapelle-Heulin, tél. 02.40.06.75.11, fax 02.40.06.76.23 ☑ Y r.-v.

DOM. DES MORINIERES Sur lie 1998★★

□ 2,3 ha 15 000 20 à 29 F

Produit à l'est de Vallet, sur des terres au sous-sol de gabbro semi-tardif qui firent jadis partie du grand domaine de Fromenteau, ce muscadet sèvre-et-maine séduit surtout par sa bouche remarquable. Un perlant flatteur donne une excellente impression dès le début de la dégustation. Riche, parfumé, mais avec beaucoup de souplesse et d'élégance, ce vin s'achève sur une note grillée. Un muscadet typique et léger qui devrait plaire à tous.
André Fils Barré, Le Bois, 44330 Vallet, tél. 02.40.36.62.95, fax 02.40.36.31.13 ☑ Y t.l.j. 8h30-19h

DOM. DES MORTIERS GOBIN
Sur lie Sélection d'un terroir 1996★

□ 1,3 ha 8 000 30 à 49 F

Situé sur un excellent terroir, aux portes de La Haye-Fouassière, ce domaine propose un muscadet bien typé ; un peu rustique, celui-ci s'annonce frais au nez comme en bouche, avec une belle vivacité en finale. Il n'a pas dit son dernier mot.

🔑 Robert Brosseau, La Rairie, 44690 La Haye-Fouassière, tél. 02.40.54.80.66 ☑ 🍷 t.l.j. 9h-20h; f. août

DOM. DU MOULIN CAMUS
Sur lie 1998★

☐ 25 ha n.c. 20 à 29 F

Ce vin puissant et léger à la fois, fin et rond en bouche avec un peu de verdeur, patientera volontiers quelques mois avant d'accompagner un plateau de fruits de mer.

🔑 Huteau-Hallereau, 41, rue Saint-Vincent, 44330 Vallet, tél. 02.40.33.93.05, fax 02.40.36.29.26 ☑ 🍷 r.-v.

DOM. MOULIN DE LA MINIERE
Sur lie Cuvée Prestige 1998

☐ n.c. 30 000 20 à 29 F

Surplombé par le toit pointu du moulin voisin, propriété de la commune, ce domaine propose un vin de caractère, droit et ferme, à l'attaque franche et légèrement marqué par le terroir. Autres vins cités, le **Moulin de La Minière 98** au puissant nez d'agrumes, sans mise sur lie, est tout aussi recommandable « pour boire frais en amoureux ». Quant à la **cuvée élevée en fût de chêne 97**, elle n'a peut-être pas la vivacité traditionnelle du muscadet, mais le boisé est bien fondu, et le vin ouvert et équilibré.

🔑 SC Ménard-Gaborit, La Minière, 44690 Monnières, tél. 02.40.54.61.06, fax 02.40.54.66.12 ☑ 🍷 t.l.j. sf dim. 8h-20h

DOM. DES NOES-BIGEARD
Sur lie 1998

☐ 2 ha 11 000 20 à 29 F

En 1985, Claudine et Dominique Bigeard, tous deux enfants de vignerons, ont repris le domaine des Noës. Les vignes de melon, cultivées sur micaschistes, atteignent ici quarante ans d'âge. Sous une robe d'or vert, ce muscadet sèvre-et-maine développe un nez de bonne intensité à dominante fruitée (raisin bien mûr). Epanoui, gras et long en bouche, il évoque davantage la force que la finesse.

🔑 Claudine et Dominique Bigeard, Chantepie, 44330 Le Pallet, tél. 02.40.80.95.26, fax 02.40.80.46.62 ☑ 🍷 r.-v.

NOUET Sur lie Excellence 1998★★

☐ 2,85 ha 15 000 20 à 29 F

La famille Nouet s'est découvert un ancêtre « laboureur » de vignes en 1730. Si elle peut être fière de sa généalogie, elle peut aussi envisager l'avenir sereinement à La Cognardière. Goûtez, en effet, ce remarquable 98 : un vin qui doit plaire pour sa bouche bien équilibrée et fruitée, harmonieuse et flatteuse.

🔑 Jean-Claude et Pierre-Yves Nouet, Dom. de La Cognardière, 44330 Le Pallet, tél. 02.40.80.41.72, fax 02.40.80.41.72 ☑ 🍷 r.-v.

DOM. DES PERRIERES Sur lie 1998

☐ 12 ha 80 000 20 à 29 F

Ce vin provient de vignes dominées par les célèbres moulins du Pé. Très clair, il présente un nez fin et floral. Quelques touches accompagnent la palette, tandis qu'une note minérale apparaît après aération. La belle bouche ronde, équilibrée, mêle fruits frais et fruits secs.

🔑 Daniel Pineau, La Martellière, 44430 Le Loroux-Bottereau, tél. 02.40.33.81.82 ☑ 🍷 r.-v.

JEAN POIRON ET FILS
Sur lie Cuvée des Vieilles vignes 1998

☐ 10 ha 66 000 30 à 49 F

Des vignes sexagénaires ont produit ce vin aux reflets verts et au nez d'agrumes très intense. Rond en bouche, frais et léger, il associe agréablement terroir et technologie.

🔑 Dom. Jean Poiron et Fils, L'Enclos, 44690 Château-Thébaud, tél. 02.40.06.51.43, fax 02.40.06.58.02 ☑ 🍷 r.-v.

CH. DU POYET Sur lie 1998★

☐ 35 ha 80 000 20 à 29 F

Ce château ne date que du milieu du XIX[e]s., à l'exception d'une chapelle antérieure à la Révolution. Son vin est très réussi dans sa robe vert pâle. Son nez subtil de fleurs blanches invite à découvrir une bouche vive mais bien équilibrée, aux arômes de citron et de pomme verte. A boire dès à présent.

🔑 EARL famille Bonneau, Ch. du Poyet, 44330 La Chapelle-Heulin, tél. 02.40.06.74.52, fax 02.40.06.77.57 ☑ 🍷 t.l.j. sf sam. dim. 9h-12h30 14h-18h

FLEURON DES ROCHETTES
Sur lie 1998

☐ 4 ha 21 000 20 à 29 F

Le domaine des Rochettes exploite 21 ha de vigne répartie sur les différents terroirs du Landreau. Son Fleuron des Rochettes 98 se distingue par son nez puissant et riche. Il gagnera à être servi en carafe.

🔑 EARL Jean-Pierre et Eric Florance, Bas-Briacé, 44430 Le Landreau, tél. 02.40.06.43.84, fax 02.40.06.45.66 ☑ 🍷 r.-v.

DOM. DES ROUAUDIERES
Sur lie 1998★★

☐ 5 ha n.c. 20 à 29 F

Ce vin limpide présente en bouche un caractère « sur lie » marqué, synonyme de vivacité et de fraîcheur. Equilibré et représentatif du muscadet, il pourra patienter quelques mois.

🔑 Jacky Bordet, La Rouaudière, 44330 Mouzillon, tél. 02.40.36.22.46, fax 02.40.36.39.84 ☑ 🍷 r.-v.

DOM. DU ROYAUME Sur lie 1998★

☐ 5 ha 33 000 20 à 29 F

On ignore quel royaume vaut à ce vin son étiquette d'un or éclatant. Qu'importe, il la mérite pour son très bon nez aromatique et sa bouche ample, minérale, qui s'ouvre sur une belle attaque.

🔑 GAEC Chénard et Fils, La Boisselière, 44330 Le Pallet, tél. 02.40.80.98.17, fax 02.40.80.44.38 ☑ 🍷 r.-v.

DOM. SAINT-MICHEL Sur lie 1998

☐ 2 ha 10 000 20 à 29 F

Limpide, ce vin au nez intense, tout en minéralité et en fleurs blanches, s'avère en bouche

nerveux et bien équilibré. Il s'alliera bien avec des fruits de mer et des fromages de chèvre.
🔑 Jean-Michel Merlaud, 17 bis, rte de la Loire, 44330 Vallet, tél. 02.40.36.60.60 ☑ 🍷 t.l.j. sf dim. 9h-18h

CLOS SAINT-VINCENT DES RONGERES Sur lie 1998*

☐ 15 ha 26 000 20 à 29 F

Cette exploitation est réputée pour sa collection de vieux outils viticoles. Riche et puissant en bouche avec une note exotique, ce vin devrait savoir vieillir en cave.
🔑 EARL Yves Provost et Fils, Le Pigeon-Blanc, 44430 Le Landreau, tél. 02.40.06.43.54, fax 02.40.06.43.54 ☑ 🍷 r.-v.

CH. SALMONIERE Vieilles vignes 1998*

☐ 10 ha 60 000 20 à 29 F

De son passé lié à l'ordre des Templiers, ce château des bords de Sèvre conserve une tour et des douves du XVᵉs. Floral au nez, son vin charme en bouche par son attaque souple et sa longue finale fraîche et fruitée. Aromatique et bien marqué par son terroir, il convient aux poissons en sauce.
🔑 François-Xavier Chon, Ch. de La Salmonière, 44120 Vertou, tél. 02.40.54.11.08, fax 02.40.54.19.90 ☑ 🍷 r.-v.

JEAN-YVES TEMPLIER Sur lie Prestige de Bellevue 1998*

☐ 12,8 ha 13 500 20 à 29 F

Situé en bordure de la route de Nantes, un peu avant Aigrefeuille, le domaine de Bellevue propose ce vin limpide aux reflets verts et au nez très fruité de pêche et d'abricot. Fin et perlant en attaque, plus lourd en finale, il dévoile en bouche des arômes de terroir. Le **gros plant 98** du domaine mérite lui aussi une étoile ; bien typé, tout en finesse, il plaît par son caractère acidulé sans agressivité, sa souplesse et son fruit.
🔑 Jean-Yves Templier, Dom. de Bellevue, 44140 Aigrefeuille-sur-Maine, tél. 02.40.03.86.90, fax 02.40.03.86.90 ☑ 🍷 r.-v.

DOM. DES TUILERIES Sur lie Elevé en fût 1998

☐ 0,3 ha 2 000 30 à 49 F

Le sol argilo-limoneux donne des vins plus longs à se faire, d'autant plus qu'ils sont élevés en fût. Celui-ci, encore jeune, manque un peu de gras et de longueur en bouche, mais il montre déjà une bonne harmonie et développe de bons arômes boisés vanillés, mais aussi du fruit ; équilibré, il devra attendre un peu.
🔑 EARL Hermine et Lionel Métaireau, Coursay, 44690 Monnières, tél. 02.40.54.60.08, fax 02.40.54.65.73 ☑ 🍷 t.l.j. sf dim. 10h-20h; f. 15-30 août

CLOS DES YONNIERES Sur lie 1990***

☐ 2,5 ha 1 500 50 à 69 F

Le Guide avait déjà signalé en 1997 l'exceptionnelle aptitude au vieillissement des vins issus de cette parcelle. Sous une robe vive aux reflets verts, celui-ci développe un nez complexe évoquant le beurre frais et la noisette. Riche et puissant en bouche, il est aussi d'une fraîcheur exceptionnelle... au point de pouvoir patienter encore. Un bel accord avec les huîtres Prat-ar-Coum.
🔑 GAEC Couillaud Père et Fils, Dom. du Haut-Planty, 44430 Le Landreau, tél. 02.40.06.42.76, fax 02.40.06.48.13 ☑ 🍷 r.-v.

Muscadet côtes de grand lieu

CH. DE BAGATELLE 1998*

☐ 4 ha 8 000 20 à 29 F

Ruinée par le phylloxéra puis ranimée après la Seconde Guerre mondiale, cette propriété propose un vin au nez d'agrumes et de fleurs. Long et bien fruité, il est à recommander pour son harmonie tant au nez qu'en bouche.
🔑 Yvon Guillet, La Fiolière, 44650 Corcoué-sur-Logne, tél. 02.40.05.94.41, fax 02.40.05.89.05 ☑ 🍷 r.-v.

DOM. DE BEL-AIR 1998*

☐ 2,5 ha 10 000 20 à 29 F

L'agitation de son grand voisin, l'aéroport de Nantes-Atlantique, ne trouble pas ce domaine qui propose un beau vin à la robe brillante et au nez plutôt minéral, bien équilibré en bouche, qui gagnera à attendre quelques mois.
🔑 EARL Bouin-Jacquet, Dom. de Bel-Air, Bel-Air de Gauchoux, 44860 Saint-Aignan-de-Grand-Lieu, tél. 02.51.70.80.80, fax 02.51.70.80.79 ☑ 🍷 r.-v.
🔑 Dominique Jacquet

DOM. DU BRINDIN 1998*

☐ 7 ha 20 000 - de 20 F

Nouveaux venus dans le Guide, ces viticulteurs ont repris le domaine en 97. D'une couleur paille un peu soutenue, leur vin au nez frais et riche révèle une structure intéressante ; gras et rond après une première bouche vive, il patientera volontiers quelques mois.
🔑 EARL Chantal et Georges Lecleve, Dom. du Brindin, 44710 Saint-Léger-les-Vignes, tél. 02.40.04.82.06 ☑ 🍷 t.l.j. sf sam. dim. 8h-12h 14h-18h

CLOS DE LA SENAIGERIE 1998

☐ 6,3 ha 44 000 20 à 29 F

Produit par le plus important domaine du nord du lac de Grand-Lieu, ce vin au nez bien frais et floral se montre flatteur en bouche.
🔑 Luc et Jérôme Choblet, Dom. des Herbauges, 44830 Bouaye, tél. 02.40.65.44.92, fax 02.40.32.62.93 ☑ 🍷 r.-v.

CH. DE LA GRANGE 1998**

☐ 23 ha 60 000 20 à 29 F

De jolis communs du XVᵉs., en partie remaniés « à l'italienne », ont servi de cadre à l'élaboration de ce vin perlant au frais nez d'agrumes, légèrement minéral. Bien équilibré, puissant, avec une bonne attaque et une belle longueur, il

LOIRE

montre une excellente harmonie. Belle vinification.

🍷 Comte Baudouin de Goulaine, Ch. de La Grange, 44650 Corcoué-sur-Logne, tél. 02.40.26.68.66, fax 02.40.26.61.89 ☑ ⍾ r.-v.

DOM. DE LA REVELLERIE 1998★★

□	4 ha	n.c.	ⅱ↓	- de 20 F

L'illustration de l'étiquette est peut-être trompeuse (La Révellerie se trouve sur le coteau et non au bord du lac de Grand-Lieu), mais ce beau vin ne l'est point : il est très bien vinifié et typique du côtes de grand-lieu. Il développe des arômes fruités et montre en bouche une excellente tenue avec beaucoup de rondeur. Excellent rapport qualité-prix.

🍷 Jean-Michel Mercier, La Révellerie, 44310 Saint-Philbert de Grand-Lieu

🍷 SA Sautejeau

CH. DE LA ROULIERE 1998★

□	5 ha	32 000	ⅱ↓	20 à 29 F

Ce domaine ancien - la présence de vignes est attestée dès le XVᵉs. - ne conserve de son passé aristocratique que des douves et un colombier. Son muscadet est intéressant pour sa bonne harmonie autant au nez qu'en bouche. Floral et rond, bien structuré, il s'achève sur une note vive.

🍷 René Erraud, Ch. de La Roulière, 44310 Saint-Colomban, tél. 02.40.05.80.24, fax 02.40.05.53.89 ☑ ⍾ r.-v.

DOM. DE LA TOUQUETIERE 1998

□	11 ha	60 000	ⅱ↓	30 à 49 F

Ce vaste domaine de 45 ha, situé au sud du lac de Grand-Lieu, donne un joli vin très minéral, très fruité et bien frais grâce à une touche d'acidité.

🍷 Dominique Brossard, Manoir de l'Hommelais, 44310 Saint-Philbert-de-Grand-Lieu, tél. 02.40.78.96.75, fax 02.40.78.76.91 ☑ ⍾ r.-v.

LE DEMI-BŒUF 1998

□	10 ha	30 000	ⅱ↓	20 à 29 F

Une légende liée à la guerre de Vendée a donné son nom à ce cru. Bien fruité et légèrement minéral, ce vin à la finale un peu vive montre de l'équilibre et de la fraîcheur.

🍷 Michel Malidain, 3, Le Demi-Bœuf, 44310 La Limouzinière, tél. 02.40.05.82.29, fax 02.40.05.95.97 ☑ ⍾ r.-v.

DOM. LES HAUTES NOELLES 1998★★

□	7 ha	40 000	ⅱ↓	20 à 29 F

Issu de l'une des plus petites communes du vignoble nantais, ce vin à la robe vive développe un nez floral avec une légère pointe de menthe. Fin et bien enveloppé en bouche, d'une grande fraîcheur, c'est le type même du « sur lie ».

🍷 Serge Batard, La Haute Galerie, 44710 Saint-Léger-les-Vignes, tél. 02.40.31.53.49, fax 02.40.04.87.80 ☑ ⍾ r.-v.

DOM. DU MOULIN 1998★

□	1 ha	2 500	ⅱ↓	20 à 29 F

Le moulin n'existe plus, mais on pourra voir dans les environs le manoir du Plessis, du XVIIᵉs.

Ce vin d'avenir demandait encore à évoluer lors de la dégustation, mais il montrait déjà une belle bouche équilibrée, longue et bien structurée.

🍷 Michel Figureau, Dom. du Moulin, 5, rue du Plessis, 44860 Pont-Saint-Martin, tél. 02.40.32.70.56, fax 02.40.32.70.56 ☑ ⍾ r.-v.

CH. DE SOUCHE 1995★

□	2 ha	8 000	ⅱ	30 à 49 F

Ce château d'aspect disparate a évolué au fil des modes architecturales depuis le XIIᵉs. Son 95 à reflets dorés s'avère en bouche bien fondu, gras et sympathiquement terroité. A servir avec des cuisses de grenouilles sauce poulette du lac de Grand-Lieu. Le très classique **gros plant sur lie 98 cuvée Colombe** est cité (sans étoile) par le jury.

🍷 Emmanuel Bodet, Ch. de Souché, 44860 Saint-Aignan-de-Grand-Lieu, tél. 02.40.26.44.22, fax 02.40.26.40.91 ☑ ⍾ r.-v.

Gros-plant AOVDQS

Le gros-plant du pays nantais est un vin blanc sec, AOVDQS depuis 1954. Il est issu d'un cépage unique : la folle blanche, d'origine charentaise, appelée ici gros-plant. La superficie du vignoble est de 3 000 ha et la production moyenne a atteint 156 758 hl en 1998. Comme le muscadet, le gros-plant peut être mis en bouteilles sur lie. Vin blanc sec, il convient parfaitement aux fruits de mer en général et aux coquillages en particulier ; il doit être servi lui aussi frais mais non glacé (8 °-9 °C).

DOM. DES BEGAUDIERES Sur lie 1998

□	4 ha	15 000	ⅱ↓	- de 20 F

Au XVᵉs., ce domaine était déjà planté de vignes. Il produit un gros-plant plaisant pour son nez de fruits secs et son attaque franche sans excès d'acidité. Cité également, le **muscadet sèvre et maine Sélection du champ Coteau 98**, très floral au nez, riche en bouche.

🍷 GAEC Jauffrineau-Boulanger, Bonne-Fontaine, 44330 Vallet, tél. 02.40.36.22.79, fax 02.40.36.34.90 ☑ ⍾ t.l.j. sf dim. 8h-12h30 14h-19h30

CH. DE BRIACE Sur lie 1998★

□	1,5 ha	3 500	ⅱ↓	20 à 29 F

Ancien château fort largement reconstruit au XIXᵉs., Briacé abrite un grand lycée viticole privé. Celui-ci est aussi un producteur respecté, dont le gros-plant, maintes fois signalé par le Guide, affiche une belle robe franche. Bien typé au nez comme en bouche, il manifeste un excellent équilibre du sucre et de l'acidité.

🍷 Ch. de Briacé, Lycée agricole de Briacé, 44430 Le Landreau, tél. 02.40.06.43.33, fax 02.40.06.46.15 ☑ ⍾ r.-v.

DOM. DU BUISSON Sur lie 1998**

□ 1,78 ha 14 200 ▮ -de20F

Il n'est guère de gros-plant plus oriental que celui-ci, venu d'Anjou. Citronné et minéral au nez, il charme en bouche par sa solide charpente, sa finesse et sa longueur. Ce vin bien fait, d'une parfaite harmonie, typique et délicat, est à boire pour le plaisir.

⊶ Sécher, EARL Dom. du Buisson,
49410 Chapelle-Saint-Florent,
tél. 02.41.72.89.52, fax 02.41.72.77.13 ☑ Y r.-v.

CLOS DES ROSIERS Sur lie 1998*

□ 2 ha 5 000 ▮♁ 20à29F

Séparé du bourg de Vallet par la route Nantes-Cholet, qui a tranché à vif dans les vignes, le hameau des Rosiers a donné un joli gros-plant jaune pâle nuancé de vert, au nez minéral bien terroité. Sa bouche fine, assez typée, longue et équilibrée, en fait un sympathique vin plaisir.

⊶ Philippe Laure, Les Rosiers, 44330 Vallet,
tél. 02.40.33.91.83, fax 02.40.36.39.28 ☑ Y r.-v.

LA MAISON VIEILLE 1998

□ 0,4 ha n.c. ▮♁ 20à29F

Un vin plaisant et typique, avec un nez fruité plein de fraîcheur, pas très long mais bien équilibré et acidulé en bouche.

⊶ Christophe Maillard, Le Pé-de-Sèvre,
44330 Le Pallet, tél. 02.40.80.44.92 ☑ Y r.-v.

CAVE DE LA PERRIERE Sur lie 1998**

□ 43 ha 170 000 ▮♁ -de20F

Qui a dit que le gros-plant était rétif aux grandes productions ? Celui-ci administre la preuve inverse avec un très beau nez intense et aromatique d'agrumes, de fruits blancs et d'aubépine, annonciateur d'une bouche où arômes et acidité s'équilibrent à merveille. Souple et nullement agressif, il est fait pour accompagner une douzaine d'huîtres. Cités (sans étoile), deux **muscadet-sèvre-et-maine sur lie 98, Cave de Val** et **Mont et La Chatelière**, l'un souple et onctueux, plus vif et minéral en fin de bouche, l'autre riche et structuré s'achevant sur une note de noisette.

⊶ Ets Rolandeau SA, La Fremonderie B.P. 2,
49230 Tillières, tél. 02.41.70.45.93,
fax 02.41.70.43.74

DOM. LA ROCHE RENARD Sur lie 1997

□ 3 ha 3 000 ▮♁ -de20F

Laisser vieillir le gros-plant, c'est encore une audace. Celui-ci, bien structuré, a gardé toute sa vivacité, tout en gagnant de la souplesse, mais il n'y a pas lieu d'attendre davantage.

⊶ EARL Isabelle et Philippe Denis,
Les Laures, 44330 Vallet, tél. 02.40.36.63.65,
fax 02.40.36.63.65 ☑ Y t.l.j. sf dim. 10h30-19h

CH. DE L'AUJARDIERE Sur lie 1998*

□ 4 ha 10 000 ▮♁ -de20F

Venu de la limite orientale de la Loire-Atlantique (La Remaudière n'a été définitivement rattachée à la Bretagne qu'en 1224), ce vin de caractère allie les arômes technologiques à ceux du terroir. Souple et fin, bien long, il n'était pas encore à son summum lors de la dégustation. Autre produit original de ce domaine, le beau **muscadet sur lie 97, élevé en fût de chêne**, reçoit aussi une étoile. Après une attaque très flatteuse, il développe en bouche de longs arômes complexes (beurre, grillé, vanille, agrumes), manifestant au total une excellente harmonie.

⊶ EARL Louis Lebrin, L'Aujardière,
44430 La Remaudière, tél. 02.40.33.72.72,
fax 02.40.33.74.18 ☑ Y r.-v.

MARQUIS DE GOULAINE
Sur lie Cuvée du Marquisat 1998**

□ 10 ha 30 000 ▮♁ 20à29F

Le Guide 99 avait décerné un coup de cœur à cette cuvée d'exception. Le millésime 98 a manqué de peu le même exploit. Très limpide, plein d'élégance avec une bouche très droite et bien équilibrée, ce gros-plant est un classique incontournable qui devrait servir de modèle à beaucoup d'autres.

⊶ SA Goulaine, Ch. de Goulaine, 44115 Haute-Goulaine, tél. 02.40.54.54.40 ☑

Fiefs vendéens AOVDQS

Anciens fiefs du Cardinal : cette dénomination évoque le passé de ces vins, appréciés par Richelieu après avoir connu un renouveau au Moyen Age, ici, comme bien souvent, à l'instigation des moines. La dénomination AOVDQS fut accordée en 1984, confirmant les efforts qualitatifs qui ne se relâchent pas sur les 380 ha complantés. 20 788 hl produits en 1998.

A partir de gamay, de cabernet et de pinot noir, la région de Mareuil produit des rosés et des rouges fins, bouquetés et fruités ; les blancs sont encore confidentiels. Non loin de la mer, le vignoble de Brem, lui, donne des blancs secs à base de chenin et grolleau gris, mais aussi du rosé et du rouge. Aux environs de Fontenay-le-Comte, blancs secs (chenin, colombard, melon, sauvignon), rosés et rouges (gamay et cabernet) proviennent des régions de Pissotte et Vix. On boira ces vins jeunes, selon les alliances classiques des mets et des vins.

DOM. DES DAMES
Mareuil Les Agates 1998**

◩ 4 ha 16 000 ▮♁ 20à29F

Ce domaine transmis uniquement par les femmes produit une gamme de vins aux noms de pierres précieuses. Celui-ci est un assemblage de gamay et de cabernet-sauvignon avec un soupçon de négrette. D'un rose tendre de bonbon

anglais, gouleyant, il développe de frais arômes de fruits rouges et de violette, voire de pâtisserie en fin de bouche.
⊶ GAEC Vignoble Gentreau, Follet, 85320 Rosnay, tél. 02.51.30.55.39, fax 02.51.28.22.36 ☑ Y r.-v.

FERME DES ARDILLERS
Mareuil Collection 1998*

■ 6 ha 45 000 ▮ 🌡 20 à 29 F

Mi-gamay, mi-cabernet-sauvignon, ce fief vendéen développe de bons arômes de fruits rouges (cerise) relevés d'une touche de cannelle. Bien structuré en bouche, tannique, il offre une bonne ampleur, avec une finale boisée et vanillée. A signaler aussi, cité sans étoile, dans cette même cuvée **Collection**, un **rosé 98** robuste au nez soutenu, fruité et animal, plutôt souple en bouche.
⊶ Jean Mourat et Jean Larzelier, Ferme des Ardillers, 85320 Mareuil-sur-Lay, tél. 02.51.97.20.10, fax 02.51.97.21.58 ☑ Y t.l.j. sf dim. 8h-12h 14h-18h

DOM. DE LA CHAIGNEE Vix 1998

□ 3,6 ha 25 000 ▮ 🌡 30 à 49 F

Sauvignon, chenin et chardonnay sont associés dans ce vin au bon dégagement olfactif de buis, d'amande et de jasmin. Vif en bouche, sans excès d'agressivité, il se particularise par un petit goût de chocolat au lait en rétronasal.
⊶ Vignobles Mercier, 16, rue de La Chaignée, 85770 Vix, tél. 02.51.00.65.14, fax 02.51.00.67.60 ☑ Y t.l.j. sf dim. 9h-12h 13h30-17h30

DOM. DE LA VIEILLE RIBOULERIE
Mareuil Cuvée des Moulins brûlés 1998

■ 2 ha 8 000 ▮ 20 à 29 F

Trois moulins à vent détruits sous la Révolution ont donné son nom à la parcelle d'où vient cette cuvée aux reflets violacés et au nez un peu cuit. Fruitée et épicée en bouche, elle présente un caractère assez tannique.
⊶ Hubert Macquigneau, Le Plessis, 85320 Rosnay, tél. 02.51.30.59.54, fax 02.51.28.21.80 ☑ Y r.-v.

DOM. DU LUX EN ROC Brem 1998

■ 2,2 ha 2 000 ▮ 🌡 20 à 29 F

Bien structuré, ce vin d'un rouge violacé assemble gamay noir (75 %) et cabernet-sauvignon. Tannique en bouche, il révèle après une attaque franche des arômes de fruits rouges qui s'achèvent sur une finale épicée.
⊶ Jean-Pierre Richard, 5, imp. Richelieu, 85470 Brem-sur-Mer, tél. 02.51.90.56.84 ☑ Y t.l.j. 9h-12h30 15h-19h

CH. DE ROSNAY
Mareuil Vieilles vignes 1998**

◪ 14 ha 80 000 20 à 29 F

Sur un terroir parcouru d'innombrables rivières (Lay, Yon, Graon...), Rosnay produit un vin à la jolie couleur rose clair et à l'agréable nez de framboise et de fraise. La bouche franche et fraîche, d'une bonne longueur, développe un élégant fruité, qui lui permettra d'accompagner des coquilles Saint-Jacques.
⊶ Jard, Ch. de Rosnay, 85320 Rosnay, tél. 02.51.30.59.06, fax 02.51.28.21.01 ☑ Y r.-v.

Coteaux d'ancenis AOVDQS

Les coteaux d'ancenis sont classés AOVDQS depuis 1954. On en produit quatre types, à partir de cépages purs : gamay (80 % de la production), cabernet, chenin et malvoisie. La superficie du vignoble est de 300 ha et la production moyenne de 15 592 hl en 1998, dont 226 hl en blanc.

JACQUES GUINDON Cabernet 1998*

■ 0,5 ha 4 000 ▮ 🌡 30 à 49 F

Dans la vaste gamme de ce domaine, ce cabernet n'est pas le plus représentatif (4 000 bouteilles seulement), mais il est intéressant pour son nez de poivron, de réglisse et de menthe verte ainsi que pour sa bouche vive et franche à la belle structure. Cité aussi, un **muscadet coteaux de la loire 98** très « terroir », bien structuré, aux notes acidulées et minérales.
⊶ Jacques Guindon, La Couleuverdière, 44150 Saint-Géréon, tél. 02.40.83.18.96, fax 02.40.83.29.51 ☑ Y t.l.j. sf dim. 9h-12h 14h-18h

DOM. DU HAUT FRESNE Gamay 1998*

■ 8 ha 12 000 ▮ 🌡 -de 20 F

Proche du « petit Liré » où naquit du Bellay, ce domaine produit un gamay à la robe soutenue et au nez discret de fruits rouges surmûris. Bien équilibré en bouche, rond et tendre, il affiche une intéressante longueur. Son frère **rosé**, vif et fin, mérite aussi une étoile, tout comme un **muscadet coteaux de la loire 98** aux fins arômes de pierre à fusil et d'ardoise, acidulé et tendre.
⊶ Renou Frères, Dom. du Haut Fresne, 49530 Drain, tél. 02.40.98.26.79, fax 02.40.98.26.79 ☑ Y t.l.j. sf dim. 9h-12h 15h-19h

DOM. DE LA VALLEE Gamay 1998

■ 0,74 ha 6 000 ▮ 20 à 29 F

Atypique mais ayant une personnalité marquée, ce vin encore fermé, aux tanins présents incomplètement fondus, devra attendre quelques mois avant d'accompagner le repas familial.
⊶ EARL Allard-Redureau, La Tranchaie, 49530 Liré, tél. 02.40.09.06.88, fax 02.40.09.03.04 ☑ Y t.l.j. sf dim. 8h-12h30 14h-19h

Anjou-Saumur

A la limite septentrionale des zones de culture de la vigne, sous un climat atlantique, avec un relief peu accentué et de nombreux cours d'eau, les vignobles d'Anjou et de Saumur s'étendent dans le département du Maine-et-Loire, débordant un peu sur le nord de la Vienne et des Deux-Sèvres.

Les vignes ont de tout temps été cultivées sur les coteaux de la Loire, du Layon, de l'Aubance, du Loir, du Thouet... C'est à la fin du XIXe s. que les surfaces plantées sont les plus vastes. Le Dr Guyot, dans un rapport au ministre de l'Agriculture, cite alors 31 000 ha en Maine-et-Loire. Le phylloxéra anéantira le vignoble, comme partout. Les replantations s'effectueront au début du XXe s. et se développeront un peu dans les années 1950-1960, pour régresser ensuite. Aujourd'hui, ce vignoble couvre environ 14 500 ha, qui produisent de 400 000 à un million d'hectolitres selon les années.

Les sols, bien sûr, complètent très largement le climat pour façonner la typicité des vins de la région. C'est ainsi qu'il faut faire une nette différence entre ceux qui sont produits sur « l'Anjou bleu », constitué de schistes et autres roches primaires du Massif armoricain, et ceux qui sont produits sur « l'Anjou blanc », ou Saumurois, terrains sédimentaires du Bassin parisien dans lesquels domine la craie tuffeau. Les cours d'eau ont également joué un rôle important pour le commerce : ne trouve-t-on pas encore trace aujourd'hui de petits ports d'embarquement sur le Layon ? Les plantations sont de 4 500-5 000 pieds par hectare ; la taille, qui était plus particulièrement en gobelet et en éventail, a évolué en guyot.

La réputation de l'Anjou est due aux vins blancs moelleux, dont les coteaux du layon sont les plus renommés. L'évolution conduit cependant désormais aux types demi-sec et sec, et à la production de vins rouges. Dans le Saumurois, ces derniers sont les plus estimés, avec les vins mousseux qui ont connu une forte croissance, notamment les AOC saumur-mousseux et crémant de loire.

Anjou

Constituée d'un ensemble de près de 200 communes, l'aire géographique de cette appellation régionale englobe toutes les autres. On y trouve des vins blancs (58 234 hl en 1998) et des vins rouges (100 000 hl). Pour beaucoup, le vin d'anjou est, avec raison, synonyme de vin blanc doux ou moelleux. Le cépage est le chenin, ou pineau de la Loire, mais l'évolution de la consommation vers des secs a conduit les producteurs à y associer chardonnay ou sauvignon, dans la limite maximale de 20 %. La production de vins rouges est en train de modifier l'image de la région ; ce sont les cépages cabernet franc et cabernet-sauvignon qui sont alors mis en œuvre.

De très gros efforts qualitatifs ont été couronnés par l'avènement d'une appellation anjou-villages. C'est dans l'Aubance et les régions bordant le Layon et la Loire que l'on trouvera les meilleurs vins : belle robe rubis, arômes de fruits rouges, tanins permettant le vieillissement sont leurs caractéristiques essentielles. En vieillissant, ils évoluent vers des arômes plus sauvages leur conférant une aptitude à être servis, selon leur âge, avec les viandes rouges ou le gibier.

L. ET CL. BARAUT Vieilles vignes 1996*

□	1,4 ha	3 000	◖◗	30 à 49 F

D'une belle couleur intense à reflets verts, ce 96 montre un nez fin et élégant qui livre des arômes très complexes, aux nuances de fruits confits. On les retrouve avec beaucoup de plaisir dans une bouche ample et harmonieuse.

⊶ L. et Cl. Baraut, La Ribellerie, 49380 Faye-d'Anjou, tél. 02.41.54.40.20, fax 02.41.54.40.20 ☑ 🍸 r.-v.

CHARLES BEDUNEAU 1998

□	2 ha	2 000	▮ ⚲	30 à 49 F

Après avoir visité le musée de la Vigne et du Vin d'Anjou, qui présente une collection d'outils de vignerons et de tonneliers, faites une halte au domaine pour déguster ce 98, jaune paille, limpide et brillant. Le nez, encore discret, révèle des notes de grillé et de fruits très mûrs légèrement citronnées. La bouche, ronde et aromatique, est agréable. Un vin harmonieux, gai, à découvrir dès maintenant.

⊶ Dom. Charles Béduneau, 18, rue Rabelais, 49750 Saint-Lambert-du-Lattay, tél. 02.41.78.30.86, fax 02.41.74.01.46 ☑ 🍸 r.-v.

DOM. DES BLEUCES 1998**

■	2 ha	7 000	▮	20 à 29 F

Le caveau de dégustation a été aménagé dans un ancien moulin à vent, où est présentée une collection de vieux outils. Le domaine propose un beau 98, rubis intense. Les fruits rouges bien mûrs, voire compotés, surgissent à l'olfaction. La longueur de bouche, aux tanins soyeux, en fait un vin équilibré et très expressif.

🔑 Proffit-Longuet, Dom. des Bleuces, 49700 Concourson-sur-Layon, tél. 02.41.59.11.74, fax 02.41.59.97.64 ☑ Y t.l.j. sf dim. 8h30-12h 14h-18h
🔑 Benoît Proffit

DOM. BODINEAU 1998

■ 2 ha 5 000 ▮ 30 à 49 F

Cet anjou se présente dans une robe rouge cerise très limpide. Son nez de petits fruits rouges est flatteur. La fraise des bois et la griotte se retrouvent en bouche, avec beaucoup de plaisir.
🔑 Dom. Bodineau, Savonnières, 49700 Les Verchers-sur-Layon, tél. 02.41.59.22.86, fax 02.41.59.86.21 ☑ Y r.-v.

DOM. DES BOHUES 1998*

■ 7,5 ha 5 000 ▮🌡 30 à 49 F

Très réussi, cet anjou conjugue structure et délicatesse. Vêtu de rouge nuancé de rose, il livre des notes de fruits rouges bien mûrs. La bouche, ronde, tendre et harmonieuse, offre une bonne persistance et des tanins fondus. Bel avenir assuré.
🔑 GAEC Retailleau, Les Bohues, 49750 Saint-Lambert-du-Lattay, tél. 02.41.78.33.92, fax 02.41.78.34.11 ☑ Y r.-v.

DOM. DES BONNES GAGNES 1998*

■ 2,5 ha n.c. ▮🌡 20 à 29 F

Dans une robe rubis limpide, ce millésime affiche une belle expression aromatique, livrant des notes de fruits rouges. Les tanins, déjà soyeux, et la bouche, agréable, lui confèrent une bonne harmonie générale.
🔑 Jean-Marc Héry, Orgigné, 49320 Saint-Saturnin-sur-Loire, tél. 02.41.91.22.76, fax 02.41.91.21.58 ☑ Y t.l.j. 9h-12h30 14h-19h; dim. sur r.-v.

DOM. BOUHIER 1998*

■ 2,5 ha 2 000 ⊕ 20 à 29 F

Une cuvée pimpante dans sa robe à reflets violets. Le nez, tout en fruit, est dominé par la cerise bien mûre. Les tanins, onctueux et nobles, sont extraits d'une vendange récoltée à parfaite maturité. Un vin d'une belle complexité.
🔑 Henri Bouhier et Fils, Les Forges, 49320 Coutures, tél. 02.41.57.91.00 ☑ Y t.l.j. 8h-13h 13h30-20h

DOM. DE BRIZE 1998**

■ 2 ha 7 250 ▮ 20 à 29 F

Issu d'un assemblage judicieux de cabernet-sauvignon et de cabernet franc, cet anjou est paré d'une robe soutenue où miroitent des reflets rubis. Il a un nez très intense de fruits rouges, marqué par le cassis. L'attaque est souple, ronde, soyeuse, structurée. Ce sont encore les fruits rouges qui s'imposent en bouche. Une fort belle bouteille ! L'anjou **blanc 98** reçoit une étoile. Le genêt domine au nez, l'ampleur en bouche est très réussie.
🔑 SCEA Marc et Luc Delhumeau, Dom. de Brizé, 49540 Martigné-Briand, tél. 02.41.59.43.35, fax 02.41.59.66.90 ☑ Y r.-v.

CH. DE BROSSAY 1998*

■ 13 ha 80 000 ▮🌡 20 à 29 F

Il porte une robe d'un rubis éclatant. Son nez, très expressif, est dominé par les fruits rouges. Sa bouche est équilibrée, avec des tanins soyeux. Un bel anjou qui satisfera plus d'un palais, à découvrir dans une splendide cave du XV[e]s.
🔑 Raymond et Hubert Deffois, Ch. de Brossay, 49560 Cléré-sur-Layon, tél. 02.41.59.59.95, fax 02.41.59.58.81 ☑ Y t.l.j. sf dim. 8h-12h30 14h-19h

DOM. CADY 1998***

■ 3 ha 10 000 ▮🌡 20 à 29 F

Créé en 1927, ce domaine d'une vingtaine d'hectares a produit un superbe anjou rouge 98, habillé d'une robe grenat intense. L'olfaction, après aération, offre une palette étonnante, avec des notes de fruits mûrs et confits. La bouche, où les tanins sont bien présents mais soyeux, possède la même richesse, doublée d'une belle persistance aromatique. L'**anjou blanc 98**, vrai vin de terroir par ses notes minérales, reçoit une étoile.
🔑 EARL Dom. Cady, Valette, 49190 Saint-Aubin-de-Luigné, tél. 02.41.78.33.69, fax 02.41.78.67.79 ☑ Y t.l.j. sf dim. 9h-12h30 14h-19h

DOM. DE CHAMPIERRE 1998*

■ 1 ha n.c. ▮ 20 à 29 F

Le caractère primeur de ce 98 à reflets grenat apparaît à l'olfation. L'attaque est franche, grasse, ronde, à peine marquée par les tanins. Un bon équilibre, suivi d'une belle persistance.
🔑 Jean Volerit, 11, rue des Tilleuls, 79290 Saint-Pierre-à-Champ, tél. 05.49.96.81.05, fax 05.49.96.30.66 ☑ Y r.-v.

DOM. DU CLOS DES GOHARDS 1998*

□ 2 ha 2 000 ▮🌡 -de 20 F

Ce domaine de 35 ha donne un vin équilibré, jaune pâle, limpide, à reflets verts. Une pointe citronnée rehausse le bouquet intense et frais de fruits bien mûrs. Long en bouche, délicatement fruité, ce millésime est promis à un bel avenir.
🔑 EARL Michel et Mickaël Joselon, Les Oisonnières, 49380 Chavagnes-les-Eaux, tél. 02.41.54.13.98, fax 02.41.54.13.98 ☑ Y r.-v.

DOM. DES CLOSSERONS 1998

□ 2,56 ha 11 600 ▮🌡 20 à 29 F

Un anjou bien agréable, jaune à reflets dorés. Le nez, d'intensité moyenne, décline des notes de grillé et de raisins secs. L'attaque est franche et élégante, avec une pointe d'acidité. Un 98 prêt à boire.
🔑 EARL Jean-Claude Leblanc et Fils, Dom. des Closserons, 49380 Faye-d'Anjou, tél. 02.41.54.30.78, fax 02.41.54.12.02 ☑ Y r.-v.

DOM. DES COTEAUX BLANCS
La Coulée des Moulins 1998**

■ 2,5 ha 5 000 ▮🌡 30 à 49 F

Une très jolie vue du Layon et un remarquable anjou rouge, voilà deux bonnes raisons de rendre visite à ce domaine. Ce 98, vêtu d'une robe rubis à reflets violacés, montre un nez plaisant de fruits rouges et noirs (cerise, groseille). La bouche, ronde, moelleuse, équilibrée, offre une continuité aromatique. Le fruit et la structure s'harmonisent remarquablement. Un vin élégant, à déguster dès à présent ou à attendre un peu.

⊶ EARL Dom. des Coteaux Blancs, 49290 Chalonnes-sur-Loire, tél. 02.41.78.16.83, fax 02.41.74.91.91 ☑ Y r.-v.

⊶ Picherit

DOM. DITTIERE 1998*

■ 6 ha 10 000 30 à 49 F

Les vins rouges font la fierté de ce domaine, à juste titre si l'on en juge par ce 98 très réussi. La robe, d'un joli rubis, jette des reflets violacés. D'une belle complexité, le bouquet associe la framboise, la fraise des bois et la griotte. La bouche, ronde en attaque, offre un assortiment de petits fruits rouges. Les tanins, fondus, sans agressivité, assurent une bonne harmonie générale.

⊶ Dom. Dittière, 1, chem. de la Grouas, 49320 Vauchrétien, tél. 02.41.91.23.78, fax 02.41.54.28.00 ☑ Y r.-v.

DOM. DU FRESCHE
Moulin de la Roche Evière 1998*

☐ n.c. 6 000 20 à 29 F

Voici un anjou élégant, d'un beau jaune pâle. L'olfaction, de bonne intensité, révèle des arômes de fruits surmûris. La bouche, souple, ronde, fraîche, structurée, présente une persistance aromatique intéressante. Un 98 très réussi, qui gagnera à attendre quelques années.

⊶ EARL Boré, Dom. du Fresche, 49620 La Pommeraye, tél. 02.41.77.74.63, fax 02.41.77.79.39 ☑ Y r.-v.

CH. DU FRESNE
Chevalier Le Bascle 1998*

☐ 23 ha 6 000 30 à 49 F

Le château du Fresne est une magnifique demeure du XVᵉs. Si ses caves sont voûtées, son chai est moderne. Ce Chevalier a belle allure dans sa cotte jaune limpide à reflets verts. Le nez, floral, intense, est racé. La bouche, grasse, a du caractère et offre une bonne intensité aromatique. Ce preux allie structure et délicatesse. Il est prêt à vous servir.

Anjou et Saumur

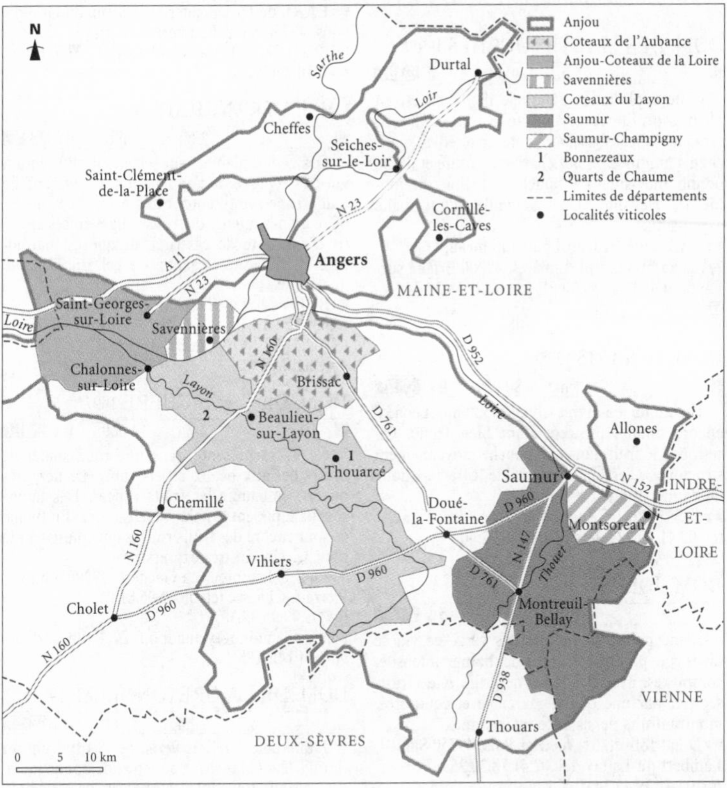

Robin-Bretault, Ch. du Fresne, 49380 Faye-d'Anjou, tél. 02.41.54.30.88, fax 02.41.54.17.52 r.-v.

DOM. DE GATINES 1998

■ 4 ha 23 000 20 à 29 F

Le manoir et les terres de Gatines figuraient déjà au cadastre en 1789. La propriété présente un 98 d'un beau grenat à reflets violacés. Le nez développe à l'agitation des fruits rouges et noirs, où le cassis domine. C'est un vin souple, d'ampleur correcte, où l'extraction a été recherchée sans excès.

EARL Dessevre, Dom. de Gatines, 12, rue de la Boulaie, 49540 Tigné, tél. 02.41.59.41.48, fax 02.41.59.94.44 r.-v.

DOM. DE HAUTE PERCHE 1997★★

□ 2 ha 5 000 30 à 49 F

On est séduit par sa jolie couleur jaune doré. Et l'on reste sous le charme tout au long de la dégustation. Le bouquet complexe de fruits surmûris et d'agrumes annonce une bouche pleine, ample, bien structurée, d'une belle longueur en finale. Un vin déjà merveilleux, qui atteindra son apogée dans quelques années.

EARL Agnès et Christian Papin, 9, chem. de la Godelière, 49610 Saint-Melaine-sur-Aubance, tél. 02.41.57.75.65, fax 02.41.57.75.42 r.-v.

DOM. DES HAUTES OUCHES 1998★

■ 5 ha 30 000 20 à 29 F

Cette exploitation familiale de 43 ha est en plein essor. Elle reçoit une étoile pour ce 98 bien typique. Une robe chatoyante aux reflets aguichants annonce un nez charmeur, fruité et d'une bonne intensité. La bouche est fine, harmonieuse, élégante. Une bouteille d'une belle expression.

EARL Joël et Jean-Louis Lhumeau, 9, rue Saint-Vincent, Linières, 49700 Brigné-sur-Layon, tél. 02.41.59.30.51, fax 02.41.59.31.75 r.-v.

DOM. DES IRIS 1998

■ 11 ha 80 000 20 à 29 F

Un anjou en livrée rouge soutenu. Le nez, encore timide, est cependant bien fruité. On retrouve le fruit dans une bouche moyennement structurée. C'est un vin agréable, caractéristique de l'appellation.

Jack Petit, La Roche Coutant, 49540 Tigne, tél. 02.41.40.22.50, fax 02.41.40.22.60

DOM. JOLIVET 1998

□ 2,1 ha n.c. 20 à 29 F

Jaune pâle brillant à reflets verts, ce vin se distingue par des arômes de bonne intensité, complexes, avec des notes de grillé et de fruits secs, et par une bouche agréable et équilibrée, montrant une persistance intéressante.

Dom. Jolivet, 31, rue Rabelais, 49750 Saint-Lambert-du-Lattay, tél. 02.41.78.30.35, fax 02.41.78.45.34 r.-v.

DOM. DE LA BOURRELIERE 1998★

□ 4 ha 10 000 20 à 29 F

Or pâle, très flatteur à l'œil, délicat au nez, lequel répand des arômes de fruits surmûris avec une note de grillé, ample et frais en bouche, cet anjou allie finesse et longueur. Un vin très agréable.

Jolly Frères, La Bourrelière, 49610 Mûrs-Erigné, tél. 02.41.57.76.76, fax 02.41.57.87.36 r.-v.

DOM. LA DOUNIERE 1998★

■ 2,5 ha n.c. 20 à 29 F

Un vin de velours, très bien élaboré. Sa robe fraîche et pimpante, son nez, tout de fruits rouges des bois, sa bouche, ronde, d'un bon équilibre, très aromatique, lui valent une étoile.

EARL Lacroix, 107, rue Saint-Vincent, 79290 Bouillé-Loretz, tél. 05.49.67.05.13, fax 05.49.67.11.43 r.-v.

DOM. DE LA DUCQUERIE 1998★★

□ n.c. 1 100 50 à 69 F

Une cuvée qui a du caractère : jolie couleur jaune paille, nez intense aux notes minérales et légèrement boisées, bouche longue et riche, très belle finale. La concentration et le terroir s'expriment pleinement. C'est un grand vin ! Le domaine reçoit une étoile pour son **rouge 98** (20 à 29 F), bien typique de l'AOC.

EARL de La Ducquerie, 2, chem. du Grand Clos, 49750 Saint-Lambert du Lattay, tél. 02.41.78.42.00, fax 02.41.78.48.17 r.-v.

Cailleau GPA

CH. LA FRANCHAIE 1998★

■ 3 ha n.c. 30 à 49 F

Des vignes plantées sur schistes produisent un vin très typique de l'appellation. Ce 98, habillé d'une robe scintillante, rubis à reflets violacés, offre un nez intense de fruits rouges épicés assortis d'une note de cassis. L'attaque est harmonieuse, fruitée et élégante. Ce bel anjou mérite une étoile.

SCEA Ch. La Franchaie, Dom. de La Franchaie, 49170 La Possonnière, tél. 02.41.39.18.16, fax 02.41.39.18.17 r.-v.

Chaillou

DOM. DE LA GACHERE 1997★

■ 3 ha 14 000 20 à 29 F

Ce 97 se présente dans une robe soutenue, profonde, aux beaux reflets rubis. Le nez, très ouvert, embaume les fruits rouges. Des tanins soyeux tapissent le palais, bien souple. En finale, ce sont encore des fruits rouges qui emplissent la bouche. Un vin très expressif.

GAEC Lemoine, La Gachère, 79290 Saint-Pierre-à-Champ, tél. 05.49.96.81.03, fax 05.49.96.32.38, e-mail f.lemoine@wanadoo.fr t.l.j. sf dim. 9h-12h 14h-18h

DOM. DE LA GRETONNELLE 1998

□ 2 ha 1 100 20 à 29 F

Jaune pâle à reflets verts, ce 98 offre un nez floral (fleurs blanches), aérien et de bonne intensité, où apparaissent des nuances de sous-bois.

Après une attaque franche, la bouche se montre ample et fruitée. Une belle harmonie générale.
⊶ EARL Charruault-Schmale, Les Landes, 79290 Bouillé-Loretz, tél. 05.49.67.04.49
☒ Y r.-v.

CH. DE LA GUIMONIERE
La Haie fruitière 1998★★

■ 3,5 ha 15 000 30 à 49 F

On lui ferait volontiers une haie d'honneur à ce 98, drapé dans une robe profonde nuancée de grenat, tant il est remarquable. Le nez, encore fermé, est déjà dense et gorgé de fruits rouges compotés. La bouche ne manque ni de richesse ni de volume. Les tanins sont maîtrisés, onctueux et frais, présage d'une bonne longévité. La **cuvée Vieilles vignes 98** reçoit une étoile. C'est un « vin de matière », très bien élaboré.
⊶ Vignobles Germain et Associés Loire, Ch. de Fesles, 49380 Thouarcé, tél. 02.41.68.94.00, fax 02.41.68.94.01, e-mail loire@vgas.com
☒ Y r.-v.

CH. DE LA MULONNIERE
Cuvée Mariette 1997★★

□ 2 ha 4 000 30 à 49 F

Mariette a séduit le jury. D'une jolie couleur, cette cuvée offre une expression aromatique marquée par les fruits mûrs, accompagnés de notes minérales. La bouche est agréable. Le fruité, la fraîcheur, le gras, la longueur, tout y est.
⊶ SCEA B. Marchal-Grossat, Ch. de La Mulonnière, 49750 Beaulieu-sur-Layon, tél. 02.41.78.47.52, fax 02.41.78.63.63 ☒ Y r.-v.

DOM. DU LANDREAU 1998★

■ 16,5 ha 120 000 30 à 49 F

Une robe rubis foncé, limpide, habille cet anjou. Le nez, élégant, offre des notes de cerise agrémentées d'une touche florale (violette). La bouche, ronde, onctueuse, bien structurée, affiche une belle continuité aromatique. A savourer dès maintenant.
⊶ Raymond Morin, Dom. du Landreau, 49750 Saint-Lambert-du-Lattay, tél. 02.41.78.30.41, fax 02.41.78.45.11 ☒ Y t.l.j. sf dim. 9h-12h30 14h-18h

CH. LA VARIERE Vieilles vignes 1997★★★

□ 2 ha 12 000 30 à 49 F

Cette propriété est située à proximité du château de Brissac, reconstruit au XVII^{e}s. par Charles de Cossé, qui fut gouverneur de Paris et remit les clés de la capitale à Henri IV après la conversion du roi au catholicisme. Elle présente un 97 élégant, jaune doré, brillant et limpide. L'olfaction révèle des arômes intenses aux nuances grillées et vanillées. La bouche, ronde et ample, associe harmonieusement le fruité et le boisé. L'ensemble est structuré et d'une bonne persistance. Un très beau vin.

⊶ Ch. La Varière, 49320 Brissac, tél. 02.41.91.22.64, fax 02.41.91.22.64 ☒ Y r.-v.

LE CLOS DES MOTELES 1998★

■ 7 ha 17 000 20 à 29 F

Une belle robe grenat profond, un nez de fruits rouges frais, encore discret, et un palais harmonieux définissent ce 98 très réussi. Les tanins bien présents le destinent à accompagner une viande rouge. Elevée en fût, la **cuvée du Toarcien rouge 97** est citée par le jury pour sa bouche mûre, onctueuse et longue.
⊶ GAEC Le Clos des Motèles Basset-Baron, 42, rue de la Garde, 79100 Sainte-Verge, tél. 05.49.66.05.37, fax 05.49.66.37.14 ☒ Y r.-v.

DOM. LEDUC-FROUIN
La Seigneurie 1998★★

■ 5 ha 15 000 30 à 49 F

Sa Seigneurie arbore une jolie robe rubis et possède une belle complexité aromatique, où l'on décèle des notes de fruits rouges très mûrs, légèrement épicées. L'attaque est ronde, pleine, charnue. Et pour conclure, une persistance très longue. Un vin de gourmets. En blanc, la **cuvée Alexine 98** reçoit également deux étoiles. Des nuances citronnées et minérales, une rondeur en bouche et une longueur remarquable lui confèrent une grande élégance.
⊶ Mme Georges Leduc, Dom. Leduc-Frouin, Sousigné, 49540 Martigné-Briand, tél. 02.41.59.42.83, fax 02.41.59.47.90 ☒ Y r.-v.

LE LOGIS DU PRIEURE 1998★

■ 4 ha n.c. 20 à 29 F

Le Layon, canalisé sous Louis XVI, fut un temps navigable et servait au transport du charbon et du vin. Aujourd'hui, ses berges invitent à d'agréables promenades. Vous ne manquerez pas alors de faire une halte au Logis du Prieuré pour déguster ce 98 très réussi. L'intensité olfactive est moyenne, mais les fruits rouges apparaissent au deuxième nez. La bouche aux tanins bien arrondis est souple et structurée.
⊶ SCEA Jousset, Le Logis du Prieuré, 49700 Concourson-sur-Layon, tél. 02.41.59.11.22, fax 02.41.59.38.18 ☒ Y t.l.j. sf dim. 9h-12h 14h-19h

LES GRANDS CAVEAUX DE FRANCE Cuvée Polaire 1996

□ n.c. 3 600 20 à 29 F

Paul Froger commercialise des vins haut de gamme, issus de vignes rigoureusement sélectionnées. Celui-ci, jaune paille à légers reflets

verts, réjouit l'œil. L'olfaction intense indique une vendange surmûrie, botrytisée. La bouche est tout à la fois souple et vive. Une bouteille à explorer.
🔑 Les Grands Caveaux de France, 5, La Grossinière, 79150 Saint-Maurice-la-Fougereuse, tél. 05.49.65.94.77, fax 05.49.80.31.87 ☑ 🍸 r.-v.

MANOIR DE VERSILLE 1998★

□ 0,3 ha 2 000 ▮ 🛢 🌡 20 à 29 F

Acquis en 1998 par Francine Desmet, ce domaine de quelque 17 ha présente une cuvée très réussie, d'un beau jaune intense légèrement paillé. Le nez est plus réservé, mais, peu à peu, il laisse le fruit s'exprimer. Après une attaque franche et souple, la bouche offre gras et fraîcheur ; elle développe des arômes fruités et minéraux. Ce vin dispose d'un excellent potentiel.
🔑 EARL du Manoir de Versillé, 49320 Saint-Jean-des-Mauvrets, tél. 02.41.45.22.00, fax 02.41.45.22.00, e-mail manoir.versillé@wanadoo.fr ☑ 🍸 r.-v.
🔑 Francine Desmet

VIGNOBLE DU MARTINET 1998★

□ 1 ha 3 000 ▮ 20 à 29 F

D'une couleur attrayante, cet anjou présente une réelle puissance aromatique ; les senteurs végétales dominent, avec une pointe légèrement acidulée. L'attaque est souple et harmonieuse. La bouche offre une belle fraîcheur. Un 98 très réussi.
🔑 GAEC Bertrand, 1, rue du Martinet, 49750 Beaulieu-sur-Layon, tél. 02.41.78.36.18, fax 02.41.78.69.34 🍸 t.l.j. sf dim. 8h-12h 14h-18h

DOM. DE MIHOUDY 1998★★

□ 2 ha 8 000 ▮ 🌡 30 à 49 F

La famille Cochard propose plusieurs circuits de découverte du vignoble. Après avoir visité le domaine, vous dégusterez ce 98, d'une jolie couleur brillante. Timide, le nez offre toutefois des arômes délicats qui s'épanouissent peu à peu. La bouche, d'une belle rondeur, égrène des notes de miel, de fruits confits et de vanille. L'ensemble est bien structuré. Un vin remarquable. En anjou **rouge 98**, la cuvée principale du domaine, très équilibrée, reçoit une étoile.
🔑 Cochard et Fils, Dom. de Mihoudy, 49540 Aubigné-sur-Layon, tél. 02.41.59.46.52, fax 02.41.59.68.77 ☑ 🍸 r.-v.

CH. DE MONTGUERET 1998★

□ n.c. 40 000 ▮ 🌡 20 à 29 F

Un joli vin, jaune pâle à reflets verts. L'olfaction, de bonne intensité, livre d'agréables arômes de fleurs blanches. La bouche est fraîche, vive, élégante. Un anjou sympathique, qui sera idéal sur des fruits de mer.
🔑 SCEA Ch. de Montgueret, 49560 Nueil-sur-Layon, tél. 02.41.59.59.33, fax 02.41.59.59.02 ☑ 🍸 r.-v.
🔑 A. Lacheteau

DOM. OGEREAU 1998

■ 2 ha 10 000 ▮ 🌡 30 à 49 F

Une robe rubis intense cache un nez de fruits bien mûrs encore très discret. L'attaque est ronde, souple et équilibrée. Légère, la finale révèle une fraîcheur caractéristique du millésime.
🔑 Vincent Ogereau, 44, rue de la Belle-Angevine, 49750 Saint-Lambert-du-Lattay, tél. 02.41.78.30.53, fax 02.41.78.43.55 ☑ 🍸 r.-v.

DOM. DE PAIMPARE 1998

■ 2 ha n.c. ▮ 🌡 20 à 29 F

Les vignes cultivées sur un sol argilo-graveleux donnent cet anjou à la robe rubis, caractéristique du millésime. Les arômes, complexes, mêlent des nuances fruitées et végétales. Après une attaque souple et agréable, la bouche offre des tanins bien fondus. C'est un vin harmonieux et plaisant, à goûter au printemps ou à l'été 2000 avec une cuisine légère.
🔑 Michel Tessier, 25, rue Rabelais, 49750 Saint-Lambert-du-Lattay, tél. 02.41.78.43.18, fax 02.41.78.41.73 ☑ 🍸 r.-v.

CH. DE PASSAVANT 1998★

□ 3 ha 15 000 ▮ 🌡 20 à 29 F

Passavant est un agréable village bâti sur les rives d'un lac formé par le Layon. Vaste exploitation de 60 ha, le château de Passavant présente un 98 très réussi, jaune brillant à reflets verdâtres. Les arômes, intenses, rappellent les fleurs blanches, avec une note minérale. La bouche est ronde, souple et harmonieuse, d'une belle longueur. A découvrir.
🔑 SCEA David Lecomte, Ch. de Passavant, 49560 Passavant-sur-Layon, tél. 02.41.59.53.96, fax 02.41.59.57.91, e-mail passavant@wanadoo.fr ☑ 🍸 t.l.j. 9h-12h 14h-19h; sam. dim. sur r.-v.

CH. PIEGUE 1998★★

□ 2 ha 4 000 ▮ 🌡 20 à 29 F

Ce domaine se distingue par deux remarquables cuvées : l'anjou **rouge 98** - à découvrir dès maintenant - et cette bouteille racée, d'un jaune pâle brillant à reflets dorés. Le nez intense et franc offre des arômes fruités complexes, avec une nuance minérale caractéristique du chenin. La bouche longue, bien structurée, charpentée, est soutenue par une fraîcheur séduisante. La finale est gourmande. Un vin de connaisseurs.
🔑 Ch. Piéguë, 49190 Rochefort-sur-Loire, tél. 02.41.78.71.26, fax 02.41.78.75.03 ☑ 🍸 t.l.j. sf dim. 9h-12h 14h-19h

CH. DE PIMPEAN Cuvée du Festival 1998

■ 3,5 ha 20 000 ▮ 🌡 30 à 49 F

Classé monument historique, le château de Pimpéan est orné de peintures murales du XVᵉs. Chaque été, il prête son cadre à un festival d'art lyrique. Son vin, paré d'une robe grenat soutenu, fredonne des notes de fruits rouges. La bouche est grasse et ronde. Ce 98 n'est pas une grande voix, mais mérite une citation.
🔑 Dom. de Pimpéan, 49320 Grézillé, tél. 02.41.68.95.96, fax 02.41.45.51.93, e-mail maryset@pimpean.com ☑ 🍸 t.l.j. 9h-18h
🔑 Tugendhat

CH. DE PUTILLE 1998★★★

■ 8 ha 15 000 ▮ 🌡 20 à 29 F

Vêtu d'une jolie robe rubis soutenu, il offre une expression aromatique surprenante, avec des notes de fruits rouges bien mûrs. Tendre, franche, somptueuse, la bouche laisse une agréable sensation fruitée. Un très bel anjou rouge, qui conjugue structure et harmonie.

Château de Putille

ANJOU
APPELLATION ANJOU CONTROLEE

1998

12 % vol.   MIS EN BOUTEILLE A LA PROPRIETE   750 ml.

Putille 49620 La Pommeraye - France - Tél. 02.41.39.02.91 / Fax 02.41.39.03.45

☛ Pascal Delaunay, EARL Ch. de Putille, 49620 La Pommeraye, tél. 02.41.39.02.91, fax 02.41.39.03.45 ☑ ☥ t.l.j. sf dim. 8h-12h30 14h-19h

DOM. DES QUARRES Pierre Noire 1998★

| ☐ | 2 ha | 4 000 | ◫ | 30 à 49 F |

D'une teinte jaune à reflets verts, ce 98 dévoile un bouquet printanier très floral aux nuances citronnées et vanillées. Il attaque franchement, puis révèle une belle expression fruitée. Un vin harmonieux.
☛ SCEA Vignoble Bidet, 66, Grande-Rue, 49750 Rablay-sur-Layon, tél. 02.41.78.60.69, fax 02.41.78.62.58 ☥ t.l.j. 9h30-12h 14h30-18h; sam. dim. sur r.-v.

DOM. ROBINEAU CHRISLOU 1998★

| ■ | 4,4 ha | 4 000 | ▮♦ | 20 à 29 F |

Il porte une jolie robe rubis, brillante, à reflets violacés. L'olfaction, franche, puissante, nette, offre une palette de fruits rouges, que l'on retrouve dans une bouche vive et élégante. Un vin très réussi, à découvrir sans tarder.
☛ Louis Robineau, 14, rue Rabelais, 49750 Saint-Lambert-du-Lattay, tél. 02.41.78.42.65, fax 02.41.78.42.65 ☑ ☥ r.-v.

DOM. DE ROCHAMBEAU 1998★

| ■ | 2,5 ha | 6 000 | | 20 à 29 F |

Bien vinifié, cet anjou rubis brillant surprend par sa fraîcheur et sa richesse aromatique. Le nez, qui libère des notes de fleurs blanches, est caractéristique d'une vendange bien mûre. La bouche est dans le même registre, avec une pointe réglissée en finale. Un vin d'un beau potentiel.
☛ EARL Forest, Dom. de Rochambeau, 49610 Soulaines-sur-Aubance, tél. 02.41.57.82.26, fax 02.41.57.82.26 ☑ ☥ r.-v.

DOM. SAINT-ARNOUL 1998★

| ■ | 8 ha | 10 000 | ▮♦ | 20 à 29 F |

Des caves troglodytiques, intéressantes à visiter, permettent de bien élever les vins. Le jury a apprécié le bel équilibre de cet anjou grenat intense. Le nez, encore fermé, libère à l'agitation des arômes de fruits rouges frais, que la bouche ne dément pas. Ce 98 demande un peu de temps pour révéler toutes ses qualités.

☛ EARL Poupard et Fils, Sousigné, 49540 Martigné-Briand, tél. 02.41.59.43.62, fax 02.41.59.69.23 ☑ ☥ r.-v.

DOM. DES TOUCHES 1998★★

| ■ | 7 ha | 7 000 | ▮◫♦ | 30 à 49 F |

Viticulteur passionné, Daniel Belin est intarissable lorsqu'il s'agit de son métier. Il présente un 98 grenat intense à la belle expression de fruits rouges bien mûrs, avec une nuance florale ; bouche souple, ronde, fruitée et élégante, finale de toute beauté. Un vin à découvrir sans tarder.
☛ Daniel Belin, Dom. des Touches, 49320 Coutures, tél. 02.41.57.90.06, fax 02.41.57.90.56 ☑ ☥ r.-v.

DOM. DES TROIS MONTS 1998★

| ■ | 8 ha | 8 000 | ▮♦ | 20 à 29 F |

Ce 98 attire l'œil par sa robe rubis. Le nez, puissant, est un plein panier de fruits rouges frais : cassis, framboise, fraise... La bouche est ronde, structurée et aromatique. A déguster dès à présent.
☛ SCEA Hubert Guéneau, 1, rue Saint-Fiacre, 49310 Trémont, tél. 02.41.59.45.21 ☥ ☥ r.-v.

DOM. DES TROTTIERES 1998★

| ☐ | 0,65 ha | 4 500 | ▮♦ | 20 à 29 F |

Voici un vin plaisant, paille, brillant, à reflets dorés. Le nez, encore timide, libère des arômes de sous-bois. L'équilibre gustatif est trouvé après une attaque assez vive.
☛ SCEA Dom. des Trottières, Les Trottières, 49380 Thouarcé, tél. 02.41.54.14.10, fax 02.41.54.09.00 ☑ ☥ r.-v.
☛ Lamotte

Anjou-gamay

Vin rouge produit à partir du cépage gamay noir. Sur les terrains les plus schisteux de la zone, bien vinifié, il peut donner un excellent vin de carafe. Quelques exploitations se sont spécialisées dans ce type, qui n'a d'autre ambition que de plaire au cours de l'année de sa récolte. 16 784 hl ont été produits en 1998.

CH. DE BELLEVUE 1998★★

| ■ | 2 ha | 12 000 | ▮♦ | 20 à 29 F |

Le château a été acquis par le grand-père Tijou en 1894. Dans le parc a lieu chaque année la fête des vins millésimés des coteaux du layon. Mais c'est un anjou-gamay qui a bel et bien séduit le jury. D'une jolie robe rubis à reflets violacés, ce vin offre des arômes de fruits rouges très développés. Sa bouche souple et fraîche fait écho aux notes épicées. Une très belle réussite, à découvrir sans tarder.
☛ EARL Tijou et Fils, Ch. de Bellevue, 49190 Saint-Aubin-de-Luigné, tél. 02.41.78.33.11, fax 02.41.78.67.84 ☑ ☥ r.-v.

LOIRE

LES VIGNES DE L'ALMA 1998★

■   4 ha   23 000   ▮▮ ▮ `20 à 29 F`

Situé sur un plateau, ce domaine de 10 ha ménage une vue magnifique sur Saint-Florent-le-Vieil et sur la vallée de la Loire. Son anjou-gamay, soutenu, à reflets violacés, laisse monter au nez des arômes de fruits rouges (cassis, cerise). La bouche est ronde, fraîche et harmonieuse. Vin plaisir à découvrir dès maintenant.
☛ Roland Chevalier, Les Vignes de l'Alma, 49410 Saint-Florent-le-Vieil, tél. 02.41.72.71.09, fax 02.41.72.63.77 ☑ ⵏ t.l.j. sf dim. 8h-12h 14h-19h

DOM. DE SAINTE-ANNE 1998★★★

■   5 ha   15 000   ▮ `20 à 29 F`

Le domaine de Sainte-Anne est situé sur l'une des croupes argilo-calcaires les plus élevées de Saint-Saturnin-sur-Loire. La robe de ce 98 est fringante, légère, d'un rouge sombre à reflets violacés. Des notes élégantes, très fruitées, subtiles, se révèlent à l'olfaction. La bouche, ronde, harmonieuse, structurée, présente une très belle continuité aromatique.
☛ Dom. de Sainte-Anne, EARL Brault, 49320 Brissac-Quincé, tél. 02.41.91.24.58, fax 02.41.91.25.87 ☑ ⵏ t.l.j. sf dim. 9h-12h 14h-19h; sam. 18h

DOM. DES SAULAIES 1998★

■   1 ha   8 000   ▮ ♨ `30 à 49 F`

Au domaine des Saulaies, vous serez accueilli en toute simplicité dans une cave joliment décorée de nombreux outils anciens et de vieux pressoirs. Tout aussi sympathique, cet anjou-gamay d'une très jolie couleur rouge rubis, au bouquet d'une belle complexité. L'attaque souple laisse place à une impression aromatique de petits fruits rouges. Belle harmonie générale.
☛ EARL Philippe et Pascal Leblanc, Dom. des Saulaies, 49380 Faye-d'Anjou, tél. 02.41.54.30.66, fax 02.41.54.17.21 ☑ ⵏ r.-v.

Anjou-villages

DOM. DE BOIS MOZE 1997

■   6,89 ha   20 000   ▮ ♨ `30 à 49 F`

Ce domaine, correspondant à l'ancienne propriété du château de Montsabert, propose un vin assez puissant mais austère en fin de bouche. Doté d'une belle expression aromatique de fruits et de fleurs, ce 97 peut être bu dès à présent ou conservé quelques années.
☛ Boury Frères, Dom. de Bois-Mozé, 49320 Coutures, tél. 02.41.57.91.28, fax 02.41.57.93.71 ☑ ⵏ r.-v.

DOM. DE CLAYOU 1997

■   1 ha   5 000   ▮ ♨ `30 à 49 F`

Cette propriété se développe depuis trois générations. J.-B. Chauvin a été ces dernières années le président des viticulteurs de Saint-Lambert-du-Lattay, une des communes les plus viticoles de tout l'Anjou. Il a élaboré un vin réussi qui laisse une impression de fruits mûrs. Cet anjou-villages à la robe rouge-grenat, aux arômes de fruits rouges et noirs, à la bouche puissante mais un peu courte en finale peut être bu dès à présent.
☛ SCEA Jean-Bernard Chauvin, 18 bis, rue du Pont-Barré, 49750 Saint-Lambert-du-Lattay, tél. 02.41.78.42.84, fax 02.41.78.48.52 ☑ ⵏ t.l.j. sf dim. 9h-18h; f. fin août

CLOS DU COCHET 1997

■   3,5 ha   8 000   ▮▮▮ `30 à 49 F`

Avec la construction, en 1994, d'un chai neuf et la création, en 1999, d'une cave à barriques enterrée, ce domaine est en pleine évolution. Son anjou-villages présente une belle continuité entre le nez et la bouche. Il étonne par ses arômes où l'on perçoit du cacao, de la réglisse, des notes empyreumatiques... Une certaine austérité se manifeste cependant en finale. Ce 97 peut être bu dès à présent.
☛ Jean-Louis Robin-Diot, Les Hauts-Perrays, 49290 Chaudefonds-sur-Layon, tél. 02.41.78.68.29, fax 02.41.78.67.62, e-mail robin.diot@wanadoo.fr ☑ ⵏ r.-v.

CLOS DE COULAINE 1997★

■   4,5 ha   15 000   ▮ `30 à 49 F`

Le clos de Coulaine présente un terroir particulier : des sables éoliens de la vallée de la Loire déposés au quaternaire sur le haut des coteaux de Savennières. Son anjou-villages apparaît tendre. Bien vinifié (avec un passage pour partie en barrique), il présente une belle structure et une expression aromatique délicate, faite de fruits et de notes empyreumatiques (fumée).
☛ Claude Papin, Ch. Pierre-Bise, 49750 Beaulieu-sur-Layon, tél. 02.41.78.31.44, fax 02.41.78.41.24 ☑ ⵏ r.-v.

DOM. DES EPINAUDIERES 1997★★

■   2 ha   10 000   ▮ ♨ `20 à 29 F`

Le domaine des Epinaudières est désormais une valeur sûre du vignoble de l'Anjou. Il propose de nouveau un vin « de matière », mais dont la puissance n'exclut pas la finesse. Ce 97 révèle une très belle harmonie d'ensemble et laisse une impression veloutée en bouche. Un remarquable représentant de l'appellation.
☛ SCEA Fardeau, Sainte-Foy, 49750 Saint-Lambert-du-Lattay, tél. 02.41.78.35.68, fax 02.41.78.35.50 ☑ ⵏ r.-v.

CH. DE FESLES 1997★

■   1,5 ha   6 500   ▮ ▮▮ ♨ `70 à 99 F`

Bernard Germain, viticulteur à Bordeaux, a racheté, au printemps 1996, le vignoble du château de Fesles au célèbre pâtissier parisien Gaston Lenôtre. Un achat fructueux pour ce maître du vin, à en juger par ce 97 riche, généreux, ample, se terminant par des notes vanillées (signe d'un élevage en barrique bien maîtrisé). Séducteur par son expression aromatique associant des notes empyreumatiques (fumée), grillées, vanillées et fruitées, ce vin en surprendra plus d'un d'ici deux à trois ans.
☛ Vignobles Germain et Associés Loire, Ch. de Fesles, 49380 Thouarcé, tél. 02.41.68.94.00, fax 02.41.68.94.01, e-mail loire@vgas.com ☑ ⵏ r.-v.

DOM. DE LA MOTTE 1997

■   1,5 ha   10 000   ■ ❙❙❘ 30 à 49 F

Cette exploitation traditionnelle de 19 ha établie à Rochefort-sur-Loire propose un anjou-villages assez léger pour le type de l'appellation et le millésime. Avec ses arômes de fruits mûrs et de fleurs, sa bouche agréable et harmonieuse, ce 97 peut être bu dès à présent ou conservé quelques années.

☛ EARL Gilles Sorin, Dom. de la Motte, 35, av. d'Angers, 49190 Rochefort-sur-Loire, tél. 02.41.78.71.13, fax 02.41.78.75.49 ☑ Ⓣ t.l.j. sf dim. 9h-12h 14h-18h

CH. DE LA MULONNIÈRE 1997★★

■   2 ha   8 000   ■ ❙ 50 à 69 F

M. et Mme Grossat ont acheté la propriété en 1991. Après quelques années d'apprentissage, le château de La Mulonnière a gagné ses galons. Son anjou-villages présente une très bonne harmonie d'ensemble. Avec sa robe rubis intense, ses arômes de fruits noirs concentrés, sa bouche ample à la très belle finale, il révèle une excellente matière première et une vinification parfaitement maîtrisée. Il peut être attendu plusieurs années.

☛ SCEA B. Marchal-Grossat, Ch. de La Mulonnière, 49750 Beaulieu-sur-Layon, tél. 02.41.78.47.52, fax 02.41.78.63.63 ☑ Ⓣ r.-v.

DOM. DU LANDREAU 1997★

■   6 ha   30 000   ■ ❙ 30 à 49 F

Cette exploitation s'est régulièrement développée après avoir parié sur la vente particulière ; elle compte aujourd'hui 50 ha. Son anjou-villages apparaît expressif, équilibré, mais assez léger pour l'appellation. Sa belle couleur rubis intense, ses arômes de fruits rouges et de réglisse accompagnés de quelques notes végétales, sa bouche harmonieuse et moelleuse sont les atouts de ce vin simple qui peut être bu dès à présent.

☛ Raymond Morin, Dom. du Landreau, 49750 Saint-Lambert-du-Lattay, tél. 02.41.78.30.41, fax 02.41.78.45.11 Ⓣ t.l.j. sf dim. 9h-12h30 14h-18h

DOM. DE LA POTERIE 1997★

■   4 ha   6 000   ■ ❙ 30 à 49 F

Originaire du nord de la France, G. Mordacq est fils d'agriculteurs. En 1996, il a acquis plusieurs vignes dont 4 ha à Saint-Lambert-du-Lattay, qui sont à l'origine de ce vin. Sous le contrôle de Pascal Cailleau, il a élaboré un vin de garde, riche, qui libère à l'aération des arômes d'épices, de fruits noirs et de confiture de fraises. Marqué en fin de bouche par des tanins un peu austères, ce 97 devrait « se civiliser » après quelques années de cave. Un potentiel certain.

☛ Guillaume Mordacq, La Chevalerie, 16, av. des Trois-Ponts, 49380 Thouarcé, tél. 02.41.52.20.95, fax 02.41.52.26.41 ☑ Ⓣ r.-v.

CH. LA TOMAZE 1997★

■   15 ha   5 000   ■ ❙ 30 à 49 F

Ce vignoble est dans la même famille depuis plus de deux siècles. L'arrière-grand-père de Vincent Lecointre installa ses chais à Champ-sur-Layon à la fin du siècle dernier et fit construire le château de La Tomaze. Le domaine de Pierre Blanche fut ajouté par la suite. L'ensemble représente aujourd'hui 40 ha de vignes. Voici un vin rond, bien équilibré et très élégant. Sa robe est rouge-grenat, ses arômes fins évoquent les fruits rouges et noirs, sa bouche se montre souple et longue. Il peut être bu dès à présent ou conservé quelques années.

☛ Marie-Jeanne et Vincent Lecointre, 49380 Champ-sur-Layon, tél. 02.41.78.86.34, fax 02.41.78.61.60 ☑ Ⓣ r.-v.

DOM. MATIGNON 1997

■   2 ha   10 000   ■ ❙❙❘ 30 à 49 F

Cette exploitation située au cœur de Martigné-Briand est régulièrement mentionnée pour la production de ses vins rouges. Encore rustique le jour de la dégustation, cet anjou-villages révèle une matière première imposante mais non encore pleinement domestiquée. Après quelques années de vieillissement, ce 97 étonnera par son intensité.

☛ EARL Yves Matignon, 21, av. du Château, 49540 Martigné-Briand, tél. 02.41.59.43.71, fax 02.41.59.92.34 ☑ Ⓣ r.-v.

GILLES MUSSET - SERGE ROULLIER Petit Clos 1997★★

■   2 ha   10 000   ■ ❙ 30 à 49 F

Les domaines Roullier et Musset se sont associés en 1994 : le vignoble compte aujourd'hui environ 30 ha, situés le long de la Loire, sur des terroirs très différenciés. La structure de cet anjou-villages est tellement souple, harmonieuse, que ce vin pourrait passer pour léger. Il provient cependant d'une matière première exceptionnelle, remarquablement vinifiée. Exprimant la rencontre d'un grand terroir avec des hommes de talent, ce vin constitue une référence pour l'appellation.

☛ Vignoble Musset-Roullier, Le Pélican, 49620 La Pommeraye, tél. 02.41.39.05.71, fax 02.41.77.75.76 ☑ Ⓣ r.-v.

DOM. OGEREAU 1997★★

■   10 ha   16 000   ■ ❙ 30 à 49 F

Après un coup de cœur en anjou blanc l'an dernier, un autre coup de cœur vient récompenser le travail de cette exploitation angevine de 23 ha. Cet anjou-villages est remarquable par sa longueur et sa puissance. Très aromatique, il associe des notes animales à des nuances d'épices et de fruits noirs. Après une garde de deux à trois ans, il en impressionnera plus d'un. La **cuvée**

Prestige rouge 97 est, elle aussi, à attendre ; elle a été jugée très réussie par le jury.
🔑 Vincent Ogereau, 44, rue de la Belle-Angevine, 49750 Saint-Lambert-du-Lattay, tél. 02.41.78.30.53, fax 02.41.78.43.55 🅅 🍸 r.-v.

DOM. DU PETIT CLOCHER 1997★

■ 8 ha 10 000 ▮ ◫ ♁ 30 à 49 F

Ce domaine excelle dans la production de vins rouges friands (de type anjou) et compte au nombre des exploitations qui ont montré la voie à suivre. Puissant, riche, élaboré à partir de vendanges bien mûres, son anjou-villages laisse cependant en finale une impression d'amertume qui masque les arômes de fruits rouges. A attendre quelques années.
🔑 A. et J.-N. Denis, GAEC du Petit Clocher, 3, rue du Layon, 49560 Cléré-sur-Layon, tél. 02.41.59.54.51, fax 02.41.59.59.70 🅅 🍸 r.-v.

CH. PIERRE-BISE 1997★★

■ 4 ha 20 000 ▮ 30 à 49 F

Bien sûr, on attend chaque année la production des vins blancs secs et liquoreux du château Pierre-Bise. Mais personne ne se plaindra d'un petit « détour » par les vins rouges. Cet anjou-villages présente une robe rouge intense, des arômes concentrés de fruits, de tabac et de sous-bois, une bouche ample et généreuse. A toutes les étapes de la dégustation, il exprime la richesse des vendanges à partir desquelles il a été élaboré. Grandiose !
🔑 Claude Papin, Ch. Pierre-Bise, 49750 Beaulieu-sur-Layon, tél. 02.41.78.31.44, fax 02.41.78.41.24 🅅 🍸 r.-v.

DOM. DE PONT-PERRAULT 1997

■ 1 ha 5 000 ▮ 30 à 49 F

Cinq générations se sont succédé sur cette exploitation de Rochefort-sur-Loire qui compte 18 ha. Elle a présenté un anjou-villages assez peu puissant, mais très agréable par sa belle expression fruitée et sa bouche équilibrée et harmonieuse. Un vin qui a du charme et qui peut être bu dès à présent.
🔑 Odile Papiau, Pont-Perrault, 49190 Rochefort-sur-Loire, tél. 02.41.78.71.57 🅅 🍸 t.l.j. 8h-20h

DOM. DE PUTILLE 1997

■ 1 ha 2 000 ▮ ♁ 30 à 49 F

Cette exploitation fait partie du groupe montant de la région des Coteaux de la Loire. Elle propose un anjou-villages souple, bien fait, agréable et qui se livre sans détour. Pour ceux qui ne connaissent pas l'appellation et qui veulent en avoir une première idée.
🔑 Dom. de Putille, Putille, 49620 La Pommeraye, tél. 02.41.39.80.43, fax 02.41.39.81.91 🅅 🍸 r.-v.
🔑 Pierre Sécher

MICHEL ROBINEAU 1997★★

■ 1 ha 3 000 20 à 29 F

Créée en 1990 par Michel Robineau, cette exploitation brille par ses vins liquoreux, qui ont obtenu plusieurs coups de cœur. Il lui manquait pareille distinction en rouge. C'est chose faite avec cet anjou-villages au remarquable potentiel. Presque fermé le jour de la dégustation (avec néanmoins à l'aération des notes de cerise confite), il a laissé au jury une impression de structure et d'harmonie étonnante. A conserver quelques années pour un grand moment.

🔑 Michel Robineau, 3, chem. du Moulin, Les Grandes Tailles, 49750 Saint-Lambert-du-Lattay, tél. 02.41.78.34.67 🅅 🍸 r.-v.

SAUVEROY Cuvée Antique 1997★

■ 4,3 ha 25 000 ▮ ♁ 30 à 49 F

Installé sur le domaine familial en 1985, Pascal Cailleau en a fait une valeur sûre de l'appellation, témoin le coup de cœur obtenu par cette même cuvée dans le millésime précédent. Le 97 apparaît structuré et agréable. Robe grenat sombre, arômes de fruits noirs compotés et de fruits rouges, bouche ample, soyeuse et légèrement chaude en finale. Un vin caractéristique de ce millésime qui a donné des vendanges très riches, sans doute trop riches...
🔑 Pascal Cailleau, Dom. du Sauveroy, 49750 Saint-Lambert-du-Lattay, tél. 02.41.78.30.59, fax 02.41.78.46.43, e-mail domainesauveroy@terrenet.fr 🅅 🍸 t.l.j. sf dim. 9h-12h30 14h-18h30

DOM. DES TROTTIERES 1997

■ 4,58 ha 30 000 ▮ 30 à 49 F

Un vignoble impressionnant, créé en 1905 : 110 ha d'un seul tenant, dont 78 ha plantés en vignes. Domaine traditionnel, il produisait essentiellement des vins rosés. Depuis quelques années, il réussit également en rouge et en blanc. Son anjou-villages apparaît fruité et souple. S'il manque un peu de volume et de persistance pour l'appellation, il n'en est pas moins très agréable et peut être bu dès à présent.
🔑 SCEA Dom. des Trottières, Les Trottières, 49380 Thouarcé, tél. 02.41.54.14.10, fax 02.41.54.09.00 🅅 🍸 r.-v.
🔑 Lamotte

Anjou-villages-brissac

DOM. DE BABLUT 1997★

■ 6 ha 35 000 ▮ ◫ ♁ 30 à 49 F

Christophe Daviau, œnologue, fait partie des hommes qui font bouger le vignoble d'Anjou ; son appellation est devenue une référence en

matière de vins rouges et de vins blancs liquoreux. Son anjou-villages-brissac, dense, puissant à l'image de sa couleur intense et sombre, offre une très belle expression de fruits rouges en bouche avec en finale une légère impression tannique. Une bouteille à attendre quelques années.
SCEA Daviau, Bablut, 49320 Brissac-Quincé, tél. 02.41.91.22.59, fax 02.41.91.24.77 ☒ Y t.l.j. 9h-12h 14h-18h30; dim. sur r.-v.

DOM. DES BONNES GAGNES 1997*

■ 8 ha 12 000 30 à 49 F

Cette propriété de 29 ha est exploitée par la famille Héry depuis la Révolution, mais le vignoble est bien antérieur puisqu'en 1020, le fief d'Orgigné, dont les Bonnes Gagnes faisaient partie, fut loué aux moines de l'abbaye du Ronceray à Angers afin d'être planté en vignes. Fermé le jour de la dégustation, la structure de ce 97, était marquée par les tanins. Prévoir un vieillissement de deux à trois ans avant de le servir en carafe.
Jean-Marc Héry, Orgigné, 49320 Saint-Saturnin-sur-Loire, tél. 02.41.91.22.76, fax 02.41.91.21.58 ☒ Y r.-v.

CH. DE BRISSAC 1997**

■ 10 ha 45 000 30 à 49 F

Le château de Brissac est l'emblème des vignerons de l'appellation. Il a obtenu pour le 96 un coup de cœur l'an dernier ; il propose de nouveau un très beau vin avec ce millésime 97. La robe rouge est intense ; les arômes de fruits rouges concentrés et d'épices se développent à l'aération ; la bouche puissante, ferme, possède un caractère marqué.
SCEA Daviau, Bablut, 49320 Brissac-Quincé, tél. 02.41.91.22.59, fax 02.41.91.24.77 ☒ Y t.l.j. 9h-12h 14h-18h30; dim. sur r.-v.

DOM. DITTIERE 1997*

■ 2 ha 10 000 30 à 49 F

Joël et Bruno Dittière ont su reprendre le flambeau laissé par leur père. Une exploitation dont la renommée progresse régulièrement, notamment en matière de vins rouges. Bien dans le type de l'appellation, celui-ci se caractérise par une réelle franchise du goût, une structure assez simple mais prometteuse, une expression aromatique intense en même temps que délicate. Un 97 qui s'épanouira au vieillissement.
Dom. Dittière, 1, chem. de la Grouas, 49320 Vauchrétien, tél. 02.41.91.23.78, fax 02.41.54.28.00 ☒ Y r.-v.

DOM. DE GAGNEBERT 1997**

■ 10 ha 20 000 30 à 49 F

Le domaine de Gagnebert, propriété familiale depuis au moins cinq générations, propose deux styles de vin : l'un élevé en cuve et l'autre en barrique. Ne menons pas de guerre de religion sur le rôle bénéfique ou non du bois : les deux vins ont été jugés remarquables par le jury de dégustation sur le millésime 97. Le premier se présente dans une robe intense, et son expression aromatique rappelle les fruits noirs. La bouche ronde et harmonieuse possède une finale dominée par des notes de fruits très mûrs. La cuvée élevée en fût de chêne est, elle aussi, habillée d'une robe éclatante ; son harmonie d'ensemble repose sur le boisé tant les arômes épicés, grillés, vanillés, accompagnent une bouche puissante. Pour amateur averti.
GAEC Moron, Dom. de Gagnebert, 2, chem. de la Naurivet, 49610 Juigné-sur-Loire, tél. 02.41.91.92.86, fax 02.41.91.95.50 ☒ Y t.l.j. sf dim. 8h-12h 14h-19h

DOM. DES GIRAUDIERES 1997**

■ 2,5 ha 6 000 30 à 49 F

Ce domaine créé en 1927 propose un brissac dont la très belle matière est à l'origine d'une robe rubis intense et d'une expression aromatique de fruits rouges concentrés. Puissante, la bouche possède une structure très présente qui prend aujourd'hui le pas sur la finesse. La finale est remarquable.
EARL Dominique et Françoise Roullet, 49320 Vauchrétien, tél. 02.41.91.24.00, fax 02.41.91.20.99 ☒ Y r.-v.

DOM. DE HAUTE-PERCHE 1997***

■ 16 ha 50 000 30 à 49 F

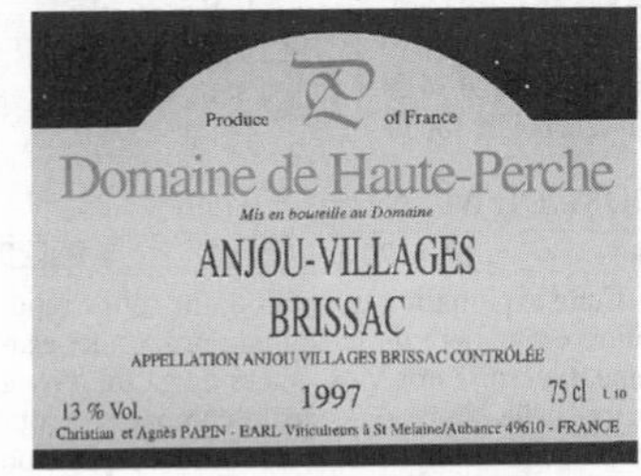

Christian et Agnès Papin mettent tout en œuvre pour élaborer des vins rouges de haut niveau : maîtrise de la charge, recherche d'une hauteur de feuillage optimale, appréciation et suivi de la maturité parcelle par parcelle. Et le résultat est là, étonnant ! Robe rubis intense, arômes puissants et complexes, bouche ample, souple, avec une finale de fruits rouges concentrés, grandiose. Et s'il s'agissait d'une bouteille faisant partie de la famille des grands vins rouges français ? Avis aux connaisseurs.
EARL Agnès et Christian Papin, 9, chem. de la Godelière, 49610 Saint-Melaine-sur-Aubance, tél. 02.41.57.75.65, fax 02.41.57.75.42 ☒ Y r.-v.

DOM. DE LA BOURRELIERE 1997*

■ 6 ha 4 000 30 à 49 F

Exploitation de 16 ha est située sur la commune de Mûrs-Erigné où 600 soldats républicains furent précipités dans le Louet du haut de la roche de Mûrs en 1793 par les Vendéens de Renée Bordereau. Ce vin est bien dans le type de l'appellation, même s'il a été jugé légèrement rustique. Les tanins s'assoupliront au vieillissement. A attendre au moins deux ans.
Jolly Frères, La Bourrelière, 49610 Mûrs-Erigné, tél. 02.41.57.76.76, fax 02.41.57.87.36 ☒ Y r.-v.

LOIRE

CH. LA VARIERE La Chevalerie 1997*

■ 4 ha 15 000 (D) 30 à 49 F

L'amateur doit savoir que les vins rouges du château La Varière ont un style particulier dû à la recherche d'une matière première « optimum » puis à l'élevage en barrique. Ce 97 entre en scène dans une robe intense accompagnée d'arômes de fruits noirs compotés et de notes grillées ; la bouche ample, encore boisée le jour de la dégustation, révèle un vin d'une haute tenue.

Jacques Beaujeau, Ch. La Varière, 49320 Brissac-Quincé, tél. 02.41.91.22.64, fax 02.41.91.23.64 ☑ Y r.-v.

LES ANDEGAVES 1997**

■ 12 ha 25 000 ▮ ↓ 30 à 49 F

Les caves de la Loire, implantées sur la commune de Brissac, ont joué pleinement la carte de l'appellation anjou-villages-brissac reconnue en 1996. Bien leur en a pris car ce vin a été jugé remarquable par son intensité et sa délicatesse aromatique : les notes de fruits rouges, de fruits noirs, d'épices, s'égrènent. Une bouche harmonieuse, souple, presque légère pour ce type de vin, permet de boire cette bouteille dès à présent.

Les Caves de la Loire, rte de Vauchrétien, 49320 Brissac, tél. 02.41.91.22.71, fax 02.41.54.20.36 ☑ Y t.l.j. sf sam. dim. 8h-12h30 14h-18h30

DOM. DE MONTGILET 1997*

■ 4,57 ha 24 067 ▮ 30 à 49 F

Cette exploitation qui jouit d'une solide réputation en matière de vins liquoreux se met également à croire aux vins rouges de garde. Voyez la très belle structure - encore compacte le jour de la dégustation - de ce 97 dont l'expression aromatique, qui se révèle peu à peu, est intense en finale. Il faudra attendre cette bouteille plusieurs années (au minimum trois) pour qu'il révèle tout son potentiel.

Victor et Vincent Lebreton, Dom. de Montgilet, 49610 Juigné-sur-Loire, tél. 02.41.91.90.48, fax 02.41.54.64.25 ☑ Y t.l.j. sf dim. 9h-12h 14h-19h

DOM. RICHOU Vieilles vignes 1997

■ 6 ha 30 000 ▮ (D) 30 à 49 F

Henri Richou a été sans doute le père fondateur des appellations anjou-villages et anjou-villages-brissac. Un nom de famille intimement associé à l'histoire des vins rouges de l'Anjou. Celui-ci a été jugé presque « rustique » le jour de la dégustation tant il a de matière mais il saura évoluer au vieillissement. Quelques notes végétales à l'olfaction. A attendre au minimum deux ans.

Dom. Richou, Chauvigné, 49610 Mozé-sur-Louet, tél. 02.41.78.72.13, fax 02.41.78.76.05 ☑ Y r.-v.

DOM. DES ROCHELLES La Croix de Mission 1997***

■ n.c. 20 000 ▮ ↓ 50 à 69 F

Déguster La Croix de Mission du domaine des Rochelles est toujours un moment d'émotion. Sa robe rouge profond, ses arômes à la fois intenses et délicats de fruits noirs, de grillé, de sous-bois annoncent une bouche puissante qui laisse cependant une impression de légèreté et de finesse. Un vin aérien étonnant. La cuvée de base, puissante et harmonieuse, reçoit une étoile, pour le millésime **97** (30 à 49 F).

EARL J.-Y. A. Lebreton, Dom. des Rochelles, 49320 Saint-Jean-des-Mauvrets, tél. 02.41.91.92.07, fax 02.41.91.62.63 ☑ Y t.l.j. 9h-12h 14h-19h; f. 14 au 21 août

Rosé d'anjou

Avec ses 140 000 à 195 000 hl selon les années, c'est l'appellation d'anjou la plus importante par le volume. Après un fort succès à l'exportation, ce vin demi-sec se commercialise difficilement aujourd'hui. Le grolleau, principal cépage, autrefois conduit en gobelet, produisait des vins rosés, légers, appelés « rougets ». Il est de plus en plus vinifié en vin rouge léger, de table ou de pays.

CROIX DE LA VARENNE 1998

◢ n.c. n.c. -de 20 F

Domaine de 7 ha principalement orienté dans les années 70 vers la production de vins rosés et qui s'est diversifié depuis. Ce rosé d'anjou est le résultat d'une macération pelliculaire de douze heures et d'une fermentation à basse température. Plaisant et bien équilibré, il offre des arômes végétaux et des notes d'agrumes, à l'olfaction comme à la dégustation. Un vin qui laisse une impression de légèreté et d'équilibre.

SCEA Dom. Chupin, 8, rue de l'Eglise, 49380 Champ-sur-Layon, tél. 02.41.78.86.54, fax 02.41.78.61.73 Y r.-v.

SA Guy Saget

DOM. DES HAUTES OUCHES 1998

◢ 2 ha 3 000 ▮ ↓ 20 à 29 F

Le domaine des Hautes Ouches collectionne les récompenses sur l'ensemble de sa production. Le millésime 96 n'avait-il pas eu un coup de cœur dans cette appellation ? D'une belle couleur rose orangé soutenu, le 98 présentait le jour de la dégustation une expression aromatique masquée par des notes soufrées. Intense et harmonieux en bouche, il révèlera toutes ses qualités après quelques mois d'élevage et sera prêt à la date de parution du Guide.

EARL Joël et Jean-Louis Lhumeau, 9, rue Saint-Vincent, Linières, 49700 Brigné-sur-Layon, tél. 02.41.59.30.51, fax 02.41.59.31.75 ☑ Y r.-v.

DOM. DE LA PETITE CROIX 1998*

◢ 7 ha n.c. ▮ 20 à 29 F

Si ce domaine produit un des crus les plus réputés d'Anjou, le célèbre bonnezeaux, l'ensemble de ses vins méritent l'attention. Le jury a ainsi apprécié ce très beau rosé frais, riche et fruité, dont seule la robe suscite des réserves, certains membres du jury la trouvant trop soutenue. Les arômes végétaux, fruités et floraux se développent à l'aération. La bouche est puissante et équilibrée.

Alain Denechère, Dom. de La Petite Croix, 49380 Thouarcé, tél. 02.41.54.06.99, fax 02.41.54.06.99 r.-v.

CAVES DES PERRIERES 1998**

n.c. 300 000 20 à 29 F

Présidée par A. Lacheteau et spécialisée dans la production de vins effervescents, cette maison de négoce a produit un remarquable rosé. Avec sa robe rose intense, son nez de pêche, de poire, de framboise, de groseille, sa bouche équilibrée et aromatique, ce 98 a fière allure. Un vin léger, élégant, harmonieux.

SA Lacheteau, Z.I. de la Saulaie, 49700 Doué-la-Fontaine, tél. 02.41.59.26.26, fax 02.41.59.01.94, e-mail lacheteau@symphonie.fai.fr

Cabernet d'anjou

On trouve dans cette appellation d'excellents vins rosés demi-secs, issus des cépages cabernet franc et cabernet-sauvignon. A table, on les associe assez facilement, lorsqu'ils sont parfumés et servis frais, au melon en hors-d'œuvre, ou à certains desserts pas trop sucrés. En vieillissant, ils prennent une nuance tuilée et peuvent être bus à l'apéritif. La production a atteint 142 568 hl en 1998. C'est sur les faluns de la région de Tigné et dans le Layon que ces vins sont les plus réputés.

DOM. ASSERAY 1998**

13 ha 87 200 20 à 29 F

Exploitation traditionnelle de l'Aubance orientée vers la production des vins rosés (13 ha sont produits dans l'appellation cabernet d'anjou) et qui est en partenariat pour la vinification et la commercialisation avec la maison de négoce SA Joseph Verdier. Une véritable surprise que ce cabernet d'anjou friand et d'un équilibre superbe. Robe rose pâle, arômes caractéristiques du cépage cabernet (notes fruitées et végétales) associées à ceux d'une vinification à basse température (notes amyliques), bouche souple et persistante.

GAEC Asseray, La Raterie, 49320 Vauchrétien, tél. 02.41.40.22.50, fax 02.41.40.22.60

DOM. DES BLEUCES

Cuvée spéciale 1998*

5 ha 30 000 -de 20 F

Exploitation dont la cave est située sous un ancien moulin à vent qui domine la vallée du Layon. Rose saumoné, avec des arômes intenses de bonbon anglais et des notes végétales en finale, une bouche souple, assez légère dans l'ensemble, un vin bien équilibré.

Proffit-Longuet, Dom. des Bleuces, 49700 Concourson-sur-Layon, tél. 02.41.59.11.74, fax 02.41.59.97.64 t.l.j. sf dim. 8h30-12h 14h-18h

DOM. MICHEL BLOUIN 1998

1,6 ha 6 000 20 à 29 F

Propriété bien représentative du bas Layon et qui tient sa notoriété de ses vins liquoreux. Elaboré à partir d'une macération de vingt-quatre heures, d'une fermentation à température régulée et avec des levures indigènes, son cabernet d'anjou, frais, élégant montrant une légère astringence en finale, présente une robe rose vif, des arômes puissants de fruits rouges, notamment de framboise. La bouche fruitée offre un agréable petit côté acidulé. Sera prêt à boire en fin d'année.

Dom. Michel Blouin, 53, rue du Canal-de-Monsieur, 49190 Saint-Aubin-de-Luigné, tél. 02.41.78.33.53, fax 02.41.78.67.61 t.l.j. 8h30-12h30 13h30-19h30

DOM. DES DEUX ARCS 1998**

5 ha 8 000 20 à 29 F

Ce domaine s'est peu à peu spécialisé dans la viticulture. Et vu les résultats, on peut dire que c'est une chance. Quelle harmonie en bouche ! Et quelle étonnante expression aromatique (notes de fruits mûrs, de cassis, de fleurs) ! Un vin à la fois structuré et désaltérant qui correspond pleinement au type de l'appellation.

Michel Gazeau, 11, rue du 8-Mai-1945, 49540 Martigné-Briand, tél. 02.41.59.47.37, fax 02.41.59.49.72 r.-v.

DOM. DE GATINES 1998**

7 ha 35 000 20 à 29 F

Le cadastre de 1765 faisait déjà état du manoir et des terres de Gatines. Ce lieu deviendra presbytère avant de devenir la propriété du grand-père Dessevre. Un cabernet d'anjou tout en délicatesse et en équilibre. Robe rose orangée, arômes légers de fleurs et de fruits, bouche veloutée, souple, dominée par des notes fruitées. Un vin à boire dès à présent et qui peut être conservé quelques années.

EARL Dessevre, Dom. de Gatines, 12, rue de la Boulaie, 49540 Tigné, tél. 02.41.59.41.48, fax 02.41.59.94.44 r.-v.

DOM. GAUDARD 1998**

2,7 ha 13 000 30 à 49 F

Pierre Aguilas, président de la Fédération viticole de l'Anjou et du Saumurois, affirme toujours que le cabernet d'anjou est le vin d'appellation le plus original de l'Anjou. Le vin qu'il présente nous dit la même chose car son expression aromatique est étonnante, offrant des notes

LOIRE

de griotte et de fruits mûrs et donnent la sensation de croquer des petits fruits rouges. Un très beau produit, riche et équilibré, intense et délicat à la fois. Pour un apéritif haut en couleur.
☛Pierre Aguilas, Dom. Gaudard, rte de Saint-Aubin, 49290 Chaudefonds-sur-Layon, tél. 02.41.78.10.68, fax 02.41.78.67.72 ☑ ⛾ t.l.j. 9h-12h 14h-19h; dim. sur r.-v.

DOM. DE LA CROIX DES LOGES 1998★★

| | 6,5 ha | 30 000 | 🍾⬇ | 20 à 29 F |

Domaine de la Croix des Loges

Cabernet d'Anjou

APPELLATION CABERNET D'ANJOU CONTRÔLÉE

11 % vol   750 ml

s.c.e.a. BONNIN et FILS - 49540 MARTIGNÉ-BRIAND - FRANCE
MIS EN BOUTEILLE AU DOMAINE

Ce domaine de Martigné-Briand avait déjà obtenu un coup de cœur sur cette appellation l'année dernière ; il réitère l'exploit. Le jury de dégustation a été particulièrement sensible à l'expression aromatique de ce vin qui associe des notes de fruits blancs, de fruits noirs comme le cassis, de fleurs de genêt et une très belle harmonie en bouche laisse une sensation de fruits mûrs. Un porte-drapeau de l'appellation, sans aucun doute.
☛SCEA Bonnin et Fils, Dom. de La Croix des Loges, 49540 Martigné-Briand, tél. 02.41.59.43.58, fax 02.41.59.41.11 ☑ ⛾ r.-v.

VIGNOBLE DE L'ARCISON 1998★

| | 4 ha | n.c. | 🍾⬇ | 20 à 29 F |

Un 98 dominé par des notes de fruits rouges à l'olfaction et à la dégustation. Il donne le sentiment de croquer des fraises. Un vin puissant, bien représentatif de son appellation.
☛Damien Reulier, Vignoble de l'Arcison, Le Mesnil, 49380 Thouarcé, tél. 02.41.54.16.81, fax 02.41.54.31.12 ☑ ⛾ t.l.j. sf dim. 8h30-13h 14h-19h

LE LOGIS DU PRIEURE 1998★

| | 4,5 ha | 10 000 | 🍾⬇ | 20 à 29 F |

Vincent Jousset, arrivé sur le domaine en 1982, a su marquer de son empreinte une exploitation pourtant déjà bien établie de l'Anjou. Son vin est tout à fait représentatif de son appellation et de son cépage, le cabernet. Rose pâle, il offre des arômes délicats de fruits et de fleurs et une bouche friande, souple, se terminant par des notes de fruits rouges. Ce 98 sera à son apogée en fin d'année et pourra être conservé un an, peut-être même deux.
☛SCEA Jousset, Le Logis du Prieuré, 49700 Concourson-sur-Layon, tél. 02.41.59.11.22, fax 02.41.59.38.18 ☑ ⛾ t.l.j. sf dim. 9h-12h 14h-19h

DOM. OGEREAU 1998★

| | 3 ha | 10 000 | 🍾⬇ | 30 à 49 F |

Cette exploitation est régulièrement citée dans notre Guide. Son vin laisse une impression de fruits mûrs car il a été élaboré à partir de vendanges effectuées à une date optimale. Mais n'est-ce pas cela la signature de ce domaine ?
☛Vincent Ogereau, 44, rue de la Belle-Angevine, 49750 Saint-Lambert-du-Lattay, tél. 02.41.78.30.53, fax 02.41.78.43.55 ☑ ⛾ r.-v.

CH. DE PASSAVANT 1998★

| | 1 ha | 6 000 | 🍾⬇ | 20 à 29 F |

Les vignes qui ont donné ce vin ont une trentaine d'années et sont implantées sur un terroir argilo-limoneux développé sur schiste. Un 98 flatteur et bien équilibré dans une robe rose pâle limpide ; des arômes fruités et amyliques apparaissent à l'aération. Harmonieuse, la bouche laisse une impression de fruits frais. A servir sur des melons, des asperges ou sur une cuisine exotique.
☛SCEA David Lecomte, Ch. de Passavant, 49560 Passavant-sur-Layon, tél. 02.41.59.53.96, fax 02.41.59.57.91, e-mail passavant@wanadoo.fr ☑ ⛾ t.l.j. 9h-12h 14h-19h; sam. dim. sur r.-v.

DOM. PERCHER 1998

| | 3 ha | 5 000 | 🍾⬇ | 20 à 29 F |

Ce domaine bien représentatif du haut Layon compte environ 25 ha. Trop jeune, ce 98 doit être aéré pour révéler son joli potentiel. Très caractéristique de son appellation avec ses notes de fruits rouges et de fleurs, il sera très probablement beaucoup plus expressif en fin d'année.
☛Dom. Percher, Savonnières, 49700 Les Verchers-sur-Layon, tél. 02.41.59.76.29, fax 02.41.59.90.44 ☑ ⛾ t.l.j. sf sam. dim. 8h-12h 14h-18h

DOM. DU PETIT VAL 1998

| | 1 ha | 3 000 | 🍾⬇ | 20 à 29 F |

Domaine bien connu des amateurs et qui produit des vins liquoreux de la prestigieuse appellation bonnezeaux. Son cabernet laisse un sentiment d'harmonie et d'équilibre bien représentatif de l'Anjou. Robe rose intense, arômes puissants de fruits, bouche agréable, fraîche, se terminant comme un bonbon acidulé.
☛EARL Denis Goizil, Dom. du Petit Val, 49380 Chavagnes, tél. 02.41.54.31.14, fax 02.41.54.03.48 ☑ ⛾ r.-v.

CH. ROCHE-ROUSSEAU 1998★

| | 30 ha | n.c. | 🍾⬇ | 20 à 29 F |

Exploitation d'environ 30 ha du haut Layon. F. Regnard, le propriétaire, est un personnage haut en couleur et fait partie de la fameuse confrérie des Fins Gouziers. Une jolie robe brillante et saumonée, un nez bien typé, une bouche fraîche : le vin à déguster par une chaude soirée d'automne.
☛Regnard, Dom. de La Petite-Roche, 49310 Trémont, tél. 02.41.59.43.03

DOM. DES TRAHAN 1998★

◪ 5 ha 40 000 20 à 29 F

Le domaine des Trahan est situé au sud du vignoble de l'Anjou, dans le département des Deux-Sèvres - et sa réputation est bien établie sur l'ensemble du vignoble angevin. Ce vin est particulièrement intéressant par son expression aromatique, mélange de notes fruitées, florales et végétales. La bouche est d'un même niveau, intense et harmonieuse. De quoi en safisfaire plus d'un.

Dom. des Trahan, 2, rue des Genêts, 79290 Cersay, tél. 05.49.96.80.38, fax 05.49.96.37.23 r.-v.

Coteaux de l'aubance

La petite rivière Aubance est bordée de coteaux de schistes portant de vieilles vignes de chenin, dont on tire un vin blanc moelleux qui s'améliore en vieillissant. La production a atteint 4 660 hl en 1998. Cette appellation a choisi de limiter strictement ses rendements.

DOM. DE BABLUT Sélection 1997★

□ n.c. 30 000 50 à 69 F

Christophe Daviau est le président des coteaux de l'Aubance, région de l'Anjou qui a certainement le plus progressé ces dix dernières années. Ce vin a été élaboré à partir de vendanges strictement sélectionnées qui ont fermenté en barrique avec arrêt naturel de la fermentation. Un produit encore fermé le jour de la dégustation et qui, à l'aération, développe des arômes de vanille et de fruits exotiques. Très bel équilibre en bouche. Le lecteur aura très certainement une surprise de taille dans quelques mois. Sa cuvée **Vin Noble 97,** également élevée en fût, obtient une étoile (100 à 149 F).

SCEA Daviau, Bablut, 49320 Brissac-Quincé, tél. 02.41.91.22.59, fax 02.41.91.24.77 t.l.j. 9h-12h 14h-18h30; dim. sur r.-v.

DOM. ERIC BLANCHARD
Terres d'Allaume 1998

□ 4,41 ha 10 000 30 à 49 F

Domaine créé en 1992 à partir de plusieurs petites exploitations situées sur les coteaux bordant la Loire de Rochefort-sur-Loire à Mozé-sur-Louet. La recherche de vendanges bien mûres est évidente sur ce vin. La robe intense, les arômes concentrés, la bouche équilibrée avec en finale une sensation d'amertume assez forte montrent que ce 98 sera intéressant en fin d'année, mais il devrait avoir alors un tout autre visage.

Eric Blanchard, Le Perray-Chaud, 49610 Mozé-sur-Louet, tél. 02.41.45.76.15, fax 02.41.45.37.79 r.-v.

DOM. DES CHARBOTIERES
Clos de la Division 1997★★

□ n.c. 1 500 100 à 149 F

Paul-Hervé Vintrou, descendant d'une famille toulousaine de négociants en vin, a été élu meilleur sommelier du Sud-Ouest en 1988. Aujourd'hui, il conduit son vignoble en biodynamie. Son vin, par sa finesse et sa complexité, représente bien l'appellation des coteaux de l'aubance : robe or profond, arômes délicats de menthe, de tilleul et de fruits mûrs, bouche concentrée et fraîche. A recommander à l'apéritif ou sur du poisson en sauce.

Paul-Hervé Vintrou, Dom. des Charbotières, Clabeau, 49320 Saint-Jean-des-Mauvrets, tél. 02.41.91.22.87, fax 02.41.91.22.87 r.-v.

DOM. DE HAUTE PERCHE
Les Fontenelles 1997★

□ 3 ha 3 000 50 à 69 F

Exploitation bien connue qui a été récompensée par un coup de cœur dans l'appellation anjou-villages-brissac. Son coteaux de l'aubance offre une expression aromatique fermée au premier nez mais qui s'épanouit peu à peu à l'aération, délivrant des notes de miel que l'on retrouve tout au long de la dégustation jusqu'à une finale rappelant le pain grillé et les fruits exotiques. A attendre quelques années afin qu'il exprime tout son potentiel.

EARL Agnès et Christian Papin, 9, chem. de la Godelière, 49610 Saint-Melaine-sur-Aubance, tél. 02.41.57.75.65, fax 02.41.57.75.42 r.-v.

LES TROIS DEMOISELLES 1997★★

□ 3 ha 6 000 100 à 149 F

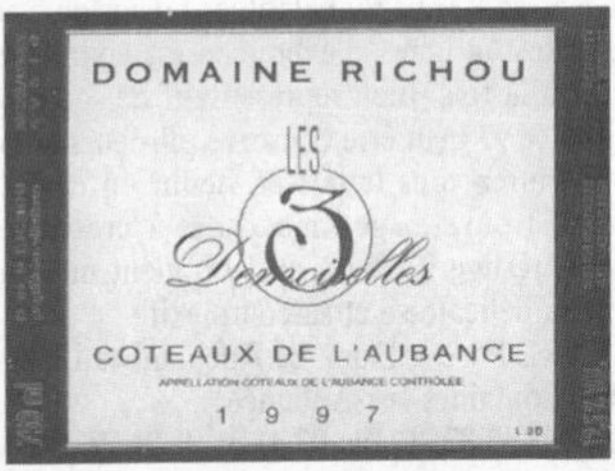

Henri Richou a donné ses lettres de noblesse à l'exploitation et à l'ensemble du vignoble angevin en matière de vins rouges. Ses fils sont sur la même lancée avec une maîtrise toute particulière des vins liquoreux (obtention l'année dernière également d'un coup de cœur). Ce coteaux de l'aubance laisse un sentiment d'équilibre et d'harmonie : robe jaune d'or, arômes de fruits confits s'associant à des notes boisées, bouche fraîche et riche avec une finale de fruits mûrs. Ce 97 a le charme des grands vins de cette région septentrionale du val de Loire.

Dom. Richou, Chauvigné, 49610 Mozé-sur-Louet, tél. 02.41.78.72.13, fax 02.41.78.76.05 r.-v.

DOM. DE MONTGILET
Le Tertereaux 1997★★★

☐ 8,77 ha 3 560 150 à 199 F

Victor et Vincent Lebreton ne s'en cachent pas : ils ont parié sur la production de grands liquoreux, et la dégustation des coteaux de l'aubance leur donne raison. « Quelle matière ! », pourrait-on s'exclamer après avoir goûté cette cuvée de Tertereaux. Robe jaune orangé, arômes très concentrés de miel, de fruits confits, de citron ; bouche opulente et parfaitement équilibrée : un vin exceptionnel, prêt à boire et qui pourra être conservé plusieurs décennies. Mais qui pourra attendre ?

Victor et Vincent Lebreton, Dom. de Montgilet, 49610 Juigné-sur-Loire, tél. 02.41.91.90.48, fax 02.41.54.64.25 t.l.j. sf dim. 9h-12h 14h-19h

DOM. DE ROCHAMBEAU
Sélection grains nobles 1997★★

☐ 6 ha 4 000 70 à 99 F

Le domaine domine la vallée de l'Aubance. Cette cuvée, élaborée à partir de vendanges dont le degré naturel dépassait 17,5 °, se présente dans une robe jaune d'or, accompagnée d'arômes concentrés et frais rappelant les raisins de Corinthe et les agrumes. La bouche est complexe et légère à la fois. Bien représentatif de son appellation, ce 97 peut être conservé plusieurs années. Mais saurez-vous le laisser vieillir en cave tant vous le trouverez gourmand dès à présent ? La **cuvée Prestige 97** (50 à 69 F) obtient une étoile pour sa délicatesse et sa complexité.

EARL Forest, Dom. de Rochambeau, 49610 Soulaines-sur-Aubance, tél. 02.41.57.82.26, fax 02.41.57.82.26 r.-v.

DOM. DE SAINTE-ANNE 1998

☐ n.c. n.c. 30 à 49 F

Domaine exploité depuis six générations de père en fils. Le vignoble est situé sur l'une des croupes argilo-calcaire la plus élevée de Saint-Saturnin-sur-Loire. Agréable, bien fait et simple, un vin qui peut être bu en fin d'année pour ses arômes de fleurs blanches et de fruits, sa bouche légère et équilibrée.

EARL Brault, Dom. de Sainte-Anne, 49320 Brissac-Quincé, tél. 02.41.91.24.58, fax 02.41.91.25.87 t.l.j. sf dim. 9h-12h 14h-19h; sam. 9h-12h 14h-18h

Anjou-coteaux de la loire

L'appellation est réservée aux vins blancs issus du pinot de la Loire. Les volumes sont confidentiels (1 064 hl en 1998) par rapport à l'aire de production (une douzaine de communes), située uniquement sur les schistes et les calcaires de Montjean. Lorsqu'ils sont triés et qu'ils atteignent la surmaturité, ces vins se distinguent des coteaux du layon par une couleur plus verte. Ils sont généralement de type demi-sec. Dans cette région aussi, la reconversion du vignoble se fait peu à peu vers la production de vins rouges.

DOM. DU FRESCHE
Cuvée Vieille sève 1997★★

☐ 2 ha 9 000 30 à 49 F

A. Boré est le président de l'appellation anjou-coteaux de la loire, appellation peu connue il y a quelques années et qui prend aujourd'hui, grâce au travail de quelques exploitations, une place à part entière dans la famille des vins liquoreux d'Anjou. Quatre tries ont été nécessaires pour l'élaboration de cette cuvée à la robe jaune paille. Ses arômes de botrytisation (pourriture noble) s'accompagnent de notes d'ananas frais ; la bouche complexe et délicate promet une longue garde.

Dom. du Fresche, EARL Boré, 49620 La Pommeraye, tél. 02.41.77.74.63, fax 02.41.77.79.39 r.-v.

GILLES MUSSET ET SERGE ROULLIER Tris selectionnés 1997★★★

☐ 2 ha 4 000 50 à 69 F

Exploitation excellant dans la production des vins rouges et que l'on attendait sur les vins liquoreux. Le pas est franchi, et le résultat est étonnant avec ce 97 à la robe d'un jaune paille légèrement cuivré. On aime ses arômes de vendanges concentrées, avec ses notes de fruits secs, de fruits confits, de miel, et sa bouche onctueuse et délicate. Vin qualifié de grandiose par le jury de dégustation dont le seul regret était de ne pas connaître le nom du producteur et de ne pas pouvoir en acheter rapidement. A posséder absolument dans sa cave et à boire pendant cinquante ans !

🔑 Vignoble Musset-Roullier, Le Pélican, 49620 La Pommeraye, tél. 02.41.39.05.71, fax 02.41.77.75.76 ☑ 🍷 r.-v.

GILLES MUSSET ET SERGE ROULLIER
Tris sélectionnés Grains confits 1997★

☐ 2 ha 2 000 ▮▮ 🌡 100 à 149 F

Cette cuvée, contrairement à la précédente, a été élaborée en barrique. Elle présente une expression aromatique tout en finesse (arômes de fruits exotiques, de fleurs blanches, de cire d'abeille) et une bouche laissant un sentiment de légèreté et d'équilibre. Un vin prêt à boire et qui pourra se conserver plusieurs décennies. (bouteilles de 50 cl)

🔑 Vignoble Musset-Roullier, Le Pélican, 49620 La Pommeraye, tél. 02.41.39.05.71, fax 02.41.77.75.76 ☑ 🍷 r.-v.

CH. DE PUTILLE Clou du Pirouet 1998★★

☐ 3 ha 7 000 ▮ 🌡 30 à 49 F

Pascal Delaunay est le président du syndicat des vins rouges d'Anjou - mais il sait aussi ce que vin liquoreux veut dire ! Vendangés par tries, les raisins qui sont à l'origine de ce vin ont été récoltés à un degré naturel compris entre 16,5 ° et 18,5 °, ce qui est remarquable pour le millésime 98. Le vin est lui aussi remarquable par son expression aromatique caractéristique de la pourriture noble (notes de miel, d'orange et de cire) et par sa bouche racée. Une surprise pour l'année.

🔑 EARL Ch. de Putille, Pascal Delaunay, 49620 La Pommeraye, tél. 02.41.39.02.91, fax 02.41.39.03.45 ☑ 🍷 t.l.j. 8h-12h30 14h-19h30

Savennières

Ce sont des vins blancs de type sec, produits à partir du chenin, essentiellement sur la commune de Savennières. Les schistes et grès pourpres leur confèrent un caractère particulier, ce qui les a fait définir longtemps comme crus des coteaux de la Loire ; mais ils méritent d'occuper une place à part entière. Cette appellation devrait s'affirmer et se développer. Pleins de sève, un peu nerveux, ses vins vont à merveille sur les poissons cuisinés. La production du savennières et de ses crus coulée-de-serrant et roche-aux-moines atteint 3 078 hl en moyenne en 1998.

DOM. DES BAUMARD 1996★

☐ 9 ha 60 000 ▮ 🌡 50 à 69 F

Cette famille angevine établie à Rochefort-sur-Loire depuis 1634 a, la première, traversé la Loire en 1968 pour exploiter des savennières. Bien d'autres ont suivi cet exemple. Voici un vin agréable, bien fait et délicat. La bouche a de l'esprit et laisse une sensation de fruits mûrs bien présents. Une impression d'ensemble de légèreté bien représentative du millésime 96.

🔑 Florent Baumard, Dom. des Baumard, 8, rue de l'Abbaye, 49190 Rochefort-sur-Loire, tél. 02.41.78.70.03, fax 02.41.78.83.82 ☑ 🍷 r.-v.

CLOS DU GRAND HAME 1997★

☐ 4 ha 5 500 ▮ 🌡 30 à 49 F

M. et Mme Benon se sont reconvertis en 1991 et ont créé l'exploitation avec 4 ha à Savennières et 8 ha à Mozé-sur-Louet. Ce 97, puissant, s'harmonisera au vieillissement. Ses arômes sont très expressifs : on y trouve les fruits jaunes (mirabelle) et une sensation en finale de fruits macérés dans l'alcool. Un vin « chaud », en rapport avec le millésime particulièrement ensoleillé, et qui s'affirmera d'ici quelques années.

🔑 EARL Emile Benon, rte de la Lande-Epiré, 49170 Savennières, tél. 02.41.77.10.76, fax 02.41.77.10.07, e-mail earl.benon@wanadoo.fr ☑ 🍷 t.l.j. sf dim. 8h-12h 15h-19h; f. dernière semaine d'août

DOM. DU CLOSEL
Les Caillardières 1998★

☐ 4 ha 13 000 ▮ 🌡 50 à 69 F

La propriété du Closel a une longue histoire ; elle a abrité successivement les moines du monastère d'Angers vers 1450, les seigneurs de Serrant, la famille Wolsh et les Las Cases qui descendent du mémorialiste de Napoléon Ier. Les dames de Jessey gèrent aujourd'hui cette exploitation avec conviction, passion et panache. Cette sélection 98 est bien représentative du terroir de savennières et du millésime. Elle donne une impression de race et de légèreté. Des notes de fruits mûrs se mêlent aux arômes de fleurs blanches et d'aubépine.

🔑 EARL Mesdames de Jessey, Dom. du Closel, Les Vaults, 1, pl. du Mail, 49170 Savennières, tél. 02.41.72.81.00, fax 02.41.72.86.00, e-mail domaine.du.closel@wanadoo.fr ☑ 🍷 t.l.j. 9h-12h30 13h30-18h30; dim. sur r.-v.

DOM. DU CLOSEL Les Coulées 1997★

☐ n.c. 20 000 ▮▮ 🌡 50 à 69 F

La cuvée Les Coulées du millésime 97 est, elle aussi, typique de l'appellation : elle associe une impression de minéralité et d'austérité à une sensation de maturité et de plénitude, tel le paysage de ce terroir qui marie les couleurs froides des ardoises et la lumière chaleureuse des bords de Loire. Un vin caractérisé par des arômes de fleurs blanches, de terre et par des notes épanouies de miel, de fruits mûrs et d'agrumes.

🔑 EARL Mesdames de Jessey, Dom. du Closel, Les Vaults, 1, pl. du Mail, 49170 Savennières, tél. 02.41.72.81.00, fax 02.41.72.86.00, e-mail domaine.du.closel@wanadoo.fr ☑ 🍷 t.l.j. 9h-12h30 13h30-18h30; dim. sur r.-v.

DOM. DES FORGES
Clos des Mauriers 1997★★

☐ 1,5 ha 6 000 ▮▮ 🌡 50 à 69 F

Claude Branchereau est un viticulteur engagé au plan syndical (il est le président de l'AOC

LOIRE

coteaux du layon chaume). Il produit aussi des vins de haut niveau. Il y a quelque chose de mystérieux dans ce savennières, comparable au paysage austère de cette appellation avec ses roches sombres et ses toits d'ardoise. Mais il s'en dégage également un sentiment d'harmonie et de douceur que l'on retrouve dans la lumière des bords de Loire. Un vin secret et intense à la fois, bien représentatif des coteaux qui l'ont vu naître.

🔸 EARL Branchereau, Dom. des Forges, 49190 Saint-Aubin-de-Luigné, tél. 02.41.78.33.56, fax 02.41.78.67.51 ☑ ⵎ r.-v.
🔸 Branchereau

NICOLAS JOLY Le Petit Clos 1997

| ☐ | n.c. | n.c. | 70 à 99 F |

Cette sélection du Petit Clos est remarquable par sa couleur jaune pâle cristalline. Presque fermée en première olfaction, elle livre à l'aération des notes de fruits frais bien mûrs. Notez la sensation de fraîcheur d'ensemble.
🔸 Nicolas Joly, Ch. de La Roche-aux-Moines, 49170 Savennières, tél. 02.41.72.22.32, fax 02.41.72.28.68 ⵎ r.-v.

CH. DE LA BIZOLIERE 1997*

| ☐ | 5 ha | 10 000 | 50 à 69 F |

Vinifié par Pierre Soulez, produisant également les vins du château de Chamboureau, ce vin intense, puissant, s'harmonisera avec le temps. Ses arômes de fruits mûrs s'accompagnent de notes amyliques et florales. La bouche chaleureuse à la finale persistante confirme que ce 97 est à attendre quelques années.
🔸 EARL Pierre Soulez, Ch. de Chamboureau, 49170 Savennières, tél. 02.41.77.20.04, fax 02.41.77.27.78 ☑ ⵎ r.-v.

CH. LA FRANCHAIE
Cuvée Ambre et Or 1997**

| ☐ | 2 ha | n.c. | 70 à 99 F |

Cette cuvée Ambre et Or est le résultat de quatre tries de vendanges récoltées à un degré moyen de 22 °. Cela donne un vin liquoreux riche, intense, avec des notes de fruits compotés et de fruits secs. Un produit remarquable sans aucun doute, mais est-ce encore un savennières ?
🔸 SCEA Ch. La Franchaie, Dom. de La Franchaie, 49170 La Possonnière, tél. 02.41.39.18.16, fax 02.41.39.18.17 ☑ ⵎ r.-v.
🔸 Chaillou

DOM. DU PETIT METRIS
Clos de la Marche 1998**

| ☐ | 2 ha | n.c. | 30 à 49 F |

Le GAEC Joseph Renou réussit particulièrement les vins blancs, qu'ils soient secs ou liquoreux. Sans doute un secret de famille fondé sur la conduite des vignes et sur la sélection minutieuse des vendanges. Ce 98 offre une très belle expression d'ensemble avec des notes de fruits mûrs (vendanges riches) et une sensation de délicatesse. A l'olfaction, on trouve des notes de fleurs blanches et de fruits jaunes. Un vin « de matière » à attendre quelques années.
🔸 GAEC Joseph Renou et Fils, Le Grand Beauvais, 49190 Saint-Aubin-de-Luigné, tél. 02.41.78.33.33, fax 02.41.78.67.77 ☑ ⵎ r.-v.

CH. DE PLAISANCE 1998*

| ☐ | 2 ha | 5 000 | 30 à 49 F |

Le château de Plaisance semble être le gardien du site exceptionnel de cette langue de terre de Chaume. Et il est amusant de voir Guy Rochais, producteur de liquoreux avant tout, s'essayer aux vins blancs secs. Avec succès ! Robe jaune limpide, arômes de fruits secs et de brioche, bouche agréable, harmonieuse et laissant une sensation de noisette et de pâtisserie : ce vin bien vinifié et plaisant affirmera sa personnalité au vieillissement. Egalement dégusté, le millésime 97 obtient une étoile.
🔸 Guy Rochais, Ch. de Plaisance, 49190 Rochefort-sur-Loire, tél. 02.41.78.33.01, fax 02.41.78.67.52 ☑ ⵎ t.l.j. sf dim. 9h-12h 15h-18h

Savennières
roche-aux-moines,
savennières
coulée-de-serrant

Il est difficile de séparer ces deux crus qui ont pourtant reçu une codification particulière, tant ils sont proches en caractères et en qualité. La coulée de serrant, plus restreinte en surface (6,85 ha), est située de part et d'autre de la vallée du petit Serrant. La plus grande partie est en pente forte, d'exposition sud-ouest. Propriété en monopole de la famille Joly, cette appellation a atteint, tant par sa qualité que par son prix, la notoriété des grands crus de France. C'est après cinq ou dix ans que ses qualités s'épanouissent pleinement. La roche aux moines appartient à plusieurs propriétaires et couvre une surface de 19 ha déclarés (qui n'est pas totalement plantée) pour une production moyenne de 600 hl. Si elle est moins homogène que son homologue, on y trouve des cuvées qui n'ont cependant rien à lui envier.

Savennières roche-aux-moines

CH. DE CHAMBOUREAU
Cuvée d'Avant 1997★★

□ 5 ha 14 000 70 à 99 F

Le château de Chambouret, du XVᵉs., a été remanié au XVIIᵉs. Le bâtiment de caractère atteste l'ancienneté et la richesse du vignoble de Savennières. Ce vin sec et racé étonne par sa richesse aromatique : notes de fleurs, de brioche, de fruits mûrs et de fruits secs (pêche, poire, abricot sec). La légère sensation d'amertume en finale est typique de l'appellation. A servir sur du poisson, des crustacés ou des viandes blanches à la crème.

EARL Pierre Soulez, Ch. de Chamboureau, 49170 Savennières, tél. 02.41.77.20.04, fax 02.41.77.27.78 r.-v.

CH. DE CHAMBOUREAU
Chevalier Buhard 1997★★

□ 1 ha 2 000 100 à 149 F

Le vignoble de Savennières, situé sur la rive droite de la Loire avec un microclimat moins sec que le vignoble voisin du coteaux du Layon, produit essentiellement des vins secs. Cependant, les années exceptionnelles peuvent être à l'origine de vins moelleux, le plus souvent remarquables. Voyez celui-ci : robe or jaune, arômes de noisette, de miel et de tilleul, bouche complexe, riche et pourtant légère, fraîche. Un 97 étonnant qui décline la délicatesse et l'originalité de son terroir dans le cadre d'une année très ensoleillée. Une curiosité.

EARL Pierre Soulez, Ch. de Chamboureau, 49170 Savennières, tél. 02.41.77.20.04, fax 02.41.77.27.78 r.-v.

NICOLAS JOLY Clos de la Bergerie 1997★

□ n.c. n.c. 100 à 149 F

Ce vin est l'image idéale du paysage qui l'a vu naître. Son austérité qui, à l'aération, fait place à une impression de tendresse et d'équilibre, est bien l'expression de ces terres caillouteuses et sombres baignées par la douce luminosité de la Loire. Pour les amateurs de vins de caractère.

Nicolas Joly, Ch. de La Roche-aux-Moines, 49170 Savennières, tél. 02.41.72.22.32, fax 02.41.72.28.68 r.-v.

DOM. AUX MOINES 1997★★

□ 9 ha 31 000 50 à 69 F

Les bâtiments du domaine étaient propriété des moines et ont été vendus à la Révolution, en 1793, comme bien national. Depuis, plusieurs propriétaires se sont succédé sur l'exploitation, dont la famille Benz en 1928. Ce vin ne se dévoile pas immédiatement mais, peu à peu, exprime sa véritable nature et sa très belle complexité aromatique avec des notes de fleurs blanches, de genêt, d'amande amère, de miel et de fruits confits. Il est de grande race en bouche, associant austérité et douceur, caractère exemplaire de cette appellation. Le **96**, également dégusté, a été récolté bien mûr. Il reçoit une étoile.

SCI Mme Laroche, La Roche-aux-Moines, 49170 Savennières, tél. 02.41.72.21.33, fax 02.41.72.86.55 r.-v.

Savennières coulée-de-serrant

NICOLAS JOLY 1997★★

□ 6,85 ha n.c. 200 à 249 F

Nicolas Joly a pris le chemin de la biodynamie, ce qui n'est pas simple dans nos temps cartésiens. Un engagement qui correspond à un art de vivre et qui s'appuie sur une solide observation de la nature. La coulée de serrant de 1997 a des arômes d'évolution faisant penser à la noix, aux bois d'ébénisterie, aux fruits mûrs capiteux. Grande chaleur à l'olfaction et à la dégustation, notamment en finale. Un vin qui ne peut laisser indifférent et qui a un caractère envoûtant.

Nicolas Joly, Ch. de La Roche-aux-Moines, 49170 Savennières, tél. 02.41.72.22.32, fax 02.41.72.28.68 r.-v.

Coteaux du layon

Sur les coteaux des vingt-cinq communes qui bordent le Layon, de Nueil à Chalonnes, on a produit en 1998, 52 772 hl de vins demi-secs, moelleux ou liquoreux. Le chenin est le seul cépage. Plusieurs villages sont réputés : le plus connu est celui de Chaume, avec 2 383 hl produits sur 78 ha. Six autres noms peuvent être ajoutés à l'appellation : Rochefort-sur-Loire, Saint-Aubin-de-Luigné, Saint-Lambert-du-Lattay, Beaulieu-sur-Layon, Rablay-sur-Layon, Faye-d'Anjou. Vins subtils, or vert à Concourson, plus jaunes et plus puissants en aval, ils présentent des arômes de miel et d'acacia acquis lors de la surmaturation. Leur capacité de vieillissement est étonnante.

LOIRE

DOM. D'AMBINOS

Beaulieu Sélection de grains nobles 1997★★★

□ 11 ha 4 500 (II) 100 à 149 F

Le domaine d'Ambinos donne toujours de véritables surprises en matière de vins liquoreux. Celle offerte par ce vin est de taille. Il est vrai qu'il a été élaboré à partir de cinq passages dans la vigne et que l'élevage a eu lieu en barrique de trois et cinq ans pendant plus d'une année. Ses arômes de fleurs, de miel, de fruits confits et de fruits secs, sa bouche ample, puissante, caractéristique d'une vendange botrytisée, sont exceptionnels. Indispensable dans la cave pour les amateurs des coteaux du layon.

⊶ Jean-Pierre Chéné, 3, imp. des Jardins, 49750 Beaulieu-sur-Layon, tél. 02.41.78.48.09, fax 02.41.78.61.72 ☑ Y r.-v.

DOM. CHARLES BEDUNEAU

Saint-Lambert 1997

□ 8 ha 4 000 50 à 69 F

Exploitation familiale d'une vingtaine d'hectares créée en 1958. Agréable et facile, ce 97 fera plaisir par ses arômes floraux et délicats, son équilibre et son harmonie.

⊶ Dom. Charles Béduneau, 18, rue Rabelais, 49750 Saint-Lambert-du-Lattay, tél. 02.41.78.30.86, fax 02.41.74.01.46 ☑ Y r.-v.

CH. DE BELLEVUE 1997★

□ 1 ha 3 000 (II) 30 à 49 F

Le château est situé sur les hauts de coteaux de Saint-Aubin-de-Luigné, tout près du relais de télévision ! Depuis 1995, Jean-Paul Tijou et son fils Hervé se sont associés. Leur 97 habillé d'or est muet au premier nez, puis il développe à l'aération des notes de vanille et de coing. La bouche, puissante, est encore dominée par son élevage en fût et ses arômes trop marqués de vanille. Ce vin s'affinera après une garde de quelques années.

⊶ EARL Tijou et Fils, Ch. de Bellevue, 49190 Saint-Aubin-de-Luigné, tél. 02.41.78.33.11, fax 02.41.78.67.84 ☑ Y r.-v.

CH. DE BOIS-BRINCON

Faye d'Anjou 1997★★

□ n.c. n.c. (II) 70 à 99 F

Ce vignoble est sans doute l'un des plus anciens domaines angevins puisque son origine remonte à 1219. Xavier Cailleau, par son sérieux, lui donne une réputation nouvelle. Dans une très belle robe or paille, ce faye offre une expression aromatique intense rappelant les fleurs, le miel, la vanille et les fruits mûrs. Sa bouche est étonnamment délicate et harmonieuse. La matière première de départ était exceptionnelle pour le millésime et la vinification a été particulièrement bien réussie.

⊶ Xavier Cailleau, Le Bois Brinçon, 49320 Blaison-Gohier, tél. 02.41.57.19.62, fax 02.41.57.10.46 Y r.-v.

CH. DU BREUIL

Beaulieu Orantium Vignes centenaires 1997★

□ 4 ha 2 000 (II) 100 à 149 F

M. Morgat a le souci de la collectivité vigneronne. Après avoir été le président des coteaux du layon suivis d'un nom de commune, il occupe aujourd'hui la présidence du comité interprofessionnel. Ce vin a été vinifié et élevé vingt mois en barrique : le caractère boisé domine encore la dégustation mais se « civilisera » très vite. En effet, déjà apparaissent les notes caractéristiques d'une vendange récoltée à surmaturité (arômes de fleurs et de fruits confits). Une très belle matière d'ensemble pour ce coteaux du layon dont la longévité sera de plusieurs décennies.

⊶ Ch. du Breuil, 49750 Beaulieu-sur-Layon, tél. 02.41.78.32.54, fax 02.41.78.30.03 ☑ Y r.-v.

⊶ Morgat

CH. DE BROSSAY

Sélection de grain noble 1997★

□ 5 ha n.c. (II) 70 à 99 F

En quelques années, le château de Brossay est devenu une référence des vins de l'Anjou et plus particulièrement des vins liquoreux. Celui-ci est un classique de l'appellation : l'or l'habille. Ses arômes de fruits secs et de fruits confits, caractéristiques des vendanges récoltées à surmaturité, et sa bouche ample, puissante et fraîche, donnent une belle harmonie d'ensemble. Les **Vieilles vignes 98** reçoivent une étoile. Ample, aromatique, ce vin séduira en fin d'année. (30 à 49 F)

⊶ Raymond et Hubert Deffois, Ch. de Brossay, 49560 Cléré-sur-Layon, tél. 02.41.59.59.95, fax 02.41.59.58.81 ☑ Y t.l.j. sf dim. 8h-12h30 14h-19h

DOM. CADY

Saint-Aubin Cuvée Volupté Grains nobles 1997★★

□ 8 ha 8 000 100 à 149 F

Les vignes de ce domaine sont implantées sur de grands terroirs. Cette cuvée du millésime 1997 a été élaborée à partir de vendanges dont la richesse naturelle dépassait 17,5 °. Le résultat est étonnant, envoûtant : la robe jaune est légèrement ambrée ; les arômes sont complexes et délicats avec notamment des notes de fruits confits et de fruits exotiques. Il s'agit d'un très grand vin, opulent et puissant, qu'il faudra essayer de conserver quelque temps ; mais qui en aura le courage ? (bouteilles de 50 cl). La cuvée **Les Varennes 98 en Saint-Aubin** obtient une étoile. Les fruits très mûrs et les fruits secs se retrouvent au nez comme en bouche. (50 à 69 F)

⊶ EARL Dom. Cady, Valette, 49190 Saint-Aubin-de-Luigné, tél. 02.41.78.33.69, fax 02.41.78.67.79 ☑ Y t.l.j. sf dim. 9h-12h30 14h-19h

DOM. PIERRE CHAUVIN
Rablay Sélection de grains nobles 1997**

□ 9 ha 3 200 70 à 99 F

Elaborée à partir de vendanges récoltées à plus de 17,5 °, cette sélection se présente dans une robe or soutenu, avec des arômes d'orange confite. Sa bouche, intense, concentrée, laisse une impression de richesse. Doté d'une belle finale rappelant les abricots secs, ce vin remarquable exprime pleinement le paysage qui l'a vu naître. En **Rablay, la Sélection Vieilles vignes 97** reçoit une étoile. C'est un grand vin de garde. (50 à 69 F)

Dom. Pierre Chauvin, 45, Grande-Rue, 49750 Rablay-sur-Layon, tél. 02.41.78.32.76, fax 02.41.78.22.55 ☒ Y r.-v.

CHUPIN PRESTIGE 1997*

□ 2 ha 8 000 70 à 99 F

Cette vaste exploitation de Champ-sur-Layon (70 ha de vignes) fait un effort particulier sur les vins liquoreux par une sélection stricte des vendanges (cinq passages dans les vignes) et une vinification en barrique. Cela donne un coteaux du layon plaisant, facile et agréable. Les arômes exubérants rappellent les fruits exotiques et les fruits mûrs, alors que délicatesse et légèreté caractérisent la bouche. Bien vinifié. (bouteilles de 50 cl)

Guy Saget, SCEA Dom. Chupin, 8, rue de l'Eglise, 49380 Champ-sur-Layon, tél. 02.41.78.86.54, fax 02.41.78.61.73 ☒ Y r.-v.

CLOS DES COCUS Faye 1997**

□ 1,15 ha 2 500 100 à 149 F

Exploitation formée de l'association de deux domaines et qui compte environ 76 ha de vigne. Cette sélection a un renom particulier, allez savoir pourquoi ! Elle a été élaborée à partir de vendanges correspondant à des deuxièmes tries qui ont fermenté lentement jusqu'à la fin du mois de janvier et qui ont été élevées trois mois en barrique. Or paille intense, elle a des arômes de cire et de fruits mûrs. La bouche puissante, majestueuse, possède de quoi ravir tout le palais !

Robin-Bretault, Ch. du Fresne, 49380 Faye-d'Anjou, tél. 02.41.54.30.88, fax 02.41.54.17.52 ☒ Y r.-v.

CLOS DU CLOCHET Rochefort 1997*

□ 2 ha 3 000 70 à 99 F

Jean-Louis Robin a beaucoup fait évoluer les coteaux du layon en étant l'instigateur de nombreuses réformes qui ont été à la base du renouveau de ce vignoble. Ses vins ont d'ailleurs montré l'exemple. Celui-ci est bien représentatif de son millésime : jaune paille intense, il offre des arômes caractéristiques d'une vendange récoltée à un stade de surmaturation. La bouche ample laisse la sensation d'avoir croqué des fruits confits. Un coteaux du layon Rochefort pouvant être bu dès à présent ou conservé pendant plusieurs années.

Jean-Louis Robin-Diot, Les Hauts-Perrays, 49290 Chaudefonds-sur-Layon, tél. 02.41.78.68.29, fax 02.41.78.67.62, e-mail robin.diot@wanadoo.fr ☒ Y r.-v.

DOM. COUSIN LEDUC
Vendanges tardives 1997***

□ 2 ha 1 500 70 à 99 F

Olivier Cousin, en aventurier averti, s'est lancé dans la reconversion du vignoble de son grand-père. Son pari est incontestablement gagné. La dégustation de la sélection 97 n'a reçu que des commentaires élogieux : robe or soutenu, arômes complexes de fruits mûrs, de noix et notes de vin évoluées (vieux rhum), bouche caractéristique par sa finesse et par la richesse des vendanges récoltées à surmaturité. Une matière première exceptionnelle qui réjouira les amateurs de vins concentrés.

Olivier Cousin, 7, rue du Colonel-Panaget, 49540 Martigné-Briand, tél. 02.41.59.49.09, fax 02.41.59.69.83, e-mail ocousin@wanadoo.fr ☒ Y r.-v.

DOM. DULOQUET
Cuvée Les Carbonifères Sélection de grains nobles 1997**

□ 4 ha 1 750 70 à 99 F

Exploitation qui a changé d'orientation depuis sa création par le grand-père : choix de la vente directe en 1962, construction du chai en 1973, équipé en cuverie inox en 1978, et volonté de produire des vins de caractère avec l'arrivée en 1995 du petit-fils, Hervé. Un pari réussi, témoin cette sélection provenant de schistes carbonifères. Jaune à reflets verts, le vin a des arômes de cire et de miel, une bouche caractéristique par sa finesse et la richesse des vendanges récoltées à surmaturité. Un coteaux du layon concentré et délicat dont la longévité sera de plusieurs décennies.

Hervé Duloquet, Les Mousseaux, 49700 Les Verchers-sur-Layon, tél. 02.41.59.17.62, fax 02.41.59.37.53 ☒ Y r.-v.

DOM. DULOQUET
Cuvée Quintessence Adrien 1997***

□ 4 ha 1 000 150 à 199 F

Une approche de l'exceptionnel avec cette cuvée Quintessence : une robe d'or, des arômes de miel et de coing typiques de vendanges botrytisées (ou surmûries par l'action de la pourriture noble) ; une bouche puissante qui donne l'impression de croquer dans des fruits surmûris et confits, tels le coing, l'ananas, le fruit de la passion... Pour un plaisir intense et raffiné.

Hervé Duloquet, Les Mousseaux, 49700 Les Verchers-sur-Layon, tél. 02.41.59.17.62, fax 02.41.59.37.53 ☒ Y r.-v.

DOM. DES EPINAUDIERES
Saint-Lambert 1997**

□ 1 ha 3 000 30 à 49 F

Exploitation bien connue des amateurs des vins d'Anjou et qui brille par l'ensemble de sa production. Ce 97 paraît, en première impression, assez discret mais révèle très vite un grand potentiel. Concentré, intense, dominé par des notes de fruits confits et de fruits exotiques, il offre une finale superbe où se retrouve toute une gamme aromatique faisant penser à une corbeille de fruits.

➤SCEA Fardeau, Sainte-Foy, 49750 Saint-Lambert-du-Lattay, tél. 02.41.78.35.68, fax 02.41.78.35.50 ☑ ꙮ r.-v.

DOM. DES EPINAUDIERES
Saint-Lambert Cuvée Clément 1997★★★

| ☐ | 1 ha | 2 000 | ꙮ | 70 à 99 F |

La cuvée Clément a été élaborée à partir d'une macération pelliculaire de vingt-quatre heures, suivie d'une fermentation très lente en barrique et d'un élevage dans ces mêmes barriques. D'emblée elle séduit par sa robe vieil or et son nez très soutenu, puissant et délicat à la fois, caractéristique de vendanges récoltées à surmaturité. La bouche associe de manière étonnante la fraîcheur et des notes de fruits concentrés. Autant de caractères qui sont la signature des grands vins liquoreux du val de Loire !
➤SCEA Fardeau, Sainte-Foy, 49750 Saint-Lambert-du-Lattay, tél. 02.41.78.35.68, fax 02.41.78.35.50 ☑ ꙮ r.-v.

DOM. DES FORGES
Chaume Les Onnis 1998★★

| ☐ | 1,5 ha | 4 000 | ꙮ | 70 à 99 F |

Claude Branchereau est le président engagé du syndicat de l'AOC coteaux du layon Chaume. Son combat : la reconnaissance d'un cru sur ce site exceptionnel des coteaux du Layon ! Il propose un très beau vin pour le millésime 98 : robe jaune orangé, arômes de sous-bois humide et de fruits confits, bouche concentrée avec une finale amère caractéristique de l'appellation. Le **Sélection de grains nobles Chaume 1997**, jugé également remarquable par le jury de dégustation, étonne par son intensité, sa concentration et son harmonie. Deux vins qui donnent une bonne image de ce grand terroir de Chaume.
➤EARL Branchereau, Dom. des Forges, 49190 Saint-Aubin-de-Luigné, tél. 02.41.78.33.56, fax 02.41.78.67.51 ☑ ꙮ r.-v.

DOM. DES FORGES
Saint-Aubin Sélection de grains nobles 1997★★

| ☐ | 10 ha | 2 000 | ꙮ | 200 à 249 F |

Si Claude Branchereau défend avec détermination le dossier « Chaume », il est avant tout l'homme des grands liquoreux élaborés sur des terroirs de haut niveau à l'aide de techniques strictes de production. Encore une sélection jugée remarquable par sa concentration et sa finesse étonnante. L'expression aromatique est envoûtante.
➤EARL Branchereau, Dom. des Forges, 49190 Saint-Aubin-de-Luigné, tél. 02.41.78.33.56, fax 02.41.78.67.51 ☑ ꙮ r.-v.

DOM. GROSSET Rochefort Acacia 1997

| ☐ | 1 ha | n.c. | | 100 à 149 F |

Ce vignoble traditionnel travaille « à l'ancienne » ses vignes et ses vinifications. Aussi ses vins ont-ils un cachet particulier et s'épanouissent-ils tranquillement avec le temps. Cette sélection se « civilisera » d'ici quelques années ; sa matière est encore un peu dissociée aujourd'hui. Les notes aromatiques sont celles d'une vendange récoltée à surmaturité avec une touche originale de banane mûre (olfaction et dégustation). A attendre donc de un à trois ans.

➤Serge Grosset, 60, rue René-Gasnier, 49190 Rochefort-sur-Loire, tél. 02.41.78.78.67, fax 02.41.78.79.79 ☑ ꙮ t.l.j. sf dim. 9h-12h 14h-19h; groupes sur r.-v.

DOM. DE JUCHEPIE
Faye La Quintessence 1996

| ☐ | 2 ha | 1 500 | ꙮ | 150 à 199 F |

Les propriétaires exploitants, de nationalité belge, sont d'anciens quincaillers reconvertis dans la viticulture. La robe de ce 96, or intense, est déjà un plaisir en soi. Les arômes puissants rappellent la cire. Agréable en attaque, la bouche laisse en finale une sensation asséchante à relier à un passage en bois ayant marqué le vin de façon excessive. A attendre quelques années.
➤Oosterlinck-Bracke, Dom. de Juchepie, 49380 Faye-d'Anjou, tél. 02.41.54.33.47, fax 02.41.54.13.49 ☑ ꙮ r.-v.

DOM. DE LA BELLE ANGEVINE
Saint-Lambert Bonnes Blanches 1997★

| ☐ | 1,5 ha | 4 000 | ꙮ | 50 à 69 F |

Propriété constituée en 1993 par le regroupement de deux vignobles, l'un situé à Beaulieu, l'autre à Saint-Lambert-du-Lattay. Elle propose une cuvée d'une belle typicité. La robe jaune pâle brille de reflets verts, ses arômes intenses allient les notes minérales, les fleurs blanches et les fruits mûrs. La bouche est structurée, avec cette petite note acidulée qui équilibre et rafraîchit sa puissance. Un vin à attendre.
➤Florence Dufour, Dom. de La Belle Angevine, 49750 Saint-Lambert-du-Lattay, tél. 02.41.78.34.86, fax 02.41.72.81.58, e-mail fldufour@clubinternet.fr ☑ ꙮ r.-v.

DOM. DE LA BERGERIE
Cuvée Fragrance 1997★★★

| ☐ | 2 ha | 4 000 | ꙮ | 100 à 149 F |

Ce 97 se présente dans une robe or intense, avec des arômes caractéristiques de vendanges atteintes par la pourriture noble : la bouche est à la fois ample, délicate, complexe, et donne la sensation de croquer toute une gamme de fruits mûrs, de fruits secs et de fruits confits. Un superbe équilibre d'ensemble associe fraîcheur et douceur, finesse et richesse.
➤Yves Guégniard, Dom. de La Bergerie, 49380 Champ-sur-Layon, tél. 02.41.78.85.43, fax 02.41.78.60.13 ☑ ꙮ t.l.j. sf dim. 9h-12h30 14h-19h

DOM. DE LA BOUGRIE
Cuvée Privilège 1997★

| ☐ | 2 ha | 3 000 | ꙮ | 50 à 69 F |

Domaine de 30 ha situé au cœur des coteaux du Layon et principalement orienté vers la production de vins rouges et rosés. Ce coteaux du layon a été vinifié et élevé en barrique. Sa robe jaune pâle offre des reflets or ; ses arômes légers et délicats rappellent les fleurs blanches, les fruits exotiques et les fruits blancs (poire, pomme). Equilibrée, la bouche associe sensations de fraîcheur et de richesse. Ce vin, à servir dès à présent, peut également être conservé plusieurs années.
➤EARL Goujon, Dom. de La Bougrie, 49380 Champ-sur-Layon, tél. 02.41.78.86.21, fax 02.41.78.84.45 ☑ ꙮ r.-v.

CH. DE LA GENAISERIE
Saint-Aubin Les Simonnelles Sélection de grains nobles 1997★★★

☐ 1,5 ha 5 000 70 à 99 F

Le château de La Genaiserie a ses *aficionados* en matière de vins liquoreux. Il est vrai qu'il y a là un grand terroir (et particulièrement cette sélection des Simonnelles, née sur poudingue du carbonifère à mi-coteau), et que son propriétaire, Yves Soulez, a du talent. L'or scintille dans le verre, et le nez est comblé par les arômes intenses liés à une vendange surmûrie. Complexe et délicat, ce vin aura une durée de vie exceptionnelle et fera du dégustateur non averti un fervent défenseur des vins de ce domaine.

Yves Soulez, SC Ch. de La Genaiserie, 49190 Saint-Aubin-de-Luigné, tél. 02.41.78.33.22, fax 02.41.78.67.78 r.-v.

CH. DE LA GUIMONIERE
Chaume Les Julines 1997★★

☐ 13,5 ha 20 000 100 à 149 F

Bernard Germain et ses associés ont repris l'exploitation de Gaston Lenôtre, le célèbre pâtissier parisien qui avait regroupé trois grands domaines angevins. Le château de La Guimonière et son vignoble sont situés sur les hauts du coteau de Chaume. Ce vin est remarquable par son expression aromatique, donnant la sensation d'être devant une corbeille de fruits très mûrs. La bouche, riche de notes exotiques, de banane et d'agrumes, possède une belle structure. Grande harmonie d'ensemble.

Vignobles Germain et Associés Loire, Ch. de Fesles, 49380 Thouarcé, tél. 02.41.68.94.00, fax 02.41.68.94.01, e-mail loire@vgas.com r.-v.

Bernard Germain

CH.DE LA MULONNIERE
Beaulieu 1997★★

☐ 5 ha 12 000 70 à 99 F

Peu connu il y a quelques années, le château de La Mulonnière impose son style aujourd'hui avec l'arrivée de B. Marchal-Grossat. Un travail de fond a été entrepris et donne des résultats très prometteurs. Derrière une robe jaune paille doré, le nez de ce 97 offre des notes intenses de fleurs, de miel et de fruits confits. La bouche majestueuse et délicate laisse une finale de confiture d'oranges caractéristique de vendanges atteintes par la pourriture noble. A acheter sans hésiter.

SCEA B. Marchal-Grossat, Ch. de La Mulonnière, 49750 Beaulieu-sur-Layon, tél. 02.41.78.47.52, fax 02.41.78.63.63 r.-v.

DOM. DE LA POTERIE Chaume 1998★

☐ 0,5 ha 1 000 70 à 99 F

Guillaume Mordacq est un homme du Nord installé en Anjou en 1996. Il exploite 12 ha, en partenariat avec des vignerons confirmés de la région. Son Chaume était difficile à juger à sa juste valeur le jour de la dégustation (21 avril 1999), car il était encore dominé par son élevage en barrique. Il montre une belle harmonie d'ensemble cependant, une concentration intéressante pour le millésime et une finale délicate.

Guillaume Mordacq, La Chevalerie, 16, av. des Trois-Ponts, 49380 Thouarcé, tél. 02.41.52.20.95, fax 02.41.52.26.41 r.-v.

DOM. DE LA ROCHE AIRAULT
Rochefort Vieilles vignes 1997★★

☐ 1 ha 600 30 à 49 F

Exploitation reprise en 1985 par Pascal Audio qui a changé sa méthode de travail il y a quelques années. Les résultats arrivent aujourd'hui, comme l'atteste ce coteaux du layon 97 dont les arômes sont puissants, marqués de notes de fleurs, de fruits confits et de fruits secs. La bouche ronde et fraîche à la fois confirme que ce vin est bien représentatif de l'appellation, concentré et pourtant fin. L'avenir sourit à Pascal Audio.

Pascal Audio, La Roche Airault, 49190 Saint-Aubin-de-Luigné, tél. 02.41.78.74.30, fax 02.41.78.89.03 r.-v.

DOM. DE LA ROCHE MOREAU
Saint-Aubin 1997★

☐ 10 ha 5 000 30 à 49 F

Ce domaine familial est situé sur la corniche angevine. Le chai, aménagé en contrebas au bord de la rivière, était à l'origine une demeure du XVIIe s. A noter l'existence d'une galerie, ancienne mine de charbon, dans laquelle sont conservés de nombreux vins millésimés. Celui-ci est représentatif de son terroir et de son millésime : habillé d'or, entouré d'arômes de miel et de fruits mûrs, il offre une bouche équilibrée, généreuse, légèrement marquée par sa richesse en alcool. Un coteaux du layon Saint-Aubin qui pourra être conservé pendant plusieurs décennies.

André Davy, Dom. de la Roche Moreau, La Haie-Longue, 49190 Saint-Aubin-de-Luigné, tél. 02.41.78.34.55, fax 02.41.78.34.55 r.-v.

CH. DE LA ROULERIE Chaume 1997★★★

☐ 7 ha 22 000 100 à 149 F

MIS EN BOUTEILLE A LA PROPRIETE
1997
Château de la Roulerie
COTEAUX DU LAYON CHAUME
APPELLATION COTEAUX DU LAYON CHAUME CONTROLEE
LES AUNIS
75 cl.
13% vol.

Le château de La Roulerie est situé au pied du coteau de Chaume. Les vignes sont implantées sur des reliefs escarpés et sur des formations carbonifères. Ce vin est de la race des seigneurs. Jaune paille clair, il livre des fragrances de fleurs, de fruits concentrés et d'épices (cerfeuil, muscade). La bouche est à la fois somptueuse, équilibrée, délicate. Ce 97 a de « la matière » et laisse un sentiment de finesse et d'harmonie. Le signe d'un terroir de haut niveau et d'un savoir-faire de grand vigneron.

LOIRE

● Vignobles Germain et Associés Loire, Ch. de Fesles, 49380 Thouarcé, tél. 02.41.68.94.00, fax 02.41.68.94.01, e-mail loire@vgas.com ☑ 🍷 r.-v.

DOM. DE L'ECHALIER
Sélection de grains nobles 1997★

| ☐ | 2 ha | 1 700 | ◫ 100 à 149 F |

Domaine repris en 1998 par Laure et Philippe Baudin. Il s'agit donc d'un millésime réalisé par l'ancienne équipe. Ce coteau du layon étonnant a déjà des notes d'évolution et laisse une impression de légèreté et de délicatesse. La bouche est harmonieuse avec une finale assez courte, mais dominée par des notes fruitées. A boire assez rapidement.

● Laure et Philippe Baudin, Ch. de la Fresnaye, 49190 Saint-Aubin-de-Luigné, tél. 02.41.54.78.55, fax 02.41.54.78.55 ☑ 🍷 r.-v.

DOM. LEDUC-FROUIN
Le Grand Clos La Seigneurie 1998★★

| ☐ | 3 ha | 3 000 | 🍶🍷 50 à 69 F |

La Seigneurie, propriété du marquis de Becdelièvre jusqu'en 1933, fut à cette date achetée par la famille Leduc-Frouin qui l'exploite depuis 1873. Depuis trois ans, les principes de la lutte intégrée, respectueuse de l'écosystème, sont appliqués. Cette cuvée résulte de l'assemblage de deux premières tries, chacune étant scrupuleusement sélectionnée. Jaune or avec des reflets orangés, ce Grand Clos séduit tant par ses arômes de fruits secs, de miel, que par la bouche équilibrée et concentrée. Elaboré à partir d'une matière de départ de haut niveau, ce vin a été particulièrement bien vinifié.

● Mme Georges Leduc, Dom. Leduc-Frouin, Sousigné, 49540 Martigné-Briand, tél. 02.41.59.42.83, fax 02.41.59.47.90 ☑ 🍷 r.-v.

DOM. LEROY Cuvée Filiolus 1998★

| ☐ | 2 ha | 3 000 | ◫ 50 à 69 F |

Domaine familial situé au cœur d'Aubigné, face à l'église du XIᵉˢ. Cette cuvée Filiolus est représentative de l'appellation. Jaune citron, elle offre des arômes de tilleul, de fruits confits et de fruits secs. Ample, elle est expressive avec ses notes de citron, d'écorce d'orange et d'abricot. Une très belle harmonie d'ensemble.

● Jean-Michel Leroy, rue d'Anjou, 49540 Aubigné-sur-Layon, tél. 02.41.59.61.00, fax 02.41.59.96.47 ☑ 🍷 t.l.j. sf dim. 8h-20h; f. 1ᵉʳ juil.-25 août

LES GRANDES VIGNES 1998★★

| ☐ | 7,95 ha | 18 000 | 🍶◫🍷 30 à 49 F |

Domaine exploité par trois jeunes frères et sœurs qui ont su donner une solide réputation en peu d'années ce vignoble. Un très joli produit encore « brut » le jour de la dégustation, marqué par son élevage sous bois. Le jury a néanmoins pressenti un grand vin grâce à la complexité aromatique et à l'impression de richesse et d'harmonie de la bouche. A goûter en fin d'année, avec la certitude de trouver un coteaux du layon de haut niveau.

● GAEC Vaillant, Dom. Les Grandes Vignes, La Roche-Aubry, 49380 Thouarcé, tél. 02.41.54.05.06, fax 02.41.54.08.21 ☑ 🍷 r.-v.

LUC ET FABRICE MARTIN
Sélection de grains nobles 1997★★★

| ☐ | 1,5 ha | 1 700 | ◫ 100 à 149 F |

Le GAEC créé en 1997 a rassemblé les exploitations de Luc et de Fabrice Martin. Cette association semble porter ses fruits. La couleur intense de ce 97, comme ses arômes de fruits secs et de fruits confits séduisent d'emblée. Sa bouche élégante et concentrée étonne par ses notes d'abricot confit, d'agrumes, de datte et de figue. Un vin superbe, véritable gourmandise. La **cuvée Prestige 97** est dans le même esprit avec un peu moins de concentration. Le miel occupe le nez, alors que l'équilibre parfait entre fraîcheur et douceur laisse augurer un grand avenir (deux étoiles, 50 à 69 F).

● GAEC Luc et Fabrice Martin, 2 bis, rue du Stade, 49290 Chaudefonds-sur-Layon, tél. 02.41.78.19.91, fax 02.41.78.98.25 ☑ 🍷 t.l.j. 8h-12h 14h-20h

DOM. MATIGNON Cuvée Prestige 1997★★

| ☐ | 3 ha | 4 500 | 🍶🍷 50 à 69 F |

Domaine réputé pour la production de ses vins rouges et qui entreprend une démarche analogue pour les vins liquoreux. Un coteaux du layon « de matière », puissant, presque « massif », dont la grande présence en bouche est bien représentative de ce millésime particulièrement ensoleillé. Les « ornementations » se développeront au vieillissement. L'attendre quelques années.

● EARL Yves Matignon, 21, av. du Château, 49540 Martigné-Briand, tél. 02.41.59.43.71, fax 02.41.59.92.34 ☑ 🍷 r.-v.

DOM. DES MAURIERES
Saint-Lambert Sélection Rive gauche 1996★

| ☐ | 2 ha | 2 500 | 🍶◫🍷 70 à 99 F |

Ce domaine élabore des coteaux du layon à l'ancienne, sans rechercher une matière première très concentrée. C'est ce qu'illustre parfaitement cette sélection du millésime 96. La robe est or intense, et les arômes sont ceux des vins évolués alors que la bouche est légère, agréable, un peu acidulée en finale. L'équilibre d'ensemble est intéressant. Un vin à boire assez rapidement.

● EARL Moron, Dom. des Maurières, 8, rue de Perinelle, 49750 Saint-Lambert-du-Lattay, tél. 02.41.78.30.21, fax 02.41.78.40.26 ☑ 🍷 r.-v.

CH. DES NOYERS 1997★★

| ☐ | 5,5 ha | 5 000 | ◫ 70 à 99 F |

Ce domaine viticole de Martigné-Briand figure désormais parmi les exploitations de référence de l'Anjou. Ce millésime se présente dans une très belle robe or jaune. Sa richesse aromatique étonnante offre des notes de fruits frais, de fleurs, de miel et de fruits secs (noisette, noix de coco). Ample, puissante, la bouche laisse une impression d'harmonie et d'équilibre. Un coteaux du layon remarquable. (bouteilles de 50 cl)

Ch. des Noyers, Les Noyers, 49540 Martigné-Briand, tél. 02.41.54.03.71, fax 02.41.54.27.63 r.-v.

Besnard

CH. DES NOYERS

Réserve Vieilles vignes 1998★★★

□ 5,5 ha n.c. 70 à 99 F

Une robe jaune paille, des arômes caractéristiques de vendanges récoltées à surmaturation, une bouche concentrée, puissante et fraîche : la matière première de départ est superbe (de cinq à six passages dans les vignes) et parfaitement vinifiée. La **Sélection Réserve du château 98 élevée en cuve** est dans le même style, avec toutefois moins de puissance (deux étoiles, 30 à 49 F). Une réussite d'ensemble exceptionnelle en 1998.

Ch. des Noyers, Les Noyers, 49540 Martigné-Briand, tél. 02.41.54.03.71, fax 02.41.54.27.63 r.-v.

DOM. OGEREAU

Saint-Lambert Clos des Bonnes Blanches 1997★★★

□ 2 ha 4 000 150 à 199 F

Les qualificatifs pour décrire ce vin sont tous élogieux : « la grande classe », « un superbe travail, entre structure, concentration, sensation de fruits confits et notes boisées ». Une fois encore, Vincent Ogereau a réussi un vin d'un niveau exceptionnel, issu de vendanges d'un grand terroir et dont la vinification a été parfaitement maîtrisée. Quel artiste !

Vincent Ogereau, 44, rue de la Belle-Angevine, 49750 Saint-Lambert-du-Lattay, tél. 02.41.78.30.53, fax 02.41.78.43.55 r.-v.

DOM. DE PAIMPARE

Saint-lambert Cuvée Prestige 1997★★

□ 4 ha n.c. 70 à 99 F

Installé depuis 1990 dans la commune la plus viticole de l'Anjou, Michel Tessier fait un travail de fond pour produire des vins de caractère, comme cette cuvée Prestige issue de tries. Les raisins avaient une richesse naturelle dépassant 21 °. Or soutenu, ce 97 a beaucoup d'arguments : nez puissant, riche, rappelant les fruits secs et les fruits confits, bouche moelleuse et nerveuse, puissante elle aussi, et pourtant délicate. Sa « belle matière » donne une bonne image de ce millésime 97 particulièrement ensoleillé. La **cuvée principale**, issue du même village, a été élaborée à partir de tries dont la richesse naturelle dépassait 17,5 °. Si elle est un peu moins puissante, elle reste dans l'esprit de l'appellation et pourra être gardée plusieurs décennies !

Michel Tessier, 25, rue Rabelais, 49750 Saint-Lambert-du-Lattay, tél. 02.41.78.43.18, fax 02.41.78.41.73 r.-v.

DOM. DES PETITES GROUAS

Cuvée Prestige 1997★

□ 3 ha 3 500 70 à 99 F

Ce domaine de Martigné-Briand élabore depuis quelques années des vins liquoreux de caractère. Cette sélection provient de vendanges vinifiées et élevées en barrique de trois à quatre vins. Elle est agréable, expressive, bien faite dans sa robe jaune dorée. Les arômes apparaissent à l'aération et rappellent la vanille et le miel. La bouche équilibrée, associant fraîcheur et douceur, s'épanouira avec le temps (quelques années).

EARL Philippe Léger, Cornu Les Grouas, 49540 Martigné-Briand, tél. 02.41.59.67.22, fax 02.41.59.69.32 r.-v.

DOM. DU PETIT METRIS

Chaume Les Tétuères 1997★★

□ 2 ha n.c. 70 à 99 F

Ce vignoble, dans la même famille depuis cinq générations, est toujours talentueux en matière de vins blancs secs ou liquoreux. Deux cuvées ont été présentées dans le millésime 97 avec un même succès : ces Tétuères, ramassées dans la troisième semaine d'octobre, marquées par les fruits confits tout au long de la dégustation avec cette richesse et fraîcheur caractéristiques des grands liquoreux des coteaux du layon ; la **cuvée principale en chaume 97**, vendangée le 15 octobre (200 à 249 F).

GAEC Joseph Renou et Fils, Le Grand Beauvais, 49190 Saint-Aubin-de-Luigné, tél. 02.41.78.33.33, fax 02.41.78.67.77 r.-v.

DOM. DES PETITS QUARTS Faye 1997

□ 2 ha n.c. 50 à 69 F

Après avoir longtemps vécu au village de Bonnezeaux, la famille Godineau s'est installée 800 mètres plus à l'ouest sur la commune de Faye-d'Anjou. Son coteaux du layon est agréable, assez léger, offrant un joli équilibre d'ensemble ; il accompagnera parfaitement un foie gras.

Godineau Père et Fils, Dom. des Petits-Quarts, 49380 Faye-d'Anjou, tél. 02.41.54.03.00, fax 02.41.54.25.36 t.l.j. sf dim. 8h-12h 14h-18h30

CH. PIEGUE 1998★★

□ 12,5 ha 4 000 50 à 69 F

Ce domaine a un petit air méditerranéen avec ses pins parasols. La robe jaune paille de ce 98 est entourée d'arômes épicés (poivre) et de fruits passerillés. La bouche ronde, harmonieuse, associe délicatement des notes de fruits exotiques, de fruits frais et d'épices. Un vin que l'on boira malheureusement trop tôt, car il est déjà prêt (gourmands soyez patients !) et qui sera une petite merveille d'ici quelques années.

Ch. Piéguë, 49190 Rochefort-sur-Loire, tél. 02.41.78.71.26, fax 02.41.78.75.03 t.l.j. sf dim. 9h-12h 14h-19h

Van der Hecht

CH. DE PLAISANCE Chaume 1998★★★

□ 10 ha 15 000 50 à 69 F

Le château de Plaisance semble le gardien de ce site exceptionnel de Chaume. Son exploitant,

LOIRE

Guy Rochais, a le terroir dans les veines ! Comment peut-on aussi bien réussir un vin dans un millésime difficile comme le 98 ? Tout est parfait : la robe jaune d'or, les arômes de fleurs et d'abricot confit, la bouche concentrée laissant une sensation de fruits secs et de fruits confits. Le secret ? Ce vin provient d'un grand terroir et est élaboré par un viticulteur de caractère.

🕭 Guy Rochais, Ch. de Plaisance,
49190 Rochefort-sur-Loire, tél. 02.41.78.33.01, fax 02.41.78.67.52 ☑ ⍩ t.l.j. sf dim. 9h-12h 15h-18h

CH. DES ROCHETTES
Cuvée Sophie 1998★★

	n.c.	3 000	◫	70 à 99 F

Jean-Louis Douet est le président des vignerons et souhaite codifier la mention S.G.N. (sélection de grains nobles) pour les vins liquoreux. Cette cuvée Sophie qui correspond en quelque sorte à une vendange tardive sur une parcelle sélectionnée et récoltée au mois de novembre : robe dorée, arômes de fleurs blanches et d'acacia, bouche puissante, harmonieuse, laissant une sensation de fruits mûrs. Un vin qu'on peut boire lors des fêtes de fin d'année, mais qui se conservera longtemps - signe des grands liquoreux.

🕭 Jean Douet, Ch. des Rochettes,
49700 Concourson-sur-Layon,
tél. 02.41.59.11.51, fax 02.41.59.37.73 ☑ ⍩ r.-v.

CH. DES ROCHETTES
Sélection de grains nobles Collection privée
Cuvée Folie 1997★★★

	1 ha	n.c.	◫	300 à 499 F

La cuvée Folie est élaborée avec les vendanges les plus riches. Le vin décrit ici (Collection privée) est une partie de la cuvée Folie correspondant à des vendanges « concentrées à l'extrême ». Le vigneron parle de cette sélection comme d'un « moment fort de sa vie » : certains l'estimeront trop concentrée et massive. Un vin dont la dégustation restera en tout état de cause un moment unique.

🕭 Jean Douet, Ch. des Rochettes,
49700 Concourson-sur-Layon,
tél. 02.41.59.11.51, fax 02.41.59.37.73 ☑ ⍩ r.-v.

DOM. ROMPILLON
Cuvée Vieilles vignes 1997★

	1,5 ha	5 000	◫	30 à 49 F

Ce domaine s'est récemment agrandi : il est passé de 5 ha en 1975 à environ 15 ha, dont la majorité en chenin, le cépage des vins blancs secs et liquoreux. Ce vin expressif est représentatif de son appellation. Jaune doré, avec des arômes de miel et de fruits frais, une bouche riche, encore dominée par son élevage en bois (notes très marquées de vanille), il devra attendre quelques années pour révéler toutes ses qualités. La **cuvée Prestige de l'Ecotail, Saint-Aubin 97**, reçoit une étoile pour sa belle matière encore dominée par la barrique. (70 à 99 F)

🕭 Jean-Pierre Rompillon, L'Ollulière,
49750 Saint-Lambert-du-Lattay,
tél. 02.41.78.48.84, fax 02.41.78.48.84 ☑ ⍩ r.-v.

DOM. DES SABLONNETTES
Rablay Cuvée Les Erables 1997★

	n.c.	n.c.	◫	70 à 99 F

Le nom des Sablonnettes provient d'une formation géologique sablonneuse et graveleuse caractéristique de Rablay-sur-Layon. Ce domaine s'est converti à la biodynamie. Cette sélection a été élaborée à partir de vendanges récoltées à un degré naturel d'environ 23 ° qui ont été vinifiées en barrique. Jaune doré, elle présente un nez relativement fermé qui se développe à l'aération. La bouche grasse offre des notes de fruits confits typiques de vendanges surmûries. Grande longévité en perspective.

🕭 Joël Ménard, EARL Dom. des Sablonnettes,
60, Grande-Rue, 49750 Rablay-sur-Layon,
tél. 02.41.78.40.49, fax 02.41.78.61.15 ☑ ⍩ r.-v.

DOM. SAINT-ARNOUL 1998★

	3 ha	4 000		30 à 49 F

Le domaine est situé dans un village construit sur des faluns (sables coquilliers calcaires). De nombreuses caves et maisons troglodytiques y sont creusées, dont la chapelle Saint-Arnoul, monument classé. Assez léger, mais très expressif, ce vin jaune pâle aux arômes intenses de fruits frais (pomme grany) présente une bouche délicate, rafraîchissante et bien équilibrée. Malgré une finale assez courte, ce 98 possède une bonne harmonie d'ensemble.

🕭 EARL Poupard et Fils, Sousigné,
49540 Martigné-Briand, tél. 02.41.59.43.62,
fax 02.41.59.69.23 ☑ ⍩ r.-v.

CH. SOUCHERIE Cuvée "S" 1997★★

	6 ha	10 000	◫	70 à 99 F

Achetée en 1952 à la famille de Brissac, cette propriété a été entièrement restaurée en 1998. Elle offre un superbe point de vue sur les coteaux du Layon. Ce très beau vin jaune doré s'exprime à l'aération (légère réduction au premier nez). Sa bouche concentrée caractéristique de vendanges récoltées très mûres est particulièrement agréable avec ses notes de miel, de fruits exotiques et de fruits secs. A attendre quelques années.

🕭 Pierre-Yves Tijou et Fils, EARL
Ch. Soucherie, 49750 Beaulieu-sur-Layon,
tél. 02.41.78.31.18, fax 02.41.78.48.29 ☑ ⍩ r.-v.

DOM. VERDIER
Sélection de grains nobles 1997★

	5 ha	2 000	▮ ♦	50 à 69 F

Implanté sur une vingtaine d'hectares, ce domaine a réalisé ses vendanges le 25 octobre. Elles avaient une richesse naturelle dépassant 17,5 °. La robe de ce 97 est jaune pâle, les arômes se développent à l'aération. Ample et frais, ce vin semble très jeune et affirmera son caractère au vieillissement.

🕭 EARL Verdier Père et Fils, 7, rue des Varennes, 49750 Saint-Lambert-du-Lattay, tél. 02.41.78.35.67, fax 02.41.78.35.67 ☑ ⍩ r.-v.

Trouver un vin ? Consultez l'index en fin de volume.

Bonnezeaux

C'est l'inimitable vin de dessert, disait le Dr Maisonneuve en 1925. A cette époque, les grands vins liquoreux étaient essentiellement consommés à ce moment du repas ou dans l'après-midi, entre amis. De nos jours, on apprécie plutôt ce grand cru à l'apéritif. Très parfumé, plein de sève, le bonnezeaux doit toutes ses qualités au terroir exceptionnel qu'il occupe : plein sud, sur trois petits coteaux de schistes abrupts au-dessus du village de Thouarcé (La Montagne, Beauregard et Fesles).

Le volume de production a atteint, en 1998, 2 365 hl. L'aire de production comprend 130 ha plantables. D'un bon rapport qualité-prix, c'est un vin de grande garde, une valeur sûre.

DOM. DES CLOSSERONS 1998★★★

□ 1,69 ha 2 500 ● 70 à 99 F

Cette exploitation joue à fond la carte des vins liquoreux après avoir notamment replanté des coteaux escarpés ; elle fait partie de ces domaines qui ont redonné ses lettres de noblesse au bonnezeaux. Exceptionnelle couleur jaune intense pour ce 98, remarquables arômes minéraux, de fleurs blanches et de fruits secs. La bouche, harmonieuse et puissante, possède une finale particulièrement longue où l'on retrouve les fruits secs. A attendre de deux à trois ans.

🔑 EARL Jean-Claude Leblanc et Fils, Dom. des Closserons, 49380 Faye-d'Anjou, tél. 02.41.54.30.78, fax 02.41.54.12.02 ☒ Y r.-v.

CH. DE FESLES 1997★★★

□ 14 ha 44 000 ● 200 à 249 F

En 1996, le château de Fesles a été racheté à Gaston Lenôtre, le célèbre pâtissier parisien, par Bernard Germain et ses associés. Une reprise qui s'est faite avec un objectif de production de haut niveau et qui a donné des résultats dès la première année. Ce bonnezeaux 97 est un grand vin, élaboré à partir d'une matière première exceptionnelle, parfaitement vinifiée (élevage en barrique maîtrisé). Ses arômes caractéristiques de l'appellation rappellent les agrumes, les fruits confits et les fruits secs. La bouche ample et délicate donne l'impression de croquer des fruits frais (pêche blanche) et des fruits secs.

🔑 Vignobles Germain et Associés Loire, Ch. de Fesles, 49380 Thouarcé, tél. 02.41.68.94.00, fax 02.41.68.94.01, e-mail loire@vgas.com ☒ Y r.-v.

DOM. DES GAGNERIES
Cuvée Benoît 1998★

□ 2 ha 5 000 ▮ ● 🌡 70 à 99 F

Propriété acquise en 1890 par la famille Rousseau qui propose un vin bien représentatif du millésime 98 par son intensité aromatique (notes de fruits mûrs) et par sa bouche assez légère. A noter, une petite amertume en finale qui disparaîtra au vieillissement. Un bonnezeaux qui sera très apprécié à l'apéritif.

🔑 EARL Christian et Anne Rousseau, Dom. des Gagneries, Bonnezeaux, 49380 Thouarcé, tél. 02.41.54.00.71, fax 02.41.54.02.62 ☒ Y t.l.j. sf dim. 8h30-12h 14h-18h

PHILIPPE GILARDEAU 1997★★

□ 2 ha 4 000 ● 50 à 69 F

Philippe Gilardeau est arrivé en 1996 sur l'exploitation qu'il a rénovée avec un esprit nouveau et des résultats étonnants. Comme quoi jeunesse rime avec sagesse quand il s'agit d'exprimer le potentiel d'un grand terroir. D'une très belle harmonie d'ensemble, ce 97 donne une sensation d'équilibre à toutes les étapes de la dégustation. Notez les arômes de fleurs blanches et de fruits secs caractéristiques de vins élaborés à partir de vendanges passerillées. Un vin qui est l'expression même des coteaux escarpés de Bonnezeaux.

🔑 EARL Philippe Gilardeau, Les Noues, 49380 Thouarcé, tél. 02.41.54.39.11, fax 02.41.54.38.84 ☒ Y r.-v.

PHILIPPE GILARDEAU
Cuvée Prestige 1997★★★

□ 2 ha 2 000 ● 100 à 149 F

Cette cuvée du millésime 97 a été élaborée à partir de vignes de plus de soixante-dix ans. L'âge des vignes et la richesse des vendanges permettent de révéler pleinement l'expression de ce grand terroir qui donne toujours une sensation d'harmonie et d'équilibre. La matière est ici exceptionnelle. Un vin à conseiller fortement.

🔑 EARL Philippe Gilardeau, Les Noues, 49380 Thouarcé, tél. 02.41.54.39.11, fax 02.41.54.38.84 ☒ Y r.-v.

DOM. LA GABETTERIE
Cuvée Julien Vieilles vignes 1997★

□ 1 ha n.c. 70 à 99 F

Domaine sur la commune de Faveraye-Machelles, à quelques kilomètres du hameau de Bonnezeaux. Son vin a du caractère (vendanges récoltées bien mûres) mais ne l'exprime pas encore pleinement. Après aération, des notes de fruits mûrs et de fruits secs apparaissent et restent bien présentes en finale. Un produit à attendre quelques années et à servir après un passage en carafe.

LOIRE

🔑 Vincent Reuiller, La Gabetterie, 49380 Faveraye-Machelles, tél. 02.41.54.14.99, fax 02.41.54.33.12 ☒ Y r.-v.

CH. LA VARIERE

Les Melleresses Premières tries 1997★★

☐ 1,5 ha 3 000 🛢 150 à 199 F

Le château La Varière est une ancienne propriété viticole datant du XIIIᵉs. Il produit les plus grandes appellations des vins liquoreux de l'Anjou. Ce bonnezeaux 97 est étonnant de caractère : robe jaune or somptueuse ; arômes de fleurs blanches, d'agrumes, de fruits confits et de fruits cuits (pomme caramélisée), bouche complexe, puissante et délicate. Il réjouira les amateurs de grands liquoreux.

🔑 Ch. La Varière, 49320 Brissac, tél. 02.41.91.22.64, fax 02.41.91.22.64 ☒ Y r.-v.

DOM. DE MIHOUDY Vieilles vignes 1998

☐ 0,5 ha 1 000 🛢 100 à 149 F

Exploitation de 45 ha qui a acquis dernièrement une parcelle en bonnezeaux. Ce vin a été vinifié en barriques de chêne neuves. Il est donc encore dominé par des arômes de boisé : cependant, on peut lui faire confiance car, même si sa finale peut paraître assez courte, il montre un bel équilibre d'ensemble. L'attendre au moins une année.

🔑 Cochard et Fils, 49540 Aubigné-sur-Layon, tél. 02.41.59.46.52, fax 02.41.59.68.77 ☒ Y r.-v.

DOM. DES PETITS QUARTS

Le Malabé 1998★★★

☐ 3 ha n.c. 🛢 70 à 99 F

Le domaine des Petits Quarts, comme à son habitude, occupe le devant de la scène de l'appellation : trois vins présentés, et pour le plus mal noté, le qualificatif de remarquable ! Cette sélection 98 a été jugée exceptionnelle pour ce millésime difficile : robe jaune soutenue, arômes minéraux et notes de pomme très mûre, bouche moelleuse, équilibrée, laissant une impression de richesse et de fruits confits. A découvrir absolument.

🔑 Godineau Père et Fils, Dom. des Petits-Quarts, 49380 Faye-d'Anjou, tél. 02.41.54.03.00, fax 02.41.54.25.36 ☒ Y t.l.j. sf dim. 8h-12h 14h-18h30

DOM. DES PETITS QUARTS 1997★★★

☐ 3 ha n.c. 🛢 300 à 499 F

Deux types de vins sont présentés dans le millésime 97 : l'un, produit à partir de vendanges strictement sélectionnées en fonction de leur richesse naturelle (cuvée vendangée grain par grain), et un autre en fonction des caractéristiques du terroir (cuvée Les Melleresses). Le premier étonne par sa concentration et ses notes de pâte de fruits et de confiture. Sa matière exceptionnelle s'épanouira tranquillement pendant plusieurs décennies. Mais qui pourra attendre ? Le second est moins puissant bien sûr, mais tout en élégance et en finesse. Notes de pêche, de pomme cuite et de fruits confits. Ces **Melleresses**, deux étoiles (70 à 99 F), sont d'un excellent rapport qualité-prix.

🔑 Godineau Père et Fils, Dom. des Petits-Quarts, 49380 Faye-d'Anjou, tél. 02.41.54.03.00, fax 02.41.54.25.36 ☒ Y t.l.j. sf dim. 8h-12h 14h-18h30

DOM. DU PETIT VAL

La Montagne 1997★

☐ 2,5 ha 4 000 ▮🌡 70 à 99 F

Domaine créé en 1950 à partir de 4,5 ha et qui en compte aujourd'hui 33, avec une forte notoriété pour ses liquoreux. Celui-ci donne une belle impression d'ensemble, et il est très représentatif de son appellation par sa remarquable expression aromatique faite de notes de fleurs blanches, de fruits secs et de fruits cuits (tarte Tatin). A noter cependant une fin de bouche dominée, pour l'instant, par une sensation alcooleuse.

🔑 EARL Denis Goizil, Dom. du Petit Val, 49380 Chavagnes, tél. 02.41.54.31.14, fax 02.41.54.03.48 ☒ Y r.-v.

DOM. RENE RENOU

Cuvée Zénith 1997★★★

☐ 7,36 ha 6 300 ▮🛢 250 à 299 F

René Renou a réussi son dernier pari avec la restructuration de son exploitation en 1995 : il exploite 8 ha de vigne en AOC bonnezeaux avec l'objectif de ne produire que des vins de haut niveau. Ce qu'il y a d'exceptionnel dans la cuvée Zénith, c'est la sensation de fraîcheur et d'élégance qu'elle procure, et ce, malgré une richesse et une concentration étonnantes. Arômes de fleurs blanches, de fruits confits et de fruits secs sont caractéristiques de l'appellation. La grande classe.

🔑 René Renou, pl. du Champ-de-Foire, 49380 Thouarcé, tél. 02.41.54.11.33, fax 02.41.54.11.34 ☒ Y r.-v.

DOM. LOUIS ET CLAUDE ROBIN

Cuvée Privilège 1997★★

☐ 5 ha 6 000 100 à 149 F

Le fils a rejoint l'exploitation en 1995 et a donné un nouveau style au domaine, témoin ce 97, bien représentatif de son appellation. Sensation de richesse et de finesse, de puissance et de délicatesse. Des caractéristiques qui ne trompent pas et qui sont propres aux vins liquoreux du val de Loire.

🔑 EARL Louis et Claude Robin, Mont, 49380 Faye-d'Anjou, tél. 02.41.54.31.41, fax 02.41.54.17.98 ☒ Y r.-v.

DOM. DE TERREBRUNE 1998

☐ 2,3 ha 7 000 ▮🌡 70 à 99 F

Restructuré en 1995, ce domaine est dirigé par deux associés, Patrice Laurendeau, le vinificateur, et Alain Bouleau, le responsable des vignes. Ils ont fort bien réussi ce difficile millésime : un 98 à la robe jaune soutenu, aux arômes de fruits confits, à la bouche équilibrée dominée par des notes de fruits secs et de grillé. Un vin qui peut être bu dès la fin de l'année et conservé environ dix ans.

🔑 Dom. de Terrebrune, La Motte, 49380 Notre-Dame-d'Allençon, tél. 02.41.54.01.99, fax 02.41.54.09.06 ☒ Y t.l.j. sf dim. 9h-12h30 15h-19h

Quarts de chaume

Le seigneur se réservait le quart de la production : il gardait le meilleur, c'est-à-dire le vin produit sur le meilleur terroir. L'appellation, qui couvre 40 ha (31 ha en 1990) pour un volume de 693 hl en 1998, est située sur le mamelon d'une colline, plein sud, autour de Chaume, à Rochefort-sur-Loire.

Les vignes sont vieilles, en général. La conjonction de l'âge des ceps, de l'exposition et des aptitudes du chenin conduit à des productions souvent faibles et de grande qualité. La récolte se fait par tries. Les vins sont du type moelleux, séveux et nerveux, et ont une bonne aptitude au vieillissement.

DOM. DE LA BERGERIE 1997★

☐	1,36 ha	3 700	◫	200 à 249 F

Le domaine de La Bergerie est rentré en 1995 dans le club très fermé des producteurs du célèbre quarts de chaume. Celui-ci est marqué par le caractère des vendanges botrytisées. Sa robe est or paille, sa bouche riche, opulente, donne la sensation de croquer dans des fruits mûrs et de la pâte de fruits. Il s'épanouira avec le temps. A attendre quelques années.

☛ Yves Guégniard, Dom. de La Bergerie, 49380 Champ-sur-Layon, tél. 02.41.78.85.43, fax 02.41.78.60.13 ☑ ⌚ t.l.j. sf dim. 9h-12h30 14h-19h

CH. LA VARIERE
Les Guerches 1ʳᵉˢ tries 1997★★

☐	1,5 ha	3 000	◫	200 à 249 F

Le château La Varière est une ancienne propriété viticole dont certains bâtiments datent du XIIIᵉs. La matière de ce quarts de chaume est imposante et le caractère rôti des vendanges sous l'action de la pourriture noble ne fait pas de doute. La bouche, bien que puissante, reste équilibrée et friande ; ce qui est la signature des grands vins liquoreux. Peut être conservé plusieurs décennies.

☛ Ch. La Varière, 49320 Brissac, tél. 02.41.91.22.64, fax 02.41.91.22.64 ☑ ⌚ r.-v.

CH. DE L'ECHARDERIE
Clos Paradis 1997★

☐	7 ha	2 200	▤ ◫ ◕	300 à 499 F

Ancienne résidence des évêques d'Angers, ce château possède 32 ha. Le Clos Paradis a fait l'objet de cinq tries pour ce millésime. Il laisse une impression de légèreté malgré sa richesse, ce qui est caractéristique de l'appellation. Notez la variété des notes rappelant la pâte de fruits, la fleur blanche, l'abricot sec, l'orange confite et le caramel...

☛ SCA Vignobles Laffourcade, Le Perray, 49380 Chavagnes, tél. 02.41.54.16.54, fax 02.41.54.00.10, e-mail pascal.laffourcade@wanadoo.fr ☑ ⌚ r.-v.

DOM. DU PETIT METRIS
Les Guerches 1997★

☐	1,05 ha	n.c.	◫	200 à 249 F

Les vendanges qui sont à l'origine de ce vin ont été rôties sous l'action de la pourriture noble comme le montrent sa robe jaune paille intense, ses arômes de miel et de fruits secs, sa bouche puissante et moelleuse à la finale marquée par les fruits mûrs et des notes de torréfaction. Des caractéristiques qui situent ce vin dans la famille des grands liquoreux.

☛ GAEC Joseph Renou et Fils, Le Grand Beauvais, 49190 Saint-Aubin-de-Luigné, tél. 02.41.78.33.33, fax 02.41.78.67.77 ☑ ⌚ r.-v.

CH. PIERRE-BISE 1997★

☐	3 ha	7 000	◫	150 à 199 F

Claude Papin est surnommé le Monsieur Terroir de l'Anjou et quand on le rencontre, ne serait-ce que quelques instants, on comprend très vite pourquoi. La matière de ce 97 est exceptionnelle et domine, pour l'instant, la dégustation de ce quarts de chaume par une sensation de miel et de fruits confits. A attendre quelques années et à servir comme si vous offriez un petit trésor.

☛ Claude Papin, Ch. Pierre-Bise, 49750 Beaulieu-sur-Layon, tél. 02.41.78.31.44, fax 02.41.78.41.24 ☑ ⌚ r.-v.

CH. DE PLAISANCE 1998★

☐	1 ha	1 500	◫	100 à 149 F

Situé sur la hauteur du coteau de Chaume, ce château semble être le gardien d'un site exceptionnel. Le quarts de chaume du millésime 98 est dans le même style que le 97 ; il faut l'aérer avant de le servir, car il est discret au nez et beaucoup plus puissant et expressif en bouche. La finale de fruits mûrs, d'abricot, d'agrumes et de caramel nous révèle dès à présent la race de ce produit qu'il faudra attendre plusieurs années.

☛ Guy Rochais, Ch. de Plaisance, 49190 Rochefort-sur-Loire, tél. 02.41.78.33.01, fax 02.41.78.67.52 ☑ ⌚ t.l.j. sf dim. 9h-12h 15h-18h

LOIRE

Saumur

L'aire de production (2 735 ha) s'étend sur 36 communes. On y a produit des vins blancs secs et nerveux (23 312 hl en 1998), des vins rouges (55 452 hl), et des mousseux (78 967 hl) avec les mêmes cépages que dans les AOC anjou. Leur aptitude au vieillissement est bonne.

Les vignobles s'étalent sur les coteaux de la Loire et du Thouet. Les vins blancs de Turquant et Brézé étaient autrefois les plus réputés ; les vins rouges du Puy-Notre-Dame, de Montreuil-Bellay et de Tourtenay, entre autres, ont acquis une bonne notoriété. Mais l'appellation est beaucoup plus connue par les vins mousseux dont l'évolution qualitative mérite d'être soulignée. Les élaborateurs, tous installés à Saumur, possèdent des caves creusées dans le tuffeau, qu'il faut visiter.

CH. DE BEAUREGARD 1998*

□ 2 ha 24 000 ▮ ◍ ♁ **30 à 49 F**

Le château néo-Renaissance, du XIX[e]s., est dans la famille depuis quatre générations. Alain Gourdon a pris la direction du domaine de 20 ha en 1998. Son saumur blanc est d'un jaune pâle agréable à l'œil. Le nez, encore un peu timide, offre des arômes fruités avec une nuance légèrement fumée. L'ampleur et la longueur en bouche contribuent à l'harmonie générale. Une étoile encore en **rouge 98** pour la **cuvée Louis-Léon Vieilles vignes**, un saumur classique, fruité au nez comme en bouche, tannique au palais.

⊶ SCEA Alain Gourdon, Ch. de Beauregard, 4, rue Saint-Julien, 49260 Le Puy-Notre-Dame, tél. 02.41.52.24.46, fax 02.41.52.39.96 ☑ Y r.-v.

DOM. DE BRIZE**

○ 3 ha 16 000 **30 à 49 F**

Domaine talentueux qui élabore ses vins effervescents entièrement sur l'exploitation. Un coup de cœur l'année dernière pour un crémant de Loire a récompensé ce vignoble. Ce saumur mousseux, concentré et harmonieux, est promis à un grand avenir. Il est remarquable par son expression aromatique avec des notes de fleurs blanches (acacia) et de miel, sa bouche ample laissant une impression de fruits bien mûrs. A recommander.

⊶ SCEA Marc et Luc Delhumeau, Dom. de Brizé, 49540 Martigné-Briand, tél. 02.41.59.43.35, fax 02.41.59.66.90 ☑ Y r.-v.

⊶ Luc et Line Delhumeau

DOM. DU CHALET 1997

■ 6 ha 13 500 ▮ **20 à 29 F**

Une belle robe rouge limpide à reflets mauves. Le nez, ouvert, dévoile des arômes plaisants. Rond, souple et long en bouche, ce saumur est équilibré et mérite d'être découvert.

⊶ SA Guy Saget, La Castille, 58150 Pouilly-sur-Loire, tél. 03.86.39.57.75, fax 03.86.39.08.30 ☑ Y t.l.j. 8h-12h 14h-18h

⊶ Reclu

VIGNOBLE CHARRIER-MASSOTEAU 1998**

■ 6 ha 7 000 ▮ ♁ **20 à 29 F**

Un des coups de cœur de l'appellation vient récompenser un jeune vigneron qui a repris en 1994 la propriété de ses grands-parents. Son saumur rouge attire l'œil par une robe superbe, intense, d'un beau grenat limpide. Complexe, le nez révèle à l'agitation des notes de fruits rouges très mûrs en compote. La bouche, avec ses tanins ronds et onctueux, conjugue puissance et harmonie.

⊶ GAEC Charrier-Massoteau, Douces, 49700 Doué-la-Fontaine, tél. 02.41.59.14.35, fax 02.41.59.14.35 ☑ Y r.-v.

COMTE DE MONTMORENCY

○ n.c. 58 000 **30 à 49 F**

Maison de négoce fondée en 1859 et spécialisée dans les vins effervescents. Son saumur mousseux laisse en bouche une impression légère de sucrosité. Compte tenu de la finesse aromatique rappelant les fruits frais et les fleurs blanches, le jury lui donne sa chance.

⊶ Caves de Grenelle, 20, rue Marceau, B.P. 206, 49415 Saumur Cedex, tél. 02.41.50.17.63, fax 02.41.50.83.65 ☑ Y t.l.j. 9h-12h 14h-17h; f. sam. dim. 1er oct.-14 mai

DOM. ARMAND DAVID
Vieilles vignes 1998**

■ 6 ha 20 000 ▮ ♁ **30 à 49 F**

Ce domaine de 15 ha est exploité par la troisième génération. Il dispose de caves troglodytiques idéales pour le vieillissement des vins. Ce saumur rouge affiche un superbe potentiel. Sa robe est magnifique, son nez intense et tout en finesse. La bouche ne déçoit pas ; prolongeant l'olfaction, elle associe structure et délicatesse. Un vin harmonieux et « poétique » pour reprendre l'expression d'un dégustateur.

⊶ Dom. Armand David, Messemé, 49260 Vaudelnay, tél. 02.41.52.20.84, fax 02.41.38.28.51 ☑ Y t.l.j. 9h-19h

DOM. ARMAND DAVID
Vieilles vignes 1998**

□ 5 ha 20 000 ▮ ◍ ♁ **30 à 49 F**

Les « vieilles vignes » n'ont pas un âge canonique, mais qu'importe si le vin est bon ! Et le jury a vraiment apprécié ce 98 d'un magnifique jaune doré à reflets verts, au bouquet puissant, complexe, signe d'une belle maturité. Même agrément en bouche : bonne attaque, rondeur, fraîcheur, finale bien équilibrée. A découvrir dès maintenant. La **cuvée Jeunes vignes 98** n'est pas mal non plus : robe jaune doré, bouquet de fleurs blanches, bouche souple et ronde, légèrement acidulée en finale (une étoile).

⊶ Dom. Armand David, Messemé, 49260 Vaudelnay, tél. 02.41.52.20.84, fax 02.41.38.28.51 ☑ Y t.l.j. 9h-19h

DOM. DE FIERVAUX

Cuvée exceptionnelle Vieillie en fût de chêne neuf 1996★

■ 2 ha 8 000 30 à 49 F

Les caves séculaires du domaine de Fiervaux recèlent des cuvées de qualité. Pour cette édition, trois vins ont été sélectionnés : cette Cuvée exceptionnelle, qui a séjourné vingt-quatre mois en fût : une bouteille de caractère, d'un rubis intense et limpide, aux arômes complexes de fruits rouges (cerise) assortis d'une note réglissée, à la bouche ronde et ample, agréablement fruitée en finale ; en **rouge** encore, un **98**, élevé aussi en fût, a été cité : cerise à l'œil, cerise et framboise au nez, équilibré et fin en bouche. En **blanc**, un **98** qui a connu aussi le bois, a mérité une étoile : de couleur pâle à reflets verts, il a séduit par son nez fin et léger, typique du chenin bien mûr, sa bouche souple et ronde, montrant une pointe de vivacité en finale.

SCEA Cousin-Maitreau, 235, rue des Caves, 49260 Vaudelnay, tél. 02.41.52.34.63, fax 02.41.38.89.23 ☒ Y r.-v.

DOM. FILLIATREAU

Château Fouquet 1998★★

■ n.c. n.c. 30 à 49 F

Le domaine Filliatreau comprend trois sites : à Chaintres ; à Brézé, au château Fouquet ; à Turquant, à La Vignolle. La couleur pourpre de ce Château Fouquet séduit d'emblée. Le nez est frais, encore un peu timide. Tout dans la dégustation donne une impression de concentration et de richesse. Une très belle harmonie d'ensemble.

Paul Filliatreau, Chaintres, 49400 Dampierre-sur-Loire, tél. 02.41.52.90.84, fax 02.41.52.49.92 ☒ Y t.l.j. 8h-12h 13h30-17h30; sam. dim. sur r.-v.

DOM. GERON 96★★

○ n.c. n.c. 30 à 49 F

Samuel Géron dirige le domaine familial de 16 ha situé à l'extrême sud du vignoble angevin. Son saumur mousseux est produit entièrement avec le cépage chenin issu de vendanges récoltées à une très bonne maturité. Finesse des bulles dans une robe jaune pâle limpide, arômes délicats de pain grillé et de noisette, bouche ample, fraîche et légère : une bien belle réussite.

EARL Dom. Géron, 14, rte de Thouars, 79290 Brion-près-Thouet, tél. 05.49.67.73.43, fax 05.49.67.80.89 ☒ Y r.-v.

DOM. DES GUYONS 1998★

■ 2,51 ha 9 000 20 à 29 F

Cette propriété a été reprise en 1995 par un jeune vigneron qui s'est d'emblée distingué dans le Guide. Son saumur rouge 98 laisse une très belle impression, avec sa robe intense et sa palette aromatique impressionnante, mêlant les fruits rouges et les fleurs. Le jury a aussi apprécié la cohérence entre le nez et la bouche. Un vin gai et plaisant.

Franck Bimont, 6, rue du Moulin, 49260 Le Puy-Notre-Dame, tél. 02.41.52.21.15, fax 02.41.52.21.15 ☒ Y r.-v.

DOM. DES HAUTES VIGNES

Cuvée du Fief aux Moines 1998★

■ 3 ha 20 000 30 à 49 F

Cette importante exploitation (42 ha) est établie à Distré, sur la côte turonienne typique du vignoble saumurois, un terroir calcaire. Elle propose deux cuvées très réussies : un **blanc 98** au nez franc et fruité, rond et très équilibré, et cette cuvée du Fief aux Moines, qui donne une impression de richesse du début à la fin de la dégustation, avec sa robe d'un beau rouge, son nez fruité bien ouvert, sa bouche souple et tendre. On pourra l'apprécier dès maintenant.

SCA Fourrier et Fils, 22, rue de la Chapelle, 49400 Distré, tél. 02.41.50.21.96, fax 02.41.50.12.83 ☒ Y r.-v.

HENRY DE BRIERES 1998

■ n.c. 15 000 -de 20 F

La robe est franche, légère, avec des reflets rosés. Bien que le nez soit encore timide, il laisse poindre d'agréables nuances de fruits rouges - framboise et griotte. La bouche révèle une belle structure. Une réussite.

Castel Frères, rte de la Guillonnière, 49320 Brissac-Quincé, tél. 02.41.91.50.00, fax 02.41.54.25.40

CH. DU HUREAU 1997★★

□ 3 ha 10 000 50 à 69 F

Emblème du domaine, le hureau - vieux sanglier solitaire dans le parler régional - est représenté sur la girouette du château. Une exploitation bien connue de nos lecteurs, qui collectionne étoiles et coups de cœur. Ce saumur blanc avait mérité une telle distinction dans le millésime précédent. Sans atteindre de tels sommets, le 97 est d'excellente facture. D'un jaune doré engageant, il laisse une impression d'harmonie liée à un élevage bien réussi : la légère note boisée est bien intégrée aux arômes fruités et floraux.

Philippe et Georges Vatan, Le Hureau, 49400 Dampierre-sur-Loire, tél. 02.41.67.60.40, fax 02.41.50.43.35, e-mail philippe.vatan@wanadoo.fr ☒ Y r.-v.

CLOS DE L'ABBAYE★★

○ 6 ha 50 000 30 à 49 F

Cette exploitation du Puy-Notre-Dame doit en partie sa notoriété à M. Aupy père qui fut un rénovateur du vignoble du Saumurois. Ce vin laisse deviner à tout moment la richesse des vendanges de départ : la robe jaune pâle, la belle effervescence, le nez de raisins mûrs, la bouche ample, grasse, dominée par des notes de miel et

LOIRE

d'acacia, tout réjouit les dégustateurs. Cela tend à démontrer qu'un vin effervescent de haut niveau ne peut être obtenu qu'à partir de vendanges bien mûres.

Henri Aupy et Fils, Clos de l'Abbaye, 49260 Le Puy-Notre-Dame, tél. 02.41.52.26.71, fax 02.41.52.26.71 ☒ Y r.-v.

DOM. LA BONNELIERE 1998

□ 1 ha n.c. 20 à 29 F

Cette exploitation, créée en 1972 sous le nom de Caveau Saint-Vincent, est passée en vingt-cinq ans de quelques ares à 20 ha. Très pâle, transparent, son saumur blanc 98 présente un nez fin, végétal puis fruité. D'abord souple en attaque, la bouche se fait vive. Très persistante, elle est marquée par un arôme de pomme fort plaisant.

André Bonneau, 45, rue du Bourg-Neuf, 49400 Varrains, tél. 02.41.52.92.38, fax 02.41.52.92.38 ☒ Y r.-v.

MLLE LADUBAY

Excellence Jeune bois Cuvée élevée en jeune fût de chêne 1995*

○ n.c. 89 000 50 à 69 F

Maison traditionnelle de vins effervescents du Saumurois reprise par le groupe Taittinger en 1974. Depuis trois générations, la famille Monmousseau préside cette société. Le vin de base de ce saumur mousseux a été vinifié dans des fûts de chêne. La robe limpide, jaune pâle, les arômes de pâtisserie (brioche) et de fleurs blanches, la bouche délicate et ample donnent un vin bien représentatif de son appellation. La cuvée **Suprême 97** (même type, 30 à 49 F) est intéressante et harmonieuse. Elle obtient une citation.

Bouvet-Ladubay, 1, rue de l'Abbaye, 49400 Saint-Hilaire-Saint-Florent, tél. 02.41.83.83.83, fax 02.41.50.24.32, e-mail bouvet-ladubay@symphonie-fai.fr ☒ Y t.l.j. 9h-12h 14h-18h

CH. DE LA DURANDIERE

Cuvée Prestige*

○ 7 ha 30 000 30 à 49 F

Château et parc sont situés sur les rives du Thouet, à Montreuil-Bellay. La chapelle creusée sous une vigne est une curiosité qui fait le ravissement des visiteurs. Ce brut offre une très belle expression aromatique de citron, de levures et de notes grillées. La bouche, de même niveau, se montre ronde, équilibrée et structurée. Un vin élégant, bien représentatif de son appellation. Même note pour le **saumur mousseux rosé**, issu de cabernet franc, à la robe délicate rose orangée et aux arômes de petits fruits rouges typiques du cépage. A servir à l'apéritif ou sur des salades de fruits rouges. Quant au **saumur rouge 98** (tranquille), il a obtenu une citation. On le laissera vieillir quelques années. (20 à 29 F)

SCEA Bodet-Lhériau, Ch. de La Durandière, 49260 Montreuil-Bellay, tél. 02.41.52.31.36, fax 02.41.38.72.30 ☒ Y t.l.j. 8h-19h; sam. dim. sur r.-v.

Hubert Bodet

DOM. DE LA GIRARDRIE 1998*

■ 7,05 ha 16 000 20 à 29 F

Ce domaine familial de quelque 42 ha s'étend sur le Puy et sur Vaudelnay. Son saumur affiche une robe pimpante, d'un rouge limpide et brillant. Son bouquet frais mêle des notes fruitées et des nuances de sous-bois. La bouche séduit par sa rondeur, son élégance et sa persistance. Même réussite pour le **blanc 98** du domaine, au joli nez d'agrumes et de fleurs blanches, à la bouche fraîche, harmonieuse et longue.

SCEA Falloux et Fils, Dom. de La Girardrie, 49260 Le Puy-Notre-Dame, tél. 02.41.52.25.10, fax 02.41.38.83.77 ☒ Y r.-v.

DOM. LANGLOIS-CHATEAU 1998***

□ 5 ha 40 000 30 à 49 F

La maison Langlois-Château exploite plusieurs domaines et châteaux dans le val de Loire. Sa production figure régulièrement dans le Guide, parfois aux meilleures places. C'est le cas cette année, avec ce saumur blanc, étincelant à l'œil, au nez intense de fruits confits, arôme que l'on retrouve au palais. Souple dès l'attaque, la bouche est en parfaite harmonie avec l'olfaction. Un vin au fruité typique du chenin, à découvrir sans tarder.

Langlois-Château, 3, rue Léopold-Palustre, 49400 Saint-Hilaire-Saint-Florent, tél. 02.41.40.21.40, fax 02.41.40.21.49, e-mail langlois.chateau@wanadoo.fr ☒ Y r.-v.

DOM. DE LA PALEINE*

○ 9 ha 30 000 30 à 49 F

Situé au pied de la butte témoin turonienne constituant la commune du Puy-Notre-Dame, ce domaine, repris par Joël Lévi en 1991, propose un vin qualifié de très fin et d'élégant par le jury de dégustation : bulles délicates et persistantes, robe jaune pâle limpide, arômes de fleurs blanches et de fruits secs, bouche équilibrée, souple, se terminant par des notes fumées et de noisette. Bien représentatif de son appellation. Les vins tranquilles se défendant bien, eux aussi : une étoile pour le **rouge 98** pour ses puissants arômes de fruits rouges, son attaque souple et ses tanins soyeux ; une citation pour le **blanc 98**, aux arômes francs, fruités et frais.

Joël Lévi, Dom. de La Paleine, 9, rue de la Paleine, 49260 Le Puy-Notre-Dame, tél. 02.41.52.21.24, fax 02.41.52.20.60 ☒ Y r.-v.

Lumière et odeurs sont les ennemis du vin : attention à votre cave !

DOM. DE LA PERRUCHE
La Pente des Rochepicards 1998

□ 2,5 ha 18 000 20 à 29 F

Fidèle à la tradition, cette propriété familiale s'attache également à mettre en place des pratiques nouvelles, comme la lutte raisonnée ou l'enherbement. Elle présente une cuvée de saumur blanc d'un beau jaune pâle, au nez complexe, fruité et évolué. La richesse de la bouche contribue à l'harmonie générale.

⊶ Maison Rouiller, Dom. de La Perruche, 49730 Montsoreau, tél. 02.41.51.73.36, fax 02.41.38.18.70 ☑ Y r.-v.

DOM. DE LA RENIERE
Authentique 1997★★

□ 4,5 ha 12 500 50 à 69 F

Tout dans la dégustation dénote la maturité du chenin qui a donné ce superbe saumur blanc : la robe intense à reflets jaune doré, le nez puissant de fruits mûrs, la bouche, souple en attaque, grasse et harmonieuse. Une bouteille qui mérite bien son nom, élaborée par une famille vigneronne établie dans ce domaine de La Renière depuis 1631.

⊶ René-Hugues Gay, Les Caves, 49260 Le Puy-Notre-Dame, tél. 02.41.52.26.31, fax 02.41.52.24.62 ☑ Y r.-v.

LA SEIGNERE Clos du vau 1998★★

□ 2,2 ha 4 000 30 à 49 F

Cette petite propriété (7,60 ha) d'un seul tenant, établie à flanc de coteau, a été rachetée en janvier 1998. De faibles rendements ont permis d'élaborer ce très joli vin jaune pâle à reflets gris. L'agitation libère des arômes complexes, révélant la concentration. L'attaque, souple et plaisante, est suivie d'une légère vivacité. Un bel équilibre et une longueur intéressante en font une bouteille fort agréable. La cuvée **Les Beaumiers 98**, en **blanc**, est prête à boire. Elle a obtenu une étoile (20 à 29 F).

⊶ Yves Drouineau, Les Beaumiers, 3, rue Morains, 49400 Dampierre-sur-Loire, tél. 02.41.51.14.02, fax 02.41.50.32.00 ☑ Y t.l.j. sf dim. 8h-12h 14h-19h

DOM. DE LA SEIGNEURIE DES TOURELLES 1998★

□ 2,5 ha 20 000 20 à 29 F

Une exploitation de 50 ha, héritière d'une seigneurie du XVIIes. En rouge comme en blanc, même réussite dans le millésime 98. Ce blanc, d'un jaune tirant légèrement sur le vert, se montre intense à l'œil comme à l'olfaction. Le nez ample livre des parfums fruités assortis de nuances minérales. On retrouve cette alliance d'arômes en bouche, dans une belle harmonie, avec fraîcheur et longueur. Quant au **rouge 98**, frais au nez, fruité au palais, il présente une structure légère qui le rend facile à boire.

⊶ SCEA Dubé et Fils, 49260 Le Vaudelnay, tél. 02.41.40.22.50, fax 02.41.40.22.60

⊶ Joseph Verdier

CH. LA TOUR GRISE 1998★

■ 4 ha 25 000 30 à 49 F

Philippe Gourdon a bien réussi ce saumur rouge à la robe soutenue et limpide. Le nez, agréable et complexe, mêle des notes fruitées, végétales et animales. L'attaque est souple, harmonieuse, la suite plus austère, mais l'ensemble donne une impression de gaieté. Un vin à découvrir dès maintenant. Une étoile encore pour le **blanc 98 Les Amandiers**, un vin très agréable, au nez floral intense et frais, franc, vif et long en bouche. Une citation, enfin, pour un autre **blanc 98**, au nez ouvert mêlant fleurs et fruits blancs, rond et encore réservé en bouche.

⊶ Philippe Gourdon, 1, rue des Ducs-d'Aquitaine, 49260 Le Puy-Notre-Dame, tél. 02.41.38.82.42, fax 02.41.52.39.96 ☑ Y r.-v.

LE CLOS DES MOTELES 1997★

○ 0,83 ha 6 900 30 à 49 F

Située à l'extrême sud du vignoble angevin près de la ville de Thouars (département des Deux-Sèvres), cette exploitation de plus de 16 ha propose une cuvée dont le jury a apprécié l'intensité aromatique, les notes amyliques et fruitées (notamment pêche) - et ce, tant à l'olfaction qu'à la dégustation. Souple, agréable et harmonieux, un vin flatteur et riche.

⊶ GAEC Le Clos des Motèles Basset-Baron, 42, rue de la Garde, 79100 Sainte-Verge, tél. 05.49.66.05.37, fax 05.49.66.37.14 ☑ Y r.-v.

MANOIR DE LA TETE ROUGE
Vieilles vignes 1998★★

■ 3 ha 16 000 30 à 49 F

Cette exploitation de 13 ha a été achetée en 1995 par Guillaume Reynouard qui, après avoir restauré le vignoble, se tourne vers l'agriculture biologique. On retrouve sa cuvée Vieilles vignes, remarquable cette année avec sa robe d'un beau grenat à reflets violets et son nez intense et fruité. Quant à la bouche, ronde, dotée de tanins présents mais souples, elle offre un agréable volume et une persistance fruitée des plus plaisantes. On apprécie l'harmonie entre le nez et la bouche. En **rouge 98**, également, la **cuvée Bagatelle** a été citée par le jury. Elle mêle arômes fruités, animaux et végétaux.

⊶ Guillaume Reynouard, Manoir de la Tête-Rouge, 3, pl. J.-Raimbault, 49260 Le Puy-Notre-Dame, tél. 02.41.38.76.43, fax 02.41.38.29.54, e-mail guillaume-reynouard@wanadoo.fr ☑ Y r.-v.

DOMINIQUE MARTIN
Vieilles vignes 1998★

■ 1,3 ha 6 000 30 à 49 F

La cave creusée dans le tuffeau, qui servait autrefois d'habitation, recèle d'intéressantes cuvées comme ce 98 paré d'une jolie robe rouge. Son nez intense, d'une grande complexité, fait ressortir d'agréables arômes de fruits, légèrement confits. Avec une belle expression fruitée et une bonne longueur, ce vin procure une sensation d'harmonie.

⊶ Dominique Martin, 20, rue du Puits-Aubert, 49260 Brézé, tél. 02.41.51.60.28, fax 02.41.51.60.28 ☑ Y t.l.j. 9h-20h; f. oct.

DOM. DES MATINES 1998

□ 10 ha 13 000 20 à 29 F

Cette exploitation familiale d'une cinquantaine d'hectares a élaboré un saumur blanc d'un beau jaune pâle à reflets verts et dorés. Très agréable, le nez est intensément fruité. La bouche est douce en attaque, puis se fait nerveuse en finale. Un vin vif qui accompagnera les fruits de mer.

Michèle Etchegaray-Mallard, 31, rue de la Mairie, 49700 Brossay, tél. 02.41.52.25.36, fax 02.41.52.25.50 ☑ Y r.-v.

CH. DE MONTGUERET 1998**

■ n.c. 100 000 20 à 29 F

On retrouve cette vaste exploitation (104 ha) avec un saumur rouge en robe grenat, au nez délicat, frais et riche. Après une attaque franche, la bouche apparaît ronde, montrant une « bonne petite amertume » en finale. Un ensemble fort plaisant. Quant au **blanc 98** du domaine, jaune d'or à reflets verts, il offre un beau potentiel. Avec son nez intense, net, fruité et concentré, sa bouche ronde et grasse, légèrement acidulée en finale, il a obtenu une étoile.

SCEA Ch. de Montgueret, 49560 Nueil-sur-Layon, tél. 02.41.59.59.33, fax 02.41.59.59.02 ☑ Y r.-v.

A. Lacheteau

LYCEE VITICOLE DE MONTREUIL-BELLAY
Cuvée des Hauts de Caterne 1998*

■ 1 ha 7 000 30 à 49 F

Etablissement d'enseignement agricole public, le lycée viticole de Montreuil-Bellay dispose d'une exploitation qui permet une formation pratique. On retrouve en rouge sa cuvée des Hauts de Caterne. Le millésime 98 se pare d'une robe rouge limpide et brillante. Le nez, un peu chaud, est sur sa réserve. Les arômes s'épanouissent dans une bouche ronde et élégante, bien équilibrée en finale. Un autre **rouge 98** a été cité par le jury.

Lycée prof. agricole de Montreuil-Bellay, rte de Méron, 49260 Montreuil-Bellay, tél. 02.41.40.19.20, fax 02.41.52.38.55 ☑ Y r.-v.

CH. MONTREUIL-BELLAY 1998*

■ 8,5 ha 10 000 20 à 29 F

Les châtelains ont toujours été vignerons à Montreuil-Bellay ; l'un d'entre eux a fondé la confrérie locale des Chevaliers du Sacavin. Tout ici est œuvre d'art, les paysages préservés, le château des XVe et XVI[e]s., les caves, les chais et, bien sûr, les vins, présents dans le Guide dès les premières éditions. Ce 98, en rouge, est bien représentatif du millésime : robe grenat, nez concentré aux nuances végétales, un peu sous-bois, bouche charnue et opulente, avec une pointe acidulée en finale. Une très belle harmonie générale.

Mme Brasier de Thuy, Ch. Montreuil-Bellay, 49260 Montreuil-Bellay, tél. 02.41.52.33.06, fax 02.41.52.37.70 ☑ Y r.-v.

DOM. DU MOULIN 1998*

■ 2 ha 14 600 20 à 29 F

Ce domaine tient son nom d'un moulin médiéval restauré qui sert de caveau de dégustation. Sa production, présente dès la première édition du Guide, a reçu sans surprise un bon accueil du jury. Ce saumur rouge s'annonce par une robe grenat tirant sur le pourpre. Le nez est franc, frais et fruité, la bouche ronde. L'attaque vive met le fruit en valeur. Un vin plaisant. Très bien fait, une étoile également, le **blanc 98** attire l'œil par ses beaux reflets dorés. Son nez puissant et de bonne maturité séduit, tout comme sa bouche équilibrée, possédant ce qu'il faut de vivacité.

SCEA Marcel Biguet, 5, pl. de la Paleine, 49260 Le Puy-Notre-Dame, tél. 02.41.52.26.68, fax 02.41.38.85.64 ☑ Y r.-v.

DOM. DU MOULIN DE L'HORIZON
Cuvée Mélodie 1998

□ 0,6 ha 4 000 20 à 29 F

Le nom de ce domaine évoque sans doute une position élevée. Effectivement, cette propriété d'une trentaine d'hectares est établie sur une butte. Cabernet et chenin prospèrent sur le tuffeau avant de reposer dans d'immenses caves creusées dans cette roche. Ce dernier cépage, assemblé à un soupçon de chardonnay, a donné ce 98 d'un beau jaune pâle, aux arômes de bonne intensité, élégant et équilibré.

Jacky Clée, 1, rue du Lys, Sanziers, 49260 Le Puy-Notre-Dame, tél. 02.41.52.24.96, fax 02.41.52.48.39 ☑ Y r.-v.

NEMROD*

○ 2 ha 5 000 30 à 49 F

Le vignoble des Rochettes est situé sur une colline sur laquelle se dressait un moulin (dont il ne reste plus que la base) qui fut un haut lieu de combat pendant la guerre de Vendée. Un saumur mousseux bien élevé, élégant, et qui est un véritable vin de soif. Sa belle continuité aromatique, florale et fruitée, tout au long de la dégustation, sa bouche fraîche et fruitée qui laisse une impression de légèreté en font une véritable réussite.

Jean Douet, Ch. des Rochettes, 49700 Concourson-sur-Layon, tél. 02.41.59.11.51, fax 02.41.59.37.73 ☑ Y r.-v.

DOM. DE NERLEUX La Singulière 1998*

□ 1 ha 2 000 30 à 49 F

Cette propriété familiale se transmet de père en fils depuis sept générations. Elle est établie sur le tuffeau, qui est encore extrait dans une carrière toute proche. Sa cuvée La Singulière se caractérise par des arômes intenses et délicats, marqués par une nuance boisée très présente. Il faudra savoir l'attendre car elle révèle un très beau potentiel.

SARL Régis Neau, Dom. de Nerleux, 4, rue de la Paleine, 49260 Saint-Cyr-en-Bourg, tél. 02.41.51.61.04, fax 02.41.51.65.34 ☑ Y r.-v.

DOM. DES RAYNIERES 1998***

■ 2 ha 14 000 20 à 29 F

Le jury est tombé sous le charme de ce saumur rouge. Ce vin retient d'emblée l'attention avec sa

robe franche, d'un rouge profond. Le nez de fruits bien mûrs, la bouche ample, volumineuse et élégante, d'une grande harmonie, emportent l'adhésion.
🔑 SCEA Jean-Pierre Rebeilleau, Dom. des Raynières, 33, rue du Ruau, 49400 Varrains, tél. 02.41.52.95.17, fax 02.41.52.48.40 ☒ Y r.-v.

DOM. DE ROCFONTAINE 1998

□ 1 ha 3 000 ▮ 20 à 29 F

Philippe Bougreau a repris l'exploitation de ses grands-parents (13 ha) en 1987. Son saumur blanc présente une robe jaune pâle animée de beaux reflets gris. Le nez, intense, libère des arômes délicats et riches. Malgré une finale un peu courte, la bouche séduit par son caractère vif et fruité. A découvrir.
🔑 Philippe Bougreau, 7, ruelle des Bideaux, 49730 Parnay, tél. 02.41.51.46.89, fax 02.41.38.18.61 ☒ Y r.-v.

DOM. SAINT-VINCENT 1998

□ 2 ha 10 000 ▮🌡 30 à 49 F

Situé sur les hauteurs de Saumur, ce domaine de 25 ha est exploité par Patrick Vadé depuis quinze ans. Son saumur blanc 98 se caractérise par une bouche grasse et ronde et par un fruité concentré. Sa nervosité en fin de bouche est typique du chenin.
🔑 EARL Patrick Vadé, Dom. Saint-Vincent, 49400 Saumur, tél. 02.41.67.43.19, fax 02.41.50.23.28 ☒ Y t.l.j. sf dim. 9h-12h 14h-18h

CAVE DES VIGNERONS DE SAUMUR Lieu-dit La Croix Verte 1998*

■ 6 ha 48 000 ▮🌡 20 à 29 F

La Cave des Vignerons de Saumur vinifie la vendange de 1 350 ha dans des caves impressionnantes ouvertes aux visiteurs. La robe de ce 98 est d'un rouge cerise intense. Les arômes sont puissants, fruités, avec des nuances réglissées et fumées. La bouche, ample et généreuse, offre une très belle texture de tanins qui ne demandent qu'à vieillir quelques années.
🔑 Cave des Vignerons de Saumur, 49260 Saint-Cyr-en-Bourg, tél. 02.41.53.06.06, fax 02.41.53.06.10, e-mail vignerons.de.saumur@wanadoo.fr ☒ Y t.l.j. sf dim. 9h-12h 14h-18h

MICHEL SUIRE 1998*

■ n.c. 13 000 ▮ 20 à 29 F

La propriété, ancien prieuré, dispose de caves profondes où a été élevé ce saumur rouge à la robe violacée intense. Le nez, encore timide, laisse poindre des notes de fruits rouges que l'on retrouve dans une bouche souple et ronde, très harmonieuse en finale. A découvrir. Le **blanc 98** du domaine, jaune à reflets verts, discret au nez, a été cité pour sa bouche agréable, équilibrée, souple et ronde.
🔑 Michel Suire, rue des Perrières, Pouant, 86120 Berrie, tél. 05.49.22.92.61, fax 05.49.22.57.56 ☒ Y t.l.j. sf dim. 10h-19h

DOM. DES VARINELLES 1998

□ 1,5 ha 6 000 ▮🌡 30 à 49 F

Etabli à Varrains, à 3 km de Saumur, ce domaine de 39 ha, dans la famille depuis cinq générations, est exploité par Claude et Laurent Daheuiller. D'un beau jaune d'or, ce 98 apparaît net mais encore discret au nez. La bouche souple, très structurée, offre une finale gourmande, légèrement acidulée. Un vin plaisant.
🔑 SCA Daheuiller et Fils, 28, rue du Ruau, 49400 Varrains, tél. 02.41.52.90.94, fax 02.41.52.94.63 ☒ Y t.l.j. sf dim. 8h30-12h 14h-19h; sam. sur r.-v.

VEUVE AMIOT Cuvée réservée*

○ n.c. n.c. ▮ 30 à 49 F

La maison Veuve Amiot a été créée en 1884 par Elisabeth Amiot. Rachetée par le groupe Martini, Veuve Amiot est une filiale de la Compagnie française des grands vins. Cette Cuvée réservée est bien là pour célébrer l'arrivée de l'an 2000. Sa très belle impression en bouche laisse un sentiment de souplesse et de légèreté confirmé par une finale fruitée très agréable. Soulignons la délicatesse des bulles et de la robe jaune pâle. Le jury considère que ce saumur sera en harmonie avec les fruits de mer, le poisson (sandre ou saumon) et les viandes blanches.
🔑 Veuve Amiot, 21, rue Ackerman, 49400 Saumur, tél. 02.41.83.14.14, fax 02.41.50.17.66 Y r.-v.

DOM. DES VIGNES BICHE 1998**

□ n.c. n.c. 20 à 29 F

Jaune pâle à reflets verts, ce saumur blanc séduit par son nez très fruité marqué par l'abricot, signe d'une bonne maturité. L'attaque est souple et ronde. Le fruité s'épanouit de nouveau dans une finale très persistante, qui confère à ce vin une belle harmonie. Un remarquable succès pour ce domaine, qui a bien réussi (une étoile) son rouge **Vieilles vignes 98** : d'un rouge intense, celui-ci offre un nez de fruits noirs (cassis) avec une touche de poivron à l'agitation, une bouche aromatique d'une belle persistance. Ce 98 révélera son potentiel d'ici deux à trois ans.
🔑 Laurent Gautier, 59, rue de la Pomasse, Messemé, 49260 Le Vaudelnay, tél. 02.41.52.29.02, fax 02.41.52.23.84

Cabernet de saumur

Bien qu'elle ne représente que de faibles volumes (6 294 hl en 1998), l'appellation cabernet de saumur tient bien sa place par la finesse de ce cépage, élaboré en rosé et cultivé sur des terrains calcaires.

DOMINIQUE MARTIN Demi-sec 1998

◪ 0,2 ha 1 164 ▮ 20 à 29 F

Dominique Martin a repris l'exploitation familiale en 1980. Il est président de l'appellation

saumur vin blanc. Son cabernet de saumur est réussi et délicat : robe pâle, arômes discrets et caractéristiques du cépage cabernet, bouche plaisante, légère et rafraîchissante. Un vin qui pourra être servi sur des entrées.
⊶ Dominique Martin, 20, rue du Puits-Aubert, 49260 Brézé, tél. 02.41.51.60.28, fax 02.41.51.60.28 ☒ Y t.l.j. 9h-20h; f. oct.

DOM. DES SANZAY 1998*

◪ 0,4 ha 3 000 20 à 29 F

Cette exploitation bien connue pour son saumur-champigny excelle également dans cette appellation de vin rosé spécifique de la région de Saumur. Celui-ci associe volume et arômes et laisse une impression d'harmonie et d'élégance. Il peut être servi à l'apéritif, sur des pizzas ou des plats relevés (type couscous), et sur des desserts : toute occasion sera la bonne !
⊶ Didier Sanzay, 93, Grand-Rue, 49400 Varrains, tél. 02.41.52.91.30, fax 02.41.52.45.93 ☒ Y r.-v.

TERRASSES DE SAUMUR 1998

◪ n.c. 20 000 20 à 29 F

Cette maison de négoce spécialisée dans les vins effervescents a réussi à se placer sur l'ensemble des appellations de vins rosés de l'Anjou et de Saumur. Ici, la robe rose saumonée est peu intense, le nez franc et fruité, et la bouche agréable et assez légère. Un vin simple, rafraîchissant, à déguster comme tel.
⊶ SA Lacheteau, Z.I. de la Saulaie, 49700 Doué-la-Fontaine, tél. 02.41.59.26.26, fax 02.41.59.01.94, e-mail lacheteau@symphonie.fai.fr

Coteaux de saumur

Ils ont acquis autrefois leurs lettres de noblesse. Les coteaux de saumur, équivalents en Saumurois des coteaux du layon en Anjou, sont élaborés à partir du chenin pur planté sur la craie tuffeau. 949 hl ont été vinifiés en 1997.

DOM. DE LA PERRUCHE
Les Rotissants 1997**

□ 1,2 ha 6 100 70 à 99 F

Exploitation située sur la traditionnelle côte « à blanc » dominant la Loire. Trois passages manuels lors des vendanges ont été nécessaires pour l'élaboration de ce vin à la robe jaune doré ; ses arômes de fruits secs (noisette), de fleurs blanches et de fruits exotiques, sa bouche agréable, pas très puissante mais bien fondue, laissent une sensation de fraîcheur. Une bouteille bien représentative de son appellation.(bouteilles de 50 cl)
⊶ Maison Rouiller, Dom. de La Perruche, 49730 Montsoreau, tél. 02.41.51.73.36, fax 02.41.38.18.70 ☒ Y r.-v.

L'ORMEOLE 1997***

□ 2 ha n.c. 100 à 149 F

Exploitation qui réussit régulièrement de jolis « coups » avec ses vins liquoreux. Les raisins à l'origine de ce vin ont été récoltés par tries à un degré naturel dépassant 20 ° et ont été vinifiés en barriques. On trouve là l'expression aromatique typique de la pourriture noble avec ses notes d'orange confite et de fruits secs. La bouche puissante et onctueuse a la race des grands, très grands liquoreux !
⊶ Yves Drouineau, Les Beaumiers, 3, rue Morains, 49400 Dampierre-sur-Loire, tél. 02.41.51.14.02, fax 02.41.50.32.00 ☒ Y t.l.j. sf dim. 8h-12h 14h-19h

DOMINIQUE MARTIN
Cuvée Les Vents d'Anges 1997**

□ 1,5 ha 1 000 150 à 199 F

Ce coteaux de saumur a été produit à partir de plusieurs passages manuels et a été élevé en barrique neuve. Ses arômes délicats de pamplemousse et de fruits exotiques et sa bouche fraîche et concentrée sont bien représentatifs des vins liquoreux nés sur la craie tuffeau. Une appellation et un vin à découvrir.
⊶ Dominique Martin, 20, rue du Puits-Aubert, 49260 Brézé, tél. 02.41.51.60.28, fax 02.41.51.60.28 ☒ Y t.l.j. 9h-20h; f. oct.

Saumur-champigny

En circulant dans les villages aux rues étroites du Saumurois, vous accéderez au paradis dans les caves de tuffeau qui abritent de nombreuses vieilles bouteilles. Si l'expansion de ce vignoble (1 300 ha) est récente, les vins rouges de Champigny sont connus depuis plusieurs siècles. Produits sur neuf communes, à partir du cabernet franc (ou breton), ils sont légers, fruités, gouleyants. La production est de 78 996 hl en 1997 et 78 715 hl en 1998. La cave des vignerons de Saint-Cyr-en-Bourg n'est pas étrangère au développement du vignoble.

DOM. DU BOIS JOLI 1998★

■   9 ha   50 000   ▮↓ 30 à 49 F

Un beau rouge aux reflets éclatants procure un réel plaisir à l'œil. Le nez fin et frais évoque le pur jus de fruits rouges. La bouche est de la même qualité : ronde, souple, avec une attaque tendre et une finale légèrement marquée par une pointe de vivacité.
☛Vinival, La Sablette, 44330 Mouzillon, tél. 02.40.36.66.00, fax 02.40.33.95.81
☛Vadé

DOM. DU BOURG-NEUF 1998★

■   8 ha   n.c.   ▮↓ 30 à 49 F

Revenu à la vigne et au vin, Christian Joseph a installé des cuves de macération flambant neuves sans reléguer toutefois les fûts de ses ancêtres, destinés à la vinification. Le résultat de ce sage compromis est fort réussi : robe brillante et transparente, nez fin, typé cabernet franc, aux notes de raisin mûr, bouche ronde et souple où pointent des accents balsamiques. L'élégance !
☛Christian Joseph, Dom. du Bourg-Neuf, 12, rue de la Mairie, 49400 Varrains, tél. 02.41.52.94.43, fax 02.41.52.94.53 ☑ ❤ r.-v.

DOM. DES CLOSIERS 1998★

■   12 ha   10 000   ▮❶↓ 30 à 49 F

Sur le chemin étroit qui monte au château de Targé, la cave d'Elie Moirin, creusée dans le roc calcaire, recèle des trésors : des saumur-champigny provenant des coteaux qui regardent la Loire. Presque pourpre, celui-ci possède un nez intense, riche en fruits rouges bien mûrs. Après une attaque fruitée, la bouche se développe autour de tanins étoffés, sans agressivité, qui étayent une finale persistante et agréable.
☛EARL Elie Moirin, 8, rue Valbrun, 49730 Parnay, tél. 02.41.38.12.32, fax 02.41.38.11.14 ☑ ❤ r.-v.

DOM. DES COUTURES 1998

■   n.c.   8 000   ▮↓ 30 à 49 F

A la faveur du vallon de Turquant et de ses sols argilo-calcaires, le cabernet franc du domaine des Coutures a donné naissance à un vin brillant et limpide, d'intensité moyenne. Les arômes délicats rappellent les fruits rouges. D'une belle structure en bouche et d'une agréable persistance aromatique, voilà un saumur-champigny joyeux... un vin plaisir.
☛SCA Nicolas et Fils, rue des Martyrs, 49730 Turquant, tél. 02.41.38.11.29, fax 02.41.51.47.70 ☑ ❤ r.-v.

CLOS CRISTAL 1997★

■   10 ha   45 000   ▮↓ 30 à 49 F

En Saumurois, personne n'a oublié Antoine Cristal qui forgea la renommée des vins rouges régionaux en créant le champigny. Ce 97 ne s'écarte pas de la tradition du Clos Cristal : attrayant à l'œil par sa teinte grenat foncé à reflets chatoyants ; encore discret au nez mais déjà si élégant avec ses notes de fruits rouges compotés. La bouche ne déçoit pas, confirmant les sensations olfactives. Elle est ronde, équilibrée et harmonieuse.

☛Hospices de Saumur, Clos Cristal, 49400 Champigny, tél. 02.41.52.96.08, fax 02.41.52.97.81 ☑ ❤ r.-v.

DOM. DUBOIS
Cuvée Vieilles vignes 1997★★

■   1 ha   6 000   ▮❶ 50 à 69 F

Les sables calcaires proches de Champigny semblent magiques au domaine Dubois. A côté d'une très belle **cuvée de Printemps 98**, élevée en cuve (une étoile, 30 à 49 F), cette cuvée Vieilles vignes a enthousiasmé le grand jury. Tel un grenat limpide et intense dans son écrin, elle dévoile une gamme aromatique comme une gourmandise. La bouche, bâtie sur des tanins ronds, est d'une grande ampleur. La puissance joue ici dans l'harmonie parfaite.
☛Dom. Dubois, 8, rte de Chacé, 49260 Saint-Cyr-en-Bourg, tél. 02.41.51.61.32, fax 02.41.51.95.29 ☑ ❤ r.-v.

DOM. FILLIATREAU 1998★

■   n.c.   150 000   ▮↓ 30 à 49 F

Le domaine Filliatreau est spécialisé en saumur-champigny. En 98, le cabernet-sauvignon a donné naissance à un vin pourpre d'une bonne limpidité. Bien que le nez soit encore timide, on devine des nuances subtiles et nombreuses : cuir, épices, fruits rouges, que l'on retrouve dans une bouche pleine et structurée. Belle harmonie générale. Plus tannique, la **cuvée Vieilles vignes 98** obtient une note identique (50 à 69 F).
☛Paul Filliatreau, Chaintres, 49400 Dampierre-sur-Loire, tél. 02.41.52.90.84, fax 02.41.52.49.92 ☑ ❤ t.l.j. 8h-12h 13h30-17h30; sam. dim. sur r.-v.

DOM. FOUET 1998★

■   2 ha   15 000   ▮ 30 à 49 F

Patrice Fouet a repris le vignoble il y a vingt ans. Son saumur-champigny reflète bien le terroir calcaire de Saint-Cyr. Beaucoup de caractère dans ce vin rubis intense, dont le nez subtil libère des arômes de fruits rouges. La bouche expressive est franche et fruitée. Un classique de l'appellation qui, selon un dégustateur, s'associera bien à la fameuse saucisse de Morteau au chou.
☛Dom. Fouet, 11, rue de la Judée, 49260 Saint-Cyr-en-Bourg, tél. 02.41.51.60.52, fax 02.41.67.01.79 ☑ ❤ t.l.j. 10h-12h 14h-18h

CH. DU HUREAU Cuvée Lisagathe 1998★★

■   2 ha   7 000   ▮↓ 70 à 99 F

Le domaine du Hureau est une grande signature de l'AOC saumur-champigny. Est-il besoin de le rappeler à qui goûte ce 98 rouge profond, véritable concentré de fruits rouges surmûris. On mesure toute la maturité et la richesse du raisin aux notes typiques de pruneau qui s'élèvent au second nez, puis à la bouche ample et pleine, dont les tanins sont harmonieusement fondus.
☛Philippe et Georges Vatan, Le Hureau, 49400 Dampierre-sur-Loire, tél. 02.41.67.60.40, fax 02.41.50.43.35, e-mail philippe.vatan@wanadoo.fr ☑ ❤ r.-v.

LOIRE

DOM. JOULIN Jeunes vignes 1998

■   2 ha   8 000   ▮↓ 30 à 49 F

Philippe Joulin, jeune viticulteur, s'est installé en 1989 à Chacé. Il possède aujourd'hui 12 ha de vignes. Son 98 mérite d'être cité pour sa robe limpide, rubis intense à reflets violacés. Si le nez semble de prime abord discret, il laisse apparaître de beaux arômes de fruits rouges après une légère aération. Souple, ce vin tire avantage de sa belle persistance pour fondre ses tanins en fin de bouche.

➤ Philippe Joulin, 58, rue Emile-Landais, 49400 Chacé, tél. 02.41.52.41.84, fax 02.41.52.41.84 ☑ ▼ r.-v.

DOM. LA BONNELIERE 1998★

■   2 ha   n.c.   ▮↓ 30 à 49 F

L'exploitation, créée en 1972 sous le nom de Caveau Saint-Vincent (une statue du patron des vignerons est conservée au domaine), n'a cessé d'évoluer : en vingt-cinq ans, elle a gagné 25 ha de vignes, dont 16 ha en AOC saumur-champigny. Né sur des sols argilo-calcaires, le cabernet-sauvignon du millésime 98 arbore une robe intense, profonde et violacée. Les notes de fruits rouges s'accompagnent au nez d'une nuance végétale. En bouche, l'attaque riche et souple laisse place à une matière soutenue par des tanins soyeux et à une finale persistante.

➤ André Bonneau, 45, rue du Bourg-Neuf, 49400 Varrains, tél. 02.41.52.92.38, fax 02.41.52.92.38 ☑ ▼ r.-v.

DOM. DE LA CUNE 1998

■   10 ha   60 000   ▮↓ 30 à 49 F

Situé à Chaintres, au cœur de l'appellation saumur-champigny, Jean-Luc et Jean-Albert Mary exploitent le domaine familial de 15 ha. Leur vin présente une forte intensité colorante, d'un rouge violet très sombre. Le premier nez n'est pas très expressif mais les notes florales et fruitées apparaissent à qui sait débusquer les arômes. Frais et léger en bouche, ce vin d'une bonne structure tannique révèle une longueur plus que satisfaisante.

➤ Mary, EARL Dom. de La Cune, Chaintres, 49400 Saumur, tél. 02.41.52.91.37, fax 02.41.52.44.13 ☑ ▼ r.-v.

DOM. DE LA GUILLOTERIE
Cuvée des Loges 1998★

■   2 ha   8 000   ▮↓ 50 à 69 F

Le saumur-champigny est le fleuron de ce domaine établi à Saint-Cyr-en-Bourg. Habillé d'une robe rubis limpide et éclatante, le 98 dévoile un nez encore jeune, très frais et prometteur : des notes de fruits rouges mûrs se libèrent. La bouche confirme ce caractère de jeunesse ; la sensation tannique devrait s'atténuer à terme. Un vin riche en saveurs qui mérite d'être attendu.

➤ GAEC Duveau Frères, 63, rue Foucault, 49260 Saint-Cyr-en-Bourg, tél. 02.41.51.62.78, fax 02.41.51.63.14 ☑ ▼ r.-v.

DOM. DE LA PERRUCHE
Vieilles vignes 1998★

■   5,1 ha   23 000   ▮↓ 30 à 49 F

Le domaine de La Perruche a mis en place une politique viticole d'enherbement. Il a proposé un **Clos de Chaumont 96** élevé onze mois en fût qui, quoique atypique, est à découvrir (une étoile). Cette cuvée de vieilles vignes d'une trentaine d'années revêt une robe limpide à reflets brillants. Le nez, aux notes de sous-bois, possède un caractère empyreumatique. Beau volume en bouche, souligné par des nuances animales. Le fruité réapparaît en fin de bouche. Ce vin fin mérite d'être attendu.

➤ Maison Rouiller, Dom. de La Perruche, 49730 Montsoreau, tél. 02.41.51.73.36, fax 02.41.38.18.70 ☑ ▼ r.-v.

DOM. LAVIGNE Les Aïeules 1998★

■   5 ha   19 500   ▮↓ 30 à 49 F

Une valeur sûre de l'appellation saumur-champigny. La robe très soutenue aux beaux reflets violacés invite à poursuivre la dégustation de ce vin typique. Le fruit est net et bien mûr au premier nez. En bouche, l'attaque souple annonce une structure ronde et harmonieuse.

➤ SCA Lavigne, 15, rue des Rogelins, 49400 Varrains, tél. 02.41.52.92.57, fax 02.41.52.40.87 ☑ ▼ r.-v.

LE PETIT SAINT VINCENT
Pélo 1997★★★

■   1,5 ha   7 500   ▮◖ 30 à 49 F

Dominique Joseph est désormais seul à la tête de cette société créée en 1991. Son **Petit Saint Vincent 98** - cuvée principale du domaine -, très fruité et prêt à boire, a obtenu une étoile. Mais c'est la cuvée Pélo qui a le plus impressionné le jury : d'intensité moyenne, la robe est fraîche et limpide. Le nez très subtil et délicat décline des notes de fruits rouges bien mûrs, tandis qu'en bouche l'harmonie fruitée s'allie à des tanins fins. Long, très long, ce vin n'en finit pas de s'exprimer.

➤ Dominique Joseph, 10, rue des Rogelins, Le Petit Saint Vincent, 49400 Varrains, tél. 02.41.52.99.95, fax 02.41.38.75.76 ☑ ▼ t.l.j. sf dim. 8h-12h 14h-18h30

MARIE DE BEAUREGARD 1997★★

■   15 ha   13 000   ◖◗ 30 à 49 F

Négociant à Pouilly-sur-Loire, Guy Saget est un passionné de l'Anjou. Deux crus proposés ont été sélectionnés en saumur-champigny avec une étoile : le **Domaine des Lumois 96**, à servir maintenant, le **Domaine de la Goufsaudière 97** (20 à 29 F) ; ce dernier, propriété de M. Bourdoux, est un vin riche et complexe qui pourra être conservé. Quant à vin de marque, limpide et attrayant avec ses reflets rubis, il possède un nez complexe au boisé maîtrisé : le côté fruité et floral est préservé. Rondeur, structure et équilibre caractérisent la bouche de ce saumur-champigny bien élevé.

➤ SA Guy Saget, La Castille, 58150 Pouilly-sur-Loire, tél. 03.86.39.57.75, fax 03.86.39.08.30 ☑ ▼ t.l.j. 8h-12h 14h-18h
➤ G. Rebeilleau

DOM. DE NERLEUX
Clos des Chatains Vieilles vignes 1998★

■ 10 ha 40 000 30 à 49 F

La belle demeure du XVIII[e]s. a été bâtie sur un terroir de tuffeau, encore exploité par la carrière toute proche. Les cultures de champignons sont voisines de la cave de Régis Neau. En 1998, la vedette est donnée à ce vin couleur cerise bigarreau, aux reflets éclatants. Le nez fin est marqué par les fruits rouges bien mûrs. Souple à l'attaque, la bouche possède une structure tannique suffisante pour assurer à ce saumur-champigny typique une bonne évolution.

SARL Régis Neau, Dom. de Nerleux, 4, rue de la Paleine, 49260 Saint-Cyr-en-Bourg, tél. 02.41.51.61.04, fax 02.41.51.65.34 r.-v.

DOM. DE ROCFONTAINE
Cuvée des vieilles vignes 1998★

■ 3 ha 15 000 30 à 49 F

C'est en 1987 que Philippe Bougreau a repris le domaine de ses grands-parents, à Parnay. Et il maîtrise bien son affaire : ce vin d'intensité moyenne laisse s'échapper de jolis arômes de fruits rouges au premier nez, avant d'évoluer vers des notes végétales et même réglissées. Après une attaque vive, la bouche propose un beau volume. Si la finale est encore un peu asséchante, le fondu apparaîtra, à coup sûr, après quelques mois de vieillissement.

Philippe Bougreau, 7, ruelle des Bideaux, 49730 Parnay, tél. 02.41.51.46.89, fax 02.41.38.18.61 r.-v.

DOM. DES ROCHES NEUVES
Terres Chaudes 1998★

■ 5 ha 20 000 50 à 69 F

Vêtu d'une robe profonde à reflets violacés, le saumur-champigny Terres Chaudes dévoile sa complexité : vous percevrez dans sa palette aromatique des notes de cuir, voire des accents animaux. Les tanins rudes, fermes et encore très présents, prouvent que ce vin n'a pas encore atteint sa plénitude mais lui assurent un indéniable potentiel de garde.

Thierry Germain, Dom. des Roches Neuves, 56, bd Saint-Vincent, 49400 Varrains, tél. 02.41.52.94.02, fax 02.41.52.49.30, e-mail thierry-germain@wanadoo.fr r.-v.

DOM. SAINT-JEAN Vieilles vignes 1997★

■ 2 ha 12 000 30 à 49 F

Les chais, situés sous le domaine, creusés dans le coteau turonien, ne déparent pas le joli village de Turquant. Sur les 23 ha de vignes de ce producteur, 80 % sont consacrés au saumur-champigny. Classique dans sa belle robe rouge, ce vin accompagne ses arômes de fruits rouges d'une nuance boisée. En bouche, ses tanins enveloppés assurent l'harmonie générale.

Jean-Claude Anger, 16, rue des Martyrs, 49730 Turquant, tél. 02.41.38.11.78, fax 02.41.51.79.23 r.-v.

DOM. DE SAINT-JUST
La montée des Roches 1998★★★

■ 12 ha 15 000 70 à 99 F

Dans la vallée du Thouet, le village de Saint-Just-sur-Dive a intrigué les archéologues au début du XIX[e]s. En 1823, des fouilles ont été entreprises dans la villa gallo-romaine de Lezon, mettant au jour de nombreux objets de la vie quotidienne, aujourd'hui exposés au château de Saumur. Désormais, d'autres découvertes sont promises aux amateurs de vin, tel ce saumur-champigny pourpre à reflets violacés, aussi intense à l'œil qu'au nez. La palette complexe et riche de fruits noirs surmûris évolue remarquablement. Ample et souple, la bouche se structure autour de tanins soyeux, fins et élégants. Sa longue persistance fait de ce 98 un grand vin.

SCEA Yves Lambert, Dom. de Saint-Just, 49260 Saint-Just-sur-Dive, tél. 02.41.51.62.01, fax 02.41.67.94.51, e-mail saint-just@wanadoo.fr r.-v.

DOM. SAINT-VINCENT Léa 1997★

■ 1 ha 5 000 70 à 99 F

Dès le XV[e]s., le nom de Saint-Vincent a souvent été attribué aux terroirs viticoles. Ce domaine témoigne de cette tradition. En 1997, il a produit un saumur-champigny intense, au nez harmonieux typique du cabernet franc bien mûr. La bouche, chaleureuse, dévoile un côté boisé qui ne s'est pas encore intégré à la matière, mais qui se fondra bientôt.

EARL Patrick Vadé, Dom. Saint-Vincent, 49400 Saumur, tél. 02.41.67.43.19, fax 02.41.50.23.28 t.l.j. sf dim. 9h-12h 14h-18h

CAVE DES VIGNERONS DE SAUMUR Réserve des Vignerons 1998

■ 5 ha 40 000 30 à 49 F

La cave des Vignerons de Saumur couvre une superficie impressionnante, à tel point que le visiteur peut prendre sa voiture pour la parcourir : une rampe de 300 m permet de descendre à 25 m de profondeur. Imaginez près de 7 km de galeries creusées dans le tuffeau sous le plateau de Saint-Cyr, où sont réalisés les travaux de pressurage et de vinification. Les vins des Vignerons de Saumur sont particulièrement soignés, comme en témoigne ce millésime sous sa robe profonde et intense, dont le disque limpide souligne la couleur grenat. Le nez complexe offre de beaux arômes de raisin mûr. En bouche, les tanins, à peine perceptibles, se font soyeux et donnent à la finale une agréable onctuosité.

🔑 Cave des Vignerons de Saumur, 49260 Saint-Cyr-en-Bourg, tél. 02.41.53.06.06, fax 02.41.53.10, e-mail vignerons.de.saumur@wanadoo.fr
☑ 𝐘 t.l.j. sf dim. 9h-12h 14h-18h

CH. DE TARGE 1997*

■ 20 ha 70 000 ■ 🌡 30 à 49 F

Le vignoble existait en 1655, date de la construction du château actuel, en partie troglodytique. Edgard Pisani renouvela le vignoble, exploité désormais par son fils Edouard, expert en saumur-champigny. Ce 97 offre une limpidité remarquable et une couleur rubis éclatante. Son nez puissant révèle des notes réglissées et fumées, tandis que sa matière structurée par des tanins soyeux emplit bien la bouche. La rétro-olfaction confirme le premier nez. Un saumur-champigny expressif et dense.

🔑 SCEA Edouard Pisani-Ferry, Ch. de Targé, 49730 Parnay, tél. 02.41.38.11.50, fax 02.41.38.16.19, e-mail edouardpf@chateau-targe.fr ☑ 𝐘 t.l.j. sf dim. 8h-12h 14h-18h; sam. mat. sur r.-v.

DOM. DES VARINELLES
Vieilles vignes 1998*

■ 3,5 ha 20 000 ■ ⓪ 🌡 50 à 69 F

Les rues bordées de grands porches dans le village de Varrains invitent à pénétrer dans les quelques maisons de maître qui demeurent ici comme à Chaintré. La même invitation vous est proposée au domaine des Varinelles, dont les belles caves souterraines ont abrité pendant treize mois ce 98 bien représentatif de l'appellation. Robe à reflets violacés, nez plaisant de fruits rouges, bouche souple, ronde et élégante. Un vin léger et agréable pour accompagner un roulé d'endives sauce béchamel ou un saumon au beurre de Champigny.

🔑 SCA Daheuiller et Fils, 28, rue du Ruau, 49400 Varrains, tél. 02.41.52.90.94, fax 02.41.52.94.63 ☑ 𝐘 t.l.j. sf dim. 8h30-12h 14h-19h; sam. sur r.-v.

DOM. DU VIEUX BOURG
Vieilles vignes 1997*

■ 1 ha 6 000 ■ ⓪ 🌡 50 à 69 F

Le domaine possède une belle cuverie moderne, mais les foudres, barriques et tonneaux de bois sont toujours là pour affiner le champigny. Le vieux pressoir à long fût, monument historique de la cave, témoigne de l'ancienne tradition vigneronne de la famille Girard. La couleur de ce 97 est profonde, d'un rubis brillant et soutenu. Si le nez semble d'abord fermé, il dévoile après agitation sa complexité par des nuances de type animal. L'attaque souple introduit une bouche ronde, bien que la finale soit légèrement astringente. Cet ensemble harmonieux mérite de s'ouvrir.

🔑 GAEC Girard Frères, 30, Grand-Rue, 49400 Varrains, tél. 02.41.52.91.89, fax 02.41.52.42.43 ☑ 𝐘 t.l.j. 8h-12h 14h-19h

DOM. DU VIGNEAU Vieilli en fût 1998*

■ 6,5 ha 6 000 ■ ⓪ 30 à 49 F

Souzay est un village insolite, où les habitations troglodytiques, recouvertes de lierre, occupent de véritables rues souterraines creusées dans le plateau. Les curiosités vinicoles justifient également la visite de ce lieu. Le saumur-champigny du domaine du Vigneau, intense, séduit l'œil par ses reflets violets. Le fruit rouge, notamment la fraise, domine dans une palette fraîche. La bouche, ronde et fruitée, respecte ce registre jusqu'à sa finale longue et flatteuse.

🔑 Camille Mirambaud, 4, pl. de la Paleine, 49400 Souzay-Champigny, tél. 02.41.52.95.74, fax 02.41.52.95.75 ☑ 𝐘 t.l.j. 9h-13h 15h-19h30

CH. DE VILLENEUVE 1998**

■ 20 ha 100 000 ■ ⓪ 🌡 30 à 49 F

Un château du XIX[e]s. près d'une demeure Renaissance, un parc et un vignoble implanté sur le plateau calcaire : un havre de paix au cœur du Saumurois. L'harmonie se retrouve dans le vin du château de Villeneuve, intense à l'œil, aux nuances grenat. Le nez complexe fait la part belle aux fruits rouges compotés, associés à des touches vanillées. En bouche, quelle matière ! Ronde, moelleuse, persistante...

🔑 Chevallier, Ch. de Villeneuve, 3, rue Jean-Brevet, 49400 Souzay-Champigny, tél. 02.41.51.14.04, fax 02.41.50.58.24 ☑ 𝐘 t.l.j. sf dim. 9h-12h 14h-18h

La Touraine

Les intéressantes collections du musée des Vins de Touraine à Tours témoignent du passé de la civilisation de la vigne et du vin dans la région ; et il n'est pas indifférent que les récits légendaires de la vie de saint Martin, évêque de Tours vers 380, émaillent la *Légende dorée* d'allusions viticoles ou vineuses... A Bourgueil, l'abbaye et son célèbre clos abritaient le « breton », ou cabernet franc, dès les environs de l'an mil, et, si l'on voulait poursuivre, la figure de Rabelais arriverait bientôt pour marquer de faconde et de bien-vivre une histoire prestigieuse. Une histoire qui revit au long des itinéraires touristiques, de Mesland à Bourgueil sur la rive droite (par Vouvray, Tours, Luynes, Langeais), de Chaumont à Chinon sur la rive gauche (par Amboise et Chenonceaux, la vallée du Cher, Saché, Azay-le-Rideau, la forêt de Chinon).

Célèbre il y a donc fort longtemps, le vignoble tourangeau atteignit sa plus grande extension à la fin du XIXe s. Sa superficie (environ 13 000 ha) demeure actuellement inférieure à celle d'avant la crise phylloxérique ; il se répartit essentiellement sur les départements de l'Indre-et-

Loire et du Loir-et-Cher, empiétant au nord sur la Sarthe. Des dégustations de vins anciens, des années 1921, 1893, 1874 ou même 1858, par exemple, à Vouvray, Bourgueil ou Chinon, laissent apparaître des caractères assez proches de ceux des vins actuels. Cela montre que, malgré l'évolution des pratiques culturales et œnologiques, le « style » des vins de la Touraine reste le même ; sans doute parce que chacune des appellations n'est élaborée qu'à partir d'un seul cépage. Le climat joue aussi son rôle : le jeu des influences atlantique et continentale ressort dans l'expression des vins, les coteaux formant écran aux vents du nord. En outre, la succession de vallées orientées est-ouest, vallée du Loir, de la Loire, du Cher, de l'Indre, de la Vienne, multiplie les coteaux de tuffeau favorables à la vigne, sous un climat tout en nuances, et en entretenant une saine humidité. Ce tuffeau, pierre tendre, est creusé d'innombrables caves. Dans les sols des vallées, l'argile se mêle au calcaire et au sable, avec parfois des silex ; au bord de la Loire et de la Vienne, des graviers s'y ajoutent.

Ces différents caractères se retrouvent donc dans les vins. A chaque vallée correspond une appellation, dont les vins s'individualisent chaque année grâce aux variations climatiques ; et l'association du millésime aux données du cru est indispensable.

En 1989, année chaude et sèche, les vins étaient riches, pleins, avec une longue promesse de vie. En 1984, année de floraison tardive, de climat plus maussade, les vins blancs étaient plus secs, les rouges plus légers, et ils atteignent aujourd'hui un optimum d'expression. Ainsi est-il possible d'établir une liste des millésimes remarquables des dernières décennies : 1959, 1961, 1964, 1969, 1970, 1976, 1981, 1982, 1983, 1985, 1986, 1988, 1989, 1990, 1995, 1996. Mais classement à moduler, bien sûr, entre les rouges tanniques de Chinon ou de Bourgueil (plus souples quand ils proviennent des graviers, plus charpentés quand ils sont issus des coteaux) et ceux plus légers, et parfois diffusés en primeur, de l'appellation touraine ; entre les rosés plus ou moins secs selon l'ensoleillement, tout comme les blancs d'Azay-le-Rideau ou d'Amboise, et ceux de Vouvray et de Montlouis dont la production va des secs aux moelleux en passant par les vins effervescents. Les techniques d'élaboration des vins ont leur importance. Si les caves de tuffeau permettent un excellent vieillissement à une température constante d'environ 12 °C, les vinifications en blanc se font à température contrôlée ; les fermentations durent quelquefois plusieurs semaines, voire plusieurs mois pour les vins moelleux. Les rouges légers, de type touraine, sont issus de cuvaisons au contraire assez courtes ; en revanche, à Bourgueil et Chinon, les cuvaisons sont longues : deux à quatre semaines. Si les rouges font leur fermentation malolactique, les blancs et les rosés doivent au contraire leur fraîcheur à la présence de l'acide malique. Globalement, la production, qui durant les bonnes années, approche en moyenne les 700 000 hl, est commercialisée à 55 % par le négoce. Les ventes directes représentent 30 % et les coopératives 15 %.

Touraine

S'étendant des portes de Montsoreau, à l'ouest, jusqu'à Blois et Selles-sur-Cher à l'est, l'appellation régionale touraine recouvre 5 250 ha. Elle est principalement localisée de part et d'autre des vallées de la Loire, de l'Indre et du Cher. Le tuffeau affleure rarement ; les sols surmontent le plus souvent l'argile à silex. Ils sont plantés surtout de gamay noir pour les vins rouges, accompagné selon les terrains de cépages plus tanniques, comme le cabernet franc et le cot. La majorité des vins rouges, dont les vins primeurs, légers et fruités, sont issus de ce gamay noir uniquement. A base de deux ou trois cépages, ils ont une bonne tenue en bouteille. Nés du cépage sauvignon qui depuis quarante ans a détrôné les autres, les blancs sont secs (122 351 hl en 1998). Une partie de la production des blancs (36 569 hl dont 3 829 hl en rosé) est élaborée en mousseux selon la méthode traditionnelle. Enfin, les rosés toujours secs, friands et fruités, sont élaborés à partir des cépages rouges. Rouges et rosés ont atteint 183 000 hl en 1998.

A u sud de Tours, il faut noter le renouveau d'un vignoble historique donnant des rosés secs, d'appellation touraine, mais anciennement et à nouveau dénommé « noble joué ». Les cépages sont les trois pinots : pinot gris (dominant), pinot meunier et pinot noir.

ALLIANCE DES GENERATIONS
1997★

| ■ | 4 ha | 8 000 | ⦀ | 30 à 49 F |

Les coteaux de Saint-Julien-de-Chédon font face à Montrichard, charmante cité qui conserve des maisons à pans de bois des XVᵉ et XVIᵉˢ. Ils donnent cette cuvée, à la robe vive, aux senteurs boisées et framboisées. Vieillie un an en fût et deux ans en bouteille, celle-ci possède un équilibre et des tanins qui lui assureront une belle longévité. Dégusté avant filtration, le **blanc 98** est prometteur.
☛ Jacky Mérieau, 38, rte de Saint-Aignan, 41400 Saint-Julien-de-Chédon, tél. 02.54.32.14.23 ☑ ⵛ r.-v.

DOM. D'ARTOIS
Sauvignon Les Buttelières 1998★

| ☐ | 6 ha | n.c. | ■ ↓ | 20 à 29 F |

Ce domaine, qui appartient à la maison Guy Saget, propose un vin pâle au bouquet assez fruité. Très équilibré, harmonieux, c'est un touraine bien typique.
☛ Dom. d'Artois, La Morandière, 41150 Mesland, tél. 02.54.70.24.72, fax 02.54.70.24.72 ☑ ⵛ r.-v.
☛ J.-L. Saget

AUGIS
Réserve des Caillouteux Elevé en fût de chêne 1997★

| ■ | 1 ha | 5 000 | ⦀ | 30 à 49 F |

Meusnes se situe à l'extrémité orientale de la Touraine, là où le vignoble se partage entre AOC touraine et VDQS valençay. Vêtu de rubis, ce vin offre un bouquet complexe évoquant le grillé, la framboise et le sous-bois. La structure est ferme. Un 97 vineux et puissant qui tiendra tête à un gibier.
☛ GAEC Jacky et Philippe Augis, Le Musa, 41130 Meusnes, tél. 02.54.71.01.89, fax 02.54.71.74.15 ☑ ⵛ t.l.j. 7h30-19h30; dim. 8h-12h30

JEAN-MAURICE BEAUFRETON
Méthode traditionnelle 1996

| ◐ | 1,5 ha | 4 000 | ■ ↓ | 30 à 49 F |

Jean-Maurice Beaufreton est l'un des derniers producteurs de la rive droite du Cher, entre Tours et Bourgueil, jadis terre d'élection du grolleau. Issu en grande partie (80 %) de ce cépage, ce 96, saumon pâle, aux nuances briochées, est un vin souple et assez fin.
☛ Jean-Maurice Beaufreton, 12-18, Le Grand-Verger, 37230 Luynes, tél. 02.47.55.64.13 ☑ ⵛ r.-v.

CELLIER DU BEAUJARDIN
Cabernet 1997★

| ■ | 30 ha | 30 000 | ■ ↓ | 20 à 29 F |

La cave coopérative de Bléré contribue au maintien de la viticulture de qualité dans cette région. Dans sa robe rubis, ce 97 montre un nez puissant de cassis, une attaque franche et une longueur flatteuse. Un vin brillant.
☛ Cellier du Beaujardin, 32, av. du 11-Novembre, 37150 Bléré, tél. 02.47.30.33.44, fax 02.47.23.51.27 ☑ ⵛ t.l.j. sf dim. 8h-12h 14h-18h30

DOM. BEAUSEJOUR Sauvignon 1998★

| ☐ | 10 ha | 50 000 | ■ ↓ | 20 à 29 F |

La famille Trotignon reçoit des hôtes dans les gîtes ruraux aménagés sur le domaine. Les visiteurs ne manqueront pas de goûter ce très beau 98 : un vin paille, très équilibré, d'une belle longueur, assez puissant au nez comme au palais.
☛ GAEC Trotignon et Fils, Dom. de Beauséjour, 10, rue des Bruyères, 41140 Noyers-sur-Cher, tél. 02.54.75.06.73, fax 02.54.75.06.73 ☑ ⵛ t.l.j. 8h-19h

DOM. BELLEVUE Sauvignon 1998★

| ☐ | 8 ha | 70 000 | ■ ↓ | 20 à 29 F |

La robe est prometteuse, le bouquet floral, et la bouche tient les promesses : souple, équilibrée, elle se prolonge en finesse avec des nuances de coing et de fleur d'acacia.
☛ EARL Patrick Vauvy, Les Martinières, 41140 Noyers-sur-Cher, tél. 02.54.75.38.71, fax 02.54.75.21.89 ☑ ⵛ r.-v.

DOM. DES CAILLOTS
Cuvée Sylvine 1998★★

| ☐ | 0,7 ha | 4 500 | ■ ↓ | 30 à 49 F |

Sa belle couleur et son bouquet prometteur donnent envie d'y goûter, et l'on n'est pas déçu. La fraîcheur et l'harmonie se prolongent bien, avec des nuances de fleurs et de fruits frais. Le **rouge Tradition 97** est tout en puissance.
☛ EARL Dominique Girault, Le Grand Mont, 41140 Noyers-sur-Cher, tél. 02.54.32.27.07, fax 02.54.75.27.87 ☑ ⵛ t.l.j. sf dim. 8h30-12h 14h-19h

CARREFOUR Gamay 1998

| ■ | n.c. | 186 000 | ■ ↓ | – de 20 F |

Négociant dynamique d'Amboise, Pierre Chainier vient d'agrandir et de moderniser ses chais. Il propose un 98 vêtu d'une robe cerise presque noire, qui sent bon le cassis. La rondeur et la souplesse des tanins en font un vin harmonieux, qui pourra se boire au IIIᵉ millénaire.
☛ SA Pierre Chainier, La Boistardière, 37400 Amboise, tél. 02.47.30.73.07, fax 02.47.30.73.09, e-mail chainier@hot.mail.com

DOM. DU CHAPITRE Cabernet 1997★★

| ■ | 5 ha | 7 000 | ■ ↓ | 20 à 29 F |

En 1997, les très bonnes conditions climatiques ont permis au cabernet franc de bien mûrir. Ce vin en a tiré parti. Une belle robe cerise, brillante, habille ce 97 au bouquet expressif de fruits confits (cassis, mûre). Une attaque franche et

beaucoup de matière, relevée en finale d'une touche animale. Une bouteille harmonieuse.

📞 GAEC Desloges, Le Bourg, 41140 Saint-Romain-sur-Cher, tél. 02.54.71.71.22, fax 02.54.71.08.21 ☑ ⍗ t.l.j. 8h-19h

DOM. CHARBONNIER Sauvignon 1998

| □ | 4 ha | 5 000 | 🍶🥄 − de 20 F |

Ce sauvignon provient de vignes ayant quinze ans d'âge. Discret au nez, il se révèle gras et structuré en bouche, avec des nuances de pamplemousse.

📞 GAEC Daniel Michel Charbonnier, 4, chem. de la Cossaie, 41110 Châteauvieux, tél. 02.54.75.49.29, fax 02.54.75.40.74 ☑ ⍗ r.-v.

CH. DE CHENONCEAU 1997★

| ■ | 15 ha | 76 000 | 🍶🥄 30 à 49 F |

« Je ne sais quoi [...] d'une aristocratique sérénité transpire au château de Chenonceaux », remarque Flaubert. On n'est pas loin d'en dire autant de cette bouteille. Noblesse et puissance émanent de ce 97 à la robe pourpre, profonde, et au bouquet intense. Un vin long, d'une belle matière. Il régnera longtemps.

📞 SA Chenonceau-Expansion, Ch. de Chenonceau, 37150 Chenonceaux,

tél. 02.47.23.44.07, fax 02.47.23.89.91 ☑ ⍗ t.l.j. 11h-18h; f. nov.-mars

DOM. DES CHEZELLES
Sauvignon 1998★

| □ | 10 ha | 80 000 | 🍶🥄 30 à 49 F |

De teinte claire, ce touraine présente un beau nez fruité de pamplemousse et persiste au palais, où une pointe de douceur tempère sa vivacité. Son frère issu du **gamay** est un vin de soif.

📞 EARL Alain Marcadet, Le Grand-Mont, 41140 Noyers-sur-Cher, tél. 02.54.75.13.62, fax 02.54.75.44.09 ☑ ⍗ r.-v.

DOM. DES CORBILLIERES 1997★

| ■ | 5 ha | n.c. | 🍶🥄 30 à 49 F |

Ce domaine réputé de Oisly est situé sur un des meilleurs terroirs de la commune. Ici la vinification est bien maîtrisée. En témoigne cette cuvée assemblant les trois cépages rouges de l'appellation. Vêtue de rouge sombre, discrètement fruitée, elle possède assez de tanins pour vieillir quelques années. « Un vin prenant », écrit un dégustateur. Le **blanc 98** est intéressant.

📞 EARL Barbou, Dom. des Corbillières, 41700 Oisly, tél. 02.54.79.52.75, fax 02.54.79.64.89 ☑ ⍗ r.-v.

La Touraine

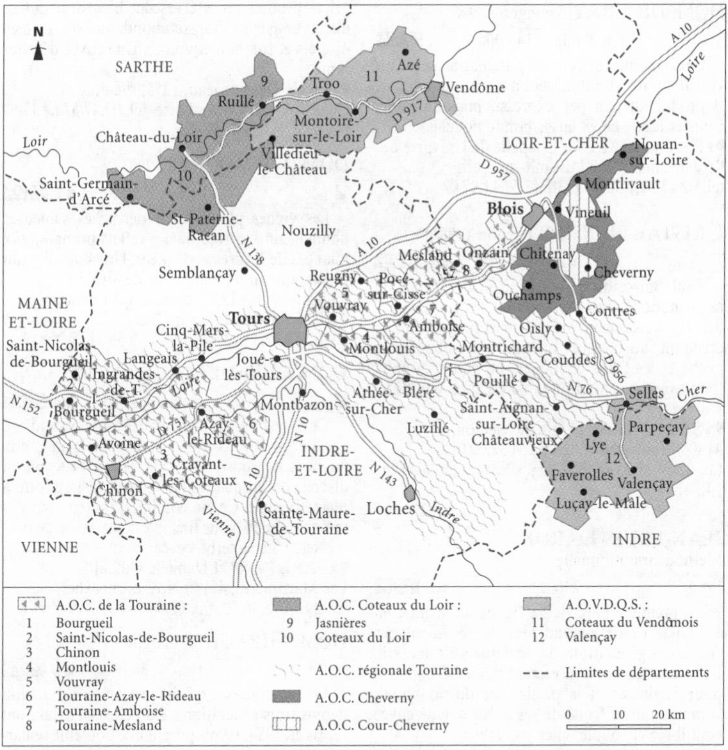

LES VIGNERONS DES COTEAUX ROMANAIS
Sauvignon Cuvée Saint-Vincent 1998*

□ 40 ha 90 000 ▮ 🌡 20 à 29 F

Cette cave coopérative bien équipée vinifie la production de 260 ha de vigne de la rive droite du Cher. Son vin blanc 98 n'a pas laissé le jury indifférent ; il obtient une étoile. Un bouquet d'acacia et de fleurs jaunes, une belle attaque, de la puissance et du gras, de subtiles nuances d'agrumes et de muscat : une cuvée que ne renierait pas son saint patron.

⊶ Les Vignerons des Coteaux Romanais, 50, rue Principale, 41140 Saint-Romain-sur-Cher, tél. 02.54.71.70.74, fax 02.54.71.41.75 ☑ Y t.l.j. sf dim. lun. 8h-12h 14h-18h

CH. DES COULDRAIES
Cuvée Prestige 1997

■ 0,75 ha 2 400 ▮ 🌡 20 à 29 F

Le château des Couldraies est un ancien relais de chasse de la famille royale, qui, à l'occasion, y donnait des rendez-vous galants. Le domaine propose un 97 aux discrètes senteurs de noisette et aux tanins fondus. Un vin équilibré, ne manquant pas de subtilité. La **cuvée Quartz Méthode** mérite aussi d'être citée.

⊶ SCEA des Couldraies, Ch. des Couldraies, 41400 Saint-Georges-sur-Cher, tél. 02.54.32.27.42, fax 02.54.32.40.03, e-mail courrier@couldraies.com ☑ Y r.-v.

DOM. DE CRAY Sauvignon 1998

□ 16,93 ha 145 000 ▮ 🌡 30 à 49 F

Ce domaine est géré en partenariat entre un viticulteur de Montlouis et un négociant anglais. Il produit un vin peu expressif mais agréable. Frais et léger, ce 98 laisse bonne bouche.

⊶ Boutinot, SARL La Chapelle de Cray, rte de l'Aquarium, 37400 Lussault-sur-Loire, tél. 02.47.57.17.74, fax 02.47.57.11.97 ☑

CRISTAL BUISSE Sauvignon 1998**

□ n.c. 25 000 ▮ 🌡 20 à 29 F

Paul Buisse dirige une maison de négoce de taille modeste mais réputée pour ses vins de qualité. Il est également viticulteur et présente un 98 cristallin, au bouquet intense, qui embaume la pêche et les fruits exotiques. Le palais, souple, long avec beaucoup de gras, est bien équilibré. Un régal !

⊶ SA Paul Buisse, 69, rte de Vierzon, 41400 Montrichard, tél. 02.54.32.00.01, fax 02.54.71.35.78 ☑ Y t.l.j. sf sam. dim. 8h-12h 14h-18h

JEAN-LOUIS DARDE
Méthode traditionnelle

○ 0,7 ha 4 000 ▮ 🌡 30 à 49 F

La première parcelle de vignes fut acquise en 1872 par l'arrière-grand-père de ce viticulteur. Au fil des générations, le domaine s'est agrandi. Il produit un vin effervescent qui a été apprécié pour la finesse et la persistance de ses bulles, comme pour le fruité de ses arômes. Une cuvée équilibrée et souple, citée par le jury.

⊶ Jean-Louis Darde, 10, rue de l'Egalité, 41150 Onzain, tél. 02.54.33.79.49, fax 02.54.20.74.26 ☑ Y r.-v.

DANIEL DELAUNAY Gamay 1998

■ 4 ha 10 000 ▮ 🌡 20 à 29 F

Dans sa robe soutenue, ce gamay montre un bon nez de fruits rouges. Après une attaque agréable, des nuances minérales se développent au palais.

⊶ Daniel Delaunay, 2, rue de la Bergerie, 41110 Pouillé, tél. 02.54.71.46.93, fax 02.54.71.77.34 ☑ Y r.-v.

DOM. JOEL DELAUNAY
Sauvignon 1998

□ 7,5 ha 50 000 ▮ 🌡 30 à 49 F

Père et fils sont deux vignerons dynamiques qui exploitent un vignoble situé en premières côtes de la rive gauche du Cher. Ils présentent un 98 à la couleur claire et brillante, au nez flatteur. Le bouquet allie des nuances végétales (acacia) et fruitées (coing). Un vin assez long, qui mérite d'être cité.

⊶ Dom. Thierry et Joël Delaunay, 48, rue de la Tesnière, 41110 Pouillé, tél. 02.54.71.45.69, fax 02.54.71.55.97, e-mail joeldelaunay@terre-net.fr ☑ Y t.l.j. sf dim. 8h-12h 14h-19h

JACKIE DELECHENEAU
Chenin Méthode traditionnelle

○ 0,25 ha 1 500 ▮ 🌡 30 à 49 F

Située sur les hauteurs d'Amboise, cette propriété produit un effervescent bien brut qui se distingue par sa mousse abondante, ses arômes discrets et son bon équilibre. Une cuvée désaltérante.

⊶ Jackie Deléchéneau, 1353, rue du Clos Chauffour, 37400 Amboise, tél. 02.47.57.64.17, fax 02.47.57.39.49 ☑ Y r.-v.

DOM. DESROCHES 1998

◪ 1 ha 5 000 ▮ 🌡 20 à 29 F

Les vignes plantées sur perruches sableuses donnent un vin rosé pâle à reflets orangés, aux nuances de levures et d'épices. Une bouteille qui ne manque ni de matière ni de vivacité.

⊶ Jean-Michel Desroches, Les Raimbaudières, 41400 Saint-Georges-sur-Cher, tél. 02.54.32.33.13, fax 02.54.32.56.31 ☑ Y r.-v.

DOM. GIBAULT Prestige 1997***

■ n.c. 5 000 ▮ 🌡 20 à 29 F

Ce 97 est né sur un terroir exposé au sud, où l'argile est recouverte de sable. Si le nez, aux nuances de sous-bois et de cassis, reste plutôt discret, on croque les fruits noirs et la griotte à pleine bouche. Ce vin équilibré, soutenu par des tanins présents mais fins, n'est pas avare de promesses. Une superbe cuvée.

⊶ EARL Pascal et Danielle Gibault, Les Martinières, 41140 Noyers-sur-Cher, tél. 02.54.75.36.52, fax 02.54.75.29.79 ☑ Y r.-v.

DOM. GIBAULT Sauvignon 1998**

□ 10 ha 80 000 ▮ 🌡 20 à 29 F

Le domaine est exploité par la famille Gibault depuis trois générations. Danielle et Pascal l'ont repris en 1988. Ils proposent une bouteille remarquable. Ce 98 jaune paille séduit par son bouquet fruité (pamplemousse, coing) intense et par sa souplesse. Puis il fait le grand jeu : fraîcheur, gras, rondeur, finesse, plénitude. Le jury se rend et lui attribue un coup de cœur.

EARL Pascal et Danielle Gibault, Les Martinières, 41140 Noyers-sur-Cher, tél. 02.54.75.36.52, fax 02.54.75.29.79 ☑ Y r.-v.

CH. ET P. GIBAULT 1998

◪ 2 ha 15 000 20 à 29 F

Du XVI[e]s. au milieu du XIX[e]s., le silex des rives du Cher a fourni des pierres à fusil qui étaient exportées dans le monde entier. A Meusnes, le musée de la Pierre à fusil retrace l'histoire de cette production. Après la visite du musée, attardez-vous dans le village pour déguster ce vin rosé à la robe soutenue, aux senteurs minérales et fruitées, avec juste ce qu'il faut de gras.

EARL Chantal et Patrick Gibault, rue Gambetta, 41130 Meusnes, tél. 02.54.71.02.63, fax 02.54.71.58.92 ☑ Y t.l.j. 8h-19h; dim. 9h-12h

CHRISTIANE GREFFE
Méthode traditionnelle Sec

◕ n.c. 14 000 20 à 29 F

Les caves s'enfoncent à 250 m dans le tuffeau. On y élabore ce vin assez fin, à la robe saumon et au nez plaisant, qui sera parfait à l'apéritif.

Christiane Greffe, 35, rue Neuve, 37210 Vernou-sur-Brenne, tél. 02.47.52.12.24, fax 02.47.52.09.56 ☑ Y r.-v.

DOM. GUENAULT Sauvignon 1998*

☐ 7 ha n.c. 20 à 29 F

Ce domaine a été le premier de la région à palisser ses vignes avec des piquets en bois. Il propose ce 98 aux parfums de pêche blanche. Discret, souple, long et harmonieux, c'est un touraine typique.

Jean-Claude Bougrier, SCEA dom. des Hauts-Lieux, 41400 Saint-Georges-sur-Cher, tél. 02.54.32.31.36, fax 02.54.71.09.61, e-mail Bougrier@wanadoo.fr ☑ Y r.-v.

DOM. DU HAUT PERRON
Vignoble le Cerf Joli 1998

☐ 1,5 ha 10 000 20 à 29 F

Ce producteur vinifie certaines parcelles à part et propose ainsi plusieurs vins de terroir. Ce Cerf Joli est né sur des sables du miocène. Les arômes sont discrets mais son équilibre, sa longueur et sa vivacité sont de bons présages. Le **brut 96** est bien fait.

Guy Allion, 15, rue du Haut-Perron, 41140 Thésée, tél. 02.54.71.48.01, fax 02.54.71.48.01, e-mail guy.allion@wanadoo.fr ☑ Y r.-v.

DOM. DU HAY Sauvignon 1998

☐ 0,49 ha 2 000 20 à 29 F

Situé à quelques kilomètres des châteaux d'Azay-le-Rideau, de Langeais et de Villandry, ce domaine propose un vin blanc qui sent bon la fleur de buis et les fruits frais. Un touraine assez équilibré, plutôt vif et typé.

EARL Gallais Père et Fils, 5, Le Hay, 37190 Vallères, tél. 02.47.45.39.55, fax 02.47.45.31.27 ☑ Y r.-v.

HENRY DE BRIERES Sauvignon 1998*

☐ n.c. 20 000 - de 20 F

Une sélection tourangelle d'un négociant angevin. Ce vin jaune paille embaume la pêche blanche et les fruits exotiques. Sa souplesse et sa longueur sont en bel équilibre avec le bouquet.

Castel Frères, rte de la Guillonnière, 49320 Brissac-Quincé, tél. 02.41.91.50.00, fax 02.41.54.25.40

DOM. JANVIER Gamay 1998

■ 1 ha 6 000 - de 20 F

Thésée, l'ancienne Tasciaca romaine, possède un musée archéologique qui présente des objets gallo-romains mis au jour dans la région. Le domaine Janvier a rénové son chai en 1999. Les vignes situées en premières côtes et exposées au sud donnent un vin aux arômes discrets de sous-bois, d'une rondeur agréable. A boire sur une charcuterie de Touraine.

Franck Janvier, 37, rue de la Fontaine-Herbault, 41140 Thésée, tél. 02.54.32.48.79, fax 02.54.32.48.79 ☑ Y t.l.j. sf dim. 8h30-12h 14h-19h

DOM. DE LA BERGEONNIERE
Sauvignon 1998

☐ 4 ha 10 000 20 à 29 F

Voici un vin blanc bien vinifié : des arômes discrets, un palais rond, souple et équilibré.

Jean-Claude Bodin, La Bergeonnière, 41140 Saint-Romain-sur-Cher, tél. 02.54.71.70.43, fax 02.54.71.72.92 ☑ Y t.l.j. 8h-20h

DOM. DE LA CHAISE Sauvignon 1998**

☐ 12 ha 35 000 - de 20 F

Créé il y a plus d'un siècle, ce domaine s'est progressivement agrandi et s'étend, aujourd'hui, sur presque 50 ha. Depuis 1993, il développe la vente directe aux consommateurs. Son 98 mérite sans conteste d'être découvert. Les arômes subtils de pêche blanche s'expriment longuement au palais, avec souplesse. Une belle finesse et du caractère. Bravo !

Pour tout savoir d'un vin, lisez les textes d'introduction des appellations et des régions ; ils complètent les fiches des vins.

⊶ J.-P. et Ch. Davault, Dom. de La Chaise, 37, rue de la Liberté, 41400 Saint-Georges-sur-Cher, tél. 02.54.71.53.08, fax 02.54.71.53.08 ☑ Y r.-v.

DOM. DE LA CHARMOISE
Gamay 1998*

■ 30 ha 200 000 30 à 49 F

Ce viticulteur, dont la réputation n'est plus à faire, a su tirer le meilleur des terroirs sablo-argileux de la Sologne viticole : son 98 vêtu de rouge violacé présente de longues jambes sur le verre. La première impression est chaleureuse. Doté d'une belle matière, le vin offre des notes épicées en finale. Un très bon touraine.

⊶ Henry Marionnet, La Charmoise, 41230 Soings, tél. 02.54.98.70.73, fax 02.54.98.75.66 ☑ Y r.-v.

DOM. DE LA COLLINE Sauvignon 1998*

□ n.c. n.c. -de 20 F

Un 98 au nez intense et fin, avec ce qu'il faut de fraîcheur, d'équilibre et de longueur. Une cuvée très réussie.

⊶ Sté Joseph Verdier, ZI Champagne, 49260 Montreuil-Bellay, tél. 02.41.40.22.50, fax 02.41.40.22.60

⊶ GAEC Colin

DOM. DE LA CROIX BOUQUIE
Cabernet 1997**

■ 1,3 ha 6 500 30 à 49 F

Ce domaine de 17 ha a produit sur des sols siliceux reposant sur argile un vin remarquable. Rubis foncé, il développe un bouquet intense et complexe de fruits bien mûrs (cassis et mûre). Structure, équilibre, persistance : quelle concentration !

⊶ Christian Girard, 1, chem. de la Chaussée, Phages, 41400 Thenay, tél. 02.54.32.50.67, fax 02.54.32.74.17 ☑ Y r.-v.

CLOS DE LA DOREE Noble Joué 1998*

◪ n.c. 5 000 20 à 29 F

Grâce à quelques producteurs passionnés, le Noble Joué connaît un renouveau depuis une vingtaine d'années. Celui-ci est très réussi. Minéral et floral, d'une bonne longueur, c'est un vin équilibré.

⊶ GAEC Clos de La Dorée, La Guérinière, 37320 Esvres-sur-Indre, tél. 02.47.26.50.65, fax 02.47.26.46.46 ☑ Y r.-v.

DOM. DE LA GARENNE
Sauvignon 1998

□ 9 ha 10 000 20 à 29 F

L'église d'Angé illustre l'étiquette de ce vin bien fait, à la couleur brillante et au nez floral. Un 98 équilibré, de bonne finale. A savourer sur des fruits de mer.

⊶ Jacky Charbonnier, 11, rte de la Vallée, 41400 Angé, tél. 02.54.32.10.06, fax 02.54.32.60.84 ☑ Y r.-v.

DOM. DE LA GARRELIERE
Gamay 1998

■ 2,15 ha 10 000 20 à 29 F

Ilot de vignes dans un océan de céréales, le domaine s'étend aux portes de Richelieu, cité créée en 1631 par la volonté du cardinal. Il produit un vin de calcaire à la belle robe rubis qui accroche encore un peu. Ses nuances épicées le destinent à accompagner une viande rouge.

⊶ François Plouzeau, Dom. de la Garrelière, 37120 Razines, tél. 02.47.95.62.84, fax 02.47.95.67.17 ☑ Y r.-v.

DOM. DE LA GIRARDIERE
Gamay 1998

■ 1,1 ha 9 000 20 à 29 F

Saint-Aignan est un agréable bourg qui domine le Cher de sa collégiale. Après avoir flâné dans les ruelles tortueuses de la vieille ville, faites une halte au domaine de la Girardière pour déguster ce 98 issu de vignes d'une vingtaine d'années. Rouge vif, ce vin typé, au corps assez marqué, offre des arômes intéressants.

⊶ Patrick Léger, La Girardière, 41110 Saint-Aignan, tél. 02.54.75.42.44, fax 02.54.75.21.14 ☑ Y r.-v.

LES MAITRES VIGNERONS DE LA GOURMANDIERE Sauvignon 1998

□ 80,57 ha 70 000 -de 20 F

Cette coopérative sélectionne rigoureusement la production qu'elle vinifie. Assez vif, ce touraine blanc sent bon la pêche et les fruits exotiques.

⊶ Les Maîtres Vignerons de La Gourmandière, 14, rue de Chenonceaux, 37150 Francueil, tél. 02.47.23.91.22, fax 02.47.23.82.50, e-mail vignerons-gourmandiere.com@wanadoo.fr ☑ Y t.l.j. sf dim. 8h-11h30 14h-17h;groupes sur r.-v.; f. 1er-7 janv.

CAVES DE LA GRANDE BROSSE
Sauvignon 1998

□ 6 ha 30 000 20 à 29 F

Ce vin d'un beau jaune paille mérite une citation pour son bel équilibre et ses parfums de pêche et de fruits exotiques.

⊶ Oudin, Caves de la Grande-Brosse, 25, rue Nationale, 41700 Chémery, tél. 02.54.71.81.03, fax 02.54.71.76.67 ☑ Y r.-v.

DOM. DE LA MECHINIERE
Gamay 1998*

■ 5,7 ha 45 000 20 à 29 F

Arrivée en Touraine en 1997, cette productrice a organisé ses quatre chais en un ensemble rationnel : l'un est réservé à la vinification en rouge ; un autre à la vinification en blanc et en rosé ; les deux derniers sont destinés à l'élevage et au conditionnement. Une méthode de travail qui réussit : une belle robe rouge nuancée de pourpre, un nez net de fruits rouges, une attaque souple, de la vivacité, une bonne persistance... et une étoile pour saluer le tout. Le **rosé** mérite d'être cité.

🖛 Valérie Forgues, La Méchinière; 22 rte de Saint-Aignan, 41110 Mareuil-sur-Cher, tél. 02.54.75.15.80, fax 02.54.75.27.61 ☑ 𝚼 r.-v.

DOM. DE LA PRESLE Sauvignon 1998

	13,35 ha	90 000		30 à 49 F

Plus du tiers de la production de ce domaine est consommé hors de France. Jaune citron, ce vin au nez flatteur offre des nuances de fruits verts et de fleurs très plaisantes. Un touraine bien fait.

🖛 EARL Dom. Jean-Marie Penet, Ch. de La Presle, 41700 Oisly, tél. 02.54.79.52.65, fax 02.54.79.08.50 ☑ 𝚼 t.l.j. 9h-12h 14h30-18h30

DOM. DE LA RABLAIS Sauvignon 1998

	8,73 ha	8 000		- de 20 F

Ce domaine accueille des classes « découvertes » à l'époque des vendanges. Il présente un 98 de teinte pâle, au nez discret, à la bouche florale. Un vin bien coulant.

🖛 Antoine Simoneau, La Poterie, 41400 Saint-Georges-sur-Cher, tél. 02.54.71.36.14, fax 02.54.32.59.32 ☑ 𝚼 t.l.j. sf dim. 9h30-12h30 14h30-19h30; f. 10-20 août

LES CAVES DE LA RAMEE Côt 1997★★

	1,21 ha	4 000		20 à 29 F

Une cave traditionnelle creusée dans le tuffeau, une vigne en premières côtes plantée en côt, un mois de septembre ensoleillé ont donné cette cuvée aux arômes subtils de fruits rouges bien mûrs, aux tanins ronds et puissants. Belle tenue, charme et densité.

🖛 Gérard Gabillet, 31, rue des Charmoises, 41140 Thésée, tél. 02.54.71.45.02, fax 02.54.71.31.48 ☑ 𝚼 r.-v.

DOM. DE LA RENAUDIE
Perle de rosée 1998★★

	1,2 ha	11 000		20 à 29 F

Le domaine tire son nom du coteau de la Renaudière, où croissent la plupart de ses vignes. Celles-ci donnent ce 98 d'un rose soutenu, qui embaume les fruits frais, avec une touche épicée au palais et beaucoup de gras. Un vin très équilibré, flatteur et d'une grande finesse. Le **blanc** du même millésime est estimable.

🖛 Patricia et Bruno Denis, Dom. de La Renaudie, 115, rte de St-Aignan, 41110 Mareuil-sur-Cher, tél. 02.54.75.18.72, fax 02.54.75.27.65 ☑ 𝚼 r.-v.

CH. DE LA ROCHE Sauvignon 1998

	6 ha	40 000		20 à 29 F

Voici un vin jaune paille, au bouquet puissant d'acacia et de coing, qui finit sur une pointe de tendresse.

🖛 Anne Chainier, Ch. de La Roche, 37530 Chargé, tél. 02.47.30.73.07, fax 02.47.30.73.09, e-mail chainier@hotmail.com

CH. DE LA ROCHE Tradition 1997★

	0,9 ha	3 200		30 à 49 F

Ce charmant manoir se dresse à l'orée de la forêt de Chinon. Il y a une dizaine d'années, Bernard Gentil a entrepris de reconstituer son vignoble. Ce viticulteur propose un 97 habillé d'une robe foncée, qui répand des senteurs fruitées, puis dévoile des nuances épicées. Un vin puissant qui tiendra tête à une poularde ou à un gibier.

🖛 Ch. de La Roche, La Roche, 37190 Cheillé, tél. 02.47.45.46.05, fax 02.47.45.29.60 ☑ 𝚼 t.l.j. 9h-12h30 14h-19h
🖛 B. Gentil

DOM. DE LA ROCHETTE
Pineau d'Aunis 1998★★

	4 ha	20 000		20 à 29 F

Ce 98, clair mais brillant, offre une bonne intensité aromatique. Très fin, harmonieux, avec beaucoup de gras, c'est un vin sympathique à savourer sous une tonnelle par une belle journée d'automne. Le **gamay rouge 98** mérite l'estime du jury.

🖛 François Leclair, 79, rte de Montrichard, 41110 Pouillé, tél. 02.54.71.44.02, fax 02.54.71.10.94 ☑ 𝚼 t.l.j. 8h-11h30 14h-17h30; sam. dim. sur r.-v.; f. 24-31 déc.

CAVES DE LA TOURANGELLE
Sauvignon 1998★

	n.c.	n.c.		20 à 29 F

Le chai a été créé en 1995 par la maison Bougrier pour vinifier des vendanges provenant de toutes les côtes du Cher. Voici un vin pâle, qui sent bon les agrumes, franc, assez complexe, typé ; il remplit bien la bouche.

🖛 Caves de La Tourangelle, 26, rue de la Liberté, 41400 Saint-Georges-sur-Cher, tél. 02.54.32.65.75, fax 02.54.71.09.61, e-mail bougrier@wanadoo.fr ☑ 𝚼 r.-v.
🖛 Bougrier SA

DOM. DE L'AUMONIER Sauvignon 1998

	12 ha	26 600		20 à 29 F

Cette exploitation de 32 ha produit un 98 à la couleur brillante, au nez intense ; il conjugue fraîcheur et légèreté. Un vin de soif.

🖛 Dom. de L'Aumonier, Villequemoy, 41110 Couffy, tél. 02.54.75.21.83, fax 02.54.75.17.07 ☑ 𝚼 r.-v.

DOM. LEVEQUE Cabernet 1997

	5 ha	8 000		20 à 29 F

La couverture sableuse de cette partie du plateau de Noyers-sur-Cher est propice au cabernet franc. Celui-ci revêt une robe foncée à reflets cuivrés. Le nez (végétal vert et petits fruits rouges) ne renie pas son cépage. A boire en 2000 ou en 2001.

🖛 Luc Lévêque, Le Grand-Mont, 41140 Noyers-sur-Cher, tél. 02.54.71.52.06, fax 02.54.75.47.65 ☑ 𝚼 t.l.j. 8h30-12h 14h-18h

LOIRE

JACQUELINE LOUET Gamay 1998

■ 1 ha n.c. 20 à 29 F

Ce 98 est né sur des sols d'argile à silex. Dans sa robe profonde, il montre un nez expressif de fraise. Encore un peu sévère en bouche lors de la dégustation, c'est néanmoins un vin assez plein et qui sera agréable dès l'automne.

Cave Pierre Louet, Mme Jacqueline Louet, Le Marchais, 41120 Monthou-sur-Bièvre, tél. 02.54.44.01.56 t.l.j. 10h-20h; sam. dim. sur r.-v.

JEAN-CHRISTOPHE MANDARD Sauvignon 1998

□ 3,6 ha 20 000 20 à 29 F

Le vignoble et le chai dominent la vallée du Cher. Au moment de la dégustation, ce vin blanc, pâle, fruité, légèrement mentholé, était perlant, avec des notes d'agrumes.

Jean-Christophe Mandard, Le Haut-Bagneux, 41110 Mareuil-sur-Cher, tél. 02.54.75.19.73, fax 02.54.75.16.70 r.-v.

THIERRY MANDARD Sauvignon 1998*

□ 4,3 ha 7 000 20 à 29 F

La plupart des vignes de cette exploitation poussent sur l'argile à silex de la rive gauche du Cher. Elles donnent ce vin blanc, plutôt floral au nez, puis fruité au palais (pêche blanche, agrumes). Un 98 assez complexe, souple et long. Un bel exemple.

Thierry Mandard, EARL du Chardanne, 23, rue du Gauget, 41110 Couffy, tél. 02.54.75.43.26 t.l.j. 10h-12h30 14h-19h30; f. 5-20 août

DOM. DE MARCE Sauvignon 1998

□ 12 ha 50 000 20 à 29 F

Les vignes de cette exploitation, créée voilà plus d'un siècle, sont plantées sur les terroirs argilo-sableux du plateau d'Oisly. Elles produisent ce 98 plutôt floral, qui se révèle surtout en bouche. Un vin équilibré, frais, flatteur.

GAEC Godet, Dom. de Marcé, 41700 Oisly, tél. 02.54.79.54.04, fax 02.54.79.54.45 t.l.j. 8h-12h 14h-19h

MARECHAL
Réserve Carte noire Brut 1997*

○ n.c. 10 800 30 à 49 F

Cette maison, bien connue à Vouvray, s'enorgueillit d'effectuer manuellement le remuage de toutes ses bouteilles. Un spécialiste donc, qui propose ce 97 très agréable, aux belles bulles, à la mousse persistante et aux nuances fruitées. Fin, bien équilibré, ce vin joue la carte de la réussite. A ne pas oublier pour célébrer les fêtes « fin de siècle ».

Nouveaux Ets Maréchal et Cie, 36, Vallée Coquette, 37210 Vouvray, tél. 02.47.52.71.21, fax 02.47.52.61.05, e-mail brabant.o@swanadoo.fr r.-v.

DOM. JACKY MARTEAU
Gamay 1998**

■ 10 ha 30 000 30 à 49 F

Ce vigneron sait tirer le meilleur parti des terroirs perrucheux (argile à silex) des premières côtes du Cher. Ce 98 - à deux doigts du coup de cœur - en fait la preuve. Vêtu d'une robe rouge profond à reflets pourpres, il offre un bouquet intense de fruits frais et de fruits rouges. Au palais, ampleur et structure s'équilibrent avec assez de gras. Le **blanc 98** du domaine ne manque pas d'intérêt.

Jacky Marteau, 36, rue de la Tesnière, 41110 Pouillé, tél. 02.54.71.50.00, fax 02.54.71.75.83 r.-v.

EVELYNE ET FRANCOIS MARTINEAU Gamay 1998*

■ n.c. 25 000 20 à 29 F

Une robe intense à reflets violacés, un nez puissant, épicé, une structure étonnante, charpentée, voici une cuvée qui ne renie pas son terroir argileux, pas plus que sa cuvaison de dix jours. Du caractère.

Evelyne et François Martineau, La Ferme, 41110 Couffy, tél. 02.54.75.19.71, fax 02.54.75.11.98 t.l.j. sf dim. 8h-19h

DOM. MAX MEUNIER Côt 1997

■ 1 ha 5 000 20 à 29 F

Les argiles à silex de la région de Meusnes et de Seigy conviennent bien au côt, vieux cépage des côtes du Cher. Celui-ci fleure la violette, avec une touche grillée. Les tanins sont présents. Un 97 un peu rustique, mais d'une bonne concentration.

EARL Max Meunier, 6, rue Saint-Gennefort, 41110 Seigy, tél. 02.54.75.04.33, fax 02.54.75.39.69 t.l.j. 8h-12h30 13h30-20h30

DOM. MICHAUD Gamay 1998**

■ 4 ha 20 000 20 à 29 F

Le hameau des Martinières possède de bons terroirs exposés au sud. Ce jeune couple de viticulteurs, qui en exploite quelque 17 ha, présente cette année un grand séducteur. La robe vive de ce 98 charme l'œil, son fruité intense (groseille) enchante le nez, sa rondeur, sa longueur et son équilibre ravissent le palais. Une corbeille de fruits rouges tapissée de velours. Le **touraine sauvignon 98** a obtenu une étoile pour son joli fruité (pamplemousse et pêche blanche) et sa parfaite harmonie.

Dom. Michaud, Les Martinières, 41140 Noyers-sur-Cher, tél. 02.54.32.47.23, fax 02.54.75.39.19 r.-v.

CH. MONCONTOUR
Tête de Cuvée Brut 1994*

○ 10 ha 80 000 30 à 49 F

En 1846, le château de Moncontour est à vendre. Balzac aimerait l'acquérir, mais, criblé de dettes, il ne peut réaliser ce « rêve de trente ans de [sa] vie ». Ce 94 ne vous causera aucune déconvenue : les bulles sont fines dans le vin jaune citron, les arômes fruités ; souple, équilibrée, persistante, c'est une cuvée plaisante.

🔑 SA vignoble Ch. Moncontour, 37210 Vouvray, tél. 02.47.52.60.77, fax 02.47.52.65.50 ☑ Y t.l.j. sf dim. 10h-19h

🔑 M. Feray

J.-M. MONMOUSSEAU
Les Granges 1997*

□ n.c. 18 667 30 à 49 F

La vénérable maison Monmousseau a été acquise en 1994 par un groupe luxembourgeois. Elle développe actuellement sa gamme en vins tranquilles de Touraine, tel ce 97. De teinte or vert, ce vin est issu de pur chenin, ce qui devient rare. Il sent bon la noisette, attaque en souplesse et persiste bien. Une réussite.

🔑 SA Monmousseau, 71, rte de Vierzon, B.P. 25, 41400 Montrichard, tél. 02.54.71.66.66, fax 02.54.32.56.09 ☑ Y t.l.j. 10h-18h; groupes sur r.-v.; f. sam. dim. 1er déc.-31 mars

🔑 Bernard Massard

DOM. OCTAVIE Gamay 1998**

■ 5 ha 30 000 30 à 49 F

Cette exploitation porte le prénom de la grand-mère d'Isabelle Rouballay. Ici, rien n'est laissé au hasard dans la vinification. Le résultat est remarquable. Vêtu de rubis, ce 98, au bouquet explosif de fruits rouges et d'épices, attaque franchement et se prolonge bien. Un vin généreux. La **cuvée Fragrance 97** est intéressante.

🔑 Noë Rouballay, Dom. Octavie, Marcé, 41700 Oisly, tél. 02.54.79.54.57, fax 02.54.79.65.20, e-mail octavie@caves-particulieres.com ☑ Y t.l.j. 8h-12h30 14h-18h; dim. sur r.-v.

CAVES DU PERE AUGUSTE Côt 1997*

■ 6,3 ha 15 000 20 à 29 F

Ce vin, à la robe grenat, exhale des senteurs de fruits mûrs en compote et se révèle aimable au palais, avec des tanins souples. Rond et élégant, c'est un beau représentant de la tradition viticole de la région. Le **gamay 98** mérite d'être cité.

🔑 Famille Godeau, Caves du Père Auguste, 14, rue des Caves, 37150 Civray-de-Touraine, tél. 02.47.23.93.04, fax 02.47.23.99.58 ☑ Y t.l.j. 8h-19h; dim. 10h-12h

CH. DU PETIT THOUARS
Cabernet franc Cuvée de l'Amiral 1997*

■ 10 ha 60 000 20 à 29 F

Plusieurs membres de la famille du Petit Thouars ont été de grands marins. Voilà qui explique le nom de cette cuvée. Rouge vif, embaumant les fruits des bois, charnue et d'une belle longueur, celle-ci promet une superbe évolution, pourvu qu'on attende quelques années.

🔑 Yves du Petit Thouars, Ch. du Petit Thouars, 37500 Saint-Germain-sur-Vienne, tél. 02.47.95.96.40, fax 02.47.95.80.27 ☑ Y r.-v.

PIERRE PLOUZEAU Rosé d'une nuit 1998

◪ 1 ha n.c. 20 à 29 F

La cave de dégustation de cette maison de négoce est située sous le château de Chinon. Faites-y une halte pour déguster ce touraine rosé à la robe transparente pelure d'oignon et aux discrètes nuances épicées. Un vin d'une agréable fraîcheur.

🔑 SA Plouzeau, 54, fg Saint-Jacques, 37500 Chinon, tél. 02.47.93.16.34, fax 02.47.98.48.23 ☑ Y r.-v.

CH. DE PONT Méthode traditionnelle Brut*

○ 1,5 ha 7 000 30 à 49 F

Ce château du XIXe s. a conservé une tour du XVIe s. dotée d'un curieux fronton. Voici un blanc de noirs aux bulles fines, élégant et harmonieux.

🔑 SCEA Ch. de Pont, Ch. de Pont, 37460 Genillé, tél. 02.47.59.59.02, fax 02.47.59.58.05 ☑ Y r.-v.

DOM. DU PRE BARON Gamay 1998*

■ 6 ha 25 000 20 à 29 F

Très coloré, ce 98 offre un nez intense de fruits rouges avec une nuance amylique alors que la bouche se montre épicée. Un vin d'une belle matière, franc et net. Réussi en un mot.

🔑 Guy et Jean-Luc Mardon, Dom. du Pré Baron, 41700 Oisly, tél. 02.54.79.52.87, fax 02.54.79.00.45 ☑ Y t.l.j. sf dim. 8h-12h 14h-19h

DOM. DU PRIEURE Cuvée Tradition 1997

■ 5 ha 2 000 20 à 29 F

Descendant d'une vieille famille de vignerons, Jean-Marc Gallou propose un 97 vêtu de grenat qui exprime les fruits rouges et noirs. Un vin souple et chaleureux.

🔑 Jean-Marc Gallou, Dom. du Prieuré, 41120 Valaire, tél. 02.54.44.11.62, fax 02.54.44.11.62 ☑ Y r.-v.

CHEMIN DE RABELAIS Brut*

○ 1,2 ha 6 500 30 à 49 F

Voici un chemin que l'on empruntera bien volontiers à l'heure de l'apéritif. Cette cuvée, issue à 80 % de chenin, offre une mousse exubérante, un nez discret, un palais équilibré. Un touraine typique.

🔑 Chollet, 23, chem. de Rabelais, 41150 Onzain, tél. 02.54.20.79.50, fax 02.54.20.79.50 ☑ Y r.-v.

DOM. DU RIN DU BOIS Gamay 1998*

■ 10 ha 80 000 30 à 49 F

Le nom de ce domaine, créé dans les années 50, restitue la prononciation solognote de l'expression « l'orée du bois ». Pascal Jousselin présente un 98 à la robe vive, au nez intense et charmeur, évoquant les fruits rouges (groseille, fraise). L'ensemble est rond et équilibré, gouleyant. La **cuvée rouge Tradition 97** est intéressante.

⊶ Pascal Jousselin, Dom. du Rin du Bois, 41230 Soings-en-Sologne, tél. 02.54.98.71.87, fax 02.54.98.75.09, e-mail rin-du-bois@caves-particulieres.com ☒ 🍷 r.-v.

ROUSSEAU FRERES Noble Joué 1998

◪ 12 ha 40 000 ▮🌡 20 à 29 F

Un domaine familial qui s'attache à promouvoir le Noble Joué. Celui-ci, vêtu d'une robe pelure d'oignon brillante, offre un bouquet fleuri très net, de la souplesse et une finale fruitée.

⊶ Rousseau Frères, Le Vau, 37320 Esvres-sur-Indre, tél. 02.47.26.44.45, fax 02.47.26.53.12 ☒ 🍷 t.l.j. sf dim. 8h-12h30 14h-19h

MICHEL ROY Gamay 1998

■ 1 ha 5 000 ▮ 30 à 49 F

En 1629, Richelieu, qui en était alors l'abbé commendataire, restaura et agrandit l'abbaye bénédictine de Pontlevoy, fondée au XI[e]s. Les bâtiments conventuels abritent un intéressant musée d'Art et de la Publicité. Michel Roy produit un 98 vêtu de pourpre, qui montre un nez épicé sympathique. Equilibrée, mais encore un peu austère, cette cuvée demande à s'arrondir et devrait être prêt à l'automne..

⊶ Michel Roy, 3, rue Franche, 41400 Pontlevoy, tél. 02.54.32.51.07, fax 02.54.32.51.07 ☒ 🍷 r.-v.

JEAN-FRANCOIS ROY Côt 1997*

■ 1,2 ha 5 000 ▮⛁🌡 20 à 29 F

Issu des vignes croissant sur les silex qui fournissaient jadis la pierre à fusil, ce vin encore très jeune se montre rustique et tannique. Cependant, il développe déjà un bouquet de fruits en compote relevé d'une note mentholée. Un vin de garde.

⊶ Jean-François Roy, 3, rue des Acacias, 36600 Lye, tél. 02.54.41.00.39, fax 02.54.41.06.89 ☒ 🍷 r.-v.

DOM. DES SABLONS Sauvignon 1998

□ 5,7 ha 40 000 ▮🌡 30 à 49 F

Un chai climatisé et fonctionnel, qui s'étage sur deux niveaux, est l'un des atouts de ce domaine. Les clients de s'y trompent pas : la maison est connue jusqu'en Russie. Ce 98 paille offre un nez discret de coing et de pamplemousse, fruits que l'on retrouve en bouche avec une légère amertume. Le vin cependant se montre bien rond.

⊶ Jacques Delaunay, Dom. des Sablons, 40, rue de la Liberté, 41110 Pouillé, tél. 02.54.71.44.25, fax 02.54.71.09.25 ☒ 🍷 t.l.j. 8h-19h; dim. sur r.-v.

ALAIN ET PHILIPPE SALLE Sauvignon 1998

□ 11 ha 60 000 ▮🌡 20 à 29 F

Cinq générations se sont succédé sur cette propriété, qui produit un touraine blanc d'une couleur agréable, à reflets verts. Le nez d'acacia et de pamplemousse est expressif. Un vin floral qui attaque vivement mais finit en souplesse.

⊶ EARL Alain et Philippe Sallé, Les Martinières, 41140 Noyers-sur-Cher, tél. 02.54.75.48.10, fax 02.54.75.39.80 ☒ 🍷 t.l.j. sf dim. 8h-12h 14h-18h

JEAN-JACQUES SARD Noble Joué 1998

◪ 3,8 ha 15 000 ▮🌡 20 à 29 F

Jean-Jacques Sard fut le premier viticulteur à planter, en 1976, les cépages du Noble Joué, pinot gris, pinot meunier et pinot noir, qui avaient totalement disparu. Son 98, à la robe saumon clair, au nez développé, un peu amylique, ne manque pas de gras. Il est très agréable.

⊶ Jean-Jacques Sard, La Chambrière, 37320 Esvres-sur-Indre, tél. 02.47.26.42.89, fax 02.47.26.57.59 ☒ 🍷 r.-v.

DOM. SAUVETE Privilège 1997*

■ 2 ha 10 000 ▮🌡 30 à 49 F

Ce domaine se situe tout près du château du Gué-Péan, où l'on peut admirer des meubles d'époque Louis XIII, Louis XV et Louis XVI. Il propose un vin très réussi : sa robe rouge sombre, son bouquet intense, son équilibre et sa charpente constituent un 97 tout en puissance.

⊶ Dom. Sauvète, La Bocagerie, 41400 Monthou-sur-Cher, tél. 02.54.71.48.68, fax 02.54.71.75.31 ☒ 🍷 t.l.j. sf dim. 9h-12h 14h-19h; f. 15-31 août

DOM. DES SEIGNEURS Sauvignon 1998*

□ 15,6 ha 92 000 ▮🌡 - de 20 F

Les vignes de ce domaine poussent sur des terrains variés : argile à silex, sables, argilo-calcaire. Elles donnent un 98 de couleur soutenue, souple, aromatique et agréable par son gras.

⊶ Dom. des Seigneurs, Les Tassins, 41110 Couffy, tél. 02.54.75.01.01, fax 02.54.75.39.31 ☒ 🍷 t.l.j. sf sam. dim. 8h-12h 14h-17h

⊶ Laurent Avignon

DOM. DES SOUTERRAINS Gamay 1998**

■ 5 ha 20 000 ▮🌡 20 à 29 F

« Goûtez et comparez », tel est le slogan de la première campagne publicitaire lancée par Auguste Poulain, fondateur de la célèbre chocolaterie. Suivez ce conseil : goûtez cette remarquable cuvée, à la robe rubis soutenu. Arômes de cerise et de cassis, équilibre de la structure, rondeur et longueur, finale épicée, voici un 98 qui ira loin. Le **97** issu de **cabernet** a retenu l'attention du jury.

⊶ Jacky Goumin, La Haie Jallet, 41130 Châtillon-sur-Cher, tél. 02.54.71.02.94, fax 02.54.71.76.26 ☒ 🍷 r.-v.

DOM. DES TERRES NOIRES Brut 1997

○ 0,65 ha 2 500 ▮🌡 20 à 29 F

Trois frères travaillent ensemble sur cette exploitation et produisent aussi du touraine-mesland. Dans l'appellation touraine, ils proposent cette cuvée bien brute, aux bulles fines et persistantes, et au fruité discret.

⊶ GAEC des Terres Noires, 81, rue de Meuves, 41150 Onzain, tél. 02.54.20.72.87 ☒ 🍷 r.-v.

DOM. DU VIEUX POIRIER
Sauvignon 1998★

☐   4,3 ha   8 000   - de 20 F

Le vieux poirier trône devant la porte du chai de ce domaine. Discrets au nez, les arômes de ce 98, plutôt floraux, tournent aux fruits verts en bouche, avec une belle longueur. Un vin tout en finesse et en retenue.

☞ EARL Mary, 89, rte de Mehers, 41140 Saint-Romain, tél. 02.54.71.72.77, fax 02.54.71.35.26 ☑
☞ François Mary

DOM. DU VIEUX PRESSOIR
Cuvée des Sourdes Vieilli en fût de chêne 1997★

■   5 ha   8 000   ❚❙❘ 30 à 49 F

Peut-être un peu dure d'oreille, mais certainement pas muette : cette cuvée chante le sous-bois et le clou de girofle, parle de sa structure et de son gras, converse longuement, avec beaucoup de finesse. Le **blanc 98** du domaine a obtenu la même note.

☞ Joël Lecoffre, 27, rte de Vallières, 41150 Rilly-sur-Loire, tél. 02.54.20.90.84, fax 02.54.20.99.66, e-mail joel.lecoffre@wanadoo.fr ☑ ∏ r.-v.

Touraine-amboise

De part et d'autre de la Loire sur laquelle veille le château des XVᵉ et XVIᵉ s., non loin du manoir du Clos-Lucé où vécut et mourut Léonard de Vinci, le vignoble de l'appellation touraine-amboise (dont 150 à 200 ha pour le touraine-amboise) produit surtout des vins rouges (10 751 hl) à partir du gamay, du cot et du cabernet franc. Ce sont des vins pleins, avec des tanins légers ; lorsque cot et cabernet dominent, les vins ont une certaine aptitude au vieillissement. Les mêmes cépages donnent des rosés secs et tendres, fruités et bien typés. Secs à demi-secs selon les années, avec une certaine aptitude au vieillissement, les blancs représentent 1 332 hl.

DOM. DES BESSONS
Cuvée François Iᵉʳ 1997★

■   1 ha   4 000   ▮❚❙❘ 20 à 29 F

Le visiteur est reçu dans un sympathique caveau troglodytique. Issu des trois cépages de l'appellation, assemblés au printemps, ce vin, rubis, aux arômes discrets, aux tanins présents, légèrement épicé, demande à évoluer quelques mois en cave. Le vin **blanc moelleux du même millésime** est une gourmandise.

☞ François Péquin, Dom. des Bessons, 113, rue de Blois, 37530 Limeray, tél. 02.47.30.09.10, fax 02.47.30.02.25 ☑ ∏ r.-v.

CARREFOUR 1997★

■   n.c.   132 000   ▮♣ - de 20 F

Ce négociant, dont l'activité ne cesse de progresser, propose pour les rayons « vin » de Carrefour un 97 à la robe brillante, au bon nez de fruits mûrs avec une nuance épicée, souple en attaque, puis bien en chair. Une réussite dans l'appellation.

☞ SA Pierre Chainier, La Boistardière, 37400 Amboise, tél. 02.47.30.73.07, fax 02.47.30.73.09, e-mail chainier@hot.mail.com

PHILIPPE CATROUX 1997★

☐   n.c.   n.c.   30 à 49 F

L'église de Limeray a été aménagée, au siècle dernier, en musée. Elle conserve des sculptures des XVᵉs. et XVIᵉs., dont une belle *Sainte Madeleine*. Ce 97, jaune d'or, offre un bouquet aux nuances de cire d'abeille qui évolue vers les agrumes. En bouche, l'alcool est présent, mais la surmaturation domine agréablement. Le **rosé 98** a une belle matière et reçoit la même note.

☞ Philippe Catroux, 224, rue des Caves-de-Monce, 37530 Limeray, tél. 02.47.30.13.10, fax 02.47.30.13.10 ☑

GUY DURAND Chenin blanc 1997★

☐   3 ha   2 500   ▮♣ 20 à 29 F

Cette propriété d'une douzaine d'hectares, située sur la rive gauche de la Loire, produit un 97 jaune pâle, au nez intense évoquant l'orange confite. D'un bon équilibre, rond et vif, il se bonifiera en vieillissant. A attendre cinq ans au moins. Le **demi-sec 97** est intéressant lui aussi.

☞ Guy Durand, 11, Chemin-Neuf, 37530 Mosnes, tél. 02.47.30.43.14, fax 02.47.30.43.14 ☑ ∏ t.l.j. 8h-20h

DOM. DUTERTRE 1998★

◣   1 ha   4 100   ▮♣ 30 à 49 F

Cette exploitation familiale exporte le quart de sa production. Elle présente un 98 à la robe assez pâle mais bien expressif : très floral, il ne manque pas de gras et finit en souplesse. Le **touraine blanc** de la même récolte est digne d'être cité.

☞ Dom. Dutertre, 2021, rue d'Enfer, pl. du Tertre, 37530 Limeray, tél. 02.47.30.10.69, fax 02.47.30.06.92 ☑ ∏ t.l.j. 8h-12h30 14h-18h; dim. sur r.-v.

XAVIER FRISSANT
L'Orée des Fresnes 1997★

■   1 ha   4 000   ▮❚❙❘♣ 30 à 49 F

Ce jeune producteur « qui monte » vend un cinquième de sa production hors de France. La plupart des vignes sont implantées en premières côtes sur argile à silex. Elles donnent ce 97, vêtu de rubis, au bouquet déjà intense de fruits rouges, un peu marqué par son élevage en barrique. Un vin souple et d'une belle matière.

☞ Xavier Frissant, 1, chemin Neuf, 37530 Mosnes, tél. 02.47.57.23.18, fax 02.47.57.23.25 ☑ ∏ t.l.j. 8h-12h30 14h-19h; dim. sur r.-v.

LOIRE

DOM. DE LA GABILLIERE
Doux 1997★★★

□ 3 ha 7 000 50 à 69 F

Coup de cœur l'an dernier pour le millésime 96, le domaine de La Gabillière persiste et signe : ce vin au bouquet exceptionnellement riche - figue, abricot sec, miel, raisin rôti -, à la texture soyeuse, parfaitement équilibrée, est un bel exemple de ce que peut produire ce terroir avec une viticulture maîtrisée. Le soleil de 1997 a fait le reste, magnifié par le savoir-faire des enseignants de ce lycée viticole. Quel délice !

Dom. de La Gabillière, 46, av. Emile-Gounin, 37400 Amboise, tél. 02.47.23.35.51, fax 02.47.57.01.76 ☑ Y t.l.j. sf sam. dim. 8h-12h 13h30-17h30

DOM. DE LA GABILLIERE
Cuvée François Ier 1997★★

■ 5 ha 15 000 20 à 29 F

Le domaine a décidément un beau répertoire : un coup de cœur (voir ci-dessus) et cette remarquable cuvée. Ce 97, en robe rubis, sent bon les épices et les fruits noirs. L'attaque est souple puis les tanins s'affirment et accompagnent des notes de gibier. Très long, c'est un superbe vin d'avenir.

Dom. de La Gabillière, 46, av. Emile-Gounin, 37400 Amboise, tél. 02.47.23.35.51, fax 02.47.57.01.76 ☑ Y t.l.j. sf sam. dim. 8h-12h 13h30-17h30

DOM. DE LA GRANDE FOUCAUDIERE Clos du Vau 1997

■ 0,25 ha 1 600 30 à 49 F

Ce producteur a repris le vignoble familial en 1992. Voici un 97, à la robe rubis, au bouquet de fruits rouges et de vanille, à la belle matière, qui réjouira les amateurs de vins boisés. En **blanc, la cuvée Maryse Truet** reçoit la même note.

Lionel Truet, La Grande Foucaudière, 37530 Saint-Ouen-les-Vignes, tél. 02.47.30.04.82, fax 02.47.30.03.55 ☑ Y t.l.j. 8h-20h

DOM. DE LA PERDRIELLE
Moelleux 1997

□ 1,5 ha 8 000 30 à 49 F

Avant de monter à Vauriflé, faites un détour par l'église de Nazelles pour admirer son porche roman du XII[e]s., sculpté de figures sacrées et profanes : agneau pascal, musiciens, sirènes... Le domaine de La Perdrielle présente un 97 au nez encore fermé, dont les arômes (agrumes, fruits confits) se révèlent au palais. Attendre l'an 2000 au moins pour l'apprécier.

EARL Gandon, Dom. de La Perdrielle, 24, vallon de Vauriflé, 37530 Nazelles-Négron, tél. 02.47.57.31.19, fax 02.47.57.77.28 ☑ Y t.l.j. sf dim. 9h-12h30 14h-19h

Jacques et Vincent Gandon

DOM. DE LA PREVOTE
Cuvée François Ier 1997★

■ 10 ha n.c. 20 à 29 F

C'est maintenant Serge et Pascal Bonnigal qui président aux destinées du domaine familial. Encore astringente, cette cuvée, au potentiel important, offre un nez intense et une finale de fraise et de cassis. C'est François Ier en habit de velours rouge.

Dom. de La Prévôté, GAEC Bonnigal, 17, rue d'Enfer, 37530 Limeray, tél. 02.47.30.11.02, fax 02.47.30.11.09 ☑ Y t.l.j. sf dim. 9h-12h 14h-19h

DOM. DE LA TONNELLERIE 1998

◪ 0,5 ha n.c. 20 à 29 F

Ce jeune viticulteur succède à plusieurs générations de tonneliers et de vignerons. Il propose un vin rosé issu du pur gamay, vêtu de saumon, assez vif et aromatique. Un vin de soif non sans élégance.

Vincent Péquin, 71, rue de Blois, 37530 Limeray, tél. 02.47.30.13.52, fax 02.47.30.06.23 ☑ Y t.l.j. sf dim. 8h-20h

DOM. DES MENIGOTTES
Pineau de la Loire 1997★

□ 1 ha 4 000 50 à 69 F

Les frères Plou et leurs fils sont à la tête de ce domaine en expansion dont les vignes regardent la Loire. Issu de raisins passerillés, ce vin blanc répand des arômes intenses (fruits secs, cassis) qui persistent au palais. Rondeur et finale sont très agréables. Un 97 qui évoluera bien.

EARL Plou et Fils, 26, rue du Gal-de-Gaulle, 37530 Chargé, tél. 02.47.30.55.17, fax 02.47.23.17.02 ☑ Y t.l.j. 9h30-13h 15h-19h30

DOM. MESLIAND La Besaudière 1997★

■ 0,75 ha 4 500 30 à 49 F

La quatrième génération de Mesliand arrive sur l'exploitation, dont le chai est parfaitement équipé pour vinifier soigneusement. En voici la preuve. La robe est rubis intense, le nez de fruits noirs et d'épices se prolonge au palais, avec ce qu'il faut de rondeur. « Un vin gourmand », écrit un dégustateur. En **blanc, le 97** présente un bouquet très intéressant.

Dom. Mesliand, 15 bis, rue d'Enfer, 37530 Limeray, tél. 02.47.30.11.15, fax 02.47.30.02.89 ☑ Y t.l.j. 8h-21h; groupes sur r.-v.

Touraine-azay-le-rideau

Produits sur 150 ha, dont 50 déclarés en touraine-azay, répartis sur les deux rives de l'Indre, les vins ont ici l'élégance du château qui se reflète dans la rivière et dont ils ont pris le nom. La moitié sont des blancs (961 hl en 1998) ; secs à tendres, particulièrement fins, vieillissent bien ; ils sont issus du cépage chenin blanc (ou pineau de la Loire). Les cépages grolleau (60 % minimum de l'assemblage), gamay, côt (avec au maximum 10 % de cabernets) donnent des rosés secs et très friands (1 527 hl).

Les vins rouges ont l'appellation touraine.

THIERRY BESARD 1997*

□ 0,4 ha 2 000 20 à 29 F

Cette exploitation est située à 1 km du musée Maurice-Dufresne, qui abrite une intéressante collection de machines anciennes : locomotives, matériel agricole, métiers à tisser... Elle présente un 97 charmeur, aux notes d'agrumes et d'abricot. Un vin équilibré et harmonieux qui laisse la bouche fraîche.

Thierry Bésard, Les Priviers n° 10, 37130 Lignières-de-Touraine, tél. 02.47.96.85.37, fax 02.47.96.41.98 r.-v.

CAVES DE FOUCHAULT
Moelleux 1997**

□ 0,6 ha 3 000 30 à 49 F

Les cuves de l'exploitation sont installées dans une grange du XVIIes. Légèrement doré, ce vin, aux arômes minéraux et miellés, est rond et harmonieux. Un coup d'essai qui ressemble fort à un coup de maître.

Guillaume Descroix, 19, Fouchault, 37190 Vallères, tél. 06.15.24.74.10 t.l.j. 10h30-18h

DOM. DU HAUT-BAIGNEUX 1998

◢ 1,59 ha 10 000 20 à 29 F

Une robe brillante aux reflets orangés, un nez offrant des nuances de tabac, une attaque ferme. Voici un vin équilibré qui se tiendra bien à table.

Jean-Pierre Perdriau, Dom. du Haut-Baigneux, 37190 Cheillé, tél. 02.47.45.35.95, fax 02.47.45.27.87 r.-v.

LA CAVE DES VALLEES 1998

◢ 2,8 ha 6 000 20 à 29 F

La famille Badiller est établie de longue date sur ce domaine : elle le cultivait déjà en 1789. Marc Badiller propose un 97 fruité, développé et persistant. Le palais finit en souplesse sur une note d'amertume caractéristique du cépage. Le **touraine rouge** du même millésime mérite d'être cité.

Marc Badiller, 29, Le Bourg, 37190 Cheillé, tél. 02.47.45.24.37, fax 02.47.45.29.66 t.l.j. sf dim. 8h30-12h 14h30-19h

LA HERPINIERE Vieilles vignes 1997*

□ 1 ha 5 000 30 à 49 F

Habitué du Guide, Christophe Verronneau présente un 97 qui ne démérite pas. Les notes fruitées (agrumes, abricot) se prolongent en bouche avec ce qu'il faut de puissance. Un touraine-azay harmonieux.

Christophe Verronneau, 16, La Vallée, 37190 Vallères, tél. 02.47.45.92.38, fax 02.47.45.92.39 r.-v.

JAMES PAGET 1997*

□ 1,2 ha 6 000 30 à 49 F

D'une couleur pâle à reflets verts, ce 97 offre un bouquet complexe de litchi, d'agrumes et d'acacia. Souple, avec beaucoup de gras et d'harmonie, ce vin a un excellent potentiel.

EARL James Paget, 13, rue d'Armentières, 37190 Rivarennes, tél. 02.47.95.54.02, fax 02.47.95.45.90 r.-v.

PASCAL PIBALEAU 1998

◢ 3 ha 10 000 20 à 29 F

Pénalisé par une dégustation venant juste après la mise en bouteilles, ce rosé brillant a cependant révélé des arômes épicés et une bonne structure. A boire en l'an 2000.

EARL Pascal Pibaleau, 68, rte de Langeais, 37190 Azay-le-Rideau, tél. 02.47.45.27.58, fax 02.47.45.26.18 t.l.j. sf dim. 8h-12h30 13h30-19h

Touraine-mesland

Sur la rive droite de la Loire, au nord de Chaumont et en aval de Blois, le vignoble d'appellation couvre 200 ha. 6 393 hl ont été produits en 1998 dont 641 en blanc ; les sols sont perrucheux (argile à silex à couverture localement sableuse (miocène) ou limono-sableuse). La production de vins rouges est abondante ; issus du gamay assemblé avec du cabernet et du côt, ceux-ci sont bien structurés et typés. Comme les rosés, les blancs (issus surtout du chenin) sont secs.

DOM. D'ARTOIS 1998

■ 15 ha n.c. 20 à 29 F

Ce domaine, qui appartient à la maison Guy Sachet, de Pouilly-sur-Loire, propose un 98 fruité où le cabernet semble dominer. Ce vin, assez puissant, présente un caractère acidulé qui le rend agréable.

Dom. d'Artois, La Morandière, 41150 Mesland, tél. 02.54.70.24.72, fax 02.54.70.24.72 r.-v.

J.-L. Saget

CH. GAILLARD Vieilles vignes 1998*

■ 5 ha 30 000 30 à 49 F

Les trois cépages rouges de l'appellation poussent sur l'argile, recouverte, ici, de sable du miocène. Destinée aux amateurs de vins boisés, cette cuvée de vieilles vignes, vêtue de grenat, exhale

LOIRE

des arômes intenses de fruits et de vanille. Quoique encore astringente, elle est déjà d'une longueur agréable. Quelques mois de garde lui permettront d'évoluer encore.
☛ Vincent Girault, Ch. Gaillard,
41150 Mesland, tél. 02.54.70.25.47,
fax 02.54.70.28.70,
e-mail chateaugaillard@infonie.fr ☑ ⟙ r.-v.

DOM. DE LA BESNERIE 1998

◿	1,5 ha	5 000	🍴♦ 20 à 29 F

La famille Pironneau a acquis cette ancienne propriété viticole en 1976. Elle présente un vin rosé très agréable. Vêtu d'une robe saumon clair, ce 98 est expressif, floral, épicé, avec une pointe amylique. Le **crémant de Loire** du domaine mérite, lui aussi, d'être cité.
☛ François et Jacqueline Pironneau, Dom. de La Besnerie, rte de Mesland, 41150 Monteaux, tél. 02.54.70.23.75, fax 02.54.70.21.89 ☑ ⟙ r.-v.

CLOS DE LA BRIDERIE
Vieilles vignes 1998★

■	6,1 ha	40 000	🍴♦ 30 à 49 F

Ce 98 offre une jolie robe rubis, un nez intense, légèrement vanillé, une structure tannique concentrée où le fruit ne fait pas défaut. Une belle réussite pour le millésime.
☛ J. et F. Girault, Clos de La Briderie,
41150 Monteaux, tél. 02.47.57.07.71,
fax 02.47.57.65.70 ☑ ⟙ r.-v.

LES VAUCORNEILLES 1998★

☐	1,15 ha	5 000	🍴♦ 20 à 29 F

Les nouveaux propriétaires s'attachent à maintenir la réputation acquise par l'ancien, Jean-Louis Darde. Ils présentent un touraine-mesland où le chenin est associé à un peu de chardonnay et de sauvignon. Les arômes (touche de litchi), l'harmonie, le gras et la longueur de ce vin séduiront plus d'un amateur.
☛ GAEC Les Vaucorneilles, 10, rue de l'Egalité, 41150 Onzain, tél. 02.54.20.72.91, fax 02.54.20.74.26 ☑ ⟙ r.-v.

DOM. DE LUSQUENEAU 1998★

☐	n.c.	23 000	🍴♦ 20 à 29 F

Acquis en 1998 par la maison Bougrier de Saint-Georges-sur-Cher, ce domaine présente un vin blanc très réussi. Encore fermé, ce 98, pâle à reflets verts, se révèle en bouche. Sa vivacité ne masque pas l'harmonie. A boire dans deux ou trois ans. Le **rosé 98** est également très réussi.
☛ SCEA Dom. de Lusqueneau, rue du Foyer, 41150 Mesland, tél. 02.54.70.25.51,
fax 02.54.70.27.49 ☑ ⟙ r.-v.
☛ Latreuille

DOM. DU PARADIS Tradition 1998

■	n.c.	n.c.	🍴♦ 20 à 29 F

Un vin suave, à la robe rubis clair, aux senteurs de fruits mûrs et de poivre. Un petit coin de paradis ? En tout cas, un 98 bien vinifié.
☛ Philippe Souciou, 39, rue d'Asnières,
41150 Onzain, tél. 02.54.20.81.86,
fax 02.54.33.72.35 ☑ ⟙ r.-v.

JACQUES VEUX 1998

◿	4 ha	3 000	■ 20 à 29 F

Né sur des terrains argilo-sableux, ce pur gamay, vêtu d'une robe aux reflets agréables, ne manque ni de fraîcheur ni de matière.
☛ Jacques Veux, 3 bis, Ch. Gaillard,
41150 Mesland, tél. 02.54.70.26.27 ☑

Bourgueil

A partir du cépage cabernet franc ou breton, 71 186 hl de vins rouges très caractérisés sont produits en 1998 sur les 1 250 ha du vignoble d'appellation contrôlée bourgueil, à l'ouest de la Touraine et aux frontières de l'Anjou, sur la rive droite de la Loire. Racés, dotés de tanins élégants, ils ont une très bonne aptitude au vieillissement, après une cuvaison longue, s'ils proviennent des sols sur tuffeau jaune des coteaux. Leur évolution en cave peut alors durer plusieurs dizaines d'années pour les meilleurs millésimes (1976, 1989, 1990 par exemple). Ils sont plus gouleyants et fruités s'ils proviennent des terrasses aux sols graveleux à sableux. Quelques centaines d'hectolitres sont vinifiés en rosés secs. Il est à noter que les viticulteurs membres de la coopérative de Restigné (un quart du bourgueil) reprennent leurs vins et les élèvent souvent dans leur propre cave.

YANNICK AMIRAULT
Le Grand Clos 1997★

■	1,5 ha	8 000	❶❶❶ 50 à 69 F

Yannick Amirault prend soin de vinifier séparément tous ses terroirs. Faire une dégustation chez lui permet de saisir les nuances qu'apportent le sol, le climat ou l'âge des vignes. Cette année, il présente Le Grand Clos. Le nez intense est marqué par les fruits rouges et la vanille. La bouche, un tantinet boisée, est bien construite avec ce qu'il faut d'ampleur et de longueur. Dans quelque temps, ce bourgueil aura atteint sa pleine harmonie.
☛ Yannick Amirault, La Coudraye, rte du Moulin-Bleu, 37140 Bourgueil,
tél. 02.47.97.78.07, fax 02.47.97.94.78 ☑ ⟙ r.-v.

HUBERT AUDEBERT
Vieilles vignes 1997★

■	2 ha	10 000	🍴♦ 30 à 49 F

Cette propriété familiale s'est agrandie au fil des ans, chaque génération apportant sa contribution à la vigne ou au chai. Aujourd'hui elle compte 9,50 ha. Des ceps de soixante ans en moyenne ont donné cette cuvée aux arômes discrets mais plaisants de fruits rouges et de sous-bois. Les tanins puissants ne passent pas inaperçus mais sont équilibrés par une bonne matière. A laisser mûrir un peu.

⊶ Hubert Audebert, 5, rue Croix-des-Pierres, 37140 Restigné, tél. 02.47.97.42.10, fax 02.47.97.77.53 ☑ Y r.-v.

MAISON AUDEBERT ET FILS 1998

◪ 2 ha 14 500 30 à 49 F

La maison Audebert propose ici un rosé qui pourrait faire le bonheur d'un organisateur de repas champêtres. Rond, fruité et bien équilibré, il est très représentatif des rosés de 97. A boire dans l'année bien sûr.

⊶ Maison Audebert et Fils, av. Jean-Causeret, 37140 Bourgueil, tél. 02.47.97.70.06, fax 02.47.97.72.07, e-mail audebert@micro-video.fr ☑ Y t.l.j. 8h30-12h 14h-18h; sam. dim. sur r.-v.

⊶ J.-C. Audebert

DOM. DU BEL AIR Les Caillots 1997

■ 1,5 ha 10 000 30 à 49 F

Pierre Gauthier travaille en collaboration étroite avec un œnologue. Il s'attache à faire des vinifications courtes pour ne pas tomber dans l'excès de tanins. C'est la recherche de l'élégance et de la légèreté qui l'intéresse. Ce 97 n'en manque pas : équilibre parfait, aucune lourdeur, du fruit, et une suite de sensations agréables. Il a des qualités de garde mais mieux vaut l'apprécier maintenant.

⊶ Pierre Gauthier, La Motte, 37140 Benais, tél. 02.47.97.41.06, fax 02.47.97.47.07 ☑ Y r.-v.

CHRISTOPHE CHASLE Tuffeau 1997

■ 2,5 ha 14 000 30 à 49 F

Pépiniériste pour son compte et bon vigneron, Christophe Chasle taquine l'art avec un petit musée archéologique installé dans sa cave. Sa cuvée Tuffeau offre un nez surprenant par son caractère animal. La bouche est dense, avec de la matière et des tanins bien présents qui amorcent une évolution prometteuse. On retrouve un côté animal en finale. A laisser mûrir tranquillement ou à servir tout de suite avec du gibier.

⊶ Christophe Chasle, 28, rue Dorothée-de-Dino, 37130 Saint-Patrice, tél. 02.47.96.95.95, fax 02.47.96.95.95 ☑ Y r.-v.

DOM. DES CHESNAIES 1998*

◪ 1,25 ha 8 000 20 à 29 F

Moïse Boucard et ses deux enfants, Philippe et Stéphanie, qui exploitent aujourd'hui ce domaine de plus de 33 ha, ont élaboré une fort jolie bouteille. On demande au rosé de Bourgueil d'être plus qu'un vin de soif ; il se doit d'être bien construit, capable d'accompagner un mets en laissant « bouche fraîche et papilles alertes ». C'est le cas de celui-ci qui vous apportera en plus son fruit très marqué.

⊶ EARL Lamé-Delisle-Boucard, Dom. des Chesnaies, 37140 Ingrandes-de-Touraine, tél. 02.47.96.98.54, fax 02.47.96.92.31 ☑ Y r.-v.

LYDIE ET MAX COGNARD
Les Tuffes 1997

■ 1,2 ha 4 000 30 à 49 F

Un 97 assez boisé au nez, avec un support tannique en bouche bien développé. La matière est là également, mais l'harmonie n'est pas encore parfaite. C'est certainement un vin d'avenir qui demande qu'on lui fasse confiance.

⊶ Cognard, Chevrette, 37140 Saint-Nicolas-de-Bourgueil, tél. 02.47.97.76.88, fax 02.47.97.97.83 ☑ Y r.-v.

DOM. BRUNO DUFEU 1997*

■ 1,3 ha 6 000 20 à 29 F

Bruno Dufeu, qui s'est installé en 1995 sur l'exploitation familiale de 4 ha, a rapidement porté sa superficie à 9 ha, ce qui lui permet de se consacrer entièrement à la vigne et au vin. Son 97 présente un nez surprenant par son intensité, mais très typique du cabernet : on y trouve fruits rouges, poivron, épices, plus un côté animal. En bouche, pas d'excès tannique mais plutôt une impression de souplesse, de grâce et d'harmonie.

⊶ Dufeu, Les Neusaies, 37140 Benais, tél. 02.47.97.76.53, fax 02.47.97.76.53 ☑ Y r.-v.

LAURENT FAUVY 1997*

■ 3 ha 3 000 20 à 29 F

Un vin très riche, très dense, qui saura mettre en valeur un mets de gibier. Les tanins sont assez marqués mais bien enrobés de matière, la puissance aromatique ne demande qu'à se développer ; c'est une bouteille qui s'affinera avec le temps. Du même vigneron, la cuvée **Vieilles vignes 97** mérite d'être citée pour sa constitution équilibrée.

⊶ Laurent Fauvy, Le Machet, 37140 Benais, tél. 02.47.97.46.67, fax 02.47.97.95.45 ☑ Y r.-v.

DOM. DES FORGES
Cuvée Les Bézards 1997

■ 4 ha 20 000 30 à 49 F

Jean-Yves et Sylvie Billet savent recevoir et commenter avec beaucoup de clarté les travaux de la vigne et du vin. Cette année, leur cuvée Les Bézards apparaît très étoffée et d'une bonne puissance aromatique. Un peu « brut de décoffrage », elle mérite un brin d'évolution. Certainement un vin d'avenir. La cuvée **Vieilles vignes 97** a obtenu la même note.

⊶ Jean-Yves Billet, Dom. des Forges, pl. des Tilleuls, 37140 Restigné, tél. 02.47.97.32.87, fax 02.47.97.46.47 ☑ Y r.-v.

DOM. DES GELERIES
Cuvée Prestige 1997

■ 1 ha 6 000 30 à 49 F

Le nez est intense et reflète les fruits cuits et la vanille. L'attaque un peu vive donne une impression de fraîcheur. La suite est ronde et veloutée, et la longueur honorable. Une bouteille qu'il ne faut pas faire languir.

⊶ Jeannine Rouzier-Meslet, Dom. des Géléries, 37140 Bourgueil, tél. 02.47.97.72.83, fax 02.47.97.48.73 ☑ Y t.l.j. sf dim. 9h-12h30 14h30-19h; f. 25 sept.-15 oct.

GERARD ET MARIE-CLAIRE GODEFROY Les Champs Colesses 1997*

■ 1 ha 6 000 ■ ⊕ ♁ 30 à 49 F

Voilà presque trente ans que Gérard et Marie-Claire exploitent ce domaine de 7 ha. Ils en connaissent tous les ceps et conduisent leur vinification dans un style très traditionnel. Cette cuvée offre un nez développé où l'on trouve pêle-mêle menthol, pivoine et fumée. La bouche, bien équilibrée, présente des tanins souples et puissants. Un vin qui fera son office dès maintenant.

Gérard et Marie-Claire Godefroy, 37, rue de la Taille, 37140 Saint-Nicolas-de-Bourgueil, tél. 02.47.97.77.43, fax 02.47.97.48.23 ☑ Y r.-v.

DOM. FRANCOIS GORE Cuvée Diamant 1997

■ 4 ha 20 000 ■ 30 à 49 F

Voilà un vin qui a déjà bien progressé, sans doute grâce à un élevage bien mené. L'attaque est douce et lisse ; les tanins, assez présents, sont en bonne voie d'évolution. Les saveurs ne manquent pas, au nez comme en finale : fruits cuits et confiture avec une touche de fumée. Un vin équilibré, bien dans son millésime.

François Goré, La Hurolaie, 37140 Benais, tél. 02.47.97.30.61, fax 02.47.97.47.21 ☑ Y t.l.j. sf dim. 10h-12h 14h-18h

DOM. DU GRAND CLOS 1997**

■ 9 ha 60 000 ■ ⊕ ♁ 30 à 49 F

La maison Audebert, à la fois négociant et viticulteur, jouit d'une solide réputation de sérieux à Bourgueil. Ses vins sont de qualité constante, ce qui lui permet d'être bien distribuée dans la restauration. Cette cuvée du Grand Clos confortera sa renommée. Le nez, pain d'épice, café, chocolat avec un rien de vanille et de confiture, vous met dans de bonnes dispositions. Attaque délicate et harmonieuse, volume, équilibre, rappel en finale des arômes du nez : une bouteille qui fera un tabac ! Une étoile pour la cuvée des **Marquises** dans le même millésime.

Maison Audebert et Fils, av. Jean-Causeret, 37140 Bourgueil, tél. 02.47.97.70.06, fax 02.47.97.72.07, e-mail audebert@micro-video.fr ☑ Y t.l.j. 8h30-12h 14h-18h; sam. dim. sur r.-v.

J.-C. Audebert

DOM. GUION 1997

■ 3 ha 15 000 ■ 30 à 49 F

Stéphane Guion conduit son domaine de 7 ha en culture biologique : il n'utilise ni désherbants, ni engrais, ni pesticides de synthèse. Son bourgueil mérite d'être cité pour ses qualités de fruit, de souplesse et de rondeur. Le boisé est à peine perceptible et les tanins rappellent leur présence en finale. Un vin à oublier deux ans en cave pour lui permettre de s'assouplir.

Stéphane Guion, 3, rte de Saint-Gilles, 37140 Benais, tél. 02.47.97.30.75, fax 02.47.97.83.17 ☑ Y r.-v.

DOM. HUBERT 1997*

■ 12 ha 60 000 ■ ⊕ ♁ 20 à 29 F

Les Hubert ont cédé leur propriété à leurs cousins Caslot. C'est un beau domaine de 12 ha aux terres argilo-calcaires, capables de produire des vins charpentés. Celui-ci présente un nez intense de fruits rouges, de poivron et d'épices. La bouche est du même style, riche, longue, avec des tanins bien présents mais ronds. Cette bouteille possède un bon potentiel de garde mais elle peut plaire dès maintenant par son fruité.

Caslot-Galbrun, La Hurolaie, 37140 Benais, tél. 02.47.97.30.59, fax 02.47.97.45.46 ☑ Y r.-v.

CLOS DE L'ABBAYE 1997*

■ 6,85 ha 30 000 ■ ⊕ ♁ 30 à 49 F

L'abbaye de Bourgueil est le berceau du vignoble de l'appellation. Plus de mille ans après sa fondation, elle a gardé sa double vocation, spirituelle et viticole. Peut-on trouver plus authentique expression du cépage breton que dans ce clos où furent plantés les premiers ceps ? Le millésime 97 offre un nez aujourd'hui discret mais qui laisse déjà percevoir de beaux parfums de griotte et d'épices. La bouche ronde révèle une matière concentrée et des tanins amples et fondus. On retrouve les épices dans la finale vanillée. Un vin très réussi qui se bonifiera encore.

SCEA de La Dîme, Clos de L'Abbaye, av. Le Jouteux, 37140 Bourgueil, tél. 02.47.97.76.30, fax 02.47.97.72.03 ☑ Y r.-v.

Congrégation sœurs St-Martin

DOM. DE LA BUTTE 1997

■ 2 ha 8 924 ■ ⊕ ♁ 30 à 49 F

Le domaine de La Butte, comme son nom l'indique, domine le vignoble. Cette situation de choix, alliée au savoir-faire de deux vignerons, a donné naissance à un bourgueil aux arômes intenses de fruits rouges (cerise et framboise). L'attaque vive est suivie d'une astringence un peu marquée. C'est un vin à oublier en cave un ou deux ans pour lui permettre de s'assagir.

GAEC Gilbert et Didier Griffon, Dom. de La Butte, 37140 Bourgueil, tél. 02.47.97.81.30, fax 02.47.97.99.45 ☑ Y r.-v.

DOM. DE LA CHANTELEUSERIE Vieilles vignes 1997*

■ 4 ha 12 000 ■ ⊕ ♁ 30 à 49 F

La Chanteleuserie, ou le lieu où chantent les alouettes (un couple de ces oiseaux figure sur les étiquettes de la maison). Pour le millésime 97, le jury a préféré la cuvée Vieilles vignes, issue de ceps de soixante ans. Ce vin gourmand séduit par son nez intense de fruits cuits et sa bouche complète où rien n'est en excès. Il tiendra son rang longtemps. La cuvée **Beauvais** du même domaine est citée pour son bon équilibre général.

Thierry Boucard, La Chanteleuserie, 37140 Benais, tél. 02.47.97.30.20, fax 02.47.97.46.73 ☑ Y r.-v.

LA CHARPENTERIE 1997**

■ 3,5 ha 15 000 ■ ⊕ ♁ 30 à 49 F

Avec ce 97, on est tout à fait dans le type bourgueil bien équilibré, aromatique, solide, et malgré tout d'un abord simple. Les arômes de poivron sont présents partout et la matière est suffisamment riche pour enrober des tanins un peu virils. Un vin alerte, élégant, à boire maintenant ou à faire vieillir.

🗝 EARL Alain Caslot-Bourdin, La Charpenterie, 21, rue Brulée, 37140 La Chapelle-sur-Loire, tél. 02.47.97.34.45, fax 02.47.97.44.80 ☑ ⲫ r.-v.

DOM. DE LA GAUCHERIE 1997★

■ 6 ha 12 000 30 à 49 F

En sortant d'Ingrandes quand on vient de Tours, on ne peut manquer le chai imposant de Régis Mureau, sur la gauche. Les vignes (19 ha) s'étendent aux alentours, là où la terrasse de Bourgueil s'élargit et prend sa véritable dimension. Ce 97 s'annonce par une robe brillante, d'un rouge profond à reflets violacés. Le nez, très expressif, fait penser à des fruits rouges bien mûrs ; la bouche, ronde et volumineuse, donne une impression de plénitude et finit agréablement sur des notes de fruits cuits. Une autre cuvée, **Domaine Régis Mureau 97**, mérite d'être citée.

🗝 Régis Mureau, 16, rue d'Anjou, 37140 Ingrandes-de-Touraine, tél. 02.47.96.97.60, fax 02.47.96.93.43 ☑ ⲫ t.l.j. 9h-12h 14h-18h

VIGNOBLE DE LA RENAISSANCE
Cuvée des Graviers 1997★

■ 1 ha n.c. 20 à 29 F

Installé en 1994 et déjà mentionné dans notre dernière édition, Jean-Paul Verneau retient de nouveau l'attention avec un bourgueil de graviers, rond et équilibré, d'une belle présence en bouche par son fruit et sa longueur. Lorsque la petite note boisée se sera estompée, sa dégustation sera un vrai plaisir.

🗝 Jean-Paul Verneau, 14, rue Noiret, 37140 Restigné, tél. 02.47.24.95.05 ☑ ⲫ r.-v.

VIGNOBLE DE LA ROSERAIE 1997★

■ 23 ha 10 000 30 à 49 F

L'esprit de famille est très poussé à La Roseraie, domaine exploité en GAEC par le père, la mère et leurs deux fils. Leur 97 présente un nez de fruits cuits, une bouche pleine aux tanins un peu sauvages, à la finale légèrement en retrait. C'est un vin qu'il faut laisser évoluer.

🗝 Vignoble de La Roseraie, 46, rue Basse, 37140 Restigné, tél. 02.47.97.32.97, fax 02.47.97.44.24 ☑ ⲫ r.-v.

🗝 Vallée

LE CHAI DU PICARD
Cuvée du Coteau Vieilli en fût 1997

■ 1,5 ha 3 000 30 à 49 F

Stéphane Verger s'est installé en 1984 sur le domaine de ses grands-parents. Il a agrandi petit à petit l'exploitation, qui compte aujourd'hui près de 8 ha. Sa cuvée du Coteau présente une structure légère. L'attaque est franche, directe ; les arômes de fruits rouges se montrent envahissants. Friand, gouleyant, un vin d'été fait pour accompagner une grillade.

🗝 Stéphane Verger, 6, rue R.-Garrit, 37140 Bourgueil, tél. 02.47.97.93.16, fax 02.47.97.93.16 ☑ ⲫ r.-v.

LE PRESSOIR FLANIERE
Vieilles vignes 1997★

■ 2 ha 5 000 30 à 49 F

Un vignoble de 7 ha très bien situé à flanc de coteau et exposé plein sud est un atout maître que Gilles Galteau a bien su exploiter. Son 97 séduit par son fruité et par ses tanins harmonieux, déjà arrondis. Il laisse l'impression d'un élevage bien conduit. A boire dès à présent.

🗝 Gilles Galteau, Le Pressoir Flanière, 37140 Ingrandes-de-Touraine, tél. 02.47.96.98.95 ☑ ⲫ t.l.j. sf dim. 8h-12h 14h-20h

DOM. LES PINS 1998★

◪ n.c. 5 000 30 à 49 F

C'est le grand-père Jules Esprit, qui certainement n'en manquait pas, qui a transmis à René Pitault et ses deux fils Philippe et Christophe une passion pour le vin et ce domaine de 18 ha doté d'une très belle construction du XVIe s. La **cuvée Vieilles vignes** est un des fleurons des Pins. Elle obtient une étoile, comme ce rosé issu de saignée qui a fermenté à basse température pendant un mois - ce procédé vise à lui conférer un maximum de fruit et de fraîcheur. Il n'en manque pas, il ne manque pas non plus d'équilibre et fera les beaux jours d'amateurs de pique-nique.

🗝 EARL Pitault-Landry et Fils, Dom. Les Pins, 1 et 8, rte du Vignoble, 37140 Bourgueil, tél. 02.47.97.47.91, fax 02.47.97.98.69 ☑ ⲫ r.-v.

DOM. LAURENT MABILEAU 1997★

■ 3 ha 22 000 30 à 49 F

La robe brillante est d'un rouge soutenu avec des reflets violets. Les arômes de café fraîchement torréfié et de cacao surprennent. Puissance et richesse en bouche l'emportent sur une astringence modérée. Le cassis se rappelle à votre bon souvenir dans une bonne persistance. Un bourgueil original qu'il ne faudra pas hésiter à servir sur un dessert au chocolat.

🗝 Dom. Laurent Mabileau, La Croix du Moulin-Neuf, 37140 Saint-Nicolas-de-Bourgueil, tél. 02.47.97.74.75, fax 02.47.97.99.81, e-mail laurent.mabileau@wanadoo.fr ☑ ⲫ t.l.j. 8h-12h 13h30-20h

LOIRE

DOM. DES MAILLOCHES
Vieilles vignes 1997★

■ 1,5 ha 10 000 30 à 49 F

Elisabeth et Jean-François Demont ne comptent plus le nombre de distinctions obtenues par les Mailloches. Depuis les Expositions universelles de la fin du siècle dernier jusqu'à un dîner à l'Elysée, en passant par un classement hors concours à Chicago (en 1983) ! Ce 97 se distingue par un nez délicat et harmonieux, une bouche volumineuse, grasse et veloutée. La finale mêle des accents de sous-bois, de fruits et même de truffe. A garder quelques années.

🗝 Jean-François Demont, Les Mailloches, 37140 Restigné, tél. 02.47.97.33.10, fax 02.47.97.43.43 ☑ ⲫ r.-v.

DOMINIQUE MOREAU 1997

■   4 ha   n.c.   ▮ ◫ ♣   30 à 49 F

Une bonne attaque fraîche et fruitée, suivie d'une charpente faite de bons tanins en cours de maturation : voilà un bourgueil typique, réussi, qui peut évoluer sans dommages.
➦ EARL Dominique Moreau, L'Ouche-Saint-André, 37140 Restigné,
tél. 02.47.97.31.93 ☑

NAU FRERES Vieilles vignes 1997★★

■   6 ha   23 000   ▮♣   30 à 49 F

Habitués du Guide, les frères Nau représentent la sixième génération de cette famille de vignerons installée à Ingrandes depuis 1850. On ne sera guère surpris de voir distinguer cette cuvée Vieilles vignes : le 93 avait obtenu un coup de cœur. Voici un 97 superbe où l'attaque souple est suivie d'une bouche ronde et pleine. La finale soyeuse est marquée par la réglisse, avec des accents de grillé. L'harmonie est parfaite. Déjà prêt, ce vin peut aussi attendre dix ans. La cuvée des **Blottières 97** du même domaine obtient une étoile.
➦ Nau Frères, 52, rue de Touraine,
37140 Ingrandes-de-Touraine,
tél. 02.47.96.98.57, fax 02.47.96.90.34 ☑ ☥ r.-v.

BERNARD OMASSON 1997

■   2 ha   3 000   ▮◫♣   30 à 49 F

Bernard Omasson conduit depuis 1969 une petite exploitation dans le plus pur style traditionnel. On y trouve ces bons bourgueil de garde qu'il faut attendre avec patience. Mais quelle récompense parfois ! Celui-ci présente une robe dense, presque d'encre, un nez fermé mais prometteur et une bouche d'une superbe présence tannique qui imprègne longuement le palais. Il ne s'ouvrira guère avant cinq ans.
➦ Bernard Omasson, La Perrée, 54, rue de Touraine, 37140 Ingrandes-de-Touraine,
tél. 02.47.96.98.20 ☑ ☥ r.-v.

DOM. DES OUCHES
Sélection Vieilles vignes 1997★★

■   3,5 ha   15 000   ◫   50 à 69 F

Ce domaine de 11 ha tout en coteaux qui vient d'être équipé d'un chai fonctionnel ne pouvait donner que de belles choses. L'expérience du père et la technicité du fils ont fait le reste, nous offrant cette bouteille pleine de promesses. Le nez, encore sur sa réserve, laisse percer, tout en finesse, des arômes de fruits et de sous-bois. La bouche est puissante, riche de tanins bien enrobés. La finale, florale et fruitée, s'accompagne

d'un boisé discret. Une bouteille pour dans dix ans. Dans le même millésime, la cuvée **Clos Princé** a obtenu une étoile.

➦ Paul et Thomas Gambier, 3, rue des Ouches, 37140 Ingrandes-de-Touraine,
tél. 02.47.96.98.77, fax 02.47.96.93.08 ☑ ☥ r.-v.

DOM. DU PETIT BONDIEU
Cuvée des Brunetières 1997★★

■   0,8 ha   5 000   ◫   30 à 49 F

Ce domaine, souvent mentionné dans le Guide, se signale par la qualité de sa production. La cuvée des Brunetières est dans la ligne de ces vins bien structurés qui demandent une longue maturation avant de s'épanouir. La dominante boisée ne fait pas peur : elle s'estompera avec le temps. Un petit goût de griotte et une note épicée en finale contribuent au charme de ce vin qu'il faut laisser évoluer en cave bien sagement. Pour la cuvée des **Couplets 97** (une étoile), c'est le même refrain : à laisser mûrir.
➦ EARL Jean-Marc Pichet, Le Petit Bondieu, 30, rte de Tours, 37140 Restigné,
tél. 02.47.97.33.18, fax 02.47.97.46.57 ☑ ☥ t.l.j. sf dim. 9h-12h 14h30-19h

PHILIPPE DE VALOIS 1997★★

■   n.c.   100 000   ▮   30 à 49 F

La cave coopérative des Grands Vins de Bourgueil, créée en 1931, regroupe aujourd'hui cent quatre-vingts viticulteurs, et exploite 350 ha de vigne. Sa force vient de sa science des assemblages des vins des différents terroirs qu'elle gère pour obtenir des produits constants de grande qualité. La cuvée Philippe de Valois, structurée, robuste et d'une bonne longueur, est un bon exemple de cette recherche. Une autre cuvée, **Grand Gousier** (une étoile), mérite d'être signalée.
➦ Cave des Grands Vins de Bourgueil, 16, rue Les Chevaliers, 37140 Restigné,
tél. 02.47.97.32.01, fax 02.47.97.46.29 ☑ ☥ t.l.j. sf dim. 8h-12h 13h30-18h

DOM. DU ROCHOUARD 1997★

■   2 ha   4 000   ▮   30 à 49 F

Dominique, le fils de la maison, a rejoint en 1995 l'exploitation de ses parents, apportant sa science fraîchement acquise au lycée viticole. C'est à cette date que le domaine a pris le nom de Rochouard, pour un nouveau départ. Ce 97 est bien parti aussi avec son nez de poivron très marqué et sa bouche solide où la matière s'appuie sur des tanins un peu fermes. La longueur est correcte. Un vin apte à une petite garde.

🍷 GAEC Duveau-Coulon et Fils, 1, rue des Géléries, 37140 Bourgueil, tél. 02.47.97.85.91, fax 02.47.97.99.13 ☑ 🍸 t.l.j. 8h30-20h

🍷 Guy Duveau

DOM. DES VIENAIS Cuvée Prestige 1997★

■   1 ha   7 500   🍶♦ 30 à 49 F

Les terres de Benais, assez tenaces, ont la réputation de donner des vins structurés. Celui-ci, charnu, bien équilibré, ne peut renier son origine. Mais ses tanins, bien que très présents, sont arrondis et le rendent déjà flatteur. Les arômes poivrés de la finale n'ont rien de désagréable. Cette bouteille plaisante peut être bue dès maintenant.

🍷 Gérard Poupineau, 3, rue des Lavandières, 37140 Benais, tél. 02.47.97.35.19, fax 02.47.97.46.91 ☑ 🍸 r.-v.

Saint-nicolas-de-bourgueil

Si les vignobles ont les mêmes caractéristiques que ceux de l'aire contiguë de Bourgueil, la commune de Saint-Nicolas-de-Bourgueil (simple paroisse détachée de Bourgueil au XVIIIᵉs.) possède son appellation particulière.

Son vignoble croît, pour les deux tiers, sur les sols sablo-graveleux des terrasses de Loire. Au-dessus, le coteau est protégé des vents du nord par la forêt ; le tuffeau y est surmonté d'une couverture sableuse. Bien que ce ne soit pas le cas des vins provenant exclusivement du coteau, les saint-nicolas-de-bourgueil, souvent issus d'assemblages, ont la réputation d'être plus légers que les bourgueil. Ils ont produit 53 572 hl en 1998.

YANNICK AMIRAULT
Cuvée Les Graviers 1997★

■   2 ha   13 000   ◍ 30 à 49 F

Sur ce 97, le jury était partagé. Les uns critiquaient son caractère boisé, ses tanins dominants ; les autres s'enthousiasmaient : quelles promesses, quel potentiel ! En fin de compte, ces tanins et ce boisé qui vont se fondre sont le signe d'un grand vin. C'est le style de Yannick Amirault : il travaille pour le futur.

🍷 Yannick Amirault, La Coudraye, rte du Moulin-Bleu, 37140 Bourgueil, tél. 02.47.97.78.07, fax 02.47.97.94.78 🍸 r.-v.

DOM. AUDEBERT ET FILS 1997★

■   4 ha   26 000 🍶◍♦ 30 à 49 F

La maison Audebert est omniprésente, à Bourgueil comme à Saint-Nicolas. Son saint-nicolas possède un nez riche, puissant, généreux et assez typique du cabernet. En bouche, les tanins apparaissent encore austères, bien qu'assez mûrs. Un vin de bon potentiel à oublier quelque temps en cave pour lui permettre de s'arrondir encore.

🍷 Dom. Audebert et Fils, av. Jean-Causeret, 37140 Bourgueil, tél. 02.47.97.70.06, fax 02.47.97.72.07 ☑ 🍸 t.l.j. 8h30-12h 14h-18h ; sam. dim. sur r.-v.

DOM. DES BERGEONNIERES 1997★

■   11 ha   30 000   🍶♦ 30 à 49 F

Des fruits rouges (framboise) auxquels se mêlent un peu d'épices, des tanins solides qui ne demandent qu'à se fondre dans une bouche capiteuse, en voilà des compliments ! Avec sa pointe de vivacité, ce vin paraîtra frais à la sortie du Guide. Un peu de garde lui conviendrait également.

🍷 André Delagouttière, Les Bergeonnières, 37140 Saint-Nicolas-de-Bourgueil, tél. 02.47.97.75.87, fax 02.47.97.48.47 ☑ 🍸 t.l.j. sf dim. 9h-12h 14h-18h

DOM. DU BOURG Les Graviers 1997★★

■   13 ha   60 000 🍶◍♦ 30 à 49 F

DOMAINE DU BOURG

Saint-Nicolas-de-Bourgueil

Appellation Saint-Nicolas-de-Bourgueil contrôlée
Mis en bouteilles à la propriété
12 % vol.   750 ml
EARL Jean-Paul MABILEAU, Viticulteur à St-Nicolas-de-Bourgueil
37140 Bourgueil - France

La cuvée des Graviers, qui constitue la majeure partie des vins récoltés sur le domaine de Jean-Paul Mabileau, a été lauréate d'un concours organisé par l'Agence de l'Environnement, en raison des économies d'énergie et du respect de l'environnement réalisés au cours de la vinification. Un bon point qui s'ajoute aux qualités de ce vin aux tanins fins, riches et d'une bonne maturité. Ses senteurs de fruits confits, de prune et de cassis sont un enchantement. Un très beau classique de l'appellation, qui mérite un coup de cœur. Bravo à Jean-Paul Mabileau qui avait déjà obtenu cette distinction l'année dernière.

🍷 EARL Jean-Paul Mabileau, 4-6, rue du Pressoir, 37140 Saint-Nicolas-de-Bourgueil, tél. 02.47.97.82.02, fax 02.47.97.70.92 ☑ 🍸 t.l.j. sf dim. 10h30-12h30 14h30-19h ; f. janv.

JEAN BRECQ 1997

■   1,5 ha   10 000   🍶 20 à 29 F

Lorsqu'il s'est installé en 1977, Jean Brecq ne possédait qu'un demi-hectare de vigne. Aujourd'hui, il exploite 11 ha et dispose de deux

LOIRE

chais (l'un neuf et l'autre rénové en 1998) et d'une salle de dégustation bien aménagée. On y goûtera ce 97 un peu fermé pour l'heure, aux tanins légers et au potentiel certain qui peut le mener assez loin.

🔑 Jean Brecq, Le Grollay, 37140 Saint-Nicolas-de-Bourgueil, tél. 02.47.97.78.54, fax 02.47.97.78.54 ☑ 🍷 t.l.j. 9h-12h30 14h-20h

CAVE BRUNEAU DUPUY
Vieilles vignes 1997

■ n.c. 30 000 🛢 30 à 49 F

La plus grande partie du vignoble de Jean Bruneau-Dupuy est adossée au coteau, là où les sols mêlés d'argile reposent sur le calcaire. Les vins y sont corsés, longs en bouche et aptes au vieillissement. Celui-ci est particulièrement étoffé, mais ses tanins restent discrets ; ils doivent continuer à se fondre pour plus d'élégance. L'équilibre général est bon et des saveurs de framboise et de menthol agrémentent une finale respectable.

🔑 Jean Bruneau-Dupuy, La Martellière, 37140 Saint-Nicolas-de-Bourgueil, tél. 02.47.97.75.81, fax 02.47.97.43.25 ☑ 🍷 r.-v.

LYDIE ET MAX COGNARD-TALUAU
Cuvée Les Malgagnes 1997*

■ 2 ha 11 000 ▮ 🌡 50 à 69 F

On retrouve la cuvée des Malgagnes, habituée du Guide. Elle est issue de terres plutôt argileuses qui donnent le plus souvent des vins de garde, solidement structurés. Ce 97 qui a déjà deux ans d'élevage apparaît puissant, avec des tanins bien intégrés. A la fois fruité et floral, il est avenant et prêt à boire.

🔑 Cognard, Chevrette, 37140 Saint-Nicolas-de-Bourgueil, tél. 02.47.97.76.88, fax 02.47.97.97.83 ☑ 🍷 r.-v.

LE VIGNOBLE DU FRESNE 1997*

■ 1,1 ha 5 000 ▮ 🌡 30 à 49 F

Un vin puissant aux tanins un peu austères, qui promet de faire de belles choses dans un avenir proche. Limpide, brillant, il joue sur la framboise et le cassis avec un rappel de poivron vert. Il a de la réserve.

🔑 Patrick Guenescheau, 1, Le Fresne, 37140 Saint-Nicolas-de-Bourgueil, tél. 02.47.97.86.60, fax 02.47.97.42.53 ☑ 🍷 t.l.j. 9h-19h30; dim. 9h-12h

DOM. GUY HERSARD
Vieilles vignes 1997

■ 5,5 ha 10 000 ▮ 🌡 30 à 49 F

Ce domaine de 9,50 ha est situé dans la partie basse de l'appellation. Les vignes sont implantées sur des graves, type de sol qui donne des vins légers et fruités. Ce n'est pourtant pas le cas de celui-ci qui a du fruit mais possède une bonne structure, tout en faisant preuve d'une certaine élégance et d'un équilibre satisfaisant. Il peut être servi dès maintenant.

🔑 Guy Hersard, Le Fondis, 37140 Saint-Nicolas-de-Bourgueil, tél. 02.47.97.76.13, fax 02.47.97.92.06 ☑ 🍷 r.-v.

VIGNOBLE DE LA GARDIERE
Vieilles vignes 1997

■ 3 ha 12 000 ▮ 30 à 49 F

Une jolie maison tourangelle au fond d'une allée bordée de vignes, la perspective ne manque pas d'allure. Ce vin non plus, avec sa bouche ronde, ample, et ses tanins très fins. La vivacité, sensible à l'attaque et en finale, lui donne une belle fraîcheur.

🔑 Bernard David, La Gardière, 37140 Saint-Nicolas-de-Bourgueil, tél. 02.47.97.81.51, fax 02.47.97.95.05 ☑ 🍷 r.-v.

DOM. DE LA JARNOTERIE
Cuvée Concerto 1997

■ 3 ha 12 000 ▮ 🛢 🌡 30 à 49 F

« Vous devez déguster la cuvée Concerto en imposant le vide dans votre raison », dit Jean-Claude Mabileau, mais il faut savoir aussi raison garder pour apprécier toutes ces notes de sous-bois, de mûre et de vanille qui fusent de cette belle robe rouge à reflets grenat. L'attaque se montre soyeuse et les tanins sont fondus. La finale un peu animale confère un rien de tempérament à cette bouteille qui ne devrait pas rester trop longtemps dans les celliers.

🔑 EARL Jean-Claude Mabileau et Didier Rezé, La Jarnoterie, 37140 Saint-Nicolas-de-Bourgueil, tél. 02.47.97.75.49, fax 02.47.97.79.98 ☑ 🍷 r.-v.

LES HAUTS CLOS CASLOT 1997

■ 6,25 ha n.c. ▮ 🌡 30 à 49 F

Un nez bien développé, riche d'arômes de fruits rouges, et une bouche longue et d'un bon équilibre, telles sont les qualités de ce vin qui se situe dans un type de saint-nicolas assez structuré : il peut se permettre un temps d'évolution.

🔑 EARL Alain Caslot-Bourdin, La Charpenterie, 21, rue Brulée, 37140 La Chapelle-sur-Loire, tél. 02.47.97.34.45, fax 02.47.97.44.80 ☑ 🍷 r.-v.

LES QUARTERONS 1997*

■ 2,5 ha 16 000 ▮ 🛢 🌡 30 à 49 F

L'accueil est sympathique aux Quarterons, une grande maison bourgeoise construite au siècle dernier dans le bourg de Saint-Nicolas. Le vin y est bon, particulièrement cette cuvée des Quarterons qui avait obtenu un coup de cœur dans le millésime 95. Le 97 apparaît assez charpenté, mais dans un équilibre juste. C'est un vin prometteur qui devrait trouver sa pleine harmonie d'ici deux ans. La cuvée **Vieilles vignes 97**, très réussie également, plaira aux amateurs de vins boisés.

🔑 Clos des Quarterons-Amirault, Clos des Quarterons, av. Saint-Vincent, 37140 Saint-Nicolas-de-Bourgueil, tél. 02.47.97.75.25, fax 02.47.97.97.97 ☑ 🍷 r.-v.

🔑 Amirault

FREDERIC MABILEAU Eclipse 1997*

■ 2 ha 4 000 🛢 30 à 49 F

Frédéric Mabileau a laissé ce 97 un an en fût avec sans doute un passage en bois neuf. Cette cuvée Eclipse apparaît donc plutôt boisée et ne plaira pas aux amateurs de saint-nicolas tradi-

tionnels. Les autres l'adopteront, car c'est un vin très bien fait. Ils apprécieront sa matière généreuse - qui atténue l'effet du boisé -, ses tanins soyeux et sa finale persistante. Une bouteille qui trouvera sa pleine harmonie avec le temps.
🔑 Frédéric Mabileau, 17, rue de la Treille, 37140 Saint-Nicolas-de-Bourgueil, tél. 02.47.97.79.58, fax 02.47.97.45.19 ☑ Y r.-v.

JACQUES ET VINCENT MABILEAU
La Gardière Vieilles vignes 1997★★

■ 4 ha 18 000 30 à 49 F

La majeure partie du domaine de 17 ha de Jacques et Vincent Mabileau est située sur le coteau de Saint-Nicolas, bien abrité des vents du nord. Une situation exceptionnelle pour produire des vins structurés. Celui-ci est « bien pensé, des vendanges à la mise en bouteille », nous dit le jury. Les arômes de fleurs et de fruits sont là pour vous mettre en bouche. Le palais, long, suave et fondu, est d'un bon équilibre. Une petite garde pourrait lui faire dire son dernier mot. La cuvée **La Gardière 97** du même domaine a obtenu une étoile.
🔑 EARL Jacques et Vincent Mabileau, La Gardière, 37140 Saint-Nicolas-de-Bourgueil, tél. 02.47.97.75.85, fax 02.47.97.98.03 ☑ Y r.-v.

LYSIANE ET GUY MABILEAU 1997

■ 1 ha 8 000 🍷 30 à 49 F

Le nez, très intense, est d'abord axé sur les fruits rouges, mûre notamment, puis des notes de pivoine apparaissent après aération. La bouche est souple, légère avec des tanins qui savent rester à leur place. Un vin classique, équilibré, qui coule bien.
🔑 Lysiane et Guy Mabileau, 17, rue du Vieux-Chêne, 37140 Saint-Nicolas-de-Bourgueil, tél. 02.47.97.70.43, fax 02.47.97.70.43 ☑ Y t.l.j. 9h-19h

BERNARD ET PATRICK OLIVIER
Cuvée du Mont des Olivier 1997★

■ 3 ha 18 000 🍷 30 à 49 F

Constitués de sable en surface et d'argile en profondeur, les sols du domaine de Bernard et Patrick Olivier conviennent tout à fait à la vigne. Ils se réchauffent facilement en favorisant la maturation et disposent d'une réserve de fraîcheur pour alimenter la récolte l'été. Des conditions idéales pour l'obtention de vins de qualité. Celui-ci laisse fuser au nez des senteurs de fruits cuits. En bouche, il montre une attaque franche, et un équilibre entre fruit et tanins satisfaisant. Ces derniers manifestent un peu leur présence en finale. Un joli vin qui cherche son harmonie. Dans le même millésime, la **cuvée Domaine Olivier** a obtenu également une étoile.
🔑 EARL Dom. Olivier, La Forcine, 37140 Saint-Nicolas-de-Bourgueil, tél. 02.47.97.75.32, fax 02.47.97.48.18 ☑ Y r.-v.

SYLVIE ET CHRISTIAN PANTALEON 1997

■ 7,93 ha 4 000 🛢 20 à 29 F

Installés en 1986 sur un vignoble situé à Bourgueil et à Saint-Nicolas, Sylvie et Christian Pantaléon présentent une cuvée unique. Très fruité au nez, ce 97 offre un bon développement en bouche, mais doit être attendu en raison d'une forte présence tannique. Il devrait se montrer tout à fait aimable dans deux ou trois ans.
🔑 Christian Pantaléon, 12, La Forcine, 37140 Saint-Nicolas-de-Bourgueil, tél. 02.47.97.91.83, fax 02.47.97.89.53 ☑ Y r.-v.

THIERRY PANTALEON
Haut de la Gardière 1997★

■ 2 ha 6 000 🍷 30 à 49 F

L'intensité et la limpidité de la robe surprennent d'emblée. Le nez évoquant la noisette et la bouche, pleine et puissante, ne manquent pas d'intérêt non plus. Ce 97 pourrait gagner à mûrir un an ou deux en cave.
🔑 Thierry Pantaléon, La Gardière, 37140 Saint-Nicolas-de-Bourgueil, tél. 02.47.97.87.26, fax 02.47.97.47.71 ☑ Y r.-v.

LES CAVES DU PLESSIS
Sélection Vieilles vignes 1997★

■ 2,5 ha 16 000 30 à 49 F

Comme on peut l'observer dans toutes les exploitations de Saint-Nicolas établies près du coteau, le vignoble de Claude Renou est planté sur deux types de sols : sur des terroirs plutôt argileux et sur des graves. La cuvée Vieilles vignes est issue du premier. La bouche est pleine, ronde, d'une longueur acceptable, et pas chiche de saveurs fruitées. Elle peut vieillir sans dommage mais pourquoi attendre ? Quant à la cuvée **Jeunes vignes 97**, elle mérite d'être citée.
🔑 Claude Renou, 17, La Martellière, 37140 Saint-Nicolas-de-Bourgueil, tél. 02.47.97.85.67, fax 02.47.97.45.55 ☑ Y r.-v.

DOM. PONTONNIER
Cuvée Domaine 1997

■ 3 ha 20 000 🛢 30 à 49 F

Aux senteurs plaisantes du nez succède une bouche ronde et puissante. Encore un saint-nicolas de plaisir qui trouvera sa place sur la table du dimanche.
🔑 Dom. Guy Pontonnier, 4, chem. de L'Epaisse, 37140 Saint-Nicolas-de-Bourgueil, tél. 02.47.97.84.69, fax 02.47.97.48.55 ☑ Y r.-v.

DOM. CHRISTIAN PROVIN 1997★

■ 7 ha 35 000 🍷 30 à 49 F

Assez égal tout au long de la dégustation, ce vin séduit par son côté soyeux et son fruité. Il est déjà évolué et d'un équilibre parfait. Sa légèreté, sa finesse le rendent plaisant à boire. Il est prêt à égayer une table amicale.
🔑 Christian Provin, L'Epaisse, 37140 Saint-Nicolas-de-Bourgueil, tél. 02.47.97.85.14, fax 02.47.97.47.75 ☑ Y r.-v.

DOM. DU ROCHOUARD 1997★★

■ 2 ha 4 000 🍷 30 à 49 F

Créé à Bourgueil, le domaine de Rochouard ne s'est étendu sur Saint-Nicolas qu'en 1986. Une heureuse acquisition qui lui vaut une belle récompense, grâce à ce remarquable 97. L'attaque suave va crescendo ; à la fois fumé et soyeux, d'une superbe longueur, le palais révèle une agréable rondeur et un fruité explosif. Ce vin de classe qui tient déjà un magnifique discours n'a pas dit son dernier mot.

LOIRE

Domaine du Rochouard
St-Nicolas-de-Bourgueil
Appellation St-Nicolas-de-Bourgueil Contrôlée
750 ml   Mis en bouteille à la propriété   Alc. 12,5% vol.
G.A.E.C. DUVEAU-COULON et Fils, viticulteur, 1, rue des Géléries, 37140 BOURGUEIL - Tél. 02.47.97.85.91

☛ GAEC Duveau-Coulon et Fils, 1, rue des Géléries, 37140 Bourgueil, tél. 02.47.97.85.91, fax 02.47.97.99.13 ✔ ☂ t.l.j. 8h30-20h
☛ Guy Duveau

JOEL TALUAU Vieilles vignes 1997★

■	4 ha	17 500	■ ▯	50 à 69 F

Joël Taluau, qui travaille maintenant avec son gendre, élabore plutôt des vins tanniques, de bonne garde. C'est son style, mais il faut dire que la nature de ses sols s'y prête, ses vignes étant situées près du coteau. Ce 97 révèle une bonne étoffe : les tanins forment une solide structure tout en restant fins au palais. A cela s'ajoute un sérieux potentiel aromatique. Une bouteille à réserver pour plus tard.
☛ EARL Taluau-Foltzenlogel, Chevrette, 37140 Saint-Nicolas-de-Bourgueil, tél. 02.47.97.78.79, fax 02.47.97.95.60 ✔ ☂ t.l.j. sf sam. dim. 9h-12h 14h-18h

DOM. DES VALLETTES 1997

■	10 ha	60 000	■ ▯	30 à 49 F

Cette propriété est toujours restée dans la famille depuis sa création. Elle est située au cœur de l'appellation, sur des sols de graves qui donnent des vins légers et parfumés. C'est le cas de celui-ci où les saveurs de fruits rouges et de confiture mêlées de poivron grillé enchantent le palais. Un vin d'une belle expression à apprécier maintenant.
☛ Francis Jamet, Dom. des Vallettes, 37140 Saint-Nicolas-de-Bourgueil, tél. 02.41.52.05.99, fax 02.41.52.87.52 ✔ ☂ r.-v.

Chinon

Autour de la vieille cité médiévale qui lui a donné son nom et son cœur, au pays de Gargantua et de Pantagruel, l'AOC chinon (2 000 ha) est produite sur les terrasses anciennes et graveleuses du Véron (triangle formé par le confluent de la Vienne et de la Loire), sur les basses terrasses sableuses du val de Vienne (Cravant), sur les coteaux de part et d'autre de ce val (Sazilly) et sur les terrains calcaires, les « aubuis » (Chinon). Le cabernet franc, dit breton, y donne en moyenne 112 202 hl de beaux vins rouges (avec cependant quelques milliers d'hectolitres de rosé sec), qui égalent en qualité les bourgueil : race, élégance des tanins, longue garde - certains millésimes exceptionnels pouvant dépasser plusieurs décennies ! Confidentiel mais très original, le chinon blanc (1 083 hl en 1998) est un vin plutôt sec, qui peut devenir tendre selon les années.

DOM. DES BEGUINERIES
Vieilles vignes 1997

■	5,5 ha	18 000	■ ▯▯	30 à 49 F

9,50 ha de vigne sur des coteaux argilo-calcaires exposés au midi, et l'acquisition récente d'une cave dans le roc, voilà une entreprise familiale bien dotée. Sa cuvée Vieilles vignes présente un nez fermé qui s'ouvre progressivement sur le cassis ; la bouche ronde, assez souple par ses tanins fins, finit sur des impressions de fruits. Un vin pour l'immédiat ou le futur.
☛ Jean-Christophe Pelletier, Clos de la Rue Saint-Louand, 37500 Chinon, tél. 06.08.92.88.17, fax 02.47.93.37.16 ✔ ☂ r.-v.

DOM. DE BEL-AIR
La Fosse aux Prêtres 1997

■	2,25 ha	12 000	■	50 à 69 F

Au domaine de Bel-Air, on s'efforce de respecter les terroirs en vinifiant séparément les vins des sols graveleux de plaine et ceux des sols argilo-calcaires de coteaux. La Fosse aux Prêtres appartient à la première catégorie : friand, fruité et souple, il sera apprécié rapidement.
☛ EARL Raymond et Jean-Louis Loup, Dom. de Bel-Air, 37500 Cravant-les-Coteaux, tél. 02.47.98.42.75, fax 02.47.93.98.30 ✔ ☂ r.-v.

VINCENT BELLIVIER 1997★

■	1 ha	4 000	■ ▯	30 à 49 F

Une attaque un peu vive, des tanins fondus, une impression de légèreté et de fraîcheur et un fruit omniprésent : une jolie bouteille à mettre sur la table à la température de la cave.
☛ Vincent Bellivier, La Tourette 12, rue de la Tourette, 37420 Huismes, tél. 02.47.95.54.26, fax 02.47.95.54.26 ✔ ☂ r.-v.

DOM. DES BOUQUERRIES
Cuvée royale 1997★

■	2,5 ha	12 000	■ ▯▯	30 à 49 F

La cave est accueillante et Jérôme et Guillaume Sourdais point avares de commentaires, c'est un moment de plaisir de s'arrêter aux Bouquerries. Le plaisir est complet quand on déguste ce 97, au nez un peu discret où l'on décèle une touche florale. La bouche révèle une belle structure, et se montre harmonieuse. Un vin de garde très représentatif de l'appellation.
☛ GAEC des Bouquerries, 4, Les Bouquerries, 37500 Cravant-les-Coteaux, tél. 02.47.93.10.50, fax 02.47.93.41.94 ✔ ☂ r.-v.

CATHERINE ET PIERRE BRETON
Beaumont 1997

■ 3 ha 12 000 | 50 à 69 F

Obtenir un sol vivant par des labours et des sarclages, préserver le milieu par des traitements de contact (soufre et bouillie bordelaise) et respecter le végétal par une récolte manuelle, tels sont les grands principes de conduite du vignoble appliqués par Pierre et Catherine Breton. Leur 97, paré d'une robe rouge sombre avec un disque violet, offre au nez des nuances de fruits rouges et en bouche une rondeur agrémentée d'une saveur fruitée assortie d'une touche de réglisse. Les tanins sont discrets et la finale assez longue. On peut l'attendre un peu.
☛ Pierre Breton, 8, rue du Peu-Muleau, Les Galichets, 37140 Restigné, tél. 02.47.97.30.41, fax 02.47.97.46.49 ☑ ⟱ r.-v.
☛ Marcelin Même

DOM. PASCAL BRUNET
Cuvée Tradition 1997★★

■ 1 ha 4 000 | 30 à 49 F

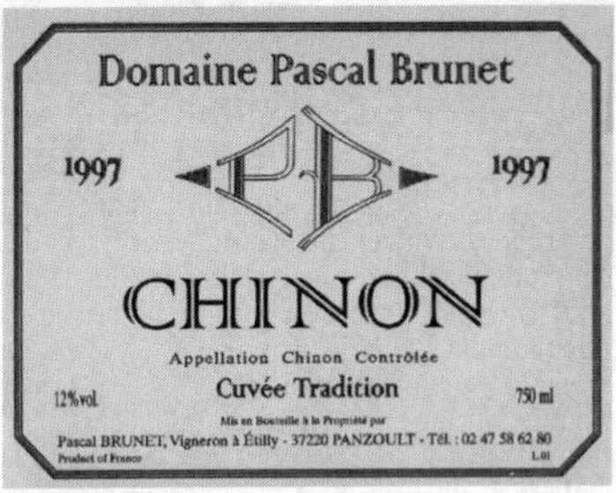

Pascal Brunet s'est lancé avec 1 ha de vigne et le voilà aujourd'hui à la tête de 9 ha et distingué par un coup de cœur ! Sa cuvée Tradition offre un nez puissant dominé par les fruits rouges, avec une légère évocation vanillée. « De la vraie confiture », a-t-on entendu dans les rangs du jury ! Au palais, les tanins se remarquent mais restent soyeux. La matière, bien présente, est agrémentée d'un boisé léger. L'équilibre est parfait. Le type même du vin de garde et de tradition.
☛ Pascal Brunet, Etilly, 37220 Panzoult, tél. 02.47.58.62.80, fax 02.47.58.62.80 ☑ ⟱ t.l.j. 8h-20h

DOM. DANIEL CHAUVEAU 1997

■ 2 ha n.c. | 30 à 49 F

Le vignoble de 11 ha couvre les pentes exposées au midi du coteau qui domine la plaine de Cravant. Cette excellente situation se reflète dans ce 97 riche en tanins et en matière. Le nez, assez animal, possède un côté cuir prononcé. Ce vin a besoin de s'affiner.
☛ Daniel Chauveau, Pallus, 37500 Cravant-les-Coteaux, tél. 02.47.93.06.12, fax 02.47.93.93.06, e-mail domaine.daniel.chauveau@wanadoo.fr ☑ ⟱ r.-v.

DOM. DES CLOS GODEAUX 1998★

◪ 2 ha 10 000 | 20 à 29 F

Philippe Brocourt entreprend une rénovation totale de ses bâtiments et chais de vinification.

Dans le même temps, il joue les perfectionnistes dans l'élaboration de ses vins. Son rosé plaira aux amateurs de vins frais et désaltérants. Sa bouche est souple, longue, équilibrée, très fruitée. Une belle harmonie.
☛ Philippe Brocourt, 3, chem. des Caves, 37500 Rivière, tél. 02.47.93.34.49, fax 02.47.93.97.40 ☑ ⟱ r.-v.

DOM. DES CLOSIERS DE SAINT HILAIRE Vieilles vignes 1997★

■ 2,3 ha 13 000 | 30 à 49 F

Les closiers étaient autrefois des ouvriers logés sur une vigne dont ils devaient assurer la garde. Aujourd'hui, on donne le nom de closier à un employé d'exploitation viticole. François Médard n'est point closier, mais bon vigneron d'un domaine de 13 ha sis sur la rive gauche de la Vienne. Il a très bien réussi cette cuvée Vieilles vignes fortement structurée en bouche, mais dans un juste équilibre. Les tanins sont bien fondus et la note boisée ne ressort pas trop. Ce vin peut faire un peu de garde. A signaler encore, dans le même millésime, la cuvée dite **Domaine** qui mérite d'être citée.
☛ François Médard, 10, rue des Lavandières, 37500 Rivière, tél. 02.47.98.42.92, fax 02.47.93.03.01 ☑ ⟱ r.-v.

DOM. COTON 1997

■ 13 ha 20 000 | 30 à 49 F

A partir des années 60, Guy Coton a reconverti son exploitation, jusqu'alors vouée à la polyculture. Depuis une douzaine d'années, celle-ci est complètement viticole. C'était un bon choix, à en juger par ce vin très flatteur, aux senteurs de vanille et de fruits rouges, à la bouche légère et fluide. Il « coule bien », et il faut profiter dès maintenant de son caractère accentué de jeunesse.
☛ EARL Dom. Coton, La Perrière, 37220 Crouzilles, tél. 02.47.58.55.10, fax 02.47.58.55.69 ☑ ⟱ r.-v.

CH. DE COULAINE 1997★

■ 6 ha 36 000 | 30 à 49 F

Coulaine porte des ceps depuis le Moyen Age comme en témoigne un écrit datant de 1245. Le vignoble de 11 ha s'étend sur les derniers contreforts des coteaux de la rive droite de la Vienne, aux sols argilo-calcaires et argilo-siliceux. Il a donné un vin « complet », séduisant par son gras, ses tanins très arrondis et ses arômes de fruits rouges. Ce 97 peut aller loin. Du même domaine, le jury a cité le **Clos de Turpenay 97**, un vin boisé, bien solide, qu'il faudra attendre pour lui permettre de gagner en amabilité.
☛ Etienne et Pascale de Bonnaventure, Ch. de Coulaine, 37420 Beaumont-en-Véron, tél. 02.47.98.44.51, fax 02.47.93.49.15 ☑ ⟱ t.l.j. 10h-12h 14h-18h; groupe sur r.-v.; f. Toussaint et Noël

COULY-DUTHEIL Les Chanteaux 1998★

☐ 4,5 ha 23 000 | 30 à 49 F

Cette importante exploitation familiale associe deux frères et leurs fils respectifs. Bertrand, le fils de Pierre Couly, est chargé des vinifications. On lui doit ce blanc des Chanteaux issu

des coteaux calcaires très ensoleillés des Goupières et des Molières qui dominent la Vienne. Le nez est intense et élégant avec son évocation minérale et ses arômes de foin et de fruits. La bouche donne une impression de souplesse et d'harmonie. Un vin de très belle expression qui s'accordera avec un poisson de rivière. A signaler encore le **Domaine René Couly**, un **rouge 97** qui obtient une citation pour son fruit.

➥ SCA Couly-Dutheil Père et Fils, 12, rue Diderot, 37500 Chinon, tél. 02.47.97.20.20, fax 02.47.97.20.25, e-mail webmaster@coulydutheil-chinon.com ☑ ♈ r.-v.

CLOS DE LA CROIX MARIE 1997★

■   3,67 ha   20 000   30 à 49 F

André Barc a commencé comme ouvrier sur un petit vignoble qu'il a acheté en viager et qu'il a agrandi progressivement. Aujourd'hui, il cultive avec son fils 18 ha de vigne assez âgées pour la plupart. C'est cette ancienneté des ceps que l'on retrouve dans ce vin très charpenté, dont la dureté actuelle laisse espérer une bonne longévité. Cité par le jury, le **Clos de la Galvauderie 97** présente des tanins plus fondus et pourra servir de relais.

➥ EARL A. Barc Père et Fils, Clos de La Croix Marie, 37500 Rivière, tél. 02.47.93.02.24, fax 02.47.93.99.45 ☑ ♈ r.-v.

VIGNOBLE GASNIER
Vieilles vignes 1997

■   4 ha   16 000   ⦀   30 à 49 F

Situé entre la Vienne et les coteaux, le vignoble des Gasnier couvre 23 ha sur des sols argilosiliceux. Les vignes ont cinquante ans d'âge et, fait rare en Chinonais, l'encépagement comporte un peu de cabernet-sauvignon. La cuvée Vieilles vignes se distingue par son équilibre, une concentration moyenne et des tanins plutôt souples. C'est ce qu'on appelle ici un vin « de Pâques » : un chinon friand, qui n'évoluera guère mais qui donnera du plaisir dans l'immédiat. Même note pour la **cuvée Prestige 97**, légèrement boisée, qui devrait bien évoluer.

➥ Vignoble Jacky et Fabrice Gasnier, Chézelet, 37500 Cravant-les-Coteaux, tél. 02.47.93.11.60, fax 02.47.93.44.83 ☑ ♈ r.-v.

GOURON ET FILS 1998

◪   1 ha   5 000   ▮♦ 20 à 29 F

Arrêtez-vous chez les Gouron, c'est un régal pour les yeux : vous découvrirez de chez eux tout le vignoble de Cravant jusqu'à la Vienne. Le plaisir du palais viendra après, avec ce 98 rosé, souple, aromatique, bien typé cabernet, qui jouera les premiers rôles dans un repas champêtre. Le jury a également cité le **Domaine Gouron 97 cuvée Prestige**, un vin rouge à l'arôme de myrtille, solide et pourtant souple.

➥ EARL Gouron Père et Fils, La Croix-de-Bois, 37500 Cravant-les-Coteaux, tél. 02.47.93.15.33, fax 02.47.93.96.73 ☑ ♈ r.-v.

VIGNOBLE GROBOIS 1997

■   n.c.   20 000   ▮♦ 20 à 29 F

Jacques Grobois exploite 8 ha de vigne très bien situés sur les terres argilo-calcaires des coteaux de Panzoult, face au midi. Il module la conduite de la vinification en fonction du millésime : pour ce 97, la fermentation a duré dix jours, avec un soutirage toutes les douze heures. La couleur est limpide, de bonne intensité ; le nez discret laisse percer la fraise des bois puis le grillé ; la bouche apparaît plutôt souple, avec des tanins bien fondus et une finale ronde et flatteuse.

➥ Grosbois, Le Pressoir, 37220 Panzoult, tél. 02.47.58.66.87, fax 02.47.95.26.52 ☑ ♈ t.l.j. sf dim. 9h-12h 15h-19h

DOM. FRANCIS HAERTY 1997★

■   1 ha   n.c.   ▮⦀ 30 à 49 F

Le domaine de Francis Haerty s'étend sur des alluvions de sable et de graviers laissées par la Vienne au quaternaire. Son 97 présente des parfums classiques de fruits rouges, assortis de notes grillées et boisées. En bouche, on apprécie des tanins déjà fondus, de la puissance et surtout une expression aromatique qui persiste longuement. Un vin harmonieux qui doit mûrir encore un peu.

➥ Francis Haerty, 2, rue des Pêcheurs, Bertignolles, 37420 Savigny-en-Véron, tél. 02.47.58.42.74, fax 02.47.58.97.73 ☑ ♈ r.-v.

DOM. DES HARDONNIERES 1997★

■   3,13 ha   18 000   ▮♦ 20 à 29 F

Constituée il y a une douzaine d'années par un groupe de viticulteurs, la SICA des Caves des Vins de Rabelais commercialise le vin de ses adhérents, parfois sous leur propre étiquette avec mise en bouteilles à la propriété. C'est le cas du Domaine des Hardonnières. Le nez, foncé, s'ouvre à peine sur la violette. La bouche apparaît en revanche très expressive, révélant de la matière et du fruit et se prolongeant dans une finale impressionnante. Le **Domaine de la Croix 97**, distribué dans les mêmes conditions, est cité par le jury.

➥ SICA des Caves des Vins de Rabelais, Saint-Louand, 37500 Chinon, tél. 02.41.68.81.81, fax 02.47.98.35.40 ☑ ♈ r.-v.

DOM. HERAULT Vieilles vignes 1997★

■   2,63 ha   18 000   ▮♦ 30 à 49 F

Ce domaine, qui comptait 50 ares à sa fondation en 1964, couvre aujourd'hui 20 ha. Entre temps, un chai moderne a été installé et une cave superbe a été aménagée sur le site d'une ancienne carrière découverte par hasard. Voici une cuvée Vieilles vignes fort réussie, où les tanins bien fondus laissent une impression de souplesse et de rondeur. C'est un vin qu'il faut boire sans tarder pour son côté joyeux et avenant.

➥ GAEC Hérault, Le Château, 37220 Panzoult, tél. 02.47.58.56.11, fax 02.47.58.69.47 ☑ ♈ r.-v.
➥ Eric Hérault

CH. DE LA BONNELIERE 1997

■   6 ha   30 000   ▮♦ 30 à 49 F

La maison Plouzeau est une des plus anciennes de la région. Pierre dirigeait avec succès ses activités de négoce-éleveurs. Aujourd'hui, ce sont ses fils qui ont pris le relais. Le vignoble de la Bonnelière (12 ha) entoure le château, propriété de la famille depuis plus d'un siècle. Les vins y ont généralement du caractère, mais celui-ci, fruité au nez et en bouche, est plutôt d'un type léger, souple et friand. Il jouera sa partition sans fausses notes sur une table amicale.

⊶ Maison Plouzeau, 94, rue Haute Saint-Maurice B.P. 232, 37500 Chinon, tél. 02.47.93.16.34, fax 02.47.98.48.23 ☑ Y t.l.j. sf dim. lun. 10h-12h 15h-18h

⊶ Marc Plouzeau

CH. DE LA GRILLE 1997

■ 27 ha 150 000 ◍ 70 à 99 F

Le château, du XV[e]s., a été rénové au XIX[e]s. par Gustave de Cougny, alors président de la Société française d'Archéologie. Il est aujourd'hui détenu par les Gosset, vignerons depuis quatorze générations. Alliant traditions et méthodes modernes, le domaine propose, dans un élégant flacon, un 97 au nez intense de sous-bois, de cassis et de violette. L'attaque souple est suivie de boisé et de pruneau, offrant une longue finale. Un vin atypique qu'il faut laisser s'affiner.

⊶ Laurent et Sylvie Gosset, Ch. de la Grille, rte de Huismes et Ussé, 37500 Chinon, tél. 02.47.93.01.95, fax 02.47.93.45.91 ☑ Y r.-v.

BEATRICE ET PASCAL LAMBERT

Cuvée Marie 1997*

■ 1,6 ha 7 500 ◍ 50 à 69 F

Pascal Lambert recherche l'élevage sous bois et laisse facilement ses vins plus d'un an en fût. Cette cuvée Marie, issue d'une bonne matière certainement, a fermenté plus de trois semaines. Elle est passée ensuite dans des fûts sinon neufs du moins récents, qui l'ont marquée fortement. On sent qu'il y a du fond et des arômes mais ceux-ci sont masqués par cette dominante boisée. Ce vin gagnera en subtilité avec le temps.

⊶ Pascal Lambert, Dom. Les Chesnaies, 37500 Cravant-les-Coteaux, tél. 02.47.93.13.79, fax 02.47.93.40.97 ☑ Y r.-v.

PATRICK LAMBERT Vieilles vignes 1997

■ 2 ha 9 700 ▮◍ 30 à 49 F

Une cuvée Vieilles vignes, au nez flatteur par son côté fruits rouges bien mûrs. La bouche ronde, longue et bien équilibrée laisse une impression de café grillé. Les tanins assez présents incitent à la garde. Ce vin devrait se montrer plus expressif avec le temps.

⊶ Patrick Lambert, 6, coteau de Sonnay, 37500 Cravant-les-Coteaux, tél. 02.47.93.92.39, fax 02.47.93.92.39 ☑ Y r.-v.

DOM. DE LA NOBLAIE 1998*

□ 1 ha 6 000 ▮🌡 30 à 49 F

On produit très peu de blanc à Chinon, mais à la Noblaie, c'est une tradition. Quand Pierre Manzagol a repris le domaine en 1952, il y avait déjà du pineau de la Loire. La bouche de ce 98 est bien construite, friande, harmonieuse et d'une bonne persistance. Un vin fait pour un poisson de Loire.

⊶ SCEA Manzagol-Billard, Le Vau Breton, Dom. de La Noblaie, 37500 Ligré, tél. 02.47.93.10.96, fax 02.47.93.10.96 ☑ Y r.-v.

DOM. DE LA PERRIERE

Vieilles vignes 1997*

■ 7 ha 15 000 ◍ 30 à 49 F

La Perrière (42 ha) est devenue, grâce au dynamisme de Jean et maintenant de son fils Christophe, l'un des plus beaux domaines du Chinonais. Le chai est moderne, les caves de vieillissement sont parfaitement aménagées et les vins de bon niveau. Cette cuvée Vieilles vignes, d'un rouge très soutenu, présente un nez un peu boisé, qui évoque l'animal. La bouche, boisée elle aussi, a de la profondeur et un équilibre remarquable. Un vin qui demande de la garde pour estomper son bois et exprimer toutes ses qualités.

⊶ EARL Christophe Baudry, Dom. de La Perrière, 37500 Cravant-les-Coteaux, tél. 02.47.93.15.99, fax 02.47.98.34.57 ☑ Y r.-v.

DOM. DE LA POTERNE 1997

■ 6,8 ha 16 000 ◍ 30 à 49 F

Voici un très joli vin de Pâques : c'est ainsi que l'on désigne ces chinons fruités, légers et souples. Les terres de graviers de la Poterne se prêtent à la production de ces « vins plaisirs » ; peut-être aussi la science des vignerons. Essayez ce 97 un peu frais sur une grillade : vous nous en direz des nouvelles.

⊶ EARL Christian et Robert Delalande, Montet, 37220 L'Ile-Bouchard, tél. 02.47.58.52.54, fax 02.47.58.67.99 ☑ Y r.-v.

CAVES DE LA SALLE

Fief de la Rougellerie 1997

■ 3 ha 8 000 ▮ 20 à 29 F

La maison est du XVIII[e]s., le chai est moderne. De la puissance, de la matière et du fruit dans ce 97, mais une fin de bouche un peu tannique. Un bon potentiel qui devrait se révéler après un séjour en cave.

⊶ Rémi Desbourdes, La Salle, 37220 Avon-les-Roches, tél. 02.47.95.24.30, fax 02.47.95.24.83 ☑ Y r.-v.

DOM. DE LA TOUR

Cuvée Vieilles vignes 1997

■ 6 ha n.c. ▮◍ 30 à 49 F

Les vignes de Guy Jamet s'étendent sur 14 ha. Situées au point le plus élevé de la commune, elles bénéficient d'un bon ensoleillement. A bonne maturité, vin riche, bouche copieuse et belle harmonie. Un 97 réussi, prêt à boire.

⊶ Guy Jamet, rue Chambert, 37420 Beaumont-en-Véron, tél. 02.47.58.47.61, fax 02.47.58.40.24 ☑ Y r.-v.

CH. DE LIGRE

La Roche Saint-Paul 1997**

■ 5 ha 20 000 ▮◍🌡 30 à 49 F

« Vigneron, c'est plus qu'un métier c'est une vocation », se plaît à dire Pierre Ferrand, qui gère ce domaine de 30 ha, situé sur la rive gauche de la Vienne où les terres argilo-calcaires ont la réputation de donner des vins solides. Celui-ci apparaît très bien structuré ; le bois et les tanins se fondent dans une rondeur harmonieuse. Une bouteille de grande expression, promise à un bel avenir.

Pierre Ferrand, Ch. de Ligré, 37500 Ligré, tél. 02.47.93.16.70, fax 02.47.93.43.29 t.l.j. 8h30-12h 14h-18h; sam. dim. sur r.-v.

ALAIN LORIEUX Thélème 1997

■ 1,5 ha 6 000 50 à 69 F

Alain Lorieux exploite un domaine de 7 ha en association avec son frère Pascal, installé à Saint-Nicolas-de-Bourgueil. Tous deux échangent matériel de culture et de cave. Cette cuvée Thélème, du nom de la célèbre abbaye imaginée par Rabelais, est assez animale au nez comme en bouche. Riche et puissante, elle semble encore sauvage. Une garde de quatre ou cinq ans la domestiquera sans aucun doute. A servir avec du gibier.

EARL Pascal et Alain Lorieux, Malvault, 37500 Cravant-les-Coteaux, tél. 02.47.98.35.11, fax 02.47.98.36.11 r.-v.

CLOS DU MARTINET 1997

■ 2,8 ha 18 000 30 à 49 F

A Beaumont-en-Véron, les terres argilo-calcaires reposent directement sur le tuffeau. Les vins y sont généralement typés. Celui-ci semble un peu hors normes. De belle apparence avec sa robe limpide, il se montre assez expressif au nez, mêlant les fleurs, les fruits et même le cuir. Il équilibre en bouche tanins et matière qui se fondent dans une finale séduisante. Il pourra être servi rapidement.

Paul Guertin , 111, rue du Véron, 37420 Beaumont-en-Véron, tél. 02.47.58.43.20, fax 02.47.58.97.55 r.-v.

DOM. DES MILLARGES 1997*

■ 3 ha 15 000 30 à 49 F

Le Centre viti-vinicole est un domaine de 24 ha dépendant du lycée agricole de Tours-Fondettes. Y sont testées les sélections de cépages, les porte-greffes, les modes de culture. C'est une exploitation à part entière qui propose ce chinon aux tanins ronds, plus austères en finale. Ce vin possède beaucoup de fruit et une fraîcheur qui lui donne de la légèreté. La note boisée s'estompera avec le temps.

Centre viti-vinicole de Chinon, Les Fontenils, Dom. Lycée agr. Tours-Fondettes, 37500 Chinon, tél. 02.47.93.36.89, fax 02.47.93.96.20 r.-v.

CLOS DE NEUILLY 1997*

■ 3 ha 15 000 30 à 49 F

Paule Spelty et son fils Yoann ont pris en main les destinées du domaine. Le savoir-faire demeure, témoin cette cuvée du clos de Neuilly issue de vieilles vignes et élevée en foudre plus de dix-huit mois. Un volume impressionnant en bouche ainsi qu'une bonne persistance en font un très beau vin de garde. L'intensité aromatique au nez constitue un atout supplémentaire. Les quelques petites rugosités tanniques que l'on observe en finale vont se fondre avec le temps.

Dom. Spelty, Le Carroi Portier, 37500 Cravant-les-Coteaux, tél. 02.47.93.08.38, fax 02.47.93.93.50 r.-v.

DOM. JAMES PAGET Vieilles vignes 1997

■ 1,5 ha 7 000 30 à 49 F

James Paget est un Ridellois (de la région d'Azay-le-Rideau) bon teint. Mais il possède dans l'AOC chinon une pièce de vigne de 1,50 ha qu'il travaille avec amour. Le résultat ? Un vin réussi, typique de l'appellation. Le nez parfumé est fait de fruits rouges, la bouche est de bonne longueur, avec des tanins qui s'affichent raisonnablement ; on y retrouve des accents de fraise des bois et de framboise. Une bouteille qui n'attendra pas.

EARL James Paget, 13, rue d'Armentières, 37190 Rivarennes, tél. 02.47.95.54.02, fax 02.47.95.45.90 r.-v.

DOM. CHARLES PAIN Cuvée Prestige 1997*

■ 19 ha 25 000 30 à 49 F

Le vignoble de Charles Pain couvre 20 ha et s'étend sur les trois communes les plus à l'est de l'appellation. La cuvée Prestige, une fois de plus, est très réussie. Ses tanins un peu granuleux lui donnent ampleur et générosité. Comme elle possède souplesse et équilibre, elle peut séduire dès maintenant. La **Cuvée du domaine 97** dans un style proche, boisée, ne manque pas non plus d'attraits. Elle a obtenu la même note.

Dom. Charles Pain, Chézelet, 37220 Panzoult, tél. 02.47.93.06.14, fax 02.47.93.04.43 r.-v.

DOM. DE PALLUS Cuvée Première 1997*

■ 3 ha 14 000 50 à 69 F

Une robe rubis brillant vous met dans de bonnes dispositions. La suite réserve d'agréables surprises : belle structure, tanins fins, rondeur plaisante, finale sur les fruits rouges et les épices. Un vin à laisser mûrir.

Jean-Bernard Sourdais, Pallus, 37500 Cravant-les-Coteaux, tél. 02.47.93.00.05, fax 02.47.93.05.06 t.l.j. 8h-20h

CLOS DU PARC DE SAINT-LOUANS 1997

■ 11 ha 6 000 50 à 69 F

Le domaine tient son nom de saint Louans, un ermite qui vivait en ces lieux au VI[e]s. et qui faisait du vin, dit-on, un usage thérapeutique. Ce 97 ne deviendra pas centenaire mais il pourra vieillir quelques belles années tant il possède de matière et de tanins. Son fruit aura alors fait place à des arômes tertiaires qui feront merveille sur du gibier ou autre viande de caractère.

Farou, rue de La Batellerie, 37500 Chinon, tél. 02.47.93.07.14, fax 02.47.93.06.77 r.-v.

PIERRE PRIEUR 1997*

■ 2 ha 6 000 30 à 49 F

Un petit peu de vanille, des évocations de fruits mûrs, une note vive donnant une impression de fraîcheur et un support tannique léger, soyeux : voilà tout à fait un vin des sables et graviers de la Vienne. Il se boira facilement dans une ambiance conviviale.

Pierre Prieur, 1, rue des Mariniers, Bertignolles, 37420 Savigny-en-Véron, tél. 02.47.58.45.08, fax 02.47.58.94.56 r.-v.

DOM. DU PUY Vieilles vignes 1997★★

■ 6 ha 8 000 ▮ ◖◗ 🌡 20 à 29 F

Alexis Delalande, l'aïeul, a créé le domaine en 1820. Depuis, les Delalande se sont succédé sur ce vignoble qui compte aujourd'hui plus de 24 ha. Une riche expérience qui aboutit à ce vin d'excellent niveau. Le nez, après aération, laisse fuser des odeurs de grillé, d'anis, voire de menthol. La bouche souple, facile, possède une bonne persistance. Une impression de finesse se dégage de cet ensemble, qui se bonifiera encore avec un peu de garde.

⊶ Patrick Delalande, GAEC du Puy, R.N. 11, Le Puy, 37500 Cravant-les-Coteaux, tél. 02.47.98.42.31, fax 02.47.93.39.79 ☑ Y r.-v.

DOM. DU PUY RIGAULT
Vieilles vignes 1997★

■ 1 ha 5 000 ◖◗ 30 à 49 F

Des reflets violacés dans la robe, un nez fermé mais prometteur et une impression de vendange bien mûre, c'est un joli vin élaboré par Michel Page dans son chai des bords de Vienne. On peut l'attendre ou en profiter dès maintenant.

⊶ EARL Dom. du Puy Rigault, 6, rue de la Fontaine-Rigault, 37420 Savigny-en-Véron, tél. 02.47.58.44.46, fax 02.47.58.99.50 ☑ Y r.-v.

DOM. DES QUATRE VENTS
Cuvée Sélection 1997

■ 2,3 ha 5 800 ◖◗ 30 à 49 F

Etablie au sommet d'une butte balayée par les vents, l'exploitation de Philippe Pion porte bien son nom. Les vignes, qui couvrent près de 18 ha, n'en ont cure et portent de belles récoltes. En témoigne ce 97 à la robe très dense, corpulent, offrant des arômes de fruits mûrs et une longue finale. Il supportera aisément un peu de garde.

⊶ Philippe Pion, La Batisse, 37500 Cravant-les-Coteaux, tél. 02.47.93.46.79, fax 02.47.93.99.59 ☑ Y r.-v.

OLGA RAFFAULT Les Barnabés 1997

■ 6 ha n.c. ◖◗ 50 à 69 F

Jean, le fils d'Olga Raffault, a pris en main depuis un certain temps déjà les destinées du domaine. On retrouve sa cuvée Les Barnabés qui est un peu son cheval de bataille. Le bois perce au nez et persiste en bouche avec une attaque souple, soutenue par une certaine réserve de puissance. Ce vin ne s'exprime pas encore bien ; il faut le laisser évoluer.

⊶ SARL Dom. Olga Raffault, 1, rue des Caillis, 37420 Savigny-en-Véron, tél. 02.47.58.42.16, fax 02.47.58.83.61 ☑ Y r.-v.

⊶ Jean Raffault

JEAN-MAURICE RAFFAULT
Les Picasses 1997★

■ 6 ha 45 000 ◖◗ 30 à 49 F

C'est Rodolphe Raffault, le fils de Jean-Maurice, qui assure en grande partie la responsabilité du domaine de 35 ha aux terroirs variés. On retrouve cette année les Picasses (sols argilo-calcaires reposant directement sur le tuffeau). Ils ont donné un vin généreux, d'une belle persistance en bouche, et dont les tanins granuleux ont besoin de s'arrondir. C'est une cuvée à bon potentiel, mais qui doit évoluer. A l'opposé presque, une autre cuvée, **Clos d'Isoré 97** obtient une citation. Très fraise des bois, elle permettra d'attendre les Picasses.

⊶ EARL Jean-Maurice Raffault, La Croix, 37420 Savigny-en-Véron, tél. 02.47.58.42.50, fax 02.47.58.83.73, e-mail rodolpheraffault@wanadoo.fr ☑ Y t.l.j. 10h-12h 14h-19h

DOM. DU RAIFAULT 1998★

□ 1,4 ha 10 000 ◖◗ 30 à 49 F

Julien Raffault marche sur les traces de son père, Raymond. Il lui doit ce beau domaine du Raifault (28 ha), dont la renommée n'est plus à faire. Aujourd'hui, il présente un blanc sec au caractère minéral marqué. La bouche est un peu boisée, bien fondue, et reflète une vendange bien mûre. On pourra le servir à l'apéritif et continuer, toujours avec lui, en accompagnement d'un poisson.

⊶ Julien Raffault, 23-25, rte de Candes, 37420 Savigny-en-Véron, tél. 02.47.58.44.01, fax 02.47.58.92.02 ☑ Y t.l.j. 8h-18h; dim. sur r.-v.

PHILIPPE RICHARD 1997★

■ 2 ha 5 000 ▮ 30 à 49 F

4,50 ha : c'est un petit vignoble pour la région, mais qui suffit à occuper son propriétaire, surtout quand celui-ci travaille de façon très traditionnelle. C'est le cas de Philippe Richard. Il vient de rénover son chai et s'attache à produire des vins typiques. Ce 97 a une bouche puissante mais, grâce à ses tanins fins, demeure avenant. Très bien équilibré, il peut faire un peu de garde ou être consommé tout de suite.

⊶ Philippe Richard, Le Sanguier, 37420 Huismes, tél. 02.47.95.52.50, fax 02.47.95.45.82 ☑ Y t.l.j. 9h-19h

DOM. DU RONCEE 1997★★

■ 25 ha 100 000 ▮ 🌡 30 à 49 F

Comme souvent en Touraine au XV[e]s., chaque parcelle du Roncée était entourée de murs, formant ces fameux clos qui donnent aujourd'hui leurs noms aux différentes cuvées de la propriété. Avec ses tanins soyeux, son gras, sa richesse et son équilibre, le vin dit « du domaine » a manqué de peu le coup de cœur. Ont été retenus également le **Clos des Folies** (une étoile) et le **Clos des Marronniers** (une citation), deux autres 97.

⊶ SCEA Dom. du Roncée, La Morandière, 37220 Panzoult, tél. 02.47.58.53.01, fax 02.47.58.64.06, e-mail roncee@club-internet.fr ☑ Y r.-v.

DOM. DES ROUET
Cuvée des Battereaux 1997★★

■ 3,35 ha 10 000 ▮ ◖◗ 🌡 30 à 49 F

Jean-François Rouet exploite un coquet domaine de près de 15 ha. Remarquable cette année, sa cuvée des Battereaux apparaît puissante, chaude, avec une évocation de bois bien fondue. Les arômes de vanille et de fruits mûrs sont des plus agréables. Un vin que l'on peut garder en cave quelques années. Non boisée, la cuvée principale **Domaine des Rouet** (même millésime) mérite d'être citée.

☛ Dom. des Rouet, Chézelet, 37500 Cravant-les-Coteaux, tél. 02.47.93.19.41, fax 02.47.93.96.58 ☑ ⵣ t.l.j. 9h-19h

WILFRID ROUSSE Vieilles vignes 1997★★

■   1 ha   5 000   ☷⯑⯑   30 à 49 F

Wilfrid Rousse est installé depuis 1987 dans le Véron, là où la Loire et la Vienne sont plus rivales qu'amies, et où le vigneron ne craint pas sa peine. Sa cuvée Vieilles vignes est issue d'une parcelle plantée en 1910. La robe est d'un rubis profond. Le nez discret, un peu boisé, laisse percer quelques notes de fruits noirs et de réglisse. Dans la bouche à la fois charpentée et ronde se coulent des tanins bien fondus. Un beau vin, plein de subtilités, qui vieillira admirablement.
☛ Wilfrid Rousse, La Halbardière, 19-21, rte de Candes, 37420 Savigny-en-Véron, tél. 02.47.58.84.02, fax 02.47.58.92.66 ☑ ⵣ t.l.j. sf dim. 9h-12h 14h-19h

JEAN-MARIE ROUZIER
Vieilles vignes 1997

■   2 ha   8 000   ☷⯑⯑   30 à 49 F

De Bourgueil à Chinon, il n'y a que la Loire à traverser : Jean-Marie Rouzier exploite des vignes dans les deux appellations. Une touche de cabernet-sauvignon se mêle au cabernet franc dans cette cuvée au nez ouvert sur les fruits rouges et nuancé de vanille. La bouche ronde offre des tanins lisses, et la longueur est honorable. Une bonne bouteille à boire ou à laisser évoluer un couple d'années.
☛ Jean-Marie Rouzier, Les Géléries, 37140 Bourgueil, tél. 02.47.97.74.83, fax 02.47.97.48.73 ☑ ⵣ t.l.j. sf dim. 9h-13h 14h30-19h

CH. DE SAINT-LOUAND
Réserve de Trompegueux 1997★★

■   5,65 ha   20 000   ⯑⯑   30 à 49 F

Saluée l'an dernier, la réserve de Trompegueux se distingue encore dans ce millésime. La robe est intense à reflets violets ; le nez, où l'on décèle de la réglisse et du grillé, est encore discret, mais il ne demande qu'à s'ouvrir. La bouche, dense, bien construite, aux arômes de fruits rouges ou noirs bien mûrs, offre une longue finale. Ce vin donnera beaucoup de plaisir dans quelques années.
☛ Bonnet-Walther, Ch. de Saint-Louand, 37500 Chinon, tél. 02.47.93.48.60, fax 02.47.98.48.54 ☑ ⵣ r.-v.

PIERRE SOURDAIS
Réserve Stanislas 1997★

■   n.c.   20 000   ⯑⯑   30 à 49 F

Pierre Sourdais a bien transformé cet ancien moulin qui broyait l'écorce de chêne. Depuis dix ans, il y réalise des aménagements importants ; il s'est doté en particulier d'une cave de vieillissement qui renferme huit foudres impressionnants. La réserve Stanislas (prénom usité chez les Sourdais !) se présente avec un nez de sous-bois, une bouche marquée par le bois mais enveloppante et soyeuse, et une finale plaisante. Un vin fait pour vieillir.
☛ Pierre Sourdais, Le Moulin à Tan, 37500 Cravant-les-Coteaux, tél. 02.47.93.31.13, fax 02.47.98.30.48 ☑ ⵣ r.-v.

FRANCIS SUARD
Cuvée Prestige Elevé en fût de chêne 1997★

■   1,86 ha   5 460   ⯑⯑   30 à 49 F

La cave, exceptionnelle par ses dimensions, est une ancienne carrière qui servait à l'extraction du tuffeau pour la construction des maisons. D'une température constante, elle constitue un lieu idéal pour la maturation du vin. Celui-ci, assez charnu, doté de tanins solides mais non agressifs, trouvera dans ce lieu de bonnes conditions pour bien évoluer.
☛ Francis Suard, 74, rte de Candes, 37420 Savigny-en-Véron, tél. 02.47.58.91.45 ☑ ⵣ r.-v.

CH. DE VAUGAUDRY
Clos du Plessis-Gerbault 1997★

■   1 ha   5 000   ⯑⯑   30 à 49 F

Le château que mentionne Rabelais dans son récit de la guerre Picrocholine est placé sur une sorte de terrasse taillée au flanc du coteau de la rive gauche de la Vienne, face à la vieille forteresse de Chinon. Entièrement ceint de murs, le vignoble, qui couvre 12 ha, bénéficie d'un microclimat privilégié. La robe de ce 97 est limpide, d'un rouge éclatant. La bouche, souple en attaque, évolue vers des tanins raisonnables avec une légère évocation boisée et offre une finale persistante. Une bouteille de garde.
☛ SCEA Ch. de Vaugaudry, Vaugaudry, 37500 Chinon, tél. 02.47.93.13.51, fax 02.47.93.23.08 ☑ ⵣ r.-v.
☛ Belloy

DOM. DE VILLEGRON 1997★

■   3 ha   10 000   ⯑⯑   30 à 49 F

Léger, agréable, ce 97 offre de subtiles notes de vanille. Les tanins ne sont pas tout à fait absents, mais la bouche conserve une certaine rondeur. Ajoutez-y une saveur fruitée et vous obtenez un vin à consommer en joyeuse compagnie dès maintenant.
☛ Vincent Bodin, 17, rue de Villegron, 37500 La Roche-Clermault, tél. 02.47.93.24.13, fax 02.47.93.13.75 ☑ ⵣ r.-v.

> Pour tout savoir d'un vin, lisez les textes d'introduction des appellations et des régions ; ils complètent les fiches des vins.

Coteaux du loir

Avec le jasnières, voici le seul vignoble de la Sarthe, sur les coteaux de la vallée du Loir. Il renaît après avoir failli disparaître il y a vingt-cinq ans. Les vignes sont plantées sur l'argile à silex qui recouvre le tuffeau. Une production intéressante avec près de 1 555 hl d'un rouge léger et fruité (pineau d'Aunis, assemblé aux cabernet, gamay ou cot) et de rosé, de 1 012 hl de blanc sec (chenin ou pineau blanc de la Loire).

AUBERT LA CHAPELLE 1997*

■ 6 ha 20 000 ◍ 20 à 29 F

Ce 97 présente de discrets arômes poivrés et amyliques. Typé, souple, léger, frais, ce vin s'accordera avec une viande blanche ou un dessert aux fraises. Le **jasnières cuvée Mathilde 98** est intéressant.

⊶ Aubert, La Roche, 72340 Marçon, tél. 02.43.79.17.82, fax 02.43.79.17.82 ☑ Y r.-v.

DOM. DE CEZIN Pineau d'Aunis 1998**

◪ 1,5 ha 4 000 ▮ 🌡 20 à 29 F

Soucieux d'allier la tradition avec ce qu'il faut de modernité, ce domaine, régulièrement mentionné dans le Guide, s'est doté d'un chai de vinification en 1998. Son vin rosé, élaboré moitié par saignée, moitié par pressurage direct, est une belle réussite dans le millésime : sa robe saumon, son bouquet fruité (fraise), épicé et fermentaire, sa souplesse au palais, sa finesse et sa longueur sont remarquables.

⊶ François Fresneau, rue de Cézin, 72340 Marçon, tél. 02.43.44.13.70, fax 02.43.44.13.70 ☑ Y r.-v.

LES MAISONS ROUGES 1998*

□ 1,1 ha 2 200 ◍ 30 à 49 F

Ce domaine, en cours de rénovation, possède un chai bien équipé. Vendangé par tries pour profiter du bel automne 1997, ce vin, de couleur paille, offre des senteurs florales, une attaque fraîche, beaucoup de gras et une touche finale de miel.

⊶ Elisabeth et Benoît Jardin, Les Maisons rouges, Les Chaudières, 72340 Ruillé-sur-Loir, tél. 02.43.79.50.09, fax 02.43.79.13.95, e-mail benoit.jardin@bull.net ☑ Y r.-v.

TUFFEAU MONT-VEILLON 1998*

□ 1,5 ha 6 000 ▮ 🌡 30 à 49 F

Après avoir admiré les fresques de l'église de Poncé-sur-le-Loir, faites une halte à ce domaine. Vous y dégusterez ce 98, au nez fruité bien ouvert, d'une belle attaque, non sans finesse. L'équilibre tendant vers la vivacité est typique des vins des rives du Loir. La finale offre une jolie note de miel. Le **jasnières 97** est très souple.

⊶ SCE viticole du Val de Loir, La Tendrière, 50, rue Principale, 72340 Poncé-sur-le-Loir, tél. 02.43.44.55.98, fax 02.43.44.91.14 ☑ Y r.-v.

⊶ A. Sevault et T. Honnons

Jasnières

C'est le cru des coteaux du Loir, bien délimité sur un unique versant plein sud de 4 km de long et de quelques centaines de mètres de large seulement. Une production de 2 096 hl de vin blanc, issu du seul cépage chenin ou pineau de la Loire, qui peut donner des produits sublimes les grandes années. Curnonsky n'a-t-il pas écrit : « Trois fois par siècle, le jasnières est le meilleur vin blanc du monde » ? Il accompagne élégamment, dit-on, la « marmite sarthoise », spécialité locale, où il rejoint d'autres produits du terroir : poulets et lapins finement découpés, légumes cuits à la vapeur. Vin rare, à découvrir.

DOM. DE CEZIN 1998

□ 2 ha 7 000 ▮ 30 à 49 F

Une propriété habituée du Guide ! Un chai a été construit en 1998 pour allier tradition avec ce qu'il faut de modernité. Vêtu de pâle, ce 98 a un nez discrètement boisé ; la bouche fine et fruitée est très harmonieuse.

⊶ François Fresneau, rue de Cézin, 72340 Marçon, tél. 02.43.44.13.70, fax 02.43.44.13.70 ☑ Y r.-v.

DOM. DE LA GAUDINIERE 1998

□ 1 ha 5 000 ▮ 30 à 49 F

Le grand-père Cartereau fut, en 1937, l'un des fondateurs de l'appellation. Ici, la cave est traditionnelle. De couleur pâle, ce 98 offre des arômes de fruits exotiques, agréables mais peu typés.

⊶ EARL C. et D. Cartereau, La Gaudinière, 72340 Lhomme, tél. 02.43.44.55.38 ☑ Y r.-v.

DOM. J. MARTELLIERE 1998**

□ 0,8 ha 3 600 ◍ 30 à 49 F

Le domaine possède les trois appellations de la vallée du Loir. Ce 98 est un beau représentant du jasnières. Il offre des notes minérales et végétales (menthol) intenses, puis beaucoup de présence en bouche. Vif sans être acide, il se bonifiera encore. Le **coteau du loir rosé 98** est bien lui aussi.

⊶ SCEA Dom. J. Martellière, 46, rue de Fosse-Fosse, 41800 Montoire-sur-le-Loir, tél. 02.54.85.16.91, fax 02.54.85.16.91 ☑ Y r.-v.

Montlouis

La Loire au nord, la forêt d'Amboise à l'est, le Cher au sud limitent l'aire d'appellation (1 000 ha de vignes dont 400 en AOC montlouis). Les sols « perrucheux » (argile à silex), localement recouverts de sable, sont plantés de chenin blanc (ou pineau de la Loire) et produisent des vins blancs vifs et pleins de finesse, secs ou doux, tranquilles ou effervescents (15 864 hl en 1998 dont 8 609 en mousseux). Les premiers gagnent à évoluer longuement en bouteille dans les caves de tuffeau. Ils ont un potentiel de garde d'une dizaine d'années.

DOM. AURORE DE BEAUFORT 1997★★

☐ n.c. 6 000 30 à 49 F

Les Moyer sont les descendants d'une vieille famille de la noblesse tourangelle, les Scourion de Beaufort. Aurore, leur fille, a donné son prénom au domaine. Beaucoup d'ampleur et d'équilibre dans ce montlouis sec tendre qui dévoile une richesse d'arômes surprenante : agrumes, ananas et banane en premier lieu, grillé et senteurs florales ensuite. Il est capable de bien vieillir.

Jean-Marie Moyer, 23, rue des Caves, 37270 Saint-Martin-le-Beau, tél. 02.47.50.61.51, fax 02.47.50.27.56, e-mail aurore.de.beaufort@wanadoo.fr
☑ Y t.l.j. sf dim. 8h-20h

DOM. AURORE DE BEAUFORT★

○ n.c. 6 000 30 à 49 F

Jean-Marie Moyer a plus d'une corde à son arc. En témoigne cette superbe méthode traditionnelle très briochée, qui se laisse boire agréablement en évoquant une large gamme de fruits rouges. Autre réussite de ce producteur, un **moelleux 97** à la belle matière et d'une harmonie parfaite.

Jean-Marie Moyer, 23, rue des Caves, 37270 Saint-Martin-le-Beau, tél. 02.47.50.61.51, fax 02.47.50.27.56, e-mail aurore.de.beaufort@wanadoo.fr
☑ Y t.l.j. sf dim. 8h-20h

PATRICE BENOIT★★

○ 2 ha 8 000 30 à 49 F

Ce domaine de 6 ha a été créé par regroupement de petites propriétés. Y ont été édifiés des bâtiments d'exploitation dotés d'un chai fonctionnel. Patrice Benoît peut être content de cette méthode traditionnelle, très briochée mais surprenante par un côté fruits rouges un peu inattendu. Harmonieux, ce vin passera bien en toutes circonstances.

Patrice Benoît, 3, rue des Jardins, Nouy, 37270 Saint-Martin-le-Beau, tél. 02.47.50.62.46
☑ Y r.-v.

PATRICE BENOIT La Cuvée Saint Martin 1997★

☐ 1 ha 3 000 50 à 69 F

Patrice Benoît peut se féliciter de ce liquoreux à 90 g/l de sucres résiduels. Des arômes assez intenses de sous-bois, un juste équilibre et une bonne harmonie d'ensemble en font un vin de premier rang qui peut se permettre de vieillir.

Patrice Benoît, 3, rue des Jardins, Nouy, 37270 Saint-Martin-le-Beau, tél. 02.47.50.62.46
☑ Y r.-v.

THIERRY CHAPUT Sec 1997★

☐ 4 ha 10 000 30 à 49 F

Le domaine ne comptait que 4 ha en 1955, date de sa création par le père de Thierry Chaput. Agrandi depuis, il couvre maintenant 8,50 ha. La cave a été rénovée. Bien fait, ce sec que présente Thierry offre un nez puissant de fleurs et d'agrumes et une bouche très bien équilibrée avec ce qu'il faut de gras et de longueur. Le jury a également attribué une étoile au **montlouis moelleux 97**, souple et frais.

Thierry Chaput, 21, rue des Rocheroux, Husseau, 37270 Montlouis-sur-Loire, tél. 02.47.50.80.70, fax 02.47.50.71.46 ☑ Y r.-v.

DOM. DES CHARDONNERETS Demi-sec 1997

☐ 3 ha 7 000 30 à 49 F

Daniel Mosny exploite depuis près de trente ans un beau domaine de 14 ha, dont l'âge moyen des vignes est plus que respectable (quarante ans). Un nez frais et fleuri, une attaque souple et une suite aimable, difficile de trouver mieux dans un genre léger, à boire facilement.

Daniel Mosny, 6, rue des Vignes, 37270 Saint-Martin-le-Beau, tél. 02.47.50.61.84, fax 02.47.50.61.84 Y r.-v.

LAURENT CHATENAY 1997

○ 2,2 ha 15 000 20 à 29 F

En 1996, Laurent Chatenay a opéré à trente-sept ans une reconversion totale en s'installant sur le domaine de 8 ha de ses beaux-parents. Muni d'un BTA de viti-œnologie, il ne prend pas sa décision à la légère. Sa méthode traditionnelle, bien faite, convient parfaitement à un apéritif.

Laurent Chatenay, 41, rte de Montlouis, 37270 Saint-Martin-le-Beau, tél. 02.47.50.65.58, fax 02.47.50.29.90 ☑ Y r.-v.

YVES CHIDAINE Sec 1997★★

☐ 2 ha 10 000 30 à 49 F

Yves Chidaine, qui se dévoue pour l'appellation tout en endossant d'importantes responsabilités professionnelles, exploite son petit vignoble de 6 ha avec toute la science d'un viticulteur d'expérience. Cette science se retrouve dans ce montlouis sec jaune paille, brillant, au nez puissant, floral et fruité à la fois, et à la bouche dense où une évocation d'agrumes plaisante accompagne une longue finale. Frais par un petit côté acide, ce vin peut être servi dès à présent, mais il a beaucoup à gagner à vieillir quelques années.

Yves Chidaine, 2, Grande-Rue, Husseau, 37270 Montlouis-sur-Loire, tél. 02.47.50.83.72, fax 02.47.45.02.16 t.l.j. sf dim. 8h-12h 14h-20h

FREDERIC COURTEMANCHE
Demi-sec 1997★★

☐ 1 ha 2 000 30 à 49 F

Souvent présent dans le Guide, Frédéric Courtemanche s'attache à produire des vins typés qui représentent bien l'appellation. Celui-ci, demi-sec à 20 g/l de sucres résiduels, est dans cette lignée. Il a du gras, de l'élégance et un bon équilibre. Du même moule, un **montlouis sec 97** qui mérite d'être cité pour ses qualités aromatiques et son harmonie. On a tout à gagner à l'attendre.

Frédéric Courtemanche, 12, rue d'Amboise, 37270 Saint-Martin-le-Beau, tél. 02.47.50.60.89 r.-v.

PIERRE COURTEMANCHE 1997

☐ 2 ha 2 000 30 à 49 F

Depuis près de trente ans, Pierre Courtemanche gère un petit vignoble de 6 ha planté sur les pentes siliceuses qui descendent doucement vers le Cher. Il a produit dans le millésime 97 un montlouis sec, d'un bon équilibre mais avec un peu de rondeur. Doté d'une bonne puissance aromatique, de gras et de ce qu'il faut de longueur, ce vin peut être bu dès à présent. Un autre produit du domaine mérite d'être cité : un **montlouis moelleux 97** de constitution harmonieuse.

Pierre Courtemanche, 12, rte d'Amboise, 37270 Saint-Martin-le-Beau, tél. 02.47.50.62.30 t.l.j. 9h-20h

CHRISTIAN GALLIOT
Prestige Doux 1997★

☐ 1,6 ha 2 300 150 à 199 F

Un véritable gâteau de miel ce liquoreux de Christian Galliot, avec ses 180 g/l de sucres résiduels. Le miel est omniprésent, au nez comme en bouche, provenant d'une belle matière. Une évocation de sous-bois en finale et un équilibre réussi valent à ce montlouis des compliments.

Christian Galliot, 17, rue des Caves, Cangé, 37270 Saint-Martin-le-Beau, tél. 02.47.50.62.15, fax 02.47.50.24.94 r.-v.

PHILIPPE GALLIOT Doux 1997★★

☐ 1 ha n.c. 70 à 99 F

C'est un liquoreux à plus de 100 g/l de sucres résiduels qui vaut ce coup de cœur à Philippe Galliot. Les 6 ha de vignobles sont labourés, les traitements évités au maximum et la vinification réalisée en cave fraîche à l'ancienne. Le résultat est là avec un vin superbe, de belle constitution, où l'équilibre n'est pas une moindre qualité. Il sera apte à une longue conservation.

Philippe Galliot, 97, rue de Tours, 37270 Saint-Martin-le-Beau, tél. 02.47.50.24.24, fax 02.47.50.24.94 r.-v.

CLOS HABERT Demi-sec 1997

☐ 1,5 ha 7 000 30 à 49 F

Des fermentations longues dans des demi-muids bien calés au fond de caves profondes et fraîches qui jouent les régulateurs de température, voilà le secret de la réussite de François Chidaine. Ce demi-sec, somme toute plutôt rond, à la bouche harmonieuse et bien longue peut être conservé quelque temps dans votre cave.

François Chidaine, 5, Grande-Rue, 37270 Montlouis-sur-Loire, tél. 02.47.45.19.14, fax 02.47.45.19.08 r.-v.

DOM. DE LA MILLETIERE
Demi-sec 1995★

○ 4 ha n.c. 30 à 49 F

En quatre siècles, quinze générations de vignerons de la famille Dardeau se sont succédé à la Milletière ! Un beau savoir-faire au service d'un montlouis méthode traditionnelle demi-sec, très fin en bouche. Il faudra le servir avec des tuiles bien croustillantes ou un broyé du Poitou. Une citation honorable également à Jean-Christophe Dardeau pour un **moelleux 97, La Grande réserve Les Haies Berthereau** à 100 g/l de sucres résiduels, bien structuré.

Jean-Christophe Dardeau, 14, rue de la Milletière, 37270 Montlouis-sur-Loire, tél. 02.47.50.81.71, fax 02.47.50.85.25, e-mail la-milletière@epicuria.fr t.l.j. sf dim. 9h-12h30 14h30-19h

DOM. DE LA ROCHEPINAL
Tendre 1997★

☐ 1 ha 5 000 30 à 49 F

Une exploitation de création récente : Hervé Denis s'est installé en 1989. En achetant, en louant et en plantant des vignes, il a réussi à constituer son vignoble. Les chais ont été bâtis dans le même temps. Voici son demi-sec remarqué par le jury : nez intense dominé par les fruits confits, bouche fraîche, nette, bien équilibrée. Il est déjà très plaisant, et il faut en profiter.

Hervé Denis, 4, rue de La Barre, 37270 Montlouis-sur-Loire, tél. 02.47.45.16.65, fax 02.47.50.71.70 r.-v.

DOM. DE LA TAILLE AUX LOUPS
Cuvée des Loups Liquoreux 1997★★

☐ n.c. 2 500 150 à 199 F

Jacky Blot a regroupé en 1988 trois petits vignobles restés sans successeur pour constituer

son domaine qui compte aujourd'hui 13 ha. Attaché à la qualité, il privilégie les méthodes de culture et de vinification traditionnelles, tout en s'appuyant sur les données de l'œnologie moderne. Il présente un liquoreux à 100 g/l de sucres résiduels. Le nez puissant, aux évocations d'agrumes, annonce une bouche riche, issue d'une belle matière. Une note boisée bien intégrée ne surprend pas. La finale laisse sur une impression de châtaignes. Une belle bouteille promise à une longue carrière.

🔑 Dom. de La Taille aux Loups, 8, rue des Aitres, 37270 Montlouis-sur-Loire, tél. 02.47.45.11.11, fax 02.47.45.11.14 ☑ Y t.l.j. 9h-19h

🔑 Jacky Blot

DOM. DE L'ENTRE-CŒURS

○ 1,1 ha 6 000 **30 à 49 F**

16 ha à Montlouis : voici une belle propriété qui ne doit pas laisser beaucoup de loisirs à celui qui la conduit. Alain Lelarge le sait et ne ménage pas sa peine. Il a réussi cette méthode traditionnelle à la mousse fine et à la puissance aromatique assez développée. Ce montlouis sera apprécié lors d'un apéritif amical.

🔑 Alain Lelarge, 10, rue d'Amboise, 37270 Saint-Martin-le-Beau, tél. 02.47.50.61.70, fax 02.47.50.68.92 ☑ Y r.-v.

LES CHAUNODIERES 1997

□ n.c. 2 500 **30 à 49 F**

Un caractère floral au nez, une matière pleine en bouche avec un bon équilibre général, voilà un joli demi-sec représentatif de l'appellation, qui ne demande qu'à vous plaire dès maintenant. Claude Boureau présente dans le même millésime un **montlouis sec** et un **moelleux** qui méritent d'être cités. Un bel éventail de trois vins de qualité à mettre à l'actif de ce vigneron qui ne manque pas de tempérament.

🔑 Claude Boureau, 1, rue de la Résistance, 37270 Saint-Martin-le-Beau, tél. 02.47.50.61.39 ☑ Y r.-v.

LES ROCHES BLANCHES Sec 1997*

□ n.c. 30 000 **20 à 29 F**

Jeune société créée en 1997 pour la commercialisation des vins de Loire. Elle présente un sec assez charnu, puissant, dominé par la pomme et la poire mais d'où l'agrume n'est pas tout à fait absent. Ce montlouis, prêt à se livrer à vos papilles, est cependant doté d'un bon potentiel de vieillissement.

🔑 SARL Les Roches Blanches, 21, rue des Rocheroux, Husseau, 37270 Montlouis-sur-Loire, tél. 02.47.50.80.70, fax 02.47.50.71.46 ☑ Y r.-v.

CLAUDE LEVASSEUR Sec 1997**

□ 1,9 ha 10 000 **30 à 49 F**

Un équipement de premier ordre et 12 ha de vigne très bien situés sur les coteaux des bords de Loire, tels sont les atouts dont bénéficie Claude Levasseur. Atouts maîtres certainement puisqu'il a gagné un coup de cœur pour un montlouis sec remarquable de puissance aromatique. Equilibré, long, avec une vivacité qui souligne sa complexité, c'est un vin d'exception. Et il le sera bien plus si on le laisse mûrir en quelque endroit frais et obscur. On n'oubliera pas une **méthode traditionnelle 96** citée par le jury.

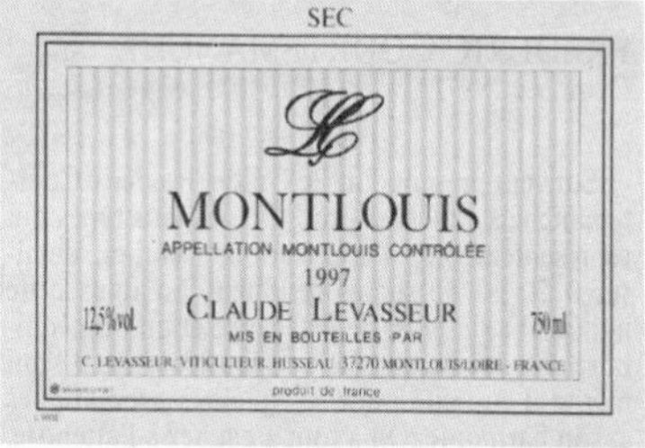

🔑 Claude Levasseur, 38, rue des Bouvineries, Husseau, 37270 Montlouis-sur-Loire, tél. 02.47.50.84.53, fax 02.47.45.14.85 ☑ Y r.-v.

DOM. DES LIARDS Brut

○ 8 ha 40 000 **30 à 49 F**

La maison Berger, très ancienne, possède une renommée solide et n'en est pas à sa première méthode traditionnelle. Ce montlouis brut, à la bulle fine, adopte le genre classique et conviendra à toutes les circonstances.

🔑 Berger Frères, 70, rue de Chenonceau, 37270 Saint-Martin-le-Beau, tél. 02.47.50.67.36, fax 02.47.50.21.13 ☑ Y r.-v.

DOM. DE L'OUCHE GAILLARD 1996*

○ 1 ha n.c. **30 à 49 F**

La société Dansault-Baudeau mène de front deux activités : un négoce de détail de vin et une exploitation viticole. Cette dernière, d'une dizaine d'hectares, a été constituée par regroupement de petits vignobles sans successeur. Les vins sont présentés au « Cellier des Dames », au siège même de l'exploitation. Celui-ci, une méthode traditionnelle, y figure en bonne place. Une jolie mousse fine et une sensation de brioche au nez plaident pour lui.

🔑 SCEA Dansault-Baudeau, 94, av. George-Sand, 37700 La-Ville-aux-Dames, tél. 02.47.44.36.23, fax 02.47.44.95.30 ☑ Y r.-v.

MOYER*

○ 2 ha 10 000 **30 à 49 F**

Près de 12 ha de vigne entourent une élégante demeure bâtie au XVII[e]s. par le duc de Choiseul qui souhaitait en faire un rendez-vous de chasse. L'accueil y est chaleureux et les vins délectables. Cette méthode traditionnelle aux accents de pain grillé est bien bâtie. Le **demi-sec 97**, dont la bouche riche et longue fait penser à un moelleux, obtient une citation.

🔑 EARL Moyer, 2, rue de la Croix-des-Granges, 37270 Montlouis-sur-Loire, tél. 02.47.50.94.83, fax 02.47.45.10.48 ☑ Y r.-v.

JEAN-CLAUDE THIELLIN Vieilles vignes 1997**

□ 1,5 ha 2 500 **50 à 69 F**

Les Thiellin comptent parmi ces vieilles familles vigneronnes présentes à Montlouis depuis des lustres et qui ont fait l'appellation. Issu de tries successives, leur liquoreux Vieilles vignes 97, à 70 g/l de sucres résiduels, est un modèle d'équilibre. Acidité et sucre sont savamment dosés et se marient plus qu'ils ne s'opposent. La matière est dense, belle, et se fond dans une finale qui enchante. Ce montlouis serait en harmonie parfaite avec un foie gras poêlé. Un **liquoreux 97** à 100 g/l de sucres résiduels **vendanges tardives**, superbe en bouche avec ses arômes de figue et de fruits mûrs, obtient une étoile.

☛ Jean-Claude Thiellin, 46, rue des Bouvineries, 37270 Montlouis-sur-Loire, tél. 02.47.45.12.21, fax 02.47.45.08.69 ☑ ⏇ t.l.j. sf dim. 9h-19h

DOM. DES TOURTERELLES
Demi-sec 1997

☐		1 ha	3 000	▮▯▮▯	30 à 49 F

Jean-Pierre Trouvé tient son domaine de ses grands-parents : 12 ha de beaux rangs de vigne, plantés sur les pentes argilo-calcaires et siliceuses des coteaux du Cher. Les vins y ont du grain. Celui-ci, un demi-sec au nez déjà évolué avec des accents de pain grillé, présente un équilibre sucre-acide très convenable. La bouche est longue et se termine par une évocation fruitée. Du même domaine, le **montlouis sec 97**, bien né, mérite d'être cité mais peut surprendre par son boisé marqué.

☛ Jean-Pierre Trouvé, 1, rue de la Gare, 37270 Saint-Martin-le-Beau, tél. 02.47.50.63.62, fax 02.47.50.63.62 ☑ ⏇ r.-v.

Vouvray

Un long vieillissement en cave et en bouteille révèle toutes les qualités des vouvray, blancs nés au nord de la Loire, sur un vignoble de 2 000 ha qu'écorne au nord l'autoroute A10 (mais le TGV passe en tunnel) et que traverse la large vallée de la Brenne. Le cépage des blancs de Touraine, chenin blanc (ou pineau de la Loire), donne ici des vins tranquilles de haut niveau (46 913 hl), colorés, très racés, secs ou moelleux selon les années, et des vins mousseux ou pétillants (72 159 hl), très vineux. Si ces derniers sont bus assez jeunes, les vins tranquilles sont parfaitement aptes à une longue garde, qui leur donne de la complexité aromatique. Poissons, fromages (de chèvre) iront bien avec les uns, plats fins ou desserts légers avec les autres, qui feront aussi d'excellents apéritifs.

AIGLE D'OR 1993

○		n.c.	n.c.	▮▯	50 à 69 F

D'un clos renommé situé au cœur du Vouvrillon est née cette méthode traditionnelle vive et légère qui mettra le cœur des invités en fête.

☛ Philippe Edmond Poniatowski, 2, vallée de Nouy, 37210 Vouvray, tél. 02.47.52.71.02, fax 02.47.52.60.94 ☑ ⏇ t.l.j. 10h-12h 14h-18h

DOM. ALLIAS
Clos du Petit Mont Réserve 1997★★

☐		2 ha	2 800	▮▯	50 à 69 F

En raison de ses responsabilités municipales à Vouvray, Daniel Allias laisse beaucoup d'initiative à son fils Dominique, qui gère le vignoble de 12 ha du Petit Mont, implanté sur les coteaux de la vallée Coquette chère à Balzac. Avec succès, témoin ce grand moelleux à 112 g de sucre résiduel. Le nez miellé et boisé se prolonge en bouche par des arômes de pain d'épice et une touche d'abricot. Une richesse qui lui donnera longue vie ! Cité par le jury, un **sec 97** de caractère, légèrement épicé.

☛ GAEC Allias Père et Fils, Clos du Petit Mont, 37210 Vouvray, tél. 02.47.52.74.95, fax 02.47.52.66.38 ☑ ⏇ t.l.j. sf dim. 9h-12h 14h-19h

ANNE G. Tête de cuvée Brut★

○		n.c.	35 000	30 à 49 F

Christiane Greffe a créé son entreprise il y a près de quarante ans. Élaborateur à façon dans les débuts, elle s'est vite orientée vers la production d'effervescents sous sa propre marque. Son secret ? Une grande rigueur dans le choix des vins et leur assemblage. Cette méthode traditionnelle sera appréciée pour sa rondeur et sa longueur en bouche. Elle accompagnera tout un repas si on lui confie des rognons ou des ris de veau à la crème.

☛ Christiane Greffe, 35, rue Neuve, 37210 Vernou-sur-Brenne, tél. 02.47.52.12.24, fax 02.47.52.09.56 ⏇ r.-v.

JEAN-CLAUDE ET DIDIER AUBERT
Sec 1997★

☐		4,5 ha	20 000	▮▯▮▯♦	30 à 49 F

Jean-Claude Aubert et son fils Didier sont installés non loin de la Loire sur un domaine de 20 ha qui borde la vallée Coquette ; ils disposent de caves creusées dans le tuffeau, très propices à la maturation du vin. Celui-ci est un sec d'un type léger mais bien fait, élégant, d'une rondeur plaisante en finale.

☛ Jean-Claude et Didier Aubert, 10, rue de la Vallée-Coquette, 37210 Vouvray, tél. 02.47.52.71.03, fax 02.47.52.68.38 ☑ ⏇ t.l.j. 8h30-12h30 14h-19h

DOM. DES AUBUISIERES
Cuvée Alexandre 1997★★★

☐		5 ha	5 000	▮▯	150 à 199 F

Bernard Fouquet fut coup de cœur pour un moelleux 96 ; il se distingue cette année avec un liquoreux de plus de 200 g de sucres résiduels. La robe est d'or. Le nez intense, marqué par le botrytis, évoque les fruits confits et le miel. La bouche riche, soutenue par une acidité qui équi-

LOIRE

libre la douceur, finit par une petite note boisée originale, bien fondue. On peut sans se tromper prêter à ce vouvray un siècle de vie !
⊶ Bernard Fouquet, Dom. des Aubuisières, 37210 Vouvray, tél. 02.47.52.67.82, fax 02.47.52.67.81 ☑ Y r.-v.

JEAN-PIERRE BOISTARD Sec 1997*

☐ 0,4 ha 2 400 ▮▮ 30 à 49 F

Un vouvray sec de caractère, où le terroir de cette partie de la commune de Vernou, qui domine le lit majeur de la Loire, ressort fortement. Harmonieux et élégant, il accompagnera un poisson au four.
⊶ Jean-Pierre Boistard, 216, rue Neuve, 37210 Vernou-sur-Brenne, tél. 02.47.52.18.73 ☑ Y r.-v.

BONGARS Moelleux 1997*

☐ 1 ha 4 000 ▮▮ 30 à 49 F

Bernard Bongars a pris sa retraite il y a un an, et c'est Denise, sa fille, qui gère en association avec sa mère le domaine de 12 ha qui a été constitué au fil des ans sur les coteaux de la vallée de la Brenne. Une signature féminine en somme pour ce moelleux, à la fois fleur et miel, d'un bon équilibre et qui finit agréablement.
⊶ EARL Bongars, 232, coteau de Venise, 37210 Noizay, tél. 02.47.52.11.64, fax 02.47.52.05.73 ☑ Y r.-v.

CLOS DU BOURG Moelleux 1997*

☐ 6 ha n.c. ▮ ⚲ 100 à 149 F

Fief de la collégiale Saint-Martin au VIII^{e}s., le clos du Bourg, entouré de vieux murs, domine la Loire. Les vignes plantées sur des sols argilo-calcaires, presque à même le tuffeau, bénéficient de conditions idéales pour l'obtention de raisins surmûris. Ce moelleux à 80 g de sucres résiduels, d'un jaune d'or vif et brillant, offre une belle intensité aromatique où domine le sous-bois. Sa rondeur, sa souplesse et sa longueur confirment cette première impression. L'ensemble est riche, complexe, mais avec un côté aérien qui lui confère une certaine élégance.
⊶ Huet-L'Echansonne, 11-13, rue de la Croix-Buisée, 37210 Vouvray, tél. 02.47.52.78.87, fax 02.47.52.66.74 ☑ Y r.-v.

DOM. BOURILLON-DORLEANS Sec 1997**

☐ 4 ha 5 700 ▮▮ 30 à 49 F

Frédéric Bourillon fait partie de cette jeune génération de vignerons de Vouvray très entreprenants. Il a aménagé une cave « rupestre » où l'on peut admirer des œuvres d'artistes sculptées dans le roc. Quant à ses vins, ils sont toujours de belle facture. Celui-ci est un sec, travaillé dans le bois, au nez particulièrement développé, et à la bouche ronde et équilibrée. Les arômes s'y bousculent : café, chocolat, fumée... C'est une réussite. Le domaine propose également un **demi-sec 97**, cité par le jury. Quant à la **méthode traditionnelle Diamant Prestige 96**, qui reçoit une étoile, elle ouvrira plus d'un appétit.
⊶ Frédéric Bourillon, rue de Vaufoynard, 37210 Rochecorbon, tél. 02.47.52.83.07, fax 02.47.52.82.19 ☑ Y r.-v.

BOUTET-SAULNIER Sec 1997

☐ 0,86 ha 6 000 ▮ ▮▮ 30 à 49 F

Un joli sec sans prétention mais qui, par son abord facile, plaira à beaucoup et se placera sur une grande variété de mets.
⊶ Boutet-Saulnier, 17, rue de la Vallée-Chartier, 37210 Vouvray, tél. 02.47.52.73.61, fax 02.47.52.63.27 ☑ Y t.l.j. 9h-19h

YVES BREUSSIN*

○ 4 ha 9 000 ▮ ⚲ 30 à 49 F

Une association père-fils conduit ce domaine de 11 ha implanté sur les coteaux qui bordent la charmante vallée de Vaugondy. Deux vins sont retenus : cette méthode traditionnelle mérite attention pour son gras, sa longueur et ses arômes de fleurs et de grillé. Un vin indiqué pour étancher une petite soif et ouvrir l'appétit. Le jury a retenu également le **moelleux Réserve 97** pour sa grande élégance.
⊶ GAEC Yves et Denis Breussin, Vaugondy, 37210 Vernou-sur-Brenne, tél. 02.47.52.18.75, fax 02.47.52.13.66 ☑ Y t.l.j. 8h-20h; dim. 9h-13h

VIGNOBLES BRISEBARRE Sec 1997*

☐ 4 ha 15 000 ▮ ⚲ 30 à 49 F

Philippe Brisebarre mène de front la gestion d'un domaine de 15 ha situé sur les premières côtes de la Loire et d'importantes responsabilités professionnelles. Les travaux de vinification ne sont pas négligés pour autant, comme en témoigne ce sec élégant et de belle constitution. Un vin enveloppant, sans aspérités et de bonne longueur.
⊶ Philippe Brisebarre, la Vallée-Chartier, 37210 Vouvray, tél. 02.47.52.63.07, fax 02.47.52.65.59 ☑ Y t.l.j. sf dim. 9h-12h30 14h-19h

CHAMPALOU Réserve Sec 1997**

☐ 3 ha 12 000 ▮ ⚲ 30 à 49 F

Un jeune couple de vignerons talentueux au palmarès élogieux : coup de cœur 93, 97 et 98 ! Ils sont à la tête d'un domaine de 20 ha bien situé sur les hauts de Vouvray. Les voilà encore présents dans le Guide et à la place d'honneur, grâce à un sec un peu tendre. L'attaque est souple, moelleuse ; la bouche pleine sans aspérité, riche d'arômes de fruits secs, d'abricot et de poire qui enchantent le palais, finit sur les fruits confits. A attendre si l'on est patient. Le **moelleux 97** obtient deux étoiles. Il est superbe et mérite que le lecteur se précipite pour l'acquérir (2 400 bouteilles ; 100 à 149 F).

➤ Catherine et Didier Champalou,
7, rue du Grand-Ormeau, 37210 Vouvray,
tél. 02.47.52.64.49, fax 02.47.52.67.99 ☑ ⟨ r.-v.

DOM. DU CLOS DE L'EPINAY
Tête de cuvée 1995★★

| ○ | | 2 ha | 16 366 | ∎♦ | 30 à 49 F |

Cette « vignerie », encore entourée de murs, a
peut-être appartenu au duc de Choiseul ; elle est
située sur les premières côtes de la Loire. Elle a
donné une méthode traditionnelle très appréciée
pour sa rondeur, son fruité au nez et en bouche,
et pour sa ligne harmonieuse. Une bouteille bien
construite à servir à l'apéritif.
➤ SCA Clos de L'Epinay, Christian Dumange,
37210 Vouvray, tél. 02.47.52.87.87,
fax 02.47.52.56.34 ☑ ⟨ t.l.j. sf sam. dim.
8h30-12h30 13h30-17h30

DOM. DU CLOS DES AUMONES
Sec 1997★

| □ | | 1 ha | 5 000 | ◫ | 30 à 49 F |

Quand elles ont échappé à l'urbanisation, les
premières côtes de Rochecorbon ont la réputation de donner des vins de caractère. Celui-ci,
sans être très marqué, est bien dans la ligne des
vouvray secs. Le nez est intense dans son évocation de fruits mûrs, de fruits secs et de miel. Après
une attaque douce et fraîche, la bouche monte
vite en puissance, évoluant vers une finale veloutée aux accents d'agrumes. Une impression de
jeunesse. A retenir encore, une **méthode traditionnelle brut**, harmonieuse et élégante, citée par le
jury.
➤ Philippe Gaultier, 10, rue Vaufoynard,
37210 Rochecorbon, tél. 02.47.54.69.82,
fax 02.47.42.62.01 ☑ ⟨ r.-v.

THIERRY COSME
La Cabane noire 1997★★★

| □ | | n.c. | 600 | ∎ | 100 à 149 F |

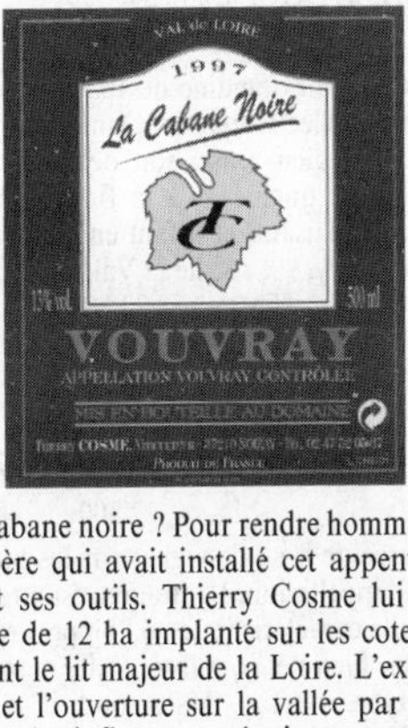

La Cabane noire ? Pour rendre hommage à un
grand-père qui avait installé cet appentis où il
rangeait ses outils, Thierry Cosme lui doit ce
vignoble de 12 ha implanté sur les coteaux qui
dominent le lit majeur de la Loire. L'exposition
au sud et l'ouverture sur la vallée par laquelle
pénètrent les influences océaniques sont favorables à l'obtention de la surmaturation. Récolté
par tries, grain par grain, ce liquoreux à 188 g
de sucres résiduels est un chef-d'œuvre d'harmonie. La couleur d'un jaune soutenu, presque
ambrée, surprend. Le nez est riche et typé. La
bouche concentrée, aux accents très forts de

fruits surmûris, persiste un long moment en laissant une impression de miel, de coing et de confiture. Une bouteille qui inspire le respect.
➤ Thierry Cosme, 1127, rte de Nazelles,
37210 Noizay, tél. 02.47.52.05.87,
fax 02.47.52.11.36 ☑ ⟨ r.-v.

ALAIN CRUCHET Sec 1997★★

| □ | | n.c. | n.c. | ◫ | 20 à 29 F |

Un joli sec qui a fait l'unanimité : « expression
d'un vin bien travaillé » pour reprendre les mots
d'un dégustateur. L'attaque est souple et volumineuse, la bouche tout en longueur offre des
impressions de fruits exotiques, de vanille et
d'abricot. Un équilibre sucre-acide réussi, et
voilà une superbe bouteille à boire pour un plaisir immédiat, ou à mettre à l'abri des convoitises.
➤ EARL Alain Cruchet, La Bretonnière,
37210 Noizay, tél. 02.47.52.15.23,
fax 02.47.52.15.23 ☑ ⟨ r.-v.

MAISON DARRAGON
Le Haut des Ruettes Demi-sec 1997★

| □ | | 1 ha | 5 000 | | 30 à 49 F |

La maison Darragon est un bel exemple de
continuité familiale. « Sérieux et tradition »
pourrait être sa devise. Elle est retenue cette
année avec ce demi-sec au nez de coing et d'acacia, à l'équilibre sucre-acide remarquable dans
une bouche ample et longue. Il faut profiter de
sa jeunesse.
➤ SCEA maison Darragon, 34, rue de Sanzelle,
37210 Vouvray, tél. 02.47.52.74.49,
fax 02.47.52.64.96 ☑ ⟨ r.-v.

JEAN-FRANCOIS DELALEU
Vendanges à l'ancienne Moelleux 1997

| □ | | 1 ha | 2 000 | ∎ ◫ | 70 à 99 F |

Très attachés aux techniques traditionnelles,
Sylvie et Jean-François Delaleu ont tenté de réé-
diter la cuvée Vendanges à l'ancienne pour
laquelle ils avaient obtenu le coup de cœur
l'année dernière. Ils n'atteignent pas les mêmes
sommets cette année, mais on peut faire
confiance à ce liquoreux à 80 g de sucres résiduels dont l'expression bien typée vouvray reste
un peu sur la réserve. Il s'épanouira plus tard.
(bouteilles de 50 cl)
➤ Jean-François et Sylvie Delaleu, la Vallée-
Chartier, 37210 Vouvray, tél. 02.47.52.63.23,
fax 02.47.52.69.27 ☑ ⟨ r.-v.

GASTON DORLEANS Demi-sec 1997★

| □ | | n.c. | 140 000 | ∎♦ | - de 20 F |

Créée en 1994, la société Frédéric Bourillon
est spécialisée dans l'exportation en Grande-Bretagne où le vouvray est très apprécié. Ce demi-sec
aura certainement du succès grâce à ses qualités
de rondeur, de gras et d'harmonie et à ses arômes
de tilleul, de coing et de fruits secs.
➤ SARL Frédéric Bourillon,
4, rue du Chalateau, 37210 Rochecorbon,
tél. 02.47.52.83.07, fax 02.47.52.82.19 ⟨ r.-v.

MICHEL DUBRAY Demi-sec 1996★

| ○ | | 2 ha | 15 000 | ∎ | 30 à 49 F |

Les Tourangeaux apprécient les méthodes traditionnelles demi-sec pour accompagner une
tarte aux fruits. Celle-ci évoque le surmûri ; elle

LOIRE

est riche tout en gardant un caractère élégant. Sa petite vivacité se fondra à merveille avec celle des fruits qu'on lui proposera. Pour des palais plus aguerris, Michel Dubray présente, dans le même millésime, une **méthode traditionnelle brut** au joli fruité. Vive et désaltérante, elle a obtenu la même note.

⊶ Michel Dubray, 18, La Rauderie, 37210 Vernou-sur-Brenne, tél. 02.47.52.04.22 ☒ Y t.l.j. sf dim. 8h-12h 14h-18h

REGIS FORTINEAU Brut 1997*

○ 2 ha 10 000 ▮ 30 à 49 F

Régis Fortineau reçoit dans une salle aménagée dans le roc. Vous aimerez cette méthode traditionnelle brut, vineuse, aux accents de fruits mûrs. La finale, longue, laisse une impression de fraîcheur et un goût de « revenez-y ».

⊶ Régis Fortineau, 4, rue de la Croix-Mariotte, 37210 Vouvray, tél. 02.47.52.63.62, fax 02.47.52.69.97 ☒ Y t.l.j. sf dim. 9h-18h

DOM. ANDRE FRESLIER
Demi-sec 1997*

□ 0,5 ha 3 000 ◍ 30 à 49 F

Homme de la tradition, André Freslier connaît toutes les recettes et conseils des anciens et pourra vous parler de l'influence de la lune sur la mise en bouteille. Son demi-sec est un peu fermé pour l'heure, mais il ne demande qu'à s'épanouir pour développer ses arômes de vanille et de tilleul naissants.

⊶ André Freslier, 90, rue de la Vallée-Coquette, 37210 Vouvray, tél. 02.47.52.71.81 ☒ Y r.-v.

CH. GAUDRELLE
Réserve personnelle Moelleux 1997*

□ 10 ha 3 500 ◍ 100 à 149 F

Alexandre Monmousseau a la responsabilité de ce domaine de près de 14 ha, que domine une gentilhommière du XVIᵉs. Les vignes bien implantées sur les hautes côtes de Vouvray donnent d'excellents moelleux et liquoreux. Celui-ci, à 170 g de sucres résiduels, est un modèle du genre. Le nez est légèrement boisé et épicé, et on y devine la pourriture noble. La bouche pleine, longue et équilibrée, laisse une impression de fruits confits et de miel. A signaler encore, cités par le jury, un autre moelleux, le **Réserve Spéciale 97**, un vouvray typique aux arômes d'acacia, et un **demi-sec** du même millésime.

⊶ SCEA A. Monmousseau, 87, rte de Monnaie, 37210 Vouvray, tél. 02.47.52.67.50, fax 02.47.52.67.98 ☒ Y r.-v.

DOM. SYLVAIN GAUDRON
Moelleux 1997**

□ 1 ha 4 000 ◍ 50 à 69 F

Empruntée jadis par Jeanne d'Arc, la rue Neuve de Vernou suit une vallée. On y trouve nombre de caves aménagées dans des carrières désaffectées. Celles de Gaudron, qui datent du XIIIᵉs., sont impressionnantes. Elles ont été certainement très utiles à l'élaboration de ce moelleux vendangé manuellement à 85 g de sucres résiduels, remarquable par sa richesse, son onctuosité et son équilibre. Les arômes de fruits y dominent. Un très beau vin de garde et de tradition qui va mûrir lentement. Gilles Gaudron, fils de Sylvain, a obtenu une étoile pour sa **méthode traditionnelle 96**, élégante et aromatique (30 à 49 F).

⊶ EARL Dom. Sylvain Gaudron, 59, rue Neuve, 37210 Vernou-sur-Brenne, tél. 02.47.52.12.27, fax 02.47.52.05.05 ☒ Y t.l.j. sf dim. 8h-12h 14h-18h

⊶ Gilles Gaudron

BENOIT GAUTIER
Grains Nobles Cuvée Théo 1997*

□ 2 ha 4 000 ◍ 70 à 99 F

96 et 97, années fastes pour les Gautier : naissance d'un troisième garçon et d'une cuvée qui, bien sûr, prend le nom de ce petit dernier, Théo. Les arômes de ce 97 se bousculent : miel, écorce d'orange, fruits secs, noix et sous-bois. La bouche riche, bien équilibrée par une acidité présente, est renforcée par une finale persistante. Un vin d'avenir. (bouteilles de 50 cl.)

⊶ Benoît Gautier, Dom. de La Châtaigneraie, 37210 Rochecorbon, tél. 02.47.52.84.63, fax 02.47.52.84.65, e-mail benoîtgautier@france-vin.com ☒ Y r.-v.

HUET Pétillant 1997*

○ n.c. n.c. ▮🌡 50 à 69 F

Conduit en culture bio-dynamique, le domaine Huet couvre 35 ha, placés au cœur de Vouvray sur les premières côtes de l'appellation. Ces conditions, alliées à de petits rendements, font que ses vins sont souvent riches et typés. Ce pétillant aux arômes de fleurs et de fruits exotiques offre une bouche ronde et longue, d'une vivacité de bon aloi. Il peut évoluer ou participer à la fête dès maintenant.

⊶ Huet-L'Echansonne, 11-13, rue de la Croix-Buisée, 37210 Vouvray, tél. 02.47.52.78.87, fax 02.47.52.66.74 ☒ Y r.-v.

DANIEL JARRY Demi-sec 1997*

□ 2,5 ha 14 880 ◍ 30 à 49 F

A la tête d'un domaine de 10 ha situé sur les hauts de la vallée Coquette, Daniel Jarry a particulièrement bien réussi son demi-sec. Ce vin aromatique et onctueux, à la finale fraîche, se montre très plaisant, et il faut en profiter.

⊶ Daniel Jarry, 99, rue de la Vallée-Coquette, 37210 Vouvray, tél. 02.47.52.78.75, fax 02.47.52.67.36 ☒ Y t.l.j. 8h-19h; groupes sur r.-v.

DOM. DE LA BLOTIERE Sec 1997*

□ 2 ha 2 800 ▮ 20 à 29 F

Entourée de 8 ha de vignes sur les meilleures côtes de l'appellation, La Blotière est une maison tourangelle caractéristique où l'on pourra découvrir un sec bien né, équilibré, fruité et tout à fait dans le type vouvray. Assez rond, il se placera sur un plat cuisiné avec une sauce blanche ou de la crème. La **méthode traditionnelle brut 96** a été citée par le jury : restée deux ans sur lattes, elle est agréable tout au long de la dégustation.

⊶ EARL Jean-Michel Fortineau, La Blotière, 37210 Vouvray, tél. 02.47.52.74.24, fax 02.47.52.65.11 ☒ Y r.-v.

DOM. DE LA CROIX DES VAINQUEURS Sec 1997*

□ 4 ha 2 500 30 à 49 F

La visite de ce domaine ne manque pas d'intérêt. On peut y voir des caves immenses et l'ancienne maison troglodytique des grands-parents. Les vins méritent également attention. Ce sec, équilibré et élégant, « coule » bien et laisse une impression de noisette inattendue.

⊶ Francis Denis, 6, rue de la Bergeonnerie, 37210 Chançay, tél. 02.47.52.23.31, fax 02.47.52.23.31 ☒ Y t.l.j. 8h-12h30 14h-19h30; dim. sur r.-v.

DOM. DE LA GALINIERE Cuvée Clément brut 1996**

○ 5 ha 42 000 30 à 49 F

Un domaine de 16 ha, implanté sur les hauts de la vallée de la Cousse et en pleine rénovation. Avec cette méthode traditionnelle, son jeune responsable n'est pas passé loin du coup de cœur ! Le jury a été particulièrement séduit par la finesse et l'agrément de la bouche. Quelques arômes d'acacia et un rien de surmaturation pour lui donner de la noblesse, et voilà un très beau vouvray à servir à des gens de goût. De la même propriété, le **demi-sec Tradition 97** (tranquille) mérite une citation pour son côté friand.

⊶ Pascal Delaleu, Dom. La Galinière, Vallée-de-Cousse, 37210 Vernou-sur-Brenne, tél. 02.47.52.15.92, fax 02.47.52.19.50 ☒ Y r.-v.

DOM. DE LA GAVERIE Demi-sec

○ 0,8 ha 5 000 30 à 49 F

Fondée il y a quelque cent cinquante ans, l'exploitation de La Pinsonnière couvre aujourd'hui plus de 17 ha. Elle est conduite par deux frères, très attachés au savoir-faire des anciens. Leur méthode traditionnelle demi-sec mérite attention par son équilibre général et sa typicité. Le jury a également cité une **méthode traditionnelle brut 96**, fruitée et longue en bouche.

⊶ GAEC de La Pinsonnière, 13, rue de la Pinsonnière, 37210 Parçay-Meslay, tél. 02.47.29.14.43, fax 02.47.29.14.43 ☒ Y r.-v.
⊶ Philippe et Vincent Gasnier

JEAN-PIERRE LAISEMENT Moelleux 1997*

□ 2 ha 3 500 70 à 99 F

L'arrière-grand-père du vigneron actuel, qui était tâcheron, acheta quelques parcelles en 1870. Depuis, le domaine s'est agrandi. Ses visiteurs pourront goûter ce liquoreux à la bouche onctueuse et au fruité de miel et d'acacia, ainsi qu'une **méthode traditionnelle brut 96** assez corsée et vive, citée par le jury.

⊶ Jean-Pierre Laisement, 15, Vallée-Coquette, 37210 Vouvray, tél. 02.47.52.74.47, fax 02.47.52.65.03 ☒ Y r.-v.

DOM DE LA MABILLIERE Demi-sec 1997

□ 3 ha n.c. 30 à 49 F

Les responsables du domaine sont des partisans des méthodes de culture et produits traditionnels : bouillie bordelaise, soufre et travaux mécaniques des sols ; pesticides et herbicides étant proscrits. Leur demi-sec est tout en rondeur avec des arômes délicats, de fruits secs, mêlés d'acacia. La persistance est satisfaisante. Un vouvray classique.

⊶ GAEC Dom. de La Mabillière, 16, rue Anatole-France, 37210 Vernou-sur-Brenne, tél. 02.47.52.10.03, fax 02.47.52.14.98 ☒ Y r.-v.

DOM. DE LA POULTIERE Sec 1997**

□ 0,5 ha 3 500 30 à 49 F

Un joli vin né sur les coteaux de La Poultière qui dominent la Brenne, un affluent de la Loire. Sans aspérité, il donne l'impression de fondre sur la langue. De l'élégance et un petit goût de terroir qui pointe, c'est un sec original qui mettra en valeur plus d'une bonne cuisine.

⊶ Michel Pinon, 29, rte de Châteaurenault, 37210 Vernou, tél. 02.47.52.15.16, fax 02.47.52.07.07 ☒ Y t.l.j. 9h-12h 14h-19h

DOM. DES LAURIERS Moelleux 1997*

□ 1 ha 1 400 50 à 69 F

Aux Lauriers, la septième génération au service du vin est représentée par Laurent Kraft. Le moelleux qu'il présente, très jeune aujourd'hui, a toutes les aptitudes pour s'épanouir avec le temps : puissance, concentration en sucres, longueur. Il est à revoir pour son bien et le nôtre dans quelques années.

⊶ Laurent Kraft, 29, rue du Petit-Coteau, 37210 Vouvray, tél. 02.47.52.61.82, fax 02.47.52.61.82 ☒ Y t.l.j. 8h-13h 14h-19h

CAVE DES PRODUCTEURS DE LA VALLEE COQUETTE Tête de Cuvée Brut*

○ n.c. n.c. 30 à 49 F

Caves de belles dimensions, équipement performant et accueil de qualité attirent de nombreux visiteurs dans cette coopérative où l'on peut déguster une gamme complète de vouvray. Cette année, on appréciera cette méthode traditionnelle Tête de Cuvée harmonieuse en bouche, ronde, et mêlée d'arômes de fruits.

⊶ Cave des producteurs de Vouvray, 38, La Vallée Coquette, 37210 Vouvray, tél. 02.47.52.75.03, fax 02.47.52.66.41 ☒ Y t.l.j. 9h-12h 14h-18h30

DOM. LE CAPITAINE Moelleux Marie Geoffrey 1997**

□ 4 ha 3 500 150 à 199 F

Installés en 1989, les frères Le Capitaine sont maintenant à la tête d'un vignoble de 18 ha sur les premières côtes de Rochecorbon. Ils se distinguent cette année par un vouvray doux, à plus de 200 g de sucre résiduel. Un vin d'une exceptionnelle richesse, et pourtant élégant, où l'acidité équilibre parfaitement les sucres. La bouche longue laisse une impression de miel, d'abricot et de fruits confits. (bouteille 50 cl.)

⊶ Dom. Le Capitaine, 23, rue du Cdt-Mathieu, 37210 Rochecorbon, tél. 02.47.52.53.86, fax 02.47.52.85.23 ☒ Y r.-v.

LES LARMES DE BACCHUS
Moelleux 1997★

□ n.c. n.c. 🛢 250 à 299 F

Jean-Claude Pichot et son fils Christophe disposent de caves creusées sur trois niveaux, dotées de nombreuses galeries, et qui abritent un pressoir du XV^{e}s. Ils présentent un moelleux qui surprendra par son boisé. Ce trait s'estompe d'ailleurs à l'agitation pour évoluer vers le champignon ou le sous-bois. A retenir encore, la cuvée **Le Peu de la Moriette 97**, une méthode traditionnelle brut citée pour sa fraîcheur en bouche et sa finale légèrement citronnée.

🔑 EARL Jean-Claude et Christophe Pichot, 32, rue de la Bonne-Dame, 37210 Vouvray, tél. 02.47.52.72.45, fax 02.47.52.66.59 ☒ 🍷 r.-v.

BERNARD MABILLE 1993★

○ 1,25 ha 10 000 ▮🛢 30 à 49 F

Un vin demi-sec de méthode traditionnelle bien fait : le nez délicat est en harmonie avec la bouche équilibrée, très marquée par la brioche. Un vouvray tout indiqué pour un dessert pas très sucré.

🔑 Bernard Mabille, 7, rue de la Vallée-de-Vaugondy, 37210 Vernou-sur-Brenne, tél. 02.47.52.10.94, fax 02.47.52.07.32 ☒ 🍷 t.l.j. sf dim. 8h-12h 14h-19h

DANIEL MABILLE★

○ 5 ha n.c. 30 à 49 F

Daniel Mabille exploite un domaine de 5 ha situé sur les côtes caillouteuses qui dominent le lit majeur de la Loire. Il présente une méthode traditionnelle brut qui fera un très bel apéritif par sa rondeur, son fruité et sa longueur en bouche.

🔑 Daniel Mabille, 25, rue de la Vallée-Chartier, 37210 Vouvray, tél. 02.47.52.75.22 🍷 t.l.j. 10h-21h

FRANCIS MABILLE Moelleux 1997★★

□ 0,5 ha 1 500 ▮🛢🌡 50 à 69 F

Situé à 1 km du château de Jallanges, ce domaine propose un vouvray plein et équilibré qui, avec ses 48 g de sucres résiduels, se place dans la cour des grands moelleux. Son **vouvray sec 97** mérité d'être cité. C'est un vin de caractère où le terroir pointe agréablement. Son **pétillant**, une étoile, est très représentatif.

🔑 Francis Mabille, 17, rue de la Vallée-de-Vaugondy, 37210 Vernou-sur-Brenne, tél. 02.47.52.01.87, fax 02.47.52.19.41 ☒ 🍷 r.-v.

GILLES MADRELLE Demi-sec 1997★

□ 0,2 ha 1000 30 à 49 F

Cette exploitation de près de 9 ha comporte des sols calcaires riches en cailloux siliceux, très propices à la maturation du raisin. Elle bénéficie en outre d'une exposition au sud remarquable. Ce demi-sec surprend par l'ampleur de ses arômes de pomme, de coing, de miel, et même de réglisse. La bouche, très concentrée, évolue vers une finale où l'on retrouve la pomme et le pain grillé. Du même vigneron, une **méthode traditionnelle** fraîche et fruitée mérite d'être citée.

🔑 Gilles Madrelle, 24, rue de la Vallée-Chartier, 37210 Vouvray, tél. 02.47.52.78.59 🍷 t.l.j. 8h-19h

DOM. DU MARGALLEAU
Demi-sec 1997★

□ 2 ha 7 000 ▮🌡 30 à 49 F

Bruno et Jean-Michel Pieaux, installés depuis 1995 sur le domaine familial, ont proposé ce demi-sec au nez d'une bonne intensité, typé, à la bouche onctueuse, bien équilibrée, et à la finale douce qui laisse une impression de fruits exotiques. En attendant une évolution qui sera certainement heureuse, ce vin se mariera à un fromage de chèvre.

🔑 GAEC Bruno et Jean-Michel Pieaux, Vallée de Vaux, rue du Clos-Baglin, 37210 Chançay, tél. 02.47.52.97.27, fax 02.47.52.25.51 ☒ 🍷 t.l.j. sf dim. 8h-12h30 14h-19h

METIVIER Sec 1997★

□ 1 ha 3 000 🛢 20 à 29 F

Cette équipe mère-fils a su prendre le relais, il y a quelques années, quand le père a disparu. L'exploitation produit d'excellents vins souvent retenus. Celui-ci, un sec à la robe jaune paille soutenue, offre une belle surprise en bouche par son grain, son harmonie et sa finale élégante. Il a sa place dès maintenant sur la table. Du même domaine, la **Cuvée Vincent 96**, une **méthode traditionnelle brut**, a été citée pour son fruité.

🔑 GAEC Métivier, 51, rue Neuve, 37210 Vernou-sur-Brenne, tél. 02.47.52.01.95, fax 02.47.52.06.01 ☒ 🍷 t.l.j. 8h-12h 14h-20h

🔑 Eliane Métivier

MAISON MIRAULT Brut★

○ n.c. 25 000 ▮🛢🌡 30 à 49 F

La maison Mirault a pignon sur rue à Vouvray. Elle sélectionne et élève avec beaucoup de rigueur et de soins des vins qu'elle élabore en méthode traditionnelle. Celle-ci plaira par son côté brut, désaltérant, où la légèreté l'emporte sur le terroir.

🔑 Maison Mirault, 15, av. Brûlé, 37210 Vouvray, tél. 02.47.52.71.62, fax 02.47.52.60.90 ☒ 🍷 t.l.j. 8h-12h 14h-18h; dim. sur r.-v.

CH. MONCONTOUR Liquoreux 1997★★

□ 10 ha 11 000 ▮🌡 70 à 99 F

On découvre l'imposante silhouette de ce château du XV^{e}s. lorsqu'on arrive à Vouvray. Le domaine ne vit pas que de souvenirs historiques ou littéraires (Balzac en fit le cadre de la *Femme de trente ans*). Le vignoble sis sur les premières côtes de l'appellation, un équipement de cave remarquable, tout est là pour produire de grands vins. Ce liquoreux en est un, avec ses 190 g de sucres résiduels ! Le nez intense évoque la réglisse, la pâte de coing et l'écorce d'orange. La bouche, d'une extrême richesse mais légère par sa vivacité, offre une longue finale. Un très grand vin de garde. (bouteille de 50 cl.)

🔑 SA vignoble Ch. Moncontour, 37210 Vouvray, tél. 02.47.52.60.77, fax 02.47.52.65.50 ☒ 🍷 t.l.j. sf dim. 10h-19h

🔑 Feray

DOM. D'ORFEUILLES Sec 1997★

☐   2 ha   7 000   🍶⚖ 30 à 49 F

Les bâtiments du domaine d'Orfeuilles constituaient les dépendances d'un château médiéval aujourd'hui disparu. Les vignes qui couvrent près de 17 ha sont implantées sur des sols extrêmement riches en silex qui donnent souvent aux vins un côté minéral. Celui-ci, un sec, bien « terroité » tout en restant souple et équilibré, est intéressant pour son côté enlevé. Il est marqué par les fruits secs. Une étoile encore pour la **Réserve d'automne 97**, un beau vin à 58 g de sucres résiduels qui présente un aspect minéral.
☛ EARL Bernard Hérivault, La Croix-Blanche, 37380 Reugny, tél. 02.47.52.91.85, fax 02.47.52.25.01 ✅ 🍷 r.-v.

VINCENT PELTIER
Demi-sec pétillant 1995★

○   2 ha   4 500   30 à 49 F

Comme beaucoup d'exploitations du Vouvrillon, celle de Vincent Peltier a été constituée petit à petit. La modeste cave creusée dans le roc par le grand-père est aujourd'hui dotée d'un vignoble de 10 ha et d'un beau chai. On y découvrira un pétillant demi-sec à la structure assez massive et à la fin de bouche ample et ronde. C'est un vin bien planté, d'un type vouvray affirmé.
☛ Vincent Peltier, rue des Bastes, 37210 Chançay, tél. 02.47.52.93.34, fax 02.47.52.96.98 ✅ 🍷 t.l.j. sf dim. 8h-12h30 14h-19h

FRANCOIS PINON Cuvée Botrytis 1997★★

☐   n.c.   n.c.   📶 100 à 149 F

En parcourant à pied la vallée de Cousse, on admirera ses maisons anciennes et troglodytiques, ses entrées de caves en pierre de tuffeau, ses vieux pressoirs et ses rangs de vignes bien entretenues qui descendent du coteau. Chez François Pinon, on tâchera de goûter ce liquoreux à 190 g de sucres résiduels. Un vrai rayon de miel au nez, une bouche ample issue d'une belle matière choisie avec soin, et une finale à faire rêver. Un vin d'une générosité sans pareille qui le mènera loin.
☛ François Pinon, 55, vallée de Cousse, 37210 Vernou-sur-Brenne, tél. 02.47.52.16.59, fax 02.47.52.10.63 ✅ 🍷 r.-v.

J.G. RAIMBAULT Sec 1997★

☐   2 ha   4 000   🍶📶 30 à 49 F

La cave mérite une visite. Un escalier en colimaçon conduit au coteau d'où l'on découvre le château d'Amboise. En redescendant, on goûtera un sec véritable, plein de personnalité. Le terroir apparaît au nez comme en bouche. L'attaque est ferme mais la finale plutôt ronde et soyeuse. Ce vin mériterait d'évoluer un peu. Même note pour un **demi-sec 97** onctueux et délicat, aux arômes de vanille et de fruits mûrs.
☛ GAEC Jean et Ghislain Raimbault, 186, coteau des Vérons, 37210 Noizay, tél. 02.47.52.00.10, fax 02.47.52.05.29 ✅ 🍷 t.l.j. 9h-20h; dim. sur r.-v.

CHRISTIAN THIERRY Moelleux 1997★

☐   1 ha   1 300   📶 50 à 69 F

Christian Thierry s'est installé en 1982 sur le domaine de son père. Il n'a cessé d'améliorer ses équipements, le dernier en date étant destiné à ses clients : une belle salle de dégustation qui met ses vins en valeur. Celui-ci, un moelleux de 80 g de sucres résiduels, se met bien en valeur tout seul ! Son nez un peu botrytisé laisse percer les fruits frais et la vanille. La bouche longue et friande finit sur une impression de miel et de fruits confits. Une garde moyenne lui conviendrait. Le **Réserve brut 96** reçoit une étoile.
☛ Christian Thierry, 37, rue Jean-Jaurès, Vallée de Cousse, 37210 Vernou-sur-Brenne, tél. 02.47.52.18.95, fax 02.47.52.13.23 ✅ 🍷 t.l.j. sf dim. 10h-12h 14h-19h; f. fin août

YVES ET ERIC THOMAS Demi-sec★

○   2,5 ha   15 000   20 à 29 F

Deux cousins exploitent un vignoble de 8 ha planté sur des sols d'argile et de silex. Ils proposent ce vin au nez très développé, à la bouche fruitée, presque muscatée, qui le rendent déjà très agréable. Quelques tuiles bien craquantes le mettront en valeur.
☛ GAEC Yves et Eric Thomas, 10, rue des Boissières, 37210 Parçay-Meslay, tél. 02.47.29.09.13, fax 02.47.29.09.13 ✅ 🍷 t.l.j. sf dim. 8h30-12h 14h-18h30

CHRISTOPHE THORIGNY 1996★

○   2,5 ha   12 000   🍶 20 à 29 F

Christophe Thorigny exploite un vignoble de près de 9 ha. La robe de sa méthode traditionnelle est jaune, brillante, semée de bulles fines. Le nez complexe évoque légèrement le terroir. La bouche est ronde, bien fruitée et de belle longueur. Un vin franc, fort plaisant.
☛ Christophe Thorigny, 30, rue des Auvannes, 37210 Parçay-Meslay, tél. 02.47.29.13.33, fax 02.47.29.13.33 ✅ 🍷 r.-v.

DOM. VIGNEAU-CHEVREAU
Cuvée Château-Gaillard Moelleux 1997★

☐   5 ha   7 000   📶 70 à 99 F

Jean-Michel Vigneau assure la gestion de ce domaine et l'oriente vers la biodynamie. Jaune d'or et brillante, sa cuvée Château-Gaillard présente un nez très intense aux nuances de fruits confits, de coing et de miel. La bouche révèle une belle matière. C'est un vin d'équilibre dont la carrière est assurée. Puissant et souple à la fois, sur fond de miel, le **sec 97** a obtenu la même note.
☛ EARL Vigneau-Chevreau, 4, rue du Clos-Baglin, 37210 Chançay, tél. 02.47.52.93.22, fax 02.47.52.23.04 ✅ 🍷 r.-v.

LOIRE

CLAUDE VILLAIN*

○ n.c. 20 000 30 à 49 F

La pittoresque vallée de Saint-Georges est en deuil, Claude Villain n'est plus. C'est son épouse qui prend le relais. Cette méthode traditionnelle est une bien jolie bouteille, très typée vouvray, vive, au fruité agréable. Avec un peu de temps, elle acquerra de la souplesse et sera parfaite.

Claude Villain, rue Saint-Georges, 37210 Rochecorbon, tél. 02.47.52.50.72, fax 02.47.52.82.48 t.l.j. 9h-12h 14h30-19h

Cheverny

Consacré AOC en 1993, cheverny était né VDQS en 1973. Dans cette appellation (plus de 2 000 ha délimités, 400 ha en production), dont le terroir à dominante sableuse (des sables sur argile de Sologne aux terrasses de Loire) s'étend le long de la rive gauche du fleuve depuis la Sologne blésoise jusqu'aux portes de l'Orléanais, les cépages sont nombreux. Les producteurs ont réussi à les assembler, en proportions variant légèrement selon les terroirs, pour trouver le « style » cheverny. Les vins rouges (12 299 hl), à base de gamay et de pinot noir, sont fruités dans leur jeunesse et acquièrent, en évoluant, des arômes animaux... en harmonie avec l'image cynégétique de cette région. Les rosés, à base de gamay, sont secs et parfumés. Les blancs (9 039 hl), où le sauvignon est assemblé avec un peu de chardonnay, sont floraux et fins.

Le décret du 26 mars 1993 a reconnu l'AOC cheverny rouge, rosé, blanc.

ERIC CHAPUZET 1998*

□ 6 ha 25 000 20 à 29 F

Ce cheverny à la belle couleur jaune pâle a un nez bien vivant. Un vin flatteur, rond et bien équilibré en bouche. A boire.

Eric Chapuzet, La Gardette, 41120 Fougères-sur-Bièvre, tél. 02.54.20.27.21, fax 02.54.20.28.34 r.-v.

CHESNEAU ET FILS 1998*

◪ 0,39 ha 3 000 20 à 29 F

Ce rosé à la belle robe orangée offre des senteurs de fleurs et d'amandes grillées. Il accompagnera avantageusement les grillades.

EARL Chesneau et Fils, Le Bourg, 41120 Sambin, tél. 02.54.20.20.15, fax 02.54.33.21.91 r.-v.

MICHEL CONTOUR 1998*

■ 3 ha 15 000 20 à 29 F

Ce 98 charme par la finesse de ses arômes. La bouche est marquée, en finale, par la cerise et la griotte, avec une note légèrement épicée. Michel Contour obtient par ailleurs deux citations ; l'une pour le **blanc 98**, encore un peu nerveux, mais prometteur en bouche ; l'autre pour le **rosé 98**, d'une jolie couleur rose pivoine, puissant, plaisant et bien équilibré.

Michel Contour, 7, rue La Boissière, 41120 Cellettes, tél. 02.54.70.43.07, fax 02.54.70.36.68 t.l.j. 8h-20h

JEAN-MICHEL COURTIOUX 1998

□ 2,5 ha 3 000 20 à 29 F

Rafraîchissant en bouche et d'une bonne longueur, ce vin est typique de l'appellation. Il est prêt à consommer.

Jean-Michel Courtioux, Cave Juchepie, 41120 Chitenay, tél. 02.54.70.42.18 r.-v.

DOM. DU CROC DU MERLE 1998***

■ 2,5 ha 7 000 20 à 29 F

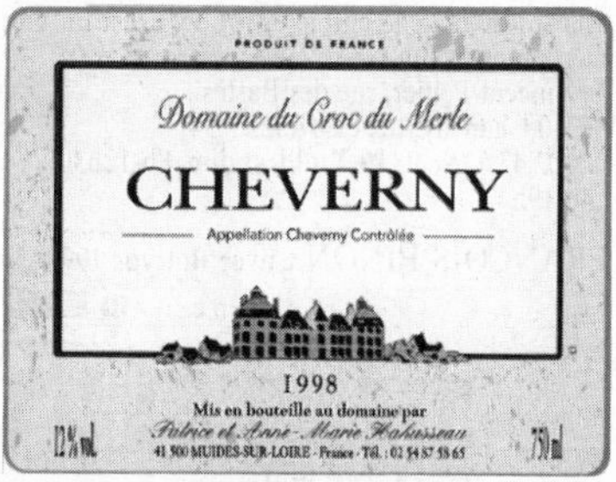

Un domaine proche de Chambord. « Entre des marais fangeux et un bois de grands chênes, loin de toutes les routes, on rencontre tout à coup un château royal ou plutôt magique », écrivait Alfred de Vigny à propos du site. Ce rouge 98 est lui aussi exceptionnel, et le jury, unanime, lui a accordé un coup de cœur. Au nez, les arômes complexes des fruits rouges sont fins et délicats. L'attaque est franche et douce ; la bouche onctueuse. Les tanins veloutés charment la finale, très longue. Une référence du cheverny. Plus modeste, le **blanc 98** mérite toutefois d'être cité. Il est d'une limpidité parfaite. Le nez, encore timide, est très prometteur. Ce vin accompagnera généreusement les plats de crustacés.

Patrice Hahusseau, 38, rue de La Chaumette, 41500 Muides-sur-Loire, tél. 02.54.87.58.65, fax 02.54.87.02.85 t.l.j. 9h-12h 14h-19h; dim. 9h-12h

DOM. DES HUARDS 1998**

□ 7 ha 35 000 30 à 49 F

Ce vin, d'une jolie couleur jaune pâle à reflets dorés, se montre tout à la fois puissant et élégant. Bonne longueur, bel équilibre. Un blanc remarquable, à apprécier dès maintenant.

Jocelyne et Michel Gendrier, Les Huards, 41700 Cour-Cheverny, tél. 02.54.79.97.90, fax 02.54.79.26.82 r.-v.

FRANCIS ET PATRICK HUGUET 1998★★★

□ 2 ha 6 000 20 à 29 F

Le jury a été conquis par ce superbe vin. Au nez, ce 98 de couleur jaune pâle offre des senteurs complexes et élégantes de fleurs blanches et de fruits exotiques. La bouche est harmonieuse. Coup de cœur pour ce fleuron du cheverny.

⊶ Francis et Patrick Huguet, 12, rue de la Franchetière, 41350 Saint-Claude-de-Diray, tél. 02.54.20.57.36, fax 02.54.20.58.57 ☑ Y r.-v.

DOM. DE LA DESOUCHERIE 1998★★

■ 7 ha 39 000 30 à 49 F

Ce vin ne manque pas d'attraits : une robe brillante d'un rouge rubis foncé, un nez subtil et délicat, du gras, du velours en bouche, un bon équilibre. Il est promis à un bel avenir. Le **blanc 98** a obtenu une étoile. Si ses arômes sont encore timides, il est intéressant par son équilibre et sa finesse en bouche. A boire sur des poissons en sauce.

⊶ Christian Tessier, Dom. de La Désoucherie, 41700 Cour-Cheverny, tél. 02.54.79.90.08, fax 02.54.79.22.48 ☑ Y r.-v.

DOM. DE LA GAUDRONNIERE
Cuvée Tradition 1998★

■ 12 ha 45 000 20 à 29 F

La belle maturité du raisin a permis à Christian Dorléans d'élaborer ce vin rouge rubis tout en élégance et en finesse. Le **blanc 98 cuvée Laëtitia** a été cité par le jury. Avec sa note florale au nez et sa complexité en bouche, voilà un bel exemple d'une vinification bien maîtrisée.

⊶ EARL Christian Dorléans, Dom. de La Gaudronnière, 41120 Cellettes, tél. 02.54.70.40.41, fax 02.54.70.38.83 ☑ Y r.-v.

LE PETIT CHAMBORD 1998★

■ 4,5 ha 20 000 30 à 49 F

Situé à 2 km de Cheverny, « noble et magnifique habitation » d'architecture Louis XIII, le domaine présente un vin aux arômes de fruits rouges élégants où dominent la cerise et la mûre. Les tanins sont présents et souples. Un très bel équilibre.

⊶ François Cazin, Le Petit Chambord, 41700 Cheverny, tél. 02.54.79.93.75, fax 02.54.79.27.89 ☑ Y r.-v.

DOM. DE LERY 1998★

■ 7 ha 46 000 20 à 29 F

Ce rouge offre un nez puissant où se mêlent des notes de fleurs et de fruits rouges mûrs. Les tanins, encore très présents, devraient s'arrondir dans quelques mois. Le **blanc 98**, d'une bonne intensité aromatique, agréable en bouche, mérite d'être cité.

⊶ Les Caves Bellier, 3, rue Reculée, 41350 Vineuil, tél. 02.54.20.64.31, fax 02.54.20.58.19 ☑ Y t.l.j. sf mar. jeu. dim. 9h-12h 14h-19h

⊶ Pascal Bellier

DOM. MAISON PERE ET FILS 1998★

■ 20 ha 25 000 - de 20 F

Les tanins sont encore présents en bouche ; cependant, ce cheverny rouge charpenté, équilibré, devrait bien évoluer. On peut le boire maintenant ou le laisser vieillir.

⊶ EARL Maison Père et Fils, 22, rue de la Roche, 41120 Sambin, tél. 02.54.20.22.87, fax 02.54.20.22.91 ☑ Y t.l.j. 8h-19h

JEROME MARCADET
Cuvée de l'Orme 1998★

□ 1,5 ha 7 000 20 à 29 F

Sa couleur dorée aux nuances vertes annonce un grand vin. Son nez intense offre des parfums de fleurs blanches. La bouche, gracieuse et bien équilibrée, rappelle, en finale, les arômes du nez. Le jury a cité le **rouge 98 cuvée des Gourmets**, mais ceux-ci devront patienter, car les tanins sont encore un peu austères.

⊶ Jérôme Marcadet, L'Orme Favras, 41120 Feings, tél. 02.54.20.28.42, fax 02.54.20.28.42 ☑ Y r.-v.

MARQUIS DE LA PLANTE D'OR 1998★

■ 4,5 ha 18 000 30 à 49 F

Depuis 1997, Philippe Loquineau s'est orienté vers la culture biologique. Si ce 98 à la très belle robe rubis foncé n'est pas encore expressif au nez, la bouche est puissante et charpentée. Il est bien équilibré et d'une bonne longueur. Une réussite.

⊶ Philippe Loquineau, La Demalerie, 41700 Cheverny, tél. 02.54.44.23.09, fax 02.54.44.22.16 ☑ Y r.-v.

DOM. DE MONTCY
Cuvée Louis de La Saussaye 1998★

■ 2,5 ha 15 000 30 à 49 F

Dans sa très belle robe rouge rubis, la cuvée Louis de La Saussaye ravit par ses arômes de fruits rouges et son bel équilibre. Le **blanc 98 Clos des Cendres** a été cité. D'une bonne intensité aromatique, il offre une attaque franche et ferme et devrait s'arrondir avec le temps.

⊶ R. et S. Simon, 32, rte de Fougères, La Porte dorée, 41700 Cheverny, tél. 02.54.44.20.00, fax 02.54.44.21.00 ☑ Y r.-v.

LES VIGNERONS DE MONT-PRES-CHAMBORD 1998★

☐   15 ha   120 000   ■   30 à 49 F

Voici un vin qui a beaucoup de charme au nez, une grande présence et une belle fraîcheur en bouche. Le **rosé 98** est tout aussi réussi : harmonieux, gracieux, frais, sympathique, autant de qualificatifs bien mérités.
➥ Les Vignerons de Mont-près-Chambord, 816, la Petite-Rue, 41250 Mont-près-Chambord, tél. 02.54.70.71.15, fax 02.54.70.70.65, e-mail cavemont@club-internet.fr ☑ ⍓ t.l.j. sf dim. 9h-12h 14h-18h

DOM. DU MOULIN 1998

☐   4 ha   15 000   ■↓   20 à 29 F

Hervé Villemade a repris l'exploitation familiale en 1995. Il propose un vin issu d'une vendange très mûre, particulièrement riche en bouche. Une bouteille que l'on peut découvrir dès maintenant.
➥ Hervé Villemade, Le Moulin neuf, 41120 Cellettes, tél. 02.54.70.41.76, fax 02.54.70.37.41 ☑ ⍓ r.-v.

LES VIGNERONS DE OISLY ET THESEE 1998

☐   15 ha   n.c.   ■↓   30 à 49 F

Cette coopérative propose un blanc aux arômes généreux, frais en bouche. Un vin de soif bien sympathique.
➥ Confrérie des vignerons de Oisly et Thésée, Le Bourg, 41700 Oisly, tél. 02.54.79.75.20, fax 02.54.79.75.29 ☑ ⍓ t.l.j. 9h-12h 14h-17h30

DOM. DU SALVARD 1998★

☐   15 ha   50 000   ■↓   30 à 49 F

Sur l'étiquette du domaine de Salvard figure le château de Fougères-sur-Bièvre, élevé au XVᵉs. par le trésorier de Louis XI, Pierre de Refuge, qui l'avait conçu comme une véritable forteresse, avec donjon, archères et pont-levis. Le domaine présente un vin blanc où dominent des arômes de sauvignon, d'une jolie couleur jaune pâle, d'une très bonne attaque et d'un bel équilibre en bouche. Un grand plaisir en perspective. La même note a été attribuée au **rouge 97**, un vin friand et prêt à boire dont la couleur et les arômes sont ceux du pinot noir (40 % de l'assemblage).
➥ GAEC Delaille, Dom. du Salvard, 41120 Fougères-sur-Bièvre, tél. 02.54.20.28.21, fax 02.54.20.22.54 ☑ ⍓ t.l.j. sf dim. 9h-12h30 14h-19h

DOM. SAUGER ET FILS 1998★

☐   3 ha   20 000   ■↓   20 à 29 F

Un cheverny blanc aux très beaux arômes où s'associent intimement les fleurs blanches et les notes mentholées. Bonne attaque, bouche enveloppante, finale rafraîchissante. Une réussite.
➥ Dom. Sauger et Fils, Les Touches, 41700 Fresnes, tél. 02.54.79.58.45, fax 02.54.79.03.35 ☑ ⍓ r.-v.

DOM. PHILIPPE TESSIER
La Charbonnerie 1998★

☐   2,5 ha   10 000   ■↓   30 à 49 F

Philippe Tessier est à la tête de ce domaine de 18 ha depuis 1988. Son blanc 98 est généreux et harmonieux au nez. La bouche est franche, nette. Un beau cheverny.
➥ EARL Philippe Tessier, rue Colin, 41700 Cheverny, tél. 02.54.44.23.82, fax 02.54.44.21.71 ☑ ⍓ r.-v.

DANIEL TEVENOT 1998★

■   2,5 ha   14 000   ■↓   20 à 29 F

D'un beau rouge cerise, ce 98 offre des arômes élégants, tout en finesse, et un bon équilibre en bouche. On peut en profiter tout de suite. Signalons aussi le **blanc 98**, cité par le jury. Certains dégustateurs ont particulièrement apprécié sa bouche, où s'associent miel et bourgeon de cassis.
➥ Daniel Tévenot, 4, rue du Moulin-à-Vent, Madon, 41120 Candé-sur-Beuvron, tél. 02.54.79.44.24, fax 02.54.79.44.24 ☑ ⍓ t.l.j. 9h-12h 14h-19h; dim. 9h-12h

Cour-cheverny

Le décret du 24 mars 1993 a reconnu l'AOC cour-cheverny. Celle-ci est réservée aux vins blancs de cépage romorantin, produits dans l'aire de l'ancienne AOS cour-cheverny mont-près-chambord et quelques communes des alentours où ce cépage s'est maintenu. Le terroir est typique de la Sologne (sable sur argile). La vendange de 1998 a représenté 1 982 hl.

DOM. DES HUARDS 1998

☐   7 ha   25 000   ■↓   30 à 49 F

Sur la D 765, l'église de Cour-Cheverny remontant au XIIᵉs. comporte un clocher du XVIIᵉs. Les Gendrier proposent un vin à l'attaque nerveuse ; toute la typicité du cépage s'exprime en bouche.
➥ Jocelyne et Michel Gendrier, Les Huards, 41700 Cour-Cheverny, tél. 02.54.79.97.90, fax 02.54.79.26.82 ☑ ⍓ r.-v.

DOM. DE LA DESOUCHERIE 1997★★

☐   3,5 ha   20 000   ■↓   30 à 49 F

Le millésime précédent avait obtenu un coup de cœur. Jaune pâle, le 97 offre des arômes floraux très fins. L'attaque est franche, et toute la délicatesse du cépage s'exprime en bouche. Un vin harmonieux. A boire.
➥ Christian Tessier, Dom. de La Désoucherie, 41700 Cour-Cheverny, tél. 02.54.79.90.08, fax 02.54.79.22.48 ☑ ⍓ r.-v.

DOM. DE LA GAUDRONNIERE
Le Mûr Mûr de la Gaudronnière 1998

□ n.c. 7 000 ▮ ◍ 🌡 30 à 49 F

Sa couleur jaune à reflets verts et la présence, en finale, de sucres résiduels, qui renforcent l'équilibre, caractérisent ce vin.

🔑 EARL Christian Dorléans, Dom. de La Gaudronnière, 41120 Cellettes, tél. 02.54.70.40.41, fax 02.54.70.38.83 ☒ 🍷 r.-v.

LE PETIT CHAMBORD 1998★

□ 4,3 ha 20 000 ▮ ◍ 🌡 30 à 49 F

Ce 98 jaune pâle est la parfaite expression du cépage. Un soupçon de sucres résiduels tempère la vivacité de son attaque.

🔑 François Cazin, Le Petit Chambord, 41700 Cheverny, tél. 02.54.79.93.75, fax 02.54.79.27.89 ☒ 🍷 r.-v.

PHILIPPE LOQUINEAU
Cuvée Salamandre 1997★★

□ n.c. 10 000 ▮ ◍ 🌡 30 à 49 F

Placée sous le signe de la salamandre, emblème de François Ier, cette cuvée présente d'agréables arômes de miel et de fleurs blanches et se distingue par sa fraîcheur.

🔑 Philippe Loquineau, La Demalerie, 41700 Cheverny, tél. 02.54.44.23.09, fax 02.54.44.22.16 ☒ 🍷 r.-v.

DOM. DE MONTCY 1998★★★

□ 1,7 ha 7 000 ▮ 🌡 30 à 49 F

Jusqu'au début du siècle, le vignoble était la propriété du château de Troussay. R. et S. Simon sont à la tête de l'exploitation depuis 1994. Ils proposent un cour-cheverny qui a tout pour séduire : une couleur jaune doré faisant penser à des raisins bien mûrs, des arômes fins et délicats de miel et de fleurs d'acacia, une bouche puissante et élégante. Le jury est tombé sous le charme.

🔑 R. et S. Simon, 32, rte de Fougères, La Porte dorée, 41700 Cheverny, tél. 02.54.44.20.00, fax 02.54.44.21.00 ☒ 🍷 r.-v.

LES VIGNERONS DE MONT-PRES-CHAMBORD 1998★

□ 5 ha 40 000 ▮ 30 à 49 F

Certes, le nez est un peu discret. Mais, en bouche, ce vin s'exprime tout en puissance. Très réussi, il est prêt à boire.

🔑 Les Vignerons de Mont-près-Chambord, 816, la Petite-Rue, 41250 Mont-près-Chambord, tél. 02.54.70.71.15, fax 02.54.70.70.65, e-mail cavemont@club-internet.fr ☒ 🍷 t.l.j. sf dim. 9h-12h 14h-18h

DOM. PHILIPPE TESSIER 1998★

□ 1,8 ha 8 000 ▮ 🌡 20 à 29 F

Sa robe jaune est nuancée de vert. Des arômes de miel et d'acacia sont présents au nez. Fraîcheur, jeunesse, bel équilibre : ce 98 est prometteur.

🔑 EARL Philippe Tessier, rue Colin, 41700 Cheverny, tél. 02.54.44.23.82, fax 02.54.44.21.71 ☒ 🍷 r.-v.

Coteaux du vendômois AOVDQS

La particularité, unique en France, de cette appellation produite entre Vendôme et Montoire, est constituée par le vin gris de pineau d'Aunis, dont la robe doit rester très pâle, et les arômes exprimer des nuances poivrées. On y apprécie également un blanc de chenin, comme dans les AOC coteaux de loir et jasnières voisines, au terroir similaire.

Depuis quelques années, à la demande des consommateurs, les rouges tendent à se développer. La nervosité légèrement épicée du pineau d'Aunis est tempérée par le calme gamay et rehaussée soit en finesse par le pinot noir, soit en tanin par le cabernet.

La production a été de 8 630 hl, dont 1 115 hl en blanc en 1998. Le touriste pourra apprécier les bords du Loir, les coteaux truffés d'habitations troglodytiques et de caves taillées dans le tuffeau.

DOM. DU CARROIR 1998

□ 4,35 ha 6 000 20 à 29 F

Voilà un coteaux du vendômois de belle présentation dans sa tenue or pâle. Quelques éclats verts attirent l'attention d'un dégustateur. Timide mais prometteur, le nez laisse place à une bouche souple et agréable qui invite à découvrir ce vin dès à présent sur un plat de poisson.

🔑 GAEC Brazilier, 17, rue des Ecoles, 41100 Thoré-la-Rochette, tél. 02.54.72.81.72, fax 02.54.72.77.13 ☒ 🍷 r.-v.

DOM. CHEVAIS Gris 1998★

◢   0,5 ha   2 000   ▮ 20 à 29 F

Joli gris que ce coteaux du vendômois des frè-res Chevais. Sous une teinte rose pâle se cachent des arômes frais et puissants caractéristiques du pineau d'Aunis. La bouche est d'un équilibre très réussi. Et si après une journée de pêche, un vin blanc vous séduit davantage, choisissez le **blanc du même millésime**, qui obtient lui aussi une étoile.

●┓GAEC Chevais Frères, Les Portes, 41800 Houssay, tél. 02.54.85.30.34 ☑ ⊺ r.-v.

PATRICE COLIN Vieilles vignes 1998★

☐   1 ha   2 500   ▥ 20 à 29 F

Silex ou Vieilles vignes ? Les deux vins blancs de Patrice Colin ont été jugés très réussis par le jury. Si la vedette est ici donnée aux Vieilles vignes de chenin, c'est pour la robe limpide et brillante de ce coteaux du vendômois, son nez d'agrumes et son équilibre en bouche... Bref, pour sa typicité. Et le **Silex 98** ? Un vin séduisant par ses arômes délicats de fleurs blanches. Son attaque perlante renforce la fraîcheur en bouche. Enfin, on ne saurait passer sous silence la qualité structurelle de la **cuvée Pierre-François Colin en rouge 98**, qui mérite bien son étoile.

●┓Patrice Colin, La Gaudetterie, 41100 Thoré-la-Rochette, tél. 02.54.72.80.73, fax 02.54.72.75.54 ☑ ⊺ r.-v.

DOM. DU FOUR A CHAUX 1998★★

☐   2 ha   6 000   ▮♦ - de 20 F

Un rapport qualité-prix remarquable pour un vin remarquable ! Jaune pâle à reflets verts, ce vin blanc offre des arômes intenses de fleurs blanches (aubépine) et de miel. La bouche révèle un équilibre indéniable, la présence de gaz carbonique renforçant la fraîcheur. Un coteaux du vendômois bien typé. Citons aussi le **rosé 98**, aromatique et fin.

●┓GAEC Norguet, Berger, 41100 Thoré-la-Rochette, tél. 02.54.77.12.52, fax 02.54.77.86.18 ☑ ⊺ r.-v.

DOM. HAUTE BARRE 1998★

▮   2,5 ha   20 000   ▮♦ - de 20 F

Cette cuvée rouge rubis provient de la cave coopérative du Vendômois, l'un des piliers de l'appellation. La palette d'épices et de fruits rouges est parfaitement assortie à une bouche généreuse. Un vin prêt à boire.

●┓Cave coop. du Vendômois, 60, av. du Petit-Thouars, 41100 Villiers-sur-Loir, tél. 02.54.72.90.69, fax 02.54.72.75.09 ⊺ r.-v.

CHARLES JUMERT Tradition 1998★★

▮   4,34 ha   4 000   ▮▥♦ 20 à 29 F

Le jury a apprécié cette cuvée vendômoise d'un rouge rubis soutenu. Les notes de fruits rouges et d'épices se déclinent intensément au nez, tandis que le palais se structure autour de tanins bien présents mais fondus. Un vin remarquable qui atteindra sa plénitude dans deux bonnes années. Le **gris d'Aunis 98**, cité par les dégustateurs, est prêt à boire et vous fera patienter...

●┓Charles Jumert, 4, rue de la Berthelotière, 41100 Villiers-sur-Loir, tél. 02.54.72.94.09, fax 02.54.72.94.09 ☑ ⊺ t.l.j. 9h-12h 17h-20h; dim. sur r.-v.

DOM. DE LA CHARLOTTERIE
Tradition 1998★★★

▮   2 ha   10 000   ▮♦ 20 à 29 F

TRADITION

DOMAINE DE LA CHARLOTTERIE

1998   1998

COTEAUX DU VENDOMOIS
Appellation d'origine vin délimité de qualité supérieure

Mis en Bouteille à la Propriété
Dominique HOUDEBERT
Vigneron à Villiersfaux 41100 France
Product of France

12 % vol.   75 cl

Intense dans sa robe pourpre, ce coteaux du vendômois a fait chavirer le cœur des dégustateurs. Son nez généreux fait la part belle aux fruits rouges et à la mûre. Après une attaque franche, la bouche révèle tout son équilibre. Un joli vin qui devrait atteindre sa plus haute expression dans les deux prochaines années. Mais ce coup de cœur ne doit pas faire oublier le **blanc 98**, cité par le jury pour son caractère bien typé chenin.

●┓Dominique Houdebert, cave de la Charlotterie, 2, rue du Bas-Bourg, 41100 Villiersfaux, tél. 02.54.80.29.79, fax 02.54.73.10.01 ☑ ⊺ t.l.j. sf dim. 9h-12h 14h-19h30

DOM. LES DURANDES 1998

▮   2,7 ha   22 000   ▮♦ - de 20 F

C'est un rouge plein de jeunesse et de ten-dresse, souple, que nous propose la cave coopé-rative du Vendômois sous l'étiquette du domaine Les Durandes. Un vin à boire légèrement frais.

●┓Cave coop. du Vendômois, 60, av. du Petit-Thouars, 41100 Villiers-sur-Loir, tél. 02.54.72.90.69, fax 02.54.72.75.09 ☑ ⊺ r.-v.

LES VIGNERONS DU VENDOMOIS
La Bonne Aventure 1998★

▮   5 ha   30 000   ▮♦ - de 20 F

La « bonne aventure » continue pour les vignerons du Vendômois... La cuvée 98 affiche une belle couleur rubis. Le nez, dans le même ton, décline généreusement les fruits rouges. Bien équilibré, voilà un vin fort sympathique. Le jury n'a pas omis de citer le **gris** de la cave, un véritable **pineau d'Aunis du Vendômois**, ainsi que le **blanc** qui allie aux arômes de fruits exotiques d'originales senteurs d'iode.

●┓Cave coop. du Vendômois, 60, av. du Petit-Thouars, 41100 Villiers-sur-Loir, tél. 02.54.72.90.69, fax 02.54.72.75.09 ☑ ⊺ r.-v.

DOM. J. MARTELLIERE
Réserve Jean Vivien 1998★★

▮   1,7 ha   6 000   ▥ 20 à 29 F

Remarquable à plus d'un titre dans le millé-sime 98, le domaine J. Martellière a conquis le jury par deux cuvées rouges. Celle-ci, nuancée d'une pointe de violet, libère de nombreux arômes. D'une bonne attaque, elle persiste longuement sur des notes épicées. La **cuvée Balzac 98**, encore discrète au nez mais longue en bouche, se distingue par sa matière savoureuse (fruits rouges mûrs) et ses tanins soyeux. En attendant leur apogée (deux ans au moins), vous pourrez accompagner vos repas d'automne du **vin gris cuvée Jasmine 98** citée.

🔑 SCEA Dom. J. Martellière, 46, rue de Fosse-Fosse, 41800 Montoire-sur-le-Loir, tél. 02.54.85.16.91, fax 02.54.85.16.91 ☑ Y r.-v.

Valençay AOVDQS

Aux confins du Berry, de la Sologne et de la Touraine, la vigne alterne avec les forêts, la grande culture et l'élevage de chèvres. Les sols sont à dominante argilo-siliceuse ou argilo-limoneuse. Le vignoble s'étend sur plus de 300 ha, dont la moitié déclarée en valençay. L'encépagement y est classique de la moyenne vallée de la Loire et les vins sont à boire jeunes le plus souvent. Le sauvignon fournit des vins aromatiques aux touches de cassis ou de genêt, avec un complément apporté par le chardonnay. Les vins rouges assemblent gamay, cabernets, cot et pinot noir. En 1998, 7 846 hl ont été revendiqués, dont 2 135 en blanc.

Dans cette région marquée par le passage de Talleyrand, la même appellation désigne un fromage de chèvre, qui a obtenu l'AOC en 1998. Ces pyramides s'accordent, selon leur degré d'affinage, avec les vins rouges ou les vins blancs.

JACKY ET PHILIPPE AUGIS 1998*

■ 2,5 ha 15 000 - de 20 F

Le château de Valençay n'est qu'à une dizaine de kilomètres des caves de Jacky et Philippe Augis dont la production vaut bien un détour. Voici un vin rouge soutenu, séduisant. Son nez est généreux, sa bouche franche. Un vrai valençay qui pourra accompagner tous les fromages. Tout aussi réussi, le **blanc 98** est bien typé. Il libère des arômes de fruits rouges et de miel, puis propose une bouche fraîche.

🔑 GAEC Jacky et Philippe Augis, Le Musa, 41130 Meusnes, tél. 02.54.71.01.89, fax 02.54.71.74.15 ☑ Y t.l.j. 7h30-19h30; dim. 8h-12h30

DOM. DENIS BARDON 1998*

■ 2 ha 2 000 30 à 49 F

Ce beau valençay rouge cerise est né sur un terroir d'argile à silex. Rappelons que les rives du Cher - de Meusnes, où est installé Denis Bardon, à Saint-Aignan - ont produit par le passé des pierres à fusil de qualité, issues du silex blond dit du Berry. Ce 98 plaît par son absence de rugosité et son harmonie dans les nuances fruitées. Bien fait, il peut déjà être dégusté mais saura patienter jusqu'à deux ans dans votre cave.

🔑 Denis Bardon, rue Paul-Couton, 41130 Meusnes, tél. 02.54.71.01.10, fax 02.54.71.75.20 ☑ Y r.-v.

CLOS DU CHATEAU DE VALENCAY 1998*

□ 1,5 ha 10 000 20 à 29 F

Si le nez élégant de ce valençay semble timide, la bouche - par son côté minéral - exprime parfaitement le terroir de pierre à fusil caractéristique de l'appellation. Vous pouvez d'ores et déjà le découvrir, tandis que le **valençay rouge 98**, cité pour ses arômes de fruits rouges et son équilibre, attendra sagement en cave.

🔑 SCEV Clos du Château de Valençay, Le Musa, 1397, rue des Vignes, 41130 Meusnes, tél. 02.54.71.00.26, fax 02.54.71.50.93 ☑ Y r.-v.

ANDRE FOUASSIER 1998*

■ 7 ha 30 000 20 à 29 F

Rouge ou blanc ? Le jury a été enchanté par ce rouge rubis profond, si intensément aromatique, si fin et si long. Il a été séduit par le **blanc 98** (une étoile), jaune paille brillant, dont les arômes de fruits exotiques se retrouvent dans une bouche bien construite.

🔑 André Fouassier, Vaux, 36600 Lye, tél. 02.54.40.16.13, fax 02.54.40.16.98 ☑ Y r.-v.

FRANCIS JOURDAIN
Cuvée des Griottes 1998***

■ 1,5 ha 10 000 20 à 29 F

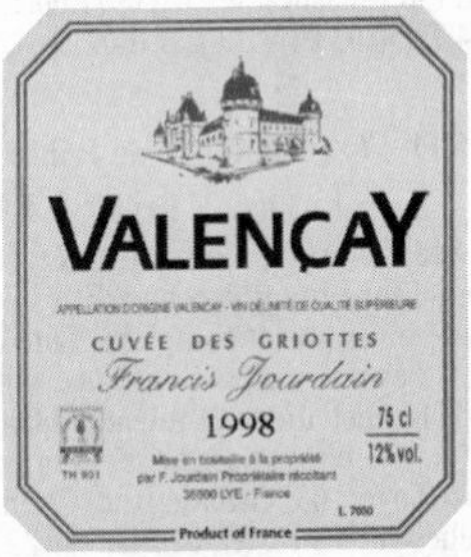

Francis Jourdain propose dans le millésime 98 un vin parfait, une référence pour l'appellation. Voyez cette couleur d'un rouge profond. Humez ces arômes intenses parmi lesquels dominent les fruits rouges mûrs. Goûtez cette matière ronde et équilibrée. Une réussite incontestable. Autre découverte : la **cuvée Chèvrefeuille 98 en blanc**, aux arômes de cassis, que le jury a citée.

🔑 Francis Jourdain, Les Moreaux, 36600 Lye, tél. 02.54.41.01.45, fax 02.54.41.07.56 ☑ Y t.l.j. sf dim. 9h-12h30 14h-19h30

MONTBAIL 1998

■ 2 ha 10 000 🍷🌡 20 à 29 F

Rubis soutenu, le Montbail - assemblage de cabernet, de cot et de gamay - libère généreusement ses arômes de fruits rouges. Il se veut équilibré en bouche et rafraîchissant. De la même veine, le **blanc 98** ne manque pas de vivacité ; celle-ci devrait s'estomper dans quelques mois pour plus de plaisir encore.

🔑 SCEA Garnier, Chamberlin, 41130 Meusnes, tél. 02.54.00.10.06, fax 02.54.05.13.36 ☑ 🍸 r.-v.

DOM. JACKY PREYS ET FILS
Cuvée Prestige 1998★

■ n.c. n.c. 🍷 - de 20 F

Surprenante cette cuvée de valençay aux arômes généreux de fruits rouges et d'épices. La bouche, équilibrée, reprend les notes de bonbon, de cerise et de cassis. Un vin plaisant, prêt à boire.

🔑 Dom. Jacky Preys et Fils, Bois Pontois, 41130 Meusnes, tél. 02.54.71.00.34, fax 02.54.71.00.34 ☑ 🍸 t.l.j. 8h-12h 14h-19h30; groupes sur r.-v.

JEAN-FRANCOIS ROY 1998

■ 9,5 ha 40 000 🍷🌡 20 à 29 F

Une robe rubis aux nuances violettes habille ce vin sympathique, issu du gamay, du pinot noir et du cot. Des arômes de fruits rouges et une note amylique se libèrent au nez, tandis que la bouche se distingue par son équilibre.

🔑 Jean-François Roy, 3, rue des Acacias, 36600 Lye, tél. 02.54.41.00.39, fax 02.54.41.06.89 ☑ 🍸 r.-v.

HUBERT SINSON 1998

■ 7 ha 18 000 🍷🌡 20 à 29 F

Assemblage de gamay, de pinot noir et de cot, ce valençay plein et ferme offre des arômes de fruits rouges discrets. Les tanins sont encore jeunes, mais quelques mois de vieillissement devraient favoriser l'épanouissement de ce vin.

🔑 Hubert Sinson, 1397, rue des Vignes, Le Muza, 41130 Meusnes, tél. 02.54.71.00.26, fax 02.54.71.50.93 ☑ 🍸 t.l.j. sf dim. 8h-12h 14h-19h

GERARD TOYER Cuvée du Prince 1998★★

■ 1,45 ha 10 000 🍷🌡 20 à 29 F

La cuvée du Prince s'est présentée devant le jury dans sa robe rouge profond. Elle lui a offert une palette puissante et complexe, faite de fruits rouges et d'épices mêlés. Solide, ce vin est un fleuron de l'appellation. Le **valencay blanc 98** est, quant à lui, cité pour sa souplesse et sa fraîcheur.

🔑 Gérard Toyer, 63, Grande-Rue, Champcol, 41130 Selles-sur-Cher, tél. 02.54.97.49.23, fax 02.54.97.49.25 ☑ 🍸 r.-v.

CAVE DES VIGNERONS REUNIS DE VALENCAY Terroir 1998★

□ n.c. 6 500 🍷🌡 20 à 29 F

Sauvignon et chardonnay sont à l'origine de ce valençay bien vinifié. La finesse aromatique, le bon équilibre en bouche et la finale fraîche en font un compagnon très plaisant des fromages de chèvre produits non loin de la cave, à Selles-sur-Cher.

🔑 Cave des Vignerons réunis de Valençay, 36600 Fontguenand, tél. 02.54.00.16.11, fax 02.54.00.05.55 ☑ 🍸 t.l.j. 8h-12h 14h-18h; groupes sur r.-v.

Le Poitou

Haut-poitou AOVDQS

Le docteur Guyot rapporte, en 1865, que le vignoble de la Vienne représente 33 560 ha. De nos jours, outre le vignoble du nord du département, rattaché au Saumurois, le seul intérêt porté à la vigne se situe autour des cantons de Neuville et Mirebeau ! Marigny-Brizay est la commune la plus riche en viticulteurs indépendants. Les autres se sont regroupés pour former la cave de Neuville-de-Poitou. Les vins du haut-Poitou ont produit 33 346 hl en 1998 dont 17 081 en blanc.

Les sols du plateau du Neuvillois, évolués sur calcaires durs et craie de Marigny ainsi que sur marnes, sont propices aux différents cépages de l'appellation ; le plus connu d'entre eux est le sauvignon (blanc).

CH. DE BRIZAY 1998

□ 11 ha 66 000 🍷🌡 30 à 49 F

La robe de ce vin est d'un beau jaune vert assez vif. Le nez est typique du cépage sauvignon rappelant les fruits et les fleurs blanches. La bouche est équilibrée, vive, avec une légère amertume qui laisse augurer une bonne tenue dans le temps.

🔑 SA Cave du Haut-Poitou, 32, rue Alphonse-Plault, 86170 Neuville-de-Poitou, tél. 05.49.51.21.65, fax 05.49.51.16.07, e-mail cave.haut.poitou@gofornet.com ☑ 🍸 r.-v.

DOM. DU CENTAURE
Cabernet franc 1998★

■ 0,6 ha 4 000 🍷 - de 20 F

Le domaine du Centaure compte 7 ha de vignes. Il y a beaucoup de matière dans son vin à la robe grenat intense et aux arômes de fruits rouges. La bouche est souple, avec toutefois des tanins bien présents. A attendre un peu.

🔑 Gérard Marsault, 4, rue du Poirier, 86380 Chabournay, tél. 05.49.51.19.39, fax 05.49.51.14.25 ☑ 🍸 sam. 14h-19h

CAVE DU HAUT-POITOU
La Surprenante 1997★★

| ☐ | 12 ha | 16 600 | ◖◗ | 50 à 69 F |

La cave du Haut-Poitou vinifie plus de 90 % du vignoble. A côté d'une cuvée **Héritage rouge 97**, une étoile (30 à 49 F), cette Surprenante a séduit par sa belle robe limpide, à reflets dorés. Ses parfums libèrent des notes de miel, acacia, fleurs blanches et agrumes. La bouche ne déçoit pas : elle est fraîche, fruitée, grasse et bien équilibrée. La note boisée lui donne un volume qui laisse augurer un bel avenir !

☛SA Cave du Haut-Poitou, 32, rue Alphonse-Plault, 86170 Neuville-de-Poitou,
tél. 05.49.51.21.65, fax 05.49.51.16.07,
e-mail cave.haut.poitou@gofornet.com
☑ ⵠ r.-v.

DOM. DE LA ROTISSERIE Gamay 1998

| ■ | | 5,3 ha | 25 000 | ▮↓ | - de 20 F |

Un gamay bien dans le type de l'appellation avec sa couleur grenat, ses arômes de fruits rouges (fraise, griotte), sa bouche agréable, fraîche et fruitée. Le vin plaisir.

☛Jacques Baudon, Dom. de La Rôtisserie, 86380 Marigny-Brizay, tél. 05.49.52.09.02, fax 05.49.37.11.44 ☑ ⵠ t.l.j. 8h-12h 13h30-19h; sam. dim. sur r.-v.

DOM. LA TOUR BEAUMONT
Chardonnay 1998★

| ☐ | 1,82 ha | 15 000 | ▮↓ | 20 à 29 F |

La butte argilo-calcaire de Beaumont donne toujours des vins de caractère, amplifié par le savoir-faire de Gilles et Brigitte Margeau. La robe jaune à reflets verts et dorés est limpide. Au nez, les arômes de fruits sont bien présents. La bouche est fraîche, ronde, avec une nuance miellée qui lui confère un côté très plaisant. C'est un vin qu'il faut découvrir.

☛Gilles et Brigitte Morgeau, 2, av. de Bordeaux, 86490 Beaumont, tél. 05.49.85.50.37, fax 05.49.85.58.13 ☑ ⵠ t.l.j. sf dim. 14h-18h30

Les vignobles du Centre

Des côtes du Forez à l'Orléanais, les principaux secteurs viticoles du Centre occupent les endroits les mieux exposés des coteaux ou plateaux modelés au cours des âges géologiques par la Loire et ses affluents, l'Allier et le Cher. Ceux qui, sur les côtes d'Auvergne, à Saint-Pourçain en partie ou à Châteaumeillant, sont implantés sur les flancs est et nord du Massif central restent cependant ouverts sur le bassin de la Loire.

Siliceux ou calcaires, toujours bien situés et exposés, les sols viticoles de ces régions portent un nombre restreint de cépages, parmi lesquels ressortent surtout le gamay pour les vins rouges et rosés, et le sauvignon pour les vins blancs. Quelques spécialités émergent çà et là : tressallier à Saint-Pourçain et chasselas à Pouilly-sur-Loire pour les blancs ; pinot noir à Sancerre, Menetou-Salon et Reuilly pour les rouges et rosés, avec encore le délicat pinot gris dans ce dernier vignoble ; et enfin le meunier qui, près d'Orléans, fournit l'original « gris meunier ». Somme toute, un encépagement sélectif.

Tous les vins obtenus dans ces terroirs et avec ces cépages ont en commun légèreté, fraîcheur et fruité, qui les rendent particulièrement attrayants, agréables et digestes. Et combien en harmonie avec les spécialités gastronomiques de la cuisine régionale ! Qu'ils soient d'Auvergne, du Bourbonnais, du Nivernais, du Berry ou de l'Orléanais, pays verts et calmes, aux horizons larges, aux paysages variés, les vignerons savent faire apprécier des vins méritants, issus de vignobles souvent familiaux et artisanaux.

Châteaumeillant AOVDQS

Le gamay retrouve ici les terroirs qu'il affectionne, dans un site très anciennement viticole et dont l'histoire est retracée par un musée intéressant.

La réputation de Châteaumeillant s'est établie grâce à son célèbre « gris », vin issu du pressurage immédiat des raisins de gamay et présentant un grain, une fraîcheur et un fruité remarquables. Les rouges (à boire jeunes et frais), produits de sols d'origine éruptive, rappellent un grand frère célèbre et allient légèreté, bouquet et gouleyance. 4 046 hl ont été produits en 1998, la cave coopérative assurant la majeure partie de la production.

DOM. DU CHAILLOT 1998★★

■ 2,2 ha 14 000 ▮ 🌡 20 à 29 F

Pierre Picot, une fois de plus, nous montre ici sa passion et son savoir-faire. Les premières sensations, couleur intense et nez expressif, impressionnent favorablement. La suite confirme. Les arômes sont élégants : armoise et framboise, cerises à l'eau-de-vie. La bouche révèle un bon support tannique et une belle longueur. Un grand châteaumeillant. Le **rosé 98**, très agréable par ses arômes fruités avec une touche de sous-bois, obtient une citation.

⊶ Dom. du Chaillot, pl. de la Tournoise, 18130 Dun-sur-Auron, tél. 02.48.59.57.69, fax 02.48.59.58.78 ☑ Y r.-v.

⊶ Pierre Picot

PRESTIGE DES GARENNES Vin gris 1998★

◪ 1,2 ha 9 600 ▮ 🌡 20 à 29 F

La Cave de Tivoli est qualitativement dans la bonne direction comme le montre cette cuvée aux arômes de pêche et d'épices. La bouche manifeste, jusqu'en finale, de la rondeur et même du charnu. Quelques notes de rose. Un rosé plaisant, avec la juste pointe de fraîcheur attendue. Les 20 000 bouteilles du domaine en **rouge 97** sont citées. Les tanins fondus accompagnés de notes de fruits très mûrs lui permettent d'être servis avec une viande blanche.

⊶ Cave du Tivoli, rte de Culan, 18370 Châteaumeillant, tél. 02.48.61.33.55, fax 02.48.61.44.92 ☑ Y r.-v.

DOM. LANOIX 1998

■ 9 ha 50 000 ▮ (||) 🌡 30 à 49 F

C'est le premier millésime du domaine Lanoix qui réunit deux exploitations sous la houlette de Patrick Lanoix : celle de son père, le domaine du Feuillat, et la sienne, la Cuvée du Chêne Combeau. Le nez, armoise et épices, est encore fermé. L'attaque est intéressante. Les tanins, d'un style sec, demandent un délai de quelques mois pour s'assagir.

⊶ Dom. Lanoix, Beaumerle, 18370 Châteaumeillant, tél. 02.48.61.39.59, fax 02.48.61.42.19 ☑ Y r.-v.

Côtes d'auvergne AOVDQS

Qu'ils soient issus de vignobles des puys, en Limagne, ou des vignobles des monts (dômes) en bordure orientale du Massif central, les bons vins d'Auvergne proviennent tous du gamay, très anciennement cultivé. Ils ont droit à la dénomination AOVDQS depuis 1977 et naissent d'environ 400 ha de vignes. La production a atteint 15 157 hl en 1997, dont 548 hl de vin blanc. Ces rosés malicieux et ces rouges agréables (les deux tiers de la production) sont particulièrement indiqués sur les fameuses charcuteries locales ou les plats régionaux réputés. Dans les crus, ils peuvent prendre un caractère, une ampleur et une personnalité surprenants.

JACQUES ABONNAT Boudes 1998★

◪ 1 ha 5 000 ▮ 20 à 29 F

Les arômes amyliques (banane notamment) dominent la palette de ce côtes d'auvergne d'un rose saumon, limpide. En bouche, une certaine nervosité rehausse la sensation de fraîcheur en finale. Le jury a également retenu, sans étoile, le **rouge 98 du cru Boudes**, dont la structure tannique est favorable à une garde de deux à trois ans.

⊶ Jacques Abonnat, 63340 Chalus, tél. 04.73.96.45.95, fax 04.73.96.45.95 ☑ Y r.-v.

MICHEL BELLARD Châteaugay 1998★

■ n.c. 15 000 20 à 29 F

Ce Châteaugay rubis soutenu évoque intensément les fruits rouges à l'olfaction. Bien enveloppé en bouche, il est bâti autour de tanins soyeux, qui accompagnent la finale d'un bout à l'autre. À boire dès à présent sur une côte de bœuf. Michel Bellard a proposé au jury deux autres vins qui méritent d'être cités : un **Chanturgue rouge 97**, équilibré et rond, ainsi qu'une **cuvée des Estives 97 rosée**, à la surprenante note de poivre.

⊶ Michel Bellard, B.P. 317, 63109 Romagnat Cedex, tél. 04.73.62.66.69, fax 04.73.62.09.22 ☑ Y r.-v.

HENRI BOURCHEIX 1998★

■ 3,2 ha 13 200 ▮ 🌡 20 à 29 F

Le rouge est à l'honneur chez Henri Bourcheix ! Une vinification soignée a permis d'obtenir ce gamay à la robe rubis soutenu. Au nez, se

dégagent des arômes de fruits rouges et d'épices, mais c'est en bouche que le vin s'exprime le mieux, dans une structure parfaite qui lui permettra de nous charmer pendant longtemps encore. En rouge toujours, le **millésime 98 du cru Chanturgue**, cité, est bien armé pour la garde.
⊶ Henri Bourcheix, 4, rue Saint-Marc, 63170 Aubière, tél. 04.73.26.04.52, fax 04.73.27.96.46 ☑ 🍷 r.-v.

ANDRE CHARMENSAT Boudes 1998*

◪ 0,6 ha 4 000 ▮🌡 20 à 29 F

Le rosé d'André Charmensat a fait l'unanimité ! Robe pivoine soutenu, grande intensité aromatique, finesse et élégance en bouche... Que voulez-vous de plus ? Peut-être quelques charcuteries pour l'accompagner. Mais il est aussi délicieux seul.
⊶ GAEC Charmensat, rue du Coufin, 63340 Boudes, tél. 04.73.96.44.75, fax 04.73.96.58.04 ☑ 🍷 r.-v.

PIERRE GOIGOUX Châteaugay 1998

■ 9 ha 65 000 ▮ 20 à 29 F

Des reflets orangés chatoient sur un fond grenat. Si le nez semble encore fermé, la bouche est franche à l'attaque. Les tanins soyeux se développent jusqu'en finale, assurant à ce vin une garde d'une bonne année.
⊶ GAEC Pierre Goigoux, 22, rue des Caves, 63119 Châteaugay, tél. 04.73.87.67.51, fax 04.73.78.02.70 ☑ 🍷 r.-v.

DOM. IMBEAU 1998

■ 4,5 ha 20 000 ▮🌡 30 à 49 F

C'est un assemblage de gamay et de pinot noir que propose Jean-René Imbeau. Si le pinot ne représentait que 15 % de la cuve, son caractère se manifeste clairement en bouche lors de la dégustation. La finale légèrement acide renforce le côté frais de ce vin rouge cerise.
⊶ Jean-René Imbeau, rue de Dauzat, 63340 Boudes, tél. 04.73.96.47.49, fax 04.73.96.49.00, e-mail jean-rene.imbeau@wanadoo.fr ☑ 🍷 r.-v.

JEAN MAUPERTUIS Chanturgue 1997

■ 0,2 ha 1 200 ⦶ 30 à 49 F

On peut voir dans sa robe des nuances orangées. Ce vin au nez complexe (notes vanillées) présente aussi un bon équilibre en bouche qui invite à le boire dès l'automne. Vous pourrez mettre en cave le **côtes d'auvergne rouge 98**, également cité, en attendant que ses tanins se fondent.
⊶ Jean Maupertuis, rue de la Garenne, 63800 Saint-Georges-sur-Allier, tél. 04.73.77.31.84, fax 04.73.77.31.84 ☑ 🍷 r.-v. sf sam. 9h-13h

JEAN-PIERRE ET MARC PRADIER Tradition 1998*

■ 2,8 ha 8 000 ▮🌡 20 à 29 F

Les Pradier sont des habitués du Guide. Dans le millésime 98, ils ont su élaborer deux vins très réussis, l'un rouge, l'autre rosé. Le premier se révèle intense au verre : les arômes amyliques s'associent à des notes de pruneau. Puissant, il fait preuve d'équilibre. Charcuteries et fromages d'Auvergne l'accompagneront avantageusement. Le second, un **Corent rosé 98**, est une caresse : fleurs et bonbon anglais au nez, souplesse et douceur en bouche.
⊶ GAEC Jean-Pierre et Marc Pradier, 9, rue Saint-Jean-Baptiste, 63730 Les Martres-de-Veyre, tél. 04.73.38.86.41, fax 04.73.39.88.17 ☑ 🍷 r.-v.

CHRISTOPHE ROMEUF 1998

◪ 2,9 ha 9 000 20 à 29 F

Rose intense, voilà un vin franc, au nez agréablement acidulé. D'une bonne attaque en bouche, il se conclut sur une note légèrement tannique. A boire sur des grillades.
⊶ Christophe Romeuf, 3, rue du Couvent, 63670 Orcet, tél. 04.73.84.92.10, fax 04.73.84.07.83 ☑ 🍷 r.-v.

MICHEL ET ROLAND ROUGEYRON Châteaugay Cuvée Bousset d'or 1998

□ 2 ha 15 000 ▮🌡 30 à 49 F

Etoilé pour la version rouge de cette cuvée dans le Guide 99, le domaine Rougeyron est aujourd'hui cité pour un Châteaugay blanc bien vinifié, tendre et frais en bouche. On appréciera son harmonie d'ensemble sur un poisson grillé ou en sauce. Citée, la cuvée **Bousset d'or rosé 98**, couleur pelure d'oignon, a un tempérament assez nerveux pour accompagner les charcuteries.

Les vins du Centre

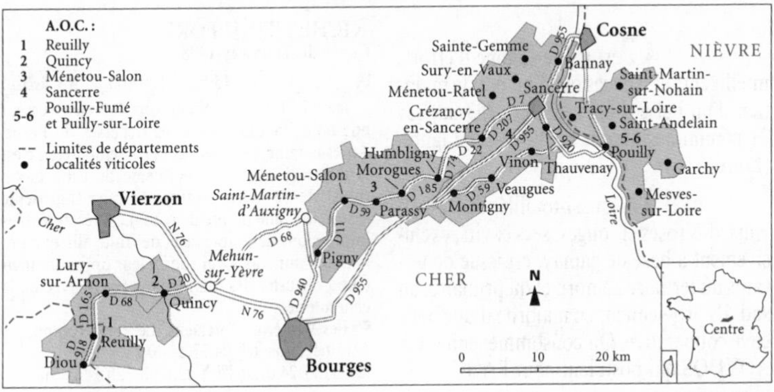

Michel et Roland Rougeyron, 27, rue de La Crouzette, 63119 Châteaugay, tél. 04.73.87.24.45, fax 04.73.87.23.55 r.-v.

CAVE SAINT-VERNY
Cuvée Prestige 1998*

■ 10 ha 36 000 30 à 49 F

Le pinot noir apporte une nuance orangée à la robe de cette cuvée composée à 65 % de gamay. Si le nez reste discret, la bouche affirme son équilibre et sa puissance. Deux années de garde permettront d'apprécier ce vin dans sa plénitude.

SA Cave Saint-Verny, rte d'Issoire, 63960 Veyre-Monton, tél. 04.73.69.60.11, fax 04.73.69.65.22 r.-v.

SAUVAT Boudes Prestige Pinot noir 1997

■ 10 ha 70 000 30 à 49 F

Un élevage sous bois de douze mois a fait naître des arômes de vanille et de réglisse au cœur de cette cuvée de pinot noir. En bouche, l'équilibre et le velours des tanins bien fondus sont d'une grande séduction. Le jury place à égalité le cru rouge **Boudes Les Demoiselles oubliées du Donazat 98**, un pur gamay qui mérite d'être attendu deux petites années.

Claude et Annie Sauvat, 63340 Boudes, tél. 04.73.96.41.42, fax 04.73.96.58.34, e-mail sauvat@terrenet.fr r.-v.

DOM. SOUS-TOURNOEL 1997*

■ 3 ha 12 000 20 à 29 F

Ce 97, issu à 100 % du gamay, évolue admirablement sous sa belle robe grenat, légèrement ambrée. Au nez, les arômes de fruits rouges confits dominent les notes de pruneau. Une pointe de gaz carbonique en bouche apporte une agréable fraîcheur dans une trame aux tanins bien fondus. Ce côtes d'auvergne n'attend plus que vous.

Jean et Alain Gaudet, Dom. Sous-Tournoël, 63530 Volvic, tél. 04.73.33.52.12, fax 04.73.33.62.71 r.-v.

Côtes du forez AOVDQS

C'est à une somme d'efforts intelligents et tenaces que l'on doit le maintien d'un bel et bon vignoble (193 ha) sur 21 communes autour de Boën-sur-Lignon (Loire).

La quasi-totalité des excellents vins rosés et rouges, secs et vifs, exclusivement à base de gamay, est issue de terrains du tertiaire au nord et du primaire, au sud. Ils proviennent en majorité d'une belle cave coopérative. On consomme jeunes ces AOVDQS qui postulent pour l'AOC.

LES VIGNERONS FOREZIENS
Cuvée Tradition 1998

■ 30 ha 130 000 20 à 29 F

En 980, la vigne était plantée dans le Forez, mais ce n'est qu'en 1962 que l'on créa la cave coopérative !... Cette cuvée rubis moyen livre de frais et complexes parfums de groseille agrémentés de rose, d'iris et de pivoine, mais aussi de gingembre. Ses tanins et sa vivacité sans excès et bien équilibrés mettent en valeur des notes fruitées et poivrées. Ce vin typé et plaisant à la fois, primeur par les arômes et de garde par sa structure, est à consommer durant l'année.

Les Vignerons Foréziens, Le Pont-Rompu, 42130 Trelins, tél. 04.77.24.00.12, fax 04.77.24.01.76 t.l.j. 9h-12h 14h-19h

DOM. DE LA PIERRE NOIRE 1998*

■ 1,8 ha 8 000 20 à 29 F

Un sol fait de migmatite est à l'origine de cette cuvée grenat foncé parcourue de nombreux reflets violets. Les parfums complexes et très intenses de mûre, de myrtille et de framboise sont mêlés à d'agréables notes minérales et animales. La puissante bouche que tapissent des tanins soyeux reste assez longuement imprégnée de son fruité et de sa minéralité. Ce vin très bien fait, au bon potentiel de garde, est prêt à accompagner une viande rouge, mais peut encore attendre un à deux ans. La **cuvée spéciale 97**, issue de vieilles vignes, est citée pour sa belle typicité.

Christian Gachet, chem. de l'Abreuvoir, 42610 Saint-Georges-Hauteville, tél. 04.77.76.08.54 t.l.j. 9h-12h 14h-18h

DOM. DU POYET 1998

■ 2,7 ha 20 000 20 à 29 F

Non loin d'une volerie de rapaces, installée dans le château, les vignes ont donné cette cuvée rouge soutenu avec des reflets violets. Des arômes assez fins de sous-bois et de musc accompagnent une attaque vineuse qui cède la place à des tanins fermes. Ce 98 aux notes minérales du terroir assez prononcées est prêt à boire sur une viande rouge, mais peut attendre un à deux ans.

Jean-François Arnaud, Dom. du Poyet, 42130 Marcilly-le-Châtel, tél. 04.77.97.48.54, fax 04.77.97.48.71 t.l.j. 8h-20h; groupes sur r.-v.

RICHESSE DU FOREZ
Cuvée du Tramway 1998

■ 15 ha 100 000 20 à 29 F

Depuis 1995, les Vignerons foréziens créent une bouteille qui illustre les richesses du Forez. Après la mine, les armes et la passementerie, c'est le tramway qui sera l'emblème de cette cuvée rubis intense au nez primeur de fraise et groseille associées à une pointe de rose. Les très agréables impressions de souplesse et de fruité alliées à des nuances minérales qui sont à leur optimum incitent à déguster dès maintenant ce vin avec de la charcuterie.

Les Vignerons foréziens, Le Pont-Rompu, 42130 Trelins, tél. 04.77.24.00.12, fax 04.77.24.01.76 t.l.j. 9h-12h 14h-19h

ODILE VERDIER ET JACKY LOGEL
La Volcanique 1998★

■ 3 ha 10 000 ▮ 20 à 29 F

Installé depuis 1992 dans le Forez, ce viticulteur d'origine alsacienne propose une cuvée rubis intense au nez épicé nuancé de notes minérales, reflets des basaltes nourriciers de la vigne. Sa gangue tannique renferme les parfums de grillé et de terre mouillée initialement perçus au nez. Ce robuste et assez harmonieux représentant d'un terroir caractéristique sera à point dans un à deux ans.

Odile Verdier et Jacky Logel, La Côte, 42130 Marcilly-le-Châtel, tél. 04.77.97.41.95, fax 04.77.97.48.80 ☑ Ⲧ t.l.j. 9h-12h 13h30-19h

Coteaux du giennois

Sur les coteaux de Loire réputés depuis longtemps, tant dans la Nièvre que dans le Loiret, s'étendent des sols siliceux ou calcaires. Trois cépages traditionnels, le gamay, le pinot et le sauvignon ont donné en 1998, 8 132 hl dont 3 333 hl en vins blancs, légers et fruités, peu tanniques, authentique expression d'un terroir original. On pourra les boire jusqu'à cinq ans d'âge, sur toutes les viandes.

Les plantations progressent toujours nettement dans la Nièvre, elles reprennent aussi dans le Loiret, attestant la bonne santé du vignoble, qui atteint 140 ha. Les coteaux du giennois ont accédé à l'AOC en 1998.

JOSEPH BALLAND-CHAPUIS 1998★

■ 4 ha 26 500 ▮ 30 à 49 F

La robe est d'un rubis profond et soutenu. Ce vin, encore fermé, laisse déjà s'échapper d'agréables odeurs épicées et fruitées (cassis). Les tanins sont encore un peu intempestifs : ils ont besoin de temps pour calmer leur ardeur. Ce vin nécessite un vieillissement d'au moins dix-huit mois. Le **blanc 98** est cité pour ses arômes très particuliers.

SCEA Dom. Balland-Chapuis, allée des Soupirs, 45420 Bonny-sur-Loire, tél. 02.38.31.55.12, fax 02.48.54.07.97 ☑ Ⲧ r.-v.

PHILIPPE CARROUE Cuvée Pensée 1997

■ 1 ha 6 500 ▮ ⏺ 20 à 29 F

Son évolution est assez courante parmi les 97. La couleur rubis clair est déjà fort tuilée. Les senteurs sont intenses rappelant la griotte et le noyau. Les tanins sont très fondus, entraînant une grande rondeur gustative. Peut être consommé dès maintenant.

Philippe Carroué, Ménetéreau, 58200 Saint-Père, tél. 03.86.28.35.76, fax 03.86.28.35.76 ☑ Ⲧ t.l.j. 9h-19h

DOM. COUET 1998

□ 1 ha 5 300 ▮ 🌡 20 à 29 F

Les arômes encore peu affirmés manifestent une belle finesse : fleurs, cassis, buis, amande. La bouche est caractérisée sur le plan rétro-olfactif par une dominante végétale et sur le plan gustatif par une maturité déjà atteinte. A boire dès maintenant pour profiter de son équilibre.

Dom. Couet, Croquant, 58200 Saint-Père, tél. 03.86.28.14.80, fax 03.86.28.14.80 ☑ Ⲧ r.-v.

CH. DE LA CHAISE 1998

□ 1 ha 7 000 ▮ 20 à 29 F

Philippe Auchère est un jeune producteur de coteaux du giennois. De couleur or soutenu, son blanc 98 présente une belle richesse aromatique : fleuri (acacia et genêt), végétal (buis et bourgeon de cassis), minéral. La bouche, après une attaque ronde, présente une vivacité et une amertume qui tendent à emporter l'équilibre ; celui-ci n'en reste pas moins plein de promesses. A suivre.

Philippe Auchère, Le Bois de l'Abbaye, 18300 Bué, tél. 02.48.78.05.15, fax 02.48.78.05.15 ☑ Ⲧ r.-v.

Thomas

DOM. DE LA GRANGE ARTHUIS
Les Daguettes 1998★

□ 1,13 ha 9 000 ▮ 30 à 49 F

Les nuances végétales sont particulièrement développées dans une palette où se côtoient le genêt, le buis, la mousse. Le minéral (pierre à fusil) apparaît ensuite. Fraîcheur et vivacité au palais tendent à masquer les arômes : fougue de jeunesse qui devrait s'estomper d'ici quelque temps.

Dom. de La Grange Arthuis, 89170 Lavau, tél. 03.86.74.06.20, fax 03.86.74.18.01 ☑ Ⲧ r.-v.

François Reynaud

MICHEL LANGLOIS
Champ de la Croix 1997★★

■ 2,5 ha 9 600 ▮ ⏺ 🌡 30 à 49 F

Après une légère aération, les arômes de fruits rouges très mûrs ou écrasés (cassis, framboise) prennent toute leur place. L'attaque est franche, puissante, avec du tanin en réserve. L'un des membres du jury indique : « A la fois du fruit et de la mâche, un très bon coteaux du giennois. » Très réussie, la cuvée **coteaux du giennois rouge 97** reçoit une étoile.

Michel Langlois, Le Bourg, 58200 Pougny, tél. 03.86.28.06.52, fax 03.86.28.59.29 ☑ Ⲧ t.l.j. sf dim. 9h-13h 15h-20h

JEAN-CLAUDE MELLOT 1998

□ 0,1 ha 950 ⏺ 30 à 49 F

Jean-Claude Mellot s'est installé en 1983. Cette cuvée quasi confidentielle est élaborée à partir de vignes nouvellement plantées. Floral et minéral, avec des notes de sous-bois, ce vin est habillé d'or pâle. Les caractéristiques gustatives sont un reflet particulier du terroir. L'équilibre général est plutôt harmonieux.

Jean-Claude Mellot, rue Paulin-Enfert, Le Petit Parc n°6, 45500 Gien, tél. 02.38.38.02.97, fax 02.38.38.02.97 ☑ Y r.-v.

JEAN-PAUL NEROT 1998*

☐ 1,5 ha 12 000 ▮ 30 à 49 F

Assemblage provenant de sols argilo-calcaires et de silex, cette cuvée comporte de multiples arômes qui sont cependant discrets. Elle sait allier la rondeur à une vivacité citronnée. La finale est franche et persistante. A servir sur du saumon fumé ou des fruits de mer.

Jean-Paul Nérot, Ménetéreau, 58200 Saint-Père, tél. 03.86.28.07.42, fax 03.86.28.05.39 ☑ Y r.-v.

PHILIPPE POUPAT Le Trocadéro 1998**

■ 1,75 ha 14 000 ▮ 30 à 49 F

La couleur est intense, rubis à reflets violacés. Si les arômes ne sont pas très prononcés, ils expriment une belle diversité : marc, fruits à l'alcool, épices, cuir. Les premières impressions sont marquées par la rondeur. Puis, progressivement, ce 98 vous rappelle par ses tanins amenés avec diplomatie qu'il est le dernier né. Le laisser mûrir pendant deux à trois ans. Félicitations pour l'ensemble de la cave puisque le **blanc 98** et le **rosé 98** sont cités par le jury.

Poupat et Fils, Rivotte, 45250 Briare, tél. 02.38.31.39.76, fax 02.38.31.39.76 ☑ Y r.-v.

DOM. RAIMBAULT-PINEAU Les Vignes du Dimanche 1997**

■ 2 ha 14 000 30 à 49 F

Un excellent vin dans un excellent millésime. La robe est d'un rubis foncé, légèrement tuilé. Les arômes sont puissants, au caractère prononcé de cassis, nuancé d'épices et de litchi. La bouche exprime chaleur et concentration. Typique d'une très grande maturité, c'est bien une bouteille pour « dimanches et jours de fête ».

Dom. Raimbault-Pineau, rte de Sancerre, 18300 Sury-en-Vaux, tél. 02.48.79.33.04, fax 02.48.79.36.25 ☑ Y t.l.j. sf dim. 8h-12h 14h-18h; f. 1er-15 août

DOM. DE VILLARGEAU 1998

☐ 2,5 ha 20 000 ▮ 30 à 49 F

Jean-Fernand et François Thibault ont su donner du caractère à cette cuvée « Domaine de Villargeau », régulièrement citée. Son intensité et son retour aromatiques sont élégants, donnant dans le floral (fleurs blanches, acacia, genêt), le minéral et le végétal (fougère). L'équilibre alcool-acidité est réussi. Un agréable ensemble.

GAEC Thibault, Villargeau, 58200 Pougny, tél. 03.86.28.23.24, fax 03.86.28.47.00 ☑ Y r.-v.

Saint-pourçain AOVDQS

Le paisible et plantureux Bourbonnais possède aussi, sur dix-neuf communes, un beau vignoble au sud-ouest de Moulins (500 ha ; 26 863 hl dont 6 298 hl de vin blanc en 1998).

Les coteaux et les plateaux calcaires ou graveleux bordent la charmante Sioule ou sont proches d'elle. C'est surtout l'assemblage des vins issus de gamay et de pinot noir qui confère aux vins rouges et rosés leur charme fruité.

Les blancs, remarquables, ont fait autrefois la réputation de ce vignoble ; un cépage original, le tressallier, est assemblé avec le chardonnay et le sauvignon. L'originalité aromatique de cet assemblage sur les terroirs de Saint-Pourçain mérite plus qu'une mention.

ATLANTIS 1998

☐ n.c. 25 000 ▮ 20 à 29 F

Un nom et une étiquette qui évoquent le grand large pour ce vin élégant, aux arômes de fruits exotiques. Le nez ne s'exprime pas pleinement, mais la bouche est bien équilibrée. La **Réserve spéciale 98 en rouge** a été citée par le jury. Elle se signale par une robe rouge cerise intense, un nez à dominante végétale et une finale chaude.

Union des vignerons de Saint-Pourçain, rue de la Ronde, B.P. 27, 03500 Saint-Pourçain-sur-Sioule, tél. 04.70.45.42.82, fax 04.70.45.99.34 ☑ Y t.l.j. sf dim. 8h-12h30 13h30-18h30; groupes sur r.-v.

DOM. DE BELLEVUE Grande Réserve 1998

☐ 6,5 ha 42 000 ▮ 20 à 29 F

Ses arômes floraux où dominent des senteurs de glycine sont étonnants. L'attaque, légèrement perlante, renforce sa fraîcheur en finale. Il est prêt à boire.

Jean-Louis Pétillat, Dom. de Bellevue, 03500 Meillard, tél. 04.70.42.05.56, fax 04.70.42.09.75 ☑ Y r.-v.

ELIE GROSBOT ET DENIS BARBARA 1998*

☐ 2,5 ha 13 000 ▮ 20 à 29 F

Deux belles réussites pour ce domaine. Evoquant au nez des senteurs florales, ce 98 s'exprime surtout en bouche, où il développe des arômes d'agrumes. Un vin d'un bel équilibre et d'une bonne longueur. Revêtue d'une robe grenat très soutenu, la **cuvée 98 Grande Réserve** offre un nez complexe, une attaque souple et une bouche où les tanins sont très présents. La structure est solide ; ce vin devrait atteindre sa plénitude dans deux ans.

Elie Grosbot et Denis Barbara, Maupertuis, 03500 Bransat, tél. 04.70.45.35.89, fax 04.70.45.54.95, e-mail cave.barbara@bial.oleane.com ☑ Y t.l.j. 9h-12h 14h-19h

DOM. DE LA CROIX D'OR 1998*

■ 8,5 ha 30 000 20 à 29 F

Une robe rubis soutenu, des arômes de fruits rouges associés aux odeurs de cuir, une structure souple, une finale dominée par la cerise. Le vin **blanc 98** (cité), jeune encore, offre une agréable fraîcheur, renforcée par la vivacité de la finale.

Jean-François Colas, La Croix d'Or, 03210 Chemilly, tél. 04.70.42.86.22

LAURENT Cuvée Prestige 1996

□ 1,35 ha 7 200 30 à 49 F

Un saint-pourçain 100 % chardonnay. Les arômes de miel dominent au nez comme en bouche. La finale est chaude et riche. On essaiera ce 96 sur un pâté aux pommes de terre.

GAEC Famille Laurent, Montifaud, 03500 Saulcet, tél. 04.70.45.45.13, fax 04.70.45.60.18, e-mail famille.laurent@wanadoo.fr ☑ Y t.l.j. sf dim. 8h-12h30 14h-19h

NEBOUT 1998*

□ 10 ha 20 000 20 à 29 F

Ce 98, jaune paille à reflets verts, offre au nez, des senteurs florales. Tendre en attaque, il montre en finale une petite nervosité qui renforce sa fraîcheur. A découvrir dès à présent.

Serge Nebout, rte de Montluçon, 03500 Saint-Pourçain-sur-Sioule, tél. 04.70.45.31.70, fax 04.70.45.12.54 ☑ Y r.-v.

FRANCOIS RAY 1998**

□ 3 ha 13 000 30 à 49 F

D'un bout à l'autre de la dégustation, il réveille des arômes de fruits exotiques. Encore timide au nez, c'est en bouche qu'il déploie toute son éloquence : une attaque souple, une matière soyeuse. A savourer dès maintenant. La **Font Gervin 97** a surpris les jurés par ses arômes de fruits rouges associés à ceux du pruneau. Ce joli vin mérite une étoile.

Cave François Ray, Venteuil, 03500 Saulcet, tél. 04.70.45.35.46, fax 04.70.45.64.96 ☑ Y t.l.j. sf dim. 9h-12h 14h-19h

Côte roannaise

Des sols d'origine éruptive face à l'est, au sud et au sud-ouest, sur les pentes d'une vallée creusée par une Loire encore adolescente : voilà un milieu naturel qui appelle aussi le gamay.

Quatorze communes (176 ha) situées sur la rive gauche du fleuve produisent d'excellents vins rouges et de frais rosés, plus rares. Des vignerons particuliers soignent attentivement leur vinification (8 891 hl en 1998) ; ils obtiennent des vins originaux et de caractère, auxquels s'intéressent les chefs les plus prestigieux de la région. On évoque les traditions viticoles de la région au Musée forézien d'Ambierle.

Lentement mais sûrement, le vignoble progresse... Cependant, le fait le plus notable réside dans l'intérêt que le négoce et la distribution attachent aux vins de la côte roannaise, confirmant ainsi l'originalité et la qualité du cru.

Quoique très timidement, le chardonnay s'implante localement et fournit des produits non dépourvus de valeur dans la catégorie vin de pays d'Urfé.

PAUL ET JEAN-PIERRE BENETIERE Vieilles vignes 1998*

■ 1 ha 7 000 30 à 49 F

L'exploitation qui propose également de la vannerie d'osier a vinifié une cuvée rouge soutenu, aux parfums nets et intenses de cassis et de menthe. Remplissant totalement la bouche de sa chair et de ses arômes exacerbés, ce vin structuré, équilibré est à boire mais peut attendre un an.

Jean-Pierre Bénétière, pl. de la Mairie, 42155 Villemontais, tél. 04.77.63.18.29, fax 04.77.63.18.29 ☑ Y t.l.j. 9h-19h

FRANCOIS CHABRE Cuvée Tradition 1997

■ 1 ha 5 000 20 à 29 F

L'exploitation, qui s'est totalement reconvertie depuis 1999 à la viticulture, élève un vin rouge violacé qui s'ouvre sur des nuances minérales complexes. La bouche riche et ronde montre une bonne structure tannique. Persistant et équilibré, ce 97 est à boire dans l'année. Belle étiquette comme pour la plupart des vins de l'AOC présentés ici qui ont recherché un « habillage » élégant.

François Chabré, La Martinière, 42820 Ambierle, tél. 04.77.65.69.43, fax 04.77.65.63.98 ☑ Y t.l.j. sf dim. 10h-19h; f. 15 août-10 sept.

CH. DE CHAMPAGNY 1998*

■ 4,5 ha 25 000 20 à 29 F

Avant le phylloxéra, la production du château était de 4 000 hl. Il émane de cette cuvée rubis brillant d'agréables parfums de framboise, de cassis mêlés à des notes épicées. Charnu et fruité, ce vin souple et élégant, bien équilibré, à la finale acidulée, est fait pour maintenant. Il pourra accompagner des viandes blanches. Un autre **98, Grande Réserve** a obtenu une étoile.

André et Frédéric Villeneuve, Champagny, 42370 Saint-Haon-le-Vieux, tél. 04.77.64.42.88, fax 04.77.62.12.55 ☑ Y r.-v.

DOM. DE LA PAROISSE Cuvée à l'ancienne 1998

■ 2,5 ha n.c. 20 à 29 F

Bien avant 1900, la famille Chaucesse expédiait ses vins par péniche de Roanne à Bercy.

Cette cuvée rouge sombre livre des parfums puissants de fruits noirs, d'épices et des nuances minérales. Sa riche matière conserve un bon équilibre. Elle sera appréciée dans l'année.

☛ Jean-Claude Chaucesse, 121, rue des Alloués, 42370 Renaison, tél. 04.77.64.26.10, fax 04.77.62.13.84 ☑ ⵏ r.-v.

MONTPLAISIR 1998★★

■　　　1,4 ha　　6 000　　■ 30 à 49 F

L'exploitation, créée il y a dix ans, a produit un **rosé 98** cité par le jury, et cette cuvée cerise noire à reflets violets, deuxième coup de cœur du grand jury de la côte roannaise. Les parfums puissants et fins de fruits rouges très mûrs avec des nuances amyliques accompagnent une bouche tendre, onctueuse et bien structurée. Ce vin harmonieux et long est prêt, mais il peut encore attendre un à deux ans.

☛ Alain Baillon, Montplaisir, 42820 Ambierle, tél. 04.77.65.65.51, fax 04.77.65.65.65 ☑ ⵏ r.-v.

DOM. DU PAVILLON 1998

■　　　7 ha　　42 000　　■ 30 à 49 F

Dans ce village bien connu pour son abbaye du XVᵉ s., l'exploitation élève une cuvée rouge sombre aux parfums encore en évolution (fruits rouges et notes amyliques). L'attaque assez charnue et une bonne structure rattrapent les premières impressions. Gagnant à être aéré, ce vin est à boire dans l'année.

☛ Maurice Lutz, GAEC Dom. du Pavillon, 42820 Ambierle, tél. 04.77.65.64.35, fax 04.77.65.69.69 ☑ ⵏ r.-v.

JACQUES PLASSE Boutheran 1998

■　　　1,8 ha　　16 000　　■ ☖ 20 à 29 F

Les vignes implantées sur ce coteau abrupt ont donné une cuvée rouge sombre limpide, au nez de fruits rouges légèrement boisé. Fruité et charnu, d'une bonne fraîcheur, ce vin est pour maintenant.

☛ Jacques Plasse, Bel-Air, 42370 Saint-André-d'Apchon, tél. 04.77.65.84.31 ☑ ⵏ t.l.j. 9h-12h 14h-18h

DOM. DES POTHIERS 1998★★

■　　　0,7 ha　　4 000　　■ ☖ 20 à 29 F

Nul doute que ce premier coup de cœur décerné par le grand jury de la côte roannaise à cette cuvée rubis avec des reflets grenats d'une belle profondeur va accélérer la reconversion de cette exploitation laitière vers la viticulture ! Ce sont des parfums intenses de cerise bien mûre,

de framboise, de cassis et de clou de girofle qui accompagnent une bouche ronde, ample, soutenue par d'élégants tanins. Très bien équilibré, ce vin racé, prêt à boire, pourra aussi attendre un à deux ans et accompagner une poitrine de porc roulée ou une viande rouge rôtie.

☛ Georges Paire, Les Pothiers, 42155 Villemontais, tél. 04.77.63.15.84, fax 04.77.63.19.24 ☑ ⵏ r.-v.

ROBERT SEROL Les Originelles 1998★

■　　　5 ha　　40 000　　■ ☖ 20 à 29 F

Le vignoble, dont les origines remontent à 1700, a fourni une **cuvée de vieilles vignes 98** citée par le jury. Doté d'une robe intense avec de beaux reflets violets, ce vin au bouquet fin, très légèrement exotique, s'épanouit harmonieusement en bouche. Le très bel équilibre du fruit et de la chair, les tendres sensations qui persistent assez longuement le feront apprécier tout au long de l'année.

☛ Robert Sérol et Fils, Les Estinaudes, 42370 Renaison, tél. 04.77.64.44.04, fax 04.77.62.10.87 ⵏ t.l.j. 9h-12h 14h-18h

PHILIPPE ET JEAN-MARIE VIAL
Boutheran 1998

■　　　2 ha　　13 000　　■ ☖ 30 à 49 F

Première vendange de la troisième génération de cette exploitation familiale. La cuvée rubis limpide avec des reflets sombres développe des parfums de fraise et de framboise qui se prolongent avec beaucoup de fraîcheur en bouche. L'ensemble léger, séduisant, est à boire dans l'année.

☛ GAEC Vial, Bel-Air, 42370 Saint-André-d'Apchon, tél. 04.77.65.81.04, fax 04.77.65.91.99 ☑ ⵏ r.-v.

L'Orléanais AOVDQS

Parmi les « vins françois », ceux d'Orléans eurent leur heure de gloire à l'époque médiévale. A côté des jardins, des pépinières et des vergers renommés, la vigne prospère (150 ha environ). La tradition s'est surtout maintenue sur les terrasses sablo-graveleuses de la rive sud de la

Loire entre Olivet et Cléry, dont la basilique abrite le tombeau de Louis XI.

Les vins rouges et rosés tirent leur originalité du pinot meunier, utilisé surtout... en Champagne. Les vins rosés, dits parfois « gris », sont souples.

Les vignerons ont su adapter des cépages cités depuis le Xe s. comme venus d'Auvergne, mais identiques à ceux de Bourgogne : auvernat rouge (pinot noir), auvernat blanc (chardonnay) et gris meunier, auxquels est venu s'ajouter le cabernet (ou breton) au bouquet de groseille et de cassis. Il faut les boire sur des perdreaux et des faisans rôtis, des pâtés de gibier de la Sologne voisine et des fromages cendrés du Gâtinais. La production en rouge a atteint 4 593 hl en 1998 pour un vignoble de 150 ha environ ; les vins blancs restent confidentiels (934 hl).

VIGNOBLE DU CHANT D'OISEAUX
Cabernet 1998

■	2,5 ha	10 000	⌂♦	20 à 29 F

Le Vignoble du Chant d'Oiseaux mérite trois citations. Deux rouges : un **gris meunier 98**, aux tanins encore fougueux, et ce cabernet qui révèle au nez comme en bouche un mélange subtil d'arômes de fruits rouges et d'épices. L'un comme l'autre devront patienter dans votre cave pour polir leurs tanins. Un blanc : un **chardonnay du même millésime** qui laisse paraître sa jeunesse sous sa gaieté vive et ses arômes de fruits exotiques.

☛ Jacky Legroux, 315, rue des Muids, 45370 Mareau-aux-Prés, tél. 02.38.45.60.31, fax 02.38.45.62.35 ☑ ☊ r.-v.

LES VIGNERONS DE LA GRAND'MAISON Cabernet 1998★

■	36 ha	n.c.	⌂♦	20 à 29 F

Les Vignerons de la Grand'Maison ont proposé deux vins rouges de bonne tenue. Si l'assemblage de **pinot meunier et de pinot noir 98** dévoile équilibre et onctuosité en bouche, ce cabernet à la robe grenat possède un nez intense, typique du cépage, et une bouche charpentée dont les tanins fondus donnent une impression de rondeur. Ce dernier est prêt à se soumettre à une petite garde. N'oubliez pas dans le même millésime, l'**orléanais blanc** : un pur chardonnay (appelé localement auvergnat) parfaitement mûr, qui évoque au nez des senteurs de noisette et de menthe.

☛ Les Vignerons de La Grand'Maison, 550, rte des Muids, 45370 Mareau-aux-Prés, tél. 02.38.45.61.08, fax 02.38.45.65.70 ☑ ☊ r.-v.

SAINT AVIT 1998★

□	2,25 ha	8 000	⌂♦	20 à 29 F

98 est décidément un millésime heureux pour Saint-Avit. Non content d'être cité pour son sympathique **cabernet** et son **rosé** frais aux notes d'agrumes, le domaine obtient une étoile grâce à ce vin blanc jaune pâle limpide. Celui-ci libère un nez fruité assez intense. Après une bonne attaque, il poursuit en rondeur dans une bouche fine d'une longueur fort honorable. Tout aussi réussi : le vin **rouge d'assemblage** (pinot meunier et pinot noir) rubis soutenu. Au nez, il impose des arômes de fruits rouges et une note de mûre. Ses tanins, certes un peu fermes aujourd'hui, lui assurent une bonne évolution.

☛ GAEC Valoir Javoy et Fils, 450, rue du Buisson, 45370 Mézières-lez-Cléry, tél. 02.38.45.61.91, fax 02.38.45.69.77 ☑ ☊ t.l.j. sf dim. 8h-12h 14h-19h

CLOS SAINT-FIACRE 1998★

■	5,74 ha	n.c.	⌂♦	30 à 49 F

Pas moins de quatre vins ont retenu l'attention du jury. L'orléanais **blanc 98** possède tous les atouts du chardonnay : il est cité pour sa souplesse et sa présence en bouche. Un **rosé 98** aux nuances orangées et au nez intense reçoit une étoile ainsi que **deux vins rouges du même millésime**. Le premier est un assemblage de gris meunier et de pinot noir. Sa bouche enveloppante et longue laisse paraître une note de réglisse qui accompagne des arômes de fruits rouges. Le second, pur **cabernet 98** d'un rouge rubis intense, allie puissance et élégance. Tous deux seront à leur apogée au printemps 2000.

☛ GAEC Clos Saint-Fiacre, 560, rue Saint-Fiacre, 45370 Mareau-aux-Prés, tél. 02.38.45.61.55, fax 02.38.45.66.58 ☑ ☊ r.-v.

Menetou-salon

Menetou-Salon doit son origine viticole à la proximité de la métropole médiévale qu'était Bourges ; Jacques Cœur y eut des vignes. A l'encontre de nombreux vignobles jadis célèbres, la région est demeurée viticole, et son vignoble de 336 ha est de qualité.

Sur ses coteaux bien adaptés, Menetou-Salon partage, avec son prestigieux voisin Sancerre, sols favorables et cépages nobles : sauvignon blanc et pinot noir. D'où ces vins blancs frais, épicés, ces rosés délicats et fruités, ces rouges harmonieux et bouquetés, à boire jeunes. Fierté du Berry viticole, ils accompagnent à ravir une cuisine classique mais savoureuse (apéritif, entrées chaudes pour les blancs ; poisson, lapin, charcuterie pour les rouges, à servir frais). La production a atteint 14 421 hl de vin blanc et 7 963 hl de vin rouge en 1998.

DOM. DE CHATENOY

Elevé en fût de chêne 1997★★

■ 8 ha n.c. 50 à 69 F

Cette cuvée est travaillée avec un soin particulier : cuvaison de 18 jours, fermentation malolactique et élevage en fût de chêne, dont un tiers de fûts neufs. Le mariage est réussi avec un beau fondu olfactif (griotte et vanille). La charpente reflète la vinification : de la puissance accompagnée, en finale, d'une austérité qui appelle un vieillissement pour atteindre la plénitude totale. Notez, par ailleurs, le **blanc 98**, très typé, cité par le jury.

SCEA Clément Père et Fils, Dom. de Chatenoy, 18510 Menetou-Salon, tél. 02.48.64.80.25, fax 02.48.64.88.51 r.-v.

G. CHAVET ET FILS 1998★

□ 7,84 ha 69 000 30 à 49 F

Les mots clés de la maison Chavet pourraient être « famille et disponibilité, qualité et renommée ». Le blanc 98 indique par ses caractéristiques la maturité du raisin. Les arômes sont complexes : végétaux (buis), floraux (genêt), fruités (agrumes). La structure gustative est complète : à côté d'une pointe d'amertume, on perçoit surtout le gras et la richesse d'un vin bien fait. Le **rosé 98** est aussi cité.

G. Chavet et Fils, Les Brangers, 18510 Menetou-Salon, tél. 02.48.64.80.87, fax 02.48.64.84.78, e-mail philippe.chavet@wanadoo.fr t.l.j. sf dim. 8h-12h 13h30-18h

CLOS DES BLANCHAIS

Morogues 1998★★★

□ 4 ha 25 000 30 à 49 F

Le Clos des Blanchais tient-il sa dénomination de la couleur de son sol argilo-calcaire ou de sa vocation à produire de grands vins blancs ? Peut-être des deux. Toujours est-il que le cru 1998 a enthousiasmé le jury : fragrances de fruits à chair blanche (pêche, mirabelle), zeste d'agrumes, relevés d'épices et de notes minérales. Fraîcheur et persistance, concentration et surmaturation, finesse et subtilité : sublime.

Dom. Henry Pellé, rte d'Aubinges, 18220 Morogues, tél. 02.48.64.42.48, fax 02.48.64.36.88, e-mail domaine.henry.pelle@wanadoo.fr t.l.j. sf sam. dim. 8h-12h 13h30-18h

Anne Pellé

DOM. DE COQUIN 1998

■ 2,4 ha 14 000 30 à 49 F

Le domaine est situé sur l'ancien château de Coquin qui a été détruit voilà quelques siècles. Le vignoble, lui, a été reconstitué. Rubis léger à l'œil, ce vin rouge présente des arômes de type plutôt végétal (épices, fumée, léger caramel). L'attaque est souple, suivie par la montée de tanins encore quelque peu sévères en finale. A attendre.

Francis Audiot, Dom. de Coquin, 18510 Menetou-Salon, tél. 02.48.64.80.46, fax 02.48.64.84.51 r.-v.

CAVES GILBERT 1998

□ 8,67 ha 77 000 30 à 49 F

Il est encore sur sa réserve. Un peu d'oxygène, une aération, lui permettent de laisser poindre ses arômes : fleurs puis fruits blancs et épices. La structure apparaît dominée par de la vivacité et une légère amertume. Excellent pour accompagner des fruits de mer.

SCEV Caves Gilbert, Les Faucards, 18510 Menetou-Salon, tél. 02.48.64.80.77, fax 02.48.64.82.55 r.-v.

JEAN-PAUL GODINAT 1998

□ 10 ha 80 000 30 à 49 F

Il annonce la couleur par des reflets or mêlés d'argent et de vert. Il poursuit son discours par une belle intensité aromatique où le végétal l'emporte sur le floral et les agrumes. Il retient l'attention pour son équilibre, gras en attaque, suivi d'une légèreté plaisante.

Jean-Paul Godinat, 34, rte de Bourges, 18510 Menetou-Salon, tél. 02.48.64.88.88, fax 02.48.64.87.97 r.-v.

LA TOUR SAINT-MARTIN

Morogues 1998★★

□ 6,5 ha 55 000 30 à 49 F

Quelle complexité, quelle variété d'arômes ! On y découvre le verger et les fruits blancs, les fleurs du jardin, les agrumes et les épices pour l'exotisme. La bouche est gourmande, d'un bon volume, avec une vivacité équilibrée. Dans la lignée de la Tour Saint-Martin. Le jury a aussi remarqué cette même cuvée en **rouge 98**, citée pour sa concentration.

Albane et Bertrand Minchin, La Tour Saint-Martin, 18340 Crosses, tél. 02.48.25.02.95, fax 02.48.25.05.95, e-mail tour.saint.martin@wanadoo.fr r.-v.

LE PRIEURE DE SAINT-CEOLS

Cuvée des Bénédictins 1997★★

□ 1 ha 6 000 30 à 49 F

Des raisins sélectionnés avec bonheur par Pierre Jacolin et un élevage spécifique aboutissent à cette magnifique Cuvée des Bénédictins. Après avoir respiré les fruits mûrs (poire) et les épices (poivre), on est séduit par la rondeur et la longueur. Un vin fort ample et très complet.

Pierre Jacolin, Le Prieuré de Saint-Céols, 18220 Saint-Céols, tél. 02.48.64.40.75, fax 02.48.64.41.15 t.l.j. sf dim. 8h-19h

DOM. DE LOYE 1998

□ 8 ha 64 000 30 à 49 F

Le domaine de Loye est constitué de terroirs argilo-calcaires. Comme dans beaucoup de 98, le nez est plus loquace que la bouche. S'y mélangent le floral et le fruité (mangue), le minéral et les épices (menthe). La bouche est pleine et souple et d'une longueur tout à fait correcte. A essayer sur une volaille en sauce.

🔑 Jean-Bernard Moindrot, Dom. de Loye, 18220 Morogues, tél. 02.48.64.35.17, fax 02.48.64.41.29 ☑ 𝐘 r.-v.

DOM. DU PRIEURE 1998*

■ 8,5 ha 70 000 🍾 30 à 49 F

De l'œil au nez, tout est intense, net et riche : la couleur grenat, les arômes de fruits rouges (cerise, griotte). En bouche apparaissent la structure et l'harmonie. On pourrait regretter que la fin soit un peu rapide mais ce n'est que jeunesse, et vous saurez apprécier sa franchise et son naturel.

🔑 SCEA du Prieuré, 14, rte de la Gare, 18510 Menetou-Salon, tél. 02.48.64.88.39, fax 02.48.64.85.95 ☑ 𝐘 t.l.j. sf sam. dim. 8h-12h 14h-18h; f. 1er-15 août

🔑 Gogué

DOM. JEAN TEILLER 1998**

☐ 6,5 ha 400 000 🍾🌡 30 à 49 F

La régularité est un atout primordial lorsqu'il s'agit de proposer des vins de qualité. Jean-Jacques Teiller, fidèle du Guide, en est un exemple. Voilà un menetou-salon blanc 98 qui mérite les honneurs : arômes intenses et agréables de fruits exotiques et d'acacia, rehaussés d'une pointe végétale. Bel équilibre au palais, avec beaucoup de gras et de rondeur. A retenir sans hésitation.

🔑 Dom. Jean Teiller, 13, rte de la Gare, 18510 Menetou-Salon, tél. 02.48.64.80.71, fax 02.48.64.86.92 ☑ 𝐘 t.l.j. sf dim. 8h-12h 14h-19h

🔑 J.-J. Teiller

CHRISTOPHE ET GUY TURPIN
Morogues 1998*

☐ 6 ha 40 000 🍾🌡 30 à 49 F

La qualité s'exprime ici en deux termes : puissance et fruité (mirabelle très mûre, ananas). Le palais est d'abord flatté par des sensations de matière, de richesse, puis marqué par une acidité convenable et une bonne persistance. Une très belle réussite qu'un poisson en sauce valoriserait parfaitement.

🔑 GAEC Turpin, 11, pl. de l'Eglise, 18220 Morogues, tél. 02.48.64.32.24, fax 02.48.64.32.24 ☑ 𝐘 r.-v.

Pouilly-fumé et pouilly-sur-loire

Œuvre de moines, et qui plus est de bénédictins, voilà l'heureux vignoble des vins blancs secs de Pouilly-sur-Loire ! La Loire s'y heurte à un promontoire calcaire qui la rejette vers le nord-ouest, mais dont le sol, moins calcaire cependant qu'à Sancerre, sert de support privilégié au vignoble exposé sud-sud-est. C'est là que l'on retrouve les vignes de sauvignon « blanc fumé », lequel aura bientôt entièrement supplanté le chasselas, pourtant historiquement lié à Pouilly et producteur d'un vin non dénué de charme lorsqu'il est cultivé sur sols siliceux. Le pouilly-sur-loire (50 ha) a produit 2 633 hl en 1998, alors que le pouilly-fumé (950 ha) a donné 66 041 hl d'un vin qui traduit bien les qualités enfouies en terres calcaires : une fraîcheur qui n'exclut pas une certaine fermeté, un assortiment d'arômes spécifiques du cépage, affinés par le milieu de culture et les conditions de fermentation du moût.

Ici encore la vigne s'intègre harmonieusement aux paysages de Loire où le charme des lieux-dits (les Cornets, les Loges, le calvaire de Saint-Andelain...) fait pressentir la qualité des vins. Fromages secs et fruits de mer leur conviendront, mais ils seront séduisants aussi en apéritif, servis bien frais.

Pouilly-fumé

MICHEL BAILLY 1998*

☐ 12,8 ha n.c. 🍾🌡 30 à 49 F

Le style peut paraître fluet, mais ne nous y trompons pas : il a de la réserve et tiendra la distance. Les arômes restent fermés (mie de pain et pamplemousse). La bouche est ferme, avec des notes de citron mûr et de fougère. Mais derrière cette façade, on devine la concentration, le gras et le volume d'un vin qui se met en place pour de beaux jours.

🔑 EARL Michel Bailly, 3, rue Saint-Vincent, Les Loges, 58150 Pouilly-sur-Loire, tél. 03.86.39.04.78, fax 03.86.39.05.25 ☑ 𝐘 r.-v.

JEAN-PIERRE BAILLY 1998**

☐ 11 ha 30 000 🍾🌡 30 à 49 F

Il s'exprime avec générosité : arômes ouverts, plutôt végétaux (anis, épices). Il emplit bien la bouche, manifestant une rare rondeur, presque du charnu. La finale nerveuse (acacia fendu) ne masque en rien la longueur. A quelques mètres des bords de Loire, Jean-Pierre Bailly est bien placé pour parler du saumon qui accompagnerait à merveille ce fumé 98 très complet.

🔑 Jean-Pierre Bailly, Les Girarmes, 11, rue des Coteaux, 58150 Tracy-sur-Loire, tél. 03.86.26.14.32, fax 03.86.26.16.13 ☑ 𝐘 r.-v.

LOIRE

DOM. DE BEL AIR 1998★

☐ 10,4 ha 30 000 🍷 30 à 49 F

Avec Gérard, le père, Cédric, le fils, Katia, la fille, et Eric, le gendre, le domaine de Bel Air est bien une exploitation familiale. L'expression gustative de ce 98 est encore fermée. L'aération l'affine et l'amplifie dans des notes florales et citronnées. La petite dureté minérale devrait s'effacer pour laisser toute sa place à une riche matière. Pour accompagner des poissons.

EARL Mauroy-Gauliez, Le Bouchot, 58150 Pouilly-sur-Loire, tél. 03.86.39.15.85, fax 03.86.39.19.52 ☑ Y t.l.j. 8h-12h30 13h30-19h30

DOM. DES BERTHIERS 1998

☐ 12,5 ha 95 000 🍷 30 à 49 F

La continuité est, à l'évidence, bien assurée depuis la reprise, le 1er décembre 1995, de cette ancienne exploitation viticole de Saint-Andelain par la famille Fournier, de Sancerre. Or pâle à reflet vert, ce vin n'était pas au mieux de sa forme le 10 mars, jour de la dégustation. Mais la bouche nous informe plus précisément sur le bon potentiel qualitatif : elle exprime déjà le terroir et les raisins mûrs. On peut lui faire confiance dès la sortie du Guide.

SCEA Dom. des Berthiers, B.P. 30, 58150 Saint-Andelain, tél. 03.86.39.12.85, fax 03.86.39.12.94, e-mail claude@fournier.père.fil.fr ☑ Y t.l.j. 9h-17h; sam. dim. sur r.-v.

J.-C. Dagueneau

GILLES BLANCHET
Les Champs des Plantes 1998

☐ 0,8 ha 6 500 🍷 30 à 49 F

Il n'est pas habituel de rencontrer dans un vin jeune, et encore moins dans un pouilly-fumé, ces arômes pétrolés soulignés par des notes de fruits verts. Si le nez est difficile à cerner, la bouche est plus conformiste, nous promettant d'être au rendez-vous pour la sortie du Guide.

Gilles Blanchet, Les Berthiers, 58150 Saint-Andelain, tél. 03.86.39.14.03, fax 03.86.39.00.54 ☑ Y r.-v.

HENRI BOURGEOIS
La Demoiselle de Bourgeois 1998★

☐ 3,8 ha 28 000 🍷 70 à 99 F

Issue d'une sélection rigoureuse à la vigne, la Demoiselle de Bourgeois est récoltée sur les marnes kimméridgiennes de Saint-Laurent-l'Abbaye. Assemblage de cuves et de fûts, cette bouteille est faite pour passer à travers les années. Dégustée en début d'élevage, elle offre des arômes intenses (groseille, buis, léger pamplemousse). Le palais est bien enveloppé, avec une impression de plénitude et d'harmonie. Typique du millésime.

Dom. Henri Bourgeois, Chavignol, 18300 Sancerre, tél. 02.48.78.53.20, fax 02.48.54.14.24, e-mail bourgeois.sancerre@wanadoo.fr ☑ Y r.-v.

DOMINIQUE BRISSET 1998★

☐ 6,77 ha 40 000 30 à 49 F

On est séduit par la richesse aromatique (coupe de fruits très mûrs) de ce vin. On pense au raisin bien sûr, mais on évoque aussi des nuances de poire et d'abricot, des notes beurrées, un gras étonnant. Une véritable bouffée de fraîcheur.

Dominique Brisset, 18, rue des Levées, Bois Fleury, 58150 Tracy-sur-Loire, tél. 03.86.26.16.72, fax 03.86.26.19.87 ☑ Y r.-v.

DOM. A. CAILBOURDIN Les Cris 1998

☐ 4 ha 30 000 🍷 50 à 69 F

Le « Cris » signifie, dans le langage local, le calcaire dur qui donne des vins prêts assez tôt. Celui-ci, pour faire exception, s'avère particulièrement peu évolué, marqué au premier nez par la levure et une note de grillé. L'aération lui est favorable, permettant de révéler son fruité. La vivacité et l'amertume sont là pour nous confirmer qu'il faudra attendre quelques mois pour apprécier pleinement ce 98.

Dom. Alain Cailbourdin, R.N. 7, Maltaverne, 58150 Pouilly-sur-Loire, tél. 03.86.26.17.73, fax 03.86.26.14.73 ☑ Y r.-v.

DOM. CHAMPEAU 1998★

☐ 12 ha 60 000 30 à 49 F

Franck et Guy Champeau sont deux passionnés qui affichent une belle constance dans leur travail. L'assemblage qu'ils nous offrent est marqué par le floral mais aussi par le fruité. La structure solide et la pointe d'amertume nous enlèvent tout souci quant à son potentiel de conservation et de développement. Un vin d'avenir.

SCEA Dom. Champeau, Le Bourg, 58150 Saint-Andelain, tél. 03.86.39.15.61, fax 03.86.39.19.44 ☑ Y t.l.j. 8h-19h

Franck et Guy Champeau

CHATELAIN PRESTIGE
Vieilles vignes 1996★

☐ 3 ha 15 000 🍷 70 à 99 F

A cuvée spéciale, soins particuliers. Assemblage d'argilo-calcaire et de silex, de fûts et de cuves, Châtelain Prestige, embouteillé après un élevage de dix-huit mois, vise la durée. Il est d'une bonne complexité : le cassis domine, mais laisse apparaître ensuite le sous-bois, la fougère. Un vin mûr, bien équilibré, à servir par exemple sur un filet de sole au beurre blanc.

Jean-Claude Châtelain, Les Berthiers, 58150 Saint-Andelain, tél. 03.86.39.17.46, fax 03.86.39.01.13, e-mail jean-claude.chatelain@wanadoo.fr ☑ Y r.-v.

DOM. CHAUVEAU Les Croqloups 1998★

☐ 0,8 ha n.c. 30 à 49 F

Tout nouvellement installé sur le domaine, Benoît Chauveau vient aussi de prendre place dans le Guide avec deux cuvées. Ces Croqloups présentent un nez, certes encore discret, mais complexe où le floral domine le minéral. La structure est d'une plaisante légèreté, finissant sur une pointe de sécheresse. Quelques mois permettront d'arrondir et d'harmoniser l'ensemble.

La cuvée **La Charmette 98** est citée pour l'intensité de ses arômes.
🔑 Benoît Chauveau, Les Cassiers, 58150 Saint-Andelain, tél. 03.86.39.15.42, fax 03.86.39.19.46 ☑ 🍷 t.l.j. 9h-12h 14h-20h

PATRICK COULBOIS Les Cocques 1998★

☐ 8 ha 36 000 30 à 49 F

Le terroir, argile à silex, est encore caché derrière les arômes de pamplemousse et de rose. Cependant, les notes minérales percent pour peu que l'on attende. La structure, tout en force, et l'équilibre, tout en devenir, imposent leur présence parmi cette sélection des meilleurs.
🔑 Patrick Coulbois, Les Berthiers, 58150 Saint-Andelain, tél. 03.86.39.15.69, fax 03.86.39.12.14 ☑ 🍷 r.-v.

CAVE DES CRIOTS 1998★

☐ 10 ha 60 000 30 à 49 F

Pour ses vingt ans de viticulture, Bruno Blondelet propose un pouilly-fumé très réussi issu d'un sol argilo-calcaire. Que le terroir est bien valorisé dans cette cuvée ! Le nez est très caractéristique ; déjà intense, il peut s'ouvrir encore plus (fleurs blanches, menthe). Une belle continuité tout au long de la dégustation avec un heureux fil conducteur : typé sauvignon.
🔑 Bruno Blondelet, Cave des Criots, Le Bouchot, 58150 Pouilly-sur-Loire, tél. 03.86.39.18.75, fax 03.86.39.06.65 ☑ 🍷 r.-v.

CH. FAVRAY 1998★

☐ 13 ha 90 000 50 à 69 F

Après le coup de cœur obtenu pour son 97, Quentin David prouve son savoir-faire. La dominante minérale, au nez comme au palais, n'est que le signe d'une vigueur de jeunesse, qui tend à masquer le fruité. Nul doute que ce vin a besoin de temps pour évoluer et s'ouvrir comme l'indiquent son harmonie et sa longueur.
🔑 Quentin David, Ch. Favray, 58150 Saint-Martin-sur-Nohain, tél. 03.86.26.19.05, fax 03.86.26.11.59 ☑ 🍷 r.-v.

ANDRE ET EDMOND FIGEAT 1998★★

☐ 1,5 ha 10 000 50 à 69 F

Vous ne pouvez manquer leur cave installée dans la Côte du Nozet, juste avant d'arriver à Pouilly. Mais plus encore, leur pouilly-fumé retiendra votre attention. Le nez est intense, floral, fruité (ananas) et minéral. La bouche est franche, fraîche et ample. C'est sans détour que cette bouteille affiche toute sa personnalité.
🔑 Dom. André et Edmond Figeat, Côte du Nozet, 58150 Pouilly-sur-Loire, tél. 03.86.39.19.39, fax 03.86.39.19.00 ☑ 🍷 r.-v.

LA CHATELLIERE 1998★

☐ 3 ha 20 000 50 à 69 F

Une cuvée qui se veut féminine. Par son nom, elle l'est. Par son caractère : voyez ! Robe brillante, or vert. Parfums puissants et fruités à croquer (orange, cassis, pomme). Toute la tendresse et la rondeur, séductrice en approche. En finale, une pointe de nervosité pour se faire respecter dans le temps. Oui, elle plaira ! **La Renardière 98** est également retenue avec une étoile.
🔑 EARL Bouchié-Chatellier, Le Bourg, 58150 Saint-Andelain, tél. 03.86.39.14.01, fax 03.86.39.05.18 🍷 r.-v.

DE LADOUCETTE 1997

☐ 70 ha n.c. 70 à 99 F

La maison de Ladoucette, installée au château du Nozet, recherche un potentiel de garde dans ses pouilly-fumés, notamment par un élevage prolongé de dix-huit mois, dont neuf sur lies avec bâtonnage. Ceci explique la fraîcheur des arômes de ce 97 (bourgeon de cassis, végétal). Il se cherche encore et reste fermé, ce qui ne manque pas de surprendre. Sachons être patients.
🔑 De Ladoucette, Ch. du Nozet, 58150 Pouilly-sur-Loire, tél. 03.86.39.18.33, fax 03.86.39.18.33 ☑ 🍷 r.-v.

DOM. LANDRAT-GUYOLLOT Carte Noire 1997★

☐ 0,5 ha 2 600 70 à 99 F

La Carte Noire est une sélection issue de vignes âgées de trente-cinq ans en moyenne. La bouteille traduit ces origines par sa typicité aromatique (sureau, genêt avec une touche de fruits secs). La bouche, d'une bonne longueur, est toute en délicatesse. Belle expression du cépage et du terroir.
🔑 Dom. Landrat-Guyollot, Les Berthiers, 58150 Saint-Andelain, tél. 03.86.39.11.83, fax 03.86.39.11.65 ☑ 🍷 t.l.j. 9h-19h; groupes sur r.-v.

LES VIEILLOTTES 1998★

☐ n.c. 40 000 50 à 69 F

Le docteur Sébillotte et Paul Mollet ont voulu créer cette cave en 1948 pour contribuer au renouveau du vignoble de Pouilly. Cette cuvée est issue d'une sélection de vendanges à la propriété. Le nez, s'il reste discret, n'est pas dénué de qualités qui donnent lieu à un débat et qui demandent à s'harmoniser : d'un côté de la fraîcheur (pomme verte), de l'autre une certaine maturité (noisette). La bouche rassemble mieux les avis sur son harmonie et sa persistance.
🔑 Caves de Pouilly-sur-Loire, 39, av. de la Tuilerie, 58150 Pouilly-sur-Loire, tél. 03.86.39.10.99, fax 03.86.39.02.28, e-mail cavespouilly.loire@wanadoo.fr ☑ 🍷 r.-v.

CUVEE MAJORUM 1996★★

☐ 8 ha 32 000 100 à 149 F

Produite uniquement dans les beaux millésimes, la Cuvée Majorum est d'abord une sélection des meilleurs raisins, ensuite le fruit d'un patient élevage. Le vin respire la lente maturation maîtrisée : senteurs puissantes de fruits mûrs (cassis), de truffe, avec une touche de miel. Ample, gras et long en bouche, il a de la classe !
🔑 SA Michel Redde et Fils, La Moynerie, 58150 Pouilly-sur-Loire, tél. 03.86.39.14.72, fax 03.86.39.04.36, e-mail thierry-redde@michel-redde.fr ☑ 🍷 r.-v.
🔑 Thierry Redde

DOM. MASSON-BLONDELET
Villa Paulus 1998★★★

☐ 5 ha 40 000 ▮♁ 50 à 69 F

Si Jean-Michel Masson rime avec passion, tradition ou sauvignon, pour 1998 Villa Paulus se décline avec coup de cœur ! Toujours présent depuis la création du Guide, il reçoit, une fois de plus, l'honneur suprême. D'emblée, la puissance aromatique s'exprime par toute une séquence d'évocations (minéral, floral, asperge, coing...). La structure, pleine et vive, support d'une complexité et d'une persistance de charme, y répond comme en écho. Superbe.

⚷ Jean-Michel Masson, 1, rue de Paris, 58150 Pouilly-sur-Loire, tél. 03.86.39.00.34, fax 03.86.39.04.61 ☒ Y r.-v.

DOM. ROGER PABIOT ET SES FILS
Coteau des Girarmes 1998

☐ 12 ha 80 000 ▮♁ 30 à 49 F

Coing, noisette, nuances grillées : ce sont là des caractères aromatiques inattendus dans un jeune pouilly-fumé 98. Mais c'est aussi cela et peut-être même d'abord cela, le charme du sauvignon avec sa variété infinie d'expressions selon les terroirs et les hommes. La bouche est plus classique avec sa pointe de verdeur qui doit évoluer favorablement. La **cuvée Silex de Tracy 97** élevée sur lie a de beaux arômes fruités (coing, fruits confits, agrumes). Franche, elle mérite votre attention. (50 à 69 F)

⚷ Dom. Roger Pabiot et ses Fils, 13, rte de Pouilly, Boisgibault, 58150 Tracy-sur-Loire, tél. 03.86.26.18.41, fax 03.86.26.19.89 ☒ Y r.-v.

PHILIPPE RAIMBAULT
La Montée des Lumeaux 1998★

☐ 1,6 ha 15 000 ▮♁ 50 à 69 F

Philippe Raimbault n'est pas nouveau dans le métier de vigneron, mais après quinze ans d'association familiale, c'est sa première récolte à titre personnel. Une bonne base pour se lancer, avec des arômes à la fois intenses et fins : citron, pierre à fusil et menthol. La bouche apparaît bien enrobée, légèrement réglisse. Le soin apporté à cette cuvée est déjà récompensé, et il sera suivi, n'en doutons pas, d'autres succès.

⚷ Philippe Raimbault, rte de Maimbray, 18300 Sury-en-Vaux, tél. 02.48.79.29.54, fax 02.48.79.29.51 ☒ Y r.-v.

DOM. DE RIAUX 1998★★★

☐ 7 ha n.c. ▮♁ 30 à 49 F

Bertrand Jeannot et son fils Alexis ont une grande partie de leur vignoble sur les argiles à silex dont provient cette cuvée. L'expression est distinguée, complexe et très typée : rose, acacia, menthe, épices. Le palais est impressionnant : dès l'abord, on sent la franchise, la netteté du propos. Puis, il vous livre, haut et fort, toute sa générosité : il est rond avec du volume et une excellente persistance. Un superbe équilibre pour ce vin de garde.

⚷ GAEC Jeannot Père et Fils, Dom. de Riaux, 58150 Saint-Andelain, tél. 03.86.39.11.37, fax 03.86.39.06.21 ☒ Y r.-v.

GUY SAGET Les Logères 1998

☐ 36,5 ha 300 000 ▮ 30 à 49 F

On est flatté par le style gai, frais et floral de ses parfums qui vous attirent et vous retiennent dès le premier contact. La bouche est plaisante en attaque, facile, et se répand sur des arômes de fruits de la passion et de banane. Sera prêt pour les prochaines fêtes.

⚷ SA Guy Saget, La Castille, 58150 Pouilly-sur-Loire, tél. 03.86.39.57.75, fax 03.86.39.08.30 ☒ Y t.l.j. 8h-12h 14h-18h

⚷ J.-L. Saget

DOM. TABORDET 1998★★

☐ 5,9 ha 50 000 ▮♁ 30 à 49 F

Pascal et Yvon Tabordet sont également propriétaires à Sancerre. Leur pouilly-fumé fait déjà preuve d'une étonnante maturité, une anomalie dans le millésime pourrait-on dire ! Arômes très fins d'acacia, de bourgeon de cassis avec un zeste d'orange. La puissance équilibre bien le volume.

⚷ Yvon et Pascal Tabordet, Chaudoux, 18300 Verdigny, tél. 02.48.79.34.01, fax 02.48.79.32.69 ☒ Y r.-v.

DOM. THIBAULT 1998

☐ 12,5 ha 90 000 ▮♁ 50 à 69 F

Le domaine Thibault est la partie pouillyssoise du vignoble d'André Dezat et fils. La cuvée 98 présentée ici est d'une grande finesse avec des arômes (fleurs blanches, buis) qui semblent attendre comme pour mieux bondir et se révéler sans retenue. La bouche est bien dans le type, en particulier par sa finale très raisin de sauvignon. Dès que le côté alcooleux sera digéré, le complet équilibre sera atteint.

⚷ SCEV André Dezat et Fils, Chaudoux, 18300 Verdigny, tél. 02.48.79.38.82, fax 02.48.79.38.24 ☒ Y r.-v.

F. TINEL-BLONDELET
L'Arrêt Buffatte 1998★

☐ 3,5 ha 25 000 ▮♁ 50 à 69 F

L'impression générale se résume en un mot : « sérieux ». Ce pouilly-fumé est bien fait : frais et floral, avec une intensité sans faille. Il y a aussi « de la matière », c'est-à-dire un raisin de bonne tenue à la source. L'ensemble est d'une longueur respectable et harmonieux. Autre cuvée très réussie, **Genetin**, retenue avec une étoile pour sa grande finesse.

🔑 Annick Tinel-Blondelet, La Croix-Canat, 58150 Pouilly-sur-Loire, tél. 03.86.39.13.83, fax 03.86.39.02.94 ☑ Y r.-v.

TONELUM 1997*

☐ n.c. 40 000 ◍ 50 à 69 F

« Ça passe ou ça casse ! » C'est le cas de la cuvée Tonelum qui a enchanté certains et moins plu à d'autres. Est-ce parce qu'elle a fermenté en fûts neufs ? Le bois est si fondu qu'il n'est pas évoqué à la dégustation. Le nez est intense, de bonne maturité, avec une nuance cassis prononcée. La bouche est longue et riche, assortie de notes minérales. Une cuvée de caractère.

🔑 Caves de Pouilly-sur-Loire, 39, av. de la Tuilerie, 58150 Pouilly-sur-Loire, tél. 03.86.39.10.99, fax 03.86.39.02.28, e-mail cavespouilly.loire@wanadoo.fr ☑ Y r.-v.

Pouilly-sur-loire

MICHEL BAILLY 1998*

☐ 0,6 ha n.c. 30 à 49 F

Le hameau des Loges a toujours été réputé pour ses chasselas. Celui-ci s'ouvre, après aération, sur une composante d'agrumes et de fleurs blanches. Le mariage entre l'acidité et le gras est harmonieux. Un vin pour le plaisir.

🔑 EARL Michel Bailly, 3, rue Saint-Vincent, Les Loges, 58150 Pouilly-sur-Loire, tél. 03.86.39.04.78, fax 03.86.39.05.25 ☑ Y r.-v.

DOM. A. CAILBOURDIN 1998*

☐ 0,5 ha 4 000 30 à 49 F

Expression intense et délicate à la fois du pouilly-sur-loire. Les arômes sont élégants (fruits et fleurs blanches). La chaleur tend à prendre le pas sur l'acidité, soutenue par une pointe de gaz carbonique. Ces caractéristiques renforcent la longueur et le volume en bouche et participent à la bonne harmonie générale.

🔑 Dom. Alain Cailbourdin, R.N. 7, Maltaverne, 58150 Pouilly-sur-Loire, tél. 03.86.26.17.73, fax 03.86.26.14.73 ☑ Y r.-v.

DOM. CHAMPEAU 1998

☐ 1,8 ha 8 000 30 à 49 F

Les vignes de chasselas, âgées de quatre-vingts ans, sont plantées sur sol argilo-siliceux. D'agréables notes végétales assurent une présence encore discrète au nez. Rondeur et plénitude caractérisent ce vin déjà harmonieux, printanier par sa légèreté et son équilibre.

🔑 SCEA Dom. Champeau, Le Bourg, 58150 Saint-Andelain, tél. 03.86.39.15.61, fax 03.86.39.19.44 ☑ Y t.l.j. 8h-19h

🔑 Franck et Guy Champeau

PATRICK COULBOIS 1998*

☐ 0,7 ha 3 000 30 à 49 F

Les Coulbois sont vignerons depuis le XVIII^e^s. Aujourd'hui, ils conduisent un domaine de 8,70 ha. Une robe or vert habille ce 98 aux senteurs appuyées de raisin mûr. Il offre surtout une grande réjouissance au palais par sa rondeur et son ampleur. Une finale vive évoque le poivre et l'amande. Une belle réussite.

🔑 Patrick Coulbois, Les Berthiers, 58150 Saint-Andelain, tél. 03.86.39.15.69, fax 03.86.39.12.14 ☑ Y r.-v.

LA MOYNERIE 1998*

☐ 1 ha 6 500 30 à 49 F

Sa première originalité réside dans la jeunesse des vignes dont il est issu : des parcelles en sol argilo-siliceux replantées à la fin des années 80. Cette cuvée séduit par ses arômes minéraux légers, par son caractère tendre et par un gras d'une rare distinction. L'ensemble peut parfaitement s'accorder avec les produits de la mer (coquillages, poissons...).

🔑 SA Michel Redde et Fils, La Moynerie, 58150 Pouilly-sur-Loire, tél. 03.86.39.14.72, fax 03.86.39.04.36, e-mail thierry-redde@michel-redde.fr ☑ Y r.-v.

🔑 Thierry Redde

DOM. ROGER PABIOT ET SES FILS 1998

☐ 0,4 ha 3 000 30 à 49 F

Le perfectionnisme est-il un défaut ? Certainement pas lorsqu'il s'agit du vin. Ce pouilly-sur-loire est le fruit d'une vinification parfaite qui transparaît à travers son descriptif gustatif : or très pâle, arômes de bonbon anglais, attaque fraîche et finale citronnée. Il aura des amateurs.

🔑 Dom. Roger Pabiot et ses Fils, 13, rte de Pouilly, Boisgibault, 58150 Tracy-sur-Loire, tél. 03.86.26.18.41, fax 03.86.26.19.89 ☑ Y r.-v.

DOM. DE RIAUX 1998

☐ 0,4 ha n.c. 20 à 29 F

Même si les arômes ne laissent pas indifférent, jouant dans un répertoire végétal (buis légèrement mentholé), c'est d'abord pour sa structure que ce pouilly-sur-loire mérite une citation. L'évolution gustative est équilibrée tout au long de la bouche, égayée de l'indispensable nervosité qui garantit la tenue. Une valeur sûre, sans surprise.

🔑 GAEC Jeannot Père et Fils, Dom. de Riaux, 58150 Saint-Andelain, tél. 03.86.39.11.37, fax 03.86.39.06.21 ☑ Y r.-v.

SEBASTIEN TREUILLET 1998

☐ 0,45 ha 4 000 20 à 29 F

Le nez a du caractère, d'ailleurs diversement apprécié à en juger par les commentaires des dégustateurs (mentholé à minéral, végéral à pétrolé). La bouche présente une acidité discrète et une finale languissante pour ne pas dire langoureuse. Un vin rafraîchissant.

🔑 Sébastien Treuillet, Fontenille, 58150 Tracy-sur-Loire, tél. 03.86.26.17.06, fax 03.86.26.17.06 ☑ Y t.l.j. 9h-18h

Trouver un vin ? Consultez l'index en fin de volume.

LOIRE

Quincy

C'est sur les bords du Cher, non loin de Bourges et près de Mehun-sur-Yèvre, lieux riches en souvenirs historiques du XVIe s., que les vignobles de Quincy et de Brinay s'étendent sur 180 ha, sur des plateaux recouverts de sable et de graviers anciens.

Le seul cépage sauvignon blanc fournit les vins de quincy (10 257 hl en 1998), qui présentent une grande légèreté, une certaine finesse et de la distinction dans le type frais et fruité.

Si, comme l'écrivait le docteur Guyot au siècle dernier, le cépage domine le cru, quincy apporte aussi la démonstration que, dans une même région, la même variété peut s'exprimer en vins différents selon la nature des sols ; et c'est tant mieux pour l'amateur, qui trouvera ici l'un des plus élégants vins de Loire, à déguster avec les poissons et les fruits de mer aussi bien qu'avec les fromages de chèvre.

DOM. DE CHAMP MARTIN 1998*

☐ 1,2 ha 8 000 30 à 49 F

Surprenante teinte très pâle (platine), premier nez minéral qui s'ouvre après aération vers des arômes de raisins très mûrs à la fraîcheur citronnée. Ce quincy est bien dans le style du millésime par sa bouche souple en attaque, puis nerveuse en finale. Un 98 au tempérament affirmé.

⊶ Didier Rassat, Champ Martin,
18120 Cerbois, tél. 02.48.51.70.19,
fax 02.48.51.70.19 ☑ Y t.l.j. 9h-12h 15h-19h

DOM. DES CROIX 1998*

☐ 1,25 ha 8 000 30 à 49 F

Le bonnet et les gants dans les vignes, le tailleur et les souliers pour les salons, telle est la vie de vigneronne de Sylvie Rouzé. Pour un résultat des plus estimables : jolis parfums de buis, de fleurs et de fruits ; beaucoup de rondeur en bouche, avec la bonne vivacité recherchée ; finesse et équilibre.

⊶ Sylvie Rouzé-Lavault, Les Bruns,
18120 Brinay, tél. 02.48.51.08.51,
fax 02.48.51.05.00 ☑ Y r.-v.

LES BERRY CURIENS 1998*

☐ 2 ha 4 000 30 à 49 F

Composition de nuances végétales et fruitées, les odeurs sont puissantes et typées, avec une pointe iodée, légèrement muscatée. Encore jeune au moment de la dégustation, ce vin gagne à être aéré. La bouche, ample et soyeuse, a beaucoup de caractère et une pointe de vivacité qui ne gêne pas la persistance.

⊶ SCEV Les Berry Curiens,
9, rte Deboisgisson, 18120 Preuilly,
tél. 02.48.51.30.17, fax 02.48.51.35.47 ☑ Y r.-v.

DOM. DE MAISON BLANCHE 1998

☐ n.c. n.c. 20 à 29 F

Le domaine de Maison Blanche est l'une des plus importantes propriétés de Quincy. Le joli nez aux senteurs agréables, végétales et citronnées, est suivi par une bouche nerveuse, quoique fermée. Sachons attendre. L'été devrait être favorable à son évolution. L'harmonie de l'ensemble est équilibrée.

⊶ Dom. de Maison Blanche, chem. des Vignes,
18120 Quincy, tél. 02.48.51.30.01,
fax 02.48.51.30.94 ☑
⊶ Ch. Dumange

DOM. MARDON 1998**

☐ 8 ha 65 000 30 à 49 F

Le 98 du domaine Mardon est une magnifique expression du sauvignon, aux arômes typés, mêlant harmonieusement le végétal, le fruité et le minéral. Bien sûr, il est jeune ; il a besoin de s'ouvrir pour mieux communiquer ce qu'il est vraiment. Sa finesse, sa longueur, son équilibre permettent déjà de le classer parmi les vins remarquables.

⊶ Dom. Mardon, 40, rte de Reuilly,
18120 Quincy, tél. 02.48.51.31.60,
fax 02.48.51.35.55 ☑ Y t.l.j. 9h-12h 14h-19h;
dim. sur r.-v.

PHILIPPE PORTIER 1998**

☐ 5,4 ha 45 000 30 à 49 F

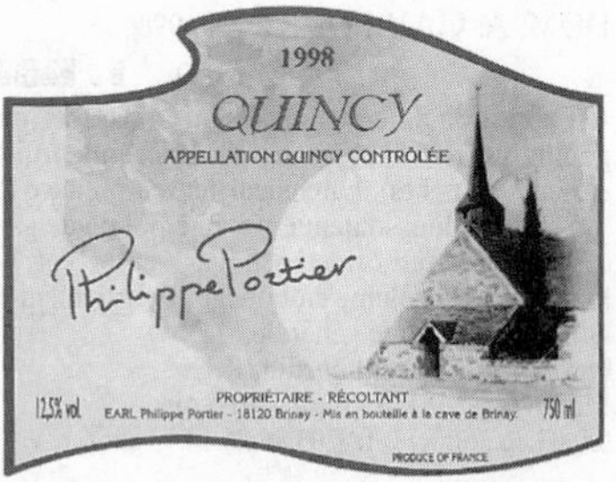

Philippe Portier fait partie de ceux qui ne ménagent pas leurs efforts pour la qualité. La rigueur, à la vigne comme à la cave, n'est pas qu'une belle formule. La réussite est ainsi assurée. Voyez ce 98 aux arômes frais, élégants, marqués par le terroir. La bouche est bien structurée : gras, rondeur et expression fruitée d'une bonne maturité. L'harmonie est le reflet d'un superbe équilibre promis à un bel avenir.

⊶ Dom. Philippe Portier, Bois-Gy-Moreau,
18120 Brinay, tél. 02.48.51.09.02,
fax 02.48.51.00.96 ☑ Y r.-v.

DOM. JACQUES ROUZE
Vignes d'antan 1998

☐ 5 ha 15 000 30 à 49 F

Jacques Rouzé est un vigneron de conviction. Il fait sienne la devise des Compagnons du Poinçon : « Honorer Quincy et lui rester fidèle ».

Cette cuvée Vignes d'antan présente des arômes intenses, à dominante végétale. La bouche est souple et légère, avec des notes empyreumatiques. L'ensemble est bien construit et équilibré.
☛ Dom. Jacques Rouzé, chem. des Vignes, 18120 Quincy, tél. 02.48.51.35.61, fax 02.48.51.05.00 ☑ Ⓨ r.-v.

DOM. DU TONKIN 1998

| ☐ | 2,6 ha | 15 000 | ▮▮ 30 à 49 F |

Très fruité, dans des nuances exotiques de mangue et d'agrumes ; un soupçon d'anis, du floral, beaucoup de finesse. La bouche allie la rondeur et la vivacité, signe d'un bon potentiel de conservation. A boire sur fruits de mer ou fromages.
☛ Dom. du Tonkin, Le Tonkin, 18120 Brinay, tél. 02.48.51.09.72, fax 02.48.51.09.72 ☑ Ⓨ r.-v.
☛ Masson

DOM. TROTEREAU 1998

| ☐ | 10 ha | 40 000 | ▮▮ 30 à 49 F |

De bonne intensité, les arômes sont élégants, évoquant les fleurs et les sous-bois printaniers. D'une structure correcte, la bouche réunit du gras et de l'amertume ce qui est souvent un gage de bonne tenue. Un vin bien sympathique.
☛ Pierre Ragon, rte de Lury, 18120 Quincy, tél. 02.48.51.37.37, fax 02.48.26.82.58, e-mail pragon@aocquincy.com ☑ Ⓨ r.-v.

Reuilly

Par ses coteaux accentués et bien ensoleillés, ses sols remarquables, Reuilly était prédestiné à la plantation de la vigne.

L'appellation recouvre sept communes situées dans l'Indre et le Cher, dans une région charmante traversée par les vertes vallées du Cher, de l'Arnon et du Théols. Elle a produit 8 625 hl de vin en 1998.

Le sauvignon blanc produit l'essentiel des vins de reuilly dans la gamme des blancs secs et fruités, qui prennent ici une ampleur remarquable (5 295 hl en 1998). Le pinot gris fournit localement un rosé de pressoir tendre, délicat, distingué à souhait, mais qui risque de disparaître, supplanté par le pinot noir dont on tire également d'excellents rosés, plus colorés, frais et gouleyants, mais surtout des rouges pleins, enveloppés, toujours légers, au fruité affirmé.

BERNARD AUJARD 1998★

| ☐ | 2,16 ha | 15 000 | ▮▮ 30 à 49 F |

Bernard Aujard, qui se consacre à la viticulture depuis 1988, fait partie des habitués du Guide. Son blanc 98 se présente en toute simplicité. Les dégustateurs ont découvert un nez intense, d'abord végétal, puis fruité (pamplemousse). L'attaque franche, voire nerveuse, ne nuit pas à l'amplitude et à la persistance finale.
☛ Bernard Aujard, 2, rue du Bas-Bourg, 18120 Lazenay, tél. 02.48.51.73.69, fax 02.48.51.79.74 ☑ Ⓨ r.-v.

ANDRE BARBIER 1998★★

| ☐ | 2,1 ha | 10 000 | ▮▮ 30 à 49 F |

Plus fins que puissants, les arômes jouent dans les registres floral (acacia) et fruité (fruits à chair blanche et fruits exotiques). La bouche témoigne d'une remarquable qualité : souplesse, gras, volume, longueur. Un tel potentiel est assez rare pour être signalé et récompensé. A l'unanimité, comme c'est la règle, le jury attribue un coup de cœur à André Barbier.
☛ André Barbier, Le Crot-au-Loup, 18120 Chéry, tél. 02.48.51.75.81, fax 02.48.51.72.47 ☑ Ⓨ r.-v.

DOM. DU BOURDONNAT 1998★

| ☐ | 2 ha | 12 000 | ▮▮ 30 à 49 F |

Quelle gamme d'arômes très « sauvignonnés » : feuille de cassis, buis, fruits exotiques, pamplemousse rose. Voilà une cuvée parfaitement vinifiée, nerveuse à l'attaque mais à la bouche agréablement ronde. D'une bonne persistance, elle a frôlé les deux étoiles.
☛ François Charpentier, Dom. du Bourdonnat, 36260 Reuilly, tél. 02.54.49.28.74, fax 02.54.49.29.91 ☑ Ⓨ r.-v.

PASCAL DESROCHES
Clos des Varennes 1998★★

| ☐ | 2,5 ha | 20 000 | ▮▮ 30 à 49 F |

Par ses arômes, le Clos des Varennes de Pascal Desroches n'a pas laissé de marbre les dégustateurs : pour l'un c'est la pierre à fusil, pour l'autre c'est le végétal type sauvignon, pour un troisième ce sont les fleurs blanches, pour le dernier les fruits exotiques, la pêche et l'abricot. Et le débat de continuer sur la qualité de l'attaque (souple à fraîche). Le type, la longueur, l'harmonie sont appréciés. Et tout le monde s'accorde pour recommander chaleureusement ce vin. N'oubliez pas le **Clos de la Sablière rouge 98**, cité par le jury.

LOIRE

Pascal Desroches, 13, rte de Charost, 18120 Lazenay, tél. 02.48.51.71.60, fax 02.48.51.71.60 r.-v.

CLAUDE LAFOND
Les Grandes Vignes 1998*

■ 3,42 ha 28 000 30 à 49 F

Teinte rubis franc, nuances violacées. Bouquet discret de fruits rouges et de graphite léger. Bouche souple, fruitée (cassis, cerise à l'eau-de-vie). Bonne présence des tanins en finale. Un vin friand et agréable, à déguster sur une salade composée ou des charcuteries. Le **Clos des Messieurs 98** reçoit également une étoile. Sa belle palette aromatique est à la hauteur du volume développé en bouche.

Claude Lafond, Le Bois-Saint-Denis, 36260 Reuilly, tél. 02.54.49.22.17, fax 02.54.49.26.64, e-mail claudelafond@wanadoo.fr t.l.j. 8h-12h 13h30-18h; sam. dim. sur r.-v.

ALAIN MABILLOT 1998

□ 2 ha 10 000 30 à 49 F

Les agrumes dominent nettement la palette aromatique. Cependant, on perçoit également des nuances végétales et, en bouche, des notes fruitées (fruits exotiques et abricot). La vivacité et un certain volume caractérisent l'équilibre gustatif.

Alain Mabillot, Villiers-les-Roses, 36260 Sainte-Lizaigne, tél. 02.54.04.02.09, fax 02.54.04.01.33 r.-v.

GUY MALBETE 1998

□ 3,5 ha 25 000 30 à 49 F

Les arômes de nature végétale dominent les autres nuances (florales et grillées). Après une attaque souple, la bouche gagne en fraîcheur et en gras. L'impression finale reste sur une légèreté certaine, mais digne d'intérêt.

EARL Guy Malbète, 16, chem. du Boulanger, Bois-Saint-Denis, 36260 Reuilly, tél. 02.54.49.25.09, fax 02.54.49.27.49 r.-v.

DOM. DE REUILLY
Les Pierres Plates 1998*

□ 1,2 ha 7 000 30 à 49 F

Denis Jamain a acquis cette propriété en 1998. La vinification de ce 98 a été rationnellement maîtrisée, révélant un beau potentiel aromatique, intense et persistant (bourgeon de cassis, pamplemousse, poivron vert et buis). La structure, encore nerveuse, possède un équilibre des plus agréables. A signaler également le **rouge 98** cité.

SCE Dom. de Reuilly, chem. des Petites-Fontaines, 36260 Reuilly, tél. 02.54.49.35.54 r.-v.

Denis Jamain

DOM. DE SERESNES 1998***

■ 1,02 ha 4 760 50 à 69 F

Si, au nez, le boisé fin et élégant domine le vin sans l'écraser, en bouche la tendance s'inverse : les fruits rouges l'emportent sur le vanillé, surtout en rétro-olfaction. Les tanins sont fondus, soyeux. Ajoutons le charnu, la finesse et la persistance, et voilà l'exemple type du mariage harmonieux, du boisé « intelligent ». Nul doute, ce vin peut aborder l'avenir avec confiance. Autres belles réussites pour Jacques Renaudat : son **reuilly rouge** (une étoile) élevé en cuve et son **reuilly blanc** (cité) du même millésime.

Domaine de Seresnes
Reuilly
1998
Appellation Reuilly Contrôlée
Jacques Renaudat
Propriétaire-Récoltant à "Seresnes" 36260 Diou
750 ml
Mis en bouteille au Domaine
12,5% Vol.

Jacques Renaudat, Seresnes, 36260 Diou, tél. 02.54.49.21.44, fax 02.54.49.30.42 t.l.j. 8h-12h 13h30-19h30; dim. sur r.-v.; f. 15-31 août

JEAN-MICHEL SORBE 1998*

■ 3 ha 15 000 30 à 49 F

Aussi intéressants qu'originaux, derrière le fruit rouge les arômes présentent de curieuses notes anisées, épicées, et des accents de noix de coco. Dans une bouche souple et franche à l'attaque, le boisé a également son mot à dire, apportant de l'astringence en finale, mais sans excès. Déjà mûr, ce vin peut être consommé dès maintenant mais possède aussi un bon potentiel de garde. Autres vins cités : le **rosé 98** et le **blanc 98**.

Jean-Michel Sorbe, 9, rte de Boisgisson, 18120 Preuilly, tél. 02.48.51.30.17, fax 02.48.51.35.47 r.-v.

JACQUES VINCENT 1998**

◪ 1,29 ha 11 000 30 à 49 F

Après une année d'absence, le rosé de Jacques Vincent est de retour et de belle manière. Bien dans son style habituel, ce 98 est tout en nuance et en finesse : œil gris saumoné, arôme intense de fraise, framboise, miel et pamplemousse ; la bouche souple, avec ce qu'il faut de vivacité, est persistante et harmonieuse. Tout simplement, on a envie de le boire. Le **blanc 98** reçoit une étoile pour son fruité et son bel équilibre gustatif, vif et élégant. Quant au **rouge 98**, une étoile lui aussi, il évoque les fruits rouges très mûrs. Ses tanins enveloppés lui confèrent un charme évident.

Jacques Vincent, 11, chem. des Caves, 18120 Lazenay, tél. 02.48.51.73.55, fax 02.48.51.14.96 r.-v.

Sancerre

Sancerre, c'est avant tout un lieu prédestiné dominant la Loire. Sur onze communes, s'étend un magnifique réseau de collines parfaitement adaptées à la viticulture, bien orientées, exposées et protégées, et dont les sols calcaires ou siliceux conviennent à la vigne et contribuent à la qualité des vins ; environ 2 400 ha sont plantés et produisent 158 016 hl en 1998 dont 126 649 hl de vin blanc.

Deux cépages règnent à Sancerre : le sauvignon blanc et le pinot noir, deux raisins éminemment nobles, capables de traduire l'esprit du milieu et du terroir, d'exprimer au mieux les dons des sols qui s'épanouissent dans des blancs (les plus nombreux) frais, jeunes, fruités ; dans des rosés tendres et subtils ; dans des rouges légers, parfumés, enveloppés.

Mais Sancerre, c'est aussi un milieu humain particulièrement attachant. Il n'est pas facile, en effet, de produire un grand vin avec le sauvignon, cépage de deuxième époque de maturité, non loin de la limite nord de la culture de la vigne, à des altitudes de 200 à 300 m qui influencent encore le climat local et sur des sols qui comptent parmi les plus pentus de notre pays, d'autant plus que les fermentations se déroulent dans une conjoncture délicate de fin de saison tardive !

On appréciera particulièrement le sancerre blanc sur les fromages de chèvre secs, comme l'illustre « crottin » de Chavignol, village lui-même producteur de vin, mais aussi sur les poissons ou les entrées chaudes peu épicées ; les rouges iront sur les volailles et les préparations locales de viandes.

DOM. AUCHERE 1998

☐ 4,5 ha 15 000 30 à 49 F

Une bouteille que l'on devra attendre deux à trois ans pour permettre à la finale nerveuse de s'arrondir. Nez intense d'agrumes et lilas sur une pointe d'amande confirmée en bouche, celle-ci se montrant fermée mais prometteuse ; laissons lui le temps de grandir.

Jean-Jacques Auchère, 18, rue de l'Abbaye, 18300 Bué, tél. 02.48.54.15.77, fax 02.48.78.03.46 r.-v.

DOM. JEAN-PAUL BALLAND
Grande Cuvée 1997★★

☐ 2 ha 10 000 70 à 99 F

Cette Grande Cuvée a été élevée en fût de chêne par Jean-Paul Balland qui travaille depuis 1978 avec son épouse. Tous deux sont récompensés par ce coup de cœur car ce millésime 97 est très frais. Miel et fruits exotiques séduisent les dégustateurs tandis que la concentration et la richesse en bouche, bien secondées par une note fraîche, font de ce vin un délice. Citée également, la **cuvée principale en blanc 98**, qui ne connaît pas le bois, très flatteuse et représentative du millésime.

SA Dom. Jean-Paul Balland, chem. de Marloup, 18300 Bué, tél. 02.48.54.07.29, fax 02.48.54.20.94, e-mail balland.jean.paul@wanadoo.fr r.-v.

JOSEPH BALLAND-CHAPUIS
Le Chatillet 1998

☐ 6,5 ha 50 000 30 à 49 F

Le vignoble Balland-Chapuis, récemment entré dans le giron des vignobles Guy Saget, propose deux cuvées de **sancerre blanc 98** : **Belle-Chaume** et Chatillet. Belle-Chaume vous séduira par ses notes minérales et une présence affirmée en bouche. Chatillet par son nez puissant et une finale fraîche. Deux vins à boire sans tarder.

SARL Joseph Balland-Chapuis, La Croix-Saint-Laurent, 18300 Bué, tél. 02.48.54.06.67, fax 02.48.54.07.97 r.-v.

HENRI BOURGEOIS
La Côte des Monts Damnés 1998★

☐ 1,47 ha 12 900 50 à 69 F

Issu des coteaux pentus du village de Chavignol, ce Côtes des Monts Damnés est tout en nuance et délicatesse. C'est un vin charmeur, au caractère féminin, où dominent les fruits blancs. Citées également, la **Grande Réserve blanc 98**, au nez puissant sans nuances et à la finale minérale ainsi que la **Bourgeoise rouge 97**, légèrement boisée, au nez complexe de vanille et de pruneau. Le domaine Bourgeois est toujours une valeur sûre du Sancerrois.

Dom. Henri Bourgeois, Chavignol, 18300 Sancerre, tél. 02.48.78.53.20, fax 02.48.54.14.24, e-mail bourgeois.sancerre@wanadoo.fr r.-v.

DOM. HUBERT BROCHARD
Vieilles vignes 1997★

■ 1 ha 8 000 70 à 99 F

Des vieilles vignes dont le vin est élevé en fût de chêne neuf ; celui-ci est encore très présent comme le révèlent les arômes de grillé, de vanille et de bois, tout simplement. Puissant et gras, bien équilibré, il offre une pointe de myrtille mûre sur une finale un peu épicée. Pour ceux qui aiment découvrir la provenance des fûts de chêne... dans deux ou trois ans.

SA Dom. Hubert Brochard, Chavignol, 18300 Sancerre, tél. 02.48.54.12.92, fax 02.48.54.12.58 t.l.j. 8h-12h 14h-18h

LOIRE

DOM. DU CARROU 1998★★

■   3 ha   19 000 ▮ ❙❙❙ ⬤ ▮ 50 à 69 F

Les mathématiciens parlent « d'identités remarquables », les amateurs parleront de remarquable identité pour ce très beau rouge harmonieux, élégant dans sa robe grenat. Le joli mariage des fruits et du bois permettra de conserver ce vin quelques années.
🖐 Dominique Roger, 7, pl. du Carrou,
18300 Bué, tél. 02.48.54.10.65, fax 02.48.54.38.77
☑ ⛨ t.l.j. 8h30-12h 13h30-19h; dim. sur r.-v.

DANIEL CHOTARD 1997★

■   1,8 ha   10 000 ▮ ❙❙❙ ⬤ ▮ 50 à 69 F

Coup de cœur pour son 94, dans le Guide, en 97, cité en 98, Daniel Chotard enchante encore le jury avec ce rouge 97 assez sophistiqué. Il a un nez puissant où la cerise et le cassis s'associent à la vanille. Les arômes s'intensifient en bouche où la rondeur et le fondu font merveille. Citons également le **blanc 98** à la perception élégante de genêt et sous-bois.
🖐 Daniel Chotard, Hameau de Reigny,
18300 Crézancy-en-Sancerre, tél. 02.48.79.08.12,
fax 02.48.79.09.21 ☑ ⛨ t.l.j. 9h-18h; dim. sur r.-v.

CLOS DU ROY 1997★

☐   1,5 ha   12 000 ▮ ⬤ ▮ 30 à 49 F

Une étiquette fleurie pour ce 97 très réussi offrant une corbeille de fruits exotiques au nez. La très bonne bouche se montre ferme mais ample. Sa persistance lui sied bien.
🖐 Roger Champault et Fils, Champtin,
18300 Crézancy-en-Sancerre, tél. 02.48.79.00.03,
fax 02.48.79.09.17 ☑ ⛨ r.-v.

CLOS PARADIS 1998

☐   4,5 ha   25 000 ▮ ⬤ ▮ 50 à 69 F

Propriétaires-récoltants et négociants sérieux, Pierre et Jean-Michel Fouassier sont cités régulièrement dans le Guide Hachette. Deux vins ont retenu l'attention du jury. Un sancerre blanc classique, le **Domaine Les Grands Groux 98**, au nez de miel et à l'équilibre dominé par une pointe d'acidité. Le Clos Paradis, plus charmeur par son attaque souple et ses parfums fruités.
🖐 SA Fouassier Père et Fils, 180, av. de Verdun, 18300 Sancerre, tél. 02.48.54.02.34,
fax 02.48.54.35.61 ☑ ⛨ t.l.j. 9h-12h 14h-18h

DOM. DAULNY 1998★★

☐   5,5 ha   40 000 ▮ ⬤ ▮ 30 à 49 F

Voici un vin qui se bat pour le succès ! Il a un superbe nez d'agrumes avec une petite note florale, des arômes de bouche remarquables - pêche avec une finale pamplemousse. Sa structure est parfaite, constituée d'une matière impressionnante. Il ne laissera pas les amateurs indifférents.
🖐 Etienne Daulny, Chaudenay,
18300 Verdigny, tél. 02.48.79.33.96,
fax 02.48.79.33.39 ☑ ⛨ r.-v.

DAUNY 1998

☐   5,5 ha   39 000 ▮ ▮ 30 à 49 F

Souci de l'environnement et typicité du produit font bon ménage au domaine de Nicole et Christian Dauny. Issu de l'agriculture biologi-

que, ce sancerre 98 est une vin de plaisir pur. Notes d'acacia et d'agrumes, finale minérale agréable.
🖐 Nicole et Christian Dauny, Champtin,
18300 Crézancy-en-Sancerre, tél. 02.48.79.05.75,
fax 02.48.79.02.54 ☑ ⛨ r.-v.

DOM. PASCAL DOUDEAU-LEGER 1998★

☐   5,7 ha   n.c.   ▮ 30 à 49 F

Une belle élégance dans ce blanc à la couleur or pâle à reflets verts, d'une bonne intensité aromatique, vif, équilibré ; la finale est agréable. Impression générale très positive !
🖐 Pascal Doudeau, Les Giraults, 18300 Sury-en-Vaux, tél. 02.48.79.32.26 ☑ ⛨ t.l.j. 10h-12h 14h-19h

GERARD FIOU 1997

■   1,69 ha   8 000   ❙❙❙ 30 à 49 F

Viticulteur ayant l'amour du travail bien fait, Gérard Fiou a réussi le **blanc 98**, typique de l'appellation, et proposé un beau rouge 97, élevé dix mois en fût, au nez délicat et à la bouche gouleyante développant des arômes de réglisse et de pruneau sur des tanins agréables.
🖐 Gérard Fiou, 13-15, rue Hilaire-Amagat,
18300 Saint-Satur, tél. 02.48.54.16.17,
fax 02.48.54.36.89 ☑ ⛨ r.-v.

DOM. MICHEL GIRARD ET FILS 1998

☐   7,5 ha   60 000 ▮ ⬤ ▮ 50 à 69 F

Sous une douce couleur, le bourgeon de cassis apparaît sur des notes florales. Gras au palais où les fruits cuits dominent, le vin finit chaleureusement sur des arômes exotiques.
🖐 Dom. Michel Girard et Fils, Chaudoux,
18300 Verdigny, tél. 02.48.79.33.36,
fax 02.48.79.33.66 ☑ ⛨ t.l.j. 7h30-20h; dim. sur r.-v.

DOM. DES GRANDES PERRIERES 1998★

☐   1,5 ha   12 000 ▮ 30 à 49 F

Jérôme Gueneau fait un beau parcours depuis son installation en 1991. Il propose cette année un très beau vin à forte intensité aromatique, typique du millésime 98. L'agréable vivacité de l'attaque demeure en bouche, tout en offrant du gras et une harmonie délicate.
🖐 Jérôme Gueneau, Les Grandes-Perrières,
18300 Sury-en-Vaux, tél. 02.48.79.39.31,
fax 02.48.79.40.27 ☑ ⛨ t.l.j. 8h-20h

ALAIN GUENEAU La Guiberte 1998

◢   0,8 ha   n.c.   ▮ ⬤ ▮ 30 à 49 F

Ce rosé est très souple. La violette se retrouve au nez comme en bouche, celle-ci lui associant une cerise discrète. Un vin désaltérant.
🖐 Alain Gueneau, Maison Sallé, 18300 Sury-en-Vaux, tél. 02.48.79.30.51, fax 02.48.79.36.89
☑ ⛨ r.-v.

LA CROIX DU ROY 1997★

■   5 ha   30 000 ▮ ❙❙❙ ⬤ ▮ 70 à 99 F

Le « Roy » porte fièrement son nom. Le pourpre de sa robe s'allie aux notes animales et de pain grillé. Beaucoup de matière en bouche où le pruneau cuit domine jusqu'en finale où pointent des arômes épicés. Un vin de caractère, très typé 97. Autres cuvées sélectionnées en **blanc, Prestige 97**, une étoile pour ses arômes enchanteurs associant le terroir à la douceur du miel - exemple parfait du travail de ce vigneron-négociant qui pivilégie la qualité du raisin ; ainsi qu'une cuvée **Le Chêne 98** - élevée en cuve (son nom n'évoque en rien le type d'élevage !) fort bien élaborée.

SA Lucien Crochet, pl. de l'Eglise, 18300 Bué, tél. 02.48.54.08.10, fax 02.48.54.27.66, e-mail lcrochet@terre-net.fr t.l.j. sf dim. 8h30-12h30 13h30-18h; sam. sur r.-v.

SERGE LALOUE 1998★★

7 ha 60 000 30 à 49 F

Serge et Franck Laloue ont réussi une très belle cuvée 98, avec ce vin au nez discret de rose relevé d'une pointe de torréfaction. Il a beaucoup de corps, une vivacité 98 typique, une fermeté en finale sur des notes de soucis et d'iris. Goûtez également la cuvée **Silex 98 en blanc** à attendre, ainsi que le **rouge 97** arrivé à maturité, cité.

Serge Laloue, Thauvenay, 18300 Sancerre, tél. 02.48.79.94.10, fax 02.48.79.92.48, e-mail laloue@terre-net.fr r.-v.

DOM. LA MOUSSIERE 1998★

35 ha 200 000 50 à 69 F

Situées au cœur de la ville de Sancerre, les caves labyrinthiques d'Alphonse Mellot valent qu'on s'y arrête. Ce domaine La Moussière 98, à la couleur soutenue, attaque fort sur les arômes. La bouche est fougueuse avec une finale citronnée, bien dans le millésime.

Alphonse Mellot, Dom. La Moussière, 18300 Sancerre, tél. 02.48.54.07.41, fax 02.48.54.07.62 r.-v.

DOM. DE LA ROSSIGNOLE 1998★

2 ha 15 000 50 à 69 F

En 1984, les fils de Pierre Cherrier, François et Jean-Marie, ont rejoint le domaine de 14 ha. Ils proposent un très beau vin à la robe grenat qui pilote l'amateur dans les sous-bois et les saveurs indiennes par son caractère doucement épicé. Bien équilibrée, accompagnée d'un fruité de groseille, sa structure lui confère une bonne tenue et de la longueur. Cité, le **blanc 98** bien typé est séduisant.

Pierre Cherrier et Fils, Chaudoux, 18300 Verdigny-en-Sancerre, tél. 02.48.79.34.93, fax 02.48.79.33.41 r.-v.

LE CHENE MARCHAND 1998★

1 ha 6 000 70 à 99 F

Une belle bouteille ce Chêne Marchand, que Pascal Jolivet, négociant de renom à Sancerre, vous fera découvrir. Minérale avec une note de fumé, elle s'allonge en bouche comme un beau soir d'été. A ne pas manquer !

Pascal Jolivet, rte de Chavignol, 18300 Sancerre, tél. 02.48.54.20.60, fax 02.48.54.29.97, e-mail info@pascal-jolivet.com t.l.j. sf sam. dim. 9h-12h 14h-17h

LE GRAND ROCHOY 1996

n.c. 9 000 50 à 69 F

Deux vins, deux millésimes, deux terroirs qui s'expriment différemment mais avec caractère. Le 96, issu de sols riches en silex, vinifié en partie en fût de chêne, est marqué par ce travail œnologique peu courant dans le Sancerrois. Le **98, La Cresle de Laporte** est typique du millésime. Les agrumes effleurent le nez avec discrétion, tandis que le citron laisse une fraîcheur agréable en finale. Il est cité.

Laporte, Cave de la Cresle, rte de Sury-en-Vaux, 18300 Saint-Satur, tél. 02.48.78.54.20, fax 02.48.54.34.33 r.-v.

L'ENJOUE 1998★

12 ha 106 400 50 à 69 F

La Cave des vins de Sancerre a bien ciblé le nom de cette cuvée fort réussie dans sa belle robe or pâle à reflets verts. Les parfums sont typiques des sols calcaires du Sancerrois. Au palais, la fraîcheur équilibre la rondeur et séduit par sa persistance.

Cave des vins de Sancerre, av. de Verdun, 18300 Sancerre, tél. 02.48.54.19.24, fax 02.48.54.16.44, e-mail infos@vins-sancerre.com

JOSEPH MELLOT

Les Vignes du Rocher 1998

3 ha 20 000 50 à 69 F

Implantées sur le versant sud-est du piton de Sancerre, les vignes du Rocher sont typiques de ce terroir riche en silex. Très minéral, liant l'ananas et la poire, c'est un vin franc, nerveux, à la finale encore un peu sèche. La cuvée **La Chatellenie en blanc** plus classique, aux arômes discrets, fera découvrir le millésime 98 aux œnophiles.

SA Joseph Mellot, rte de Ménétréol, 18300 Sancerre, tél. 02.48.78.54.54, fax 02.48.78.54.55, e-mail alexandre@joseph-mellot.fr t.l.j. 8h-18h; sam. dim. sur r.-v.

DOM. GERARD MILLET 1997★★★

0,6 ha 3 000 50 à 69 F

Ce sancerre 97 exprime toute la finesse que l'on peut sortir des terroirs sancerrois quand on maîtrise l'élevage en fût. Car ici le vin est présent, et le bois laisse s'exprimer toute la finesse des arômes où l'on retrouve griotte et prune. La bouche, par ses tanins soyeux, est souple, équilibrée et généreuse. Bref, le bonheur ! Remarquable également, le **blanc 98** reçoit deux étoiles ; il se

LOIRE

distingue par une forte personnalité, alliant finesse, vivacité et amplitude.

Gérard Millet, rte de Bourges, 18300 Bué, tél. 02.48.54.38.62, fax 02.48.54.13.50 ☑ Y t.l.j. 9h-20h; dim. sur r.-v.; f. 1 sem. fév.

DOM. DU NOZAY 1998★★

□ 10 ha 160 000 ▮ 30 à 49 F

Après un coup de cœur dans le Guide 99, Philippe de Benoist confirme ses talents avec ce beau vin aromatique, très fleurs blanches, au palais équilibré, où gras et fraîcheur se côtoient pour le plus grand plaisir du connaisseur.

Philippe de Benoist, Dom. du Nozay, Ch. du Nozay, 18240 Sainte-Gemme-en-Sancerrois, tél. 02.48.79.30.23, fax 02.48.79.36.64 ☑ Y r.-v.

DOM. HENRY PELLE
La Croix au Garde 1998★

□ 7 ha 50 000 ▮ 30 à 49 F

Henry Pellé a constitué ce domaine à partir de 1950. Aujourd'hui, Anne Pellé, sa belle-fille, dirige le vignoble appuyée par un jeune œnologue Julien Zernott. Ce qu'elle propose ? Un très joli vin bien construit aux nuances de confitures et d'oranges sanguines. Equilibré, de bonne longueur, il développe les arômes de fruits mûrs sur un corps ferme. La finale est persistante.

Dom. Henry Pellé, rte d'Aubinges, 18220 Morogues, tél. 02.48.64.42.48, fax 02.48.64.36.88, e-mail domaine.henry.pelle@wanadoo.fr ☑ Y t.l.j. sf sam. dim. 8h-12h 13h30-18h

DOM. DES CAVES DU PRIEURE
Tradition Vieilli en fût de chêne 1997★

■ 1 ha 5 000 ◐ 50 à 69 F

Ce vin rouge 97 a surpris le jury par son intensité colorante et sa structure « bourguignonne ». Vinifié en partie en fût de chêne, ce vin viril aux notes vanillées demande à vieillir encore deux à trois ans avant d'atteindre sa plénitude. Citons du même producteur, un **blanc 98**, frais et bien équilibré, typique du millésime.

Jacques Guillerault, SCEA Dom. des Caves du Prieuré, Reigny, 18300 Crézancy-en-Sancerre, tél. 02.48.79.02.84, fax 02.48.79.01.02 ☑ Y t.l.j. sf dim. 8h-12h15 13h30-19h

PAUL PRIEUR ET FILS 1998

◪ 4,9 ha 10 000 ▮ 50 à 69 F

Un rosé saumon clair, assez amylique, à l'attaque vive. En fin de bouche, c'est la cerise à peine mûre et l'abricot qui s'expriment. Un rosé à consommer sans arrière-pensée. Vous vous attarderez peut-être sur le **rouge 97** qui demandait encore à évoluer au moment de notre dégustation.

Dom. Paul Prieur et Fils, rte des Monts-Damnés, 18300 Verdigny, tél. 02.48.79.35.86, fax 02.48.79.36.85 ☑ Y t.l.j. 9h-12h 14h-18h; dim. sur r.-v.

DOM. DU P'TIT ROY 1998★

◪ 1 ha 4 500 ▮ 30 à 49 F

Pierre Dezat est à la tête de ce domaine depuis 1954, Alain l'a rejoint en 1976. Ils proposent un joli vin. En effet, il y a de beaux reflets dans ce rosé saumoné, et son nez de petits fruis rouges est rehaussé de kiwi. Il se montre très ample en bouche, avec des arômes très marqués, dans la continuité du nez et de belle persistance. Un ensemble harmonieux.

Pierre et Alain Dezat, Maimbray, 18300 Sury-en-Vaux, tél. 02.48.79.34.16, fax 02.48.79.35.81 ☑ Y r.-v.

DOM. ANDRE RAFFAITIN 1998★

■ n.c. n.c. ▮ ◐ 30 à 49 F

Une bouteille à recommander pour fêter l'an 2000. La robe est d'un grenat profond ; le nez intense de réglisse épicée ne manque pas de caractère. Puissant, encore tannique, il sera parfait pour le réveillon. Le **blanc 98** a été sélectionné, sans étoile, par le jury qui a apprécié ses nuances d'acacia, de troëne et de fleurs blanches.

EARL Jacques Raffaitin, 39, rue Saint-Vincent, 18300 Bué, tél. 02.48.54.25.62, fax 02.48.54.11.87 ☑ Y r.-v.

PHILIPPE RAIMBAULT
Apud Sariacum 1998★

□ 4,5 ha 40 000 ▮ 50 à 69 F

Nouvellement installé, Philippe Raimbault a bien réussi ce 98 au nez discret bien typé sancerre. L'attaque est vive sans excès, accompagnée d'arômes de fruits et de fleurs mêlés. La finale est longue, légèrement acidulée. Un vin qui privilégie le raffinement à l'exubérance. Citée également la cuvée **Les Godons blanc 98**, un vin de découverte de l'appellation.

Philippe Raimbault, rte de Maimbray, 18300 Sury-en-Vaux, tél. 02.48.79.29.54, fax 02.48.79.29.51 ☑ Y r.-v.

NOEL ET JEAN-LUC RAIMBAULT 1998

◪ 0,8 ha 7 000 ▮ 30 à 49 F

Récoltants à Sury-en-Vaux, les Raimbault sont diffusés par la maison Loiret. Ils ont effectué un travail sérieux pour élaborer ce rosé pâle au nez marqué par la pêche et la fraise. En bouche, rondeur puis vivacité font bon ménage. Un bon retour aromatique sur les agrumes (notamment citron mûr) participe à l'agrément de la dégustation.

Noël et Jean-Luc Raimbault - Loiret Frères, Le Pallet, 44330 Le Pallet, tél. 02.40.80.40.27, fax 02.40.80.41.32

DOM. RAIMBAULT-PINEAU 1998★★

□ 8 ha 50 000 ▮ 50 à 69 F

Famille vigneronne depuis trois siècles en Sancerrois, le domaine Raimbault-Pineau est situé au cœur du vignoble, au village de Sury-en-Vaux. Il nous propose ce magnifique vin harmonieux et équilibré. D'une belle couleur or pâle aux reflets verts, le nez est très aromatique et complexe ; il mêle le raisin mûr, les agrumes et les fleurs blanches. Le fruité, remarquablement associé au gras, assure une belle structure. La finale est persistante et fraîche. Le coup de cœur a été unanime. Le jury a également apprécié le **rouge 97**, une étoile, épicé, aux divines saveurs de fruits rouges.

📌 Dom. Raimbault-Pineau, rte de Sancerre,
18300 Sury-en-Vaux, tél. 02.48.79.33.04,
fax 02.48.79.36.25 ☑ ⟨ t.l.j. sf dim. 8h-12h
14h-18h; f. 1ᵉʳ-15 août

PASCAL ET NICOLAS REVERDY
1998★

■ 1,5 ha 12 000 ◐◑ 30 à 49 F

Coup de cœur en 1997 pour un magnifique 95,
Pascal et Nicolas Reverdy ont fait apprécier au
jury ce 98 à la finesse et à l'élégance affirmées.
Belle robe rubis soutenu, nez puissant où les
fruits rouges se mêlent au grillé. Les tanins fondus s'inscrivent bien dans une structure ample et
fruitée. Deux autres cuvées en **blanc 98** ont attiré
l'attention du jury, toutes deux très différentes
mais très réussies : **Vieilles vignes** vinifiées en
bois, qui se montre très mûre avec un nez intense
d'agrumes et de vanille destinée aux amateurs
avertis (50 à 69 F) ; la cuvée classique, citée, qui
exprime bien les coteaux sancerrois, ronde et
riche d'arômes (30 à 49 F).

📌 Pascal et Nicolas Reverdy, Maimbray,
18300 Sury-en-Vaux, tél. 02.48.79.37.31,
fax 02.48.79.41.48 ☑ ⟨ r.-v.

DOM. BERNARD REVERDY ET FILS
1998

☐ 8,6 ha 65 000 ▤⬥ 30 à 49 F

Une jolie expression du millésime par l'intensité des arômes où les agrumes se mêlent au buis
et au genêt. Une bouche franche où abricot et
mangue se côtoient.

📌 Bernard Reverdy et Fils, Chaudoux,
18300 Verdigny, tél. 02.48.79.33.08,
fax 02.48.79.37.93 ☑ ⟨ r.-v.

DOM. DE SAINT-PIERRE 1998★

☐ 12 ha 95 000 ▤⬥ 50 à 69 F

Pierre Prieur nous gratifie d'une très belle bouteille dans laquelle vous découvrirez le caractère
sancerrois : nez très aromatique typique des terroirs calcaires, palais structuré, riche et frais dans
la lignée du nez. Un vin à vous faire perdre la
tête ou presque...

📌 SA Pierre Prieur et Fils, Dom. de Saint-
Pierre, 18300 Verdigny, tél. 02.48.79.31.70,
fax 02.48.79.38.87 ☑ ⟨ t.l.j. sf dim 8h30-12h
14h-18h30

DOM. DE SAINT-ROMBLE 1998★

☐ 5 ha 30 000 ▤⬥ 30 à 49 F

Exploitation reprise par Claude Fournier en
1996, ce Domaine de Saint-Romble 98 est élégant
et racé avec un nez très intense où la pierre à

fusil se mêle au pamplemousse. Le palais est frais
sur des notes d'agrumes mûrs et la finale chaleureuse.

📌 SARL Paul Vattan, Dom. de Saint-Romble,
Maimbray, B.P. 45, 18300 Sury-en-Vaux,
tél. 02.48.79.30.36, fax 02.48.79.30.41 ☑ ⟨ t.l.j.
9h-12h 14h-18h; sam. dim. sur r.-v.

LES CELLIERS SAINT-ROMBLE 1998

■ 5,51 ha 35 000 ◐◑ 50 à 69 F

Une jolie robe pourpre pour ce vin encore en
pleine jeunesse, marqué par l'empreinte du bois :
on trouve de la vanille et du grillé, mais le fruit
n'est pas absent. Bien équilibré, assez chaleureux, ce 98 sera agréable dans un an.

📌 SCEV André Dezat et Fils, Chaudoux,
18300 Verdigny, tél. 02.48.79.38.82,
fax 02.48.79.38.24 ☑ ⟨ r.-v.

CH. DE SANCERRE 1998★★

☐ 25 ha 210 000 ▤◐◑⬥ 50 à 69 F

Propriété de la famille Marnier-Lapostolle, le
château de Sancerre, reconstruit en 1870 sur les
vestiges du château fort du XIIIᵉs., domine la
Loire. Les efforts de l'homme-orchestre du château, Gérard Cherrier, en matière de culture raisonnée et de soins au vignoble, ne sont sûrement
pas étrangers à ce magnifique vin salué par le
jury. Ce 98 offre une belle expression complexe
au nez où dominent les fruits mûrs ; le palais est
enchanté par le gras et la structure. Un vin plein
de personnalité que les restaurateurs de renom
n'hésiteront pas à marier à leurs spécialités.

📌 Sté Marnier-Lapostolle, Ch. de Sancerre,
18300 Sancerre, tél. 02.48.78.51.52,
fax 02.48.78.51.56 ☑ ⟨ r.-v.

DOM. TABORDET 1998

☐ 1,54 ha 13 000 ▤⬥ 30 à 49 F

Ses prétentions ? Faire découvrir le sancerre
98 grâce à son nez intense citronné, à son attaque
franche, sa vigueur et son fruité. A boire sans
attendre.

📌 Yvon et Pascal Tabordet, Chaudoux,
18300 Verdigny, tél. 02.48.79.34.01,
fax 02.48.79.32.69 ☑ ⟨ r.-v.

CH. DE THAUVENAY 1998

☐ 13 ha 100 000 ▤◐◑⬥ 50 à 69 F

Le château de Thauvenay vous accueillera
agréablement, que ce soit à la cave ou dans le
gîte chaleureusement aménagé pour les randon-
neurs pédestres et équestres. Goûtez, au retour
de la visite des vignes, ce vin aux arômes de coing
et à la fraîcheur réconfortante.

Georges de Choulot, Le Château, 18300 Thauvenay, tél. 02.48.79.90.33, fax 02.48.79.95.67 Y r.-v.

ANDRE THEVENEAU 1997

□ n.c. 150 000 30 à 49 F

Des qualités florales incontestables au nez, une attaque souple bien qu'un peu chaude, une bouche évoluant sur des notes de pêche : tels sont les caractères de ce vin à boire dès maintenant.

André Théveneau, Les Chailloux-de-Veaugues, 18300 Sancerre, tél. 02.48.79.09.92, fax 02.48.79.05.28 Y r.-v.

GERARD ET HUBERT THIROT 1997

■ 1 ha 3 000 50 à 69 F

Ce millésime 97, de couleur rubis à reflets orangés, est encore marqué par le bois ; mais il laisse se révéler après aération une belle rondeur et des arômes de myrtille et de mûre. Les tanins sont soyeux et incitent à la bonne humeur. A noter, le **blanc 98**, très floral, marqué par le cépage (buis, genêt) à la persistance honorable.

Gérard Thirot, allée du Chatiller, 18300 Bué, tél. 02.48.54.16.14, fax 02.48.54.00.42 Y t.l.j. sf dim. 8h-19h

DOM. THOMAS 1998

□ 11 ha 50 000 50 à 69 F

Un vin réussi, bien dans le millésime. Arômes de fruits blancs, structure bien équilibrée et finale agréable.

Dom. Thomas et Fils, Chaudoux, 18300 Verdigny, tél. 02.48.79.38.71, fax 02.48.79.38.71 Y t.l.j. sf dim. 8h-19h

CLAUDE ET FLORENCE THOMAS-LABAILLE
L'Authentique 1998*

□ 3 ha 26 000 30 à 49 F

Comme l'indique le nom de cette cuvée, l'authenticité est au rendez-vous chez Claude et Florence Thomas-Labaille. Ce 98 est d'une belle couleur jaune pâle à reflets verts ; les parfums de fleurs blanches d'acacia vous font redécouvrir le bonheur du printemps. La bouche est ample et équilibrée. Une bouteille originale.

EARL Thomas-Labaille, Chavignol, 18300 Sancerre, tél. 02.48.54.06.95, fax 02.48.54.07.80 Y r.-v.

ROLAND TISSIER ET FILS 1998

■ 1 ha 8 500 30 à 49 F

Ne vous fiez pas à l'étiquette assez « rétro » de cette bouteille, le contenu est intense, un peu sur le végétal au nez mais agréable en bouche où la finale légèrement épicée en fera un compagnon agréable de tous les repas.

Roland Tissier et Fils, 5, rue Saint-Jean, 18300 Sancerre, tél. 02.48.54.12.31, fax 02.48.78.04.32 Y r.-v.

DOM. DES TROIS NOYERS 1998

□ 6,5 ha 50 000 30 à 49 F

La famille Reverdy-Cadet, père, fils et petit-fils, vous accueilleront avec chaleur pour vous faire découvrir ce millésime 98 à la robe pâle, au nez élégant et expressif. Il offre au palais une certaine persistance de notes de fruits mûrs et de miel.

Roger Reverdy-Cadet et Fils, Chaudoux, 18300 Verdigny, tél. 02.48.79.38.54, fax 02.48.79.35.25 Y r.-v.

DOM. DES VIEUX PRUNIERS 1998*

◪ 0,4 ha 3 000 30 à 49 F

Ce domaine a retenu l'attention du jury avec deux beaux vins dont, notamment, un rosé saumoné tout en finesse, bien équilibré qui remplacera avantageusement certains blancs sur des charcuteries ou des poissons. Le **blanc 98** est un classique en robe or pâle et finale sur peau d'agumes ; il est cité.

Christian Thirot-Fournier, 1, chem. de Marcigoi, 18300 Bué, tél. 02.48.54.09.40, fax 02.48.78.02.72 Y r.-v.

DOM. DES VILLOTS 1998**

◪ 1 ha 6 000 50 à 69 F

Un rosé magnifique à la robe saumonée. Un nez de corbeille de fruits allant de la pêche à la mandarine. L'attaque est souple, marquée par les arômes exotiques. « Un rosé à faire aimer les rosés », comme l'écrit un des membres du jury. Cité également le **blanc 98 La Reine Blanche** au caractère affirmé.

Jean Reverdy et Fils, 18300 Verdigny, tél. 02.48.79.31.48, fax 02.48.79.32.44 Y r.-v.

LA VALLEE DU RHONE

Viril et fougueux, le Rhône file vers le Midi, vers le soleil. Sur ses rives, le long des pays qu'il unit plus qu'il ne les divise, s'étendent des vignobles parmi les plus anciens de France, ici prestigieux, plus loin méconnus. La vallée du Rhône est, en production de vins fins, la seconde région viticole de l'Hexagone après le Bordelais. En qualité aussi, elle peut rivaliser sans honte avec certains de ses crus, suscitant l'intérêt des connaisseurs autant que quelques-uns des bordeaux ou des bourgognes les plus réputés.

Longtemps, pourtant, le côtes du rhône fut mésestimé : gentil vin de comptoir un peu populaire, il n'apparaissait que trop rarement aux tables élégantes. « Vin d'une nuit » qu'une si brève cuvaison rendait léger, fruité et peu tannique, il voisinait avec le beaujolais dans les « bouchons » lyonnais ; mais les vrais amateurs appréciaient pourtant les grands crus et goûtaient un hermitage avec tout le respect dû aux plus grandes bouteilles. Aujourd'hui, grâce aux efforts de 12 000 vignerons et de leurs organismes professionnels, en vue d'une constante amélioration de la qualité, l'image des côtes du rhône s'est redressée. S'ils continuent à couler allègrement sur le zinc des bistrots, ils prennent une place de plus en plus grande sur les meilleures tables, et, tandis que leur diversité fait leur richesse, ils ont regagné désormais le succès que l'histoire, déjà, leur avait accordé.

Peu de vignobles sont en effet capables de se prévaloir d'un passé aussi glorieux que ceux-ci, et, de Vienne jusqu'à Avignon, il n'est pas un village qui ne puisse retracer quelques pages parmi les plus mémorables de l'histoire de France. On revendique en outre, aux abords de Vienne, l'un des plus anciens vignobles du pays, développé par les Romains, après avoir été créé par des Phocéens « montés » depuis Marseille. Vers le IVe s. avant notre ère, des vignobles étaient attestés dans les secteurs des actuels hermitage et côte rôtie, tandis que ceux de la région de Die apparaissaient dès le début de l'ère chrétienne. Les Templiers, au XIIe s., ont planté les premières vignes de Châteauneuf-du-Pape, œuvre poursuivie par le pape Jean XXII deux siècles plus tard. Quant aux vins de la Côte du Rhône gardoise, ils connurent une grande vogue aux XVIIe et XVIIIe s.

Aujourd'hui, dans le secteur méridional, sur la rive gauche du fleuve, le château médiéval de Suze-la-Rousse s'est reconverti au service du vin : l'université du Vin y siège et y organise stages, formation professionnelle et manifestations diverses.

Tout le long de la vallée, les vins sont produits sur les deux rives, certains séparant cependant les vins de la rive gauche, plus lourds et capiteux, de ceux de la rive droite, plus légers. Mais on distingue plus généralement deux grands secteurs nettement différenciés : celui des Côtes du Rhône septentrionales, au nord de Valence, et celui des Côtes du Rhône méridionales, au sud de Montélimar, coupés l'un de l'autre par une zone d'environ cinquante kilomètres où la vigne est absente.

Il ne faut pas oublier non plus les appellations voisines de la vallée du Rhône, qui, si elles sont moins connues du grand public, produisent pourtant des vins originaux et de qualité. Ce sont le coteaux du tricastin au nord, le côtes du ventoux et le côtes du lubéron à l'est, le côtes du vivarais au nord-ouest. Il existe trois autres

RHONE

appellations que leur situation géographique éloigne davantage de la vallée proprement dite : la clairette de die et le châtillon-en-diois, dans la vallée de la Drôme, en bordure du Vercors, et les coteaux de pierrevert, produits dans le département des Alpes-de-Haute-Provence. Il convient enfin de citer les deux appellations de vins doux naturels du Vaucluse : muscat de beaumes-de-venise et rasteau (voir le chapitre consacré aux vins doux naturels).

Selon les variations de sol et de climat, il est encore possible de repérer trois sous-ensembles dans cette vaste région de la vallée du Rhône. Au nord de Valence, le climat est tempéré à influence continentale, les sols sont le plus souvent granitiques ou schisteux, disposés en coteaux à très forte pente ; les vins sont issus du seul cépage syrah pour les rouges, des cépages marsanne et roussanne pour les blancs, et le cépage viognier est à l'origine du château-grillet et du condrieu. Dans le Diois, le climat est influencé par le relief montagneux, et les sols calcaires sont constitués par des éboulis de bas de pente ; les cépages clairette et muscat se sont bien adaptés à ces conditions naturelles. Au sud de Montélimar, le climat est méditerranéen, les sols très variés sont répartis sur un substrat calcaire (terrasses à galets roulés, sols rouges argilo-sableux, molasses et sables) ; le cépage principal est alors le grenache, mais les excès climatiques obligent les viticulteurs à utiliser plusieurs cépages pour obtenir des vins parfaitement équilibrés : la syrah, le mourvèdre, le cinsaut, la clairette, le bourboulenc, la roussanne.

Après une nette diminution des superficies plantées au XIX^e^s., le vignoble de la vallée du Rhône s'est à nouveau étendu, et il demeure aujourd'hui en expansion. Dans son ensemble, il couvre 70 000 ha, pour une production de 3,2 millions d'hectolitres en année moyenne ; près de 50 % de cette production sont commercialisés par le négoce dans le secteur septentrional et 70 % par des coopératives dans la zone méridionale.

Côtes du rhône

L'appellation régionale côtes du rhône a été définie par décret en 1937. En 1996, un nouveau décret a fixé les conditions d'encépagement qui devront être appliquées dès l'an 2000 : en rouge, le grenache devra représenter 40 % minimum, syrah et mourvèdre devant tenir leur place. Cette disposition n'est bien sûr valable que pour les vignobles méridionaux situés au sud de Montélimar. La possibilité d'incorporer des cépages blancs n'existera plus que pour les rosés. L'AOC s'étend sur six départements : Gard, Ardèche, Drôme, Vaucluse, Loire et Rhône. Produits sur 44 000 ha situés en quasi-totalité dans la partie méridionale, ces vins représentent une production de 2 200 000 hl, les vins rouges se taillant la part du lion avec 96 % de la production, rosés et blancs étant à égalité avec 2 %. 10 000 vignerons sont répartis entre 1 610 caves particulières (35 % des volumes) et 70 caves coopératives (65 % des volumes). Sur les trois cents millions de bouteilles commercialisées chaque année, 45 % sont consommées à domicile, 30 % dans la restauration et 25 % sont exportées.

Grâce aux variations des microclimats, à la diversité des sols et des cépages, ces vignobles produisent des vins qui pourront réjouir tous les palais : vins rouges de garde, riches, tanniques et généreux, à servir sur la viande rouge, produits dans les zones les plus chaudes et sur des sols de diluvium alpin (Domazan, Estezargues, Courthézon, Orange...) ; vins rouges plus légers, fruités et plus nerveux, nés sur des sols eux-mêmes plus légers (Puymeras, Nyons, Sabran, Bourg-Saint-Andéol...) ; vins « primeurs » enfin (environ 15 millions de cols), fruités et gouleyants, à boire très jeunes, à partir du 3e jeudi de novembre, et qui connaissent un succès sans cesse grandissant.

La chaleur estivale prédispose les vins blancs et les vins rosés à une structure caractérisée par leur équilibre et leur rondeur. L'attention des producteurs et le soin des œnologues permettent d'extraire le maximum d'arômes et d'obtenir des vins frais et délicats, dont la demande augmente continuellement. On les servira respectivement sur les poissons de mer, sur les salades ou la charcuterie.

La Vallée du Rhône (partie septentrionale)

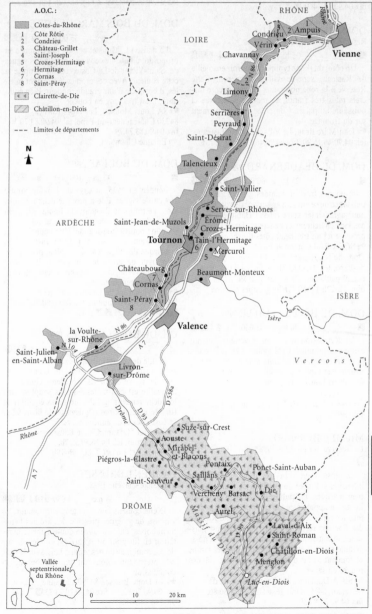

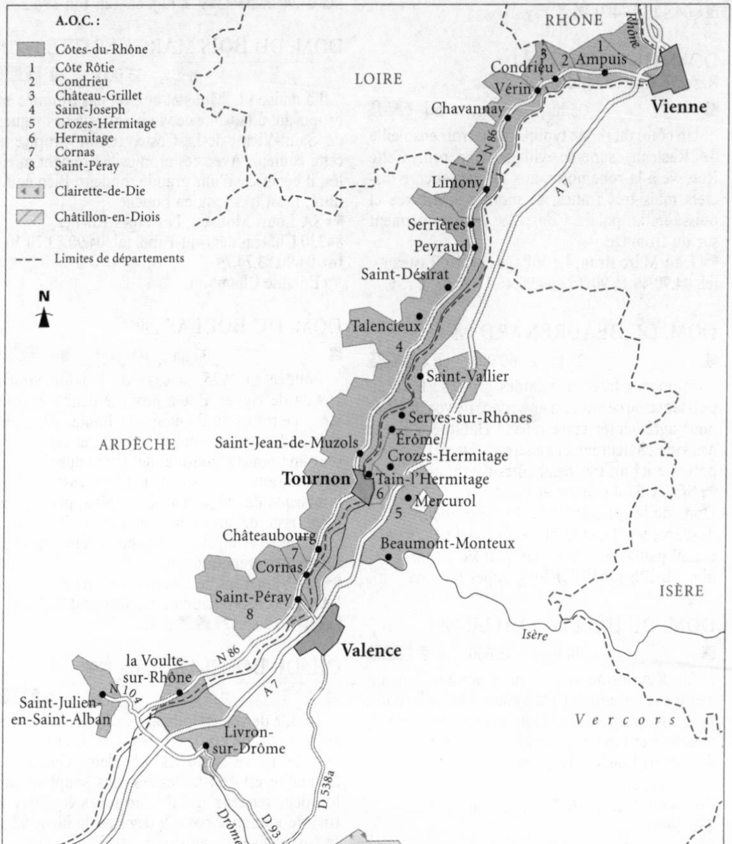

RHONE

DOM. DANIEL ET DENIS ALARY 1998★

■ 4 ha 30 000 ▮ 20 à 29 F

Avec une importante proportion de grenache, c'est un vin très typique des côtes du rhône du Vaucluse que présente la famille Alary. Une robe agréable et un nez harmonieux très délicat : cette cuvée est tout en finesse et subtilité.

Dom. Daniel et Denis Alary, La Font d'Estévenas, 84290 Cairanne, tél. 04.90.30.82.32, fax 04.90.30.74.71 ☑ Y r.-v.

DOM. BEAU MISTRAL
Réserve gastronomique 1997★

■ 5 ha n.c. ▮🌡 20 à 29 F

Un côtes du rhône typique du terroir ensoleillé de Rasteau, superbe village vigneron. Cette Réserve à la robe noire, aux arômes encore discrets mais très francs, se montre structurée et puissante au palais. Conseillée tout simplement sur du fromage.

Jean-Marc Brun, Le Village, 84110 Rasteau, tél. 04.90.46.16.90, fax 04.90.46.17.30 ☑ Y r.-v.

DOM. DE BEAURENARD 1998★

■ 25 ha 60 000 ▮🌡 30 à 49 F

Fromages frais ou viandes grillées : toute la puissance de ce vin sera au service de vos papilles pour agrémenter votre repas ! Habitué à élever des vins chaleureux et généreux, Daniel Coulon présente ici un très beau côtes du rhône.

SCEA Paul Coulon et Fils, Dom. de Beaurenard, 84231 Châteauneuf-du-Pape, tél. 04.90.83.71.79, fax 04.90.83.78.06, e-mail paul.coulon@wanadoo.fr ☑ Y t.l.j. sf dim. 9h-12h 13h30-17h30; groupes sur r.-v.

DOM. DE BELLE-FEUILLE 1997

■ 28 ha 45 000 ▮ 20 à 29 F

La dégustation au caveau se déroule dans un cadre exceptionnel. Cela ajoute à la qualité des produits proposés et notamment de celui-ci, structuré et typé, très tannique aujourd'hui.

Gilbert Louche, Dom. de Belle-Feuille, 30200 Venejan, tél. 04.66.79.27.33, fax 04.66.79.22.82 ☑ Y t.l.j. sf dim. 8h-12h 13h-19h

MICHEL BERNARD
La Réserve des Pontifes 1998★

◪ n.c. n.c. ▮🌡 20 à 29 F

Un rosé d'une robe très franche, de bonne intensité, entourée de parfums de fruits rouges bien marqués. L'équilibre est riche et puissant. Le jury a apprécié ce vin qui peut accompagner tous les repas légers. En **rouge 98**, cette Réserve des Pontifes reçoit la même note. Elle est puissante, marquée par une pointe d'alcool pas désagréable du tout et devra attendre que ses tanins se fondent avant d'être servie avec des viandes rouges en sauce.

SICA Domaines Michel Bernard, rte de Sérignan, 84100 Orange, tél. 04.90.11.86.86, fax 04.90.34.87.30

DOM. DU BOIS DE SAINT-JEAN 1997

■ 10 ha 13 000 ▮🌡 20 à 29 F

Un bon équilibre de fruits mûrs tendant plutôt vers la fraise. Légèrement évolué, puissant mais sans lourdeur, c'est un vin agréable que nous présente la famille Anglès dont la réputation n'est plus à faire dans les côtes du rhône.

EARL Vincent et Xavier Anglès, 126, av. de la République, Dom. Bois St-Jean, 84450 Jonquerettes, tél. 04.90.22.53.22, fax 04.90.22.53.22 ☑ Y t.l.j. 8h-12h 14h-19h

DOM. DU BOIS MARGUERITTE 1997★

□ n.c. 33 000 ▮ -de 20 F

La maison L. Mousset ne s'est pas trompée en proposant à la vente ce vin blanc issu des vignes de Saint-Victor-de-La-Coste, terroir propice à cette couleur. Avec des arômes légèrement miellés, il bénéficie d'une grande rondeur. Bien équilibré, il est très long en bouche.

SA Louis Mousset, Les Fines-Roches, 84230 Châteauneuf-du-Pape, tél. 04.90.83.70.30, fax 04.90.83.74.79

Etienne Chambon

DOM. DU BOULAS 1997★

■ 400 ha 100 000 ▮🌡 20 à 29 F

Fondée en 1925, la cave de Laudun vinifie 769 ha de vignes. Elle a proposé deux très jolis vins : ce rouge du domaine du Boulas 97, plein et friand, dont les notes framboise et cassis laissent une bouche gourmande. Une bouteille déjà très plaisante à consommer. Et un **rosé 98** sous la marque des **Vignerons de Laudun**, principalement issu de grenache, intense, brillant, aux légers reflets rouges. Sa bouche est agréable et sa finale assez remarquable.

Les Vignerons de Laudun, 105, rte de l'Ardoise, 30290 Laudun, tél. 04.66.90.55.27, fax 04.66.90.55.21 ☑ Y r.-v.

CH. DE BOUSSARGUES 1998

◪ 4 ha n.c. ▮ 20 à 29 F

Inutile de vous refaire la description de ce lieu enchanteur qu'est le château de Boussargues, vous le trouverez sur les précédents Guides car la qualité est constante. Ses vins souples, sans lourdeur rendent agréable un repas équilibré et fin. Ne manquez pas d'y déguster le **blanc 98** et ce rosé cités cette année encore.

Chantal Malabre, Ch. de Boussargues, 30200 Sabran, tél. 04.66.89.32.20, fax 04.66.79.81.64 ☑ Y t.l.j. 9h-19h

LAURENT BRUSSET
Vendange Clavelle 1998

□ n.c. 4 000 ▮⊕🌡 50 à 69 F

D'une couleur jaune soutenu surprenante, ce vin issu de viognier présente des arômes nettement boisés, dus sans aucun doute à une fermentation en fût pour 50 % suivie d'un élevage sur lie. La combinaison des arômes boisés sur le fruit est intéressante, nous dit un membre de la commission.

SA Dom. Brusset, 84290 Cairanne, tél. 04.90.30.82.16, fax 04.90.30.73.31 ☑ Y t.l.j. 9h-12h 14h-18h

DOM. CASTAN 1997*

■ 12 ha 20 000 🍷🌡 20 à 29 F

Dix-huit mois d'élevage avant la mise en vente, pour cet assemblage syrah, grenache, issu d'une cuvaison de dix-sept jours dont l'objectif était nettement d'allier la puissance et la finesse. Légèrement épicées, ce sont des notes de fruits qui persistent au palais en fin de dégustation.

🔑 GAEC Chantecler, Mas Chantecler, 30390 Domazan, tél. 04.66.57.00.56, fax 04.66.57.07.57 ☑ 🍷 r.-v.

🔑 Damien Castan

LES VIGNERONS DU CASTELAS 1998

◪ 20 ha 10 000 🍷 - de 20 F

Un bon rapport qualité/prix pour un rosé simple, de teinte saumonée ; ses arômes sont discrets mais délicats et sa nervosité rend l'ensemble assez agréable. A découvrir au caveau en prévision de l'été prochain, de même que le **blanc 98** cité pour sa franchise aromatique et que le **rouge 97** pour son gras et sa puissance.

🔑 Les Vignerons du Castelas, 30650 Rochefort-du-Gard, tél. 04.90.31.72.10, fax 04.90.26.62.64 ☑

DOM. DE CHABASSIERE 1998*

■ 22 ha 110 000 🍷🌡 20 à 29 F

Six cépages entrent dans l'assemblage de ce côtes du rhône dont 32 % de grenache, 21 % de syrah, 27 % de cinsault, 9 % de carignan. La robe est profonde avec des reflets violines. Le nez, épicé et fruité, est encore peu intense mais l'équilibre, le gras, la longueur sont de bon augure pour le printemps 2000.

🔑 SICA Domaines Michel Bernard, rte de Sérignan, 84100 Orange, tél. 04.90.11.86.86, fax 04.90.34.87.30

🔑 Th. Bernard

DOM. DE CHAMP-LONG

Cuvée élevée en fût de chêne 1997*

■ 2 ha 9 000 🛢 30 à 49 F

D'une très jolie teinte rouge intense, ce vin développe des arômes de vanille bien marqués mais l'ensemble étant très fondu, ce sont tout d'abord des notes fruitées qui ressortent en bouche sur un léger boisé. L'apport des qualités du chêne est ici très bien maîtrisé.

🔑 Christian Gély, Dom. de Champ-Long, 84340 Entrechaux, tél. 04.90.46.01.58, fax 04.90.46.04.40, e-mail christian.gely@wanadoo.fr ☑ 🍷 t.l.j. sf dim. 9h-12h30 14h-19h

DOM. DE CHANABAS 1997

■ 2 ha 10 000 🍷🌡 30 à 49 F

Un assemblage grenache 70 %, syrah, très classique de ce terroir argilo-calcaire. Le vin est encore très frais pour un 97, gouleyant à souhait. Il a du fruit, des arômes de fruits rouges et d'épices, un équilibre de bon aloi. A servir sans plus attendre.

🔑 Robert Champ, Dom. de Chanabas, 84420 Piolenc, tél. 04.90.29.63.59, fax 04.90.29.55.67 ☑ 🍷 r.-v.

CHANTECOTES 1998**

◪ n.c. 34 000 🍷 30 à 49 F

Produit par la coopérative de Sainte-Cécile-les-Vignes, c'est « le rosé de tout un repas ». Sa dégustation est remarquable : l'attaque est souple et la bouche offre un très bel équilibre. Une couleur et des arômes de framboise ajoutent à ses attraits. Très bien vinifié, ce vin est conseillé sur des quenelles aux morilles.

🔑 Caveau Chantecôtes, cours Maurice-Trintignant, 84290 Sainte-Cécile-les-Vignes, tél. 04.90.30.83.25, fax 04.90.30.74.53 ☑ 🍷 t.l.j. 8h30-12h15 14h30-19h

DOM. DIDIER CHARAVIN 1998

◪ 50 ha 10 000 🍷 20 à 29 F

C'est un rosé déjà légèrement évolué, très parfumé, avec du gras et une belle longueur. Sa structure assez puissante surprend un peu et on reste sur des notes épicées en finale.

🔑 Didier Charavin, rte de Vaison, 84110 Rasteau, tél. 04.90.46.15.63, fax 04.90.46.16.22 ☑ 🍷 r.-v.

CELLIER DES CHARTREUX 1998**

□ 3 ha 16 000 🍷 20 à 29 F

Une bien belle dégustation pour ce côtes du rhône blanc issu de grenache, roussanne et viognier. Cette cave est d'une grande constance. En effet, déjà remarquable l'an dernier, sa production de blanc allie la puissance des arômes, la finesse et la complexité avec des notes de fruits secs et de noisette. N'hésitez pas à déguster ce 98 à la première occasion.

🔑 SCA Cellier des Chartreux, chem. des Vignerons, 30150 Sauveterre, tél. 04.66.82.53.53, fax 04.66.82.89.07 ☑ 🍷 r.-v.

DOM. CHAUME-ARNAUD 1997

■ 3 ha 15 000 🍷 20 à 29 F

Issue des coteaux d'Uchaux, à proximité de Rochegude, cette bouteille représente bien l'appellation. Assez stricts, ses parfums fruités sont mêlés à des notes animales. Le tout est déjà fondu, persistant.

🔑 Chaume-Arnaud, Les Paluds, 26110 Vinsobres, tél. 04.75.27.66.85, fax 04.75.27.69.66 ☑ 🍷 r.-v.

DOM. CLAVEL 1998*

◪ 1,54 ha 10 600 🍷🌡 20 à 29 F

Une fermentation très lente (environ trois semaines à basse température), c'est peut-être là que réside le simple secret de ce rosé flatteur aux arômes de fruits rouges. De légères notes amyliques prouvent la maîtrise de sa vinification et sa longueur en bouche ne vous laissera pas insensible.

🔑 Denis Clavel, rue du Pigeonnier, 30200 Saint-Gervais, tél. 04.66.82.78.90, fax 04.66.82.74.30 ☑ 🍷 r.-v.

DOM. DU CORIANCON 1998

□ 4,5 ha 8 000 🍷🌡 30 à 49 F

Cinq cépages concourent à l'élaboration de ce 98 jaune à reflets verts. Si ses arômes n'évoluent pas trop, c'est une surprenante pointe d'anis que

vous retrouverez parmi les fragrances de ce vin blanc chaud et généreux.
🔑 François Vallot, Dom. du Corianςon, 26110 Vinsobres, tél. 04.75.26.03.24, fax 04.75.26.44.67, e-mail françois.vallot@wanadoo.fr ☒ 🍷 t.l.j. sf dim. 9h-12h 14h-19h

LES VIGNERONS DES COTEAUX D'AVIGNON Réserve des Armoiries 1997★★

■ 4 ha 28 000 🍾 -de 20 F

Les vignerons des Coteaux d'Avignon peuvent être fiers de leurs raisins et de leur unité de vinification car cette Réserve est remarquable. C'est un vin structuré aux notes d'épices intéressantes (poivre) et de fruits secs. A découvrir aux caveaux de Morières, Caumont, Le Thor, et Châteauneuf-de-Gadagne. Le **rosé 98** reçoit une étoile.
🔑 SCA Les Coteaux d'Avignon, 583, rte de la Gare, 84470 Châteauneuf-de-Gadagne, tél. 04.90.22.65.65, fax 04.90.33.43.31 ☒ 🍷 t.l.j. sf dim. 8h30-12h30 14h-18h

CH. COURAC 1997★

■ 4 ha 30 000 🍾 30 à 49 F

Très belle dégustation pour un vin toujours placé dans le « peloton de tête » des côtes du rhône. Loin d'être de petites cuvées à concours, ce sont des lots importants qui se distinguent. Soyeux à souhait, très présent en fruits rouges, ce 97 est tout en élégance !
🔑 SCEA Frédéric Arnaud, Ch. Courac, 30330 Tresques, tél. 04.66.82.90.51, fax 04.66.82.94.27 ☒ 🍷 r.-v.

DOM. CROS DE LA MURE 1998★

□ 1 ha n.c. 🍾🌡 20 à 29 F

C'est un surprenant assemblage de roussanne, grenache, viognier, à la fois fin et floral, mais aussi gras et puissant. Il sera très agréable servi légèrement frais en apéritif et se suffira à lui-même ou aimera vos poissons cuisinés.
🔑 EARL Michel et Fils, Dom. Cros-de-la-Mûre, 84430 Mondragon, tél. 04.90.30.12.40, fax 04.90.30.46.58 ☒ 🍷 r.-v.

DOM. NICOLAS CROZE Cuvée fleurie 1998★

□ 0,7 ha 2 000 🍾🌡 30 à 49 F

Bien que commercialisant depuis peu ses vins en bouteille, ce domaine prouve ici qu'il a largement sa place parmi les côtes du rhône. A servir notamment sur des viandes blanches, son **rosé 98** peut être cité pour sa finesse. Mais c'est surtout le côtes du rhône blanc issu de viognier (attention 2 000 bouteilles seulement) qui retiendra l'attention. Accompagné d'une dorade grillée par exemple, il plaira par sa couleur vieil or, ses parfums d'agrumes, sa rondeur, son gras, sa persistance. Belle personnalité.
🔑 GAEC Dom. Nicolas Croze, rue Max-Ernst, 07700 Saint-Martin-d'Ardèche, tél. 04.75.04.62.28, fax 04.75.04.62.28 ☒ 🍷 r.-v.

CELLIER DES DAUPHINS 1998★

□ 95 ha 600 000 🍾🌡 20 à 29 F

Un assemblage de cinq cépages parfaitement vinifié : le vin jaune d'or offre un élégant nez floral et printanier. En bouche, l'abricot domine et la matière est riche mais équilibrée. A boire avec crustacés ou coquillages.
🔑 Cellier des Dauphins, B.P. 16, 26790 Tulette, tél. 04.75.96.20.47, fax 04.75.96.20.12, e-mail cellier.des.dauphins@wanadoo.fr

DOM. DEFORGE 1997★

□ n.c. 2 000 30 à 49 F

Propriété achetée en 1966 par le mari de Mireille Deforge, alors jockey, et qui était parent de Mistral. Ce domaine propose, avec le maître de chai Jean-Luc Lancelot et les conseils de l'œnologue Noël Rabot, cet assemblage très traditionnel à 80 % grenache et 20 % clairette qui donne à ce vin une finesse remarquable, des arômes floraux et une réelle élégance. Un 97 qui évolue très bien comme le révèle sa longueur en bouche.

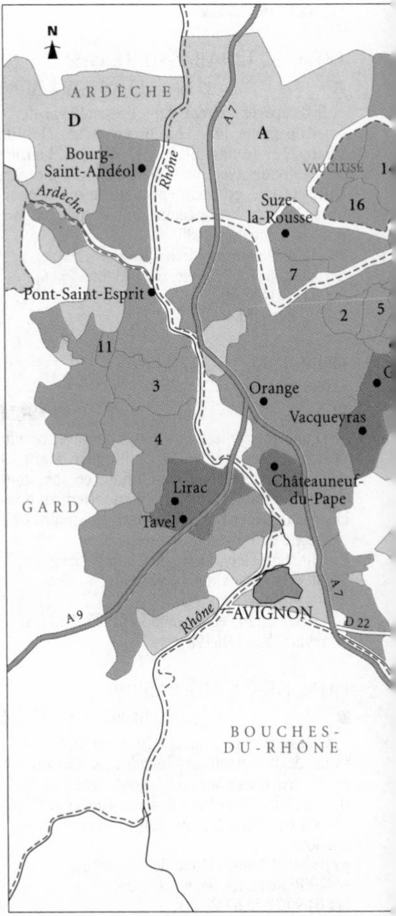

Mireille Deforge, rte de Jonquerettes, 84470 Châteauneuf-de-Gadagne, tél. 04.90.22.42.75, fax 04.90.22.18.29 r.-v.

DOM. DE DIEUMERCY 1998*

■ 75 ha 400 000 20 à 29 F

Les nuances rouge cerise de la robe de ce vin sont ravissantes et laissent présager une belle dégustation. La chaleur et la puissance de l'alcool font vite place à des notes de fruits rouges avec, en finale, des senteurs d'herbes de Provence.

SCEA des Dom. Jack Meffre et Fils, 84190 Gigondas, tél. 04.90.65.85.32, fax 04.90.65.83.46

DOM. ESTOURNEL 1998

□ 3 ha 3 000 20 à 29 F

L'harmonie des six cépages blancs qui constituent ce vin est assez remarquable. Sur des notes jaune paille, c'est un produit complexe, agréable et fruité, à découvrir dans le magnifique village de Saint-Victor-la-Coste.

Rémy Estournel, 13, rue de Plaineautier, 30290 Saint-Victor-la-Coste, tél. 04.66.50.01.73, fax 04.66.50.21.85 t.l.j. sf dim. 9h-12h 14h-19h

DOM. DE FONTAVIN 1998**

n.c. 2 000 30 à 49 F

Hélène Chouvet, œnologue, travaille avec ses parents sur le domaine familial depuis deux ans. Passionnée par son métier, elle apporte sans doute à ce rosé la maîtrise d'un terroir, d'un encépagement, et d'une technique proche de la perfection. Un nez floral, une bouche très aromatique, équilibrée, persistante, sont les caractères dominants de ce vin fort élégant.

EARL Hélène et Michel Chouvet, Dom. de Fontavin, 1468, rte de la Plaine,

La Vallée du Rhône (partie méridionale)

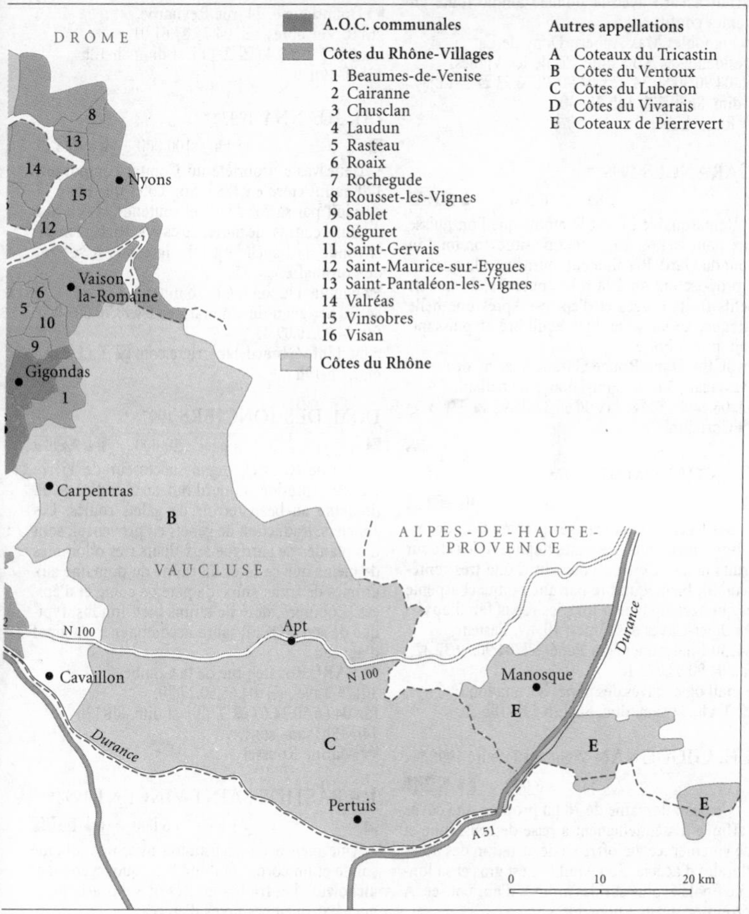

RHONE

84350 Courthézon, tél. 04.90.70.72.14, fax 04.90.70.79.39 ☑ 🍷 t.l.j. sf j.f. 9h-12h30 13h30-19h; dim. sur r.-v.

DOM. F DE FONT DE MICHELLE
Viognier 1998★

☐ n.c. n.c. 50 à 69 F

La puissance aromatique de ce vin issu à 100 % de viognier est à découvrir, nous dit le jury. C'est l'exotisme total avec ses notes de jeunesse (banane et poire). Très original, il accompagnera dès le printemps prochain un bon poisson grillé.
🔑 EARL Les Fils d'Etienne Gonnet, 14, imp. des Vignerons, 84370 Bédarrides, tél. 04.90.33.00.22, fax 04.90.33.20.27 ☑ 🍷 r.-v.

GALLIFFET
La collection privée René Aubert 1998

☐ 4 ha 4 000 70 à 99 F

Essentiellement constituée de viognier « tardif », cette bouteille issue de la collection privée de René Aubert est très réussie. Son nez assez puissant de fruits mûrs (abricot, pêche) est en parfait accord avec la bouche ample toute en arômes confits.
🔑 Vignobles Max Aubert, Dom. de La Présidente, 84290 Sainte-Cécile-les-Vignes, tél. 04.90.30.80.34, fax 04.90.30.72.93 ☑ 🍷 t.l.j. sf dim. 8h30-12h 14h-18h30
🔑 René Aubert

GARANCES 1998★★

■ 1 ha 6 000 30 à 49 F

Remarquable ! C'est le moins que l'on puisse dire pour ce nouveau domaine situé non loin du pont du Gard. Résolument tourné vers la qualité, il propose un vin à la robe soutenue, au nez de petits fruits rouges et d'épices. Après une belle attaque, ce 98 se montre équilibré et puissant, déjà prêt à boire.
🔑 SCEA Dom. Rouge Garance, chem. de Massacan, 30210 Saint-Hilaire-d'Ozilhan, tél. 06.14.41.52.88, fax 06.66.37.06.92 ☑ 🍷 r.-v.
🔑 Cortellini

GENTILHOMME 1997★

■ n.c. 200 000 - de 20 F

Ses légers reflets orangés préparent la dégustation tout comme ses notes nuancées de café sur fruits mûrs ; c'est un côtes du rhône très représentatif, bien équilibré par une bonne charpente et qui accompagnera tous les repas familiaux.
🔑 Ogier-Caves des Papes, 10, av. Pasteur, 84230 Châteauneuf-du-Pape, tél. 04.90.39.32.32, fax 04.90.83.72.51, e-mail ogier.caves.des.papes@wanadoo.fr ☑ 🍷 t.l.j. sf sam. dim. 8h-12h 13h-18h

CH. GIGOGNAN Vigne du Prieuré 1998★

☐ 2,7 ha 6 000 30 à 49 F

Ce beau domaine de 70 ha propose une cuvée raffinée. Essentiellement à base de roussanne et de viognier, ce vin offre en dégustation des notes florales d'acacia. Son équilibre est gras et sa longue finale évolue sur des arômes d'abricot sec. A proposer sur une bourride sétoise.
🔑 SCEA Ch. Gigognan, chem. du Castillon, 84700 Sorgues, tél. 04.90.39.57.46, fax 04.90.39.15.28, e-mail chateau.gigognan@wanadoo.fr ☑ 🍷 r.-v.
🔑 Callet

DOM. DU GROS PATA 1998

◩ 0,85 ha 4 800 30 à 49 F

Un rosé de saignée bien classique issu à 50 % de grenache et à 50 % de cinsault. Il est riche et gouleyant, doté d'arômes floraux. Equilibré et long, il est à boire sans attendre.
🔑 Gérald Garagnon, Dom. du Gros-Pata, rte de Villedieu, 84110 Vaison-la-Romaine, tél. 04.90.36.23.75, fax 04.90.28.77.05 ☑ 🍷 r.-v.

DOM. JAUME 1997★★

■ 27 ha 172 000 20 à 29 F

Millésime délicat extrêmement bien maîtrisé par la famille Jaume. Les commentaires sont élogieux : grande intensité aromatique ; attaque ample et charnue sur des tanins fins et fermes. Ce vin atteindra son apogée dans deux ou trois ans.
🔑 Dom. Jaume, 24, rue Reynarde, 26110 Vinsobres, tél. 04.75.27.61.01, fax 04.75.27.68.40 ☑ 🍷 t.l.j. sf dim. 8h-12h 13h30-19h30

CH. JOANNY 1997★★

■ 15 ha 100 000 30 à 49 F

Cette vaste propriété du Comtat comportant 120 ha fut créée en 1880. Son côtes du rhône 97 a séduit par sa robe vive et soutenue et son nez de fruits confits, de mûre, de cassis. Riche, tendre et ronde, la bouche est très agréable, « sortant de l'ordinaire ».
🔑 Famille Dupond, Ch. Joanny, 84830 Sérignan-du-Comtat, tél. 04.90.70.00.10, fax 04.90.70.09.21, e-mail info@bracdelaperriere.com ☑ 🍷 t.l.j. sf mar. 8h-19h

DOM. DES JONCIERS 1997★★

■ 4 ha 20 000 30 à 49 F

Marine Roussel, digne successeur de Pierre Roussel, préside aujourd'hui aux destinées du domaine au beau terroir de galets roulés. Les Jonciers, traduction de genêts en provencal, sont des plantes de garrigue aux fleurs très odorantes de même que ce côtes du rhône du domaine aux arômes de fruits mûrs, de pâte de coing et d'épices. Equilibré, doté de tanins bien fondus, typique de son AOC, il saura accompagner un gigot d'agneau.
🔑 EARL Roussel, rue de la Combe, 30126 Tavel, tél. 04.66.50.27.70, fax 04.66.50.34.07 ☑ 🍷 t.l.j. sf dim. 8h-12h 14h-18h; sam. sur r.-v.
🔑 Marine Roussel

LA BASTIDE SAINT-VINCENT 1998★

◩ 1 ha 6 000 30 à 49 F

Une bien belle dégustation avec une attaque solide et un corps équilibré bien que légèrement alcooleux. Les fruits sont très présents accompagnés par quelques notes d'épices.

🔑 Guy Daniel, Bastide St-Vincent, rte de Vaison-la-Romaine, 84150 Violès, tél. 04.90.70.94.13, fax 04.90.70.96.13 ☑ 𝕐 t.l.j. sf dim. 9h-12h 14h-19h; f. 1er-15 jan. 15 sept.-10 oct.

LA BASTIDE SAINT-VINCENT 1998★

■ 3 ha 12 000 30 à 49 F

C'est un joli vin à la robe soutenue, au nez agréable de fruits rouges ; son bel équilibre devrait autoriser un bon vieillissement. Les tanins sont fins et la rétro-olfaction rappelle les fruits telle la framboise. A essayer sur des quenelles en sauce.

🔑 Guy Daniel, Bastide St-Vincent, rte de Vaison-la-Romaine, 84150 Violès, tél. 04.90.70.94.13, fax 04.90.70.96.13 ☑ 𝕐 t.l.j. sf dim. 9h-12h 14h-19h; f. 1er-15 jan. 15 sept.-10 oct.

DOM. DE LA BERTHETE 1998★

◪ 2 ha 10 500 20 à 29 F

Une robe légèrement soutenue aux reflets violacés, un équilibre méridional, c'est tout l'intérêt de cette bouteille. Un produit très plein, très gras et très complexe. La présence de cinsault, cépage bien approprié au rosé, n'est pas étrangère à cette réussite.

🔑 Pascal Maillet, Dom. de la Berthète, rte de Jonquières, 84850 Camaret, tél. 04.90.37.22.41, fax 04.90.37.74.55 ☑ 𝕐 t.l.j. sf dim. 10h-12h 14h-18h

DOM. LA CHARADE 1998★

□ 2 ha n.c. 20 à 29 F

Elevé avec la plus grande attention, ce vin est le fruit de la tradition et du terroir. Son palais structuré et bien équilibré est le support idéal d'arômes puissants de fruits et de fleurs blanches.

🔑 Jullien, Dom. La Charade, 30760 Saint-Julien-de-Peyrolas, tél. 04.66.82.18.21, fax 04.66.82.33.03 ☑ 𝕐 t.l.j. sf dim. 9h-12h 14h-19h

LA CHASSE DU PAPE 1998★

◪ 10 ha 50 000 20 à 29 F

Un rosé cerise, d'une grande puissance aromatique : ce produit est flatteur et ses notes de petits fruits et d'épices sont très agréables. « C'est un vin typique des nouveaux côtes-du-rhône rosés », nous dit l'un des dégustateurs.

🔑 Gabriel Meffre, Le Village, 84190 Gigondas, tél. 04.90.12.32.42, fax 04.90.12.32.49

LA COMTADINE 1997★★

■ n.c. 11 664 20 à 29 F

C'est un vin bien fait, intéressant, encore un peu fermé mais qui s'exprimera parfaitement un peu plus tard. La matière et l'équilibre sont agréables et l'attaque très fruitée rappelle que les raisins devaient être de bien belle qualité. La compétence du maître de chai a fait le reste.

🔑 Cave La Comtadine, 84110 Puyméras, tél. 04.90.46.40.78, fax 04.90.46.43.32 ☑ 𝕐 r.-v.

CH. LA CROIX CHABRIERE
Cuvée Prestige 1996★

■ n.c. 10 000 30 à 49 F

Impossible de citer ici tous les produits proposés par ce château dont la gamme est impressionnante. Un soin remarquable est apporté à ses vins et notamment à cette cuvée Prestige. L'originalité de la présentation est à découvrir : une robe rubis, un nez empyreumatique accompagné de fruits secs et de notes de vanille. La bouche est puissante, typée, et permettra les mariages avec les gibiers de la prochaine campagne.

🔑 Ch. La Croix Chabrière, rte de Saint-Restitut, 84500 Bollène, tél. 04.90.40.00.89, fax 04.90.40.19.93 ☑ 𝕐 t.l.j. 9h-12h 14h-18h; groupes sur r.-v.

🔑 Patrick Daniel

DOM. DE LA CROZE 1998★

□ 1 ha n.c. 30 à 49 F

C'est un vin aromatique à boire à l'apéritif ou sur des plateaux de fruits de mer. D'une belle intensité aromatique, des notes fruitées ressortent sur une pointe de menthe et de fleurs blanches. Son équilibre fin ne vous laissera pas indifférent, tout comme la jolie finale de pêche de vigne.

🔑 Françoise Granier, 13, rue de l'Escatillon, 30150 Roquemaure, tél. 04.66.82.56.73, fax 04.66.90.23.90 ☑ 𝕐 r.-v.

DOM. DE LA GRAND'RIBE
Cuvée Tradition 1997★

■ 15 ha 100 000 30 à 49 F

Une jolie robe sombre au liseré violacé, une bonne intensité aromatique (réglisse et fruits rouges sur une pointe fumée) et pour clôturer le tout, un bel équilibre à la fois gouleyant et charpenté. Bref, très réussi.

🔑 Abel Sahuc, 84290 Sainte-Cécile-les-Vignes, tél. 04.90.30.83.75, fax 04.90.30.76.12 ☑ 𝕐 t.l.j. sf dim. 10h-12h 14h30-18h

DOM. DE LA JANASSE 1998★

■ 10 ha 40 000 30 à 49 F

A découvrir au caveau, ce vin rouge sombre aux reflets violacés est issu d'un terroir de galets roulés et de sables. Le grenache l'emporte dans l'assemblage : on ressent une bonne intensité aromatique aux nuances de violette légèrement épicée. Son équilibre est tannique et sa finale est fruits rouges. Le **blanc 98** du domaine reçoit une étoile : sa générosité, son caractère floral, sa persistance ne laisseront pas indifférent.

🔑 EARL Aimé Sabon, 27, chem. du Moulin, 84350 Courthézon, tél. 04.90.70.86.29, fax 04.90.70.75.93 ☑ 𝕐 t.l.j. 8h-12h 14h-19h; sam. dim. sur r.-v.

DOM. LA MONARDIERE
Cuvée des Calades 1997★★

■ 2 ha 8 000 30 à 49 F

Venu de Vacqueyras, un côtes du rhône tout à fait remarquable. C'est un nectar très sombre, rubis très brillant. Les parfums sont puissants dès la première olfaction, épicés (poivre et cannelle). L'harmonie particulière de ce vin gras, fondu, long, rappelle la douceur des journées ensoleillées de printemps ; ni trop chaud, ni trop lourd ; c'est de la gourmandise.

Dom. La Monardière, Les Grès, 84190 Vacqueyras, tél. 04.90.65.87.20, fax 04.90.65.82.01 ☑ Y t.l.j. 9h-12h 14h-19h
C. Vache

DOM. DE LA MORDOREE 1998★★

■ 10 ha 60 000 30 à 49 F

Un joli vin aux petits tanins. Facile, déjà prête à la consommation, cette bouteille procure du plaisir. Sa profondeur et sa puissance odorante tirent sur la vanille et les épices ; le tout sur une finale bien fruitée.

Dom. de La Mordorée, chem. des Oliviers, 30126 Tavel, tél. 04.66.50.00.75, fax 04.66.50.47.39 ☑ Y t.l.j. sf dim. 8h-12h 13h30-17h
Delorme

DOM. DE LA PRESIDENTE 1998★

◪ 6 ha 30 000 20 à 29 F

Le domaine n'est plus à présenter, et le vin est chaque année plus intéressant. Ce rosé notamment, issu en partie de macération pelliculaire et de saignée, est très réussi. Il allie finesse et élégance et s'ouvre davantage à chaque tour de verre. Egalement à découvrir, un côtes du rhône **rouge 98** (une étoile) qui peut être bu tout de suite pour ses arômes fruités mais qui peut également attendre grâce à ses tanins fins.

Vignobles Max Aubert, Dom. de La Présidente, 84290 Sainte-Cécile-les-Vignes, tél. 04.90.30.80.34, fax 04.90.30.72.93 ☑ Y t.l.j. sf dim. 8h30-12h 14h-18h30
René Aubert

DOM. LA REMEJEANNE
Les Eglantiers 1998★★★

■ 1 ha n.c. 50 à 69 F

Tout simplement impressionnant ! Rarement un même domaine se voit récompensé dans une même AOC pour deux cuvées recevant trois étoiles. On ne peut qu'en conclure qu'il est géré de mains de maître ! Une robe noire habille cette cuvée dont le premier nez fait bien ressortir le passage en barrique. Le deuxième nez permet de distinguer les fruits noirs très mûrs. La bouche est une cathédrale : immense matière, tanins très concentrés et en même temps d'une grande douceur. Et quelle longueur ! Le vigneron a réussi le mariage de l'élégance et de la concentration. Un dégustateur a écrit : « Ce vin est l'un de ceux qui marqueront les mémoires ».

EARL Ouahi et Rémy Klein, Dom. la Réméjeanne, Cadignac, 30200 Sabran, tél. 04.66.89.44.51, fax 04.66.89.64.22 ☑ Y r.-v.

DOM. LA REMEJEANNE
Les Arbousiers 1998★★★

■ 6 ha 40 000 30 à 49 F

Ces Arbousiers ne sont pas élevés en barrique. Ils laissent parler une admirable matière, charnue, structurée par des tanins fondus et exprimant des notes de cassis et de violette. Une dégustation très homogène pour un vin plaisir qui réjouira pendant trois à quatre ans.

EARL Ouahi et Rémy Klein, Dom. La Réméjeanne, Cadignac, 30200 Sabran, tél. 04.66.89.44.51, fax 04.66.89.64.22 ☑ Y r.-v.

CH. LA RENJARDIERE 1998★

◪ 90 ha 20 000 30 à 49 F

Par le même producteur que le château Joanny, un rosé typique de l'appellation : fruité et puissant en bouche, ce 98 est souple et équilibré. Ses arômes sont soutenus et leur présence prouve la bonne maîtrise de la conception de ce vin de belle facture. A boire toute l'année.

Pierre Dupond, Ch. La Renjardière, 84830 Sérignan-du-Comtat, tél. 04.74.65.24.32, fax 04.74.68.04.14

DOM. DE LASCAMP 1998★★

■ 15 ha 8 500 30 à 49 F

Quelle harmonie possède cette syrah bien mûre, expressive et déjà fondue ! Sa robe est soutenue, et ses arômes de fruits rouges sont intenses. Son équilibre tout en puissance et nervosité lui promet une belle traversée de quelques années. Notée une étoile, la cuvée **le Clos de Lascamp rouge 98** (syrah, grenache) accompagnera vos charcuteries.

EARL Imbert, Clos de Lascamp, Cadignac, 30200 Sabran, tél. 04.66.89.69.28, fax 04.66.89.62.44 ☑ Y t.l.j. 8h-12h 14h-18h

DOM. DE LA VALERIANE 1998★

◪ 2 ha 4 500 20 à 29 F

C'est une technologie très maîtrisée qui donne à ce vin toute sa richesse et bien que la qualité du raisin ne soit pas étrangère à ce beau résultat, la macération à froid suivie d'une saignée semble adaptée à ce rosé très réussi destiné à toutes les entrées.

Mesmin Castan, rte d'Estézargues, 30390 Domazan, tél. 04.66.57.04.84, fax 04.66.57.00.07 ☑ Y r.-v.

LA VINSOBRAISE 1998★★

◪ 3 ha 16 000 ▮ 🌡 - de 20 F

La grande qualité à prix très raisonnable, c'est toujours intéressant. Ce rosé légèrement floral au parfum de violette est bien long en bouche et sa structure est plutôt fondue ; on lit aussi sur les fiches de dégustation : « un rosé de bouche ».

🔑 Cave coopérative La Vinsobraise, 26110 Vinsobres, tél. 04.75.27.64.22, fax 04.75.27.66.59 ☑ Y r.-v.

DOM. LE CLOS DU BAILLY 1998★

■ 10 ha 10 000 ▮ 🌡 20 à 29 F

Toute une gamme de produits à découvrir au caveau et entre autres ce rouge 98 très prometteur. Ici les cépages traditionnels tels que grenache, syrah, carignan, counoise s'expriment dans leur caractère particulier pour se fondre dans une saveur unique. La famille Soulier assure un accueil chaleureux dans cette région très touristique proche du pont du Gard.

🔑 Soulier Père et Fils, Dom. Le Clos du Bailly, 17, rue d'Avignon, 30210 Remoulins, tél. 04.66.37.12.23, fax 04.66.37.38.44 ☑ Y r.-v.

LES CHARMILLES 1998★★

□ 4 ha 26 000 ▮ 🌡 30 à 49 F

Une cuvée superbe aux magnifiques reflets d'or. Intensément florale, avec une pointe d'exotisme qui ressort en finale. Extrêmement bien vinifié, ce 100 % grenache est surprenant, très long en bouche. Il pourra accompagner bien des plats et notamment un bon soufflé au fromage.

🔑 Père Anselme, rte d'Avignon, 84230 Châteauneuf-du-Pape, tél. 04.90.83.70.07, fax 04.90.83.74.34 ☑ Y r.-v.

LES COUDRIERS 1998★

◪ 20 ha 50 000 ▮ 🌡 - de 20 F

Un assemblage classique des cépages grenache, syrah, mourvèdre, pour un produit d'un excellent rapport qualité/prix. Une belle dégustation, fruitée, équilibrée et persistante, un rosé typique.

🔑 Cellier de L'Enclave des Papes, B.P. 51, 84602 Valréas Cedex, tél. 04.90.41.91.42, fax 04.90.41.90.21

LE SERRE DE BERNON 1998★★

□ 10 ha 50 000 ▮ 🌡 20 à 29 F

Jaune pâle, doté d'un nez fin et agréable, franc avec des nuances fruitées (agrumes) et florales, ce vin, après une très bonne attaque, se montre équilibré, rond, d'une grande finesse aromatique ; le jury l'a beaucoup apprécié.

🔑 Cave des Quatre-Chemins, 30290 Laudun, tél. 04.66.82.00.22, fax 04.66.82.44.26 ☑ Y t.l.j. sf dim. 8h-12h 14h-18h

DOM. DE L'ORATOIRE SAINT-MARTIN 1998★

□ 2 ha 10 000 ▮ 🌡 30 à 49 F

Sans être lourd, c'est un vin assez doux, douceur due sans doute à une faible acidité ; tout en finesse, c'est un 97 élégant et typé. Avec 50 % de roussanne, il laisse apprécier sa bouche longue et suave.

🔑 Frédéric et François Alary, rte de Saint-Roman, 84290 Cairanne, tél. 04.90.30.82.07, fax 04.90.30.74.27 ☑ Y t.l.j. sf dim. 8h-12h 14h-19h

DOM. DE LUMIAN 1997

■ 10 ha 50 000 ▮ 🌡 30 à 49 F

Sans faire l'unanimité dans son jury, ce vin a frappé par son caractère. Ample et puissant, il développe des notes de fruits mûrs, de réglisse et de chocolat noir. Original, il est à découvrir.

🔑 Gilles Phetisson, Dom. de Lumian, 84600 Valréas, tél. 04.90.35.09.70, fax 04.90.35.18.38 ☑ Y t.l.j. 8h-20h

DOM. MARIE-BLANCHE 1997★

■ 20 ha 25 000 ▮ 🌡 20 à 29 F

Recommandé sur de la volaille grillée, c'est un vin déjà plaisant qui va se bonifier. Issus de Saze, petit village gardois au caractère rustique et aux coteaux âpres et caillouteux, les raisins des Côtes-du-Rhône livrent ici toute leur expression, puissante et savoureuse.

🔑 Jean-Jacques Delorme, Dom. Marie-Blanche, 30650 Saze, tél. 04.90.31.77.26, fax 04.90.26.94.48 ☑ Y r.-v.

CH. DE MARJOLET 1998

□ 3 ha 15 000 ▮ 20 à 29 F

C'est sans aucun doute sa finesse qui permet à ce blanc de figurer sur le Guide cette année. Le jury a apprécié ses arômes mais aussi son gras. Rien d'étonnant pour un vin à base de roussanne.

🔑 Bernard Pontaud, B.P. 3, 30330 Gaujac, tél. 04.66.82.00.93, fax 04.66.82.92.58 ☑ Y r.-v.

DOM. DES MASSES

Réserve du domaine 1998★

◪ 7 ha 45 000 ▮ 🌡 20 à 29 F

Une collaboration très réussie entre, d'une part, des producteurs, Honoré et Frédéric Bertolo, qui s'engagent sur la voie de la qualité et, d'autre part, un metteur en marché, Michel Bernard, qui met à la disposition de ce vigneron un œnologue conseil en vinification. Cela a donné naissance à un rosé résolument haut de gamme.

🔑 SICA Domaines Michel Bernard, rte de Sérignan, 84100 Orange, tél. 04.90.11.86.86, fax 04.90.34.87.30

🔑 Bertolo

LES GRANDES CUVEES DE GABRIEL MEFFRE

Cuvée des Evêques 1998★★

■ 12 ha 60 000 ⏀ 30 à 49 F

Une dégustation de l'ensemble des cuvées G. Meffre serait sûrement intéressante et enrichissante. Lorsque le jury qualifie ces vins de remarquables, il note surtout un gras et une rondeur très présente, des arômes puissants, un accent légèrement animal avec des notes de sous-bois. La cuvée des Evêques est élevée en barrique, la cuvée **Syranne 98** ne connaît que la cuve. La première est un assemblage, la seconde est une pure syrah.

🔑 Gabriel Meffre, Le Village, 84190 Gigondas, tél. 04.90.12.32.42, fax 04.90.12.32.49

CH. DE MONTFAUCON
Baron Louis 1997*

■   5 ha   22 000   ▮▮▯▯   `50 à 69 F`

Propriétaire du château de Montfaucon, dont l'origine remonte au XII°s., le baron Louis fit restaurer ce château en 1880, lui donnant des allures de forteresse écossaise. Ses descendants saluent son souvenir par cette cuvée car, lorsque l'on aime le vin, on aime la culture, et ici, l'histoire est très vivante. Rodolphe de Pins a su en quelques années élever la qualité de ses vins au plus haut niveau des côtes du rhône. Riche, mûr et très structuré, celui-ci est un produit de grande envergure.

☛ Rodolphe de Pins, Ch. de Montfaucon, 30150 Montfaucon, tél. 04.66.50.37.19, fax 04.66.50.37.19 ☑ ☥ t.l.j. sf sam. dim. 14h-18h; groupes sur r.-v.

CH. MONT-REDON Viognier 1998**
□   1,5 ha   4 000   ▮▯   `70 à 99 F`

Beaucoup souhaiteraient l'imiter mais peu y parviennent ; de la vigne au vin tout est parfaitement maîtrisé. Le cépage viognier s'exprime pleinement et donne d'agréables sensations d'onctuosité tout en restant frais. Ses notes sont du type fruité - pêche - légèrement muscaté, d'une intensité remarquable. A noter également le **côtes du rhône traditionnel** (30-49 F) jugé très réussi par le jury, assemblant 65 % de grenache, 20 % de bourboulenc et 15 % de roussanne.

☛ Familles Abeille-Fabre, Ch. Mont-Redon, 84230 Châteauneuf-du-Pape, tél. 04.90.83.72.75, fax 04.90.83.77.20, e-mail chateaumontredon@wanadoo.fr ☑ ☥ r.-v.

DOM. MOULIN DU POURPRE 1998
◪   2 ha   3 000   ▮▯   `20 à 29 F`

Un des plus anciens vignobles de la région, ce domaine est bien ancré dans la tradition des vins rosés puissants des côtes du rhône, avec des arômes complexes à dominante épicée.

☛ Françoise Simon, Colombier, 30200 Sabran, tél. 04.66.89.73.98, fax 04.66.89.92.26 ☑ ☥ r.-v.

DOM. PELAQUIE Viognier 1998*
□   1 ha   4 000   ▮▯   `50 à 69 F`

Sur un terroir idéal, lorsqu'un passionné de vin blanc s'attaque à la vinification du viognier, il y a vraiment très peu de choses laissées au hasard ! Luc Pélaquié présente ici un viognier très agrumes, agrémenté d'une bouche suave et bien plaisante.

☛ Dom. Pélaquié, 7, rue du Vernet, 30290 Saint-Victor-la-Coste, tél. 04.66.50.04.06, fax 04.66.50.33.32, e-mail domaine@pelaquie.com ☑ ☥ t.l.j. sf dim. 9h-12h 14h-18h

PERRIN Réserve 1998*
□   n.c.   300 000   ▮▯   `30 à 49 F`

Habitués à produire de très grands vins, Jean-Pierre et François Perrin qui ont pris pied en Californie, s'associant à Vineyards Brands, signent une belle réussite avec ce blanc 98 couleur or. Après un nez fin de fruits confits et de discrets arômes d'abricot, l'attaque en bouche se montre aérienne. Friand, ce 98 laisse sur une agréable pointe de fraîcheur .

☛ Domaines Perrin, La Ferrière, 84000 Orange, tél. 04.90.11.12.00, fax 04.90.11.12.19, e-mail perrin@beaucastel.com ☑ ☥ r.-v.

DOM. ROGER PERRIN
Cuvée Prestige Vieilles vignes 1998*

■   10 ha   54 000   ▮▮▯▯   `30 à 49 F`

Un léger passage en bois pour un vin complet et harmonieux qui a du corps, de la mâche, de la présence. Ce domaine déjà très réputé pour sa culture des cépages traditionnels des côtes du rhône démontre ici que sa production est soignée.

☛ Dom. Roger Perrin, rte de Châteauneuf-du-Pape, 84100 Orange, tél. 04.90.34.25.64, fax 04.90.34.88.37 ☥ t.l.j. sf dim. 8h-12h 14h-19h
☛ Luc Perrin

DOM. DE PIERREDON 1997**
■   10 ha   50 000   ▮▯   `20 à 29 F`

Le domaine de Pierredon est sans aucun doute l'enfant préféré de la cave d'Estézargues. Remarquable, la matière est soyeuse ; la persistance surprenante et les notes de cerise laissent sur une finale fruitée très agréable. A découvrir également, le **domaine d'Andezon rouge 97** (une étoile, 30 à 49 F) dont la structure est complexe et que l'on peut oublier en cave quelques semestres.

☛ Cave des Vignerons d'Estézargues, 30390 Estézargues, tél. 04.66.57.03.64, fax 04.66.57.04.83, e-mail estezargues@wanadoo.fr ☑ ☥ t.l.j. sf dim. 8h-12h 14h-18h

DOM. DES RAMIERES 1998**
■   25 ha   145 000   ▮▯   `20 à 29 F`

Le succès est dû à un excellent travail dans les vignes ainsi qu'à J.-F. Ranvier qui a apporté ses connaissances techniques au propriétaire du domaine. Celui-ci propose ce merveilleux côtes du rhône gras, intense, complexe, fruité, épicé, joliment structuré. Vente par correspondance.

☛ SICA Domaines Michel Bernard, rte de Sérignan, 84100 Orange, tél. 04.90.11.86.86, fax 04.90.34.87.30
☛ Alain Luiselli

CH. REDORTIER 1997*
■   2 ha   10 000   ▮   `30 à 49 F`

Suzette, Beaumes-de-Venise... quels merveilleux villages provençaux au pied du mont Ventoux abrité du mistral tout au long de l'année ! Le château produit ici un rouge flatteur aux notes épicées (muscade, girofle), très gras et très intense. Il pourra être un bon compagnon des volailles ou des omelettes aux truffes.

☛ EARL Ch. Redortier, 84190 Suzette, tél. 04.90.62.96.43, fax 04.90.65.03.38 ☑ ☥ t.l.j. 10h-12h 14h-18h
☛ de Menthon

CAVE DES VIGNERONS DE ROCHEGUDE 1998*
◪   n.c.   16 000   ▮▯   `20 à 29 F`

Une robe très claire d'une couleur surprenante pour un rosé de saignée. Les arômes sont discrets mais très présents. C'est d'abord la finesse de ce

vin qui enchante puis la découverte en bouche de sa complexité et de son gras.
🗝 Cave des Vignerons de Rochegude, 26790 Rochegude, tél. 04.75.04.81.84, fax 04.75.04.84.80 ☒ Y r.-v.

DOM. DE ROCHEMOND 1998

■	10 ha	50 000	▮🌡	20 à 29 F

Bien que déjà à la vente, ce 98 n'est pas tout à fait prêt à la consommation : il faudra attendre pour l'apprécier à sa juste valeur. Issu pour moitié de syrah et de grenache, c'est le vin des chasseurs. Ses notes animales et de sous-bois sont bien posées sur des tanins très présents. Attendre au moins l'automne 2000.
🗝 Eric Philip, Cadignac-sud, 30200 Sabran, tél. 04.66.79.04.42, fax 04.66.79.04.42 ☒ Y r.-v.

DOMINIQUE ROCHER 1998

◪	0,38 ha	2 600	▮🌡	30 à 49 F

Tapenade, pizza, poissons grillés : voici pour l'accompagnement de ce rosé issu de saignée et éraflé à 100 %. Sa matière est assez légère, à la fois fruitée (groseille) et florale. A découvrir au caveau ainsi que le **blanc 98** rond et structuré, d'une belle concentration - même note.
🗝 Dominique Rocher, rte de Saint-Roman, 84290 Cairanne, tél. 04.90.30.87.44, fax 04.90.30.80.62, e-mail rochervin@pacwan.fr ☒ Y t.l.j. 9h-12h 14h-18h

DOM. DES ROCHES FORTES
Prestige 1997★★

■	1 ha	3 000	▮⦶🌡	30 à 49 F

Remarquable côtes du rhône 100 % syrah élaboré de façon tout à fait traditionnelle et qui pourrait faire réfléchir les « accros » des nouvelles technologies. Cuve béton, éraflage, cuvaison de huit jours puis élevage huit mois en barrique permettent de révéler la puissance, le gras, le fondu, les arômes de cassis et d'épices, la persistance et l'harmonie de cette cuvée Prestige. A noter également la **cuvée classique** du domaine qui reçoit une étoile (20 à 29 F). Elle n'a pas connu le bois et assemble le grenache à 30 % de syrah. « Un bon vin qui remplit bien son rôle. »
🗝 GAEC Brunel et Fils, Dom. des Roches Fortes, quartier Le Château, 84110 Vaison-la-Romaine, tél. 04.90.36.03.03, fax 04.90.28.77.14 ☒ Y t.l.j. sf dim. 10h30-12h 13h30-18h

DOM. DE ROQUEBRUNE
Grande Cuvée 1997★

■	2 ha	10 000	▮🌡	30 à 49 F

Tout en puissance, c'est un bel équilibre fruit, acidité, alcool qui domine ce riche produit aux arômes complexes tirant sur des notes animales. S'il est prêt à l'achat, il faudra cependant attendre sa plénitude d'ici vingt-quatre mois environ.
🗝 Pierre Rique, Dom. de Roquebrune, 30130 Saint-Alexandre, tél. 04.66.39.33.30, fax 04.66.39.23.85 ☒ Y r.-v.

CH. DE RUTH
Cuvée Nicolas de Beauharnais 1998★

◪	4 ha	22 000	▮🌡	30 à 49 F

Une robe brillante légèrement rubis, des arômes nombreux du type fruit rouge (griotte) sont les prémices des sensations gustatives charnues, rondes et longues. Très équilibré, ce rosé est agréable.
🗝 Christian Meffre, Ch. de Ruth, 84290 Sainte-Cécile-les-Vignes, tél. 04.90.12.32.42, fax 04.90.12.32.49

DOM. SAINT-CLAUDE 1998★

◪	1,4 ha	8 200	▮🌡	30 à 49 F

Un rosé de saignée élaboré à partir de grenache et cinsault ; très traditionnel, il développe des arômes de fruits cuits ; assez riche et plein, il accompagnera agréablement toutes vos grillades. Cité, le **blanc 98** du domaine, encore très jeune, mais fort bien élaboré.
🗝 Frédéric Armand, Dom. Saint-Claude, Le Palis, 84110 Vaison-la-Romaine, tél. 04.90.36.23.68, fax 04.90.36.09.16 ☒ Y r.-v.

SAINT-COSME 1998★★

■	11,5 ha	61 000	▮	30 à 49 F

Une vendange bien mûre, soignée et accompagnée à maturité : tel est le secret d'une remarquable réussite. La macération de quinze jours n'a en aucun cas alourdi cette syrah 100 % qui présente un palais très souple et agréable, sur des parfums de fruits. Sa très belle finale repose sur des impressions chocolatées. Le **blanc 98** reçoit une étoile.
🗝 SARL Louis et Cherry Barruol, Ch. de Saint-Cosme, 84190 Gigondas, tél. 04.90.65.80.80, fax 04.90.65.81.05 ☒ Y t.l.j. sf dim. 8h30-12h 14h-19h

CH. SAINT-ESTEVE D'UCHAUX
Tradition 1998★

■	n.c.	100 000	▮🌡	30 à 49 F

Ce grand domaine bien connu de nos lecteurs a proposé un joli **rosé 98** produit à partir des quatre cépages traditionnels des côtes du rhône : son fruité et sa puissance en font un vin généreux et lui permettent d'obtenir une étoile. Quant à ce rouge, il inspire une large utilisation de l'adverbe très par les dégustateurs. « Très brillant, très bon nez fruité et épicé, très belle bouche à l'équilibre tranquille, très élégante... » En un mot, c'est bon et à boire dans l'année.
🗝 Ch. Saint-Estève d'Uchaux, 84100 Uchaux, tél. 04.90.40.62.38, fax 04.90.40.63.49 ☒ Y t.l.j. sf dim. 9h-12h 14h-18h
🗝 Gérard et Marc Français

DOM. SAINT-ETIENNE
Les Albizzias 1998*

■ 15 ha 100 000 🍷 20 à 29 F

Sous un habillage raffiné, vous découvrirez une bouteille au contenu de même nature. Elégant et fruité, ce vin est déjà agréable mais il peut être oublié en cave car sa structure ferme et puissante le préservera du temps.
🔑 Michel Coullomb, Dom. Saint-Etienne, 26, fg du Pont, 30490 Montfrin, tél. 04.66.57.50.20, fax 04.66.57.22.78 ☑ 🍷 r.-v.

LES VIGNERONS DE SAINT-HILAIRE D'OZILHAN
Prestige 1998*

■ 12 ha 55 000 🍷 30 à 49 F

Depuis déjà quelques années la sélection des raisins est assurée à la cave avec rigueur. Aujourd'hui, les vignerons récoltent les récompenses et ce vin rouge le mérite bien par sa puissance, sa chaleur et son potentiel aromatique de cerise et de fruits compotés (griotte, pruneau).
🔑 Les Vignerons de Saint-Hilaire-d'Ozilhan, av. Paul-Blisson, 30210 Saint-Hilaire-d'Ozilhan, tél. 04.66.37.16.47, fax 04.66.37.35.12, e-mail contact@cotes-du-rhone-wine.com
☑ 🍷 t.l.j. sf dim. 9h30-12h30 14h-18h; f. lun. nov. à mars

CH. SAINT-JEAN 1998

□ 4,5 ha 20 000 🍷 20 à 29 F

La typicité de cet assemblage - grenache, clairette, bourboulenc - fait la force de ce vin blanc. Les qualités de chacun de ces cépages, toutes mises en commun, font la richesse de ce produit bien à sa place parmi les côtes du rhône blancs. A noter également la **cuvée des Evêques, blanc 98**, réussie avec ses sympathiques notes d'abricot.
🔑 SCA Ch. Saint-Jean, Le Plan de Dieu, 84850 Travaillan, tél. 04.90.12.32.42, fax 04.90.12.32.49

DOM. SAINT-LAURENT 1998*

■ n.c. 50 000 🍷 30 à 49 F

Charnu, équilibré, typique de l'AOC, il offre un beau bouquet de fruits noirs et de sous-bois, et séduit l'œil par une robe rouge cerise soutenu. Il est déjà prêt.
🔑 SICA Domaines Michel Bernard, rte de Sérignan, 84100 Orange, tél. 04.90.11.86.86, fax 04.90.34.87.30
🔑 Didier Noël

SAINT-MARTIN DE JOCUNDAZ
1998*

□ 0,8 ha 1 300 🍷 50 à 69 F

Simian est situé sur les pentes du massif d'Uchaux, face au soleil, et bien abrité du mistral. La vigne et l'olivier sont présents ici depuis l'an 893. Il n'est donc pas étonnant que ce 100 % viognier exprime ici toute la richesse du cépage. Fleurs et fruits exotiques composent le bouquet. La bouche, longue et pleine, est très typée.
🔑 Jean-Pierre Serguier, Ch. Simian, 84420 Piolenc, tél. 04.90.29.50.67, fax 04.90.29.62.33 ☑ 🍷 t.l.j. sf dim. 8h-12h 14h-19h

DOM. DE SERVANS
Cuvée Tradition Elevé en fût de chêne 1997**

■ 1,3 ha 6 500 🛢 50 à 69 F

Un grand vin très travaillé et le passage en bois d'un produit structuré donne automatiquement un beau résultat si on sait maîtriser la vigne et l'élevage. C'est ici le cas : de jolies notes de fruits macérés, de l'expression, beaucoup de gras... un vin soyeux.
🔑 Pierre Granier, av. de Provence, 26790 Tulette, tél. 04.75.98.31.47, fax 04.75.98.31.47 ☑ 🍷 t.l.j. 8h30-12h 13h30-19h

DOM. DU SOLEIL ROMAIN
Dame Laurence 1998

□ 3 ha 3 000 🍷 50 à 69 F

Une jolie robe ; un nez fruité intéressant, discret et fin ; une bouche agréable avec une bonne persistance fruitée ; tout cela forme un côtes du rhône honorable qui mérite sa place ici.
🔑 Bernard Giely, La Sainte-Croix, 84110 Vaison-la-Romaine, tél. 04.90.36.12.69, fax 04.90.28.71.89 ☑ 🍷 r.-v.

DOM. TOUR PARADIS 1998

□ 1 ha 3 500 🍷 20 à 29 F

Sur ce terroir très particulier d'Aiguèze à la fois frais et chaud, on pense tout d'abord au puissant vin rouge des Côtes du Rhône mais grâce à l'assemblage judicieux de la roussanne et du viognier avec 50 % de grenache blanc, Georges Chabot signe ici un très joli vin blanc discret et facile à consommer.
🔑 GAEC Chabot, Dom. Tour Paradis, 30760 Aiguèze, tél. 04.66.82.18.80, fax 04.66.82.18.80 ☑ 🍷 r.-v.

CH. DU TRIGNON Viognier 1998*

□ 3 ha 10 000 🍷 70 à 99 F

Le château du Trignon est un habitué du Guide. Il propose un viognier de caractère. Les arômes intenses au nez ne déçoivent pas en bouche car, sur son équilibre gras, on décèle une pointe d'acidité sans aucune agressivité. C'est un vin original à découvrir.
🔑 Ch. du Trignon, 84190 Gigondas, tél. 04.90.46.90.27, fax 04.90.46.98.63 ☑ 🍷 t.l.j. sf dim. 10h-12h30 14h-18h30

VIEUX MANOIR DE MARANSAN
1998*

□ n.c. 66 000 🍷 20 à 29 F

C'est une combinaison d'arômes de fleurs d'acacia, de fruits secs et d'agrumes qui ressort du parfum de ce vin à la fois puissant et fin. On retrouve en bouche des notes de fruits confits et d'abricot sec. Un côtes du rhône bien plaisant.
🔑 Du Peloux, quartier Les Barrades, RN 7, B.P. 11, 84350 Courthézon, tél. 04.90.70.42.10, fax 04.90.70.42.15
🔑 F. Broche

Trouver un vin ? Consultez l'index en fin de volume.

Côtes du rhône-villages

A l'intérieur de l'aire des côtes du rhône, quelques communes ont acquis une notoriété certaine grâce à des terroirs qui produisent des vins (environ 150 000 hl) dont la typicité et les qualités sont unanimement reconnues et appréciées. Les conditions de production de ces vins sont soumises à des critères plus restrictifs en matière notamment de délimitation, rendement et degré alcoolique par rapport à ceux des côtes du rhône.

Il y a d'une part les côtes du rhône-villages pouvant mentionner un nom de commune, seize noms historiquement reconnus et qui sont : Chusclan, Laudun et Saint-Gervais dans le Gard ; Beaumes-de-Venise, Cairanne, Sablet, Séguret, Rasteau, Roaix, Valréas et Visan dans le Vaucluse ; Rochegude, Rousset-les-Vignes, Saint-Maurice, Saint-Pantaléon-les-Vignes et Vinsobres dans la Drôme, et qui recouvrent vingt-cinq communes pour une superficie déclarée de 3 200 ha.

Il y a d'autre part les côtes du rhône-villages sans nom de communes, dont la délimitation vient de s'achever sur le reste de l'ensemble des communes du Gard, du Vaucluse et de la Drôme dans l'aire côtes du rhône.

Soixante-dix communes ont été retenues. Cette délimitation avait pour premier objectif de permettre l'élaboration de vins de semi-garde. Il s'en déclare actuellement 1 800 ha.

DOM. D'AERIA

Cairanne Cuvée Prestige 1996★★

■ 2,2 ha 6 000 50 à 69 F

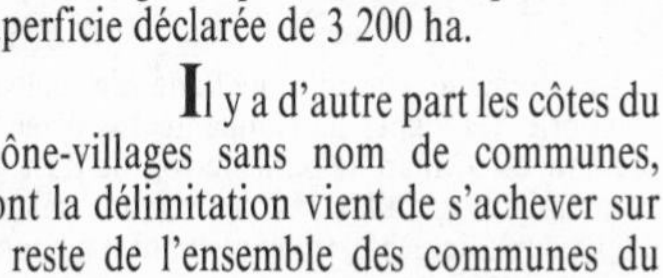

De prestige, ce vin n'en manque pas. Revêtu d'une robe pourpre intense, il offre une belle persistance aromatique sur fond de fruits cuits réglissés et de nuances animales. La structure tannique n'a pas encore dévoilé tout son potentiel, mais déjà, quelle harmonie ! Est-ce dû à l'ancienneté du site, à celle du vignoble ou à la tradition familiale ? Peu importe, le coup de cœur ne s'explique pas.

EARL Dom. d'Aéria, rte de Rasteau, 84290 Cairanne, tél. 04.90.30.88.78, fax 04.90.30.78.38 r.-v.

Gap

DOM. DANIEL ET DENIS ALARY

Cairanne La Font d'Estévenas 1997★★

■ 2 ha 8 000 50 à 69 F

Après une année sabbatique, le Gaec Alary revient en force avec la Font d'Estévenas, cuvée phare du domaine à la limite de l'exceptionnel pour ce millésime difficile. Tout est fait dans le respect de la matière première et du terroir. Rondeur, gras, longueur, le résultat ne pouvait être que superbe. La **Réserve du Vigneron**, en Cairanne, ronde et pleine, marquée par les fruits rouges, mérite une étoile ; elle est prête dès maintenant.

Dom. Daniel et Denis Alary, La Font d'Estévenas, 84290 Cairanne, tél. 04.90.30.82.32, fax 04.90.30.74.71 r.-v.

DOM. MAX AUBERT

Cairanne Les Partides 1997

■ 5 ha 30 000 50 à 69 F

Ce 97 a été particulièrement apprécié pour son joli nez de réglisse mêlant le cassis, la griotte, un peu de vanille et une pointe de grillé. Souple en attaque, il tient cependant la distance. Un rouge sympathique et avenant.

Vignobles Max Aubert, Dom. de La Présidente, 84290 Sainte-Cécile-les-Vignes, tél. 04.90.30.80.34, fax 04.90.30.72.93 t.l.j. sf dim. 8h30-12h 14h-18h30

René Aubert

DOM. DE BEAUMALRIC

Beaumes-de-Venise 1997

■ 5,31 ha 29 000 30 à 49 F

Fruits rouges et épices tiennent lieu de fil d'Ariane dans ce vin tout en rondeur. C'est pourtant bien un *villages* par sa longueur et sa finale chaleureuse qui laissent imaginer une belle matière première. Il est prêt à boire.

EARL Begouaussel, Dom. de Beaumalric, B.P. 15, 84190 Beaumes-de-Venise, tél. 04.90.65.01.77, fax 04.90.62.97.28 r.-v.

VIGNERONS DE BEAUMES-DE-VENISE

Beaumes-de-Venise 1998★

◢ 200 ha 55 000 30 à 49 F

Ce vin, rose tendre, laisse tout d'abord une impression de finesse et de délicatesse. La surprise vient de la bouche, puissante et longue. Elle dévoile un potentiel d'évolution tout à fait intéressant. Le **rouge 97 Terroir du Trias**, dans le même *village*, a obtenu une note identique. Ce vin joue la transparence, son nez, puissant et vanillé, ne trompant pas sur un passage en fût. Très ample et long en bouche, encore très marqué par le bois, il demande un peu de temps pour donner toute sa mesure.

RHONE

⊶ Cave des Vignerons de Beaumes-de-Venise, quartier Ravel, 84190 Beaumes-de-Venise, tél. 04.90.12.41.00, fax 04.90.65.02.05 ☑ Ỵ r.-v.

DOM. BEAU MISTRAL

Rasteau Sélection de vieilles vignes 1996

■ 8 ha n.c. ▮ ◍ 🌡 30 à 49 F

Souffle du mistral ou âge des vignes (quatre-vingts ans) ? La concentration et la rondeur sont au rendez-vous. Le nez, intense et complexe, mêle des fruits macérés (pruneau) et des épices. Si l'on en juge par la qualité des tanins, la bouche a atteint son expression optimale. Un vin prêt à boire.

⊶ Jean-Marc Brun, Le Village, 84110 Rasteau, tél. 04.90.46.16.90, fax 04.90.46.17.30 ☑ Ỵ r.-v.

MICHEL BERNARD

La Réserve des Pontifes 1998*

■ n.c. n.c. ▮ 🌡 30 à 49 F

Trois sélections distinguent la production 98 des domaines Michel Bernard. Cette Réserve des Pontifes est un rouge puissant et complet ; le **Domaine Plantevin** (même note) est typé et original ; les **Domaniales 98** (cuvée citée) constituent une cuvée fruitée et agréable. L'ensemble compose une palette de côtes du rhône-villages rouges haut de gamme.

⊶ SICA Domaines Michel Bernard, rte de Sérignan, 84100 Orange, tél. 04.90.11.86.86, fax 04.90.34.87.30

DOM. BERTHET-RAYNE

Cairanne Tradition 1998*

■ 9 ha 40 000 ▮ 30 à 49 F

Depuis trente-deux ans, Michel et André Berthet-Rayne sont à la tête de cette propriété, qui leur vient de leur arrière-grand-père. Une grande expérience transmise de génération en génération, voilà ce que revendique cette bouteille. Subtilité et intensité s'expriment en longueur sur un fond bien équilibré. Le **rouge 97 Castel Mireio, élevé en fût**, est lui aussi très réussi. Sous un joli vanillé, on devine une palette aromatique complexe à base de fruits noirs. A ressortir dans cinq ans, pour apprécier son ampleur et sa persistance aromatique étonnante.

⊶ Dom. M. et A. Berthet-Rayne, rte d'Orange, 84290 Cairanne, tél. 04.90.30.88.15, fax 04.90.30.83.17 Ỵ r.-v.

DOM. DU BOIS DES DAMES 1998*

■ 80 ha 400 000 ▮ 🌡 20 à 29 F

Du IXe au XVIII[e]s., le domaine du Bois des Dames appartint aux chartreusines de Prébayon. A la Révolution, il fut vendu comme bien national. Depuis 1946, il est exclusivement consacré au vignoble. Ce domaine présente un vin féminin, au nez discret mais parfumé, rond en bouche. Bien que jeune, ce 98 est à boire sans attendre et conviendra aux amateurs de petit gibier.

⊶ SCA Dom. du Bois des Dames, Le Bois des Dames, 84150 Violès, tél. 04.90.65.85.32, fax 04.90.65.83.46

HENRY BOUACHON

Cuvée du Centenaire Elevé en fût de chêne 1997**

■ n.c. 40 000 ◍ 30 à 49 F

Un centenaire qui méritait une cuvée numérotée tant il est surprenant de jeunesse et de vitalité. Il offre un nez intense de fruits rouges (cerise, mûre) où domine la syrah. L'attaque est souple et les tanins fondus sont légèrement soulignés par un bois fort bien dosé. Une magnifique réussite pour ce millésime difficile.

⊶ Caves Saint-Pierre Henry Bouachon, av. Pierre-de-Luxembourg, B.P. 5, 84230 Châteauneuf-du-Pape, tél. 04.90.83.58.48, fax 04.90.83.77.23 ☑ Ỵ t.l.j. sf dim. 8h-12h 13h30-17h30

DOM. BRESSY-MASSON

Rasteau Cuvée Paul-Emile 1997**

■ n.c. 8 000 ◍ 50 à 69 F

Ce domaine, installé à flanc de coteau, comporte des vignes de cinquante ans d'âge. Il présente un 97 marqué par le terroir de Rasteau. Le premier nez, animal, évolue vers un mélange d'épices très agréable, fin et puissant. La bouche décline encore ces arômes. Cette forte personnalité, riche et complexe, ne redoute rien d'un mariage avec un gibier. Un vin remarquable.

⊶ Marie-France Masson, Dom. Bressy-Masson, rte d'Orange, 84110 Rasteau, tél. 04.90.46.10.45, fax 04.90.46.17.78 ☑ Ỵ t.l.j. 9h-13h 14h-19h30

LAURENT BRUSSET

Cairanne Vendange Chabrille 1997**

■ 3 ha 10 000 ▮ ◍ 🌡 50 à 69 F

Cette cuvée, issue d'un assemblage classique de grenache et de syrah, provient de vignes vieilles, en moyenne, de quatre-vingt-dix ans, ce qui est assez exceptionnel. Les méthodes de vinification - éraflage, délestage, pigeage - et d'élevage (huit mois en demi-muids pour 30 %) montrent la volonté d'apporter des soins attentifs à l'élaboration du vin. Tout cela explique la belle

matière, la concentration des arômes, l'équilibre des tanins de ce 97. Reste la touche magique qui fait la différence, une fraîcheur et une élégance peu communes en 1997. Gageons que cette Vendange Chabrille restera dans les mémoires.
SA Dom. Brusset, 84290 Cairanne,
tél. 04.90.30.82.16, fax 04.90.30.73.31 t.l.j. 9h-12h 14h-18h

DOM. DE CABASSE
Séguret Cuvée Garnacho 1996*

| 3 ha | 15 000 | 50 à 69 F |

Le premier contact avec cette cuvée Garnacho est franc ; on y décèle même une certaine finesse. Le passage en fût n'est plus perceptible. Au nez, ce vin développe des notes fumées et animales. En bouche, il se révèle bien structuré, fruité, épicé, harmonieux. Une seconde cuvée, la **cuvée de la Casa Bassa**, également un 96, a retenu l'attention du jury. Elle porte la patte du domaine : finesse et harmonie.
Dom. de Cabasse, 84110 Séguret,
tél. 04.90.46.91.12, fax 04.90.46.94.01,
e-mail cabasse@avignon. pacwan.net r.-v.
Alfred Haeni

DOM. DE CASSAN
Beaumes-de-Venise 1997*

| 16 ha | 70 000 | 30 à 49 F |

Cette bouteille est à peine débouchée que le soleil envahit votre table ! Le nez, épicé et animal, n'a pas encore tout donné. La bouche renchérit sur les mêmes notes et dure longtemps, longtemps... Une petite proportion de mourvèdre (5 %) agrémente joliment ce *villages*, qui laisse présager une bonne évolution.
SCIA Saint-Christophe, Dom. de Cassan,
84190 La Fare, tél. 04.90.62.96.12,
fax 04.90.65.05.47,
e-mail cassan@caves-particulieres.com
r.-v.

DOM. CASTAN
Comté de Signargues 1997*

| 13 ha | 20 000 | 20 à 29 F |

Dans sa robe brillante, ce 97, qui fait rimer fruité et finesse, saura convaincre l'amateur. Le terroir chaleureux du comté de Signargues permet une belle expression du mourvèdre qui entre pour 40 % dans cette cuvée.
GAEC Chantecler, Mas Chantecler,
30390 Domazan, tél. 04.66.57.00.56,
fax 04.66.57.07.57 r.-v.
Damien Castan

CAVEAU CHANTECOTES 1996*

| n.c. | n.c. | 30 à 49 F |

De fins arômes de fruits rouges, de jolies notes animales, une structure sans agressivité, une bonne évolution. Ce *villages* a du panache, preuve d'un savoir-faire certain.
Caveau Chantecôtes, cours Maurice-Trintignant, 84290 Sainte-Cécile-les-Vignes,
tél. 04.90.30.83.25, fax 04.90.30.74.53 t.l.j. 8h30-12h15 14h30-19h

DOM. CLAVEL Saint-Gervais 1997**

| 4 ha | 21 300 | 20 à 29 F |

Cet excellent *villages* prouve que le domaine, souvent distingué en blanc, peut aussi se faire remarquer pour le rouge. Des techniques appropriées ont su tirer parti de vieilles vignes (quarante ans). Le résultat ? Un vin puissant, typé, d'une belle concentration et marqué par la syrah. Il tiendra ses promesses dans trois ou quatre ans.
Denis Clavel, rue du Pigeonnier,
30200 Saint-Gervais, tél. 04.66.82.78.90,
fax 04.66.82.74.30 r.-v.

DOM. DU CORIANCON Vinsobres 1997

| 8 ha | 12 000 | 30 à 49 F |

Ce vinsobres est un assemblage traditionnel : grenache, syrah et une touche de mourvèdre. Le nez, classique, est dominé par les fruits rouges et les épices. Une belle rondeur signe un passage (partiel) en fût. Ce vin sera un excellent compagnon tout au long d'un repas aux saveurs méridionales. La **cuvée Claude Vallot 97**, également en **Vinsobres**, a été citée pour ses beaux tanins fondus et ses arômes vanillés, épicés et légèrement boisés.
François Vallot, Dom. du Coriançon,
26110 Vinsobres, tél. 04.75.26.03.24,
fax 04.75.26.44.67,
e-mail françois.vallot@wanadoo.fr t.l.j. sf dim. 9h-12h 14h-19h

LES PRODUCTEURS DES COTEAUX DE SAINT MAURICE Saint-Maurice 1998

| 5 ha | 24 000 | 20 à 29 F |

Ce rosé à reflets rubis du plus bel effet a séduit par son nez aromatique et complexe, qui mêle fruits et fleurs. L'équilibre en bouche est intéressant et le destine à accompagner de la charcuterie.
Cave des Coteaux de Saint-Maurice,
26110 Saint-Maurice-sur-Eygues,
tél. 04.75.27.63.44, fax 04.75.27.67.32 r.-v.

DOM. DES COTEAUX DES TRAVERS
Cairanne 1997*

| 1 ha | n.c. | 30 à 49 F |

Voici un assemblage marqué par la présence du mourvèdre, qui entre pour 25 % dans ce *villages*. Le nez, complexe, n'a pas encore dévoilé toutes ses senteurs, mais affiche déjà une belle ampleur. Ce vin vous permettra d'attendre la **cuvée Prestige en rasteau**, du même domaine. Le nez (cuir, épices) de ce 97 est prometteur, mais la matière demande encore un peu d'élevage.
Robert Charavin, Dom. des Coteaux des Travers, 84110 Rasteau, tél. 04.90.46.13.69,
fax 04.90.46.15.81 t.l.j. sf dim. 9h-12h 14h-18h

DOM. DE DEURRE Vinsobres 1998

| 1 ha | 4 000 | 30 à 49 F |

La finesse et la fraîcheur de la fleur d'acacia dominent cet assemblage composé de 40 % de viognier. Mais sa réussite tient peut-être plus encore à son gras et à son côté miellé, sensible au nez et très marqué en bouche.

RHONE

🔑 SCEA J.-C. Valayer et Fils, Dom. de Deurre, RD 94, 26110 Vinsobres, tél. 04.75.27.62.66, fax 04.75.27.67.24, e-mail valayer.deurre@wanadoo.fr ☒ Y r.-v.

DOM. ESTOURNEL Laudun 1998

☐ 1 ha 3 000 ▮🌡 30 à 49 F

L'assemblage de roussanne et de marsanne à parts égales délivre un joli nez marqué par les agrumes. Ce vin, apprécié pour son ampleur et son gras, devrait vous mettre en appétit.

🔑 Rémy Estournel, 13, rue de Plaineautier, 30290 Saint-Victor-la-Coste, tél. 04.66.50.01.73, fax 04.66.50.21.85 ☒ Y t.l.j. sf dim. 9h-12h 14h-19h

DOM. DE FENOUILLET Beaumes-de-Venise Cuvée Yvon Soard 1997**

■ 1,5 ha 8 000 ▮🛢🌡 50 à 69 F

Habitué du Guide, ce domaine a su, même dans ce millésime difficile, tirer le meilleur parti de la matière première. Il présente deux beaumes-de-venise : la **cuvée Tradition 97**, citée par le jury, et, surtout, cette remarquable cuvée Yvon Soard. Tout y est : le nez animal, musqué, à la fois puissant et élégant ; la bouche friande. Le jury, enchanté, lui a attribué deux étoiles.

🔑 GAEC Patrick et Vincent Soard, Dom. de Fenouillet, allée Saint-Roch, 84190 Beaumes-de-Venise, tél. 04.90.62.95.61, fax 04.90.62.90.67 ☒ Y r.-v.

FERDINAND DE LAYE Visan 1996*

■ 30 ha 120 000 ▮🌡 30 à 49 F

Ce vin, aux arômes (fruits rouges et épices) intenses et fins, équilibré, de structure moyenne, commence à exprimer son potentiel. La présence du mourvèdre l'aidera à progresser encore un peu. Très agréable fin de bouche. On peut le goûter dès maintenant.

🔑 Cave Les Coteaux de Visan, B.P. 22, 84820 Visan, tél. 04.90.28.50.80, fax 04.90.28.50.81, e-mail cave@coteaux-de-visan.fr ☒ Y r.-v.

DOM. DU GOURGET Rochegude 1998

☐ 1 ha 3 700 ▮ 50 à 69 F

Ce blanc a quelque peu surpris par ses arômes de type minéral. Issue d'une forte proportion de viognier, cette petite production devrait gagner en richesse dans les années à venir, lorsque le vignoble aura pris de l'âge.

🔑 Mme Tourtin-Sansone, Dom. du Gourget, 26790 Rochegude, tél. 04.75.04.80.35, fax 04.75.98.21.21 ☒ Y t.l.j. 9h-12h 14h-18h

DOM. JAUME Vinsobres 1997**

☐ 0,4 ha 1 500 🛢 30 à 49 F

Il y a de la grandeur dans ce vin, composé principalement de roussanne et de marsanne. Le vanillé et le fruité très fondus du nez démontrent une maîtrise sans faille de l'élevage en barrique neuve. Un blanc capiteux à essayer sur du poisson en sauce.

🔑 Dom. Jaume, 24, rue Reynarde, 26110 Vinsobres, tél. 04.75.27.61.01, fax 04.75.27.68.40 ☒ Y t.l.j. sf dim. 8h-12h 13h30-19h30

DOM. DE LA BERTHETE 1998*

☐ 1 ha 6 500 ▮ 20 à 29 F

Un domaine qui fait toujours dans la finesse. Ce 98, assemblage de grenache et de bourboulenc, ne le démentira pas. On apprécie tout d'abord les nuances intenses de fruits à chair blanche. Puis les fruits secs et l'abricot prennent le relais, soutenus par un gras et une longueur tout à fait à la hauteur, capables d'affronter un aïoli. Un vin qui a de la classe. Du même domaine, on peut déguster dès maintenant un **rouge 97** (cité), dont les arômes typés d'épices (poivre et vanille) et de cassis surfent en bouche sur une vague souple et harmonieuse.

🔑 Pascal Maillet, Dom. de la Berthète, rte de Jonquières, 84850 Camaret, tél. 04.90.37.22.41, fax 04.90.37.74.55 ☒ Y t.l.j. sf dim. 10h-12h 14h-18h

DOM. DE LA CIGALETTE Cairanne 1997

■ 6,9 ha 1 200 ▮🛢🌡 30 à 49 F

C'est un mélange indéfinissable mais très aromatique qui s'impose au premier nez, puis se dégagent des parfums de banane, les fruits mûrs leur faisant écho. La bouche, souple et ronde, est heureusement équilibrée par les tanins. Une bouteille prête à boire.

🔑 EARL Dionysos, 28 bis, av. F.-Mistral, B.P. 18, 84101 Orange, tél. 04.90.34.06.07, fax 04.90.34.79.85 ☒ Y r.-v.

🔑 Famille Michel

LA DOMELIERE Rasteau 1997*

■ 9 ha 50 000 ▮🌡 20 à 29 F

Des fruits rouges mûrs voire confits en guise d'entrée ; des fruits encore sur une bouche puissante en finale. Gras et bien typé, ce 97 est un rasteau comme on les aime. Le jury a également cité le **rouge 97 Les Quéradières**, en Sablet. Une robe légère annonce un nez printanier de fruits rouges. En bouche, l'attaque tranche avec une matière concentrée, pleine de rondeur. Des épices viennent rehausser les nuances aromatiques. L'ensemble est très agréable.

🔑 Les Vignerons de Rasteau et de Tain-l'Hermitage, rte des Princes-d'Orange, 84110 Rasteau, tél. 04.90.10.90.10, fax 04.90.46.16.65, e-mail vrt@rasteau.com Y r.-v.

LA FIOLE DU CHEVALIER D'ELBENE Séguret 1997

■ n.c. 25 000 30 à 49 F

Cette exploitation a obtenu deux citations pour la Fiole du Chevalier d'Elbène, en rouge et en blanc. C'est en rouge que le chevalier l'emporte, et certains jurés lui auraient volontiers accordé une étoile. Qui, en effet, peut résister à de pareils effluves de grillé et de truffe, à ces notes marquées par la syrah ? Ce vin, complexe et exigeant, mérite, à coup sûr, un palais attentif. Quant au **blanc 98**, il devrait rapidement offrir un bouquet particulièrement persistant.

🔑 SCEA Ch. La Courançonne, 84150 Violès, tél. 04.90.70.92.16, fax 04.90.70.90.54 ☒ Y t.l.j. 9h-12h 14h-18h

CH. LA FONT DE JONQUIER
Séguret 1996★

■ 10 ha 53 000 30 à 49 F

Ce domaine, qui exporte 60 % de sa production, présente un 96 très réussi. Ce vin doit son harmonie à la maturité de sa robe aux reflets cuivrés, et de son nez, où un boisé déjà atténué laisse la vedette aux épices un peu grillées. La bouche, qui s'épanouit en finesse et en élégance, confirme ce bouquet très expressif.

Laurent Charles Brotte, rte d'Avignon, 84230 Châteauneuf-du-Pape, tél. 04.90.83.70.07, fax 04.90.83.74.34 r.-v.

DOM. DE L'AMANDINE Séguret 1997

■ 8,5 ha 46 000 30 à 49 F

Ce domaine est installé à Séguret, classé parmi les plus beaux villages de France ; voilà déjà une belle entrée en matière. Il présente un 97 au nez de fruits rouges (griotte), aux fins tanins et à la rondeur réjouissante. Une bonne introduction à la découverte des vins de la région. A déguster sur des viandes rouges.

Verdeau, quartier Bel-Air, rte de Roaix, 84110 Séguret, tél. 04.90.46.12.39, fax 04.90.46.16.64 r.-v.

LA MONTAGNETTE 1998★

■ 8 ha 50 000 30 à 49 F

Un fil conducteur tressé de fruits rouges et de notes animales vous guidera tout au long de la dégustation. Sous une robe grenat, ce 98 offre un équilibre général qui perdure longtemps. Une vinification traditionnelle qui produit un joli vin.

Dom. La Montagnette, 30390 Estézargues, tél. 04.66.57.03.64, fax 04.66.57.04.83, e-mail estezargues@wanadoo.fr t.l.j. sf dim. 8h-12h 14h-18h

Granier

LE CLOS DE LASCAMP 1998★

■ 15 ha 4 000 30 à 49 F

Voici un *villages* rouge bien typique de Sabran. Le nez est puissant et fruité, le profil d'une belle rondeur. A apprécier dès aujourd'hui sur des viandes en sauce.

EARL Imbert, Clos de Lascamp, Cadignac, 30200 Sabran, tél. 04.66.89.69.28, fax 04.66.89.62.44 t.l.j. 8h-12h 14h-18h

DOM. LA SOUMADE
Rasteau Cuvée Prestige 1997★

■ 6 ha 20 000 50 à 69 F

Prestige et Confiance, deux valeurs sûres qu'on ne présente plus. La cuvée Prestige offre un nez de sous-bois où pointent des notes de fruits cuits. La richesse des arômes laisse une belle fin de bouche marquée par les tanins. Le millésime n'a pas encore dévoilé tout son potentiel. La **cuvée Confiance**, quant à elle, mérite d'être citée.

André Roméro, 84110 Rasteau, tél. 04.90.46.11.26, fax 04.90.46.11.69 t.l.j. sf dim. 9h-11h 14h-18h

LES VIGNERONS DE LAUDUN 1997★

■ 70 ha 150 000 20 à 29 F

D'une pourpre cardinalice et d'une excellente matière, ce côtes du rhône Laudun ne sera prêt que dans trois à cinq ans. Le nez, qui n'est pas encore complètement développé, laisse poindre des notes animales. Doté d'une solide structure et offrant une bonne combinaison entre concentration et équilibre, ce vin viril devrait savoir vieillir. Le **Grand Blanc du Haut Claud 98** a été cité pour ses beaux arômes d'acacia citronné.

Les Vignerons de Laudun, 105, rte de l'Ardoise, 30290 Laudun, tél. 04.66.90.55.27, fax 04.66.90.55.21 r.-v.

CAVE LA VINSOBRAISE
Vinsobres 1997★

■ 5 ha 24 000 20 à 29 F

La robe franche, rouge vif, est à l'image du vin. Le nez associe des arômes de fruits rouges et de cassis à une petite touche florale. L'ensemble devrait se développer dans les mois à venir. La bouche, ample, longue, en fait un vin équilibré. Bien typé pour ce millésime, il s'accordera avec les charcuteries et les grillades.

Cave coopérative La Vinsobraise, 26110 Vinsobres, tél. 04.75.27.64.22, fax 04.75.27.66.59 r.-v.

DOM. CATHERINE LE GŒUIL
Cairanne Le Muzet 1998

◪ 2 ha n.c. 30 à 49 F

L'apparition de rosés en *villages* est si rare que cette cuvée Le Muzet en est d'autant plus méritante. Les arômes de fruits, puissants et onctueux, n'ont pas encore tout livré. Rondeur et gras sont bien présents, mais c'est, curieusement, un petit quelque chose d'indéfinissable, proche de l'amertume, qui fait tout le charme de ce vin.

Dom. Catherine Le Gœuil, quartier Les Sablières, 84290 Cairanne, tél. 04.90.30.82.38, fax 04.90.30.76.56, e-mail cplegoeuil@wanadoo.fr t.l.j. 9h-12h 15h-18h; sam. dim. sur r.-v.

LES CULTES Valréas 1996

■ 15 ha 80 000 20 à 29 F

Cette coopérative est située à proximité des châteaux de Grignan et de Suze-la-Rousse. Entre deux visites, offrez-vous une pause : agneau des Préalpes accompagné de cette cuvée Les Cultes. Au nez, le fruit exotique, original pour un rouge, est relevé d'épices. La bouche est dans le même registre. Le **valréas rouge 97 Domaine du Séminaire** a également été cité par le jury. Vous passerez du fruit rouge au poivre puis aux notes animales sans vous en rendre compte. En bouche, le fruit rouge revient et permet d'oublier la petite astringence actuelle. A attendre deux ans.

Cellier de L'Enclave des Papes, B.P. 51, 84602 Valréas Cedex, tél. 04.90.41.91.42, fax 04.90.41.90.21

LE SEGUR 1997

■ 0,5 ha 3 000 70 à 99 F

Le nez est déjà riche. Les senteurs animales se mêlent aux arômes de sous-bois, de gibier, de poivre intense, pour revenir curieusement sur du

RHONE

fruit. Le contraste est tout aussi surprenant en bouche. Après une attaque un peu fluide, celle-ci se montre très grasse, tout en rondeur, avec des tanins fondus. Au moment de la dégustation, il manquait quelques semaines à ce rouge pour obtenir une étoile.

Gabriel Liogier, 21420 Aloxe-Corton, tél. 03.80.26.44.25, fax 03.80.26.43.57

DOM. LES GOUBERT Sablet 1997

□ 1,37 ha n.c. 30 à 49 F

Une impression de maturité se dégage de ce 97, à la couleur pourtant jeune et brillante. Capiteux et riche, mais offrant une belle fraîcheur citronnée en bouche, ce vin va peu à peu gagner en harmonie et accompagnera dignement quelque plat en sauce.

Dom. Les Goubert, 84190 Gigondas, tél. 04.90.65.86.38, fax 04.90.65.81.52, e-mail jpcartier@terre-net.fr t.l.j. 9h-12h 14h-19h; sam. dim. sur r.-v.

Jean-Pierre Cartier

DOM. LES GRANDS BOIS Cuvée Gabrielle 1997

■ 22 ha 8 000 30 à 49 F

Gabrielle porte une robe intense, sombre même, qui lui sied bien. Ce vin, léger mais élégant, répand de jolis arômes de vanille et de grillé ; ces derniers vous accompagneront tout au long de la dégustation. Le bois est présent mais bien fondu. A découvrir dès maintenant.

Dom. Les Grands Bois, 55, av. Jean-Jaurès, 84290 Sainte-Cécile-les-Vignes, tél. 04.90.30.81.86, fax 04.90.30.81.86 r.-v.

Besnardeau

DOM. LES HAUTES CANCES Cairanne 1998**

◪ 0,19 ha 1000 30 à 49 F

Rosé : une robe si difficile à maîtriser. Elégance et finesse sur motif floral, parfait ajustement de la longueur, bel équilibre, ce vin est un modèle du genre, que l'on a réussi à partir des cinq principaux cépages. Cette production confidentielle demande à être développée. Signalons encore, du même domaine, le **rouge 97 Cairanne, cuvée Tradition** (une citation). Un joli boisé, qui, par petites touches, marque les fruits rouges, et quelques épices vous accompagnent jusqu'à un solide développement en bouche. Une assise robuste incontestable pour cet assemblage de cépages d'un demi-siècle d'âge.

SCEA Achiary-Astart, quartier Les Travers, 84290 Cairanne, tél. 04.90.30.76.14, fax 04.90.38.65.02 r.-v.

Astart

DOM. DE L'ESPIGOUETTE Plan de Dieu 1997

■ 5 ha 10 000 30 à 49 F

Bernard Latour propose un 97 plaisant. Ce vin offre un joli contraste entre un nez riche, fruité, épicé, animal, et une bouche gouleyante. Son harmonie et sa persistance aromatique en font un sympathique représentant de l'appellation.

Bernard Latour, EARL Dom. de L'Espigouette, 84150 Violès, tél. 04.90.70.95.48, fax 04.90.70.96.06 r.-v.

LES QUATRE CHEMINS Laudun 1998

□ 4 ha 20 000 30 à 49 F

L'assemblage du grenache et de la clairette et la vinification, traditionnelle, sont bien maîtrisés. La bouche offre d'agréables arômes d'abricot et de bonbon anglais. Mais la réussite vient surtout du nez, intense, floral, dominé par l'aubépine. Une impression juvénile et un petit goût de reviens-y.

Cave des Quatre-Chemins, 30290 Laudun, tél. 04.66.82.00.22, fax 04.66.82.44.26 t.l.j. sf dim. 8h-12h 14h-18h

LES VILLAGES DES PAPES Cuvée Clément V 1998**

■ 22 ha 100 000 30 à 49 F

Placée sous les auspices du pape qui transporta le Saint-Siège en Avignon, la cuvée Clément V offre un nez puissant et complexe, mais qui demande encore à s'épanouir. La belle matière laisse espérer un devenir gourmand sur fond de fruits mûrs écrasés.

Gabriel Meffre, Le Village, 84190 Gigondas, tél. 04.90.12.32.42, fax 04.90.12.32.49

L'ILIADE Visan 1997***

□ 5 ha 20 000 50 à 69 F

Une qualité exceptionnelle... Ce 97, complexe et plaisant, associe silex, fenouil, poivre vert, et met votre mémoire olfactive à rude épreuve. « La joie [vient] après la peine » : une bouche réjouissante, une attaque grasse et charnue, « à croquer ». Un vin capiteux, long. Superbe !

Cave Les Coteaux de Visan, B.P. 22, 84820 Visan, tél. 04.90.28.50.80, fax 04.90.28.50.81, e-mail cave@coteaux-de-visan.fr r.-v.

DOM. DE L'ORATOIRE SAINT-MARTIN Cairanne Réserve des Seigneurs 1997*

■ 10 ha 35 000 30 à 49 F

Obtenir un nez animal et sauvage d'une telle franchise est déjà une belle réussite. Age des vignes, pigeage, expérience transmise de génération en génération... le résultat est là. La superbe matière de ce vin, structuré sans être jamais austère, et sa rondeur en bouche sur des notes de fruits rouges et d'épices invitent à déguster cette Réserve des Seigneurs sur du gibier ou un ragoût.

Frédéric et François Alary, rte de Saint-Roman, 84290 Cairanne, tél. 04.90.30.82.07, fax 04.90.30.74.27 t.l.j. sf dim. 8h-12h 14h-19h

DOM. MESSIRE DE VERY Séguret 1997**

■ n.c. n.c. 20 à 29 F

La matière première a, semble-t-il, été récoltée à maturité avancée et a développé des arômes de fruits mûrs, d'épices et de réglisse. Réussir l'alliance de la puissance et de la souplesse n'est pas chose facile. Le défi est relevé, avec succès.

SA Louis Mousset, Les Fines-Roches, 84230 Châteauneuf-du-Pape, tél. 04.90.83.70.30, fax 04.90.83.74.79

DOM. DU MOULIN Vinsobres 1998★★

□ 1,5 ha 5 000 30 à 49 F

La forte proportion de viognier n'a pas trompé le jury. Nez intense de fruits à chair blanche, équilibre, puissance, gras, notes originales de fumé, tout est harmonieux. Un vin remarquable. Issu de grenache et de syrah, le **vinsobres rouge 97** (cité) s'est surtout fait remarquer par son élégance.

Denis Vinson, Dom. du Moulin, 26110 Vinsobres, tél. 04.75.27.65.59, fax 04.75.27.63.92 r.-v.

NOTRE DAME D'AUBUNE
Beaumes-de-Venise 1998

□ 6 ha 25 000 30 à 49 F

Selon la légende, Charlemagne remporta en ce lieu une victoire sur les Sarrasins. En remerciement, il décida d'élever un sanctuaire consacré à la Vierge. Irrité, le diable voulut précipiter un énorme bloc de pierre sur l'édifice, mais la Vierge arrêta le rocher de sa quenouille. Placé sous la protection de Notre-Dame d'Aubune, ce vin, assemblage de grenache et de clairette, offre un heureux contraste entre de jolis arômes de fruits secs et la fraîcheur de la bouche. Il égrène, tout au long de la dégustation, d'agréables notes d'abricot. A consommer dès maintenant.

Cave des Vignerons de Beaumes-de-Venise, quartier Ravel, 84190 Beaumes-de-Venise, tél. 04.90.12.41.00, fax 04.90.65.02.05 r.-v.

PASCAL Visan 1997

■ 3 ha 15 000 20 à 29 F

Des fruits mûrs viennent intensément à vous. Le vin a atteint lui aussi sa maturité. L'harmonie naît de la combinaison des fruits et d'une jolie finale épicée. Profitez-en dès aujourd'hui.

Pascal, Dom. de la Grande-Comtadine, 84190 Vacqueyras, tél. 04.90.65.85.91, fax 04.90.65.89.23 r.-v.

DOM. PELAQUIE
Laudun Cuvée Prestige 1998★★

□ 1 ha 2 500 50 à 69 F

Prestige oblige, cette cuvée a franchi allègrement le cap des deux étoiles. L'assemblage de cinq cépages (dont 40 % de viognier) judicieusement dosés lui confère une belle harmonie. Ce blanc, en partie vinifié en barrique, peut prétendre compter parmi les grands. Le second **blanc 98** du domaine, une cuvée classique (de 30 à 49 F) au nez de fruits mûrs confits, riche en bouche, n'a pas démérité (une étoile). Enfin, toujours en **Laudun**, le **rouge 97**, lui aussi très réussi, offre un bon potentiel de vieillissement.

Dom. Pélaquié, 7, rue du Vernet, 30290 Saint-Victor-la-Coste, tél. 04.66.50.04.06, fax 04.66.50.33.32, e-mail domaine@pelaquie.com t.l.j. sf dim. 9h-12h 14h-18h

GFA du Grand Vernet

DOM. RABASSE-CHARAVIN
Rasteau 1997

■ 8 ha 26 000 30 à 49 F

Ce rasteau est plus frais et plus léger que ses congénères. Son bon équilibre le rend sympathique. A déguster sur des grillades, à l'ombre d'un platane.

Corinne Couturier, Dom. Rabasse-Charavin, La Font d'Estevenas, 84290 Cairanne, tél. 04.90.30.70.05, fax 04.90.30.74.42 r.-v.

CH. REDORTIER Beaumes-de-Venise 1997

■ 25 ha 100 000 30 à 49 F

Ce domaine de 35 ha, situé au pied du mont Ventoux, présente un vin rouge fruité fort agréable. Comme la plupart des 97, il est déjà prêt à boire. Profitez-en dès à présent.

EARL Ch. Redortier, 84190 Suzette, tél. 04.90.62.96.43, fax 04.90.65.03.38 t.l.j. 10h-12h 14h-18h

De Menthon

DOMINIQUE ROCHER
Cuvée Monsieur Paul 1997★

■ 1 ha 3 000 50 à 69 F

Lors de la dégustation, les jurés étaient partagés sur l'appréciation de ce vin. Ce 97 offre un nez de réglisse, un peu animal, non sans élégance toutefois. Les fruits rouges mûrs dominent en bouche. L'équilibre est agréable malgré des notes plus rustiques en finale. C'est un 97...

Dominique Rocher, rte de Saint-Roman, 84290 Cairanne, tél. 04.90.30.87.44, fax 04.90.30.80.62, e-mail rochervin@pacwan.fr t.l.j. 9h-12h 14h-18h

LES CHAIS DES VIGNERONS DE ROUSSET-LES-VIGNES 1998★

■ 30 ha 160 000 20 à 29 F

Un côté grenache dominant et des fruits rouges plein les papilles. L'éraflage a permis d'obtenir un vin où les tanins sont présents, mais sans aspérités.

Cellier des Dauphins, B.P. 16, 26790 Tulette, tél. 04.75.96.20.47, fax 04.75.96.20.12, e-mail cellier.des.dauphins@wanadoo.fr

DOM. SAINT-AMANT
La Tabardonne 1997★★★

□ 1,8 ha 2 100 50 à 69 F

Un propriétaire venu du Nord qui a su s'adapter aux contraintes du terroir. Moins de 2 ha de vignes - presque un *climat* bourguignon par la superficie - sont consacrés à ce 97, issu à 95 % de viognier planté sur des coteaux exposés au sud et au sud-est entre 400 et 500 m d'altitude. Elevée en barrique de deux ans, cette Tabardonne révèle une grande maîtrise de l'élevage sous bois. Presque masculine, elle affiche un gras et une ampleur incomparables. Un vin d'exception.

Dom. Saint-Amant, 84190 Suzette, tél. 04.90.62.99.25, fax 04.90.65.03.56 r.-v.

DOM. SAINTE-ANNE
Saint-Gervais 1996★★

■ 2 ha 10 000 50 à 69 F

La framboise, les fruits cuits, les notes animales et grillées composent une belle palette aromatique. Cependant, des tanins austères et une fraîcheur encore marquée pour ce millésime indiquent que ce 96 n'a pas divulgué tous ses secrets. Il faut attendre.

🔑 EARL Dom. Sainte-Anne, Les Cellettes, 30200 Saint-Gervais, tél. 04.66.82.77.41, fax 04.66.82.74.57 ☑ 🍷 t.l.j. sf sam. dim. 9h-11h 14h-18h
🔑 Steinmaier

DOM. SAINT ETIENNE Les Galets 1997

■ 2 ha 11 000 🍾🌡 30 à 49 F

Ce 97 s'est paré d'une belle robe profonde pour fêter le dixième millésime du domaine. Une méthode traditionnelle et un terroir magnifique de galets roulés alliés au savoir-faire du vigneron, tous les facteurs sont réunis pour vous offrir cette bouteille aromatique et structurée, qu'une bonne année de vieillissement devrait rendre plus attrayante encore.
🔑 Michel Coullomb, Dom. Saint-Etienne, 26, fg du Pont, 30490 Montfrin, tél. 04.66.57.50.20, fax 04.66.57.22.78 ☑ 🍷 r.-v.

LES VIGNERONS DE SAINT-GERVAIS
Saint-Gervais Prestige 1997*

■ 5 ha 20 000 🍾🌡 30 à 49 F

Dire de ce vin qu'il est puissant, rond et agréable ne suffit pas. Issu d'un assemblage traditionnel des principaux cépages de l'appellation, ce rouge, marqué par les fruits cuits, offre un fort bel équilibre. Le **rosé 98** a retenu toute l'attention du jury. Son nez de fruits des bois est très intense. Acidité et alcool sont bien équilibrés. Un peu plus de longueur lui aurait permis d'obtenir une étoile.
🔑 Cave des Vignerons de Saint-Gervais, Le Village, 30200 Saint-Gervais, tél. 04.66.82.77.05, fax 04.66.82.78.85 ☑ 🍷 r.-v.

CH. SAINT-MAURICE
Laudun Cuvée Vicomte Guillaume de Joyeuse 1997*

■ 13 ha 65 000 🍾🌡 30 à 49 F

Ce Vicomte concilie rigueur (de la sélection), sérieux (des techniques) et plaisir (de la dégustation). La complexité du nez repose sur des notes de thym, d'épices variées, de fruits rouges et de vanille. Ce très beau vin, issu d'une matière première de qualité, sera un joyeux compagnon de table à l'occasion d'un repas de fête ou de famille.
🔑 SCA Ch. Saint-Maurice, RN 580, L'Ardoise, 30290 Laudun, tél. 04.66.50.29.31, fax 04.66.50.40.91, e-mail chateau.saint.maurice@wanadoo.fr ☑ 🍷 r.-v.

CH. SAINT NABOR Cuvée Prestige 1997

■ 1,5 ha 10 000 🛢 30 à 49 F

Une magnifique robe opaque - résultat, pour partie, d'une cuvaison longue - habille ce vin. Parfumé d'arômes fruités et légèrement fumés, d'un équilibre strict, bien travaillé, ce 97 mérite largement d'être cité.
🔑 Vignobles Saint-Nabor, 30630 Cornillon, tél. 04.66.82.24.26, fax 04.66.82.31.40 ☑ 🍷 t.l.j. sf dim. 9h-12h30 14h-19h
🔑 Gérard Castor

CAVE DE SAINT-PANTALEON-LES-VIGNES 1997

■ n.c. 16 000 🍾🌡 20 à 29 F

Ce 97 est dominé, du nez à la bouche, par les fruits rouges et les fruits cuits. Viennent ensuite la griotte et autres fruits à l'eau-de-vie. Assez représentatif du millésime, ce vin pourpre, à l'attaque souple, présente dès maintenant un équilibre tout à fait agréable.
🔑 Cave coop. de Saint-Pantaléon-les-Vignes, rte de Nyons, 26770 Saint-Pantaléon-les-Vignes, tél. 04.75.27.90.44, fax 04.75.27.96.43 ☑ 🍷 r.-v.

ANDEOL SALAVERT Visan 1997*

■ n.c. 36 000 🍾 20 à 29 F

Un développement harmonieux des arômes de fruits rouges et d'épices (muscade) éveille la curiosité. Ce bouquet est présenté sur un socle puissant, racé, et pourtant de structure assez fine. Une corpulence certaine permettra à ce vin de prospérer encore dans les cinq années à venir. Un second **rouge 97** (une étoile), du village de **Cairanne**, a retenu l'attention des dégustateurs, qui ont apprécié son nez de cuir et de venaison, le fondu de ses tanins et sa longue finale épicée.
🔑 Caves Salavert, Les Mûres, rte de Saint-Montan, 07700 Bourg-Saint-Andéol, tél. 04.75.54.77.22, fax 04.75.54.47.91, e-mail caves.salavert@wanadoo.fr

DOM. DU SERRE-BIAU Laudun 1998

□ 1 ha 1 600 🍾 30 à 49 F

Ce domaine est dans la famille depuis le XVIIIᵉs. La tradition a du bon ! Ce blanc, issu de l'assemblage de grenache et de clairette - une alliance qui a fait ses preuves -, se singularise par la finesse de l'attaque et le gras en bouche. A goûter sur des fruits de mer.
🔑 Faraud & Fils, 4, chem. des Cadinières, 30290 Saint-Victor-la-Coste, tél. 04.66.50.04.20, fax 04.66.50.04.20 ☑ 🍷 t.l.j. 8h-12h 14h-20h; dim. sur r.-v.

DOM. DE SERVANS 1997

■ 1 ha 3 500 🍾🌡 30 à 49 F

La jolie robe, légère et franche, annonce le nez, bien net. Le grenache, complété par la syrah, se taille la part du lion dans cette cuvée agréable, presque gouleyante, puissante, déjà à maturité. A servir sur des viandes rouges ou du gibier à plumes.
🔑 Pierre Granier, av. de Provence, 26790 Tulette, tél. 04.75.98.31.47, fax 04.75.98.31.47 ☑ 🍷 t.l.j. 8h30-12h 13h30-19h

CH. SIGNAC Cuvée Terra Amata 1997*

■ 4 ha 15 000 🛢 50 à 69 F

Le miel et la garrigue sont une constante dans la dégustation de ce vin. Cela surprend au nez. Toutefois, l'alliance est réussie, sans lourdeur ni exagération. Le bois du fût est parfaitement intégré, dans ce vin d'une belle rondeur. La **Combe d'Enfer**, un **97** également, est intéressant, mais a moins de potentiel.
🔑 SCA Ch. Signac, rte d'Orsan, 30200 Bagnols-sur-Cèze, tél. 04.66.89.58.47, fax 04.66.89.58.47 ☑ 🍷 r.-v.

CH. SIMIAN 1998

■ 0,6 ha 3 000 🍷🌡 30 à 49 F

La profondeur de la robe, le nez encore fermé laissent planer le doute. Mais un équilibre quasi parfait sur des tanins soyeux et fins, une expression aromatique dominée par les fruits rouges ou noirs lèvent les dernières hésitations. C'est indéniablement un joli vin.

🔑 Jean-Pierre Serguier, Ch. Simian, 84420 Piolenc, tél. 04.90.29.50.67, fax 04.90.29.62.33 ☑ 🍷 t.l.j. sf dim. 8h-12h 14h-19h

DOM. DU SOLEIL ROMAIN
Séguret 1997*

■ 6 ha 3 000 🍷🌡 30 à 49 F

Il y a dix ans, la famille Giely créait ce domaine et entrait, du même coup, dans le Guide. Le séguret est certes assez régulier dans la qualité, mais ce 97 est une belle réussite. Le nez est complexe mais nettement animal (cuir, parchemin tanné). L'équilibre et la concentration sont au rendez-vous, même si les tanins ont besoin d'être domptés. Ce vin sera tout de même prêt pour fêter le prochain millénaire.

🔑 Bernard Giely, La Sainte-Croix, 84110 Vaison-la-Romaine, tél. 04.90.36.12.69, fax 04.90.28.71.89 ☑ 🍷 r.-v.

CH. DU TRIGNON Sablet 1998**

□ 1 ha 5 000 🍷 50 à 69 F

Son arôme floral, tout en finesse, vous poursuit du début à la fin de la dégustation. La légèreté des effluves et la puissance, malgré tout, se marient en une harmonie digne des grands maîtres. Dommage que cette remarquable production soit si confidentielle. Le **sablet rouge 97** du même domaine a obtenu une étoile. Quelques accents champêtres égaient son nez, complexe, à dominante animale. En bouche, s'égrènent des notes de réglisse, de fruits cuits, de muscade, sur un gras d'une ampleur très remarquée.

🔑 Ch. du Trignon, 84190 Gigondas, tél. 04.90.46.90.27, fax 04.90.46.98.63 ☑ 🍷 t.l.j. sf dim. 10h-12h30 14h-18h30

🔑 Pascal Roux

RESERVE DES VOCONCES
Cairanne 1997*

■ 80 ha 120 000 🍷🌡 50 à 69 F

Créée en 1929, la cave de Cairanne regroupe aujourd'hui une centaine de vignerons. Cette coopérative présente un vin rouge charpenté et harmonieux. Le nez mêle fruits et épices, et dégage déjà une certaine chaleur. L'équilibre de la bouche est particulièrement réussi. Cette Réserve des Voconces accompagnera agréablement les mets du terroir.

🔑 Cave de Cairanne, rte de Sainte-Cécile, 84290 Cairanne, tél. 04.90.30.82.05, fax 04.90.30.74.03 ☑ 🍷 r.-v.

Pour tout savoir d'un vin, lisez les textes d'introduction des appellations et des régions ; ils complètent les fiches des vins.

Côte rôtie

Situé à Vienne, sur la rive droite du fleuve, c'est le plus ancien vignoble de la Vallée du Rhône. Il représente 191 ha de production, répartis entre les communes d'Ampuis, Saint-Cyr-sur-Rhône et Tupins-Sémons. La vigne est cultivée sur des coteaux très abrupts, presque vertigineux. Et si l'on peut distinguer la Côte Blonde et la Côte Brune, c'est en souvenir d'un certain seigneur de Maugiron, qui aurait, par testament, partagé ses terres entre ses deux filles, l'une blonde, l'autre brune. Notons que les vins de la Côte Brune sont les plus corsés, ceux de la Côte Blonde les plus fins.

Le sol est le plus schisteux de la région. Les vins sont uniquement des rouges, obtenus à partir du cépage syrah, mais aussi du viognier, dans une proportion maximale de 20 %. Le vin de côte rôtie est d'un rouge profond, et offre un bouquet délicat, fin, à dominante de framboise et d'épices, avec une touche de violette. D'une bonne structure, tannique et très long en bouche, il a indéniablement sa place au sommet de la gamme des vins du Rhône et s'allie parfaitement aux mets convenant aux grands vins rouges.

DOM. GILLES BARGE
Cuvée du Plessy 1997

■ 4 ha n.c. 🛢 100 à 149 F

C'est en 1870 que les Barge sont devenus vignerons à Ampuis. Ils sont régulièrement mentionnés dans ce Guide. Gilles Barge a proposé cette année un 97 complexe et structuré, généreux, dont les tanins sont encore très présents avec des notes de fruits cuits. Ce vin a tout ce qu'il faut pour bien évoluer dans deux ou trois ans. Le nez à dominante épicée nous donne déjà une belle perspective.

🔑 Gilles Barge, 8, bd des Allées, 69420 Ampuis, tél. 04.74.56.13.90, fax 04.74.56.10.98 ☑ 🍷 t.l.j. sf dim. 9h-12h 14h-18h30

MICHEL BERNARD 1997

■ n.c. n.c. 🍷🛢🌡 100 à 149 F

C'est J.-F. Ranvier qui vinifie les vins de cette maison. Celui-ci est bien fait : la sélection des meilleures cuves est rigoureuse. Ce 97 est très agréable à déguster par sa finesse et son équilibre. Le nez est franc (fruits confits). En bouche, les tanins sont fondus. Représentatif du millésime.

🔑 SICA Domaines Michel Bernard, rte de Sérignan, 84100 Orange, tél. 04.90.11.86.86, fax 04.90.34.87.30

RHONE

GUY ET FREDERIC BERNARD 1997

■ 3,8 ha 16 000 ◨ 70 à 99 F

Egrappée à 80 %, une vendange qui passe vingt mois en fût : on sent la griotte au nez. La structure en bouche repose sur des tanins nobles. Arômes de cuir et note fumée l'emportent encore. Un vin qui devrait s'épanouir avec le temps.
☛GAEC Guy Bernard, RN 86, Tupin-Semons, 69420 Condrieu, tél. 04.74.59.54.04, fax 04.74.56.68.81 ☑ ⵏ r.-v.

DE BOISSEYT-CHOL Côte Blonde 1997

■ 0,8 ha 3 000 ◨ 100 à 149 F

Ce domaine compte aujourd'hui 8 ha. Son caveau se situe sur la N 86, face au pont traversant le Rhône. Son 97 représente bien l'appellation avec sa couleur très foncée, son nez intense et fin à la fois. Equilibré en bouche où les tanins soyeux accompagnent les fruits rouges, il offre une finale sur les épices telles que le poivre.
☛de Boisseyt-Chol, RN 86, 42410 Chavanay, tél. 04.74.87.23.45, fax 04.74.87.07.36 ☑ ⵏ t.l.j. sf dim. 9h-12h 14h-18h
☛ Didier Chol

PATRICK ET CHRISTOPHE BONNEFOND Les Rochains 1997★★

■ 1 ha 3 000 ◨ 150 à 199 F

Schistes et gneiss ont donné ce qu'ils avaient de meilleur aux vieux ceps de syrah qui composent cette cuvée : il vous faudra attendre pour la déguster, car le vin a gardé une certaine fraîcheur de jeunesse. Sa robe est soutenue (rubis franc). Le nez de fruits rouges est légèrement boisé : la belle structure permet un équilibre parfait entre les tanins, l'alcool et l'acidité qu'accompagnent les fruits rouges frais et les épices. Un vin très prometteur.
☛Patrick et Christophe Bonnefond, Mornas, 69420 Ampuis, tél. 04.74.56.12.30, fax 04.74.56.17.93 ☑ ⵏ t.l.j. sf dim. 9h-19h; f. 1er -15 août

DOM. DE BONSERINE
Les Moutonnes 1997★★

■ 0,4 ha 2 000 ◨ 250 à 299 F

Ce domaine de 10 ha a présenté trois côte rôtie 97, tous trois retenus : une étoile est décernée à **La Côte Brune** (22 000 bouteilles, 100 à 149 F) fine et élégante, ainsi qu'à la cuvée **Les Hauts des Cheys** (8 000 bouteilles, 100 à 149 F) prête à boire. Ce sont les Moutonnes qui ont eu la préférence du jury. Cette cuvée représente bien l'appellation et le millésime. Rondeur, puissance, équilibre et persistance aromatique lui donnent, avec un nez de fruits macérés, de menthol et de notes torréfiées, une belle harmonie. Très grand vin de connaisseurs.
☛Dom. de Bonserine, Verenay, 69420 Ampuis, tél. 04.74.56.14.27, fax 04.74.56.18.13 ☑ ⵏ t.l.j. sf dim. 9h-18h

BERNARD BURGAUD 1997★

■ 4 ha 17 000 ◨ 100 à 149 F

Eraflage à 100 %, quinze mois en fûts de chêne dont 20 % sont neufs, mise en bouteille sans collage ni filtration, voilà les grandes étapes de l'élaboration de ce vin dont les raisins ont été ven-

dangés le 25 septembre 1997. Sa robe est foncée, tirant sur le noir avec des reflets violets intenses. Son joli nez de groseille et de framboise est assaisonné d'une pincée d'épices. Une belle concentration d'arômes caractérise la bouche soutenue par des tanins très présents. Encore jeune, ce vin est à oublier quelques années dans sa cave.
☛Bernard Burgaud, Le Champin, 69420 Ampuis, tél. 04.74.56.11.86, fax 04.74.56.13.03 ☑ ⵏ r.-v.

M. CHAPOUTIER 1997★

■ 3,5 ha n.c. ◨ ⬇ 150 à 199 F

Un 97 qui a du caractère avec un nez très épicé (poivre noir) et fumé. Sa belle concentration, ses tanins très présents, mais reposant sur une bonne matière, et sa bonne persistance aromatique en font un vin à attendre trois ans.
☛M. Chapoutier, 18, av. Dr-Paul-Durand, B.P. 38, 26601 Tain-l'Hermitage, tél. 04.75.08.28.65, fax 04.75.08.81.70, e-mail chapoutier@chapoutier.com ☑ ⵏ r.-v.

EDMOND ET DAVID DUCLAUX 1996

■ 4 ha 18 000 ◨ 100 à 149 F

Propriété achetée en 1928 et à découvrir au cours d'une promenade dans le parc régional du Pilat. Ce vin est bien vinifié : sa couleur est soutenue (rubis vif avec une note tuilée). Le nez offre toute une gamme odorante de boisé élégant, de cuir, d'épices, de sous-bois, de fruits rouges... Le palais est franc, avec une touche boisée.
☛Edmond et David Duclaux, RN 86, 69420 Tupin-et-Semons, tél. 04.74.59.56.30, fax 04.74.56.64.09 ☑ ⵏ r.-v.

DOM. ANDRE FRANCOIS 1997★

■ 3 ha 9 500 ◨ 100 à 149 F

André François a, depuis 1988, agrandi le domaine de ses parents. Il a vendangé le 23 septembre ce 97 dont la robe est rubis vif. Le nez présente une dominante vanillée mais il laisse assez de place aux notes florales (violette et fleurs blanches). En bouche, les tanins sont fins, même si le boisé est présent. Cerise et framboise apportent leur touche en finale.
☛André François, Mornas, 69420 Ampuis, tél. 04.74.56.13.80, fax 04.74.56.19.69 ☑ ⵏ r.-v.

PIERRE GAILLARD Brune et blonde 1997

■ n.c. 10 000 ◨ 100 à 149 F

Pierre Gaillard a créé ce domaine en défrichant dès 1981 et en plantant syrah et viognier. Il faudra attendre ce 97 qui a connu dix-huit mois de vieillissement en fût : il arrivera à maturité dans deux à trois ans. Son nez est franc, agréable, sa matière bien structurée, tannique et fruitée à la fois. La cuvée **Rose Pourpre 97** (150 à 199 F) est aussi intéressante (même note).
☛Pierre Gaillard, Lieu-dit chez Favier, 42520 Malleval, tél. 04.74.87.13.10, fax 04.74.87.17.66 ☑ ⵏ r.-v.

FRANCOIS GERARD 1997★

■ 3 ha 10 000 ◨ 70 à 99 F

Créée de toutes pièces en 1980, cette exploitation compte des vignes de dix-huit ans implantées sur schiste. Le petit pourcentage de viognier vinifié avec le cépage principal qui est la syrah

nous donne un vin plus rond, plus frais, avec des tanins fondus qu'accompagne le fruit rouge. Le nez est élégant, épicé. Ce vin d'une belle harmonie pourra être dégusté dès la fin de l'année.
➥ François Gérard, Côte Chatillon, 69420 Condrieu, tél. 04.74.87.88.64, fax 04.74.87.88.64 ☑ ⊥ r.-v.

J.-M. GERIN Champin le Seigneur 1997★★

■	5 ha	24 000	⦀	100 à 149 F

C'est à partir de vignes familiales que Jean-Michel Gerin a créé ce domaine en 1987, inaugurant son cuvage en 1991. Ce vin élégant, au nez intense de cerise, de cuir, de réglisse et de vanille, a été élevé en barriques, neuves pour 30 % d'entres elles. On trouve beaucoup de finesse en bouche, avec des tanins présents mais soyeux. Une finale poivrée complète le tableau. Une réelle réussite, typique de l'appellation.
➥ Jean-Michel Gerin, 19, rue de Montmain, Vérenay, 69420 Ampuis, tél. 04.74.56.16.56, fax 04.74.56.11.37 ☑ ⊥ r.-v.

E. GUIGAL Côte Brune et Blonde 1995★★

■	80 ha	350 000	⦀	100 à 149 F

La Turque, qui a fait la notoriété des Guigal, appartient toujours au cercle très fermé des vins les plus chers du monde. Plus accessible, cette cuvée Brune et Blonde présente aujourd'hui, dans ce millésime 95, quelques arômes de maturité : fruits, épices, cuir, vanille, qui répondent à tous les critères d'un côte rôtie. La bouche est ample, parfaitement construite sur des tanins qui commencent à peine à se fondre mais qui donnent déjà du plaisir.
➥ Guigal, Ch. d'Ampuis, 69420 Ampuis, tél. 04.74.56.10.22, fax 04.74.56.18.76 ☑ ⊥ r.-v.

JEAN-PAUL ET JEAN-LUC JAMET 1996

■	6 ha	20 000	⦀	100 à 149 F

Un fruit très mûr, une vinification traditionnelle ont présidé à l'élaboration de ce vin d'une couleur rubis profond encore vive. Le nez complexe est fait de fruits rouges, d'épices et de cuir, avec une note minérale. Encore fermé en bouche, ce 96 demandera de un à deux ans de garde pour s'exprimer.
➥ Dom. Jean-Paul et Jean-Luc Jamet, Le Vallin, 69420 Ampuis, tél. 04.74.56.12.57, fax 04.74.56.02.15 ☑ ⊥ r.-v.

LA SERINE 1997

■	n.c.	20 000	⦀	50 à 99 F

La maison Ogier possède de grandes caves à Châteauneuf-du-Pape. Elle s'est regroupée avec la maison Bessac. Cette Serine, avec sa couleur rubis foncé, son nez intense de fruits à l'eau-de-vie et de framboise, est atypique mais intéressante. Le kirsch ainsi que le bois brûlé s'expriment en bouche où les tanins sont bien présents et persistants. A attendre deux ou trois ans.
➥ Ogier-Caves des Papes, 10, av. Pasteur, 84230 Châteauneuf-du-Pape, tél. 04.90.39.32.32, fax 04.90.83.72.51, e-mail ogier.caves.des.papes@wanadoo.fr ☑ ⊥ t.l.j. sf sam. dim. 8h-12h 13h-18h

B. LEVET 1997★

■	3,5 ha	15 000	⦀	70 à 99 F

Après avoir visité le Musée gallo-romain de Saint-Romain-en-Gal, n'hésitez pas à parcourir les cinq kilomètres qui le séparent du domaine de Bernard Levet que l'on trouve régulièrement sélectionné dans le Guide. La commission de dégustation vous suggère d'ouvrir ce 97 entre 2001 et 2007. Ce sera alors un vrai plaisir que de partager ce vin rubis à reflets violets. Complexe, le nez offre des notes de résine, de camphre, d'épices et de cuir. Fin et élégant en bouche où le fruit rouge domine et persiste longuement, c'est « un produit noble ».
➥ Bernard Levet, 26, bd des Allées, 69420 Ampuis, tél. 04.74.56.15.39, fax 04.74.56.19.75 ☑ ⊥ r.-v.

MICHEL OGIER 1997★

■	2 ha	8 000	⦀	100 à 149 F

Elevé en fût de chêne de la forêt du Tronçais, ce 97 comprend 1 % de viognier. Sa robe à reflets violets tirant sur le grenat est intense. Le nez de fougère, d'épices, de fumé se révèle très agréable. Beaucoup de matière compose la bouche dont les tanins sont bien présents. Ce vin généreux et dense devra être attendu au moins cinq ans : il exprimera alors toute sa richesse.
➥ Dom. Michel Ogier, 3, chem. du Bac, 69420 Ampuis, tél. 04.74.56.10.75, fax 04.74.56.01.75 ☑ ⊥ r.-v.

DOM. DE ROSIERS 1997★★★

■	7 ha	30 000	▮⦀⬙	100 à 149 F

« Un vin riche d'émotions », note un dégustateur. Quel coup de cœur ! Sa couleur soutenue, tirant sur le noir, est très typique des grands côte rôtie. Le nez offre une superbe palette odorante : vanille, cuir, épices, cassis sur un boisé fondu. Ce 97 est exceptionnel en bouche, offrant des tanins nobles, concentrés, du fruit rouge, de la vanille. Riche et puissant, il pourra être gardé au minimum dix ans. Une très grande bouteille qui devrait faire parler d'elle. A accompagner d'une bécasse.
➥ Louis Drevon, 3, rue des Moutonnes, 69420 Ampuis, tél. 04.74.56.11.38, fax 04.74.56.13.00 ☑ ⊥ r.-v.

SAINT-COSME Montsalier 1997★★

■	0,7 ha	2 700	⦀	100 à 149 F

Cette maison se qualifie du beau titre de « négoce-vigneron », car elle achète et suit chaque année les mêmes parcelles pour tenter de mettre en avant la qualité des terroirs. Le résultat est fort beau. Tri de la vendange, maîtrise de la vinification, élevage en fût très surveillé nous donnent ce vin magnifique à la couleur grenat brillant et au nez complexe, intense, avec des notes de café grillé dues au fût et des évocations de fruits rouges. Son bel équilibre en bouche lui confère du charme, de la rondeur, de l'élégance : les tanins sont présents mais fins, avec une touche boisée. Une bouteille racée.

SARL Louis et Cherry Barruol, Ch. de Saint-Cosme, 84190 Gigondas, tél. 04.90.65.80.80, fax 04.90.65.81.05 t.l.j. sf dim. 8h30-12h 14h-19h

SEIGNEUR DE MAUGIRON 1997*

■ n.c. n.c. 150 à 199 F

Très prometteur, ce côte rôtie à la robe intense rubis tirant sur le noir. Au nez, riche et puissant, les notes épicées l'emportent sur le fruit alors qu'en bouche, une belle concentration d'arômes de fruits rouges et d'épices est intéressante. Sa structure et son équilibre en font un beau vin de garde.

Delas Frères, Z.A. de l'Olivet, 07300 Saint-Jean-de-Muzols, tél. 04.75.08.60.30, fax 04.75.08.53.67 r.-v.

J. VIDAL-FLEURY
Côtes Brune et Blonde 1996*

■ 10 ha 45 000 100 à 149 F

La plus ancienne maison de la vallée du Rhône, fondée en 1781, qui eut l'honneur de recevoir Thomas Jefferson en 1787, alors qu'il visitait les vignobles européens. Elle est aujourd'hui dirigée par Marcel Guigal. Ce 96 est prêt à boire : il développe des arômes de cuir, d'épices, de fruits rouges confiturés. En bouche, les tanins fondus évoluent sur du fruit cuit et des notes grillées. Un très joli vin.

Dom. J. Vidal-Fleury, 19, rte de la Roche, 69420 Ampuis, tél. 04.74.56.10.18, fax 04.74.56.19.19 r.-v.

Condrieu

Le vignoble est situé à 11 km au sud de Vienne, sur la rive droite du Rhône, sur des sols granitiques. Seuls les vins provenant uniquement du cépage viognier peuvent bénéficier de l'appellation. L'aire d'appellation, répartie sur sept communes et trois départements, n'a qu'une superficie de 93 ha. Ces caractéristiques contribuent à donner au condrieu une image de vin très rare. Blanc, il est riche en alcool, gras, souple, mais avec de la fraîcheur. Très parfumé, il exhale des arômes floraux - où domine la violette - et des notes d'abricot. Un vin unique, exceptionnel et inoubliable, à boire jeune (sur toutes les préparations à base de poisson), mais pouvant se développer en vieillissant. Il apparaît depuis peu une production de vendanges tardives avec des tries successives des raisins (allant parfois jusqu'à huit passages par récolte).

GILLES BARGE 1997**

□ n.c. 4 000 100 à 149 F

Produisant des côte rôtie depuis 1860, la famille Barge a commencé à exploiter des vignes de condrieu en 1980. Rouge et blanc : même succès. Un raisin bien mûri sur les terrasses granitiques donne à ce vin un nez très fleurs et fruits mûrs. Riche en bouche avec une bonne concentration de fruits à chair blanche, ce 97 offre un bel équilibre. Sa persistance aromatique est assez rare pour un blanc. A boire dans les trois ans.

Gilles Barge, 8, bd des Allées, 69420 Ampuis, tél. 04.74.56.13.90, fax 04.74.56.10.98 t.l.j. sf dim. 9h-12h 14h-18h30

PATRICK ET CHRISTOPHE BONNEFOND Côte Chatillon 1998

□ 1 ha 2 500 100 à 149 F

La fermentation et l'élevage de ce vin se sont faits en barrique. Nous en retrouvons les arômes et c'est fort agréable. Pêche et poire sont très concentrées au nez comme en bouche avec un léger fumé de tilleul. La robe est belle. Ce vin léger est prêt à boire.

Patrick et Christophe Bonnefond, Mornas, 69420 Ampuis, tél. 04.74.56.12.30, fax 04.74.56.17.93 t.l.j. sf dim. 9h-19h; f. 1er -15 août

CAVE DE CHANTE-PERDRIX 1997**

□ 1,2 ha 4 500 100 à 149 F

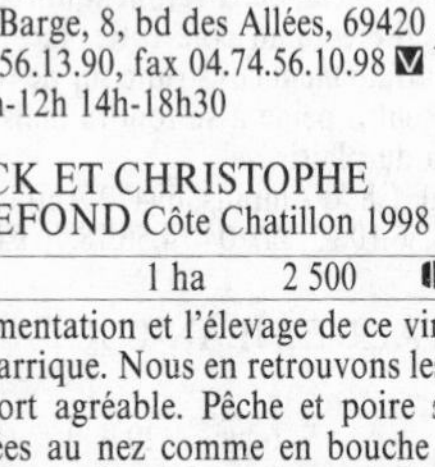

Petite exploitation de 5,7 ha qui n'est passée de la polyculture à la seule viticulture qu'en 1987. Ce condrieu est un grand vin ; il a fait l'unanimité du jury par sa couleur éclatante d'un jaune

clair à reflets dorés et par son nez intense où l'aubépine et la vanille se marient à merveille. La bouche ronde et puissante mêle la pêche blanche, l'acacia, le miel et un boisé parfaitement fondu. Résultat d'un très beau travail sur un millésime difficile, ce vin pourra se garder trois ans.
⊶ Philippe Verzier, Izeras, La Madone, 42410 Chavanay, tél. 04.74.87.06.36, fax 04.74.87.07.77 ☑ ⊤ r.-v.

GILBERT CHIRAT 1998*

☐ n.c. n.c. 70 à 99 F

Un vin très jeune (millésime 98), dont on aimerait suivre l'évolution. Le 26 mars 1999, il était fermé mais engageant. La bouche tient les promesses du nez : assez pleine, elle joue sur la violette, l'amande grillée, la poire, le coing. Assez longue, elle séduit.
⊶ Gilbert Chirat, Le Piaton, 42410 Saint-Michel-sur-Rhône, tél. 04.74.56.68.92, fax 04.74.56.85.28 ☑ ⊤ r.-v.

PHILIPPE FAURY La Berne 1997**

☐ 0,5 ha 2 000 ■ ◍ 🌡 100 à 149 F

Soixante pour cent des raisins ont été élevés dix mois en fût neuf, le reste en cuve inox. Cela donne, chez cet excellent vigneron, un vin très riche en arômes - réglisse, pêche, vanille, abricot, café - et, pour finir, une note délicate de miel. Gras, opulent en bouche, ce 97 offre l'une des plus belles expressions du viognier sur son terroir privilégié.
⊶ Philippe Faury, La Ribaudy, 42410 Chavanay, tél. 04.74.87.26.00, fax 04.74.87.05.01 ☑ ⊤ r.-v.

PHILIPPE FAURY Cuvée Brumaire 1997*

☐ 0,3 ha 1 000 ◍ 150 à 199 F

Les vendanges ont commencé le 15 octobre et se sont achevées en décembre. Seuls les grains botrytisés entrent dans cette cuvée dont le taux de sucre résiduel atteint 50 g/l. Douze mois de fût ont donné ce vin qui a étonné un dégustateur : « il ne *viogne* pas ! » Mais quelle ampleur ! (bouteilles de 50 cl)
⊶ Philippe Faury, La Ribaudy, 42410 Chavanay, tél. 04.74.87.26.00, fax 04.74.87.05.01 ☑ ⊤ r.-v.

DOM. GILLES FLACHER 1998*

☐ 0,7 ha 1 000 ◍ 100 à 149 F

Les 7 ha de ce domaine familial fondé en 1806 sont situés sur les coteaux qui font la renommée de l'appellation. Très complexe au nez et en bouche avec des arômes de coing, d'amande et de fruits mûrs, ce vin offre un bel équilibre avec un bon soutien acide, du gras et de la rondeur. Frais, il est prêt à boire.
⊶ Gilles Flacher, 07340 Charnas, tél. 04.75.34.09.97, fax 04.75.34.09.96 ☑ ⊤ r.-v.

E. GUIGAL 1997*

☐ 40 ha 120 000 ■ ◍ 🌡 100 à 149 F

Probablement le plus gros producteur de condrieu. Il faut avoir visité ses chais, sa cave de vinification et celle du vieillissement dans laquelle a été élevé ce vin à la robe claire, presque cristalline ; neuf mois de fût ont donné une élégante note grillée qui ne gomme pas la nuance florale du nez ni l'attaque sur la fleur blanche. Equilibrée, ronde, la bouche est minérale et miellée. Une bouteille prête à boire et que l'on appréciera pendant deux ans.
⊶ Guigal, Ch. d'Ampuis, 69420 Ampuis, tél. 04.74.56.10.22, fax 04.74.56.18.76 ☑ ⊤ r.-v.

DOM. DU MONTEILLET 1997*

☐ 1,5 ha 6 000 ■ ◍ 🌡 100 à 149 F

Douze heures de macération pelliculaire pour ce vin jaune pâle à reflets verts. Son nez est un véritable feu d'artifice où explosent des notes végétales, d'amande verte, de café vert, de vanille, d'aubépine. Sa structure offre beaucoup de volume et de concentration. Le jury l'a trouvé encore un peu trop marqué par le bois : il vous faudra donc attendre Pâques 2000 pour le déguster avec le foie gras des jours de fête.
⊶ Vignobles Montez, Dom. du Monteillet, Le Montelier, 42410 Chavanay, tél. 04.74.87.24.57, fax 04.74.87.06.89 ☑ ⊤ r.-v.

DIDIER MORION 1997

☐ 0,7 ha 1 500 ■ ◍ 🌡 70 à 99 F

Didier Morion s'est installé en 1993 sur des vignes en fermage. Il élève son vin pour 50 % en barrique et 50 % en cuve inox. Cela donne en 97 une robe jaune pâle moirée de vert. Les arômes de réglisse et de café grillé se retrouvent au nez comme en bouche, avec une pointe miellée. Bonne structure générale.
⊶ Didier Morion, Epitaillon, 42410 Chavanay, tél. 04.74.87.26.33, fax 04.74.87.26.33 ☑ ⊤ r.-v.

DOM. MOUTON 1997**

☐ 1,6 ha 2 500 ■ ◍ 🌡 100 à 149 F

Ce magnifique condrieu a obtenu la plus haute distinction pour l'exceptionnelle finesse de ses arômes que l'on retrouve au nez et en bouche : notes de coing, d'amande grillée, de thé vert, qu'accompagnent les fruits à noyau tels que pêche et abricot ainsi qu'une pointe d'épices. Sa robe d'un jaune clair à reflets verts est très belle. Un jeune domaine à découvrir.
⊶ André et Jean-Claude Mouton, Le Rozay, 69420 Condrieu, tél. 04.74.87.88.13, fax 04.74.87.84.55 ☑ ⊤ r.-v.

ANDRE PERRET Coteau de Chery 1997*

☐ 3 ha 8 000 ■ ◍ 🌡 100 à 149 F

André Perret a tout d'abord travaillé dans l'industrie pharmaceutique avant de prendre en charge le domaine familial. Il a mis tout son talent au service des vignes, sachant qu'aucun vinificateur ne peut faire de miracle si le raisin n'est pas sain. Son 97 est fort réussi : sa robe est or pâle, limpide et brillante ; son nez floral, épicé avec une note de café d'une bonne intensité. La bouche se montre elle aussi très agréable : la pêche blanche et les agrumes ainsi qu'une légère note boisée participent au bel équilibre de cette très bonne bouteille.

🔑 André Perret, Verlieu, 42410 Chavanay, tél. 04.74.87.24.74, fax 04.74.87.05.26 ☑ 🍷 r.-v.

CAVE DES VIGNERONS RHODANIENS 1997

☐ 0,25 ha 1 356 ◍ 100 à 149 F

Déjà citée pour son 96, la Cave des vignerons rhodaniens nous présente ce millésime 97 produit par une très petite surface de vigne. La fermentation se fait en barrique avec bâtonnage, ainsi que l'élevage. La robe est claire à reflets dorés. Café, verveine et tilleul se conjuguent au nez. Miellée en bouche, c'est une bonne bouteille.

🔑 Cave des Vignerons Rhodaniens, 35, rue du Port-Vieux, 38550 Péage-de-Roussillon, tél. 04.74.86.20.69, fax 04.74.86.57.95 ☑ 🍷 r.-v.

HERVE ET MARIE-THERESE RICHARD La Maraze 1998★

☐ 1 ha 4 000 ▮ ◍ 🌡 100 à 149 F

Vinifié en cuve et en fût pour 25 % de la récolte, ce 98 a réjoui le jury. Le nez est puissant, dominé par l'abricot et l'amande. La bouche est élégante, avec beaucoup de gras et d'équilibre ; nous retrouvons les mêmes arômes qu'au nez. C'est très bien fait et prêt à boire.

🔑 Hervé et Marie-Thérèse Richard, Verlieu, 42410 Chavanay, tél. 04.74.87.07.75, fax 04.74.87.05.09 ☑ 🍷 r.-v.

CAVE SAINT-DESIRAT 1998

☐ 2 ha 8 000 ▮ ◍ 100 à 149 F

La cave de Saint-Désirat a fait de considérables efforts dans la communication puisqu'elle a créé une Maison des vins qui présente les cépages régionaux. Elle fait également visiter ses vignobles escarpés. Ce vin blanc au nez d'abricot et de verveine est discret mais équilibré.

🔑 Cave de Saint-Désirat, 07340 Saint-Désirat, tél. 04.75.34.22.05, fax 04.75.34.30.10 ☑ 🍷 r.-v.

GEORGES VERNAY 1997★★

☐ 5 ha 13 000 ▮ 🌡 100 à 149 F

On ne présente plus Georges Vernay qui a beaucoup travaillé pour la réputation du condrieu. Il a proposé trois vins magnifiques, celui-ci étant plébiscité par tous les dégustateurs. Notez que ce 97 ne connaît pas le bois, et que son prix est plus bas que ceux des deux cuvées Prestige à découvrir ci-après. C'est un condrieu dans toute sa grâce naturelle. Or pâle brillant, le nez est tout entier porté sur les fruits exotiques, la pêche, la poire : « Royal » note le jury. La bouche est magnifique, fraîche et soyeuse, très longue.

🔑 Dom. Georges Vernay, 1, rte Nationale, 69420 Condrieu, tél. 04.74.59.52.22, fax 04.74.56.60.98 ☑ 🍷 r.-v.

GEORGES VERNAY Coteau de Vernon 1997★★

☐ 1,7 ha 5 000 ◍ 200 à 249 F

L'or l'habille, et avec quel éclat ! Le premier nez est sur la retenue puis, dès l'agitation, les fruits emportent l'adhésion : pêche, coing, abricot dominent le boisé. La bouche est très ronde, grasse, riche, équilibrée ; des sucres résiduels lui apportent une générosité qui lui confère des accents moelleux. Très belle longueur. La cuvée **Les Chaillées de l'Enfer 97** reçoit une étoile. Volumineuse et onctueuse, elle joue dans la cour du Coteau de Vernon, mais à plus petit prix.

🔑 Dom. Georges Vernay, 1, rte Nationale, 69420 Condrieu, tél. 04.74.59.52.22, fax 04.74.56.60.98 ☑ 🍷 r.-v.

Saint-joseph

Sur la rive droite du Rhône, dans le département de l'Ardèche, l'appellation saint-joseph s'étend sur vingt-six communes de l'Ardèche et de la Loire et avoisine les 800 ha. Les coteaux sont constitués de pentes granitiques rudes, qui offrent de belles vues sur les Alpes, le mont Pilat et les gorges du Doux. Rouges, issus de syrah, les saint-joseph sont élégants, fins, relativement légers et tendres, avec des arômes subtils de framboise, de poivre et de cassis, qui se révéleront sur les volailles grillées ou sur certains fromages. Les vins blancs, issus des cépages roussanne et marsanne, rappellent ceux de l'hermitage. Ils sont gras, avec un parfum délicat de fleurs, de fruits et de miel. Il est conseillé de les boire assez jeunes.

EMMANUEL BAROU 1997★

■ 0,6 ha 2 900 ◍ 50 à 69 F

Emmanuel Barou est arboriculteur et viticulteur. Il applique les règles de l'agrobiologie. Une macération de vingt-huit jours nous donne une robe foncée, légèrement tuilée, un nez évolué de prune et de cerise. Les tanins souples reposent sur une bonne assise. Pruneau et cacao s'expriment bien. Un vin qui a beaucoup de charme.

🔑 Emmanuel Barou, Picardel, 07340 Charnas, tél. 04.75.34.02.13, fax 04.75.34.02.13 ☑ 🍷 r.-v.

BONSERINE Cuvée Petit Pierre 1997**

■ n.c. 5 000 [barrique] 50 à 69 F

Un vin d'une grande expression et qui n'a pas fini d'étonner par la richesse de ses arômes. Le nez puissant, très typé, révèle épices et fruits. La bouche est pleine de saveur où l'on retrouve les épices, le fruit rouge, des tanins très fins. D'un bon équilibre, la structure est nette. Un vin de très belle facture.

Dom. de Bonserine, Verenay, 69420 Ampuis, tél. 04.74.56.14.27, fax 04.74.56.18.13 ☑ Y t.l.j. sf dim. 9h-18h

BOUCHER Cuvée Panoramique 1997*

■ 0,3 ha 1 500 [barrique] 50 à 69 F

Le fils a rejoint le père en 1992 après des études viticoles et œnologiques. Il est très bien fait, ce joli vin, intéressant par ses arômes de fruits rouges légèrement macérés et par son boisé fondu donnant une note grillée et de fruits secs. D'une belle typicité et d'un bon équilibre, c'est un vin de garde qui s'épanouira dans quelques années.

GAEC Boucher, Vintabrin, 42410 Chavanay, tél. 04.74.87.23.38, fax 04.74.87.08.36 ☑ Y r.-v.

CHAMPTENAUD
Elevée en fût de chêne 1995

■ 8 ha 40 000 [barrique] 50 à 69 F

La cave de Sarras vinifie 250 ha de vignes. Elle a proposé deux cuvées élevées en fût de chêne, **Amandine 97 en blanc** et, recevant la même note, ce rouge paré d'une robe foncée, au nez franc d'épices, de kirsch, légèrement boisé. Il évolue agréablement en bouche ; il faudra l'aérer avant de le servir.

SCA Cave de Sarras, Le Village, 07370 Sarras, tél. 04.75.23.14.81, fax 04.75.23.38.36 ☑ Y t.l.j. 8h-12h 14h-18h

CAVE DE CHANTE-PERDRIX
La Madone 1997*

■ 1,6 ha 6 000 [barrique] 50 à 69 F

Des vignes de trente ans donnent naissance à La Madone, une cuvée qui passe dix-huit mois en barrique de chêne. Sa robe est grenat assez intense. Le nez fait de griotte est légèrement boisé. Après une attaque agréable et franche, la violette et la cerise dominent des tanins présents mais très fins. L'harmonie est satisfaisante. Le **saint-joseph blanc 97**, 100 % marsanne, est cité pour sa vivacité, sa fraîcheur, ses arômes de miel et de fleurs.

Philippe Verzier, Izeras, La Madone, 42410 Chavanay, tél. 04.74.87.06.36, fax 04.74.87.07.77 ☑ Y r.-v.

DOM. DU CHATEAU VIEUX 1997

■ 0,3 ha 1 000 [barrique] 50 à 69 F

Cette cuvée numérotée a produit 1 000 bouteilles d'un vin typé, déjà souple, mais d'une structure convenable. Celui-ci a agréablement surpris par ses notes mentholées et réglissées au nez et sa finale de fruits rouges et d'épices.

Fabrice Rousset, Le Château Vieux, 26750 Triors, tél. 04.75.45.31.65, fax 04.75.71.45.35 ☑ Y t.l.j. 10h-13h30 17h-19h

DOM. DU CHENE 1996**

■ 6 ha 23 000 [cuve] [barrique] [thermomètre] 50 à 69 F

Acheté en 1985, ce domaine qui représentait alors 5 ha atteint aujourd'hui 14 ha ; le propriétaire s'est engagé dans des travaux de rénovation des caves de vinification. Ce 96 est resté très jeune ; la robe garde sa belle teinte grenat vif. Les parfums intenses et complexes de fruits rouges, de cassis légèrement confituré charment et se retrouvent en bouche accompagnés de notes épicées. Tous les caractères de la syrah, et des tanins encore très présents, denses et très longs. A laisser encore au moins deux à trois ans en cave.

Marc et Dominique Rouvière, Le Pêcher, 42410 Chavanay, tél. 04.74.87.27.34, fax 04.74.87.02.70 ☑ Y r.-v.

DOM. COLLONGE 1998*

□ 1,5 ha n.c. [cuve] [thermomètre] 50 à 69 F

Les vignes de saint-joseph de ce domaine sont situées au lieu-dit La Treille, sur les contreforts granitiques du Massif central. Ce vin issu de marsanne porte une ravissante robe pâle à reflets verts. Nez et bouche expriment des notes de pêche, abricot et poire. Tout est frais, dans un parfait équilibre alcool-acide.

GAEC Collonge, La Négociale, 26600 Mercurol, tél. 04.75.07.44.32, fax 04.75.07.44.06 ☑ Y t.l.j. 8h30-12h 13h30-18h30; dim. 9h30-12h; groupes sur r.-v.

DOM. COLLONGE 1996*

■ 4,64 ha n.c. [barrique] 50 à 69 F

Le cépage syrah donne ici toute son expression : violette, cassis, légère note végétale. Sa belle structure et ses jolis tanins en font un vin de garde. Sa robe est sombre, intense, myrtille.

GAEC Collonge, La Négociale, 26600 Mercurol, tél. 04.75.07.44.32, fax 04.75.07.44.06 ☑ Y t.l.j. 8h30-12h 13h30-18h30; dim. 9h30-12h; groupes sur r.-v.

DOM. DU CORNILHAC 1997**

■ 1,2 ha 3 000 [barrique] 50 à 69 F

Les trois enfants de Fernand Salette ont repris le domaine familial à sa mort en 1996. C'est leur premier millésime et il reçoit bien des compliments. Les dégustateurs ont eu grand plaisir à découvrir ce vin et lui promettent un bel avenir. Ses qualités sont remarquables avec, au nez, cette sensation de fruits évoluant sur des notes vanillées et épicées. Equilibre, structure, tanins présents, persistance aromatique lui assurent un beau potentiel.

SCEA Salette, Le Cornilhac, 07300 Tournon, tél. 04.75.08.02.80, fax 04.75.82.95.08 ☑ Y r.-v.

PIERRE COURSODON L'Olivaie 1997*

■ 2 ha 9 000 [barrique] 70 à 99 F

Pierre Coursodon, depuis 1974 sur ce domaine de 13,5 ha, est rejoint sur la propriété par son fils parti quelque temps dans les vignobles sud-africains. Il a proposé trois vins, dans ce même millésime, tous sélectionnés avec une étoile. Cette cuvée de l'Olivaie est élaborée à partir de très vieilles vignes de syrah, implantées sur des schistes granitiques. Elles ne peuvent donner

qu'un très beau produit : ce vin rouge grenat au nez de fruits mûrs et boisé offre beaucoup de charme en bouche grâce à des tanins soyeux ainsi qu'à des arômes vanillés, épicés et fruits rouges. La cuvée **Domaine** est de même qualité.
⊶ Pierre Coursodon, pl. du Marché,
07300 Mauves, tél. 04.75.08.18.29,
fax 04.75.08.75.72,
e-mail pierrecoursodon@wanadoo.fr ☒ Y t.l.j.
8h-12h 14h-19h; dim. sur r.-v.

PIERRE COURSODON
La Sensonne 1997*

■ 0,5 ha 1 600 ⊕ 100 à 149 F

Cette cuvée est différente. Est-ce dû à l'élevage sur lie en fûts neufs ? Elle est très typée, donnant une bonne expression du terroir. La robe séduit par ses couleurs de mûre à reflet violet. Le nez est puissant - fruits écrasés, épices, grillé. En bouche, l'attaque est franche et marquée par un boisé de belle qualité (réglisse). Un vin qui a beaucoup de charme.
⊶ Pierre Coursodon, pl. du Marché,
07300 Mauves, tél. 04.75.08.18.29,
fax 04.75.08.75.72,
e-mail pierrecoursodon@wanadoo.fr ☒ Y t.l.j.
8h-12h 14h-19h; dim. sur r.-v.

ERIC ET JOEL DURAND
Les Coteaux 1997

■ 4 ha n.c. ⊕ 70 à 99 F

Un domaine qui exporte 65 % de sa production. Ce vin est élevé douze mois en fût pour 65 %. Elevage bien mené. C'est une syrah très mûre dont le nez offre des notes de pruneau et de fruits à l'eau-de-vie. Puissant, flatteur en bouche, le fruit confit nous revient avec de bons tanins.
⊶ Eric et Joël Durand, imp. de la Fontaine,
07130 Châteaubourg, tél. 04.75.40.46.78,
fax 04.75.40.29.77 ☒ Y r.-v.

BERNARD FAURIE 1997

■ 1,7 ha 7 000 ⊕ 70 à 99 F

A mettre en réserve dans sa cave, ce vin est encore jeune : le nez est de belle qualité mais pour l'instant un peu fermé. En bouche, le fruit rouge est présent mais ce sont les tanins qui dominent par des notes réglissées. La robe de bonne facture et la matière équilibrée sont très prometteuses.
⊶ Bernard Faurie, 27, av. Hélène-de-Tournon,
07300 Tournon, tél. 04.75.08.55.09,
fax 04.75.08.55.09 ☒ Y r.-v.

PHILIPPE FAURY 1997

■ 4 ha 20 000 ⊕ 50 à 69 F

Quinze mois de fûts dont 10 % sont neufs pour ce vin qui n'a pas laissé le jury indifférent. Ses arômes sont très présents (poivron, épices, fumé et fruits à l'eau-de-vie). Sa structure tannique est encore austère mais constituée d'une bonne matière. Attendre patiemment le printemps 2002.
⊶ Philippe Faury, La Ribaudy,
42410 Chavanay, tél. 04.74.87.26.00,
fax 04.74.87.05.01 ☒ Y r.-v.

DOM. GILLES FLACHER
Cuvée Prestige 1997*

■ 1,5 ha 5 000 ⊕ 50 à 69 F

Sept hectares en coteaux sont conduits par ce vigneron dont les ancêtres se sont installés là en 1806. Ce dernier propose une cuvée Prestige élevée quatorze mois en fût. C'est indubitablement un vin de garde, ample, structuré, équilibré avec des tanins présents. Le nez associe des notes de chêne fondues aux fruits mûrs. L'attendre de deux à trois ans et le servir pendant six ou sept ans.
⊶ Gilles Flacher, 07340 Charnas,
tél. 04.75.34.09.97, fax 04.75.34.09.96 ☒ Y r.-v.

PIERRE GONON Les Oliviers 1997*

□ 1,5 ha 5 000 ⊕ 70 à 99 F

Pierre Gonon mène ce domaine depuis 1991. Son saint-joseph blanc est élevé dix mois sur lies, en barrique. Il est encore sur des notes boisées qui masquent légèrement les arômes de fruits à chair blanche mais il est bien construit, gras à souhait, rond et d'une grande fraîcheur. Un blanc de garde. Le **saint-joseph rouge 97** est cité par le jury : il est soyeux et tendre et accompagnera un carré d'agneau à la tapenade.
⊶ Pierre Gonon, 11, rue des Launays,
07300 Mauves, tél. 04.75.08.07.95,
fax 04.75.08.65.21 ☒ Y r.-v.

BERNARD GRIPA 1997**

□ 2,5 ha n.c. ⊕ 70 à 99 F

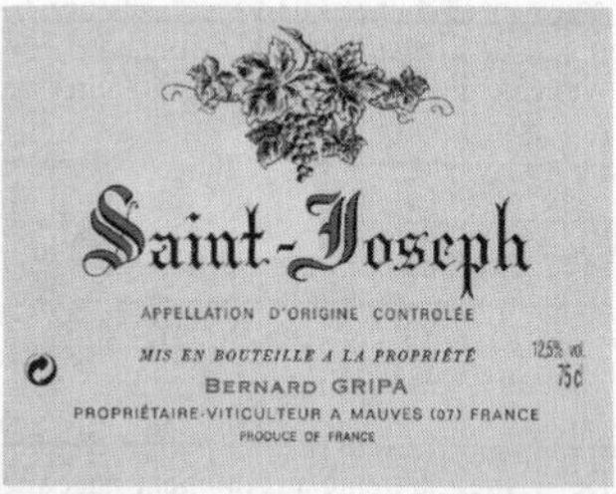

Bernard Gripa anime depuis 1971 la propriété familiale. Déjà très remarqué dans les éditions précédentes du Guide, il propose en 1997 un très beau vin que le jury a unanimement honoré d'un coup de cœur : la robe claire scintille. Fruits et fleurs blanches se conjuguent pour donner des senteurs puissantes et complexes. Le festival se poursuit en bouche, où la richesse et la finesse ne s'opposent pas mais s'équilibrent dans une parfaite harmonie. Une bouteille à servir lors des fêtes de fin d'année pour enthousiasmer vos invités, et à garder longtemps...
⊶ Bernard Gripa, 5, av. Ozier, 07300 Mauves,
tél. 04.75.08.14.96, fax 04.75.07.06.81 ☒ Y r.-v.

BERNARD GRIPA 1997

■ 6 ha n.c. ⊕ 70 à 99 F

La première impression est due à un élevage de douze mois en fût. Mais ce vin est bien typé syrah et saint-joseph, et doté d'un tempérament assez tendre. Il est franc, équilibré et prêt à boire.
⊶ Bernard Gripa, 5, av. Ozier, 07300 Mauves,
tél. 04.75.08.14.96, fax 04.75.07.06.81 ☒ Y r.-v.

DOM. J.-L. GRIPPAT 1997

☐ 1,38 ha 5 900 ▮◫ 50 à 69 F

Jean-Louis Grippat est l'un des hommes incontournables du vignoble rhodanien. Cette marsanne est bien faite ; trop jeune lors de la dégustation, elle devrait être prête à l'automne. Elle a déjà un charme floral, beaucoup de fraîcheur, de finesse. Sa robe est superbe.

☛ Jean-Louis Grippat, La Sauva,
07300 Tournon, tél. 04.75.08.15.51,
fax 04.75.07.00.97 ☑ ☥ r.-v.

LA DEGAULTIERE Vieilles vignes 1997★

■ 1 ha 4 000 ▮◫♨ 50 à 69 F

C'est le deuxième week-end de décembre qu'a lieu le marché aux vins de Chavanay. C'est l'occasion de découvrir bien des saint-joseph, dont celui-ci qu'un dégustateur décrit avec enthousiasme : « C'est un vrai saint-joseph ! » Sa robe est profonde, d'un violacé presque noir. Le nez est réglisse, fumé, tabac blond, annonçant une bouche équilibrée, veloutée, fruitée, vanillée : des tanins très présents donnent le ton de ce vin très prometteur.

☛ Hervé et Marie-Thérèse Richard, Verlieu,
42410 Chavanay, tél. 04.74.87.07.75,
fax 04.74.87.05.09 ☑ ☥ r.-v.

DOM. DE LA FAVIERE 1996★

☐ 0,3 ha 1 600 ▮ 50 à 69 F

Saint-joseph blanc 96 ou **97** ? A vous de choisir car les deux millésimes obtiennent une note identique. Le premier est rond, gras, onctueux ; miel, acacia, olive... belle évolution aromatique. Le second est tendre, élégant, fin et équilibré.

☛ Pierre Boucher, Dom. de La Favière,
42520 Malleval, tél. 04.74.87.15.25,
fax 04.74.87.15.25 ☑ ☥ r.-v.

DOM. DE LA FAVIERE 1996★

■ 2 ha 8 000 ▮◫ 50 à 69 F

Une cave bien équipée, des barriques de chêne, des vins très réussis cette année, tout cela à proximité d'un charmant village médiéval : de quoi faire une halte. Goûtez celui-ci. Le nez est en harmonie avec les arômes que l'on a en bouche : fruits rouges et menthol sur une note animale. Les tanins très puissants donnent à ce vin un bel équilibre avec une finale fraîche. Sa robe, intense et brillante, faisait des promesses qui ont été tenues. Jolie longueur.

☛ Pierre Boucher, Dom. de La Favière,
42520 Malleval, tél. 04.74.87.15.25,
fax 04.74.87.15.25 ☑ ☥ r.-v.

CLOS DE L'ARBALESTRIER 1996

■ 4 ha 16 000 ◫ 70 à 99 F

« Un vin pour la soif », dit un dégustateur - Etonnant ! Sa robe est d'une intensité normale pour l'AOC avec un beau fond rouge violacé. Le plus surprenant sont ses arômes de cassis très puissants. La bouche reprend sa place : équilibrée par de bons tanins, pas énormes mais suffisants, elle laisse parler les épices sur des fruits bien typés.

☛ Dom. Florentin, 32, av. du Saint-Joseph,
07300 Mauves-sur-Rhône, tél. 04.75.08.60.97,
fax 04.75.08.60.96 ☑ ☥ r.-v.

DOM. LES REYNES 1997

■ 2,5 ha 9 000 ◫ 30 à 49 F

Un vin d'un domaine de Charnas bien dans le type de l'appellation avec sa robe rouge foncé. Cependant le nez est léger, allant du fruit aux épices. Peu complexe et avec des tanins soyeux, c'est un vin à boire.

☛ Ogier-Caves des Papes, 10, av. Pasteur,
84230 Châteauneuf-du-Pape, tél. 04.90.39.32.32,
fax 04.90.83.72.51,
e-mail ogier.caves.des.papes@wanadoo.fr
☑ ☥ t.l.j. sf sam. dim. 8h-12h 13h-18h
☛ Piere Finon

DOM. DU MONTEILLET
Cuvée du Papy 1997★

■ 2 ha 8 000 ◫ 70 à 99 F

Chavanay, bourg médiéval, permet d'admirer des vestiges de remparts et quelques maisons des XVI⁰ et XVII⁰ˢ. Ce vignoble a produit un joli vin à la robe violacée, profonde, et au nez de violette et d'épices ; rond, gras, puissant, ce 97 finit sur une note boisée. En **blanc**, le **97** est cité par le jury pour ses arômes d'agrumes et sa bouche plaisir (50 à 69 F).

☛ Vignobles Montez, Dom. du Monteillet, Le Montelier, 42410 Chavanay, tél. 04.74.87.24.57,
fax 04.74.87.06.89 ☑ ☥ r.-v.

DIDIER MORION 1996★

■ 3 ha 4 000 ▮◫♨ 30 à 49 F

Deux jolis vins sélectionnés en saint-joseph avec une étoile : **les Echets 96**, élevé quinze mois en barrique, et qui ne le cache pas ! Mais ses tanins encore envahissants reposent sur une matière charnue qui prendra le dessus dans trois à quatre ans (50 à 69 F). Quant à la cuvée principale, elle n'a passé que dix mois en barrique. Sa structure est boisée ; elle est un bon support pour les arômes d'épices et de fruits tels que le cassis et l'amande grillée. Harmonieux, le vin est agréable.

☛ Didier Morion, Epitaillon, 42410 Chavanay, tél. 04.74.87.26.33, fax 04.74.87.26.33 ☑ ☥ r.-v.

DOM. DU MORTIER 1997★

☐ 0,5 ha 2 500 ◫ 50 à 69 F

Vinification en pièces neuves, élevage sur lies, un très joli saint-joseph blanc ! De bonne typicité. En restera-t-il à la sortie du Guide ? La robe or pâle, le nez puissant égrenant ses notes de fleurs, d'amande grillée, de vanille, l'équilibre et le développement en bouche plairont à un poisson en sauce.

☛ Dom. du Mortier, Le Mortier, 07340 Saint-Désirat, tél. 04.75.34.23.05, fax 04.75.34.28.19 ☑ ☥ r.-v.
☛ Didier Crouzet et Guy Veyrier

DOM. DU MORTIER 1997★

■ 4,5 ha 15 000 ◫ 30 à 49 F

Si vous avez la patience d'attendre deux à trois ans, et si votre cave est bonne, vous serez surpris par ce vin bien structuré par des tanins encore jeunes. Mais le boisé est délicat, intelligent et laisse s'exprimer un fruit de qualité. Le **96** est de même facture, mais plus évolué.

🔑 Dom. du Mortier, Le Mortier, 07340 Saint-Désirat, tél. 04.75.34.23.05, fax 04.75.34.28.19 ☑ 🍷 r.-v.
🔑 Didier Crouzet et Guy Veyrier

ALAIN PARET 420 Nuits 1997★★

■ 2 ha 5 000 ⏸ 70à99F

420 nuits et 420 jours passés en fûts de chêne neufs de cinq origines dont 20 % de chêne américain : ainsi a été élevé ce vin récolté sur une parcelle du vignoble en coteaux qu'Alain Paret a reconstitué depuis 1972. Complexe et complet, ce 97 devra rester au moins cinq ans en cave avant d'enchanter le palais des amateurs ; en effet, ses tanins très présents garantissent son vieillissement, ainsi que la qualité du fruit ; il est puissant et structuré mais déjà aromatique (fruit mûr, épices, avec une pointe mentholée) jusque dans une longue finale où apparaissent le boisé et une note de mûre.
🔑 Alain Paret, pl. de l'Eglise, 42520 Saint-Pierre-de-Bœuf, tél. 04.74.87.12.09, fax 04.74.87.17.34 ☑ 🍷 r.-v.

ANDRE PERRET Les Grisières 1997

■ 1 ha 4 000 ⏸ 70à99F

Dix-huit mois de barrique ne nous permettent pas encore de tout saisir de ce vin très jeune : sa robe est presque noire et la syrah balbutie au nez sous des nuances boisées. La bouche est en devenir mais sa matière est belle, typée, presque soyeuse déjà en première bouche, puis la finale retrouve le bois. Ce vin s'affinera et s'affirmera dans deux à trois ans.
🔑 André Perret, Verlieu, 42410 Chavanay, tél. 04.74.87.24.74, fax 04.74.87.05.26 ☑ 🍷 r.-v.

ANDRE PERRET 1997

□ 0,65 ha 3 000 ▮⏸🌡 50à69F

Miel et fruits secs marquent ce vin qui évolue en bouche avec beaucoup de gras et de rondeur. Finale miellée. A boire.
🔑 André Perret, Verlieu, 42410 Chavanay, tél. 04.74.87.24.74, fax 04.74.87.05.26 ☑ 🍷 r.-v.

CAVE DES VIGNERONS RHODANIENS Tradition 1996★★

■ 3 ha 16 000 ⏸ 50à69F

La Cave des vignerons rhodaniens présente un remarquable 96 à la robe rouge cerise très foncée et au joli nez de fruits rouges confits avec une pointe d'épice qu'agrémente une note de sous-bois. Ce vin a de l'équilibre et du gras en bouche ; les tanins sont fins et longs dans une finale où l'on retrouve le fruit et beaucoup de fraîcheur.
🔑 Cave des Vignerons Rhodaniens, 35, rue du Port-Vieux, 38550 Péage-de-Roussillon, tél. 04.74.86.20.69, fax 04.74.86.57.95 ☑ 🍷 r.-v.

HERVE ET MARIE-THERESE RICHARD 1997★

□ 0,7 ha 3 000 ▮🌡 50à69F

Ce blanc témoigne de la belle harmonie qui règne entre ce terroir, la marsanne (75 %) et la roussanne (25 %). Or pâle à reflets verts, il est très nuancé au nez, où l'élégance et la finesse dominent. Vif en bouche, équilibré, c'est un très joli vin.
🔑 Hervé et Marie-Thérèse Richard, Verlieu, 42410 Chavanay, tél. 04.74.87.07.75, fax 04.74.87.05.09 ☑ 🍷 r.-v.

CAVE DE SAINT-DESIRAT Cuvée Côte Diane 1997★★

■ 20 ha 60 000 ⏸ 50à69F

A quelques centaines de mètres de l'abbaye romane de Saint-Désirat, la cave coopérative vous invitera à découvrir le vignoble rhodanien mais aussi ce vin remarquable tant par son nez mêlant fruits et épices que par sa bouche aux beaux tanins fondus. Très belle finale. Une bouteille bien faite.
🔑 Cave de Saint-Désirat, 07340 Saint-Désirat, tél. 04.75.34.22.05, fax 04.75.34.30.10 ☑ 🍷 r.-v.

CAVE DE TAIN L'HERMITAGE Les Nobles Rives 1998★

□ n.c. n.c. ▮ 50à69F

Un 98 de belle facture et prêt à boire. Quelle fraîcheur ! Un nez printanier tout en fleurs avec beaucoup de finesse ; de l'équilibre, de la rondeur, du gras... tout est réussi. Le pamplemousse et les fruits exotiques donnent la dernière note.
🔑 Cave de Tain-l'Hermitage, 22, rte de Larnage, B.P. 3, 26601 Tain-l'Hermitage , tél. 04.75.08.20.87, fax 04.75.07.15.16 ☑ 🍷 r.-v.

GEORGES VERNAY 1997★

■ 1,5 ha 6 000 ⏸ 70à99F

Viticulteur à Condrieu, Georges Vernay propose un saint-joseph solide, structuré. La robe est profonde, violacée. Le nez est sauvage, animal, accompagné de notes de fruit cuit. Ce 97 a beaucoup de maturité en bouche, avec des tanins bien présents et très équilibrés. Il faudra l'oublier en cave deux à trois ans et ne pas hésiter à le servir sur un gibier.
🔑 Dom. Georges Vernay, 1, rte Nationale, 69420 Condrieu, tél. 04.74.59.52.22, fax 04.74.56.60.98 ☑ 🍷 r.-v.

DOM. VERRIER La Pilatte 1997★

■ 6 ha n.c. ▮ 30à49F

Négociant-éleveur, Michel Mourier a des attaches familiales avec le domaine Verrier situé à Malleval. Cette cuvée est très agréable dès à présent et peut être dégustée dès la sortie du Guide. Sa robe rouge foncé, violacée, son nez soutenu par le fruit cuit et sa bouche franche, bien structurée mais déjà ronde sur des arômes développés, lui permettront également de vieillir deux à trois ans.

🔑 Michel Mourier, Verlieu, 42410 Chavanay,
tél. 04.77.57.29.59, fax 04.77.80.68.71 ☒ 🍷 r.-v.
🔑 Verrier

Crozes-hermitage

Cette appellation, couvrant des terrains moins difficiles à cultiver que ceux de l'hermitage, s'étend sur onze communes environnant Tain-l'Hermitage. C'est le plus grand vignoble des appellations septentrionales : la superficie de production est de 1 100 ha pour 43 000 hl de production. Les sols, plus riches que ceux de l'hermitage, donnent des vins moins puissants, fruités et à boire jeunes. Rouges, ils sont assez souples et aromatiques ; blancs, ils sont secs et frais, légers en couleur, à l'arôme floral, et, comme les hermitage blancs, ils iront parfaitement sur les poissons d'eau douce.

DOM. BERNARD ANGE
Rêve d'Ange 1996

■ 1 ha 1 800 🛢 70 à 99 F

Sombre comme un Espagnol, il a le nez animal (cuir) et tabac ; on perçoit aussi la marmelade de fruits rouges très mûrs, le tout sur un fond grillé et épicé. La bouche est à l'avenant, structurée, nerveuse, encore rétive. Trois ou quatre années de garde sont conseillées.

🔑 Bernard Ange, quartier Pont-de-l'Herbasse,
26260 Clérieux, tél. 04.75.71.62.42,
fax 04.75.71.62.42 ☒ 🍷 t.l.j. sf mer. dim. 9h-12h
13h30-19h; f. 15-30 août

BOIS FARDEAU 1997

■ 4 ha 20 000 ▮ 🌡 30 à 49 F

Il représente honnêtement le millésime 97. Sa robe noire annonce une certaine richesse au nez (épices, fruits et caramel). En bouche, il semble encore jeune tant ses tanins sont présents.

🔑 Gabriel Meffre, Le Village, 84190 Gigondas,
tél. 04.90.12.32.42, fax 04.90.12.32.49

HENRY BOUACHON La Maurelle 1997

■ n.c. 133 300 🛢 30 à 49 F

Agréable à déguster, une Maurelle où les fruits cuits jouent finement avec les notes boisées. Une note d'épices rappelle son cépage. Les tanins fins et fondus permettent de partager dès aujourd'hui cette bouteille.

🔑 Caves Saint-Pierre, Henry Bouachon,
av. Pierre-de-Luxembourg, B.P. 5,
84230 Châteauneuf-du-Pape, tél. 04.90.83.58.48,
fax 04.90.83.77.23 ☒ 🍷 t.l.j. sf dim. 8h-12h
13h30-17h30

DOM. BERNARD CHAVE
Cuvée traditionnelle 1997★

■ 4,5 ha 27 900 ▮ 🛢 🌡 30 à 49 F

Yann, fils de Bernard Chave, mène aujourd'hui cette propriété de 13,5 ha. Après une cuvaison de quinze jours avec pigeage, le vin possède un énorme potentiel aromatique, même s'il est aujourd'hui plutôt animal. Sa matière structurée est encore très tannique. L'attendre deux ans.

🔑 SCEA Chave Père et Fils, La Burge,
26600 Mercurol, tél. 04.75.07.42.11,
fax 04.75.07.47.34 ☒ 🍷 r.-v.

DOM. COLLONGE 1997

■ 30 ha n.c. ▮ 🌡 30 à 49 F

Cette cuvée sera prête à la sortie du Guide. Sa robe est vive à reflets violets. La note animale au nez ne surprend pas. Griotte, fruits cuits, poivre et réglisse donnent une agréable bouche ronde d'une longueur honorable.

🔑 GAEC Collonge, La Négociale,
26600 Mercurol, tél. 04.75.07.44.32,
fax 04.75.07.44.06 ☒ 🍷 t.l.j. 8h30-12h
13h30-18h30; dim. 9h30-12h; groupes sur r.-v.

CH. CURSON 1997★

■ 4 ha 13 000 🛢 70 à 99 F

Bien sombre, avec une petite note d'évolution, la robe n'annonce pas le nez discret, dont la profondeur ne manquera pas de devenir intéressante dans deux à trois ans. La bouche célèbre le boisé, mais elle a de la tenue et devrait récompenser les gens patients.

🔑 Dom. Pochon, Ch. de Curson,
26600 Chanos-Curson, tél. 04.75.07.34.60,
fax 04.75.07.30.27 ☒ 🍷 r.-v.

DELAS FRERES
Cuvée Tour d'Albon 1997★

■ n.c. n.c. 🛢 50 à 69 F

Les dégustateurs vous le recommandent pour son harmonie et ses arômes d'épices (vanille, réglisse). Le boisé est très fin. Les tanins peu agressifs s'accompagnent de fruits cuits et d'une note animale.

🔑 Delas Frères, Z.A. de l'Olivet, 07300 Saint-Jean-de-Muzols, tél. 04.75.08.60.30,
fax 04.75.08.53.67 ☒ 🍷 r.-v.

DESSUS DES ENTREFAUX 1997

■ 3 ha 9 000 🛢 50 à 69 F

« De la matière qui doit s'affiner avec le temps ». Issu d'une longue cuvaison et d'un élevage en fût de douze mois, ce vin a du tempérament et de la structure. Le nez est intense et la bouche saura évoluer. Même note pour le **blanc 97**, avec des commentaires très proches. Deux bouteilles à attendre de un à deux ans.

🔑 Dom. des Entrefaux, quartier de la Beaume,
26600 Chanos-Curson, tél. 04.75.07.33.38,
fax 04.75.07.35.27 ☒ 🍷 r.-v.
🔑 Tardy

LA ROCLANDE 1997

■   n.c.   80 000   🍴 ⏸ ⬇   30 à 49 F

Des reflets tuilés signent l'évolution de ce vin prêt à boire. Il plaira par ses tanins fondus et ses arômes de café, de cacao et de fruits confits.
☛ Laurent Charles Brotte, rte d'Avignon, 84230 Châteauneuf-du-Pape, tél. 04.90.83.70.07, fax 04.90.83.74.34 ☑ Ⴤ r.-v.

LE MILLEPERTUIS 1997

■   n.c.   35 000   ⏸   30 à 49 F

Ce n'est pas un grand vin mais il donne du plaisir : fruité, doté d'un bon support tannique, il s'offre dans une élégante robe sombre, dès aujourd'hui.
☛ Guyot, Montée de l'Eglise, 69440 Taluyers, tél. 04.78.48.70.54, fax 04.78.48.77.31, e-mail contact@vins-guyot.com ☑ Ⴤ jeu. ven. sam. 8h-12h 13h30-17h30; f. 15-21 août

DOM. LES CHENETS 1997★

☐   3,2 ha   11 000   🍴 ⬇   30 à 49 F

Une belle marsanne bien mûrie et bien vinifiée. Sa robe est jaune doré brillante. L'anis et le menthol contribuent à son joli nez. Fraîcheur et fruits mûrs sur des notes de fleurs blanches donnent une impression de vin resté jeune et typé.
☛ Dom. Les Chenêts, 26600 Mercurol, tél. 04.75.07.48.28, fax 04.75.07.45.60 ☑ Ⴤ t.l.j. sf dim. 8h-12h 14h-18h

LES PERDRIGOLLES 1997★

■   30 ha   150 000   30 à 49 F

Il y en aura pour beaucoup... à défaut de tout le monde. On peut le mettre sans état d'âme en cave pendant un an ou deux tant il est équilibré ; il a du fruit, de la personnalité, de la longueur et il est agréable à regarder.
☛ Les Vignerons de Rasteau et de Tain-l'Hermitage, rte des Princes-d'Orange, 84110 Rasteau, tél. 04.90.10.90.10, fax 04.90.46.16.65, e-mail vrt@rasteau.com ☑ Ⴤ r.-v.

DOM. PRADELLE 1998

☐   4,5 ha   10 000   🍴 ⬇   50 à 69 F

Tous les dégustateurs le disent, ce vin est très représentatif de son appellation : la robe est cristalline ; le nez compose un bouquet éclatant de fraîcheur ; sa note de fruits exotiques se retrouve dans une bouche équilibrée. Les fruits de mer se plairont en sa compagnie dès cet hiver.
☛ GAEC Pradelle, 26600 Chanos-Curson, tél. 04.75.07.31.00, fax 04.75.07.35.34 ☑ Ⴤ t.l.j. sf dim. 8h-12h 14h-18h

DOM. DES REMIZIERES
Cuvée Christophe 1997★★★

☐   1 ha   5 000   ⏸   50 à 69 F

« Superbe travail. Crozes-hermitage haut de gamme. Une référence pour l'AOC. » C'est ainsi que le jury décrit cette cuvée exceptionnelle. L'or l'habille. Les fruits blancs exotiques, assortis de vanille, d'amande grillée, de miel, accompagnent toute la dégustation de ce vin élégant dont l'élevage en barrique est parfaitement maîtrisé. On retrouve toutes les qualités que l'on attend d'un crozes-hermitage dans cette bouteille qui se

réjouira en compagnie d'écrevisses à la nage. La **Cuvée particulière blanche 96** (30 à 49 F) obtient deux étoiles. Ce sont les fleurs blanches qui l'emportent avec éclat. On pourra boire ou attendre ces deux vins que signe un remarquable domaine.

☛ Cave Desmeure, rte de Romans, 26600 Mercurol, tél. 04.75.07.44.28, fax 04.75.07.45.87 ☑ Ⴤ r.-v.

DOM. DES REMIZIERES
Cuvée Christophe 1997★★

■   2 ha   12 000   ⏸   50 à 69 F

Riche et complexe dans sa robe haute couture, ce vin est étonnant. Il est jeune encore, tout entier porté sur la réglisse, la fumée, les notes grillées. Mais lorsque le bois se sera fondu, il sera remarquable : sa matière, soyeuse dès l'attaque, offre une ampleur et une longueur prometteuses. Un dégustateur très satisfait a noté que « ses tanins bien habillés lui permettraient de bien vivre pendant cinq ans ». Un compliment rare pour les 97.
☛ Cave Desmeure, rte de Romans, 26600 Mercurol, tél. 04.75.07.44.28, fax 04.75.07.45.87 ☑ Ⴤ r.-v.

DOM. GILLES ROBIN
Cuvée Albéric Bouvet 1997

■   10 ha   25 000   ⏸   50 à 69 F

Rubis, brillante et franche, la robe est engageante. Le nez joue sur le pain grillé, la confiture, les fruits rouges, le tabac. Tout cela se retrouve en bouche, avec une nuance fumée, boisée, plus forte. Ce 97 vous est recommandé et prêt à boire.
☛ Gilles Robin, Les Chassis Sud, 26600 Mercurol, tél. 04.75.08.43.28, fax 04.75.08.43.64 ☑ Ⴤ r.-v.

DOM. SAINT-JEMMS 1998★

☐   32 ha   n.c.   🍴 ⬇   50 à 69 F

Thierry Lhermitte, qui fut un brillant parrain du Guide, connaît ce domaine. On ne s'étonne pas du plaisir offert par cette jolie bouteille dorée où la marsanne parle à haute voix. Miel, fleurs blanches, fruits secs, sont d'une grande fraîcheur. Ample, bien faite, la bouche se donne comme un abricot bien mûr. Sans artifice, un vin à boire avec des poissons cuisinés.
☛ Dom. Saint-Jemms, Les Chassis Bellevue, 26600 Mercurol, tél. 04.75.07.86.70, fax 04.75.08.69.80 ☑ Ⴤ r.-v.

Hermitage

Le coteau de l'Hermitage, très bien exposé au sud, est situé au nord-est de Tain-l'Hermitage. La culture de la vigne y remonte au IVᵉs. av. J.-C., mais on attribue l'origine du nom de l'appellation au chevalier Gaspard de Sterimberg qui, revenant de la croisade contre les Albigeois en 1224, décida de se retirer du monde. Il édifia un ermitage, défricha et planta de la vigne.

L'appellation couvre 126 ha. Le massif de Tain est constitué à l'ouest d'arènes granitiques, terrain idéal pour la production de vins rouges (les Bessards). Dans les parties est et sud-est, formées de cailloutis et de lœss, se trouvent les zones ayant vocation à produire des vins blancs (les Rocoules, les Murets).

L'hermitage rouge est un très grand vin tannique, extrêmement aromatique, qui demande un vieillissement de cinq à dix ans, voire vingt ans, avant de développer un bouquet d'une richesse et d'une qualité rares. C'est donc un grand vin de garde, que l'on servira entre 16 °C et 18 °C, sur le gibier ou les viandes rouges goûteuses. L'hermitage blanc (cépage roussanne, et surtout marsanne) est un vin très fin, peu acide, souple, gras et très parfumé. Il peut être apprécié dès la première année, mais atteindra son plein épanouissement après un vieillissement de cinq à dix ans. Cependant les grandes années, en blanc comme en rouge, peuvent supporter un vieillissement de trente ou quarante ans.

LAURENT-CHARLES BROTTE 1995★★

□ n.c. 1 500 ▮⬮ 100 à 149 F

Ce vin blanc a dû être élevé - et donc gardé - pour fêter la fin du siècle ! Sa couleur est paille à reflets dorés. Son nez intense décline des notes de miel et de fleurs blanches ; il est légèrement épicé. La bouche, très fine et friande, laisse poindre des arômes de raisins bien mûrs autour d'une structure ronde et équilibrée. A boire avec un plateau de crustacés.

⊶ Laurent Charles Brotte, rte d'Avignon, 84230 Châteauneuf-du-Pape, tél. 04.90.83.70.07, fax 04.90.83.74.34 ☑ Y r.-v.

M. CHAPOUTIER Sizeranne 1997★

■ 12 ha 40 000 ⬮ 200 à 249 F

Les Chapoutier appliquent depuis 1990 les principes de la biodynamie. Ce 97 est un vin généreux dont le nez s'ouvre sur des notes de fruits rouges cuits et confits ainsi que d'épices telles que le poivre vert. Epices que nous retrouvons en bouche avec des tanins présents et soyeux. La finale est encore vanillée : un vin de garde qui comblera sur quelque grand gibier.

⊶ M. Chapoutier, 18, av. Dr-Paul-Durand, B.P. 38, 26601 Tain-l'Hermitage, tél. 04.75.08.28.65, fax 04.75.08.81.70, e-mail chapoutier@chapoutier.com ☑ Y r.-v.

DOM. JEAN-LOUIS CHAVE 1996★★★

□ 5 ha 16 000 ⬮ 150 à 199 F

Ce domaine qu'il n'est plus besoin de présenter nous offre toujours des blancs très mûrs. On trouve dans ce 96 de la concentration, des notes de miel, d'amande et d'épices, enrobées de cire d'abeille. Et puis du gras, qui tapisse la bouche et soutient les notes aromatiques, procurant un plaisir ineffable. On en reste muet d'émotion, tout comme lorsqu'une symphonie se termine et que le public tarde à applaudir.

⊶ Jean-Louis Chave, 37, av. du Saint-Joseph, 07300 Mauves, tél. 04.75.08.24.63, fax 04.75.07.14.21

DOM. JEAN-LOUIS CHAVE 1996★★★

■ 10 ha 30 000 ⬮ 150 à 199 F

Beaucoup de jeunesse et de fougue dans ce vin. Des fruits rouges très mûrs, soutenus par un bon boisé qui rehausse la saveur et fait atteindre les sommets. Il faut savoir garder ce 96 : il deviendra sublime avec l'âge.

⊶ Jean-Louis Chave, 37, av. du Saint-Joseph, 07300 Mauves, tél. 04.75.08.24.63, fax 04.75.07.14.21

DOM. DU COLOMBIER 1997★

■ 1,5 ha 5 000 ⬮ 150 à 199 F

Un domaine de 12,5 ha qui propose ici un bel hermitage. La première impression ? Des raisins très mûrs, donnant une grande concentration de fruits confits et une chaleur certaine en bouche, sans négliger les arômes de cuir et de poivre noir. La robe est pourpre, brillante.

⊶ SCEA Viale, Dom. du Colombier, Mercurol, 26600 Tain-l'Hermitage, tél. 04.75.07.44.07, fax 04.75.07.41.43 ☑ Y r.-v.

DELAS
Cuvée Marquise de La Tourette 1997★

■ 10 ha n.c. ⬮ 150 à 199 F

Cette grande maison a proposé dans cette AOC en rouge, des **Bessards 97**, très concentrés, très fruits noirs, à attendre trois ans au moins

RHONE

(une étoile), et cette Marquise aux beaux yeux noirs, aux parfums de sous-bois et de fruits cuits assez puissants. Elle garde son rang en bouche, l'équilibre s'accompagnant d'une bonne expression de tanins. La fin de son discours est fruité. Un vin élégant, digne de son nom.

🔑 Delas Frères, Z.A. de l'Olivet, 07300 Saint-Jean-de-Muzols, tél. 04.75.08.60.30, fax 04.75.08.53.67 ☒ Y r.-v.

BERNARD FAURIE 1997★★

■ 1,5 ha 7 000 🛢 100 à 149 F

Il vous faudra l'aérer avant dégustation afin de mieux le cerner car il est complexe et généreux ; une pointe de chaleur signe la grande maturité des raisins. Les tanins sont présents ainsi que la réglisse et la vanille. La couleur est sombre, cerise très mûre.

🔑 Bernard Faurie, 27, av. Hélène-de-Tournon, 07300 Tournon, tél. 04.75.08.55.09, fax 04.75.08.55.09 ☒ Y r.-v.

PAUL JABOULET AINE
La Chapelle 1997★★

■ 20 ha n.c. 🛢 300 à 499 F

« La Chapelle », c'est ce petit monument dédié à saint Christophe, situé au sommet de l'hermitage et qui est devenu emblématique de ce vignoble de coteau. L'hermitage de la maison Jaboulet portant son nom est tout aussi emblématique de l'AOC. Il ne lui manquait qu'une voix pour être coup de cœur. C'est un grand vin, très riche et fort prometteur. Le nez animal et de fruits rouges avec une note de cuir est parfait. Les tanins, fins mais présents, accompagnent les arômes de fruits, de cuir et d'épice, enrobant le palais pour donner une grande persistance aromatique.

🔑 Paul Jaboulet Aîné, Les Jalets, RN 7, 26600 La Roche-de-Glun, tél. 04.75.84.68.93, fax 04.75.84.56.14, e-mail paul.jaboulet.aine@wanadoo.fr ☒ Y t.l.j. sf sam. dim. 8h-11h 13h30-17h

ORATORIO 1997★★★

■ n.c. 3 000 🛢 100 à 149 F

Très belle affaire pour cette maison de négoce, cette cuvée Oratorio, suprenante et superbe, avec sa belle couleur cerise noire, brillante, son nez puissant (cerise, cassis et fruits cuits). En bouche, on assiste à une explosion d'arômes autour de tanins présents et soyeux. Concentré, fruité, persistant, ce vin mérite toute votre attention.

🔑 Ogier-Caves des Papes, 10, av. Pasteur, 84230 Châteauneuf-du-Pape, tél. 04.90.39.32.32, fax 04.90.83.72.51, e-mail ogier.caves.des.papes@wanadoo.fr ☒ Y t.l.j. sf sam. dim. 8h-12h 13h-18h

DOM. DES REMIZIERES
Cuvée Emilie 1997★

■ 2 ha n.c. 🛢 100 à 149 F

Ce viticulteur propose de jolies cuvées chaque année. Celle-ci est particulièrement réussie : sa robe brille de mille feux. Le nez est marqué par le fût et les fruits à l'eau-de-vie. La bouche est bien construite, ronde, veloutée, toujours boisée.

🔑 Cave Desmeure, rte de Romans, 26600 Mercurol, tél. 04.75.07.44.28, fax 04.75.07.45.87 ☒ Y r.-v.

CAVE DE TAIN-L'HERMITAGE
Les Nobles Rives 1997★★★

□ n.c. n.c. ▮ 🛢 🌡 100 à 149 F

Marsanne et roussanne de quarante ans composent cette cuvée splendide réalisée par l'excellente cave de Tain-l'Hermitage. Ce vin a enchanté le jury : par sa couleur jaune paille, cristalline, son nez complexe et intense de fleurs blanches accompagnées d'une touche de miel finement boisé. La bouche généreuse conjugue amande grillée, pêche, et discrètes notes boisées. D'un parfait équilibre et d'une grande harmonie, un hermitage qu'il vous faut découvrir.

🔑 Cave de Tain-l'Hermitage, 22, rte de Larnage, B.P. 3, 26601 Tain-l'Hermitage Cedex, tél. 04.75.08.20.87, fax 04.75.07.15.16 ☒ Y r.-v.

Cornas

En face de Valence, l'appellation (75 ha) s'étend sur la seule commune de Cornas. Les sols, en pente assez forte, sont composés d'arènes granitiques, maintenues en place par des murets. Le cornas est un vin rouge viril, charpenté, qu'il faut faire vieillir au moins trois années (mais il peut attendre parfois beaucoup plus) afin qu'il puisse exprimer ses arômes fruités et épicés sur viandes rouges et gibier.

DOM. CHABOUD Réserve 1997

■ 1 ha 5 000 🛢 70 à 99 F

Un nouveau venu avec une cuvée Réserve bien dans le type de l'appellation : sa couleur rubis violet, son nez intense de fruits rouges avec une note moka, sa structure tannique en évolution agrémentée d'épices et de torréfaction lui confèrent une bonne harmonie. A boire dans les deux ans.

🔑 Stephan Chaboud, 21, rue F. Malet, 07130 Saint-Péray, tél. 04.75.40.31.63, fax 04.75.40.59.43 ☒ Y t.l.j. sf dim. 9h-12h 14h-18h

DOM. CLAPE 1997***

■ 4,5 ha 16 000 ⬛ 100 à 149 F

Ce domaine familial, vieux de deux cent cinquante ans, demeure l'un des phares des vins français ; exportant 80 % de sa production, il assure, même dans des millésimes aussi difficiles que le 97, le renom des cornas. Après une attaque minérale, celui-ci évolue sur les fruits rouges que ne gomment pas de solides tanins. Un vrai vin de garde que les dix premières années du troisième millénaire n'effaroucheront pas ! Pour ceux qui arriveront à le dénicher chez les meilleurs cavistes... car il est épuisé à la propriété.

⊶ SCEA A. Clape, 146, rte Nationale,
07130 Cornas, tél. 04.75.40.33.64,
fax 04.75.81.01.98 Y r.-v.

DELAS Chante-Perdrix 1997*

■ n.c. n.c. ⬛ 100 à 149 F

La maison Delas dans ses œuvres : superbe robe rubis soutenu à reflets mauves, nez de fruits noirs très concentré, bonne entrée en bouche où l'on assiste à une montée en puissance jusqu'à une longue finale. Il faudra conserver cette bouteille précieusement pendant trois ans. Sa maturité sera alors complète.

⊶ Delas Frères, Z.A. de l'Olivet, 07300 Saint-Jean-de-Muzols, tél. 04.75.08.60.30,
fax 04.75.08.53.67 ☑ Y r.-v.

ERIC ET JOEL DURAND 1997

■ 2,5 ha n.c. ⬛ 100 à 149 F

Elevé en fût de un à trois vins pendant douze mois, ce cornas est élégant par sa couleur soutenue brillante. Son nez fruité et torréfié, sa bouche friande avec une structure fine et ses arômes de rétro-olfaction identiques à ceux du nez, avec une note grillée dominante, concourent à son harmonie. Il devra attendre deux ans en cave.

⊶ Eric et Joël Durand, imp. de la Fontaine,
07130 Châteaubourg, tél. 04.75.40.46.78,
fax 04.75.40.29.77 ☑ Y r.-v.

LA GEYNALE 1997*

■ 1,5 ha 7 000 ⬛ 100 à 149 F

Sa robe est magnifique, d'un rubis sombre. Le nez complexe est marqué par le fût (boisé, grillé, toasté). En bouche, ce sont également les arômes de torréfaction et de vanille qui l'emportent. Le bois est très présent. Il vous faudra attendre au minimum cinq ans pour que les tanins respirent ! Alors, le vin parlera la langue des grands cornas.

⊶ Robert Michel, 19, Grande-Rue,
07130 Cornas, tél. 04.75.40.38.70,
fax 04.75.40.58.57 ☑ Y r.-v.

LA SABAROTTE 1997***

■ 1 ha 4 500 ⬛ 150 à 199 F

Dominique et Laurent Courbis nous présentent deux cuvées exceptionnelles, la cuvée **Champelrose 97** et la cuvée La Sabarotte. C'est cette dernière que le jury a retenu pour le coup de cœur. La robe sombre est profonde, violacée ; le nez très puissant, complexe et harmonieux, offre des notes de cassis, de mûre, de vanille. Après une attaque franche, la bouche affirme une structure tannique parfaite sur fond de fruits rouges. Le potentiel aromatique est « énorme ». Les dégustateurs ont tenu à saluer le travail du vigneron et sa remarquable maîtrise de l'élevage en barrique, celui-ci servant le vin sans jamais le dominer. « Vin fantastique mêlant la grâce d'un boisé fin à la puissance du fruit. » Deux cuvées à avoir dans sa cave et à déguster dans cinq à six ans.

⊶ EARL Dominique et Laurent Courbis,
Les Ravières, 07130 Châteaubourg,
tél. 04.75.81.81.60, fax 04.75.40.25.39 ☑ Y r.-v.

LES VIGNERONS REUNIS A TAIN-L'HERMITAGE 1995

■ 3 ha 15 000 ⬛ 70 à 99 F

Cette bouteille sera sûrement prête pour la fin de l'année. Elle a bien évolué : ses arômes arrivent à maturité avec une bonne persistance. Sa structure tannique est satisfaisante, accompagnée par des notes de fruits rouges et de sous-bois, de truffe et de cacao. Un vin plaisant et caractéristique du millésime.

⊶ Les Vignerons de Rasteau et de Tain-l'Hermitage, rte des Princes-d'Orange,
84110 Rasteau, tél. 04.90.10.90.10,
fax 04.90.46.16.65, e-mail vrt@rasteau.com
☑ Y r.-v.

DOM. DU TUNNEL 1997**

■ 1,5 ha 5 000 ⬛ 70 à 99 F

Stéphane Robert a créé ce domaine en 1994, mais il dispose de vignes très âgées - cinquante ans -, gage de qualité. Trois étoiles l'an dernier, deux cette année, il propose encore un grand vin dans cette appellation. L'un de ses secrets est indiscutablement le respect du rapport cépage-terroir : le sol granitique de ces coteaux et terrasses a donné un vin aux arômes intenses (fruits rouges, épices, cuir, note animale). Après une

attaque souple, la bouche déroule un tapis de tanins fondus. Un grand plaisir gustatif.
⊶ Stéphane Robert, 20, rue de la République, 07130 Saint-Péray, tél. 04.75.80.04.66, fax 04.75.80.06.50 ☒ Y r.-v.

Saint-péray

Situé face à Valence, le vignoble de Saint-Péray (58 ha) est dominé par les ruines du château de Crussol. Un microclimat relativement plus froid et des sols plus riches que dans le reste de la région sont favorables à la production de vins plus acides, secs et moins riches en alcool, remarquablement bien adaptés à l'élaboration de blanc de blancs par la méthode traditionnelle. C'est d'ailleurs la principale production de l'appellation, et l'un des meilleurs vins effervescents de France.

BERNARD GRIPA 1997**

□ 1,5 ha n.c. 50 à 69 F

La rigotte de Condrieu sera à découvrir avec cette belle bouteille couleur paille cristalline. Ses arômes de fleurs blanches, de miel et de fruits secs perceptibles au nez comme en bouche, sont très agréables. Sa fraîcheur et son bel équilibre participent à son harmonie.
⊶ Bernard Gripa, 5, av. Ozier, 07300 Mauves, tél. 04.75.08.14.96, fax 04.75.07.06.81 ☒ Y r.-v.

LES VIGNERONS REUNIS A TAIN-L'HERMITAGE 1997**

□ 5 ha 25 000 30 à 49 F

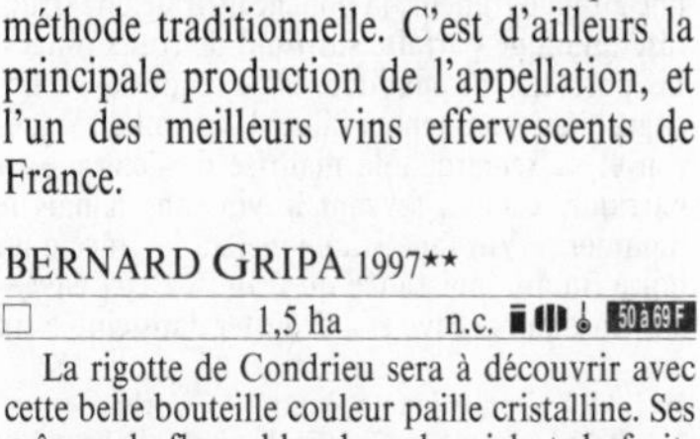

Un vin de fête proposé par cette cave, assemblage de marsanne et de roussanne. Une robe cristalline, un nez à la fois miellé, minéral et de fruits à noyau. Que de richesses ! Le palais est de même qualité, laissant la pêche blanche l'emporter en finale.
⊶ Les Vignerons de Rasteau et de Tain-l'Hermitage, rte des Princes-d'Orange, 84110 Rasteau, tél. 04.90.10.90.10, fax 04.90.46.16.65, e-mail vrt@rasteau.com ☒ Y r.-v.

CAVE DE TAIN-L'HERMITAGE
Les Nobles Rives 1997

□ n.c. n.c. 30 à 49 F

Une belle brillance anime la couleur prononcée de ce vin au nez de fruits secs et d'amande. La bouche est plus simple, mais fraîche. Une bouteille prête à boire.
⊶ Cave de Tain-l'Hermitage, 22, rte de Larnage, B.P. 3, 26601 Tain-l'Hermitage Cedex, tél. 04.75.08.20.87, fax 04.75.07.15.16 ☒ Y r.-v.

JEAN-LOUIS ET FRANCOISE THIERS 1997*

□ 1 ha 3 000 30 à 49 F

Nés sur un sol argilo-calcaire, les ceps de marsanne ont un âge respectable (cinquante ans). Le vin est bien élaboré, comme le montre la belle couleur cristalline. Le nez offre un même agrément avec des notes de fleurs blanches. La bouche suit sur un registre identique : elle est équilibrée, franche et fraîche.
⊶ Jean-Louis Thiers, EARL du Biguet, Cave Thiers, 07130 Toulaud, tél. 04.75.40.49.44, fax 04.75.40.33.03 ☒ Y r.-v.

JEAN-LOUIS ET FRANCOISE THIERS 1996

○ 4 ha 18 000 30 à 49 F

Or pâle à reflets verts, animé par un fin cordon persistant, ce saint-péray est très typé : le nez traduit la bonne minéralité du terroir. Un vin léger, frais et fruité.
⊶ Jean-Louis Thiers, EARL du Biguet, Cave Thiers, 07130 Toulaud, tél. 04.75.40.49.44, fax 04.75.40.33.03 ☒ Y r.-v.

DOM. DU TUNNEL 1997

□ 1 ha 1 290 50 à 69 F

Ce domaine créé en 1994 occupe l'emplacement d'un ancien tunnel ferroviaire. Un poisson en sauce aimera ce vin à la robe paillée, au nez de pomme verte, frais en bouche.
⊶ Stéphane Robert, 20, rue de la République, 07130 Saint-Péray, tél. 04.75.80.04.66, fax 04.75.80.06.50 ☒ Y r.-v.

Gigondas

Au pied des étonnantes Dentelles de Montmirail, le célèbre vignoble de Gigondas ne couvre que la commune de Gigondas et est constitué d'une série de coteaux et de vallonnements. La vocation viticole de l'endroit est très ancienne, mais son réel développement date du XIVe s.

(vignobles du Colombier et des Bosquets), sous l'impulsion d'Eugène Raspail. D'abord côtes du rhône, puis, en 1966, côtes du rhône-villages, gigondas obtient ses lettres de noblesse en tant qu'appellation spécifique en 1971, couvrant presque 1 200 ha.

Les caractéristiques du sol et son climat font que les vins de gigondas (40 000 hl) sont, dans une très grande proportion, des vins rouges à forte teneur en alcool, puissants, charpentés et bien équilibrés, tout en présentant une finesse aromatique où se mêlent réglisse, épices et fruits à noyau. Bien adaptés au gibier, ils mûrissent lentement et peuvent garder leurs qualités pendant de nombreuses années. Il existe également quelques vins rosés, puissants et capiteux.

LAURENT CHARLES BROTTE 1997★

| ■ | n.c. | 26 000 | ■ ◫ ♦ | 70 à 99 F |

« Belle matière caractéristique de l'appellation »... « Un bon potentiel »... « Respect de l'âme de l'appellation »... Ces mots élogieux des dégustateurs sont à compléter par cannelle, muscade, réglisse...

☛ Laurent Charles Brotte, rte d'Avignon, 84230 Châteauneuf-du-Pape, tél. 04.90.83.70.07, fax 04.90.83.74.34 ☑ ⬗ r.-v.

DOM. BRUSSET
Le Grand Montmirail 1997★

| ■ | 13 ha | 30 000 | ■ ◫ ♦ | 50 à 69 F |

Les Hauts de Montmirail 97 et cette cuvée ont chacune obtenu une étoile. La première est plus controversée, car le bois domine. En revanche, celle-ci fait l'unanimité. C'est en effet un joli vin plein d'avenir aux tanins déjà fondus. Beau mariage du fût et du raisin. Equilibre, harmonie, légère pointe de vanille en finale.

☛ SA Dom. Brusset, 84290 Cairanne, tél. 04.90.30.82.16, fax 04.90.30.73.31 ⬗ t.l.j. 9h-12h 14h-18h

DOM. DE CASSAN 1997★

| ■ | 7,5 ha | 22 000 | ◫ | 50 à 69 F |

Le grenache ne représente que 50 % de l'assemblage, cas rare en gigondas, complété par 40 % de syrah et 10 % de mourvèdre. Il faudra attendre deux à trois ans que le bois s'efface pour laisser parler la complexité de ce vin plein, équilibré, charnu.

☛ SCIA Saint-Christophe, Dom. de Cassan, 84190 La Fare, tél. 04.90.62.96.12, fax 04.90.65.05.47, e-mail cassan @ caves-particulieres.com ☑ ⬗ r.-v.

CLOS DU JONCUAS 1997★

| ■ | 11 ha | n.c. | ■ ◫ ♦ | 50 à 69 F |

Un vin rouge élégant, de couleur soutenue pour le millésime. Des tanins déjà fondus. Un fruité très présent au palais. Pas de doute, tout cela est bien fait.

☛ Fernand Chastan, Clos du Joncuas, 84190 Gigondas, tél. 04.90.65.86.86, fax 04.90.65.83.68, e-mail closjoncuas @ cavesparticulieres.com ☑ ⬗ r.-v.

DOM. DES ESPIERS
Cuvée Tradition 1997★

| ■ | 2,2 ha | 10 000 | ■ | 50 à 69 F |

En 1987, Philippe Cartoux se prend de passion pour la vigne et achète une petite propriété. Il vend déjà tout son vin en bouteille et ce n'est pas la première fois qu'il entre dans ces colonnes ! Son 97 offre une superbe robe pourpre cardinalice, profonde. On y découvre des fruits très mûrs et, dominantes, des nuances animales racées. Les tanins marquent la finale réglissée.

☛ Philippe Cartoux, Dom. des Espiers, 84190 Vacqueyras, tél. 04.90.65.81.16, fax 04.90.65.81.16 ☑ ⬗ r.-v.

DOM. GONDRAN 1997★

| ■ | 1,4 ha | 7 500 | ■ ♦ | 30 à 49 F |

Un vin de bonne facture et l'un des meilleurs rapports qualité-prix de l'AOC. Encore fermé, il suggère plutôt qu'il ne dévoile. C'est sans conteste un vin de garde. Un très beau gigondas pour les quatre ans à venir.

☛ Cellier de L'Enclave des Papes, B.P. 51, 84602 Valréas Cedex, tél. 04.90.41.91.42, fax 04.90.41.90.21

DOM. DU GOUR DE CHAULE
Cuvée Tradition 1996

| ■ | 4 ha | 18 000 | ◫ | 50 à 69 F |

Ce sont des femmes qui travaillent aujourd'hui sur ce domaine, tant à la vigne qu'aux chais. Vieilli un an en foudre, ce 96 montre un boisé présent mais bien intégré lors de la dégustation du 10 mars 1999. Un mélange de fruits rouges, de fruits secs et d'épices lui donne un nez particulier. Il est temps de le sortir de la cave.

☛ SCEA Beaumet-Bonfils, Dom. du Gour de Chaulé, 84190 Gigondas, tél. 04.90.65.85.62, fax 04.90.65.82.40 ☑ ⬗ r.-v.

☛ Aline Bonfils

DOM. DU GRAND BOURJASSOT
Fûts neufs 1997

| ■ | n.c. | n.c. | ◫ | 70 à 99 F |

Comme partout, la mode du fût neuf se répand à Gigondas. Aussi cherche-t-on le terroir ! Ce sont les notes boisées qui l'emportent ici sur toute autre nuance odorante. Mais derrière, il doit y avoir du vin. Attendre deux ans qu'il fasse son entrée en scène.

☛ Pierre Varenne, quartier Les Parties, 84190 Gigondas, tél. 04.90.65.88.80, fax 04.90.65.89.38 ☑ ⬗ t.l.j. 10h-12h 14h-18h

DOM. GRAND ROMANE
Cuvée Prestige Vieilles vignes Fût de chêne 1997★

| ■ | 40 ha | 40 000 | ■ ◫ ♦ | 50 à 69 F |

Ce vignoble, acquis en 1950, a été entièrement restructuré, drainé, et les plantations ont été faites en suivant les courbes de niveau en coteaux. Le vin, comme l'indique l'étiquette, est élevé en

RHONE

fût de chêne. Le jury l'a senti dès le premier coup de nez. Vanille, mélange d'épices et de fruits cuits se retrouvent tout au long de la dégustation. Une bouteille pour amateurs de vins boisés.

➤ SCEA de Gigondas, Dom. Grand-Romane, 84190 Gigondas, tél. 04.90.65.85.90, fax 04.90.65.82.14 ☑ ⵏ r.-v.
➤ Claude Amadieu

LABASTIDE 1997

■	0,9 ha	6 000	■	70 à 99 F

Un vin bien dans son appellation : les tanins sont présents mais pas agressifs. Un léger côté animal caractérise ce gigondas tout en finesse et élégant.

➤ Gabriel Liogier, 21420 Aloxe-Corton, tél. 03.80.26.44.25, fax 03.80.26.43.57

LA BASTIDE SAINT VINCENT 1997★

■	6 ha	9 000	■ ⵏ ⵏ	50 à 69 F

Un vin discret mais d'avenir. Ce vigneron a eu l'audace de jouer avec le fût : les notes boisées sont bien présentes mais c'est l'équilibre qui a retenu l'attention du jury. Une bouteille à attendre de deux à trois ans.

➤ Guy Daniel, La Bastide St-Vincent, rte de Vaison-la-Romaine, 84150 Violès, tél. 04.90.70.94.13, fax 04.90.70.96.13 ☑ ⵏ t.l.j. sf dim. 9h-12h 14h-19h; f. 1er-15 jan. 15 sept.-10 oct.

DOM. LA BOUISSIERE 1998★

◢	0,25 ha	1 000	■ ⵏ	50 à 69 F

Un rosé de saignée dominé par le grenache (40 %) et la syrah (40 %). Il a le gras du premier et le fruité de la seconde. Tout s'équilibre très bien pour le plaisir de l'instant.

➤ Les Fils d'Antonin Faravel, rue du Portail, 84190 Gigondas, tél. 04.90.65.87.91, fax 04.90.65.82.16 ☑ ⵏ t.l.j. 9h-20h

LA FONT BOISSIERE 1997★★

■	10 ha	40 000	■ ⵏ	50 à 69 F

Ce négociant-éleveur a emporté l'adhésion du jury pour les deux cuvées proposées : **Laurus 97**, élevée douze mois en fût, vin de garde (70 à 99 F) et celle-ci, coup de cœur pour l'exceptionnelle harmonie de sa matière, le plaisir immédiat qu'elle donne à l'amateur, ses arômes plaisants, sa longueur. Un remarquable gigondas.

➤ Gabriel Meffre, Le Village, 84190 Gigondas, tél. 04.90.12.32.42, fax 04.90.12.32.49

DOM. LA FOURMONE
Cuvée Cigaloun 1996★

■	9 ha	20 000	■ ⵏ ⵏ	50 à 69 F

Ce vin a été trouvé « original ». Est-ce le jaillissement des senteurs de laurier et d'anis ? Est-ce l'absence de syrah remplacée par du mourvèdre ? Quoi qu'il en soit c'est une bouteille très réussie dont on salue la concentration et la puissance. Un vin en attente.

➤ Roger Combe et Filles, Dom. La Fourmone, rte de Bollène, 84190 Vacqueyras, tél. 04.90.65.86.05, fax 04.90.65.87.84 ☑ ⵏ t.l.j. 9h-12h 14h-18h; f. 15 jan.-15 fév.

DOM. LE CLOS DES CAZAUX
Cuvée de la Tour Sarrazine 1996★★

■	7 ha	27 000	■ ⵏ	50 à 69 F

C'est un domaine toujours classé en haut des palmarès ! La tour sarrazine du VIᵉs. veille sur la destinée de cette propriété et du vin. Voyez cette puissance, ces notes de cuir, de fruits rouges et de fruits cuits ! Complète et concentrée, la bouche retient toute l'attention du jury.

➤ EARL Archimbaud-Vache, Dom. le Clos des Cazaux, 84190 Vacqueyras, tél. 04.90.65.85.83, fax 04.90.65.83.94 ☑ ⵏ t.l.j. sf dim. 9h-11h30 14h-18h
➤ Maurice Vache

DOM. LES TEYSSONNIERES 1998★★

◢	0,65 ha	3 000		30 à 49 F

Issu de saignée, un rosé somptueux, écrit un dégustateur. La clé de cette réussite ? Peut-être l'équilibre des cépages qui se partagent également entre grenache, cinsault et mourvèdre. La couleur est franche, le nez floral, et l'ampleur en bouche remarquable.

➤ Franck Alexandre, Dom. Les Teyssonnières, 84190 Gigondas, tél. 04.90.65.86.39, fax 04.90.65.82.50 ☑ ⵏ t.l.j. 9h-12h 15h-19h

MOULIN DE LA GARDETTE
Cuvée Ventabren 1996★

■	2 ha	n.c.	ⵏ ⵏ	70 à 99 F

Ce domaine se consacre au gigondas et pratique la culture raisonnée. Cette cuvée est issue de vignes de soixante ans. Le grenache joue 80 % de la partition. Ce vin est d'un grand classicisme. Est-ce pour autant un gigondas d'antan ? Il en a le côté garrigue et fruits macérés à l'alcool. Ses tanins sont bien enrobés dans une bouche ronde et très chaleureuse que l'élevage en fût a su préserver.

➤ Jean-Baptiste Meunier, moulin de la Gardette, pl. de la Mairie, 84190 Gigondas, tél. 04.90.65.81.51, fax 04.90.65.86.80 ☑ ⵏ r.-v.

DOM. PAILLERE ET PIED GU 1997

■	n.c.	n.c.		50 à 69 F

Ne nous demandez pas ce que signifie le nom de ce domaine. Mais il propose un vin bien typé, vendu par un négociant. Chocolat, épices, griotte assurent le tempo. Dans les graves jouent les tanins soyeux qui tiennent longtemps la note.

➤ SA Louis Mousset, Les Fines-Roches, 84230 Châteauneuf-du-Pape, tél. 04.90.83.70.30, fax 04.90.83.74.79

PASCAL 1997

■ 6 ha 28 000 30 à 49 F

Une dominante empyreumatique, une couleur très soutenue, un caractère sérieux. Tout ceci laisse augurer un bon vieillissement si l'on ajoute la bonne longueur de la finale enlevée.

Pascal, Dom. de la Grande-Comtadine, 84190 Vacqueyras, tél. 04.90.65.85.91, fax 04.90.65.89.23 r.-v.

DOM. RASPAIL-AY 1996**

■ 18 ha 45 000 50 à 69 F

Trois générations depuis Eugène Raspail : Albert, François et maintenant Dominique Ay. Et quel vin ! Puissant et fondu, long et laissant une bouche agréable. Bien fait, avec des tanins fermes.

Dominique Ay, Dom. Raspail-Ay, 84190 Gigondas, tél. 04.90.65.83.01, fax 04.90.65.89.55 r.-v.

CH. DE SAINT-COSME 1997

■ 15 ha 50 000 50 à 69 F

Au milieu du vignoble, la chapelle Saint-Cosme date du XIIᵉs. Elle a donné son nom à ce domaine resté dans la même famille depuis 1492. Le jury trouve beaucoup de jeunesse dans ce vin. Il ne faut pas le goûter avant deux à trois ans car ses tanins sont encore très présents. L'élevage de douze mois en fût laisse encore dominer la vanille bien qu'apparaissent furtivement des notes de fruits rouges.

SARL Louis et Cherry Barruol, Ch. de Saint-Cosme, 84190 Gigondas, tél. 04.90.65.80.80, fax 04.90.65.81.05 t.l.j. sf dim. 8h30-12h 14h-19h

DOM. SAINT GAYAN 1997*

■ n.c. 3 000 70 à 99 F

Longue macération et vendange non éraflée : la robe est violacée avec de beaux reflets, ce qui signe d'habitude un vin de garde. Mais le nez fruité, légèrement boisé, et la bouche équilibrée révèlent une cuvée prête à boire. L'harmonie repose également sur les notes confites de pruneau et de griotte.

EARL Jean-Pierre et Martine Meffre, Dom. Saint Gayan, 84190 Gigondas, tél. 04.90.65.86.33, fax 04.90.65.85.10 t.l.j. sf dim. 9h-11h45 14h-18h

DOM. SANTA DUC 1997

■ 12,3 ha 41 000 70 à 99 F

Il y a du sérieux dans ce vin. Il ne se fait pas trop remarquer mais il est présent, joliment boisé, épicé. Il est solide et tient bien sur ses pieds enracinés dans le terroir.

EARL Edmond et Yves Gras, Dom. Santa Duc, Les Hautes Garrigues, 84190 Gigondas, tél. 04.90.65.84.49, fax 04.90.65.81.63 r.-v.

SEIGNEURIE DE FONTANGE
Vieilles vignes 1996*

■ 15 ha 50 000 50 à 69 F

Issu d'une sélection de vignes de plus de cinquante ans et d'un vieillissement de quinze mois en foudre de chêne, ce vin n'aura aucun mal à s'afficher sur les tables de nos voisins du Nord de l'Europe où la cave exporte une part de sa production. Un dégustateur prédit à ce 96 un vieillissement de dix ans. Ce vin a ce nez de cuir et cette plénitude de bouche qui ne trompent pas.

Cave des Vignerons de Gigondas, 84190 Gigondas, tél. 04.90.65.86.27, fax 04.90.65.80.13 r.-v.

DOM. DU TERME 1996

■ 12 ha 7 000 30 à 49 F

Rolland Gaudin a fait vieillir ce 96 six mois en foudre. Un vin dans la lignée de ceux produits ici : une certaine évolution de la couleur, et un côté « porto » en bouche marquant la prédominance du grenache.

Rolland Gaudin, Dom. du Terme, 84190 Gigondas, tél. 04.90.65.86.75, fax 04.90.65.80.29 t.l.j. 8h-19h

CH. DU TRIGNON 1997*

■ 22 ha 75 000 70 à 99 F

Quinze mois de foudre ; un nez encore fermé ; pourtant le vin monte en puissance sur des tanins fondus, denses et agréables. On lui trouve du fruit mûr et des épices douces. C'est un classique, à boire pendant deux à trois ans.

Ch. du Trignon, 84190 Gigondas, tél. 04.90.46.90.27, fax 04.90.46.98.63 t.l.j. sf dim. 10h-12h30 14h-18h30

Pascal Roux

Vacqueyras

L'appellation d'origine contrôlée vacqueyras, dont les conditions de production ont été définies par décret du 9 août 1990, est la treizième et dernière-née des AOC locales des côtes du rhône.

Elle rejoint gigondas et châteauneuf-du-pape à ce niveau hiérarchique dans le département du Vaucluse. Situé entre Gigondas au nord et Beaumes-de-Venise au sud-est, son territoire s'étend sur les deux communes de Vacqueyras et de Sarrians. Les 870 ha de vignes produisent un peu plus de 30 000 hl.

Vingt-trois embouteilleurs, une cave coopérative ainsi que trois négociants-éleveurs commercialisent 1,5 million de cols en vacqueyras.

Les vins rouges (95 %), élaborés à base de grenache, syrah, mourvèdre et cinsaut, sont aptes au vieillissement (trois à dix ans). Les rosés (4 %) sont issus d'un encépagement similaire. Les blancs

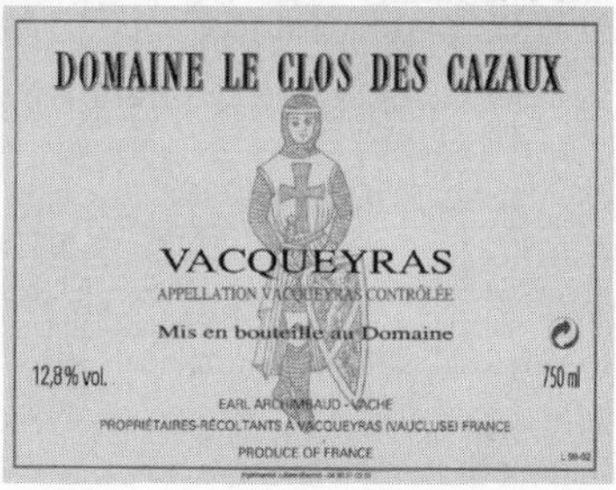

restent confidentiels (cépages : clairette, grenache blanc, bourboulenc, roussanne).

DOM. BRUNELY 1997★

■　　　2,5 ha　13 000　🍷🥂 20 à 29 F

Cette union de coopératives propose un 97 de domaine dont la robe semble annoncer un vin de garde. Or il apparaît à la dégustation qu'il sera prêt à boire à la sortie du Guide. Souple, rond et gras, il exhale des parfums très agréables.
🍷Cellier de L'Enclave des Papes, B.P. 51, 84602 Valréas Cedex, tél. 04.90.41.91.42, fax 04.90.41.90.21
🍷Carichon

LA BASTIDE SAINT-VINCENT 1997★★

■　　　5 ha　11 000　🍷🥂 30 à 49 F

Toujours parmi les meilleurs de l'AOC, Guy Daniel présente un remarquable 97. Cette Bastide est bien charpentée, ses murs d'enceinte sont d'aplomb. Ses senteurs offrent un cocktail de fruits rouges frais, de cassis, de myrtille, avec une pointe florale élégante. Epicé, long, c'est un vin riche sans ostentation. Un grand classique.
🍷Guy Daniel, Bastide St-Vincent, rte de Vaison-la-Romaine, 84150 Violès, tél. 04.90.70.94.13, fax 04.90.70.96.13 ☑ 🍸 t.l.j. sf dim. 9h-12h 14h-19h; f. 1er-15 jan. 15 sept.-10 oct.

DOM. DE LA CHARBONNIERE
1997★★

■　　　4 ha　18 000　　50 à 69 F

Le grand-père de Michel Maret voulut faire plaisir à son épouse en lui offrant un domaine. Aujourd'hui, ce dernier exporte 80 % de sa production. Il a réjoui le jury avec ce vacqueyras élaboré à partir de syrah et de grenache à 50/50 qui marie à merveille les saveurs du fruité, la violette de la syrah et la réglisse du grenache. Une complexité certaine qui vous permettra d'attendre quatre à cinq ans avant de le boire.
🍷Michel Maret, Dom. de La Charbonnière, 84230 Châteauneuf-du-Pape, tél. 04.90.83.74.59, fax 04.90.83.53.46 ☑ 🍸 t.l.j. sf dim. 10h-19h; f. sam. dim. de juil.-août

LA FONT DE PAPIER 1997★★

■　　　5 ha　n.c.　🍷🥂 30 à 49 F

Cette propriété applique les règles de l'agriculture biologique depuis dix ans. Ses vins sont régulièrement décrits dans le Guide. C'est le vacqueyras qui est l'élu de cette édition, tant sa structure complète et puissante, ses arômes fumés et ses saveurs empyreumatiques ont séduit les dégustateurs. « Pour une viande sauvage », écrivent-ils, ou une viande rouge grillée.
🍷Fernand Chastan, Clos du Joncuas, 84190 Gigondas, tél. 04.90.65.86.86, fax 04.90.65.83.68,
e-mail closjoncuas@cavesparticulieres.com ☑ 🍸 r.-v.

LA GRANDE COMTADINE 1997

■　　　2 ha　10 000　　30 à 49 F

Un bon standard de l'appellation qui joue sur un rythme classique : pas d'improvisation mais un suivi régulier de la partition.

🍷Pascal, Dom. de la Grande-Comtadine, 84190 Vacqueyras, tél. 04.90.65.85.91, fax 04.90.65.89.23 ☑ 🍸 r.-v.

DOM. DES LAMBERTINS 1997

■　　14,63 ha　40 000　🍷🍶🥂 30 à 49 F

Ce domaine, transmis de père en fils depuis cinq générations, a élaboré un vacqueyras traditionnel. Encore fermé, celui-ci est marqué par les fruits rouges cuits et une finale nerveuse.
🍷EARL Dom. des Lambertins, La Grande Fontaine, 84190 Vacqueyras, tél. 04.90.65.85.54, fax 04.90.65.83.38 ☑ 🍸 t.l.j. sf dim. 9h-18h30
🍷Gilles Lambert

DOM. LA MONARDIERE
Cuvée Vieilles vignes 1997★

■　　　1 ha　4 000　🍷🍶 50 à 69 F

Le jury a goûté la Réserve des deux Monardes 97, citée, et cette cuvée de vieilles vignes élevée en demi-muids. Une plus grande complexité dans l'encépagement de cette dernière, avec présence de la syrah et du mourvèdre à hauteur de 40 % (ensemble), lui apporte une très belle aptitude au vieillissement.
🍷Dom. La Monardière, Les Grès, 84190 Vacqueyras, tél. 04.90.65.87.20, fax 04.90.65.82.01 ☑ 🍸 t.l.j. 9h-12h 14h-19h
🍷C. Vache

DOM. DE LA MUSE 1997★

■　　　2,5 ha　12 000　🍷🥂 50 à 69 F

Une muse que l'on taquinerait bien volontiers : 70 % de grenache et le reste en syrah donnent un vin expressif ; sa vivacité en fin de bouche tempère l'harmonie d'ensemble où apparaissent des senteurs de réglisse et de sous-bois.
🍷Bernard Ay, 84190 Vacqueyras, tél. 04.90.12.32.42, fax 04.90.12.32.49

DOM LE CLOS DES CAZAUX
Cuvée des Templiers 1997★★★

■　　　7,5 ha　20 000　🍷🥂 50 à 69 F

Ce domaine forme un clos isolé sur un coteau de Vacqueyras. Il peut être fier de sa récolte 97, tant en gigondas que dans cette AOC où il monte sur la plus haute marche du podium. Un coup de cœur qui couronne ce millésime difficile. « Equilibré, parfait », dit un dégustateur. Trois quarts de syrah donnent leur pleine mesure dans la concentration exceptionnelle de l'ensemble. Et quelle longueur !

EARL Archimbaud-Vache, Dom. le Clos des Cazaux, 84190 Vacqueyras, tél. 04.90.65.85.83, fax 04.90.65.83.94 t.l.j. sf dim. 9h-11h30 14h-18h

DOM. LE SANG DES CAILLOUX
Cuvée de Lopy 1997*

■ 3 ha 8 000 50 à 69 F

Un domaine qui exporte plus de 50 % de sa production et qui confirme avec cette cuvée ses bons résultats : le vigneron a cherché la puissance, tant au nez que dans la structure. Un beau vin qui tiendra quatre à cinq ans.

Dom. Le Sang des Cailloux, rte de Vacqueyras, 84260 Sarrians, tél. 04.90.65.88.64, fax 04.90.65.88.75 t.l.j. sf dim. 14h-18h

Serge Férigoule

LES RICHARDS 1996*

■ 4 ha 12 000 50 à 69 F

Une exploitation familiale. Le beau-père et le gendre signent ici un vin prêt à boire, à découvrir dans le caveau du XVIIe s. Huit mois en barrique ont donné un boisé raisonnable à ce 96 ample et gras.

Dom. des Richards, rte d'Avignon, 84150 Violès, tél. 04.90.70.93.73, fax 04.90.70.96.48 r.-v.

Combe

LES VINS DU TROUBADOUR
Cuvée des Vieilles vignes 1997***

■ 51 ha 50 000 30 à 49 F

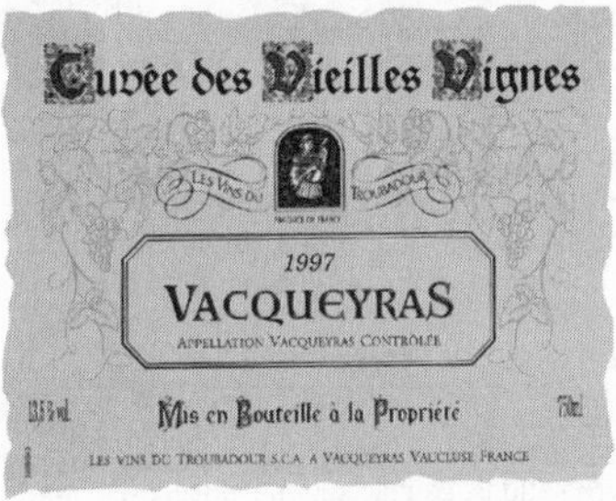

Les vignerons de la coopérative de Vacqueyras vont pouvoir chanter sur tous les toits qu'ils ont reçu le coup de cœur ! Le jury récompense un vin déjà mûr, affirmant lui aussi haut et fort sa typicité. Riche, ample, aromatique, ce 97 est à boire dès la sortie du Guide.

Cave des vignerons de Vacqueyras, 84190 Vacqueyras, tél. 04.90.65.84.54, fax 04.90.65.81.32 r.-v.

DOM. MONTVAC 1998*

□ 0,77 ha 4 000 50 à 69 F

Un domaine de 22 ha. Le **vacqueyras rouge 97** reçoit une étoile : 30 % de syrah ont suffi pour marquer le nez de son empreinte. La bouche est puissante. A attendre deux ans. Le blanc a intéressé le jury : exclusivement vinifié en fût neuf, avec élevage sur lie, il ne laisse pour l'instant de place qu'à la vanille ; parmi les cépages qui composent l'assemblage, c'est la roussanne qui impose sa présence.

Cécile Dusserre, Dom. de Montvac, 84190 Vacqueyras, tél. 04.90.65.85.51, fax 04.90.65.82.38 r.-v.

DOM. DU PONT DU RIEU 1997*

■ 6,5 ha 30 000 30 à 49 F

Le Pont du Rieu nous fait valser dans un tourbillon d'épices (poivre et gingembre) et de fruits rouges confits. Elégant et vif, il est prometteur. Commercialisé par Gabriel Meffre.

Jean-Pierre Faraud, 84190 Vacqueyras, tél. 04.90.12.32.42, fax 04.90.12.32.49

VIEUX CLOCHER
Vieilli en fût de chêne 1997*

■ n.c. 80 000 30 à 49 F

25 000 bouteilles du **Seigneur de Lauris 97** trouveront sans problème des acquéreurs pour leur caractère aromatique complexe et subtil. Le jury a choisi de mieux noter ce Vieux Clocher ; il semble que la syrah bien mûre domine le nez alors que le grenache apporte toute la matière nécessaire à sa belle évolution.

Arnoux et Fils, Portail Neuf, 84190 Vacqueyras, tél. 04.90.65.84.18, fax 04.90.65.80.07 t.l.j. sf dim. 8h-12h 14h-18h

Châteauneuf-du-pape

Le territoire de production de l'appellation, la première à avoir défini légalement ses conditions de production en 1931, s'étend sur la quasi-totalité de la commune qui lui a donné son nom et sur certains terrains de même nature des communes limitrophes d'Orange, Courthézon, Bédarrides, Sorgues (3 200 ha). Ce vignoble est situé sur la rive gauche du Rhône, à une quinzaine de kilomètres au nord d'Avignon. Son originalité provient de son sol, formé notamment de vastes terrasses de hauteurs différentes, recouvertes d'argile rouge mêlée à de nombreux cailloux roulés. Les cépages sont très divers, avec prédominance du grenache, de la syrah, du mourvèdre et du cinsaut. Le rendement ne dépasse pas 35 hl/ha.

Les châteauneuf-du-pape ont toujours une couleur très intense. Ils seront mieux appréciés après un vieillissement qui varie en fonction des millésimes. Amples, corsés et charpentés, ce sont des vins au bouquet puissant et complexe, qui accompagnent avec succès les viandes rouges, le gibier et les fromages à pâte fermentée. Les blancs, produits en petite quantité, savent cacher leur puissance par leur saveur et la finesse de leurs arômes. La production globale avoisine les 100 000 hl.

DOM. PAUL AUTARD 1998★

☐   12 ha   n.c.   ◖▮ 70 à 99 F

Le domaine est une ancienne résidence du diocèse où venaient se reposer les prêtres âgés. Une belle statue de la Sainte Vierge accueille encore aujourd'hui les visiteurs. Placé sous sa bénédiction, ce blanc est fruité et délicatement boisé. Il possède une grande amplitude et une bonne persistance aromatique. Laissez-le s'affiner un an ou deux de plus et vos souhaits de perfection seront exaucés.
☛Dom. Paul Autard, rte de Châteauneuf-du-Pape, 84350 Courthézon, tél. 04.90.70.73.15, fax 04.90.70.29.59 ✓ ⵟ t.l.j. sf dim. 9h-12h30 15h-18h30

CH. BEAUCHENE
Vignobles de la Serrière 1997

■   7 ha   17 000   ◖▮ 70 à 99 F

Un vin classique compose cette cuvée Vignobles de la Serrière. Les arômes nous conduisent vers des horizons empyreumatiques et balsamiques. Les tanins sont d'une grande présence. Vous pourrez le servir sur un plateau de fromages après une garde de trois années.
☛Ch. Beauchêne, 84420 Piolenc, tél. 04.90.51.75.87, fax 04.90.51.73.36 ✓ ⵟ r.-v.
☛ Michel Bernard

DOM. DE BEAURENARD 1997★★

■   23,73 ha   80 000   ◖▮ 70 à 99 F

Voici un vin qui a su tirer le meilleur parti possible du millésime 97. Il possède une couleur foncée mais limpide, un nez fin de fruits rouges et d'épices. Nous sommes réjouis par sa générosité et ses promesses d'évolution. A garder quatre ans. Du même domaine signalons la cuvée Boisrenard 97 qui présente un caractère plus boisé et reçoit une étoile.
☛SCEA Paul Coulon et Fils, Dom. de Beaurenard, 84231 Châteauneuf-du-Pape, tél. 04.90.83.71.79, fax 04.90.83.78.06, e-mail paul.coulon@wanadoo.fr ✓ ⵟ t.l.j. sf dim. 9h-12h 13h30-17h30; groupes sur r.-v.

DOM. BERTHET-RAYNE 1997★

■   5 ha   n.c.   ▮ 70 à 99 F

Une rareté, cette méthode de thermovinification pour élaborer ce vin aux notes réglissées et empyreumatiques et dont l'ampleur est soutenue par de bons tanins qui demandent à se bonifier doucement. Vous pourrez sans hésiter lui consacrer une belle pièce de bœuf ou du gibier dans deux ou trois ans.
☛Christian Berthet-Rayne, 2334, rte de Caderousse, 84350 Courthézon, tél. 04.90.70.74.14, fax 04.90.70.77.85 ✓ ⵟ t.l.j. 8h-19h; sam. dim. 8h-12h; f. 15-30 août

DOM. BOIS DE BOURSAN 1997★

■   7 ha   30 000   ◖▮ 50 à 69 F

M. Versino arrive du Piémont, a un fils qui devient vigneron en 1953 et qui, avec pugnacité, construit progressivement le domaine qu'il laisse

à son propre fils en 1988. Belle histoire. Le gigot d'agneau attendait depuis longtemps ce vin fin et puissant aux notes boisées, soutenu par une bouche de fruits rouges et de vanille. A boire mais pouvant aussi attendre, ce 97 reflète bien la tradition qui a présidé à son élaboration. Une même note est attribuée à la cuvée des Félix 97 en rouge. Elle ne passe que douze mois en barrique. Ample et bien faite, elle doit également être gardée en cave deux ou trois ans.
☛GAEC J. et J.-P. Versino, quartier Saint-Pierre, 84230 Châteauneuf-du-Pape, tél. 04.90.83.73.60, fax 04.90.83.73.60 ⵟ r.-v.

MAS DE BOISLAUZON 1996★

■   8 ha   8 000   ▮◖♦ 50 à 69 F

Issu d'une longue macération de vingt-cinq jours, ce 96 offre une robe rubis avec des reflets orangés. Après des notes d'épices et de cacao, on arrive sur du cuir et de l'animal. En bouche, le vin est ample et velouté, doté de beaucoup de richesse. D'une belle solidité, il attendra sans crainte au moins cinq ans.
☛Monique et Daniel Chaussy, quartier Bois Lauzon, 84100 Orange, tél. 04.90.34.46.49, fax 04.90.34.46.61 ✓ ⵟ t.l.j. sf dim. 10h-12h 13h-18h; f. 15-30 sept.

BOSQUET DES PAPES 1996★

■   20 ha   40 000   ▮◖♦ 70 à 99 F

Une longue macération et un élevage en fût de chêne de dix-huit mois ont ciselé ce beau 96. Sa robe est très foncée, presque noire, profonde. Le nez est intense avec des arômes de fruits rouges et d'épices. En bouche, notre satisfaction est décuplée par une harmonie parfaite. Issue de la même cave, citons la cuvée Chantemerle 98 encore jeune mais promise à un bel avenir.
☛Maurice Boiron, Dom. Bosquet des Papes, rte d'Orange, 84230 Châteauneuf-du-Pape, tél. 04.90.83.72.33, fax 04.90.83.50.52 ✓ ⵟ t.l.j. sf dim. 9h-12h 13h30-19h30

LAURENT CHARLES BROTTE 1998★★

☐   4 ha   17 000   ▮ 70 à 99 F

La vinification de ce 98 recherche l'expression aromatique. La macération pelliculaire donne en effet un nez subtil de fleurs blanches très agréable. On trouve beaucoup d'élégance et de raffinement au palais jusqu'en finale. Prêt à boire mais peut se conserver. La cuvée Vieilles vignes 97, en rouge manque pas non plus de qualité, avec des notes animales et de kirsch. Elle reçoit une étoile (100 à 149 F).
☛Laurent Charles Brotte, rte d'Avignon, 84230 Châteauneuf-du-Pape, tél. 04.90.83.70.07, fax 04.90.83.74.34 ✓ ⵟ r.-v.

DOM. DES CHANSSAUD 1998★

☐   3,6 ha   16 000   ▮♦ 50 à 69 F

Le vignoble du domaine des Chanssaud s'étend sur les pentes ensoleillées des coteaux de Châteauneuf-du-Pape et déborde sur la plaine des côtes du rhône. A dominante de clairette, ce vin est riche d'arômes de fleurs blanches et de pêche. En bouche, il est ample et d'une bonne persistance. Il doit être bu dans les deux ans sur un poisson ou des fruits de mer.

🔑 Patrick Jaume, Dom. des Chanssaud, quartier Cabrières, 84100 Orange, tél. 04.90.34.23.51, fax 04.90.34.50.20 ☑ 🍷 t.l.j. 8h30-12h 14h-18h; sam. dim. sur r.-v.

DOM. CHARVIN 1997

■ 7,5 ha 15 000 70 à 99 F

Ils sont rares ces vins rouges de garde à la fois puissants et délicats. Ce 97 en est un digne représentant. L'absence de filtration à l'embouteillage lui conserve toutes ses qualités. Sa bouche cerise et son corps de belle longueur le destinent à un civet de lièvre. A garder quatre à cinq ans.

🔑 Dom. Charvin, chem. de Maucoil, 84100 Orange, tél. 04.90.34.41.10, fax 04.90.51.65.59 ☑ 🍷 r.-v.

CLOS DES PAPES 1997*

■ 26,4 ha 108 000 100 à 149 F

Ce Clos des Papes appartient depuis trois cents ans à la même famille qui applique aujourd'hui des méthodes de travail respectueuses du raisin et qui refuse la filtration afin de permettre au vin de garder tout son potentiel. La robe est intense avec des reflets orangés. Le nez s'oriente sur les notes de sous-bois, de fougère et d'humus. La bouche, équilibrée, possède des tanins bien présents qui demandent à se fondre : attendre de trois à cinq ans avant de le servir sur un gigot d'agneau ou du fromage.

🔑 Paul Avril, Clos des Papes, 13, av. Pierre-de-Luxembourg, 84230 Châteauneuf-du-Pape, tél. 04.90.83.70.13, fax 04.90.83.50.87 ☑ 🍷 t.l.j. sf sam. dim. 8h-12h 14h-18h; ven. 17h; groupes sur r.-v.

CLOS DU CALVAIRE 1998

□ 4 ha n.c. 70 à 99 F

Un nez de miel et de fleurs blanches, des amandes grillées, encore du miel en bouche : nous sommes comblés par ce vin frais et rond destiné à un loup grillé. A noter le millésime **97 en rouge Le Cran de ma mère** qui possède les caractéristiques de son terroir.

🔑 SCEA Dom. du Père Pape, 24, av. Baron-le-Roy, 84230 Châteauneuf-du-Pape, tél. 04.90.83.70.16, fax 04.90.83.50.47, e-mail didier.mayard@wanadoo.fr
🔑 Mayard

CLOS SAINT MICHEL 1998*

□ 2 ha 10 000 70 à 99 F

Grenache et clairette occupent chacun 30 % de l'assemblage et bourboulenc et roussanne se partagent équitablement le reste. Cela donne un vin bien dans sa place, qui se laisse aborder sans détour. Sa robe d'or est limpide. Son fruité est intense et fin. La bouche longue et grasse, équilibrée ne demande qu'à plaire. A boire dans les deux ans avec un poisson ou des crustacés.

🔑 Vignobles Guy Mousset et Fils, Le Clos Saint-Michel, rte de Châteauneuf, 84700 Sorgues, tél. 04.90.83.56.06, fax 04.90.83.56.06 ☑ 🍷 t.l.j. 8h-19h

DOM. DE FERRAND

Vignobles Philippe Bravay 1996**

■ 5 ha 2 800 50 à 69 F

Créé en 1850, ce domaine possède de très vieilles vignes de quatre-vingt-quinze ans. Une longue cuvaison de quatre semaines puis un élevage de deux ans en fût ont ciselé ce 96 à la perfection. Sa robe grenat est profonde ; le nez est chaud de senteurs d'épices et de cannelle. En bouche, on apprécie la bonne structure et on s'enthousiasme pour la longue persistance aromatique. C'est un vin à boire qui fera merveille sur une côte de bœuf au poivre.

🔑 EARL Charles Bravay, chem. de Saint-Jean, Le Grès, 84100 Orange, tél. 04.90.34.26.06, fax 04.90.34.26.06 ☑ 🍷 r.-v.

DOM. FONT DE MICHELLE

Cuvée Etienne Gonnet 1997**

■ n.c. 10 000 150 à 199 F

Le millésime 97 a bien réussi à ce domaine puisqu'il reçut l'an dernier un coup de cœur en blanc et qu'il gagne sans difficulté ses deux étoiles en rouge. Cette cuvée Etienne Gonnet rend hommage au fondateur du domaine. Elle offre un nez de fruits mûrs et de réglisse. En bouche, les tanins sont bien présents et demandent du temps pour se fondre tout comme les arômes qui doivent encore s'ouvrir. Sachez patienter de deux à trois ans pour l'apprécier à sa juste valeur.

🔑 EARL Les Fils d'Etienne Gonnet, 14, imp. des Vignerons, 84370 Bédarrides, tél. 04.90.33.00.22, fax 04.90.33.20.27 ☑ 🍷 r.-v.

DOM. DU GALET DES PAPES

Vieilles vignes 1997

■ n.c. 12 000 70 à 99 F

Avec 30 % de cépage mourvèdre, c'est un vin aux tanins très présents associés à une grande générosité. Ses notes de fruits mûrs et de kirsch réjouissent longtemps le palais. A réserver à des plats rustiques et du terroir.

🔑 Jean-Luc Mayard, Dom. Galet des Papes, 15, rte de Bédarrides, 84230 Châteauneuf-du-Pape, tél. 04.90.83.73.67, fax 04.90.83.50.22 ☑ 🍷 t.l.j. sf dim. 9h-11h30 14h-18h30

CH. GIGOGNAN Clos du Roi 1998*

□ 1 ha 3 000 100 à 149 F

En avance ce 98, avec son nez de miel et d'acacia qui annonce un palais rond à souhait. Le gras et la longueur lui donnent la puissance nécessaire à l'accompagnement d'une blanquette de veau ou d'un loup au fenouil.

🔑 SCEA Ch. Gigognan, chem. du Castillon, 84700 Sorgues, tél. 04.90.39.57.46, fax 04.90.39.15.28, e-mail chateau.gigognan@wanadoo.fr ☑ 🍷 r.-v.
🔑 Callet

DOM. DU GRAND TINEL 1997*

■ n.c. n.c. 70 à 99 F

Avec sa robe grenat, il vous séduit dès le premier coup d'œil. Son nez de fruits mûrs est en harmonie avec une bouche fruitée et fraîche. Ce 97 glisse sur le palais sans effort. Il est bon à boire dès maintenant avec des plats en sauce.

SA Les vignobles Elie Jeune, rte de Bédarrides, 84230 Châteauneuf-du-Pape, tél. 04.90.83.70.28, fax 04.90.83.78.07 r.-v.

DOM. GRAND VENEUR
La Fontaine 1998★

□ 0,8 ha n.c. 100 à 149 F

Ce domaine de 38 ha présente une cuvée La Fontaine née de 100 % de roussanne. Une belle robe limpide et brillante habille ce vin élégant au nez de citron et de vanille dû à une vinification en fût. En bouche, un boisé bien présent équilibre une superbe matière. La plénitude sera atteinte dans deux ans.

EARL Alain Jaume, Dom. Grand Veneur, 84100 Orange, tél. 04.90.34.68.70, fax 04.90.34.43.71 t.l.j. 8h-12h 13h30-19h

DOM. JULLIAN 1997

■ 13 ha 60 000 70 à 99 F

Une robe légère aux reflets orangés pour ce 97 puissant et souple. Les arômes évoluent vers les fruits secs et les épices. C'est un vin à boire dès aujourd'hui sur des viandes en sauce.

Guy Jullian, rte de Châteauneuf, 84100 Orange, tél. 04.90.12.32.42, fax 04.90.12.32.49

LA BASTIDE-SAINT-DOMINIQUE
1997★

■ n.c. n.c. 70 à 99 F

Si vous cherchez un vin à déguster sans manières, optez pour ce 97 à la robe intense et limpide. Le nez est puissant sur des notes de fruits rouges et de violette ; la bouche franche est élégante. A boire dans les deux prochaines années avec une viande grillée ou du fromage.

SCEA G. et M.-C. Bonnet, La Bastide-Saint-Dominique, 84350 Courthézon, tél. 04.90.70.85.32, fax 04.90.70.76.64 r.-v.

LA BERNARDINE 1997★

■ 25 ha n.c. 100 à 149 F

Une robe rubis présentant quelques reflets bruns habille ce 97 au nez de fruits secs et d'abricot. Les mêmes notes s'amplifient en bouche grâce à une belle et harmonieuse longueur, soutenue par des notes de réglisse. Un châteauneuf atypique mais à découvrir.

M. Chapoutier, 18, av. Dr-Paul-Durand, B.P. 38, 26601 Tain-l'Hermitage, tél. 04.75.08.28.65, fax 04.75.08.81.70, e-mail chapoutier@chapoutier.com r.-v.

DOM. DE LA CHARBONNIERE
Cuvée Mourre des Perdrix 1997

■ 5,01 ha 22 000 100 à 149 F

Un élevage conduit en foudre avec 10 % de barriques permet de tirer le meilleur parti des deux contenants. Une robe très soutenue au reflet violine caractérise ce vin par ailleurs long et équilibré où l'on retrouve la rusticité apportée par le mourvèdre. C'est un vin à attendre deux à trois ans. Il faudra en trouver un autre pour l'an 2000 !

Michel Maret, Dom. de La Charbonnière, 84230 Châteauneuf-du-Pape, tél. 04.90.83.74.59, fax 04.90.83.53.46 t.l.j. sf dim. 10h-19h; f. sam. dim. de juil.-août

DOM. DE LA COTE DE L'ANGE 1998★

□ 1 ha 4 500 50 à 69 F

Bien qu'il soit difficile de prendre parti dans l'éternel - et peut-être vain - débat sur la soi-disant virilité ou féminité des vins, le jury a affirmé qu'il était plutôt féminin, ce blanc 98 avec son nez pétillant d'agrumes et de fleurs. Sa vivacité plaisante en bouche est associée à une rondeur exquise. A savourer d'ici un à deux ans. Le **rouge 97** est cité : il est à boire dans les deux ans avec du gibier ou du fromage.

Jean-Claude Mestre et Yannick Gasparri, quartier La-Font-du-Pape, 84230 Châteauneuf-du-Pape, tél. 04.90.83.72.24, fax 04.90.83.54.88 t.l.j. 9h-19h

LA FAGOTIERE 1997★

■ 18 ha 30 000 50 à 69 F

Des molasses marines du miocène ont donné naissance à ce 97. Il est rouge sombre à reflets violacés. Son nez se compose de fruits rouges et de tabac alors que sa bouche est puissante, réglissée, longue et prometteuse. Ce vin atteindra sa plénitude dans quatre à cinq ans.

SCEA Pierry Chastan, La Fagotière, 84100 Orange, tél. 04.90.34.51.81, fax 04.90.51.04.44 t.l.j. sf dim. 8h-12h 14h-19h

CH. DE LA GARDINE
Cuvée Tradition 1998★★

□ 6 ha 10 000 100 à 149 F

Un domaine de référence dans le microcosme châteauneuvois dont les vins naissent toujours sous des ondes bénéfiques. Un court élevage en fût a décoré ce 98 d'une robe jaune d'or. Son nez floral nous transporte sous le tilleul dont il exhale le parfum. La bouche est digne du nez, renforcée par du fruit simple et délicat, que n'écrase pas la puissance qui lui assure un bel avenir.

Brunel, Ch. de La Gardine, rte de Roquemaure, 84230 Châteauneuf-du-Pape, tél. 04.90.83.73.20, fax 04.90.83.77.24 r.-v.

DOM. DE LA JANASSE Chaupin 1997★★

■ 3 ha 10 000 100 à 149 F

Une cave qui allie tradition et modernité dans un souci permanent de qualité et de respect du terroir. Cette cuvée Chaupin est élevée un an en foudre et fût. Elle a développé un nez de mousse et de sous-bois. La bouche est équilibrée avec des notes de cacao et la longueur est flatteuse. C'est un vin solide que l'on gardera au moins cinq ans. A noter la cuvée **Vieilles vignes 97**, sœur jumelle de Chaupin, qui fut coup de cœur l'an dernier dans le millésime 96.

EARL Aimé Sabon, 27, chem. du Moulin, 84350 Courthézon, tél. 04.90.70.86.29, fax 04.90.70.75.93 t.l.j. 8h-12h 14h-19h; sam. dim. sur r.-v.

DOM. DE LA JANASSE 1998★

□ 1 ha 3 000 100 à 149 F

Sur ses 50 ha, la Janasse ne produit pas seulement des vins rouges. Grenache (60 %), roussanne et clairette ont donné ce blanc 98 qui va réjouir les amateurs de bouillabaisse, car, avec ses notes de fleurs d'amandier notamment, c'est le compagnon idéal du célèbre plat provençal. Un bon équilibre entre la fraîcheur et la générosité lui assure une tenue parfaite.

☛ EARL Aimé Sabon, 27, chem. du Moulin, 84350 Courthézon, tél. 04.90.70.86.29, fax 04.90.70.75.93 ☑ ⵊ t.l.j. 8h-12h 14h-19h; sam. dim. sur r.-v.

DOM. DE LA MORDOREE 1997★★

| ■ | 3,5 ha | 12 000 | ☰ ◫ ⵊ | 100 à 149 F |

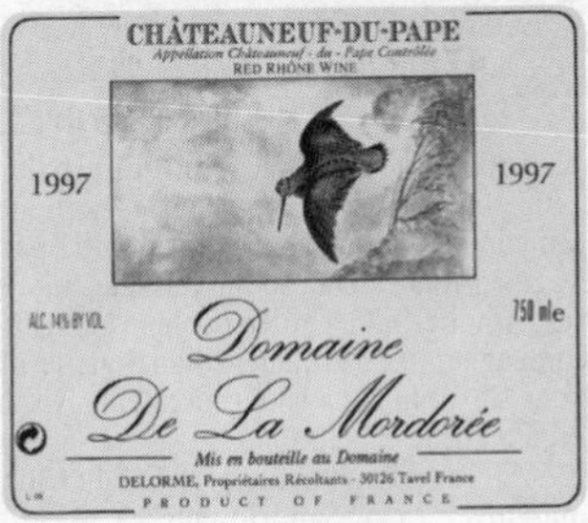

D'un rouge intense avec de légers reflets violines, ce 97 offre une remarquable palette aromatique, du fruit rouge frais jusqu'à des fragrances confites. En bouche, les tanins très présents demandent à s'arrondir et les arômes à s'ouvrir. Très bon potentiel. A ressortir après cinq ans de vieillissement en cave, pour accompagner un bon gibier.

☛ Dom. de La Mordorée, chem. des Oliviers, 30126 Tavel, tél. 04.66.50.00.75, fax 04.66.50.47.39 ☑ ⵊ t.l.j. sf dim. 8h-12h 13h30-17h
☛ Delorme

CH. LA NERTHE
Cuvée des Cadettes 1996★

| ■ | 2 ha | 6 900 | ◫ | 150 à 199 F |

Habituée des coups de cœur, la cuvée des Cadettes est la cuvée prestige du château La Nerthe. Elle est vinifiée dans la cuve de bois tronconique traditionnelle, puis est élevée douze mois en fût neuf. Cela donne naissance à un vin d'une grande complexité aromatique où fruits noirs et épices dominent. D'une belle harmonie, ce 96 possède des tanins fondants. A boire dès aujourd'hui mais aussi pendant les cinq ans à venir au moins.

☛ SCA Ch. La Nerthe, rte de Sorgues, 84230 Châteauneuf-du-Pape, tél. 04.90.83.70.11, fax 04.90.83.79.69, e-mail la.nerthe@wanadoo.fr ☑ ⵊ t.l.j. 9h-12h 14h-18h
☛ M. Richard

CH. LA NERTHE 1997★

| ■ | 70 ha | 201 500 | ☰ ◫ ⵊ | 100 à 149 F |

Counoise, vaccarèse, terret, picardan accompagnent les cépages plus connus de l'AOC dans cette cuvée principale de La Nerthe, dont Mistral écrivait : « quand le moût de La Nerthe/vit et rit dans le verre... ». C'est aujourd'hui une couleur pourpre soutenu qui brille et le nez est tout en fruits frais, épices, notes grillées et vanille. Après une attaque ronde, on retrouve le fruit, mais

aussi le bois. Une jolie bouteille à attendre de deux à trois ans.

☛ SCA Ch. La Nerthe, rte de Sorgues, 84230 Châteauneuf-du-Pape, tél. 04.90.83.70.11, fax 04.90.83.79.69, e-mail la.nerthe@wanadoo.fr ☑ ⵊ t.l.j. 9h-12h 14h-18h

LA REVISCOULADO 1997★

| ■ | 1 ha | 5 000 | ◫ | 100 à 149 F |

La Reviscóulado est un petit domaine de 7 ha bien connu de nos lecteurs. Son 97 possède une grande palette aromatique allant du végétal (fougère) à l'humus et au cuir. En bouche, on découvre des notes plus grillées et boisées. A boire dès aujourd'hui et dans les deux ans.

☛ Dom. Philippe Jean-Trintignant, Ch. Jas de Bressy, B.P. 64, 84232 Châteauneuf-du-Pape Cedex, tél. 04.90.83.73.23, fax 04.90.83.52.30 ☑ ⵊ t.l.j. 10h-19h

DOM. DE LA SOLITUDE 1998★

| ☐ | 5 ha | 20 000 | ☰ ◫ ⵊ | 70 à 99 F |

Voici un vin très solide qui supporte et se nourrit d'un long élevage en fût neuf. Aujourd'hui les notes de boisé et de vanille dominent mais sont déjà fondues. Demain il explosera de toute sa richesse. Sachez l'attendre de deux à trois ans, tout comme le **rouge 97**, qui confirme que ce domaine maîtrise parfaitement l'élevage en fût. Sa robe sombre et ses arômes de fruits noirs mêlés aux notes de chêne sont très prometteurs.

☛ SCEA Dom. Pierre Lançon, Dom. de La Solitude, B.P. 21, 84231 Châteauneuf-du-Pape, tél. 04.90.83.71.45, fax 04.90.83.51.34 ☑ ⵊ t.l.j. 8h-19h

DOM. DE LA VIEILLE JULIENNE
Vieilles vignes 1996★★

| ■ | 1 ha | 3 000 | ◫ | 150 à 199 F |

Lorsque les Daumen s'installent en 1905, le domaine est déjà planté en vignes, et cela probablement depuis le XVIIᵉˢ. Cette cuvée Vieilles vignes 1996 est un vin de longue garde (de cinq à dix ans). Le nez commence seulement à s'ouvrir sur des notes de fruits rouges. Les tanins très présents mais de qualité assureront une grande longévité à ce vin bien ancré dans la tradition.

☛ EARL Daumen Père et Fils, Dom. de La Vieille Julienne, Le Grès, 84100 Orange, tél. 04.90.34.20.10, fax 04.90.34.10.20 ☑ ⵊ t.l.j. 9h-12h 14h-19h; sam. dim. sur r.-v.

LES DOMANIALES 1996

| ■ | n.c. | n.c. | ☰ ⵊ | 70 à 99 F |

Sa robe rouge foncé laisse apparaître d'abondantes larmes dans le verre. Le nez est profond, agréable. En bon équilibre en bouche pour une longueur moyenne où dominent des arômes d'épices et de fruits cuits. Il saura accompagner une volaille rôtie.

☛ SICA Domaines Michel Bernard, rte de Sérignan, 84100 Orange, tél. 04.90.11.86.86, fax 04.90.34.87.30

LES TERRES BLANCHES 1998★

| ☐ | 3 ha | 10 000 | ☰ ⵊ | 70 à 99 F |

Une vinification bien maîtrisée a donné à ce vin venu d'un versant situé à l'est de Châteauneuf-du-Pape une robe limpide et très pâle. Le nez fort expressif diffuse des notes de fleurs blanches et de menthol. En bouche, on s'oriente vers des arômes d'agrumes et de fruits exotiques, mis en valeur par un bel équilibre. A boire dans les deux ans sur un poisson ou une volaille.

🔑 SC des Vignobles de Vaudieu,
84230 Châteauneuf-du-Pape, tél. 04.90.12.32.42,
fax 04.90.12.32.49

DOM. DE L'ORIGAN 1997

■ 14 ha 60 000 50 à 69 F

Négociant, la maison Les Grandes Serres a proposé un vin de marque, **Innocent VI, millésime 97** qui reçoit la même note que ce vin du domaine de Robert Bravay ; ce 97 affiche une belle robe rouge cerise avec des reflets orangés. Le nez évoque les fruits rouges puis le sous-bois. La bouche est complète, avec des tanins présents qui doivent s'arrondir. A attendre de deux à quatre ans et servir sur une viande rouge ou du fromage.

🔑 Les Grandes Serres, rte de l'Islon,
84230 Châteauneuf-du-Pape, tél. 04.90.83.72.22,
fax 04.90.83.78.77 ☑ Y r.-v.

DOM. LOU FREJAU 1998

□ 1 ha 2 000 50 à 69 F

Parfait pour un apéritif de grande classe, ce blanc limpide offre un nez floral et citronné. La même vivacité se retrouve en bouche, puis une rondeur s'installe et prolonge le plaisir. A déguster dès aujourd'hui.

🔑 SCEA Dom. Lou Fréjau, chem. de la
Gironde, 84100 Orange, tél. 06.07.45.77.14,
fax 04.90.34.48.78 ☑

🔑 Serge Chastan

DOM. MATHIEU 1996

■ 20 ha 30 000 70 à 99 F

Depuis 1600 la famille Mathieu élabore des vins à Châteauneuf. Cette continuité est garante d'un savoir-faire qu'exprime bien ce 96. Son nez est intense et épicé, suivi de notes de fruits secs. La bouche est simple et harmonieuse. A son apogée dès cet hiver, ce vin flattera vos viandes rouges et gibiers. Le **blanc 97**, subtil et nerveux, prendra la suite du repas pour s'associer au fromage de chèvre ou de brebis.

🔑 Dom. Mathieu, rte de Courthézon, B.P. 32,
84231 Châteauneuf-du-Pape, tél. 04.90.83.72.09,
fax 04.90.83.50.55, e-mail domaine-
mathieu@caves-particulieres.com ☑ Y r.-v.

CH. MAUCOIL 1997

□ n.c. 12 400 70 à 99 F

Installé sur un site gallo-romain, ce domaine de 25 ha propose un vin dans lequel le grenache compte pour 60 % de l'assemblage. C'est un blanc de tradition, nerveux et gras, avec beaucoup de générosité en finale. Le nez floral demande quelques années pour s'épanouir. Oubliez-le quatre, cinq ans dans votre cave et vous le redécouvrirez avec plaisir sur un poisson en sauce.

🔑 Ch. Maucoil, B.P. 07, 84231 Châteauneuf-du-
Pape, tél. 04.90.34.14.86, fax 04.90.34.71.88
☑ Y r.-v.

🔑 Arnaud

CH. MAUCOIL Privilège 1996*

■ n.c. n.c. 100 à 149 F

Des dégustateurs unanimes pour apprécier les qualités de ce 96 à la belle robe sombre aux reflets orangés. Au nez, les notes évoluent vers l'animal et les épices. En bouche, après une bonne attaque et de la rondeur, nous découvrons de jolis tanins tout en finesse. A boire dans les deux ans sur une viande en sauce.

🔑 Ch. Maucoil, B.P. 07, 84231 Châteauneuf-du-
Pape, tél. 04.90.34.14.86, fax 04.90.34.71.88
☑ Y r.-v.

CLOS DU MONT-OLIVET 1997

■ 8 ha 30 000 50 à 69 F

Une robe légère pour ce vin qui exhale des notes de cerise et de truffe blanche. En bouche, la structure est souple à souhait. Bonifié par un élevage en foudre d'au moins dix-huit mois, ce 97 est à boire ou à garder quelques années ; il accompagnera vos grillades. Signalons le **blanc 98** qui s'exprimera avantageusement avec une viande blanche en sauce.

🔑 Les Fils de Joseph Sabon, GAEC du Clos
Mont-Olivet, 15 av. Saint-Joseph,
84230 Châteauneuf-du-Pape, tél. 04.90.83.72.46,
fax 04.90.83.51.75 ☑ Y r.-v.

CH. MONT-REDON 1998**

□ 16 ha 80 000 70 à 99 F

Mont-Redon est une propriété de 162 ha dont 100 ha sont plantés en vigne. La présence de cette culture au « Monredon » est attestée depuis 1334. Ce 98 offre une belle couleur d'un jaune brillant avec des reflets verts. Le nez est riche d'agrumes puis évolue sur l'acacia. La bouche ample et généreuse mais vive s'attarde longuement au palais. A boire dans les deux ans sur des coquillages ou du poisson.

🔑 Familles Abeille-Fabre, Ch. Mont-Redon,
84230 Châteauneuf-du-Pape, tél. 04.90.83.72.75,
fax 04.90.83.77.20,
e-mail chateaumontredon@wanadoo.fr
☑ Y r.-v.

CH. MONT-REDON 1997*

■ 84 ha 370 000 70 à 99 F

Une robe pourpre assez profonde avec des reflets orangés habille ce beau 97 dont le nez évoque les fraises des bois et le sous-bois. Il est franc en bouche avec des tanins fondus. On peut déjà l'apprécier mais aussi le garder de deux à trois ans, et le marier avec un gibier ou une viande en sauce.

🔑 Familles Abeille-Fabre, Ch. Mont-Redon,
84230 Châteauneuf-du-Pape, tél. 04.90.83.72.75,
fax 04.90.83.77.20,
e-mail chateaumontredon@wanadoo.fr
☑ Y r.-v.

DOM. DE NALYS 1997**

■ 38 ha 150 000 50 à 69 F

Une vinification en raisin entier pour garder toute la finesse de la matière première, une volonté rare de conserver les treize cépages de l'appellation sur le domaine. Tous ces efforts ont donné naissance à un grand 97. Sa robe est profonde, son nez riche de fruits et de réglisse décline des nuances de sous-bois. La bouche est pleine avec des notes réglissées, des tanins bien présents promettant un bel avenir. Un remarquable vin de garde à servir sur un civet de marcassin.

DOMAINE DE NALYS

CHÂTEAUNEUF-DU-PAPE
APPELLATION CHATEAUNEUF-DU-PAPE CONTROLÉE

Mis en Bouteille au Domaine
13.5 % vol   **1997**   750 ml

S.C.I. DOMAINE DE NALYS, PROPRIÉTAIRE A CHATEAUNEUF DU PAPE (VSE) FRANCE

PRODUCE OF FRANCE

🕿 Dom. de Nalys, rte de Courthézon, 84230 Châteauneuf-du-Pape, tél. 04.90.83.72.52, fax 04.90.83.51.15 ☑ 🍷 t.l.j. sf dim. 8h-12h 13h30-18h; sam. sur r.-v.
🕿 Groupama

DOM. DE NALYS 1998*

| ☐ | 10 ha | 35 000 | 🍴🎴 70 à 99 F |

Un blanc tout en finesse : il arbore une robe pâle et brillante. Son nez est puissant, fleurs blanches et agrumes. Frais et délicat, c'est un vin à boire dans les deux ans, accompagné de poisson ou de coquillages.
🕿 Dom. de Nalys, rte de Courthézon, 84230 Châteauneuf-du-Pape, tél. 04.90.83.72.52, fax 04.90.83.51.15 ☑ 🍷 t.l.j. sf dim. 8h-12h 13h30-18h; sam. sur r.-v.
🕿 Groupama

DOM. DE SAINT SIFFREIN 1997

| ■ | 12 ha | 10 000 | 🍴🎴 70 à 99 F |

Puissant et sérieux, ce 97 offre des notes de violette et de fruits secs. Son palais fondu et délicat accompagnera fromage et grillades dès aujourd'hui.
🕿 Claude Chastan, Dom. de Saint-Siffrein, rte de Châteauneuf, 84100 Orange, tél. 04.90.34.49.85, fax 04.90.51.05.20 ☑ 🍷 t.l.j. sf dim. 8h-12h 14h-19h

DOM. DES SENECHAUX 1998*

| ☐ | 3 ha | 8 000 | 🍴🎴 70 à 99 F |

La famille Roux a repris ce domaine en 1993 et se retrouve régulièrement dans ce Guide, aussi bien en châteauneuf-du-pape qu'en gigondas (Trignon). Ce blanc a séduit par sa couleur jaune brillant à reflets verts qui évoque déjà le soleil des îles. Son nez, intense, de mangue et de fruit de la passion est agréable. En bouche, il est équilibré avec un bon support acide. A boire dans les trois ou quatre ans sur un roquefort, par exemple. Le **rouge 97** est riche d'arômes de pain d'épice et de fruits secs. Cité par le jury pour son élégance et sa typicité, il est déjà souple.
🕿 Pascal Roux, Dom. des Sénéchaux, rue de la Nouvelle-Poste, 84230 Châteauneuf-du-Pape, tél. 04.90.83.73.52, fax 04.90.83.52.88 ☑ 🍷 t.l.j. sf dim. 10h-12h 14h-18h; f. 1er-15 août

CH. SIMIAN 1997**

| ■ | 3,8 ha | 16 000 | 🍴🎴 70 à 99 F |

Une vinification fondée sur de longues macérations a donné naissance à ce vin d'une grande puissance aromatique avec des notes de fruits rouges et de garrigue. Une belle et élégante matière vient parfaire ses atouts. Dès maintenant ou dans quelques années, ce 97 répondra toujours présent.
🕿 Jean-Pierre Serguier, Ch. Simian, 84420 Piolenc, tél. 04.90.29.50.67, fax 04.90.29.62.33 ☑ 🍷 t.l.j. sf dim. 8h-12h 14h-19h

DOM. PIERRE USSEGLIO ET FILS 1997

| ■ | 5 ha | 20 000 | 🎴 50 à 69 F |

A 100 m du château, vous trouverez cette cave qui est régulièrement bien placée dans ce Guide. Ce millésime est plus difficile. Sous une belle couleur brillante et légère, ce vin cache un nez fin et entier avec des notes animales et musquées. Ses arômes s'amplifient au palais, soutenus par des tanins discrets mais efficaces. Il saura sagement attendre cinq ans pour atteindre sa plus haute expression.
🕿 EARL Dom. Pierre Usseglio et Fils, rte d'Orange, 84230 Châteauneuf-du-Pape, tél. 04.90.83.72.98, fax 04.90.83.72.98 ☑ 🍷 r.-v.

DOM. DE VALORI 1997*

| ■ | 14 ha | 65 000 | 🍴🎴 70 à 99 F |

Toute la finesse du grenache se retrouve dans ce vin de grande tenue. Avec 90 % de ce cépage, on obtient une belle robe rubis, un nez de petits fruits rouges rehaussé de notes poivrées. En bouche, les tanins sont jeunes et francs. A garder de quatre à cinq ans pour accompagner gibier ou fromage.
🕿 Jack et Christian Meffre, Le Village, 84190 Gigondas, tél. 04.90.12.32.42, fax 04.90.12.32.49

DOM. DU VIEUX LAZARET 1997

| ■ | 70 ha | n.c. | 🍴🎴 70 à 99 F |

Vaste domaine de 105 ha, le Vieux Lazaret possède une cave située dans le village de Châteauneuf-du-Pape. On a apprécié ce 97 qui évoque toute la Provence dans ses senteurs de garrigue (sauge et romarin). Gras et rondeur donnent un volume optimal au palais. A noter la finale noyau de cerise. Un vin à boire avec une terrine de lapin dès aujourd'hui.
🕿 Vignobles Jérôme Quiot, B.P. 38, av. Baron-Leroy, 84231 Châteauneuf-du-Pape, tél. 04.90.83.73.55, fax 04.90.83.78.48, e-mail quiot.jeromevig@avignon.pacwan.net
☑ 🍷 r.-v.

> Au restaurant, il est conseillé de choisir un « petit » vin sur un menu préétabli, et de composer son menu à partir d'un grand vin ; mais en accordant les niveaux respectifs de qualité des mets et des vins.

RHONE

Lirac

Dès le XVIe s., Lirac produisait des vins de qualité que les magistrats de Roquemaure authentifiaient en apposant sur les fûts, au fer rouge, les lettres « C d R ». Nous y trouvons, à peu près, le même climat et le même terroir qu'à Tavel, au nord, sur une aire répartie entre Lirac, Saint-Laurent-des-Arbres, Saint-Geniès-de-Comolas et Roquemaure. Depuis l'accession de vacqueyras à l'AOC, ce n'est plus le seul cru méridional qui offre les trois couleurs. Il produit 17 000 hl, sur 430 ha. L'appellation offre trois sortes de vins : les rosés et les blancs, tout de grâce et de parfums, qui se marient agréablement avec les fruits de la Méditerranée toute proche et se boivent jeunes et frais ; les rouges, puissants, au goût de terroir prononcé, généreux, et qui accompagnent parfaitement les viandes rouges.

CH. D'AQUERIA 1997*

■ 12,95 ha 40 000 ⊕ 50 à 69 F

Comme il est riche, le nez de petits fruits rouges très mûrs, de réglisse, de caramel et d'épices ! Les huit mois d'élevage en foudre y sont sans doute pour quelque chose, et ne sont pas démentis par la belle structure de la bouche, franche, noble et élégante, aux tanins pleins de finesse. Le **blanc 98** du domaine, cité pour son nez floral et sa bouche fraîche, est prêt dès maintenant.

⊶ Famille Jean Olivier, Ch. d'Aquéria, 30126 Tavel, tél. 04.66.50.04.56, fax 04.66.50.18.46, e-mail aqueria@aol.com ☑ Y t.l.j. sf sam. dim. 8h-12h 14h-18h; f. 24 déc.-2 jan.

CH. BOUCARUT 1997**

■ 5 ha 26 000 ▮🌡 30 à 49 F

Christophe Valat est vigneron et œnologue. Il dirige depuis 1988 ce beau domaine de 13 ha. La robe de ce 97 est sombre, d'un rubis très soutenu. Le joli nez, riche et complexe, mêle le cuir, la réglisse et les fruits rouges. Ample, la bouche aux élégants tanins s'achève sur une note miellée et épicée. A boire ou à attendre de deux à trois ans.

⊶ Christophe Valat, Château Boucarut, B.P. 76, 30150 Roquemaure, tél. 04.66.50.26.84, fax 04.66.50.40.91 ☑ Y r.-v.

CH. DE BOUCHASSY 1998*

□ 1 ha 5 000 ▮🌡 30 à 49 F

Jaune d'or brillant, voici un lirac blanc au nez très ouvert, d'abord fruité (abricot et pêche) puis floral. En bouche, on ressent le raisin bien mûr, avec du gras, de la rondeur et une pointe d'alcool. Quant au **rouge 97**, il est cité : grenache, syrah et mourvèdre, les trois principaux cépages de l'appellation, en proportions judicieuses, ont été habilement assemblés et vinifiés pour donner ce vin au nez dominé par le café et les épices. Les tanins sont fondus et élégants.

⊶ Gérard Degoul, Ch. de Bouchassy, rte de Nîmes, 30150 Roquemaure, tél. 04.66.82.82.49, fax 04.66.82.87.80 ☑ Y t.l.j. sf dim. 9h-12h 14h-19h

DOM. DE CASTEL OUALOU 1997

■ 20 ha 50 000 ▮🌡 50 à 69 F

En belle robe rubis violine, ce rouge s'affirme par un nez de tabac blond et de miel. De fins tanins s'expriment dans la bouche structurée, équilibrée, qui laisse le dégustateur sur une note de fruits rouges frais. Un vin digne d'intérêt.

⊶ Assémat, 30150 Roquemaure, tél. 04.66.82.65.65, fax 04.66.82.86.76 ☑ Y r.-v.

DOM. CORNE-LOUP 1998*

■ 3 ha 11 000 ▮🌡 30 à 49 F

Un premier nez finement vanillé, un second qui penche vers le fruit rouge et le thym, telles sont les impressions olfactives que livre ce rouge à la robe foncée, noir violacé. Souple en bouche, avec de fins tanins bien fondus, il est prêt à boire.

⊶ Jacques Lafond, SCEA Corne-Loup, rue Mireille, 30126 Tavel, tél. 04.66.50.34.37, fax 04.66.50.31.36 ☑ Y t.l.j. sf sam. dim. 8h-12h 14h-19h; f. 15-31 août

DOM. LAFOND ROC-EPINE 1998**

□ 1,1 ha 5 000 ▮ 30 à 49 F

Un nez « somptueux », pour reprendre le mot d'un dégustateur, où s'affirment des notes exotiques de mangue et de fruit de la passion. La bouche de ce lirac blanc ne manque pas non plus d'harmonie. Son équilibre, sa matière et sa longue persistance aromatique incitent à le savourer en apéritif - il vous aiguisera les papilles...

⊶ Dom. Lafond Roc-Epine, rte des Vignobles, 30126 Tavel, tél. 04.66.50.24.59, fax 04.66.50.12.42, e-mail lafond.roc-epine@wanadoo.fr ☑ Y r.-v.

DOM. DE LA MORDOREE 1997**

■ 23 ha 70 000 ▮⊕🌡 50 à 69 F

Un domaine toujours présent dans le Guide. Remarquable encore une fois. Quelle palette d'arômes ! Fruits rouges cuits, fumé, vanille, épices, réglisse, pruneau... Suit une bouche ample, aux tanins fondus en un bel équilibre, que parachève un fin boisé. Un très beau vin.

⊶ Dom. de La Mordorée, chem. des Oliviers, 30126 Tavel, tél. 04.66.50.00.75, fax 04.66.50.47.39 ☑ Y t.l.j. sf dim. 8h-12h 13h30-17h

⊶ Delorme

CH. LE DEVOY MARTINE 1998

◪ 7 ha 39 500 ▮🌡 30 à 49 F

Un rosé de saignée à la teinte soutenue et brillante. Aux fruits rouges du nez (cerise) répondent la fraîcheur et la souplesse de la bouche. Agréable, ce vin peut être bu dès maintenant.

⊶ SCEA Lombardo, Ch. Le Devoy Martine, 30126 Saint-Laurent-des-Arbres, tél. 04.66.50.01.23, fax 04.66.50.43.58 ☑ Y t.l.j. sf sam. dim. 8h30-12h 14h-17h30

LES LAUZERAIES 1997★★

■ 10 ha n.c. ⦀ 30 à 49 F

Bravo aux vignerons de Tavel qui nous proposent un lirac rouge de bonne facture. D'une teinte violacée, ce 97 développe un nez puissant de fruits noirs saupoudrés de vanille. Sa structure en bouche s'appuie sur un boisé très harmonieux, avant de terminer sur une admirable palette de fruits. Beau vin de garde.

🔑 Les Vignerons de Tavel, rte de la Commanderie, 30126 Tavel, tél. 04.66.50.03.57, fax 04.66.50.46.57 ☑ Y t.l.j. 9h-12h 14h-18h

LES QUEYRADES 1996

■ 4,5 ha 24 000 ▮🌡 30 à 49 F

Son nez animal et épicé, sa matière en bouche, avec des arômes tirant sur le fruit cuit et le cacao, toutes les qualités de ce 96 sont à apprécier dès à présent. Pourquoi pas sur un bon gibier ?

🔑 SCEA Mejan-Taulier, pl. du Président-Le-Roy, 30126 Tavel, tél. 04.66.50.04.02, fax 04.66.50.21.72 ☑ Y r.-v.

🔑 André Mejan

CAVE DES VINS DE CRU DE LIRAC Vieilles vignes 1998★

◪ 80 ha 80 000 ▮🌡 30 à 49 F

La cave de Lirac vinifie 600 ha dont 80 sont consacrés à ce vin. Une belle réussite que cette cuvée des Vieilles vignes. Sa belle robe pâle et brillante enrobe un nez de fleurs et de fruits rouges. Finesse et équilibre caractérisent la bouche, où l'on retrouve le fruit rouge dans une plaisante harmonie. La **cuvée Tradition 98 en blanc** est citée par le jury. Des cépages traditionnels (grenache, clairette et bourboulenc par ordre décroissant), une vinification traditionnelle donnent un vin harmonieux au nez légèrement amylique avec des fruits exotiques. La fraîcheur de sa bouche en fait un vin prêt à boire (20 à 29 F).

🔑 Cave des vins de cru de Lirac, 30126 Saint-Laurent-des-Arbres, tél. 04.66.50.01.02, fax 04.66.50.37.23 ☑ Y r.-v.

DOM. MABY La Fermade 1997

■ 17,36 ha 70 000 ▮⦀ 30 à 49 F

Un rubis brillant à reflets bruns, tel est l'habit de ce 97 au nez franc de fruits rouges et de réglisse. Les tanins marquent la suite de la dégustation, ainsi que le fruit cuit et les épices. Un vin encore jeune, qu'il faudra laisser sagement reposer en cave.

🔑 Dom. Maby, rue Saint-Vincent, B.P. 8, 30126 Tavel, tél. 04.66.50.03.40, fax 04.66.50.43.12 ☑ Y r.-v.

🔑 Roger Maby

CH. MONT-REDON 1997

■ 7 ha 40 000 ⦀ 50 à 69 F

Une robe rouge brillant à reflets orangés, un nez aux arômes épicés qui s'achève sur le caramel et le café ; une bouche aux notes vanillées et boisées (l'élevage comprend dix mois de fût), élégante par son gras et sa franchise ; au total, un joli vin, qu'il faut boire dès à présent.

🔑 Familles Abeille-Fabre, Ch. Mont-Redon, 84230 Châteauneuf-du-Pape, tél. 04.90.83.72.75, fax 04.90.83.77.20, e-mail chateaumontredon@wanadoo.fr ☑ Y r.-v.

DOM. DES MURETINS 1998★★★

■ 4 ha 7 000 ⦀ 50 à 69 F

Belle réussite pour cette collaboration entre le viticulteur et la maison de négoce Michel Bernard. Ceux-ci nous présentent un rouge magnifique, d'une teinte soutenue à reflets violacés. Fruits bien mûrs, kirsch, cerise à l'eau-de-vie s'expriment dans le nez auquel succède une bouche très riche, structurée par des tanins présents mais doux et enrobés. Un vin de garde, que l'on appréciera pour sa puissance et sa complexité aromatique.

🔑 SICA Domaines Michel Bernard, rte de Sérignan, 84100 Orange, tél. 04.90.11.86.86, fax 04.90.34.87.30

DOM. DES OISEAUX 1998★★

■ 5 ha 20 000 ▮🌡 30 à 49 F

Fruits rouges et épices qui nous sautent au nez, réglisse et garrigue qui forment une belle expression en bouche, associés à de fins tanins bien présents : un vin puissant et franc, très fruité, qu'il faudra savoir attendre quelques années encore pour mieux l'apprécier. Distribué par Gabriel Meffre.

🔑 Christian Leperchois, 30150 Roquemaure, tél. 04.90.12.32.42, fax 04.90.12.32.49

DOM. PELAQUIE 1998★

◪ 1 ha 5 000 ▮🌡 30 à 49 F

Un tiers de grenache, un tiers de cinsault, un tiers de mourvèdre : la recette est simple et le résultat est bon. Un rosé clair, d'une jolie couleur brillante, se présentant par des senteurs de petits fruits (framboise, cassis, groseille) que l'on retrouve en bouche, dans un équilibre plein de fraîcheur et de vivacité.

🔑 Dom. Pélaquié, 7, rue du Vernet, 30290 Saint-Victor-la-Coste, tél. 04.66.50.04.06, fax 04.66.50.33.32, e-mail domaine@pelaquie.com ☑ Y t.l.j. sf dim. 9h-12h 14h-18h

🔑 GFA du Grand Vernet

DOM. DES RAMIERES 1998★★

■ 9 ha 50 000 ▮⦀🌡 30 à 49 F

Encore une belle cuvée présentée par Michel Bernard, négociant. En robe très sombre à reflets

RHONE

violacés, elle fleure bon les fruits rouges et développe en bouche une amplitude structurée par de riches tanins. L'équilibre est parfait, mais il faudra deux à trois ans pour que le potentiel s'exprime pleinement.

☛ SICA Domaines Michel Bernard, rte de Sérignan, 84100 Orange, tél. 04.90.11.86.86, fax 04.90.34.87.30

☛ A. Louiselli

CH. DE SEGRIES 1997★

| ■ | 20 ha | 60 000 | ■ ♦ 30 à 49 F |

Un très beau terroir, et des vignes de soixante ans... Le résultat est prometteur, avec un vin au nez dominé par les fruits secs et les épices, à quoi s'ajoute un côté animal. De jolis tanins, soyeux et fins, soutiennent la complexité aromatique de la bouche où se mêlent écorce d'orange et épices, encore.

☛ SCEA Henri de Lanzac, chem. de la Grange, 30126 Lirac, tél. 04.66.50.22.97, fax 04.66.50.17.02 ☑ Ⴤ r.-v.

Tavel

Considéré par beaucoup comme le meilleur rosé de France, ce grand vin des Côtes du Rhône provient d'un vignoble situé dans le département du Gard, sur la rive droite du fleuve. Sur des sols de sable, alluvions argileuses ou cailloux roulés, c'est la seule appellation rhodanienne à ne produire que du rosé, sur le territoire de Tavel et sur quelques parcelles de la commune de Roquemaure, soit 950 ha ; la production est de 42 000 hl. Le tavel est un vin généreux, au bouquet floral puis fruité, qui accompagnera le poisson en sauce, la charcuterie et les viandes blanches.

CH. D'AQUERIA 1998★★

| ◢ | 44,24 ha | 2 700 | ■ ♦ 50 à 69 F |

Toujours présent dans le Guide, le château d'Aquéria (dans la famille Olivier depuis 1920) nous présente une fois de plus un remarquable rosé, élégant dans sa robe franche, légèrement violine. Le nez est puissant, riche, très fruité. Sa grande fraîcheur un peu acidulée permettra à ce 98 d'être bu à l'apéritif ou sur un plat complice associant salé et sucré.

☛ Famille Jean Olivier, Ch. d'Aquéria, 30126 Tavel, tél. 04.66.50.04.56, fax 04.66.50.18.46, e-mail aqueria@aol.com ☑ Ⴤ t.l.j. sf sam. dim. 8h-12h 14h-18h; f. 24 déc.-2 jan.

MICHEL BERNARD 1998★★

| ◢ | n.c. | n.c. | 30 à 49 F |

Une très belle harmonie et une bonne typicité pour ce tavel, remarquable par sa puissance aromatique (fruits à l'alcool, fleurs, épices) préservée par une macération brève à basse température. Sa bouche généreuse, puissante, très longue, révèle la maturité des raisins et affirme un bon équilibre qui n'est pas sans chaleur.

☛ SICA Domaines Michel Bernard, rte de Sérignan, 84100 Orange, tél. 04.90.11.86.86, fax 04.90.34.87.30

HENRY BOUACHON La Rouvière 1998

| ◢ | n.c. | 40 000 | ■ ♦ 30 à 49 F |

Riches et complexes, les arômes primaires de fruits rouges sont la première impression qu'il a laissée à notre jury. L'attaque en bouche est belle, franche, non dépourvue de vivacité. Quant à la robe, on a apprécié sa teinte soutenue. Il ne manque à ce vin qu'un petit je-ne-sais-quoi...

☛ Caves Saint-Pierre, Henry Bouachon, av. Pierre-de-Luxembourg, B.P. 5, 84230 Châteauneuf-du-Pape, tél. 04.90.83.58.48, fax 04.90.83.77.23 ☑ Ⴤ t.l.j. sf dim. 8h-12h 13h30-17h30

DOM. CORNE-LOUP 1998★

| ◢ | 27 ha | 150 000 | ■ ♦ 30 à 49 F |

Le nom de la propriété vient d'un ancien quartier de Tavel où l'on sonnait de la corne pour annoncer aux villageois l'arrivée des loups. Pas d'oreilles pointues ni de poils gris, mais une jolie robe pâle et brillante à reflets violets pour ce rosé au nez miellé, minéral, légèrement fumé, avec des senteurs de petits fruits rouges. Quant à la bouche, fine, souple, elle nous laisse sur une plaisante sensation fruitée.

☛ Jacques Lafond, SCEA Corne-Loup, rue Mireille, 30126 Tavel, tél. 04.66.50.34.37, fax 04.66.50.31.36 ☑ Ⴤ t.l.j. sf sam. dim. 8h-12h 14h-19h; f. 15-31 août

DOM. LAFOND ROC-EPINE
Cuvée Tradition 1998

| ◢ | 20 ha | 250 000 | ■ ♦ 30 à 49 F |

La robe est franche, d'une teinte cerise tirant sur le rubis. La suite de la dégustation est tout en finesse et en légèreté, avec une bouche de fruits rouges et d'agrumes un brin acidulés.

☛ Dom. Lafond Roc-Epine, rte des Vignobles, 30126 Tavel, tél. 04.66.50.24.59, fax 04.66.50.12.42, e-mail lafond.roc-epine@wanadoo.fr ☑ Ⴤ r.-v.

DOM. LA GENESTIERE
Cuvée Prestige 1998★★

| ◢ | 30 ha | 150 000 | ■ ♦ 30 à 49 F |

Un domaine réputé, acquis en 1994 par Jean-Claude et Raphaël Garcin. En robe légère et transparente, couleur pétale de rose, ce vin issu de cinq cépages s'annonce par un nez minéral et fruité. En bouche, il se prolonge avec équilibre, structure, élégance et finesse. Un très joli tavel qui devrait pouvoir accompagner tout un repas.

Jean-Claude Garcin, Dom. La Genestière, 30126 Tavel, tél. 04.66.50.07.03, fax 04.66.50.27.03, e-mail genestiere@poewan.fr
☒ Y r.-v.

LES AMARINES 1998★★

◪ 4 ha 20 000 30 à 49 F

Une réussite, cette cuvée Les Amarines dont la présentation, franche et légère, est d'un rose opalin. Des senteurs d'agrumes s'y déploient avec élégance, puis la bouche s'exprime avec richesse et complexité avant de finir sur le fruit frais. Le rosé de tavel dans toute sa finesse.

Gabriel Meffre, Le Village, 84190 Gigondas, tél. 04.90.12.32.42, fax 04.90.12.32.49
Christian Amido

LES ESPERELLES 1998★

◪ 20 ha 100 000 30 à 49 F

Rose orangé, vive et brillante, la robe de ce vin joliment nommé enrobe un nez élégant, fin et fruité, évoquant la pâte d'amandes et la réglisse. La bouche est riche, pleine de vivacité ; on retrouve une touche réglissée en finale.

Les Vignerons de Rasteau et de Tain-l'Hermitage, rte des Princes-d'Orange, 84110 Rasteau, tél. 04.90.10.90.10, fax 04.90.46.16.65, e-mail vrt@rasteau.com
☒ Y r.-v.

DOM. MABY La Forcadière 1998★

◪ 17,36 ha 95 000 30 à 49 F

Restructurée en 1995, l'exploitation fait ses preuves avec ce 98 à la robe vive, parée de jolis reflets grenat. Les quarante-huit heures de macération lui ont réussi, avec pour résultat un nez très ouvert, élégant, de petits fruits rouges et de bonbon anglais relevés d'une pointe d'épices. L'attaque en bouche est belle, puissante, toute de cassis et de grenadine ; et quelle fraîcheur...

Dom. Maby, rue Saint-Vincent, B.P. 8, 30126 Tavel, tél. 04.66.50.03.40, fax 04.66.50.43.12 ☒ Y r.-v.
Roger Maby

DOM. DES OISEAUX 1998★

◪ 6 ha 22 000 30 à 49 F

Tirant sur le rouge, ce qui est typique des tavel, voici un rosé 98 au nez fait de nuances végétales et de fruits rouges assez mûrs. De la structure, de la puissance, du gras, toutes caractéristiques qui laissent deviner une vendange à pleine maturité et une macération plutôt longue. Une belle bouteille diffusée par la maison Meffre.

Christian Leperchois, 30150 Roquemaure, tél. 04.90.12.32.42, fax 04.90.12.32.49

DOM. PELAQUIE 1998★★★

◪ 1,2 ha 8 000 50 à 69 F

C'est à l'unanimité que le jury lui a octroyé ce coup de cœur. Un nez très subtil et complexe, où le fruit et l'iris s'allient à merveille avec une pointe de miel ; une bouche pleine de douceur et de velouté, dominée par le pamplemousse, et d'une très grande persistance aromatique ; le tout habillé d'une belle robe brillante, légèrement saumonée.

Dom. Pélaquié, 7, rue du Vernet, 30290 Saint-Victor-la-Coste, tél. 04.66.50.06.04, fax 04.66.50.33.32, e-mail domaine@pelaquie.com ☒ Y t.l.j. sf dim. 9h-12h 14h-18h
GFA Dugro-Vernet

PRIEURE DE MONTEZARGUES 1998

◪ 34 ha 100 000 50 à 69 F

Six cépages, dont 51 % de grenache, entrent dans la composition de ce rosé à la robe légère, mais d'un très beau rose saumoné. On aime sa finesse, son élégance et sa complexité olfactives (fleurs, fruits blancs et jaunes), sa souplesse et son harmonie en bouche où s'affirme une certaine expression de terroir.

GAFF Prieuré de Montézargues, 30126 Tavel, tél. 04.66.50.04.48, fax 04.66.50.30.41 ☒ Y t.l.j. 10h-12h 15h-18h; groupes et sam. dim. sur r.-v.
Allauzen

LES VIGNERONS DE TAVEL Cuvée Royale 1998★★

◪ 15 ha n.c. 30 à 49 F

Un tavel comme on les aime, alliant fraîcheur, équilibre et élégance. Aubépine, groseille, grenadine et anis : le nez est une véritable palette de fleurs et de fruits. Franche et complexe, la suite de la dégustation maintient une belle harmonie entre composantes florales et fruitées.

Les Vignerons de Tavel, rte de la Commanderie, 30126 Tavel, tél. 04.66.50.03.57, fax 04.66.50.46.57 ☒ Y t.l.j. 9h-12h 14h-18h

CH. DE TRINQUEVEDEL 1998

◪ 30 ha 120 000 30 à 49 F

Une mosaïque de cépages (au nombre de six), toutefois dominée par le grenache, a donné ce 98. Revêtu d'une robe claire pleine d'élégance et de brillant, ce rosé frappe avant tout par sa franchise et son équilibre. Sa bouche est fraîche, agrémentée de notes fruitées (cassis).

Ch. de Trinquevedel, 30126 Tavel, tél. 04.66.50.04.04, fax 04.66.50.31.66 ☒ Y r.-v.
Demoulin

Dans ce guide, la reproduction d'une étiquette signale un vin particulièrement recommandé, un « coup de cœur » de la commission.

RHONE

Clairette de die

La clairette de die est l'un des vins les plus anciennement connus au monde. Le vignoble occupe les versants de la moyenne vallée de la Drôme, entre Luc-en-Diois et Aouste-sur-Sye. On produit ce vin mousseux essentiellement à partir du cépage muscat (75 % minimum). La fermentation se termine naturellement en bouteille. Il n'y a pas adjonction de liqueur de tirage. C'est la méthode dioise ancestrale.

CLAIRDIE Méthode dioise ancestrale*

○ 20 ha 80 000 **30 à 49 F**

Sa mousse est légère et fine, son nez fruité et finement muscaté se confirme en bouche avec un bel équilibre et de la fraîcheur. C'est une bonne bouteille que nous propose la cave coopérative de Die, qui a également l'art de modérer ses prix. Une cuvée vendue en GMS.

🔑 Cave coop. de Die, Union de Producteurs, 26150 Die, tél. 04.75.22.30.00, fax 04.75.22.21.06 Y r.-v.

COMTESSE DE DIE
Méthode dioise ancestrale 1997**

○ 15 ha 50 000 **30 à 49 F**

Une vinification remarquablement maîtrisée, sur 90 % de muscat et 10 % de clairette. C'est du muscat qui domine au nez, fin et délicat. Fine, la mousse légère l'est aussi ; mais rien n'égale la bouche, pleine d'harmonie, avec une plénitude des arômes muscatés bien typiques. Le jury est sorti enthousiaste de cette dégustation.

🔑 Cave coop. de Die, Union de Producteurs, 26150 Die, tél. 04.75.22.30.00, fax 04.75.22.21.06 Y r.-v.

RASPAIL
Tradition Méthode dioise ancestrale 1997

○ 3 ha 20 000 ▮♁ **30 à 49 F**

Cette exploitation viticole, qui est aussi un gîte rural, honore l'appellation avec ce 97. Sa mousse est légère, son nez fin et fruité, bien typique du cépage (muscat à 80 %). Equilibré, vif : il est à boire.

🔑 EARL Georges Raspail, rte du Camping-Municipal, La Roche, 26340 Aurel, tél. 04.75.21.71.89, fax 04.75.21.71.89 ☑ Y r.-v.

Crémant de die

Le décret du 26 mars 1993 a reconnu l'AOC crémant de die, produite uniquement à partir du cépage clairette selon la méthode dite champenoise de seconde fermentation en bouteille.

DIDIER CORNILLON Brut absolu 1996*

○ 1,5 ha 5 000 ◍ **30 à 49 F**

Un brut zéro - ou brut absolu - c'est-à-dire sans dosage (sans liqueur d'expédition), élevé neuf mois en fût de chêne hongrois. Cette cuvée de Didier Cornillon est toujours très élégante. Le nez est typé, fruité, avec quelques notes de viennoiserie. La bouche suit sur les fruits blancs, l'équilibre et la fraîcheur. Persistant, un très beau crémant de die.

🔑 Didier Cornillon, 26410 Saint-Roman, tél. 04.75.21.81.79, fax 04.75.21.84.44 ☑ Y t.l.j. 10h-12h30 14h-19h; oct.-mars sur r.-v.

JACQUES FAURE
Méthode traditionnelle Brut 1995

○ 1,78 ha 13 000 **30 à 49 F**

Jacques Faure pratique depuis de nombreuses années la culture raisonnée, avant même que ses partisans aient été médiatisés. Par amour du terroir, par respect de l'environnement. Le jury a trouvé originaux les arômes très végétaux de ce crémant, évoquant le lierre. On appréciera son nez puissant, sa robe dorée, surmontée d'une mousse fine et persistante.

🔑 Jacques Faure, R.D. 93, 26340 Vercheny, tél. 04.75.21.72.22, fax 04.75.21.71.14 ☑ Y t.l.j. 9h-12h 14h-19h

FONTAILLY Blanc de blancs**

○ 10 ha 30 000 **30 à 49 F**

Très représentatif de l'appellation, avec les arômes typiques de la clairette, il affiche un nez complexe d'aubépine et d'amande grillée. La mousse est belle, puissante. Son équilibre et sa présence en bouche en font une jolie bouteille, à boire à l'apéritif.

🔑 Cave coop. de Die, Union de Producteurs, 26150 Die, tél. 04.75.22.30.00, fax 04.75.22.21.06 Y r.-v.

DOM. DE LA MURE
Cuvée Flavien 1994***

○ 3,5 ha 18 000 **50 à 69 F**

Jean-Claude Raspail dirige ce domaine situé à 800 m de l'ancien village et de son église romane. Véritablement, ce magnifique 94 est le fleuron de l'appellation. Sous une mousse persistante, très fine, très belle, s'exhale un nez subtil d'abricot et de pêche. Ronde, équilibrée, la bouche fruitée rappelle la pêche-abricot. Une bouteille à réserver pour les fêtes de fin d'année.

⊶ Jean-Claude Raspail, Dom. de la Mûre, 26340 Saillans, tél. 04.75.21.55.99, fax 04.75.21.57.57 ☑ Y t.l.j. 9h-12h 13h45-18h

MARCEL MAILLEFAUD ET FILS 1995*

○ 0,75 ha 5 000 30 à 49 F

Sa robe est belle, très typique du cépage clairette, et relevée d'une fine mousse bien agréable. Un nez flatteur précède la bouche, toute de finesse et d'harmonie. Un vin sans défaut, à boire sans tarder.

⊶ Cave Maillefaud & Fils, rte de Viopis, 26150 Barsac, tél. 04.75.21.71.77, fax 04.75.21.75.24 ☑ Y t.l.j. 8h-12h 14h-19h

Châtillon-en-diois

Le vignoble du châtillon-en-diois occupe 50 ha, sur les versants de la haute vallée de la Drôme, entre Luc-en-Diois (550 m d'alt.) et Pont-de-Quart (465 m). L'appellation produit des rouges (cépage gamay), légers et fruités, à consommer jeunes, ou des blancs (cépages aligoté et chardonnay), agréables et nerveux. Production totale : 2 500 hl.

CLOS DE BEYLIERE 1997*

□ 0,6 ha 3 500 30 à 49 F

La combe de Die, dominée par le massif de Glandasse, offre un des très beaux paysages des Alpes du Sud. Il ne faut pas manquer de s'arrêter à Saint-Romain (D 539) chez Didier Cornillon, régulièrement cité dans le Guide. Dans une très belle robe d'or brillant, voici son 97 au nez ouvert, alliant l'aubépine, l'acacia et le miel à une admirable bouche de boisé grillé. D'où une grande finesse, que l'on retrouve en bouche avec du gras et de la rondeur. Un vin bien fait et prêt à boire.

⊶ Didier Cornillon, 26410 Saint-Roman, tél. 04.75.21.81.79, fax 04.75.21.84.44 ☑ Y t.l.j. 10h-12h30 14h-19h; oct.-mars sur r.-v.

DOM. GOUYARDE 1998*

□ 1,66 ha 10 000 20 à 29 F

Un très bel aligoté, dont la robe est d'une teinte intense, relevée de reflets verts. Typique, l'olfaction nous fait découvrir des notes florales et végétales que prolonge une bouche fine et équilibrée de fruits exotiques. Un bon travail.

⊶ Cave coop. de Die, Union de Producteurs, 26150 Die, tél. 04.75.22.30.00, fax 04.75.22.21.06 ☑ Y r.-v.

⊶ J.-P. Chaffel

LE COMTE DE BEAUCHESNE 1997*

■ 1 ha 5 000 20 à 29 F

Cuvaison de huit à quinze jours, deux cépages nobles (trois quarts de gamay et un quart de pinot), une bonne technologie, dont le jury a jugé le résultat excellent et d'une belle harmonie. Le nez de ce 97 est complexe, mariant le sous-bois aux notes minérales, épicées, et de fruits cuits - senteurs qui se prolongent en bouche, avec de fins tanins et un subtil boisé.

⊶ Cave coop. de Die, Union de Producteurs, 26150 Die, tél. 04.75.22.30.00, fax 04.75.22.21.06 ☑ Y r.-v.

DOM. DE MAUPAS 1997*

■ 1,6 ha 4 000 30 à 49 F

Châtillon-en-Diois est un vieux village protestant dont on peut encore admirer les vestiges des remparts du XIV[e]s. et d'autres monuments intéressants. L'appellation du même nom a produit ici un vin très typé gamay, et le jury s'en félicite. En belle robe à reflets violacés, il développe au nez des senteurs de fruits rouges que l'on retrouve en bouche avec beaucoup de rondeur. Un vin de plaisir, friand et agréable, qui accompagnera grillades ou rôtis.

⊶ Cave Jérôme Cayol, Dom. de Maupas, 26410 Châtillon-en-Diois, tél. 04.75.21.18.81, fax 04.75.21.14.54 ☑ Y r.-v.

Coteaux du tricastin

Cette appellation couvre 2 000 ha répartis sur vingt-deux communes de la rive gauche du Rhône, depuis La Baume-de-Transit au sud, en passant par Saint-Paul-Trois-Châteaux, jusqu'aux Granges-Gontardes, au nord. Les terrains d'alluvions anciennes très caillouteuses et les coteaux sableux, situés à la limite du climat méditerranéen, produisent environ 100 000 hl de vin. Cette appellation vient d'être redélimitée.

BELLERUCHE 1998

◪ 5 ha n.c. 30 à 49 F

C'est tout le printemps qui bourdonne dans cette Belleruche ! Une légère couleur cerise, en bouche une pointe d'épices qui titille les papilles, et la vivacité d'un matin de mai...

⊶ M. Chapoutier, 18, av. Dr-Paul-Durand, B.P. 38, 26601 Tain-l'Hermitage, tél. 04.75.08.28.65, fax 04.75.08.81.70, e-mail chapoutier@chapoutier.com ☒ Y r.-v.

DOM. DE GRANGENEUVE

Cuvée Tradition 1997★

■ 40 ha 200 000 30 à 49 F

Implanté sur le site d'une grande villa viticole romaine, le domaine de Grangeneuve nous présente une Cuvée Tradition qui est son vin le plus connu mais aussi le plus apprécié du jury. Ses arômes de fruits rouges confits, mêlés à une pointe de truffe et de cuir, son élégance et la finesse de ses tanins sont garants de son authenticité. Le **rosé 97** du domaine est cité pour sa vivacité et ses petits fruits rouges. Agréable en mars 99, mais que sera-t-il cet hiver ? Car c'est plutôt un vin de tonnelle. Vous pourrez alors choisir la **Grande Cuvée 97** au boisé bien maîtrisé, une étoile, (50 à 69 F).

⊶ Bour, Dom. de Grangeneuve, 26230 Roussas, tél. 04.75.98.50.22, fax 04.75.98.51.09, e-mail domaines.bour@wanadoo.fr ☒ Y r.-v.

DOM. LA FIGUIERE 1998

■ 10 ha 80 000 -de 20 F

On l'aime non pour sa complexité, mais simplement pour le plaisir qu'il donne. Consommé frais, il révèlera tout son fruité et se prêtera harmonieusement à la dégustation de fraises au vin.

⊶ Cellier de L'Enclave des Papes, B.P. 51, 84602 Valréas Cedex, tél. 04.90.41.91.42, fax 04.90.41.90.21

LES AGUETS 1998

■ 7 ha 56 000 -de 20 F

Largement dominé par le grenache (80 %), voici un rouge auquel sa cuvaison courte apporte du fruité et une grande fraîcheur. Primesautier, il est facile à boire mais reste plaisant jusqu'en fin de bouche.

⊶ Cellier de L'Enclave des Papes, B.P. 51, 84602 Valréas Cedex, tél. 04.90.41.91.42, fax 04.90.41.90.21

DOM. DE MONTINE 1997★

■ 20 ha 40 000 20 à 29 F

Producteur de truffes et de vin, qui combine dans son assemblage grenache (50 %) et syrah (50 %)... « Il ne faut pas mettre tous ses œufs dans le même panier ! » Cette sagesse paysanne donne un vin équlibré, qui a la fraîcheur de la jeunesse mais passera vaillamment le cap de l'an 2000.

⊶ Jean-Luc et Claude Monteillet, Dom. de Montine, 26230 Grignan, tél. 04.75.46.54.21, fax 04.75.46.93.26 ☒ Y t.l.j. 9h-12h 14h-19h

DOM. DE MONTINE 1998★

□ 5,5 ha 20 000 20 à 29 F

Le seul blanc de l'appellation qui ait trouvé grâce aux yeux des dégustateurs... et à leur bouche. Quatre cépages, à parts égales, entrent dans la composition de ce vin qui, après une attaque très « clairette », développe des notes d'agrumes et de fleurs, dans un palais tapissé de mille senteurs. Le **rosé 98** convient plus au repas qu'à l'apéritif. Il sera encore très agréable cet hiver sur un plat épicé ou exotique.

⊶ Jean-Luc et Claude Monteillet, Dom. de Montine, 26230 Grignan, tél. 04.75.46.54.21, fax 04.75.46.93.26 ☒ Y t.l.j. 9h-12h 14h-19h

Côtes du ventoux

A la base du massif calcaire du Ventoux, « le géant du Vaucluse » (1 912 m), des sédiments tertiaires portent ce vignoble qui s'étend sur cinquante et une communes (6 888 ha), entre Vaison-la-Romaine au nord et Apt au sud. Les vins produits sont essentiellement des rouges et des rosés. Le climat, plus froid que celui des Côtes du Rhône, entraîne une maturité plus tardive. Les vins rouges sont de moindre degré alcoolique, mais frais et élégants dans leur jeunesse ; ils sont cependant davantage charpentés dans les communes situées le plus à l'ouest (Caromb, Bédoin, Mormoiron). Les vins rosés sont agréables et demandent à être bus jeunes. La production totale atteint en moyenne 280 000 hl.

DOM. DES ANGES

Clos de la Tour Cuvée Spéciale 1997

■ 2,5 ha 6 000 30 à 49 F

« Animal » : le qualificatif revient souvent dans la dégustation. Cette nuance est à associer à la présence de syrah, ici à part égale avec le grenache. Une matière première très mûre donne une longue persistance en bouche.

⊶ Dom. des Anges, 84570 Mormoiron, tél. 04.90.61.88.78, fax 04.90.61.98.05 ☒ Y t.l.j. 9h-12h 14h30-18h30

DOM. AYMARD Prestige 1997★★

■ 1 ha 2 000 30 à 49 F

Beaucoup d'élégance dans cette cuvée Prestige à la robe grenat foncé, au nez intense, épicé, vanillé (assez marqué par le bois) puis dominé par les fruits noirs, à la bouche plutôt fruitée et délicatement boisée. Ce vin de caractère devra attendre deux ou trois ans en cave. Le **blanc 98** reçoit une étoile pour le beau mariage du grenache, de la clairette et de la roussanne. Abricot et miel composent une palette odorante très expressive.

⊶ Dom. Aymard, Les Galères, Serres, 84200 Carpentras, tél. 04.90.63.35.32, fax 04.90.67.02.79 ☒ Y r.-v.

CAVE DE BEAUMONT-DU-VENTOUX 1997

■ n.c. 9 000 20 à 29 F

Ce 97, au nez élégant d'épices douces accompagnées de notes animales, aux arômes réglissés

intenses, aux tanins denses mais assez souples, est à recommander sur une brochette de grives. D'ici une à deux années, il aura acquis une belle rondeur et une densité aromatique plus importante.

☛ Cave coopérative de Beaumont-du-Ventoux, 84340 Beaumont-du-Ventoux, tél. 04.90.65.11.78, fax 04.90.65.13.59 ☑

CAVE COOPERATIVE DE BONNIEUX 1997

| ■ | 30 ha | 15 000 | ▮ ⬗ | – de 20 F |

La cave de Bonnieux est située entre le versant sud du Mont Ventoux et le versant nord du Luberon. Dans ce cadre sauvage, les coteaux peu fertiles sont propices à la culture de cépages de qualité. La preuve en est donnée par ce 97 au nez intense et très agréable de fruits cuits, qui possède un bel avenir. Il pourra attendre de trois à quatre ans.

☛ Cave coopérative de Bonnieux, quartier de la Gare, 84480 Bonnieux, tél. 04.90.75.80.03, fax 04.90.75.92.73 ☑ ⵖ r.-v.

DOM. DU BON REMEDE 1997★★

| ■ | 1,4 ha | 2 500 | ⬤⬤ 30 à 49 F |

Un nouveau venu qui entre d'emblée dans le cercle fermé des deux étoiles ! Le bouquet et les arômes sont en harmonie dans cette cuvée d'un rouge sombre profond, marquée par des notes de fruits rouges ou noirs (cassis, mûre, groseille) dont l'intensité a séduit l'ensemble du jury. Un vin remarquable, à savourer sur une viande rouge ou du gibier. Il est à boire pour ses arômes flatteurs de fruits rouges, mais peut attendre deux ans grâce à des tanins bien présents.

☛ Frédéric Delay, rte de Malemort, 84380 Mazan, tél. 04.90.69.69.76, fax 04.90.69.69.76 ☑ ⵖ r.-v.

DOM. DE CHAMP-LONG 1998★

| ◨ | 8 ha | 30 000 | ▮ ⬗ 20 à 29 F |

Une robe claire à reflets roses, un nez intense de fruits rouges mêlés à des notes d'agrumes (pamplemousse), des arômes vifs et frais accompagnés d'un bon support acide lui confèrent une aptitude à vieillir. A servir à l'apéritif ou sur une viande blanche.

☛ Christian Gély, Dom. de Champ-Long, 84340 Entrechaux, tél. 04.90.46.01.58, fax 04.90.46.04.40, e-mail christian.gely@wanadoo.fr ☑ ⵖ t.l.j. sf dim. 9h-12h30 14h-19h

DOM. DE CHANTEGRILLET
Cuvée du Vieux Pressoir 1997★★

| ■ | 10,99 ha | 14 700 | ⬤⬤ 50 à 69 F |

Il s'agit d'une première vinification : pour un coup d'envoi, c'est un coup de maître ! Cette cuvée présente une intense couleur grenat, presque noire ; le nez, complexe, encore un peu fermé, exhale des nuances de fruits mûrs avec des touches de sous-bois et de café torréfié. Possédant beaucoup de matière, dominé pour l'instant par le bois, ce 97 sera excellent sur un gibier.

☛ SCEA dom. de Chantegrillet, Gourgoumelle, B.P. 6, 84220 Roussillon, tél. 04.90.05.74.83, fax 04.90.78.23.75 ☑ ⵖ r.-v.

☛ Guiton

CHAPELLE SAINT-HEYRIES
Vieilli en fût de chêne 1997★

| ■ | 5 ha | 7 000 | ⬤⬤ 30 à 49 F |

Un mariage réussi entre le vin et le bois. Le nez, dominé par la vanille et les fruits rouges, reste encore fermé. En bouche, les arômes sont floraux en attaque et vanillés en finale. Ce 97, bien équilibré, présente une structure intéressante. A boire maintenant sur un canard à l'orange.

☛ GAEC Imbert, Les Cousins, 84220 Gordes, tél. 04.90.72.07.08, fax 04.90.72.00.53 ☑ ⵖ r.-v.

DOM. CHAUMARD Cuvée réservée 1997★

| ■ | n.c. | n.c. | ▮ ⬗ 30 à 49 F |

Issu d'un terroir argilo-calcaire et composé principalement de grenache (70 %), ce 97 vinifié traditionnellement est un joli vin, fin, élégant avec une belle maturité en bouche et une certaine générosité. Il ira très bien avec un gigot d'agneau.

☛ Gilles Chaumard, rte d'Aubignan, 84330 Caromb, tél. 04.90.62.43.38, fax 04.90.62.35.84 ☑ ⵖ r.-v.

DOM. DE FENOUILLET 1998★

| ◨ | 0,8 ha | 4 000 | ▮ ⬗ 20 à 29 F |

Vinifié par saignée, ce rosé 98 possède une robe framboise très réussie. Le nez est complexe : fruité (framboise, mûre), floral (violette), légèrement pierre à fusil. En bouche, le côté floral domine. Un vin surprenant et agréable, d'une belle longueur. A boire sur une dorade ou une bouillabaisse !

☛ GAEC Patrick et Vincent Soard, Dom. de Fenouillet, allée Saint-Roch, 84190 Beaumes-de-Venise, tél. 04.90.62.95.61, fax 04.90.62.90.67 ☑ ⵖ r.-v.

DOM. DE FONDRECHE
Cuvée Persia 1997★★

| ■ | 2 ha | 6 000 | ⬤⬤ 30 à 49 F |

DOMAINE DE FONDRÈCHE
CUVÉE PERSIA
13% Vol.
CÔTES DU VENTOUX 1997
APPELLATION CÔTES DU VENTOUX CONTRÔLÉE
Produit de France
MIS EN BOUTEILLE À LA PROPRIÉTÉ
GAEC BARTHÉLÉMY-VINCENT, 84380 MAZAN FRANCE
75 cl

Cette cuvée Persia possède une robe grenat sombre à reflets violacés. Le bouquet dominé par les fruits rouges est accompagné d'agréables notes boisées. La syrah s'exprime pleinement dans ce vin tout en puissance, présentant beaucoup de gras et des tanins particulièrement fins. A recommander sur un civet ou un fromage. Il peut attendre trois ans. Cette même cuvée **Persia en blanc 98** reçoit également deux étoiles. « Elle est intelligemment boisée », écrit un membre du jury. On y trouve la pêche, les fleurs, l'amande verte, la vanille. Un vin très friand.

🔑 Dom. de Fondrèche, quartier Fondrèche, 84380 Mazan, tél. 04.90.69.61.42, fax 04.90.69.61.18 ☑ Y t.l.j. sf sam. dim. 8h-12h 14h-18h
🔑 N. Barthélemy et S. Vincenti

DOM. DE LA BASTIDONNE 1998★

◪ 3,5 ha 9 000 ▮🌡 30 à 49 F

La Bastidonne, ferme du XIVᵉs., est un domaine familial dont le superbe pigeonnier servait, lors des guerres de Religion, de tour de guet. Ce rosé 98 très friand, d'une couleur franche, offre des nuances odorantes fruitées (banane) avec des notes de bonbon anglais. En bouche, c'est une « corbeille de fruits ». Un vin très élégant, qui accompagnera un rouget grillé.

🔑 SCEA Dom. de La Bastidonne, 84220 Cabrières-d'Avignon, tél. 04.90.76.70.00, fax 04.90.76.74.34 ☑ Y t.l.j. sf dim. 9h-12h 14h-18h
🔑 Gérard Marreau

LA COURTOISE 1998

□ n.c. 10 000 ▮🌡 -de 20 F

Un blanc bien fait, issu à 60 % de grenache, le reste en clairette, offrant un bon équilibre et de fines senteurs d'agrumes.

🔑 Cave coop. La Courtoise, 84210 Saint-Didier, tél. 04.90.66.01.15, fax 04.90.66.13.19 ☑ Y r.-v.

CH. LA CROIX DES PINS
Cuvée Prestige 1997

■ 24 ha 25 000 ▮🌡 30 à 49 F

Après avoir constaté l'aspect chaleureux de ce vin, le jury a aimé son côté épicé, animal, puissant, qui lui confère un caractère un peu rustique. Un côtes du ventoux comme le faisaient les anciens.

🔑 EARL Avon-Giraud, La Croix des Pins, rte de Caromb, 84380 Mazan, tél. 04.90.69.60.19, fax 04.90.69.64.91 ☑ Y t.l.j. 10h-12h30 15h-19h; dim. sur r.-v.

LA FERME SAINT PIERRE
Cuvée du Roi Fainéant 1997★

■ 3 ha 13 000 ▮◍ 30 à 49 F

« C'est bien fait, c'est bon, un peu plus d'ampleur et c'était parfait. » Cette remarque d'un membre du jury résume assez bien les commentaires de la dégustation. Une robe grenat foncé particulièrement jolie, un nez fruité avec de légères notes épicées, une bouche souple aux tanins soyeux, une finale chaude sur le boisé. Ce 97 peut attendre deux ans.

🔑 Paul Vendran, EARL la ferme Saint-Pierre, 84410 Flassan, tél. 06.12.77.97.31, fax 04.90.61.89.96 ☑ Y r.-v.

LA MONTAGNE ROUGE
Cuvée des Vignerons 1997

■ 8 ha 50 000 ▮🌡 20 à 29 F

La cuvée des Vignerons surprend toujours par son fruité soyeux et sa souplesse apparente alors que la structure est là. Son côté friand invite à remplir le verre.

🔑 Cave La Montagne Rouge, 84570 Villes-sur-Auzon, tél. 04.90.61.82.08, fax 04.90.61.81.94 ☑ Y r.-v.

DOM. DE LA VERRIERE
Le Haut de la Jacotte 1997★

■ 0,8 ha 4 000 ◍ 30 à 49 F

La Verrière est une ancienne propriété du roi René (1475), qui y installa des verriers transalpins, d'où le nom du domaine. Jacques Maubert remplace ses parents à la tête de l'exploitation depuis 1988. Il présente un 97 à la robe grenat foncé, aux nuances odorantes de café torréfié, aux arômes boisés avec des notes de caramel. La bouche est tout en velours. Il faut attendre un an ce côtes du ventoux pour l'apprécier pleinement. Le **rosé 98** est cité : c'est un classique.

🔑 Jacques Maubert, Dom. de la Verrière, 84220 Goult, tél. 04.90.72.20.88, fax 04.90.72.40.33 ☑ Y t.l.j. sf dim. 9h-12h 14h-18h

LE DOM BALAQUERE 1997★

■ 12 ha 53 000 ▮🌡 20 à 29 F

Une bien belle harmonie dans ce 97 offrant une bonne structure mais encore un peu fermé. Il est très représentatif et possède un beau potentiel comme le montre sa persistance aromatique particulièrement longue. Il peut attendre de deux à trois ans.

🔑 SCA Les Vignerons du Mont-Ventoux, quartier de la Salle, 84410 Bédoin, tél. 04.90.12.88.00, fax 04.90.65.64.43 ☑ Y r.-v.

DOM. LE MURMURIUM 1997

■ 2 ha 9 000 ▮ 30 à 49 F

Jean Marot était pharmacien. En 1995, il a créé un domaine en rachetant des vignes à un coopérateur qui prenait sa retraite. Son rouge offre un nez intense de fruits rouges, des arômes fruités (cassis, fraise). Le **rosé 98** complexe, équilibré, reçoit la même note. Il peut accompagner une terrine.

🔑 Jean Marot, Dom. le Murmurium, rte de Flassan, 84570 Mormoiron, tél. 04.90.61.73.74, fax 04.90.61.74.51 ☑ Y r.-v.

LES ROCHES BLANCHES
Rosé Réserve 1998

◪ 75 ha 30 000 ▮🌡 30 à 49 F

Cette cave a revu complètement la présentation de ses produits dans un esprit plus fédérateur. Elle nous surprend car c'est le rosé qui a conquis le jury par sa belle intensité aromatique de fruits rouges.

🔑 Cave coop. Les Roches blanches, 84570 Mormoiron, tél. 04.90.61.80.07, fax 04.90.61.97.23 ☑ Y t.l.j. sf dim. 8h-12h 14h-18h

DOM. LE VAN Cuvée Masa 1997★★

■ 4 ha 18 000 ▮🌡 30 à 49 F

Le domaine Le Van sait accueillir le visiteur dans le site touristique du Mont Ventoux. Ce 97 à la robe grenat foncé est un vin remarquable aux nuances odorantes de café, de pain grillé, de garrigue. Encore un peu fermé actuellement, il est construit sur des tanins solides et longs, très prometteurs. Ce vin très droit peut attendre de deux à trois ans.

🔑SCEA Dom. Le Van, rte de Carpentras, 84410 Bédoin, tél. 04.90.12.82.56, fax 04.90.12.82.57 ☑ 🍷 t.l.j. 9h-19h; f. oct. à Pâques

🔑 Mertens-Sax

LUMIERES Elevé en barrique 1997

■ 10 ha 9 600 🛢 30 à 49 F

Elevée en barrique, cette cuvée Lumières présente une robe d'un rouge intense et profond à reflets rubis. Le bouquet complexe de réglisse et de fruits noirs (pruneau) associe parfaitement le bois par ses nuances vanillées. Ce vin est prêt à boire mais peut attendre deux ans. A servir sur une viande rouge ou un gibier.

🔑Cave de Lumières, Hameau de Lumières, 84220 Goult, tél. 04.90.72.20.04, fax 04.90.72.42.52 ☑ 🍷 r.-v.

DOM. PELISSON 1998

■ 3,2 ha 15 000 🍾 20 à 29 F

Ce 98 est une belle rencontre. Une couleur franche et soutenue et un fruit plus marqué que d'habitude. La structure est présente et devrait se fondre avec le temps. Un partisan de l'agriculture biologique dans le parc régional du Luberon.

🔑Patrick Pelisson, 84220 Gordes, tél. 04.90.72.28.49, fax 04.90.72.23.91 ☑ 🍷 r.-v.

CH. PESQUIE Prestige 1997*

■ n.c. 20 000 🛢 50 à 69 F

Le vignoble s'étend sur 72 ha. En 1990, une cave moderne de vinification et un chai ont été implantés à proximité du château. Beaucoup de structure dans cette cuvée très marquée par les fruits rouges, aux arômes de framboise, possédant une bonne persistance. Il est préférable d'attendre deux ans pour apprécier cette bouteille avec un cuissot de sanglier, un civet ou un gigot.

🔑GAEC Ch. Pesquié, rte de Flassan, B.P. 6, 84570 Mormoiron, tél. 04.90.61.94.08, fax 04.90.61.94.13 ☑ 🍷 r.-v.

🔑 Chaudière/Bastide

CAVE SAINT-MARC 1998*

□ 5,45 ha 35 000 🍾 20 à 29 F

En passant à la cave Saint-Marc, vous pourrez admirer le musée de vieux outils agricoles ainsi que l'exposition permanente de peinture dans le caveau de dégustation. Olivier Andrieu, le nouveau maître de chai, a pleinement réussi cette cuvée au bouquet floral très fin, présentant une bonne longueur en bouche et de la rondeur. Assez chaleureux, ce 98 aimera les poissons en sauce.

🔑Cave coopérative Saint-Marc, 84330 Caromb, tél. 04.90.62.40.24, fax 04.90.62.48.83 ☑ 🍷 r.-v.

CH. SAINT-SAUVEUR 1998

◪ 1,8 ha 12 000 🍾 20 à 29 F

La chapelle romane de ce château a été restaurée en 1989 ; elle sert de caveau de dégustation. Il faut du recueillement pour apprécier ce rosé encore vif, aux arômes de framboise.

🔑EARL les Héritiers de Marcel Rey, Ch. Saint-Sauveur, rte de Caromb, 84810 Aubignan, tél. 04.90.62.60.39, fax 04.90.62.60.46 ☑ 🍷 r.-v.

🔑 Guy Rey

CH. VALCOMBE Les Genévrières 1998

□ 1 ha 4 900 🛢 50 à 69 F

Cette cuvée Genévrières à reflets dorés, au nez boisé et vanillé, ample et souple en bouche est destinée aux amateurs de vins vinifiés ou élevés en barrique. Elle accompagnera agréablement un poisson en sauce ou un fromage de chèvre. La cuvée **La Sereine rouge 98** reçoit la même note. Très boisée elle aussi, elle devra attendre de deux à trois ans que ses tanins se fondent.

🔑Claude Fonquerle, Ch. Valcombe, 84330 Saint-Pierre-de-Vassols, tél. 04.90.62.51.29, fax 04.90.62.51.47 ☑ 🍷 r.-v.

Côtes du luberon

L'appellation côtes du luberon a été promue AOC par décret du 26 février 1988.

Le vignoble des 36 communes que compte cette appellation, s'étendant sur les versants nord et sud du massif calcaire du Luberon, représente près de 3 000 ha et produit en moyenne 150 000 hl. L'appellation donne de bons vins rouges marqués par un encépagement de qualité (grenache, syrah) et un terroir original. Le climat, plus frais qu'en vallée du Rhône, et les vendanges plus tardives expliquent la part importante des vins blancs (25 %) ainsi que leur qualité, reconnue et recherchée.

CH. DE CLAPIER Cuvée Réservée 1998*

□ 0,25 ha 1 200 🛢 30 à 49 F

Le château de Clapier, autrefois propriété des marquis de Mirabeau, appartient depuis 1880 à la famille Montagne. Thomas Montagne est à la tête de l'exploitation depuis 1995. Il présente un 98 paré d'une robe brillante à reflets verts, au nez assez fin, marqué par un élevage en barrique, fait de notes subtiles de pain grillé et de vanille. A déguster avec un poisson en sauce.

🔑Thomas Montagne, Ch. de Clapier, 84120 Mirabeau, tél. 04.90.77.01.03, fax 04.90.77.03.26, e-mail thomas.montagne@wanadoo.fr ☑ 🍷 lun. mer. sam. 9h-12h 13h30-17h30; f. 24 déc.-2 jan.

CH. CONSTANTIN-CHEVALIER
Cuvée des Fondateurs 1997

■ 10 ha 25 000 🛢 50 à 69 F

Site exceptionnel à l'ombre de son château Renaissance, Lourmarin est, selon Giono, le village provençal par excellence. Haut lieu des arts et des lettres, le village est devenu une véritable

capitale gastronomique avec quartorze restaurants. Depuis une dizaine d'années, la famille Chevalier s'efforce d'être à la hauteur d'un tel environnement. Très structurée, cette cuvée des Fondateurs d'une belle couleur rubis foncé possède un bouquet développé de fruits mûrs (cassis) accompagnés de notes vanillées très agréables. Il faudra attendre deux ans pour l'apprécier à sa juste valeur.
🔑 EARL Constantin-Chevalier et Filles, Ch. Constantin, 84160 Lourmarin, tél. 04.90.68.38.99, fax 04.90.68.37.37 ☑ Y r.-v.
🔑 Allen Chevalier

DOM. DE FONTENILLE 1997*

■ 18 ha 20 000 ▮ 30 à 49 F

Vinifiée traditionnellement à partir de grenache (60 %) et de syrah (40 %), cette cuvée très réussie possède un nez complexe de sous-bois, de fruits rouges, de vanille et de réglisse. Bien structurée sans agressivité, elle demande deux ans de vieillissement avant d'être véritablement appréciée. A déguster sur une épaule d'agneau aux olives ou une daube provençale.
🔑 EARL Lévêque et Fils, Dom. de Fontenille, 84360 Lauris, tél. 04.90.08.23.36, fax 04.90.08.45.05, e-mail fontenille@caves-particulieres.com ☑ Y t.l.j. sf dim. 9h-12h30 14h-19h30

DOM. DE FONTPOURQUIERE Elevé en fût de chêne 1997

■ 1,6 ha 5 000 ▮ ◫ 🌡 30 à 49 F

Le domaine de Fontpourquière se trouve dans un site touristique privilégié, à proximité de Roussillon, Gordes et Fontaine-de-Vaucluse, L'œnologue Noël Rabot a élaboré avec beaucoup de soin ce 97 rouge sombre à reflets bruns qui présente un côté vanillé et épicé tant au nez qu'en bouche. C'est un vin équilibré, discrètement boisé et long en bouche. A boire.
🔑 Yves Ronchi, Fontpourquière, 84480 Lacoste, tél. 04.90.75.80.02, fax 04.90.75.80.02 ☑ Y r.-v.

GRANDE TOQUE 1998*

◪ 15 ha 66 500 ▮ 🌡 20 à 29 F

Beaucoup de fruit, au nez comme en bouche, marié à une vivacité acidulée donne à ce rosé un caractère très rafraîchissant. La robe grenadine intense est particulièrement brillante ; le nez marie le cassis et la fraise. Le palais se distingue par une très bonne persistance aromatique. A boire.
🔑 Cellier de Marrenon, rue Amédé-Ginies, B.P. 13, 84240 La Tour-d'Aigues, tél. 04.90.07.40.65, fax 04.90.07.30.77 ☑ Y t.l.j. 8h-12h 14h-18h; dim. 8h-12h

HAU COULOBRE 1998

□ 3 ha 5 000 ▮ 20 à 29 F

Jaune pâle dans le verre, très limpide, voici un 98 tout en finesse, présentant des notes florales et exotiques assez marquées. En bouche, l'attaque est souple, puis le vin s'avère un peu chaleureux sur un fond rond et gras. Il est à boire.
🔑 SCA Cave Lourmarin-Cadenet, montée du Galinier, 84160 Lourmarin, tél. 04.90.68.06.21, fax 04.90.68.25.84 ☑ Y r.-v.

CH. LA CANORGUE 1997

■ 18 ha 50 000 ◫ 50 à 69 F

Jean-Pierre Margan et son épouse ont eu envie de remettre en état le domaine familial après le tournage sur ces lieux d'un film avec Michel Simon et Serge Gainsbourg en 1968. Leur rouge 97 présente une très belle couleur sombre à reflets violets, un nez intense de fruits rouges (cassis) et de poivron. Souple, harmonieux, bien équilibré, de bonne persistance aromatique, c'est un bon représentant de l'appellation. Il peut être apprécié dès maintenant avec un agneau du Luberon en croûte.
🔑 EARL Jean-Pierre et Martine Margan, Ch. La Canorgue, 84480 Bonnieux, tél. 04.90.75.81.01, fax 04.90.75.82.98 ☑ Y t.l.j. sf dim. 9h-12h 14h30-17h30; f. janv.

DOM. DE LA CAVALE 1998*

◪ 4 ha 8 000 ▮ 🌡 30 à 49 F

Issue pour partie égale de grenache et de cinsault cultivés sur un sol sablonneux et graveleux, cette cuvée d'un rose très pâle a un bouquet fin associant petits fruits rouges et nuances florales. Elle possède une bonne vivacité de type acidulé ainsi qu'une grande persistance des arômes. A déguster sur des grillades ou une pizza.
🔑 Paul Dubrule, rte de Lourmarin, 84160 Cucuron, tél. 04.90.77.22.96, fax 04.90.77.25.64 ☑ Y r.-v.

DOM. DE LA CITADELLE Cuvée Le Châtaignier 1998*

■ 2,5 ha 15 000 ▮ 🌡 30 à 49 F

Déjà récompensée pour le millésime 97 par un coup de cœur, cette cuvée Le Châtaignier s'avère cette année un peu fermée d'après les membres du jury, mais elle possède beaucoup de structure et une grande persistance aromatique. A déguster dans deux ans sur un civet de sanglier. Le **rosé 98** du domaine a également reçu une étoile. C'est un vin de saignée frais et particulièrement fruité. A découvrir à l'apéritif.
🔑 Rousset-Rouard, Dom. de La Citadelle, 84560 Ménerbes, tél. 04.90.72.41.58, fax 04.90.72.41.59 ☑ Y r.-v.

CH. DE LA TOUR D'AIGUES 1998

□ n.c. n.c. ▮ 🌡 20 à 29 F

Décidément M. Hareux, l'œnologue du cellier de Marrenon, réussit régulièrement sa cuvée du Château de la Tour d'Aigues ; elle avait obtenu deux étoiles pour le millésime 97 lors de la dernière parution du Guide. Le 98 se présente dans une robe jaune paille, son nez floral a beaucoup de finesse. La bouche débute souplement mais se termine d'une façon un peu austère.
🔑 Cellier de Marrenon, rue Amédé-Ginies, B.P. 13, 84240 La Tour-d'Aigues, tél. 04.90.07.40.65, fax 04.90.07.30.77 ☑ Y t.l.j. 8h-12h 14h-18h; dim. 8h-12h

LES BUGADELLES 1998

□ 12 ha 80 000 ▮ 🌡 20 à 29 F

Une robe limpide, brillante, verte à reflets jaunes pour cette cuvée Les Bugadelles d'une belle harmonie légèrement marquée par l'alcool. Le bouquet est complexe, floral et fruité (fruits à chair blanche) mais également exotique (ananas). C'est un vin équilibré possédant de la vigueur en bouche.

☛ Du Peloux, quartier Les Barrades, RN 7, B.P. 11, 84350 Courthézon, tél. 04.90.70.42.10, fax 04.90.70.42.15

DOM. LES VADONS
Cuvée La Melchiorte 1998

■		5 ha	7 000	■ ♦	20 à 29 F

Le domaine Les Vadons, propriété familiale, a été repris en 1998 par Louis-Michel Bremond qui a créé une petite unité de vinification. Sa cuvée La Melchiorte est un vin encore fermé, dominé par les fruits rouges et les épices, bien représentatif de l'AOC. Sa bonne ossature lui permettra d'attendre de deux à trois ans avant d'être appréciée sur un plat typiquement provençal.

☛ EARL Dom. Les Vadons, La Resparine, 84160 Cucuron, tél. 04.90.77.24.72, fax 04.90.77.21.46 ☑ ⅄ r.-v.
☛ Louis-Michel Bremond

CH. DE L'ISOLETTE 1998*

☐		10 ha	45 000	■ ♦	50 à 69 F

Depuis l'âge de pierre, ce lieu, bien que sauvage et isolé - d'où son nom- est habité et des vestiges des civilisations passées y ont d'ailleurs été retrouvés. L'accueil de Luc Pinatel dans son superbe caveau est toujours très sympathique. Son blanc 98 se distingue du 97 par son côté exotique (pamplemousse) accompagné de nuances d'amande verte. Sa couleur jaune pâle à reflets verts lui confère une présentation parfaite. Un vin flatteur, très sec, aux arômes vifs, qui conviendra parfaitement avec des coquillages ou un poisson grillé.

☛ Ch. de l'Isolette, rte de Bonnieux, 84400 Apt, tél. 04.90.74.16.70, fax 04.90.04.70.73 ☑ ⅄ t.l.j. sf dim. 8h-12h 14h-17h45; f. 25 déc.-1er janv.
☛ EARL Luc Pinatel

DOM. DE MARCONIL 1998

■		12 ha	60 000	■ ♦	20½ à 29 F

« Un vin peu expressif qui doit s'ouvrir dans les mois à venir. » Ce commentaire d'un membre du jury résume bien l'impression d'ensemble de la commission. Une robe sombre très soutenue et vive, un nez agréable aux notes florales et fruitées de bonne intensité, des arômes qui demandent à se développer. Il faudra attendre deux ans pour boire ce 98 sur une viande grillée ou un fromage.

☛ Cellier Val de Durance, Z.A., 84160 Cadenet, tél. 04.90.68.36.66, fax 04.90.68.38.44

DOM. DE MAYOL Cuvée Tradition 1997

■		5 ha	10 000	◫	50 à 69 F

Le domaine de Mayol est millénaire ! Bernard Viguier s'efforce d'y faire apprécier les saveurs et les senteurs du Luberon. C'est un vin plaisant qu'il nous propose avec cette cuvée Tradition à la robe couleur rubis et aux arômes à dominante de fruits rouges. Il est bien équilibré, long en bouche, mais les tanins gênent encore la fin de dégustation. A boire dans un an ou deux sur des châtaignes ou un rôti de sanglier.

☛ Bernard Viguier, rte de Bonnieux, 84400 Apt, tél. 04.90.74.12.80, fax 04.90.04.85.64 ☑ ⅄ t.l.j. sf dim. 8h-12h 14h-19h

CH. THOURAMME 1998

◿			23 ha	n.c.	■ ♦	30 à 49 F

« Une culture de la vigne et une vinification dans le respect de la nature et de l'environnement. » De là naissent les vins du château Thouramme. Saignée de grenache et de syrah, ce rosé s'avère particulièrement gouleyant et aromatique. Il a un nez floral (fleurs blanches) et se termine en bouche sur des fruits rouges sauvages. Il est frais, délicat et pourra être servi avec des melons, des petits crustacés et des repas « chauds-froids » méditerranéens.

☛ EARL du Ch. Thouramme, plan de Bonnieux, 84480 Bonnieux, tél. 04.90.75.55.84, fax 04.90.75.56.04 ☑ ⅄ t.l.j. sf dim. lun. 9h-12h 14h-18h
☛ Roger Clerc

CH. VAL JOANIS 1998*

☐		10 ha	100 000	♦	30 à 49 F

De nombreux visiteurs célèbres sont venus au château Val Joanis dont les jardins sont classés. C'est un vin blanc très réussi que nous propose M. Bechard le maître de chai. Une couleur jaune très pâle à forts reflets verdâtres, un bouquet intense aux nuances dominantes de fruits exotiques, des arômes bien présents et frais font de ce 98 un vin représentatif de l'AOC. Il ira fort bien avec un poêlée de coquillages à la crème.

☛ Ch. Val Joanis, Famille Chancel, 84120 Pertuis, tél. 04.90.79.20.77, fax 04.90.09.69.52, e-mail val-joanis@luberon.com ☑ ⅄ t.l.j. 8h-12h 14h-18h; été jusqu'à 19h
☛ J.-L. Chancel

Côtes du vivarais AOVDQS

A la limite nord-ouest des Côtes du Rhône méridionales, les Côtes du Vivarais chevauchent les départements de l'Ardèche et du Gard, sur 577 ha. Les communes d'Orgnac (célèbre par son aven), Saint-Remèze et Saint-Montan peuvent ajouter leur nom à celui de l'appellation. Les vins, produits sur des terrains calcaires, sont essentiellement des rouges à base de grenache (30 % minimum), de syrah (30 % minimum), et des rosés, caractérisés par leur fraîcheur et à boire jeunes. Notez que ce VDQS a été reconnu en AOC par le Comité national de l'INAO de mai 1999.

DOM. DE COMBELONGE
Cuvée spéciale 1997★

| ■ | | 3 ha | 16 000 | 20 à 29 F |

Des arômes poivrés intenses donnent la réplique à la robe rubis soutenu. Mais c'est incontestablement la très bonne bouche qui a emporté les suffrages : dans le même registre, poivre et épices, elle offre une longueur et des tanins fondus, décidément très agréables.
☛ Denis Manent, SCEA Dom. de Combelonge, 07110 Vinezac, tél. 04.75.36.92.54, fax 04.75.36.99.59 ☑ ⵏ t.l.j. 9h-12h 14h30-18h30

CLOS DE L'ABBE DUBOIS
Saint-Remèze 1998

| ◢ | | 0,5 ha | 2 000 | ■ 20 à 29 F |

Cet abbé, un aïeul de l'actuel maître des lieux, passa trente ans aux Indes à travailler à la vigne du Seigneur avant de créer ce domaine. Il a laissé son nom à cet agréable vin vif, à la robe grenadine. Un rosé à partager autour d'un saucisson de l'Ardèche.
☛ Claude Dumarcher, Clos de l'Abbé Dubois, 07700 Saint-Remèze, tél. 04.75.98.98.44, fax 04.75.98.98.44 ☑ ⵏ r.-v.

DOM. DE LA BOISSERELLE 1997★

| ■ | | 4,3 ha | 15 000 | 20 à 29 F |

Sa robe sombre pique votre curiosité ? Ce vin a de quoi la satisfaire. Issu d'un assemblage traditionnel où la syrah, majoritaire, déborde de richesse, il dévoile tout d'abord des arômes d'épices et de cannelle, puis développe, tout en douceur, un fumé très discret et quelques notes animales. Les tanins tapissent délicatement la bouche, qui évolue vers le cassis et le Zan.
☛ Richard Vigne, Dom. de La Boisserelle, 07700 Saint-Remèze, tél. 04.75.04.24.37, fax 04.75.04.24.37 ☑ ⵏ r.-v.

DOM. DE MERMES 1997

| ■ | | 1 ha | 3 000 | 20 à 29 F |

Une robe sombre, un aspect presque rustique, à l'image du plateau caillouteux où est né ce vin. Persistez, et ce 97 vous révélera de jolis arômes de fruits mûrs écrasés qui durent longtemps, revigorés par une vivacité soutenue.
☛ Patrice Dumarcher, Dom. de Mermès, 07700 Gras, tél. 04.75.04.15.17 ⵏ t.l.j. sf dim. 8h30-19h

DOM. NOTRE DAME DE COUSIGNAC Cru Saint-Montan 1998

| ☐ | | 1,43 ha | 5 000 | ■▮ 30 à 49 F |

De légers reflets rosés rehaussent la couleur de ce vin blanc au bouquet très parfumé, où s'assemblent notes florales et fruits exotiques. Vivacité et rondeur s'équilibrent judicieusement. Il est prêt à boire.
☛ SCEA Andéol et Raphaël Pommier, Notre-Dame-de-Cousignac, 07700 Bourg-Saint-Andéol, tél. 04.75.54.61.41, fax 04.75.54.68.53 ☑ ⵏ r.-v.

ORGNAC L'AVEN Prestige 1998★

| ◢ | | n.c. | 25 200 | ■▮ 20 à 29 F |

Intense, tel est le maître mot de cette dégustation. Il vaut pour la robe saumonée, pour le nez au parfum floral. Et la bouche ne détonne pas. Une harmonie qui a fait l'unanimité.
☛ Les Vignerons ardéchois, B.P. 8, 07120 Ruoms, tél. 04.75.39.98.00, fax 04.75.39.69.48 ☑ ⵏ t.l.j. sf dim. 8h-12h 14h-18h

DOM. DE VIGIER 1998

| ☐ | | n.c. | n.c. | ■▮ 20 à 29 F |

Après un nez encore un peu discret, la bouche, très acidulée, offre une longueur surprenante. Un vivarais à apprécier sur un poisson (de l'Ardèche) fraîchement pêché.
☛ Dupré et Fils, Dom. de Vigier, 07150 Lagorce, tél. 04.75.88.01.18, fax 04.75.37.18.79 ☑ ⵏ t.l.j. sf dim. 8h-12h 14h-19h; groupes sur r.-v.

Coteaux de pierrevert

Dans le département des Alpes-de-Haute-Provence, la majeure partie des vignes se trouve sur les versants de la rive droite de la Durance (Corbières, Sainte-Tulle, Pierrevert, Manosque...), couvrant environ 210 ha. Les conditions climatiques, déjà rigoureuses, cantonnent la culture de la vigne dans une dizaine de communes sur les quarante-deux que compte légalement l'aire d'appellation. Les vins rouges, rosés et blancs (10 000 hl), d'assez faible degré alcoolique et d'une bonne nervosité, sont appréciés par ceux qui traversent cette région touristique. Les coteaux de pierrevert ont été reconnu en appellation d'origine contrôlée par le Comité national de l'INAO en 1998.

DOM. LA BLAQUE Réserve 1997★

| ☐ | | 1,5 ha | 5 000 | ▥ 30 à 49 F |

La fermentation et l'élevage en barrique (neuf mois) ont donné un bon résultat. Jaune pâle à reflets verts, ce 97 au nez complexe de citron, de verveine et d'amande grillée, complété par des arômes plutôt fruités, associe parfaitement le bois. Il présente une bonne longueur en bouche et sera apprécié à table avec un poisson en sauce.
☛ Dom. Châteauneuf La Blaque, rte de la Bastide-des-Jourdans, 04860 Pierrevert, tél. 04.92.72.39.71, fax 04.92.72.81.26 ☑ ⵏ t.l.j. sf dim. 8h-12h 14h-18h

CAVE DES VIGNERONS DE PIERREVERT Cuvée du Village d'or 1998

| ◢ | | n.c. | 50 000 | ■▮ 20 à 29 F |

Issu d'une saignée partielle après macération pelliculaire, ce rosé bien fait est très représentatif de l'appellation. Sa robe est cerise ; son nez fruité livre également des nuances de caramel et de

sous-bois. Offrant un bon équilibre alcool-acide, de la longueur en bouche, ce vin est à boire.
Cave des vignerons de Pierrevert, 1, av. Auguste-Bastide, 04860 Pierrevert, tél. 04.92.72.19.06, fax 04.92.72.85.36 t.l.j. sf dim. 8h-12h 14h-18h

CAVE DES VIGNERONS DE PIERREVERT Cuvée du Village d'or 1997*

■ 100 ha 40 000 20 à 29 F

Issue de syrah et de grenache à parts égales, cette cuvée couleur cassis foncé, au bouquet associant fruits rouges, nuances animales et cuir, ne demande pas à vieillir. Elle sera appréciée dès la sortie du Guide avec des pieds paquets ou un agneau de Sisteron.
Cave des vignerons de Pierrevert, 1, av. Auguste-Bastide, 04860 Pierrevert, tél. 04.92.72.19.06, fax 04.92.72.85.36 t.l.j. sf dim. 8h-12h 14h-18h

CH. REGUSSE 1997*

■ 43,6 ha 17 200 30 à 49 F

Ce beau domaine compte aujourd'hui 250 ha de vignes. Cette cuvée est née sur un sol argilo-calcaire. Sa couleur rouge profond, son nez boisé présentant des nuances de vanille et de café grillé mais aussi des arômes fruités (cassis) annoncent un vin structuré aux tanins bien présents mais équilibrés. A servir sur une viande en sauce ou un gibier. Le **blanc 98** peut être cité. (20 à 29 F)
Claude Dieudonné, Dom. de Régusse, rte de La Bastide-des-Jourdans, 04860 Pierrevert, tél. 04.92.72.30.44, fax 04.92.72.69.08 t.l.j. 8h-12h 14h-19h

CH. DE ROUSSET Cuvée du Grand Jas 1997*

■ 10 ha 5 000 30 à 49 F

Le domaine de Rousset est une exploitation familiale de 20 ha de vignes et de 15 ha d'oliviers qui s'étendent sur les terrasses de la Durance à l'extrémité sud du plateau de Valensole. Il est dominé par un château du XVII^e^s. flanqué de quatre tours. On comprend l'attachement de Roseline Emery pour cette propriété familiale. Des efforts qualitatifs, des améliorations techniques ont porté leurs fruits et mené le domaine à sa réputation actuelle. Un nez de réglisse et de vanille, un bon mariage du vin et du bois, des tanins bien présents font de cette cuvée du Grand Jas un vin de garde dont le vieillissement pourra atteindre trois à quatre ans. Le **rosé 98** est très réussi, une étoile.
Hubert et Roseline Emery, Rousset, 04800 Gréoux-les-Bains, tél. 04.92.72.62.49, fax 04.92.72.66.50 t.l.j. sf dim. 14h-19h; f. jan.
Emery du Chaffaut

LES VINS DOUX NATURELS

De tout temps, les vignerons du Roussillon ont élaboré des vins liquoreux de haute renommée. Au XIIIe s., Arnaud de Villeneuve découvrit le mariage miraculeux de la « liqueur de raisin et de son eau-de-vie » : c'est le principe du mutage qui, appliqué en pleine fermentation sur des vins rouges ou blancs, arrête celle-ci en préservant ainsi une certaine quantité de sucre.

Les AOC des vins doux naturels se répartissent dans la France méridionale : Pyrénées-Orientales, Aude, Hérault, Vaucluse, et la Corse, jamais bien loin de la Méditerranée. Les cépages utilisés sont les grenaches (blanc, gris, noir), le macabeu, la malvoisie du Roussillon, dite tourbat, le muscat à petits grains et le muscat d'Alexandrie. La taille courte est obligatoire.

Les rendements sont faibles, et les raisins doivent à la récolte avoir une richesse en sucre de 252 g minimum par litre de moût. La libération à la récolte se fait après un certain temps d'élevage, variable selon les appellations. L'agrément des vins est obtenu après un contrôle analytique ; ils doivent présenter un taux d'alcool acquis de 15 à 18 °, une richesse en sucre de 45 g minimum à plus de 100 g pour les muscats, et un taux d'alcool total (alcool acquis plus alcool en puissance) de 21,5 ° minimum. Certains ne sont commercialisés qu'après un à trois ans de vieillissement. Vieillis sous bois de manière traditionnelle, c'est-à-dire dans des fûts dont le niveau est constamment maintenu par adjonction de vins plus jeunes, ils ont droit au qualificatif de « rancio ».

Les vins doux naturels

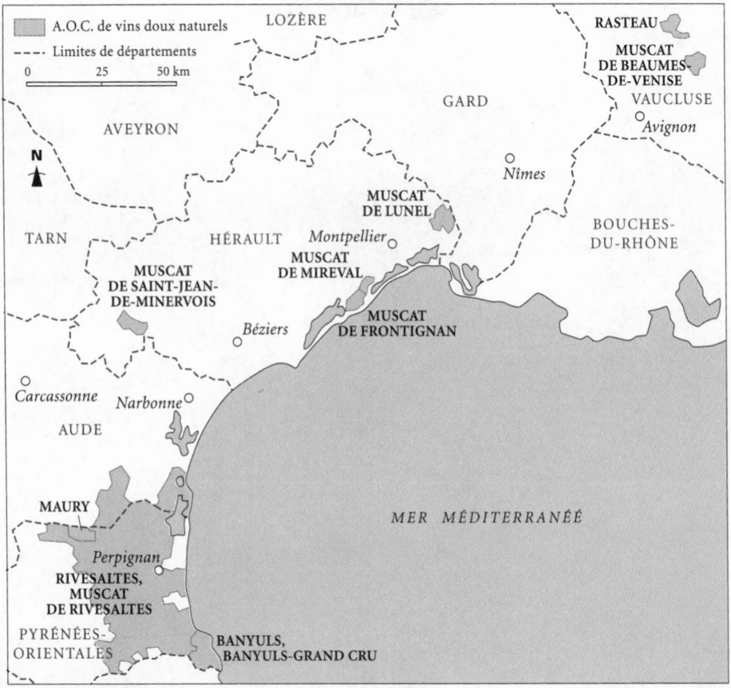

Banyuls et banyuls grand cru

Voici un terroir exceptionnel, comme il en existe peu dans le monde viticole : à l'extrémité orientale des Pyrénées, avec des coteaux en pente abrupte sur la Méditerranée. Seules les quatre communes de Collioure, Port-Vendres, Banyuls-sur-Mer et Cerbère bénéficient de l'appellation. Le vignoble (1 400 ha environ) s'accroche le long des terrasses installées sur des schistes dont le substrat rocheux est, sinon apparent, tout au plus recouvert d'une mince couche de terre. Le sol est donc pauvre, souvent acide, ne permettant que des cépages très rustiques, comme le grenache, avec des rendements extrêmement faibles, souvent moins d'une vingtaine d'hectolitres à l'hectare : la production de banyuls atteint aujourd'hui moins de 30 000 hl.

En revanche, l'ensoleillement optimisé par la culture en terrasses (culture difficile où le vigneron entretient manuellement les terrasses, en protégeant la terre qui ne demande qu'à être ravinée par le moindre orage) et le microclimat qui bénéficie de la proximité de la Méditerranée sont sans doute la cause de la noblesse des raisins gorgés de sucre et d'éléments aromatiques.

L'encépagement est à base de grenache ; ce sont surtout de vieilles vignes qui occupent le terroir. La vinification se fait par macération des grappes ; le mutage intervient parfois sur le raisin, permettant ainsi une large macération de plus d'une dizaine de jours ; c'est la pratique de la macération sous alcool, ou mutage sur grains.

L'élevage joue un rôle essentiel. En général, il tend à favoriser une évolution oxydative du produit, dans le bois (foudres, demi-muids) ou en bonbonnes exposées au soleil sur les toits des caves. Les différentes cuvées ainsi élevées sont assemblées avec le plus grand soin par le maître de chai pour créer les nombreux types que nous connaissons. Dans certains cas, l'élevage cherche à préserver au contraire tout le fruit du vin jeune en empêchant toute oxydation ; on obtient alors des produits différents aux caractéristiques organoleptiques bien précises : ce sont les rimages. Il est à noter que pour l'appellation grand cru, l'élevage sous bois est obligatoire pendant trente mois.

Les vins sont de couleur rubis à acajou, avec un bouquet de raisins secs, de fruits cuits, d'amandes grillées, de café, d'eau-de-vie de pruneau. Les rimages gardent des arômes de fruits rouges, cerise et kirsch. Les banyuls se dégustent à une température de 12 ° à 17 ° C selon leur âge ; on les boit à l'apéritif, au dessert (certains banyuls sont les seuls vins à pouvoir accompagner un dessert au chocolat), avec un café et un cigare, mais également avec du foie gras, un canard aux cerises ou aux figues, et certains fromages.

Banyuls

CLOS CHATART 1995*

■ 1,73 ha 2 000 🍷 100 à 149 F

Blotti à proximité de la frontière espagnole, ce manoir du XIIe s. a dû garder bien des guerriers ! Aujourd'hui, c'est le vin qu'il protège jalousement. Ce 95 a fière allure dans sa belle robe tuilée dépouillée, très limpide, d'où percent les notes empyreumatiques des vieux foudres accompagnant la figue. Avenant, il se décline en notes épicées, réglisse et figue cédant le palais pour une finale de fruits secs où perce une note de cacao.

Clos Chatart, 66650 Banyuls-sur-Mer, tél. 04.68.88.12.58, fax 04.68.88.12.58 r.-v.
Laverrière

DOMINICAIN
Vieilli en fût de chêne 1989**

■ n.c. 9 500 50 à 69 F

Curiosité de Collioure, la cave des Dominicains occupe le couvent de cet ordre monastique, monument historique du XIIIe s. La robe est celle, tuilée et dépouillée, des vieux banyuls : belle parure pour des senteurs discrètes de foudre, de cire et d'eau-de-vie de prune. Le temps a velouté le tanin, adouci le fruit et conféré à l'ensemble un fondu soyeux agrémenté du grillé de la noisette. Complexe et long, ce 89 n'attend que chocolat, café, ou... cigare.

Cave coopérative Le Dominicain, pl. Orfila, 66190 Collioure, tél. 04.68.82.05.63, fax 04.68.82.43.06 t.l.j. 8h-12h30 13h30-19h

LA CAVE DE L'ABBE ROUS
Rimage Cuvée Régis Boucabeille 1997★

| ■ | n.c. | 9 800 | ∎♦ 50 à 69 F |

Initiateur de la vente directe afin de restaurer l'église de Banyuls, l'abbé, dès le siècle dernier, avait bien compris la valeur de ces vins de terroir. Le vin se devait d'avoir la robe pourpre du cardinal. Jeune, ce 97 a la fraîcheur du fruit frais : cerise, mûre, groseille... Puis, le vin se déroule, sage, souple, fruité, rehaussé en finale par la touche épicée d'un tanin en devenir. Un type « vintage » d'école.
☞ La Cave de L'Abbé Rous, 56, av. du Gal-de-Gaulle, 66650 Banyuls-sur-Mer, tél. 04.68.88.72.72, fax 04.68.88.30.57, e-mail contact@banyuls.com

DOM. DE LA CASA BLANCA
Vintage 1996

| ■ | 3 ha | 8 000 | ∎◐♦ 50 à 69 F |

A deux pas de la gare, une visite s'impose, car le vin, c'est aussi le vigneron, et A. Soufflet est aussi philosophe. Sous l'abord rigoureux d'un grenat profond, ce banyuls cache la subtile complexité du fruit et du terroir où cerise et ciste se poursuivent. Souple, agréable, fruité, il se décline doucement, tout en fraîcheur.
☞ Dom. de La Casa Blanca, av. de la Gare, 66650 Banyuls-sur-Mer, tél. 04.68.88.12.85, fax 04.68.88.04.08 ☑ ☖ r.-v.
☞ Soufflet et Escapa

DOM. DE LA MARQUISE
Cuvée Camille 1996★★

| ■ | 0,5 ha | 1 500 | ∎♦ 70 à 99 F |

C'est le fruit du travail de plusieurs générations qui nous permet aujourd'hui d'apprécier cette cuvée issue de vignes de soixante-dix ans accrochées aux coteaux pentus des Pyrénées catalanes. L'évolution est à peine perceptible tant le rouge est profond ; logique trajet pour ce type vintage aux senteurs de cuir et de fruits confits sur air de guignolet. Très présent, ample, le tanin agrémente le fruit. L'équilibre est superbe, signe d'une remarquable matière. Autre vin remarqué, le **vintage 96**.
☞ Dom. de La Marquise, 17, rue Pasteur, 66190 Collioure, tél. 04.68.98.01.38, fax 04.68.82.51.77 ☑ ☖ r.-v.
☞ Jacques Py

DOM. LA TOUR VIEILLE
Vin de méditation★★

| ☐ | n.c. | 450 | ◐ 300 à 499 F |

Au cœur du vieux Collioure écrasé de soleil, derrière les lourds murs d'une maison de village, le temps s'applique à élever le vin. Après plus de quarante ans de pratique de *solera*, il convient de méditer sur ce vin, héritage sans âge. L'approche est brou de noix à reflets verdâtres, signes du rancio. Cire, vieux bois et cerneaux de noix confirment ce présage. En bouche, fruits secs, café, noix, grillé combattent pour le plaisir pour clore sur une note très fraîche apportée par l'alcool. On sait ce que rancio veut dire. (bouteille de 50 cl). A noter également, un remarquable **vintage 97**.

☞ Dom. La Tour Vieille, 3, av. du Mirador, 66190 Collioure, tél. 04.68.82.44.82, fax 04.68.82.38.42 ☑ ☖ r.-v.
☞ Cantié et Campadieu

L'ETOILE Macéré Tuilé 1989★★★

| ■ | 12 ha | 30 000 | ∎◐ 70 à 99 F |

Dans l'ancienne cave de l'Etoile, c'est un réel plaisir d'aller jeter un coup de nez sur ces vieux foudres d'où, régulièrement, J.-P. Ramio déniche de nouvelles splendeurs. Huit ans de foudre pour dépouiller le noir grenache en tuilé à reflets rancio. Envoûtant, construit de fruits « près du noyau », d'eau-de-vie, de miel, le nez se perd dans le genièvre, la girofle : un festival ! Surprenant, le vin est ample sans débordement, le fruit fond, le tanin glisse, l'épice apparaît, le cacao enfin comble de plaisir. A signaler encore, une remarquable **Grande Réserve 84**.
☞ Sté coop. L'Etoile, 26, av. du Puig-del-Mas, 66650 Banyuls-sur-Mer, tél. 04.68.88.00.10, fax 04.68.88.15.10 ☑ ☖ t.l.j. sf sam. dim. 8h-12h 14h-18h

MEDITERROIRS Rimage 1996★

| ■ | 5 ha | 2 700 | 50 à 69 F |

L'habillage est évocateur du lien étroit entre mer et vigne qui imprègne tout Banyulenque. Le choix de l'entreprise Méditerroirs, spécialisée dans les hauts de gamme, s'est porté sur le Rimage 96 (récolte) : l'approche grenat, où le fruit mûr épouse les notes terroitées du maquis ensoleillé. Sans excès, le tanin accompagne le fruit du grenache noir sur des notes poivrées.
☞ Méditerroirs, Ch. Cap-de-Fouste, Villeneuve-de-la-Raho, 66100 Perpignan, tél. 04.68.55.88.40, fax 04.68.55.87.67 ☑ ☖ r.-v.

LES CLOS DE PAULILLES Cap Béar★★

| ■ | 1 ha | 4 000 | ◐ 70 à 99 F |

Havre pour le marin, l'anse de Paulilles est un site remarquable de la Côte Vermeille. Tout est fait ici pour rendre la vie agréable puisqu'une ferme-auberge peut vous accueillir sur le domaine. Cuve, bonbonne au soleil, barrique et enfin bouteille, voici le cursus de ce Cap Béar. Encore un peu tourmenté à l'approche, il est superbe d'expression. Cannelle, girofle, noisette, figue épousent le grillé. Puis le coing, l'orange confite se fondent onctueusement. De bel équilibre, long, déjà prêt, il saura cependant attendre.

⊶ Les Clos de Paulilles, Baie de Paulilles, 66660 Port-Vendres, tél. 04.68.38.90.10, fax 04.68.38.91.33, e-mail jau66@aol.com ☑ Y r.-v.
⊶ Famille Dauré

CELLIER DES TEMPLIERS
Rimatge 1997★★

■ n.c. 54 000 ▮ 70 à 99 F

Dans la remarquable gamme du Cellier des Templiers, le Rimatge 97 (terme catalan voulant dire récolte) a séduit par sa robe brillante d'un rouge profond. La cerise à l'eau-de-vie est omniprésente avec une touche de fruit surmûri de cuir et de sous-bois. Mais le plaisir est en bouche où le fruit se laisse croquer et dévoile une structure charnue. Appuyée par de beaux tanins, la finale épicée laisse présager un bel avenir.
⊶ Cellier des Templiers, rte du Balcon-de-Madeloc, 66650 Banyuls-sur-Mer, tél. 04.68.98.36.70, fax 04.68.98.36.91 ☑ Y t.l.j. 9h30-12h30 14h-18h

DOM. DU TRAGINER
Rimage Mise tardive 1995★★★

■ 4 ha 3 600 ▮ ⊕ ♁ 70 à 99 F

Respectueux des traditions, J.-F. Deu a souhaité mettre à l'honneur ceux sans qui ce vignoble n'aurait pu perdurer : le mulet et son maître (le traginer). Ici le labour est au mulet et l'agriculture bio est pratiquée depuis 1997. Le millésime 95 est donc antérieur. Des arômes de fruits confits (figue) et le grillé de la noisette jouent avec l'épice et la note patinée du vieux bois de foudre. La cerise se mêle à la fête du palais. L'ensemble est harmonieux, d'excellent équilibre et flirte en finale avec le cacao.
⊶ J.-F. Deu, Dom. du Traginer, 56, av. du Puig-del-Mas, 66650 Banyuls-sur-Mer, tél. 04.68.88.15.11, fax 04.68.88.31.48 ☑ Y r.-v.

VIAL-MAGNERES Rivage Ambré★★

□ n.c. 4 000 ⊕ 100 à 149 F

Initiateur, il y a bientôt dix ans, des premiers banyuls blancs, Bernard Sapéras se devait d'être le premier à être reconnu dans le Guide sur ce produit. C'est l'assemblage de quatre millésimes qui lui vaut cette consécration. Ambre soutenu, brillant, ce vin offre des senteurs complexes - cire, miel, agrumes, avec un soupçon de noix. La bouche est à l'avenant, soyeuse, riche ; amandes grillées et pain d'épice en complètent l'univers aromatique sur un excellent équilibre.
⊶ Dom. Vial-Magnères, 14, rue Edouard-Herriot, 66650 Banyuls-sur-Mer, tél. 04.68.88.31.04, fax 04.68.55.01.06, e-mail lacapa@wanadoo.fr ☑ Y r.-v.
⊶ Monique Sapéras

> Sachez ranger votre cave : les blancs près du sol, les rouges au-dessus ; les vins de garde dans les rangées du fond, les bouteilles à boire en situation frontale. Et n'oubliez pas le livre de cave....

Banyuls grand cru

CASTELL DES HOSPICES 1983★★

■ n.c. 9 000 ⊕ 150 à 199 F

Du Mas Reigt, on domine l'anse et la ville de Banyuls ; en se retournant, on pénètre alors dans le sanctuaire des vieux banyuls : les vins, sagement, acquièrent la plénitude dans ce parc de demi-muids exposés au soleil et dans la cave fraîche des hauts lieux. Le temps a patiné la robe de ce 83 réservé aux cavistes et restaurants ; le rouge est brou de noix. La note dominante est de torréfaction, avec le vieux foudre, le cuir, le fumé : original, très riche. L'oxydation maîtrisée pousse le fruit initial sur la voie du grillé. Fruits secs, tabac brun et cacao terminent l'œuvre.
⊶ La Cave de L'Abbé Rous, 56, av. du Gal-de-Gaulle, 66650 Banyuls-sur-Mer, tél. 04.68.88.72.72, fax 04.68.88.30.57, e-mail contact@banyuls.com

L'ETOILE Doux paillé Hors d'âge★★★

■ n.c. 10 000 ▮ ⊕ 150 à 199 F

Toujours merveilleux le doux paillé de l'Etoile, issu d'un grenache exceptionnel qui supporte, à l'élevage, le stress d'un passage en bonbonne exposée au soleil avant de se poser dix ans en foudre. Le rouge initial a cédé la place à un bel ambré à reflets cuivrés ! Le vin tarde à venir, puis foin coupé, cire et noix se mêlent, le velours s'installe en bouche. Tabac miellé, fleur d'oranger devancent enfin le rancio. Un hors d'âge tout en finesse, onctueux, exceptionnel.
⊶ Sté coop. L'Etoile, 26, av. du Puig-del-Mas, 66650 Banyuls-sur-Mer, tél. 04.68.88.00.10, fax 04.68.88.15.10 ☑ Y t.l.j. sf sam. dim. 8h-12h 14h-18h

CELLIER DES TEMPLIERS
Cuvée Amiral François Vilarem 1985★★★

■ n.c. 14 400 ▮ ⊕ 200 à 249 F

Parmi les cuvées prestigieuses du Cellier, l'Amiral a grillé la politesse à un remarquable **Viviane Leroy** et à un très beau **H. Caris**. Malgré le temps (quinze ans), le rouge est encore profond, orné de beaux reflets bruns. Bavard, le vin décline le fruit mûr et confit, parle de vieux cuir et s'enivre d'épices. Gras, charnu, ample, généreux, il sait néanmoins rester velours, jouer avec l'épice et la torréfaction. C'est l'harmonie parfaite.

⚷ Cellier des Templiers, rte du Balcon-de-Madeloc, 66650 Banyuls-sur-Mer, tél. 04.68.98.36.70, fax 04.68.98.36.91 ☑ Y t.l.j. 9h30-12h30 14h-18h

CELLIER DES TEMPLIERS
Cuvée Président Henry Vidal 1985***

■ n.c. 67 100 ▮ ⦀ 🌡 **150 à 199 F**

Grand acteur viticole du département, Henry Vidal ne pouvait laisser son nom qu'à de grandes cuvées. Seuls les vieux grenaches accrochés aux terrasses de schistes pouvaient extraire de ce sol avare un tel nectar. L'allure est fière, le tuilé altier puis, doucement le vin s'exprime : figue, grillé, tabac blond se partagent la scène. Merveilleux en bouche, ce 85 se montre suave, velouté, liquoreux. Les arômes du nez se retrouvent avant une remarquable finale de torréfaction.

⚷ Cellier des Templiers, rte du Balcon-de-Madeloc, 66650 Banyuls-sur-Mer, tél. 04.68.98.36.70, fax 04.68.98.36.91 ☑ Y t.l.j. 9h30-12h30 14h-18h

Rivesaltes

Quantitativement, c'est la plus importante des appellations des vins doux naturels qui atteignait 14 000 ha ; 264 000 hl en 1995. Le Plan rivesaltes concernant une restructuration de ce vignoble qui connaît des difficultés économiques, fait qu'en 1996, près de 4 000 ha ont été gelés ; la production a baissé en dessous de 200 000 hl. Le terroir du rivesaltes est situé en Roussillon et dans une toute petite partie des Corbières, sur des sols pauvres, secs, chauds, favorisant une excellente maturation. Quatre cépages sont autorisés : grenache, maccabéo, malvoisie et muscat. Cependant, malvoisie et muscat n'interviennent que très peu dans l'élaboration de ces produits. La vinification se fait en général en blanc, mais aussi, pour des grenaches noirs, avec une macération, afin d'avoir le maximum de couleur et de tanin.

L'élevage des rivesaltes est fondamental pour la détermination de la qualité. En cuve ou dans le bois, ils développent des bouquets bien différents. Il existe une possibilité de repli dans l'appellation « grand roussillon ».

Les couleurs varient de l'ambre au tuilé. Le bouquet rappelle la torréfaction, les fruits secs et le rancio dans les cas les plus évolués. Les rivesaltes rouges ont, dans leur phase de jeunesse, des arômes de fruits rouges : cerise, cassis, mûre. A boire à l'apéritif ou au dessert, à une température de 11 ° à 15 ° C, selon leur âge.

ARNAUD DE VILLENEUVE
Hors d'âge 1980***

■ n.c. 6 000 ⦀ **70 à 99 F**

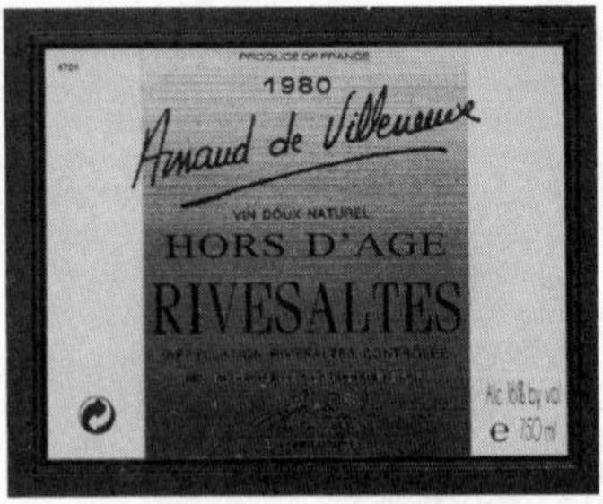

De Salses à Rivesaltes, le ruban de l'autoroute empiète sur ce remarquable terroir du Crest : terrasses de cailloux roulés, sols pauvres et très secs qu'affectionnent les résistants grenaches. La robe de ce 80 est mordorée, ambré roux ; dire que ce vin fut rouge profond à l'origine ! Le temps l'a mué en rancio où noisette, fruit sec, noix, eau-de-vie de prune jouent avec le grillé des vieux foudres. Au palais, que le vin épouse onctueusement, il se montre sublime ; le plaisir est total. Torréfaction et noix se perdent ensuite infiniment.

⚷ Les Vignobles du Rivesaltais, 1, rue de la Roussillonnaise, 66602 Rivesaltes-Salses, tél. 04.68.64.06.63, fax 04.68.64.64.69 ☑

DOM. BERTRAND-BERGE
Ambré Grande Réserve*

□ 2,87 ha 2 000 ▮ ⦀ 🌡 **50 à 69 F**

Depuis 1993, Jérôme Bertrand n'a pas compté son temps pour se lancer dans la vente directe, conduire ses 30 ha de fitou et de vins doux, et réaménager avec intelligence son vieux chai de Paziols. Alliant des senteurs d'acacia et celles méditerranéennes des fleurs d'oranger, ce vin se décline sur un équilibre doux mais souple où l'orange joue sur le grillé de la barrique.

⚷ Dom. Bertrand-Bergé, av. du Roussillon, 11350 Paziols, tél. 04.68.45.41.73, fax 04.68.45.41.73 ☑ Y t.l.j. 8h-12h30 13h30-19h

⚷ Jérôme Bertrand

DOM. JOSEPH BORY 1986***

■ 10 ha 2 000 ▮ **30 à 49 F**

Au cœur du village de Bages, le caveau de Mme Verdeille est une halte conseillée. Vous y trouverez une fraîcheur apaisante, la chaleur d'un accueil sympathique et, si vous êtes observateur, de bien curieuses cuves. Après dix ans d'élevage, le vin se présente dépouillé ; le tuilé rejoint l'ambré-roux. Belle ambiguïté entre un nez rappelant le *fino*, la noix, le vieux foudre, et la bouche superbe, suave, ample sur fond de notes lactées de noisette avant de fondre sur les fruits secs.

■┓ Andrée Verdeille, 6, av. Jean-Jaurès, 66670 Bages, tél. 04.68.21.71.07, fax 04.68.21.71.07 ☑ ⏸ r.-v.

DOM. BOUDAU Sur grains 1997

■	n.c.	6 000	▤⏷ 50 à 69 F

Vieux grenaches, galets roulés, mutage sur grains : voilà le secret de ce 97 qui a su profiter du savoir-faire des Boudau, dont la troisième génération est au service du rivesaltes. Le vin est jeune et d'approche très soutenue. Timide, il se dévoile doucement autour du cassis et de la mûre. Très marqué par les fruits confits, le palais, où la cerise est présente, repose sur un équilibre suave et doux.
■┓ Dom. Véronique et Pierre Boudau, 6, rue Marceau, B. P. 60, 66602 Rivesaltes, tél. 04.68.64.45.37, fax 04.68.64.46.26 ☑ ⏸ t.l.j. sf sam. dim. 10h-12h 15h-18h

DOM. CAZES Cuvée Aimé Cazes 1975★★★

▢	n.c.	n.c.	▥ 150 à 199 F

Le terroir de cailloux roulés du Rivesaltais est sans nul doute terre de prédilection pour les vins doux naturels. Cela, allié au talent des frères Cazes, nous donne cet Aimé 75 toujours sublime, sans parler de l'**Ambré 90**, aujourd'hui au sommet. La robe vieil or est brillante et laisse glisser les senteurs de miel et de zeste d'orange. La bouche est à l'avenant où percent le pamplemousse et le pain grillé. L'harmonie est remarquable, le fondu envoûtant. Un vin plaisir.
■┓ Dom. Cazes, 4, rue Francisco-Ferrer, B.P. 61, 66602 Rivesaltes, tél. 04.68.64.08.26, fax 04.68.64.69.79 ☑ ⏸ r.-v.
■┓ André et Bernard Cazes

DOM. CAZES Vintage 1994★★★

■	6 ha	15 000	▤ 70 à 99 F

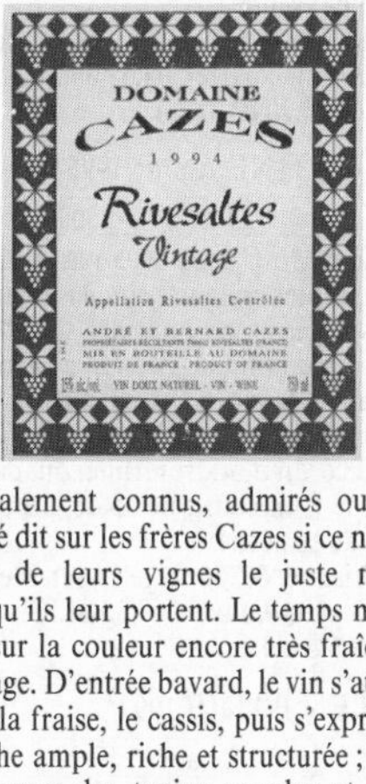

Mondialement connus, admirés ou jalousés - tout a été dit sur les frères Cazes si ce n'est qu'ils reçoivent de leurs vignes le juste retour de l'amour qu'ils leur portent. Le temps n'a pas eu de prise sur la couleur encore très fraîche de ce type vintage. D'entrée bavard, le vin s'attarde sur la cerise, la fraise, le cassis, puis s'exprime dans une bouche ample, riche et structurée ; le fruit y dialogue avec des tanins souples et réglissés. Superbe sur une coupe de fruits de la forêt.
■┓ Dom. Cazes, 4, rue Francisco-Ferrer, B.P. 61, 66602 Rivesaltes, tél. 04.68.64.08.26, fax 04.68.64.69.79 ☑ ⏸ r.-v.

CLOS SAINT-GEORGES
Tuilé Hors d'âge 1982★★

■	17 ha	20 000	▤⏷ 70 à 99 F

Les grenaches noirs mutés sur grains (ajout de l'alcool de mutage sur la vendange en fermentation) macèrent parfois plus d'un mois avant de se prêter à bien des élevages : cuve, foudre, bonbonne... Remarqué par son intensité aromatique où se mêlent fruits confits, pruneau, épices et cuir, ce 82 s'exprime sur un bel équilibre avant de s'estomper sur une finale cacaotée.
■┓ Ortal, Clos Saint-Georges, 66300 Trouillas, tél. 04.68.21.61.46, fax 04.68.37.52.31 ☑ ⏸ r.-v.

DOM BRIAL 1986★★★

▢	6 ha	16 000	▤▥⏷ 50 à 69 F

L'élevage nécessite au préalable un choix judicieux des grenache, macabeu voire muscat et une superbe maîtrise technique. Ensuite, il faut une grande patience et un réel savoir-faire qui ne peut être que le fruit d'années d'écoute du vin. Surprenant produit dont on perçoit l'ambre et l'or, très fleuri avant que cire, miel, fruits secs, puis tabac blond n'invitent à plus de plaisir. Ample et délicat à la fois, sublime dans l'équilibre, alors que l'agrume s'associe à la fête, le vin s'installe avant de s'éloigner doucement sur le grillé du tabac.
■┓ Cave des Vignerons de Baixas, 14, av. Mal-Joffre, 66390 Baixas, tél. 04.68.64.22.37, fax 04.68.64.26.70 ☑ ⏸ r.-v.

DOM BRIAL Tuilé 1990★★

■	8 ha	16 000	▤▥⏷ 30 à 49 F

Réputée pour son retable, l'église de Baixas « s'honore » également d'un certain Dom Brial, moine épicurien qui ne renierait pas ce vin de messe. Le tuilé se pare de reflets roux ; la belle évolution se traduit par une note de pruneau sur fond de cannelle. La bouche est ample, souple, équilibrée, fondue. Le fruit cuit et la figue épousent le grillé du bois avant une finale très torréfiée.
■┓ Cave des Vignerons de Baixas, 14, av. Mal-Joffre, 66390 Baixas, tél. 04.68.64.22.37, fax 04.68.64.26.70 ☑ ⏸ r.-v.

DOM. FONTANEL 1995

▢	3 ha	4 000	▤▥⏷ 50 à 69 F

Pour fêter les dix ans de première mise en bouteille, les Fontaneil, avec la complicité de leur œnologue H. Parayre, ont misé sur ce rivesaltes couvert d'ambre et d'or, aux notes intenses d'orange confite et de miel. La bouche réalise un bel équilibre liquoreux, et l'expression aromatique se poursuit jusqu'à l'abricot sec. La finale, très fraîche, ressemble à celle du **rivesaltes rouge 95** également retenu par le jury.
■┓ Dom. Fontanel, 25, av. Jean-Jaurès, 66720 Tautavel, tél. 04.68.29.04.71, fax 04.68.29.19.44 ☑ ⏸ t.l.j. 10h-13h 14h-19h
■┓ P. et M.-Cl. Fontaneil

DOM. FORÇA REAL

Ambré Hors d'âge Cuvée spéciale vieillie en fût de chêne 1983

□ n.c. 6 000 🛢 30 à 49 F

Pour comprendre ces vins d'exception, il faut quitter le Ribéral (bord de rivière) et partir à l'assaut de l'hermitage de Força Réal au pied duquel s'étagent grenache et macabeu. Ces cépages, après un patient élevage en chêne qui donne une couleur d'ambre roux, s'expriment doucement sur les fruits secs, le pruneau puis le grillé des vieux foudres. Pas très intense, le vin joue sur la finesse et la longueur où domine le fondu du vieux bois.

⊶ SCV les Vignerons de Força Réal, rue Léo-Lagrange, 66170 Millas, tél. 04.68.57.35.02, fax 04.68.57.28.09 ☒ Y t.l.j. sf dim. lun. 15h-18h30

LES VIGNERONS DE FOURQUES

Ambré Hors d'âge★★

□ n.c. 5 000 ▮ 🛢 🌡 30 à 49 F

Un paysage tourmenté annonce le piémont du Canigou et propose au vigneron une palette plus ouverte de terroirs. La connaissance parfaite de cette richesse permet, à partir de sélection du seul grenache blanc, d'obtenir, avec le temps, ce rivesaltes ambré roux au nez complexe de fruits confits, d'abricot sec, de foin coupé, évoluant en bouche sur des notes plus douces où le pain d'épice s'entoure de torréfaction, prélude à une finale plus nerveuse où perce le grillé du fruit sec.

⊶ SCV Les Vignerons de Fourques, 1, rue des Taste-Vin, 66300 Fourques, tél. 04.68.38.80.51, fax 04.68.38.89.65 ☒ Y t.l.j. sf dim. 9h-12h 14h-18h

DOM. JOLIETTE Ambré Hors d'âge★

□ 12 ha n.c. 🛢 50 à 69 F

Adossé à la pinède, le mas offre une vue unique sur le plateau du Rivesaltais avec la mer en toile de fond. Inutile alors de vous parler du fondu enchaîné des argilo-calcaires rouges sur schistes noirs de l'albien ! Ce vin est liquoreux, citronné ; le coing et l'abricot s'imposent avant l'amande grillée et l'agrume. Le nez laissait pressentir cet équilibre de maturité. La robe voilait d'ambre roux ses secrets d'élevage.

⊶ EARL Mercier, Dom. Joliette, 66600 Espira-de-l'Agly, tél. 04.68.64.50.60, fax 04.68.64.18.82 ☒ Y r.-v.

CELLIER DE LA BARNEDE 1994★★

■ 25 ha 10 000 ▮ 🛢 🌡 50 à 69 F

A mi-chemin entre montagne et mer, Bages s'est depuis longtemps affirmé comme un village viticole, riche d'enseignes et fier de sa cave fondée par H. Vidal. Deux ans de bois ont apporté dans ce 94 des nuances tuilées et surtout une belle complexité aromatique où le fruit se dérobe sur des notes plus sauvages de sous-bois, de pruneau et de vieux foudres. Un tanin présent structure l'ensemble qui glisse en finale sur des notes grillées.

⊶ SCV Les Producteurs de La Barnède, 5, av. du 8-Mai-1945, 66670 Bages, tél. 04.68.21.60.30, fax 04.68.37.50.13 ☒ Y r.-v.

DOM. LA CHENAIE

Les Chênes-lièges Cuvée Louis Dauly 1976★

□ 12 ha 5 000 70 à 99 F

Plein plaisir promis pour cette demi-bouteille dont l'étiquette est imprimée sur fond de liège, hommage rendu à la forêt proche de Tordères où le liège catalan, si prisé, tente sa réinstallation. Epices, miel, cire, notes de vieux foudres, coing : voilà pour l'univers aromatique de ce vieux rivesaltes à l'ambré acajou. Le fondu patiemment construit au cours de l'élevage est superbe avant de laisser les fruits secs et l'eau-de-vie de noix emporter la finale.

⊶ GAEC Maria Jonquères, 1, av. Henri-Jonquères, 66300 Ponteilla, tél. 04.68.53.47.42 Y r.-v.

CH. L'ESPARROU Tuilé Vieux 1988★★★

■ 14,7 ha 30 000 ▮ 🛢 🌡 50 à 69 F

Le domaine paraît une île entre mer et étang. Original, surréaliste, ce vaste parc, situé à deux pas des plages bondées, est étonnant. On visite le vignoble avec walkman ! Dans ce 88, le tuilé accueillant s'accompagne des senteurs chaleureuses du pruneau sur claies, du sous-bois humide et du cuir patiné. Souple, fin, fondu, l'ensemble est complexe, très agréable, et se décline longuement sur des notes de fruits secs où perce le cacao.

⊶ J.-L. et M.-P. Rendu, Ch. L'Esparrou, 66140 Canet-en-Roussillon, tél. 04.68.73.30.93, fax 04.68.73.58.65 ☒ Y r.-v.

CH. LES PINS Vintage 1995★

■ 18 ha 35 000 ▮ 🌡 50 à 69 F

Baixas, capitale mondiale du muscat, démontre une fois de plus qu'elle peut faire avec bonheur rougir ses terrasses ! Le regard est sombre, la cerise accueillante, avec une note fraîche d'eau-de-vie de fruit. En bouche, le fruit se fait confit ; le vintage est typique sur un bon équilibre. La finale fraîche offre du cassis. Un 95 promis à un bel avenir.

⊶ Cave des Vignerons de Baixas, 14, av. Mal-Joffre, 66390 Baixas, tél. 04.68.64.22.37, fax 04.68.64.26.70 ☒ Y r.-v.

MAS CRISTINE Ambré 1995★

□ 2 ha 6 000 🛢 50 à 69 F

Aller au mas ? C'est à deux pas de Collioure ; il faut emprunter une piste sinueuse dans la forêt de chênes-lièges et, au bout des schistes, découvrir un superbe point de vue sur la Méditerranée. Heureusement le vin est plus facile d'accès à Jau ou au clos de Paulilles. L'élevage en fût confère maturité à ce vin d'or, très fruité, où, dans un bel équilibre, le fruit confit ne se départit pas de la fraîcheur de la pêche.

⊶ Mas Cristine, 66700 Argelès-sur-Mer, tél. 04.68.38.90.10, fax 04.68.38.91.33, e-mail jau66@aol.com

MAS D'EN BADIE 1992★

□ 2 ha 1 800 🛢 50 à 69 F

Epousant le vallonnement des Aspres, le vignoble de Passa se cache des courants d'air frais descendant du Canigou derrière la forêt de chênes offrant dès l'automne un festival de couleurs. Dans ce 92, une robe avenante à reflets acajou annonce l'orange confite, le pain d'épice et l'abricot sec. Des notes de fruits secs, une touche de pruneau et un début de rancio percent dans un bel équilibre.

☛ SCA Les Vignerons de Passa, rte de Villemolaque, 66300 Passa, tél. 04.68.38.80.74, fax 04.68.38.88.98, e-mail vignerons-de-passa@epicuria.fr ☑ ⊻ r.-v.

CH. MONTNER Tuilé 1993★★

| ■ | 15 ha | 20 000 | 🍷🍶 | 30 à 49 F |

Les schistes bruns de Montner ont un air de Banyuls ; pas étonnant alors que le grenache noir y trouve chaussure à son cep. Le terroir s'exprime au-delà de la griotte sur des senteurs de maquis, de schistes brûlés par le soleil. Le vin a su rester jeune, sur des notes de mûre, de fruits confits, entourant une charpente à la fois robuste et suave.

☛ SCAV Les Vignerons des Côtes d'Agly, 66310 Estagel, tél. 04.68.29.00.45, fax 04.68.29.19.80 ☑ ⊻ t.l.j. 8h-12h 14h-18h

CH. MOSSE Hors d'âge 1947★★★

| ☐ | 10 ha | 8 000 | 🍷 | + de 500 F |

Un village dans l'écrin coloré des vignes, sur fond de collines calcaires, voilà pour le décor. Jacques Mossé, cigare aux lèvres, vous convaincra que son très vieux rivesaltes n'est apprécié que sur chocolat, café ou... cigare ! Plus de cinquante ans ! Quelle magnifique présence du rancio ! Ce mordoré surprend pour un ex-blanc ! Les amateurs trouveront le fruit sec, le gras et cette acidité qui tient le vin, puis les fruits confits, l'agrume, le tabac et la noix, toute cette complexité qui fait le rancio. La **cuvée Rubis 96** a été cité par le jury.

☛ Jacques Mossé, 66300 Ste-Colombe-de-la-Commanderie, tél. 04.68.53.08.89, fax 04.68.53.35.13, e-mail mosse@cavesparticulieres.com ☑ ⊻ r.-v.

DOM. DU MOULIN
Malvoisie Hors d'âge Vieillie en fût de chêne 1986★

| ☐ | 2 ha | 2 600 | 🍷 | 70 à 99 F |

La malvoisie est un cépage aujourd'hui anecdotique en Roussillon ; il faut savoir apprécier ce qui fut l'élixir des rois, offert ici après dix ans d'un savant élevage alliant foudre de chêne et demi-muid. L'acajou à reflets cuivrés signe l'élevage ; le miel, le cuir et cette note sourde de schiste chaud disent la maturité. Puis, surprenant, le vin se dévoile en bouche, ample, fin, jouant sur la figue et le fruit sec avant de clore sa prestation sur le grillé du cacao.

☛ Henri Lhéritier, av. Gambetta, 66600 Rivesaltes, tél. 04.68.38.56.53, fax 04.68.38.56.52 ☑ ⊻ t.l.j. 9h-12h 14h-19h

NECTAR DU PRIEURE
Cuvée de l'Homme de Tautavel 1955

| ☐ | 4 ha | 4 000 | ■ | 100 à 149 F |

Merveilleux monde des vins doux naturels qui permet le plaisir rare d'approcher des vins de près d'un demi-siècle ! Celui-ci est à réserver aux initiés. En effet, le mot rancio est encore faible pour qualifier sa robe brou de noix légèrement voilée et ses notes de noix, de fruit sec, de résine, d'herbe sèche et d'encaustique. Patiné, ce vin fait penser au madère et au mavrodaphné : une invitation au voyage.

☛ Dom. Mounié, av. du Verdouble, 66720 Tautavel, tél. 04.68.29.12.31, fax 04.68.29.05.59 ☑ ⊻ t.l.j. 11h-12h 15h-18h

CH. DE NOUVELLES
Tuilé Hors d'âge 1975★★★

| ■ | 5 ha | 1 200 | 🍷 | 100 à 149 F |

Depuis cent cinquante ans dans la famille Fort, cette propriété fut celle de Fournier de Novelli plus connu sous le nom papal de Benoît XII. Nul doute qu'un tel vin inciterait à la conversion ! Près de vingt-cinq ans de patience pour obtenir ce tuilé, en vérité d'un brillant ambré roux. Le rancio se décline en eau-de-vie, fruit sec, et flirte avec le jerez. Mais c'est surtout la bouche qui révèle les arômes d'un aspect « huileux » si caractéristique des rancios. Expression superbe et vie interminable sur fond de cacao et de torréfaction.

☛ EARL R. Daurat-Fort, Ch. de Nouvelles, 11350 Tuchan, tél. 04.68.45.40.03, fax 04.68.45.49.21 ☑ ⊻ r.-v.
☛ GFA Denovelès

LES VIGNERONS DE PEZILLA
Hors d'âge 1991

| ☐ | n.c. | 5 000 | 🍷 | 50 à 69 F |

Commune agricole du bord de Têt, Pézilla partage ses terres cultivables entre le Ribéral destiné aux cultures fruitières et maraîchères, et les coteaux d'où provient ce rivesaltes aux senteurs et reflets d'orange. Très souple, fondu, il a subi un long passage sous bois, qui lui confère de belles notes de torréfaction qui s'allient au fruit confit.

☛ SCV Les Vignerons de Pézilla, 66370 Pézilla-la-Rivière, tél. 04.68.92.00.09, fax 04.68.92.49.91 ☑ ⊻ t.l.j. sf dim. 8h30-12h30 14h-18h30

PUJOL 20 ans d'âge★

| ☐ | 1 ha | 1 500 | 🍷 | 100 à 149 F |

Aussi à l'aise dans les ministères que dans son chai, le dynamique président de la Confédération nationale des vins doux naturels vit tout avec passion. Ce vin de velours, très expressif, est marqué par une évolution rancio qui confère une couleur acajou et des senteurs complexes de noix, de fumé, de vieux cognac et d'un surprenant pruneau. Le chocolat, en finale, s'entoure d'une note tannique qui s'effacera sur un moka ou une forêt-noire.

⊶ Jean-Luc Pujol, EARL La Rourède, Dom. La Rourède, 66300 Fourques, tél. 04.68.38.84.44, fax 04.68.38.88.86 ☒ Y t.l.j. sf dim. 9h-12h 15h-18h

RANCY Cuvée du Demi-Siècle 1950★★

☐ n.c. n.c. ▮ ◍ 300 à 499 F

Luxe, folie que de présenter un rivesaltes d'un demi-siècle ? Il ne s'agit que de passion ; passion pour des vins constituant l'unique production de la famille Verdaguer, qui propose une remarquable palette de rivesaltes. Celui-ci est un vin pour initiés ! On pourrait le confondre avec le café avant que les notes de pruneau, de tabac brun, de pain grillé et de cacao n'expriment le rancio, accompagnées d'une touche de volatile. Très liquoreuse, la bouche laisse café, chocolat et noix se poursuivre à l'infini.

⊶ Jean-Hubert Verdaguer, Dom. de Rancy, 11, rue Jean-Jaurès, 66720 Latour-de-France, tél. 04.68.29.03.47, fax 04.68.29.06.13 ☒ Y r.-v.

ROC DU GOUVERNEUR Blanc 1995★★

☐ n.c. 10 000 ▮ ♁ 50 à 69 F

L'entrée en pays catalan est commandée par le fort de Salses, point stratégique entre massif des Corbières et étangs. Au-delà, c'est la splendide terrasse de cailloux roulés si propice aux vins doux naturels. Ce rivesaltes jeune, d'un très bel or où dominent les senteurs miellées de la garrigue, se montre souple, suave, velouté. Le fruit de l'abricot est très présent avant une finale relevée par la fraîcheur de l'alcool. Beaucoup de finesse, tout comme dans le **Vintage rouge 95**.

⊶ Les Vignobles du Rivesaltais, 1, rue de la Roussillonnaise, 66602 Rivesaltes-Salses, tél. 04.68.64.06.63, fax 04.68.64.64.69 ☒

LES VIGNERONS DE SAINT-PAUL Pic Estello Vieilli en fût de chêne 1991★★★

☐ n.c. 5 000 ▮ ◍ ♁ 50 à 69 F

A l'intérieur des terres, aux portes de l'Aude, le village de Saint-Paul, réputé pour ses croquants, constitue le point de départ de superbes excursions vers les gorges sauvages de Galamus et le beau pays de Fenouillèdes. L'âge se lit dès l'approche de ce vin où l'or cède la place à l'ambré roux avant un nez intense, complexe, mêlé de fruits secs, de grillé, de foin et de pain d'épice. Le fruit confit, l'abricot et la finale empyreumatique complètent en bouche le plaisir offert par ce 91 superbe d'équilibre et de longueur.

⊶ SCV Les Vignerons de Saint-Paul, 17, av. Jean-Moulin, 66220 Saint-Paul-de-Fenouillet, tél. 04.68.59.02.39, fax 04.68.59.07.97 ☒ Y r.-v.

CH. DE SAU Ambré Hors d'âge★★

☐ 3 ha n.c. ▮ ◍ ♁ 70 à 99 F

A la tête de l'exploitation depuis près de quinze ans, Hervé Passama gère ses terroirs avec beaucoup d'à-propos. Il a su préserver de vieux grenaches gris sur l'ancienne terrasse de la Têt qui lui permettent de réussir ce subtil accord du fruit et de la fleur miellée avec une touche exotique de banane flambée. Cette richesse aromatique accompagne un vin suave, riche, doux, surprenant dans sa robe mordorée.

⊶ Hervé Passama, Ch. de Saü, 66300 Thuir, tél. 04.68.53.21.74, fax 04.68.53.29.07, e-mail hbpassama@minitel.net ☒ Y r.-v.

DOM. DES SCHISTES Solera★

☐ 2 ha n.c. ◍ 50 à 69 F

Pratiquant la *solera*, technique qui consiste à « éduquer » du vin jeune en l'introduisant dans une barrique contenant des vins plus âgés, Jacques Sire démontre ici toute sa dextérité dans ce difficile exercice. L'ambré roux à reflets verts dénote le rancio, ce que confirment les senteurs d'amande fraîche et d'eau-de-vie de noix. La *solera* apporte la finesse, le soyeux, avant une finale où le fruit confit laisse s'exprimer la noix et le grillé du bois.

⊶ Jacques Sire, 1, av. Jean-Lurçat, 66310 Estagel, tél. 04.68.29.11.25, fax 04.68.29.47.17 ☒ Y r.-v.

TERRASSOUS Ambré Vinifié en fût de chêne 1995★

☐ 10 ha n.c. ◍ 70 à 99 F

Terrats doit son nom à sa situation en terrasses dans les Aspres du Roussillon. Les cailloux roulés qui les composent sont le terroir de prédilection des vins doux naturels. Sa jeunesse se lit dès l'approche de ce 95 limpide, or pâle, et s'exprime par la fleur d'acacia. Souple et ample, le vin éclate de fraîcheur dans une finale mentholée. A noter également, un **Terrassous Rancio** tout en pain d'épice et miel.

⊶ SCV Les Vignerons de Terrats, B.P. 32, 66302 Terrats, tél. 04.68.53.02.50, fax 04.68.53.23.06 ☒ Y t.l.j. sf dim. 8h-12h 14h-18h

TORRE DEL FAR 1996★

■ n.c. 26 000 ◍ 30 à 49 F

Pour mieux comprendre le choix de nos lointains ancêtres, il faut, depuis Cases-de-Pènes, remonter vers Tautavel par la « Route des Carrières ». Nul doute, vous serez sous le charme. Dommage que les carriers y fassent encore leur trou. Ce vin est à maturité, le rouge soutenu se pare de tuilé. Cerise, mûre et épice, s'expriment avec bonheur. Puis la chair de la cerise se déchire en bouche pour se fondre dans le velours des tanins.

⊶ Les Maîtres Vignerons de Tautavel, 24, av. Jean-Badia, 66720 Tautavel, tél. 04.68.29.12.03, fax 04.68.29.41.81, e-mail vignerons.tautavel@wanadoo.fr ☒ Y t.l.j. 8h-12h 14h-18h

CELLIER TROUILLAS Rubis 1996★

■ 22 ha 7 000 ▮ ♁ 30 à 49 F

Au cœur de l'Aspre, dont le nom signifie terre non irrigable, la cave de Trouillas a depuis longtemps su tirer parti de sa palette de terroirs. La jeunesse de ce 96 se joue autour du fruit (cerise, raisin mûr) avant d'afficher un début de fruit cuit. La fraîcheur se poursuit au palais, puis des tanins encore présents confèrent une finale poivrée. A noter également, une élégante **Dame Richsende**.

⊶ SCV Le Cellier de Trouillas, 1, av. du Mas-Deu, 66300 Trouillas, tél. 04.68.53.47.08, fax 04.68.53.24.56 ☒ Y r.-v.

VAQUER Vieux

□ 2,5 ha n.c. 70 à 99 F

Si Tresserre est connu pour abriter la station expérimentale des vins du Roussillon, c'est aussi un village de vignerons. Parmi ceux-ci, ce jeune couple d'œnologues propose le fruit d'un patient élevage de plus de dix ans. Le bois marque le vin en lui conférant une robe d'ambre roux et une expression de cire miellée typique de vieux foudre. Dans la continuité, le vin onctueux, présent, se révèle sur une finale grillée et torréfiée qu'accompagne une touche tannique. On n'attend que la forêt-noire.

Dom. Bernard Vaquer, 1, rue des Ecoles, 66300 Tresserre, tél. 04.68.38.89.53, fax 04.68.38.84.42 r.-v.

DOM. DU VIEUX CHENE Vieux 1989

□ 30 ha 16 000 70 à 99 F

Il faut venir déguster ici, sur la terrasse adossée à la forêt de pins, face au Canigou enneigé, et d'où l'on peut voir, à l'opposé, le reflet brillant de la Méditerranée... Un lieu dont les terroirs variés produisent de jolis vins doux naturels. L'ambre de celui-ci se pare de roux et dévoile un nez tout en agrumes sur fond boisé. La touche de muscat et l'orange confite participent au charme de ce vin équilibré, dont la finale est richement épicée. Retenue également, une cuvée **Privilège de 77.**

Dom. du Vieux Chêne, Mas Kilo, 66600 Espira-de-l'Agly, tél. 04.68.38.92.01, fax 04.68.38.95.79 r.-v.

Denis Sarda

VILLA PASSANT

Hors d'âge Elevé en fût de chêne 1991★

■ 9 ha 30 000 50 à 69 F

Si l'on ne vient pas à Paziols par hasard, on y revient pour le plaisir d'admirer ses superbes paysages sauvages et pour visiter, après bien des détours, cette oasis où la vigne prend la place des palmiers. Discret à l'ouverture, ce vin se révèle à l'aération tout en torréfaction, cuir et fruits secs. Très fondu par l'élevage, le vieux foudre apporte sa patine, le grillé et une finale cacao qui appelle la forêt-noire.

Les Producteurs du Mont Tauch, 11350 Tuchan, tél. 04.68.45.41.08, fax 04.68.45.45.29 t.l.j. sf dim. 9h-12h 14h-18h

Maury

Le terroir (1 700 ha) en 1996 recouvre la commune de Maury, au nord de l'Agly, et une partie des communes limitrophes. Ce sont des collines escarpées couvertes de schistes aptiens plus ou moins décomposés, où l'on produit quelque 48 000 hl, à partir du grenache noir. La vinification se fait souvent par de longues macérations, et l'élevage permet d'affiner des cuvées remarquables.

Grenat lorsqu'ils sont jeunes, les vins prennent par la suite une teinte acajou. Le bouquet est d'abord très aromatique, à base de petits fruits rouges. Celui des vins plus évolués rappelle le cacao, les fruits cuits et le café. Ils sont appréciés à l'apéritif et au dessert, et peuvent également se prêter à des accompagnements sur des mets à base d'épices et de sucre.

DOM. DE LA COUME DU ROY

Maury doré Vieilli en foudre de chêne 1994

■ 17,5 ha 9 000 70 à 99 F

La plus ancienne cave du cru, de très vieux millésimes, un superbe parc de vieux foudres (demi-muids et barriques) et la passion : vous êtes dans le fief de Paule de Volontat en maury doré. La note vanillée du bois entoure ici la figue. S'y mêle la note plus sauvage du cuir. Signe d'évolution sage, le rouge se fait tuilé. Confirmation en bouche où fruits cuits et pruneau épousent le grillé. Le fruit sec s'annonce ; il sera là après 2000.

Paule de Volontat, 5, rue Emile-Zola, 66460 Maury, tél. 04.68.27.08.14, fax 04.68.27.40.32 r.-v.

CAVE JEAN-LOUIS LAFAGE

Prestige 1986★★★

■ 0,8 ha 2 500 70 à 99 F

Pendant plus de dix ans, lentement, le grenache noir né de ceps cinquantenaires a acquis sa noblesse dans les vieux foudres en chêne. Le résultat de cette complicité, c'est ce superbe maury, très dépouillé, au tuilé chaleureux, accueillant, mêlant savamment le cuir et la noisette, le grillé et le cacao. Ample, fondue, suave, la bouche donne libre cours aux senteurs du nez. La charpente est solide, l'équilibre généreux. La finale appelle le chocolat.

Jean-Louis Lafage, 29, av. Jean-Jaurès, 66460 Maury, tél. 04.68.59.12.66, fax 04.68.59.13.14 t.l.j. sf dim. 9h30-12h30 14h30-18h; f. 15 sept.-1er mai

DOM. DE LA FERRIERE Ruby 1995★

■ n.c. 13 000 50 à 69 F

Vigneron et négociant, Gilles Baissas allie avec talent ces deux activités et nous propose pour son entrée dans le Guide au titre des maury, ce vin muté sur grains du millésime 95 révélateur

VDN

de son savoir-faire. La robe rouge est encore très vive, accompagnant un concert de petits fruits où groseille et cassis prennent le pas sur la cerise. L'équilibre est doux, le vin est gras, avec au cœur de bouche un surprenant retour de fruits frais.
☛ SA Destavel, 7bis, av. du Canigou, 66000 Perpignan, tél. 04.68.68.36.00, fax 04.68.54.03.54 ☑
☛ G. Baissas

DOM. LA PLEIADE Vintage 1996★

■	3 ha	3 000	▌ 70 à 99 F

A l'écart du village, au cœur du vignoble, J. Delcour a redonné vie au domaine. Depuis 1993, il laisse mûrir sagement les futurs grands maury et nous régale, en attendant, de vins mutés sur grains toujours remarqués. Les senteurs typiques de mûre et cerise s'expriment ici sur une robe profonde au regard andalou. Sur un bel équilibre, la bouche confirme le fruit : solide, le vin attend encore son heure, nous gratifiant d'une finale aux fruits rouges escortés de cassis.
☛ Dom. La Pléiade, Hameau de La Roque, 66220 Saint-Paul-de-Fenouillet, tél. 04.68.52.21.66, fax 04.68.52.21.66 ☑ ⟮ r.-v.
☛ Delcour

DOM. MAS AMIEL
Vintage Réserve 1996★★★

■	n.c.	5 000	▐▌ 70 à 99 F

Fidèle à sa réputation, le Mas a encore enthousiasmé le jury, flirtant avec le coup de cœur, aussi à l'aise avec les vins élevés dans cet unique parc de bonbonnes au soleil qu'en vintage ; le choix est toujours difficile : la robe sombre du vintage laisser percer la mûre, la cerise noire sur fond vanillé. Superbe, solide et généreux. La cerise est à croquer. Cannelle et girofle enrobent le tanin pour une finale tout en épices. Un grand vin.
☛ SC Charles Dupuy, Dom. Mas Amiel, 66460 Maury, tél. 04.68.29.01.02, fax 04.68.29.17.82 ☑ ⟮ r.-v.

LES VIGNERONS DE MAURY
Chabert de Barbera 1981★★

■	1,6 ha	5 000	▐▌ 150 à 199 F

Fidèle à sa politique d'élevage, la cave apprivoise souvent le grenache par de longues macérations puis par un méticuleux élevage où le bois épouse le fruit. Ce sont des trésors qui s'expriment alors, tel ce Chabert qui a troqué sa couleur pourpre pour un tuilé dépouillé et chaleureux. Lentement, le vin se dévoile, tout en notes douces de noisette et de miel. Fondu, onctueux, le grillé se glisse dans les saveurs lactées de noisette et de tabac blond, avec une surprenante finale très fraîche. A noter également, un **Cabirou 97** en devenir.
☛ SCAV Les Vignerons de Maury, 128, av. Jean-Jaurès, 66460 Maury, tél. 04.68.59.00.95, fax 04.68.59.02.88 ☑ ⟮ r.-v.

> Mieux vaut ne pas transporter des vins de qualité au cœur de l'été ou de l'hiver ; il faut les préserver des températures extrêmes.

Muscat de rivesaltes

Sur l'ensemble du terroir des rivesaltes, maury et banyuls, le vigneron peut élaborer du muscat de rivesaltes, lorsque l'encépagement est complanté de 100 % de cépages muscat. La superficie de ce vignoble représente plus de 4 000 ha, produisant près de 140 000 hl. Les deux cépages autorisés sont le muscat à petits grains et le muscat d'Alexandrie. Le premier, souvent appelé muscat blanc ou muscat de Rivesaltes, est précoce et se plaît dans des terrains relativement frais et si possible calcaires. Le second, appelé aussi muscat romain, est plus tardif et très résistant à la sécheresse.

La vinification s'opère soit par pressurage direct, soit avec une macération plus ou moins longue. La conservation se fait obligatoirement en milieu réducteur, pour éviter l'oxydation des arômes primaires.

Les vins sont liquoreux, avec 100 g minimum de sucre par litre. Ils sont à boire jeunes, à une température de 9 ° à 10 ° C. Ils accompagnent parfaitement les desserts, tartes au citron, aux pommes ou aux fraises, sorbets, glaces, fruits, touron, pâte d'amandes... ainsi que le roquefort.

DOM. AMOUROUX 1997

☐	10 ha	8 000	▌ 30 à 49 F

Ce vin, très original, offre un caractère d'évolution marqué. Sa couleur est vieil or et ses arômes ont des nuances de torréfaction, pâte de coing, miel et rose fanée. Il s'achève en bouche sur des notes de résine et de pignon.
☛ Dom. Amouroux, 15, rue du Pla-del-Rey, 66300 Tresserre, tél. 04.68.38.87.54, fax 04.68.38.89.90 ☑ ⟮ r.-v.
☛ Jean Amouroux

ARNAUD DE VILLENEUVE 1998

☐	n.c.	15 000	▌ 50 à 69 F

Les enfants d'Arnaud de Villeneuve sont toujours réussis. Le « petit dernier » est vêtu d'or pâle à reflets verts. Il a des notes de menthe, de verveine, sur fond légèrement citronné. Gras en attaque, il sent le raisin frais et les agrumes en fin de bouche.
☛ Les Vignobles du Rivesaltais, 1, rue de la Roussillonnaise, 66602 Rivesaltes-Salses, tél. 04.68.64.06.63, fax 04.68.64.64.69 ☑

DOM. BERTRAND-BERGE 1998★★

☐ 2,87 ha 5 000 ▮🌡 30 à 49 F

Les sentinelles cathares veillent sur le vignoble. Le muscat à petits grains et le savoir-faire du vigneron y ont accompli un miracle d'intensité et de finesse. Aux arômes de fruits frais (poire, pêche blanche, litchi) se mêlent des notes de fenouil et de menthe sauvage. Gouleyant, frais et puissant en bouche... un vin « parfait ».

⊶ Dom. Bertrand-Bergé, av. du Roussillon, 11350 Paziols, tél. 04.68.45.41.73, fax 04.68.45.41.73 ☑ 🍷 t.l.j. 8h-12h30 13h30-19h
⊶ Jérôme Bertrand

DOM. BOBE 1998★★

☐ 12 ha 5 000 ▮🌡 30 à 49 F

Ce millésime 98 est d'un bel aspect or pâle, limpide et brillant. Les arômes sont d'une bonne intensité, à la fois citronnés, exotiques et végétaux. L'attaque se montre onctueuse, la bouche élégante, offrant des notes de miel et de fleurs blanches. L'ensemble est harmonieusement relevé par une pointe de fraîcheur finale.

⊶ Robert Vila, Mas de la Garrigue, 66240 Saint-Estève, tél. 04.68.92.66.38, fax 04.68.92.66.38 ☑ 🍷 t.l.j. sf sam. dim. 17h30-19h

DOM. JOSEPH BORY 1997★

☐ 5 ha 5 000 ▮ 30 à 49 F

La robe somptueuse, aux reflets vieil or, présage l'évolution. Celle-ci est marquée par des arômes puissants d'orange confite, de cire d'abeille, de miel, de raisin de Corinthe et d'abricot sec. Un vin de forte personnalité, à déguster sur un foie gras ou des pâtisseries orientales.

⊶ Andrée Verdeille, 6, av. Jean-Jaurès, 66670 Bages, tél. 04.68.21.71.07, fax 04.68.21.71.07 ☑ 🍷 r.-v.

VIGNOBLES BOUDAU 1998★★

☐ 20 ha 15 000 ▮🌡 50 à 69 F

Les artisans du coup de cœur de l'an dernier signent de nouveau une belle réussite. Leur millésime 98 est revêtu d'or cristallin. C'est, au nez, une superbe corbeille de fruits exotiques, d'agrumes et de raisin frais. En bouche, ce vin est intense, vif, harmonieux et savoureusement long.

⊶ Dom. Véronique et Pierre Boudau, 6, rue Marceau, B. P. 60, 66602 Rivesaltes, tél. 04.68.64.45.37, fax 04.68.64.46.26 ☑ 🍷 t.l.j. sf sam. dim. 10h-12h 15h-18h

CH. CAP DE FOUSTE 1997★★

☐ n.c. 18 000 30 à 49 F

Dans cette vieille demeure catalane, harmonieusement restaurée, souffle l'esprit de Noé. La robe de ce 97 est d'or brillant. Le nez expressif et complexe évoque le fenouil, le litchi, le miel et les grains de muscat frais. La bouche élégante et fraîche est typée par les fruits exotiques et le citron. Ce vin très harmonieux a enthousiasmé le grand jury des muscats de rivesaltes.

⊶ Vignerons Catalans, 1870, av. Julien-Panchot, B.P. 2035, 66011 Perpignan Cedex, tél. 04.68.85.04.51, fax 04.68.55.25.62 ☑ 🍷 r.-v.
⊶ SCI Ch. Cap de Fouste

DOM. CAZES 1998

☐ 34 ha 100 000 ▮🌡 50 à 69 F

Il est des vins qu'on ne présente plus. Toujours réussi, le muscat de la famille Cazes est cette année d'un bel or franc brillant. Il exhale des parfums d'abricot, de melon et d'acacia. Il est charnu, vif et long en bouche.

⊶ Dom. Cazes, 4, rue Francisco-Ferrer, B.P. 61, 66602 Rivesaltes, tél. 04.68.64.08.26, fax 04.68.64.69.79 ☑ 🍷 r.-v.

CELLER D'AL MOULI 1998★★

☐ 4,2 ha 5 000 30 à 49 F

La robe est brillante, jaune pâle à reflets verts. Les notes aromatiques sont complexes et intenses, florales, finement végétales (tilleul, menthe) et à dominante d'agrumes (pamplemousse, kumquat). Un bel accord entre gras et fraîcheur complète l'impression d'équilibre.

⊶ Jean-Pierre Pelou, 9, rue de la République, 66720 Tautavel, tél. 04.68.29.02.21, fax 04.68.45.90.26, e-mail ppelou@aol.com ☑ 🍷 r.-v.

CLOS AYMERICH 1997

☐ 1,04 ha 4 200 ▮🌡 50 à 69 F

Le raisin a mûri sur les schistes noirs de la vallée de l'Agly. Le vin est limpide, d'un bel or jaune. Ses arômes évolués rappellent la poire, la rose séchée, le coing et le zeste d'agrumes. Bien présent en bouche, il s'épanouit sur une note d'amertume savoureuse.

⊶ Jean-Pierre et Catherine Grau-Aymerich, 6, av. Dr-Cartade, 66310 Estagel, tél. 04.68.29.45.45, fax 04.68.29.10.35 ☑ 🍷 t.l.j. sf dim. 9h-12h 14h-19h

CLOS SAINT GEORGES

Cuvée Carla 1997

☐ 5,14 ha 10 000 50 à 69 F

La robe est d'or franc brillant. Les arômes présentent un caractère d'évolution : pomme cuite, pêche au sirop, fruits à l'alcool et miel. La bouche est en harmonie, charnue avec des notes de pâte de coings.

⊶ Ortal, Clos Saint-Georges, 66300 Trouillas, tél. 04.68.21.61.46, fax 04.68.37.52.31 ☑ 🍷 r.-v.

LES VIGNERONS DES COTES D'AGLY 1998*

□	84 ha	65 000	🍾🌡 **30 à 49 F**

Les Vignerons des Côtes d'Agly vinifient 1 300 ha de vignes. Le millésime 98 se présente comme un vin puissant et harmonieux. Le nez est vif et complexe (raisin frais, papaye, fleurs blanches, menthe fraîche). La bouche d'une grande finesse, aux arômes de pêche jaune, d'abricot et de genêt, offre une finale ronde et élégante.

🔑 SCAV Les Vignerons des Côtes d'Agly, 66310 Estagel, tél. 04.68.29.00.45, fax 04.68.29.19.80 ☒ 🍷 t.l.j. 8h-12h 14h-18h

DOM. DES DEMOISELLES 1998*

□	1,09 ha	3 000	🍾🌡 **50 à 69 F**

Dans des bâtiments du XVIII[e]s. les dames de la famille s'occupent du domaine depuis trois générations. Dans son habit doré, le muscat des Demoiselles exhale des fragrances variées : ananas mûr, mangue, pâte de coings, confiture d'agrumes et de miel. La bouche est en harmonie, riche, ample et d'une bonne longueur.

🔑 Isabelle Raoux, Dom. des Demoiselles, Mas Mules, 66300 Tresserre, tél. 04.68.38.87.10, fax 04.68.38.87.10 ☒ 🍷 t.l.j. sf lun. 11h-14h 17h-20h

DOM BRIAL 1998

□	27 ha	100 000	**30 à 49 F**

L'or fin du retable de l'église de Baixas se reflète dans la robe. Le arômes sont d'une grande fraîcheur. On y retrouve toute la finesse du muscat à petits grains avec ses notes exotiques et finement végétales. Un très joli vin, vif et harmonieux.

🔑 Cave des Vignerons de Baixas, 14, av. Mal-Joffre, 66390 Baixas, tél. 04.68.64.22.37, fax 04.68.64.26.70 ☒ 🍷 r.-v.

LES VIGNERONS DE FORÇA REAL 1998

□	47 ha	12 000	**30 à 49 F**

La robe du millésime 98 est brillante, jaune d'or pâle. A un nez discret succède une bonne intensité aromatique en bouche, avec des notes de compote d'abricots et de cire d'abeille. Un vin légèrement évolué et d'une bonne typicité.

🔑 SCV les Vignerons de Força Réal, rue Léo-Lagrange, 66170 Millas, tél. 04.68.57.35.02, fax 04.68.57.28.09 ☒ 🍷 t.l.j. sf dim. lun. 15h-18h30

DOM. GARDIES Flor 1998*

□	5 ha	18 000	🍾🌡 **50 à 69 F**

La robe est brillante, or pâle à reflets verts. Le nez est fin, floral (rose, tilleul), végétal (menthe, verveine) avec des nuances de noisette grillée. La bouche est fraîche, légèrement mentholée et d'une belle longueur.

🔑 Dom. Jean Gardiés, 66600 Vingrau, tél. 04.68.64.61.16, fax 04.68.64.69.36 ☒ 🍷 r.-v.

CH. DE JAU 1998

□	10 ha	40 000	🍾 **50 à 69 F**

Ce domaine sait mêler les plaisirs de l'esprit et du palais. Pendant l'été il ouvre les portes de sa galerie d'art contemporain et propose un déjeuner catalan. Le visiteur pourra, entre autres spécialités gourmandes, y savourer ce muscat élégant, aux arômes de citron, de fleurs blanches et de raisin frais, léger et gouleyant en bouche.

🔑 Ch. de Jau, 66600 Cases-de-Pène, tél. 04.68.38.90.10, fax 04.68.38.91.33, e-mail jau66@aol.com ☒ 🍷 t.l.j. 10h-19h; f. sam. dim. en hiver

🔑 Famille Dauré

DOM. JOLIETTE 1998*

□	5 ha	9 000	🍾🌡 **50 à 69 F**

Fidèle à son image, ce vignoble familial a produit en 1998 un muscat aux arômes légèrement évolués de miel, de citron confit et de camomille. On retrouve le fruit très mûr dans une bouche expressive et harmonieuse. Un très beau vin, reflétant la maturité de son terroir.

🔑 EARL Mercier, Dom. Joliette, 66600 Espira-de-l'Agly, tél. 04.68.64.50.60, fax 04.68.64.18.82 ☒ 🍷 r.-v.

DOM. JONQUERES D'ORIOLA 1998*

□	6 ha	25 000	🍾🌡 **50 à 69 F**

Dans cette très ancienne famille roussillonnaise, les sportifs sont glorieux. Les vignerons y sont également doués. Témoin cette cuvée alliant citronnelle, fleurs, fruits exotiques et pamplemousse, particulièrement harmonieuse et longue en bouche.

🔑 EARL Jonquères d'Oriola, Ch. de Corneilla, 66200 Corneilla-del-Vercol, tél. 04.68.22.73.22, fax 04.68.22.43.99 ☒ 🍷 r.-v.

🔑 Philippe Jonquères d'Oriola

LE CELLIER DE LA BARNEDE 1998

□	20 ha	10 000	**50 à 69 F**

La cave coopérative a été créée en 1938 par Henry Vidal, un des pères de la viticulture moderne du Roussillon. Soixante ans plus tard, son muscat unit technique et tradition avec une teinte or clair brillante, des arômes de fruits surmûris, de poire fraîche et de citronnelle, et une bonne onctuosité en bouche.

🔑 SCV Les Producteurs de La Barnède, 5, av. du 8-Mai-1945, 66670 Bages, tél. 04.68.21.60.30, fax 04.68.37.50.13 ☒ 🍷 r.-v.

DOM. LAFAGE 1998**

□	9,9 ha	13 000	🍾 **30 à 49 F**

Un domaine familial, repris et modernisé par deux jeunes œnologues. La venue au monde de la troisième génération est dignement fêtée avec

un coup de cœur. Intense et élégant, ce muscat développe des arômes d'agrumes, de fruits exotiques et de bois de tulipier de Virginie. Il est, en bouche, puissant et harmonieux, avec une finale d'une très belle longueur.

☞ GAEC Dom. Lafage, 14, cours Sabate, 66330 Cabestany, tél. 04.68.62.10.99, fax 04.68.62.10.99, e-mail enofool@aol.com ☑ ⟂ r.-v.

☞ Guy Lafage

DOM. LAPORTE 1998

| □ | 2,5 ha | 10 000 | 🍾♦ | 50 à 69 F |

Les terrasses caillouteuses de la vallée de la Têt sont particulièrement favorables à l'épanouissement des arômes du muscat d'Alexandrie. A un premier nez discret succèdent ici des fragrances de rose, d'agrumes et d'épices. La bouche est fraîche et d'un équilibre harmonieux.

☞ Dom. Laporte, Château-Roussillon, 66000 Perpignan, tél. 04.68.50.06.53, fax 04.68.66.77.52 ☑ ⟂ r.-v.

CH. LES FENALS 1998

| □ | 6,1 ha | 14 000 | | 30 à 49 F |

Au Siècle des lumières, Voltaire appréciait déjà la « liqueur du cap de Salses ». Tel était le nom du muscat du domaine dont son neveu était régisseur. Le philosophe eût certainement aimé la fraîcheur de celui-ci, à la robe d'or pâle, aux arômes élégants de rose et de pivoine, et à la bonne longueur en bouche.

☞ Roustan-Fontanel, Les Fenals, 11510 Fitou, tél. 04.68.45.71.94, fax 04.68.45.60.57 ☑ ⟂ t.l.j. sf dim. 9h-12h30 14h30-19h; f. après-midi oct.-mai

LES MILLE VIGNES 1998*

| □ | 0,5 ha | 3 000 | | 50 à 69 F |

De ce vignoble minuscule, chaque cep voit le soleil se lever sur la mer. Les « vendangeurs de la Violette » y récoltent le vin de l'amitié. Sa robe est d'or à reflets verts, et ses arômes de la plus belle fraîcheur. Légèrement mentholé, ce 98 s'achève en une finale ample et harmonieuse aux nuances d'agrumes.

☞ Jacques Guérin, 24, av. St-Pancrace, 11480 La Palme, tél. 04.68.48.57.14, fax 04.68.48.57.14 ☑ ⟂ t.l.j. 10h-19h; hiver sur r.-v.

DOM. DU MAS CREMAT 1998

| □ | 5 ha | 8 000 | 🍾♦ | 30 à 49 F |

La robe est d'or pâle à reflets verts, les arômes originaux par leurs notes de citron vert, de citronnelle et d'eucalyptus. Une belle attaque de bouche et une finale fondue complètent harmonieusement l'ensemble.

☞ Jeannin-Mongeard, Dom. du Mas Crémat, 66600 Espira-de-l'Agly, tél. 04.68.38.92.06, fax 04.68.38.92.23 ☑ ⟂ r.-v.

LES PRODUCTEURS DU MONT TAUCH 1997

| □ | 70 ha | 100 000 | 🍾 | 30 à 49 F |

Dans le terroir calcaire des Corbières s'exprime toute la finesse du muscat à petits grains. Ce cépage domine dans le millésime 1997. Finement végétal (menthe, verveine), il développe en bouche des notes citronnées, en harmonie avec la vivacité de l'équilibre.

☞ Les Producteurs du Mont Tauch, 11350 Tuchan, tél. 04.68.45.41.08, fax 04.68.45.45.29 ☑ ⟂ t.l.j. sf dim. 9h-12h 14h-18h

DOM. DE NIDOLERES 1997★★

| □ | 2,5 ha | 3 500 | 🍾♦ | 50 à 69 F |

On peut goûter ici à la cuisine catalane. Mais il faut surtout avoir la chance d'acquérir l'une de ces rares bouteilles. La robe est d'or soutenu. Les arômes marqués, d'une très bonne intensité, permettent de retrouver la menthe, le fenouil, la fleur d'oranger et des caractères d'évolution (ananas et agrumes confits, raisin de Corinthe, miel, sous-bois). Un vin d'école, très expressif et concentré.

☞ Pierre Escudié, Dom. de Nidolères, 66300 Tresserre, tél. 04.68.83.15.14, fax 04.68.83.31.26 ☑ ⟂ r.-v.

LES VIGNERONS DE PEZILLA 1998

| □ | n.c. | 30 000 | 🍾♦ | 30 à 49 F |

Ce terroir de schistes et de galets roulés distille régulièrement un muscat de belle qualité. Cette année l'ensemble est complexe, élégamment fondu. Les arômes sont frais, floraux et fruités. La bouche, aux notes de miel, est intense et remarquablement équilibrée.

☞ SCV Les Vignerons de Pézilla, 66370 Pézilla-la-Rivière, tél. 04.68.92.00.09, fax 04.68.92.49.91 ☑ ⟂ t.l.j. sf dim. 8h30-12h30 14h-18h30

DOM. PIQUEMAL 1998

| □ | 7,5 ha | 20 000 | 🍾♦ | 50 à 69 F |

La réputation de ce domaine est une fois de plus confirmée par la qualité de son muscat. D'aspect jaune brillant à reflets verts, il offre un nez finement mentholé et fleuri. La puissance s'exprime en bouche, dans une liqueur aux arômes de tilleul et de miel.

☞ Dom. Pierre et Franck Piquemal, 1, rue Pierre-Lefranc, 66600 Espira-de-l'Agly, tél. 04.68.64.09.14, fax 04.68.38.52.94 ☑ ⟂ t.l.j. sf dim. 9h-12h 15h-18h

DOM. RIERE CADENE 1998

| □ | 2,1 ha | 10 000 | 🍾♦ | 30 à 49 F |

D'une couleur or pâle brillant, le millésime 98 exhale des arômes variés de fleurs blanches (acacia), de pamplemousse, de verveine et, en bouche, offre des notes étonnantes de bonbon à la violette. Il est gras, liquoreux et d'une bonne longueur.

☞ Dom. Riere Cadene, Mas Bel-Air, chem. Saint-Genis-de-Tanyeres, 66000 Perpignan, tél. 04.68.63.87.29, fax 04.68.63.87.29, e-mail riere@club-internet.fr ☑ ⟂ r.-v.

CH. ROMBEAU 1998★★

| □ | 7,33 ha | 15 000 | 🍾♦ | 30 à 49 F |

Au domaine de Rombeau, l'auberge est accueillante, la grillade typée et le muscat à l'image du vigneron. Rond, vif et chaleureux, il s'exprime avec aisance. Il nous parle cette année de fleurs blanches, de fruits exotiques et d'écorce d'orange, le tout avec une belle persistance.

🠒 Ch. Rombeau, 66600 Rivesaltes,
tél. 04.68.64.05.35, fax 04.68.64.64.66 ☑ ⊤ r.-v.
🠒 Pierre-Henri de la Fabrègue

DOM. ROZES 1998★★

	18 ha	60 000	50 à 69 F

Remarquable pour la troisième année consécutive, le muscat du domaine Rozès est un exemple de constance dans la réussite. La couleur est
or clair brillant à reflets verts. Les arômes
complexes évoquent les fleurs blanches, les fruits
frais, avec des notes exotiques et légèrement
mentholées. La bouche est riche, veloutée et
d'une excellente persistance.
🠒 Mme Fournols, SCEA Tarquin, 3, rue de
Lorraine, 66600 Espira-de-l'Agly,
tél. 04.68.64.17.78, fax 04.68.38.51.38,
e-mail a.rozes@french-market.com

DOM. SAINTE HELENE 1998

	4,5 ha	7 000	▮⬖ 50 à 69 F

Il y a beaucoup de finesse dans ce vin à la
robe d'or à reflets d'argent. Les arômes discrets
rappellent la fleur de mimosa, la pêche blanche
et le miel. La bouche est d'un bon équilibre, franchement liquoreux.
🠒 Henri Cavaillé, 10, rue Moulin-Cassanyes,
66690 Sorède, tél. 04.68.89.30.30,
fax 04.68.95.42.66 ☑ ⊤ t.l.j. sf dim. 9h-12h
17h-19h

DOM. SALVAT 1998

	5 ha	18 000	▮⬖ 50 à 69 F

Beaucoup d'harmonie dans la finesse de ce
muscat. La robe est cristalline, à reflets d'or
blanc, les arômes sont légers et évoquent les agrumes frais. La bouche est équilibrée, vive et moelleuse.
🠒 Dom. Salvat, Pont-Neuf, 66610 Villeneuve-
de-la-Rivière, tél. 04.68.92.17.96,
fax 04.68.38.00.50 ⊤ t.l.j. 8h-12h 14h-19h

Muscat de frontignan

En ce qui concerne l'appel-
lation frontignan, il faut noter qu'elle autorise l'élaboration de vins de liqueur, avec
mutage sur le moût avant fermentation, ce
qui donne des produits beaucoup plus
riches en sucre (125 g environ). Dans certains cas, un élevage des muscats dans de
vieux foudres provoque une légère oxydation donnant au vin un goût particulier de
raisins secs.

FRONTIGNAN 20 ans d'âge★★

	2,5 ha	4 000	⬗⬗ 100 à 149 F

Toute la noblesse des grands rancios
s'exprime dans cette cuvée d'exception. La robe
est ambrée à reflets brun-vert. Les arômes sont
d'une complexité étonnante : liqueur de manda-

rine, fruits à l'alcool, abricot confit dominent au
nez. L'univers empyreumatique se retrouve en
bouche avec le sucre brûlé, le café, la noix et le
vieux bois. Un vin d'une rare puissance.
🠒 SCA Coop. de Frontignan, 14, av. du
Muscat, 34110 Frontignan, tél. 04.67.48.12.26,
fax 04.67.43.07.17 ☑ ⊤ t.l.j. 9h30-12h 14h-18h;
groupes sur r.-v.

CLOS DE LA GARDIOLE 1997★★

	12 ha	25 000	▮ 50 à 69 F

Si l'on ne présente plus la famille Pastourel,
les amateurs seront heureux de lier connaissance
avec leur nouvelle cuvée. Bien dans la lignée,
avec sa robe d'or brillant à reflets verts et son
élégance, elle a séduit le jury par ses arômes floraux et légèrement mentholés, son attaque citronnée, son volume et sa vivacité en bouche. Une
entrée remarquée dans le Guide avec rien moins
que le coup de cœur de l'appellation.
🠒 Yves Pastourel et Fils, Ch. de La Peyrade,
34110 Frontignan, tél. 04.67.48.61.19,
fax 04.67.43.03.31 ☑ ⊤ r.-v.

CH. DE LA PEYRADE 1998★

	25 ha	40 000	▮ 50 à 69 F

Une valeur sûre. La robe est très pâle, à reflets
verts. Les arômes, toujours fins, rappellent la
rose blanche à peine éclose, le raisin frais et les
fruits exotiques. Une note végétale en bouche
rehausse encore l'impression de fraîcheur.
🠒 Yves Pastourel et Fils, Ch. de La Peyrade,
34110 Frontignan, tél. 04.67.48.61.19,
fax 04.67.43.03.31 ☑ ⊤ r.-v.

CH. DE MEREVILLE 1997

	15 ha	35 000	▮ 50 à 69 F

Le nez est très fin, d'attaque minérale, puis
s'ouvre sur des notes de citron confit et de fleurs
mellifères. Les arômes de fruits confits et surmûris dominent en bouche. La finale est légèrement
végétale.
🠒 SCA Coop. de Frontignan, 14, av. du
Muscat, 34110 Frontignan, tél. 04.67.48.12.26,
fax 04.67.43.07.17 ☑ ⊤ t.l.j. 9h30-12h 14h-18h;
groupes sur r.-v.

CH. DE STONY
Cuvée Sélection de vendanges 1998

	8,5 ha	30 000	▮⬖ 50 à 69 F

Ce très ancien domaine est situé sur une dalle
de calcaire. D'où son nom (stone en anglais signifie « pierre »). Son muscat, présenté en bouteille
bordelaise, est léger, tout en nuances végétales

(poire verte, verveine, fenouil). Un vin qui régalera les amateurs de fraîcheur.
GAEC du Ch. de Stony, La Peyrade, rte de Balaruc, 34110 Frontignan, tél. 04.67.18.80.30, fax 04.67.43.24.96 ☒ Y r.-v.
F. et H. Nodet

Muscat de beaumes-de-venise

Au nord de Carpentras, sous les impressionnantes Dentelles de Montmirail, le paysage doit son aspect à des calcaires grisâtres et à des marnes rouges. Une partie des sols est formée de sables, de marnes et de grès, une autre de terrains tourmentés avec des failles datant du trias et du jurassique. Ici encore, le seul cépage est le muscat à petits grains ; mais dans certaines parcelles, une mutation donne des raisins roses ou rouges. Les vins doivent avoir au moins 110 g de sucre par litre de moût ; ils sont aromatiques, fruités et fins, et conviennent parfaitement à l'apéritif ou sur certains fromages.

DOM. DE BEAUMALRIC 1998*

☐ 7,83 ha 34 000 50 à 69 F

C'est un ancien géomètre topographe qui signe cette réussite savoureuse de l'agriculture raisonnée. La couleur est brillante, d'or clair à reflets verts. Le nez est délicat, très frais, offrant des nuances de rose sauvage. L'intensité s'exprime en bouche par des arômes floraux de menthe fraîche et de pomélo, soutenus par un admirable équilibre entre chair et fraîcheur.
Dom. de Beaumalric, B.P. 15, 84190 Beaumes-de-Venise, tél. 04.90.65.01.77, fax 04.90.62.97.28 ☒ Y r.-v.
Begouaussel

VIGNERONS DE BEAUMES-DE-VENISE Carte Or 1998**

☐ 100 ha 200 000 50 à 69 F

Un coup de cœur récompense cette année la Carte Or des vignerons de Beaumes-de-Venise.

Puissance et originalité sont les atouts de cette cuvée à la robe brillante d'or rose. Ses fragrances sont celles de la montagne par une belle journée d'été : genêt, menthe sauvage, résine de pin. La bouche est onctueuse, mêlant les notes végétales aux épices et aux fruits exotiques avec une touche d'amertume savoureuse en finale.
Cave des Vignerons de Beaumes-de-Venise, quartier Ravel, 84190 Beaumes-de-Venise, tél. 04.90.12.41.00, fax 04.90.65.02.05 ☒ Y r.-v.

DOM. DE FONTAVIN 1998*

☐ 1,35 ha 6 000 50 à 69 F

L'or soutenu de la robe annonce une belle maturité. Les arômes sont ceux des raisins confits et des écorces d'agrumes mêlés à des nuances fraîches de fruits exotiques. L'équilibre est à l'avenant, tout en liqueur et en puissance. Une très belle cuvée conçue par une vigneronne passionnée.
EARL Hélène et Michel Chouvet, Dom. de Fontavin, 1468, rte de la Plaine, 84350 Courthézon, tél. 04.90.70.72.14, fax 04.90.70.79.39 ☒ Y t.l.j. sf j.f. 9h-12h30 13h30-19h; dim. sur r.-v.

DOM. DE LA PIGEADE 1998**

☐ 23 ha 95 000 50 à 69 F

Depuis la reprise du domaine en 1996 par Thierry Vaute, ce jeune vigneron a mené un parcours sans faute. C'est sa troisième sélection dans le Guide pour un muscat tout en jeunesse et élégance. La robe est d'or clair et les arômes évoquent l'eau de rose, la poire et le pamplemousse. L'équilibre harmonieux allie rondeur et fraîcheur. A frôlé le coup de cœur !
Thierry Vaute, Dom. de La Pigeade, rte de Caromb, 84190 Beaumes-de-Venise, tél. 04.90.62.90.00, fax 04.90.62.90.90, e-mail la.pigeade@infonie.fr ☒ Y r.-v.

DOM. DES RICHARDS 1998

☐ 8 ha 35 000 70 à 99 F

Dans ce domaine datant du XVII[e]s., beau-père et gendre ont élaboré un muscat revêtu d'or vert brillant, d'une typicité aromatique essentiellement végétale. La verveine et la menthe dominent au nez, relayées par le zeste du citron et la pomme mûre. La bouche, à dominante anisée, s'achève sur une finale d'eau-de-vie de mirabelle.
Dom. des Richards, rte d'Avignon, 84150 Violès, tél. 04.90.70.93.73, fax 04.90.70.96.48 ☒ Y r.-v.

Muscat de lunel

Situé autour de Lunel, le terroir se caractérise par des terres rouges à cailloutis qui s'étendent sur des nappes alluviales. Il s'agit d'un paysage classique de cailloux roulés sur des terres d'argile rouge avec une localisation du vignoble sur les sommets des coteaux. Ici encore, seul le muscat à petits grains est utilisé ; les vins doivent avoir au minimum 125 g de sucre.

CLOS BELLEVUE
Cuvée Vieilles vignes 1998★★

☐ 6 ha 9 000 ▮🌡 50 à 69 F

Les Vieilles vignes du domaine nous distillent chaque année un élixir gourmand. Celui-ci a séduit le jury par son intensité remarquable où se mêlent la rose, le menthol, la pêche mûre et le raisin confit. L'enchantement persiste en bouche dans l'ampleur et l'onctuosité des saveurs.

⊶ Francis Lacoste, Dom. de Bellevue, 34400 Lunel, tél. 04.67.83.24.83, fax 04.67.71.48.23 ☑ Y t.l.j. sf dim. 9h-19h

CH. GRES SAINT-PAUL 1997★

☐ 7,15 ha 20 000 ▮🌡 30 à 49 F

La robe est d'or brillant soutenu. Les arômes de nez, intenses et complexes, rappellent l'iode, la verveine, la menthe et la confiture d'agrumes. L'attaque est moelleuse, la bouche bien typée (rose, confiture de pêches, zeste d'orange), la finale vive et persistante. Un bon « classique » de l'appellation.

⊶ GFA du Grès Saint-Paul, Ch. Grès Saint-Paul, 34400 Lunel, tél. 04.67.71.27.90, fax 04.67.71.73.76 ☑ Y t.l.j. sf dim. 10h-12h 16h-19h

⊶ Servière

LACOSTE 1998★★

☐ 6 ha 20 000 ▮🌡 50 à 69 F

A quelques pas de l'antique Ambrussum, Francis Lacoste joue la carte de la modernité. Sa cuvée 98 est tout en finesse et élégance. Les arômes sont ceux du raisin frais, des agrumes (pamplemousse, citron vert) et de l'ananas vert. La bouche est bien équilibrée, liquoreuse, délicatement acidulée et d'une belle persistance.

⊶ Francis Lacoste, Dom. de Bellevue, 34400 Lunel, tél. 04.67.83.24.83, fax 04.67.71.48.23 ☑ Y t.l.j. sf dim. 9h-19h

DOM. DE SAINT-PIERRE DE PARADIS Vendanges d'Automne 1998★

☐ n.c. n.c. ◖◗ 50 à 69 F

Dans une flûte de 50 cl, la coopérative du Muscat de Lunel propose un millésime 98 d'une forte personnalité. La robe est profonde, d'un bel or franc. Les arômes s'assemblent en un mélange surprenant : fruits confits, pâte de coings, abricot sec, gentiane et liqueur de mandarine. Une pointe d'amertume relève harmonieusement la finale.

⊶ SCEA du Muscat de Lunel, rte de Lunel-Viel, 34400 Vérargues, tél. 04.67.86.00.09, fax 04.67.86.07.52 ☑ Y r.-v.

CH. TOUR DE FARGES 1998

☐ 29,77 ha n.c. ▮ 30 à 49 F

Le millésime 98 de ce domaine vinifié par la cave coopérative est d'un beau doré franc soutenu. Il s'ouvre progressivement sur des nuances de rose, de pêche cuite et de raisin surmûri. Beaucoup de douceur et une bonne fraîcheur finale lui confèrent un équilibre harmonieux.

⊶ SCEA du Muscat de Lunel, rte de Lunel-Viel, 34400 Vérargues, tél. 04.67.86.00.09, fax 04.67.86.07.52 ☑ Y r.-v.

Muscat de mireval

Ce vignoble s'étend entre Sète et Montpellier, sur le versant sud du massif de la Gardiole, et est limité par l'étang de Vic. Les sols sont d'origine jurassique et se présentent sous forme d'alluvions anciennes de cailloux roulés, avec une dominante calcaire. Le cépage est uniquement le muscat à petits grains.

Le mutage est effectué assez tôt, car les vins doivent avoir un minimum de 125 g de sucre ; ils sont moelleux, fruités et liquoreux.

DOM. DE GIBRALTAR 1997★★

☐ 68 ha 50 000 30 à 49 F

Dans leur nouveau domaine de Mireval, Hugues et Bernard Jeanjean signent un millésime 97 de belle facture. Les arômes végétaux rappellent le bourgeon de cassis, la pomme fraîche et le fenouil de la Gardiole toute proche. L'attaque est acidulée et citronnée. L'équilibre est harmonieux, entre liqueur et vivacité, et la finale finement amère.

⊶ Hugues et Bernard Jeanjean, Mas-neuf-des-Aresquiers, 34110 Vic-la-Gardiole, tél. 04.67.78.37.45, fax 04.67.78.37.46

DOM. DU MOULINAS 1997★

☐ 14 ha 49 000 ▮🌡 30 à 49 F

Le millésime 97 est d'une belle nuance de bronze doré. Maturité et évolution se retrouvent dans un univers aromatique complexe aux nuances de raisin rôti, d'orange et de citron confits, de mangue surmûrie et de notes finement iodées. Un beau muscat de tradition pour l'une des plus anciennes propriétés familiales du cru.

⊶ SCA Les Fils Aymes, Dom. du Moulinas, 24, av. du Poilu, B.P. 1, 34114 Mireval, tél. 04.67.78.13.97, fax 04.67.78.57.78 ☑ Y r.-v.

Muscat de saint-jean de minervois

Ce muscat est produit par un vignoble perché à 200 m d'altitude et dont les parcelles s'imbriquent dans un paysage classique de garrigue. Il s'ensuit une récolte tardive, près de trois semaines environ après les autres appellations de muscat. Quelques vignes se trouvent sur des terrains primaires schisteux, mais la majorité est implantée sur des sols calcaires où apparaît parfois la coloration rouge de l'argile. Là encore, seul le muscat à petits grains est autorisé ; les vins obtenus doivent avoir un minimum de 125 g de sucre. Ils sont très aromatiques, avec beaucoup de finesse et des notes florales caractéristiques. C'est la plus petite AOC de muscat avec une production de 3 000 hl.

DOM. DE BARROUBIO 1998**

☐ 16,2 ha 45 000 50 à 69 F

Marie-Thérèse Miquel nous régale encore cette année avec ce muscat d'une rare finesse. Les arômes à dominante de rose et de noisette fraîche sont d'une grande subtilité et légèrement mentholés. L'équilibre est à la fois charnu, onctueux et frais. L'excellente longueur de bouche affichant des notes de pêche blanche parachève la dégustation tout en nuances de ce coup de cœur accordé avec la plus belle unanimité.

Marie-Thérèse Miquel, Dom. de Barroubio, 34360 Saint-Jean-de-Minervois, tél. 04.67.38.14.06, fax 04.67.38.14.06 r.-v.

DOM. DU SACRE-CŒUR 1997*

☐ 1,5 ha 6 000 50 à 69 F

Dans sa robe d'or jaune, voici l'un des muscats les plus originaux de la sélection. Le paysage de garrigue s'y reflète au travers des senteurs de menthe sauvage, de thym et de cyprès. La bouche est équilibrée et riche, accompagnée d'arômes d'agrumes confits et de fleur d'oranger. Pour tous les amoureux des fragrances méditerranéennes !

GAEC du Sacré-Cœur, Dom. du Sacré-Cœur, 34360 Assignan, tél. 04.67.38.17.97, fax 04.67.38.24.52 t.l.j. 9h-12h 14h-18h30

Marc et Luc Cabaret

LES VIGNERONS DE LA CAVE DE SAINT-JEAN DE MINERVOIS
Vendanges d'Automne 1997*

☐ n.c. n.c. 70 à 99 F

Une nouvelle cuvée des Vignerons de la Méditerranée proposée en flacon de 50 cl. Le millésime 97 est d'une teinte dorée soutenue à reflets ambrés. Le nez aux nuances d'orange confite, de fumée et de vanille, est évolué. Il s'épanouit en bouche en un bouquet d'arômes de liqueur de mandarine, de fruits secs et d'épices. Une curiosité gourmande pour les amateurs d'insolite.

Vignerons de La Méditerranée, 12, rue du Rec-de-Veyret, ZI de Plaisance, 11100 Narbonne, tél. 04.68.42.75.41, fax 04.68.42.75.24 t.l.j. sf dim. lun. 9h-12h30 14h30-18h30

Rasteau

Tout à fait au nord du département du Vaucluse, ce vignoble s'étale sur deux formations distinctes : sols de sables, marnes et galets au nord ; terrasses d'alluvions anciennes du Rhône (quaternaire), avec des galets roulés, au sud. Partout, le cépage utilisé est le grenache (noir, blanc ou gris).

DOM. BEAU MISTRAL
Vieilli en fût de chêne 1997

☐ 5 ha 4 000 30 à 49 F

Le rasteau est le fruit du grenache, cépage traditionnel, résistant au vent et à la sécheresse. Nul doute que les vieux ceps du domaine contribuent à cette réussite. L'ambré roux trahit l'élevage sous bois que confirment des senteurs de fruits cuits, de cire et de noix. Très présente dès l'attaque, la patine du bois enveloppe le fruit mais cède la place en finale à des notes rancio.

Jean-Marc Brun, Le Village, 84110 Rasteau, tél. 04.90.46.16.90, fax 04.90.46.17.30 r.-v.

DOM. BRESSY MASSON Rancio***

☐ 1 ha 3 000 50 à 69 F

Spécialisé dans les rasteau d'élevage, déjà remarqué pour un rancio 91, le domaine Masson revient ici avec un rancio d'école. L'ambré roux laisse apparaître les reflets verts caractéristiques du rancio, ce que confirme un nez dominé par la noix et l'odeur miellée de cire. Les fruits secs et la noix se disputent le palais, velouté, onctueux, gras, riche, avec cette note « huileuse » typique de la réussite d'un rancio dont la finale est remarquable.

Marie-France Masson, Dom. Bressy-Masson, rte d'Orange, 84110 Rasteau, tél. 04.90.46.10.45, fax 04.90.46.17.78 t.l.j. 9h-13h 14h-19h30

DOM. DIDIER CHARAVIN 1997

☐ 2 ha 7 000 30 à 49 F

L'ancien domaine des « papillons » nous transporte avec élégance dans son monde de rasteau. Celui-ci, paré d'or, exhale des notes de garrigue, d'agrumes et de raisins secs. A la fois souple, fondu et suave dès l'attaque, le vin se révèle en finale sur l'épice et le fruit sec.

Didier Charavin, rte de Vaison, 84110 Rasteau, tél. 04.90.46.15.63, fax 04.90.46.16.22 r.-v.

CAVE DE RASTEAU

■ n.c. n.c. 🍾🌡 30 à 49 F

Dans une gamme gourmande, très attrayante, la Cave de Rasteau nous propose ce vin doux naturel rouge vif, fruit d'un grenache macéré sous alcool. La cerise à l'eau-de-vie croque sous la dent et accompagne la note plus sauvage de sous-bois ainsi que le cassis. L'ensemble est alerte, frais et bien relevé en finale par la force du grenache.

⊶ Cave de Rasteau, rte des Princes d'Orange, 84110 Rasteau, tél. 04.90.10.90.10, fax 04.90.46.16.65, e-mail vrt@rasteau.com ☑ Y r.-v.

LES VIGNERONS DE RASTEAU ET DE TAIN-L'HERMITAGE★

□ n.c. n.c. 🍾🌡 30 à 49 F

Ce village typique de Provence abrite des vignerons, heureux dépositaires d'un excellent côtes du rhône et d'un vin doux, longtemps confidentiel. L'ambré se décline sur des reflets rosés accompagnant des senteurs intenses et complexes qui allient fleurs miellées des garrigues et note grillée. Le grenache se fait velours en bouche et s'exprime dans un ensemble de bel équilibre.

⊶ Les Vignerons de Rasteau et de Tain-l'Hermitage, rte des Princes-d'Orange, 84110 Rasteau, tél. 04.90.10.90.10, fax 04.90.46.16.65, e-mail vrt@rasteau.com

⊶ Cave Rasteau

Muscat du cap corse

L'appellation muscat du cap corse a été reconnue par décret en date du 26 mars 1993. C'est l'aboutissement des longs efforts d'une poignée de vignerons regroupés sur les terroirs calcaires de Patrimonio et ceux, schisteux de l'AOC vin de corse-coteaux du cap corse, soit 17 communes de l'extrême nord de l'île qui ont représenté 84 ha en 1998.

Désormais, seuls les vins élaborés à partir de muscat blanc à petits grains, répondant aux conditions de production des vins doux naturels et titrant au moins 95 g/l de sucres résiduels pourront prétendre à l'appellation.

Une reconnaissance bien méritée pour cette production confidentielle de 1 996 hl.

CLOS DE BERNARDI 1998★

□ 0,5 ha n.c. 🍾🌡 50 à 69 F

Les frères de Bernardi sont d'un naturel réservé, mais ils savent surprendre par leurs vins et en particulier par ce millésime 98. Leurs vignes dominent le golfe de Saint-Florent et s'endorment tous les soirs dans des couchers de soleil somptueux sur la mer. Est-ce là que réside le mystère de la réussite de ce muscat ? Jolie robe légère, à reflets dorés, odeurs épicées et florales intenses, bouche harmonieuse, copieuse et dense, très typée. Production limitée par des rendements faibles et une petite superficie. Achetez sans réfléchir ! Appréciera une sieste prolongée en cave.

⊶ Jean-Laurent de Bernardi, 20253 Patrimonio, tél. 04.95.37.01.09, fax 04.95.32.07.66 ☑ Y t.l.j. 8h-12h 14h-19h

DOM. DE CATARELLI 1998

□ 1,8 ha 6 000 🍾🌡 50 à 69 F

Laurent Le Stunff propose un muscat sympathique et bien fait, distingué pour son caractère agréable. Couleur évanescente, arômes subtils et fins de fleurs blanches, attaque vive, bouche équilibrée et longue, finale exotique : à boire gaiement.

⊶ EARL Dom. de Catarelli, Marine de Farinole, 20253 Patrimonio, tél. 04.95.37.02.84, fax 04.95.37.18.72 ☑ Y t.l.j. 9h-12h 15h-19h

⊶ Laurent Le Stunff

DOM. GENTILE 1998★★

□ 3,5 ha 14 000 🍾🌡 70 à 99 F

Au rendez-vous des muscats, Dominique Gentile est toujours là ! Ce 98, jaune clair à reflets verts, est brillant. Le fruit, encore discret, va s'épanouir à l'abri des regards indiscrets dans les mois qui viennent. Le palais possède un bel équilibre, enrobé de rondeur et très persistant, et laisse une délicate arrière-bouche florale de rose... Sera parfait avec un foie gras mi-cuit ou un fromage corse typé.

⊶ Dominique Gentile, Olzo, 20217 Saint-Florent, tél. 04.95.37.01.54, fax 04.95.37.16.69 ☑ Y t.l.j. 9h-12h 14h30-19h; r.v. hors saison

DOM. GIUDICELLI 1998

□ 4,78 ha 18 000 🍾🌡 50 à 69 F

Dernière arrivée dans l'appellation muscat du cap corse, Muriel Giudicelli ne passe pas inaperçue. Installée à Poggio-d'Oletta depuis 1997 sur un vignoble de 5 ha de muscat en production, elle a fait ses premières vendanges dans une cave neuve et très bien équipée. Premier muscat et une citation au Guide pour ce joli vin jaune clair aux reflets miel, au nez discret, à la bouche exubérante où le fruit explose malgré un caractère un peu alcooleux. Un domaine à découvrir !

⊶ Muriel Giudicelli, Hameau Paese Novu, 20213 Penta di Casinca, tél. 04.95.36.45.10, fax 04.95.36.45.10 ☑ Y t.l.j. sf sam. dim. 9h-12h 14h-17h

DOM. LECCIA 1998★★

□ 2 ha 5 000 🍾🌡 70 à 99 F

Le talent d'Yves Leccia qui associe tradition, terroir et muscat à petits grains, offre à l'amateur un élixir précieux, vêtu d'or, aux parfums de pamplemousse et de cédrat. En bouche, équilibre et amplitude délivrent une sensation magique de grains que l'on croque... Dépêchez-vous, mais sachez aussi l'oublier, pour mieux le découvrir dans cinq ou ... dix ans.

GAEC Dom. Leccia, 20232 Poggio-d'Oletta, tél. 04.95.37.11.35, fax 04.95.37.17.03 ☑ Y t.l.j. sf dim. 9h-12h 15h-18h

CLOS MARFISI 1998*

☐ 3,5 ha 10 000 50 à 69 F

Encore une étoile pour le domaine Marfisi. La cave, ancienne et chaleureuse, bénéficie du nécessaire pour l'élaboration d'excellents vins. La cuvée de muscat 98 en est une belle illustration, avec sa robe élégante, jaune clair à reflets verts, son nez exubérant muscaté, ponctué de notes de fruits secs, et sa bouche vive à l'équilibre enrobé de saveurs d'agrumes. 10 000 bouteilles à se partager, ce n'est pas grand-chose.

Toussaint Marfisi, Clos Marfisi, 20253 Patrimonio, tél. 04.95.37.01.16, fax 04.95.37.01.16 ☑ Y t.l.j. sf dim. 9h-12h30 14h30-19h; f. déc.-Janv.

ORENGA DE GAFFORY 1998**

☐ 3,53 ha 14 000 50 à 69 F

Toujours très présent dans le Guide, le domaine d'Henri Orenga perpétue le mariage réussi de la tradition et de la modernité. Enfanté sur des terres argilo-calcaires, ce vin joyeux, très clair, brillant, s'exprime par salves aromatiques fleuries - des brassées odorantes au nez et en bouche. Harmonie, complexité et fruité habillent le palais royalement.

Orenga de Gaffory, Morta Majo, 20253 Patrimonio, tél. 04.95.37.45.00, fax 04.95.37.14.25 ☑ Y r.-v.

DOM. PASTRICCIOLA 1998

☐ 1 ha 3 000 50 à 69 F

Une robe diaphane, des arômes fins et délicats de fleurs blanches et d'agrumes, une bouche agréable et fruitée : un muscat sympathique. A déguster au pied du menhir de Patrimonio avec un fromage corse piquant et les trois compères de Pastricciola !

GAEC Pastricciola, rte de Saint-Florent, 20253 Patrimonio, tél. 04.95.37.18.31, fax 04.95.37.08.83 ☑ Y t.l.j. 9h-19h; f. nov.

Giovannetti-Maestracci-Gilormi

DOM. PIERETTI 1998

☐ n.c. n.c. 50 à 69 F

Lina Venturi est une femme pétillante qui a repris la propriété familiale en 1992. Cette première production de muscat provient d'un coteau aride et peu productif, situé à Pietracorbara, non loin d'une des plus belles plages du cap Corse. Ces vignes jeunes ont délivré un vin jaune clair aux arômes légers et fleuris, bien fait.

Lina Venturi-Pieretti, Santa-Severa, 20228 Luri, tél. 04.95.35.01.03, fax 04.95.35.03.93 Y r.-v.

DOM. SAN QUILICO 1998**

☐ 3 ha 12 000 50 à 69 F

Henri Orenga de Gaffory est un épicurien, grand amateur de cigares et d'art contemporain. Il gère le vignoble de San Quilico, en progression constante, depuis 1989. Sa sensibilité artistique imprime à ses vins une touche aristocratique unique et inimitable. Au festival des muscats, le San Quilico a fait battre tous les cœurs ! Superbe élixir où se conjuguent en parfaite harmonie une couleur jaune pâle, un parfum délicat et subtil d'agrumes muscatés, des saveurs de fruits persistantes, une bouche équilibrée, puissante, tout en longueur ! Magnifique, et à ne manquer sous aucun prétexte !

EARL du Dom. San Quilico, Morta Majo, 20253 Patrimonio, tél. 04.95.37.45.00, fax 04.95.37.14.25 ☑ Y r.-v.

LES VINS DE LIQUEUR

L'appellation contrôlée ne s'appliquait qu'au pineau des charentes pour la dénomination « vin de liqueur » (désignation communautaire VLQPRD), à l'exception très rare de quelques frontignans ; le 27 novembre 1990, le floc de gascogne et le 14 novembre 1991, le macvin du jura ont rejoint l'appellation contrôlée « vin de liqueur ». Ce produit est le fruit d'un assemblage de moût en fermentation avec une eau-de-vie d'origine vinique. En tout état de cause, les produits « vins de liqueur » auront un titre alcoométrique compris entre 16 et 22 % vol. L'addition de l'eau-de-vie sur le moût est appelé « mutage » ; dans les deux cas, l'eau-de-vie et le moût sont originaires de la même exploitation.

Pineau des charentes

Le pineau des charentes est produit dans la région de Cognac qui forme un vaste plan incliné d'est en ouest d'une altitude maximum de 180 m, et qui s'abaisse progressivement vers l'océan Atlantique. Le relief est peu accentué. Le climat, de type océanique, est caractérisé par un ensoleillement remarquable, avec de faibles écarts de température qui favorisent une lente maturation des raisins.

Le vignoble, traversé par la Charente, est implanté sur des coteaux au sol essentiellement calcaire et couvre plus de 83 000 ha, dont la destination principale est la production du cognac. Celui-ci va être « l'esprit » du pineau des charentes : ce vin de liqueur est en effet le résultat du mélange des moûts des raisins charentais partiellement fermentés avec du cognac.

Selon la légende, c'est par hasard qu'au XVIe s. un vigneron un peu distrait commit l'erreur de remplir de moût de raisin une barrique qui contenait encore du cognac. Constatant que ce fût ne fermentait pas, il l'abandonna au fond du chai. Quelques années plus tard, alors qu'il s'apprêtait à vider la barrique, il découvrit un liquide limpide, délicat, à la saveur douce et fruitée : ainsi serait né le pineau des charentes. Le recours à cet assemblage se poursuit aujourd'hui encore, de la même façon artisanale à chaque vendange, car le pineau des charentes ne peut être élaboré que par les viticulteurs. Restée locale pendant longtemps, sa renommée s'étendit peu à peu à toute la France, puis au-delà de nos frontières.

Les moûts de raisins proviennent essentiellement, pour le pineau des charentes blanc, des cépages ugniblanc, colombard, montils et sémillon, et, pour le rosé, des cabernet-franc, cabernet-sauvignon et merlot. Les ceps doivent être conduits en taille courte et cultivés sans engrais azotés. Les raisins devront donner un moût dépassant les 10 ° en puissance. Le pineau des charentes vieillit en fût de chêne pendant au minimum une année.

Il ne peut sortir de la région que mis en bouteilles. Comme en matière de cognac, il n'est pas d'usage d'indiquer le millésime. En revanche, un qualificatif d'âge est souvent indiqué. Le terme « vieux pineau » est réservé au pineau de plus de cinq ans et celui de « très vieux pineau » au pineau de plus de dix ans. Dans ces deux cas, il doit passer son temps de vieillissement exclusivement en barrique et la qualité de ce vieillissement doit être reconnue par une commission de dégustation. Le degré alcoolique doit être compris entre 17 ° et 18 ° et la teneur en sucre non fermenté de 125 à 150 g ; le rosé est par essence généralement plus doux et plus fruité que le blanc, lequel est plus nerveux et plus sec. La production annuelle dépasse 100 000 hl : 55 % de blanc et 45 % de rosé. Cinq cents producteurs-récoltants et une dizaine de coopératives élaborent et commercialisent le pineau des charentes. Cent négociants représentent plus de 40 % du marché de détail.

Nectar de miel et de feu, dont la merveilleuse douceur dissimule une certaine traîtrise, le pineau des charentes peut être consommé jeune (à partir de deux ans) ; il donne alors tous ses arômes de fruits, encore plus abondants dans le rosé. Avec l'âge, il prend des parfums de rancio très caractéristiques. Par tradition, il se consomme à l'apéritif ou au dessert ; cependant, de nombreux gastronomes ont noté que sa rondeur accompagne le foie gras et le roquefort, que son moelleux intensifie le goût et la douceur de certains fruits, principalement le melon (charentais), les fraises et les framboises. Il est utilisé également en cuisine pour la confection de plats régionaux (mouclades).

ANDRE ARDOUIN Vieux★★★

☐ 1 ha n.c. ▮▮ 70 à 99 F

La famille Ardouin distille depuis six générations, il est encore possible de dénicher quelques vieux millésimes de 1815 ! Ce vieux pineau possède une robe attirante ambrée, dorée et intense aux reflets de cire et de fleurs de colza. Les nuances odorantes sont extrêmes, d'une grande finesse ; elles sont le compromis fort réussi de parfums de fruits, de bois et de rancio long et droit. Cette belle impression nasale se retrouve complètement en bouche où le développement des arômes est long et harmonieux ; la noix séchée s'affirme avec le même rancio persistant. A découvrir et à déguster sagement.

🔑 André Ardouin, 6, rue des Anges, 17470 Villemorin, tél. 05.46.33.12.52, fax 05.46.33.14.47 ☑ Y r.-v.

JEAN AUBINEAU★

☐ 1,37 ha 9 500 ▮▮ 50 à 69 F

Dans la même famille depuis 1834, cette exploitation possède un petit vignoble implanté sur des terroirs remarquables. Ce pineau de couleur jaune pâle, très brillant, avec un nez intense de banane, de pêche de vigne et de fleurs blanches est très agréable du fait de sa fraîcheur ; fraîcheur que confirment sa légère acidité et son fruité, caractères pleins de charme.

🔑 Jean Aubineau, La Coudraie, 16120 Malaville, tél. 05.45.97.08.30 ☑ Y r.-v.

MICHEL BARON Vieux blanc★★

☐ 2,5 ha 4 000 ▮▮ 70 à 99 F

Ce vignoble des Borderies acquis en 1730 par Léon Alexis de Biémond, vicomte d'Ars, appartient à la famille Baron depuis 1851. Les vignes d'ugni blanc, âgées en moyenne de vingt-cinq ans, donnent un très joli pineau blanc que l'on retrouve régulièrement dans ce guide. Habillé d'une robe or, aux reflets très jaunes, ambrés et brillants, il manifeste un nez qui au premier abord paraît un peu timide puis qui s'élève rapidement, avec élégance et intensité. Cette discrétion permet de relever des arômes de fruits très mûrs et un rancio tendre, en plein développement. L'attaque en bouche est douce, avec des goûts de miel très fondus. Le rancio est raffiné et plaisant. La persistance est longue et subtile. Remarquable vieux pineau qui saura s'affirmer dans l'avenir.

🔑 Michel Baron, Logis du Coudret, 16370 Cherves-Richemont, tél. 05.45.83.16.27, fax 05.45.83.18.67 ☑ Y r.-v.

BARON DE L'IF Très vieux pineau blanc★

☐ 2,2 ha n.c. ▮▮ 70 à 99 F

Cette propriété viticole, familiale depuis 1884, présente un très vieux pineau blanc bien réussi, élaboré à partir d'ugni blanc et de colombard (20 %). Sa jolie couleur ambrée a des reflets paille, limpides. Le nez révèle une belle palette de fruits blancs et rouges, de noix, de pruneau, légèrement soutenue par une note miellée. En bouche, on retrouve un bouquet de fruits avec des notes de miel et de cire. Le rancio est intense. Une pointe de fraîcheur équilibre harmonieusement ce très vieux blanc.

🔑 Pierre et Daniel Duluc, GAEC de l'If, chez Guionnet, 16120 Touzac, tél. 05.45.97.50.12 Y t.l.j. sf dim. 9h-19h

RAYMOND BOSSIS Vieux★

☐ 20 ha 6 000 ▮▮ 50 à 69 F

Jean-Luc Bossis, installé depuis 1993 sur l'exploitation des Groies, succède à son père Raymond et à ses ancêtres vendéens qui ont planté les premiers pieds de vignes en 1924. L'ugni blanc donne, une fois de plus, un vieux pineau à la très belle robe brillante, ambrée et dorée. Le nez est largement dominé par les fruits blancs bien mûrs ; le rancio est présent, mais délicatement. Fin en bouche, ce pineau inspire dou-

VDL

ceur et finesse avec un fruité légèrement miellé et un léger rancio. Très réussi, il offre un rapport qualité-prix très intéressant !

🕭 SCEA Les Groies, 17150 Saint-Bonnet-sur-Gironde, tél. 05.46.86.02.19, fax 05.46.70.66.85 ☑ ⏍ t.l.j. 9h-12h30 14h-19h30; f. du 25 déc. au 01 janv.

🕭 Raymond Bossis

LOUIS BOURON★

◿	n.c.	n.c.	◫ 50 à 69 F

On raconte que depuis la tour du château, Louis XIII s'assura de la destruction des remparts de Saint-Jean-d'Angély en 1621. Plus pacifique aujourd'hui, ce domaine de 90 ha propose un joli pineau de couleur rubis à reflets orangés. Le nez offre des arômes de cerise, de myrtille et de groseille. Très souple, la bouche confirme par son fruité délicat et ses notes épicées le charme de cette bouteille.

🕭 Ch. de La Grange, 189, av. de Jarnac, B.P. 80, 17416 Saint-Jean-d'Angély Cedex, tél. 05.46.32.00.12, fax 05.46.32.06.11, e-mail cognaclouisbouron@swfrance.com ☑ ⏍ t.l.j. 9h-18h30

🕭 Monique Paries

JOAN BRISSON★

◿	1 ha	2 500	◫ 50 à 69 F

Ce vignoble situé sur des sols de groies et argilo-calcaires permet une production de qualité. D'une couleur rosé foncé à reflets violacés, ce pineau dégage des arômes de cassis et de mûre. Bien équilibré, long en bouche, il possède un fruité qui ne déçoit pas. Très harmonieux.

🕭 Joan Brisson, 8, rue du Moulin, 17160 Matha, tél. 05.46.58.25.07, fax 05.46.58.26.40, e-mail jbrisson@cer17.cernet.fr ☑ ⏍ t.l.j. 9h-20h; groupes sur r.-v.

CABEL★

◿	2,5 ha	15 000	◫ 50 à 69 F

Un vignoble exploité de façon traditionnelle depuis plusieurs générations. Résultat d'un assemblage de trois cépages noirs (merlot, cabernet franc et cabernet-sauvignon), ce pineau possède une robe rubis à reflets tuilés. Au nez se développent des arômes de fruits rouges avec des notes légèrement épicées. En bouche, on apprécie particulièrement sa souplesse, son fruité et sa longueur. Le **pineau blanc** reçoit la même note.

🕭 SARL Cabel, Le Breuil-Sonnac, 17160 Matha, tél. 05.46.58.56.29, fax 05.46.58.64.21 ☑ ⏍ t.l.j. 8h-12h 14h-18h30

DOMINIQUE CHAINIER Vieux★

☐	3 ha	500	▮◫ 70 à 99 F

Dominique Chainier a repris cette exploitation viticole de petite champagne en 1970. Il propose une restauration à la ferme et la possibilité de camper sur place. Il a proposé ce vin issu d'ugni blanc à la robe ambrée et joliment dorée qui présente une belle note de rancio intense marquant la grande richesse des arômes de vieux pineau (fruits secs notamment). La bouche prolonge agréablement le nez. Ce pineau élégant et complexe est très corpulent et persistant. Il est prêt à boire mais, en vieillissant, il pourra devenir un « très vieux » qui saura charmer.

🕭 Dominique Chainier et Fils, La Barde Fagnouse, 17520 Arthénac, tél. 05.46.49.12.85, fax 05.46.49.18.91 ☑ ⏍ r.-v.

JEAN DOUSSOUX★★

☐	5 ha	20 000	◫ 50 à 69 F

Installée depuis 1865, cette exploitation a commencé à produire du pineau en 1947. Celui-ci est paré d'une belle couleur ambrée, très brillante, à reflets dorés ; ses arômes complexes de fruits secs légèrement épicés traduisent les caractères des cépages utilisés (colombard, ugni blanc). Long en bouche, d'une grande vinosité avec néanmoins une sensation de fruits mûrs, il nous laisse sur une remarquable impression.

🕭 SCEA Doussoux-Baillif, Phiolin, 17800 Saint-Palais-de-Phiolin, tél. 05.46.70.92.29, fax 05.46.70.91.70 ☑ ⏍ t.l.j. 8h30-12h 14h30-19h30; dim. sur r.-v.

DUPUY Très Vieux★★★

☐	n.c.	3 500	◫ 50 à 69 F

Fondée en 1852, cette maison familiale située au cœur de Cognac commercialise et exporte 95 % de sa production de cognac et de pineau des charentes. Ce remarquable très vieux pineau est flatteur à l'œil (robe ambrée, cuivrée, limpide à reflets d'or). Le nez est intense avec des arômes de fruits secs, de noix et d'amande et un rancio bien présent. Excellent équilibre en bouche avec des notes fraîches de noix et d'abricot sec et un rancio fin, particulièrement marqué. Ce très vieux pineau typique doit se boire avec respect et présente une harmonie parfaite.

🕭 A. Edmond Dupuy, 32, rue de Boston, 16102 Cognac Cedex, tél. 05.45.32.07.45, fax 05.45.32.52.47, e-mail c-b-g-@cognac-dupuy.com ☑

PIERRE GAILLARD★

☐	3 ha	n.c.	◫ 50 à 69 F

Ce producteur établi au cœur de la Saintonge romane exploite pour la production de ce pineau des parcelles de différents cépages : ugni blanc, montils, colombard, sémillon. Avec sa robe couleur vieil or, très brillante, légèrement ambrée, son nez plein de finesse et intensité, c'est un très bon produit. Long en bouche, bien équilibré, harmonieux, il fait tout pour séduire le consommateur.

🕭 EARL Pierre Gaillard et Fils, Chez Trébuchet, 17240 Clion, tél. 05.46.70.45.15, fax 05.46.70.39.30 ☑ ⏍ sf dim. 9h-19h

HENRI GEFFARD★

☐	3 ha	23 000	◫ 50 à 69 F

Ce domaine exploité de père en fils depuis cinq générations est un lieu privilégié pour prises de vues cinématographiques. De couleur légèrement ambrée à reflets rosés, son pineau possède des arômes intenses de fruits secs, de miel. Le bois est présent mais reste discret. Sa rondeur en bouche et les notes de rancio qui accompagne une onctuosité très présente, en font un excellent produit.

🗝 Henri Geffard, La Chambre, 16130 Verrières, tél. 05.45.83.02.74, fax 05.45.83.01.82 ☑ 🍷 t.l.j. 8h30-12h 14h-19h

GUERIN FRERES*

◪ 10 ha 40 000 🍾 30 à 49 F

Depuis 1965, les membres de la famille Guérin se sont réunis en SICA pour commercialiser leur pineau. Très bien exposé, le vignoble implanté sur des sols argilo-calcaires superficiels domine la Gironde. La robe rubis vif de ce pineau provient de raisins très mûrs ayant subi une macération généreuse ; des arômes de fruits à noyaux se développent. Bien équilibré, très rond, ce pineau offre en fin de bouche des notes de cerise confite.

🗝 Sté Puy Gaudin, B.P. 21, 17120 Chenac, tél. 05.46.90.41.57, fax 05.46.90.41.37 ☑ 🍷 t.l.j. sf sam. dim. 8h-12h 14h-18h; f. du 25/12 au 02/01

GUILLON-PAINTURAUD Extra Vieux*

□ 3,5 ha n.c. 🍾 100 à 149 F

Viticulteurs « champagnaux » depuis 1610, les Guillon-Painturaud proposent un pineau extra vieux, fort réussi et original, assemblage d'ugni blanc et de sémillon. Une jolie robe claire aux reflets or et cuivre l'habille. Les arômes de fruits confits, de fleurs et de noix dominent un rancio un peu discret. Très lié, bien équilibré, il évoque en bouche la noix fraîche, les amandes et la cire. Il présente encore de la fraîcheur, gage d'une longue conservation.

🗝 Guillon-Painturaud, Biard, 16130 Ségonzac, tél. 05.45.83.41.95, fax 05.45.83.34.42 ☑ 🍷 t.l.j. sf dim. 9h-12h 14h-18h; dim. et j.f. sur r.-v.

ILRHEA*

◪ n.c. n.c. 🍾 30 à 49 F

La coopérative de l'île de Ré, dont la marque Ilrhéa a été créée en 1951, présente une gamme de terroirs variés, allant des terres de groies aux sables. De couleur rose foncé, brillant de multiples reflets, ce pineau offre un nez de fruits rouges légèrement vanillés. Très complexe et de grande richesse, sa bouche est généreuse. La finale est longue et harmonieuse.

🗝 Coop. des Vignerons de L'île de Ré, 17580 Le Bois-Plage-en-Ré, tél. 05.46.09.23.09, fax 05.46.09.09.26 ☑ 🍷 r.-v.

R. JOBET ET FILS Vieux rosé*

◪ 3 ha n.c. 🍾 70 à 99 F

Viticulteur depuis 1948 sur la commune de Macqueville, ce propriétaire récoltant élabore un vieux pineau rosé à base de merlot noir et de cabernet-sauvignon âgés d'environ vingt-cinq ans. Cuivrée, ambrée, sa robe légère est limpide. Il allie au nez des odeurs de fleurs, de caramel et d'orange cuite. Les dominantes en bouche sont celles du pruneau et de la noix avec un rancio léger et agréable et une très longue ampleur. Complet et bien fait, c'est un vieux pineau fort réussi au prix très compétitif.

🗝 René Jobet et Fils, 17, rue du Château, 17490 Macqueville, tél. 05.46.26.64.11, fax 05.46.26.64.11 ☑ 🍷 r.-v.

L'ENCLOUSE DES VIGNES*

◪ 2,2 ha 10 000 🍾 50 à 69 F

Depuis sa création, cette exploitation viticole - dont le nom évoque « les vignes sur coteaux qui l'enclosent » - propose ce pineau rosé. Légèrement tuilé avec de multiples reflets, il possède un bon équilibre d'arômes et de saveurs. Son nez très fruité (fruits rouges confits) est plein de générosité. Souple, la bouche offre une longue persistance aromatique où domine le fruité de la framboise. Le **pineau blanc** est aussi à découvrir.

🗝 SCEA L'Enclouse des Vignes, Mageloup, 17120 Floirac, tél. 05.46.90.63.29, fax 05.46.90.60.68 ☑ 🍷 t.l.j. sf dim. 9h-12h 14h-19h

🗝 Bourreau

LE PATOISAN*

◪ 3 ha 10 000 🍾 30 à 49 F

La famille Morandière représente la cinquième génération de viticulteurs sur ce domaine établis sur des terrains exceptionnels et qui ne cesse de progresser. La couleur rubis intense de son pineau annonce des arômes fort recherchés de fruits rouges très mûrs où dominent cerise et mûre. Long en bouche, légèrement acidulé en finale, ce Patoisan laisse une agréable impression de rondeur.

🗝 Guy et Jean-Pierre Morandière, 12, rue du Pineau, Le Breuil, 17150 Saint-Georges-des-Agouts, tél. 05.46.86.02.76, fax 05.46.70.63.11 ☑ 🍷 r.-v.

LE PLANTIS DES VALLEES

□ 5 ha 6 000 🍾 50 à 69 F

Le vignoble, créé en 1850, est exploité de génération en génération par la même famille. Son pineau de couleur vieil or à multiples reflets possède des arômes intenses d'agrumes ; sa rondeur en bouche, sa puissance, son élégance et un goût de bonbon acidulé sont autant de caractères qui se conjuguent harmonieusement.

🗝 Le Plantis des Vallées , 4, rue de la Croix-de-Langlais, 17490 Macqueville, tél. 05.46.26.67.76, fax 05.46.26.68.15 ☑ 🍷 r.-v.

🗝 J.-F. Quéron

LEYRAT**

□ n.c. n.c. 🍾 50 à 69 F

Ce vignoble de 55 ha se situe sur des terrains exceptionnels (argilo-calcaires avec craie en sous-sol). D'une belle robe couleur vieil or, très limpide, à reflets chatoyants, son pineau développe des arômes complexes et très recherchés de fruits secs. En bouche, il possède beaucoup de rondeur, de puissance, de fondu, toutes caractéristiques qui en font un remarquable produit.

🗝 Leyrat, Dom. de chez Maillard, 16440 Claix, tél. 05.45.66.35.72, fax 05.45.66.48.34 ☑ 🍷 r.-v.

LOGIS DE MONTIFAUD

□ 4 ha 4 000 50 à 69 F

Domaine de 20 ha de vignes acheté par Pierre Landreau en 1960 et possédant un stock de vieilles eaux-de-vie dont certaines datent de 1919. Avec sa belle robe jaune légèrement ambrée, ce pineau au nez très fin et au fruité recherché s'affirme par une attaque franche et puissante.

Son rancio bien présent lui donne un charme certain, qui se confirme en finale.
🔑 Christian Landreau, Logis de Montifaud, 16130 Salles-d'Angles, tél. 05.45.83.67.45, fax 05.45.83.63.99 ▣ Y t.l.j.

CHRISTIAN LOIZEAU*

◪ 0,6 ha 6 400 ❚❚ 50 à 69 F

Petite structure créée en 1922, cette exploitation familiale s'agrandit et se développe au fil des ans. La robe de son pineau est d'une intense couleur cerise à reflets tuilés. Le bouquet est vif, avec des notes de groseille et de fraise. Le fruit offre un bon développement en bouche avec une très appréciable persistance aromatique.
🔑 EARL Christian Loizeau, chez Marot, 17770 Ecoyeux, tél. 05.46.97.76.64, fax 05.46.97.75.29 ▣ Y t.l.j. 8h30-21h

JEAN-PAUL MAURIN Vieux*

◪ 2 ha 4 000 ❚❚ 70 à 99 F

Viticulteur œnologue, Jean-Paul Maurin est depuis 1974 à la tête de cette propriété proche de la Gironde. Assemblage complexe de vieilles vignes de merlot noir, cabernet-sauvignon et malbec, ce vieux pineau rosé a une robe rose pâle, évoluée, à reflets brillants. Il exprime des nuances assez intenses de fruits cuits macérés (pruneau) avec un fin rancio légèrement miellé. La bouche structurée révèle un tanin tendre, des notes de fruits cuits (abricot et pruneau) et une finale de coing agréablement soulignée par une pointe d'acidité. Beau produit bien vieilli en barriques de chêne.
🔑 Jean-Paul Maurin, 17240 Saint-Dizant-du-Gua, tél. 05.46.49.96.28, fax 05.46.49.47.05 ▣ Y r.-v.

MADAME MICHEL MOCQUET*

☐ 2,3 ha n.c. ❚❚ 30 à 49 F

Cette exploitation viticole, composée de parcelles dont l'encépagement pour la production du pineau est composé à 40 % d'ugni puis de colombard et montils, effectue les vendanges manuellement. Son pineau blanc, bien équilibré, se présente dans une belle robe brillante, légèrement ambrée. Ses arômes de fruits secs sont intenses et d'un rancio très présent. On apprécie en fin de bouche son onctuosité et le bienfait d'un long vieillissement.
🔑 Madame Michel Mocquet, L'Abbaye, 16200 Mainxe, tél. 05.45.81.64.39 ▣ Y r.-v.

MOULIN DE MERIENNE Ruby**

◪ 4 ha 21 600 ▮❚❚🌡 50 à 69 F

Le domaine du Clos de Mérienne est situé en grande champagne. Planté sur des coteaux, le vignoble bénéficie d'un très bon ensoleillement qui influence la remarquable saveur des produits. Ce rosé se distingue par sa robe rubis intense à reflets orangés. Aux arômes de cerise, très amples, complexes et intenses, succède une bouche délectable, puissante, longue et harmonieuse. Sa structure exceptionnelle est confirmée par une finale chaleureuse.

🔑 SCA du Clos de Mérienne, 16200 Gondeville, tél. 05.45.81.13.27, fax 05.45.81.74.30 ▣ Y r.-v.
🔑 Charpentron

PAUTIER**

◪ 1,32 ha n.c. ❚❚ 50 à 69 F

Dans un magnifique domaine situé à deux pas de Cognac, la famille Pautier élabore du pineau depuis 1979. Assemblage réussi de merlot noir et de cabernet-sauvignon dont les pieds ont au moins vingt ans, ce pineau en robe rubis à reflets tuilés, très brillant, développe des arômes complexes de fruits confits où dominent figue et raisin. Bien ronde, puissante, la bouche confirme les arômes précédemment découverts, avec une ampleur très appréciée du jury.
🔑 SCA de la Romède Pautier, Veillard, 16200 Bourg-Charente, tél. 05.45.81.24.89, fax 05.45.81.04.44 ▣ Y t.l.j. 9h-19h

ANDRE PETIT

☐ 2,7 ha 12 000 ❚❚ 50 à 69 F

Cette exploitation commercialise sa production depuis 1973, tant en pineau qu'en cognac. De couleur jaune paille à reflets vieil or, ce pineau possède des arômes d'agrumes corsés d'odeurs de sous-bois. Bien équilibré, très rond, il offre en fin de bouche des notes de grillé et de fruits secs.
🔑 André Petit et Fils, Au Bourg, 16480 Berneuil, tél. 05.45.78.55.44, fax 05.45.78.59.30 ▣ Y t.l.j. sf dim. 8h-12h30 13h30-18h30; f. 10-25 août

REMY MARTIN*

☐ n.c. 70 000 ❚❚ 50 à 69 F

Depuis 1724, la maison Rémy Martin élabore et commercialise des cognacs de grande et petite champagne qui ont acquis une réputation mondiale. A cette gamme prestigieuse s'est ajouté le pineau des charentes blanc. Parée d'une robe ambrée à reflets vieil or, celui-ci est riche d'arômes de fruits secs - amandes et noix. Très rond et intense avec une note de rancio qu'a appréciée le jury, il affirme sa puissance avec des tendances évoluées de miel et de noix.
🔑 Rémy Martin, 20, rue de la Société-Vinicole B.P. 37, 16100 Cognac, tél. 05.45.35.76.00, fax 05.45.35.02.85 ▣ Y r.-v.

Floc de gascogne

Le floc de gascogne est produit dans l'aire géographique d'appellation bas armagnac, ténarèze et haut armagnac, ainsi que dans toutes les communes répondant aux dispositions du décret du 6 août 1936, définissant l'aire géographique d'appellation armagnac. Cette région viticole fait partie du piémont pyrénéen et se répartit en trois départements : le Gers, les Landes et le Lot-et-Garonne. Afin de donner une force supplémentaire à l'antériorité de leur production, les vignerons du floc de gascogne ont mis en place un principe nouveau qui n'est ni une délimitation parcellaire telle qu'on la rencontre pour les vins, ni une simple aire géographique telle qu'on la rencontre pour les eaux-de-vie. C'est le principe des listes parcellaires approuvées annuellement par l'INAO.

Les blancs sont issus des cépages colombard, gros manseng et ugni blanc, qui doivent ensemble représenter au moins 70 % de l'encépagement, et ne peuvent dépasser seuls 50 % depuis 1996, avec pour cépages complémentaires le baroque, la folle blanche, le petit manseng, le mauzac, le sauvignon, le sémillon ; pour les rosés, les cépages sont le cabernet franc et le cabernet-sauvignon, le cot, le fer servadou, le merlot et le tannat, ce dernier ne pouvant dépasser 50 % de l'encépagement.

Les règles de production mises en place par les producteurs sont contraignantes : 3 300 pieds/ha taillés en guyot ou en cordon, nombre d'yeux à l'hectare toujours inférieur à 60 000, irrigation des vignes strictement interdite en toute saison, rendement de base des parcelles inférieur ou égal à 60 hl/ha.

Chaque viticulteur doit, chaque année, souscrire la déclaration d'intention d'élaboration destinée à l'INAO, afin que ce dernier puisse aller vérifier réellement sur le terrain les conditions de production. Les moûts récoltés ne peuvent avoir moins de 110 g/l de sucres de moût. La vendange, une fois égrappée et débourbée, est mise dans un récipient où le moût peut subir un début de fermentation. Aucune adjonction de produits extérieurs n'est autorisée. Le mutage du moût se fait avec une eau-de-vie d'armagnac d'un compte d'âge minimum 0 et d'un degré minimum de 52 % vol. Le mélange ainsi réalisé sera laissé au repos au minimum pendant neuf mois. Il ne peut sortir des chais avant le 1er septembre de l'année qui suit la récolte. Tous les lots de vins sont dégustés et analysés. En raison de l'hétérogénéité toujours à craindre de ce type de produit, l'agrément se fait en bouteilles.

CH. DU BASCOU★★

☐ 1,6 ha 4 000 ■ 🌡 30 à 49 F

Sur cette belle propriété datant du début du XIXe s., outre les productions de vins de pays des côtes de Gascogne et d'armagnac, on trouve un floc blanc très prometteur. Sa robe jaune pâle à reflets verts annonce un nez fleuri et fruité assez intense où l'armagnac domine encore un peu. La bouche fraîche et agréable, bien équilibrée et longue, est remarquable. De couleur rouge cerise, le **rosé**, léger et fruité, de bonne tenue, a été cité.

⊶ R. Rouchon, EARL Ch. du Bascou, 32290 Bouzon-Gellenave, tél. 05.62.09.07.80, fax 05.62.09.08.94 ☑ Y t.l.j. 9h-12h30 15h-19h

BORDENEUVE-ENTRAS★

◢ 1,04 ha 13 500 ⏸ 50 à 69 F

Habituée du Guide, la famille Maestrojuan est bien connue de nos lecteurs. Son **blanc**, de bonne facture, est cité pour sa belle présentation et sa légère évolution sur des notes grillées. Quant à son rosé, il est habillé d'une robe rouge brillante et son fruité est intense. Long en bouche, souple, bien équilibré, il est harmonieux et séduisant.

⊶ GAEC Bordeneuve-Entras, 32410 Ayguetinte, tél. 05.62.68.11.41, fax 05.62.68.15.32 ☑ Y r.-v.

⊶ Maestrojuan

DOM. DES CASSAGNOLES★

◢ 5 ha 8 000 ⏸ 30 à 49 F

La maison Baumann est toujours présente au rendez-vous de la qualité. Elle a présenté deux flocs qui reçoivent chacun une étoile. La première pour ce rosé à la robe vive, rubis, au nez intense de fruits rouges mûrs légèrement cacaotés. Son ampleur, la grande persistance en bouche de ses arômes de fruits confits et de cassis en font un produit harmonieux. La seconde étoile est pour son **blanc** d'un jaune pâle très brillant. Il se distingue par sa riche palette aromatique déclinant des nuances de fruits et de fleurs et se montre très rond tout en restant léger. La qualité de l'armagnac n'est pas étrangère à celle de ce floc. Deux réussites dues à un élevage en fût parfaitement maîtrisé.

⊶ Dom. des Cassagnoles, EARL la Ténarèze, 32330 Gondrin, tél. 05.62.28.40.57, fax 05.62.68.23.76 ☑ Y t.l.j. juin à sept. 8h30-18h30

⊶ J. et G. Baumann

CH. DE CASSAIGNE

☐   20 ha   3 600   `50 à 69 F`

Situé à deux kilomètres de l'abbaye de Flaran, ce magnifique château du milieu du XIII[e]s. élabore de nombreux produits, et en particulier un floc blanc retenu par le jury pour son côté floral au nez et sa grande complexité en bouche. Tout lui assure une certaine longévité.

☎ Ch. de Cassaigne, 32100 Cassaigne, tél. 05.62.28.04.02, fax 05.62.28.41.43, e-mail chateaudecassaigne@teleparc.net
☑ ⵣ t.l.j. 9h-12h 14h-19h

DOM. DE CAUMONT★

☐   1 ha   5 060   `50 à 69 F`

Roger Bourdens a pris sa retraite mais rien ne change : sa fille Elisabeth marche sur ses traces comme le montre ce floc blanc très réussi. Sa robe jaune pâle, brillante, son nez puissant, complexe, floral et fruité, sa bouche très aromatique, bien structurée, longue et persistante, donnent un produit méritant le détour.

☎ Elisabeth Samalens-Bourdens, Caumont, 32240 Lias-d'Armagnac, tél. 05.62.09.63.95, fax 05.62.08.70.14 ☑ ⵣ r.-v.

LES PRODUCTEURS DE LA CAVE DE CONDOM EN ARMAGNAC★★

◢   5 ha   20 000   `30 à 49 F`

Dans une région très riche en architecture et en gastronomie, Condom, capitale de la Ténarèze, compte un fleuron de plus dans son patrimoine : le floc rosé de la cave coopérative, qui, par sa couleur rubis, son intense nez fruité à notes de cassis, sa bouche de fruits rouges, harmonieuse et équilibrée, a séduit le jury au point d'en obtenir à l'unanimité le coup de cœur. D'un jaune cristallin, vif et fruité, le **blanc** a été cité.

☎ Les producteurs de la Cave de Condom-en-Armagnac, 59, av. des Mousquetaires, 32100 Condom, tél. 05.62.28.12.16, fax 05.62.28.23.94 ⵣ r.-v.

DOM. D'EYSSAC★★★

☐   1 ha   4 000   `▮` `50 à 69 F`

Trois étoiles méritées pour ce floc blanc produit sur des boulbènes graveleuses. Le colombard et le gros manseng donnent une robe dorée, brillante à reflets verdâtres. Le nez de fruits exotiques, légèrement épicé, se montre riche, intense et complexe. La bouche ? Une corbeille de fruits, ronde, miellée, équilibrée, longue, longue... Produit exceptionnel à conjuguer avec un foie gras du Gers.

☎ Gilles Lhoste, Dom. d'Eyssac, 32290 Averon-Bergelle, tél. 05.62.08.52.27, fax 05.62.61.84.86
☑ ⵣ r.-v.

MICHEL FEZAS★

◢   2 ha   16 000   `30 à 49 F`

Michel Fezas avait obtenu le coup de cœur dans notre édition 1998. Nous vous expliquions que le nom de son cru, Chiroulet, venait du vent (chiroule) qui souffle sur les hauts coteaux de la Ténarèze. Son **floc blanc**, cité cette année, jaune d'or brillant, riche d'arômes de fruits secs, se montre souple à l'attaque, bien structuré et d'un bon équilibre. Le rosé, d'un rouge profond soutenu, au nez fruité et floral intense, est vivace en bouche ; cerise, acidité et rondeur se conjuguent parfaitement. Deux apéritifs par excellence.

☎ Michel Fezas, Dom. Chiroulet, 32100 Larroque-sur-l'Osse, tél. 05.62.28.02.21, fax 05.62.28.41.56 ☑ ⵣ r.-v.

CH. GARREAU Cuvée Royale

◢   12 ha   50 000   `◖▮` `30 à 49 F`

Ce domaine est un Centre de recherche du terroir du Bas-Armagnac. Personnage aux multiples facettes, M. Garreau, son propriétaire, offre un floc rouge très brillant, au nez puissant de fruits rouges. La bouche bien équilibrée lui permet de recevoir une citation.

☎ Ch. Garreau, Côtes de la Jeunesse, 40240 Labastide-d'Armagnac, tél. 05.58.44.84.35, fax 05.58.44.87.07 ☑ ⵣ r.-v.

DOM. DE LAGAJAN

◢   1 ha   4 000   `50 à 69 F`

La règle d'or chez les Georgacaracos, c'est l'accueil. La table d'hôtes est rarement vide : ils n'ont que des amis ! Le rosé cité par le jury est d'un rubis clair et brillant. Le mariage des fruits et de l'armagnac est harmonieux, tant au nez qu'en bouche. A boire à tout moment.

☎ EARL Georgacaracos et Fils, Dom. de Lagajan, 32800 Eauze, tél. 05.62.09.81.69, fax 05.62.09.82.90 ☑ ⵣ t.l.j. 9h-13h 14h-20h

DOM. DE LARTIGUE★★

☐   5 ha   3 300   `▮` `30 à 49 F`

Francis Lacave, pépiniériste, producteur de vins de pays et d'armagnac, a présenté deux flocs, tous deux remarqués et remarquables. Travail et sérieux finissent toujours par être récompensés. Jaune clair limpide et brillant, le blanc, au nez de fleurs, de miel et de pain d'épice, procure en bouche une sensation de bien-être. Des arômes de fruits exotiques persistants lui confèrent une très grande richesse. Quant au rosé, rouge grenat profond, il offre un nez et une bouche de fruits rouges (cassis, prune). D'un parfait équilibre, il est riche et souple à la fois.

☎ EARL Francis Lacave, Au Village, 32800 Bretagne-d'Armagnac, tél. 05.62.09.90.09, fax 05.62.09.79.60 ☑ ⵣ r.-v.

DOM. DE LAUROUX

◢   0,25 ha   2 080   `▮` `50 à 69 F`

Produit sur des boulbènes, ce floc rosé à la robe foncée parée de reflets tuilés présente un caractère légèrement évolué pas désagréable du

tout. Sa finale un peu chaude se mariera agréablement avec un melon - de Lectoure bien sûr !
☛ Rémy Fraisse, EARL du Dom. de Lauroux, 32370 Manciet, tél. 05.62.08.56.76, fax 05.62.08.57.44 ☑ ⟨ r.-v.

DOM. DE MAOUHUM

| ☐ | | 2,2 ha | 4 660 | ▐ | 30 à 49 F |

Maouhum signifie « mauvaise fumée » en gascon : la maison a brûlé en 1850. Produit sur des sols de sables fauves typiques du Bas-Armagnac, ce floc jaune clair, au nez puissant de fruits secs, de noix et d'amandes, possède une bouche ronde, équilibrée, à la finale légèrement évoluée.
☛ Jean-Claude Lasseignou, 40190 Le Frêche, tél. 05.58.45.24.98, fax 05.58.45.23.03 ☑ ⟨ r.-v.

CH. DE MONS★

| ☐ | | 4 ha | 7 000 | ▐ ⟨ | 50 à 69 F |

Ce château de la fin du XIII^{e}s., depuis 1963 propriété de la Chambre d'agriculture du Gers, est devenu Centre technique de la vigne et du vin en 1993. A ce titre, il se devait d'être présent dans le Guide et y réussit fort bien : jaune très pâle, avec un nez finement fleuri et grillé, son floc blanc offre un bon équilibre général en bouche où l'on trouve intensité et continuité. Le rosé au nez de cerise et de fruits confits possède élégance et fraîcheur. Deux flocs à déguster pour le plaisir.
☛ Dom. de Mons, Chambre d'agriculture du Gers, 32100 Caussens, tél. 05.62.68.30.30, fax 05.62.68.30.35, e-mail chateau.mons.cda32@wanadoo.fr ☑ ⟨ r.-v.

DOM. DE POLIGNAC★

| ◢ | | 3 ha | 9 800 | | 30 à 49 F |

A partir d'un savoir-faire allié à un terroir argilo-calcaire et caillouteux de qualité situé sur des croupes, la famille Gratian élabore un rosé parfaitement réussi, d'une couleur rouge clair soutenu. Ses arômes de fruits rouges et de kirsch sont intenses et la bouche se montre équilibrée.
☛ EARL J. et M. Gratian, Polignac, 32330 Gondrin, tél. 05.62.28.54.74, fax 05.62.28.54.86 ☑ ⟨ t.l.j. 9h-13h 14h-20h

CH. DE POMES-PEBERERE

| ☐ | | 1 ha | 10 000 | ▐ ⟨ | 30 à 49 F |

Un domaine de 40 ha dont les vignes sont implantées sur un sol argilo-calcaire. De couleur jaune d'or brillant, ce floc offre un nez puissant aux arômes riches et mûrs. Sa bouche bien structurée, ronde et gouleyante, révèle des nuances confites et grillées.
☛ François Faget, Ch. Pomès-Pébérère, 32100 Condom, tél. 05.62.28.11.53, fax 05.62.28.46.11 ☑ ⟨ r.-v.

CH. DE SALLES

| ☐ | | 2 ha | n.c. | ▐ | 30 à 49 F |

Ce château, dont la partie habitable a été réaménagée pendant la Révolution, a la particularité d'avoir ses chais dans les anciennes douves. La famille Hébert est en propriétaire depuis trois générations. Une citation pour ce floc blanc de bonne facture, à la robe brillante, au nez léger, fruité et floral, à la bouche vive.

☛ Benoît Hébert, Ch. de Salles, 32370 Salles-d'Armagnac, tél. 05.62.69.03.11, fax 05.62.69.07.18 ☑ ⟨ t.l.j. 9h-12h 14h30-18h30; dim. sur r.-v.

DOM. DE SANCET★

| ◢ | | 4,07 ha | 2 666 | ▐ ▮▮ | 30 à 49 F |

Alain Faget, malgré de nombreuses occupations, a trouvé le temps d'élaborer un rosé de qualité, très réussi, paré d'une magnifique robe rouge clair, à reflets rosés, brillante et limpide. Son nez d'intensité moyenne est dominé par la cerise. Au palais, on note des arômes de fruits rouges dès l'attaque souple. La finale joue sur des nuances évoluées. Sa bonne longueur et son équilibre certain en font un floc facile à consommer.
☛ Alain Faget, Saint-Martin-d'Armagnac, 32110 Nogaro, tél. 05.62.09.08.73, fax 05.62.69.04.13 ☑ ⟨ r.-v.

DOM. SAN DE GUILHEM★

| ☐ | | 3 ha | 40 000 | ▐ ⟨ | 30 à 49 F |

Le président du syndicat de défense de l'appellation est aussi un producteur et non des moindres puisqu'il reçoit une étoile pour son blanc. De couleur jaune pâle, limpide et brillant, ce floc a un nez complexe et puissant où dominent des notes fleuries. La bouche, ronde, onctueuse, fruitée, vive et longue, donne une impression fort agréable. Un apéritif bien typé floc !
☛ Alain Lalanne, Dom. San de Guilhem, 32800 Ramouzens, tél. 05.62.06.57.02, fax 05.62.06.44.99 ☑ ⟨ t.l.j. 8h-12h 13h30-18h30

CH. DU TARIQUET★★

| ☐ | | 5 ha | n.c. | | 50 à 69 F |

La famille Grassa n'est plus à présenter tant sa renommée a depuis longtemps dépassé les frontières de l'Hexagone. Son floc blanc est une pure merveille, d'une grande intensité de fruits mûrs et confits. La bouche est généreuse, très puissante. On lui trouve du gras, de la rondeur, de la longévité. Ce mariage du jus de raisin et de l'armagnac issu de folle blanche est une réussite. Pour son côté aéré, fruité et gouleyant, le rosé a reçu une citation.
☛ Ch. du Tariquet, 32800 Eauze, tél. 05.62.09.87.82, fax 05.62.09.89.49 ☑ ⟨ t.l.j. sf dim. 9h-12h 14h-18h
☛ Famille Grassa

Macvin du jura

Il aurait aussi bien pu s'appeler galant, car c'est le nom qui lui était donné au XIV^{e}s. alors que Marguerite de France, duchesse de Bourgogne, femme de Philippe le Hardi, en faisait son préféré.

Tirant probablement son origine d'une recette des abbesses de

LES VINS DE LIQUEUR

VDL

l'abbaye de Château-Chalon, le macvin - anciennement maquevin ou marc-vin - a été reconnu en AOC sous le nom de macvin du jura par décret du 14 novembre 1991. C'est en 1976 que la Société de Viticulture engagea pour la première fois une démarche de reconnaissance en AOC pour ce produit très original. L'enquête fut longue car il fallait trouver un accord sur l'utilisation d'un procédé unique d'élaboration. En effet, au cours du temps, le macvin, d'abord vin cuit additionné d'aromates ou d'épices, est devenu mistelle, élaboré à partir du moût concentré par la chaleur (cuit), puis vin de liqueur muté soit au marc, soit à l'eau-de-vie de vin de Franche-Comté. La méthode la plus courante a été finalement retenue ; il s'agit pour l'AOC d'un vin de liqueur mettant en œuvre du moût ayant subi un tout léger départ en fermentation, muté avec l'eau-de-vie de marc de Franche-Comté à appellation d'origine, provenant de la même exploitation que les moûts. Le moût doit provenir des cépages et de l'aire de production ouvrant droit à l'AOC. L'eau-de-vie doit être « rassise », c'est-à-dire vieillie en fût de chêne pendant 18 mois au moins.

Après cette ultime association qui se fait sans filtration, le macvin doit se « reposer » pendant un an en fût de chêne, puisque sa commercialisation ne peut se faire avant le 1er octobre de l'année suivant la récolte.

La production, en évolution, se situe à 1 700 hl environ (sur 36 ha). Le macvin du jura connaît un bon développement, car il est très apprécié, notamment localement. C'est un apéritif d'amateur qui, lorsqu'il est bien réussi, rappelle les produits jurassiens à forte influence du terroir. Il complète la gamme des appellations comtoises et s'associe parfaitement à la gastronomie régionale.

FRUITIERE VINICOLE D'ARBOIS★★★

☐ 2 ha n.c. ❚❚ 70 à 99 F

Couleur œil-de-perdrix, ce macvin plaît déjà énormément au nez : fruits exotiques, cerise à l'eau-de-vie, épices, coing, sont autant de notes délicates et chaleureuses. Très bel équilibre en bouche, avec un fondu agréable. Le vieux marc s'associe pleinement avec des touches fruitées et épicées. Voilà un produit original qui mérite toute notre attention.

⊶ Fruitière vinicole d'Arbois, 2, rue des Fossés, 39600 Arbois, tél. 03.84.66.11.67, fax 03.84.37.48.80 ☑ Y t.l.j. 9h-12h 14h-18h

CH. D'ARLAY

☐ 0,5 ha 4 000 ❚❚ 100 à 149 F

Outre la découverte des vins de la propriété, les visiteurs du château d'Arlay pourront apprécier les promenades dans la gare romantique et admirer une réserve où se côtoient une quarantaine d'oiseaux de proie. S'il est encore un peu jeune, le macvin du comte de Laguiche possède néanmoins un bon potentiel et déjà une certaine complexité aromatique. Il faut absolument que jeunesse se passe.

⊶ Ch. d'Arlay, rte de Saint-Germain, 39140 Arlay, tél. 03.84.85.04.22, fax 03.84.48.17.96, e-mail arlay@caves-particulieres.com ☑ Y t.l.j. sf dim. 8h-12h 14h-18h

⊶ de Laguiche

BADOZ★★

☐ 4,5 ha n.c. ❚❚ 70 à 99 F

Fleur d'acacia et figue sèche : quel nez ! Mais ce n'est pas tout. La bouche ronde nous emmène du côté de la noix dans une belle longueur. Et cette finale ! si soyeuse, si riche ! Ce macvin n'a pas fini de nous faire voir la vie en rose.

⊶ Bernard Badoz, 15, rue du Collège, 39800 Poligny, tél. 03.84.37.11.85, fax 03.84.37.11.18 ☑ Y t.l.j. 8h-12h 14h-19h

BAUD PERE ET FILS★★★

☐ 0,5 ha 2 500 ❚❚ 70 à 99 F

La teinte vieil or de ce macvin est déjà une invitation au plaisir. Puissant et racé au nez, il apparaît déjà bien évolué. Bien structuré en bouche, c'est un produit qui est gras tout en conservant une belle vivacité. Concentré, long, il offre une finale des plus plaisantes. Très expressif, il réjouira les amateurs de macvin haut de gamme.

⊶ Baud Père et Fils, rte de Voiteur, 39210 Le Vernois, tél. 03.84.25.31.41, fax 03.84.25.30.09 ☑ Y r.-v.

CLAUDE BUCHOT

☐ 0,3 ha n.c. ❚❚ 70 à 99 F

Maynal est l'un des villages les plus au sud du vignoble jurassien. La robe vieil or de ce macvin fait son petit effet. S'il est discret au nez, il est en revanche bien présent en bouche. Très caramel, il demande un peu de temps pour que le fondu soit meilleur. Patience, patience...

⊶ Claude Buchot, 39190 Maynal, tél. 03.84.85.94.27, fax 03.84.85.94.27 ☑ Y r.-v.

PHILIPPE BUTIN

☐ 0,2 ha 1 100 70 à 99 F

Elaboré à partir d'un moût de chardonnay, ce macvin se présente dans une belle robe jaune doré. Le nez est puissant, marqué par les agrumes et la vanille. L'alcool dominant encore, il faudra attendre un peu qu'il se fonde.

Philippe Butin, 21, rue de la Combe, 39210 Lavigny, tél. 03.84.25.36.26, fax 03.84.85.29.31 ☑ Y r.-v.

CAVEAU DES BYARDS*

☐ 0,5 ha 2 200 70 à 99 F

Belle robe or pâle, nez discret et assez intense. Tout en dentelle, ce macvin table sur le fruit pour nous séduire. Opération réussie. Les arômes de raisin passerillé donnent une finale bien plaisante, dans une bonne longueur. Une jolie réussite pour cette petite unité coopérative.

Caveau des Byards, 39210 Le Vernois, tél. 03.84.25.33.52, fax 03.84.25.38.02 ☑ Y r.-v.

MARIE ET DENIS CHEVASSU

☐ n.c. 600 70 à 99 F

Issu du mariage d'un moût de chardonnay et d'eau-de-vie de marc de Franche-Comté, ce macvin jaune doré est une invitation à un plaisir simple mais chaleureux. A partager autour d'une glace par exemple.

Denis et Marie Chevassu, Granges Bernard, 39210 Menétru-le-Vignoble, tél. 03.84.85.23.67, fax 03.84.85.23.67 ☑ Y r.-v.

RICHARD DELAY**

☐ n.c. n.c. 70 à 99 F

Les nuances de caramel, d'épices et vanillées du nez mettent en appétit. D'une bouche longue et équilibrée se dégagent des notes de réglisse, de caramel et de fruits secs. On retrouve là le macvin typique, celui dont parlent les anciens. Un véritable produit de terroir, pour un grand plaisir, à boire ou à attendre.

Richard Delay, 37, rue du Château, 39570 Gevingey, tél. 03.84.47.46.78, fax 03.84.43.26.75 ☑ Y r.-v.

DANIEL DUGOIS*

☐ n.c. n.c. 70 à 99 F

Henri IV aimait-il le macvin ? En tout cas, Daniel Dugois en a fait son effigie. Son macvin est plaisant et fin au nez, même si le côté marc est assez prononcé. Délicat en bouche, il semble encore jeune. Il faut donc attendre quelque temps pour un meilleur fondu.

Daniel Dugois, 4, rue de la Mirode, 39600 Les Arsures, tél. 03.84.66.03.41, fax 03.84.37.44.59 ☑ Y r.-v.

DOM. MICHEL GENELETTI

☐ 0,5 ha 1 500 70 à 99 F

Ce macvin, on le sent d'abord fermé au nez, puis celui-ci s'ouvre sur des nuances d'alcool et de vanille. En bouche, la cerise et la vanille s'expriment mais l'alcool domine. Ce bon produit est encore jeune. Il est typique, mais il faut lui acorder un peu de temps pour qu'il soit plus fondu. Pour un apéritif original.

Dom. Michel Geneletti et Fils, 373, rue de l'Eglise, 39570 L'Etoile, tél. 03.84.47.46.25, fax 03.84.47.38.18 ☑ Y r.-v.

CAVEAU DES JACOBINS

☐ 1 ha 4 000 70 à 99 F

Il est un peu pâle, mais brillant et limpide. Du côté du nez, c'est la jeunesse qui ressort : le marc est encore très présent. La bouche est harmonieuse, équilibrée et finit agréablement sur des notes de figue sèche.

Caveau des Jacobins, Fruitière vinicole, ZI, rue Nicolas-Appert, 39800 Poligny, tél. 03.84.37.01.37, fax 03.84.37.30.47 ☑ Y r.-v.

DOM. DE LA PINTE

☐ 1 ha 2 000 70 à 99 F

Au domaine de La Pinte, on ne jure que par le savagnin. Le macvin n'échappe pas à la règle : il n'y a que 10 % de chardonnay dans l'assemblage. Un peu rude au nez, il libère quand même quelques notes miellées qui apportent une certaine classe. La bouche est concentrée, équilibrée. Ce produit racé peut être bu dès à présent.

Dom. de La Pinte, rte de Lyon, B.P. 16, 39601 Arbois Cedex, tél. 03.84.66.06.47, fax 03.84.66.24.58 ☑ Y t.l.j. sf dim. 9h-12h 14h-18h

Roger Martin

DOM. DE LA RENADIERE***

☐ 0,2 ha n.c. 70 à 99 F

Un peu de poulsard, beaucoup de chardonnay et le coup de patte réussi de ce jeune viticulteur de Pupillin. « L'œil donne envie d'y goûter », note un dégustateur. Et il a raison. Le nez est déjà exceptionnel : du jasmin à la compote de pommes en passant par les épices, nous faisons un véritable voyage aromatique. Quant à la bouche, sa présence aromatique, son équilibre et sa longueur nous enchantent. Un produit de grand avenir.

Jean-Michel Petit, rue du Chardonnay, 39600 Pupillin, tél. 03.84.66.25.10, fax 03.84.66.25.10 ☑ Y t.l.j. 10h-12h 14h-19h

DOM. DE MONTBOURGEAU*

☐ 0,5 ha n.c. 70 à 99 F

Ça sent le raisin sec, la fleur d'acacia et le marc. Une odeur de macvin puissante et envoûtante. La bouche est marquée par l'eau-de-vie mais offre un développement harmonieux. Un produit scintillant pour un apéritif original.

Jean Gros, Dom. de Montbourgeau, 39570 L'Etoile, tél. 03.84.47.32.96, fax 03.84.24.41.44 ☑ Y r.-v.

DESIRE PETIT ET FILS*

☐ 0,5 ha 3 400 70 à 99 F

A Pupillin, c'est à saint Léger, patron de la paroisse, que l'on offre le « biou », énorme grappe fleurie. Le macvin du domaine Désiré Petit, on peut le donner à tout le monde. Il a l'esprit convivial. Miel et vanille au nez, il s'empresse de flatter le palais dans une belle harmonie de cerise à l'eau-de-vie et d'agrumes bien fondus au sein d'une bouche ample. A essayer avec un gâteau au chocolat.

Désiré Petit, rue du Ploussard, 39600 Pupillin, tél. 03.84.66.01.20, fax 03.84.66.26.89 ☑ Y r.-v.

CH. DE QUINTIGNY*

☐ 0,2 ha 1 800 ⦀ 70 à 99 F

L'Etoile est un tout petit village, mais une appellation prestigieuse du Jura. On y fait aussi du macvin. Celui du château de Quintigny est équilibré, développant des notes de fruits secs, de grillé et de caramel. Avec sa finale soyeuse, il vous attend pour l'apéritif.

GAEC Cartaux-Bougaud, Ch. de Quintigny, 39570 Quintigny, tél. 03.84.48.11.51, fax 03.84.48.19.08 ☑ Y r.-v.

XAVIER REVERCHON

■ 0,25 ha 800 ⦀ 70 à 99 F

Il n'y a que du pinot noir dans le moût qui a servi de base à ce macvin. C'est ce qui explique la teinte rouge intense à reflets violacés. Vanille-citron au nez, ce n'est pas une glace mais un apéritif à la mode. La bouche, toujours citronnée et vanillée, est bien fondue. Bien faite mais encore jeune, une bouteille qui devra attendre un peu pour être en pleine forme.

Xavier Reverchon, EARL Chantemerle, 2, rue du Clos, 39800 Poligny, tél. 03.84.37.02.58, fax 03.84.37.00.58 ☑ Y r.-v.

DOM. DE SAVAGNY**

☐ n.c. 1 500 ⦀ 70 à 99 F

Belle robe jaune doré. Des nuances de cerise à l'eau-de-vie, de vanille et de citron forment un nez très fondu, tout en finesse. La bouche ronde persiste sur la vanille et une note délicate d'épices. En finale, une touche d'agrumes vient conclure cette très savoureuse dégustation dans l'élégance et l'harmonie. Ce macvin peut déjà être apprécié mais il se bonifiera au fil du temps.

Claude Rousselot-Pailley, 140, rue Neuve, 39210 Lavigny, tél. 03.84.25.38.38, fax 03.84.25.31.25 ☑ Y r.-v.

ANDRE ET MIREILLE TISSOT***

☐ 1 ha 5 000 ⦀ 70 à 99 F

Quand on découvre cette robe vieil or, on a l'impression d'être devant un trésor. C'en est un ! Floral et noix au nez, ce macvin est bien équilibré dès l'attaque en bouche. Rondeur, longueur, complexité aromatique, élégance : tout y est. Et cette finale sur le cacao et la noix intimement mêlés au marc, c'est superbe.

André et Mireille Tissot, 39600 Montigny-lès-Arsures, tél. 03.84.66.08.27, fax 03.84.66.25.08 ☑ Y r.-v.

LES VINS DE PAYS

Si l'expression « vins de pays » est employée depuis 1930, ce n'est que récemment qu'elle est devenue familière pour désigner officiellement certains « vins de table portant l'indication géographique du secteur, de la région ou du département d'où ils proviennent ». C'est en effet par le décret général du 4 septembre 1979 modifié, qu'une réglementation spécifique a déterminé leurs conditions particulières de production, recommandant notamment l'utilisation de certains cépages et fixant des rendements plafonds. Des normes analytiques, tels la teneur en alcool, l'acidité volatile ou les dosages de certains additifs autorisés, ont été établies, permettant de contrôler et de garantir au consommateur un niveau de qualité qui place les vins de pays parmi les meilleurs vins de table français. Comme les vins d'appellations, les vins de pays sont soumis à une procédure d'agrément rigoureuse complétée par une dégustation spécifique ; mais, alors que les vins d'AOC sont placés sous la tutelle de l'INAO, c'est l'Office national interprofessionnel des vins (ONIVINS) qui assure celle des vins de pays. Avec les organismes professionnels agréés et les syndicats de défense de chaque vin de pays, l'ONIVINS participe en outre à leur promotion, tant en France que sur les marchés extérieurs, où ils ont pu conquérir une place relativement importante.

Il existe trois catégories de vins de pays, selon l'extension de la zone géographique dans laquelle ils sont produits et qui compose leur dénomination. Les premiers sont désignés sous le nom du département de production, à l'exclusion bien sûr des départements dont le nom est aussi celui d'une AOC (Jura, Savoie ou Corse) ; les seconds, vins de pays de zone ; les troisièmes sont dits « régionaux », issus de quatre grandes zones regroupant plusieurs départements et pour lesquels des assemblages sont autorisés afin de garantir une expression constante. Il s'agit du vin de pays du Jardin de la France (Val de Loire), du vin de pays du Comté tolosan, du vin de pays d'Oc, et du vin de pays des Comtés rhodaniens. Chaque catégorie de vin de pays est soumise aux conditions générales de production dictées par le décret de 1979. Mais pour chaque vin de pays de zone et chaque vin de pays régional, il existe en plus un décret spécifique mentionnant les conditions de production plus restrictives auxquelles ces vins sont soumis.

Les vins de pays, dont 7,8 millions d'hectolitres font l'objet d'un agrément, sont essentiellement vinifiés par des coopératives. Entre 1980 et 1992, les volumes agréés en vin de pays ont pratiquement doublé (4 à 7,8 millions hl). Les vins de pays agréés en « vin primeur ou nouveau » représentent aujourd'hui 200 à 250 000 hl. Les vinifications en vin de cépage prennent également beaucoup d'importance. La plus grande part (85 %) est issue des vignobles du Midi. Vins simples mais de caractère, ils n'ont d'autre prétention que d'accompagner agréablement les repas quotidiens, ou de participer, dans les étapes des voyages, à la découverte des régions dont ils sont issus, accompagnant les mets selon les usages habituels de leurs types. L'ensemble des zones de production est présenté ci-dessous selon le découpage régional de la législation spécifique des dénominations de vins de pays, qui ne correspond pas à celui des régions viticoles d'AOC ou AOVDQS. Notez que le décret du 4 mai 1995 exclut des zones autorisées à produire des vins de pays les départements du Rhône, du Bas-Rhin, du Haut-Rhin, de la Gironde, de la Côte-d'Or et de la Marne.

Calvados

ARPENTS DU SOLEIL 1998*

□ 0,15 ha 750 ▮ 30 à 49 F

Un nouveau dans le Guide, originaire d'une région inattendue, *a priori* sans vocation viticole. Pourtant, c'est un juste retour des choses ! Il s'agit d'un vignoble expérimental implanté sur un ancien site viticole, en activité jusqu'à la fin du XVIII^{e}s. Deux vins de pays ont retenu l'attention du jury : ce vin issu du seul pinot gris et le **melon Arpents du Soleil**. Des vins blancs très fruités et aromatiques, bien équilibrés.

Gérard Samson, 10, allée des Chalets, 14460 Colombelles, tél. 02.31.20.80.41, fax 02.31.20.29.70 ☑

Vallée de la Loire

Les vins de pays du Jardin de la France, dénomination régionale, représentent, à l'heure actuelle, 95 % de l'ensemble des vins de pays produits en vallée de la Loire ; une vaste région qui regroupe treize départements : Maine-et-Loire, Indre-et-Loire, Loiret, Loire-Atlantique, Loir-et-Cher, Indre, Allier, Deux-Sèvres, Sarthe, Vendée, Vienne, Cher, Nièvre. A ces vins s'ajoutent les vins de pays de départements et les vins de pays à dénominations locales qui sont ici : les vins de pays de Retz (au sud de l'estuaire de la Loire), des Marches de Bretagne (au sud-est de Nantes) et des Coteaux charitois (aux alentours de la Charité-sur-Loire).

La production globale s'établit aujourd'hui à 600 000 hl et repose sur les cépages traditionnels de la région. Les vins blancs qui représentent 45 % de la production sont secs, frais et fruités, et principalement issus des cépages chardonnay, sauvignon et grolleau gris. Les vins rouges et rosés proviennent, quant à eux, des cépages gamay, cabernets et grolleau noir.

Ces vins de pays sont, en général, à boire jeunes. Cependant, dans certains millésimes, le cabernet peut se bonifier en vieillissant.

Jardin de la France

DOM. DE BEL-AIR Cabernet 1998

■ 4 ha 6 000 ▮ -de 20 F

Ce domaine est un habitué au chapitre des vins de pays du Guide. Sur ses 25 ha situés non loin du lac de Grand-Lieu, 4 ha sont plantés en cabernet franc et en cabernet-sauvignon. De ces deux cépages est né ce vin grenat intense qui, à l'olfaction, fait la part belle aux fruits rouges. La bouche, structurée autour de tanins fondus, ne manque pas d'harmonie.

EARL Bouin-Jacquet, Dom. de Bel-Air, Bel-Air de Gauchoux, 44860 Saint-Aignan-de-Grand-Lieu, tél. 02.51.70.80.80, fax 02.51.70.80.79 ☑ Y r.-v.

Dominique Jacquet

DOM. DES BONNES GAGNES Rouge de grolleau 1998**

■ 2 ha 6 000 ▮ -de 20 F

En l'an 1020, le fief d'Orgigné, dont les Bonnes Gagnes faisaient partie, fut loué aux moines de l'abbaye du Ronceray d'Angers à la seule fin d'être planté de vignes. Aujourd'hui encore, ce lieu-dit ne manque pas d'intérêt viticole et touristique (le château de Brissac n'est qu'à 2 km). Dans sa robe rouge vif, le vin de grolleau 98 joue dans l'harmonie. Au nez intense de fruits rouges succède une bouche structurée et fruitée qui se développe. De la souplesse et de la rondeur... A noter aussi le **sauvignon 98** du même domaine, très réussi, à la finesse florale séduisante.

Jean-Marc Héry, Orgigné, 49320 Saint-Saturnin-sur-Loire, tél. 02.41.91.22.76, fax 02.41.91.21.58 ☑ Y t.l.j. 9h-12h30 14h-19h; dim. sur r.-v.

CHRISTELLE ET THIERRY BRANGEON Cabernet 1998**

■ 3 ha 10 000 ▮ -de 20 F

Le vignoble des Brangeon-Guinard, implanté sur des schistes dégradés, a été entièrement transformé de 1978 à 1985. Il est aujourd'hui enherbé pour une meilleure maîtrise écologique. Le cabernet franc a donné des résultats remarquables en 1998. En témoigne ce vin rubis intense, au nez subtil de petits fruits rouges. Bien typé et structuré, il est apte à la garde et accompagnera les viandes rouges comme les fromages.

EARL Brangeon-Guinard, La cour de Blois, 49270 Saint-Christophe-la-Couperie, tél. 02.40.83.77.04, fax 02.40.83.77.05 ☑ Y ven. sam. 8h-19h

M. Brangeon

CASTEL FRERES Sauvignon 1998**

□ n.c. 20 000 -de 20 F

D'une belle couleur jaune doré, ce sauvignon séduit le dégustateur par ses arômes floraux en parfaite harmonie avec la bouche ronde et élé-

gante. A noter également un autre **sauvignon 98** de la société Castel, **La Cave du Fief Joly**, cité pour son expression typique et agréable.
☛Castel Frères, rte de la Guillonnière, 49320 Brissac-Quincé, tél. 02.41.91.50.00, fax 02.41.54.25.40

DOM. DU COLOMBIER Cabernet 1998★★

◼   1 ha   5 000   ▮❶▮ 20 à 29 F

Sous une robe rubis à nuances orangées se développent des arômes mentholés et des notes de poivron vert caractéristiques du cabernet-sauvignon. La bouche, franche et souple à la fois, présente des notes de fruits rouges et des tanins bien fondus. Vin issu des deux cabernets.
☛Jean-Yves Bretaudeau, Le Colombier, 49230 Tillières, tél. 02.41.70.45.96, fax 02.41.70.45.96 ☑ ⊥ t.l.j. sf dim. 8h-19h

DOM. COUILLAUD Chardonnay 1998★★

☐   12 ha   80 000 ▮❶▮ 20 à 29 F

Ce remarquable chardonnay a « fait sa malo » à 100 %. D'une couleur jaune intense à reflets or, il dévoile un nez puissant et typé, mêlant le miel, les épices et la fleur d'acacia. Equilibre, rondeur et notes fleuries en bouche assureront subtilement l'accord avec un poisson en sauce ou une pâtisserie. **Le Chardet 98**, assemblage des cépages melon et chardonnay, a également été retenu par le jury.
☛Les Frères Couillaud, GAEC de la Grande Ragotière, 44330 La Regrippière, tél. 02.40.33.60.56, fax 02.40.33.61.89 ☑ ⊥ r.-v.

DESTINEA Sauvignon blanc 1998★★

☐   n.c.   60 000   ▮ 30 à 49 F

Joseph Mellot est déjà bien connu dans les appellations d'origine du Centre de la France, en sancerre comme en pouilly-fumé. Il ne laisse rien au hasard quand il s'agit de vin de pays et met en œuvre les techniques de pointe. D'où ce remarquable sauvignon brillant et limpide dans sa robe jaune pâle. Intense et floral, il possède de l'ampleur et un fruité qui le rendent flatteur et élégant. Ce vin agréable est prêt à boire, notamment sur des fromages de chèvre.
☛SA Joseph Mellot, rte de Ménétréol, B.P. 13, 18300 Sancerre, tél. 02.48.78.54.54, fax 02.48.78.54.55, e-mail alexandre@joseph-mellot.fr ☑ ⊥ t.l.j. 8h-12h 13h30-18h; sam. dim. sur r.-v.

DOM. DE FLINES Chardonnay 1998★

☐   5,2 ha   50 000   ▮ 20 à 29 F

Egrappage, macération pelliculaire, fermentation à basse température et fermentation malolactique : toutes les conditions techniques sont réunies pour la réussite de ce chardonnay 98. Dans sa séduisante robe jaune paille brillante, ce vin, au nez complexe de fleurs blanches et de fruits mûrs, communique en bouche une impression de fraîcheur et des arômes de miel.
☛C. Motheron, 102, rue d'Anjou, 49540 Martigné-Briand, tél. 02.41.59.42.78, fax 02.41.59.45.60 ☑ ⊥ t.l.j. 9h-12h 14h-18h; sam. dim. sur r.-v.; f. août

DOM. DU FOUR A CHAUX Côt 1998★

◼   1 ha   5 000   ▮⚖ 20 à 29 F

A l'œil, c'est un rouge profond que l'on découvre. Au nez, c'est un vin d'abord discret mais qui dévoile après agitation ses arômes intenses de fruits noirs suivis d'une sensation de chaleur (richesse alcoolique). En bouche, c'est un vin rustique qui vous étonnera à l'automne.
☛GAEC Norguet, Berger, 41100 Thoré-la-Rochette, tél. 02.54.77.12.52, fax 02.54.77.86.18 ☑ ⊥ r.-v.

DOM. DE GATINES Sauvignon 1998★

☐   1 ha   4 500   20 à 29 F

La propriété de la famille Dessevre est un ancien manoir rénové et entretenu avec goût. Le domaine a produit dans le millésime 98 un vin tout aussi soigné. Ce sauvignon typique présente un nez floral, puis une bouche souple, assez fondue, qui s'achève sur d'agréables notes grillées.
☛EARL Dessevre, Dom. de Gatines, 12, rue de la Boulaie, 49540 Tigné, tél. 02.41.59.41.48, fax 02.41.59.94.44 ☑ ⊥ r.-v.

DOM. DES HAUTES CHARPENTIERES Chardonnay 1998★

☐   2 ha   n.c.   ▮⚖ 20 à 29 F

Dominique Chevalet a repris le domaine viticole que ses parents avaient entièrement rénové entre 1975 et 1990. Les efforts sont toujours récompensés ! Jaune pâle à reflets verts, ce chardonnay floral (fleurs blanches) révèle après agitation des arômes plus complexes de fruits mûrs (coing). La bouche est ample, fraîche et fruitée ; une finale à dominante minérale conclut l'appréciation gustative.
☛Dominique Chevalet, Les Hautes-Charpentières, 37220 Brizay, tél. 02.47.58.30.34, fax 02.47.58.39.79 ☑ ⊥ r.-v.

DOM. DES HAUTES OUCHES 1998★★

◼   4 ha   10 000   20 à 29 F

Le domaine des Hautes Ouches compte 43 ha de vignes. Issu du cépage grolleau noir, ce vin à la robe rouge soutenu développe au nez une remarquable intensité : fruits rouges, fraise, cassis. La bouche, ample, franche et fruitée est puissante et riche. Des tanins ronds soutiennent un ensemble parfait.
☛EARL Joël et Jean-Louis Lhumeau, 9, rue Saint-Vincent, Linières, 49700 Brigné-sur-Layon, tél. 02.41.59.30.51, fax 02.41.59.31.75 ☑ ⊥ r.-v.

Les vins de pays

1 Vin de pays des Coteaux de Coiffy
2 Vin de pays de Franche-Comté
3 Vin de pays de Retz
4 Vin de pays des Marches de Bretagne
5 Vin de pays des Coteaux du Cher et de l'Arnon
6 Vin de pays des Coteaux Charitois
7 Vin de pays du Bourbonnais
8 Vin de pays d'Allobrogie
9 Vin de pays d'Urfé
10 Vin de pays des Balmes Dauphinoises
11 Vin de pays des Coteaux du Grésivaudan
12 Vin de pays des Coteaux de l'Ardèche
13 Vin de pays des Collines Rhodaniennes
14 Vin de pays des Coteaux des Baronnies
15 Vin de pays du Comté de Grignan
16 Vin de pays des Coteaux du Verdon
17 Vin de pays de Mont-Caume
18 Vin de pays des Maures
19 Vin de pays d'Argens
20 Vin de pays de la Petite Crau
21 Vin de pays d'Aigues
22 Vin de pays de la Principauté d'Orange

23 Vin de pays des Sables du Golfe du Lion
24 Vin de pays du Duché d'Uzès
25 Vin de pays des Cévennes
26 Vin de pays de la Vistrenque
27 Vin de pays des Côtes du Vidourle
28 Vin de pays de la Vaunage
29 Vin de pays des Coteaux de Cèze
30 Vin de pays des Coteaux du Pont du Gard
31 Vin de pays du Val de Montferrand
32 Vin de pays du Mont Baudile
33 Vin de pays des Côtes du Ceressou
34 Vin de pays des Monts de la Grage
35 Vin de pays des Coteaux d'Enserune
36 Vin de pays des Coteaux du Libron
37 Vin de pays de Pézenas
38 Vin de pays des Coteaux de Murviel
39 Vin de pays des Coteaux de Laurens
40 Vin de pays des Côtes de Thongue
41 Vin de pays de la Bénovie
42 Vin de pays de Cassan
43 Vin de pays de la Haute Vallée de l'Orb
44 Vin de pays des Gorges de l'Hérault
45 Vin de pays des Coteaux de Bessilles
46 Vin de pays de l'Ardailhou
47 Vin de pays des Côtes du Brian
48 Vin de pays de Cessenon
49 Vin de pays des Coteaux du Salagou
50 Vin de pays de la Vicomté d'Aumelas
51 Vin de pays des Collines de la Moure
52 Vin de pays de Caux
53 Vin de pays des Coteaux de Foncaude
54 Vin de pays de Bessan
55 Vin de pays de Bérange
56 Vin de pays des Côtes de Thau
57 Vin de pays des Coteaux de Peyriac
58 Vin de pays de la Haute Vallée de l'Aude
59 Vin de pays des Coteaux de Narbonne
60 Vin de pays des Côtes de Prouilhe
61 Vin de pays de la Cité de Carcassonne
62 Vin de pays de Cucugnan
63 Vin de pays du Val de Dagne
64 Vin de pays des Coteaux du Littoral Audois
65 Vin de pays des Côtes de Pérignan
66 Vin de pays des Coteaux de la Cabrerisse
67 Vin de pays des Hauts de Badens
68 Vin de pays des Côtes de Lézignan
69 Vin de pays du Torgan
70 Vin de pays des Côtes de Lastours
71 Vin de pays du Val de Cesse
72 Vin de pays des Coteaux du Termenès
73 Vin de pays de la Vallée du Paradis
74 Vin de pays des Coteaux de Miramont
75 Vin de pays d'Hauterive en Pays d'Aude
76 Vin de pays du Val d'Orbieu

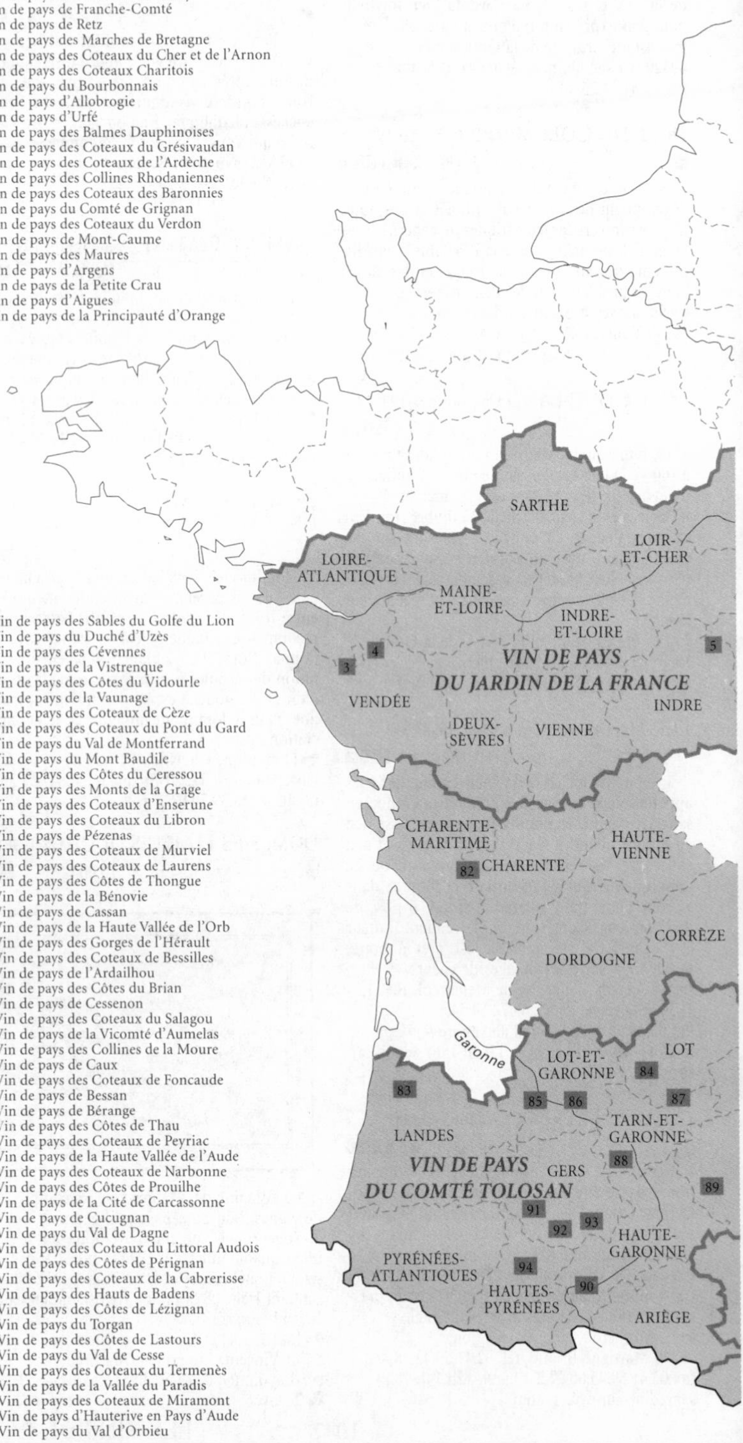

77 Vin de pays des Vals d'Agly
78 Vin de pays des Coteaux des Fenouillèdes
79 Vin de pays Catalan
80 Vin de pays des Côtes Catalanes
81 Vin de pays de la Côte Vermeille
82 Vin de pays Charentais
83 Vin de pays des Terroirs Landais
84 Vin de pays des Coteaux de Glanes
85 Vin de pays de Thézac-Perricard
86 Vin de pays de l'Agenais
87 Vin de pays des Coteaux du Quercy
88 Vin de pays des Coteaux et Terrasses de Montauban
89 Vin de pays de Côtes du Tarn
90 Vin de pays de Saint-Sardos
91 Vin de pays de Montestruc
92 Vin de pays du Condomois
93 Vin de pays des Côtes de Gascogne
94 Vin de Pays de Bigorre
95 Vin de Pays de l'Île de Beauté

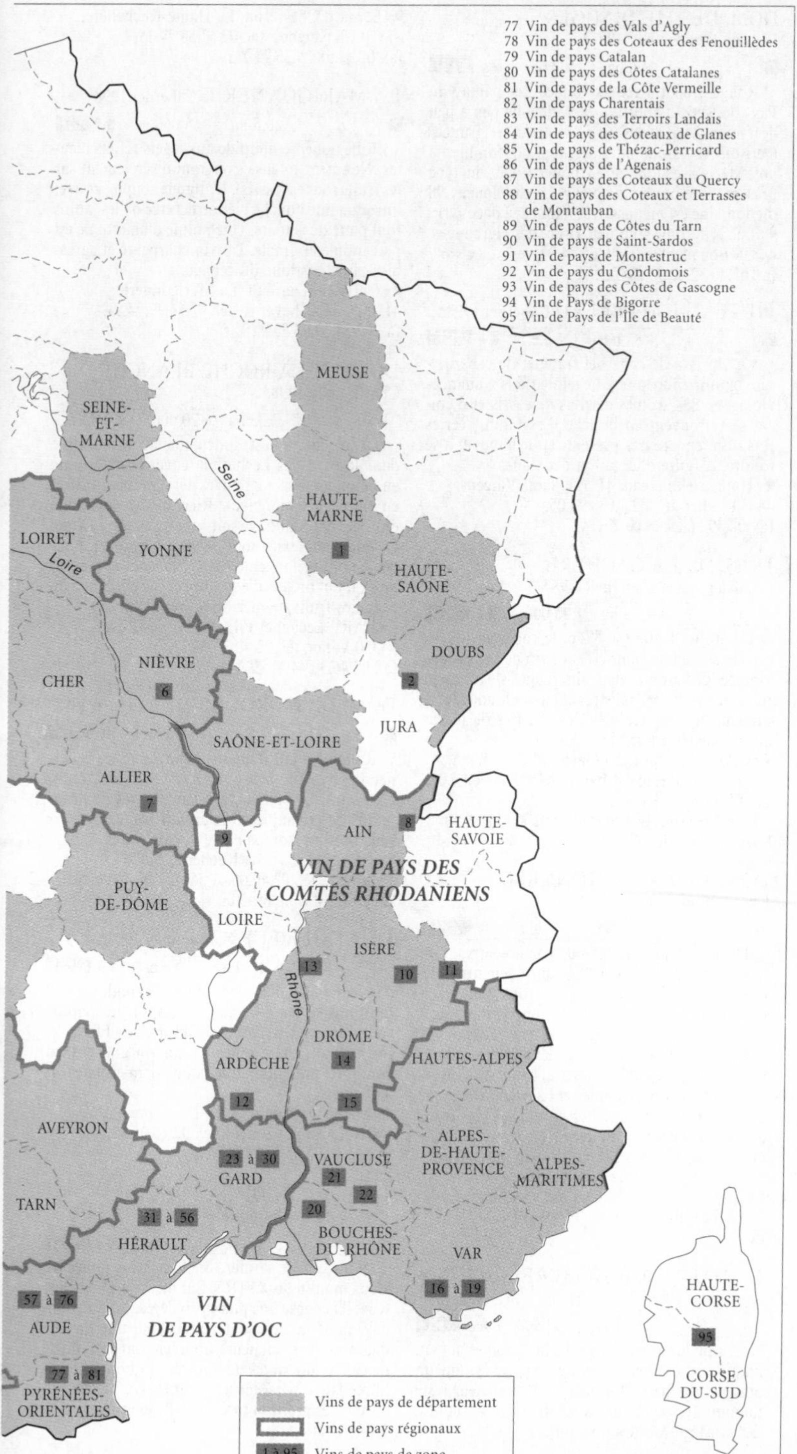

DOM. DES HERBAUGES

Pays de Retz Gamay 1998★

■ 6 ha 10 000 20 à 29 F

Rouge grenat à reflets violacés, ce gamay du Pays de Retz, d'abord discret, dévoile peu à peu des nuances florales (iris, violette) et fruitées (cerise). Après une attaque souple et fondue, la note de cerise domine en bouche. Ce vin typé présente une bonne longueur. Le **chardonnay 98** du domaine est lui aussi très réussi et à découvrir.

Luc et Jérôme Choblet, Dom. des Herbauges, 44830 Bouaye, tél. 02.40.65.44.92, fax 02.40.32.62.93 ☑ Y r.-v.

HUTEAU-HALLEREAU Cabernet 1998★

■ 1,83 ha n.c. 20 à 29 F

Ce vin issu de cabernet franc et de cabernet-sauvignon arbore une jolie teinte rubis à nuances violacées. Ses arômes discrets de cassis et d'épices se retrouvent en bouche. Les tanins, certes fins, sont encore très présents et demandent à se fondre. A boire d'ici un ou deux ans.

Huteau-Hallereau, 41, rue Saint-Vincent, 44330 Vallet, tél. 02.40.33.93.05, fax 02.40.36.29.26 ☑ Y r.-v.

DOM. DE LA GACHERE

Grolleau gris et Cabernet 1998★

◪ 3 ha 20 000 -de 20 F

Le grolleau gris (80 %) et le cabernet (20 %) ont été assemblés pour créer ce vin de pays rouge violacé. Les arômes de fruits rouges s'expriment pleinement au nez puis reviennent en bouche en prenant un côté acidulé. Charcuteries ou pizzas accompagneront ce vin.

GAEC Lemoine, La Gachère, 79290 Saint-Pierre-à-Champ, tél. 05.49.96.81.03, fax 05.49.96.32.38, e-mail f.lemoine@wanadoo.fr ☑ Y t.l.j. sf dim. 9h-12h 14h-18h

DOM. DE LA GRETONNELLE

Chardonnay 1998★★

□ 1 ha 700 20 à 29 F

Deux vins ont été retenus par nos jurys, l'un très réussi - le **sauvignon 98** -, l'autre remarquable. C'est à ce dernier que nous accordons très justement cette notice. Vêtu d'une robe jaune pâle à reflets verts, il possède un nez puissant et complexe qui, à l'agitation, dévoile des arômes floraux (fleur blanche, violette) avant de s'orienter vers les fruits exotiques et l'abricot. L'attaque en bouche est fraîche. Les agrumes et les fruits exotiques entrent à nouveau en scène, longuement suivis d'arômes de fruits bien mûrs, d'abricot, qui apportent de la rondeur.

EARL Charruault-Schmale, Les Landes, 79290 Bouille-Loretz, tél. 05.49.67.04.49, ☑ Y r.-v.

LA HAUTE RUCHELIERE

Sauvignon 1998★

□ 1,94 ha 2 600 20 à 29 F

Le sauvignon de Bernard Chesseron est un vin limpide et lumineux. Son nez intense évoque un bouquet de fleurs. En bouche, la fraîcheur reste toujours très agréable. A servir sur des crudités, des crustacés ou des poissons.

Bernard Chesseron, La Haute-Ruchelière, 37120 Chaveignes, tél. 02.47.58.24.35, fax 02.47.58.24.35 ☑ Y r.-v.

LA MARIGONNERIE Cabernet 1998★★

■ 0,5 ha 5 066 20 à 29 F

Robe pourpre, limpide aux légers reflets bleutés. Nez assez intense s'ouvrant discrètement sur les fruits rouges (cassis). L'attaque souple, grasse, introduit une bouche bien structurée où les tanins font patte de velours. Une pointe d'amertume est perceptible en finale. Un vin charpenté et agréable, caractéristique du cépage.

Christian Daridan, La Marigonnerie, 41700 Cour-Cheverny, tél. 02.54.79.94.53, fax 02.54.79.94.53 ☑ Y r.-v.

DOM. DE LA ROCHE BLANCHE

Chardonnay 1998★

□ 7,25 ha 20 000 20 à 29 F

La technique est indéniablement maîtrisée dans la cave des Lechat : la cuverie souterraine en béton ainsi que les cuves aériennes en Inox et en fibre en témoignent. Rien d'étonnant donc que ce chardonnay soit une réussite. D'une grande complexité aussi bien au nez qu'en bouche (subtil mélange de fleurs blanches et d'agrumes), il fait preuve d'équilibre et s'accordera bien avec des fruits de mer ou un poisson.

EARL Lechat et Fils, 12, av. des Roses, 44330 Vallet, tél. 02.40.33.94.77, fax 02.40.36.44.31 ☑ Y r.-v.

DOM. DE LA ROCHERIE Cabernet 1997

■ 1,5 ha 8 000 -de 20 F

Rouge grenat, d'intensité moyenne, ce cabernet dévoile un nez aux notes animales (cuir, venaison). La bouche, plus simple, révèle néanmoins de la souplesse et un joli fruité. A servir sans plus attendre sur une viande rouge.

Daniel Gratas, La Rocherie, 44430 Le Landreau, tél. 02.40.06.41.55, fax 02.40.06.48.92 ☑ Y t.l.j. sf dim. 8h-20h

LE DEMI-BŒUF Chardonnay 1998★

□ 1,8 ha n.c. 20 à 29 F

Michel Malidain obtient pour le millésime 98 un nouveau coup de chapeau, après le coup de cœur décerné à son 97 l'an passé. Floral et intense, son chardonnay est un vin gras et bien équilibré, présentant une pointe d'amertume fort agréable.

Michel Malidain, 3, Le Demi-Bœuf, 44310 La Limouzinière, tél. 02.40.05.82.29, fax 02.40.05.95.97 ☑ Y r.-v.

LE MOULIN DE LA TOUCHE

Pays de Retz Chardonnay 1998★

□ 2 ha 10 000 -de 20 F

Non loin de la mer, ce domaine entoure un vieux moulin du XVIII[e]s. Sur un sol argilo-schisteux, il accorde une place privilégiée au chardonnay, dont les ceps ont aujourd'hui une dizaine d'années. Les amateurs apprécieront la typicité de ce vin aux notes de noisette. Sa bouche équilibrée laisse persister les arômes. Du même millésime, les **grolleau rosé** et **grolleau gris** ont droit à une citation.

🔑 Joël Hérissé, Le Moulin de la Touche, 44580 Bourgneuf-en-Retz, tél. 02.40.21.47.89, fax 02.40.21.47.89 ☑ 🍷 r.-v.

DOM. DE L'ERRIERE Cabernet 1998★★

■ 1,72 ha 5 000 -de 20 F

Récoltés sur un sol peu profond reposant sur un substrat pierreux, le cabernet franc (70 %) et le cabernet-sauvignon (30 %) sont parvenus à une remarquable expression dans ce millésime 98 : un vin rouge pourpre, limpide et brillant, au nez intense de petits fruits rouges macérés. Le cabernet-sauvignon fait entendre sa voix par une petite note mentholée. La bouche est onctueuse et souple, étayée par des tanins veloutés. Très belle harmonie. On pourra attendre ce cabernet trois ans ou le servir dès à présent pour les plus impatients.

🔑 GAEC Madeleineau Père et Fils, Dom. de L'Errière, 44430 Le Landreau, tél. 02.40.06.43.94, fax 02.40.06.48.82 ☑ 🍷 r.-v.

DOM. LES COINS
Pays de Retz Grolleau 1998★

◪ 4 ha 30 000 20 à 29 F

Créé en 1850, ce domaine familial a implanté ses vignes sur un sol de micaschistes. Le raisin de grolleau subit un pressurage rapide pour éviter toute macération excessive et obtenir une couleur rose pâle. Le millésime 98 est bien représentatif de cette méthode de vinification. Il possède un nez fruité ponctué de touches florales. Gouleyant et d'une grande fraîcheur, il sera le compagnon de votre été 2000, sur un buffet froid.

🔑 Jean-Claude Malidain, 25 bis, rue du Stade, 44650 Corcoué-sur-Logne, tél. 02.40.05.95.95, fax 02.40.05.80.99 ☑ 🍷 r.-v.

LES LIGERIENS Grolleau 1998★★

◪ 4,1 ha 40 000 -de 20 F

Une robe rose pâle à reflets saumonés habille ce vin aux arômes de fruits intenses. L'équilibre en bouche est parfait. Belle harmonie générale. C'est un vin de soif, à consommer bien entendu avec modération. Le **chardonnay Domaine de la Hallopière** a été cité.

🔑 Les Vignerons de La Noëlle, bd des Alliés, B.P. 155, 44154 Ancenis Cedex, tél. 02.40.98.92.72, fax 02.40.98.96.70 ☑ 🍷 r.-v.

L'IMAGINAIRE Chardonnay 1998★

□ 25 ha 200 000 -de 20 F

Issu d'un sol argilo-calcaire et schisteux, ce chardonnay a bénéficié d'un élevage sur lie et de bâtonnages réguliers. Il présente un nez légèrement boisé, vanillé. Cette palette aromatique se retrouve en bouche, avec une bonne persistance. Le **sauvignon 98** du même producteur mérite d'être cité.

🔑 Pierre Guéry, La Loge, 44330 La Chapelle-Heulin, tél. 02.40.06.70.05, fax 02.40.06.77.11 ☑

L'INSPIRATION Sauvignon 1998★

□ 20 ha 140 000 -de 20 F

Typique ce sauvignon récolté sur un sol d'argile à silex ? Sans aucun doute. Ses arômes floraux s'expriment généreusement au nez avant de réapparaître en bouche, soulignés par une certaine fraîcheur. Le rapport qualité-prix est fort bon. Décidément, Donatien Bahuaud a été bien inspiré de présenter cette cuvée !

🔑 Donatien Bahuaud, La Loge, B.P. 1, 44330 La Chapelle-Heulin, tél. 02.40.06.70.05, fax 02.40.06.77.11 ☑ 🍷 r.-v.

DOM. DES LOUETTIERES
Gamay 1998★

■ 1,4 ha 3 000 -de 20 F

Derrière une robe rouge soutenu se cachent des arômes de fruits mûrs assez intenses (cerise) que l'on retrouve en bouche. L'attaque est souple, légère et fondue, à dominante de petits fruits rouges (framboise, fraise). Les arômes persistent longuement en bouche. Le cépage gamay s'exprime à merveille dans ce vin que vous découvrirez sous son meilleur jour à la parution du Guide.

🔑 Daniel et Dominique Peigné, GAEC des Chambertins, 2, Le Martinet, 44450 Barbechat, tél. 02.40.03.64.49, fax 02.40.33.36.05 ☑ 🍷 r.-v.

MARQUIS DE GOULAINE
Chardonnay 1998★

□ 15 ha 60 000 20 à 29 F

L'assemblage de plusieurs vendanges provenant de Corcoué-sur-Logne et de Tillière est à l'origine de ce vin de chardonnay fort réussi. Jaune pâle, il s'annonce par des arômes intenses de fruits exotiques avant de s'épanouir sur des notes minérales. La bouche, très agréable, souple et volumineuse, conserve un beau fruité. La note finale laisse une impression de douceur.

🔑 SA Goulaine, Ch. de Goulaine, 44115 Haute-Goulaine, tél. 02.40.54.54.40, ☑ 🍷 t.l.j. sf mar. 14h-18h; f. nov.-avr.

DIANA ET ALAIN OLIVIER
Cabernet 1998★

◪ 1 ha 5 000 20 à 29 F

Rose soutenu à reflets violacés, ce vin rappelle fidèlement le cépage dont il est issu : le cabernet franc cultivé sur un sol argileux. Grâce à une macération de vingt-quatre à trente-six heures et à une vinification sur lie, il a conservé des arômes de raisin frais et mûr qui se retrouvent en bouche. Les tanins sont bien fondus. A boire sur des grillades ou un plateau de charcuterie.

🔑 EARL Alain Olivier, La Moucletière, 44330 Vallet, tél. 02.40.36.24.69, fax 02.40.36.24.69 ☑ 🍷 r.-v.

REMY PANNIER Sauvignon 1998★

□ n.c. n.c. -de 20 F

On reconnaît les sauvignons du millésime 98 à leur expression fine et florale. Celui-ci ne fait pas exception. Après une attaque ample et ronde, il développe des arômes de fruits et de fleurs harmonieusement mariés. Le **chenin 98** mérite, quant à lui, d'être cité pour sa structure et sa typicité.

🔑 Remy Pannier, rue Léopold-Palustre, 49400 Saint-Hilaire-Saint-Florent, tél. 02.41.53.03.10, fax 02.41.53.03.19 ☑ 🍷 t.l.j. sf dim. 9h-12h 14h-18h30

DOM. DU PARC Chardonnay 1998★

□ 4 ha 15 000 20 à 29 F

Voici un joli chardonnay à la robe jaune clair, parsemée d'éclats verts. Le nez, un peu fermé, s'ouvre après agitation en dévoilant des arômes floraux (fleurs blanches) et épicés. Vif et équilibré, c'est un vin de soif.

Pierre Dahéron, Le Parc, 44650 Corcoué-sur-Logne, tél. 02.40.05.86.11, fax 02.40.05.94.98 r.-v.

DOM. DES PRIES
Pays de Retz Grolleau gris 1998★

□ 2,5 ha 12 000 - de 20 F

Elevé sur lie, ce grolleau gris s'annonce gouleyant avec ses notes de fruits exotiques et de banane que l'on retrouve aussi bien au nez qu'en bouche. Souple et fruité, il saura mettre en valeur un plateau de fruits de mer.

Gérard Padiou, Les Priés, 44580 Bourgneuf-en-Retz, tél. 02.40.21.45.16, fax 02.40.21.47.48 r.-v.

PASCAL RICOTIER
Cabernet franc 1998★★

■ 2 ha 20 000 20 à 29 F

Situé à 40 km au sud de Tours, au cœur d'un petit village classé du XVᵉs., le GAEC Pascal Ricotier exploite 11 ha de vignes, dont 2 ha plantés en cabernet franc. Ce cépage est à l'origine de cette remarquable cuvée 98. La robe rubis invite à découvrir le nez complexe, fait de petits fruits rouges et d'épices. En bouche, le fruité domine, soutenu par des tanins présents mais de bonne structure. Ce vin convivial est à déguster entre amis, autour d'un plateau de charcuterie.

GAEC Pascal Ricotier, 7, rte de Chinon, 37220 Crissay-sur-Manse, tél. 02.47.58.58.42, fax 02.47.95.26.06 r.-v.

MICHEL ROBINEAU Sauvignon 1998★★

□ 0,36 ha n.c. 20 à 29 F

Remarquable ! Régulièrement sélectionné dans le Guide, Michel Robineau se distingue cette année encore avec ce vin de pays du Jardin de la France issu de sauvignon. D'une couleur jaune pâle à reflets verts, le millésime 98 est axé sur les agrumes (pamplemousse) et le genêt. L'élégance et la complexité sont au rendez-vous.

Michel Robineau, 3, chem. du Moulin, Les Grandes Tailles, 49750 Saint-Lambert-du-Lattay, tél. 02.41.78.34.67 r.-v.

DOM. DES ROCHETTES Gamay 1998★

■ 1,5 ha 7 000 - de 20 F

Tout dans ce gamay traduit la typicité variétale. La robe rouge cerise invite à poursuivre la dégustation pour découvrir des arômes de fruits rouges qui mettent l'eau à la bouche. Après une attaque un peu vive, les fruits mûrs (cerise), voire le kirsch, se développent en bouche, soutenus par de bons tanins. Ce vin se mariera bien aux entrées et aux volailles.

EARL Jean-Pierre et Eric Florance, Bas-Briacé, 44430 Le Landreau, tél. 02.40.06.43.84, fax 02.40.06.45.66 r.-v.

DOM. DES SAULAIES
Grolleau gris 1998★

□ 0,39 ha 3 000 30 à 49 F

Chez les Leblanc, vignerons depuis 1680, la passion du vin est synonyme d'exigence technique. La thermorégulation (vinification à basse température) permet d'extraire le maximum d'arômes du grolleau gris. Le but a été atteint dans ce millésime puisque tous les membres du jury l'ont apprécié pour son expression aromatique.

EARL Philippe et Pascal Leblanc, Dom. des Saulaies, 49380 Faye-d'Anjou, tél. 02.41.54.30.66, fax 02.41.54.17.21 r.-v.

DOM. DU SILLON COTIER
Grolleau 1998★

◪ 2,5 ha 15 000 - de 20 F

Jean-Marc Ferré a réussi un joli rosé de grolleau. Pâle, son vin présente au nez des notes épicées, relayées en bouche par des arômes fruités. On l'appréciera en entrée, sur des charcuteries, ou sur des poissons.

Jean-Marc Ferré, chem. de Trélebourg, 44760 Les Moutiers-en-Retz, tél. 02.40.64.77.29 r.-v.

DOM. TROIS FRERES Chardonnay 1998★

□ n.c. 130 000 20 à 29 F

Un vin ligérien exclusivement vendu à l'export. Le nom de l'entreprise, « Vineyard », est significatif. En effet, les raisins de chardonnay composant cette cuvée proviennent de trois grandes régions viticoles du Val de Loire : la région nantaise, l'Anjou-Saumur et la Touraine. Cet assemblage libère au nez des notes minérales et épicées, ainsi que des arômes de fleurs blanches et de fruits bien mûrs. Un léger perlant à l'attaque lui confère fraîcheur et tonicité.

SARL Chardet Vineyard, La Grande Ragotière, 44330 La Regrippière, tél. 02.40.33.60.56, fax 02.40.33.61.89

Vendée

DOM. DES DEUX LAY 1998★

□ 1,7 ha 2 500 30 à 49 F

Le domaine des Deux Lay est un vignoble très ancien, reconstitué à partir de 1991. Le chenin, dont les souches sont âgées de sept ans, prospère sur un sol argilo-schisteux. Vinifié traditionnellement, ce vin de pays de Vendée se livre dans une jolie tenue à reflets verts. Son nez fin et floral incite à poursuivre la dégustation. Agréablement vif, ce vin blanc sec se mariera avec bonheur aux fruits de mer.

EARL Les Deux Lay, 16, rue Marceau, B.P. 41618, 44016 Nantes Cedex 1, tél. 02.40.47.58.75, fax 02.40.89.34.33 Y r.-v.

Marches de Bretagne

DOM. DES GRANDS-PRIMEAUX Gamay 1998*

■ 0,72 ha 5 000 20 à 29 F

Le gamay a été introduit au domaine des Grands-Primeaux par le père de Michel Bedouet, sur un terroir limoneux. Les plus anciennes souches atteignent déjà vingt-cinq ans. Un bel âge pour produire un vin de qualité. Celui-ci évoque les fruits rouges, tant au nez qu'en bouche. Vif et légèrement acidulé, il est agréablement tonique.

Michel Bedouet, Le Pé-de-Sèvre, 44330 Le Pallet, tél. 02.40.80.97.30, fax 02.40.80.40.68 Y r.-v.

Cher

ARIELLE VATAN Cuvée La Roncière Pinot noir 1997*

■ 1 ha 9 000 20 à 29 F

Non loin de Sancerre, le vignoble d'Arielle Vatan est implanté sur un terroir argilo-ferrugineux. Les vignes de pinot noir atteignent en moyenne quinze ans. Elégant et complexe, ce vin rouge décline une large gamme aromatique, allant du fruit noir aux nuances animales en passant par la fraise. La bouche veloutée laisse une agréable impression.

Arielle Vatan, Chaudoux, 18300 Verdigny, tél. 02.48.79.33.07, fax 02.48.79.36.30 Y r.-v.

Loire-Atlantique

MANOIR DE L'HOMMELAIS Gamay 1998*

■ 4,37 ha 23 000 20 à 29 F

De couleur rouge cerise soutenu, ce gamay livre au nez des arômes de fruits rouges bien mûrs, avec des nuances empyreumatiques « fumé-grillé ». Il présente une bouche fondue, glycérolée, relevée par des notes minérales. C'est un vin charpenté et riche que l'on attendra entre un et deux ans.

Dominique Brossard, Manoir de l'Hommelais, 44310 Saint-Philbert-de-Grand-Lieu, tél. 02.40.78.96.75, fax 02.40.78.76.91 Y r.-v.

Vienne

AMPELIDAE Le K 1997*

■ 3 ha 7 000 70 à 99 F

Une belle robe grenat habille ce vin de type boisé. Les notes vanillées, signe d'un élevage en fût, dominent le nez et la bouche, en masquant partiellement un fort potentiel aromatique de fruits rouges mûrs. C'est une cuvée riche qui doit vieillir pour parfaire son équilibre.

Brochet, Ampelidae, Lavauguyot, 86380 Marigny-Brizay, tél. 05.49.88.18.18, fax 05.49.37.82.84, e-mail ampelidae@wanadoo.fr Y t.l.j. 8h30-19h30

Coteaux charitois

DOM. DES HAUTS DE SEYR Le Montaillant Chardonnay 1998*

□ 12 ha 100 000 30 à 49 F

Le Montaillant : un vignoble oublié il y a encore dix ans. En 1990, un groupe d'amis œnophiles s'attache à sa renaissance en fondant le domaine des Hauts de Seyr. Aujourd'hui, 17 ha de vignes couvrent les coteaux escarpés de la commune de Chasnay. Le Montaillant 98 est un vin de grande intensité aromatique. Au nez dominent des notes de fleur d'acacia et de bonbon anglais. La bouche offre beaucoup de rondeur à l'attaque. Le côté beurré, lactique, s'exprime alors. En finale, on retrouve les arômes du nez auxquels s'ajoutent des nuances de fruits exotiques.

SA Cave des Hauts de Seyr, Le Bourg, 58350 Chasnay, tél. 03.86.69.20.93, fax 03.86.69.28.57 Y r.-v.

Nièvre

DOM. DES GRANGES Sauvignon 1998*

□ 2,32 ha 21 000 20 à 29 F

De Lesseps est un nom qui ne passe pas inaperçu ! Myriam est en effet la petite-fille du père du canal de Suez. Les vignes du domaine des Granges ont été replantées en 1988 et côtoient des champs de céréales. Joli flatteur que ce vin aux arômes de pamplemousse et de bourgeon de cassis ! Bien équilibré en bouche, il fait preuve de typicité. Laissez-vous tenter... Il est prêt à boire.

Myriam de Lesseps-Dorise, Dom. des Granges, Presle, 58150 Suilly-la-Tour, tél. 03.86.26.30.26, fax 03.86.26.30.26 ☑ Y t.l.j. 8h-19h30

Aquitaine et Charentes

Entourant largement le Bordelais, c'est la région formée par les départements de Charente et Charente-Maritime, Gironde, Landes, Dordogne et Lot-et-Garonne. La production y atteint 60 000 hl, avec une majorité de vins rouges souples et parfumés dans le secteur aquitain, issus des cépages bordelais que complètent quelques cépages locaux plus rustiques (tannat, abouriou, bouchalès, fer). Charentes et Dordogne donnent surtout des vins de pays blancs, légers et fins (ugni blanc, colombard), ronds (sémillon, en assemblage avec d'autres cépages) ou corsés (baroque). Charentais, Agenais, Terroirs landais et Thézac-Perricard sont les dénominations sous-régionales ; Dordogne, Gironde et Landes constituent les dénominations départementales.

Agenais

COTES DES OLIVIERS
Elevé en fût de chêne 1997*

■ 0,5 ha 5 000 20 à 29 F

Ce vin de pays de l'Agenais, dans le millésime 97, est vendu en bouteilles de 50 cl, alors que le **millésime 98 rouge**, cité, est logé en bouteilles standard de 75 cl. Rubis brillant, le Côtes des Oliviers 97 présente des arômes assez intenses de fruits cuits, de sous-bois et de boisé. Souple à l'attaque, la bouche est marquée par les fruits rouges (cassis). Le boisé domine encore et les tanins sont un peu asséchants. On attendra donc quelques mois pour profiter des qualités de cet assemblage harmonieux de merlot, de cabernet franc et de cabernet-sauvignon.

Jean-Pierre Richarte, Les Oliviers, 47140 Auradou, tél. 05.53.41.28.59, fax 05.53.49.38.89 ☑ Y t.l.j. 9h-19h

DOM. LOU GAILLOT Cuvée 2000 1998**

■ 2 ha 2 000 30 à 49 F

Lou Gaillot cultive son vignoble sur une terrasse de la vallée du Lot. Le sol est ici argilo-siliceux et renferme des graves rouges. Le merlot est à l'origine de cette Cuvée 2000 monocépage qui mérite notre coup de cœur. Sa couleur est aussi intense et profonde qu'un rubis brillant. Le nez fin décline les arômes de fruits rouges et de fruits cuits (pruneau), soulignés par un joli boisé. Bien équilibrée, la bouche est souple, étayée par des tanins soyeux. Les arômes de cassis et de pruneau réapparaissent dans une longue finale. Le boisé reste toujours harmonieux. Citons par ailleurs l'autre **cuvée rouge** du même millésime et le **vin blanc 98**, légèrement doux (10 g/l de sucres résiduels).

Josette et Jean-Claude Pons et Fils, As Gaillots, 47440 Casseneuil, tél. 05.53.41.04.66, fax 05.53.01.13.89 ☑ Y t.l.j. 9h-12h 14h-19h30

CAVE DES SEPT MONTS
Instant choisi 1998*

◪ 8 ha n.c. 30 à 49 F

Dans les années 60, quelques producteurs se sont associés pour fonder la cave des Sept Monts. Celle-ci vinifie aujourd'hui près de 10 000 hl par an. L'Instant choisi rosé 98 est issu du cabernet-sauvignon. C'est une robe soutenue, limpide et brillante que l'on découvre dans le verre. Un rose vif qui attire l'œil. Le nez fin et discret mêle fraise et bonbon anglais. Après une attaque vive et franche, la bouche reprend les arômes perçus à l'olfaction.

Cave des Sept Monts, ZAC de Mondésir, 47150 Monflanquin, tél. 05.53.36.33.40, fax 05.53.36.44.11 ☑ Y t.l.j. 9h-12h30 15h-19h

DOM. DU SERBAT 1998*

■ 0,67 ha 5 400 -de 20 F

Un Centre d'aide par le travail exploite le dernier vignoble existant sur cette commune. La qualité de sa production justifie, s'il en était besoin, son activité généreuse. Vêtu d'une robe rubis, ce 98 offre un nez fruité, épicé, caractéristique du cabernet-sauvignon, dont il est issu pour partie. Il attaque en souplesse et présente des tanins bien fondus, signature du merlot (40 %), qui lui assureront une garde de deux ou trois ans. Curiosité de l'assemblage : le troisième cépage, l'egiodola.

CAT Lamothe-Poulin, Dom. du Serbat, 47340 Laroque-Timbaut, tél. 05.53.95.73.97, fax 05.53.95.79.61 ☑ Y r.-v.

FOL Agen

Thézac-Perricard

DOM. DE LIONS 1997★★

■ 2 ha 6 000 ▮ 20 à 29 F

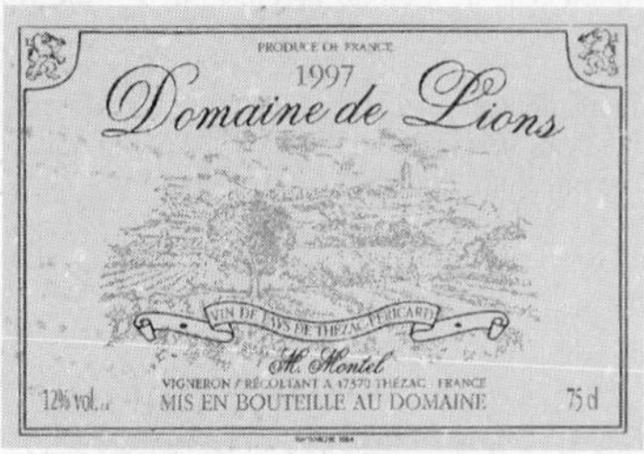

Le côt et le merlot s'unissent dans ce remarquable vin qui parle au cœur. Dans sa robe rubis intense et brillante dansent de séduisants reflets violacés. L'intensité et la puissance caractérisent le nez fruité et épicé qui transmet sa gamme aromatique à une bouche souple, ronde et grasse. L'équilibre se traduit par la présence de tanins harmonieux et par une finale évasée.

Yannick Montel, 47370 Thézac,
tél. 05.53.40.70.58, fax 05.53.40.78.65 ☒ Y r.-v.

VIN DU TSAR Tradition 1998★

■ 4 ha 34 000 ▮ 20 à 29 F

Dignement habillé d'une robe rubis intense à reflets violacés, ce 98 est d'un abord fermé : il ne dévoile ses arômes de fruits rouges que lentement. Mais il est franc. Bien équilibrée, sa bouche joue sur des notes épicées, soutenue par des tanins souples et fondus. Le vin du Tsar dispense ses largesses en finale.

Les Vignerons de Thézac-Perricard,
Plaisance, 47370 Thézac, tél. 05.53.40.72.76,
fax 05.53.40.78.76 ☒ Y t.l.j. 8h15-12h15
14h-18h; dim. 14h-18h

Terroirs landais

DOM. DE LABAIGT
Coteaux de Chalosse Moelleux 1998

□ 1 ha 6 000 ▮ 20 à 29 F

Le domaine de Labaigt possède 67 ha de vignes. Sur les coteaux de Chalosse, il a récolté des raisins parfaitement mûrs pour l'élaboration de ce vin moelleux. Jaune paille, celui-ci s'annonce par des arômes fins, légèrement citronnés. C'est un vin puissant mais équilibré, à la finale fraîche.

Dominique Lanot, Dom. de Labaigt,
40290 Mouscardès, tél. 05.58.98.02.42,
fax 05.58.98.80.75 ☒ Y t.l.j. sf dim. 8h-12h
14h-19h

DOM. DE LABALLE Sables fauves 1998★

□ 16 ha 120 000 ▮ -de 20 F

Issue de 20 % d'ugni blanc, de 60 % de colombard et de 20 % de gros manseng, la cuvée Sables fauves 98 affiche une teinte jaune pâle à reflets verts. Le nez ne manque pas de finesse avec ses arômes de fruits exotiques. En bouche, l'attaque est certes douce mais révèle une certaine vivacité. Un léger perlant souligne élégamment les arômes d'agrumes.

Noël Laudet, Le Moulin de Laballe,
40310 Parleboscq, tél. 05.58.44.33.39,
fax 05.58.44.92.61, e-mail n.laudet@wanadoo.fr
☒ Y r.-v.

DOM. DU TASTET
Coteaux de Chalosse 1998★

◪ n.c. n.c. -de 20 F

Un vin rosé des terroirs landais à la belle teinte orangée. Si le nez semble discret dans les premiers instants de la dégustation, il évolue rapidement vers des notes de fruits confits. Ce vin issu à 100 % de cabernets propose une attaque souple avant de dévoiler toute sa rondeur et son gras en bouche. Bien structuré et corsé, il laisse percevoir d'intéressants arômes grillés.

Jean-Claude Romain, Tastet, 40350 Pouillon,
tél. 05.58.98.28.27, fax 05.58.98.27.63 ☒

Landes

DOM. D'ESPERANCE Cuvée d'Or 1998★

□ 5,6 ha 21 000 ▮ -de 20 F

Ce vin blanc sec, jaune pâle brillant, offre une jolie palette aromatique de fleurs blanches (acacia) et de miel. La bouche, d'abord vive, laisse une agréable impression de fraîcheur sur des notes citronnées persistantes. Une Cuvée d'Or fine.

Claire de Montesquiou, Dom. d'Espérance,
40240 Mauvezin d'Armagnac,
tél. 05.58.44.68.33,
e-mail espérance@terne.net.fr ☒ Y r.-v.

FLEUR DES LANDES 1998★★

■ n.c. 250 000 -de 20 F

Le jury s'est laissé envoûter par cette Fleur des Landes 98, d'un rouge rubis soutenu et profond. Ses parfums de fruits cuits et de pain grillé sont relayés en bouche par des notes épicées (poivre), dans une matière grasse et ronde, soutenue par des tanins bien fondus. Ce vin puissant et persistant témoigne d'une vendange mûre et saine. Le **blanc sec Fleur des Landes du même millésime** mérite, quant à lui, d'être cité.

Les vignerons des Coteaux de Chalosse,
av. René-Bats, 40250 Mugron,
tél. 05.58.97.70.75, fax 05.58.97.93.23,
e-mail vignerons.chalosse@wanadoo.fr
☒ Y r.-v.

GAILANDE 1998★

■ 10 ha 30 000 ▮ -de 20 F

D'un rouge intense et brillant, le Gailande pourrait sembler un peu timide, mais si l'on sait y faire il s'ouvre sur des arômes de fruits rouges acidulés. Son attaque est tendre et souple, sa bouche riche et structurée. Ce vin de pays des Landes a trouvé un parfait compromis entre l'alcool et l'acidité.

Vignerons du Tursan, 40320 Geaune,
tél. 05.58.44.51.25, fax 05.58.44.40.22,
e-mail tursan.vin@wanadoo.fr r.-v.

Pays de la Garonne

Avec Toulouse en son cœur, cette région regroupe dans la dénomination « vin de pays du Comté tolosan » les départements suivants : l'Ariège, l'Aveyron, la Haute-Garonne, le Gers, le Lot, le Lot-et-Garonne, les Pyrénées-Atlantiques, les Hautes-Pyrénées, le Tarn et le Tarn-et-Garonne. Les dénominations sous-régionales ou locales sont : les côtes du Tarn ; les coteaux de Glanes (Haut-Quercy, au nord du Lot ; rouges pouvant vieillir) ; les coteaux du Quercy (sud de Cahors ; rouges charpentés) ; Saint-Sardos (rive gauche de la Garonne) ; les coteaux et terrasses de Montauban (rouges légers) ; les côtes de Gascogne, les côtes du Condomois et les côtes de Montestruc, (zone de production de l'armagnac dans le Gers ; majorité de blancs) ; et la Bigorre. Haute-Garonne, Tarn-et-Garonne, Pyrénées-Atlantiques, Lot, Aveyron et Gers sont les dénominations départementales.

L'ensemble de la région, d'une extrême variété, produit environ 200 000 hl de vins rouges et rosés et 400 000 hl de blancs dans le Gers et le Tarn. La diversité des sols et des climats, des rivages atlantiques au sud du Massif central, alliée à une gamme particulièrement étendue de cépages, incite à l'élaboration d'un vin d'assemblage de caractère constant, ce que s'efforce d'être depuis 1982 le vin de pays du Comté tolosan ; mais sa production est encore réduite : 40 000 hl dans un ensemble produisant environ quinze fois plus.

Comté tolosan

DOM. DE RIBONNET
Chardonnay 1997★★

□ 1 ha 3 000 30 à 49 F

Le domaine de Ribonnet offre toute une gamme de vins à la fois typés et originaux : vins de cépages, passage en fût de chêne. Obtenu après fermentation en barrique, bâtonnage et élevage en fût pendant dix mois, ce chardonnay, à la jolie robe jaune d'or, en est un bel exemple. On l'apprécie en plusieurs étapes : le nez comme la bouche présentent d'abord des arômes d'évolution puis de vanille, de boisé, pour finir sur une note grillée.

Ch. Gerber, SARL Vallées et Terroirs,
Dom. de Ribonnet, 31870 Beaumont-sur-Lèze,
tél. 05.61.08.71.02, fax 05.61.08.08.06 t.l.j.
sf sam. a.-m. dim. 9h-12h 14h-18h

Côtes du Tarn

DOM. DE LA BELLE Muscadelle 1998★★

□ 2,3 ha 10 000 20 à 29 F

Rarement une muscadelle aura été aussi bien vinifiée. Le bouquet s'exprime dans ce 98 tout en finesse et en douceur : floral, amylique, légèrement muscaté, avec des notes d'agrumes.

Pascale Roc-Fonvieille, Saint-Saluy,
81310 Lisle-sur-Tarn, tél. 05.63.40.32.48
t.l.j. 9h-12h 14h-18h; sam. dim. sur r.-v.; f. nov. à avril

LES SALESSES 1998★★

■ 1,36 ha 4 000 30 à 49 F

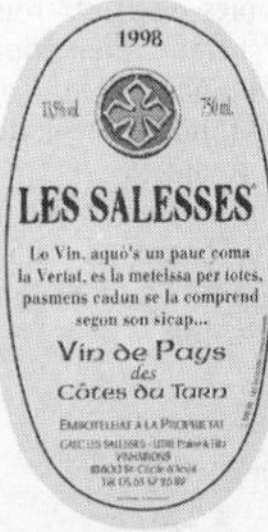

C'est un côtes du tarn 100 % duras qui a beaucoup de matière. D'une robe rouge foncé, il s'affiche déjà au nez comme un vin de caractère. Les tanins, sans être agressifs, sont bien marqués : ils lui donnent gras, longueur et volume.

Litre Père et Fils, GAEC Les Salesses,
81600 Sainte-Cécile-d'Aves, tél. 05.63.57.26.89,
fax 05.63.57.26.89 t.l.j. 8h-12h 14h-18h

Coteaux du Quercy

BESSEY DE BOISSY Tradition 1996★★

■ n.c. 90 000 20 à 29 F

Deux ans déjà, il a gardé toute sa forme. Ses tanins sont toujours aussi puissants, avec la rondeur que lui apporte son âge. Un très bon exemple d'un Quercy qui a su vieillir. Dans le même

style, mais passé dans du bois, le **95** étonne par sa personnalité.
🔑 Vignerons du Quercy, R.N. 20, 82270 Montpezat-de-Quercy, tél. 05.63.02.03.50, fax 05.63.02.00.60 ☑ 𝐈 r.-v.

DOM. DE CAUQUELLE 1998★★

■ 12 ha 20 000 🍷 20 à 29 F

La première année, un quercy est rarement au mieux de sa forme. Celui-ci n'a pas attendu pour exprimer tout ce qu'un quercy peut avoir de typicité. Son nez de mûre et de groseille est fin, souple, fondu, puissant. Ses tanins, fins et harmonieux, sont presque violents, comme il se doit. Que dire de plus sinon qu'il a fait l'unanimité du jury !
🔑 GAEC de Cauquelle, Cauquelle, 46170 Flaugnac, tél. 05.65.21.95.29, fax 05.65.21.83.30 ☑ 𝐈 r.-v.

DOM. DE GUILLAU 1998★★

◪ 2 ha 6 000 🍷🌡 -de 20 F

Quelle belle robe cristalline, d'un rose légèrement soutenu ! Nez frais, vif, acidulé. La bouche nous comble également avec une attaque franche, vive, fruitée, pour finir sur du gras, de la rondeur. Un rosé agréable et complet.
🔑 Jean-Claude Lartigue, Guillau-Saint-Julien, 82270 Montalzat, tél. 05.63.93.17.24, fax 05.63.93.28.06 ☑ 𝐈 t.l.j. sf dim. 10h-12h 14h-19h

DOM. DE LAFAGE Tradition 1997★

■ 5 ha 26 000 🍷🌡 30 à 49 F

Souvent sélectionné dans les jurys, le domaine de Lafage nous charme une fois de plus. Une robe d'un rouge soutenu, brillant, à reflets rubis, un nez aux arômes puissants de cassis, mûre, myrtille finissant sur des notes végétales : que de complexité ! L'attaque en bouche est souple, fine avec des tanins qui lui confèrent du volume, du gras et une longueur remarquable. Ce 97 est dans lignée de ses prédécesseurs.
🔑 Bernard Bouyssou, Dom. de Lafage, 82270 Montpezat, tél. 05.63.02.06.91, fax 05.63.02.04.55 ☑ 𝐈 r.-v.

DOM. DE LA GARDE
Prestige du Quercy 1997

■ n.c. n.c. 🍷🌡 20 à 29 F

Le nez de fruits confits, de cerise et de mûre laisse également s'exprimer des notes végétales (poivron). En bouche, la finesse des tanins donne à ce vin structure, gras et volume. En finale, se mêlent notes animales et arômes de pruneau. Le Domaine de La Garde présente le **même millésime passé en fût** : une comparaison intéressante qui ne manquera pas de susciter des commentaires animés entre partisans et adversaires du bois.
🔑 Jean-Jacques Bousquet, Le Mazut, 46090 Labastide-Marnhac, tél. 05.65.21.06.59, fax 05.65.21.06.59 ☑ 𝐈 t.l.j. sf dim. 9h-19h

DOM. DE MAZUC 1997★

■ 4 ha 25 000 🍷🌡 -de 20 F

Cassis ! Le Domaine de Mazuc étonne souvent par la vigueur de ses arômes de cassis. Le 97 n'a pas failli à la réputation de ses aînés : arômes puissants de fruits noirs, et donc, surtout, de cassis. Ces arômes se retrouvent en bouche après une attaque franche et même un peu vive à laquelle succèdent des tanins bien fondus.
🔑 Erick Carles, Mazuc, 82240 Puylaroque, tél. 05.63.64.90.91, fax 05.63.64.90.91 ☑ 𝐈 t.l.j. sf dim. 8h15-12h15 13h30-19h; groupes sur r.-v.

DOM. DE PECH BELY Col rouge 1997

■ 4 ha 8 000 🍷 20 à 29 F

Le rubis de sa robe brillante nous charme dès le premier abord. Son nez est dans la continuité : arômes de pain grillé, de sous-bois auxquels s'ajoutent des notes florales. La richesse de sa bouche finit de nous séduire : équilibre et harmonie des tanins omniprésents, arômes de fruits mûrs mêlés aux notes végétales. Quelques années de vieillissement lui permettront sans doute d'exprimer toutes ses qualités.
🔑 Richard et Jooris, Pech Bely, 82150 Montaigu-de-Quercy, tél. 05.63.94.47.28, fax 05.63.95.31.79 ☑ 𝐈 r.-v.

Saint-Sardos

DOM. DE CADIS 1997★

■ 4 ha 15 000 🍷🌡 30 à 49 F

Belle robe pourpre foncé. Les arômes de mûre, de cassis, d'épices, de poivron... se succèdent pour donner une bouche complexe, harmonieuse et équilibrée.
🔑 Cave des vignerons de Saint-Sardos, Le Bourg, 82600 Saint-Sardos, tél. 05.63.02.52.44, fax 05.63.02.62.19 ☑ 𝐈 r.-v.

Côtes de Gascogne

BORDENEUVE-ENTRAS 1997★

■ 3,75 ha 40 000 🍷 20 à 29 F

Le GAEC Bordeneuve-Entras nous a habitués à des vins rouges au caractère affirmé. Voici un 97 où s'affiche tout ce que peut exprimer un cabernet : puissance des arômes de poivron vert, rondeur, souplesse, équilibre et harmonie de la bouche, finale longue et persistante. C'est vraiment un très beau gascogne.
🔑 GAEC Bordeneuve-Entras, 32410 Ayguetinte, tél. 05.62.68.11.41, fax 05.62.68.15.32 ☑ 𝐈 r.-v.
🔑 Maestrojuan

DOM. DES CASSAGNOLES
Gros manseng 1998

□ 6 ha 26 000 🍷🌡 -de 20 F

Le gros manseng fait partie des cépages les plus aromatiques de la Gascogne. Gilles Baumann nous propose là une excellente réalisation. A la complexité du nez aux arômes de menthe, d'anis, de fruits exotiques succède une bouche fruitée, bien équilibrée et grasse. Dans la même

gamme de vins de cépages, le **colombard 98** mérite également d'être découvert.
Gilles Baumann, Dom. des Cassagnoles, EARL de la Ténarèze, 32330 Gondrin, tél. 05.62.28.40.57, fax 05.62.68.23.76 t.l.j. 8h30-18h; f. 1er sept.-31 mai

FLORENBELLE 1998**

□ 400 ha 450 000 -de 20 F

A la fraîcheur et au nerf de l'ugni blanc se marie fort bien la puissance aromatique du colombard pour donner un vin de pays très représentatif de la Gascogne. Commençant par un nez puissant et complexe, pour continuer sur une bouche souple, ronde et d'un certain volume, il se termine sur une longue finale où se mêlent tous les arômes que l'on attend.
Vignoble de Gascogne, 32400 Saint-Mont, tél. 05.62.69.62.87, fax 05.62.69.61.68 t.l.j. sf dim. 9h-12h 14h-18h; groupes sur r.-v.

DOM. DE MONLUC 1997**

□ 15 ha 30 000 30 à 49 F

Le passage en fût de ce gros manseng a été judicieusement mené. Tout en laissant s'exprimer les arômes de coing, de miel propre au cépage, le bois apporte gras et volume. L'équilibre est harmonieux entre acidité et sucre. Un Monluc riche et varié.
Dom. de Monluc, Ch. de Monluc, 32310 Saint-Puy, tél. 05.62.28.94.00, fax 05.62.28.55.70 t.l.j. 10h-12h 15h-19h; f. janv.

DOM. DE SAINT-LANNES 1998*

□ 25 ha 200 000 20 à 29 F

Michel Duffour possède depuis longtemps une maîtrise parfaite de la vinification des blancs de Gascogne. Cette cuvée présente, avec vigueur, les arômes de fruits exotiques si caractéristiques des côtes de gascogne. Elle est également très fruitée en bouche avec du volume, du gras et de la longueur, on pourrait presque dire du relief. Les amateurs de typicité ne seront pas déçus.
Michel Duffour, Dom. de Saint-Lannes, 32330 Lagraulet-du-Gers, tél. 05.62.29.11.93, fax 05.62.29.12.71 r.-v.

DOM. DU TARIQUET
Gros Manseng Premières Grives 1998**

□ n.c. n.c. 30 à 49 F

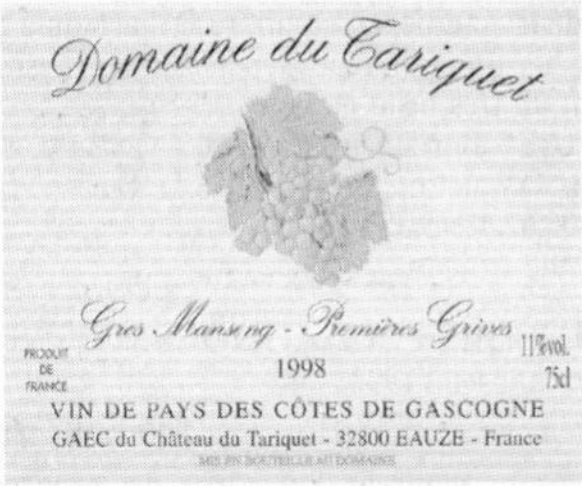

Le domaine du Tariquet cultive l'originalité et la typicité. Il nous propose toute une gamme de vins à la forte personnalité toujours appréciée. C'est ainsi que ce gros manseng aux arômes de fruits exotiques et d'agrumes fait vite l'unanimité. Bien équilibré, ample en bouche, il se termine sur une longue finale : de quoi ravir bien des palais.
Ch. du Tariquet, 32800 Eauze, tél. 05.62.09.87.82, fax 05.62.09.89.49 t.l.j. sf dim. 9h-12h 14h-18h

Lot

DOM. DE QUATTRE 1998*

□ 4 ha 5 500 20 à 29 F

Le domaine de Quattre nous présente là une vinification de sauvignon-chardonnay, à dominante sauvignon. Les arômes très fins de lierre et d'agrumes du sauvignon se lient ainsi au gras et au volume du chardonnay. Un mariage astucieux et réussi de deux cépages qui se complètent harmonieusement.
SARL Dom. de Quattre, 46800 Bagat-en-Quercy, tél. 05.65.36.91.04, fax 05.65.36.96.90 r.-v.

Corrèze

MILLE ET UNE PIERRES
Elevé en fût de chêne 1997**

■ 8,5 ha 66 500 30 à 49 F

A peine tuilée, la robe rouge rubis de cette cuvée traduit la bonne maturité du cabernet franc et du merlot récoltés sur le terroir argilo-calcaire de Branceilles. Le nez intense, légèrement boisé, décline savamment des notes de cassis et de sous-bois. Souple et équilibrée, la bouche se structure autour de tanins bien fondus, boisés sans excès. La maîtrise du bois et la bonne persistance aromatique n'ont pas laissé de marbre les dégustateurs de ce vin remarquable, qui méritait bien un coup de cœur. Le 90 avait obtenu la même distinction.
Cave viticole de Branceilles, le Bourg, 19500 Branceilles, tél. 05.55.84.09.01, fax 05.55.25.33.01 t.l.j. sf dim. 10h-12h 15h-18h

Coteaux et terrasses de Montauban

DOM. DE MONTELS
Elevé en fût de chêne 1997★

■ 2 ha 6 000 🛢 20 à 29 F

Un bon travail en fût a permis aux tanins du cabernet et du tannat de prendre un caractère rond et harmonieux, tout en préservant les arômes de la syrah. Ainsi la robe foncée et le nez puissant témoignent de la présence affirmée des tanins, alors que la bouche ample et légèrement amylique combine les caractères de ces trois cépages. Très bon travail où se marient les tempéraments des trois cépages épaulés par un passage en fût adroitement mené. Ne pas oublier de déguster dans le même chai le **sauvignon 98** : une étoile également.
⊶ Philippe et Thierry Romain,
Dom. de Montels, 82350 Albias,
tél. 05.63.31.02.82, fax 05.63.31.07.94 ☑ Y r.-v.

Pyrénées-Atlantiques

DOM. BORDE-LUBAT 1998★★

□ 0,84 ha 2 500 🛢 - de 20 F

Le barroque est un cépage typique des Pyrénées. Il est vinifié par Francis Lubat avec le colombard, pour passer ensuite douze mois en fût. Robe jaune à reflets verts, nez floral, vanillé. En bouche, à une attaque franche, aux arômes fins et complexes des cépages, succède un caractère ample et long dû au bois.
⊶ Francis Lubat, 64330 Taron,
tél. 06.11.99.87.48 ☑ Y r.-v.
⊶ Laboube

Languedoc et Roussillon

Vaste amphithéâtre ouvert sur la Méditerranée, la région Languedoc-Roussillon décline ses vignobles du Rhône aux Pyrénées catalanes.

Premier ensemble viticole français, la région produit près de 80 % des vins de pays. Les départements de l'Aude, du Gard, de l'Hérault et des Pyrénées-Orientales représentent les quatre dénominations départementales. A l'intérieur, les vins faisant référence à une zone plus restreinte sont très nombreux. Ces deux premières catégories représentent près de 5,5 millions d'hectolitres. Enfin, la dénomination régionale « Vin de Pays d'Oc » continue sa progression. La production atteint 2,6 millions d'hectolitres en 1996/1997 (rouges 60 %, rosés 16 %, blancs 24 %).

Obtenus par la vinification séparée de vendanges sélectionnées, les vins de pays de la région Languedoc-Roussillon sont issus non seulement de cépages traditionnels (carignan, cinsaut et grenache, syrah pour les rouges, clairette, grenache blanc, macabeu pour les blancs) mais aussi de cépages non méridionaux : cabernet-sauvignon, merlot ou pinot noir pour les vins rouges ; chardonnay, sauvignon et viognier dans les cépages blancs.

Oc

DOM. DE BACHELLERY
Tenue de soirée 1997★★★

■ 4 ha 6 000 🛢 30 à 49 F

Un 97 en grande tenue. Sous une belle robe rubis profond, le nez, intense, très complexe, marie des notes boisées et épicées à des arômes de torréfaction. Elégante et agréable, la bouche met en valeur la complexité du nez, tant pour l'intensité que pour la palette aromatique. Une magnifique bouteille, que l'on peut attendre quelque temps ou savourer dès à présent sur des viandes en sauce. Le **grenache 97** a été cité par le jury.
⊶ Bernard Julien, SCEA du Dom. de Bachellery, rte de Bessan, 34500 Béziers,
tél. 04.67.62.36.15, fax 04.67.35.19.38,
e-mail vinbj@club-internet.fr ☑ Y r.-v.

BERLOUP COLLECTION Viognier 1998★

□ 3 ha 4 000 🛢 50 à 69 F

Sa belle teinte jaune à reflets vieil or est un régal pour les yeux. Son bouquet de fleurs jaunes séduit le nez. Et ce n'est pas la bouche, équilibrée, ample, aromatique et d'une bonne persistance qui gâchera votre plaisir.
⊶ Les Coteaux du Rieu Berlou,
av. des Vignerons, 34360 Berlou,
tél. 04.67.89.58.58, fax 04.67.89.59.21 ☑ Y r.-v.

THIERRY BOUDINAUD Syrah 1998★

■ n.c. 200 000 ▮🌡 - de 20 F

Ce négociant présente trois jolis vins : un **chardonnay 98**, qui obtient une mention, un **cabernet-sauvignon 98** qui reçoit une étoile, et cette syrah très harmonieuse. Vêtu d'une robe à reflets violets, ce vin montre un nez floral, délicat, où apparaissent des notes réglissées. La bouche, ample, puissante et généreuse, évoque la violette.
⊶ Domaines du Soleil, Ch. Canet,
11800 Rustiques, tél. 04.90.12.32.45,
fax 04.90.12.32.49 Y r.-v.

DOM. BOURDIC
Merlot Elevé en fût de chêne 1997★

■ 1,26 ha 3 500 50 à 69 F

D'origine suisse, Christa Vogel et Hans Hürlimann ont pris la tête du domaine en 1992. Ils proposent un 97 rubis à reflets tuilés. Le nez, dominé par le boisé, dévoile des notes de fruits secs. C'est un vin rond, bien structuré et très harmonieux en bouche. Le **grenache 97** mérite d'être cité.

Christa Vogel et Hans Hürlimann, Dom. Bourdic, 34290 Alignan du Vent, tél. 04.67.24.98.08, fax 04.67.24.98.96 r.-v.

DOM. DE CAUSSE Sauvignon 1998★

□ 4,53 ha 12 000 20 à 29 F

D'un beau jaune pâle à reflets verts, ce 98 offre un nez intense, à la fois floral et végétal. La bouche est équilibrée et harmonieuse.

SC de Bonneterre, Dom. de Causse, 34970 Lattes, tél. 04.67.41.03.80, fax 04.67.41.03.80 r.-v.

DOM. CAZAL-VIEL Viognier 1998★★

□ 8 ha 22 000 50 à 69 F

Au XIIIe s., ce domaine était une dépendance de l'abbaye de Fontcaude. Il fut acquis par la famille Miquel en 1789. Il propose un 98 d'une belle harmonie, bien caractéristique du cépage. Le nez, intense, floral, précède une bouche équilibrée, ample, ronde, aromatique et d'une bonne longueur. Une remarquable bouteille à découvrir dès maintenant.

SCEA du Dom. Cazal-Viel, 34460 Cessenon-sur-Orb, tél. 04.67.89.63.15, fax 04.67.89.65.17, e-mail l-miquel@mnet.fr t.l.j. 8h30-12h30 13h30-18h; dim. sur r.-v.

Henri Miquel

F. CHAUVENET Syrah Lajolie 1998★

■ n.c. n.c. 20 à 29 F

Difficile de résister à cette belle charmeuse, parée d'une robe rubis à reflets grenat vif. Elle embaume les fruits mûrs et la violette ; celle-ci ressort dans une bouche toute de tendresse. Un vin léger et agréable.

F. Chauvenet, 9, quai Fleury, 21700 Nuits-Saint-Georges, tél. 03.80.62.61.43, fax 03.80.62.37.38

DOM. DE CIBADIES Chardonnay 1998★

□ 8 ha 36 000 20 à 29 F

Ce domaine commercialise la moitié de sa production à l'étranger. Son chardonnay, jaune paille brillant, a un nez fin et intense. En bouche, il se montre frais, vif et bien équilibré. La finale est agréable. Une jolie bouteille.

Jean-Michel Bonfils, Dom. de Cibadiès, 34310 Capestang, tél. 04.67.93.10.10, fax 04.67.93.10.05

DOM. DE CLOVALLON
Syrah Palagret 1996★

■ 1 ha 5 000 50 à 69 F

Ce vignoble de montagne donne un 96 vêtu d'une belle robe brillante, grenat intense presque noire. Le nez, évolué, décline des notes d'épices, de sous-bois et de vieux cuir. La bouche, ample et ronde, est bien équilibrée. Un ensemble harmonieux.

Catherine Roque, Dom. de Clovallon, 34600 Bédarieux, tél. 04.67.95.19.72, fax 04.67.95.11.18 r.-v.

DOM. COSTEPLANE
Cuvée spéciale 1998★★

◪ 8 ha 21 700 20 à 29 F

Des vignes de quinze ans ont donné ce très beau vin, que drape une robe lumineuse. Le nez, aromatique et puissant, est suivi d'une bouche nerveuse, bien équilibrée et d'une bonne amplitude. Ce 98 accompagnera agréablement un repas d'été. Le **cabernet-sauvignon 97** a obtenu une étoile.

Françoise et Vincent Coste, Mas de Costeplane, 30260 Cannes-et-Clairan, tél. 04.66.77.85.02, fax 04.66.77.85.47 r.-v.

DOM. DE COUSSERGUES
Viognier 1998★

□ n.c. 20 000 20 à 29 F

Le domaine de Coussergues abrite un musée du Vin, qui évoque l'histoire de la viticulture languedocienne. Après la visite, vous dégusterez ce 98 élégant, jaune pâle à reflets verts. Le nez conjugue finesse et puissance ; il évolue des fleurs blanches aux parfums exotiques. Après une belle attaque, la bouche révèle des arômes persistants caractéristiques du cépage. Le **sauvignon 98** est tout aussi réussi.

GAF de Coussergues, 34290 Montblanc, tél. 04.67.00.80.00, fax 04.67.00.80.05 t.l.j. sf sam. dim. 9h-18h

de Bertier

DOM. COUSTELLIER Syrah 1998★

◪ 1,8 ha 7 500 -de 20 F

Habillé d'une belle robe rose soutenu à reflets violines, ce 98 offre un nez de fruits rouges (mûre et fraise) puissant et complexe. Après une belle attaque, la bouche, nerveuse, associe fleurs et fruits. Très bonne longueur.

Jean-Jacques Coustellier, 16, rue Gal-Montbrun, 34510 Florensac, tél. 04.67.77.01.42, fax 04.67.77.94.39 r.-v.

DOM. ELLUL-FERRIERES 1997★

■ 3,34 ha 8 000 30 à 49 F

Des vignes âgées de quarante ans et un élevage en fût pendant six mois ont donné ce vin à la robe nuancée de grenat et au joli nez fumé marqué par le boisé. La bouche, pleine et harmonieuse, s'achève sur une finale vanillée.

Gilles et Sylvie Ellul, Dom. Ellul-Ferrières, 34160 Castries, tél. 04.99.58.12.51, fax 04.99.58.12.51, e-mail g612702@aol.com r.-v.

LES VIGNERONS DU PAYS D'ENSERUNE
Cuvée Collection Pie grièche 1998★

■ 36,5 ha 12 600 -de 20 F

Cette coopérative regroupe 1 850 adhérents. Elle propose une cuvée assemblant 60 % de cabernet franc au merlot, vêtue d'une robe pourpre à reflets sombres. Le nez est riche en fruits rouges et en épices. Des tanins souples tapissent

la bouche, bien équilibrée. Le **viognier 98** (une étoile) est lui aussi très bien fait.
⊶ Les Vignerons du pays d' Ensérune, 235, av. Jean-Jaurès, 34370 Maraussan, tél. 04.67.90.09.80, fax 04.67.90.09.55 ☑ Y r.-v.

LOUIS FABRE Viognier 1998★★

□ 4 ha 18 000 30 à 49 F

Une jolie couleur jaune pâle à reflets verts, un nez de fleurs blanches d'une belle intensité aromatique, une bouche ample et élégante : voici un vin tout en finesse et en harmonie.
⊶ Louis Fabre, Ch. de Luc, rue du Château, 11200 Luc-sur-Orbieu, tél. 04.68.27.10.80, fax 04.68.27.38.19 ☑

FORTANT DE FRANCE
Cabernet-sauvignon 1998★★

■ n.c. 85 000 20 à 29 F

On ne présente plus Robert Skalli dont la production est considérable et bien connue de nos lecteurs. C'est ce vin qui a remporté la palme cette année : sa belle robe pourpre, son nez fin, délicat, chaud et bien caractéristique du cépage donnent envie d'y tremper les lèvres. Et l'on ne s'en repent pas tant la bouche, ronde, gouleyante, généreuse, est agréable. Le **chardonnay 98** et le **grenache** du même millésime sont fort bien réussis et reçoivent chacun une étoile.
⊶ Skalli Fortant de France, 278, av. du Mal-Juin, B. P. 376, 34204 Sète Cedex, tél. 04.67.46.70.00, fax 04.67.46.71.99 ☑ Y t.l.j. sf sam. dim. 10h-18h; juil-août t.l.j.

DOM. DU GRAND CHEMIN
Cabernet-sauvignon 1998★★★

■ 4 ha 30 000 20 à 29 F

Plus qu'un grand chemin, ce 98 suit une voie royale. Paré d'une belle robe profonde, rouge intense, où miroitent des reflets violets, il exhale des senteurs de fruits rouges et noirs bien mûrs. L'attaque est franche. La bouche équilibrée, tapissée de tanins soyeux, s'épanouit sur des arômes de fruits rouges et d'épices. Un vin élégant, d'une bonne longueur. On lui emboîte volontiers le pas.
⊶ EARL Jean-Marc Floutier, Dom. du Grand Chemin, 30350 Savignargues, tél. 04.66.83.42.83, fax 04.66.83.44.46 ☑ Y t.l.j. 8h-12h 14h-18h; f. janv.

DOM. DU GRAND CRES 1998★

□ 3 ha 4 000 50 à 69 F

Un vin très réussi dans une robe claire à reflets or. Le nez riche et intense dévoile des notes de miel et de fleurs blanches. La bouche, fraîche et aromatique, porte une finale fruitée.
⊶ Hervé et Pascaline Leferrer, Dom. du Grand Crès, 40, av. de la Mer, 11200 Ferrals-les-Corbières, tél. 04.68.43.69.08, fax 04.68.43.58.99 ☑ Y r.-v.

DOM. DE GRANOUPIAC Merlot 1997★

■ 3,5 ha 18 000 30 à 49 F

Une bouteille prête à boire, rouge cerise à reflets tuilés. Le nez mêle des notes végétales fraîches et des arômes de fruits secs. Bien évolué en bouche, ce vin est très agréable.
⊶ Claude Flavard, Dom. de Granoupiac, 34725 Saint-André-de-Sangonis, tél. 04.67.57.58.28, fax 04.67.57.95.83 ☑ Y r.-v.

JONQUIERES SAINT VINCENT
Merlot Elevé en fût de chêne 1997★

■ 10 ha 15 000 20 à 29 F

Le **chardonnay 98** obtient une citation ; un cran plus haut, ce 97 reçoit une étoile. Les dégustateurs ont apprécié sa belle robe profonde à reflets tuilés, son nez intense de fruits rouges (cerise et mûre), sa bouche bien structurée, ample et ronde. Belle présence des tanins.
⊶ SCA Les Vignerons de Jonquières Saint-Vincent, 20, rue de Nîmes, 30300 Jonquières-Saint-Vincent, tél. 04.66.74.50.07, fax 04.66.74.49.40 ☑ Y t.l.j. sf dim. lun. 8h-12h30 14h-18h

JULIEN FRERES
Cabernet-sauvignon 1997★★★

■ 1,8 ha 6 000 30 à 49 F

Arlequin, qui orne l'étiquette de cette bouteille, annonce son entrée en scène : ce 97 s'avance drapé dans une belle robe rouge profond. Il offre un nez chaleureux, puissant et finement boisé. Des saveurs de fruits mûrs enchantent la bouche, ample, ronde, très grasse, bien charpentée. Une superbe bouteille, à apprécier avec du gibier.
⊶ Mas de Janiny, 21, pl. de La Pradette, 34230 Saint-Bauzille-de-la-Sylve, tél. 04.67.57.96.70, fax 04.67.57.96.77 ☑ Y r.-v.

DOM. DE LA BAUME
Syrah Tête de cuvée 1997★

■ 5 ha 27 000 30 à 49 F

Un élevage de quatorze mois en fût de chêne a donné à ce vin, d'un beau rouge soutenu, un nez boisé intense où percent des notes de fumé et de vanille. En bouche, les tanins sont bien fondus. Ce 97 équilibré et rond s'accordera avec une pièce de gibier.
⊶ Dom. de La Baume, RN 113, 34290 Servian, tél. 04.67.39.29.49, fax 04.67.39.29.40 ☑ Y r.-v.

LA BEGUDE Pinot noir 1998★

■ 2 ha 6 000 70 à 99 F

Ce 98, élevé quatorze mois en barrique, porte une belle robe noire à reflets violets. Son nez, très boisé, égrène des notes de grillé et de fumé. La bouche est bien structurée. On devra l'attendre quelque temps.
⊶ Dom. La Bégude, 11300 Cépie, tél. 04.68.91.42.63, fax 04.68.91.62.15

DOM. DE LA DEVEZE
Roussanne Elevé en barrique de chêne 1998★★

☐ 0,75 ha 2 000 50 à 69 F

Le domaine accueille des vacanciers dans un gîte rural aménagé dans une ancienne magnanerie. Ses hôtes apprécieront sans aucun doute cette remarquable cuvée, d'un beau jaune d'or. Le nez, tout en finesse et en élégance, est caractéristique du cépage. Ce vin offre une bonne ampleur aromatique.

Laurent Damais, GAEC du Dom. de la Devèze, 34190 Montoulieu, tél. 04.67.73.70.21, fax 04.67.73.32.40, e-mail damais@deveze.com t.l.j. sf dim. 9h-12h 15h-19h

DOM. DE LA FERRANDIERE
Sauvignon 1998★★

☐ 10,3 ha 88 000 20 à 29 F

Le vignoble étant situé dans une ancienne lagune maritime assainie au XVII[e]s., les parcelles de vignes doivent être inondées plusieurs semaines par an afin d'éliminer les excédents de salinité. Il donne ce vin blanc caractéristique du cépage, d'une belle teinte cristalline où miroitent des reflets verts. Le nez est d'une grande finesse et la bouche parfaitement équilibrée. Nervosité, ampleur, persistance des arômes : c'est un bien joli 98.

SARL Les Ferrandières, 11800 Aigues-Vives, tél. 04.68.79.29.30, fax 04.68.79.29.39, e-mail fergau@terre-net.fr r.-v.

Jacques Gau

DOM. LALAURIE Merlot 1997★

■ 6 ha 20 000 30 à 49 F

Jean-Charles Lalaurie se définit lui-même comme un « artiste vigneron ». Il a concocté un 97 très réussi, pourpre à reflets tuilés. Le nez, complexe, associe des notes boisées et fumées. La bouche est souple, équilibrée et d'une bonne persistance. Un vin prêt à boire mais pouvant attendre.

Jean-Charles Lalaurie, 2, rue Le-Pelletier-de-Saint-Fargeau, 11590 Ouveillan, tél. 04.68.46.84.96, fax 04.68.46.93.92 t.l.j. 9h-12h 15h-19h; sam. dim. sur r.-v.

DOM. LA PROVENQUIERE
Vermentino 1998★★

☐ 3,8 ha 15 000 20 à 29 F

Une jolie couleur jaune pâle, brillante, introduit un nez aromatique et très fin. La bouche, d'une belle structure, laisse lentement s'exprimer les arômes, puis prolonge longuement la conversation. Le **rosé de cinsault 98** du domaine obtient une citation.

Claude Robert, SCEA Dom. de La Provenquière, 34310 Capestang, tél. 04.67.90.54.73, fax 04.67.90.69.02 t.l.j. sf dim. 9h-18h

LAQUIROU
Merlot Elevé en fût de chêne 1997★

■ 1,7 ha 8 000 30 à 49 F

Rouge cerise très tuilé, ce 97 offre un nez en évolution, qui unit des notes animales et végétales. La bouche est souple, mais bien structurée. La finale évoque les fruits rouges et le poivron.

Ch. Laquirou, rte de Saint-Pierre, 11560 Fleury-d'Aude, tél. 04.68.33.91.90, fax 04.68.33.84.12 r.-v.

DOM. DES LAURIERS Viognier 1998★★

☐ 1,5 ha 5 000 30 à 49 F

Une couronne de laurier bien méritée ! Cette cuvée, or à reflets verts, est remarquable. L'iris et le muguet composent un bouquet d'une belle intensité aromatique. La bouche est à la fois ample et fraîche. Le **rolle 98** du domaine obtient la même note.

Dom. des Lauriers, 15, rte de Pézenas, 34120 Castelnau-de-Guers, tél. 04.67.98.18.20, fax 04.67.98.96.49 r.-v.

DOM. DE LA VALMALE
Sauvignon 1998★

☐ 5,04 ha 10 000 - de 20 F

Alain Clarou signe un sauvignon 98 très réussi, d'un beau jaune pâle brillant, au nez floral et puissant. Après une attaque ample, la bouche laisse s'exprimer les arômes, avec ce qu'il faut de vivacité en finale.

Alain Clarou, Dom. de la Valmale, 34550 Bessan, tél. 01.43.54.42.49, fax 01.40.46.89.01 r.-v.

DOM. LE CLAUD Merlot 1998★

■ 7 ha 6 000 20 à 29 F

S'annonçant par une belle robe pourpre brillante et par un nez intense, puissant, de fruits rouges écrasés et de sous-bois, ce vin se montre bien charpenté et ample en bouche. Les tanins sont très présents, mais de bonne qualité.

SCEA de Boisgelin, Dom. Le Claud, 12, rue Georges-Clemenceau, 34430 Saint-Jean-de-Védas, tél. 04.67.27.63.37, fax 04.67.47.28.72 r.-v.

L'ENCLOS DE LA CROIX Merlot 1997★

■ 8 ha 15 500 20 à 29 F

Né sur un sol limoneux, ce 97 à la robe légère, très tuilée, offre un nez fin, boisé, fumé, où l'on décèle des notes de fruits cuits. Le boisé se retrouve au palais, lequel est souple et rond.

SARL Dom. des Plantades, 2, av. Marius-Ales, 34130 Lansargues, tél. 04.67.86.72.11 t.l.j. 10h-12h 15h-19h

DOM. DE L'ENGARRAN 1998★

☐ 2,5 ha 23 000 30 à 49 F

Classé monument historique, le château de l'Engarran est une ancienne maison de plaisance du XVIII[e]s. ; côté jardin, la façade est ornée de trois gracieux visages féminins, représentant chacun un âge de la vie. Le domaine présente un vin blanc à la couleur éclatante, au nez floral, intense. Nerveux et gras en bouche, ce 98 développe des arômes fins et persistants. Une jolie bouteille.

SCEA du Ch. de L'Engarran, 34880 Laverune, tél. 04.67.47.00.02, fax 04.67.27.87.89 t.l.j. 12h-19h; sam. dim. 10h-19h

Grill

LES COTEAUX DE FONTANES
Privilège 1997★

■ n.c. 2 600 30 à 49 F

La coopérative de Fontanès a réussi un joli vin rouge où merlot et cabernet-sauvignon sont à parties égales. La robe cerise jette des reflets tuilés. Le nez évoque d'abord la griotte, puis exprime des notes de caramel. La bouche, au boisé très discret, n'est pas dénuée de souplesse.

⊶ Les Coteaux de Fontanès, 30250 Fontanès, tél. 04.66.80.12.25, fax 04.66.80.12.85 ☒ Y t.l.j. sf mer. 8h-12h 13h30-16h30

LES SALICES
Viognier Elevé en fût de chêne 1998★★

□ 5 ha 40 000 20 à 29 F

Jacques et François Lurton commercialisent leurs vins aux quatre coins du monde et s'intéressent aux vignobles sud-américains, australiens... tout en conservant leurs racines bordelaises. Ils proposent un très beau 98 jaune pâle. Le nez mêle les fruits exotiques et la vanille. La bouche est élégante et harmonieuse, très aromatique. Une bouteille à découvrir.

⊶ SA Jacques et François Lurton, Dom. de Poumeyrade, 33870 Vayres, tél. 05.57.74.72.74, fax 05.57.74.70.73, e-mail jflurton@jflurton.com ☒ Y r.-v.

LES VIGNES DE L'ARQUE
Merlot 1998★★★

■ 12 ha 20 000 20 à 29 F

Né de l'association de deux viticulteurs, ce domaine propose une cuvée qui semble bien avoir tous les atouts dans son jeu. Ce 98 porte une belle robe rubis foncé, soutenue et brillante. Le nez, intense et complexe, répand des arômes de fruits confits, que relèvent des effluves animaux et une pointe d'épices. D'une bonne longueur, la bouche conjugue puissance, élégance et finesse. Un vin d'exception, qui peut s'apprécier dès à présent ou se faire attendre un peu. Quant au **rosé issu de syrah 98**, il est remarquable.

⊶ Les Vignes Blanches, rte d'Alès, 30700 Baron, tél. 04.66.22.37.71, fax 04.66.22.47.49 ☒ Y t.l.j. 9h-12h 14h-19h; dim. 9h-12h

DOM. LES YEUSES
Cuvée La Soure Elevée en fût de chêne 1997★

■ 2 ha 5 000 30 à 49 F

La vigne a remplacé Les Yeuses sur ce domaine à l'histoire romanesque et cela permet de goûter cette cuvée élevée un an en fût. Robe cerise légère à reflets tuilés, nez fin, discrètement boisé, bouche nerveuse aux tanins fondus : c'est un vin bien fait.

⊶ Jean-Paul et Michel Dardé, Dom. Les Yeuses, rte de Marseillan, 34140 Mèze, tél. 04.67.43.80.20, fax 04.67.43.59.32 ☒ Y t.l.j. sf dim. 9h-12h30 15h-19h30

DOM. DE MAIRAN
Cabernet-sauvignon Elevé en barrique 1996★★

■ 5 ha 15 000 50 à 69 F

Un vin remarquable. Sa belle robe pourpre, lumineuse, séduit. Son nez étonne par sa concentration et sa complexité : les fleurs, les épices, le poivron et l'eucalyptus s'y côtoient. Après une attaque puissante et ample, la même farandole d'arômes se déroule en bouche. Le **chasan 98** mérite d'être cité.

⊶ Jean Peitavy, Dom. de Mairan, 34620 Puisserguier, tél. 04.67.93.74.20, fax 04.67.93.83.05 ☒ Y t.l.j. 8h-12h 14h-19h

DOM. DE MALAVIEILLE Merlot 1998★

■ 2 ha 12 000 20 à 29 F

Ce vin soyeux, vêtu de pourpre, a retenu l'attention du jury. Le nez, complexe, livre des notes d'épices et de fruits rouges. La bouche est ronde, équilibrée et d'une bonne persistance aromatique.

⊶ Mireille Bertrand, Dom. de Malavieille, 34800 Mérifons, tél. 04.67.96.34.67, fax 04.67.96.32.21 ☒ Y r.-v.

DOM. DE MOLINES Merlot 1990★★

■ 12 ha 65 000 20 à 29 F

Vêtu d'une robe pourpre intense et soutenue, ce 98 offre un nez puissant et complexe qui égrène des notes de vanille, de fruits rouges et de sous-bois. La bouche, aux tanins soyeux, se révèle parfaitement équilibrée, ample, ronde et d'une bonne longueur.

⊶ Roger Gassier, Ch. de Nages, 30132 Caissargues, tél. 04.66.38.15.68, fax 04.66.38.16.47 ☒ Y r.-v.

DOM. DE MONT D'HORTES
Chardonnay 1998★

□ 1,5 ha 8 000 20 à 29 F

D'une belle teinte brillante, ce 98 au nez intense de fruits mûrs offre une bouche agréable, fruitée, où souplesse et nervosité s'équilibrent parfaitement. Un vin harmonieux.

⊶ J. Anglade, Dom. de Mont d'Hortes, 34630 Saint-Thibéry, tél. 04.67.77.88.08, fax 04.67.30.17.57 ☒ Y r.-v.

DOM. MONTROSE Les Lézards 1998★

□ 5 ha 18 000 30 à 49 F

Ces Lézards évoquent les chaudes journées de l'été languedocien, propices au farniente. Ce 98, or à reflets verts a un nez fin et élégant. Après une attaque nerveuse, la bouche développe des arômes puissants et soutenus, avec une bonne persistance. Une bouteille prête à boire. En **rouge** le **97, élevé en fût**, est très réussi.

⊶ Bernard Coste, Dom. Montrose, R.N. 9, 34120 Tourbes, tél. 04.67.98.63.33, fax 04.67.98.65.27 ☒ Y t.l.j. 9h-12h30 14h-19h

L'ENCLOS D'ORMESSON
Gris de grenache 1998★

◢ 3 ha 20 000 50 à 69 F

Ce grenache a retenu l'attention du jury par sa belle robe saumonée à reflets dorés, son nez intense dominé par le fruit (mangue) et sa bouche, fine, délicate et nerveuse, qui développe des arômes soutenus.

⊶ Jérôme d'Ormesson, Ch. de Lézignan-la-Cèbe, 34120 Lézignan-la-Cèbe, tél. 04.67.98.29.33, fax 04.67.98.29.32 ☒ Y t.l.j. 9h-12h 14h-18h

DOM. DE PIERRE-BELLE
Cabernet-sauvignon 1997★

| ■ | 1,5 ha | n.c. | Ⅲ | 20 à 29 F |

Une jolie robe grenat, légère, aux nuances cuivrées très lumineuses, habille ce 97. Des arômes mentholés très originaux accompagnent des notes de sous-bois. L'attaque est fine et élégante. La bouche, où se mêlent eucalyptus et menthol, présente des tanins enrobés. Un vin harmonieux qui appelle une fricassée de cèpes.
☛ Michel Laguna, Dom. de Pierre-Belle, 34290 Lieuran-lès-Béziers, tél. 04.67.36.15.58, fax 04.67.36.15.58 ☑ ⌑ r.-v.

DOM. PREIGNES LE VIEUX
Chardonnay Elevé en fût de chêne 1998★★★

| ☐ | 2,72 ha | 20 000 | ⅢⅢ | 30 à 49 F |

Un château en pierre de lave des XIIIᵉ et XVᵉˢ. veille sur ce domaine qui présente une superbe cuvée, jaune paille à reflets verts. Le nez, fin et fruité (notes d'agrumes), annonce une bouche équilibrée, grasse, nerveuse, d'une bonne longueur. Une bouteille d'exception à savourer dès à présent. Plus modeste, le **merlot 98** est cependant très réussi ; quant à la **syrah** du même millésime, elle mérite d'être citée.
☛ SCEA Preignes le Vieux, 34450 Vias, tél. 04.67.21.67.82, fax 04.67.21.76.46 ☑ ⌑ t.l.j. sf dim. 8h-18h
☛ Vic

DOM. ROTONDE CAVALIER 1998★

| ■ | 3,5 ha | 4 600 | Ⅲ ⌑ | - de 20 F |

Une jolie robe grenat soutenu, limpide et brillante, annonce un nez franc de fruits rouges. C'est encore le fruit que l'on retrouve en bouche. Une belle harmonie.
☛ Paul Fossat, 293, chem. de Sauve, 30350 Lézan, tél. 04.66.83.08.81, fax 04.66.83.81.55, e-mail pfossat@aol.com ☑ ⌑ t.l.j. sf dim. 9h-12h 15h-19h

DOM. SAINT-GEORGES D'IBRY
Chardonnay 1997★★★

| ☐ | 3,63 ha | n.c. | ⅢⅢ | 30 à 49 F |

A la tête de ce domaine de 38 ha depuis 1985, Michel Cros a résolument opté pour l'agriculture raisonnée. Il propose une somptueuse cuvée d'un bel or brillant, élevée douze mois en fût. Le nez, fin, puissant, complexe, égrène des notes de beurre et de fruits secs (abricot). Après une attaque douce, ample et ronde, la bouche se révèle d'une belle tenue et s'achève sur une longue finale vanillée. La **cuvée Excellence 98 en blanc** est très réussie.
☛ Michel Cros, Dom. Saint-Georges-d'Ybry, rte d'Espondeilhan, 34290 Abeilhan, tél. 04.67.39.19.18, fax 04.67.39.07.44 ☑ ⌑ r.-v.

DOM. SAINT-JEAN-DE-CONQUES
Merlot 1998★

| ■ | 1 ha | 10 000 | | 20 à 29 F |

La robe pourpre à reflets violets introduit un nez intense bien caractéristique du cépage. Ronde et ample, la bouche présente des tanins bien fondus. Une belle harmonie générale.
☛ François-Régis Boussagol, Dom. Saint-Jean de Conques, 34310 Quarante, tél. 04.67.89.34.18, fax 04.67.89.35.46 ☑ ⌑ r.-v.

DOM. DES SYLPHES
Merlot Elevé en fût de chêne 1998★

| ■ | n.c. | n.c. | ⅢⅢ | 30 à 49 F |

Ce 98 sait se rendre agréable par sa robe rubis légèrement tuilée, par son nez intense et complexe de fruits mûrs et d'épices où perce la réglisse et par sa bouche ample et puissante, aux tanins soyeux.
☛ SICA Domaines Michel Bernard, rte de Sérignan, 84100 Orange, tél. 04.90.11.86.86, fax 04.90.34.87.30

TARRAL Les Cépages Chardonnay 1998★★★

| ☐ | 30 ha | 8 000 | ■ ⅢⅢ | 30 à 49 F |

La coopérative de Pouzolles vinifie 1 600 ha. Elle propose ce très beau 98, élevé trois mois en fût. Limpide et brillant, il montre un nez fin et intense de miel et de fruits mûrs. La bouche, au boisé délicat et bien fondu, se révèle grasse et vive. Le tout est équilibré et harmonieux.
☛ Le Tarral, av. de Roujan, 34480 Pouzolles, tél. 04.67.98.67.24, fax 04.67.98.67.19 ☑ ⌑ r.-v.

DOM. DE TERRE MEGERE
Merlot 1998★

| ■ | 3 ha | 25 000 | ■ ⌑ | 20 à 29 F |

Ce vin encore jeune a déjà de belles qualités : une robe brillante, rouge cerise très mûre, un nez puissant et expressif de fruits rouges et de sous-bois, une bouche ample, bien charpentée, avec beaucoup de gras. On peut l'attendre un peu. Le **cabernet-sauvignon 98** est lui aussi très réussi.
☛ Michel Moreau, Dom. de Terre Mégère, Cœur de Village, 34660 Cournonsec, tél. 04.67.85.42.85, fax 04.67.85.25.12 ☑ ⌑ r.-v.

TERRES DE GALETS
Chardonnay 1998★★

| ☐ | 11 ha | 100 000 | ■ ⌑ | 20 à 29 F |

Voici une remarquable bouteille, qu'il faut s'empresser de découvrir. Le nez floral fait preuve de finesse et même de subtilité. La bouche se distingue par un bel équilibre entre la fraîcheur et le gras. Un 98 aromatique, de bonne persistance, qui ravira les amateurs de vins de pays d'Oc.
☛ Gabriel Meffre, Le Village, 84190 Gigondas, tél. 04.90.12.32.42, fax 04.90.12.32.49

DOM. DE VALENSAC 1997★

■ 1,13 ha 5 300 ▮ ◖▮◗ ♁ 30 à 49 F

Une belle robe pourpre brillante introduit un nez complexe, puissant et typé. La bouche est ample, ronde, élégante et bien longue. Une touche de réglisse (20 % de merlot sont associés au cabernet-sauvignon) clôt la dégustation.

⊶ Dom. de Valensac, 34510 Florensac, tél. 04.67.77.41.16, fax 04.67.77.53.77 ☒ Ɏ r.-v.

⊶ Timothé Lafon

ARNAUD DE VILLENEUVE
Chardonnay 1998★

□ 100 ha 100 000 ▮ ♁ 30 à 49 F

Médecin, astrologue et alchimiste du XIII[e]s., Arnaud de Villeneuve trouva une formule de distillation, l'*aqua vitae*, « eau-de-vie », qu'il utilisa à des fins thérapeutiques. Ce 98 ne vous soulagera pas de tous vos maux, mais il vous procurera un réel plaisir. Le nez franc, fin et floral, précède une bouche ronde et grasse. C'est un vin équilibré et harmonieux. Le **muscat sec 98** est également très réussi.

⊶ Les Vignobles du Rivesaltais, 1, rue de la Roussillonnaise, 66602 Rivesaltes-Salses, tél. 04.68.64.06.63, fax 04.68.64.64.69 ☒

Sables du Golfe du Lion

DOM. DE LA FIGUEIRASSE
Gris de gris 1998★

◢ 3 ha 13 000 ▮ ♁ 20 à 29 F

Ce domaine, créé en 1920, produit un gris très réussi, vêtu d'une robe légère à reflets dorés. Le nez libère des arômes de fumé, de vanille et de cire d'abeille, tandis que la bouche décline des notes de miel et de fleurs blanches. Un vin très original.

⊶ Robert Saumade, Dom. de la Figueirasse, 30240 Le Grau-du-Roi, tél. 04.67.70.20.48, fax 04.67.87.50.05

Gard

MAS MONTEL Chardonnay 1998★

□ 4 ha 12 000 ▮ ♁ 20 à 29 F

Dans cette cave, on peut admirer des foudres en chêne de Russie. Ils n'ont pas servi à ce vin élevé en cuve. Sa belle teinte claire et brillante, son nez d'agrumes, sa bouche grasse, ronde, aromatique et d'une bonne longueur, en font un vin très réussi.

⊶ EARL Granier, Cellier du Mas Montel, 30250 Aspères, tél. 04.66.80.01.21, fax 04.66.80.01.87, e-mail montel@wanadoo.fr ☒ Ɏ t.l.j. sf dim. 9h-19h

Coteaux de Bessilles

DOM. SAINT-MARTIN DE LA GARRIGUE Cuvée réservée 1997★★

■ n.c. n.c. ◖▮◗ 50 à 69 F

Cette cuvée rubis à reflets tuilés donne un bel exemple d'un élevage bien maîtrisé. Puissant et riche, le nez énumère les épices : poivre, cannelle, vanille. Cette dominante épicée persiste dans une bouche ronde et ample.

⊶ SCEA Saint-Martin de la Garrigue, Ch. Saint-Martin de la Garrigue, 34530 Montagnac, tél. 04.67.24.00.40, fax 04.67.24.16.15 ☒ Ɏ r.-v.

DOM. SAVARY DE BEAUREGARD
Cuvée Petite Cour 1997★

■ 12 ha 15 000 ▮ ◖▮◗ ♁ 30 à 49 F

Une robe grenat à reflets sombres habille ce vin puissant et généreux, assemblage intéressant de cabernet (50 %), merlot (30 %), syrah (15 %) et grenache, élevé huit mois en fût. Des notes de cuir et de tabac dominent le nez, plutôt rustique, qui laisse poindre des senteurs de clou de girofle. La bouche, franche, presque animale, est soutenue par des tanins fermes. Ce 97 offre une belle persistance aromatique. Il fera honneur à une venaison.

⊶ Savary, La Vernazobre, 34530 Montagnac, tél. 04.67.24.00.12, fax 04.67.24.00.12 ☒ Ɏ t.l.j. 10h-19h; nov.-avril 12h-17h

Coteaux de Fontcaude

HUBERT DE ROUEYRE
Sauvignon 1998★★

□ 25 ha n.c. ▮ ♁ 20 à 29 F

L'éolienne, construite à la fin du siècle dernier, qui se dresse à l'entrée du domaine servait autrefois à l'alimenter en eau. Les vignerons de Roueïre ont élaboré un vin blanc très harmonieux, qui fleure bon le miel, le cassis et les fleurs de buis. Chaleureux et gras en bouche, ce 98 offre une très belle persistance aromatique. A découvrir impérativement, en apéritif ou sur un saumon grillé. Un **chardonnay 97 élevé en fût de chêne** reçoit deux étoiles alors que le **merlot 97** est cité par le jury.

⊶ Les Vignerons de Roueïre, Dom. de Roueïre, 34310 Quarante, tél. 04.67.89.40.10, fax 04.67.89.32.20 ☒ Ɏ t.l.j. 10h-12h 15h-18h30

Val de Montferrand

DOM. DE L'HORTUS 1997★★★

□ 4 ha n.c. ◖▮◗ 70 à 99 F

Reconstitué de toutes pièces en 1980, ce domaine propose une superbe bouteille vêtue

d'or. Le nez, fin et puissant, joue sur les fleurs blanches et le miel. La bouche, équilibrée, ample, aromatique, marie gras et nervosité, et possède une bonne persistance. Un vin d'exception à savourer sans délai.

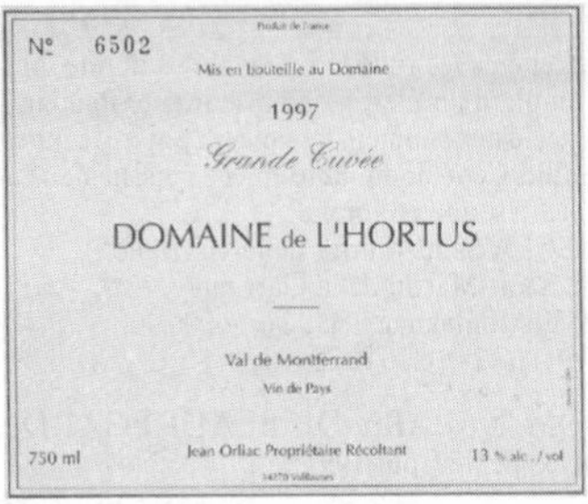

➤ Jean Orliac, Dom. de l'Hortus,
34270 Valflaunès, tél. 04.67.55.31.20,
fax 04.67.55.38.03 ☑ ☿ r.-v.

Côtes de Thongue

DOM. DESHENRYS Tradition 1998★

| ■ | 20 ha | 160 000 | ⚱ | 20 à 29 F |

Ce 98 porte une belle robe grenat, limpide, à reflets violines. Son nez de fruits rouges est agréable et flatteur. La bouche, équilibrée, ample, aromatique, réveille des saveurs de cerise cuite. Un vin léger, mais un réel plaisir de table.
➤ Henry-Ferdinand Bouchard,
Dom. Deshenrys, 34290 Alignan-du-Vent,
tél. 04.67.24.91.67, fax 04.67.24.94.21 ☑ ☿ t.l.j. sf dim. 8h-12h 14h-19h

DOM. LA CONDAMINE L'EVEQUE
Viognier 1998★

| ☐ | 5 ha | 15 000 | ⚱ ⬤ | 30 à 49 F |

Ce domaine de 50 ha présente un 98 très réussi, jaune paille à reflets d'or. Le nez, capiteux, dévoile des notes de miel. La bouche, d'une belle rondeur, développe des arômes caractéristiques du cépage. A essayer sur du poisson ou des crustacés.
➤ SCEA Bascou, Dom. La Condamine l'Evêque, 34120 Nézignan-l'Evêque,
tél. 04.67.98.27.61, fax 04.67.98.35.58 ☑ ☿ r.-v.

DOM. LA CROIX-BELLE
Rouge Prestige n°7 1996★

| ■ | 3 ha | 8 000 | ⬤⬤ | 50 à 69 F |

Une robe rouge sombre précède un nez complexe, fin, boisé, où perce la cannelle. Riche et chaleureuse, la bouche conserve cependant une certaine fraîcheur.

➤ Jacques Boyer, Dom. La Croix-Belle,
34480 Puissalicon, tél. 04.67.36.27.23,
fax 04.67.36.60.45 ☑ ☿ t.l.j. sf dim. 9h-12h 14h-18h

DOM. DE L'ARJOLLE Equinoxe 1998★★

| ☐ | 8 ha | 45 000 | ⬤⬤ | 50 à 69 F |

Une cuvée Equinoxe élaborée avec 50 % de viognier, 30 % de sauvignon et 20 % de muscat. Ce vin blanc séduit par sa belle teinte or. Le nez, intense, dominé par les agrumes, avec un soupçon de muscat, ne déçoit pas votre attente. La bouche, équilibrée, grasse et nerveuse, où persistent des notes beurrées, vous confirme dans votre opinion : c'est une très belle bouteille.
➤ Dom. de L'Arjolle, 6, rue de la Côte,
34480 Pouzolles, tél. 04.67.24.81.18,
fax 04.67.24.81.90 ☑ ☿ t.l.j. sf dim. 8h-12h 14h-18h

DOM. DES MONTARELS
Chardonnay Elevé en fût de chêne 1997★★

| ☐ | 3 ha | 24 000 | ⬤⬤ | 30 à 49 F |

Cette coopérative vinifie 840 ha de vignes et propose une cuvée d'une belle couleur paille. Le nez finement boisé, beurré et vanillé, livre des notes de fleur de genêt. La bouche est grasse, équilibrée, nerveuse en finale. Ce 97 présente une très belle harmonie d'ensemble qui incite à le déguster dès à présent.
➤ Cave coopérative d'Alignan-du-Vent, rue de la Guissaume, 34290 Alignan-du-Vent,
tél. 04.67.24.91.31, fax 04.67.24.96.22 ☑ ☿ t.l.j. sf sam. dim. 8h-12h 13h30-17h30

LES VIGNERONS DE MONTBLANC
Syrah 1998★★

| ◢ | 85,07 ha | 25 000 | | 20 à 29 F |

Cette coopérative, créée en 1939, propose un rosé issu de syrah, paré d'une robe rose intense à reflets mauves. Le nez, fin et puissant, embaume les fruits rouges et la framboise. La bouche est équilibrée, nerveuse et d'une grande ampleur. Une remarquable bouteille qu'il est inutile d'attendre.
➤ Les Vignerons de Montblanc, av. d'Agde,
34290 Montblanc, tél. 04.67.98.50.26,
fax 04.67.98.61.00 ☑

DOM. DU PRIEURE D'AMILHAC
Merlot 1996★★

| ■ | 30 ha | 60 000 | ⬤⬤ | 30 à 49 F |

Ce vaste domaine de plus de 100 ha occupe le site d'une *villa* romaine. Il présente une belle cuvée 96 élevée douze mois en fût. La robe rubis à reflets tuilés, le nez boisé, qui laisse poindre des notes grillées, la bouche, ample et bien structurée, où le charme le dispute à la puissance, forment un ensemble d'une bonne longueur qui accompagnera avantageusement une viande en sauce ou une venaison.
➤ SCEA les domaines Caton, Prieuré d'Amilhac, 34290 Servian, tél. 04.67.39.10.51,
fax 04.67.39.15.33 ☑ ☿ t.l.j. sf dim. 8h-12h 14h-18h
➤ Max Cazottes

Coteaux de Murviel

DOM. DE LIMBARDIE 1998★★

| ■ | 11 ha | 70 000 | 🖿 ♦ | 20 à 29 F |

Vêtu d'une robe rouge grenat, ce 98, (75 % merlot) offre un nez épicé et poivré. Très bien structurée, ample et ronde, la bouche, d'une belle longueur, est soutenue par des tanins parfaitement fondus. Un vin complet et expressif. Le **rosé 98** obtient une étoile.
🖙 Henri Boukandoura et Magdeleine Hutin, Grange-Neuve, 34460 Cessenon,
tél. 04.67.89.61.42, fax 04.67.89.69.63 ☑ 🍷 r.-v.

Côtes de Thau

HUGUES DE BEAUVIGNAC
Sauvignon 1998★

| ☐ | 30 ha | 200 000 | 🖿 ♦ | 20 à 29 F |

La coopérative de Pomérols présente deux jolis vins : un **rosé de syrah 98** et ce sauvignon d'un jaune pâle à reflets verts, au nez délicat et élégant. L'attaque est vive, puis se développent des arômes de fleurs blanches. Une belle expression du cépage.
🖙 Cave Les Costières de Pomérols, 34810 Pomérols, tél. 04.67.77.01.59, fax 04.67.77.77.21 ☑ 🍷 r.-v.

RESSAC Muscat sec 1998★★

| ☐ | 15 ha | 15 000 | 🖿 ♦ | 20 à 29 F |

Très intéressant muscat sec à découvrir : une belle couleur paille, un nez fin et délicat, caractéristique du cépage, une bouche équilibrée, nerveuse, aromatique et d'une bonne persistance. Que demander de mieux ? Une remarquable cuvée, prête à boire.
🖙 Cave coopérative de Florensac, B.P. 9, 34510 Florensac, tél. 04.67.77.00.20, fax 04.67.77.79.66 ☑ 🍷 r.-v.

Hérault

MAS DE DAUMAS-GASSAC
Haute vallée du Gassac 1997★★

| ■ | 20 ha | 78 000 | ⬗ | 150 à 199 F |

Saint Benoît d'Aniane fut chargé par Louis le Pieux de rétablir la règle bénédictine dans les monastères de l'empire. Ce 97 habillé d'une belle robe sombre n'a pas manqué aux observances. Des arômes intenses d'épices, de sous-bois et de fruits mûrs réjouissent le nez, fin et complexe. La bouche, bien charpentée, ne pèche ni par manque d'équilibre ni par défaut d'harmonie. Un vin aromatique et d'une bonne persistance, que l'on pourra laisser méditer quelque temps.

🖙 Véronique Guibert de La Vaissière, Mas de Daumas-Gassac, 34150 Aniane,
tél. 04.67.57.71.28, fax 04.67.57.41.03, e-mail contact@daumas-gassac.com ☑ 🍷 t.l.j. sf dim. 10h-12h 14h-18h; groupes sur r.-v.

Hauts de Badens

BRUNO ASTRUC
Chardonnay A Jean 1998★

| ☐ | 0,5 ha | 5 000 | 🖿 ♦ | 20 à 29 F |

Le jury a apprécié sa belle teinte jaune clair, brillante et limpide, la finesse du nez, aux notes fumées, la vivacité et la bonne structure de la bouche. Un 98 très réussi.
🖙 Bruno Astruc, Ch. Sainte-Eulalie, 11800 Trèbes, tél. 04.68.79.17.21 ☑ 🍷 r.-v.

Coteaux des Fenouillèdes

DOM. SALVAT Cabernet-sauvignon 1995★

| ■ | 5,5 ha | 12 000 | ⬗ | 30 à 49 F |

Une belle robe d'un rouge franc et intense cache un nez fin et discret de fruits mûrs, de grillé et de fumé. Des tanins présents mais fondus soustendent une bouche puissante et concentrée, qui laisse poindre des notes boisées et finit sur des nuances réglissées.
🖙 Dom. Salvat, Pont-Neuf, 66610 Villeneuve-la-Rivière, tél. 04.68.92.17.96, fax 04.68.38.00.50 ☑ 🍷 t.l.j. 8h-12h 14h-19h; f. septembre

Catalan

DOM. LAPORTE
Cabernet-sauvignon 1998★

| ■ | 2,5 ha | 10 000 | 🖿 ♦ | 30 à 49 F |

Très réussi, ce cabernet-sauvignon se présente dans une jolie robe rouge vermillon. Le nez élégant, aux notes florales, introduit une bouche agréable, souple et fraîche, où l'on découvre des saveurs de fruits rouges frais et des tanins bien fondus.
🖙 Laporte, Château-Roussillon, 66000 Perpignan, tél. 04.68.50.06.53, fax 04.68.66.77.52 ☑ 🍷 r.-v.

Côtes catalanes

DOM. CAZES Le Credo 1996★★★

| ■ | 11 ha | 44 000 | ⑪ | 70 à 99 F |

André et Bernard Cazes ont exposé leur credo avec ce vin qui a rallié le jury. Tout d'abord le propos surprend : une robe rouge tuilé, presque orangé. Puis le nez s'exprime, déclinant des notes de torréfaction, de fumé, de réglisse et de truffe. Ample, puissante, la bouche, aux tanins soyeux, argumente longtemps. C'est incontestablement un superbe vin du Roussillon, qui vieillit avec noblesse. Le **chardonnay 98** a été cité par le jury.
🕭 Dom. Cazes, 4, rue Francisco-Ferrer, B.P. 61, 66602 Rivesaltes, tél. 04.68.64.08.26, fax 04.68.64.69.79 ☑ 🍷 r.-v.
🕭 André et Bernard Cazes

DOM. PIQUEMAL
Cuvée Justin Piquemal 1998★

| ■ | n.c. | 20 000 | 🍴♦ | 30 à 49 F |

Ce 98 est issu d'un assemblage à parts égales de cabernet, de syrah et de grenache. Il se distingue par sa belle robe profonde, bigarreau bien mûr, et par son nez fin aux notes de confiture de raisin. La bouche, ample, épicée, tannique, possède une bonne structure.
🕭 Dom. Pierre et Franck Piquemal, 1, rue Pierre-Lefranc, 66600 Espira-de-l'Agly, tél. 04.68.64.09.14, fax 04.68.38.52.94 ☑ 🍷 t.l.j. sf dim. 10h-12h 15h-18h

Pyrénées-Orientales

MAS CHICHET Cabernet 1996★★

| ■ | n.c. | 82 000 | ⑪ | 30 à 49 F |

Une belle robe rouge cerise à reflets tuilés habille ce vin au nez puissant de fruits mûrs qu'égayent quelques notes vanillées. La bouche, ample, ronde et bien structurée, est soutenue par des tanins souples et fondus. Une bouteille harmonieuse et d'une bonne persistance.
🕭 Jacques Chichet, Mas Chichet, 66200 Elne, tél. 04.68.22.16.78, fax 04.68.22.70.28 ☑ 🍷 t.l.j. sf dim. 9h-12h 14h-18h

Côtes de Perpignan

DOM. HORTALA
Cabernet-sauvignon Cuvée Entre deux Drayes 1998★

| ■ | 2,1 ha | 20 000 | 🍴♦ | 30 à 49 F |

Jean-Marie Hortala vient de reprendre cette exploitation familiale créée en 1893. Il propose un 98 paré d'une belle robe pourpre intense qui évoque la cerise très mûre. Le nez puissant laisse dialoguer le poivron et les fruits rouges. L'atta-

que est charnue. Des tanins fermes, bien enrobés, complètent un ensemble d'un très bel équilibre.
🕭 Raoul Hortala, 20, rue Diderot, 11560 Fleury-d'Aude, tél. 04.68.33.62.73, fax 04.68.33.62.73 ☑ 🍷 t.l.j. 9h30-12h30 16h30-19h30

Aude

DOM. DE MARTINOLLES
Pinot noir 1997★★

| ■ | 4 ha | 20 000 | 🍴♦ | 30 à 49 F |

Une belle robe rouge cerise à nuances orangées, un nez fin, aromatique, caractéristique du cépage, une bouche souple et élégante composent cette remarquable bouteille, prête à boire.
🕭 Vignobles Vergnes, Dom. de Martinolles, 11250 Saint-Hilaire, tél. 04.68.69.41.93, fax 04.68.69.45.97 ☑ 🍷 t.l.j. sf dim. 8h-12h 14h-19h; groupes sur r.-v.

Cévennes

DOM. DE GOURNIER
Cuvée templière 1997★

| ■ | 5,2 ha | 30 000 | ⑪ | 30 à 49 F |

Vêtu d'une jolie robe rubis, ce 97 montre un nez fin, élégant et boisé. La bouche, équilibrée et harmonieuse, développe des arômes de fruits et d'épices, accompagnés de notes vanillées. Bonne longueur.
🕭 SCEA Barnouin, Dom. de Gournier, 30190 Sainte-Anastasie, tél. 04.66.81.20.28, fax 04.66.81.22.43 ☑ 🍷 r.-v.

Haute vallée de l'Orb

DOM. DE LA CROIX RONDE
Chardonnay 1998★

| □ | 9 ha | 17 000 | 🍴♦ | 30 à 49 F |

Sa jolie teinte, nette, brillante, son nez intense et aromatique, son équilibre et sa nervosité en bouche lui valent une étoile. Un vin très agréable.
🕭 François Pottier, Dom. de la Croix Ronde, 34260 La Tour-sur-Orb, tél. 04.67.95.35.05, fax 04.67.95.37.16 ☑ 🍷 t.l.j. sf dim. 10h-12h 15h-19h

Provence, basse vallée du Rhône, Corse

Majorité de vins rouges dans cette vaste zone, constituant 70 % des 700 000 hl produits dans les départements de la région administrative Provence-Alpes-Côte d'Azur. Les rosés (25 %) sont surtout issus du Var, et les blancs, du Vaucluse et du nord des Bouches-du-Rhône. On retrouve dans ces régions la diversité des cépages méridionaux, mais ceux-ci sont rarement utilisés seuls ; selon des proportions variables et en fonction des conditions climatiques et pédologiques, ils sont employés avec des cépages plus originaux, d'ancienne tradition locale ou, au contraire, d'origine extérieure : counoise et roussanne du Var, par exemple, pour les premiers ; cabernet-sauvignon ou merlot, cépages bordelais pour les seconds, auxquels s'ajoute la syrah venue de la vallée du Rhône. Les dénominations départementales s'appliquent au Vaucluse, aux Bouches-du-Rhône, au Var, aux Alpes-de-Haute-Provence, aux Alpes-Maritimes et aux Hautes-Alpes ; les dénominations sous-régionales ou locales sont les suivantes : principauté d'Orange, Petite Crau (au sud-est d'Avignon), Mont Caumes (à l'ouest de Toulon), Argens (entre Brignoles et Draguignan, dans le Var), Maures, Coteaux du Verdon (Var), Aigues (Vaucluse), reconnues récemment, et île de Beauté (Corse).

Ile de Beauté

LES POLYPHONIES DE CEPAGES
Merlot 1998★★

■ 200 ha 1 000 000 🍾🌡 -de 20 F

La coopérative d'Aléria propose une collection au beau nom de « Polyphonies de cépages » rappelant les chants corses. Même s'ils ne sont pas issus de variétés insulaires, ces vins sont très intéressants. Robe profonde et soutenue, nez puissant marqué par des arômes de fruits noirs et de foin coupé, belle attaque, équilibre rond et élégant, très bonne longueur : une remarquable interprétation. A découvrir également le **chardonnay** et le **cabernet-sauvignon 98**, qui reçoivent chacun une étoile.

🔑 Union de Vignerons de l'île de Beauté, Padulone, 20270 Aléria, tél. 04.95.57.02.48, fax 04.95.57.09.59 ☑ 🍷 r.-v.

DOM. DE LISCHETTO
Chardonnay 1998★★

□ 60 ha 140 000 🍾🌡 -de 20 F

Les deux cuvées présentées par cette coopérative figurent au tableau d'honneur. Ce chardonnay 98, d'une teinte jaune pâle, est un vin typé par le cépage. Le nez, d'une jolie intensité, développe des arômes de fleurs blanches et de fruits exotiques. La bouche est équilibrée, avec beaucoup de gras, et d'une bonne longueur. Tout aussi remarquable, le **merlot 98 du domaine de Terrazza** offre une structure tannique fine accompagnée d'une belle rondeur fruitée (20-29 F).

🔑 SICA UVAL, lieu-dit Rasignani, 20290 Borgo, tél. 04.95.58.44.00, fax 04.95.38.38.10, e-mail uval.sica@wanadoo.fr ☑ 🍷 t.l.j. 9h-12h 15h-19h; f. lun. matin, sam. ap.m. et dim.

ORNASCA Muscat à petits grains 1998★★

□ 0,27 ha n.c. 🍾🌡 30 à 49 F

D'une teinte jaune pâle limpide, ce 98 offre un nez franc, très aromatique et complexe avec des nuances muscatées. Le palais est marqué par une agréable vivacité due à une bonne acidité. La fin de bouche se distingue par des notes de grain de raisin frais. Une bouteille à découvrir dès maintenant.

🔑 Laetitia Tola, Clos Ornasca, Eccica Suarella, 20117 Cauro, tél. 04.95.25.09.07, fax 04.95.25.96.05 ☑ 🍷 r.-v.

VIGNERONS DES PIEVE
Cabernet-sauvignon 1998★★★

■ 70 ha 280 000 🍾🌡 20 à 29 F

Ce n'est certes pas un cépage corse, mais ce cabernet-sauvignon est tout simplement superbe. Habillé d'une robe d'un beau rouge foncé à reflets grenat, il présente un nez fin et complexe, dominé par des arômes de fruits rouges et d'épices. La bouche élégante et concentrée offre une bonne persistance aromatique. Un vin exceptionnel que l'on peut savourer dès à présent sur des viandes rouges mais qui gagnera à être attendu deux ans. Les vignerons des Piève ont produit une cuvée **San Michele de pinot noir 97** qui reçoit une étoile (30-49 F).

🔑 Cave coopérative de La Marana, Lieu-dit Rasignani, 20290 Borgo, tél. 04.95.58.44.00, fax 04.95.38.38.10 ☑ 🍷 t.l.j. sf dim. 9h-12h 15h-19h; f. lun. matin sam. ap.-m.

DOM. DE SALINE Chardonnay 1998★

□ 60 ha 150 000 🍾🌡 20 à 29 F

Limpide avec des reflets jaune clair, le chardonnay apporte au nez toutes ses caractéristiques. Le vin est gras et ample en bouche, sans nervosité. A boire.

🔑 Cave coopérative de La Marana, Lieu-dit Rasignani, 20290 Borgo, tél. 04.95.58.44.00, fax 04.95.38.38.10 ☑ 🍷 t.l.j. sf dim. 9h-12h 15h-19h; f. lun. matin sam. ap.-m.

TERRA VECCHIA 1998★★★

■ 70 ha n.c. 🍾🌡 -de 20 F

Coup de cœur pour ce vin racé qu'habille une robe rouge cerise assemblant nielluccio (40 %), syrah (40 %) et grenache. Le nez puissant et élégant révèle des arômes de fruits rouges (griotte) et d'épices. La structure est tout en finesse et en complexité. D'une bonne longueur ce 98 exceptionnel pourra être dégusté sur du foie gras ou des confits. **Terra Vecchia rosé 98** et le vin **blanc** du même millésime ont obtenu chacun une étoile. Une belle sélection de Skalli.

🗝 SICA Coteaux de Diana, Skalli Fortant, Dom. Terra Vecchia, 20270 Tallone, tél. 04.95.57.20.30, fax 04.95.57.08.98 Y r.-v.

Principauté d'Orange

DOM. FOND CROZE Chardonnay 1998*

□ 0,8 ha 4 000 20 à 29 F

Très beau chardonnay à la couleur brillante du plus bel effet. Peu exubérant au nez, ce 98 procure un réel plaisir en bouche tant il se place harmonieusement (équilibre, acidité) et se déroule avec longueur. Un poisson en sauce semble lui être destiné...

🗝 Dom. Fond Croze, Le Village, 84280 Saint-Roman-de-Malegarde, tél. 04.90.28.94.30, fax 04.90.28.94.30 ☑ Y r.-v.

🗝 Daniel et Bruno Long

FONT SIMIAN 1998

■ 7 ha 70 000 20 à 29 F

Pas moins de six cépages (dont deux peu répandus : caladoc et tempranillo) composent ce Font Simian, rouge cerise, à apprécier pour son équilibre et sa finale vanillée. Si l'on ajoute qu'il est gouleyant... A déguster sur des charcuteries.

🗝 Jean-Pierre Serguier, Ch. Simian, 84420 Piolenc, tél. 04.90.29.50.67, fax 04.90.29.62.33 ☑ Y t.l.j. sf dim. 8h-12h 14h-19h

Mont-Caume

DOM. DU PEY-NEUF 1998**

□ 1 ha n.c. 20 à 29 F

De jolis reflets verts à l'œil. Des notes de fleurs blanches et d'agrumes au nez... tout en finesse. Enfin, une bouche longue, avec du gras, qui procure un vif plaisir. En rétro-olfaction, les arômes d'agrumes (pamplemousse) sont nettement marqués. Auriez-vous imaginé un vin de pays comme celui-ci ? A découvrir aussi le même vin de pays décliné en **rosé**.

🗝 Guy Arnaud, Dom. Pey-Neuf, 367, rte de Sainte-Anne, 83740 La Cadière-d'Azur, tél. 04.94.90.14.55, fax 04.94.26.13.89 ☑ Y r.-v.

Maures

DOM. DE LA GARNAUDE Cabernet-sauvignon 1998

■ 3 ha 11 000 20 à 29 F

Ce pur cépage cabernet-sauvignon est un vin agréable, aux tanins présents mais suffisamment fondus pour que le palais sorte indemne de la dégustation. Certainement pas un vin de soif, mais largement à la hauteur sur une viande grillée.

🗝 SCEA Martel-Lassechère, Dom. de La Garnaude, 83590 Gonfaron, tél. 04.94.78.20.42, fax 04.94.78.24.71 ☑ Y t.l.j. 9h-12h 14h-18h; dim. sur r.-v.; f. fév.

VALENTIN Cabernet-sauvignon 1998

■ 1 ha 8 000 20 à 29 F

Tout ce qu'on peut attendre d'un bon cabernet-sauvignon, vous l'aurez avec cette cuvée Valentin. C'est un vin assez puissant, viril, mais qui reste harmonieux. Les notes épicées sont de la partie. La finale manque toutefois un peu de longueur. Servez-le sur une belle viande grillée.

🗝 Valentin, Ch. des Garcinières, 83310 Cogolin, tél. 04.94.56.02.85, fax 04.94.56.07.42, e-mail garcinières@wanadoo.fr ☑ Y r.-v.

Argens

DOM. LUDOVIC DE BEAUSEJOUR 1998*

◪ 2,5 ha 18 000 20 à 29 F

Ce rosé hisse les couleurs du domaine. N'hésitez pas à le suivre sur le chemin du plaisir... plaisir de l'œil, du nez et de la bouche. Une belle qualité d'ensemble.

🗝 Dom. Ludovic de Beauséjour, La Basse Maure, Flayo SC, rte de Salernes, 83510 Lorgues, tél. 04.94.50.91.91, fax 04.94.68.46.53 ☑ Y r.-v.

🗝 Maunier

Vaucluse

DOM. DES ANGES
Cabernet-sauvignon 1996★★

| ■ | 3 ha | 6 000 | ■ ⓘ ⓙ | 30 à 49 F |

Découvrez sans tarder ce cabernet-sauvignon idéalement apprivoisé : puissant sans être agressif, charpenté sans sécheresse. La bouche va du pruneau au sous-bois. Ce 96 n'attend qu'une côte de bœuf pour dévoiler ses qualités.
☛ Dom. des Anges, 84570 Mormoiron, tél. 04.90.61.88.78, fax 04.90.61.98.05 ☑ ⓧ t.l.j. 9h-12h 14h30-18h30

CH. BLANC
Viognier Vinifié en fût de chêne 1998★

| ☐ | 1 ha | 4 000 | ⓘⓘ | 30 à 49 F |

Bel exemple d'un mariage réussi des arômes du cépage et de ceux apportés par le passage en fût. La finesse, la rondeur, le gras de ce vin justifient un accord avec un poisson en sauce. Mais ce 98 a tout autant de vertus pour être dégusté seul, à l'apéritif.
☛ SCEA Ch. Blanc, Quartier Grimaud, 84220 Roussillon, tél. 04.90.05.64.56, fax 04.90.05.72.79 ☑ ⓧ t.l.j. 8h-20h
☛ Chasson

DOM. BOUCHE Chardonnay 1998

| ☐ | 0,5 ha | 2 000 | ■ ⓙ | 30 à 49 F |

Vous aurez plaisir à humer des senteurs fumées et à reconnaître la pierre à fusil. En bouche, ce chardonnay est rond, équilibré mais manque un peu, avouons-le, de longueur. Il sera à sa place sur un poisson grillé.
☛ Dominique Bouche, chem. d'Avignon, 84850 Camaret-sur-Aigues, tél. 04.90.37.27.19, fax 04.90.37.74.17, e-mail bouche@ad-vin.com ☑ ⓧ r.-v.

DOM. FONTAINE DU CLOS
Muscat à petits grains 1998

| ☐ | 0,5 ha | 2 000 | ■ ⓙ | 20 à 29 F |

Un vin blanc sympathique et original dont les senteurs évoquent les parfums des coteaux de Beaumes de Venise. Il plaira aux amateurs de muscat sec.
☛ Jean Barnier, Dom. Fontaine du Clos, 84260 Sarrians, tél. 04.90.65.42.73, fax 04.90.65.30.69 ☑ ⓧ t.l.j. sf dim. 9h-12h 15h-19h

DOM. DE LA BASTIDONNE
Chardonnay 1998★

| ☐ | 1,17 ha | 1 300 | ■ ⓙ | 30 à 49 F |

Le nez est très floral (fleurs blanches) avec des notes d'acacia. N'en restons pas là, dégustons : la bouche est de belle tenue, de bonne longueur, affichant un registre aromatique marqué par les agrumes acidulés (pamplemousse). À destiner aux poissons grillés.
☛ SCEA Dom. de La Bastidonne, 84220 Cabrières-d'Avignon, tél. 04.90.76.70.00, fax 04.90.76.74.34 ☑ ⓧ t.l.j. sf dim. 9h-12h 14h-18h
☛ Gérard Marreau

DOM. DE LA ROYERE 1998★★

| ■ | 4 ha | 19 000 | ■ | - de 20 F |

Voici un remarquable spécimen de vin issu de cépages méridionaux (syrah, grenache et carignan). Sa couleur pourpre sied aux arômes, tendant vers la torréfaction, le café. Se révèlent aussi des nuances animales (cuir). Bonne longueur soutenue par une belle structure tannique qui suggère de goûter ce 98 sur une daube, un gibier ou un civet.
☛ Anne Hugues, Dom. de La Royère, 84580 Oppède, tél. 04.90.76.87.76, fax 04.90.20.85.37 ☑ ⓧ r.-v.

DOM. DE LA VERRIERE
Viognier. Elevé en fût de chêne 1998★★

| ☐ | 0,7 ha | 2 800 | ⓘⓘ | 30 à 49 F |

DOMAINE DE LA VERRIERE
Viognier
élevé en fût de chêne
1998
13% Vol.   VIN DE PAYS DE VAUCLUSE   750 ml
MIS EN BOUTEILLE AU DOMAINE
SCEA MAUBERT et FILS, Vignerons à GOULT 84220 F. - Produit de France

Né sur un terroir qui convient probablement au viognier, ce 98 offre un nez complexe, où se mêlent notes fruitées et arômes floraux (fleurs blanches). Une vivacité opportune souligne la finesse, le gras et l'ampleur de l'ensemble. Il y a sans aucun doute du talent chez ce vigneron, déjà remarqué l'an passé.
☛ Jacques Maubert, Dom. de la Verrière, 84220 Goult, tél. 04.90.72.20.88, fax 04.90.72.40.33 ☑ ⓧ t.l.j. sf dim. 9h-12h 14h-18h

LES ROCHES BLANCHES Syrah 1998

| ■ | 15 ha | 30 000 | ■ ⓙ | 30 à 49 F |

Ce vin issu de pure syrah, un cépage prisé dans la vallée du Rhône septentrionale, exhale des notes caractéristiques de fruits rouges (cerise, cassis, framboise). Équilibré et fin, il est recommandé sur un gigot d'agneau de Provence.
☛ Cave coop. Les Roches blanches, 84570 Mormoiron, tél. 04.90.61.80.07, fax 04.90.61.97.23 ☑ ⓧ t.l.j. sf dim. 8h-12h 14h-18h

MAS GRANGE BLANCHE 1998

| ☐ | 5 ha | 2 600 | ■ ⓙ | 20 à 29 F |

La belle couleur paille et les arômes de fruits mûrs appellent toute la sympathie de qui déguste ce vin. En bouche, pas de déception. C'est rond et plaisant... même si, en puriste, on peut regretter un manque de vivacité.
☛ EARL Cyril et Jacques Mousset, Ch. des Fines Roches, 84230 Châteauneuf-du-Pape, tél. 04.90.83.73.10, fax 04.90.83.50.78 ☑ ⓧ t.l.j. 10h-19h; f. janv.

Bouches-du-Rhône

DOM. DE BEAULIEU
Cabernet-sauvignon 1998★★

■   25 ha   200 000   ▮⚲ - de 20 F

Ce pur cabernet-sauvignon est encore fermé au nez quoique des notes de cuir s'affichent déjà. Il offre une belle structure, avec des tanins de bonne éducation. Plaisant en bouche par son équilibre, il dévoile des notes épicées en fin de dégustation. Une vinification remarquable assurément. A servir sur des plats en sauce.
☛ GFA du Ch. de Beaulieu, 13840 Rognes, tél. 04.42.50.13.72 ☑ ⊺ t.l.j. sf dim. lun. 9h-12h 14h-18h
☛ Touzet

DOM. DE BOULLERY 1998

☐   8 ha   50 000   ▮⚲ - de 20 F

Ses qualités aromatiques sont présentes au nez, avec des nuances de fruits exotiques (mangue), et en bouche, avec des dominantes d'agrumes. Ce vin est à servir sur un poisson grillé.
☛ SCA des Domaines de Fonscolombe, 13610 Le Puy-Sainte-Réparade, tél. 04.42.61.89.62, fax 04.42.61.93.95 ☑ ⊺ t.l.j. 8h30-12h 14h-18h
☛ de Saporta

DOM. DE LA BOULIE 1998★

■   8 ha   30 000   ▮⚲ - de 20 F

Habillé d'une jolie robe rouge cerise, ce vin de pays offre un nez très floral. La bouche n'est pas en reste : elle présente une structure finement tannique, qui serait peut-être mieux valorisée par une acidité plus marquée. Ne boudons pas notre plaisir ; tel quel, ce vin est réussi.
☛ Jean Aubert, Dom. de La Boulie, 13330 Pélissanne, tél. 04.90.55.03.27 ☑

DOM. DU GRAND MAS DE LANSAC
Merlot 1997

■   3 ha   4 000   ▮⚲ - de 20 F

Ce merlot a retenu l'attention des dégustateurs parce qu'il présente une bouche plus en finesse qu'en structure. Certes, ce vin de pays n'a pas la charpente d'un bordeaux issu de la rive droite (Libournais), mais il offre un palais soyeux qu'il n'est point besoin de comparer...
☛ Jean et Michel Montagnier, Dom. du Grand Mas de Lansac, 13150 Tarascon, tél. 04.90.91.35.70, fax 04.90.91.41.18 ☑ ⊺ t.l.j. sf dim. lun. 9h-12h 14h30-18h

DOM. DE L'ILE SAINT PIERRE
Cabernet franc 1998★

◢   30 ha   n.c.   ▮⚲ 20 à 29 F

Ce 98 à la robe saumonée est issu d'un cépage peu planté en Provence. Il surprend par son caractère et sa longue finale. On le qualifierait volontiers de vin masculin tout simplement parce que ce n'est pas seulement un vin d'été et qu'il se tiendra bien à table ! Il est prêt à boire ! Du même domaine, les jurés ont également retenu le vin **rouge 98**.

☛ Marie-Cécile et Patrick Henry, Dom. de Boisviel-Saint-Pierre, Mas-Thibert, 13104 Arles, tél. 04.90.98.70.30, fax 04.90.98.74.93 ☑ ⊺ r.-v.

MAS DE REY Caladoc 1998

◢   10 ha   20 000   ▮⚫⚲ 30 à 49 F

Le cépage métis qu'affectionne Patrick Mazzoleni est proposé ici en rosé ; la robe claire annonce le nez subtil de petits fruits rouges. Il y a du gras, de la matière, dans une conjugaison harmonieuse qui a retenu toute l'attention du jury. Puisque vous y êtes, laissez-vous tenter par son vin de cépage **chasan blanc 97** à l'expression aromatique exotique (ananas mûr) : ce joli vin pourra être associé à une bourride de poisson, une blanquette de veau, ou être dédié au salé/sucré.
☛ Mazzoleni, SCA Mas-de-Rey, Trinquetaille, 13200 Arles, tél. 04.90.96.11.84, fax 04.90.96.59.44, e-mail masderey@provnet.fr ☑ ⊺ r.-v.

LES VIGNERONS DU ROY RENE
Cabernet-sauvignon 1998

■   20 ha   25 000   ▮ 20 à 29 F

Voici un vin de cépage qui met en valeur les caractères du cabernet-sauvignon. La structure tannique est évidement présente mais bien enrobée. En bouche se retrouvent des notes chocolatées (cacao). Ce 98 accompagnera volontiers daube et gibier en sauce.
☛ Les Vignerons du Roy René, R.N. 7, 13410 Lambesc, tél. 04.42.57.00.20, fax 04.42.92.91.52 ☑ ⊺ r.-v.

DOM. DE VALDITION
Tête de cuvée 1998

■   20 ha   7 000   ▮ 20 à 29 F

Aimable vin de pays à la belle robe sombre. Il mérite votre attention pour sa fraîcheur et son abord facile. En un mot, ce vin est agréable à boire. A servir autour d'un buffet dinatoire.
☛ Hubert Somm, GFA du Dom. de Valdition, rte d'Eygalières, 13660 Orgon, tél. 04.90.73.08.12, fax 04.90.73.05.95, e-mail valdition@wanadoo.fr ☑ ⊺ t.l.j. sf dim. été 8h-18h; hiver 9h-17h30

Var

DOM. DE CHAUSSE 1998★

☐   1 ha   2 460   ▮⚫⚲ 30 à 49 F

Issu de trois cépages (chardonnay, sémillon et viognier), ce joli vin blanc, élaboré avec un savoir-faire évident, a su rallier le jury à sa cause, sans débat, tant sa finesse, sa rondeur, son léger boisé bien fondu et ses arômes vanillés se sont imposés d'emblée.
☛ Ch. de Chausse, 83420 La Croix-Valmer, tél. 04.94.79.60.57, fax 04.94.79.59.19 ☑ ⊺ t.l.j. 10h-12h 15h-18h
☛ Y. et R. Schelcher

DOM. DE GARBELLE 1998★

□ 0,75 ha 1 600 20 à 29 F

Issu du seul cépage vermentino, ce vin de pays est étonnant d'équilibre. Son nez intense sur des notes d'agrumes, sa belle tenue en bouche, où il se montre vif et gras, avec une réelle longueur, ont vraiment tout pour vous séduire.

M. Gambini, Vieux chemin de Brignoles, Dom. de Garbelle, 83136 Garéoult, tél. 04.94.04.86.30 ☑ Y r.-v.

LES TROIS CHENES 1998

■ 5 ha 35 000 20 à 29 F

La jolie robe rubis annonce le nez de fruits rouges. L'approche en bouche pourra surprendre qui ne connaît pas le cépage mourvèdre (ici à 50 %). Les tanins sont très présents.

SCEA Gérard Duffort, Dom. de l'Hermitage, B. P. 41, 83330 Le Beausset, tél. 04.94.98.71.31, fax 04.94.98.71.31 ☑ Y t.l.j. sf dim. 8h-12h 14h-18h; sam. 8h-12h

DOM. MIRAVAL 1996

■ 2 ha 5 000 20 à 29 F

Belle couleur rubis pour ce vin de pays, qui offre au nez des notes poivrées et des arômes intenses. En bouche, il est plaisant par son équilibre général et sa structure encore très présente. Pourquoi ne pas l'apprécier dès à présent sur une bavette grillée ?

SA Ch. Miraval, 83143 Le Val, tél. 04.94.86.46.80, fax 04.94.86.46.79 ☑ Y r.-v.

DOM. SAINT-JEAN DE VILLECROZE
Cabernet-sauvignon 1992★

■ 20 ha 70 000 50 à 69 F

La robe sombre n'est pas tuilée malgré les sept années écoulées. Au nez, les arômes sont complexes, intenses. En bouche, la matière a bien évolué depuis la récolte 1992. Cette longévité est assez exceptionnelle. Mais n'attendons plus.

Dom. Saint-Jean de Villecroze, 83690 Villecroze, tél. 04.94.70.63.07, fax 04.94.70.67.41 ☑ Y r.-v.

SAN-CERI Cuvée spéciale 1998★

■ 10 ha 40 000 - de 20 F

Le rouge de la robe est intense. Au nez, les fruits rouges dominent une jolie palette d'arômes qui se poursuit en bouche. Une belle sensation, qui se décuplera si on laisse le vin s'aérer quelque temps. La **cuvée Tradition du San-Céri rouge 98** est également un très agréable compagnon de table.

SCV La Saint-Cyrienne, 29, bd Jean-Jaurès, 83270 Saint-Cyr-sur-Mer, tél. 04.94.26.10.56, fax 04.94.88.70.36 ☑ Y r.-v.

THUERRY
L'Exception Cabernet-sauvignon 1996★★

■ 2 ha n.c. 70 à 99 F

Avec son nez épicé intense et fin, et sa bouche superbe d'équilibre et de longueur, ce 96 nous offre toute l'expression d'un grand cépage. Il peut attendre, c'est certain, mais pourquoi différer le plaisir de le découvrir... sur des viandes grillées ou en sauce ?

SCEA Les Abeillons, Ch. Thuerry, 83690 Villecroze, tél. 04.94.70.63.02, fax 04.94.70.67.03 Y r.-v.
Croquet

DOM. DE TRIENNES
Gris de Triennes 1998★★

◪ n.c. n.c. 30 à 49 F

Le résultat est surprenant et remarquable puisque ce 98 est vinifié exclusivement à partir de cinsault, cépage que ses vertus n'ont jamais hissé - seul - sur le devant de la scène. Le nez est puissant marqué de notes florales, fruitées (fraise) avec une légère nuance grillée. C'est long et gras en bouche, et les arômes se retrouvent comme au nez. Félicitons son « inventeur ».

Dom. de Triennes, RN 560, 83860 Nans-les-Pins, tél. 04.94.78.91.46, fax 04.94.78.65.04 ☑ Y r.-v.

Hautes-Alpes

DOM. ALLEMAND 1998

□ 2 ha 12 000 20 à 29 F

Le nez muscaté trahit le cépage : le muscat à petits grains. Des notes de miel et d'abricot complètent cette palette d'arômes. En bouche, c'est alerte et un peu minéral. Un vin de soif au profil adéquat.

EARL Louis Allemand et Fils, La Plaine de Théus, 05190 Théus, tél. 04.92.54.40.20, fax 04.92.54.41.50 ☑ Y r.-v.

Alpes-de-Haute-Provence

DOM. LA BLAQUE Viognier 1998

□ 6,5 ha 21 000 30 à 49 F

Ce vin aux jolis reflets verts offre un nez très floral, avec des nuances abricot. La bouche développe une agréable rondeur. Un 98 plaisant à déguster à l'apéritif ou sur un poisson grillé ou des gambas.

⊶ Dom. Châteauneuf La Blaque, rte de la Bastide-des-Jourdans, 04860 Pierrevert, tél. 04.92.72.39.71, fax 04.92.72.81.26 ☑ Y t.l.j. sf dim. 8h-12h 14h-18h

Alpes-Maritimes

GEORGES ET DENIS RASSE
Cuvée Longo Maï Elevé en fût de chêne 1996★

■ 2 ha 2 500 ▮ ◖▮◗ 50 à 69 F

La matière est complexe (six cépages utilisés), avec une belle structure, qui est plus qu'épaulée par le bois. Si le nez est finement marqué par le passage en fût, la bouche est, elle, franchement boisée. A réserver aux amateurs...

⊶ Georges et Denis Rasse, Hautes Collines, 800, chem. des Sausses, 06640 Saint-Jeannet, tél. 04.93.24.96.01, fax 04.93.24.96.01 ☑ Y r.-v.

Coteaux du Verdon

DOM. DE VALMOISSIME
Pinot noir 1997

■ 20 ha 67 000 ▮ ◖▮◗ 50 à 69 F

Cette noble maison bourguignonne se diversifie. Dès 1989, le cépage bourguignon pinot noir a été planté dans cette commune du haut Var pour être valorisé dans la dénomination du vin de pays des coteaux du Verdon. C'est un vin séduisant, possédant les caractères du pinot, très souple et facile d'accès.

⊶ Maison Louis Latour, Dom. de Valmoissine, 83630 Aups, tél. 04.94.84.03.45, fax 04.94.70.10.36 ☑ Y r.-v.

Alpes et pays rhodaniens

De l'Auvergne aux Alpes, la région regroupe les huit départements de Rhône-Alpes et le Puy-de-Dôme. La diversité des terroirs y est donc exceptionnelle et se retrouve dans l'éventail des vins régionaux. Les cépages bourguignons (pinot, gamay, chardonnay) et les variétés méridionales (grenache, cinsault, clairette) se rencontrent. Ils côtoient les enfants du pays que sont la syrah, la roussanne, la marsanne dans la vallée du Rhône, mais aussi la mondeuse, la jacquère ou le chasselas en Savoie, ou encore l'étraire de la dui et la verdesse, curiosités de la vallée de l'Isère. L'usage des cépages bordelais (merlot, cabernet-sauvignon), se développe également enrichissant encore la gamme des vins.

Dans une production en progression, atteignant 450 000 hl, l'Ardèche et la Drôme contribuent largement à la primauté des rouges ; la tendance est partout à l'élaboration de vins de cépage pur. Ain, Ardèche, Drôme, Isère et Puy-de-Dôme sont les cinq dénominations départementales. Huit dénominations régionales couvrent la région : Allobrogie (Savoie et Ain, 7 000 hl de blancs, en forte majorité), coteaux du Grésivaudan (moyenne vallée de l'Isère, 2 000 hl), Balmes dauphinoises (Isère, 1 000 hl), Urfé (Vallée de la Loire entre Forez et Roannais, 2 000 hl), collines rhodaniennes (10 000 hl, majorité de rouges), comté de Grignan (sud-ouest de la Drôme, 25 000 hl, rouges surtout), coteaux des Baronnies (sud-est de la Drôme, 35 000 hl de rouges) et coteaux de l'Ardèche (320 000 hl en rouge, rosé et blanc).

Il existe également un vin de pays régional, créé en 1989 : les Comtés rhodaniens (environ 30 000 hl). Les vins peuvent être produits sur les huit départements de la région Rhône-Alpes (Ain, Ardèche, Drôme, Isère, Loire, Rhône, Savoie, Haute-Savoie) et sont soumis à double agrément.

Allobrogie

LE CELLIER DE JOUDIN
Jacquère 1998★

□ 4 ha 40 000 ▮ ⫰ - de 20 F

Ce domaine viticole situé aux portes de la Savoie se signale régulièrement par la qualité de ses vins de jacquère. Le millésime 98 est typique de ce cépage régional. Légèrement perlant, acidulé et minéral, il sera un bon accompagnement pour une raclette entre amis ou, plus raffiné, pour un poisson de rivière.

⊶ Le Cellier de Joudin, 73240 Saint-Genix-sur-Guiers, tél. 04.76.31.61.74, fax 04.76.31.61.74 ☑ Y r.-v.

⊶ Demeure

Balmes dauphinoises

DOM. MEUNIER Chardonnay 1996

□	1,81 ha	18 000	🍷↓ 20 à 29 F

Cette exploitation maintient la tradition viticole dans le nord de l'Isère, où la vigne n'est plus guère présente. Son chardonnay 96, marqué par un élevage de deux ans en cuve avant la mise en bouteilles, fleure bon la noisette et les tartines beurrées. Un vin plaisant, à boire rapidement.
🍾 SCEA Dom. Meunier, 38510 Sermerieu, tél. 04.74.80.15.81 ☑ ⟂ r.-v.

Coteaux des Baronnies

DOM. LA ROSIERE Viognier 1997★

□	3 ha	10 000	🍷🍶↓ 30 à 49 F

Ce domaine de plus de vingt ans a pour vocation la production de vins de cépages expressifs. Il propose un 97 qui ne manque pas d'originalité. Les notes de fumé et d'amande grillée dominent les arômes d'abricot typiques du cépage. Ce viognier se caractérise en bouche par un bon compromis entre gras et acidité. A déguster à l'apéritif ou, plus inédit, avec une omelette aux truffes ou encore une escalope à la crème. A noter une **syrah** du même millésime, très exubérante, à consommer rapidement.
🍾 EARL Serge Liotaud et Fils, Dom. La Rosière, 26110 Sainte-Jalle, tél. 04.75.27.30.36, fax 04.75.27.33.69 ☑ ⟂ t.l.j. 8h-19h

DOM. DU RIEU FRAIS Syrah 1997★★

■	4 ha	9 500	🍷↓ 30 à 49 F

Jean-Yves Liotaud, vigneron talentueux, régulièrement mentionné dans ce Guide, fête les quinze ans de son domaine en 1999. Il détient, cette année, deux étoiles pour cette remarquable syrah. Une teinte violacée, un nez puissant aux notes poivrées, une bouche très ronde et d'une grande longueur : ce vin est un concentré du terroir des Baronnies, ensoleillé mais rude. A noter également un **cabernet-sauvignon 96** élevé en fût de chêne, franc et aux tanins fondus.
🍾 Jean-Yves Liotaud, Dom. du Rieu Frais, 26110 Sainte-Jalle, tél. 04.75.27.31.54, fax 04.75.27.34.47 ☑ ⟂ t.l.j. 8h-12h 14h-19h

Comté de Grignan

CAVE DE LA VALDAINE Cabernet-sauvignon 1998★

■	31 ha	n.c.	🍷↓ - de 20 F

Les vins de cette coopérative située près de Montélimar, régulièrement mentionnés, récompensent plus de dix ans d'amélioration de l'encépagement et des techniques de vinification. Celui-ci, rouge profond, au nez expressif (poivre,

poivron et notes réglissées), et d'une bonne longueur en bouche, est très typique des aptitudes du cabernet-sauvignon. A noter un **rosé** du même cépage, fruité, d'une belle teinte cerise.
🍾 Cave de La Valdaine, av. Marx-Dormoy, 26160 Saint-Gervais-sur-Roubion, tél. 04.75.53.80.08, fax 04.75.53.93.90 ☑ ⟂ r.-v.

Collines rhodaniennes

EMMANUEL BAROU Cuvée des Vernes 1998★

■	0,7 ha	1 800	🍶 30 à 49 F

Cette exploitation, adepte de l'agriculture biologique depuis plus de vingt ans, conduit des vinifications traditionnelles (cuvaison de trois semaines, pigeage) donnant des vins de caractère à l'image de cette syrah 97. Très sombre, celle-ci se signale par un nez complexe mêlant fruits rouges bien mûrs, épices et senteurs florales (violette). Encore un peu tannique en bouche, mais d'une grande concentration, cette cuvée gagnera à vieillir un à trois ans pour atteindre sa plénitude.
🍾 Emmanuel Barou, Picardel, 07340 Charnas, tél. 04.75.34.02.13, fax 04.75.34.02.13 ☑ ⟂ r.-v.

DIDIER MORION Syrah 1997★

■	1 ha	8 000	🍷↓ 20 à 29 F

Ce vin élégant est très représentatif du cépage roi de la région des Collines rhodaniennes. Les arômes de réglisse et de poivre qui dominent et une bonne structure, tannique mais tout en finesse, le rendent appréciable dès maintenant.
🍾 Didier Morion, Epitaillon, 42410 Chavanay, tél. 04.74.87.26.33, fax 04.74.87.26.33 ☑ ⟂ r.-v.

Coteaux de l'Ardèche

LES VIGNERONS ARDECHOIS Chardonnay 1998★★

□	60 ha	40 000	30 à 49 F

Les Vignerons ardéchois regroupent dans le sud de l'Ardèche plus de vingt coopératives engagées dans la voie des vins de pays de qualité depuis vingt-cinq ans. Le chardonnay 98, boisé et charnu, séduit par ses arômes (vanille, pain grillé, fruits secs, beurre). Bonne longueur en bouche. La **cuvée Prestige merlot 98** (20 à 29 F) reçoit une étoile pour son très joli nez de fruits rouges où pointent des notes florales et balsamiques. Egalement retenue, mais sans étoile, la **Syrah, cuvée Prestige 98 en rosé** accompagnera les tourtes aux légumes (20 à 29 F).
🍾 Les Vignerons ardéchois, B.P. 8, 07120 Ruoms, tél. 04.75.39.98.00, fax 04.75.39.69.48 ☑ ⟂ t.l.j. sf dim. 8h-12h 14h-18h

DOM. DE BOURNET
Syrah Cuvée Benoît Elevé en fût de chêne 1996★★★

■ 3 ha 2 500 50 à 69 F

Installé dans une belle architecture XVII[e]s., ce domaine familial se plaît à élaborer des vins originaux et de grand caractère. Cette syrah 96 élevée douze mois en fût de chêne vous enchantera par sa puissance et l'équilibre parfait entre une grande exubérance aromatique (violette, épices, notes minérales) et un potentiel de garde rare dans cette catégorie. Dans le même millésime, une **cuvée d'assemblage grenache-syrah**, plus légère et gouleyante, est citée.

Xavier de Bournet, Dom. de Bournet, 07120 Grospierres, tél. 04.75.39.68.20, fax 04.75.39.06.96 r.-v.

DOM. DE CASSAGNOLE
Chardonnay 1998★

□ 0,5 ha 5 000 30 à 49 F

Après avoir salué les rochers du bois de Païolive, pourquoi ne pas faire une halte dans ce domaine familial au nom tintant bien le Midi ? Vous y découvrirez un chardonnay 98 aux reflets d'or, jeune au nez (aubépine, pêche) et frais en bouche. A boire dans l'année en apéritif ou avec des poissons blancs.

Alex Biscarat, Dom. de Cassagnole, Les Tournaires, 07460 Casteljau, tél. 04.75.39.04.05, fax 04.75.39.38.68 r.-v.

DOM. DE COMBELONGE Merlot 1998★

■ 1,74 ha 13 000 -de 20 F

Ce domaine situé à Vinezac, au cœur d'un des terroirs les plus profondément viticoles de l'Ardèche, produit régulièrement des vins de cépage soignés. Le merlot 98, d'un beau rouge grenat, témoigne avec ses notes de mûre, pruneau et épices, d'une vendange à bonne maturité confirmée par une bouche charnue. Très bon rapport qualité-prix.

Denis Manent, SCEA Dom. de Combelonge, 07110 Vinezac, tél. 04.75.36.92.54, fax 04.75.36.99.59 t.l.j. 9h-12h 14h30-18h30

GEORGES DUBŒUF Viognier 1998★★

□ n.c. 200 000 30 à 49 F

Georges Dubœuf a choisi l'Ardèche pour produire du viognier haut de gamme. Le millésime 98 est une réussite éclatante. Puissant et expressif, ce vin est un concentré de senteurs (abricot, agrumes, violette). Très gras et persistant, c'est l'expression même du potentiel de ce cépage typique de la vallée du Rhône.

Les Vins Georges Dubœuf, La Gare, B.P. 12, 71570 Romanèche-Thorins, tél. 03.85.35.34.20, fax 03.85.35.34.25 t.l.j. 9h-18h; f. janv.

DOM. DU GRANGEON Syrah 1998

■ 0,5 ha 3 600 20 à 29 F

Christophe Reynouard a repris un vignoble familial et mis en place un atelier de vinification pour la récolte 1998. Cette première cuvée de syrah joue sur une gamme aromatique où dominent les notes épicées et animales pour un vin rond prêt à boire.

Christophe Reynouard, Balbiac, 07260 Rosières, tél. 04.75.39.54.84, fax 04.75.39.54.84 r.-v.

CAVE DE LABLACHERE
Gamay Sélection au terroir 1998

■ 20 ha 50 000 -de 20 F

Le gamay se plaît sur les coteaux gréseux des Cévennes ardéchoises où l'on chemine de terrasse en terrasse entre vignes, châtaigniers et pinèdes odorantes. Ce vin brillant issu d'une macération carbonique comblera les amateurs de légèreté et de fruité.

SCV de Lablachère, La Vignolle, 07230 Lablachère, tél. 04.75.36.65.37, fax 04.75.36.69.25 t.l.j. sf dim. 8h-12h 14h-18h

CAVE DE LA GRAPPE
Cabernet-sauvignon 1998★

■ 60 ha 4 320 20 à 29 F

Cette coopérative située à l'extrémité sud-ouest de l'Ardèche pratique une sélection rigoureuse des apports pour ses vins de cépage. Le cabernet-sauvignon 98 est très représentatif du cépage, avec sa teinte très sombre et une gamme aromatique où cohabitent fruits rouges et poivron. D'une bonne structure, il gagnera à vieillir d'un à trois ans. A noter également un **merlot 98** bien étoffé et complexe.

SCV Saint-Sauveur-Cruzières-Rochegude, 07460 Saint-Sauveur-de-Cruzières, tél. 04.75.39.30.51, fax 04.75.39.06.84 t.l.j. sf sam. dim. 10h-12h 16h-18h

LOUIS LATOUR Chardonnay 1997★★

□ 300 ha 1 000 000 30 à 49 F

La bourguignonne maison Latour a misé en 1979 sur l'Ardèche pour produire des vins de pays de chardonnay haut de gamme. Pari réussi grâce à un savoir-faire indéniable. Quelle richesse pour ce millésime 97 ! Fleurs séchées, pain d'épice, amande grillée, vanille, miel : un cocktail exceptionnel de senteurs pour ce vin racé, puissant et gras, qui est en pleine possession de ses moyens.

➡ Maison Louis Latour, La Téoule, R.N. 102, 07400 Alba-la-Romaine, tél. 04.75.52.45.66, fax 04.75.52.49.19 ▼ ⊺ r.-v.

DOM. DE VIGIER Merlot 1998★★

| ■ | n.c. | n.c. | 20 à 29 F |

Ce domaine d'origine très ancienne se signale régulièrement par des vins corsés. Ce merlot 98, remarquable de concentration, est bien le fils du terroir rocailleux du vignoble de Vigier. Puissant sans rudesse, fruité (cassis) et chaleureux, il peut être bu dès maintenant, mais gagnera encore en ampleur dans un ou deux ans.

➡ Dupré et Fils, Dom. de Vigier, 07150 Lagorce, tél. 04.75.88.01.18, fax 04.75.37.18.79 ▼ ⊺ t.l.j. sf dim. 8h-12h 14h-19h; groupes sur r.-v.

Drôme

DOM. DU CHATEAU VIEUX
Vieilli en fût de chêne 1997★★

| ■ | 1 ha | 3 500 | ⬛ 30 à 49 F |

Cette exploitation maintient la tradition viticole dans la Drôme des collines depuis cinq générations. Ce vin rouge vieilli en fût de chêne dispose de beaux atouts pour séduire les amateurs de vins pleins et puissants. De couleur violacée, il a gardé de sa jeunesse des senteurs de cassis, mais déjà pointent la violette, la réglisse et le poivre. Bien charpenté, il peut accompagner un gibier ou des viandes en sauce.

➡ Fabrice Rousset, Le Château Vieux, 26750 Triors, tél. 04.75.45.31.65, fax 04.75.71.45.35 ▼ ⊺ t.l.j. 10h-13h30 17h-19h

Régions de l'Est

On trouvera ici des vins originaux, fort modestes, vestiges de vignobles décimés par le phylloxéra mais qui eurent leur heure de gloire, bénéficiant du voisinage prestigieux de la Bourgogne ou de la Champagne. Ce sont d'ailleurs les cépages de ces régions que l'on retrouve ici, avec ceux de l'Alsace ou du Jura, vinifiés le plus souvent individuellement ; les vins ont donc alors le caractère de leur cépage : chardonnay, pinot noir, gamay ou pinot gris (pour les rosés). Dans les assemblages, on leur associe parfois l'auxerrois.

Vins de pays de Franche-Comté, de la Meuse ou de l'Yonne, ils sont tous le plus souvent fins, légers, agréables, frais et bouquetés ; en augmentation, surtout pour les vins blancs, la production n'est encore que de 3 000 hl.

Saône-et-Loire

VIN DES FOSSILES Gamay 1998★★

| ■ | n.c. | n.c. | ■ 20 à 29 F |

Voilà un gamay triomphant qui nous a tous séduits. Typique, il trouve dans les terres du haut Brionnais tout ce qu'il lui faut pour fournir sa meilleure expression. Concentré et complexe, ce vin d'un bel équilibre, aux notes de fruits rouges et noirs, est prometteur à la garde. M. Berthillot a le cœur à l'ouvrage ; le déplacement en ses terres laisse un souvenir bien amical.

➡ J. C. Berthillot, Les Chavannes, 71340 Mailly, tél. 03.85.84.01.23 ▼ ⊺ r.-v.

HAUT-BRIONNAIS Gamay 1998★

| ■ | 4 ha | 12 000 | ■ 20 à 29 F |

Du courage, il en faut pour travailler dans les collines pentues. Tous ces efforts sont récompensés avec ce vin très typé, épicé, franc et si fruité. Un plat de charcuterie accompagnera fort bien ce gamay friand, généreux comme les hommes qui l'ont fait.

➡ Cave Les Coteaux du Brionnais, 71340 Mailly, tél. 03.85.84.19.21, fax 03.85.84.19.21 ▼ ⊺ t.l.j. sf sam. 9h-12h

Franche-Comté

VIGNOBLE GUILLAUME
Chardonnay 1997★★

| ▢ | 8 ha | 70 000 | ■⬇ 20 à 29 F |

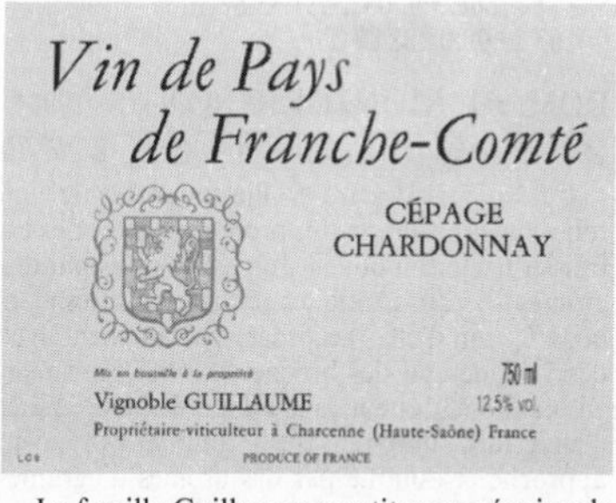

Vin de Pays de Franche-Comté

CÉPAGE CHARDONNAY

Mis en bouteille à la propriété
Vignoble GUILLAUME 12,5% vol.
Propriétaire-viticulteur à Charcenne (Haute-Saône) France
750 ml
PRODUCE OF FRANCE

La famille Guillaume constitue une équipe de professionnels bien connus pour leur activité de pépiniéristes ; ils sont aussi producteurs de vin de pays. A ce titre, on peut saluer leur régularité à obtenir des vins de très bon niveau. Coup de

LES VINS DE PAYS

VDP

maître pour le chardonnay 97. La robe d'or paille invite à humer le nez pur et fin ; la bouche, gourmande et subtile, est dominée par le fruit. Vin richissime. Le **pinot noir vieilles vignes 97** mérite lui aussi deux étoiles. Sa couleur légère n'annonçait pas une si belle matière ; le bouquet où ressortent la griotte, la groseille, est typé pinot ; la bouche révèle une parfaite alliance du bois et du vin, un fondu subtil. Remarquable ! Le **chardonnay vieilles vignes 97** enthousiasmera les amateurs de boisé marqué ; peut-être faut-il l'attendre ? Il fut sujet à polémique pour notre jury, qui finalement ne fait que le citer.

🔑 Vignoble Guillaume, Charcenne, 70700 Gy, tél. 03.84.32.80.55, fax 03.84.32.84.06 ☑ 🍷 r.-v.

Meuse

E. ET PH. ANTOINE Gris 1998

☐ 1,5 ha 10 000 ▮ 20 à 29 F

L'assemblage auxerrois/chardonnay de Philippe Antoine, en proportions égales cette année, donne un vin d'une belle brillance, jaune pâle avec des reflets verts, dominé par des arômes de fruits exotiques et d'agrumes. Très agréable, il s'exprimera fort bien sur des poissons ou des crustacés ou si vous en avez l'occasion, avec des escargots.

🔑 Philippe Antoine, 6, rue de l'Eglise, 55210 Saint-Maurice, tél. 03.29.89.38.31, fax 03.29.90.01.80 ☑ 🍷 r.-v.

DOM. DE COUSTILLE Chardonnay 1998

☐ 2 ha 6 500 ▮ 20 à 29 F

Le domaine de Coustille exploite 5 ha de vignes en vins de pays de Meuse à Creue, dont 2 ha de chardonnay. Dans ce cépage, le millésime 98 a retenu l'attention du jury par sa robe limpide avec des nuances or pâle, son nez franc et fruité et sa bouche dominée par des arômes de fruits à pépins (pomme et poire). Un vin vif, frais et plaisant à déguster avec des poissons du lac de Madine voisin de 5 km.

🔑 SCEA de Coustille, 10, rue Basse, 55210 Creue, tél. 03.29.89.33.81, fax 03.29.90.01.88 ☑ 🍷 r.-v.

DOM. DE MONTGRIGNON Gris 1998*

◪ n.c. 20 000 ▮ - de 20 F

Ce vin gris des frères Pierson présente une robe couleur saumon très prometteuse. Le nez est frais et fruité. En bouche, on est conquis par des arômes de fruits exotiques et d'agrumes très marqués. Ce vin d'été s'accordera parfaitement avec des grillades ou des brochettes. Cité également en **blanc 98, l'assemblage à base de pinot gris et d'auxerrois**, limpide, très fruité en première approche et dominé par des arômes d'agrumes (citron, pamplemousse) et de fruits exotiques. Un vin agréable, frais, bien vinifié.

🔑 GAEC de Montgrignon Pierson Frères, 9, rue des Vignes, 55210 Billy-sous-les-Côtes, tél. 03.29.89.58.02, fax 03.29.90.01.04 ☑ 🍷 r.-v.

DOM. DE MUZY Gris 1998

◪ 1,1 ha 5 000 ▮🌡 20 à 29 F

Au pied du site des Eparges où se sont déroulés de terribles combats pendant la guerre de 14-18, décrits dans les récits de Maurice Genevoix, *Ceux de 14*, le domaine de Muzy a remis en valeur 5 ha de vignes en gamay, pinot noir et auxerrois. Le vin gris issu de ces trois cépages, d'un rose clair très limpide aux notes fruitées très agréables, a été retenu par notre jury. Le **vin blanc** issu du **cépage auxerrois** mérite d'être cité. Il accompagnera heureusement les poissons de rivière et les crustacés mais aussi les charcuteries. Le domaine de Muzy pourra également vous proposer d'excellentes eaux-de-vie de mirabelle ou de poire.

🔑 Véronique et Jean-Marie Liénard, 3, rue de Muzy, 55160 Combres-sous-les-Côtes, tél. 03.29.87.37.81, fax 03.29.87.35.00 ☑ 🍷 r.-v.

Coteaux de Coiffy

LES COTEAUX DE COIFFY Chardonnay 1998

☐ 4,84 ha n.c. ▮🌡 20 à 29 F

Bourbonne-les-Bains est un lieu bien connu pour ses cures thermales. A quelques kilomètres de là, joignez l'utile à l'agréable en allant déguster ce vin ; il a retenu notre attention pour son caractère aromatique et bien typé du cépage ainsi que pour sa fraîcheur en bouche.

🔑 SCEA Les Coteaux de Coiffy, 52400 Coiffy-le-Haut, tél. 03.25.90.00.96, fax 03.25.90.18.84 ☑ 🍷 r.-v.

Haute-Marne

LE MUID MONTSAUGEONNAIS Chardonnay 1997*

☐ 6,2 ha 17 300 ▮🌡 30 à 49 F

L'ancien vignoble des évêques de Langres a été relancé en 1989. Depuis, on apprécie un peu plus chaque année les fruits de ce terroir qui se révèle progressivement à nous. Une jolie cuvée vous est présentée avec ce chardonnay 97 dont le nez ouvert est d'une belle intensité (notes de tilleul et de rhubarbe). L'attaque est vive, la bouche franche et généreuse : elle a du fruit et de l'ampleur.

🔑 SA Le Muid Montsaugeonnais, 2, av. de Bourgogne, 52190 Vaux-sous-Aubigny, tél. 03.25.90.04.65, fax 03.25.90.04.65 ☑ 🍷 r.-v.

Sainte-Marie-la-Blanche

CAVE DE SAINTE-MARIE-LA-BLANCHE
Pinot rosé 1998★★

◪ 1 ha 5 400 ▮ 20 à 29 F

Pour la deuxième année, le rosé issu de saignée de pinot noir de la cave de Sainte-Marie retient toute notre attention. Cette fois, il a obtenu notre coup de cœur, car c'est un très joli vin, le rosé idéal rare à réussir : robe saumonée, nez frais de petits fruits rouges, bouche ronde et volumineuse avec une pointe de gaz en attaque qui rend l'ensemble très tonique. La cave de Sainte-Marie-la-Blanche est située à quelques kilomètres de Beaune : n'hésitez pas à faire le déplacement.

Cave de Sainte-Marie-la-Blanche, rte de Verdun, 21200 Sainte-Marie-la-Blanche, tél. 03.80.26.60.60, fax 03.80.26.54.47 ☑ Y t.l.j. 8h-12h 14h-19h

LES VINS DU LUXEMBOURG

Petit Etat prospère au cœur de l'Union européenne, situé à la charnière des mondes germanique et latin, le grand-duché de Luxembourg est un pays viticole à part entière. La consommation de vin y est proche de celle que l'on observe en France et en Italie. Le vignoble s'inscrit le long du cours sinueux de la Moselle, dont les coteaux portent des ceps depuis l'Antiquité. Il donne des vins blancs secs, vifs et aromatiques.

La production vinicole du grand-duché est confidentielle (160 000 hl), à la mesure de sa modeste superficie (1 350 ha). La vin est cependant pris au sérieux dans ce pays, qui possède un ministre de l'Agriculture et de la Viticulture, et où l'on produit des vins réputés depuis l'Antiquité.

On sait l'importance que prit le vignoble mosellan au IV^{e}s., lorsque Trèves - très proche de la frontière actuelle du grand duché - devint résidence impériale et l'une des quatre capitales de l'Empire romain. Aujourd'hui, de Schengen à Vasserbillig, les coteaux de la rive gauche de la Moselle forment un cordon continu de vignobles, autour des cantons de Remich et de Grevenmacher. Orientés au sud et au sud-est, ceux-ci bénéficient de l'effet bienfaisant des eaux du fleuve, qui estompent les courants d'air froid venant du nord et de l'est, et modèrent l'ardeur du soleil de l'été. En raison de leur latitude septentrionale (49 degré de latitude N.), ils produisent presque exclusivement des vins blancs. Près de 35 % d'entre eux proviennent du cépage rivaner (ou müller-thurgau). L'elbling, cépage typique du Luxembourg (12 % de la surface viticole), donne un vin léger et rafraîchissant. On trouve encore d'autres variétés comme l'auxerrois, le riesling, le pinot blanc, le chardonnay, le pinot gris, le pinot noir, le gewurztraminer. Les coopératives représentent plus des deux tiers de la surface viticole. Remich est le siège d'un centre de recherche et de l'organisation officielle de la viticulture.

Créée en 1935, la marque nationale des vins de la Moselle luxembourgeoise a pour objet d'encourager la qualité et de permettre au consommateur de réaliser ses choix sous la garantie officielle de l'Etat. En 1985 est apparue l'appellation contrôlée moselle luxembourgeoise. Il existe aussi une hiérarchie des vins (marque nationale - appellation contrôlée, vin classé, premier cru, grand premier cru). L'originalité du classement des vins, en fonction de leur notation lors de chaque agrément, mérite d'être soulignée : les vins qui ont obtenu entre 18 et 20 points sont qualifiés de grand premier cru, entre 16 et 17,9 de premier cru, entre 14 et 15,9 de vin classé, entre 12 et 13,9 de vin de qualité sans mention particulière et en dessous de 12 points de simple vin de table. En 1991 naissait l'appellation crémant du luxembourg.

Moselle luxembourgeoise

DOM. MATHIS BASTIAN

Remich Goldberg Auxerrois 1998*

☐ Gd 1er cru 0,92 ha 5 350 30 à 49 F

Quatre générations de viticulteurs se sont succédé sur ce domaine, situé sur les hauteurs de Remich. Né sur des marnes keupériennes, son auxerrois est jaune pâle à reflets verts. Les arômes d'agrumes relevés d'une note de miel, révèlent une grande jeunesse et laissent une agréable impression. On retrouve les agrumes en bouche (pamplemousse rose), dont la grande fraîcheur et l'équilibre s'achèvent sur une finale pleine de vivacité. Bien représentatif de la maturité et de la richesse de ce millésime, ce vin se mariera - dans quelque temps - avec un turbotin aux asperges vertes.

🗝 Dom. viticole Mathis Bastian, 29, rte de Luxembourg, 5551 Remich, tél. 69.82.95, fax 66.91.18 ☒ Y r.-v.

GASTON BECK-FRANK

Greiveldenger Fels Riesling 1997★★

☐ Gd 1er cru 0,35 ha 3 400 30 à 49 F

Un grand-père vigneron, tonnelier et commissionnaire en vin... Cette intéressante ascendance porte tous ses fruits dans le riesling 97 produit par Gaston Beck-Frank. Le jury a salué d'un coup de cœur son nez, fin et fruité, son palais marqué par le cépage et accompagné de délicates notes d'agrumes, et surtout son harmonie, portée par un bel équilibre et une longue finale.

🗝 Dom. G. Beck-Frank, 10, Breil, 5426 Greiveldange, tél. 69.82.92, fax 69.76.07 ☒ Y r.-v.

BERNARD-MASSARD

Côtes de Grevenmacher Pinot gris 1997★

☐ Gd 1er cru 2,5 ha 10 855 30 à 49 F

La maison s'est spécialisée dans les mousseux de méthode traditionnelle et les crémants. C'est pourtant son pinot gris qui a séduit nos dégustateurs. De couleur jaune à reflets verts, il est dominé au nez par le fruité propre au cépage, avec des notes de kiwi. Bien équilibré, léger mais distingué, il est à boire dans les deux ou trois ans à venir.

🗝 Caves Bernard-Massard, 8, rue du Pont, 6773 Grevenmacher, tél. 75.05.45, fax 75.06.06, e-mail bermas@pt.lu ☒ Y r.-v.

CEP D'OR

Stadtbredimus Goldberg Pinot noir 1997

■ 0,45 ha 3 500 50 à 69 F

Les Vesque font remonter leurs quartiers de noblesse viticole jusqu'à 1762, date de leur installation au Luxembourg. Avec un œnologue dans la famille (Jean-Marie Vesque) et un bar à vin situé à l'étage de leur chai, cela leur fait beaucoup d'atouts. On appréciera leur pinot noir, qui arbore une robe soutenue de couleur rubis. Son nez de fruits noirs et d'épices précède une bouche moyennement corsée où les tanins restent discrets.

🗝 Dom. viticole Cep d'Or, 15, rte du Vin, 5429 Hettermillen, tél. 76.83.83, fax 76.91.91 ☒ Y r.-v.

🗝 Famille Vesque

Luxembourg

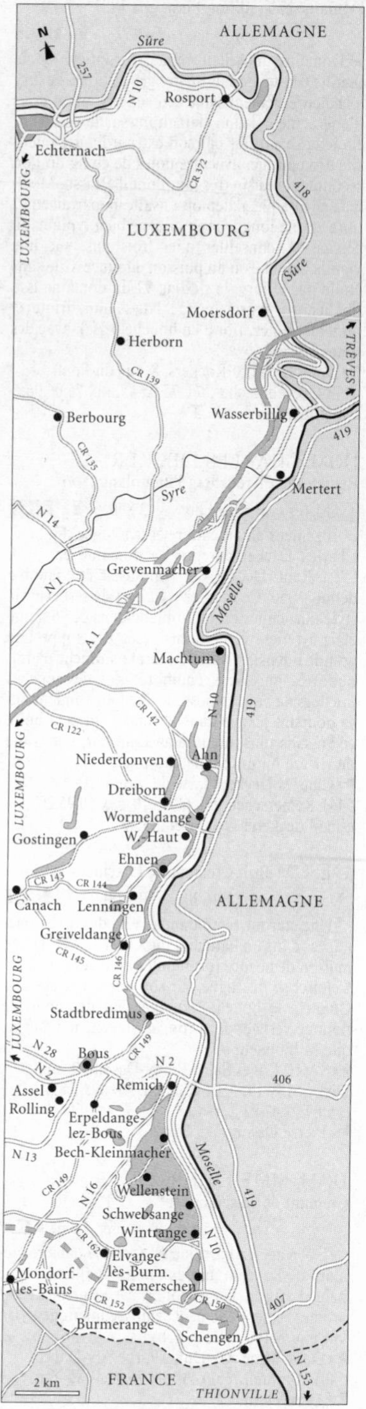

DOM. CLOS DES ROCHERS
Domaine et Tradition Pinot gris 1997★★★

□ 0,75 ha 4 457 50 à 69 F

Domaine mosellan réputé, propriété de la famille Clasen depuis quatre générations. Le jury a chaleureusement salué son superbe pinot gris : d'une couleur jaune clair tirant sur le vert, il se caractérise surtout par son extraordinaire intensité aromatique, avec des notes de coing où l'on reconnaît le raisin très mûr dont il est issu. Moelleux en attaque, il déploie ensuite un parfait équilibre et une longueur en bouche bien typique du cépage. A conseiller d'ici trois ans, sur une viande blanche ou un poisson en sauce. Cité sans étoile par le jury, le **riesling 97** du domaine issu du lieu-dit Wormeldange Nussbaum, fruité et minéral au nez, floral en bouche (rose), avec des notes épicées.

Dom. Clos des Rochers, 8, rue du Pont, 6773 Grevenmacher, tél. 75.05.45, fax 75.06.06, e-mail bermas@pt.lu r.-v.

DOM. CHARLES DECKER
Remerschen Kreitzberg Pinot blanc 1996

□ Gd 1er cru 0,34 ha 2 800 30 à 49 F

Ingénieur en viticulture et œnologue diplômé, Charles Decker a repris ce domaine en 1997. C'est René Decker qui conduisait ce vignoble depuis 1950. Ce dernier a eu l'art de respecter le style particulier du pinot blanc dans ce 96 jaune clair à reflets verts, dont le nez développe une grande intensité fruitée et florale. Franche d'attaque, très puissante, équilibrée par des touches miellées, la bouche possède une jolie rondeur qui se poursuit jusque dans la finale. On peut boire ce 96 sans plus attendre avec un bar, une truite de rivière ou un omble chevalier.

Charles Decker, 7, rte de Mondorf, 5441 Remerschen, tél. 60.95.10, fax 60.95.20, e-mail deckerch@pt.lu r.-v.

DESOM Brut Crémant de Luxembourg★

○ 12 ha 50 000 50 à 69 F

Une marque remontant à 1922, des caves aménagées dans un bâtiment du XVIII[e]s.... Voilà une maison de négoce fort réputée pour ses crémants. Celui-ci se distingue par son nez fin et élégant. Quant à la bouche, dominée par des notes de pomme verte et de citron, sa vivacité n'a d'égale que sa longueur.

SARL Caves Saint-Rémy-Desom, 9, rue Dicks, B.P. 19, 5501 Remich, tél. 69.87.87, fax 69.93.47 r.-v.

Pierre Desom

DOM. MME DUHR
Crémant de Luxembourg★

○ n.c. n.c. 70 à 99 F

L'élevage en barrique est sensible dans ce crémant de Luxembourg aux notes vanillées. Jaune pâle d'aspect, il développe avec agrément des arômes essentiellement empyreumatiques. Un vin issu à 100 % de pinot gris.

Dom. Mme Aly Duhr, 9, rue Aly-Duhr, 5401 Ahn, tél. 76.00.43, fax 76.05.47 r.-v.

Léon Duhr

CAVES GALES
Wellenstein Kurschels Riesling 1998★

□ Gd 1er cru 0,32 ha 700 150 à 199 F

Fondées en 1916 par Nicolas Gales, grand-père de l'actuel président, les caves Gales s'illustrent avec ce riesling de longue garde (il tiendra dix à quinze ans sans dommages comme tout grand vin de glace). D'une teinte jaune intense, il s'annonce par un nez complexe, très fin et développé, aux délicieuses notes de miel. L'ampleur de la bouche et son parfait équilibre sucre-acidité sont encore agrémentés par des arômes rétronasaux où l'on perçoit le raisin surmûri. Un vin superbe qui méritera d'accompagner un foie gras. Egalement retenu avec une étoile, le **Gales Heritage**, un **crémant de Luxembourg AC** très flatteur, riche et vineux (50 à 69 F).

Caves Gales, B.P. 49, 5501 Remich, tél. 69.90.93, fax 69.94.34 r.-v.

CAVES DE GREVENMACHER
Grevenmacher Pietert Pinot blanc 1998

□ Gd 1er cru n.c. 5 300 50 à 69 F

La coopérative de Grevenmacher, fondée en 1921, est l'une des premières du Luxembourg. Elle réunit cent vignerons sur 192 ha. Elle présente ici un vin entièrement issu de pinot blanc, déjà bien évolué et qui se révèle ouvert et intense à l'olfaction. Finement fruité, élégant et harmonieux en bouche, ce 98 affiche une bonne persistance et un équilibre judicieux entre charpente et alcool. Déjà plaisant, il peut accompagner une entrée de fruits de mer, mais il gagnera à être attendu deux ans.

Les Domaines de Vinsmoselle, Caves de Grevenmacher, 12, rue des Caves, 6718 Grevenmacher, tél. 75.01.75, fax 69.91.89 r.-v.

LE VIGNOBLE DE GREVENMACHER
Riesling Clos du domaine 1995

□ Gd 1er cru 1 ha 9 000 30 à 49 F

Souterraines, les caves voûtées du domaine réunissent les conditions requises pour l'élevage judicieux de ses vins. Le Clos du domaine est situé au lieu-dit Fels et constitue un *climat* - au sens bourguignon du terme - de 160 ares. Les pentes abruptes livrent ici un riesling tel qu'on les aime : sec, plein d'harmonie, fin et fruité, marqué par une touche minérale tout en affichant une certaine évolution. Son équilibre et sa longueur au palais révèlent une grande matière première. Il est à apprécier sans attendre, et accompagnera un plat de poisson, friture de la Moselle ou brochet au fou.

Dom. Le Vignoble de Grevenmacher, 12, rue Pietert, B.P. 35, 6701 Grevenmacher, tél. 75.03.49, fax 75.87.58 r.-v.

CAVES R. KOHLL-LEUCK
Rousemen Pinot gris 1997

□ Gd 1er cru 0,3 ha 1 500 30 à 49 F

L'arrière-grand-père de l'actuel exploitant était déjà viticulteur, et le domaine a obtenu en 1997 la médaille d'or au concours des Crémants de France et du Luxembourg. C'est pourtant un pinot gris qui a ici séduit le jury. Sa couleur jaune

paille, son nez puissant et long, aux fines senteurs de melon et de miel, préparent harmonieusement une bouche grasse, élégante et puissante elle aussi. Fruitée, épicée, elle possède une acidité encore vive mais bien équilibrée et une plaisante longueur.
Raymond Kohll-Leuck, 4, An der Borreg, 5419 Ehnen, tél. 76.02.42, fax 76.90.40 ☑ Y r.-v.

DOM. L. ET B. KOX

Remich Primerberg Riesling 1998*

☐ Gd 1er cru 0,25 ha 2 000 50 à 69 F

Laurent et Benoît Kox ont repris le domaine familial en 1977. Issu d'une vendange surmûrie, leur riesling à la teinte jaune verdâtre révèle à l'olfaction des notes de fruits mûrs, de pêche blanche, de cassis et de rose. L'attaque moelleuse annonce une bouche plus intense et particulièrement longue. Son acidité lui confère dès à présent une agréable fraîcheur et garantit un beau vieillissement jusqu'en 2003. Il faudra attendre quelques mois avant de le boire, avec un brochet ou des fruits de mer. Le **grand 1er cru Remich Fels en pinot gris 98** est cité par le jury ; parfaitement élevé, il possède un très joli bouquet.
Dom. vitic. Laurent et Benoît Kox, 64, rue des Prés, 5561 Remich, tél. 69.84.94, fax 69.81.01 ☑ Y r.-v.

KRIER FRERES

Remich Primerberg Riesling givré 1998***

☐ Gd 1er cru 0,2 ha 1 700 150 à 199 F

L'arrière-grand-père des actuels propriétaires était à la fois viticulteur et tonnelier. Aujourd'hui les Caves se consacrent au négoce, mais aussi à la vinification des raisins de leur domaine. Magnifique résultat que ce riesling issu de vendanges tardives, à la robe jaune doré d'une belle brillance, au nez exceptionnellement aromatique, évoquant les fruits confits, le miel, les agrumes. Après une attaque moelleuse, la bouche témoigne d'un très bel équilibre entre l'acidité et le sucre. Non sans élégance, sa concentration en fait l'égal des plus grands vins liquoreux - et vous pourrez mettre quinze ou vingt ans pour dénicher le foie gras qui sera digne de ce vin de glace. Autre vin sélectionné, un **crémant de luxembourg 96** ; ses arômes de pain grillé, de pomme mûre et de biscuit frais lui valent une étoile (50 à 69 F).
Caves Krier Frères, 1, montée Saint-Urbain, B.P. 30, 5501 Remich, tél. 69.82.82, fax 69.80.98 ☑ Y r.-v.

DOM. KRIER-WELBES

Wellenstein Foulschette Pinot gris 1998***

☐ Gd 1er cru 0,25 ha 2 700 30 à 49 F

Le domaine, fondé il y a plus de quarante ans, s'est récemment agrandi d'une cave ancienne que les propriétaires s'occupent à rénover : le millésime 99 sera le premier à y être vinifié. Surpassera-t-il cet exceptionnel pinot gris 98 ? En robe à reflets jaune pâle, ce dernier a conquis nos dégustateurs par son gras et son onctuosité en bouche, avec une palette d'arômes qui se déploient en une parfaite harmonie. Autre grand 1er cru retenu, avec une étoile cette fois, le **Beck Kleinmacher Jongeberg**, un **gewurztraminer 98**, puissant et floral, généreux.
Dom. Krier-Welbes, 3, rue de la Gare, 5690 Ellange-Gare, tél. 67.71.84, fax 66.19.31, e-mail guykrier@pt.lu ☑ Y r.-v.
Guy Krier

CAVES LEGILL

Schengen Markusberg Pinot blanc 1998

☐ Gd 1er cru 0,4 ha 2 700 30 à 49 F

Viticulteurs installés à Schengen, au sud de la Moselle luxembourgeoise, Ernest Legill et son fils Paul (ingénieur en œnologie) nous présentent un pinot blanc encore relativement fermé, mais au nez déjà marqué de subtiles nuances florales. Au palais, il se caractérise par une belle vivacité, un excellent équilibre et une bonne structure. Frais, harmonieux, persistant, il se mariera d'ici deux à trois ans avec une viande blanche ou une volaille.
Dom. viticole Legill et Fils, 27, rte du Vin, 5445 Schengen, tél. 66.40.38, fax 60.90.97 ☑ Y r.-v.

JEAN LINDEN-HEINISCH

Greiveldange Hütte Pinot gris 1997**

☐ Gd 1er cru 1 ha 6 000 30 à 49 F

Le jury a applaudi ce pinot gris. Clair à reflets jaune paille, il se présente par un nez fin, long et très agréable dont le caractère fruité et floral rappelle les fruits exotiques. Velouté en bouche, rond et gras, il possède une acidité vive mais bien équilibrée, des arômes puissants mais pleins d'élégance. Une remarquable harmonie lui vaut ce beau coup de cœur. Deux étoiles sont également décernées au **pinot blanc, Greiveldange Herrenberg 97** : il est très représentatif de son appellation et s'accordera avec des fruits de mer.
Jean Linden-Heinisch, 8, rue Isidore-Cones, Ehnen, 5417 Wormeldange, tél. 76.06.61, fax 76.91.29 ☑ Y r.-v.

CREMANT MATHES

Crémant de Luxembourg

○ 2,64 ha 21 000 150 à 199 F

Marcel Mathes, depuis plusieurs décennies, cultive son vignoble en enherbement, ce qui a réduit ses rendements et donc augmenté la qualité de ses vins. Presque entièrement issu de riesling (« roi des vins », dit-on ici), son crémant à reflets verts est encore jeune, mais il développe des arômes très typiques du cépage et révèle dès à présent une bonne structure.
Dom. Mathes et Cie, B.P. 3, 5507 Wormeldange, tél. 76.93.93, fax 76.93.90 ☑ Y r.-v.

CREMANT POLL-FABAIRE★★★

○ n.c. 40 000 ▥ 50 à 69 F

Ce crémant a ici fait ses preuves. Car elle est admirable, cette cuvée brut des Caves de Grevenmacher ! D'une teinte jaune-vert, perlée de fines bulles, elle développe un nez riche et complexe qui se conjugue avec une grande harmonie aux sensations gustatives. Exceptionnelle.
☛ Les Domaines de Vinsmoselle, Caves de Grevenmacher, 12, rue des Caves, 6718 Grevenmacher, tél. 75.01.75, fax 69.91.89 ☑ ⍭ r.-v.

CREMANT POLL-FABAIRE★

○ n.c. n.c. 50 à 69 F

Sous la même marque, mais élaboré par les caves de Stadtbredimus, issu d'un assemblage d'auxerrois, de pinot blanc et de riesling, voici un vin jaune paille à la mousse persistante et fine. Généreux en bouche, élégant, il se déguste avec un grand plaisir.
☛ Les Domaines de Vinsmoselle, Caves de Stadtbredimus, 6, rue des Caves, 5450 Stadtbredimus, tél. 69.83.14, fax 69.91.89 ☑

CAVES DU SUD REMERSCHEN
Schengen Markusberg Pinot blanc 1997★

☐ Gd 1er cru 1,4 ha 9 007 ▤▸ 30 à 49 F

Cette cave coopérative qui existe depuis 1948, vinifie 210 ha et ne déroge certes pas avec ce pinot blanc. Ce dernier, jaune pâle à reflets verts, assortit avec succès des notes florales à des nuances de pêche. Ample par sa matière, il reste pourtant d'une élégante fraîcheur et nous séduit par son bel équilibre.
☛ Les Domaines de Vinsmoselle, Caves du Sud Remerschen, 32, rte du Vin, 5440 Remerschen, tél. 66.41.65, fax 66.41.66 ☑ ⍭ r.-v.

HENRI RUPPERT
Coteaux de Schengen Pinot noir Elevé en barrique 1998

■ 0,2 ha 1 300 ▥ 30 à 49 F

Prolongeant une tradition déjà vieille de quatre générations, le jeune viticulteur Henri Ruppert est également maître-chef caviste, et signe ici un intéressant pinot noir. Sa couleur rubis sert d'introduction à un excellent bouquet de framboise sauvage et d'épices, de grillé et de chêne neuf. Un vin élevé six mois en fût, assez peu corsé, aux tanins modérés et à la finale nette et pure.
☛ Henri Ruppert, 100, rte du Vin, 5445 Schengen, tél. 66.42.30, fax 66.44.83 ☑ ⍭ r.-v.

CAVES SAINT-REMY-DESOM
Wintrange Felsberg Pinot blanc 1997

☐ Gd 1er cru 1 ha 6 000 ▤▸ 50 à 69 F

Des arômes floraux et fruités (pamplemousse), préservés dans toute leur intensité par une fermentation à basse température, annoncent ce vin à l'attaque puissante. Le côté fruité reparaît avec élégance dans la bouche équilibrée, moelleuse, de bonne longueur. Un pinot blanc qui donnera le meilleur de lui-même d'ici un à trois ans.

☛ SARL Caves Saint-Rémy-Desom, 9, rue Dicks, B.P. 19, 5501 Remich, tél. 69.87.87, fax 69.93.47 ☑ ⍭ r.-v.
☛ Pierre Desom

CH. DE SCHENGEN Pinot gris 1997

☐ 1,5 ha 9 700 ▤▸ 30 à 49 F

Sous l'étiquette, représentant le château de Schengen dessiné par Victor Hugo qui en fut un illustre visiteur, nous découvrons un 97 d'une teinte jaune à reflets verts. Après une olfaction élégante et distinguée, dominée par le fruité propre au cépage, puis une attaque moelleuse en bouche, il se développe avec harmonie et longueur. Il sera bon de le déguster sur un poisson en sauce dans les trois années à venir.
☛ Dom. Thill Frères, 39, rte du Vin, 5445 Schengen, tél. 66.40.04, fax 66.47.82 ☑

SCHMIT-FOHL
Ahn Goellebour Gewurztraminer 1998★

☐ 0,5 ha 3 500 ▤▸ 30 à 49 F

La superficie consacrée à la culture du gewurztraminer dans le vignoble luxembourgeois ne dépasse pas 10 ha, dont 0,5 appartient au domaine Schmit-Fohl. On peut bien parler d'une spécialité de la maison... Son 98 s'annonce par une robe claire à reflets jaune-vert, un nez puissant et racé dont le caractère floral est typique du cépage. Florale, la bouche l'est aussi, qui, après une belle attaque, développe ses puissantes senteurs avec harmonie et élégance. Un vin gras qui ne manque néanmoins pas de fruité. Prêt à boire, il pourra aussi être attendu quelque temps.
☛ Schmit-Fohl, 8, rue de Niederdonven, 5401 Ahn, tél. 76.91.47, fax 76.91.46 ☑ ⍭ r.-v.

DOM. SCHUMACHER-LETHAL ET FILS
Wormeldange Elter Berg Pinot gris 1998★

☐ Gd 1er cru n.c. n.c. 30 à 49 F

Président des vignerons indépendants, M. Schumacher-Lethal s'efforce auprès des petits exploitants de faire prévaloir la qualité plutôt que les rendements afin de promouvoir les grands vins du Luxembourg. Le pinot gris 98 qu'il a proposé au jury est à la hauteur de ces attentes avec sa jolie teinte à reflets vert-jaune, son nez puissant, typique du cépage, et son équilibre plein de finesse.
☛ Dom. Schumacher-Lethal et Fils, 5450 Wormeldange, tél. 76.01.34, fax 76.85.04 ☑ ⍭ r.-v.
☛ Erny Schumacher

CAVES DE STADTBREDIMUS
Stadtbredimus Primerberg Auxerrois 1997

☐ Gd 1er cru n.c. 16 000 ▤▸ 30 à 49 F

Une petite coopérative de 46 ha. Un jaune pâle très limpide, un disque à reflets verts : ainsi se présente ce produit d'une vinification réussie et qui témoigne d'une belle maturité. À la puissante intensité du nez aux arômes floraux et fruités (noisette), complétés par un côté végétal qui évoque le rosé, succède une bouche racée et étoffée. La franchise de l'arrière-bouche, l'harmonie du tout en font une bouteille à réserver pour un brochet aux petits légumes, ou plus simplement pour des charcuteries fumées de la région.

Les Domaines de Vinsmoselle, 12, rte du Vin Stadtbredimus, , 5450 Stadtbredimus, tél. 69.83.14, fax 69.91.89 ☑ Y r.-v.

DOM. STEINMETZ-JUNGERS

Ahner Palmberg Riesling 1997

□ 0,31 ha 1 400 30 à 49 F

Le Palmberg (mont aux buis) est un site particulièrement propice à la viticulture, et les Romains le savaient déjà. La famille Steinmetz aussi, qui produit du vin depuis le début du siècle dernier. D'une expressivité et d'une personnalité remarquables, son riesling aux notes fruitées (citron) et minérales est bien équilibré et long en bouche. Son potentiel lui permettra de se maintenir sans problème deux ou trois ans. Un vin très typé, d'une belle vivacité, qu'on appréciera sur une friture de la Moselle... ou d'ailleurs !

Dom. Steinmetz-Jungers, 7, rue de Niederdonven, 5401 Ahn, tél. 76.00.70, fax 76.00.70 ☑ Y r.-v.

CAVES DE WELLENSTEIN

Schwebsange Kolteschberg Riesling 1997

□ Gd 1er cru n.c. 42 000 30 à 49 F

La cave de Wellenstein est la plus importante coopérative du Luxembourg, vinifiant 245 ha pour le compte de 173 adhérents. Au nez marqué d'un fruité très fin, ce riesling se caractérise par sa fraîcheur et son corps généreux. Elégants, équilibrés, les arômes sont très persistants en bouche. S'il est vrai qu'il gagnera encore en souplesse avec le temps, ce n'en est pas moins un vin vif et bien typé, qu'il faudra boire sur des fruits de mer ou des spécialités régionales.

Les Domaines de Vinsmoselle, Caves de Wellenstein, 13, rue des Caves, 5404 Beck-Kleinmacher, tél. 66.93.21, fax 69.76.54, e-mail info@vinsmoselle.lu ☑ Y r.-v.

CAVES DE WORMELDANGE

Wormeldange Riesling 1997★★

□ Gd 1er cru 1,5 ha 6 500 50 à 69 F

Encore une belle réussite d'une coopérative luxembourgeoise vinifiant 72 ha de vignes. Ce riesling, aux arômes très puissants et complexes de surmaturation, tient ses promesses olfactives par sa concentration en bouche. Harmonieux, racé, c'est déjà un grand vin, mais la qualité exceptionnelle de la vendange lui assurera une belle longévité. Alors préparez-vous dans trois, quatre, cinq ans à le savourer avec un coq au riesling ou lors d'un repas de fête.

Les Domaines de Vinsmoselle, Caves de Wormeldange, 115, rte du Vin, 5481 Wormeldange, tél. 69.83.14, fax 69.91.89 ☑ Y r.-v.

LES VINS SUISSES

Comparé à ses voisins européens, le vignoble suisse est modeste avec ses 14 900 ha de superficie. Il s'étend à la naissance des trois grands bassins fluviaux drainés par le Rhône à l'ouest des Alpes, par le Rhin au nord et par le Pô au sud de cette chaîne. Il compte ainsi une grande diversité de sols et de climats qui forment autant de terroirs différents malgré leur relative proximité. Traditionnellement cultivée sur les coteaux ensoleillés, très pentus ou en terrasses, la vigne compose le paysage. On distingue trois régions viticoles principales en fonction du découpage linguistique du pays. Cependant celles-ci sont loin d'être uniformes, tant les contrastes qu'elles présentent sont saisissants. A l'ouest, le vignoble de la Suisse romande couvre plus des trois quarts de la surface viticole du pays. De Genève, il s'étire jusqu'au cœur des Alpes dans le canton du Valais, en longeant les rives du lac Léman, dans le canton de Vaud. Plus au nord, il s'approprie encore les rives des lacs de Neuchâtel, de Morat et de Bienne (Canton de Berne) sur les contreforts du Jura. Beaucoup plus éparpillé, le vignoble de la Suisse alémanique totalise 17 % de la surface viticole. Il s'égrène tout au long de la vallée du Rhin où, à partir de Bâle, il remonte le cours du fleuve jusqu'à l'est du pays. Il pénètre également loin à l'intérieur du territoire sur les meilleurs sites des coteaux dominant de nombreux lacs et vallées. En Suisse italophone, la vigne se concentre dans les vallées méridionales du Tessin où les conditions naturelles du versant sud des Alpes se distinguent nettement de celles des autres régions viticoles. Outre toute une gamme de « spécialités », les vignerons de Suisse romande privilégient par tradition le cépage blanc chasselas. Le pinot noir est ici le cépage rouge le plus cultivé, suivi du gamay. Le pinot noir domine en Suisse alémanique où il côtoie le cépage blanc müller-thurgau et diverses variétés locales très recherchées par les amateurs. En Suisse italienne, c'est le merlot qui fait la renommée des vins de cette partie du pays où les cépages blancs sont peu représentés. Signalons enfin un événement majeur de la vie viticole suisse : la fête des Vignerons de Vevey. Remontant au Moyen Age, cette manifestation somptueuse associe l'ensemble des vignerons et des habitants et célèbre leur travail dans la vigne.

Canton de Vaud

Au Moyen Age, les moines cisterciens ont défriché une grande partie de cette région de la Suisse et constitué le vignoble vaudois. Si, au milieu du siècle passé, celui-ci était le premier canton viticole devant le vignoble zurichois, les ravages du phylloxéra exigèrent une reconstitution complète. Aujourd'hui, avec 3 850 ha, il vient en deuxième position derrière le Valais.

Depuis plus de quatre cent cinquante ans, le vignoble vaudois s'est donné une véritable tradition viticole reposant aussi bien sur ses châteaux - on en compte près d'une cinquantaine - que sur l'expérience des grandes familles de vignerons et de négociants.

Les conditions climatiques déterminent quatre grandes zones viticoles : les rives vaudoises du lac de Neuchâtel et celles de l'Orbe donnent des vins friands aux arômes délicats. Les rives du Léman, entre Genève et Lausanne, protégées au nord par le Jura et bénéficiant de l'effet régulateur thermique du lac, donnent des vins tout en finesse. Les vignobles de Lavaux, entre Lausanne et Château-de-Chillon, avec en leur cœur les vignobles en terrasses du Dézaley, bénéficient à la fois de la chaleur accumulée dans les murets et de la lumière reflétée par le lac ; ils produisent des vins structurés et complexes qui se distinguent souvent par des notes de miel et des saveurs grillées. Enfin, les vignobles du Chablais sont situés au nord-est du Léman et remontent la rive droite du Rhône. Les terroirs se caractérisent par des sols pierreux et un climat très marqué par le foehn ; les vins sont puissants avec des saveurs de pierre à fusil.

La spécificité du vignoble vaudois tient à son encépagement. C'est la terre d'élection du chasselas (70 % de l'encépagement) qui atteint ici sa pleine maturation.

Les cépages rouges représentent quant à eux 27 % (15 % de pinot noir et 12 % de gamay). Ces deux cépages souvent assemblés sont connus sous l'appellation d'origine contrôlée *salvagnin.*

Quelques « spécialités » (variétés) représentent 3 % de la production : pinot blanc, pinot gris, gewurztraminer, muscat blanc, sylvaner, auxerrois, charmont, mondeuse, plant-robert, syrah, merlot, gamaret, garanoir, etc.

FREDY BEETSCHEN

Vinzel Tradition 1998★

□ 0,4 ha 3 000 30 à 49 F

Un chasselas dans la plus pure tradition vaudoise : jaune-gris, généreux en notes de fleurs et de fruits, velouté et légèrement acidulé en bouche avec un joli caractère floral en rétro-olfaction. A déguster à l'apéritif dès la sortie du Guide.

⊶ Frédy Beetschen, En Bourdouzan, 1183 Bursins, tél. 021.824.10.56, fax 021.824.13.40 ☒ Y r.-v.

DOM. DES BIOLLES

Founex Salvagnin 1998★

■ 4 ha 10 000 ▮ ♁ 30 à 49 F

Le salvagnin est un mélange de gamay et de pinot noir vaudois. Au domaine des Biolles, il se caractérise par un vin rubis, dont le nez fin et très pur décline les fruits rouges (framboise, fraise, cerise). Tout aussi frais et fruité, le palais se dessine autour de tanins fins et élégants. Un 98 léger et équilibré.

⊶ Jean-Pierre Debluë, Rue du Vieux-Pressoir 2, Châtaigneriaz, 1297 Founex, tél. 079.632.58.58, fax 072.776.05.43 ☒ Y r.-v.

CHARLY BLANC ET FILS

Yvorne A la George 1998★★

□ 1,5 ha 10 000 ▮ ♁ 70 à 99 F

C'est à un apéritif de grande classe que vous convie ce remarquable chasselas qui marie notes florales (tilleul) et fruitées (pêche et abricot). Friand, il fait patte de velours au palais en reprenant de légers arômes de pêche. La finale est nette et fraîche. Ce vin pourra attendre un an ou deux dans votre cave... Mais saurez-vous patienter ?

⊶ Charly Blanc et Fils, Vignerons-Encaveurs, 1852 Versvey, tél. 024.466.51.45, fax 024.466.51.45 ☒ Y r.-v.

LOUIS BOVARD

Calamin Cuvée spéciale Collection Louis-Philippe Bovard 1997★★

□ Gd cru 1 ha 3 000 (I) 200 à 249 F

Si le domaine s'est diversifié dans les cépages merlot, syrah, sauvignon et chenin, le chasselas reste ici une tradition. Elevé onze mois en fût, le millésime 97 est un camaïeu floral. Quelques touches vanillées et miellées soulignent la ligne aromatique. Enrobée d'une matière riche, au parfait équilibre entre acide et alcool, la cuvée spéciale de Louis Bovard possède cette pointe d'amertume typique du chasselas vaudois et une finale soutenue par une bonne acidité.

⊶ Louis Bovard, La Maison-Rose, pl. d'Armes 2, 1096 Cully, tél. 021.799.21.25, fax 021.799.23.22 ☒ Y t.l.j. sf lun. 10h30-12h 15h-18h; f. janv. fév.

DOM. DES CAILLATTES

Tartegnin 1998★

□ Gd cru 3 ha 15 000 ▮ 30 à 49 F

Joli chasselas que ce Tartegnin jaune-gris, floral et minéral. Il sait être tendre et velouté derrière un léger grain tannique en finale, qui contribue à sa distinction. Une discrète amertume apparaît comme une signature.

⊶ SA Hammel, Les Cruz, 1180 Rolle, tél. 021.825.11.41, fax 021.825.47.47 Y r.-v.

CHANT DES RESSES

Yvorne Chasselas 1998★

□ 10 ha 70 000 ▮ 50 à 69 F

Le vignoble d'Yvorne est implanté sur un cône d'éboulis. On peut voir dans cette situation l'origine des accents minéraux (brûlon) du Chant des Resses. Des notes de tilleul complètent sa palette. Velouté en bouche, ce chasselas, sans aucune lourdeur, propose une finale moyennement persistante mais fraîche, au caractère minéral.

⊶ Association viticole d'Yvorne, Les Maisons neuves, case postale 95, 1853 Yvorne, tél. 024.466.23.44, fax 024.466.59.19 ☒ Y r.-v.

ALEXANDRE CHAPPUIS ET FILS

Dézaley 1998★★

□ Gd cru 0,6 ha 7 500 ▮ ♁ 70 à 99 F

Dans une région consacrée au roi chasselas, Alexandre Chappuis produit deux tiers de vins rouges. Néanmoins, le célèbre cépage n'est pas en reste. Celui-ci, sous une teinte jaune doré clair, affiche une palette riche et profonde : les notes minérales se marient à un côté floral très frais.

Tendre et onctueuse, la bouche repose sur des tanins discrets et racés. La finale légèrement minérale fait écho aux arômes perçus à l'olfaction.

🍷 Alexandre Chappuis et Fils, Bons Voisins, 1812 Rivaz, tél. 021.946.13.06, fax 021.946.13.06 ☑ ⛾ r.-v.

HENRI ET VINCENT CHOLLET
Villette Vin du Bacouni Mondeuse de 13 Vents 1997★

■	0,08 ha	700	⦀ 70 à 99 F

Un vignoble en forte pente, aménagé en terrasses sur sols de graviers légers, est à l'origine de cette mondeuse rubis violacé. Douze mois d'élevage en fût ont apporté à sa palette une note de vanille intimement mariée aux épices (muscade), aux fleurs (violette) et aux fruits (cerise noire). Frais et aromatiquement complexe, ce cru laisse paraître sous une acidité bien présente une matière veloutée et une bonne trame tannique. La finale est encore axée sur la vanille. Ce vin peu alcoolique (12 % vol.) mais très bien structuré supportera certainement dix ans de garde.

🍷 Henri Chollet, Montagny, 1603 Villette, tél. 021.799.24.85 ☑ ⛾ r.-v.

CLOS DE L'OMBREN Yvorne 1998★★

☐	2 ha	15 000	■⛾ 70 à 99 F

Le Clos de l'Ombren est une parcelle ceinte de murs située au sud d'Yvorne, à quelque 450 m d'altitude. Son chasselas, jaune-gris, est minéral à souhait (brûlon). Le tilleul se glisse dans sa palette ample et vineuse. C'est le terroir qui apporte ici complexité et richesse. Bien ensoleillé, il a permis au raisin d'atteindre une parfaite maturité, d'où ce corps tendre et gras, d'une délicieuse sucrosité. Cet Yvorne perdure longuement en bouche, sur une belle amertume.

🍷 Commune d'Yvorne, 1853 Yvorne, tél. 024.466.25.23, fax 024.466.60.61 ☑ ⛾ r.-v.

CLOS DES MOINES Dézaley 1998★★★

☐	3,5 ha	15 000	⦀ 100 à 149 F

Au XIIᵉˢ., les moines cisterciens défrichèrent cette parcelle de Dézaley et y plantèrent la vigne. Propriété du couvent de Hautcrêt jusqu'en 1536, le clos fut ensuite exploité par le bailli d'Oron et finalement racheté par la ville de Lausanne. Le chasselas n'a rien perdu de sa splendeur, conservant son nez de tilleul et de pierre à feu, ainsi que sa tendresse discrètement minérale au palais. L'amertume est à peine perceptible dans sa longue finale. Un vin fin et élégant.

🍷 Ville de Lausanne, Au Boscal, case postale 27, 1000 Lausanne 25, tél. 021.784.39.27, fax 021.784.39.09 ⛾ r.-v.

DOM. DE CROCHET
Mont-sur-Rolle Chardonnay Elevé en barrique 1998★★

☐	0,25 ha	950	⦀ 100 à 149 F

Un vin typé par son cépage d'origine : le chardonnay. Jaune léger, il exprime la petite vanille et un fruité marqué par le pamplemousse dans un nez assez chaud. La sucrosité et le vanillé de la barrique se mêlent à une bonne acidité. La finale révèle un caractère original que l'on pourrait qualifier d'huile de noix.

🍷 Michel Rolaz, chem. Porchat 4, 1180 Rolle, tél. 021.825.11.41, fax 021.825.47.47 ☑ ⛾ r.-v.

HENRI CRUCHON
Morges Cuvée gourmande Chardonnay 1997★★

☐	4 ha	14 000	⦀ 70 à 99 F

Le domaine Henri Cruchon est bien implanté dans l'appellation Morges, produisant pas moins de trente-huit marques à partir d'une palette de quinze cépages. Deux exemples de cette large gamme ont retenu l'attention du jury : **Les Petoleyres Echichens 98**, un chasselas marqué par le terroir qui remporte une étoile, et cette Cuvée gourmande issue du chardonnay. Cette dernière garde de son passage sous bois (onze mois) un nez légèrement vanillé mais bien typé par le cépage. Equilibrée et veloutée, sa bouche possède un beau fruité qui domine un boisé discret. Trois ans de garde sont à la portée de ce vin de gastronomie.

🍷 Henri Cruchon, Cave du Village, 1112 Echichens, tél. 021.801.17.92, fax 021.803.33.18 ☑ ⛾ t.l.j. sf dim. 8h-12h 14h-18h; sam. 8h-12h

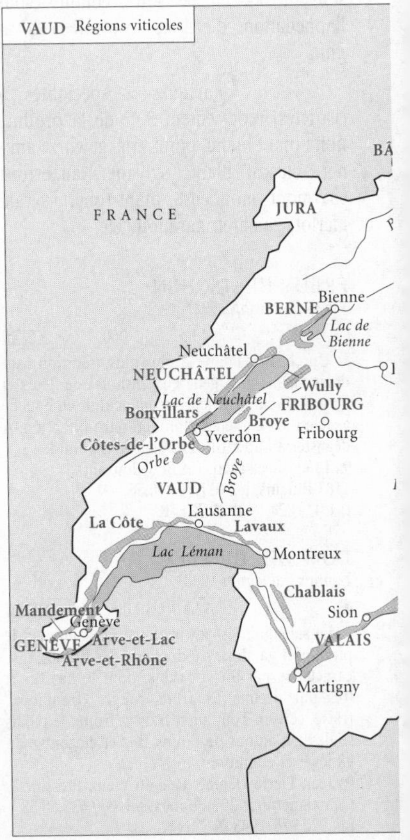

VAUD Régions viticoles

FRANCE

JURA

BÂ

BERNE
Bienne
Lac de Bienne

Neuchâtel
NEUCHÂTEL
Wully
FRIBOURG
Bonvillars
Lac de Neuchâtel
Broye
Fribourg
Côtes-de-l'Orbe
Yverdon
Orbe
Broye

VAUD

La Côte
Lausanne
Lavaux
Lac Léman
Montreux

Chablais
Sion

Mandement
Genève
VALAIS
GENÈVE
Arve-et-Lac
Arve-et-Rhône
Martigny

CURE D'ATTALENS Chardonne 1998*

☐ 15 ha 150 000 **200 à 249 F**

Exposé sud-est - sud-ouest sur des terrasses de 500 m d'altitude, le chasselas de Chardonne livre, sous sa teinte jaune clair, une large gamme fruitée et minérale (pierre à feu). Cette impression de richesse perdure en bouche jusqu'à une finale légèrement tannique. Un excellent vin d'apéritif.

🔑 SA Obrist, av. Reller 26, 1800 Vevey, tél. 021.925.99.25, fax 021.925.99.15 ☑ ⌶ r.-v.

DELICE DE VY GRANGES
Mont-sur-Rolle Gewurztraminer 1998*

☐ 0,21 ha 780 **50 à 69 F**

Une promenade dans le vignoble vaudois vous conduira peut-être à cette belle demeure construite en 1772. Vous y découvrirez ce gewurztraminer jaune clair à reflets gris, si parfumé avec ses accents de litchi et d'épices. Ces arômes reviennent en bouche, accompagnés d'une légère sucrosité. La finale est discrètement acidulée.

🔑 Yves Blondel, rue de Mont-le-Grand 32, 1185 Mont-sur-Rolle, tél. 021.826.10.42, fax 021.826.10.42 ☑ ⌶ r.-v.

DUBOIS FILS
Dézaley-Marsens Hautcrêt 1997**

☐ 0,59 ha 6 000 **200 à 249 F**

Le vignoble est cultivé en terrasses de forte déclivité. Dorés par les trois soleils de Lavaux, les grains de chasselas offrent ici un vin riche, aux accents de miel, d'épices et de fleurs. Ce 97 a abandonné ses arômes primaires au profit d'une gamme plus évoluée. Le velours de la matière, la sucrosité équilibrée et la finale légèrement épicée sont l'apanage d'un Dézaley parvenu au meilleur stade de son potentiel. A déguster.

🔑 Dubois Fils, Cave du Vieux Pressoir, 1098 Epesses, tél. 021.799.33.00, fax 021.799.33.36 ☑ ⌶ r.-v.

Suisse

CHRISTIAN DUGON
Côtes de l'Orbe Pinot-savagnin 1997★★★

■   0,2 ha   n.c.   ▮◖◗ᵭ 〔30 à 49 F〕

Deux cépages locaux ont la vedette au domaine Christian Dugon. Le pinot-savagnin, d'abord, est une sélection rare mais excellente de pinot noir, réalisée à Saint-Prex, dans le canton de Vaud. Il s'exprime ici dans un vin rouge foncé presque mat, riche en fruit (cerise noire et framboise), avec une touche d'épices. Assez chaude, sa bouche reste intensément fruitée jusqu'à une finale soutenue par des tanins fins et gras. Le gamaret, ensuite, nouveau cépage obtenu par croisement, peut produire de très bons vins rappelant ceux de la vallée du Rhône. Le **Côtes de l'Orbe gamaret 97** en est un parfait exemple (trois étoiles). Issu d'un cépage plus connu des amateurs hexagonaux, le **gamay d'Arcenant 97** est, quant à lui, très réussi. Trois vins de garde à apprécier sur cinq ans.
☛ Christian Dugon, La Grande-Ouche, 1353 Bofflens, tél. 024.441.35.01, fax 024.441.35.36 ☑ ⵏ r.-v.

GRAIN DE CIEL
Lavigny Pinot noir 1997★★

■   1 ha   2 500   ▮◖◗ᵭ 〔50 à 69 F〕

Des grains de pinot noir parfaitement mûris sous le ciel de Lavigny, Michel Perrin a tiré un vin rubis brillant, au nez frais de petits fruits rouges (fraise, framboise, cerise). Agréablement fruitée et sucrée, la bouche trouve dans des tanins assez serrés de quoi équilibrer sa légère chaleur alcoolique. La structure tannique est encore rustique mais devrait se fondre dans les cinq ans à venir.
☛ Michel Perrin, La Maison du Moulin, 1128 Reverolle, tél. 021.800.55.44 ☑ ⵏ r.-v.

GROGNUZ FRERES
Saint-Saphorin Syrah 1997★★★

■   0,15 ha   1 100   ◖◗ 〔50 à 69 F〕

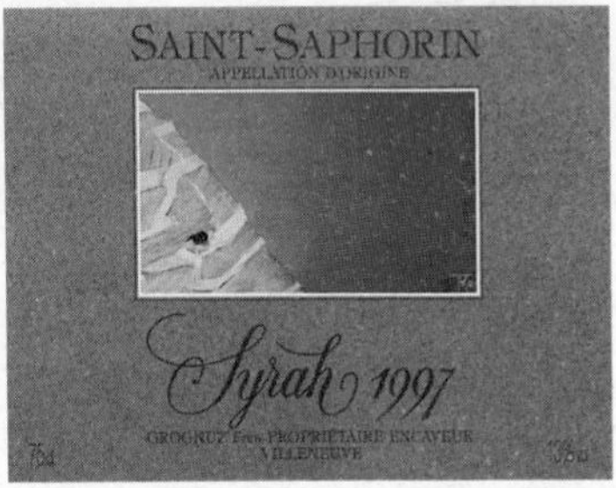

Une syrah de Saint-Saphorin comparable à un côte-rôtie ou à un hermitage. Autant dire que ce vin a un bel avenir devant lui : cinq ans de garde sont à sa portée. Rouge très foncé, à reflets noirs, il révèle un nez complexe de violette intense, d'épices (poivre) et de fruits (cerise noire). Parfaitement soutenue par l'axe acide, sa bouche est un feu d'artifice aromatique. La finale s'étire longuement, tout en velours. Assez chaleureuse, elle décline une vaste gamme sur des tanins serrés, fins et gras.

☛ Grognuz Frères, Cave des Rois, 1844 Villeneuve, tél. 021.944.41.28, fax 021.944.41.28 ☑ ⵏ r.-v.

LOUIS HEGG ET FILS
Calamin Epesses 1998★★

☐   0,3 ha   5 000   〔50 à 69 F〕

Craignez-vous l'acidité du chasselas ? Ce vin est pour vous ! Floral, souligné par une touche minérale, il fait patte de velours. Tout juste glisse-t-il une pointe d'amertume finale dans son onctuosité. Un Calamin onctueux, mais typique du terroir.
☛ Louis Hegg et Fils, La Mottaz, 1098 Epesses, tél. 021.799.14.51, fax 021.799.54.04 ☑ ⵏ r.-v.

LA CELESTE Vinzel Chasselas 1998★★

☐   1 ha   4 800   ▮ᵭ 〔30 à 49 F〕

L'étiquette est déjà une belle œuvre : orange et or, elle habille la bouteille d'un chasselas très clair. Les arômes de tilleul, la matière légèrement acidulée, veloutée et fruitée, la finale nette avec une pointe d'amertume font de ce Vinzel un vin typé La Côte.
☛ Gustave et Yann Menthonnex, La Cour, 1183 Bursins, tél. 021.824.15.43 ☑ ⵏ r.-v.

LA COLOMBE
Mont-sur-Rolle Pinot noir 1997★★★

■   1 ha   1 800   ◖◗ 〔50 à 69 F〕

Raymond Paccot a produit sur une parcelle d'un ha, à Mont-sur-Rolle, ce pinot noir La Colombe, à partir de vignes de trente-cinq ans. Sous une teinte rouge rubis foncé se dévoile un vin intense et complexe qui décline la cerise noire, la framboise et la vanille. Riche et concentrée, la bouche se structure autour de tanins encore serrés. La rétro-olfaction laisse paraître des arômes complexes dans une finale longue et tout en fruit. Un vin exceptionnel qui pourra patienter de huit à dix ans dans votre cave.
☛ Raymond Paccot, rue du Monastère, 1173 Féchy, tél. 021.808.66.48, fax 021.808.52.84 ☑ ⵏ r.-v.

LA FINE GOUTTE
Perroy Elevé sur lies 1998★

☐   0,45 ha   4 800   ◖◗ 〔100 à 149 F〕

Une goutte de ce chasselas jaune-gris pâle ne vous suffira sans doute pas ! Vous reviendrez sur son nez très pur, discrètement floral et miellé. Et vous ne vous lasserez pas de sa bouche svelte et fraîche, qui s'achève sur un fruit généreux.

🔑 Daniel Dupuis, Cave de la Fine Goutte, 1166 Perroy, tél. 021.825.11.38, fax 021.825.11.38 ☑ 🍷 r.-v.
🔑 Daniel Martin

LA GRUYRE Dézaley 1998★

☐ 1 ha n.c. 🍾 100 à 149 F

Ce chasselas joue la concentration. Encore austère au nez, il garde en réserve un joli caractère minéral de type brûlon. En bouche, la sucrosité reste discrète au cœur d'une matière tendre. Une agréable amertume, typique du terroir, se manifeste dans une finale lisse.

🔑 Jean-Daniel et Pierre Fonjallaz, En Calamin, 1096 Cully, tél. 022.199.16.59, fax 022.179.94.60 ☑ 🍷 r.-v.

DOM. DE LA PIERRE LATINE
Yvorne 1998★

☐ 3 ha 10 000 🍾 70 à 99 F

Le tilleul s'inscrit comme un leitmotiv dans la dégustation. Au nez, il domine une vinosité sous-jacente ; en bouche, il souligne de ses discrètes notes une matière fraîche et lisse, sans aucune lourdeur. En finale, un soupçon d'amertume donne du relief à ce vin harmonieux.

🔑 Philippe Gex, Les Rennauds, 1853 Yvorne, tél. 024.466.51.16, fax 024.466.51.17 ☑ 🍷 r.-v.

LA RESERVE DU VIGNERON
Epesses 1998★

☐ 1,8 ha 15 000 🍾 50 à 69 F

Le terroir d'Epesses transparaît dans ce chasselas. Aux arômes floraux et légèrement beurrés s'allie un caractère minéral. Après une attaque tendre, la bouche offre une sucrosité équilibrée et la pointe d'amertume tant attendue en finale.

🔑 Louis-Philippe et Philippe Rouge, rte de la Corniche, 1098 Epesses, tél. 021.799.26.64, fax 021.799.26.64 ☑ 🍷 r.-v.

LE CONFRADOR Saint-Saphorin 1998★★

☐ 0,6 ha 6 000 🍾 50 à 69 F

Un chasselas expressif (fleur de tilleul, fruit) et frais. De jolis arômes montent au nez comme en bouche, accompagnant une matière suave. La finale, très légèrement tannique, reste douce et agréable.

🔑 Olivier Ducret, rue du Village 61, 1803 Chardonne, tél. 021.921.55.68, fax 021.921.55.68 ☑ 🍷 r.-v.

LE MAGISTRAT Saint-Saphorin 1998★★★

☐ 0,8 ha 5 000 50 à 69 F

Habillé de jaune clair légèrement doré, Le Magistrat de Saint-Saphorin s'exprime intensément au nez, affirmant des arômes franchement minéraux que soulignent quelques nuances beurrées. Dans un palais riche et tendre, ses magnifiques notes de pierre à feu poursuivent leur chemin. Une belle amertume finale complète ce chasselas velouté et racé qui ne manque certes pas de relief.

🔑 Jean-François Neyroud-Fonjallaz, rte du Vignoble 13, 1803 Chardonne, tél. 021.921.71.73, fax 021.922.70.17 ☑ 🍷 t.l.j. 8h-12h 13h30-18h; sam. 8h-12h

LES BLASSINGES
Saint-Saphorin 1998★★★

☐ 1,8 ha n.c. 🍾 50 à 69 F

Luxueux et d'une excellente harmonie générale, ce chasselas est un cristal très pur dont les facettes reflètent de délicats arômes de fleur de tilleul. Ronde et fraîche, sa bouche joue avec art de la sucrosité et de la légère amertume finale.

🔑 Pierre-Luc Leyvraz, ch. de Baulet 4, 1605 Chexbres, tél. 021.946.19.40, fax 021.946.19.45 ☑ 🍷 r.-v.

LE SEMILLANT
Saint-Saphorin Mûri sur lies 1998★

☐ 1,6 ha 12 000 🍾 150 à 199 F

Jean-Michel Conne a réussi un « sémillant » chasselas, franc au nez (fleur de tilleul) et friand. Une légère sucrosité et un petit côté tannique apparaissent en bouche, tandis que la finale laisse sur une impression de fraîcheur et de discrète amertume.

🔑 Jean-Michel Conne, rue du Bourg-de-Plaît 14, 1605 Chexbres, tél. 021.946.26.86, fax 021.946.32.86 ☑ 🍷 r.-v.

LES PANISSIERES
Tartegnin Chasselas 1998★★

☐ 1,65 ha 12 500 🍾 30 à 49 F

Voilà vingt ans que le chasselas a été planté sur le sol argilo-calcaire du domaine Blanchard, dans le Tartegnin. Le terroir se traduit ici par un vin souple, au nez discrètement marqué par la pêche et l'abricot. La fameuse note de tilleul n'est pas absente de la palette. La trame fruitée et acidulée de la matière est soulignée par un joli velouté. On en redemande...

🔑 Blanchard Frères, Le Cellier-du-Mas, 1185 Mont-sur-Rolle, tél. 021.825.19.22 ☑ 🍷 r.-v.
🔑 B. Fernand

LE TREILLANT Dézaley 1997★★

■ 0,45 ha 1 800 🛢 100 à 149 F

Rouge ou blanc ? Le choix est difficile chez Vincent et Blaise Duboux. Le **Calamin cuvée du Père Vincent 97** - un chasselas tendre qui livre ses premiers arômes secondaires - a été jugé remarquable par le jury. Il en va de même de ce Dézaley Le Treillant, assemblage de merlot, de syrah et de cabernet franc. Vêtu d'une robe rubis

avec quelques reflets violets, il décline une gamme fruitée allant de la cerise noire à la fraise et à de multiples petits fruits rouges. Des notes épicées apparaissent, tandis que la vanille domine encore le nez. L'élevage de quatorze mois en fût a été indéniablement maîtrisé. Pour preuve, cette structure tannique serrée et fine qui étaye une matière aromatique. Derrière la sucrosité et une acidité friande monte une légère impression de chaleur. Des nuances poivrées se distinguent en finale.
Vincent et Blaise Duboux, Creyvavers, 1098 Epesses, tél. 021.799.18.80, fax 021.799.38.39 r.-v.

DOM. DE L'OVAILLE Yvorne 1998*

□ 4,5 ha 40 000 70 à 99 F

Singulier terroir que celui de l'Ovaille (littéralement « chute de pierres »), né du gigantesque éboulement de 1584 qui ensevelit le village d'Yvorne. Le chasselas a élu domicile sur ces 4,5 ha de terrains calcaires. Frais, floral (tilleul) et légèrement minéral, le millésime 98 offre toute la tendresse du cépage jusqu'à sa finale nette et fraîche. Un vin plus fin que structuré, destiné à l'apéritif et au plateau de fromages à pâte dure.
Jacques Deladoey et Fils, 1853 Yvorne, tél. 024.466.35.48, fax 024.466.20.84 r.-v.

DANIEL ET LUC MAGNOLLAY
Morges Chardonnay d'Etoy 1998*

□ 0,25 ha 1 500 30 à 49 F

Le chardonnay n'a plus de secret pour Daniel et Luc Magnollay, qui ont su tirer de ses belles grappes un vin riche aux discrètes notes d'agrumes. L'acidité soutient une matière soyeuse, tandis qu'en finale une subtile amertume équilibre le gras.
Luc et Daniel Magnollay, Le Rossé 18, 1163 Etoy, tél. 021.808.78.37, fax 021.808.78.37 r.-v.

DOM. DE MARCELIN Morges 1997**

■ 0,35 ha 850 70 à 99 F

Le domaine de Marcelin a été créé en 1921 pour l'enseignement de la viticulture. Il montre encore la voie aujourd'hui avec une production variée de vins de cépages purs ou d'assemblage, d'eaux-de-vie et de marcs. Ce 97 est un bon exemple d'assemblage de cépages (gamaret, garanoir et cabernet franc). Rouge foncé à reflets violacés, il exprime des arômes de cassis, de violette, de poivron et de cerise noire. Une touche vanillée témoigne d'un élevage en fût de douze mois. La structure tannique serrée encadre une matière aromatique et concentrée. L'acidité et la légère sucrosité forment un ensemble friand qui s'achève sur une note discrète de vanille.
Dom. de Marcelin, av. de Marcelin, 1110 Morges, tél. 021.803.08.33, fax 021.803.08.36 r.-v.

RÉSERVE DU MARGIS
Calamin 1998***

□ 50 à 69 F

Une excellente vinification du chasselas et le beau terroir de Calamin sont à l'origine de cette réserve jaune très clair et limpide qui arbore de jolies notes de tilleul. Discrètement florale en bouche, elle offre sa plus tendre expression dans un parfait équilibre acide-alcool. La finale, légèrement marquée par le terroir, est portée par une belle armertume. La finesse même dans cette bouteille prête à boire. Tout aussi exceptionnel, le **Dézaley Es Embleyres 98.**

RÉSERVE DU MARGIS
Calamin
APPELLATION D'ORIGINE CONTRÔLÉE
GRAND CRU
1998
JEAN-FRANÇOIS CHEVALLEY

Jean-François Chevalley, Dom. de la Chenalettaz, 1096 Le Treytorrens-en-Dézaley, tél. 021.799.13.00, fax 021.799.39.21 r.-v.

DOM. DE LA VILLE DE MORGES
Chasselas 1998***

□ 10 ha 40 000 30 à 49 F

Coup de cœur l'an dernier pour son chasselas 97, la ville de Morges revient aujourd'hui avec un vin tout aussi exceptionnel et bien typé La Côte. Laissez-vous séduire, sous sa couleur jaune très clair, par ses arômes intenses et racés, à la fois minéraux et floraux. Vous percevrez également un joli fruité tirant sur la pêche et l'abricot. En bouche, c'est une matière ample et veloutée, sans aucune lourdeur, qui vous enchantera. La fraîcheur du fruit perdure longtemps, s'étirant dans une belle finale très légèrement tannique.
Vignoble communal de Morges, chem. de la Morgette, 1110 Morges, tél. 021.801.60.19, fax 021.801.60.19 r.-v.

JACQUES PELICHET
Féchy Gewurztraminer 1998***

□ 0,3 ha 2 000 30 à 49 F

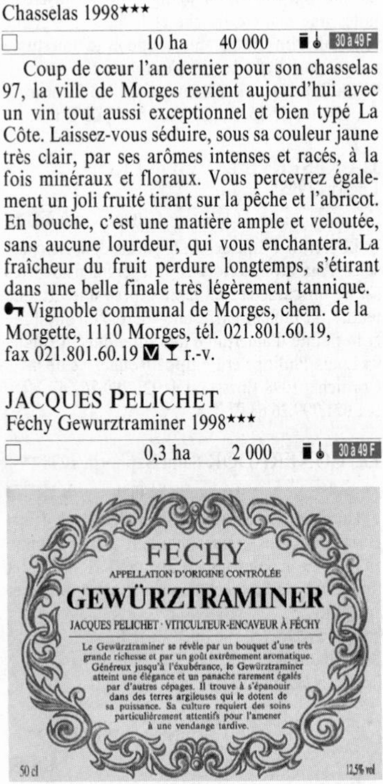
FECHY
APPELLATION D'ORIGINE CONTRÔLÉE
GEWÜRZTRAMINER
JACQUES PELICHET · VITICULTEUR-ENCAVEUR À FÉCHY
Le Gewürztraminer se révèle par un bouquet d'une très grande richesse et par un goût extrêmement aromatique. Généreux jusqu'à l'exubérance, le Gewürztraminer atteint une élégance et un panache rarement égalés par d'autres cépages. Il trouve à s'épanouir dans des terres argileuses qui le dotent de sa puissance. Sa culture requiert des soins particulièrement attentifs pour l'amener à une vendange tardive.
50 cl
12,5% vol

Privilégiant les méthodes viticoles dites de production intégrée, Jacques Pélichet cultive 5 % de gewurztraminer dans ses vignobles de coteau, au sol argilo-calcaire, entièrement situés sur la commune de Féchy. L'équation de la qualité donne dans le millésime 98 ses meilleurs résultats : jaune très clair à reflets gris, ce Féchy offre un nez fin de litchi aux notes muscatées. Tendre et d'une élégante sucrosité, il laisse exploser ses arômes en bouche jusqu'à une finale fruitée, dénuée de sucre. Une légère amertume se marie à l'ensemble et renforce la personnalité du vin. Un parfait exemple de cépage aromatique vinifié avec fermentation malolactique. Très réussi, le **Féchy Mon Pichet 98**, issu du chasselas, peut déjà vous séduire à l'apéritif par ses doux arômes de tilleul et son léger caractère salin au nez.

⊶ Jacques Pélichet, 1173 Féchy, tél. 021.808.51.41, fax 021.808.51.41 ☑ Y r.-v.

LE VIN VIVANT DE BERNARD RAVET La Côte doux Trilogie 1996★★

□ 0,45 ha 3 850 ▮ ◍ ♁ 70 à 99 F

L'entreprise viticole Uvavins rend hommage à Bernard Ravet, élu meilleur cuisinier suisse des années 1993 et 1997. Pour ce faire, il fallait un vin de gastronomie, capable de se marier à un foie gras ou à un gâteau au chocolat et aux amandes. Celui-ci est un chasselas passerillé, jaune doré. Son nez dévoile toute la palette d'un grand liquoreux : fruit confit de pêche, de prune et d'abricot, pointe de muscade. La bouche, grasse mais soutenue par une remarquable acidité, poursuit cette déclinaison aromatique avec éclat. Et pour l'apéritif, on retiendra, avec une étoile, le **chasselas de Morges 98**, ample et frais.

⊶ Uvavins, Cave de la Côte, Distribution caves CIDIS SA, 1131 Tolochenaz, tél. 021.804.54.54, fax 021.804.54.55 ☑ Y r.-v.

ROUGE D'ANTAGNES Ollon 1997★

■ 0,4 ha 2 234 ▮ 30 à 49 F

Le vignoble de Hugues Baud se trouve sur deux cantons, Vaud et Valais. Ce dernier est propice aux cépages plus tardifs - syrah, cabernets et arvine. Les vignes vaudoises de gamay et de pinot noir d'Ollon ont produit en 1997 un vin rouge à la robe légère. Expansif, son nez affiche un net caractère de petits fruits rouges. La bouche confirme ce fruité avec une agréable sucrosité. Une petite impression de chaleur alcoolique s'équilibre avec des tanins fins. Un vin un peu chaud mais bien en fruit.

⊶ Hugues Baud, av. du Chamossaire 14, 1860 Aigle, tél. 024.466.47.27, fax 024.466.47.27 ☑ Y r.-v.

DOM. DE SERREAUX-DESSUS Luins Pinot noir de la Côte 1998★

■ 1,65 ha 8 000 ▮ 50 à 69 F

Au domaine de Serreaux-Dessus, la vigne couvre plus de 8 ha d'un seul tenant, couronnée de 5 ha de forêts qui la protègent du joran. Ici, le pinot noir prend des airs bourguignons dans sa belle robe rubis brillant. Réservé mais élégant, son nez marqué par le terroir libère des notes de cerise noire, avec une vinosité sous-jacente. En bouche, on perçoit une légère prédominance acide sur des tanins très fins, serrés et enrobés. Les fruits rouges et les accents de terroir réapparaissent en rétro-olfaction, introduisant une finale nette et longue. Un vin racé qui peut être bu sur son fruit ou attendu entre trois et cinq ans.

⊶ Hoirie Matringe, Serreaux-Dessus, 1268 Begnins, tél. 022.366.28.57, fax 022.366.28.57 ☑ Y r.-v.

SOUS LA DOLLE Mont-sur-Rolle Pinot noir 1998★★

■ 0,9 ha 2 500 ▮ ♁ 30 à 49 F

Dégustez ce pinot noir sur son fruit, légèrement frais (15 °C), et vous découvrirez ses charmes intenses et purs : nez de cerise noire et de framboise ; bouche fruitée, un peu chaude, bâtie sur des tanins discrets et une acidité friande.

⊶ Philippe Rosset, chem. de Jolimont 8, 1180 Rolle, tél. 021.825.14.68, fax 021.825.15.83 ☑ Y r.-v.

RICHARD THURY ET FILS Etoy 1998★★

□ 0,78 ha 6 000 ▮ 30 à 49 F

Le domaine de Richard Thury se consacre principalement à l'arboriculture sur une superficie de 30 ha. Seuls 2,2 ha de vignes sont cultivés, mais avec ô combien de soin ! Pour s'en convaincre, il suffit de goûter le chasselas d'Etoy pur et frais. Aux notes de tilleul et de fruits fait écho un léger accent de brûlon. La rondeur et le caractère friand du palais s'harmonisent avec la finale fruitée. Quant au **chardonnay d'Etoy 98**, il mérite une étoile pour son nez caractéristique du cépage, ouvert sur l'ananas et le pamplemousse.

⊶ SA Richard Thury et Fils, Bas du Rosse 9, 1163 Etoy, tél. 021.808.75.20, fax 021.808.75.75 ☑ Y r.-v.

DOM. DE VALMONT Morges 1998★★

□ Gd cru 8 ha 10 000 ▮ ♁ 50 à 69 F

Les vignes de chasselas de Morges s'étendent en douces ondulations entre Lausanne et Genève. Au domaine de Valmont, le millésime 98 se traduit par un vin jaune très pâle, aromatique, aux légères notes d'agrumes. Citronnée et friande, la bouche trouve un bel équilibre dans une agréable sucrosité et une finale tout en fruit.

⊶ Jean-Michel Besuchet, Dom. de Valmont, av. de Marcelin 74, 1110 Morges, tél. 021.801.13.82, fax 021.801.15.78 ☑ Y r.-v.

⊶ SA Cofigo

LA CAVE VEVEY-MONTREUX Montreux 1998★★

□ 20 ha 80 000 ▮ 50 à 69 F

Cette association de vignerons a été créée en 1939 pour le district de Vevey. Elle vinifie aujourd'hui le fruit d'une quarantaine d'hectares de vignes, dont 20 ha de chasselas. Floral et fruité, ce Montreux est issu de vendanges bien mûres. Sa bouche friande révèle un bel équilibre entre sucrosité et acidité. La finale, très légèrement tannique, n'est pas étrangère à la race de ce remarquable chasselas.

⊶ La cave Vevey-Montreux, av. de Belmont 28, 1820 Montreux, tél. 021.963.13.48, fax 021.963.34.34 ☑ Y r.-v.

Canton du Valais

Pays de contrastes, la vallée du Haut-Rhône a été façonnée au cours des millénaires par le retrait du glacier. Un vignoble a été implanté sur des coteaux souvent aménagés en terrasses.

Le Valais, un air de Provence au cœur des Alpes : à proximité des neiges éternelles, la vigne côtoie l'abricotier et l'asperge. Sur le sentier des bisses (nom local des canaux d'irrigation), le promeneur rencontre l'amandier et l'adonis, le châtaignier et le cactus, la mante religieuse et le scorpion ; il peut palper le long des murs, l'absinthe et l'armoise, l'hysope et le thym.

Plus de quarante cépages sont cultivés dans le Valais, certains introuvables ailleurs tels l'arvine et l'humagne, l'amigne et le cornalin. Le chasselas se nomme ici fendant et, dans un heureux mariage, le pinot noir et le gamay donnent la dôle, tous deux crus AOC qui se distinguent selon les divers terroirs par leur fruité ou leur noblesse.

CAVE ARDEVAZ

Fendant Près-des-Pierres 1998★

□ 1 ha 6 000 ▮🌡 30 à 49 F

Une quinzaine de cépages sont cultivés sur cette exploitation de 8 ha. Des ceps de vingt-cinq ans ont donné naissance à ce vin exprimant bien les caractères du chasselas : le tilleul en fleur accompagne toute la dégustation jusque dans la belle finale. Une bouteille équilibrée.

🔑 Michel Boven, Cave Ardevaz, Latigny 4, 1955 Chamoson, tél. 027.306.28.36, fax 027.306.74.00 ☑ 🍷 r.-v.

ALBERT BRIOLLAZ Syrah 1998★★

■ n.c. n.c. ▮ 70 à 99 F

Le **johannisberg Grand Schimer 98** - sylvaner 50-69 F - ainsi que le **fendant des Riverettes 98** (30-49 F) reçoivent chacun une étoile pour leur belle harmonie. Le jury a considéré que cette syrah était de meilleure composition, très caractéristique. La robe sombre séduit par ses reflets violacés tout comme le nez qui évoque la violette, les épices, les fruits noirs. Bien constituée, la bouche est concentrée, tannique, prête à une garde de deux ou trois ans.

🔑 Les Hoirs Albert Biollaz, rue du Prieuré 7, 1956 Saint-Pierre-de-Clages, tél. 027.306.28.86, fax 027.306.62.50 ☑ 🍷 r.-v.

BERTRAND ET MONIQUE CALOZ-EVEQUOZ

Colline de Davel Cabernet-sauvignon de Sierre 1996★

■ 0,15 ha 1 500 ▮ (|) 🌡 70 à 99 F

Un des beaux millésimes encore loin de sa vieillesse comme le montre sa robe foncée. Douze mois de barrique lui ont apporté une élégante note de vanille qui ne gomme pas les caractères variétaux (lierre, poivron). Puissante et structurée, la bouche est longue.

🔑 Bertrand et Monique Caloz-Evéquoz, colline de Davel, 3960 Sierre, tél. 027.458.45.15 ☑ 🍷 r.-v.

CAPRICE DU TEMPS

Coteaux de Sierre Humagne blanc 1998★

□ 0,3 ha 3 000 ▮🌡 50 à 69 F

Caprice du Temps, nom de marque qui rappelle que le vigneron doit toujours jouer d'une météorologie imprévisible. Une grande vivacité anime ce vin sec et fin, lui conférant une réelle fraîcheur. Le nez s'ouvre sur des odeurs de fleurs de tilleul, puis la bouche s'achève sur les agrumes. Pour une terrine de canard.

🔑 Hugues Clavien et Fils, Cave Caprice du Temps, 3972 Miège, tél. 027.455.76.40, fax 027.455.76.40 ☑ 🍷 r.-v.

JEAN ET FLORENCE CARRUPT

Chamoson Syrah 1998★★

■ 0,5 ha 2 000 ▮🌡 70 à 99 F

C'est sur un cône de déjection argilo-calcaire de la vallée du Rhône que ce domaine a implanté quatorze variétés de cépages. C'est la syrah qui a eu notre préférence, tant pour sa robe sombre traduisant la concentration du vin que pour son bouquet qui est lui aussi très typé, associant violette, épices (poivre noir) et un tanin bien mesuré. Elégante bouteille persistante.

🔑 Jean et Florence Carrupt, rue de Plane-Ville 7, La Petite-Cave, 1955 Chamoson, tél. 027.306.76.15, fax 027.306.76.15 ☑ 🍷 r.-v.

CHEVALIERS Johannisberg 1998★

□ n.c. 20 000 ▮🌡 70 à 99 F

Né sur calcaire, ce sylvaner ne décevra pas sur les entrées. Sa robe dorée annonce la richesse du bouquet (raisin mûr, amande amère, agrumes). Bien construite, ample et ronde, la bouche termine sur une agréable note de fraîcheur.

🔑 Vins des Chevaliers, Hoirie Mathier-Kuchler, Varenstrasse 40, 3970 Salgesch-Salquenen, tél. 027.455.14.34, fax 027.455.34.28 ☑ 🍷 t.l.j. sf sam. dim. 8h-12h 13h30-18h

CLAUDY CLAVIEN

Les coteaux de Sierre Cornalin 1998★

■ 0,3 ha 2 500 ▮ 70 à 99 F

Ce vin très réussi provient des vignes de Miège qui ont connu un remaniement parcellaire très important. D'une belle robe intense à reflets violacés, fruité, bien typé, charpenté, il est destiné aux gibiers. Vin de garde de grande typicité.

🔑 Claudy Clavien, Les Champs, 3972 Miège, tél. 027.455.24.23 ☑ 🍷 r.-v.

SUISSE

THIERRY CONSTANTIN
Larme d'Or Vendange tardive Petite Arvine 1997★★★

☐ 0,2 ha 900 50 à 69 F

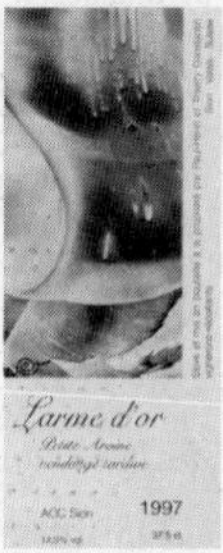

Thierry Constantin a trente et un ans. Depuis 1995, il exploite ce vignoble de 6,5 ha. Cette petite arvine pousse sur du calcaire et n'a produit que 900 bouteilles de 37,5 cl de cette vendange tardive très concentrée aux fragrances de fruits exotiques. Gras et complexe, un vin rare. Retenue avec deux étoiles, sa cuvée de cornalin baptisée **Artémis 98** est d'un rouge intense. Griotte et fruits sauvages accompagnent une bouche souple aux tanins fondus (70 à 99 F).

🔑 Thierry Constantin, rte des Iles 110, 1950 Sion, tél. 079.433.16.81, fax 077.306.10.36 ☑ Y r.-v.

CORBASSIERE Ermitage 1998★★

☐ 0,2 ha 1000 50 à 69 F

Un œnologue conseille de goûter ce vin sur des ris de veau aux morilles. Le très petit nombre de bouteilles produites ne permettra pas à tous nos lecteurs de tenter cet accord. Pourtant le vin est intéressant par son bouquet mêlant les notes minérales (silex) aux fruits (framboise). Puissant en bouche, équilibré, d'une bonne longueur, il est très typé.

🔑 Famille J.-L. Cheseaux-Sierro, Cave Corbassière, 1913 Saillon, tél. 027.744.14.03, fax 027.744.39.20 ☑ Y r.-v.

CAVE CORONELLE
Pinot blanc de Fully 1998★★

☐ n.c. n.c. 50 à 69 F

Benoît Dorsaz a repris le vignoble familial en 1986 et a construit une nouvelle cave en 1991, incluant un chai à barriques. Né sur un vignoble en terrasse, son pinot blanc est fort réussi comme en témoignent ses arômes (fruits exotiques, pêche...) et son corps ample et plein.

🔑 Benoît Dorsaz, Cave Coronelle, chem. du Midi, 1926 Fully, tél. 027.746.11.25, fax 027.745.20.45 ☑ Y r.-v.

BERNARD COUDRAY
Humagne rouge 1998★★

■ 0,3 ha 2 000 50 à 69 F

Ce domaine familial a fort bien réussi la vinification de ce cépage qui représente 15 % des vignes cultivées par Bernard Coudray. Le vin est puissant, corsé, riche d'arômes étonnants et typés. Il devra rester un peu en cave. Le **fendant de Chamoson 98**, une étoile, a des notes de terroir, de fruits, de fleur de vigne. Léger et bien construit, il peut être servi à l'apéritif (30 à 49 F).

🔑 Les Fils et Bernard Coudray, Cave La Tourmente, Tsavez 6, 1955 Chamoson, tél. 027.306.18.32, fax 027.306.35.33 ☑ Y r.-v.

DOM. DES CRETES
Fendant de Sierre 1998★

☐ n.c. n.c. 50 à 69 F

Ce domaine est situé sur cinq collines de la commune de Sierre. Son chasselas pousse sur un sol léger. Il offre un nez fin de tilleul, que l'on retrouve en bouche. Celle-ci est fraîche, harmonieuse, caractéristique du cépage.

🔑 Joseph Vocat et Fils Vins SA, Noës, 3976 Noës-Sierre, tél. 027.458.26.49, fax 027.458.28.49 ☑ Y t.l.j. sf dim. 9h-12h 14h-17h; sam. 9h30-12h

DESFAYES-CRETTENAND
Petite arvine 1998★★

☐ 0,25 ha 1 290 70 à 99 F

On se souvient du très beau coup de cœur que reçut l'an dernier ce domaine. Cette fois, c'est encore un vrai cépage valaisan qui retient l'attention. La chair fine, fondante et délicate de la Petite arvine confère au vin une typicité inimitable et d'une belle distinction. Bouquet de fleurs et de fruits. Le palais, délicat et complexe, présente une touche saline très caractéristique.

🔑 Desfayes-Crettenand, 1912 Leytron, tél. 027.306.28.07, fax 027.306.28.07 ☑ Y r.-v.

DOUCEUR MALICIEUSE
Johannisberg flétri 1997★★

☐ 0,26 ha 600 100 à 149 F

Un vin à découvrir dans un caveau datant de 1716 situé en face du château de Sonvillaz. C'est un liquoreux qui avoue sa richesse dès le premier regard : la robe est paille dorée et le nez est fruité et toasté. Très gras, il affiche sa concentration, son onctuosité, sa puissance et sa richesse aromatique.

🔑 Antoine et Christophe Bétrisey, rue du château, 1958 Saint-Léonard, tél. 027.203.11.26, fax 027.203.40.26 ☑ Y r.-v.

DOLE DES DUCS 1998★★

■ n.c. 2 000 50 à 69 F

Assemblage de trois cépages, pinot noir (60 %), gamay (30 %) et diolinoir, ce vin se présente dans une robe soutenue. Ce sont les notes de fruits des bois qui paraissent au nez. La bouche est souple, gouleyante, et peut accompagner tout un repas.

🔑 Famille Paul Briguet, Cave au Clos, Nouveau-Saillon, 1913 Saillon, tél. 027.744.11.77, fax 027.744.39.05 ☑ Y r.-v.

ERANTHIS EXCELSOS
Chamoson Vendanges tardives 1997★★

☐ 0,3 ha 1 500 150 à 199 F

Quinze mois de fût pour cette très petite cuvée, mais cette année encore fortement recommandée : elle affiche toutes les qualités d'un liquoreux de garde, des arômes d'abricots secs et de truffe, une onctuosité sans excès et une belle persistance. Digne d'un foie gras poêlé aux raisins.

⊶ Maurice Favre et Fils, Sélection Excelsos, 1955 Chamoson, tél. 027.306.14.00, fax 027.306.39.11 ☑ Ⲧ r.-v.

CAVE DE FORUM
Johannisberg de Chamoson 1998**

☐ n.c. 2 500 ▮🌡 30 à 49 F

On peut le servir avec un poisson d'eau douce tant il est typé par son terroir argilo-calcaire : ce sylvaner est fin, et ses caractères répondent bien à ce que l'on en attendait.

⊶ Henri Magistrini, Cave de Forum, case postale 682, 1920 Martigny, tél. 027.722.50.76 ☑ Ⲧ r.-v.

HERBERT ET JOSEF GLENZ
Syrah 1997*

■ 0,25 ha 2 000 ▮🌡 50 à 69 F

Cette maison a été créée en 1910 et comme bien d'autres, en Suisse, reste familiale. Cette syrah de belle couleur exprime un beau potentiel de garde. Etonnantes notes de poivron accompagnant des fruits rouges. Structure puissante aux tanins commençant à se fondre.

⊶ Herbert et Josef Glenz, Gemmistrasse 75, 3970 Salgesch, tél. 027.455.50.75, fax 027.455.50.40 ☑ Ⲧ r.-v.

GRAND METRAL Cornalin 1997**

■ 25 ha 18 250 ▮🌡 70 à 99 F

Provins Valais est la plus importante coopérative de la région puisqu'elle vinifie les raisins de 5 200 vignerons représentant 26 % du vignoble valaisan. Elle s'attache à la sauvegarde des cépages suisses. Sa **Petite arvine Grand Métral 97** a obtenu une étoile : c'est un vin sec et floral qui vous permettra de découvrir cette petite sensation saline en finale, très caractéristique. La **Syrah Grand Métral 97** est un vin de longue garde et pourtant déjà soyeux (deux étoiles). Quant à ce cornalin, sa robe est à reflets violacés ; c'est un vin rustique, aux tanins bien marqués, amples, mais aussi très fruité. Garde prometteuse.

⊶ Provins Valais, case postale 716, 1950 Sion, tél. 027.328.66.66, fax 027.328.66.60 ☑ Ⲧ r.-v.

LAURENT HUG Chardonnay 1998*

☐ 0,22 ha 1 500 ▮🌡 70 à 99 F

A 2 km de Sion, à l'entrée du village de Champlan, la Cave des Places propose ce vin né sur argilo-calcaire. Il a les caractères des meilleurs chardonnays, du fruit, du gras ; ce sont les fruits exotiques qui chantent en bouche.

⊶ Laurent Hug, Les Places, 1971 Champlan-sur-Sion, tél. 027.398.31.43, fax 027.398.31.01 ☑ Ⲧ r.-v.

O. HUGENTOBLER
Dôle de Salquenen 1997**

■ 1 ha 8 000 ▮🌡 50 à 69 F

Cette maison de négoce créée en 1953 est située à 400 m du Musée valaisan de la Vigne. Sa dôle de Salquenen est composée de pinot noir (80 %) et de gamay nés sur sol calcaire. C'est un vin de grand caractère, corsé, fruité, ample et de bonne garde.

⊶ Vins O. Hugentobler Hoirie, Varenstrasse 50, 3970 Salgesch/Salquenen, tél. 027.455.18.62, fax 027.455.18.56 ☑ Ⲧ r.-v.

JEAN-CAMILLE JUILLAND
Humagne rouge de Chamoson 1998**

■ n.c. 2 000 ▮⏀🌡 70 à 99 F

Depuis 1996, ce domaine familial de 3 ha est sous la direction de Jean-Camille Juilland. Les quinze cépages qui le composent donnent ici comme presque partout au Valais, de très petits volumes. Pourtant cette humagne mériterait un plus large public ! On retrouve tous les caractères du cépage, sa puissance, ses arômes végétaux (lierre), ses tanins très présents mais racés.

⊶ Jean-Camille Juilland, Le Grugnay, 1955 Chamoson, tél. 027.306.61.94 ☑ Ⲧ r.-v.

CAVE DE LA COMBE
Ardon Humagne rouge 1998*

■ 0,3 ha 2 000 ▮🌡 50 à 69 F

Un coteau en terrasses dont les 50 ha légers et schisteux sont favorables à l'humagne. D'une belle complexité, ce vin est paré d'une robe sombre à reflets violets. Cassis et cannelle s'affirment au nez alors que la bouche se montre structurée, assez rustique, un brin sauvage, très typée. Destiné aux produits de la chasse.

⊶ Freddy Gaillard et Fils, Cave de la Combe, rue de la Combe, 1957 Ardon, tél. 027.306.13.33, fax 027.306.13.33 ☑ Ⲧ r.-v.

LA COMBE D'UVRIER
Humagne rouge 1997**

■ 0,07 ha 760 ▮ 50 à 69 F

La forêt de Finges possède la plus grande pinède d'Europe. Cette exploitation familiale a été créée en 1988. En son centre, une tour du XVI[e]s. Ce vin est très bien élaboré, et son bouquet intéressant (baies des bois et cerise noire). Soutenu par de bons tanins déjà souples, il est prêt mais pourra aussi attendre.

⊶ Yves Zen Ruffinen, Cave de la Pinède, Turriljigut Pfyn, 3952 Susten-Leuk, tél. 027.473.36.51 ☑ Ⲧ r.-v.

CAVE LA MADELEINE
Pinot noir de Vétroz 1998*

■ 0,8 ha 3 000 ▮🌡 50 à 69 F

André Fontannaz s'est mis sous la protection de la sainte patronne de Vétroz, Marie-Madeleine. Il a proposé un **fendant de Vétroz 98**, très réussi, qui possède tous les caractères du cépage, et ce pinot noir qui, même s'il reçoit une note identique, a notre préférence, car sa matière est ample, structurée par des tanins serrés ; puissant, il a un beau potentiel de garde.

⊶ André Fontannaz, Cave La Madeleine, 1963 Vétroz, tél. 027.346.45.54, fax 027.346.45.54 ☑ Ⲧ r.-v.

LA PORTE DE NOVEMBRE
Johannisberg 1998**

☐ 3,1 ha 25 000 ▮🌡 100 à 149 F

Cette maison créée en 1885 et conduite actuellement par Willy Becker a réussi plusieurs cuvées dans ce millésime. Une étoile a été décernée à la fois à la cuvée **Crinoline** (amigne, 100 à 149 F), au **fendant Les Murettes** (70 à 99 F). Mais c'est

surtout ce vin issu de sylvaner né sur argile et schiste qui a séduit le jury par sa robe pâle à reflets verts, ses arômes de noisette et d'amande. Sa fraîcheur lui confère une réelle élégance.
⊶ SA Robert Gilliard, rue de Loèche 70,
1950 Sion, tél. 027.329.89.29, fax 027.329.89.28
☒ Y r.-v.

LA TORNALE
Fendant de Chamoson 1998★★★

□ 0,5 ha 5 000 ▮🌡 50 à 69 F

Fondée en 1957, cette maison de négoce possède un vignoble de 7 ha où, à côté des cépages internationaux, sont exploitées les qualités suisses d'humagne blanche et rouge ou d'arvine. Mais c'est le traditionnel fendant qui a eu la préférence du jury. Il a toute la finesse que peut montrer le chasselas. Dès l'attaque s'expriment les fleurs de tilleul ; puis la bouche se fait ronde et ample, équilibrée. Une bouteille qui reflète la qualité du terroir de graves dont sont issus les raisins.
⊶ La Tornale, Vincent Favre, rue Plantys 22,
1955 Chamoson, tél. 027.306.22.65,
fax 027.306.64.43 ☒ Y t.l.j. sf dim. 9h-18h

CAVE LE BANNERET
Pinot noir de Chamoson Elevé en fût de chêne 1996★★

■ 0,4 ha 2 200 (I) 70 à 99 F

Des cailles à la sauce de Pérouges seraient heureuses avec ce vin assez délicat (arômes de griotte). Les douze mois passés en barrique lui ont apporté juste ce qu'il fallait pour que la note vanillée soit élégante. Déjà agréable, ce 96 est loin d'avoir fini son séjour en cave. Il a été très bien élevé.
⊶ Carlo et Joël Maye et Fils,
Cave Le Banneret, rue de La Crettaz 15,
1955 Chamoson, tél. 027.306.40.51 ☒ Y r.-v.

LE BOSSET Chardonnay 1998★★

□ 0,3 ha 1 500 ▮🌡 70 à 99 F

Ce vigneron possède des vignes sur trois communes du Valais central, et sa fille Romaine, œnologue, officie dans les chais. Ce vin est issu de vignes de trente ans plantées sur un sol graveleux. Doté d'une belle structure, il offre un élégant bouquet où les agrumes dialoguent avec la pêche et la noisette. A goûter sur un grand poisson.
⊶ Willy Michellod et Romaine Blaser, Cave Le Bosset, 1912 Leytron, tél. 027.306.18.80,
fax 027.306.18.80 ☒ Y r.-v.

TONI LENGGENHAGER
Dôle Salgesch Salquenen 1997★★

■ 0,4 ha 2 500 ▮🌡 50 à 69 F

Il faut visiter la réserve naturelle du bois de Finges avant de découvrir ce vigneron et sa cave à vins. Sa dôle comporte 70 % de pinot noir et 30 % de gamay. Bien structuré, le vin offre un fruité agréable avec des notes assez sauvages qui ne sont pas étrangères au terroir de Salquenen.
⊶ Toni Lenggenhager, Bahnhofstrasse 63,
3970 Salgesch, tél. 027.455.36.36 ☒ Y r.-v.

LES FERS DE LANCE
Dôle de Salquenen 1997★

■ 1 ha 7 000 ▮🌡 50 à 69 F

Le père de Philippe Constantin était un ouvrier-vigneron. Depuis 1988, il exploite 4 ha. Le jury a apprécié ce vin à la robe rubis, soyeux et rond en bouche. Le terroir calcaire s'exprime ici, accompagnant d'élégantes notes de petits fruits.
⊶ Philippe Constantin, Cave Saint-Philippe,
Pachjenstrasse 19, 3970 Salgesch,
tél. 021.455.72.36, fax 021.455.72.36 ☒ Y r.-v.

LES FRERES PHILIPPOZ
Grains nobles Malvoisie flétrie Elevé en fût de chêne 1997★★★

□ 0,2 ha 600 ▮(I)🌡 200 à 249 F

Les frères Philippoz sont déjà connus de nos lecteurs mais cette année le jury leur offre la plus haute marche du podium pour cette cuvée assez confidentielle de grains nobles. Cette malvoisie flétrie a été vendangée fin décembre 97 et élevée dix-huit mois en barrique. Elle est très jeune mais vous pourrez dès Noël la servir sur un foie gras. Son onctuosité et sa puissance aromatique (les fruits confits dominent) justifient pleinement cette sélection.
⊶ Les Frères Philippoz, rte de Riddes,
1912 Leytron, tél. 027.306.30.16,
fax 027.306.71.33 ☒ Y r.-v.

LES GRANDS DOMAINES
Grain noble Cuvée Or 1997★★

□ 0,5 ha 2 000 (I) 100 à 149 F

Cette cuvée liquoreuse n'a été récoltée qu'après le Nouvel an sur le domaine de Plan Loggia car la pourriture noble n'a commencé à se manifester qu'en décembre 1997. Son nom dit tout de sa couleur tandis que son nez révèle toutes les notes dues au botrytis (abricot confit, fruits secs, agrumes) avec une pointe vanillée (treize mois de fût). Son acidité apporte une grande fraîcheur à ce vin très harmonieux. Également notée deux étoiles, une **syrah du Valais 98 dans la collection Les Cépages** (70 à 99 F). Présenté par ce même négociant, le **Domaine Brûlefer**, dont il faut voir les pentes abruptes des coteaux de Sion retenues par des murets de pierre sèche, reçoit une étoile pour son **chasselas 98** (50 à 69 F).

⊶ Charles Bonvin Fils, Grand Champsec 30, 1950 Sion 4, tél. 027.203.41.31, fax 027.203.47.07 ☑ 🍷 t.l.j. 10h-12h 14h-18h; dim. sur r.-v.

LES TROIS NOCTURNES
Syrah de Sierre 1998★

■ 0,4 ha 2 500 ▮♁ 50 à 69 F

Le séminaire de Sion vinifie depuis sa création en 1872. En 1957, le chapitre de la cathédrale et le séminaire ont décidé de devenir « encaveurs » et de commercialiser leur production. Cette syrah est un modèle: ses arômes de baies noires et d'épices, sa structure équilibrée, ses tanins réglissés et sa belle persistance contribuent à son élégance.

⊶ Cave du Séminaire, rue de Savièse 19, 1950 Sion-Valais, tél. 027.322.10.57, fax 027.322.70.81 ☑ 🍷 r.-v.

CH. LICHTEN 1998★★

■ 5 ha 25 000 ▮♁ 70 à 99 F

Jean-Bernard et Dominique Rouvinez exploitent 36 ha sur les coteaux et collines de la rive droite du Rhône. Ils ont donc une importante production parmi laquelle le jury a sélectionné un **fendant de Sierre 98**, 30 à 49 F, qui reçoit une étoile, une vendange tardive - dite ici flétrie - **malvoisie 98** élevée huit mois en cuve (70 à 99 F), deux étoiles, et cet assemblage de cornalin (60 %), humagne rouge (30 %) et syrah. Rouge vif, le vin possède des arômes de baies sauvages et une bouche tannique qui devra encore se fondre. Son équilibre promet une bonne garde.

⊶ Vins Rouvinez, Colline de Géronde, 3960 Sierre, tél. 027.455.66.61, fax 027.455.46.49 ☑ 🍷 r.-v.

L'OR DU VENT Johannisberg 1998★★

□ n.c. n.c. ▮♁ 50 à 69 F

Cave fondée en 1985, propriétaire encaveur possédant 3,5 ha de vigne dans la région des coteaux de Sierre et plus spécialement sur le territoire des communes de Viège et de Veyras. Ce vin très fruité rappelle aussi l'amande amère ; le palais est séduit par une légère douceur. Un moelleux exprimant parfaitement les caractéristiques du cépage sylvaner.

⊶ Bernard Mermoud, Cave l'Or du Vent, chem. des Vendanges, 3968 Veyras, tél. 027.455.88.20, fax 027.455.88.20 ☑ 🍷 r.-v.

L'ORMY Chasselas 1998★

□ n.c. n.c. ▮♁ 30 à 49 F

Jeune domaine né en 1947, l'Ormy cultive dix-neuf cépages sur 4,5 ha. Ce chasselas est très frais, marqué par les agrumes et la pomme ainsi que par une note de banane. Vif, il est prêt dès maintenant pour accompagner les charcuteries.

⊶ Nicolas Zufferey, rte des Bernunes, 3960 Sierre, tél. 027.656.51.41, fax 027.456.51.10 ☑ 🍷 r.-v.

MABILLARD-FUCHS
Les Coteaux de Sierre Humagne rouge 1997★★

■ 0,15 ha 1000 ▮ 50 à 69 F

1993 voit la première vinification de ces viticulteurs qui ont loué des vignes en coteau. Voici donc le cinquième millésime, le verdict est clair : ils ont bien de l'humagne. Rusticité de bon aloi, arômes épicés et sauvages, tanins très denses. Sera intéressant sur un rôti de bœuf.

⊶ Madeleine et Jean-Yves Mabillard-Fuchs, 3973 Venthône, tél. 027.455.34.76, fax 027.456.34.00 ☑ 🍷 r.-v.

DANIEL MAGLIOCCO
Pinot noir de Chamoson 1998★

■ 0,5 ha 3 500 ▮ 50 à 69 F

« Village du livre », Saint-Pierre-de-Clages est aussi une commune viticole. Ce domaine familial propose cette année encore un très joli vin rouge, cette fois issu de pinot, où l'on retrouve les fruits rouges (cerise), les épices, les baies sauvages. Bien structuré par de fins tanins, il pourra être servi jusqu'en 2004.

⊶ Daniel Magliocco, av. de la Gare 10, 1956 Saint-Pierre-de-Clages, tél. 027.306.35.22, fax 027.306.48.60 ☑ 🍷 r.-v.

SYLVIO MAGLIOCCO
Syrah de Chamoson 1998★★

■ n.c. n.c. (|) 70 à 99 F

Une chapelle romane du XIIe s. est l'un des attraits de ce beau village viticole. Sylvio Magliocco conduit ce domaine depuis 1989. Son vin a séduit par ses tanins soyeux, sa robe sombre et brillante, ses arômes de sous-bois mêlés à des notes épicées et de petits fruits mûrs.

⊶ Sylvio-Gérald Magliocco, Villa Solaris, rte de Bessoni, 1956 Saint-Pierre-de-Clages, tél. 027.306.64.45, fax 027.306.64.29 ☑ 🍷 r.-v.

SYRAH DIEGO MATHIER 1997★★

■ 0,8 ha 8 000 (|) 70 à 99 F

Présents dans le Valais depuis le XIVe s., les Mathier n'ont créé leur maison de négoce qu'au début du XXe s. Si leur principale étiquette, le **pinot noir Lucifer** (50 000 bouteilles - 50 à 69 F) obtient une étoile sur le millésime 98 pour sa bonne typicité, tout comme son **fendant du Ravin 98** que réjouira une fondue, c'est cette syrah, élevée douze mois en barrique, qui marque par des accents sauvages et vanillés toute la dégustation que vous préférerez. Ses tanins de qualité commencent à se fondre.

⊶ Adrian Mathier, Nouveau Salquenen, Bahnofstrasse 50, 3970 Salquenen-Salgesch, tél. 027.455.75.75, fax 027.456.24.13 ☑ 🍷 r.-v.

SIMON MAYE ET FILS
Chamoson Syrah 1998★★

■ 1 ha 6 000 ▮♁ 50 à 69 F

Ce domaine, créé en 1949, fête ici son cinquantenaire. Il faudra cependant attendre pour allumer les bougies car cette syrah est un vin de garde. Tout invite à la mettre en cave, sa robe sombre à reflets violets, sa matière concentrée, ses arômes puissants (cassis et girofle).

⊶ Simon Maye et Fils, Collombey 3, 1956 Saint-Pierre-de-Clages, tél. 027.306.41.81, fax 027.306.80.02 ☑ Y r.-v.

MITIS Amigne de Vétroz 1997★★★

☐ 2 ha 18 000 100 à 149 F

Terroir de prédilection de l'antique cépage amigne, Vétroz est cette année encore à l'honneur. Récoltée le 3 novembre, elle a produit un liquoreux presque parfait ! Mandarine, abricot sec et miel se donnent la réplique dans un environnement onctueux dont la fraîcheur n'est pas absente. Egalement dégustés, un **pinot noir 98 Balavaud** qui offre une belle typicité (50 à 69 F) et un **fendant coteau d'Ardon 98**, floral et minéral ; tous deux sont recommandés par le jury.
⊶ Germanier Bon Père, Balavaud SA, 1963 Vétroz, tél. 027.346.12.16, fax 027.346.51.32 ☑ Y r.-v.
⊶ Jean-René Germanier

DOM. DU MONT D'OR
Sous l'escalier Petite arvine 1997★★

☐ 1,1 ha 7 000 100 à 149 F

Encore un liquoreux et de belle ampleur ! Ses arômes étonneront le néophyte (rhubarbe, agrumes, citron et note saline). Sa longueur signe une bonne capacité de garde. Ce même domaine propose un **sylvaner 98 moelleux** (une étoile). Il est assez subtil, porté sur l'ananas et le litchi. A consommer sur un vacherin (50 à 69 F).
⊶ Dom. du Mont d'Or SA-Sion, Pont-de-la-Morge, case postale 240, 1964 Conthey 1, tél. 027.346.20.32, fax 027.346.51.78 ☑ Y r.-v.

CAVE NOUVEAU SAINT-CLEMENT
Muscat 1998★★

☐ 0,5 ha 6 700 50 à 69 F

Cette maison fondée en 1972 possède 6 ha de vignes. Son muscat est de toute beauté par sa finesse. Les arômes sont plutôt fruités et très persistants. Il éveillera l'appétit à l'apéritif. Quant au **fendant de la Réserve des Monzuettes 98** issu des coteaux de Sierre, au-dessus de Granges-en-Valais, il est friand et léger, fort bien réussi et destiné à une raclette (30 à 49 F).
⊶ C. Lamon et Cie, Nouveau Saint-Clément, 3978 Flanthey, tél. 027.458.48.58, fax 027.458.48.84 ☑ Y r.-v.

PARADIS Humagne blanche 1998★★

☐ 0,3 ha 2 400 70 à 99 F

Cette humagne blanche est née sur les coteaux calcaires. Elle offre un beau bouquet de fleurs blanches avec des notes minérales. Son acidité bien présente garantit le bel équilibre. La légère salinité en finale soigne la typicité du cépage.
⊶ Alex Roten, rte de la Gemmi 135, 3960 Sierre, tél. 027.455.19.03, fax 027.455.19.44 ☑ Y r.-v.

PRIMUS CLASSICUS
Humagne rouge 1998★★

■ 0,9 ha 7 200 70 à 99 F

Cette maison fondée en 1874 a présenté un **fendant 98 du Dom. de Montibeux** (50 à 69 F) cité par le jury, et sous le même nom de cuvée, une **petite arvine**, originaire de Fully, parfaitement typée par ses arômes de glycine et d'agrumes (une étoile) et cette remarquable humagne aux parfums de cerise noire et de musc, à la bouche tannique mais ronde. A servir avec une terrine de gibier.
⊶ Caves Orsat SA, rte du Levant 99, 1920 Martigny, tél. 027.722.24.01, fax 027.722.98.45 ☑ Y r.-v.

CAVE DES REMPARTS Gamay 1998★

■ n.c. n.c. 30 à 49 F

Ce viticulteur a planté quinze cépages sur les 3 ha de sa propriété. Son gamay 98 est paré d'une belle robe rouge à reflets ambrés. Son bouquet est très développé, d'une étonnante intensité aromatique. Fin et racé, c'est un vin alerte et friand.
⊶ Yvon Cheseaux, Cave des Remparts, 1913 Saillon, tél. 027.744.33.76, fax 027.744.33.76 ☑ Y r.-v.

RENOMMEE SAINT-PIERRE
Pinot noir de Chamoson 1997★★

■ 2 ha 3 000 100 à 149 F

Mike et Jean-Charles Favre sont frères et dirigent l'entreprise familiale. Deux vins ont été retenus par notre jury. Ce pinot noir élevé douze mois en barrique paré d'une belle robe sombre à reflets violets. Mûre, myrtille et cerise au kirsch sont présentes au nez comme en bouche. Cette dernière est structurée, puissante. Ses tanins enrobés permettent de le servir dès cet hiver mais ce pinot pourra rester en cave. Le **fendant de Chamoson 98** reçoit une étoile pour ses notes citronnées et minérales et sa fraîcheur (30 à 49 F).
⊶ René Favre et Fils, 11, rte de Collombey, 1956 Saint-Pierre-de-Clages, tél. 027.306.39.21, fax 027.306.78.49 ☑ Y t.l.j. sf dim. 8h-12h 13h-18h

RESERVE DES ADMINISTRATEURS
Dôle 1998★

■ n.c. 30 000 50 à 69 F

Nous sommes ici au cœur du pays valaisan, là où siège cette maison de négoce construite en 1971. Cet assemblage où domine le pinot est de belle couleur rubis foncé. Les tanins bien enrobés permettent déjà de goûter ce vin au bouquet fruité (cerise, framboise, mûre).
⊶ SA Cave Saint-Pierre, Case postale, 1955 Chamoson, tél. 027.306.53.54, fax 027.306.53.88 ☑ Y r.-v.

RHONEBLUT Pinot noir 1998★★

■ 10 ha 22 000 150 à 199 F

Cette maison de négoce, créée en 1928, est toujours familiale. Possédant 30 ha de vignes, elle propose une large gamme. Notre jury a retenu ce pinot né d'un sol calcaire. Paré d'une belle robe rubis, alliant la concentration à la délicatesse et à la subtilité du fruité. Fraîcheur et élégance.

☛ SA Albert Mathier et Fils, Bahnhofstrasse 3, 3970 Salgesch, tél. 027.455.14.19, fax 027.456.36.07, e-mail albert@mathier.ch ☑ ⊤ t.l.j. sf dim. 9h-12h 13h30-17h

CAVE DE RIONDAZ 1997★★

| ■ | | n.c. | 3 000 | ■ 70 à 99 F |

Cette maison de Sierre propose un cornalin très jeune dans sa robe rouge cerise, cerise que l'on retrouve au nez. Ce cépage donne des vins rustiques très structurés, tanniques ; celui-ci est en effet charpenté, et sa longueur annonce une bonne garde.

☛ Caves de Riondaz, rte du Rawyl 38, 3960 Sierre, tél. 027.455.12.63, fax 027.455.31.58 ☑ ⊤ r.-v.

RIVES DU BISSE
Ermitage Vendanges tardives flétries 1997★★

| ☐ | | 0,15 ha | 1 500 | ❚❚❙ 100 à 149 F |

Ce négociant propose deux vins de marque. Très réussi, son **cornalin 97**, déjà souple, fruité, élevé en fût, peut accompagner le repas familial (100 à 149 F) alors que cet ermitage, vendangé en octobre, élevé comme un vin de paille, suspendu pendant trois mois puis passé en barrique, est un beau liquoreux qui offre des fragrances très caractéristiques (mangue, abricot, fruits secs et confits, notes boisées). Vendu en bouteilles de 37,5 cl.

☛ SA Gaby Delaloye et Fils, Vins Rives du Bisse, 1957 Ardon, tél. 027.306.13.15, fax 027.306.64.20 ☑ ⊤ r.-v.

MARC ET SERGE ROH Cornalin 1998★★

| ■ | | n.c. | 1 800 | ■ 70 à 99 F |

Domaine de 7 ha créé en 1950 par Marc Roh dont le fils Serge est aujourd'hui l'œnologue. Ce cornalin a bien des atouts : ses arômes de cerise mûre au nez se retrouvent en bouche, accompagnés de griotte ; ses tanins sont de qualité, encore très présents, gages d'une belle garde.

☛ Marc et Serge Roh, rue de Conthey 43, 1963 Vétroz, tél. 027.346.33.79, fax 027.346.50.53 ☑ ⊤ r.-v.

SAINT MARTINSKELLEREI
Syrah de Salquenen 1997★

| ■ | | 1 ha | 5 000 | ❚❚❙ 100 à 149 F |

Une jeune entreprise dont la cave est bien équipée. On réservera cette syrah à un filet d'agneau accompagné de polenta. Elle est concentrée, puissante, riche d'arômes d'épices et de baies noires. Ses tanins réglissés affirment une belle structure.

☛ Saint Martinskellerei, Varenstrasse 65, 3970 Salgesch, tél. 027.455.25.26, fax 027.456.51.27 ☑ ⊤ r.-v.
☛ Beat Kuonen

CAVE DE SALQUENEN
Pinot noir 1996★★

| ■ | | 2 ha | 14 000 | ■ 50 à 69 F |

Un pinot noir né sur un sol calcaire : on retrouve tous les caractères de ce cépage, sa finesse, ses tanins élégants qui lui confèrent un corps parfait, son bouquet fruité qui permet de le servir dès l'automne pour accompagner tout un repas.

☛ Caveau de Salquenen, Unterdorfstrasse, 3970 Salgesch, tél. 027.455.82.31, fax 027.455.82.42 ☑ ⊤ r.-v.
☛ Gregor Kuonen et Fils

SOLEIL DE SIERRE Dôle 1998★★

| ■ | | 30 ha | n.c. | ■❙ 70 à 99 F |

Pinot noir (60 %), gamay (30 %) et syrah composent cette dôle fraîche et vive, assez friande. Le **cornalin Lonzeraye 97**, concentré, tannique, aux arômes d'épices, de cerise, de vanille (la barrique) montre un réel caractère (150-199 F). Deux jolies cuvées présentées par un domaine familial de 50 ha.

☛ SA Vins Sierre Imesch, place Beaulieu 8, 3960 Sierre, tél. 027.455.10.65, fax 027.452.36.89 ☑ ⊤ r.-v.

VARONE Dôle de Sion Valéria 1998★

| | | 12 ha | 100 000 | ❚❚❙ 50 à 69 F |

Jean-Pierre et Philippe Varone ont présenté une très jolie **petite arvine 98** aux notes de pamplemousse et de glycine, et dont l'équilibre entre gras et acidité est très réussi (70 à 99 F). Ayant obtenu également une étoile, cette dôle de Sion assemble pinot noir (75 %) et gamay implantés sur schistes lustrés. Cette cuvée rubis est tout en fruits rouges. Bien structurée par des tanins élégants, elle pourra accompagner les viandes rouges.

☛ Vins Frédéric Varone, av. Grand Champsec 30, 1950 Sion 4, tél. 027.203.56.83, fax 027.203.47.07 ☑ ⊤ t.l.j. sf dim. 10h-12h 14h-18h30

VERTIGES
Fendant des coteaux de Sierre 1998★

| ☐ | | 2 ha | 20 000 | ■❙ 50 à 69 F |

Cinq frères travaillent sur ce domaine de 10 ha où sont cultivés treize cépages, sous la houlette de Jean-Louis Mathieu dont l'objectif pour les années 2000 est de créer de nouvelles marques. D'une teinte claire, ce chasselas répond à ce qu'on en attend. Fruité (agrumes et fruits exotiques), il est rond et prêt pour l'apéritif.

☛ Jean-Louis Mathieu, Cave Saint-Mathieu, rte du Téléphérique, 3966 Chalais, tél. 027.458.27.63, fax 027.458.42.44 ☑ ⊤ r.-v.

Canton de Genève

Déjà présente en terre genevoise avant l'ère chrétienne, la vigne a survécu aux vicissitudes de l'histoire pour s'épanouir pleinement dès la fin des années 1960.

Avec un climat tempéré dû à la proximité du lac, à un très bon ensoleillement et à un sol favorable, le vignoble genevois se partage entre 32 appellations. Les efforts entrepris pour améliorer le potentiel des vins genevois, par des méthodes culturales respectueuses de l'environnement, le choix de cépages moins productifs et appropriés à un sol généralement caractérisé par une forte teneur en calcaire, permettent de garantir au consommateur un vin de haute qualité. Les exigences contenues dans les textes de loi traduisent autant la volonté des autorités que celle de la profession de mettre sur le marché des vins qui satisfont aux normes des AOC.

La palette des cépages s'est diversifiée avec l'apport des spécialités. Outre les principaux crus provenant du chasselas pour les blancs, du gamay et pinot noir pour les rouges, les spécialités comme le chardonnay, le pinot blanc, l'aligoté, le gamaret, le cabernet, rencontrent un franc succès auprès de l'amateur avisé.

DOM. DES ABEILLES D'OR
Chouilly Douce-Noire 1997★

■ 2 ha 8 000 70 à 99 F

Vin d'assemblage, cette Douce-Noire de Chouilly a passé douze mois en barrique. Mûres sauvages et réglisse accompagnent toute la dégustation. Des tanins soyeux confèrent une jolie rondeur à cette bouteille prête à servir sur une pièce de bœuf aux morilles mais qui saura attendre quelque temps dans une bonne cave.

René Desbaillets, Dom. des Abeilles d'or, rte du Moulin-Fabry 3, 1242 Satigny, tél. 022.753.16.37, fax 022.753.80.20 r.-v.

BEAUVENT Bernex Chasselas 1998★★

□ 3 ha 20 000 30 à 49 F

Bernard Cruz a repris le domaine familial en 1972. Ce viticulteur respectueux de son terroir a proposé un **La Croix pinot noir des coteaux de Lully 98** (une étoile) et ce chasselas qui a tous les caractères de son cépage, très fruité ; il animera une soirée amicale autour d'une fondue.

Bernard Cruz, 265, rue de Bernex, 1233 Bernex, tél. 022.757.11.96, fax 022.757.11.96 r.-v.

DOM. DES FAUNES
Dardagny Gamaret 1997★★★

■ 2 ha 8 000 30 à 49 F

Une cuverie inox remarquable permet à ce domaine, qui possède 10 ha sur les collines bordant le Léman à 15 km de Genève, de réaliser de superbes cuvées comme ce gamaret. Ce 97 offre l'occasion de s'initier à cette spécialité suisse qui donne des vins structurés aux parfums étonnants.

Gilbert et Danielle Mistral-Monnier, chem. des Pompes 18, 1282 Dardagny, tél. 022.754.14.46, fax 022.754.19.46, e-mail info@les-faunes.ch r.-v.

DOM. DES GRANDS BUISSONS
Gamay 1998★

■ 0,5 ha n.c. 20 à 29 F

Ce domaine de 9 ha situé à 10 km de Genève présente un gamay fruité et souple né sur argilo-calcaire. Les parfums de framboise et le côté gouleyant de ce vin permettent de le boire dès maintenant sur des viandes blanches.

Patrick et Marc Favre, ch. Grands-Buissons 13, Sézenove, 1233 Bernex, tél. 022.757.10.20 r.-v.

GUEULE DE LOUP Avusy Gamay 1998

■ 1 ha 6 000 30 à 49 F

Sur les rives de la Laire, à 2 km de l'église d'Avusy, ce domaine applique les méthodes de culture respectueuses de l'environnement. Son gamay est un vrai vin de terroir, structuré, vif. Les fruits rouges dominent toute la dégustation.

Kristèle et Nicolas Cadoux, Dom. des Graves, rte de Forestal 56, Athenaz, 1285 Avusy, tél. 022.756.28.81, fax 022.756.26.38 r.-v.

DOM. LA CLE DE SOL
Fugue Pinot blanc 1998★★

□ 0,48 ha 2 000 30 à 49 F

Daniel Sulliger - vous l'avez deviné au nom du domaine - est musicien. Il crée toute une gamme de vins nommés « Quatuor », « Cadence », « Cantabile », etc. Après une « Harmonie » très réussie l'an dernier, notre jury a apprécié une remarquable « Fugue » où le pinot blanc chante - en contrepoint - les notes exotiques (ananas et autres fruits). Très équilibré, gras en bouche, ce 98 révèle l'art du vigneron.

Daniel Sulliger, crêt de Choully 18, 1242 Choully-sur-Genève, tél. 022.753.11.92, fax 022.753.11.92 t.l.j. sf sam. 10h-12h

LA GROLE
Russin sauvignon Elevé en fût de chêne 1998

□ 0,6 ha 2 700 20 à 29 F

Un joli boisé paraît dans ce vin bien élevé, gras en bouche, et dont les arômes d'acacia et de buis sont caractéristiques du cépage. A servir sur des entrées.

Jean Mallet, Cave des Baillets, rte des Baillets 54, 1281 Russin, tél. 022.754.14.97 r.-v.

DOM. DE LA PRINTANIERE

Avully Riesling x sylvaner 1998★★

□	0,5 ha	4 400	▮ 🌡	30 à 49 F

Ce croisement du riesling et du sylvaner n'est autre que le müller-thurgau, cépage portant le nom de la ville suisse Thurgau, dans laquelle est né son inventeur, le professeur Müller, qui enseignait en Rhénanie. Il a gardé ici son nom « scientifique » riesling x sylvaner. Celui de Laurent Dugerdil est particulièrement réussi par ses arômes mêlant des notes de muscat à une fraîcheur presque sauvignonnée. Une terrine de lapin devrait le satisfaire.

⊶ Laurent Dugerdil, Dom. de la Printanière, rte d'Avully 104, 1237 Avully, tél. 022.756.25.22, fax 022.756.28.54 ☒ Y t.l.j. sf dim. 17h-19h, sam. 9h-12h

LES VALLIERES

Réserve Vieille vigne blanche 1997★

□	0,85 ha	6 000	▮ 🌡	30 à 49 F

Ce domaine, situé au cœur du vignoble du Mandement, repose sur un sol molassique où chasselas et pinot blanc sont âgés d'une quarantaine d'années. Pour ce 97, c'est le chasselas qui l'emporte dans la dégustation : les notes de tilleul accompagnent un nez très floral. La bouche est bien soutenue, destinée à un poisson du lac ou à tout mets au fromage.

⊶ Louis Serex, rte de Charny 36, 1242 Satigny, tél. 022.753.16.04, fax 022.753.16.04 ☒ Y t.l.j. sf dim. 9h-18h

DOM. DU PARADIS

Le Pont des Soupirs Viognier 1998★

□	2 ha	10 000	◍	100 à 149 F

Coup de cœur l'an dernier pour cette cuvée en rouge 96, Roger Burgdorfer est à nouveau sélectionné par le jury. Pépiniériste, il est aussi producteur de « Vins d'Enfer » ; il a ici choisi la volupté du viognier accompagné par 8 % de sémillon. Ce ne sera pas péché mortel que de goûter les saveurs amples et fruitées (abricot, pêche) mêlées à de très élégantes notes de fleurs blanches. Les six mois en barrique n'ont rien enlevé à la richesse aromatique de la chair, ajoutant une pointe de vanille fort agréable.

⊶ Roger Burgdorfer, rte du Mandement 275, 1242 Satigny, tél. 022.753.10.05, fax 022.753.18.55 ☒ Y t.l.j. sf sam. 9h-12h 13h-17h

DOM. DES PINS

Dardagny Cabernet-sauvignon 1997★★

■	0,3 ha	2 000	◍	50 à 69 F

Ce domaine familial date du XVII^e^s. et est situé à 100 m du château de Dardagny. Son cabernet-sauvignon est né sur graves et a fermenté en barrique. Paré d'une belle robe dense et profonde, il offre un nez où notes de fruits rouges et épices dialoguent. En bouche, il se montre très riche, gras, parfaitement structuré autour de tanins soyeux. La finale, longue et savoureuse, confirme qu'il s'agit d'un vin de grande classe. Un **pinot noir 97**, également élevé en fût, mais qui ne masque pas les caractères du cépage, reçoit une étoile.

⊶ Eric Ramu et Fils, Clos des Pins, rte du Mandement, 458, 1282 Dardagny, tél. 022.754.14.57, fax 022.754.17.23 ☒ Y r.-v.

CAVE DE SEZENOVE

Sézenove Sauvignon 1998★

□	0,2 ha	1 200	▮	50 à 69 F

Plusieurs générations de vignerons se sont succédé sur ce domaine de 6 ha aujourd'hui et dont la cave de vinification n'a été créée qu'en 1983. A côté d'un **pinot gris 98**, cité sans étoile par le jury (30 à 49 F), voici un sauvignon au nez intense dont les senteurs sont caractéristiques du cépage (bourgeon de cassis). La bouche, d'une très belle rondeur, est équilibrée par une bonne acidité, alors que les arômes confirment le parfum de cassis.

⊶ J. et C. Bocquet-Thonney, chem. Grands-Buissons 9 Sézenove, 1233 Bernex, tél. 022.757.45.63, fax 022.757.45.63 ☒ Y t.l.j. sf dim. 17h-19h; sam. 9h-12h

DOM. DES TROIS ETOILES

Peissy L'Amprô 1997★★

■	1 ha	5 000	◍	50 à 69 F

Vieille ferme genevoise du XVIII^e^s., ce domaine dispose d'un vignoble de 10 ha en AOC. Il présente un très beau vin auquel le chêne américain de la barrique donne ces notes toastées et de fruits rouges (mûres), ainsi que des flaveurs épicées et de pruneau d'Agen. Un assemblage de gamaret et de garanoir qui promet une longue garde. Et si des concerts - jazz ou classique - qui y sont régulièrement organisés vous attirent dans cette cave, goûtez également le **merlot de Genève 97**, qui reçoit une étoile.

⊶ Jean-Charles Crousaz, rte de Peissy 41, 1242 Satigny, tél. 022.753.16.14, fax 022.753.41.55 ☒ Y r.-v.

DOM. VILLARD ET FILS

Chardonnay 1998★

□	1,3 ha	4 000	▮	30 à 49 F

Ce vignoble existe depuis 1617. Bien exposé et tempéré par l'effet modérateur du lac, il est cultivé selon des méthodes respectant l'environnement. Il donne ce chardonnay riche en parfums de pêche et d'agrumes qui se prolongent en bouche autour de notes de miel. Bien équilibré, ce vin rond et harmonieux pourra accompagner un omble chevalier.

⊶ Philippe Villard, rue Centrale 46, 1247 Anières, tél. 022.751.25.56, fax 022.751.25.56 ☒ Y r.-v.

Canton de Neuchâtel

Proche du lac qui reflète le soleil, adossé aux premiers contreforts du Jura qui lui offrent une exposition privilégiée, le vignoble neuchâtelois s'étire sur une étroite bande de 40 km entre Le Landeron et Vaumarcus. Le climat sec et ensoleillé de cette région, de même que les sols calcaires jurassiques qui y prédominent, conviennent bien à la culture de la vigne, ce que confirment encore les historiens qui nous apprennent que la première vigne y fut officiellement plantée en 998 ; à Neuchâtel, la vigne est donc millénaire.

Dans ce petit vignoble de 610 ha, le chasselas et le pinot noir règnent en maître ; il y a bien quelques « spécialités » (pinot gris, chardonnay, gewurztraminer et riesling x sylvaner), mais leur culture occupe à peine 6 % des surfaces. Cet encépagement apparemment limité cache en réalité une très large palette de vins et de saveurs différentes, grâce au savoir-faire des vignerons et à la diversité des terroirs.

Les rouges issus du pinot noir, élégants et fruités, souvent racés sont aptes au vieillissement. Le très typique Œil-de-Perdrix est un rosé inimitable originaire du vignoble neuchâtelois, ainsi que la Perdrix Blanche obtenue par pressurage sans macération. Quelques caves élaborent même un vin mousseux.

La variété des sols du canton, d'est en ouest, ainsi que les styles personnels des vinificateurs, sont à l'origine d'une grande diversité de goûts et d'arômes des vins blancs de chasselas et promettent à l'amateur curieux plus d'une découverte intéressante. On relèvera encore deux spécialités locales issues du même cépage : le « Non filtré », vin primeur qui ne peut pas être mis en vente avant le troisième mercredi du mois de janvier et les vins sur lies.

Chacune des 18 communes viticoles produit sa propre appellation, alors que l'appellation Neuchâtel est applicable à l'ensemble des productions du canton de première catégorie.

CH. D'AUVERNIER 1998★★

☐	26 ha	150 000	▮♣ 50 à 69 F

Les amateurs de bons vins ne manqueront pas de visiter Auvernier, village viticole typique, avec ses maisons vigneronnes du XVIe et du XVIIe s. A l'ombre des arbres séculaires du parc du château où ils seront accueillis par Thierry Grosjean, maître des lieux, ils pourront déguster un chasselas aux qualités apéritives évidentes. La vivacité, la fraîcheur et les arômes fruités de ce vin méritent le coup de cœur donné par le jury. Un vin comme ça, on en redemande.

➤ Ch. d'Auvernier, Le Château, 2012 Auvernier, tél. 032.731.21.15, fax 032.730.30.03 ☑ ¥ r.-v.
➤ Th. Grosjean

ALAIN GERBER Champréveyres 1998★★

☐	0,28 ha	2 500	▮♣ 30 à 49 F

Chez les Gerber, à Hauterive, le savoir-faire en matière de culture de la vigne et d'élaboration des bons vins se transmet depuis quatre générations. Alain Gerber, qui a pris la tête du domaine familial de 7 ha il y a deux ans, a proposé au jury un chasselas très apprécié pour sa vivacité, son amplitude au nez et sa fine lie florale. Notez que cet encavage a présenté un **Œil-de-Perdrix 98** d'une parfaite maturité. Ce jeune viticulteur est promis à un bel avenir.

➤ Alain Gerber, imp. Alphonse-Albert 8, 2068 Hauterive, tél. 032.753.27.53, fax 032.753.02.41 ☑ ¥ r.-v.

HOPITAL DE LA BEROCHE 1998★★

☐	0,5 ha	3 200	▮ 50 à 69 F

Créée en 1935, cette cave coopérative est située dans une imposante ferme ancienne au cœur de Saint-Aubin où le visiteur est accueilli en toute simplicité. Son chasselas présente une élégance du terroir très marquée, avec de subtiles saveurs d'amande. Il accompagne de manière idéale un repas léger. Cette cave propose aussi un **pinot noir Les Sorcières 97**, un vin ensorceleur qui charme et qui ravit tous ceux qui goûtent au secret de ces bouteilles racées et fruitées à souhait.

➤ Caves de La Béroche, Crêt-de-la-Fin 1-2, 2024 Saint-Aubin, tél. 032.835.11.89, fax 032.835.31.80 ☑ ¥ r.-v.

J.-C. KUNTZER ET FILS
Saint-Sébaste Pinot noir 1997★★

▮	5 ha	30 000	▮▮ 50 à 69 F

Situé à Saint-Blaise, au cœur des vignobles neuchâtelois les plus réputés, le domaine de Jean-Pierre Kuntzer est cultivé patiemment en famille depuis 1954, et le respect du terroir se transmet de père en fils. Son pinot noir 97, à la robe rubis très élégante, est un vin noble, au bouquet riche et somptueux. A boire dès maintenant, il présente une belle concentration et l'équilibre remarquable des arômes du cépage.

➤ J.-C. Kuntzer et Fils, succ. J.-Pierre Kuntzer, Daniel-Dardel 11, 2072 Saint-Blaise, tél. 032.753.14.23, fax 032.753.14.57 ☑ ¥ r.-v.

DOM. E. DE MONTMOLLIN FILS
Œil-de-Perdrix 1998★★

◪ 15 ha 95 000 ⏣ 70 à 99 F

Depuis le XVIᵉs., la famille de Montmollin s'occupe de viticulture, et le domaine, constitué au cours des siècles, est devenu aujourd'hui le plus important du canton de Neuchâtel, avec 47 ha cultivés et encavés à Auvernier, au cœur du vieux village. Le jury a apprécié l'Œil-de-Perdrix 98. Le nez discret cache un corps remarquable et une harmonie subtile des arômes, ce qui en fait un vin à boire en accompagnement de repas légers.

⊶ Dom. E. de Montmollin Fils, Grand-Rue 3, 2012 Auvernier, tél. 032.731.21.59, fax 032.731.21.59 ☑ Ỵ r.-v.

A PIQUELIOUDA
Saint-Blaise Pinot noir 1997★

■ 1,5 ha 4 800 ▮ 50 à 69 F

Depuis dix ans, Dimitri Engel a repris la tradition vigneronne familiale commencée en 1930 à Saint-Blaise. Ce vieux village mérite d'ailleurs un détour pour y découvrir les nouvelles rives aménagées du lac de Neuchâtel et une roue de moulin unique en son genre. Profitez-en pour déguster ce pinot noir 97. Ce vin, dont la robe est magnifique, est un échantillon honnête pour un jeune viticulteur prometteur. Il se marie idéalement avec les viandes rouges et les fromages régionaux.

⊶ Dimitri Engel, Daniel-Dardel 17, 2072 Saint-Blaise, tél. 032.753.29.46, fax 032.753.29.46 ☑ Ỵ r.-v.

CAVES DU PRIEURE DE CORMONDRECHE
Pinot noir Cuvée réservée 1997★★

■ 4,75 ha 21 340 ▮⏣🌡 50 à 69 F

Cave coopérative depuis 1939, les Caves du Prieuré sont un « must » du vignoble neuchâtelois. Sous la présidence experte de Henri-Louis Burgat, les sociétaires mettent un soin particulier à fournir une vendange de qualité qui a permis d'élaborer ce pinot noir d'une grande richesse. Avec des tanins bien fondus et de belles notes épicées, ce vin peut encore attendre un à deux ans avant de satisfaire pleinement le lecteur amateur de vin rouge typique du vignoble du canton de Neuchâtel.

⊶ Caves du Prieuré, Grand-Rue 25, 2036 Cormondrèche, tél. 032.731.53.63, fax 032.731.56.13 ☑ Ỵ r.-v.

DOM. DU CHATEAU VAUMARCUS
Vaumarcus 1998★★

□ 4 ha 18 000 ▮🌡 50 à 69 F

Niché entre des parois de rochers chauffées au soleil et le lac de Neuchâtel, le domaine du Château Vaumarcus, propriété des Caves Châtenay-Bouvier à Boudry, est l'héritier d'une noble tradition bicentenaire. Ce chasselas se caractérise par une excellente structure, une richesse et une rondeur qui en font le vin idéal pour accompagner, par exemple, un brochet du lac en sauce blanche.

⊶ SA Caves Châtenay-Bouvier, Vignoble 27, 2017 Boudry, tél. 032.842.23.33, fax 032.842.54.71 ☑ Ỵ r.-v.

Canton de Berne

Le vignoble forme un ruban qui s'étend le long de la rive gauche du lac de Bienne, au pied du Jura. Les vignes s'accrochent à la pente et entourent les villages dont l'architecture rappelle un art de vivre et une tradition qui a bien su traverser les siècles. Cinquante-cinq pour cent de la surface est occupée par du chasselas, 35 % par du pinot noir, 10 % par des spécialités comme les pinot gris, riesling x sylvaner, chardonnay, gewurztraminer, etc. Le climat tempéré du lac et le calcaire du sol, en général peu profond, confèrent aux vins finesse et caractère. Le chasselas est un vin blanc léger, pétillant, idéal pour l'apéritif ou pour accompagner un filet de féra du lac. Le pinot noir est un vin léger, élégant, fruité. Les domaines viticoles sont des entreprises familiales d'une surface comprise entre 2 et 7 ha, où tradition et modernité sont en parfaite harmonie.

Dans les autres cantons viticoles de Suisse alémanique, la vigne pousse très au nord. Malgré la rigueur du climat, ces régions produisent majoritairement des vins rouges. Souvent à base de pinot noir, ils représentent 70 % de la production. Quant aux vins blancs, ils sont principalement à base de riesling x sylvaner.

AUBERSON ET FILS
Neuveville Chardonnay 1998★

□ 0,7 ha 3 000 ▮ 70 à 99 F

Cette propriété située au cœur du vignoble domine les vieux toits de la charmante cité médiévale de La Neuveville. Ce chardonnay d'un nez intense évoque l'amande grillée et la truffe. Ce vin riche et velouté est doté d'une acidité suffisante pour affronter le temps.

⊶ Auberson et Fils, Tirage 25, 2520 La Neuveville, tél. 032.751.18.30, fax 032.751.53.83 ☑ Ỵ r.-v.

DOM. DE L'HOPITAL DE SOLEURE
Schafiser Chasselas 1998★

□ 2 ha 8 500 ▮🌡 50 à 69 F

Le domaine viticole de l'hôpital de Soleure est l'un des plus anciens de Suisse. Les bourgeois de cette ville firent l'acquisition des premières vignes vers 1350. Autrefois, le jus de raisin était transporté par bateau pour être vinifié dans les caves de l'hôpital. Ce beau chasselas, typique du lac, avec une robe perlée, est surprenant par l'intensité de ses fins arômes floraux. Moelleux, il est doté d'une subtile acidité et d'une belle longueur en fin de bouche.

🍷 Hôpital de Soleure, Russie, 8, 2525 Le Landeron, tél. 032.751.46.01 ☑ ⌁ r.-v.

🍷 Hôpital des Bourgeois

JOHANNES LOUIS
Schafiser Pinot noir 1998

■	0,8 ha	4 000	◫ 50 à 69 F

Depuis 1997, Johannes Louis a repris le domaine ancestral. Il a proposé un vin encore très jeune, qu'il faudra attendre environ deux ans. Une belle robe rubis clair pare ce pinot noir bien structuré aux arômes de cerise rouge, de fraise et de cassis. Sa bonne structure tannique s'arrondira avec le temps.

🍷 Johannes Louis, Schafisweg 371, 2514 Schafis, tél. 032.315.14.41 ☑ ⌁ r.-v.

SCHLOSSLIWY
Schafiser Blanc de noirs 1998

☐	1 ha	2 000	◫ 50 à 69 F

La belle maison de ce domaine fut construite en 1570. Depuis 1830, la famille Teutsch exploite un vignoble de 3 ha situé sur les rives du lac de Bienne. Ses vins provenant d'un sol calcaire sont vinifiés exclusivement en fût de chêne. Ce blanc de pinot noir est doté d'un bouquet de petits fruits rouges. Il se distingue en bouche par une structure intéressante alliant la force d'un pinot à la fraîcheur d'un vin blanc.

🍷 Heinz Teutsch, Schafis, 2514 Ligerz, tél. 032.315.21.70, fax 032.315.22.79 ☑ ⌁ r.-v.

PETER SCHOTT-TRANCHANT
Twanner Cuvée sélectionnée 1998★

☐	0,35 ha	3 000	◫ 70 à 99 F

Domaine familial de 2,5 ha réparti en différents terroirs. La qualité des vins est le résultat d'une bonne maîtrise des rendements. Une robe limpide habille ce chasselas au nez fruité et complexe : c'est un vin harmonieux présentant une belle rondeur.

🍷 Peter Schott-Tranchant, Dorfgasse 117, 2513 Twann, tél. 032.315.24.86, fax 032.315.24.86 ☑ ⌁ r.-v.

Canton d'Argovie

HARTMANN WEINBAU
Remiger Pinot noir Strohwein 1997★★★

■	n.c.	n.c.	▣ 100 à 149 F

Cette exploitation familiale, respectueuse de l'environnement, vinifie depuis 1985. Elle a proposé un vin de paille *(Strohwein)* passerillé exceptionnel dans le millésime. La robe est révélatrice de l'âge de ce 97 au nez très parfumé, avec des arômes de raisin sec. Bien équilibrée, la bou-

che développe longuement sa chaleur et sa puissance. « Une Spécialité absolue ! », note un dégustateur enthousiaste.

🍷 Hartmann Weinbau, Rinikerstrasse 17, 5236 Remigen, tél. 056.284.27.43, fax 056.284.27.28 ⌁ r.-v.

MEINRAD KELLER
Döttinger Privat Cuvée 1996★★★

■	3 ha	n.c.	◫ 70 à 99 F

Exploitation familiale dont les 3 ha de vignes comprennent six cépages. Privat Cuvée est un vin composé de pinot noir, de cabernet-sauvignon et de garanoir, élevé vingt mois en barrique. D'un rouge intense, elle révèle un nez fruité complexe. On perçoit bien les arômes dominants du cabernet et les notes boisées du fût. Plein et ample, ce 96 est déjà prêt mais peut attendre confortablement dans une bonne cave.

🍷 Keller Meinrad, Trottenweg 1, 5312 Döttingen, tél. 056.245.36.03 ⌁ r.-v.

ZUM STERNEN
Im Lee Döttingen Sauvignon blanc 1998★★★

☐	n.c.	n.c.	▮ 50 à 69 F

La tradition viticole de la famille Meyer a débuté en 1828. Aujourd'hui, le domaine compte 7 ha de vignes dans la vallée de l'Aar et une pépinière (fondée en 1921). Le restaurant « Zum Sternen », dont l'histoire est vieille de cent soixante ans, est à recommander ! Cet excellent vin affiche une couleur jaune foncé. Le nez fruité, aux arômes intenses de cassis et de mangue, est typique. Le corps vif et robuste est bien structuré. Longue finale.

🍷 Weingut zum Sternen, Rebschulweg, 2, 5303 Würenlingen, tél. 056.281.14.12, fax 056.281.29.02 ⌁ r.-v.

VOLG WEINKELLEREIN
Tegerfelden Pinot noir 1997★

■	n.c.	n.c.	◫ 70 à 99 F

Cette maison, située dans le canton de Zurich, a proposé un vin d'Aargau (Argovie) d'une belle couleur rubis avec une touche de violet. Au nez, de fines notes grillées signent un élevage en barrique. Des tanins fins composent un corps bien construit qui affiche un bon équilibre entre le fruit et le bois.

🍷 Volg Weinkellereien, Schaffhauserstrasse 6, 8401 Winterthur, tél. 052.264.26.26, fax 052.264.26.27 ⌁ r.-v.

Canton de Bâle

VERONICA KOELLREUTER
Pinot gris 1998★★

| ☐ | n.c. | n.c. | ▪ | 50 à 69 F |

La maison Klushof est une exploitation familiale de 6,2 ha, cultivant neuf cépages ; elle vinifie seize vins différents. Un petit restaurant, ouvert en mai, juin et septembre, complète le domaine. Ce pinot gris se présente avec un fruité intense au nez, très typique, accompagné d'un nuage de bergamote. Ce vin racé, légèrement doux, offre une grande plénitude et une longue finale. Il est vinifié à partir de raisins dont la concentration en sucre dépasse 100° oechsle.
☛ Veronica Koellreuter, Klushof, 4147 Aesch, tél. 061.751.13.78, fax 061.751.47.98 ☖ r.-v.

Canton des Grisons

COTTINELLI
Malanser Weissburgunder 1997★

| ☐ | n.c. | n.c. | ▪ ☖ | 50 à 69 F |

Vignerons depuis 1868, les Cottinelli se sont implantés dans les Grisons en 1948. Le pinot blanc, avec ses parfums caractéristiques de fines fleurs, se présente délicatement structuré par l'acidité. Il reste intense en bouche, tandis que la finale est un peu austère.
☛ Cottinelli, 7208 Malans, tél. 081.300.00.30, fax 081.300.00.40 ☖ r.-v.

FAMILIEN LIESCH
Malanser Blauburgunder Auslese 1997★★

| ▪ | n.c. | n.c. | ▪ ◖ | 50 à 69 F |

MALANSER

BLAUBURGUNDER
AUSLESE

1997

FAMILIEN LIESCH
TREIB
MALANS

75 CL   13.5 % VOL.

Cette exploitation située dans la Bündner Herrschaft est exploitée depuis 1991 par les frères Veli et Jürg Liesch. Sur les 6 ha sont cultivés du pinot noir, du müller thurgau, du pinot gris et du chardonnay. Les vinifications traditionnelles sont effectuées en barrique. Superbe pinot noir paré d'une robe de couleur rouge foncé intense. Etant partiellement élevé en barrique, ce vin a des arômes bien développés. On perçoit une riche concentration de fruits avec une fine note boisée. La bouche, bien équilibrée avec beaucoup de tanins, est pleine, délectable. Un grand vin que l'on pourra conserver de deux à quatre ans.

☛ Familien Liesch, Weingut Treib, 7208 Malans, tél. 081.322.12.25, fax 081.330.05.85 ☖ r.-v.

BARBARA ET THOMAS STUDACH
Malanser Pinot noir 1997★

| ▪ | n.c. | n.c. | ◖ | 70 à 99 F |

Cette exploitation familiale s'est convertie à l'agrobiologie. La surface totale de 2,4 ha est essentiellement plantée de pinot noir. Grâce à la limitation des rendements, Thomas et Barbara Studach ont produit un vin de caractère. Mûri en fûts et non filtré avant la mise en bouteille, ce 97 de couleur intense offre un nez de caramel, de framboise et de fruits mûrs. Très équilibré, il séduit par son palais épanoui.
☛ Thomas et Barbara Studach Weinbau, Kirchgasse 60, 7208 Malans, tél. 081.322.25.38, fax 081.322.25.38 ☖ r.-v.

VOLG WEINKELLEREIEN
Trimmis Pinot noir 1997★★

| ▪ | n.c. | n.c. | ◖ | 70 à 99 F |

Les caves Volg à Winterthur ont été fondées en 1899. Depuis quelques décennies, elles font la promotion du vin de Suisse orientale qui, actuellement, jouit d'une très bonne réputation. Volg est un des grands acteurs dans ce domaine. De couleur rubis intense, à reflet orangé, ce pinot noir présente un nez corsé, enrichi de baies des bois, de clou de girofle et de notes grillées. Puissant et chaleureux, il développe de forts tanins jusque dans la longue finale. Un vin que l'on peut attendre.
☛ Volg Weinkellereien, Schaffhauserstrasse 6, 8401 Winterthur, tél. 052.264.26.26, fax 052.264.26.27 ☖ r.-v.

Canton de Saint-Gall

KUMIN Quinter Blauburgunder 1998★★

| ▪ | 1,95 ha | n.c. | ▪ ☖ | 50 à 69 F |

De couleur rouge foncé à reflets violets, ce vin sent le jeune fruit du pinot. Elégant, bien structuré par des tanins encore « tout neufs » mais fins, il est harmonieux dans son ensemble.
☛ Gebrüder Kümin, Oechsli 1, 8807 Freienbach, tél. 055.410.31.31, fax 055.410.63.67 ☖ r.-v.

Canton de Schaffhouse

BADREBEN
Osterfinger Pinot noir Barrique 1997★★★

| ▪ | n.c. | n.c. | ◖ | 70 à 99 F |

L'auberge noble et le domaine viticole existent depuis 1472. La famille Meyer est propriétaire depuis cent ans. Un lieu magnifique qui mérite d'être découvert, tout comme ce vin de couleur rouge foncé aux arômes discrets tels que sucre caramélisé, noix, vanille. Bien structuré, velouté malgré des tanins encore jeunes, ce 97 possède un bon potentiel de garde.

Bad Osterfingen Fam. Meyer, 8218 Osterfingen, tél. 052.681.21.21 r.-v.

BADREBEN Osterfinger Pinot noir 1997**

■ n.c. n.c. 70 à 99 F

Un joli rubis habille ce 97 au nez intense : arômes de vanille, de pruneaux, de cannelle et tabac doux. Le palais, complet, aux tanins équilibrés et longs, est caractéristique d'un vin de garde. Toutefois, ce pinot noir pourra déjà accompagner les viandes rouges.

Bad Osterfingen Fam. Meyer, 8218 Osterfingen, tél. 052.681.21.21 r.-v.

BAUMANN
Oberhallauer Auslese Pinot noir 1997**

■ n.c. n.c. 50 à 69 F

Cette exploitation familiale couvre 7,2 ha de vignes. Son pinot noir de type Auslese a enthousiasmé les dégustateurs par sa couleur intense et son remarquable fruité. Riche, corsé, aromatique, c'est un très grand vin de garde.

Baumann Weingut, Unterdorf 117, 8216 Oberhallau, tél. 052.681.33.46, fax 052.681.33.56 r.-v.

IM PETER
Buchberg Spätlese Pinot noir 1997***

■ n.c. 175 50 à 69 F

Ce magnifique 97 est d'une couleur rouge intense. Son corps intéressant, élégant, aux arômes fruités multiples ne manque certes pas de chair ; le bois de la barrique est bien intégré. La longue finale est digne d'un très grand vin.

Gebrüder Kümin, Oechsli 1, 8807 Freienbach, tél. 055.410.31.31, fax 055.410.63.67 r.-v.

KUMIN
Buchberger Riesling x silvaner 1998**

☐ 1,18 ha n.c. 30 à 49 F

Tout en fraîcheur, ce müller-thurgau offre un bouquet élégant de muscat et de tilleul. Son acidité bien structurée lui confère un joli équilibre.

Gebrüder Kümin, Oechsli 1, 8807 Freienbach, tél. 055.410.31.31, fax 055.410.63.67 r.-v.

COOPERATIVE LOHNINGEN
Loehninger Auslese Riesling x silvaner 1998**

☐ 10,8 ha n.c. 30 à 49 F

La coopérative Löhningen vinifie les vins de Löhningen et de Beringen. Quarante vignerons cultivent 13,5 ha de vignes. A Löhningen, 80 % de la surface est plantée de riesling x sylvaner, le reste étant consacré aux pinot noir, garanoir et dornfelder. Le riesling x sylvaner est connu pour sa note fruitée de muscat. De couleur jaune clair, celui-ci, avec une acidité fraîche fruitée et muscatée, est complet et perlant.

Weinbaugenossenschaft Löhningen, 8224 Löhningen, tél. 056.685.36.46 r.-v.

ROTIBERG Wilchinger Pinot noir 1997*

■ n.c. n.c. 50 à 69 F

Rötiberg-Kellerei, Lanz & Co est une exploitation familiale qui n'a cessé d'évoluer depuis quatre générations. Ses efforts portent sur la vinification de vins de haute qualité. Ce pinot noir se présente sous une couleur rouge foncé. Les arômes sont bien concentrés, de type melon, chocolat, pruneau. Après la fermentation, il a été élevé dans des fûts de bois, d'où son goût boisé. Longueur honorable.

Rötiberg-Kellerei, Lanz & Co, Dorfstrasse 141, 8217 Wilchingen, tél. 052.681.19.21, fax 052.681.19.25 r.-v.

VON STAATSREBGUT
Hallauer Pinot blanc 1998**

☐ n.c. n.c. 70 à 99 F

Ce pinot blanc est issu d'un pressurage des raisins entiers et d'une longue fermentation à basse température. Son joli fruit typé, avec un léger soutien de levure, lui confère une indéniable élégance soutenue par une acidité délicatement structurée. Une grande plénitude s'exprime en bouche. De bonne longueur, c'est un vin juvénile à essayer sur des asperges.

Rötiberg-Kellerei, Lanz & Co, Dorfstrasse 141, 8217 Wilchingen, tél. 052.681.19.21, fax 052.681.19.25 r.-v.

STAMM Thaynger Chardonnay 1998**

☐ n.c. n.c. 70 à 99 F

Cette exploitation familiale conduit selon les principes de l'agriculture raisonnée 5 ha de vignes en terrasses. Les vinifications sont menées en cuves, en barriques ou encore en grands fûts de chêne indigène. Ce chardonnay au goût discret de bois, avec un nuage de vanille, offre un panier de fruits exotiques. Grâce à la fermentation à froid, il reste des sucres résiduels qui donnent à ce vin un corps bien structuré. La longue finale est fort élégante.

Thomas et Marianne Stamm, Aeckerllstrasse 20, 8240 Thayngen, tél. 052.649.24.15, fax 052.649.24.16 r.-v.

ZWAA
Osterfingen Oberhallau Pinot noir 1997★★

■ n.c. n.c. 100 à 149 F

Deux vignobles et deux vignerons s'associent pour donner naissance à ce remarquable pinot noir que vous trouverez chez l'un (Baumann) ou chez l'autre (Michael Meyer). Il a une couleur intense ; ses arômes de vanille et de café grillé témoignent du passage sous bois et de tanins bien présents. Un grand vin de garde.
Baumann Weingut, Unterdorf 117, 8216 Oberhallau, tél. 052.681.33.46, fax 052.681.33.56 r.-v.

Canton de Thurgovie

KARTAEUSER Warth Pinot noir 1998★

■ n.c. n.c. 50 à 69 F

D'une belle couleur intense, ce pinot noir de Warth offre un fruit juvénile. Légèrement tannique, ce vin bien structuré finit sur une note framboisée élégante.
Rutishauser Weinkellerei AG, Dorfstrasse 40, 8596 Scherzingen, tél. 071.686.88.88, fax 071.686.88.99 r.-v.

RUTISHAUSER
Sunnehalder Ottenberg-Weinfelden Garanoir 1998★★

■ n.c. n.c. 50 à 69 F

La propriété fondée en 1886 comprend 16 ha de vignes mais elle vinifie également le raisin de deux cents producteurs de la région. La maison Rutishauser jouit d'une bonne réputation. Elle offre ici un garanoir, cépage propre à la Suisse, d'une belle couleur dense à reflets violets. Bien fruité avec des arômes de mûres et de baies des bois, ce vin a tous les caractères qu'on peut en attendre. Ses tanins doux et jeunes lui confèrent un bon potentiel de garde.
Rutishauser Weinkellerei AG, Dorfstrasse 40, 8596 Scherzingen, tél. 071.686.88.88, fax 071.686.88.99 r.-v.

A. ET A. SAXER
Steiner Gewürztraminer 1998★★

□ n.c. n.c. 70 à 99 F

Cette maison située à Nussbaumen exploite 8 ha de vignes. Ses principaux cépages sont le pinot noir et le riesling x sylvaner (müller-thurgau). C'est le gewürztraminer qui a le plus séduit le jury. Le vin porte des arômes discrets de roses et de miel ; il est exotique et très frais. C'est un 98 bien équilibré et brillant.

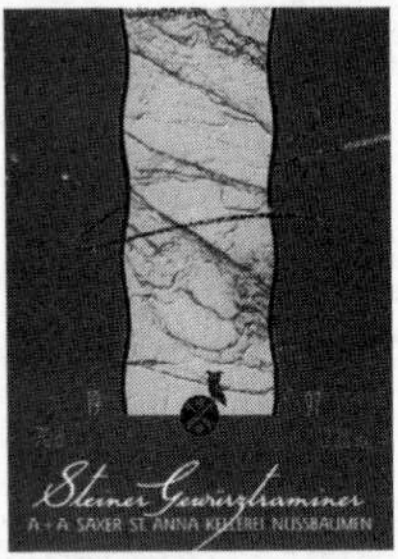

A. et A. Saxer, St-Anna-Kellerei, 8537 Nussbaumen, tél. 052.745.23.51, fax 052.745.27.34 r.-v.

Canton de Zurich

KUMIN Leutschner Räuschling 1998★

□ 0,25 ha n.c. 50 à 69 F

La maison Kümin a été fondée en 1902. Actuellement, la propriété s'étend sur plusieurs cantons de Suisse orientale. Ce vin est fruité avec une acidité agréable. Aromatique (typique du räuschling) et perlant, il est frais.
Gebrüder Kümin, Oechsli 1, 8807 Freienbach, tél. 055.410.31.31, fax 055.410.63.67 r.-v.

KUMIN Isle de Insel Ufnau Clevner 1998★★

■ 1 ha n.c. 50 à 69 F

De couleur rouge foncé avec un nuage de violet, ce vin est agréablement fruité. Son corps est plein, riche en tanins et bien structuré.
Gebrüder Kümin, Oechsli 1, 8807 Freienbach, tél. 055.410.31.31, fax 055.410.63.67 r.-v.

Canton du Tessin

Le vignoble tessinois s'étend de Giornico au nord à Chiasso au sud, sur une surface de 900 ha. Une grande partie des trois mille huit cents viticulteurs du canton possèdent des petites parcelles auxquelles ils consacrent leurs loisirs ; depuis quelques années, une trentaine se consacrent entièrement à la viticulture, vinifient et commercialisent. Environ cent viticulteurs travaillent leurs vignes à plein temps et vendent leur raisin aux coopératives. Le cépage « prince » du canton est le merlot d'origine bordelaise, qui a été introduit au Tessin au début du XXe s. Actuellement, le merlot recouvre 85 % de la surface viticole du canton. Le merlot est un cépage qui permet la production de plusieurs types de vins : le blanc, le rosé et le rouge. Le vin rouge de merlot, qui est sans doute le plus répandu, peut être léger ou bien corsé, apte au vieillissement, en fonction du temps de cuvage. Certains sont élevés en barrique. La production moyenne décennale de merlot du Tessin se monte à 55 000 quintaux.

AMPELIO Merlot del Ticino 1996**

■ n.c. 7 000 ⓘ 70 à 99 F

Récolté dans la région de Bellinzona, sur des sols légers d'origine granitique, ce merlot chatoie dans le verre : rubis intense aux lumineux éclats mauves. Les épices se révèlent progressivement dans une gamme riche et complexe. Un vin charnu et velouté qui perdure longuement en bouche.

⊶ SA Vinicola Carlevaro, S. Gottardo 123,
6500 Bellinzona, tél. 091.829.10.44,
fax 091.829.14.56
⊶ Gian Piero Carlevaro

CASTANAR Merlot del Ticino 1997***

■ n.c. 1 200 ⓘ 70 à 99 F

Le merlot est majoritaire dans ce vignoble de 5 ha implanté sur les communes de Stabio, Ligornetto et Novazzano. Originaire de Stabio, la vendange 97 a été assemblée à 10 % de cabernet-sauvignon pour produire ce vin rubis brillant à reflets grenat. Le nez ample et persistant fait la part belle aux épices, héritage d'un passage en barrique de douze mois. Chaleureuse, la bouche est aromatique et gentiment tannique. Un superbe vin qui s'harmonisera avec une polenta, un bœuf braisé et avec tous les plats relevés de la cuisine tessinoise.

⊶ Roberto Ferrari, via Mulino 6, 6855 Stabio,
tél. 091.647.12.34, fax 091.647.12.34 Ɪ r.-v.

COMANO
Vigneto ai Brughi Merlot del Ticino 1996**

■ 1,5 ha 7 000 ⓘ 70 à 99 F

Les vins de Carlo Tamborini sont largement distribués en Suisse comme en France. Très typé merlot, le Comano 96 affiche une teinte rubis intense à reflets grenat. La vanille accompagne une riche gamme aromatique marquée par l'élevage en barrique. Un vin encore austère mais harmonieux qui soulignera les saveurs d'une viande rouge ou d'un fromage du Tessin.

⊶ SA Eredi Carlo Tamborini, Strada
Cantonale, 6814 Lamone, tél. 091.935.75.45,
fax 091.935.75.49 ☑ Ɪ r.-v.
⊶ Claudio Tamborini

CRESPERA Riserva 1996**

■ n.c. 6 000 ⓘ 70 à 99 F

Le domaine Bally e von Teufenstein vinifie exclusivement les raisins de ses vignobles, soit 7 ha implantés sur un sol acide assez peu profond, argilo-sableux. Son assemblage de merlot (75 %) et de cabernet-sauvignon (25 %) - production vedette de la maison - présente une teinte rubis soutenu, caractéristique de l'appellation. Des arômes de petits fruits rouges montent à l'olfaction, tandis qu'en bouche ce vin intense fait la queue de paon.

⊶ Tenuta Bally e von Teufenstein, via Crespera
55, 6932 Breganzona, tél. 091.966.28.08,
fax 091.967.53.71 Ɪ r.-v.
⊶ Christian Krebs

I VINI DI GUIDO BRIVIO
Riflessi d'Epoca Merlot del Ticino 1996**

■ n.c. 25 000 ⓘ 100 à 149 F

De quelle époque ce beau merlot est-il le reflet ? Du début du siècle peut-être, lorsque les fondateurs de la maison vinicole, les Realini-Valli, avaient pignon sur rue à Stabio. La nostalgie n'est pourtant pas de mise quand on goûte ce vin rubis brillant, riche et majestueux. Les fines épices se retrouvent au nez comme en bouche, soulignant une matière ample.

⊶ SA I vini di Guido Brivio, via Vignoo 8,
6850 Mendrisio, tél. 091.646.07.57,
fax 091.646.08.05 ☑ Ɪ r.-v.

IL QUERCETO Merlot del Ticino 1996**

■ 0,8 ha 6 700 ⓘ 100 à 149 F

Le merlot partage difficilement la vedette dans le terroir sablonneux de Locarno. Représentant 80 % de l'encépagement, il devance de loin le kerner, le chardonnay et le cabernet-sauvignon. Et il serait fort dommage de changer une tradition qui réussit si bien à cette *azienda.* Rubis profond, Il Querceto 96 (« le petit chêne ») offre un univers aromatique intense, composé de vanille et de fruits des bois. La bouche, charnue, reprend la gamme du nez en y ajoutant une douce note toastée. L'alliance parfaite du chêne français du Tronçais et du merlot du Tessin.

⊶ SA Terreni alla Maggia, via Muraccio 105,
6212 Ascona, tél. 091.791.24.52,
fax 091.791.06.54 ☑ Ɪ r.-v.

FATTORIA MONCUCCHETTO
Merlot Lugano 1997***

■ n.c. 1 800 ⓘ 70 à 99 F

Le terroir de Moncucchetto est à cheval sur les communes de Lugano et de Sorengo. Une *fattoria* ancienne, créée dès 1719, est à l'origine de ce merlot tessinois récolté sur un coteau aménagé en terrasses. Rubis d'intensité moyenne, le millésime 97 dévoile un nez aux contours délicats. Derrière une charpente tannique parfaitement équilibrée, mise en valeur par un élevage en barrique de chêne maîtrisé, la bouche développe une matière suave. Un merlot aussi har-

monieux que la jolie étiquette qui le présente, où figure une madone aux couleurs pastel.
🔑 Niccolo e Lisetta Lucchini, via Crivelli 30, 6900 Lugano, tél. 091.966.73.63, fax 091.922.71.77 ☑ Y r.-v.

MONTAGNA MAGICA
Merlot del Ticino 1996**

■ n.c. 7 000 🍷 100 à 149 F

Plus de 90 % du vignoble de Daniel Huber sont consacrés au merlot. Ce cépage, implanté sur un sol sablo-argileux, est ici bien exposé à flanc de coteau. Le millésime 96, élevé seize mois en barrique, est un vin plein et fruité. Sa robe, marquée par le violet, a gardé un certain caractère de jeunesse.
🔑 Daniel Huber, Monteggio, 6998 Termine, tél. 091.608.17.54, fax 091.608.17.54 ☑ Y r.-v.

MONTE CARASSO
Merlot del Ticino 1997**

■ n.c. 5 000 🍷 70 à 99 F

Le raisin vinifié à la *cantina* Giubiasco provient d'un patchwork de parcelles vallonnées, au rendement modéré. Les vins de pur bondola, cépage rouge local, ou de pur chardonnay, sont ici des spécialités. Toutefois, le merlot conserve la vedette, décliné sous sept marques. Derrière une couleur rouge franc à reflets violacés, le Monte Carasso libère des arômes intenses de griotte. Sa matière est structurée par des tanins très présents mais fins qui lui assurent un remarquable potentiel de garde.
🔑 SA Cagi-Cantina Giubiasco, via Linoleum 11, 6512 Giubiasco, tél. 091.857.25.31, fax 091.857.79.12
🔑 Adriano Petralli

PURPURATUM
Merlot del Ticino En barrique 1996**

■ n.c. 7 000 🍷 100 à 149 F

Purpurin... ce merlot offre un bouquet intense et complexe dominé par les petits fruits. En bouche, des arômes d'épices et de pruneau mettent en valeur une matière pleine. Un beau vin à servir sur une viande ou un gibier.
🔑 SA La Cappellaccia, Strada Regina 1, 6928 Manno, tél. 091.605.44.76, fax 091.604.64.71
🔑 Famille Muschi

ROMPIDEE
Merlot del Ticino élevé en barrique 1996**

■ n.c. n.c. 🍷 100 à 149 F

Le domaine, créé en 1880, est dirigé par la famille Arnaboldi depuis cinquante ans déjà. Fabio Arnaboldi privilégie un élevage en petits fûts de chêne, pendant une période de douze à dix-huit mois selon la qualité du millésime. Ce merlot, d'une belle couleur pourpre, évoque le sous-bois. Sa bouche, encore austère, devrait s'assouplir dans le temps. Accompagnera dignement les viandes rouges.
🔑 F. Arnaboldi Caverzasio, via Delta 24, 6612 Ascona, tél. 091.791.16.82, fax 091.791.03.93 Y t.l.j. sf sam. dim. 7h30-17h30

RONCO BALINO
Merlot del Ticino 1996**

■ 1,7 ha 5 000 🍷 150 à 199 F

Le merlot règne sans partage sur les 3 ha du domaine familial. Une partie du vignoble se trouve à Gorla, l'autre (1 ha) - dénommée Ronco Balino - à Sementina, dans le Sopraceneri. Ce dernier terroir, sablonneux avec quelques affleurements calcaires, a produit en 1996 un vin rouge sombre, qui a fait sa fermentation malolactique en fût de chêne. L'élevage de dix-huit mois en barrique a apporté la touche finale à ce merlot signé Kopp-von der Crone.
🔑 Famille Kopp-von der Crone, Gorla, 6874 Castel S.-Pietro, tél. 091.682.96.16, fax 091.682.96.16 ☑ Y r.-v.

ROSSO DI SERA Merlot del Ticino 1997**

■ 1,5 ha 3 000 🍷 100 à 149 F

« Rouge du soir... » Un nom poétique et une étiquette stylisée pour ce merlot récolté et vinifié par la famille Klausener. Les 3,5 ha de vignes (dont plus de la moitié dépasse quarante ans) ne produisent pas plus de 11 000 l par an. Il en résulte des vins concentrés, à la matière d'autant plus riche qu'ils sont longuement macérés et élevés en barrique de chêne. Le millésime 97 en est l'illustration.
🔑 Famiglia Klausener, 6989 Purasca, tél. 091.606.35.22, fax 091.606.35.22 ☑ Y r.-v.

RUBRO
Merlot del Ticino Elevé en barrique de chêne 1995**

■ n.c. 15 000 🍷 100 à 149 F

Déjà présents avec trois étoiles dans le Guide 99 pour leur Rubro 94, Cesare Valsangiacomo et son œnologue Matteo Rigatti reviennent sur le devant de la scène grâce au millésime 95 de ce même vin, issu du terroir calcaire de Castel San Pietro. Toujours aussi élégant dans sa robe rubis intense aux reflets brillants, le Rubro libère un nez typé merlot, aux arômes boisés fondus. Un vin austère ? Peut-être, mais sa bouche harmonieusement encadrée par des tanins veloutés est délicieuse.
🔑 SA Valsangiacomo Fu Vittore, Corso San Gottardo 107, 6830 Chiasso, tél. 091.683.60.53, fax 091.683.70.77

SASSI GROSSI Merlot del Ticino 1997***

■ n.c. 20 000 🍷 100 à 149 F

Deux cent trente viticulteurs participent à la production de la Casa vinicola Gialdi, en apportant leurs raisins de merlot, de pinot noir et de chardonnay. Le merlot, issu de l'aire de Tre Valli et vinifié à la bordelaise, avait déjà obtenu trois étoiles dans le millésime 95. Deux vendanges plus tard, sa qualité est à nouveau saluée. Habillé d'une robe rubis profond à reflets violacés, le vin laisse échapper des arômes intenses de fruits mûrs et d'épices. Il tapisse le palais d'une matière soyeuse et prolonge durablement le plaisir. Toute l'élégance du merlot...
🔑 SA Casa Vinicola Gialdi, via Vignoo 3, 6850 Mendrisio, tél. 091.646.40.21, fax 091.646.67.06 ☑ Y r.-v.

SINFONIA
Merlot del Ticino Barrique 1996★★

■ n.c. 15 000 🛢 100 à 149 F

Installée à Bellinzona depuis 1950, l'*azienda* de Bruno Chiericati ouvre ses portes au public : son œnothèque rassemble une large gamme de vins du Tessin et d'autres régions. Récolté sur les collines du Sopraceneri, le merlot Sinfonia est en train d'évoluer du rubis vif vers le grenat. Très intense et persistante, sa palette décline les notes épicées, tandis que sa bouche se développe chaleureusement sur des tanins soyeux et une matière ronde.

SA Chiericati vini, via Convento 10, casella postale 1214, 6501 Bellinzona,
tél. 091.825.13.07, fax 091.826.40.07 ☑ Y r.-v.
Angelo Cavalli

TENIMENTO DELL'OR
Merlot del Ticino Riserva 1996★★

■ 2 ha n.c. 🛢 100 à 149 F

Le domaine, situé sur un coteau bien ensoleillé de la commune d'Arzo, couvre 7,5 ha, exploités selon des méthodes respectueuses de l'environnement. Quatre jardins ampélographiques, rassemblant six cents cépages, sont entretenus à titre expérimental. Elevé exclusivement sous bois neuf d'origine française, ce merlot séduit à l'œil par ses nuances violacées. Au nez, complexité et élégance. En bouche, intensité et persistance. La trame des tanins est encore très perceptible mais se fondra avec quelques mois de garde dans une matière généreuse.

SA Agriloro, Tenuta del Loro, 6864 Arzo,
tél. 091.646.74.03, fax 091.640.54.55 ☑ Y r.-v.
M.C. Perler

VINATTIERI Merlot del Ticino 1996★★

■ n.c. 12 000 🛢 200 à 249 F

Ce merlot est élevé dans des chais creusés au cœur de la roche, au pied du Monte Generoso. Les trois cents barriques proviennent toutes du Massif central. Après avoir séjourné dix-huit mois sous bois et douze mois en bouteille, le millésime 96 dévoile ses atours : une robe grenat profond, une riche palette de cèdre, de café et de bois noble, complétée par des fruits confits. Pleine et franche, la bouche s'étire élégamment, laissant naître de jolies notes de thé.

SA Vinattieri Ticinesi, via Comi 4,
6853 Ligornetto, tél. 091.647.33.33,
fax 091.647.34.32 ☑ Y r.-v.

GLOSSAIRE

Acerbe. Se dit d'un vin rendu âpre et vert par un fort excès de tanin et d'acidité. Défaut très grave.
Acescence. Maladie provoquée par des micro-organismes et donnant un vin piqué.
Acidité. Présente sans excès, l'acidité contribue à l'équilibre du vin, en lui apportant fraîcheur et nervosité. Mais lorsqu'elle est très forte, elle devient un défaut, en lui donnant un caractère mordant et vert. En revanche, si elle est insuffisante, le vin est mou.
Agressif. Se dit d'un vin montrant trop de force et attaquant désagréablement les muqueuses.
Aigreur. Caractère acide élevé, assorti d'une odeur particulière rappelant celle du vinaigre.
Aimable. Vin dont tous les aspects sont agréables et pas trop marqués.
Alcool. Composant le plus important du vin après l'eau, l'alcool éthylique apporte au vin son caractère chaleureux. Mais s'il domine trop, le vin devient brûlant.
Aligoté. Cépage blanc de Bourgogne donnant le bourgogne aligoté, vin de carafe à boire jeune.
Altesse. Cépage blanc donnant des roussettes-de-savoie d'une grande finesse.
Ambre. En vieillissant longuement, ou en s'oxydant prématurément, les vins blancs prennent parfois une teinte proche de celle de l'ambre.
Amertume. Normale pour certains vins rouges jeunes et riches en tanin, l'amertume est dans les autres cas un défaut dû à une maladie bactérienne.
Ampélographie. Science étudiant les cépages.
Ample. Se dit d'un vin harmonieux donnant l'impression d'occuper pleinement et longuement la bouche.
Analyse sensorielle. Nom technique de la dégustation.
Animal. Qualifie l'ensemble des odeurs du règne animal : musc, venaison, cuir…, surtout fréquentes dans les vins rouges vieux.
AOC. Appellation d'origine contrôlée. Système réglementaire garantissant l'authenticité d'un vin issu d'un terroir donné. Les grands vins proviennent de régions d'AOC.
Apreté. Sensation rude, un peu râpeuse, provoquée par un fort excès de tanin.
Aramon. Cépage noir ordinaire du Midi méditerranéen, très en faveur après la crise phylloxérique, mais en recul aujourd'hui.
Arbois. Cépage blanc ordinaire de Touraine (sans aucun rapport avec le vin du même nom produit dans le Jura).
Arôme. Dans le langage technique de la dégustation, ce terme devrait être réservé aux sensations olfactives perçues en bouche. Mais le mot désigne aussi fréquemment les odeurs en général.
Arrufiac. Cépage blanc assez fin, participant à l'élaboration de certains vins béarnais.
Assemblage. Mélange de plusieurs vins pour obtenir un lot unique. Faisant appel à des vins de même origine, l'assemblage est très différent du coupage – mélange de vins de provenances diverses –, qui a une connotation péjorative.
Astringence. Caractère un peu âpre et rude en bouche, souvent présent dans de jeunes vins rouges riches en tanin et ayant besoin de s'arrondir.
Auxerrois. Cépage lorrain donnant l'alsace pinot ou alsace klevner ; nom donné aussi au malbec, à Cahors.

Balsamique. Qualificatif d'odeurs venues de la parfumerie et comprenant, entre autres, la vanille, l'encens, la résine et le benjoin.
Ban des vendanges. Date autorisant le début des vendanges ; souvent occasion de fêtes.
Baroque. Cépage blanc du Béarn donnant un vin de garde.
Barrique. Fût bordelais de 225 litres, ayant servi à déterminer le « tonneau » (unité de mesure correspondant à quatre barriques).
Blanc fumé. Nom donné au sauvignon à Pouilly-sur-Loire, d'où l'appellation pouilly-fumé (à ne pas confondre avec le pouilly-fuissé de Bourgogne, issu de chardonnay).
Botrytis cinerea. Nom d'un champignon entraînant la pourriture des raisins. Généralement très néfaste, il peut sous certaines conditions climatiques produire une concentration des raisins qui est à la base de l'élaboration des vins blancs liquoreux.
Bouche. Terme désignant l'ensemble des caractères perçus dans la bouche.
Bouquet. Caractères odorants se percevant au nez lorsque l'on flaire le vin dans le verre, puis dans la bouche sous le nom d'arôme.
Bourbe. Eléments solides en suspension dans le moût. Voir débourbage.
Bourboulenc. Cépage blanc de qualité de la région méditerranéenne.
Breton. Nom donné au cabernet franc en Val de Loire.
Brillant. Se dit d'une couleur très limpide dont les reflets brillent fortement à la lumière.
Brûlé. Qualificatif, parfois équivoque, d'odeurs diverses, allant du caramel au bois brûlé.
Brut. On appelle bruts des vins effervescents comportant très peu de sucre (juste assez pour tempérer l'acidité du vin) ; « brut zéro » correspond à l'absence totale de sucre.

Cabernet franc. Cépage noir associé au cabernet-sauvignon et au merlot dans le Bordelais, et produisant certains vins du Val de Loire. Il donne un vin de garde d'une bonne finesse.
Cabernet-sauvignon. Cépage noir noble, dominant en Médoc et dans les Graves, mais présent aussi dans d'autres régions et donnant des vins de longue garde.
Capiteux. Caractère d'un vin très riche en alcool, jusqu'à en être fatigant.
Carafe. On appelle « vins de carafe » les vins qui se boivent jeunes et qu'autrefois on tirait directement au tonneau. Par exemple, le muscadet ou le beaujolais.
Carignan. Cépage noir du vignoble méditerranéen donnant des vins très charpentés.
Casse. Accident (oxydation ou réduction) provoquant une perte de limpidité du vin.
Caudalie. Unité de mesure de la durée de persistance en bouche des arômes après la dégustation.
Cépage. Variété de vigne.

César (ou romain). Cépage très tannique, utilisé en petite proportion à Irancy et donnant un caractère particulier aux vins de pinot noir.

Chai. Bâtiment situé au-dessus du sol et destiné aux vins (synonyme de cellier) dans les régions où l'on ne creuse pas de caves.

Chair. Caractéristique d'un vin donnant dans la bouche une impression de plénitude et de densité, sans aspérité.

Chaleureux. Se dit d'un vin procurant, notamment par sa richesse alcoolique, une impression de chaleur.

Chaptalisation. Addition de sucre dans la vendange, contrôlée par la loi, afin d'obtenir un bon équilibre du vin par augmentation de la richesse en alcool lorsque celle-ci est trop faible.

Chardonnay. Cépage bourguignon blanc de qualité, cultivé également dans d'autres régions, en particulier en Champagne et en Franche-Comté. Il donne un vin fin et d'une bonne aptitude au vieillissement.

Charnu. Se dit d'un vin ayant de la chair.

Charpente. Bonne constitution d'un vin avec une prédominance tannique ouvrant de bonnes possibilités de vieillissement.

Chartreuse. Dans le Bordelais, petit château du XVIIIe ou du début du XIXe siècle.

Chasselas. Cépage blanc cultivé surtout comme raisin de table, mais également utilisé en vinification (en Suisse, en Alsace...).

Château. Terme souvent utilisé pour désigner des exploitations vinicoles, même si – parfois – elles ne comportent pas de véritable château.

Chenin. Cépage blanc très répandu en Val de Loire, donnant des vins équilibrés, fins, aptes à la garde.

Cinsaut ou cinsault. Cépage noir du vignoble méditerranéen donnant des vins très fruités.

Clairet. Vin rouge léger et fruité, ou vin rosé produit en Bordelais et en Bourgogne.

Clairette. Cépage blanc du vignoble méditerranéen donnant des vins assez fins.

Claret. Nom donné par les Anglais au vin rouge de Bordeaux.

Clavelin. Bouteille de forme particulière et d'une contenance de 60 cl, réservée aux vins jaunes du Jura.

Climat. Nom de lieu-dit cadastral dans le vignoble bourguignon.

Clone. Ensemble des pieds de vigne issus d'un pied unique par multiplication (bouturage ou greffage).

Clos. Très usité dans certaines régions pour désigner les vignes entourées de murs (Clos de Vougeot), ce terme a pris souvent un usage beaucoup plus large, désignant parfois les exploitations elles-mêmes.

Collage. Opération de clarification réalisée avec un produit (blanc d'œuf, colle de poisson) se coagulant dans le vin en entraînant dans sa chute les particules restées en suspension.

Colombard. Cépage blanc du Sud-Ouest de la France, donnant des vins assez communs.

Cordon. Mode de conduite des vignes palissées.

Corps. Caractère d'un vin alliant une bonne constitution (charpente et chair) à de la chaleur.

Corsé. Se dit d'un vin ayant du corps.

Cot ou côt. Nom donné au cépage malbec dans certaines régions.

Coulant. Un vin coulant (ou gouleyant) est un vin souple et agréable, « glissant » bien dans la bouche.

Coulure. Non transformation de la fleur en fruit due à une mauvaise fécondation, pouvant s'expliquer par des raisons diverses (climatiques, physiologiques, etc.).

Courbu. Cépage blanc du Béarn et du Pays basque.

Courgée. Nom de la branche à fruits laissée à la taille et qui est ensuite arquée le long du palissage dans le Jura (en Mâconnais, elle porte le nom de queue).

Court. Se dit d'un vin laissant peu de traces en bouche après la dégustation (on dit aussi « court en bouche »).

Crémant. Vin mousseux d'AOC élaboré par méthode traditionnelle avec des contraintes spécifiques dans les régions d'Alsace, de Bordeaux, de Bourgogne, de Die, du Jura, de Limoux, de la Loire.

Cru. Terme dont le sens varie selon les régions (terroir ou domaine), mais contenant partout l'idée d'identification d'un vin à un lieu défini de production.

Cruover (marque commerciale). Appareil permettant de conserver le vin en bouteille entamée sous gaz inerte (azote) pour le servir au verre.

Cuvaison. Période pendant laquelle, après la vendange en rouge, les matières solides restent en contact avec le jus en fermentation dans la cuve. Sa longueur détermine la coloration et la force tannique du vin.

Débourbage. Clarification du jus de raisin non fermenté, séparé de la bourbe.

Débourrement. Ouverture des bourgeons et apparition des premières feuilles de la vigne.

Décanter. Transvaser un vin de sa bouteille dans une carafe, pour lui permettre de se rééquilibrer ou d'abandonner son dépôt.

Déclassement. Suppression du droit à l'appellation d'origine d'un vin ; celui-ci est alors commercialisé comme vin de table.

Décuvage. Séparation du vin de goutte et du marc après fermentation (on dit aussi écoulage).

Dégorgement. Dans la méthode traditionnelle, élimination du dépôt de levures formé lors de la seconde fermentation en bouteille.

Degré alcoolique. Richesse du vin en alcool exprimée en général en degrés (correspondant au pourcentage de volume d'alcool contenu dans le vin).

Dépôt. Particules solides contenues dans le vin, notamment dans les vins vieux (où il est éliminé avant dégustation par la décantation).

Dosage. Apport de sucre sous forme de « liqueur de tirage » à un vin effervescent, après le dégorgement.

Doux. Terme s'appliquant à des vins sucrés.

Dur. Le vin dur est caractérisé par un excès d'astringence et d'acidité, pouvant parfois s'atténuer avec le temps.

Duras. Cépage noir produit surtout à Gaillac.

Durif. Cépage noir du Dauphiné.

Echelle des crus. Système complexe de classement des communes de Champagne en fonction de la valeur des raisins qui y sont produits. Dans d'autres régions, situation hiérarchique des productions classées par des autorités diverses.

Ecoulage. Voir décuvage.

Effervescent. Se dit d'un vin dégageant des bulles de gaz.

Egrappage. Séparation des grains de raisin de la rafle.
Elevage. Ensemble des opérations destinées à préparer les vins au vieillissement jusqu'à la mise en bouteilles.
Empyreumatique. Qualificatif d'une série d'odeurs rappelant le brûlé, le cuit ou la fumée.
Enveloppé. Se dit d'un vin riche en alcool, mais dans lequel le moelleux domine.
Epais. Se dit d'un vin très coloré, donnant en bouche une impression de lourdeur et d'épaisseur.
Epanoui. Qualificatif d'un vin équilibré qui a acquis toutes ses qualités de bouquet.
Equilibré. Désigne un vin dans lequel l'acidité et le moelleux (ainsi que le tanin pour les rouges) s'équilibrent bien.
Etampage. Marquage des bouchons, des barriques ou des caisses à l'aide d'un fer.
Eventé. Se dit d'un vin ayant perdu tout ou partie de son bouquet à la suite d'une oxydation.

Fatigué. Terme s'appliquant à un vin ayant perdu provisoirement ses qualités (par exemple après un transport) et nécessitant un repos pour les recouvrer.
Féminin. Caractérise les vins offrant une certaine tendreté et de la légèreté.
Fer. Cépage noir donnant des vins de garde.
Fermé. S'applique à un vin de qualité encore jeune et n'ayant pas acquis un bouquet très prononcé, et qui nécessite donc d'être attendu pour être dégusté.
Fermentation. Processus permettant au jus de raisin de devenir du vin, grâce à l'action des levures transformant le sucre en alcool.
Fermentation malolactique. Transformation, sous l'effet de bactéries lactiques, de l'acide malique en acide lactique et en gaz carbonique ; elle a pour effet de rendre le vin moins acide.
Fillette. Petite bouteille de 35 cl, utilisée dans le Val de Loire.
Filtration. Clarification du vin à l'aide de filtres.
Finesse. Qualité d'un vin délicat et élégant.
Fleur. Maladie du vin se traduisant par un voile blanchâtre et un goût d'évent.
Folle blanche. Cépage blanc donnant un vin très vif (gros plant).
Fondu. Désigne un vin, notamment un vin vieux, dans lequel les différents caractères se mêlent harmonieusement entre eux pour former un ensemble bien homogène.
Foudre. Tonneau de grande capacité (200 à 300 hl).
Foulage. Opération consistant à faire éclater la peau des grains de raisin.
Foxé. Désigne l'odeur, entre celle du renard et celle de la punaise, que dégage le vin produit à partir de certains cépages hybrides.
Frais. Se dit d'un vin légèrement acide, mais sans excès, qui procure une sensation de fraîcheur.
Franc. Désigne l'ensemble d'un vin, ou l'un de ses aspects (couleur, bouquet, goût…) sans défaut ni ambiguïté.
Friand. Qualificatif d'un vin à la fois frais et fruité.
Fumé. Qualificatif d'odeur proche de celle des aliments fumés, caractéristique, entre autres, du cépage sauvignon ; d'où le nom de blanc fumé donné à cette variété.
Fumet. Synonyme ancien de bouquet.

Gamay. Cépage noir assez répandu dans de nombreuses régions, unique en Beaujolais, et donnant un vin très fruité.
Garde (vin de). Désigne un vin montrant une bonne aptitude au vieillissement.
Généreux. Caractère d'un vin riche en alcool, mais sans être fatigant, à la différence d'un vin capiteux.
Générique. Terme pouvant avoir plusieurs acceptions, mais désignant souvent un vin de marque par opposition à un vin de cru ou de château, employé parfois abusivement pour désigner les appellations régionales (par exemple bordeaux, bourgogne…).
Gewurztraminer. Cépage alsacien rose, très aromatique.
Glissant. Synonyme de coulant.
Glycérol. Tri-alcool légèrement sucré, issu de la fermentation du jus de raisin, qui donne au vin son onctuosité.
Gouleyant. Voir coulant.
Goutte (vin de). Dans la vinification en rouge, vin issu directement de la cuve au décuvage (voir presse).
Gras. Synonyme d'onctueux.
Gravelle. Terme désignant le dépôt de cristaux de tartre dans les vins blancs en bouteille.
Graves. Sol composé de cailloux roulés et de graviers, très favorable à la production de vins de qualité, que l'on trouve notamment en Médoc et dans les Graves.
Greffage. Méthode employée depuis la crise phylloxérique, consistant à fixer sur un porte-greffe résistant au phylloxéra un greffon d'origine locale.
Grenache. Cépage noir cultivé dans certaines régions du Midi, comme à Banyuls ou Châteauneuf-du-Pape. Donne un vin parfumé et très chaleureux.
Gris (vin). Vin obtenu en vinifiant en blanc des raisins rouges.
Grolleau. Cépage noir du Val de Loire.
Gros plant. Nom donné au cépage folle blanche dans la région de Nantes.

Harmonieux. Se dit d'un vin présentant des rapports heureux entre ses différents caractères, allant au-delà du simple équilibre.
Hautain (en). Taille de la vigne en hauteur.
Herbacé. Désigne des senteurs ou arômes rappelant l'herbe (ce terme a souvent une connotation péjorative).
Hybride. Terme désignant les cépages obtenus à partir de deux espèces de vignes différentes.

INAO. Institut national des appellations d'origine. Etablissement public chargé de déterminer et de contrôler les conditions de production des vins d'AOC et d'AOVDQS.
ITV. Institut technique de la vigne et du vin. Organisme technique professionnel de recherche et d'expérimentation sur la vigne et le vin.
Jacquère. Cépage blanc, produit en Savoie et dans le Dauphiné, donnant un bon vin à boire assez rapidement.
Jambes. Synonyme de larmes.
Jéroboam. Grande bouteille contenant l'équivalent de quatre bouteilles.
Jeune. Qualificatif très relatif pouvant désigner aussi

bien un vin de l'année déjà à son optimum qu'un vin ayant passé sa première année mais n'ayant pas encore développé toutes ses qualités.

Jurançon. Blanc, cépage peu répandu, présent encore en Charente ; noir, cépage accessoire du Sud-Ouest au vin assez commun ; désigne aussi un vin blanc d'AOC, sec ou moelleux, issu des cépages gros et petit manseng et courbu, produit dans le Béarn autour de la commune du même nom.

Lactique (acide). Acide obtenu par la fermentation malolactique.

Larmes. Traces laissées par le vin sur les parois du verre lorsqu'on l'agite ou l'incline.

Léger. Se dit d'un vin peu coloré et peu corsé, mais équilibré et agréable. En général, à boire assez rapidement.

Levures. Champignons microscopiques unicellulaires provoquant la fermentation alcoolique.

Limpide. Se dit d'un vin de couleur claire et brillante ne contenant pas de matières en suspension.

Liquoreux. Vins blancs riches en sucre, obtenus à partir de raisins sur lesquels s'est développée la pourriture noble, et se distinguant entre autres par un bouquet spécifique.

Long. Se dit d'un vin dont les arômes laissent en bouche une impression plaisante et persistante après la dégustation. On dit aussi : « d'une bonne longueur ».

Lourd. Se dit d'un vin excessivement épais.

Macabeu. Cépage blanc du Roussillon donnant un vin agréable dans sa jeunesse.

Macération. Contact du moût avec les parties solides du raisin pendant la cuvaison.

Macération carbonique. Mode de vinification en rouge par macération de grains entiers dans des cuves saturées de gaz carbonique ; il est utilisé surtout pour la production de certains vins de primeur.

Mâche. Terme s'appliquant à un vin possédant à la fois épaisseur et volume et donnant l'impression qu'il pourrait être mâché.

Madérisé. Se dit d'un vin blanc qui, en vieillissant, prend une couleur ambrée et un goût rappelant celui du madère.

Magnum. Bouteille correspondant à deux bouteilles ordinaires.

Malbec. Nom donné en Bordelais au cépage cot.

Malique (acide). Acide présent à l'état naturel dans beaucoup de vins et qui se transforme en acide lactique par la fermentation malolactique.

Manseng. Gros manseng et petit manseng sont les deux cépages blancs de base du jurançon.

Marc. Matières solides restant après le pressurage.

Marsanne. Cépage blanc surtout cultivé dans la région de l'Hermitage.

Mathusalem. Autre nom pour la bouteille impériale, équivalant à huit bouteilles ordinaires.

Maturation. Transformation subie par le raisin quand il s'enrichit en sucre et perd une partie de son acidité pour arriver à maturité.

Mauzac. Cépage blanc cultivé notamment dans le Midi toulousain et le Languedoc, donnant un vin fin mais de faible garde.

Melon. Nom d'un cépage de Côte d'Or qui a pris le nom de muscadet en pays nantais.

Merlot. Cépage noir dominant dans le Libournais (Pomerol, Saint-Emilion), et associé aux autres cépages dans l'ensemble du Bordelais.

Méthode traditionnelle. Technique d'élaboration des vins effervescents comprenant une prise de mousse en bouteille, conforme à la méthode d'élaboration du champagne.

Meunier. Cépage noir se caractérisant par un feuillage velu, plus rustique que le pinot dont il est issu.

Mildiou. Maladie provoquée par un champignon parasite qui attaque les organes verts de la vigne.

Millésime. Année de récolte d'un vin.

Mistelle. Moût de raisin frais, riche en sucre, dont la fermentation a été arrêtée par l'adjonction d'alcool.

Moelleux. Qualificatif s'appliquant généralement à des vins blancs doux se situant entre les secs et les liquoreux proprement dits. Se dit aussi, à la dégustation, d'un vin à la fois gras et peu acide.

Mondeuse. Cépage noir de Savoie et du Dauphiné donnant un vin de garde de grande qualité.

Mourvèdre. Cépage noir de Provence donnant des vins fins de grande garde.

Mousseux. Vins effervescents rentrant dans les catégories des vins de table et des VQPRD.

Moût. Désigne le liquide sucré extrait du raisin.

Muscadelle. Cépage blanc du Bordelais associé au sémillon et au sauvignon.

Muscadet. Cépage blanc cultivé en Loire-Atlantique, qui donne un vin de carafe très frais.

Muscat. Terme désignant l'ensemble des cépages dont les raisins ont la qualité aromatique muscatée. Vins obtenus avec ces cépages.

Musquée. Se dit d'une odeur rappelant celle du musc.

Mutage. Opération consistant à arrêter la fermentation alcoolique du moût en y ajoutant de l'alcool vinique. Les vins de liqueur et les vins doux naturels sont ainsi obtenus.

Nabuchodonosor. Bouteille géante équivalant à vingt bouteilles ordinaires.

Négoce. Terme employé pour désigner le commerce des vins et les professions s'y rapportant. Est employé parfois par opposition à viticulture.

Négociant-éleveur. Dans les grandes régions d'appellations, négociant ne se contentant pas d'acheter et de revendre les vins mais, à partir de vins très jeunes, réalisant toutes les opérations et conservations jusqu'à la mise en bouteilles.

Négociant-manipulant. Terme champenois désignant le négociant qui achète des vendanges pour élaborer lui-même un vin de Champagne.

Négrette. Cépage noir donnant un vin riche, coloré et peu acide.

Nerveux. Se dit d'un vin marquant le palais par des caractères bien accusés et une pointe d'acidité, mais sans excès.

Net. Se dit d'un vin franc, aux caractères définis.

Nielluccio. Cépage noir planté en Corse, qui donne des vins de garde de haute qualité (en particulier à Patrimonio).

Nouveau. Se dit d'un vin des dernières vendanges.

Odeur. Perçues directement par le nez, à la différence des arômes de bouche, les odeurs du vin peuvent être d'une grande variété, rappelant aussi bien les fruits ou les fleurs que la venaison.

Œil. Synonyme de bourgeon.

Œnologie. Science étudiant le vin.

Oïdium. Maladie de la vigne provoquée par un petit champignon et qui se traduit par une teinte grise et un dessèchement des raisins ; se traite par le soufre.

OIV. Office international de la vigne et du vin. Organisme intergouvernemental étudiant les questions techniques, scientifiques ou économiques soulevées par la culture de la vigne et la production du vin.

Onctueux. Qualificatif d'un vin se montrant en bouche agréablement moelleux, gras.

Onivins. Office national interprofessionnel des vins. Organisme ayant pris la suite de l'Onivit dans sa mission d'orientation et de régularisation du marché du vin.

Organoleptique. Désigne les qualités ou propriétés perçues par les sens lors de la dégustation, comme la couleur, l'odeur ou le goût.

Ouillage. Opération consistant à ajouter régulièrement du vin dans chaque barrique pour la maintenir pleine et éviter le contact du vin avec l'air.

Oxydation. Résultat de l'action de l'oxygène de l'air sur le vin. Excessive, elle se traduit par une modification de la couleur (tuilée pour les rouges) et du bouquet.

Parfum. Synonyme d'odeur avec, en plus, une connotation laudative.

Passerillage. Dessèchement du raisin à l'air s'accompagnant d'un enrichissement en sucre.

Pasteurisation. Technique de stérilisation par la chaleur mise au point par Pasteur.

Perlant. Se dit d'un vin dégageant de petites bulles de gaz carbonique.

Persistance. Phénomène se traduisant par la perception de certains caractères du vin (saveur, arômes…) après que celui-ci a été avalé. Une bonne persistance est un signe positif.

Pétillant. Désigne un vin dont la mousse est moins forte que celle des vins mousseux.

Petit verdot. L'un des cépages accompagnant parfois en Bordelais les cabernets et le merlot.

Phylloxéra. Puceron qui, entre 1860 et 1880, ravagea le vignoble français en provoquant la mort des racines par sa piqûre.

Pièce. Nom du tonneau de Bourgogne (228 ou 216 litres).

Pierre à fusil. Se dit d'un arôme qui évoque l'odeur du silex venant de produire des étincelles.

Pineau d'Aunis. Cépage noir cultivé dans certaines régions de la vallée de la Loire et donnant un vin peu coloré.

Pinot blanc. Cépage blanc cultivé notamment en Alsace.

Pinot gris. Cépage blanc de qualité cultivé notamment en Alsace.

Pinot noir. Cépage noir, cultivé notamment en Bourgogne, qui donne des vins assez peu colorés mais de longue garde. En Champagne, il est vinifié en blanc.

Piqué. Qualificatif d'un vin atteint d'acescence, maladie se traduisant par une odeur aigre prononcée.

Piqûre (acétique). Synonyme d'acescence.

Plein. Se dit d'un vin ayant les qualités demandées à un bon vin, et qui donne en bouche une sensation de plénitude.

Poulsard. Cépage noir, utilisé notamment dans le Jura, donnant des vins peu colorés mais très fins.

Pourriture noble. Nom donné à l'action du *Botrytis cinerea* dans les régions où elle permet de réaliser des vins blancs liquoreux.

Presse (vin de). Dans la vinification en rouge, vin tiré des marcs par pressurage après le décuvage.

Pressurage. Opération consistant à presser le marc de raisin pour en extraire le jus ou le vin.

Primeur (vin de). Vin élaboré pour être bu très jeune.

Primeur (achat en). Achat fait peu après la récolte et avant que le vin soit consommable.

Prise de mousse. Nom donné à la deuxième fermentation alcoolique que subissent les vins mousseux.

Puissance. Caractère d'un vin qui est à la fois plein, corsé, généreux et d'un riche bouquet.

Rafle. Terme désignant dans la grappe le petit branchage supportant les grains de raisin et qui, lors d'une vendange non éraflée, apporte une certaine astringence au vin.

Rancio. Caractère particulier pris par certains vins doux naturels (arômes de noix), au cours de leur vieillissement.

Râpeux. Se dit d'un vin très astringent, donnant l'impression de racler le palais.

Ratafia. Vin de liqueur élaboré par mélange de marc et de jus de raisin en Champagne et en Bourgogne.

Rebêche (vin de). Vin issu des dernières presses, qui ne participera pas à l'élaboration de cuvées destinées à la champagnisation.

Récoltant-manipulant. En Champagne, viticulteur élaborant lui-même son champagne.

Remuage. Dans la méthode traditionnelle, opération visant à amener les dépôts contre le bouchon par le mouvement imprimé aux bouteilles placées sur des pupitres. Le remuage peut-être manuel ou mécanique (à l'aide de gyropalettes).

Riche. Qualificatif d'un vin coloré, généreux, puissant et en même temps équilibré.

Riesling. Cépage blanc, cultivé en Alsace, donnant des vins d'une grande distinction.

Robe. Terme employé souvent pour désigner la couleur d'un vin et son aspect extérieur.

Rognage. Action de couper le bout des rameaux de vigne en fin de végétation.

Rolle. Cépage blanc de Provence et du pays niçois donnant des vins très fins.

Romorantin. Cépage blanc cultivé dans quelques secteurs de la vallée de la Loire.

Rond. Se dit d'un vin dont la souplesse, le moelleux et la chair donnent en bouche une agréable impression de rondeur.

Rôti. Caractère spécifique donné par la pourriture noble aux vins liquoreux, qui se traduit par un goût et des arômes de confit.

Roussanne. Cépage blanc, cultivé dans la Drôme, donnant un vin de garde très fin.

Sacy. Cépage blanc, cultivé dans l'Yonne et dans l'Allier, donnant un vin très frais et sec.
Saignée (rosé de). Vin rosé tiré d'une cuve de raisin noir au bout d'un court temps de macération.
Saint-pierre. Cépage blanc donnant un vin acide que l'on trouve dans l'Allier.
Salmanazar. Bouteille géante contenant l'équivalent de douze bouteilles ordinaires.
Sarment. Rameau de vigne de l'année.
Sauvignon. Cépage blanc, cultivé dans de nombreuses régions, donnant un vin fin et de bonne garde dont l'une des caractéristiques est son arôme de fumé, très particulier.
Savagnin. Cépage jurassien donnant le célèbre vin jaune et dont des variétés roses existent en Alsace (klevner et gewurztraminer).
Saveur. Sensation (sucrée, salée, acide ou amère) produite sur la langue par un aliment.
Sciacarello. Cépage noir, cultivé en Corse, produisant un vin charnu et fruité.
Sec. Pour les vins tranquilles, caractère dépourvu de saveur sucrée (moins de 4 g/l ; dans l'échelle de douceur des vins effervescents, il s'agit d'un caractère peu sucré (entre 17 et 35 g/l).
Sémillon. Cépage blanc noble, cultivé notamment en Gironde, et donnant entre autres les grands vins liquoreux.
Solide. Se dit d'un vin bien constitué, possédant notamment une bonne charpente.
Souple. Se dit d'un vin coulant, dans lequel le moelleux l'emporte sur l'astringence.
Soutirage. Opération consistant à transvaser un vin d'un fût dans un autre pour en séparer la lie.
Soyeux. Qualificatif d'un vin souple, moelleux et velouté, avec une nuance d'harmonie et d'élégance.
Stabilisation. Ensemble des traitements destinés à la bonne conservation des vins.
Structure. Désigne à la fois la charpente et la constitution d'ensemble d'un vin.
Sulfatage. Traitement, jadis pratiqué à l'aide de sulfate de cuivre, appliqué à la vigne pour prévenir les maladies cryptogamiques.
Sulfitage. Introduction de solution sulfureuse dans un moût ou dans un vin pour le protéger d'accidents ou maladies, ou pour sélectionner les ferments.
Sylvaner. Cépage blanc alsacien produisant en général un vin de carafe.
Syrah. Cépage noir de qualité, planté notamment dans la vallée du Rhône et en Languedoc-Roussillon.

Taille. Coupe des sarments pour régulariser et équilibrer la croissance de la vigne afin de contrôler la productivité.
Tanin. Substance se trouvant dans le raisin, et qui apporte au vin sa capacité de longue conservation et certaines de ses propriétés gustatives.
Tannat. Produit dans les Pyrénées-Atlantiques, ce cépage noir donne des vins très charpentés, mais fins et de bonne garde.
Tannique. Caractère d'un vin laissant apparaître une note d'astringence due à sa richesse en tanin.
Tastevinage. Label accordé par la confrérie des Chevaliers du Tastevin à certains vins bourguignons.
Terroir. Territoire s'individualisant par certaines caractéristiques physiques (sol, sous-sol, exposition...) déterminantes pour son vin.
Thermorégulation. Technique permettant de contrôler et de maîtriser la température des cuves pendant la fermentation.
Tirage. Synonyme de soutirage.
Tokay. Nom donné en Alsace au pinot gris, cépage blanc de qualité.
Tranquille (vin). Désigne un vin non effervescent.
Tressallier. Autre nom du cépage sacy.
Tuilé. Caractère des vins rouges qui, en vieillissant, prennent une teinte rouge jaune.

Ugni blanc. Cépage blanc, cultivé dans le Midi (et en Charente sous le nom de saint-émilion), donnant un vin assez acide et de faible garde.

VDL. Vin de liqueur. Vin doux ne répondant pas aux normes réglementaires des VDN, ou vin obtenu par mélange de moût et d'alcool (pineau des charentes).
VDN. Vin doux naturel. Vin obtenu par mutage à l'alcool vinique du moût en cours de fermentation, issu des cépages muscat, grenache, macabeu et malvoisie, et correspondant à des conditions strictes de production, de richesse et d'élaboration.
VDP. Vin de pays. Vin appartenant au groupe des vins de table, mais dont on mentionne sur l'étiquette la région géographique d'origine.
VDQS. Devenu AOVDQS. Appellation d'origine vin délimité de qualité supérieure, produit dans une région selon une réglementation précise.
Végétal. Se dit du bouquet ou des arômes d'un vin (principalement jeune) rappelant l'herbe ou la végétation.
Venaison. S'applique au bouquet d'un vin rappelant l'odeur de grand gibier.
Vermentino. Cépage blanc connu sous le nom de rolle à Nice et en Provence, et sous celui de malvoisie en Corse.
Vert. Se dit d'un vin trop acide.
Vieux. Terme pouvant avoir plusieurs acceptions, mais désignant en général un vin ayant plusieurs années d'âge et ayant vieilli en bouteille après avoir séjourné en tonneau.
Vif. Se dit d'un vin frais et léger, avec une petite dominante acide mais sans excès, et agréable.
Village. Terme employé dans certaines régions pour individualiser un secteur au sein d'une appellation (beaujolais, côtes du rhône).
Vineux. Se dit d'un vin possédant une certaine richesse alcoolique et présentant de façon nette les caractéristiques distinguant le vin des autres boissons alcoolisées.
Vinification. Méthode et ensemble des techniques d'élaboration du vin.
Viognier. Cépage blanc, cultivé dans la vallée du Rhône, donnant un vin fin de haute qualité.
Viril. Se dit d'un vin à la fois charpenté, corsé et puissant.
Volume. Caractéristique d'un vin donnant l'impression de bien remplir la bouche.
VQPRD. Vin de qualité produit dans une région déterminée. Se distingue des vins de table dans l'Union européenne et regroupe, en France, les AOC et VDQS.

INDEX DES APPELLATIONS

Ajaccio, 765
Aloxe-corton, 503
Alsace edelzwicker, 85
Alsace gewurztraminer, 94
Alsace grand cru altenberg de bergbieten, 115
Alsace grand cru altenberg de bergheim, 115
Alsace grand cru altenberg de wolxheim, 116
Alsace grand cru brand, 116
Alsace grand cru bruderthal, 117
Alsace grand cru eichberg, 117
Alsace grand cru engelberg, 118
Alsace grand cru florimont, 118
Alsace grand cru frankstein, 118
Alsace grand cru froehn, 119
Alsace grand cru furstentum, 119
Alsace grand cru goldert, 119
Alsace grand cru hatschbourg, 120
Alsace grand cru hengst, 120
Alsace grand cru kanzlerberg, 121
Alsace grand cru kastelberg, 121
Alsace grand cru kessler, 121
Alsace grand cru kirchberg de Barr, 121
Alsace grand cru kirchberg de Ribeauvillé, 122
Alsace grand cru kitterlé, 122
Alsace grand cru mambourg, 122
Alsace grand cru mandelberg, 123
Alsace grand cru marckrain, 124
Alsace grand cru moenchberg, 124
Alsace grand cru muenchberg, 125
Alsace grand cru osterberg, 125
Alsace grand cru pfersigberg, 125
Alsace grand cru praelatenberg, 126
Alsace grand cru rangen de thann, 126
Alsace grand cru rosacker, 126
Alsace grand cru schlossberg, 126
Alsace grand cru schoenenbourg, 127
Alsace grand cru sommerberg, 128
Alsace grand cru sonnenglanz, 128
Alsace grand cru spiegel, 128
Alsace grand cru sporen, 128
Alsace grand cru steinert, 129
Alsace grand cru steingrübler, 129
Alsace grand cru steinklotz, 129
Alsace grand cru vorbourg, 130
Alsace grand cru wineck-schlossberg, 130
Alsace grand cru winzenberg, 131
Alsace grand cru zinnkoepflé, 131
Alsace grand cru zotzenberg, 132
Alsace klevener de heiligenstein, 82
Alsace muscat, 93
Alsace pinot noir, 109
Alsace pinot ou klevner, 84
Alsace riesling, 86
Alsace sylvaner, 82
Alsace tokay-pinot gris, 102
Anjou, 841
Anjou-coteaux de la loire, 856
Anjou-gamay, 847
Anjou-villages, 848
Anjou-villages-brissac, 850
Arbois, 658
Auxey-duresses, 540
Bandol, 748
Banyuls, 1015
Banyuls grand cru, 1017
Barsac, 391
Bâtard-montrachet, 552
Béarn, 788
Beaujolais, 143
Beaujolais-villages, 149
Beaune, 522
Bellet, 747
Bergerac, 799
Bergerac rosé, 803
Bergerac sec, 803
Bienvenues-bâtard-montrachet, 552
Blagny, 548
Blanquette de limoux, 683
Bonnes-mares, 483
Bonnezeaux, 867
Bordeaux, 190
Bordeaux clairet, 199
Bordeaux côtes de francs, 302
Bordeaux rosé, 207
Bordeaux sec, 200
Bordeaux supérieur, 210
Bourgogne, 407
Bourgogne aligoté, 421
Bourgogne côte chalonnaise, 567
Bourgogne grand ordinaire, 420
Bourgogne hautes-côtes de beaune, 435
Bourgogne hautes-côtes de nuits, 431
Bourgogne irancy, 430
Bourgogne passetoutgrain, 427
Bourgueil, 894
Bouzeron, 570
Brouilly, 155
Bugey AOVDQS, 678
Buzet, 781
Cabardès, 717
Cabernet d'anjou, 853
Cabernet de saumur, 875
Cadillac, 387
Cahors, 769
Canon-fronsac, 236
Cassis, 746
Cérons, 391
Chablis, 446
Chablis grand cru, 456
Chablis premier cru, 450
Chambertin, 471
Chambertin-clos de bèze, 472
Chambolle-musigny, 480
Champagne, 600
Chapelle-chambertin, 473
Charmes-chambertin, 473
Chassagne-montrachet, 553
Château-chalon, 663
Châteaumeillant AOVDQS, 928
Châteauneuf-du-pape, 993
Châtillon-en-diois, 1005
Chénas, 161
Chevalier-montrachet, 552
Cheverny, 920
Chinon, 902
Chiroubles, 163
Chorey-lès-beaune, 520
Clairette de bellegarde, 686
Clairette de die, 1004
Clairette du languedoc, 687
Clos de la roche, 479
Clos des lambrays, 480
Clos de tart, 480
Clos de vougeot, 485
Clos saint-denis, 479
Collioure, 728
Condrieu, 976
Corbières, 687
Cornas, 986
Corton, 509
Corton-charlemagne, 512
Costières de nîmes, 692
Coteaux champenois, 653
Coteaux d'aix, 752
Coteaux d'ancenis AOVDQS, 840
Coteaux de l'aubance, 855
Coteaux de pierrevert, 1012
Coteaux de saumur, 876
Coteaux du giennois, 931
Coteaux du languedoc, 697
Coteaux du layon, 859
Coteaux du loir, 909
Coteaux du lyonnais, 182
Coteaux du tricastin, 1005
Coteaux du vendômoisAOVDQS, 923
Coteaux varois, 757
Côte de beaune, 527
Côte de beaune-villages, 566
Côte de brouilly, 159
Côte de nuits-villages, 497
Côte roannaise, 933
Côte rôtie, 973
Côtes d'auvergne AOVDQS, 928
Côtes de bergerac, 805
Côtes de bergerac moelleux, 808
Côtes de bordeaux saint-macaire, 314
Côtes de bourg, 231
Côtes de castillon, 297
Côtes de duras, 814
Côtes de la malepère AOVDQS, 718
Côtes de millau AOVDQS, 787
Côtes de montravel, 810
Côtes de provence, 732
Côtes de saint-mont AOVDQS, 798
Côtes de toul, 136
Côtes du brulhois AOVDQS, 785
Côtes du forez AOVDQS, 930
Côtes du frontonnais, 782
Côtes du jura, 664
Côtes du luberon, 1009
Côtes du marmandais, 785
Côtes du rhône, 952
Côtes du rhône-villages, 965
Côtes du roussillon, 720
Côtes du roussillon-villages, 725
Côtes du ventoux, 1006
Côtes du vivarais AOVDQS, 1011
Cour-cheverny, 922
Crémant d'alsace, 132
Crémant de bordeaux, 223
Crémant de bourgogne, 439
Crémant de die, 1004
Crémant de limoux, 685
Crémant de loire, 822
Crémant du jura, 670
Crépy, 674
Criots-bâtard-montrachet, 553
Crozes-hermitage, 983
Echézeaux, 487
Entre-deux-mers, 303
Entre-deux-mers haut-benauge, 307
Faugères, 708
Fiefs vendéens AOVDQS, 839
Fitou, 710
Fixin, 464
Fleurie, 165

Floc de gascogne, 1039
Fronsac, 238
Gaillac, 775
Gevrey-chambertin, 466
Gigondas, 988
Givry, 577
Grands-échézeaux, 488
Graves, 315
Graves de vayres, 307
Graves supérieures, 325
Gros-plant AOVDQS, 838
Haut-médoc, 345
Haut-montravel, 811
Haut-poitou AOVDQS, 926
Hermitage, 985
Irouléguy, 788
Jasnières, 909
Juliénas, 167
Jurançon, 790
Jurançon sec, 792
L'étoile, 671
L'Orléanais AOVDQS, 934
Ladoix, 500
Lalande de pomerol, 252
La romanée, 492
La romanée-conti, 492
La tâche, 493
Latricières-chambertin, 473
Lavilledieu AOVDQS, 784
Les baux-de-provence, 756
Limoux, 686
Lirac, 1000
Listrac-médoc, 358
Loupiac, 389
Lussac saint-émilion, 288
Mâcon, 581
Mâcon supérieur, 584
Mâcon-villages, 584
Macvin du jura, 1041
Madiran, 793
Maranges, 564
Margaux, 361
Marsannay, 460
Maury, 1023
Mazis-chambertin, 474
Mazoyères-chambertin, 475
Médoc, 335
Menetou-salon, 935
Mercurey, 574
Meursault, 544
Minervois, 711
Minervois la livinière, 714
Monbazillac, 808
Montagne saint-émilion, 290
Montagny, 579
Monthélie, 537
Montlouis, 910
Montrachet, 551
Montravel, 810
Morey-saint-denis, 475
Morgon, 170
Moselle AOVDQS, 137
Moselle luxembourgeoise, 1080
Moulin à vent, 173
Moulis-en-médoc, 368
Muscadet, 825
Muscadet côtes de grand lieu, 837
Muscadet des coteaux de la loire sur lie, 825
Muscadet sèvre-et-maine, 826
Muscat de beaumes-de-venise, 1029
Muscat de frontignan, 1028
Muscat de lunel, 1029
Muscat de mireval, 1030
Muscat de rivesaltes, 1024
Muscat de saint-jean de minervois, 1030
Muscat du cap corse, 1032
Nuits-saint-georges, 493
Pacherenc du vic-bilh, 795
Palette, 752
Patrimonio, 767
Pauillac, 371
Pécharmant, 811
Pernand-vergelesses, 507
Pessac-léognan, 325
Petit chablis, 443
Pineau des charentes, 1034
Pomerol, 242
Pommard, 528
Pouilly-fuissé, 589
Pouilly-fumé, 937
Pouilly loché, 592
Pouilly-sur-loire, 941
Pouilly vinzelles, 593
Premières côtes de blaye, 225
Premières côtes de bordeaux, 310
Puisseguin saint-émilion, 294
Puligny-montrachet, 549
Quarts de chaume, 869
Quincy, 942
Rasteau, 1031
Régnié, 176
Reuilly, 943
Richebourg, 492
Rivesaltes, 1018
Romanée-saint-vivant, 492
Rosé d'anjou, 852
Rosé de loire, 820
Rosé des riceys, 655
Rosette, 813
Roussette de savoie, 677
Rully, 570
Saint-amour, 180
Saint-aubin, 557
Saint-chinian, 715
Sainte-croix-du-mont, 390
Sainte-foy-bordeaux, 308
Saint-émilion, 257
Saint-émilion grand cru, 263
Saint-estèphe, 377
Saint-georges saint-émilion, 296
Saint-joseph, 978
Saint-julien, 382
Saint-nicolas-de-bourgueil, 899
Saint-péray, 988
Saint-pourçain AOVDQS, 932
Saint-romain, 543
Saint-véran, 593
Sancerre, 944
Santenay, 559
Saumur, 869
Saumur-champigny, 876
Saussignac, 813
Sauternes, 393
Sauvignon de saint-bris AOVDQS, 459
Savennières, 857
Savennières coulée-de-serrant, 859
Savennières roche-aux-moines, 859
Savigny-lès-beaune, 514
Tavel, 1002
Touraine, 881
Touraine-amboise, 891
Touraine-azay-le-rideau, 892
Touraine-mesland, 893
Tursan AOVDQS, 797
Vacqueyras, 991
Valençay AOVDQS, 925
Vin de savoie, 674
Vins d'entraygues et du fel AOVDQS, 786
Vins d'estaing AOVDQS, 786
Vins de corse, 761
Vins de marcillac, 787
Viré-clessé, 589
Volnay, 533
Vosne-romanée, 488
Vougeot, 484
Vouvray, 913
VINS DE PAYS,
Agenais, 1054
Allobrogie, 1074
Alpes-de-Haute-Provence, 1073
Alpes-Maritimes, 1074
Argens, 1070
Aude, 1068
Balmes dauphinoises, 1075
Bouches-du-Rhône, 1072
Calvados, 1046
Catalan, 1067
Cévennes, 1068
Cher, 1053
Collines rhodaniennes, 1075
Comté de Grignan, 1075
Comté tolosan, 1056
Corrèze, 1058
Coteaux charitois, 1053
Coteaux de Bessilles, 1065
Coteaux de Coiffy, 1078
Coteaux de Fontcaude, 1065
Coteaux de l'Ardèche, 1075
Coteaux de Murviel, 1067
Coteaux des Baronnies, 1075
Coteaux des Fenouillèdes, 1067
Coteaux du Quercy, 1056
Coteaux du Verdon, 1074
Coteaux et terrasses de Montauban, 1059
Côtes catalanes, 1068
Côtes de Gascogne, 1057
Côtes de Perpignan, 1068
Côtes de Thau, 1067
Côtes de Thongue, 1066
Côtes du Tarn, 1056
Drôme, 1077
Franche-Comté, 1077
Gard, 1065
Haute-Marne, 1078
Hautes-Alpes, 1073
Haute vallée de l'Orb, 1068
Hauts de Badens, 1067
Hérault, 1067
Ile de Beauté, 1069
Jardin de la France, 1046
Landes, 1055
Lot, 1058
Loire-Atlantique, 1053
Marches de Bretagne, 1053
Maures, 1070
Meuse, 1078
Mont-Caume, 1070
Nièvre, 1053
Oc, 1059
Principauté d'Orange, 1070
Pyrénées-Atlantiques, 1059
Pyrénées-Orientales, 1068
Sables du Golfe du Lion, 1065
Sainte-Marie-la-Blanche, 1079
Saint-Sardos, 1057
Saône-et-Loire, 1077
Terroirs landais, 1055
Thézac-Perricard, 1055
Val de Montferrand, 1065
Var, 1072
Vaucluse, 1071
Vendée, 1052
Vienne, 1053
MOSELLE LUXEMBOURGEOISE, 1080
SUISSE,
Canton d'Argovie, 1105
Canton de Bâle, 1105
Canton de Berne, 1104
Canton de Genève, 1100
Canton de Neuchâtel, 1102
Canton de Saint-Gall, 1106
Canton de Schaffhouse, 1106
Canton des Grisons, 1105
Canton de Thurgovie, 1107
Canton de Vaud, 1086
Canton de Zurich, 1108
Canton du Tessin, 1108
Canton du Valais, 1093

INDEX DES COMMUNES

Abeilhan, 1064
Abos, 792
Abzac, 210 254 290
Adissan, 687
Aesch, 1105
Aghione, 763
Ahn, 1082 1084 1085
Aigle, 1093
Aiglepierre, 667
Aigrefeuille-sur-Maine, 837
Aigues-Vives, 1062
Aiguèze, 964
Alba-la-Romaine, 1077
Albas, 772
Albias, 1059
Aléria, 762 764 1069
Alignan-du-Vent, 699 1060 1066
Allemant, 645
Aloxe-Corton, 149 158 408 466 489 490 497 501 505 510 512 514 515 531 537 541 545 548 557 575 970 990
Aluze, 570 577
Ambierle, 933 934
Amboise, 882 884 891 892
Ambonnay, 605 617 633 645 649 655
Ammerschwihr, 86 87 89 91 92 94 96 99 100 102 108 110 112 113 123 124 130 135
Ampuis, 973 974 975 976 977 979
Ancenis, 826 1051
Ancy-sur-Moselle, 137 138
Andillac, 779
Andlau, 107 121 124 125
Angé, 886
Anglade, 226 228
Aniane, 700 703 1067
Anières, 1102
Antugnac, 686
Apremont, 676 678
Apt, 1011
Aragon, 718
Arbin, 675 676
Arbis, 208 306 313
Arbois, 658 659 660 661 663 668 669 671 1042 1043
Arcenant, 435
Ardon, 1096 1099
Argelès-sur-Mer, 1020
Argelliers, 699
Arlay, 664 1042
Arles, 1072
Arrentières, 611
Arsac, 366 367 368
Arthénac, 1036
Artigues-de-Lussac, 252
Arveyres, 207 209 216 220 307
Arzens, 719
Arzo, 1111
Ascona, 1109 1110
Aspères, 700 1065
Assas, 699
Assignan, 717 1031
Aubière, 929
Aubignan, 1009
Aubigné-sur-Layon, 846 864 868
Aumelas, 698
Aups, 1074
Auradou, 1054
Aurel, 1004
Auriolles, 212 305
Aurions-Idernes, 796
Autignac, 716
Auvernier, 1103
Auxey-Duresses, 438 527 536 539 541 542 543 544 559
Avenay-Val-d'Or, 640
Avensan, 349 354 366
Avensan-Médoc, 378
Avéron-Bergelle, 1040
Avirey-Lingey, 625 637
Avize, 603 607 609 610 619 624 631 633 637 641 643 647 648 651
Avon-les-Roches, 905
Avully, 1101
Avusy, 1101
Ay, 604 609 614 618 622 623 625 626 627 638 646 654
Ay-Champagne, 607
Aydie, 793 796
Ayguemorte-les-Graves, 319
Ayguetinte, 1039 1057
Ayze, 675
Azay-le-Rideau, 893
Azé, 408 440 441 581 584
Azillanet, 714
Azille, 713 714
Badens, 712 713 714
Bagat-en-Quercy, 1058
Bages, 722 723 1019 1020 1025 1026
Bagneux-la-Fosse, 605
Bagnols-sur-Cèze, 972
Baixas, 726 727 1019 1020 1026
Balbronn, 95 109
Banyuls-sur-Mer, 728 729 730 1015 1016 1017 1018
Barbaira, 689
Barbéchat, 825 1051
Baron, 197 199 213 217 252 1063
Baroville, 622
Barr, 82 92 93 102 112 114 122 136
Barsac, 318 319 324 325 392 393 394 395 397 398 399 400 1005
Bar-sur-Seine, 652
Baslieux-sous-Châtillon, 635 642
Bassuet, 616
Baurech, 196 311 313
Baye, 628
Bayon, 232
Bayon-sur-Gironde, 234
Beaucaire, 695 696
Beaujeu, 150 151 154 158 166
Beaulieu-sur-Layon, 845 846 848 849 850 860 863 866 869
Beaumes-de-Venise, 965 966 968 971 1007 1029
Beaumont, 927
Beaumont-du-Ventoux, 1007
Beaumont-en-Véron, 903 905 906
Beaumont-sur-Lèze, 1056
Beaune, 409 411 412 413 414 415 417 423 427 432 433 434 436 437 442 445 450 453 457 464 468 471 473 474 481 485 488 490 492 493 503 506 507 509 510 511 512 514 515 516 518 519 520 521 522 523 524 525 527 528 529 530 535 538 541 543 544 546 553 554 557 558 562 566 567 574 578 580 582 584 589 590 594 595
Beaupuy, 785 786
Beautiran, 318 320
Beblenheim, 99 107 123 127 128
Beck-Kleinmacher, 1085
Bédarieux, 687 1060
Bédarrides, 958 995
Bédoin, 1008 1009
Bégadan, 339 340 341 343 344 345
Begnins, 1093
Béguey, 195 197 206 317
Beine, 444 445 446 450 454 455
Bélesta, 721
Bellegarde, 687 692 693 695
Belleville, 145 159 160 179
Bellinzona, 1108 1110
Bellocq, 788
Belvès-de-Castillon, 295 297 298 299 300 301
Benais, 895 896 899
Bennwihr, 87 124 133
Bergbieten, 115
Bergerac, 809 811 812 813
Bergheim, 90 111 116 121
Bergholtz, 105 128 131
Berlou, 715 716 1059
Bernardvillé, 93 104
Berneuil, 1038
Bernex, 1101 1102
Berrie, 875
Berru, 643
Berson, 194 205 216 221 225 228 230 233 234 235 287
Bessan, 1062
Béthon, 632
Bévy, 433
Beychac-et-Caillau, 221 305 308
Béziers, 1059
Billy-sous-les-Côtes, 1078
Bisseuil, 605
Bissey-sous-Cruchaud, 425 440 442 567 578 581
Bize-Minervois, 712
Blacé, 146 149 153
Blaignan, 339 340 344 345
Blaison-Gohier, 860
Blanquefort, 192 197 201 202 242 268 275 350 354 356 362 372 377 379 381
Blasimon, 193 304
Blaye, 228
Bleigny-le-Carreau, 447
Bléré, 882
Blienschwiller, 85 90 92 98 100 112 131 135
Bligny-lès-Beaune, 414 415 424 425 502 503 505 518 519 521 525 528 530 531 535 542 550

McCANN
ACCEPTÉE PARTOUT
OÙ VOUS EN AVEZ BESOIN
EUROCARD
MasterCard

McCANN
ACCEPTÉE PARTOUT
OÙ VOUS EN AVEZ BESOIN
EUROCARD
MasterCard

A chacun sa cave

CAVE A VIN

D'une capacité extensible à plus de 3000 bouteilles, VINOSAFE est une véritable cave à vin...qui a du coffre. Elle garantit une parfaite conservation et un vieillissement idéal à vos grands crus.
Température, humidité et lumière sont dosées en permanence pour maîtriser la magie du temps.

PORTE CLIMATISEUR

Pour tous ceux qui ont un local destiné au vin, VINOSAFE a créé la porte climatiseur.
Celle-ci s'intègre dans le bâti comme une porte traditionnelle et vous permet de réguler la température et l'hygrométrie de votre cave à vin.

ETAGERES

Un système de rangement exclusif adapté à vos contraintes de stockage.

ARMOIRE A VIN

De 120 à 1000 bouteilles pour stocker vos meilleurs crus dans un espace où tout est pensé uniquement pour le vin.

Documentation gratuite sur simple demande au

✆ 03 89 71 45 35

·VINOSAFE·

La cave à vin des connaisseurs

2, rue des Artisans F 68280 Sundhoffen - Tel. 03 89 71 45 35 - Fax 03 89 71 49 73

www.vinosafe.com • Email : muller.sa@vinosafe.fr

T&L Conseils • Photos : E. Teissedre/R. Sprang

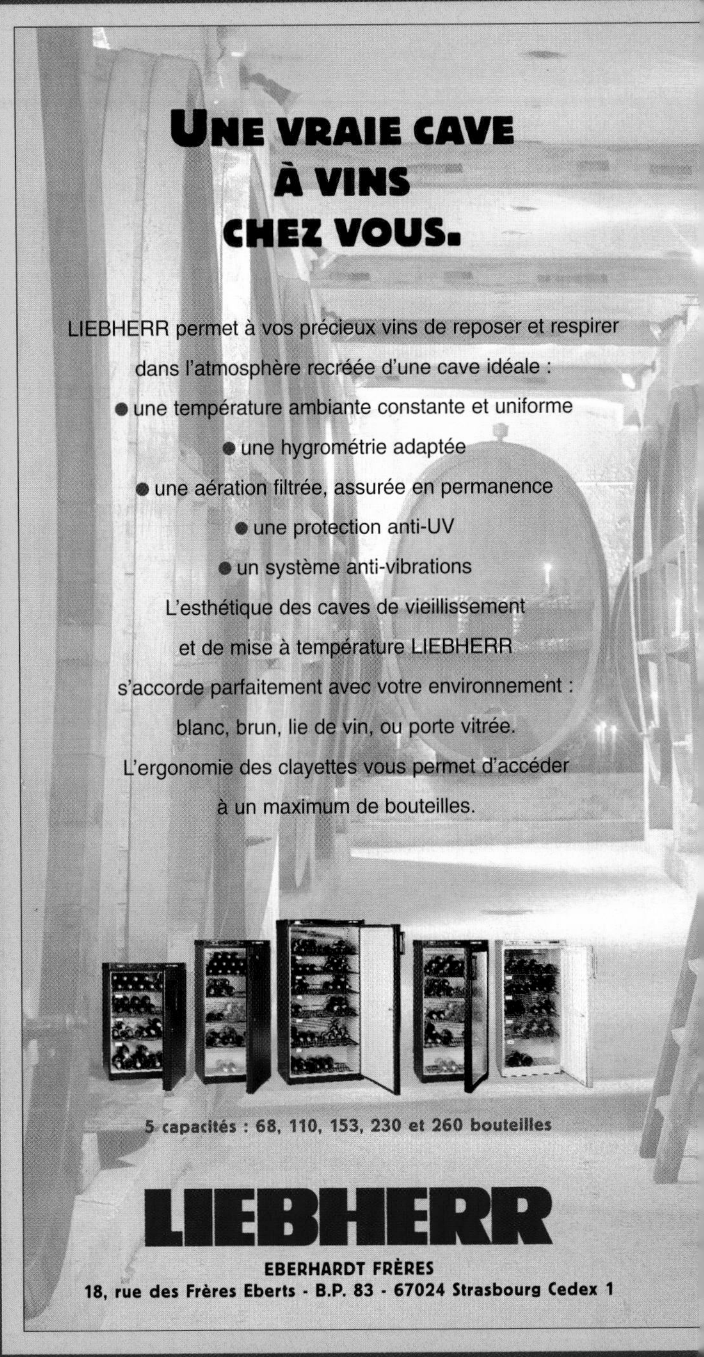
UNE VRAIE CAVE
À VINS
CHEZ VOUS.
LIEBHERR permet à vos précieux vins de reposer et respirer
dans l'atmosphère recréée d'une cave idéale :
● une température ambiante constante et uniforme
● une hygrométrie adaptée
● une aération filtrée, assurée en permanence
● une protection anti-UV
● un système anti-vibrations
L'esthétique des caves de vieillissement
et de mise à température LIEBHERR
s'accorde parfaitement avec votre environnement :
blanc, brun, lie de vin, ou porte vitrée.
L'ergonomie des clayettes vous permet d'accéder
à un maximum de bouteilles.
5 capacités : 68, 110, 153, 230 et 260 bouteilles
LIEBHERR
EBERHARDT FRÈRES
18, rue des Frères Eberts - B.P. 83 - 67024 Strasbourg Cedex 1

LIEBHERR
WKR 3256 "Grand Cru"
153 bouteilles
PUBLICIS-KOUFRA

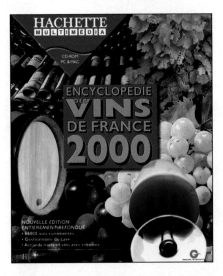

L'ESPRIT DU BORDEAUX

Antoine Lebègue

Les secrets de l'un des plus célébres vignobles du monde. La description des multiples terroirs de la région et de leurs vins.

224 p., 285 x 230 mm, 200 photos et cartes, couverture reliée, jaquette.

210 F

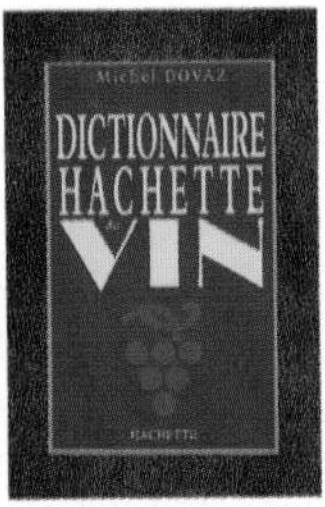

DICTIONNAIRE HACHETTE DU VIN

Michel Dovaz

Du mot à l'image, toutes les connaissances sur la vigne et le vin. Le dictionnaire complet et pratique de l'amateur et du spécialiste.

560 p., 150 x 235 mm,700 photos et illustrations couleur, couverture cartonnée.

260 F *prix de lancement jusqu'au 31 mars 2000, puis* 315 F

LA COTE DES GRANDS VINS DE FRANCE 2000

Alain Bradfer, Alex de Clouet, Claude Maratier

"L'argus des vins", 3000 cotes, 300 crus, 150 ventes publiques, 300 étiquettes : la passion à sa juste valeur !

352 p., 105 x 210 mm, couverture brochée.

128 F

HAVANOSCOPE 2000

Jean-Paul Kauffmann

Revue de l'Amateur de cigares.

Comment choisir judicieusement son Havane. 300 cigares testés à l'aveugle par un jury d'experts internationaux.

256 p., 105 x 210 mm, couverture integra.

98 F

Bofflens, 1090
Bollène, 959
Bommes, 394 395 396 397
Bonnieux, 1007 1010 1011
Bonny-sur-Loire, 931
Bordeaux, 198 204 206 207 209 211 224 257 272 275 284 319 324 338 343 344 346 350 351 352 356 358 364 365 366 370 373 378 385 399 800 802
Borgo, 761 764 1069
Bormes-les-Mimosas, 733 739 744
Bouaye, 837 1050
Boudes, 929 930
Boudry, 1104
Bouillargues, 697
Bouillé-Loretz, 844 845 1050
Bourg-Charente, 1038
Bourgneuf-en-Retz, 1051 1052
Bourg-Saint-Andéol, 972 1012
Bourg-sur-Gironde, 219 223 233 234 235
Bourgueil, 894 895 896 897 899 902 908
Boursault, 608 634 649
Boussay, 831
Boutenac, 688 690 691
Bouze-lès-Beaune, 428 437 507
Bouzeron, 409 567 570 573
Bouzon-Gellenave, 1039
Bouzy, 604 605 609 614 630 637 641 648 651 652 654 655
Boyeux-Saint-Jérôme, 679
Branceilles, 1058
Branne, 207
Bransat, 932
Bras, 758
Bravone, 761
Breganzona, 1109
Brem-sur-Mer, 840
Bretagne-d'Armagnac, 1040
Brézé, 873 876
Briare, 932
Brigné-sur-Layon, 820 844 852 1047
Brignoles, 758 759
Brinay, 942 943
Brion-près-Thouet, 871
Brissac-Quincé, 845 848 851 852 855 856 868 869 871 885 1047
Brizay, 1047
Broquiès, 787
Brossay, 874
Brouillet, 603
Brue-Auriac, 759
Bruley, 137
Budos, 317 325 399
Bué, 931 945 946 947 948 950
Bully, 144
Bursins, 1087 1090
Bussières, 424 583 585 588
Buxeuil, 615 626 640 649
Buxy, 413 424 567 571 580 585
Buzet-sur-Baïse, 781 782
Cabasse, 736 743
Cabestany, 1027
Cabrerolles, 704 708 709
Cabrières, 698 708
Cabrières-d'Avignon, 1008 1071
Cadalen, 780
Cadaujac, 325 326
Cadenet, 741 1011
Cadillac, 201 202 312 319 322 387
Cahuzac-sur-Vère, 776 778 781
Caillac, 773
Cairanne, 954 961 963 965 966 967 969 970 971 973 989
Caissargues, 695 1063
Calce, 726
Calenzana, 762
Calvi, 762
Camaret,
Camaret-sur-Aigues, 958 959 968 1071
Camarsac, 212 304
Cambes, 311
Camblanes-et-Meynac, 310 313
Campagnac, 778
Campagne-sur-Aude, 684
Camprond, 256
Campsas, 783
Candé-sur-Beuvron, 922
Canéjean, 321
Canet-en-Roussillon, 1020
Cangey, 823
Cannes-et-Clairan, 1060
Cannet, 794 795
Cantenac, 205 215 362 364 367 368 396
Capestang, 1060 1062
Capian, 201 202 310 311 312 314 388
Caplong, 309
Carbon-Blanc, 291 294 357 380
Carcès, 743
Cardesse, 791
Carignan-de-Bordeaux, 193 196 209 310 317 328
Carnas, 699
Carnoules, 736 737
Caromb, 1007 1009
Carpentras, 1006
Carry-le-Rouet, 756
Cars, 226 227 229 230
Casalabriva, 765
Cascastel-des-Corbières, 710
Cases-de-Pène, 726 1026
Cassaigne, 1040
Casseneuil, 1054
Cassis, 746
Casteljau, 1076
Castelnau-de-Guers, 701 703 1062
Castelnau-de-Lévis, 776
Castelnau-de-Montmiral, 779
Castelnau-Rivière-Basse, 795
Castel S.-Pietro, 1110
Castets-en-Dorthe, 320
Castillon-du-Gard, 693
Castillon-la-Bataille, 224 301
Castres, 318 322
Castres-Gironde, 324
Castries, 707 1060
Caudrot, 214
Cauro, 766 1069
Caussens, 1041
Causses-et-Veyran, 716 717
Caux, 698 699 700
Cazaugitat, 196 220 304
Cazedarnes, 716 717
Cazouls-lès-Béziers, 699 717
Celles-sur-Ource, 613 622 623 627 633 635 642 648 650 653 655 656
Cellettes, 823 920 921 922 923
Cépie, 1061
Cerbois, 942
Cercié-en-Beaujolais, 156 157 158 159 160
Cérons, 316 324 390 391
Cersay, 821 855
Cessenon, 715 717 1060 1067
Cesseras, 712
Cestayrols, 777 778 779
Chablis, 408 411 413 419 420 441 443 444 445 446 447 448 449 450 451 452 453 454 455 456 457 458 459 460
Chabournay, 926
Chacé, 878
Chagny, 169 415 429 439 566 570 572 579
Chaintré, 147 441 585 586 593 594 595
Chalais, 1100
Chalonnes-sur-Loire, 843
Châlons-en-Champagne, 632 642
Chalus, 928
Chambœuf, 433
Chambolle-Musigny, 480 482 483 484 487
Chamery, 607 643
Chamilly, 422 428 574
Chamoson, 1094 1095 1096 1097 1099
Champignol-lez-Mondeville, 619
Champigny, 877
Champillon, 604
Champlan-sur-Sion, 1096
Champ-sur-Layon, 849 852 861 862 869
Chançay, 917 918 919
Chânes, 147 148 152 181 593 595
Change, 427 430 439 564 565
Chanos-Curson, 983 984
Chapaize, 588
Chapareillan, 675 676
Chapelle-Saint-Florent, 839
Chardonnay, 587
Chardonne, 1091
Charentay, 151 154 156 159 160
Chargé, 887 892
Charly-sur-Marne, 605 606 612 620 630
Charnas, 977 978 980 1075
Charnay-en-Beaujolais, 145 149 160
Charnay-lès-Mâcon, 165 429 430 442 581 583 588 591 594
Chasnay, 1053
Chassagne-Montrachet, 414 415 530 547 550 552 553 554 555 556 557 558 562
Chasselas, 596
Chassey-le-Camp, 565 572 573 575
Châteaubourg, 980 987
Château-Chalon, 663 664
Châteaugay, 929 930
Châteaumeillant, 928
Châteauneuf-de-Gadagne, 956 957
Châteauneuf-du-Pape, 954 958 961 962 966 969 970 975 981 983 984 985 986 989 990 992 994 995 996 997 998 999 1001 1002 1071
Châteauthébaud, 831 833 836
Château-Thierry, 642
Châteauvert, 758 759
Châteauvieux, 883
Châtenois, 102 110
Châtillon-d'Azergues, 144 148 164
Châtillon-en-Diois, 1005
Châtillon-sur-Cher, 890
Châtillon-sur-Marne, 621
Chaudefonds-sur-Layon, 848 854 861 864
Chavagnes, 821 842 854 868 869
Chavanay, 974 977 978 979 980 981 982 983 1075
Chaveignes, 1050
Chavot-Courcourt, 630 650
Cheignieu-la-Balme, 679
Cheillé, 887 893
Cheilly-lès-Maranges, 422 436 441 560 562 564 573 575 576
Chémery, 886
Chemilly, 933
Chemilly-sur-Serein, 421 452
Chenac, 1037
Chénas, 162 163 174 175 176

COMMUNES

Chenay, 616
Chenonceaux, 883
Cherves-Richemont, 1035
Chéry, 943
Chevannes, 432 494
Cheverny, 822 921 922 923
Chexbres, 1091
Chiasso, 1110
Chichée, 451
Chignin, 675 677 678
Chigny-les-Roses, 611 617 619 628 632 637 651
Chillé, 667
Chinon, 889 902 904 905 906 908
Chiroubles, 163 164 165 173 178 179
Chissey-sur-Loue, 665
Chitenay, 823 920
Chitry-le-Fort, 409 422 423
Chorey-lès-Beaune, 496 502 503 504 505 506 508 509 511 515 517 518 520 521 522 524 525 526
Chouilly, 615 623 627 634 648 653 656
Choully-sur-Genève, 1101
Cirey-lès-Nolay, 424 425 438
Cissac-Médoc, 348 349 350 351 352 355 358 380
Civrac-en-Médoc, 336 338
Civray-de-Touraine, 889
Clairvaux, 787
Claix, 1037
Claret, 708
Cleebourg, 84 103
Cléré-sur-Layon, 824 842 850 860
Clérieux, 983
Clessé, 587
Clion, 1036
Clisson, 835
Cocumont, 785 786
Cognac, 1036 1038
Cognocoli-Monticchi, 766 767
Cogny, 147
Cogolin, 735 736 738 744 1070
Coiffy-le-Haut, 1078
Collan, 410
Collioure, 728 729 1015 1016
Colmar, 126
Colombé-le-Sec, 613
Colombelles, 1046
Colombier, 803 804 809
Comblanchien, 409 434 468 481 494 498 511 516
Combres-sous-les-Côtes, 1078
Concourson-sur-Layon, 842 845 853 854 866 874
Condom, 1040 1041
Condrieu, 974 975 977 978 982
Congy, 609
Conne-de-La-Barde, 805 807
Conques-sur-Orbiel, 718
Conthey 1, 1099
Contz-les-Bains, 138
Corcelles-en-Beaujolais, 143 173
Corcelles-les-Arts, 540 547
Corcoué-sur-Logne, 837 838 1051 1052
Corgoloin, 434 490 496 498 499 500 522 563
Cormondrèche, 1104
Cormoyeux, 639
Cornas, 987
Corneilla-del-Vercol, 722 1026
Corneilla-la-Rivière, 725 727
Cornillon, 972
Correns, 732
Cotignac, 733 736
Couches, 429
Couchey, 422 462 465
Couffy, 887 888 890
Coulanges-la-Vineuse, 408 410 415
Coulommes-la-Montagne, 644
Couquèques, 342
Cour-Cheverny, 920 921 922 1050
Courgis, 416 448 449 454 455
Cournonsec, 1064
Cournonterral, 707
Courteron, 621 627
Courthézon, 958 959 964 994 996 997 1011 1029
Coutures, 842 847 848
Cramans, 669
Cramant, 606 607 623 631 632 635 649
Crançot, 665 670 671
Cravant-les-Coteaux, 902 903 904 905 906 907 908
Crèches-sur-Saône, 157 587 593
Créon, 200
Crespian, 698
Creuë, 1078
Creysse, 811 812
Crézancy, 616
Crézancy-en-Sancerre, 946 948
Crissay-sur-Manse, 1052
Croignon, 216
Crosses, 936
Crouseilles, 795 796
Crouttes-sur-Marne, 608
Crouzilles, 903
Cruzy, 716
Cubnezais, 226
Cubzac-les-Ponts, 222
Cuchery, 617
Cucugnan, 688
Cúcuron, 1010 1011
Cuers, 740 742 745
Cuis, 623 651
Cully, 1087 1091
Cumières, 620 623
Cunèges, 802
Cuqueron, 790
Cussac-Fort-Médoc, 346 349 350 351 352 353 354 355 356 357
Dahlenheim, 102 118
Daignac, 199 203
Dambach-la-Ville, 85 88 89 91 94 96 98 110 111 113 118 134
Damery, 610 620 626 629 634 644 650
Dampierre-sur-Loire, 871 873 876 877
Dardagny, 1101 1102
Davayé, 583 585 586 589 591 594 595 596
Demigny, 540 549 559 567 571
Denicé, 144 146
Dezize-lès-Maranges, 418 553 560 563 564 565 566
Die, 1004 1005
Diou, 944
Distré, 871
Diusse, 794
Dizy, 606 608 613
Domazan, 955 960 967
Donnazac, 776
Donzac, 199 785
Dorlisheim, 87 109 133
Döttingen, 1105
Doué-la-Fontaine, 823 853 870 876
Douelle, 774
Doulezon, 215 221
Douzens, 688
Dracy-lès-Couches, 429 538
Draguignan, 737
Drain, 826 840
Duhort-Bachen, 797
Dunes, 785
Dun-sur-Auron, 928
Duras, 815 816
Duravel, 770 771
Durban-Corbières, 690
Eauze, 1040 1041 1058
Echevronne, 424 437 489 498 508 516 518 525
Echichens, 1088
Ecoyeux, 1038
Ecueil, 609 617 636
Eguilles, 754
Eguisheim, 85 88 90 100 106 108 109 114 117 118 125 133 135 136
Ehnen, 1083
Eichhoffen, 106
Ellange-Gare, 1083
Elne, 724 1068
Embres-et-Castelmaure, 688
Emeringes, 149 151 154 174
Entraygues-sur-Truyères, 786
Entrechaux, 955 1007
Epernay, 603 605 606 607 611 616 617 620 622 625 626 628 630 633 636 638 639 641 642 644 646 647 650 652 653 654
Epesses, 1089 1090 1091 1092
Epfig, 86 90 95 102 113
Epineuil, 413 416
Ergersheim, 133
Escolives-Sainte-Camille, 408
Escoussans, 196 205 209 219 260 312 396
Espiet, 194 217
Espira-de-l'Agly, 722 723 1020 1023 1026 1027 1028 1068
Estagel, 725 727 1021 1022 1025 1026
Estaing, 786
Estézargues, 962 969
Esvres-sur-Indre, 886 890
Etoges, 646
Etoy, 1092 1093
Etrigny, 582
Eu, 284
Eygalières, 754 755 757
Eyguières, 754 757
Eynesse, 309
Fabas, 783
Fargues-de-Langon, 395 396 399
Faugères, 709
Faveraye-Mâchelles, 868
Faye-d'Anjou, 841 842 844 848 861 862 865 867 868 1052
Féchy, 1090 1092
Feings, 921
Feliceto, 762 763 764
Félines-Minervois, 712
Ferrals-les-Corbières, 689 1061
Festigny, 621 622 635
Figari, 763
Fitou, 711 1027
Fixin, 412 464 465 466 467 469 472 475 498
Flanthey, 1099
Flassan, 1008
Flassans, 735
Flaugnac, 1057
Fleurie, 165 166 167 181
Fleurieux-sur-l'Arbresle, 146
Fleury-d'Aude, 700 703 704 706 1062 1068
Fleury-la-Rivière, 616 636
Fleys, 448 449 453 454 455
Floirac, 194 204 219 305 394 1037
Florensac, 1060 1065 1067
Floressas, 771
Fontaines, 534 566 567 574 575
Fontanès, 703 1063
Fontcouverte, 689

Fontenay-près-Chablis, 447 452 457
Fontette, 648
Fontguenand, 926
Fontvieille, 757
Forcalqueiret, 758
Fos, 710
Fossoy, 616
Fougères-sur-Bièvre, 920 922
Fougueyrolles, 370 810
Founex, 1087
Fourques, 722 1020 1022
Fours, 226
Francs, 300 302
Francueil, 886
Franquevaux, 692
Freienbach, 1106 1107 1108
Fresnes, 922
Fréterive, 677 678
Fronsac, 236 237 238 239 240 241 242
Frontignan, 1028 1029
Fronton, 783 784
Fuissé, 411 582 585 586 587 588 589 590 591 592 593
Fully, 1095
Gabarnac, 192 208 387 389 391
Gabian, 701
Gageac-et-Rouillac, 803 807 813 814
Gaillac, 776 777 778 779 780
Gaillan, 336
Galargues, 700
Galgon, 221 241 256 290
Gallician, 695
Gan, 788 791
Gardegan-et-Tourtirac, 300 301
Garéoult, 758 1073
Gassin, 739
Gaujac, 961
Gauriac, 232
Géanges, 502
Geaune, 797 1056
Générac, 225 693 694 695 696
Genillé, 889
Génissac, 191 193 199 200 211 220 222 307
Genouilly, 568
Gensac, 308
Gerland, 428 495 498
Gertwiller, 101
Gevingey, 664 666 1043
Gevrey-Chambertin, 425 434 449 462 463 464 468 469 470 471 472 473 474 475 476 479 482 485 487 510 523
Ghisonaccia, 762
Gien, 932
Gigondas, 957 959 961 963 964 970 973 976 983 989 990 991 992 999 1003 1064
Gilly-lès-Cîteaux, 417 478 482 483 485 491
Gironde-sur-Dropt, 192 198 211 266 289 292 307 313 353 365
Giubiasco, 1110
Givry, 577 578 579
Gleizé, 155 584
Gondeville, 1038
Gondrin, 1039 1041 1058
Gonfaron, 733 738 740 744 1070
Gordes, 1007 1009
Gorges, 827 828 833 834 835
Goult, 1008 1009 1071
Goutrens, 787
Gras, 1012
Grauves, 619
Greiveldange, 1081
Gréoux-les-Bains, 1013
Grevenmacher, 1081 1082 1084
Grézillac, 191 193 202 205 207 304 306 327 331 334
Grézillé, 846
Grignan, 1006
Grimaud, 737
Groslée, 678 679
Grospierres, 1076
Gruissan, 690
Gueberschwihr, 88 91 99 105 107 113 119 120 135
Guebwiller, 121 122
Gy, 1078
Gyé-sur-Seine, 613 617 621 629
Hattstatt, 91 98
Haute-Goulaine, 829 834 839 1051
Hauterive, 1103
Haut-Loupiac, 389
Hautvillers, 624 635
Haux, 212 221 223 312 388
Heiligenstein, 82
Herrlisheim, 112
Hettermillen, 1081
Houssay, 924
Huismes, 902 907
Hunawihr, 85 91 93 98 101 109 111 119 124 126
Husseren-les-Châteaux, 84 85 105 107 108 112 113 118 125 126
Igé, 411 413 423 424 428 441 582 585 586 587
Illats, 315 318 393 395
Ingersheim, 87 89
Ingrandes-de-Touraine, 895 897 898
Irancy, 411 430 431
Irouléguy, 789
Ispoure, 788
Issy-les-Moulineaux, 167
Itterswiller, 88 96 98 112 134
Jambles, 566 567 578 579
Janvry, 632 644
Jarnioux, 148
Jau-Dignac-et-Loirac, 339 340 341 343 344
Joigny, 415
Jongieux, 675 676 677
Jonquerettes, 954
Jonquières, 698
Jonquières-Saint-Vincent, 694 696 1061
Jouques, 755
Jouy-lès-Reims, 603 604
Juigné-sur-Loire, 851 852 856
Juliénas, 153 156 157 167 168 169 173 174 175 176
Jullié, 150 154 168
Junay, 413
Jurançon, 792
Katzenthal, 84 98 106 110 122 130 134
Kaysersberg, 86 92 95 96 101 123 127
Kientzheim, 103 119 127
Kintzheim, 134
L'Etoile, 670 672 1043
L'Ile-Bouchard, 905
Labarde, 351 362 363 368
Labastide-d'Armagnac, 1040
Labastide-Marnhac, 1057
Labastide-Saint-Pierre, 783 784
Lablachère, 1076
La Brède, 205 316 319 320 321 322
La Cadière-d'Azur, 745 748 749 750 751 752 1070
La Caunette, 712
La Celle, 759
Lacenas, 148
La Chapelle-Basse-Mer, 833
La Chapelle-de-Guinchay, 144 154 157 162 163 165 168 180 181 584 586 587 591 593
La Chapelle-Heulin, 827 829 832 835 836 1051
La Chapelle-sur-Loire, 897 900
La Chapelle-Vaulpelteigne, 444 453
Lachassagne, 146
Lacoste, 1010
La Crau, 738 739 741 742
La Croix-Valmer, 734 1072
Ladaux, 191 195 304 307
Ladoix-Serrigny, 409 434 470 499 502 503 504 506 507 510 512 513 514 519 520 521
La Fare, 967 989
La Fosse-de-Tigné, 820
La Garde-Freinet, 740
Lagorce, 1012 1077
Lagraulet-du-Gers, 1058
Lagrave, 776 779
La Haye-Fouassière, 827 829 832 836
Lahourcade, 790 792
La Lande-de-Fronsac, 218
Lalande-de-Pomerol, 252 253 255 256
La Limouzinière, 838 1050
La Livinière, 711 713 714
La Londe-les-Maures, 733 736 737 740 741 742 743 745
Lamarque, 351 352 354
Lambesc, 753 755 756 1072
La Mole, 744
Lamone, 1109
Lamonzie-Saint-Martin, 800
La Motte, 737 742
Lancié, 150 151 153 154 166 170
Lançon-Provence, 754
Landerrouat, 203 217 309 804
Landiras, 316 319 323 391
Landreville, 615 619 629 646
La Neuveville, 1104
La Neuville-aux-Larris, 608
Langlade, 697 702
Langoiran, 313 314 387 388
Langon, 191 223 316 317 320 321 322 324 325 362 371 373 382 399
Lansac, 231 232 234 235
Lansargues, 1062
Lantignié, 155 156 165 173 177 178 179
La Palme, 1027
La Pommeraye, 824 843 847 849 850 856 857
La Possonnière, 844 858
Laquenexy, 137
La Regrippière, 833 1047 1052
La Remaudière, 839
La Rivière, 240 242
La Roche-Clermault, 908
La Roche-de-Glun, 986
La Rochepot, 416 436 437 438 439 441 540 558
La Roche-Vineuse, 427 581 582 587
Laroque, 388 394
La Roquebrussanne, 759
Laroque-Timbaut, 1054
La Roquille, 198
Larroque-sur-l'Osse, 1040
La Sauve, 198 207 222 387
Lasserre, 794
Lasseube, 790 791
La Tour-d'Aigues, 1010
Latour-de-France, 1022
La Tour-sur-Orb, 1068
Lattes, 1060
Laudun, 954 961 969 970 972

Laure-Minervois, 713
Laurens, 709
Lauret, 699 704
Lauris, 1010
Lausanne 25, 1088
Lavau, 931
Laverune, 703 1062
Lavigny, 664 665 669 671 1043 1044
La-Ville-aux-Dames, 912
La Ville-Dieu-du-Temple, 784
Lazenay, 943 944
Le Beausset, 748 750 751 1073
Le Bois-Plage-en-Ré, 1037
Le Boulve, 772
Le Breuil, 146 147 638 640
Le Brûlat-du-Castellet, 750
Le Bugue, 803
Le Camp-du-Castellet, 749
Le Cannet-des-Maures, 733 743 745
Le Castellet, 750 751
Le Cellier, 826
Le Fleix, 309 811 812 813
Le Frêche, 1041
Le Grau-du-Roi, 1065
Le Landeron, 1104
Le Landreau, 826 827 830 833 834 836 837 838 1050 1051 1052
Le Loroux-Bottereau, 832 836
Le Luc, 737 738
Lembras, 812
Le Mesnil-sur-Oger, 611 612 624 628 632 639 642 643 647 652 654
Le Muy, 743 745
Léognan, 326 327 328 329 330 331 332 333
Le Pallet, 825 827 828 833 836 839 948 1053
Le Perréon, 150 151 152 153 170 177
Le Pian-Médoc, 356
Le Pian-sur-Garonne, 314
Le Plan-du-Castellet, 750
Le Puy-Notre-Dame, 870 871 872 873 874
Le Puy-Sainte-Réparade, 754 1072
Les Arcs-sur-Argens, 734 744
Les Ardillats, 145
Les Arsures, 660 1043
Les Artigues-de-Lussac, 214 220 222 249 254 256 271 288 289 291 292 293 295
Les Baux-de-Provence, 754 755 757
Les Eglisottes, 211
Les Esseintes, 195
Les Lèves et Thoumeyragues, 308
Les Marches, 675 676
Les Martres-de-Veyre, 929
Les Mesneux, 628
Les Moutiers-en-Retz, 1052
Lesparre-Médoc, 338
Lesquerde, 727
Les Riceys, 607 616 622 630 639 640 656
Les Salles-de-Castillon, 297 298 300
Lestiac, 313 314
Les Verchers-sur-Layon, 842 854 861
Le Taillan-Médoc, 357
Le Tourne, 205 209
Létra, 145 146
Le Val, 741 759 1073
Le Vaudelnay, 873 875
Le Vernois, 663 664 665 669 670 671 672 1042 1043
Leynes, 147 150 152 166 587
Leytron, 1095 1097
Lézan, 1064
Lézignan-Corbières, 689
Lézignan-la-Cèbe, 1063
Lhomme, 909
Lias-d'Armagnac, 1040
Libourne, 214 237 240 243 244 245 246 247 248 249 250 251 253 254 255 258 259 261 262 263 265 273 274 276 277 279 280 285 287 289 292 293 297
Liergues, 147 171
Lieuran-lès-Béziers, 1064
Ligerz, 1104
Lignan-de-Bordeaux, 221
Lignières-de-Touraine, 893
Lignorelles, 444 445 447 448 449
Ligornetto, 1111
Ligré, 905 906
Ligueux, 213 220
Limeray, 891 892
Limoux, 684 685 686
Lirac, 1002
Liré, 826 840
Lisle-sur-Tarn, 776 778 780 1056
Listrac-Médoc, 355 358 359 360 361 369 370 371
Löhningen, 1107
Loisin, 674
Lorgues, 733 739 740 743 1070
Loubès-Bernac, 815
Loupiac, 192 321 322 388 389
Lourmarin, 1010
Louvois, 609 612 620 637
Lucenay, 144
Lucey, 137
Lucq-de-Béarn, 792
Luc-sur-Orbieu, 689 691 1061
Ludes, 606 607 610 621 622 629
Ludon-Médoc, 216 345 351 352 365 370
Lugano, 1109
Lugasson, 206
Lugny, 441 583 587 588
Lugon-et-L'Ile-du-Carney, 207 211 220 238
Lumio, 762
Lunel, 700 1030
Luri, 764 1033
Lussac-Saint-Emilion, 288 289 290 294
Lussault-sur-Loire, 884
Luynes, 882
Luzech, 770 772 774
Lye, 890 925 926
Macau, 210 212 218 290 293 348 349 350 351 354
Mâcon, 162 595
Macqueville, 1037
Magny-lès-Villers, 425 432 438 442 500 516
Mailly, 1077
Mailly-Champagne, 636
Mainxe, 1038
Maisdon-sur-Sèvre, 826 828 829 830 832 833
Malans, 1105 1106
Malaville, 1035
Maligny, 419 444 446 450 451 456
Mallemort, 755
Malleval, 974 981
Manciet, 1041
Mancy, 623
Manduel, 693
Manhoué, 137
Manno, 1110
Mantry, 666
Maransin, 196 223
Maraussan, 1061
Marcenais, 228
Marchampt, 153
Marcillac, 197 205 228 230 231
Marcilly-le-Châtel, 930 931
Marçon, 909
Mardeuil, 610 649
Mareau-aux-Prés, 935
Mareuil-le-Port, 616
Mareuil-sur-Ay, 606 626 643 644 655
Mareuil-sur-Cher, 887 888
Mareuil-sur-Lay, 840
Marey-lès-Fussey, 426 434 435 439
Margaux, 205 210 212 218 340 346 356 362 363 364 365 366 367 368
Margueron, 209 309
Marieulles-Vezon, 138
Marignieu, 678
Marigny-Brizay, 927 1053
Marlenheim, 111 129
Marsannay-la-Côte, 409 422 423 462 463 464 465 466 467 469 470 475 476 481 484 486 489 490 560
Marssac-sur-Tarn, 779
Martigné-Briand, 823 842 845 847 849 853 854 861 864 865 866 870 1047
Martigny, 1095 1099
Martillac, 326 330 331 332 334
Massangis, 416
Massugas, 211
Matha, 1036
Maumusson-Laguian, 794 795 796 797
Mauroux, 770
Maury, 727 1023 1024
Mauves, 980 985 988
Mauves-sur-Rhône, 981
Mauvezin d'Armagnac, 1055
Maynal, 665 1042
Mazan, 1007 1008
Mazères, 316 317 323
Mazion, 199 207
Meillard, 932
Meloisey, 436 439 516 519 526 529 532 536 540 543
Mendrisio, 1109 1110
Ménerbes, 1010
Menetou-Salon, 936 937
Menétru-le-Vignoble, 664 665 666 1043
Merceuil, 441 489 525 547
Mercuès, 770
Mercurey, 414 418 425 428 483 488 490 496 513 554 570 572 573 574 575 576 577 581 591
Mercurol, 979 983 984 986
Merfy, 612
Mérifons, 1063
Mérignac, 334
Mérignat, 679
Mescoulès, 801
Mesland, 882 893 894
Messy, 813
Meursault, 409 410 413 414 415 416 417 422 426 429 444 450 505 511 516 519 523 524 526 528 530 531 532 533 534 535 536 538 539 540 541 546 547 548 551 552 554 555 565 576
Meurville, 620
Meusnes, 882 885 925 926
Meyreuil, 752
Mèze, 707 1063
Mézières-lez-Cléry, 935
Mezzavia, 763 766
Miège, 1094
Migé, 413
Milhaud, 693
Millas, 726 1020 1026

Millery, 183
Milly, 447 448
Minerve, 714
Minzac, 800
Mirabeau, 1009
Mireval, 1030
Mittelbergheim, 83 89 91 92 109 110 111 112 121 132
Mittelwihr, 94 101 104 106 110 124 127 128
Moiré, 144
Molsheim, 83 87 111 114 117
Mombrier, 233
Monbazillac, 801 804 805 808 809 810 812
Mondragon, 956
Monein, 790 791 792 793
Monestier, 800 803 807 808
Monflanquin, 1054
Monnières, 828 830 834 836 837
Monprimblanc, 201 319 322 388 397
Montagnac, 707 708 1065
Montagne, 224 245 246 248 254 256 262 263 267 279 289 290 291 292 293 294 296 297
Montagny-lès-Beaune, 156 421 428 464 504 580 582
Montagny-lès-Buxy, 579
Montaigu, 668 670
Montaigu-de-Quercy, 1057
Montallery, 447
Montalzat, 1057
Montans, 777
Montazeau, 803 806
Montbazin, 705
Montblanc, 1060 1066
Montbrun-des-Corbières, 690
Montcaret, 803
Monteaux, 894
Montesquieu-des-Albères, 723
Monteton, 816
Montfaucon, 962
Montfrin, 964 972
Montgenost, 614 615
Montgueux, 618 650 651
Monthélie, 534 536 538 539 547 573
Monthou-sur-Bièvre, 888
Monthou-sur-Cher, 890
Montignac, 194 208
Montigny-lès-Arsures, 659 660 662 663 671 1044
Montigny-sous-Châtillon, 612 630
Montlouis-sur-Loire, 910 911 912 913
Montmelas, 149
Montmélian, 676
Montoire-sur-le-Loir, 909 925
Montoulieu, 1062
Montpeyroux, 702 704 705 812
Montpezat-de-Quercy, 1057
Mont-près-Chambord, 922 923
Montréal-de-l'Aude, 719
Montreuil-Bellay, 872 874 886
Montreux, 1093
Montrichard, 822 823 884 889
Montsoreau, 873 876 878
Mont-sous-Vaudrey, 661
Mont-sur-Rolle, 1089 1091
Montussan, 213
Morancé, 149
Morey-Saint-Denis, 412 419 426 467 469 470 472 473 474 475 476 478 479 480 481 482 483 484 550
Morges, 1092 1093
Morizès, 197
Mormoiron, 1006 1008 1009 1071
Moroges, 422 426 428 430 568 570
Morogues, 936 937 948
Morsiglia, 764
Mosnes, 823 891
Mouillac, 201 214 247
Moulis-en-Médoc, 349 358 365 369 370 371
Moulon, 194 199 208 220 306
Mouscardès, 1055
Moussoulens, 718
Moussy, 615 638 645 646
Moux, 690 691
Mouzillon, 827 828 830 831 833 836 877
Mozé-sur-Louet, 852 855
Mugron, 1055
Muides-sur-Loire, 920
Murles, 705
Mûrs-Erigné, 844 851
Myans, 677
Nans-les-Pins, 1073
Nantes, 1053
Nantoux, 437 438 526
Narbonne, 689 698 702 705 707 708 1031
Naujan-et-Postiac, 193 194 195 197 198 199 200 203 206 210 215 222 304 305
Nazelles-Négron, 892
Néac, 212 241 245 247 253 254 256 292
Neffies, 697
Néoules, 760
Nérac, 781
Neuville-de-Poitou, 926 927
Neuville-sur-Seine, 614 627
Nézignan-l'Evêque, 1066
Nice, 747
Niedermorschwihr, 103 116 117 128
Nîmes, 693 694 701
Noailles, 776
Noë-les-Mallets, 615
Noës-Sierre, 1095
Nogaro, 1041
Noizay, 914 915 919
Nordheim, 112
Nothalten, 83 89 125
Notre-Dame-d'Allençon, 824 868
Noyers-sur-Cher, 882 883 884 885 887 888 890
Nueil-sur-Layon, 821 846 874
Nuits-Saint-Georges, 146 169 175 410 415 416 422 425 427 429 432 433 434 435 436 438 439 440 441 442 447 452 453 455 458 463 465 468 470 472 473 474 476 478 480 482 485 487 490 491 494 495 496 497 500 502 506 509 510 511 518 520 523 530 531 536 547 548 550 556 559 560 562 566 568 571 572 575 576 580 583 593 1060
Nussbaumen, 1108
Oberhallau, 1107
Obermorschwihr, 83 92 95 97 105 135
Obernai, 90 94 98 100 103 113 114 133 134
Odenas, 155 156 157 158 159 160 161 164 176
Oger, 612 639 651
Oisly, 883 887 888 889 922
Ollioules, 751
Omet, 312 388
Onzain, 884 889 890 894
Oppède, 1071
Orange, 954 955 961 962 964 966 968 973 994 995 996 997 998 999 1001 1002 1064
Orcet, 929
Ordonnac, 338 340 343
Orgon, 1072
Orschwiller, 88 91 93 101 114 126
Orschwir, 85 93 94 101 103 130
Osterfingen, 1106
Oudon, 826
Oupia, 713
Ouveillan, 1062
Ozenay, 580
Paillet, 311 387 388
Palau-del-Vidre, 725
Panzoult, 903 904 906 907
Parçay-Meslay, 917 919
Pardaillan, 816
Parempuyre, 191 201 260 305 319 330 338 348 351 356
Paris, 540
Paris-l'Hôpital, 427 437 563 565
Parleboscq, 1055
Parnac, 770 773 775
Parnay, 875 877 879 880
Paroy-sur-Tholon, 420
Passa, 1021
Passavant-sur-Layon, 821 846 854
Passenans, 666 669 670
Passy-Grigny, 642 650
Passy-sur-Marne, 648
Patrimonio, 768 1032 1033
Pauillac, 204 316 372 373 374 375 376 377 379
Paulhan, 687
Paziols, 710 1018 1025
Péage-de-Roussillon, 978 982
Pélissanne, 1072
Pellegrue, 192 219
Penta di Casinca, 1032
Pépieux, 713
Périssac, 201 216
Pernand-Vergelesses, 412 440 498 507 508 509 510 511 512 513 514 516 518 520 521 527
Péronne, 414 582 584 587 595
Perpignan, 721 722 724 725 726 1016 1024 1025 1027 1067
Perroy, 1091
Pertuis, 1011
Pescadoires, 772 774
Pessac, 329 331 332 333
Pessac-sur-Dordogne, 309
Petit-Palais, 205 213
Peyriac-de-Mer, 690 691
Pézenas, 705
Pézens, 718
Pézilla-la-Rivière, 721 727 1021 1027
Pfaffenheim, 97 98 99 106 107 111 113 115 129 134
Pian-sur-Garonne, 313
Pierreclos, 582 583 584 585 595
Pierrefeu, 737 742
Pierrefeu-du-Var, 739
Pierrerue, 716
Pierrevert, 1012 1013 1074
Pierry, 624 634 636 638 653
Pieusse, 686
Pignan, 702
Pignans, 738 743
Pinet, 700
Pineuilh, 193 216 309
Piolenc, 955 964 973 994 999 1070
Plassac, 225 230 233
Pleine-Selve, 227 229
Plombières-lès-Dijon, 414
Podensac, 317 318 321 322
Poggio-d'Oletta, 767 1033
Poinchy, 446
Poligny, 667 668 669 670 1042 1043 1044
Polisy, 621

COMMUNES

Pomerol, 239 243 244 245 246 248 249 250 251 252 254 255 256
Pomérols, 701 1067
Pommard, 408 414 418 422 424 425 433 437 481 488 492 515 517 525 526 527 528 530 531 532 533 535 536 537 538 544 565
Pommiers, 145 146
Pomport, 804 805 809
Poncé-sur-le-Loir, 909
Pondaurat, 222
Pontanevaux, 584 592 596
Ponteilla, 1020
Ponte-Leccia, 765
Pontevès, 758
Pontlevoy, 890
Pont-Saint-Martin, 838
Port-à-Binson, 626
Portel-des-Corbières, 689 690
Portets, 316 317 318 319 320 322 323 324
Porticcio, 766
Porto-Vecchio, 765
Port-Sainte-Foy, 802 806 810 811
Port-Vendres, 729 1017
Pougny, 931 932
Pouillé, 884 887 888 890
Pouillon, 1055
Pouilly-sur-Loire, 870 878 937 938 939 940 941
Pourcieux, 736 742
Pourrières, 742
Pouzolles, 1064 1066
Pradelles-en-Val, 691
Prayssac, 774 775
Préhy, 448 449 451 455 457 460
Preignac, 196 321 323 392 393 394 396 397 398 399 400
Premeaux-Prissey, 408 417 418 428 430 432 433 437 468 491 494 495 496 497 498 500 501 502 543
Preuilly, 942 944
Prignac-en-Médoc, 336 339 340
Prignac-et-Marcamps, 232
Prigonrieux, 806 813
Prissé, 409 418 429 442 582 584 590 595 596
Propriano, 762
Prouilly, 615
Prusly-sur-Ource, 441
Pruzilly, 181
Puéchabon, 698
Puget-Ville, 736 737 739 740 741
Pugnac, 226 233
Puissalicon, 1066
Puisseguin, 212 253 289 290 293 294 295 296
Puisserguier, 706 715 716 1063
Pujols, 219
Pujols-sur-Ciron, 394
Puligny-Montrachet, 410 417 421 424 427 432 485 508 516 526 539 544 549 550 551 552 553 554 556 557 558 559 560 571
Pupillin, 659 661 662 664 1043 1044
Purasca, 1110
Puy-l'Evêque, 774 775
Puylaroque, 1057
Puyloubier, 732 741 742 744
Puyméras, 959
Puyricard, 754 756
Quarante, 716 717 1064 1065
Quenne, 420
Queyrac, 337
Quincié-en-Beaujolais, 151 152 154 156 157 161 180 478 588 589
Quincy, 942 943
Quinsac, 311 314
Quintigny, 668 673 1044
Rabastens, 779
Rablay-sur-Layon, 847 861 866
Ramatuelle, 740
Ramouzens, 1041
Rasteau, 954 955 966 967 968 969 984 987 988 1003 1031 1032
Rauzan, 194 196 203 214
Razac-de-Saussignac, 214 800 801 802 804 806 813
Razines, 886
Redessan, 693
Régnié-Durette, 151 153 173 177 178 179 180
Reignac, 229
Reims, 603 611 615 617 625 627 628 629 631 636 639 640 641 643 644 645 647 649 652
Remerschen, 1082 1084
Remich, 1081 1082 1083 1084
Remigen, 1105
Remigny, 422 436 559 560 564
Remoulins, 961
Renaison, 934
Restigné, 895 897 898 903
Reugny, 919
Reuil, 651
Reuilly, 943 944
Reulle-Vergy, 432
Reverolle, 1090
Rians, 754 755 756
Ribagnac, 799 807
Ribeauvillé, 108 109 122 125
Rieux-Minervois, 713
Rilly-la-Montagne, 603 606 613 619 620 623 627 653
Rilly-sur-Loire, 891
Rimons, 203 215
Rions, 197 202 208 305 310 313 387
Riquewihr, 87 90 97 107 108 117 127 129
Rivarennes, 893 906
Rivaz, 1088
Rivesaltes, 724 725 727 1019 1021 1025 1028 1068
Rivesaltes-Salses, 723 727 1018 1022 1024 1065
Rivière, 903 904
Roaillan, 320
Rochecorbon, 914 915 916 917 920
Rochefort-du-Gard, 955
Rochefort-sur-Loire, 846 849 850 857 858 862 865 866 869
Rochegude, 963 968
Rognes, 753 1072
Rolle, 1087 1088 1093
Romagnat, 928
Romagne, 304
Romanèche-Thorins, 162 174 175 176 413 585 590 594 1076
Romery, 651
Roquebrun, 716 717
Roquebrune, 218
Roquebrune-sur-Argens, 738 741
Roquefort-la-Bédoule, 732 743 747
Roquemaure, 959 1000 1001 1003
Roquessels, 708 710
Roquetaillade, 685
Rorschwihr, 104 113
Rosenwiller, 84 104
Rosières, 1076
Rosnay, 840
Rotalier, 667 668 672
Roubia, 714
Rouffach, 90 107 130
Roullens, 719
Roussas, 1006
Rousset, 736
Roussillon, 1007 1071
Routier, 719
Ruch, 207 305
Ruffieux, 675
Ruillé-sur-Loir, 909
Rully, 440 442 443 568 570 571 572 573 574 576 580
Ruoms, 1012 1075
Russin, 1101
Rustiques, 712 1059
Sabran, 954 960 962 963 969
Sacy, 613 651
Sadirac, 216 217 218 224
Saillans, 221 239 240 241 242 1005
Saillon, 1095 1099
Sain-Bel, 183
Saint-Aignan, 240 255 886
Saint-Aignan-de-Grand-Lieu, 837 838 1046
Saint-Alban-du-Bosc, 697
Saint-Alexandre, 963
Saint-Amour-Bellevue, 168 180 181 182 440 592
Saint-Andelain, 938 939 940 941
Saint-André-d'Apchon, 934
Saint-André-de-Cubzac, 191 195 206 212 231 258 259 291 336 342 348 351 354
Saint-André-de-Roquelongue, 692 714
Saint-André-de-Sangonis, 700 1061
Saint-André-du-Bois, 209 219
Saint-André-et-Appelles, 308
Saint-Androny, 229
Saint-Antoine-de-Breuilh, 802 806 810
Saint-Antoine-du-Queyret, 203 208 216 304 305
Saint-Astier-de-Duras, 816
Saint-Aubin, 422 481 485 514 549 550 551 553 555 557 558 559 562 1103
Saint-Aubin-de-Blaye, 203 229
Saint-Aubin-de-Lanquais, 808
Saint-Aubin-de-Luigné, 842 847 853 858 860 862 863 864 865 869
Saint-Baldoph, 675 677
Saint-Bauzille-de-la-Sylve, 1061
Saint-Blaise, 1103
Saint-Bonnet-sur-Gironde, 1036
Saint-Brès, 703
Saint-Bris-le-Vineux, 410 411 412 417 419 420 423 425 426 431 441 446 448 459 460
Saint-Cannat, 753 755
Saint-Caprais-de-Blaye, 225 231
Saint-Caprais-de-Bordeaux, 312
Saint-Céols, 936
Saint-Cernin-de-Labarde, 806
Saint-Chinian, 715 716 717
Saint-Christol, 701
Saint-Christoly-Médoc, 336 339 342 344
Saint-Christophe-des-Bardes, 259 260 261 263 265 266 267 269 271 274 275 277 279 280 282 285 286 300 338
Saint-Christophe-la-Couperie, 1046
Saint-Cibard, 302 303
Saint-Ciers-d'Abzac, 203
Saint-Ciers-de-Canesse, 194 232 233 234 235
Saint-Ciers-sur-Gironde, 195 202 227 229 230
Saint-Claude-de-Diray, 921
Saint-Clément-de-Rivière, 706
Saint-Colomban, 838
Saint-Crespin-sur-Moine, 831

Saint-Cyr-en-Bourg, 874 875 877 878 879 880
Saint-Cyr-les-Colons, 412 424
Saint-Cyr-sur-Mer, 745 748 750 751 1073
Saint-Denis-de-Pile, 215
Saint-Désert, 568 578
Saint-Désirat, 978 981 982
Saint-Didier, 1008
Saint-Dizant-du-Gua, 1038
Saint-Drézéry, 706
Sainte-Anastasie, 1068
Sainte-Anne-d'Evenos, 749
Sainte-Anne-du-Castellet, 748 749
Sainte-Cécile-d'Aves, 1056
Sainte-Cécile-les-Vignes, 955 958 959 960 963 965 967 970
Sainte-Colombe, 298 299 300 302
Sainte-Colombe-de-Duras, 815
Sainte-Colombe-en-Bruilhois, 782
Sainte-Colombe-la-Commanderie, 723 1021
Sainte-Croix, 777
Sainte-Croix-du-Mont, 192 198 202 311 316 322 387 389 390 391 397 398
Sainte-Foy-la-Grande, 192 215 309
Sainte-Foy-la-Longue, 191 195 207
Sainte-Gemme-en-Sancerrois, 948
Sainte-Jalle, 1075
Sainte-Lizaigne, 944
Sainte-Marie-la-Blanche, 410 442 533 537 1079
Saint-Emilion, 204 224 244 250 251 253 254 257 258 259 260 261 262 263 265 266 267 268 269 270 271 272 273 274 275 276 277 278 279 280 281 282 283 284 285 286 287 290 291 293 294 299
Saint-Estèphe, 350 352 377 378 379 380 381 382
Saint-Estève, 1025
Sainte-Terre, 193 196 221 285 311
Saint-Etienne-de-Baïgorry, 789
Saint-Etienne-de-Lisse, 258 270 280 283 284 287 298 299 302
Saint-Etienne-des-Oullières, 150 159
Saint-Etienne-la-Varenne, 150 151 159
Sainte-Verge, 821 845 873
Saint-Félix-de-Foncaude, 197
Saint-Félix-de-Lodez, 707 709
Saint-Fiacre-sur-Maine, 827 829 830 832 834
Saint-Florent, 767 1032
Saint-Florent-le-Vieil, 821 848
Saint-Gély-du-Fesc, 707
Saint-Genès-de-Blaye, 208 228 230
Saint-Geniès-de-Fontedit, 709
Saint-Génis-des-Fontaines, 723
Saint-Genix-sur-Guiers, 1074
Saint-Georges-de-Reneins, 167
Saint-Georges-des-Agouts, 1037
Saint-Georges-Hauteville, 930
Saint-Georges-sur-Allier, 929
Saint-Georges-sur-Cher, 884 885 886 887
Saint-Géréon, 826 840
Saint-Germain-d'Esteuil, 338 339 343
Saint-Germain-de-Graves, 312
Saint-Germain-du-Puch, 195 211 218 243 247 307
Saint-Germain-la-Rivière, 201 213
Saint-Germain-sur-Arbresle, 442
Saint-Germain-sur-Vienne, 889
Saint-Gervais, 210 213 223 269 277 281 955 967 972
Saint-Gervais-sur-Roubion, 1075
Saint-Gilles, 694 695 696
Saint-Girons-d'Aiguevives, 229
Saint-Haon-le-Vieux, 933
Saint-Hilaire, 684 686 1068
Saint-Hilaire-d'Ozilhan, 958 964
Saint-Hilaire-Saint-Florent, 821 822 872 1051
Saint-Hippolyte, 84 87 96 105 110 214 278 281
Saint-Jean-d'Angély, 1036
Saint-Jean-d'Ardières, 145 147 148 157 177
Saint-Jean-de-Blaignac, 200 207
Saint-Jean-de-Cuculles, 705
Saint-Jean-de-Duras, 815 816
Saint-Jean-de-Minervois, 1031
Saint-Jean-de-Muzols, 976 983 986 987
Saint-Jean-des-Mauvrets, 846 852 855
Saint-Jean-des-Vignes, 145 183
Saint-Jean-de-Vaux, 429 568 575
Saint-Jean-de-Védas, 1062
Saint-Jean-Lasseille, 723
Saint-Jeannet, 1074
Saint-Jean-Pied-de-Port, 791
Saint-Jean-Pla-de-Corts, 720
Saint-Julien, 154 156 383 384 385
Saint-Julien-Beychevelle, 206 346 383 384 385 386
Saint-Julien-d'Eymet, 801
Saint-Julien-de-Chédon, 882
Saint-Julien-de-Concelles, 827 832
Saint-Julien-de-Peyrolas, 959
Saint-Just-sur-Dive, 879
Saint-Lager, 156 157 158 159 160 161
Saint-Lambert-du-Lattay, 820 821 841 842 844 845 846 847 848 849 850 854 860 862 864 865 866 1052
Saint-Lanne, 795
Saint-Laurent, 688
Saint-Laurent-d'Arce, 234
Saint-Laurent-d'Oingt, 144 145
Saint-Laurent-de-la-Cabrerisse, 688 690
Saint-Laurent-des-Arbres, 1000 1001
Saint-Laurent-des-Combes, 265 273 277 283 284 285
Saint-Laurent-des-Vignes, 803
Saint-Laurent-du-Bois, 206
Saint-Laurent-du-Médoc, 346 348 350 353 384
Saint-Léger-les-Vignes, 837 838
Saint-Léonard, 1095
Saint-Loubès, 199 201 211 354
Saint-Magne-de-Castillon, 271 273 298 299 301
Saint-Maixant, 196 203 204 312 321 388 389
Saint-Mariens, 225 227
Saint-Martial, 223
Saint-Martin-d'Ablois, 609 628
Saint-Martin-d'Ardèche, 956
Saint-Martin-de-Gurson, 803
Saint-Martin-du-Bois, 215
Saint-Martin-Lacaussade, 226
Saint-Martin-le-Beau, 822 910 911 912 913
Saint-Martin-sous-Montaigu, 527 570 575 577
Saint-Martin-sur-Nohain, 939
Saint-Mathieu-de-Tréviers, 704
Saint-Maurice, 1078
Saint-Maurice-la-Fougereuse, 846
Saint-Maurice-les-Couches, 418
Saint-Maurice-sur-Eygues, 967
Saint-Maximin, 760
Saint-Méard-de-Gurçon, 800 801 806 810
Saint-Médard-d'Eyrans, 327
Saint-Médard-de-Guizières, 218
Saint-Melaine-sur-Aubance, 844 851 855
Saint-Michel-de-Fronsac, 237 238 239 242
Saint-Michel-de-Lapujade, 786
Saint-Michel-de-Montaigne, 811
Saint-Michel-sur-Rhône, 977
Saint-Mont, 795 797 798 1058
Saint-Morillon, 322 325
Saint-Nazaire-de-Ladarez, 715
Saint-Nexans, 799 801 807
Saint-Nicolas-de-Bourgueil, 895 896 897 899 900 901 902
Saint-Ouen-les-Vignes, 892
Saint-Palais, 228
Saint-Palais-de-Phiolin, 1036
Saint-Pantaléon-les-Vignes, 972
Saint-Pardon-de-Conques, 318
Saint-Pargoire, 706
Saint-Patrice, 895
Saint-Paul-de-Blaye, 208 225 226 228 229 231
Saint-Paul-de-Fenouillet, 726 727 1022 1024
Saint-Péray, 986 988
Saint-Père, 408 412 421 931 932
Saint-Pey-d'Armens, 271 274 275 285
Saint-Pey-de-Castets, 192 214 224
Saint-Philbert-de-Grand-Lieu, 838 1053
Saint-Philippe-d'Aiguilhe, 259 272 301 302
Saint-Philippe-du-Seignal, 202
Saint-Pierre, 86 87 95
Saint-Pierre-à-Champ, 842 844 1050
Saint-Pierre-de-Bat, 198
Saint-Pierre-de-Bœuf, 982
Saint-Pierre-de-Clages, 1094 1098 1099
Saint-Pierre-de-Mons, 316 320 321 323 324
Saint-Pierre-de-Vassols, 1009
Saint-Pourçain-sur-Sioule, 932 933
Saint-Puy, 1058
Saint-Quentin-de-Baron, 206 209 223 324
Saint-Quentin-de-Caplong, 240
Saint-Remèze, 1012
Saint-Rémy-de-Provence, 757
Saint-Romain, 426 430 515 524 530 540 541 543 544 891
Saint-Romain-sur-Cher, 883 884 885
Saint-Roman, 1004 1005
Saint-Roman-de-Malegarde, 1070
Saint-Sardos, 1057
Saint-Satur, 946 947
Saint-Saturnin-de-Lucian, 708
Saint-Saturnin-sur-Loire, 842 851 1046
Saint-Sauveur, 348 350 352 354
Saint-Sauveur-de-Bergerac, 812
Saint-Sauveur-de-Cruzières, 1076
Saint-Sauveur-de-Médoc, 353 355 375
Saint-Sauveur-de-Meilhan, 785
Saint-Sauveur-de-Puynormand, 215
Saint-Selve, 318 321 323
Saint-Sernin-de-Duras, 814
Saint-Sernin-du-Plain, 417 429 438

COMMUNES

Saint-Seurin-de-Cadourne, 346 348 349 350 351 352 353 355 356 357
Saint-Seurin-de-Cursac, 230
Saint-Seurin-sur-l'Isle, 216
Saint-Sulpice-de-Faleyrens, 195 200 259 260 261 262 271 273 276 279 280 281 283 297 298
Saint-Sulpice-de-Pommiers, 198
Saint-Sulpice-et-Cameyrac, 217
Saint-Thibéry, 1063
Saint-Trojan, 235
Saint-Tropez, 739
Saint-Vérand, 146 148
Saint-Victor-la-Coste, 957 962 968 971 972 1001 1003
Saint-Vincent-de-Barbeyrargues, 702
Saint-Vincent-de-Paul, 219
Saint-Vincent-de-Pertignas, 213 217
Saint-Vincent-Rive-d'Olt, 774 775
Saint-Vivien-de-Blaye, 229
Saint-Vivien-de-Vélines, 801
Saint-Vivien-du-Médoc, 343
Saint-Yzans-de-Médoc, 336 339 341 342 343
Salgesch, 1095 1097 1099 1100
Salgesch/Salquenen, 1096
Salgesch-Salquenen, 1094
Salies-de-Béarn, 788
Salignac, 204 219
Sallebœuf, 214
Salles-d'Angles, 1038
Salles-d'Armagnac, 1041
Salles-en-Beaujolais, 152
Salquenen-Salgesch, 1098
Sambin, 920 921
Samonac, 231 232 234
Sampigny-lès-Maranges, 565
Sancerre, 938 945 946 947 949 950 1047
San Nicolao, 764
Santenay, 439 509 514 525 528 532 534 537 541 548 552 554 555 556 557 560 561 562 563 564 576
Sarcey, 145
Sari-d'Orcino, 766
Sarras, 979
Sarrians, 993 1071
Sartène, 764 765
Satigny, 1101 1102
Saulcet, 933
Saulchery, 614
Saumur, 822 870 875 878 879
Saussignac, 804 814
Sauternes, 202 395 396 398 400
Sauteyrargues, 703
Sauveterre, 955
Sauveterre-de-Guyenne, 192 222 357
Saux, 771
Sauzet, 772
Savennières, 857 858 859
Savignac-de-l'Isle, 213
Savignargues, 1061
Savigny-en-Véron, 904 906 907 908
Savigny-lès-Beaune, 412 433 456 469 488 504 505 507 508 510 511 513 515 516 517 518 519 520 524 532 544 548 565 583
Saze, 961
Schafis, 1104
Schengen, 1083 1084
Scherwiller, 88 104 110 135
Scherzingen, 1107 1108
Ségonzac, 1037
Séguret, 967 969
Seigy, 888
Seillonnaz, 679
Selles-sur-Cher, 926
Sellières, 669
Semerville, 416
Sennecey-le-Grand, 416
Sérignan, 706
Sérignan-du-Comtat, 958 960
Sermerieu, 1075
Serrières, 581 583
Servian, 1061 1066
Sète, 1061
Sierre, 1094 1098 1099 1100
Sigean, 691
Signes, 758
Sigolsheim, 99 100 114 122 123
Sigoulès, 802 806
Sillery, 621 648 654
Singleyrac, 802
Sion, 1094 1096 1097 1100
Siran, 713 714 715
Soings, 886
Soings-en-Sologne, 890
Solutré-Pouilly, 443 585 586 588 589 590 591 594 595
Sorède, 1028
Sorgues, 958 995
Soturac, 770 773 774
Souel, 779
Soulaines-sur-Aubance, 847 856
Soulignac, 214
Soultzmatt, 83 85 99 103 104 108 131 132 134
Soultz-Wuenheim, 100
Soussac, 306
Soussans, 222 364 365 368
Souzay-Champigny, 880
Stabio, 1109
Stadtbredimus, 1084 1085
Suilly-la-Tour, 1054
Sury-en-Vaux, 932 940 946 948 949
Sussargues, 700
Susten-Leuk, 1096
Suzette, 962 971
Tabanac, 223 310 312 314 388
Tailly, 548
Tain-l'Hermitage, 974 982 985 986 988 996 1006
Taissy, 650
Talairan, 692
Tallone, 1070
Taluyers, 984
Taradeau, 740 742
Tarascon, 1072
Tarérach, 724
Targon, 209 305 306
Taron, 1059
Tauriac, 232 233 235
Tautavel, 726 728 1019 1021 1022 1025
Tauxières, 635
Tavel, 958 960 997 1000 1001 1002 1003
Termine, 1109
Ternand, 148
Terrats, 722 724 1022
Teuillac, 232 233 234 235
Thauvenay, 950
Thayngen, 1107
Theizé, 144 147 148
Thénac, 801 804 805 807 808
Thenay, 886
Thésée, 885 887
Théus, 1073
Thézac, 1055
Thézan-des-Corbières, 687 691
Thoré-la-Rochette, 923 924 1047
Thouarcé, 821 822 845 847 848 849 850 853 854 863 864 867 868
Thuir, 722 1022
Tigné, 844 853 1047
Tillières, 828 839 1047
Tolochenaz, 1092
Tonnerre, 410 411 414 420 449
Toulaud, 988
Tourbes, 1063
Tournon, 979 980 981 986
Tournus, 415 425 583 587
Tours-sur-Marne, 613 630 632 654
Touzac, 1035
Tracy-sur-Loire, 937 938 940 941
Traenheim, 98 107
Trausse-Minervois, 714
Travaillan, 964
Trèbes, 1067
Trelins, 930
Trélou-sur-Marne, 633
Trémont, 822 847 854
Trépail, 645
Tresques, 956
Tresserre, 721 723 1023 1024 1026 1027
Tresses, 200 218 221
Trets, 733 736 741 745
Trigny, 607
Triors, 979 1077
Troissy, 637 641
Trouillas, 724 1019 1022 1025
Tuchan, 688 710 1021 1023 1027
Tulette, 956 964 971 972
Tupin-et-Semons, 974
Turckheim, 97 116
Turquant, 877 879
Twann, 1105
Uchaux, 963
Uchizy, 588
Urville, 619 642
Vacqueyras, 960 971 989 990 991 992 993
Vacquiers, 784
Vadans, 659
Vailhauquès, 706
Vaison-la-Romaine, 958 963 964 973
Valady, 787
Valaire, 889
Valeyrac, 336 339 341 342 343
Valflaunès, 698 702 704 1066
Vallères, 885 893
Vallet, 827 828 829 830 831 832 834 835 836 837 838 839 1050 1051
Valréas, 961 969 989 992 1006
Vandières, 616 617 631 639 642 647
Varrains, 872 875 876 877 878 879 880
Vauchrétien, 843 851 853
Vaudelnay, 870 871
Vauvert, 693 694 695
Vaux, 411
Vaux-en-Beaujolais, 152 153 155
Vauxrenard, 152 153 154
Vaux-sous-Aubigny, 1078
Vayres, 204 307 308 710 1063
Velaux, 753
Vélines, 805 807 810
Vendres, 703
Vénéjan, 954
Venelles, 755
Vensac, 341
Ventenac-Cabardès, 718
Venteuil, 604 635 636 645
Venthône, 1098
Vérargues, 1030
Vercheny, 1004
Verdelais, 389
Verdigny, 940 946 947 948 949 950 1053
Vergisson, 583 590 591 592 594 595 596
Vernègues, 753

Vernou-sur-Brenne, 823 885 913 914 916 917 918 919
Verrières, 1037
Versvey, 1087
Vertheuil, 353 358
Vertou, 828 835 837
Vertus, 608 614 618 620 621 624 631 641 646 647 652 654
Verzenay, 603 610 624 642 644 646 650
Verzy, 618 622 630 633 640 647
Vestric-et-Candiac, 694
Vétroz, 1096 1098 1100
Vevey, 1089
Veyras, 1098
Veyre-Monton, 930
Vézelay, 420
Vias, 1064
Vic-la-Gardiole, 1030
Vidauban, 733 736 742 745
Viella, 793 797
Vieux, 776
Vignonet, 260 262 273 275 283 286 301
Villalier, 712 713
Villars-Fontaine, 434
Villaudric, 784
Villecroze, 744 760 1073
Villedommange, 604
Villefranche, 590
Villefranche-de-Lonchat, 805
Villefranche-en-Beaujolais, 155
Villefranche-sur-Saône, 167 585
Villegouge, 200 210
Villemontais, 933 934
Villemorin, 1035
Villenave-d'Ornon, 333 334
Villeneuve, 210 231 1090
Villeneuve-de-Duras, 814 815
Villeneuve-la-Rivière, 724 1028 1067
Villeneuve-les-Bouloc, 783
Villeneuve-les-Corbières, 711
Villers-la-Faye, 422 423 427 432 433 435
Villers-Marmery, 608 627 636 647
Villers-sous-Châtillon, 608 612 614 634 645
Villesèque-des-Corbières, 688
Villes-sur-Auzon, 1008
Ville-sur-Arce, 637
Villette, 1088
Villette-lès-Arbois, 659
Villevenard, 605
Villeveyrac, 697
Villié-Morgon, 170 171 172 173 178 179
Villiersfaux, 924
Villiers-sur-Loir, 924
Vineuil, 921
Vinezac, 1012 1076
Vingrau, 721 725 726 1026
Vinsobres, 955 956 958 961 967 968 969 971
Vinzelles, 181 586 593
Violès, 959 966 968 970 990 992 993 1029
Vire-sur-Lot, 771 772 773
Visan, 968 970
Viviers, 450
Vix, 840
Voegtlinshoffen, 84 89 92 94 97 105 106 114 120 135
Voiteur, 664 666 669
Volnay, 408 411 418 419 428 436 523 527 533 534 535 536 537 546
Volvic, 930
Vongnes, 679
Vosne-Romanée, 416 424 426 430 433 469 481 483 486 487 488 489 490 491 492 493 494 496 505 518 551
Vougeot, 476 482 484 486
Vouvray, 888 889 913 914 915 916 917 918
Vrigny, 615 634
Westhalten, 96 97 132
Westhoffen, 86 95 106
Wettolsheim, 88 89 90 95 97 99 101 102 103 104 106 114 117 119 120 121 129 134
Wilchingen, 1107
Winterthur, 1105 1106
Wintzenheim, 92 97 105 120 121
Wolxheim, 88 93 115 116
Wormeldange, 1083 1084 1085
Würenlingen, 1105
Yvorne, 1087 1088 1091 1092
Yvrac, 220
Zellenberg, 83 90 119 123 127 133
Zilia, 761

INDEX DES PRODUCTEURS

Les folios en gras signalent les vins trois étoiles

Dominique **Abadie,** 324
Dom. Comte **Abbatucci,** 765
Familles **Abeille-Fabre,** 962 998 1001
Champagne Henri **Abelé,** 603
SCE Vignoble **Aberlen,** 282
Jacques **Abonnat,** 928
SCEA **Achiary-Astart,** 970
Achille Princier, 603
Laurance **Ackerman,** 822
Achille **Acquaviva,** 762
Maurice et Pierre **Acquaviva,** 761
Dom. Pierre **Adam,** 102
Francis **Adam,** 733
Jean-Baptiste **Adam,** 86 94
Champagne **Adam-Garnotel,** 603
EARL Christian **Adine,** 448 454
SCEA **Adoue Bel-Air,** 294
EARL d' **Adrina,** 810
EARL Dom. d' **Aéria,** 965
SCA du Ch. d' **Agassac,** 345
Coop. vinicole d' **Aghione,** 763
EARL **Agrapart et Fils,** 603
SA **Agriloro,** 1111
Marie-Christine **Aguerre,** 242
Pierre **Aguilas,** 854
Aimery Sieur d'Arques, 684 684 **685 686** 686
GAEC des **Airelles,** 451
Stéphane **Aladame,** 579
SCEA **Alard,** 805 808
Dom. Daniel et Denis **Alary,** 954 965
Frédéric et François **Alary,** 961 970
Pascal **Albertini,** 766
Lucien **Albrecht,** 94
GAEC des Vignobles **Albucher,** 201
Franck **Alexandre,** 990
Dom. **Alexandre Père et Fils,** 436 559 564
Denis **Alibert,** 755
Cave coopérative d' **Alignan-du-Vent,** 1066
Gabriel **Aligne,** 158
D' **Allaines,** 697
François d' **Allaines,** 540 549 559 567 571
EARL **Allard-Redureau,** 840
EARL Louis **Allemand et Fils,** 1073
Dom. Jean **Allexant,** 522
Dom. Charles **Allexant et Fils,** 528
GAEC **Allias Père et Fils,** 913
Allimant-Laugner, 93
Guy **Allion,** 885
Pierre **Alquier,** 720
Françoise **Alvergne,** 211
Amart, 293
Joseph **Ambach,** 351
Maurice **Ambard,** 743
Yves **Amberg,** 86 **95** 102
Maison Bertrand **Ambroise,** 408 432 497 501 543
Dom. **Amiot-Servelle,** 480
Yannick **Amirault,** 894 899
Dom. **Amouroux,** 721 1024
André **Ancel,** 86 95
Coopérative des **Anciens Elèves du Lycée viticole d'Avize,** 647
Cave vinicole d' **Andlau et environs,** 102
Comte d' **Andlau-Hombourg,** 95
Danielle **André,** 274
Pierre **André,** 158 408 466 501 515 545
EARL **Andréani,** 762
Olivier **Andrieu,** 709
Bernard **Ange,** 983
Eric et Philippe **Angelot,** 678
Jean-Claude **Anger,** 879
Dom. des **Anges,** 1006 1071
J. Anglade, 1063
EARL Vincent et Xavier **Anglès,** 954
SCEA du Ch. des **Annereaux,** 252
SCEA Jean **Anney,** 350 382
Marc **Anstotz et Fils,** 95 109
Georges et Roger **Antech,** 684 685
Gérard **Antoine,** 717
Philippe **Antoine,** 1078
Jean-Marie **Appert,** 164
EARL **Appollot,** 291
Joël **Appollot,** 262
Joël **Appollot et F. Tourriol,** 296
Union Vignerons d' **Aquitaine,** 224
SA **Arbeau,** 783 784
Arbo, 300 302
Frédéric **Arbogast,** 86 95
Fruitière vinicole d' **Arbois, 658 659 1042**
Jean-Michel **Arcaute,** 243 247
Eric **Arcelin,** 427 581
EARL **Archimbaud-Vache,** 990 **993**
SCEA Ch. d' **Ardennes,** 315
Dom. d' **Ardhuy,** 499
André **Ardouin, 1035**
Henri **Ardurats et Fils,** 321
Bernard d' **Arfeuille,** 278
Françoise d' **Arfeuille,** 238
Guy d' **Arfeuille,** 267
Rémi **Ariston,** 603
SCEA Dom. **Arlaud Père et Fils,** 475 479 484
Ch. d' **Arlay,** 664 1042
Claude **Arlès,** 703
Ch. d' **Armailhac,** 372
Frédéric **Armand,** 963
Yves **Armand,** 202 **391**
Cellier **Armand de Bezons,** 712
R. Armellin, 218
Dom. **Arnal,** 697
Guy **Arnaud,** 750 1070
Jean-François **Arnaud,** 930
Jean-Yves **Arnaud,** 192 208 387 389
SARL **Arnaud,** 382
SCEA Frédéric **Arnaud,** 956
SCEV **Arnaud,** 779
GAEC **Arnaud Frères,** 235
Pascal et Corinne **Arnaud-Pont,** 540
Pierre **Arnold,** 118
Michel **Arnould et Fils,** 603
Arnoux et Fils, 993
Arnoux Père et Fils, 504 509 515 522
Dom. **Arnoux Père et Fils,** 567 580
Michel et Ghislaine **Arrat,** 794
SCEA **Arrivet-Cauboue,** 312
Dom. d' **Artois,** 882 893
Assémat, 1000
Alain et Claude **Asséo,** 258 270
GAEC **Asseray,** 853
Carlos **Asseretto,** 323
Assié, 780
Bruno **Astruc,** 1067
EARL **Athimon et ses Enfants,** 826
Patricia **Atkinson,** 807 **814**
Dominique **Aubareau,** 149
Auberson et Fils, 1104
Aubert, 909
Jean **Aubert,** 1072
Jean-Claude et Didier **Aubert,** 913
Vignobles **Aubert,** 275 284 294 299
Vignobles Max **Aubert,** 958 960 965
Jean **Aubineau,** 1035
Jean **Aubron,** 829
SCEV Champagne L. **Aubry Fils,** 603 604
Jean-Jacques **Auchère,** 945
Philippe **Auchère,** 931
Dom. **Aucœur,** 170
Hubert **Audebert,** 895
Maison **Audebert et Fils,** 895 896 899
EARL Michel **Audibert,** 753
Pascal **Audio,** 863
Francis **Audiot,** 936
EARL Dom. Charles **Audoin,** 422 462 466
EARL **Audouin,** 833
SCE Dom. **Audoy,** 377 378
GAEC **Audrain Père et Fils,** 827
Rose **Augier,** 747
GAEC Jacky et Philippe **Augis,** 882 925
Christophe **Auguste,** 408
Bernard **Aujard,** 943
Jean-Marc **Aujoux,** 174
Christian et Sylvie **Auney,** 320
Henri **Aupy et Fils,** 872
Jacques et Bernard **Auque,** 779
Mas d' **Aurel,** 776
SCEA Ch. d' **Aurilhac et La Fagotte,** 346 352
Dom. Paul **Autard,** 994
Champagne **Autréau-Lasnot,** 604
Ch. d' **Auvernier,** 1103
André **Auvigue,** 589
Auvigue-Burrier-Revel, 594
SICA du Vignoble **Auxerrois,** 441
SCEA Vignobles **Avezou,** 260
Lucien **Aviet,** 659
Vincent **Aviet,** 659
EARL **Avon-Giraud,** 1008
Paul **Avril,** 995
Bernard **Ay,** 992
Dominique **Ay,** 991
Champagne **Ayala,** 604
Dom. **Aymard,** 1006
SCA Les Fils **Aymes,** 1030
Cave coop. d' **Azé,** 408 440 581 584
Vincent **Babin,** 829
SA **Babou-Brouette,** 685
Marie-Hélène **Bacave,** 692
Alain **Baccino,** 742
Jean-Claude **Bachelet,** 549 553
Dom. Bernard **Bachelet et Fils,** 553 564
Dom. **Bachelet-Ramonet Père et Fils,** 552 553
Ch. **Bader-Mimeur,** 554
Marc **Badiller,** 893
Bad Osterfingen Fam. Meyer, 1106 1106
Bernard **Badoz,** 669 1042
SA **Bagnis et Fils,** 740
Donatien **Bahuaud,** 829 1051
Jacques **Bailbé,** 722
Fabien **Baillais,** 165
Alain **Baillon,** 934
EARL Michel **Bailly,** 937 941
Guy **Bailly,** 341
Jacques **Bailly,** 274
Jean-Pierre **Bailly,** 937
Cave des Vignerons de **Baixas,** 726 727 **1019** 1019 1020 1026
Paul **Bajeux,** 368
EARL Denis **Balaran ,** 777
Baldes et Fils, 775
Jacques **Balent,** 793
SA Dom. Jean-Paul **Balland,** 945
SARL Joseph **Balland-Chapuis,** 945
SCEA Dom. **Balland-Chapuis,** 931
Jean-Louis **Ballarin,** 223
Ballot-Millot et Fils, 528 534
Tenuta **Bally e von Teufenstein,** 1109
Guy **Balotte,** 271
Patrick **Balvay,** 162
Christian **Bannière,** 604
Laurent **Bannwarth et Fils,** 83 95
Bantegnies et Fils, 226
Champagne Paul **Bara,** 604 654
EARL Dom. **Barat,** 446 451
Sté Fermière Ch. **Barateau,** 346
L. et Cl. **Baraut,** 841

GAEC Ch. **Barbanau, 732** 747
GAEC **Barbaroux,** 742
Jean-Christophe **Barbe,** 196 399
SCE Ch. de **Barbe Blanche,** 288
Denis et Hélène **Barbelet,** 180
André **Barbier,** 943
EARL **Barbou,** 883
EARL A. **Barc Père et Fils,** 904
Vignobles **Barde,** 806
SCEA **Barde-Haut,** 265
SCEA Vignobles **Bardet,** 283 286 301
Denis **Bardon,** 925
Pascal **Bardoux,** 604
Gilles **Barge,** 973 976
Georges **Barjot,** 157
Raymond **Barlet et Fils,** 676
Dom. **Barmès-Buecher,** 95 102
Champagne Edmond **Barnaut,** 604
SCAV les producteurs de **Barnède,** 722
Champagne Roger **Barnier,** 605
Jean **Barnier,** 1071
SCEA **Barnouin,** 1068
Arthur **Barolet,** 432 515 566
Michel **Baron,** 1035
Champagne **Baron Albert,** 605
GAEC **Baron-Brevet,** 835
Union de producteurs **Baron d'Espiet,** 217
SICA **Baron de Hoen,** 127
SCI du Dom. **Baron de l'Ecluse,** 159
Champagne **Baron-Fuenté,** 605
Jean **Baronnat,** 155 584
Emmanuel **Barou,** 978 1075
EARL des vignobles **Barraud,** 394
SCEA des Vignobles Denis **Barraud,** 195 200 **259** 279
David **Barrault,** 198
André Fils **Barré,** 835
Didier **Barré,** 793
Paul **Barre,** 238 240
Mme **Barreau-Badar,** 244
EARL Vignobles **Barreau et Fils,** 202 207
Barré Frères, 834
SCEA **Barréjats,** 394
EARL **Barrère,** 790 792
SC Ch. **Barreyre,** 210
Robert **Barrière,** 309
SARL Louis et Cherry **Barruol,** 963 976 991
Dom. **Bart,** 462 464 560
Michel **Barthe,** 193 199 305
Vignobles Ph. **Barthe,** 199 203
Monique **Barthès,** 750
Dom. René **Barth Succ. Michel Fonné,** 124 133
Anthony **Barton,** 385
Barton et Guestier, 354 362
Dom. du **Barvy,** 155
SCEA **Bascou,** 1066
Francis **Basseporte,** 408
SC **Bassereau,** 234
Daniel **Basset,** 151
GAEC Le Clos des Motèles **Basset-Baron,** 845 873
GAEC **Basso Frère,** 309
Dom. viticole Mathis **Bastian,** 1081
Christian **Bastide,** 778
SCEA Vignobles **Bastor et Saint-Robert,** 323 394
SCEA **Batailley,** 370
Pascal **Batard,** 830
Serge **Batard,** 838
Sté **Bauchet Frères,** 605
Hugues **Baud,** 1093
EARL **Baude,** 759
Thierry **Baudel,** 774
Laure et Philippe **Baudin,** 864
Jacques **Baudon,** 927
Baud Père et Fils, 663 664 670 671 **1042**
EARL Christophe **Baudry,** 905
GAEC **Baudry,** 812
Champagne **Bauget-Jouette,** 605
Michel **Baujean,** 605
Dom. **Baumann,** 127
Gilles **Baumann,** 1058
Baumann Weingut, 1107
Florent **Baumard,** 857
A. L. **Baur,** 84 120
Jean-Louis **Baur,** 117
François **Baur Petit-Fils,** 116
Patrick **Bayle,** 314
SC Vignobles **Baylet,** 216 218 224
Jean-Noël **Bazin,** 436
Dom. des **Béates,** 753
Ch. **Beauchêne,** 994
Paul **Beaudet,** 584 592 596
Ch. **Beauferan,** 753
Herbert **Beaufort,** 605
Jacques **Beaufort,** 605
Jean-Maurice **Beaufreton,** 882
Cellier du **Beaujardin,** 882
Jacques **Beaujeau,** 852
SICAREX **Beaujolais,** 147
Cave coop. **Beaujolaise,** 144
Christian **Beaulieu,** 679
GFA du Ch. de **Beaulieu,** 1072
Dom. de **Beaumalric,** 1029
Cave des Vignerons de **Beaumes-de-Venise,** 966 971 1029
Champagne **Beaumet,** 605
Dom. de **Beaumet,** 733
SCEA **Beaumet-Bonfils,** 989
Dom. des **Beaumont,** 467 473 475
SCE Ch. **Beaumont,** 346
Champagne **Beaumont des Crayères,** 606
Cave coopérative de **Beaumont-du-Ventoux,** 1007
Lycée viticole de **Beaune,** 436 523
Les Vignerons de **Beaupuy,** 785 786
Jean **Beauquin,** 830
Marie-Thérèse **Beauquin,** 830
SCEA Ch. **Beauregard,** 243
Dom. Ludovic de **Beauséjour,** 1070
Cave du **Beau Vallon,** 144
Cave vinicole de **Beblenheim,** 128
EARL Vignobles **Bécheau,** 301
Jean-Yves **Béchet,** 232
Bernard **Becht,** 87
Pierre **Becht,** 109 133
Dom. Jean-Pierre **Bechtold,** 102 118
Beck, Dom. du Rempart, 110
Hubert **Beck,** 96
Dom. Jean **Becker,** 119 133
Dom. G. **Beck-Frank,** 1081
Yvette et Michel **Beck-Hartweg,** 110
G. et D. **Bécot,** 265
Alain **Bédel,** 606
Jean **Bedin,** 157
Michel **Bedouet,** 1053
Dom. Charles **Béduneau,** 841 860
Frédy **Beetschen,** 1087
EARL **Begouaussel,** 965
Dom. **Bègue-Mathiot,** 451
André **Beheity,** 796
GFA des **Beillard,** 157
Cave des Vignerons de **Bel-Air,** 159
SCEA du Ch. **Bel Air,** 378
SCA du Ch. de **Belcier,** 297
Daniel **Belin,** 847
Jules **Belin,** 497
GAEC **Bélis et Fils,** 321
SCEA du Dom. de **Bellair,** 297
Jean-Claude **Belland,** 509 554
Roger **Belland,** 528 534 554 560 564
Michel **Bellard,** 928
SCI **Bellefont-Belcier,** 265
SCEA Ch. **Bellerive-Perrin,** 336
SCEA Ch. de **Belles Eaux,** 698
Dom. **Belleville,** 571
SC du Ch. **Bellevue,** 265
SCEA **Bellevue Figeac,** 258
Ch. **Bellevue la Forêt,** 783
Les Caves **Bellier,** 921
Vincent **Bellivier,** 902
Les Vignerons de **Bellocq,** 788
Vignobles **Belloc-Rochet,** 320
Louis **Bellot,** 448
Dom. **Belluard,** 675
Ch. **Belvize,** 712
Champagne L. **Bénard-Pitois,** 606
Frédéric **Bénat,** 181
Jean-Pierre **Bénetière,** 933
Philippe **Benezet,** 745
Philippe de **Benoist,** 948
Patrice **Benoît,** 910
Paul **Benoit,** 659
EARL Emile **Benon,** 857
Michel **Benon et Fils,** 180
Philippe **Bérard,** 341
Vignobles **Béraud,** 239
Champagne **Berèche et Fils,** 606
Jean **Bérerd et Fils,** 152
Christian **Béréziat,** 159
Jean-Jacques **Béréziat,** 157
Bernard **Berger,** 195
SCA Ch. **Berger,** 318
Union vinicole **Bergerac-Le Fleix,** 309 811 812 813
Berger Frères, 822 912
Jean-François **Bergeron,** 149
Dom. Gérard **Berger-Rive et Fils,** 441 573 576
Denis **Bergey,** 342
SCEA Vignobles Michel **Bergey,** 191 207
Domaines **Bernard,** 392
GAEC Guy **Bernard,** 974
Jacky **Bernard,** 233
Jean **Bernard,** 147 587
SICA Domaines Michel **Bernard,** 954 955 961 962 964 966 973 997 **1001** 1002 1064
Bernard Frères, 664
Jean-Laurent de **Bernardi,** 1032
Claude **Bernardin,** 144
Caves **Bernard-Massard,** 1081
Ch. de **Berne,** 733
V. **Bernède et Fils,** 773
Domaine Jean-Marc **Bernhard,** 122
Dom. **Bernhard-Reibel,** 102
Dom. **Bernier,** 232
Jean-Claude **Berrouet,** 256
Dom. **Bersan et Fils,** 419 426 431
Dom. **Bertagna,** 484
Vincent et Denis **Berthaut,** 464 467 498
SARL Paul **Berthelot,** 606
Dom. **Berthet-Bondet,** 663 664
Christian **Berthet-Rayne,** 994
Dom. M. et A. **Berthet-Rayne,** 966
SCEA Dom. des **Berthiers,** 938
J. C. **Berthillot,** 1077
Clément de **Bertiac,** 191 342 354
Pierre **Bertin,** 830
Champagne **Bertin et Fils,** 606
GAEC **Bertrand,** 846
Gérard **Bertrand,** 692 714
Jean-Pierre et Maryse **Bertrand,** 156
Mireille **Bertrand,** 1063
SCE **Bertrand,** 252
SCEA des Vignobles Jacques **Bertrand,** 267
Dom. **Bertrand-Bergé,** 710 1018 1025
Dom. des **Bertrands,** 733
Thierry **Bésard,** 893
Besserat de Bellefon, 606
SA Christian **Besserat Père et Fils,** 638
Charles du **Besset,** 580
André et Jean-Paul **Bessette,** 203 217
Jean-Claude **Bessin,** 446 451 457
SA Vignobles **Bessineau,** 295 299
Dom. Guillemette et Xavier **Besson,** 577
Gérard **Besson,** 595
Franck **Bessone,** 162
Vignobles J. **Bessou,** 212 294
Bestheim, 87 133
Jean-Michel **Besuchet,** 1093
Jean-Jacques de **Bethmann,** 333
Antoine et Christophe **Bétrisey,** 1095
Beuquila, 225
SC Ch. **Beychevelle,** 383
Maison Emile **Beyer,** 118 133
J.-M. et M.-J. **Bezios,** 777
SCEA Ch. du **Biac,** 387
Jacques **Bianchetti,** 766
J. Van der Spek & Jean-Pierre **Biard,** 690
R. et Nicole **Biarnès,** 393 395
GFA **Bibey,** 340
SCEA Vignoble **Bidet,** 847
EARL Caves Serge **Bienvenu,** 430
Georges **Bigaud,** 276
Claudine et Dominique **Bigeard,** 836
Bighetti de Flogny, 800
SCEA Marcel **Biguet,** 874
Claudie et Bruno **Bilancini,** 809
Joseph **Billandon,** 144
SCEA Gabriel **Billard,** 408 528
Dom. **Billard et Fils,** 436 540
Dom. **Billard-Gonnet,** 528
Dom. **Billaud-Simon,** 451 457
Champagne **Billecart-Salmon,** 606
Jean-Yves **Billet,** 895
Franck **Bimont,** 871
Champagne **Binet,** 606
Joseph et Christian **Binner,** 87 110
Les Hoirs Albert **Biollaz,** 1094
Christian **Birac,** 309

PRODUCTEURS

Bernard **Bireaud,** 816
Alex **Biscarat,** 1076
Luc **Biscarlet,** 697
Cave de Vignerons de **Bissey,** 567
EARL Ch. **Biston-Brillette,** 369
Pierre **Bitouzet,** 513
Vincent **Bitouzet-Prieur,** 523 546
Jacques **Blais,** 809
Christophe **Blanc,** 705
Georges **Blanc,** 440 584
SCEA Ch. **Blanc,** 1071
Charly **Blanc et Fils,** 1087
Dom. Gilbert **Blanc et Fils,** 675 677
Eric **Blanchard,** 855
SCEA Francis et Monique **Blanchard, 814**
Blanchard Frères, 1091
Christian **Blanchet,** 230
Gilles **Blanchet,** 938
Blancheton Frères, 816
Dom. Paul **Blanck,** 127
Robert **Blanck,** 103 **133**
EARL André **Blanck et Fils,** 103 119 127
Nathalie **Blanc-Mares,** 687 695
Lycée agricole de **Blanquefort,** 350
EARL Georges de **Blanquet,** 753
Blard et Fils, 675
Blasons de Bourgogne, 446
Sylvie et Alain **Blasquez,** 358
Claude **Bléger,** 84
François **Bléger,** 87 96 110
SCE Ch. de **Bligny,** 528 550
R. **Blin et Fils,** 607
Dom. **Blondeau et Fils,** 665
Th. **Blondel,** 607
Yves **Blondel,** 1089
Bruno **Blondelet,** 939
Dom. Michel **Blouin,** 853
Huguette **Blouin,** 200 210
SARL Arnold **Bobo,** 721
Guy **Bocard,** 546
J. et C. **Bocquet-Thonney,** 1102
Emmanuel **Bodet,** 838
SCEA Ch. **Bodet,** 237
SCEA **Bodet-Lhériau,** 872
Jean-Claude **Bodin,** 885
SCEA Vignobles André **Bodin,** 810
Vincent **Bodin,** 908
Dom. **Bodineau,** 842
Dom. Emile **Boeckel,** 132
Léon **Boesch et Fils,** 131
Jean-Noël **Boidron,** 204 244 269
Luc **Boilley, 665** 665
SCE du Dom. Albert **Boillot,** 408
Jean **Boireau,** 214
Maurice **Boiron,** 994
Philippe **Bois,** 693
GFA du **Bois de la Gorge,** 148
Cave coop. du ch. du **Bois de La Salle,** 167
SCA Dom. du **Bois des Dames,** 966
SCEA de **Boisgelin,** 1062
SARL Ch. **Bois Noir,** 223
Boisseaux-Estivant, 432 520 523
CAT **Boissel-Dom. René Rieux,** 780
SA **Boisset,** 146
SA J.-C. **Boisset,** 427 480 485
de **Boisseyt-Chol,** 974
Gérard **Boissonneau,** 194 215
Vignobles **Boissonneau,** 786
Jean-Pierre **Boistard,** 914
Jean **Boivert,** 342
Vincent **Boivert,** 338
Champagne **Boizel,** 607
Bollinger, 607
Mylène et Maurice **Bon,** 219
Jean **Boncheau,** 290
Jean-Michel **Bonfils,** 1060
EARL **Bongars,** 914
SA **Bonnaire,** 607
GAEC **Bonnard Fils,** 679
Etienne et Pascale de **Bonnaventure,** 903
André **Bonneau,** 872 878
EARL famille **Bonneau,** 836
Joël **Bonneau,** 227
Dom. **Bonneau du Martray,** 510 513
SCEA **Bonneau et Fils,** 313
Patrick et Christophe **Bonnefond,** 974 976
EARL vignobles Jean **Bonnet,** 226
Eric **Bonnet,** 714
Monique **Bonnet,** 388
SA Alexandre **Bonnet,** 607 656
SCEA G. et M.-C. **Bonnet,** 996
Vignobles Pierre **Bonnet,** 320
SC de **Bonneterre,** 1060
Jacques **Bonnet et Alain Azoug,** 567
EARL **Bonnet et Fils,** 233
Bonnet-Huteau, 832
Champagne **Bonnet-Ponson,** 607
Bonnet-Walther, 908
Cave coopérative de **Bonnieux,** 1007
SCEA **Bonnin et Fils,** 854
Dom. de **Bonserine,** 974 979
Alain **Bonville,** 219
Champagne Franck **Bonville,** 607
Charles **Bonvin Fils,** 1097
Vignobles **Bord,** 389
Pierre et Gisèle **Bordenave,** 790
Sylvain **Bordenave,** 226
SCA **Bordenave-Dauriac,** 313
GAEC **Bordeneuve-Entras,** 1039 1057
Bernard et Francis **Borderie,** 812
EARL Jean-Pierre **Borderie,** 218
Vignobles Paul **Bordes,** 288 295
Jacky **Bordet,** 836
EARL **Boré,** 843
Dom. **Borgeot,** 560
Dom. **Borgnat,** 408
Jean-Eugène **Borie, 383** 384 385
Mme J.-E. **Borie,** 359
Paul-Henry **Borie,** 413 582
Xavier **Borliachon,** 298
Didier **Borredon,** 772
Michel **Bortolussi,** 280
Thierry **Bos,** 211
Jacques **Boscary,** 707
SCEA Comte de **Bosredon,** 805
Patrick et Marie-Paule **Bossan, Dom. de La Maison Germain,** 153
Gilbert **Bossard,** 827
Jean **Bosseau,** 828
Jean **Bost,** 235
Dom. **Bott-Geyl,** 123 128
Caves Saint-Pierre, Henry **Bouachon,** 983 1002
Caves Saint-Pierre Henry **Bouachon,** 966
Hubert de **Bouard de Laforest,** 254
Régis **Boucabeille,** 725
Thierry **Boucard,** 896
GFA dom. des **Bouchacourt,** 168
Jean-Paul **Bouchacourt,** 174
Dom. Gabriel **Bouchard,** 523 528 543
Henry-Ferdinand **Bouchard,** 699 1066
Jean **Bouchard,** 427 584
Pascal **Bouchard,** 408 443 447 451
Bouchard Aîné et Fils, 414 464 515 523 529 554 574
Bouchard Père et Fils, 492 510 523 538 546
Henri et Laurent **Bouchaud,** 827
Pierre-Luc **Bouchaud,** 827
Dominique **Bouche,** 1071
Françoise **Bouché,** 811
SCEA Vignobles **Bouche,** 321
Christophe et Brigitte **Boucher,** 827
GAEC **Boucher,** 979
Pierre **Boucher,** 981
Claudine **Boucherie,** 314 388
SCEA Dom. **Bouchez-Crétal,** 538
EARL **Bouchié-Chatellier,** 939
Bernard **Bouchon,** 199 307
Dom. Pierre Bénézech, **Boudal,** 710
Dom. Véronique et Pierre **Boudau,** 725 1019 1025
Pascal **Boudier,** 507
R. **Boudigue et Fils,** 215
SCA Vignobles **Bouey,** 203 388
Gérard **Bougès,** 352
Philippe **Bougreau,** 875 879
Jean-Claude **Bougrier,** 885
Jean-Claude **Bouhey et Fils,** 422 432
Henri **Bouhier et Fils,** 842
Louis **Bouillot,** 440
Jean-Paul **Bouin-Boumard,** 827
EARL **Bouin-Jacquet,** 837 1046
Olivier **Bouis,** 700
Henri **Boukandoura et Magdeleine Hutin,** 1067
Dom. Jean-Paul **Bouland,** 170
Patrick **Bouland,** 170
Raymond **Bouland,** 171
Champagne Raymond **Boulard,** 608
Jean-Marie **Bouldy,** 243
David **Boulet,** 167
Dom. Jean-Marc **Bouley,** 436 534
Reyane et Pascal **Bouley,** 428 534
SCA **Boullault et Fils,** 829
Paul-Emmanuel **Boulmé,** 230
Jean-Paul **Boulonnais,** 608
Bouloumié, 774
GAEC des **Bouquerries,** 902
Jean **Bouquier,** 328
Bour, 1006
Henri **Bourcheix,** 929
Raymond **Bourdelois,** 608
François **Bourdon,** 585
Claude **Boureau,** 912
Pierre **Bourée Fils,** 523
Ch. du **Bourg,** 165
Champagne **Bourgeois,** 608
Dom. Henri **Bourgeois,** 938 945
Champagne **Bourgeois-Boulonnais,** 608
GAEC René **Bourgeon,** 567 578
Colette **Bourgès,** 813
Cave de **Bourg-Tauriac,** 235
Cave des Grands Vins de **Bourgueil,** 898
Frédéric **Bourillon,** 914
SARL Frédéric **Bourillon,** 915
Comtesse de **Bournazel,** 321 398
Xavier de **Bournet, 1076**
Pierre **Bourotte,** 243 254 **289**
SCEA **Bourrigaud et Fils,** 267 287
Champagne Ch. de **Boursault,** 608
Boury Frères, 848
SA Ch. **Bouscaut,** 325 326
Christophe **Bousquet,** 705
Jean-Jacques **Bousquet,** 1057
Jean-Noël **Bousquet,** 689
François-Régis **Boussagol,** 717 1064
EARL Dom. Denis **Boussey,** 534 538
Bouteille Frères, 183
Francis **Boutemy,** 330
SCEA des Vignobles Michel **Boutet,** 274 283 287
Boutet-Saulnier, 914
Dom. Marc **Bouthenet ,** 564
Jean-François **Bouthenet,** 436 564
Champagne **Boutillez-Guer,** 608
G. **Boutillez-Vignon,** 608
René **Boutillier,** 608
Jack **Boutin,** 703
Boutinot, 884
SCEA du Ch. **Boutisse,** 266
Gilles **Bouton,** 549 550 557
Dom. G. et G. **Bouvet,** 677
Bouvet-Ladubay, 872
Dom. Régis **Bouvier,** 462 464 475
René **Bouvier,** 409 462 467
Christian **Bouyer,** 267
SC Vignobles **Bouyge-Barthe,** 237
Bernard **Bouyssou,** 1057
EARL **Bouyx,** 316 391
Dom. **Bouzerand-Dujardin,** 538
Dom. Jean-Marie **Bouzereau,** 546
GAEC Robert et Pierre **Bouzereau,** 175
Philippe **Bouzereau,** 541 554
Vincent **Bouzereau,** 409 422 534 546
Michel **Bouzereau et Fils,** 523 546
Louis **Bovard,** 1087
Michel **Boven,** 1094
EARL Albert **Boxler,** 116 128
GAEC Justin **Boxler, 103**
SCE Ch. **Boyd-Cantenac et Pouget,** 362 367
Jacques **Boyer,** 1066
Jean-Pierre **Boyer,** 751
Michel **Boyer,** 199 211
SA Vignobles M. **Boyer,** 192 321
Yves **Boyer,** 546
Boyer de La Giroday, 195
Yves **Boyer-Martenot,** 540
Boyer-Mouret, 692
Paul **Boyreau,** 322
Pierrick **Brachem,** 301
Dominique et Agnès **Braillon,** 150
EARL Simone et Guy **Braillon,** 176
Jean-Charles **Braillon, 178**
Etienne **Brana,** 791
SAE du Ch. **Branaire-Ducru,** 383 384
Cave viticole de **Branceilles,** 1058
EARL **Branchereau,** 858 862
Maxime **Brand,** 133
SC Ch. du **Branda,** 290 294
SCA des Ch. de **Branda et de Cadillac,** 318
Jérôme **Brandner,** 109

SA J.-F. **Brando**, 746
SCEA du Ch. **Brane-Cantenac**, 362 **362**
EARL **Brangeon-Guinard**, 1046
Claude **Branger**, 832
R. **Branger et Fils**, 835
Jean-Louis **Braquessac**, 378
Christian **Braud**, 829
Jean-Francis **Braud**, 230
EARL **Brault**, 856
Camille **Braun**, 103
EARL François **Braun et Fils**, 93 130
EARL Charles **Bravay**, 995
Christophe **Braymand**, 146
GAEC **Brazilier**, 923
Jean **Brecq**, 900
André-Michel **Brégeon**, 828
Jean-Claude **Brelière**, 571
Maison Remy **Brèque**, 223
Mme F. des **Brest-Borie**, 374
Jean-Yves **Bretaudeau**, 828 1047
Pierre **Breton**, 903
SCEV **Breton Fils**, 609
Ch. du **Breuil**, 860
GAEC Yves et Denis **Breussin**, 914
Ch. de **Briacé**, 838
Jean **Brianceau**, 314
GFA Ch. de **Briante**, 160
Champagne **Brice**, 609
Odile **Brichèse**, 813
SA Champagne **Bricout et Koch**, 609
Dom. Michel **Briday**, 571 574
Jean-Marc **Bridet**, 316
Famille Paul **Briguet**, 1095
SA Ch. **Brillette**, 369
Dom. **Brintet**, 574
Dominique **Briolais**, 233
Philippe **Brisebarre**, 914
Dominique **Brisset**, 938
Jean-Claude **Brisson**, 278
Joan **Brisson**, 1036
Sandrine **Britès-Girardin**, 623
Jean-Marc **Brocard**, 449 451 457 460
Jean **Brocard-Grivot**, 432
SA Dom. Hubert **Brochard**, 945
GAEC **Brochard-Cahier**, 339
GAEC **Brochard Père et Fils**, 826
Brochet, 1053
Brochet-Hervieux, 609
Francis **Brochot**, 609
Marc **Brocot**, 462
Philippe **Brocourt**, 903
Louis et Michel **Bronzo**, 749
Yves **Broquin**, 211
Dominique **Brossard**, 838 1053
Robert **Brosseau**, 836
Laurent Charles **Brotte**, 969 984 985 989 994
SA **Brouette Petit-Fils**, 223
Brouillat-Arnould, 691
SA Ch. **Brown**, 326
Paul **Broyer**, 589
Dom. **Bru-Baché**, 790
SARL **Bru et Diaz**, 701
Champagne **Brugnon**, 609
Guilhem **Bruguière**, 698
Vignerons du **Brulhois**, 785
Dom. de **Brully**, 422 481 557
Alain **Brumont**, 794 796
Christian **Brun**, 353
Jean-Marc **Brun**, 954 966 1031
Jean-Paul **Brun**, 149
SCEA Vignobles **Brun**, 387 390
GAEC **Brun Craveris**, 740
Jean **Bruneau-Dupuy**, 900
Brunel, 996
GAEC **Brunel et Fils**, 963
Pascal **Brunet**, 903
Champagne Edouard **Brun et Cie**, 609 646
Brusina Brandler, 365 385
SA Dom. **Brusset**, 954 967 989
G. **Brzezinski**, 515 538
Claude **Buchot**, 665 1042
Maison Joseph de **Bucy**, 557
Paul **Buecher**, 103 134
J. **Bueno**, 380
Dom. François **Buffet**, 534
Caveau **Bugiste**, 679
Jean **Buiron**, 168
SA Paul **Buisse**, 822 884
Christophe **Buisson**, 515 540
Dom. Henri et Gilles **Buisson**, 543
Claude **Bulabois**, 659
Noël **Bulliat**, 171
Cave beaujolaise de **Bully**, 144
Dom. **Bunan**, 749 750
Eric **Bunel**, 609
Burc et Fils, 774
Pierre **Burel**, 758
Bernard **Burgaud**, 974
Jean-Marc **Burgaud**, 171
Roger **Burgdorfer**, 1102
Buri et Fils, 774
Marie-Paule **Burrus**, 780
Champagne Christian **Busin**, 610
Jacques **Busin**, 610
Philippe **Butin**, 664 665 1043
Cave des Vignerons de **Buxy**, 413 424 585
EARL **Buytet et Fils**, 324
Les Vignerons de **Buzet**, **781** 781 782
Caveau des **Byards**, **665** 1043
SCEA du Ch. **Cabannieux**, 316
SCV Les Celliers du **Cabardès**, 718
Dom. de **Cabasse**, 967
SARL **Cabel**, 1036
Cave des Vignerons de **Cabrières**, 698
Dom. **Cachat-Ocquidant et Fils**, 409 504 507 510 520
Champagne Guy **Cadel**, 610
Kristèle et Nicolas **Cadoux**, 1101
EARL Dom. **Cady**, **842** 860
SCEA Dom. de **Cagueloup**, 748
EARL de **Cahuzac**, 783
Dom. Alain **Cailbourdin**, 938 941
Rémi **Caillard**, 388
GAEC Ch. **Caillavel**, 805
SA de **Caillavet**, 310
Pascal **Cailleau**, 850
Xavier **Cailleau**, 860
EARL Vignobles **Cailleux**, 219
Daniel **Caillez**, 610
SARL champagne **Caillez-Lemaire**, 610
Caillol Frères, 746
Dominique **Caillot**, 538
Cave de **Cairanne**, 973
Nicolas **Caire**, 667
Ch. **Calissanne**, **754** 754
Bruno **Callegarin**, 277
SCEA Michel **Callement**, 447
Champagne Pierre **Callot et Fils**, 610
SCEA François et Jean **Calot**, 171
Bertrand et Monique **Caloz-Evéquoz**, 1094
Calvet, 207 358
Benoît et Valérie **Calvet**, 272 350
Calvet SA, 378
Ch. **Camensac**, **348** 348
Simone **Camfrancq**, 693
SCA Ch. de **Campuget**, 693
Christophe **Camu**, 444 451
Lucien **Camus-Bruchon**, 515 524
Bernard et Josiane **Canard**, 174
Jean-Luc et Nathalie **Canard**, 154
Michel **Canard**, 153
SCEV **Canard-Aubinel**, 409
Champagne **Canard-Duchêne**, 610
Claude **Candia**, 776
EARL **Canet-Valette**, 715
SC Ch. **Canon**, 258 266
EARL Vignobles Pierre **Cante**, 318
SARL **Cantegraves**, 365 370
GFA du Ch. **Cantegric**, 336
SC Ch. **Cantemerle**, 349
Sté Fermière Viticole de **Cantenac**, 215 364
SC Ch. de **Cantin**, 280 286
GAEC du **Cap de l'Homme**, 783
Jacques **Capdemourlin**, 293
SCEA **Capdemourlin**, 263 267
Didier **Capdevielle**, 790
Maison **Capitain-Gagnerot**, 502 504 510 513
Ch. de **Capitoul**, 698
Denis **Capmartin**, 796
Guy **Capmartin**, 796
Nicole et Jean-Marie **Capron-Charcousset**, 515
Capuano-Ferreri et Fils, 560
Ch. **Caraguilhes**, 688
Claude et Michel **Carayol**, 718
SC Ch. **Carbon d'Artigues**, 316 319
SC Ch. **Carcanieux**, 337
Pierre **Carle**, 806
Erick **Carles**, 1057
SCEV du Ch. de **Carles**, 239
SA Vinicola **Carlevaro**, 1108
SCA Les Vignerons de **Carnas**, 699
Carpi-Gobet, 587
Denis **Carré**, 436 516 529 540 543
Georges **Carreau et Fils**, 229
Philippe et Janine **Carreau-Gaschereau**, 754 756
GAEC Eugène **Carrel et Fils**, 675
Michel **Carron**, 144
Philippe **Carroué**, 931
SC du Dom. du **Carrubier**, 733
Jean et Florence **Carrupt**, 1094
Ch. **Carsin**, 310 387
GAEC **Cartaux-Bougaud**, 668 673 1044
EARL C. et D. **Cartereau**, 909
Jean-Marc **Carteyron**, 257
SCEA Patrick **Carteyron**, 193 200 220
Philippe **Cartoux**, 989
Les Maîtres Vignerons de **Cascastel**, 710
EARL Alain **Caslot-Bourdin**, 897 900
Caslot-Galbrun, 896
Dom. des **Cassagnoles**, 1039
Ch. de **Cassaigne**, 1040
GFA P. **Cassat et Fils**, 280
André **Castan**, 699
Mesmin **Castan**, 960
Castéja, 266 286 **372** 374 376 377
Les Vignerons du **Castelas**, 955
Castel Frères, 871 885 1047
Vignobles et Châteaux **Castel Frères**, 197
Alexandre **Castell**, 748
Champagne de **Castellane**, 611
SCAV les coteaux du **Castellas**, 705
SCV **Castelmaure**, 688
Cave coop. **Castelnau-de-Guers**, 701
SNC Ch. **Castéra**, 338
Alain **Castex et Ghislaine Magnier**, 729
Vignerons **Catalans**, 721 724 725 726 1025
EARL Dom. de **Catarelli**, 1032
EARL Philippe **Cathala**, 312 388
SARL D. **Cathiard**, 326 334
Sylvain **Cathiard**, 481 488 494
SCEA les domaines **Caton**, 1066
Philippe **Catroux**, 891
Cattier, 611
Joseph **Cattin**, 120
EARL Théo **Cattin et Fils**, 120
SCEA Dom. de **Caunettes Hautes**, 718
GAEC de **Cauquelle**, 1057
Annie **Caussé**, 776
Christian **Caussèque**, 336
Henri **Cavaillé**, 1028
SCEA Ch. **Cavalier**, 733
F. Arnaboldi **Caverzasio**, 1110
CAVIF, 201
Cave Jérôme **Cayol**, 1005
Mme Claude **Cazals**, 611 654
SCEA du Dom. **Cazal-Viel**, 715 1060
Charles de **Cazanove**, 611 654
SCI Domaines **Cazeau et Perey**, 192
CCV **Cazedarnes**, 717
SCEA Yvette **Cazenave-Mahé**, 307
EARL de **Cazenove Van Essen**, 212
Dom. **Cazes**, **1019** 1025 **1068**
Jean-Michel **Cazes**, 204 212 250 282 325 362 363 372 374 375 376 **376** 380 400
François **Cazin**, 822 921 923
Brigitte et Alain **Cazottes**, 780
Gino et Florent **Cecchini SCE**, 341
EARL Vignobles J.-P. et M. **Celerier**, 295
Cellier du Bondavin, 693
Dom. viticole **Cep d'Or**, 1081
Dom. du **Cerberon**, 547
SNC les Domaines **C.G.R.**, 339 340 344
Gérard **Chabbert**, 712
Gilles **Chabbert**, **715**
SCI Dom. des **Chaberts**, 758
GFA **Chabiran**, 212 241
GAEC **Chabot**, 964
Stephan **Chaboud**, 986
François **Chabré**, 933
SARL **Chagneau JPMD**, 274
Jean **Chagny**, 152
Vignobles **Chaigne et Fils**, 206
Dom. du **Chaillot**, 928
SCEA du Ch. de **Chainchon**, 301
Anne **Chainier**, 887
SA Pierre **Chainier**, 882 891
Dominique **Chainier et Fils**, 1036
Cave de **Chaintré**, 585 594

Daniel et Pascal **Chalandard, 665** 672
EARL Patrick **Chalmeau,** 409
Franck **Chalmeau,** 409
Mme Edmond **Chalmeau,** 422
SCEA **Chaloupin-Lambrot,** 321
Cédric **Chamaison,** 339
Christian **Chambon,** 177
Dom. du Ch. de **Chamirey,** 574
Robert **Champ,** 955
Catherine et Didier **Champalou,** 915
EARL **Champart,** 716
Roger **Champault et Fils,** 946
SCEA Dom. **Champeau,** 938 941
SARL Vignobles **Champenois,** 604
GAEC Paul **Champier,** 156
Michel **Champion,** 428
Champy, 409 507 516 554
Pierre **Chanau,** 428 554
Simone et Jean-Louis **Chanay,** 150
Emile **Chandesais,** 534 566 567 574
Dom. **Chandon de Briailles,** 507 510
SCEA **Chanet et Fils,** 253
Champagne **Chanoine,** 611
Nicole **Chanrion,** 160
Chanson Père et Fils, 473 507 510 524 589
GAEC **Chantecler,** 955 967
Caveau **Chantecôtes,** 955 967
SCEA dom. de **Chantegrillet,** 1007
Dom. de **Chantemerle,** 447 451
Chanut Frères, 173
Daniel **Chanzy,** 409 **570**
SCE **Chapard-Tuffreau,** 230
Hubert **Chapeleau,** 831
Ph. **Chapelle et Fils,** 555 561
Dom. du **Chapitre,** 165
M. **Chapoutier,** 974 985 996 1006
Alexandre **Chappuis et Fils,** 1088
Maurice **Chapuis,** 510
EARL Champagne Jacques **Chaput,** 611
Thierry **Chaput,** 910
SA Champagne **Chapuy,** 612
Eric **Chapuzet,** 920
René **Charache-Bergeret,** 428 507
Didier **Charavin,** 955 1031
Robert **Charavin,** 967
Claude **Charbonnier,** 667
GAEC Daniel Michel **Charbonnier,** 883
Jacky **Charbonnier,** 886
SARL **Chardet Vineyard,** 1052
Claude et Yves **Chardon,** 368
Dom. du **Chardonnay,** 444 452
Champagne Guy **Charlemagne,** 612
Champagne Robert **Charlemagne,** 612
Charles Aîné, 156
Jacques **Charlet,** 157 587
Maurice **Charleux,** 560
Champagne **Charlier et Fils,** 612
Patrick **Charlin,** 679
Philippe **Charlopin,** 462 468 473 474 479 487
Charlopin et Baron, 471
Pierre **Charlot,** 308
SCA Ch. **Charmail,** 349
GAEC **Charmensat,** 929
Jean-Louis **Charmolüe,** 379 381
Ghislain de **Charnacé,** 747
Cave de **Charnay,** 581
Charon, 228
Charpentier, 612
François **Charpentier,** 943
Jean-Marc et Céline **Charpentier,** 612
Michel **Charrier,** 795
SCEA Vignobles **Charrier et Fils,** 394
GAEC **Charrier-Massoteau,** 870
Ch. **Charron,** 225
EARL **Charruault-Schmale,** 845 1050
Philippe **Chartogne,** 612
Jean-Pierre **Charton,** 575
SCA Cellier des **Chartreux,** 955
Dom. Jean **Chartron,** 550 552 557
Chartron et Trébuchet, 508 554
Gérard **Charvet,** 163
Jean-Paul **Charvet,** 163
Dom. **Charvin,** 995
Christophe **Chasle,** 895
Ch. de **Chassagne-Montrachet,** 557
GAEC Vignobles **Chassagnol,** 389 391
Xavier **Chassagnoux,** 242
Jean-Gilles **Chasselay,** 144
Champagne Guy de **Chassey,** 612
Dom. de **Chassorney,** 543
Claude **Chastan,** 999
Fernand **Chastan,** 989 992
SCEA Pierry **Chastan,** 996
SA Dom. de **Chastelet,** 311
Clos **Chatart,** 728 1015
Bernard **Château,** 365
SCEV Clos du **Château de Valençay,** 925
Dom. **Châteauneuf La Blaque,** 1012 1074
GFA Domaines du **Château Royal,** 727
Jean-Claude **Châtelain,** 938
EARL du **Châtel-Delacour,** 260 275
Laurent **Chatenay,** 910
SA Caves **Châtenay-Bouvier,** 1104
Charles **Chatenoud et Fils,** 288
André **Chatonnet,** 253
Jean-Claude **Chaucesse,** 934
Dom. Odile **Chaudat,** 498
Dom. de **Chaude Ecuelle,** 421 452
Gilles **Chaumard,** 1007
Chaume-Arnaud, 955
Vignobles **Chaumet,** 255
Patrick **Chaumont,** 341
Dom. **Chaumont Père et Fils,** 568 575
Ch. de **Chausse,** 734 1072
Monique et Daniel **Chaussy,** 994
Cave de **Chautagne,** 675
Benoît **Chauveau,** 939
Daniel **Chauveau,** 903
F. **Chauvenet,** 494 1060
SCE Dom. Jean **Chauvenet,** 494
Chauvenet-Chopin, 494
Chauvet, 613
Champagne Marc **Chauvet,** 613
Damien **Chauvet,** 613
GAEC **Chauvier Frères,** 741
Dom. Pierre **Chauvin,** 861
SCEA Ch. **Chauvin,** 267
SCEA Jean-Bernard **Chauvin,** 848
André **Chavanis,** 150
Jean-Louis **Chave, 985**
André et Corinne **Chavel,** 150
SCEA **Chave Père et Fils,** 983
G. **Chavet et Fils,** 936
Cyrille **Chavy,** 171
Franck **Chavy,** 177
Louis **Chavy,** 432 516 571
Lucien **Chemarin,** 153
Champagne André **Chemin,** 613
GAEC **Chénard et Fils,** 836
Cave du Ch. de **Chénas,** 162
Jean-Pierre **Chéné, 860**
Philippe et Christophe **Chéneau,** 830
SA **Chenonceau-Expansion,** 883
GAEC Louis **Chenu,** 516
Bourgognes **Chenu-Tresch SA,** 428 464 504
Bernard **Chéreau,** 828
Dominique **Chermette,** 145
Pierre **Cherrier et Fils,** 947
Yvon **Cheseaux,** 1099
Famille J.-L. **Cheseaux-Sierro,** 1095
EARL **Chesneau et Fils,** 920
Bernard **Chesseron,** 1050
Philippe **Chéty,** 235
Richard **Cheurlin,** 613
Champagne **Cheurlin-Dangin,** 613
Champagne **Cheurlin et Fils,** 613
GAEC **Chevais Frères,** 924
SC du **Cheval Blanc,** 267 279
Dominique **Chevalet,** 1047
Dom. de **Chevalier,** 327
Roland **Chevalier,** 821 848
SC Dom. de **Chevalier,** 331
SCE **Chevalier Père et Fils,** 504
Vins des **Chevaliers,** 1094
Chevaliers de Bellevue, 201 213
Jean-François **Chevalley,** 1092
Chevallier, 880
Claude et Jean-Louis **Chevallier,** 447
Cheval Quancard, 291 294 357 380
Denis et Marie **Chevassu,** 664 666 1043
Dom. Michel **Chevillon,** 494
Patrice **Chevrier,** 154
Comte G. de **Chevron Villette,** 743
Catherine et Fernand **Chevrot,** 422 436 560 564
Jérôme **Chézeaux,** 428
Jacques **Chichet,** 1068
Georges **Chicotot,** 494
François **Chidaine,** 911
Yves **Chidaine,** 911
SA **Chiericati vini,** 1110
Michel **Chignard, 166**
Centre viti-vinicole de **Chinon,** 906
Champagne Gaston **Chiquet,** 613
Gilbert **Chirat,** 977
Luc et Jérôme **Choblet,** 837 1050
Christian **Cholet,** 540 547
Chollet, 889
Henri **Chollet,** 1088
Jean-Jacques **Chollet,** 256
François-Xavier **Chon,** 837
Jean-Gilbert **Chon,** 827
Claude **Chonion,** 422 436
Louis-Noël **Chopin,** 177
Dom. A. **Chopin et Fils,** 409 481 494 498
EARL **Chopin-Gesseaume,** 494
Daniel **Chotard,** 946
Georges de **Choulot,** 950
Vignobles **Chouvac,** 322 391 398
EARL Hélène et Michel **Chouvet,** 958 1029
SCEA Dom. **Chupin,** 852
Vignobles **Chupin,** 300
Marie-Antoinette **Cimetière,** 172
Paul **Cinquin,** 156 177
SCF du Ch. **Cissac,** 349
Françoise et Denis **Clair,** 557 560
SCEA Bruno **Clair,** 462 476 481
SCEA A. **Clape, 987**
Alain **Clarou,** 699 1062
Clauzel, 277 282
SCEA Consorts **Clauzel,** 245
Denis **Clavel,** 955 967
Clavelier, 468 516
Claudy **Clavien,** 1094
Hugues **Clavien et Fils,** 1094
Jacky **Clée,** 874
Cave vinicole de **Cleebourg,** 84 103
Champagne Charles **Clément,** 613
SARL Antoine **Clément,** 171
Clément et Fils, 414
SCEA **Clément Père et Fils,** 936
Champagne **Clérambault,** 614
Elisabeth et Bernard **Clerc,** 666
Gabriel **Clerc,** 666
Dom. Henri **Clerc et Fils,** 410 421 485 549 553 560
Ch. **Clerc Milon,** 372
Bourgognes Raoul **Clerget,** 421 428
Vignobles **Clissey-Fermis,** 307
Dom. des **Closailles,** 181
SCA du **Clos de Mérienne,** 1038
Dom. **Clos des Rochers, 1082**
SCEA du **Clos du Roi,** 410
Closerie d'Estiac, 192 215
SC **Clos Fourtet,** 268 280
Dom. du **Clos Frantin,** 488
Dom. du **Clos Saint-Louis,** 464 498
Dom. de **Clos Saint-Paul,** 177
Dom. du **Clos Salomon,** 578
Joël **Closson,** 614
SCEA **Clot Doù Baile,** 747
Champagne André **Clouet,** 614
SCEV Paul **Clouet,** 614
Cochard et Fils, 846 868
John et Véronique **Cochran,** 232
Cocteaux, 823
Michel **Cocteaux,** 614
Cave coop. de **Cocumont,** 785 786
Domaines **Codem SA,** 339
Cognard, 895 900
Jean-Yves **Cognard,** 440
Cave des Vignerons de **Cogolin,** 735
Bernard **Coillot Père et Fils,** 462
Jean-François **Colas,** 933
Comte Bernard de **Colbert,** 356
Champagne **Colin,** 614
Patrice **Colin,** 924
Bernard **Colin et Fils,** 554 558
François **Collard,** 695
Collard-Chardelle, 614
Champagne Raoul **Collet,** 614
Indivision **Collet,** 174
François **Collin,** 410
Collin-Bourisset Vins Fins, 157
Dom. **Collin Rosier,** 684 685
Michel **Collon,** 615
Bernard **Collonge,** 171
GAEC **Collonge,** 979 983
Dom. **Collotte,** 462 465
Dom. du **Colombier,** 447 452 457
SCEA **Colombier,** 308

SCEA Dom. André **Colonge et Fils**, 150
Roger **Combe et Filles**, 990
Jean-Pierre **Combes**, 698
Jean-Michel **Combier**, 581
Claude **Comin**, 203 208 305
Chantal et Pierre-Yves **Comte**, 694
Comte d'Andlau-Hombourg, 86 87
Champagne **Comte de Noiron**, 615
Serge **Condemine-Pillet**, 173
Les producteurs de la Cave de **Condom-en-Armagnac**, 1040
Dom. J. **Confuron-Cotetidot**, 489
François **Confuron-Gindre**, 487
Claude **Conin**, 216
François de **Coninck**, 240
Jean de **Coninck**, 297
Jean-Michel **Conne**, 1091
Jean-Louis **Constant**, 800
Guy **Constantin**, 351
Philippe **Constantin**, 1097
Thierry **Constantin**, **1094**
EARL **Constantin-Chevalier et Filles**, 1010
Y. et C. **Contat-Grangé**, 560 564
SCEA de **Conti**, 807
Michel **Contour**, 920
SARL Famille L. **Cooreman**, 348
Bruno **Coperet**, 167
Gilles **Coperet**, 178
Jacques **Copinet**, 615
Guy **Coquard**, 481
Olivier **Coquard**, 145
Christian **Coquillette**, 647
Stéphane **Coquillette**, 615
Ch. **Corconnac**, 350
Cordeuil Père et Fils, 615
Dom. **Cordier**, 396
Domaines **Cordier**, 192 201 202 268 275 372 381
Dom. **Cordier Père et Fils**, **582** 589 592
François **Cordonnier**, 370
J.-B. **Cordonnier**, 369
SCEA **Cormeil-Figeac-Magnan**, 269 280
EARL Gildas **Cormerais**, 828
Roland **Cormerais**, 830
Didier **Cornillon**, 1004 1005
Dominique **Cornin**, 586 595
Dom. **Cornu**, 432 516
Roland **Cornu**, 145
Pierre **Cornu-Camus**, 437 516
Edmond **Cornu et Fils**, 504
Maison **Coron Père et Fils**, 447 452 560 593
Denis **Corre-Macquin**, 296
Dom. **Corsin**, 589 594
Thierry **Cosme**, **915**
Bernard **Coste**, 1063
Françoise et Vincent **Coste**, 1060
Serge **Costes**, 770
SCA Cave des **Costières de Vauvert**, 694
SCA **Costières et Soleil**, 693 694 695
Michel **Cosyns**, 232
EARL Dom. des **Coteaux Blancs**, 843
Les vignerons des **Coteaux de Chalosse**, 1055
Cave des **Coteaux de Saint-Maurice**, 967
Les Vignerons des **Coteaux romanais**, 884
SCAV Les Vignerons des **Côtes d'Agly**, 727 1021 1026
Côtes-d'Olt, 770
Les Vignerons de **Cotignac**, 736
EARL Dom. **Coton**, 903
Bernadette **Cottavoz**, 232
Cottinelli, 1105
Coubris, 370
EARL Champagne **Couche**, 615
Eric et Chantal **Coudert-Appert**, 166
Les Fils et Bernard **Coudray**, 1095
Michel **Coudroy**, 246 254 292
Serge **Coudroy**, 294
Dom. **Couet**, 931
SCA Ch. **Coufran**, 350
Les Frères **Couillaud**, 833 1047
GAEC **Couillaud Père et Fils**, **837**
Patrick **Coulbois**, 939 941
SCEA des **Couldraies**, 884
Michel **Coullomb**, 964 972
Eric **Coulon**, 615
SCEA Paul **Coulon et Fils**, 954 994
SCA **Couly-Dutheil Père et Fils**, 904
SCEA **Counilh et Fils**, 318
EARL Dominique et Laurent **Courbis**, **987**
Dom. de **Courcel**, 530
Jean-Michel et Arlette **Coureau**, 195 261
EARL Patrick de **Cournuaud**, 238
Alain **Courrèges**, 766
Philippe **Courrian**, **345**
SCEA Ch. du **Courros**, 213
Sté des Vignobles Francis **Courselle**, 222 387
Pierre **Coursodon**, 980
Jean-Claude **Courtault**, 444 447
Frédéric **Courtemanche**, 911
Pierre **Courtemanche**, 911
Jean-Michel **Courtioux**, 823 920
Olivier **Cousin**, **861**
SCEA **Cousin-Maitreau**, 871
GAF de **Coussergues**, 1060
Françoise **Coussié**, 319
Jean-Jacques **Coustellier**, 1060
SCEA de **Coustille**, 1078
SC Ch. **Coutet**, 392
Corinne **Couturier**, 971
Caves du **Couvent des Cordeliers**, 468 530
Alain **Couvreur**, 615
SCVM **COVAMA**, 642
SCEA de **Crain**, 213
Jean **Crampes**, 214
Catherine **Craveia-Goyaud**, 392
Pierrette **Cravero**, 716
SCEA Ch. **Cravignac**, 276
Dom. Victor **Credoz**, 666
SCA **Crespian**, 698
Bernard **Crespin**, 826
Jean-Pierre **Crespin**, 160
Dominique **Crété**, 615
Lycée agricole et viticole de **Crézancy**, 616
Robert et Kim **Cripps**, 706
EARL **Crocé Spinelli**, 734
SA Lucien **Crochet**, 947
Bernard et Odile **Cros**, 422 428 568
Michel **Cros**, **1064**
Pierre **Cros**, 712
Jean-Charles **Crousaz**, 1102
Cave de **Crouseilles**, 795 796
GAEC Dom. Nicolas **Croze**, 956
Michel **Crozet**, 162
Rémy **Crozier**, 178
EARL Alain **Cruchet**, 915
Henri **Cruchon**, 1088
Héritiers Henri-François **Cruse**, 357
SCEA F.J.D.N. **Cruse**, 229
Bernard **Cruz**, 1101
Catherine et Guy **Cuisset**, 800
Gérard **Cuisset**, 814
Cuvage des Brouilly, 160
Dom. **Cyrot-Buthiau**, 422 530 565
Pierre **Dabadie**, 797
Pierre **Dahéron**, 1052
SCA **Daheuiller et Fils**, 875 880
Edith et Denis **Dalibot**, 211
Laurent **Damais**, 1062
Comte A. de **Dampierre**, 616
Dom. Daniel **Dampt**, **447**
Eric **Dampt**, 410
Vincent **Dancer**, 530 547
Guy **Daniel**, 959 990 992
Philippe **Daniès-Sauvestre**, 316
SCEA **Dansault-Baudeau**, 912
Dantan Oudit, 616
Jean-Louis **Darde**, 884
Dardé, 694 884
Jean-Paul et Michel **Dardé**, 1063
Jean-Christophe **Dardeau**, 911
Rémy **Dargaud**, 156
Christian **Daridan**, 1050
Dom. **Darnat**, 547
SCEA maison **Darragon**, 915
SCE des Vignobles **Darribéhaude**, 285
Philippe **Darricarrère**, 219
Jean **Darriet**, 322
EARL **Darriet-Lescoutra**, 360
EARL **Dartier et Fils**, 207
Jean-Luc **Dartiguenave**, 342
Bertrand **Darviot**, 414 526 547
Dom. Yves **Darviot**, 524
Jean **Daspet**, 274
SARL Ch. **Dassault**, 261 270
SCEA des Vignobles **Daubas**, 324
François **Daubert**, 784
Etienne **Daulny**, 946
EARL **Daumen Père et Fils**, 997
Nicole et Christian **Dauny**, 946
Cellier des **Dauphins**, 956 971
EARL R. **Daurat-Fort**, **1021**
Dauriac, 270
GAEC René et Vincent **Dauvissat**, 447 452
Sté du Vignoble Jean **Dauvissat**, 447 452
Jean et Vincent **Daux**, 573
Sté d'exploitation du Ch. **Dauzac**, 363
Daniel **Davanture et Fils**, 568 578
Jacques et Viviane **Davau**, 240
J.-P. et Ch. **Davault**, 886
SCEA Dom. du Ch. de **Davenay**, 571 580
SCEA **Daviau**, 851 855
David, 398
Bernard **David**, 900
Dom. Armand **David**, 870
Dom. Michel **David**, 828
GAEC J.-P. et F. **David**, 776
Guy **David**, 394
Pierre **David**, 151
Quentin **David**, 939
Dom. **David-Beaupère**, 169
Champagne Henri **David-Heucq**, 616
SCEA **David Lecomte**, 821 846
E.M. **Davis et Fils**, 367
André **Davy**, 863
Jean-Lou **Debart**, 192
Anne-Sophie **Debavelaere**, 570 571
Jean-Pierre **Deblüë**, 1087
Pierre **Decamps**, 755
Marcel **Dechaume**, 410
Charles **Decker**, 1082
SC Vignobles **Declercq**, 360
EARL **Dedieu-Benoit**, 350
Dom. Daniel-Etienne **Defaix**, 452
Jacques **Deffarge**, 309
Sylvie et Jean-François **Deffarge-Danger**, 802
EARL Ch. **Deffends**, 736
Raymond et Hubert **Deffois**, 842 860
Mireille **Deforge**, 957
Jacques **Defrance**, 616 656
Michel **Defrance**, 465
Philippe **Defrance**, **410** 411
Marie-José **Degas**, 307
Gérard **Degoul**, 1000
Diffusion **Dehours**, 616
Champagne **Déhu Père et Fils**, 616
Dom. Marcel **Deiss**, 116
Déjean Père et Fils, 389
Christiane **Delabarre**, 616
Jacques **Deladoey et Fils**, 1092
André **Delagouttière**, 899
Bernard **Delagrange**, 535
Dom. Henri **Delagrange et Fils**, 411
Champagne **Delahaie**, 616
GAEC **Delaille**, 922
EARL Christian et Robert **Delalande**, 905
Patrick **Delalande**, 907
Jean-François et Sylvie **Delaleu**, 915
Pascal **Delaleu**, 917
Roger **Delaloge**, 411
SA Gaby **Delaloye et Fils**, 1099
Delas Frères, 976 983 986 987
Daniel **Delaunay**, 884
Dom. Thierry et Joël **Delaunay**, 884
Jacques **Delaunay**, 890
Pascal **Delaunay**, 824 **847**
Edouard **Delaunay et ses Fils**, 432 571
Frédéric **Delay**, 1007
Richard **Delay**, 666 1043
Champagne **Delbeck**, 617
SCEA **Delbos-Bouteiller**, 351 352
Jackie **Deléchenau**, 884
Joël **Delgoulet**, 771
Michel **Delhommeau**, 834
SCEA Marc et Luc **Delhumeau**, 842 870
Delille, 751
Bernard **Delmas**, 686
EARL Vignobles Yves **Delol**, 273
SCEA Guy **Delon et Fils**, 382 385
Jean-Jacques **Delorme**, 961
Maison André **Delorme**, 440 570 580
Michel **Delorme**, 594
Bertrand **Delouvin**, 617
EARL **Delpeuch et Fils**, 320
SCEA du dom. Gabriel **Demangeot et Fils**, 427 430 439 564
Marie **Demets**, 617
Serge **Demière**, 617

SCV Cellier des **Demoiselles,** 688
Georges **Demont,** 179
Jean-François **Demont,** 897
Dom. Rodolphe **Demougeot,** 516 524 530 538
Alain **Démule,** 180
Bernard **Denéchaud,** 227
Alain **Denechère,** 853
A. et J.-N. **Denis,** 824 850
EARL Isabelle et Philippe **Denis,** 839
Francis **Denis,** 917
Hervé **Denis,** 911
Patricia et Bruno **Denis,** 887
Dom. **Denis Père et Fils,** 440 513 516
Dom. Christian et Bruno **Denizot,** 440
Lucien **Denizot,** 425 442 578
Jacques **Dépagneux,** 156
André **Depardon,** 166
Maurice et Olivier **Depardon,** 172
P. **Depardon,** 172
GAEC **Depardon-Copéret,** 167
Alice **Depaule-Marandon, 718**
Bernard **Depons,** 298
Michel **Derain,** 578
SA Champagne **Deregard-Massing,** 637
Derey Frères, 422 462 465
Pierre **Derrieux et Fils,** 777
SARL **Dervin,** 617
GAEC **Desachy,** 736
René **Desbaillets,** 1101
Famille **Desbois,** 297
Marie-Christine **Desbordes,** 617
Rémi **Desbourdes,** 905
Claudine **Deschamps,** 468
Philippe **Deschamps,** 151
Pierrette **Descoins,** 803
Thierry **Descombes,** 168
Laurent **Descorps,** 312
Michel **Descotes,** 183
Régis **Descotes,** 183
GAEC Etienne **Descotes et Fils,** 183
Guillaume **Descroix,** 893
Dom. **Désertaux-Ferrand,** 498
Desfayes-Crettenand, 1095
Véronique et Louis **Desfontaine,** 422 428 574
Pierre **Deshayes,** 152
François et Monique **Désigaud,** 178
GAEC **Desloges,** 883
Laurent **Desmazières,** 617
Cave **Desmeure, 984** 984 986
SCEA du Ch. **Desmirail,** 364
Vignobles Jean-Paul **Deson,** 259
SCEA Vignobles **Despagne,** 198 206 222
SCEV Consorts **Despagne,** 272
SCEV **Despagne et Fils,** 289
SCEA **Despagne-Rapin,** 248 292
Dom. **Desperrier Père et Fils,** 174
Guy et Dany **Desplat,** 295
Jean-Marc **Després,** 166
Thierry **Després, 809**
Francis **Desqueyroux et Fils,** 325 399
Jean-Michel **Desroches,** 884
Pascal **Desroches,** 944
Philippe **Desroches,** 586
Dessans, 794
EARL **Dessevre,** 844 853 1047
SA **Destavel,** 724 725 1024
EARL Didier **Desvignes,** 171
Louis-Claude **Desvignes,** 171
Propriété **Desvignes,** 578
Paul **Déthune,** 617
J.-F. **Deu, 1017**
Champagne **Deutz,** 618
Caveau des **Deux Clochers,** 178
Dom. des **Deux Roches,** 594
EARL Vignobles D. et C. **Devaud,** 220 289 292 293
Henry **Devillaire,** 304
B. et C. **Devillard,** 488 490 496
Pierre et Alain **Dezat,** 948
SCEV André **Dezat et Fils,** 940 949
SICA Coteaux de **Diana, 1070**
Jean-François **Diconne,** 422
Jean-Pierre **Diconne, 541**
Pierre **Dideron,** 694
Dom. Guy **Didier,** 566
Cave coop. de **Die,** 1004 1005
Claude **Dietrich,** 103
EARL Dany **Dietrich,** 87
Jean **Dietrich,** 96
Laurent et Michel **Dietrich,** 88
Michel **Dietrich,** 202 208 305
Claude **Dieudonné,** 1013
SA Dom. Clarence **Dillon, 329** 329 **331** 331 332
EARL **Dionysos,** 968
Dom. **Diringer,** 96
EARL **Dirler,** 128
Dom. Jean-Louis **Dirringer,** 96
EARL **Dischler,** 88 116
Dom. **Dittière,** 843 851
Ch. de **Diusse,** 794
André et Christian **Dock,** 82
SC **Doisy-Védrines,** 395
Christian **Dolder,** 110
SARL d'Exploitation du Ch. **Domeyne,** 379
SCEA Ch. **Donat,** 776
Antoine **Donat et Fils,** 411
Gilbert **Dontenville,** 110
Cave de **Donzac,** 785
Bernard **Donzel,** 172
SA **Dopff Au Moulin,** 117
Dopff et Irion, 90
Champagne **Doquet-Jeanmaire,** 618
Joseph **Dorbon,** 659
EARL Christian **Dorléans,** 921 923
Benoît **Dorry,** 582
Bernard **Dorry,** 424
Benoît **Dorsaz,** 1095
Hubert **Dorut,** 448
Sylvain et Nathalie **Dory,** 154
Christian **Double,** 753
B. et D. **Doublet,** 223 324
Pascal **Doudeau,** 946
Dom. **Doudet,** 504 508 524
Doudet-Naudin, 517 565
Etienne **Doué,** 618
Jean **Douet,** 866 **866** 874
Richard **Doughty,** 807
Douillard-Boussonnière, 831
Nicole **Dournel,** 811
Dourthe, 201 260 305 338
Dourthe, Ch. Belgrave, 348
Dourthe Ch. Beau-Mayne, 191
Yves **Doussau,** 793
Gilbert **Dousseau,** 795
SCEA **Doussoux-Baillif,** 1036
Philippe **Doyard-Mahé,** 618
GAEC **Doyen et Fils,** 234
SCA Ch. de **Dracy,** 538
Champagne **Drappier,** 619
Philippe **Dray,** 748
Louis **Drevon, 975**
GAEC Robert **Dreyer et Fils,** 88
Jacques **Driant,** 619
SCEA Baron François de **Driésen,** 784
Dom. Jean-Paul **Droin, 444** 452 457
Joseph et Christophe **Drouard,** 828
Paul **Drouard,** 833
EARL Stéphane et Henri **Drouet,** 833
Joseph **Drouhin,** 411 450 453 457 544 558
Dom. **Drouhin-Laroze,** 472 485
Béatrice et Jean-Michel **Drouin,** 586 590
Yves **Drouineau,** 873 **876**
David **Duband,** 432 494
SCEA vignobles **Dubard,** 288
Vignobles **Dubard,** 801
SCEA **Dubé et Fils,** 873
Les Vins Georges **Dubœuf,** 162 585 590 594 1076
Danielle et Richard **Dubois,** 281 298
Dom. **Dubois,** 877
EARL Jean **Dubois,** 414
Gérard **Dubois, 619**
Jean-Jacques **Dubois,** 237
Michel et Paule **Dubois,** 214 248
Jean-Pierre **Dubois-Cachat,** 502 520
Dom. **Dubois d'Orgeval,** 505 517 521 524
Dom. Bernard **Dubois et Fils, 505** 517 521 524
EARL Vignobles **Dubois et Fils,** 229
R. **Dubois et Fils,** 433 437 494
Dubois Fils, 1089
Champagne du Rédempteur **Dubois Père et Fils,** 635 645
Henri **Duboscq et Fils,** 378 379
EARL Denis et Florence **Dubourdieu,** 206 317
EARL Vignobles Pierre et Denis **Dubourdieu,** 395
Hervé **Dubourdieu,** 393
Vignobles **Dubourg,** 205
Vincent et Blaise **Duboux,** 1092
Michel **Dubray,** 916
EARL Vignobles **Dubreuil,** 289
Philippe **Dubreuil,** 517
Dom. **Dubreuil-Fontaine,** 508 513
Paul **Dubrule,** 1010
Guy **Dubuet,** 539
Dom. des **Duc,** 592
GAEC des **Duc,** 181
SCEA vignobles **Ducamin,** 216
SCEA Vignobles **Ducau,** 318
Valérien **Ducau,** 322
Eric **Duchemin,** 565
Duchemin-Jorcin, 705
Edmond et David **Duclaux,** 974
Xavier **Duclert,** 485
Brigitte **Ducos,** 341
Patrick **Ducournau, 794**
SCEA Vignobles **Ducourt,** 191 304
Olivier **Ducret,** 1091
Fabrice **Ducroux,** 156
Gérard **Ducroux,** 172
SARL **Dudon,** 311
Dufeu, 895
Eric **Duffau,** 191 200
Joël **Duffau,** 194 208 306
Héritiers **Duffau-Lagarosse,** 265
SCEA Gérard **Duffort,** 750 1073
Michel **Duffour,** 1058
Dom. Guy **Dufouleur, 410** 465 495 560
Dom. Loïs **Dufouleur,** 524 527
Dom. Yvan **Dufouleur,** 433 495
Dufouleur Père et Fils, 476 **510** 530 572
EARL Jean-Hugues **Dufour,** 324 393
Florence **Dufour,** 862
Lionel **Dufour,** 444
EARL Robert **Dufour et Fils,** 619
Laurent **Dugerdil,** 1101
Daniel **Dugois,** 660 1043
Christian **Dugon, 1090**
EARL Vignobles M.-C. **Dugoua,** 318
Michel **Dugoua,** 320
Ch. **Duhart-Milon,** 373
Dom. Mme Aly **Duhr,** 1082
Dom. **Dujac,** 479
Gérard et Jean-Jacques **Dulac,** 152
SCEA **Dulac et Séraphon,** 389
Michel **Dulon,** 214
Dulong Frères et Fils, 194 204 219 305 394
Hervé **Duloquet,** 861 **861**
Pierre et Daniel **Duluc,** 1035
Champagne Jacky **Dumangin,** 619
Claude **Dumarcher,** 1012
Patrice **Dumarcher,** 1012
Bernard **Dumas,** 192
Philippe **Dumas,** 213
EARL Christian **Dumas et Fils,** 223
Roger et Marie **Dumas-Sapin,** 145
SCEA Pierre **Dumeynieu,** 242
Champagne Daniel **Dumont,** 619
Marc **Dumont,** 415
R. **Dumont et Fils,** 619
SCEA **Dumoutier,** 750
Noël **Dupasquier,** 677
SCA **Duperrier-Adam,** 554
Dom. **Dupeuble Père et Fils,** 147
Pierre **Dupleich,** 202 312 319
EARL Caves **Duplessis,** 453
Famille **Dupond,** 958
Pierre **Dupond,** 167 585 960
Dupond d'Halluin, 155
Michel **Dupont-Fahn,** 547
GAEC **Dupont-Tisserandot,** 468 474 510
Maison **Duport,** 678
EARL Jacques **Duport et J.-Ph. Dumas,** 679
Jean-Michel **Dupré,** 145
Dupré et Fils, 1012 1077
Gilles et Stéphane **Dupuch,** 209 306
Daniel **Dupuis,** 1091
A. Edmond **Dupuy, 1036**
Dominique **Dupuy,** 263
Huguette **Dupuy,** 233
SC Charles **Dupuy, 1024**
SCEA des Vignobles Jacques **Dupuy,** 273
Antoine **Durand,** 144
Armand **Durand,** 700
Eric et Joël **Durand,** 980 987
GAEC **Durand,** 804

Guy **Durand**, 891
Hervé et Guilhem **Durand**, 696
Jean **Durand**, 179
Jean-Marc **Durand**, 437
Pierre et André **Durand**, 294
GFA **Durand et Alain Peytel**, 169
Jacques et Barbara **Durand-Perron**, 666
Raymond **Dureuil-Janthial**, 572
Vincent **Dureuil-Janthial**, 572
René **Durou**, 772
Roger et Andrée **Duroux**, 251
Bernard **Dury**, 441
René **Dussauge**, 585
Cécile **Dusserre**, 993
Dom. André **Dussourt**, 88 110
Serge **Dussutour**, 800
Dom. **Dutertre**, 891
Denis **Dutron**, 592
Champagne **Duval-Leroy**, 620
GAEC **Duveau-Coulon et Fils**, 899 902
GAEC **Duveau Frères**, 878
Paul **Dyens**, 743
Marcel et José **Ebelmann**, 103
Christian et Joseph **Eblin**, 83
Maurice **Ecard et Fils**, 517
Nicolas **Eckert**, 806
Jean-Paul **Ecklé**, 110 130
François **Edel et Fils**, 110
Norbert **Egreteau**, 244 254
Henri **Ehrhart**, 96
André **Ehrhart et Fils**, 88 104 **104**
Dom. François **Ehrhart et Fils**, 117
Nicolas **Einhart**, 84 104
Champagne Charles **Ellner**, 620
Gilles et Sylvie **Ellul**, 1060
Cave Les Vignerons d' **Elne**, 724
Jean-Yves **Eloy**, 411 585
Hubert et Roseline **Emery**, 1013
Jean-Louis **Emmanuel**, 695
Dimitri **Engel**, 1103
Dom. Christian et Hubert **Engel**, 88
Fernand **Engel et Fils**, 104
Les Vignerons du pays d' **Ensérune**, 1061
Dom. des **Entrefaux**, 983
EARL Dom. d' **Eole**, 754
David **Ermel**, 111
René **Erraud**, 838
Jean-Claude **Errecart**, 788
GAEC **Escande**, **712**
SA **Escarelle**, 759
Franck **Escoffier**, 502
SCEA du Ch. d' **Escot**, 338
Pierre **Escudié**, 723 1027
Michel d' **Espagnet**, 742
Union de Producteurs Baron d' **Espiet**, 194
Jean-Pierre **Estager**, 246 253 259 292
Claude **Estager et Fils**, 247 292
G. **Estager et Fils**, 378
Jean-Claude **Estève**, 708
Cave des Vignerons d' **Estézargues**, 962
SCEA **Estienne**, 749
Rémy **Estournel**, 957 968
Les Vignobles Philippe **Estournet**, 234
Michèle **Etchegaray-Mallard**, 874
Champagne **Etienne**, 620
Christian **Etienne**, 620
Ch. **Eugénie**, 772
Champagne **Eustache Deschamps**, 620
EARL vignobles **Eymas et Fils**, 228
SCEA Ch. d' **Eyran**, 327
GAEC des **Eyssards**, 800
Fabbro et Fils, 772
Anne-Marie **Fabre**, 691
Denis **Fabre**, 340
Jean-Louis **Fabre**, **711**
Louis **Fabre**, 1061
Serge **Fae**, 620
EARL vignobles **Fagard**, 213
Alain **Faget**, 1041
François **Faget**, 1041
SARL François **Fagot**, 620
Francine **Faisandier**, 256
Maison Joseph **Faiveley**, 468 472 473 474 495 511 572 575
SCE du Ch. **Faizeau**, 292
EARL André **Faller**, 88 96
Colette **Faller et ses Filles**, 92 101 127
Fallet-Dart, 620
SCEA **Falloux et Fils**, 872
Faniel-Filaine, 620
Philippe **Faniest**, 283
Faraud & Fils, 972
Jean-Pierre **Faraud**, 993
Les Fils d'Antonin **Faravel**, 990
SCEA **Fardeau**, 848 862 **862**
Farou, 906
Bruno **Fauconnier**, 812
Christian **Faure**, 700
Jacques **Faure**, 1004
Jeanine **Faure**, **784**
Philippe **Faure**, 260
Vignobles Alain **Faure**, 194 232
Bernard **Faurie**, 980 986
Jacques **Faurois**, 486 489
Philippe **Faury**, 977 980
Fauthoux, 396
Laurent **Fauvy**, 895
Jocelyne et Jean **Favre**, 151
Patrick et Marc **Favre**, 1101
Maurice **Favre et Fils**, 1095
René **Favre et Fils**, 1099
Jean-Pierre **Fayard**, 743
Vignobles Clément **Fayat**, 251 276
Jean-François **Fayel**, 693
EARL Denis **Fédieu**, 354
Dom. **Félix**, 411 423 431
Pascal **Férat**, 621
SECV Dom. des **Féraud**, 736
Fernandez de Castro, 344
Jacques **Ferrand**, 145
Pierre **Ferrand**, 906
Pierre et Michelle **Ferrand**, 270
SCE du Ch. **Ferrand**, 244 246
Christophe **Ferrari**, 431
Roberto **Ferrari**, **1109**
Pierre **Ferraud et Fils**, 145
Jean-Marc **Ferré**, 1052
Denis **Ferrer et Bruno Ribière**, 722
EARL **Ferri Arnaud**, 700
Ch. **Ferry-Lacombe**, 736
Dom. Jean **Féry et Fils**, 489 498 508
Les Vins Henry **Fessy**, 145
Bernard **Fèvre**, **541** 544
Sté du Vignoble W. **Fèvre**, 411 444 454 458
Jean **Feytit**, 285
SCEA **Feytout**, 811
GAEC J.-R. **Feyzeau et Fils**, 207 216
Michel **Fezas**, 1040
Francis **Fichet**, 586
Dom. Francis **Fichet et Fils**, 411 423 428 441 585
Ch. de **Fieuzal**, **328** 328 329 330
Dom. André et Edmond **Figeat**, 939
Michel **Figureau**, 838
Filhol et Fils, 772
Paul **Filliatreau**, 871 877
Gérard **Fiou**, 946
Peter **Fischer**, 755
Cave des producteurs de **Fitou**, 711
Gilles **Flacher**, 977 980
Claude **Flavard**, 700 1061
René **Fleck et Fille**, 104
GAEC François **Flesch et Fils**, 134
GAEC Camille et Olivier **Fleurance**, 831
Caveau des **Fleurières**, 468 502
Champagne **Fleury**, 621
Myriam et Christian **Florac**, 708
EARL Jean-Pierre et Eric **Florance**, 836 1052
Cave coopérative de **Florensac**, 1067
Dom. **Florentin**, 981
EARL Jean-Marc **Floutier**, **1061**
Franck **Follin-Arbelet**, 505
SA Ch. **Fombrauge**, 271
Dom. **Fond Croze**, 1070
Dom. de **Fondrèche**, 1008
SARL de **Fongaban**, 295
Jean-Daniel et Pierre **Fonjallaz**, 1091
Claude **Fonquerle**, 1009
Ch. **Fonréaud**, 359 369
SCA des Domaines de **Fonscolombe**, 754 1072
EARL **Fonta et Fils**, 320 325
Vincent **Fontaine**, 146
Dom. **Fontanel**, 726 1019
André **Fontannaz**, 1096
SCEA de **Fontenay**, 298
Roland **Fonteneau**, 374
Vincent **Fonteneau**, 710
SA Caveau des **Fontenilles**, **411**
EARL Ch. **Fontesteau**, 350
Michel **Fonvielhe**, 815
SCV les Vignerons de **Força Réal**, 1020 1026
EARL **Forest**, 847 856
Dom. **Foret**, 660
Grands Vins **Forgeot**, 411 423 433 525 567 582
Forget-Brimont, 621
Champagne **Forget-Chemin**, 621
Valérie **Forgues**, 887
Didier **Fornerol**, 498
Annie **Fort et Henri Pradère**, 386
Denis **Fortin**, 677
EARL Jean-Michel **Fortineau**, 916
Régis **Fortineau**, 916
SCA Les Viticulteurs du **Fort-Médoc**, 349
Paul **Fossat**, 1064
André **Fouassier**, 925
SA **Fouassier Père et Fils**, 946
SCE Y. **Foucard et Fils**, 255
Dom. **Fouet**, 877
Dom. **Fougeray de Beauclair**, 463 465 484 489
GAEC Marc **Fouquerand Père et Fils**, 437 558
Bernard **Fouquet**, **914**
SCA Ch. **Fourcas-Dumont**, 359 360
Ch. **Fourcas Dupré**, 359
SC du Ch. **Fourcas-Hosten**, 359
SEA **Fourcas-Loubaney**, 360
Jean **Fourloubey**, 291
Daniel **Fournaise**, 621
Claire et Gabriel **Fournier**, 414 424 503 505 518
Jean **Fournier**, 463
SCEA des Vignobles **Fournier**, 200 207
Thierry **Fournier**, 621
Mme **Fournols**, 1028
Champagne Veuve **Fourny et Fils**, 652
SCV Les Vignerons de **Fourques**, 722 1020
SCA **Fourrier et Fils**, 871
GAEC **Fourtout et Fils**, 807
Rémy **Fraisse**, 1041
SCEA Ch. **Franc-Mayne**, 272
André **François**, 974
François-Brossolette, 621
Dom. de **Frégate**, 748
SC de **Frégent Y. et A. Cailley**, 217
Frérot et Dyon, 582
Dom. du **Fresche**, 856
André **Freslier**, 916
Marie-Andrée et Benjamin de **Fresne**, **737**
François **Fresneau**, 909
Fresnet-Baudot, 621 654
Champagne **Fresnet Distribution**, 622
Marcel **Freyburger**, 96
Dom. Louis **Freyburger et Fils**, 111
SC des Vignobles **Freylon**, 214 278
Dom. Marcel et Bernard **Fribourg**, 423 433
Pierre **Frick**, 97 111
Xavier **Frissant**, 823 891
Françoise **Frissant-Le Calvez**, 712
EARL Joseph **Fritsch**, 119
EARL Romain **Fritsch**, 111 129
EARL Gérard **Fritsch et Fils**, 122
Dom. des **Fromanges**, 572
SCA Coop. de **Frontignan**, 1028
Cave de **Fronton**, 783
Mme André **Fuchs**, 123
SC Ch. de **Fuissé**, 590
Fujiko and John Robertson, 341
Raphaël **Fumey et Adeline Chatelain**, 660
Champagne Michel **Furdyna**, 622
Gérard **Gabillet**, 887
SARL Vignobles **Gaboriaud-Bernard**, 252
Jean-François **Gabory**, 831
Christian **Gachet**, 930
Dom. **Gachot-Monot**, 428 495 498
EARL **Gadais Père et Fils**, 829
Louis **Gaget**, 161
Jean **Gagnerot**, 489 541 575
Daniel **Gaidoz**, 622
Luc **Gaidoz**, 622
Mme **Gaillard**, 157
Pierre **Gaillard**, 974
EARL Pierre **Gaillard et Fils**, 1036
Freddy **Gaillard et Fils**, 1096
SCEA Ch. de **Gaillat**, 317
Jean-François **Galas**, 742
Caves **Gales**, 1082

PRODUCTEURS

Gisèle et Jean-Louis **Galibert**, 691
EARL **Gallais Père et Fils**, 885
SCE Champagne **Gallimard Père et Fils**, 622
Christian **Galliot**, 911
Philippe **Galliot**, 911
GAEC des **Galloires**, 826
Dominique **Gallois**, 468
Jean-Marc **Gallou**, 889
Gilles **Galteau**, 897
Dom. **Galy**, 722
SARL Ch. **Gamage**, 214
Paul et Thomas **Gambier**, 898
M. **Gambini**, 758 1073
EARL **Gandon**, 892
Jean-François **Gandrey**, 495
GAEC des **Ganfards Haute-Fonrousse**, 804
Lucien **Gantzer**, 88 119
Gérald **Garagnon**, 958
Paul **Garaudet**, 539
Chantal et Serge **Garcia**, 758
José **Garcia**, 736
Jean-Claude **Garcin**, 1003
Sylviane **Garcin-Cathiard**, 329
Jean-Marie **Garde**, 250
SCEA **Garde et Fils**, 254
Dom. Jean **Gardiés**, **726** 1026
SCEA **Garnier**, 926
Ch. **Garreau**, 1040
SCEA Ch. **Garreau**, 226
Elisabeth **Garzaro**, 197 199 217
Pierre-Etienne **Garzaro**, 252
Vignoble de **Gascogne**, 795 797 798 1058
Vignoble Jacky et Fabrice **Gasnier**, 904
Baron Georges Antony **Gassier**, 732
Roger **Gassier**, 695 1063
Clos **Gassiot**, 792
Catherine et Daniel **Gaston**, 350
Monique et Yves **Gastou**, 713
Champagne **Gatinois**, 622 654
Marie-Hélène **Gau**, 689
Alain **Gaubert**, 834
Ghislaine et Gérard **Gauby**, **726**
Any et Jacques **Gauch**, 703
Jean et Alain **Gaudet**, 930
Rolland **Gaudin**, 991
EARL **Gaudinat-Boivin**, 622
Jean-Claude **Gaudrie**, 242
EARL Dom. Sylvain **Gaudron**, 916
Philippe **Gaultier**, 915
SCEA **Gaury et Fils**, 279
Jean-Pierre **Gaussen**, 748
Raoul **Gautherin et Fils**, 457
Alain **Gautheron**, **448** 453
François **Gautherot**, 622
Claude **Gauthier**, 137
EARL Jean-Paul et Hervé **Gauthier**, 166
Gabriel **Gauthier**, 168
Jacky **Gauthier**, 177
Laurent **Gauthier**, 174
Pierre **Gauthier**, 895
Benoît **Gautier**, 916
Laurent **Gautier**, 875
SCEA Jean **Gautreau**, **357** 357
Dom. Philippe **Gavignet**, 495
Pierre et Roselyne **Gavoty**, 736
Catherine et Maurice **Gay**, 175
François **Gay**, 502 511 517 521
Michel **Gay**, 505 511
René-Hugues **Gay**, 873
GAEC **Gayet Frères**, 231
Alain **Gayrel**, 781
Les Dom. Philippe **Gayrel**, 778
Jean **Gazaniol**, 220
Michel **Gazeau**, 853
GFA Ch. **Gazin**, **245** 245
SCEA Ch. **Gazin Rocquencourt**, 328
Champagne **G. de Barfontarc**, 622
Alan et Laurence **Geddes**, 779
Roger **Geens**, 690
Henri **Geffard**, 1037
Diane de **Geffrier**, 149
Simone et Richard **Geiger-Koenig**, 93 104
Cave vinicole Jean **Geiler**, 89
Geisweiler, 468 495
Dom. Pierre **Gelin**, 412 469 472
Gérard **Gelin**, 154
Nicolas **Gélis**, 783
Christian **Gély**, 955 1007
Jocelyne et Michel **Gendrier**, 920 922
Dom. Michel **Geneletti et Fils**, 1043
Alain et Christophe **Geneste**, 807
Michel **Genet**, 623
Louis **Genillon**, 172
Ch. **Génot-Boulanger**, 505 511 530 535 555
Cave des Vignerons de **Genouilly**, 568
Mme Alexis **Genoux**, 675
Dominique **Gentile**, 767 1032
GAEC Vignoble **Gentreau**, 840
EARL Claude **Geoffray**, 160
GFA **Geoffrion**, 269
EARL **Geoffroy**, 816
Louise **Geoffroy**, 172
René **Geoffroy**, 623
EARL **Georgacaracos et Fils**, 1040
GAEC Jean **Georges et Fils**, 175
François **Gérard**, 975
Chantal et Patrick **Gérardin**, 813
François **Gérardin**, 804
Pierre **Gerbais**, 623
Alain **Gerber**, 1103
Ch. **Gerber**, 1056
Dom. François **Gerbet**, 486 487 489
Jean-Michel **Gerin**, 975
Champagne **Germain**, **623**
Philippe **Germain**, 437
Pierre **Germain**, 160
Thierry **Germain**, 879
Vignobles **Germain et Associés**, 205 216 221 235 287 291
Vignobles **Germain et Associés Loire**, 845 848 863 **864 867**
Dom. **Germain Père et Fils**, 508 520
EARL Dom. **Germain Père et Fils**, 524 530 544
Germanier Bon Père, 1098
Coop. vinicole **Germigny-Janvry-Rosnay**, 632 644
EARL Dom. **Géron**, 871
Philippe **Gex**, 1091
Dom. Roland **Geyer**, 89
Frédéric **Giachino**, 675
SA Casa Vinicola **Gialdi**, **1110**
Robert **Gianesini**, **718**
SCEA Ch. **Gibalaux-Bonnet**, 713
EARL Chantal et Patrick **Gibault**, 885
EARL Pascal et Danielle **Gibault**, **884** 885
Jean-Luc **Gibelin**, 693
Olivier **Gibelin**, 695
Marie-Thérèse **Gibert**, 688
Emmanuel **Giboulot**, 433
Bernard **Giely**, 964 973
SCEA Ch. **Gigognan**, 958 995
Cave des Vignerons de **Gigondas**, 991
SCEA de **Gigondas**, 990
EARL Philippe **Gilardeau**, 867 **867**
SCEV Caves **Gilbert**, 936
Dom. Armand **Gilg et Fils**, 83 111
Jean-Louis **Gili**, 690
Christian et Pascal **Gilis**, 774
Dom. Anne-Marie **Gille**, 511
Patrick **Gillet**, 344
Philippe **Gillet**, 345
Vignobles Anne-Marie **Gillet**, 312 388
M. **Gillet et B. Queyrens**, 388
SA Robert **Gilliard**, 1096
EARL Walter **Gilpin**, 750
Pierre **Gimonnet et Fils**, 623
Gimonnet-Gonet, 623
Maison **Ginestet SA**, 193 196 209 317 328
Paul **Ginglinger**, 125
Christian **Girard**, 886
Hervé **Girard**, **437** 565
Dom. Michel **Girard et Fils**, 946
GAEC **Girard Frères**, 880
Dom. Yves **Girardin**, 555 562
Girard-Vollot et Fils, 508 517
Champagne Henri **Giraud**, 623
EARL Vignobles Robert **Giraud**, 206
Jean-Claude **Giraud**, 245 255
SC des Domaines **Giraud**, 244 268
EARL Dominique **Girault**, 882
J. et F. **Girault**, 894
Vincent **Girault**, 894
Gérard **Giresse**, 232
Henri et Bernard **Girin**, 146
Yves **Giroux**, 592
SAE Ch. **Giscours**, 356
Willy **Gisselbrecht et Fils**, 89
SA Cagi-Cantina **Giubiasco**, 1110
Muriel **Giudicelli**, 1032
Guy **Giva**, **714**
Ch. du **Glana**, 384
SCE Bernard et Louis **Glantenay**, 535
Dom. Georges **Glantenay et Fils**, 535
SCEV Dom. des **Glauges**, 754 757
Philippe **Glavier**, 623
Herbert et Josef **Glenz**, 1095
Gobet, 153
Dom. **Gobet-Jeannet**, 164
Champagne Pierre **Gobillard**, 624
Paul **Gobillard**, 624
J.-M. **Gobillard et Fils**, 624
Philippe **Gocker**, 104
Famille **Godeau**, 889
Gérard et Marie-Claire **Godefroy**, 896
GAEC **Godet**, 888
Jean-Paul **Godinat**, 936
Godineau Père et Fils, 865 **868**
Champagne **Godmé Père et Fils**, 624
Champagne Paul **Goerg**, 624
SA A. **Goichot et Fils**, 489 525 547
GAEC Pierre **Goigoux**, 929
Goillot-Bernollin, 463
Chantal et Yves **Goislot**, 830
Dom. Anne et Arnaud **Goisot**, 412 423 459
Ghislaine et Jean-Hugues **Goisot**, **412** 423 459
EARL Denis **Goizil**, 854 868
J. Gonard et Fils, 156
François **Gonet**, 624
Philippe **Gonet**, 433
Champagne Philippe **Gonet et Fils**, 624
Michel **Gonet et Fils**, 624
SARL Michel **Gonet et Fils**, 308
Champagne **Gonet-Sulcova**, 625
Les Maîtres Vignerons de **Gonfaron**, 744
Gonfrier Frères, 313
Charles-Humbert **Gonnet**, 675 678
EARL Les Fils d'Etienne **Gonnet**, 958 995
Dom. **Gonon**, 594
Maurice **Gonon**, 583
Pierre **Gonon**, 980
Andrew **Gordon**, 815
François **Goré**, 896
Vincent **Gorny**, 137
Anne **Gorostis**, 719
Champagne **Gosset**, 625
Laurent et Sylvie **Gosset**, 905
Champagne **Gosset-Brabant**, 625
Dom. Michel **Goubard et Fils**, 568 578
Michel et Jocelyne **Goudal**, 261
Dom. **Gouffier**, 575
Dom. Henri **Gouges**, 495
Danielle **Gouillon**, 151
Françoise **Gouillon**, 156
Jean-Pierre **Gouillon**, 161
Arlette **Gouin**, 388
EARL **Goujon**, 862
GFA Pierre **Goujon**, 218
A.-L. Goujon et P. Chatenet, 261
Comte Baudouin de **Goulaine**, 838
SA **Goulaine**, 839 1051
Champagne George **Goulet**, 625
Champagne Georges **Goulet**, 631
Dom. Jean **Goulley et Fils**, 444 453
Jacky **Goumin**, 890
Philippe **Gourdon**, 873
SCEA Alain **Gourdon**, 870
SA Ch. de **Gourgazaud**, 714
EARL Jean-Louis **Gourjon**, 741
EARL **Gouron et Fils**, 904
Goussard et Dauphin, 625
Champagne **Goutorbe**, 625
D. et A. **Goyon**, 805
Jean **Goyon**, 594
Alain **Gracia**, 231
Thierry **Grand**, 748
SCEA du Ch. du **Grand Bos**, 318
EARL Dom. du **Grand Cros**, 737
GAEC **Grandeau et Fils**, 200
SC des **Grandes Graves**, 326 332
SCEA Dom. du **Grand Faurie**, 272
Dom. **Grand Frères**, 666 670
Vignobles **Grandillon**, 234
GFA du Ch. **Grandis**, 350
Lucien et Lydie **Grandjean**, 151
SCEA Ch. **Grand-Jour**, 232
Patrick **Grandmaison**, 667
Christophe-Jean **Grandmougin**, **573**
GAEC du **Grand Moulin**, 203 229
Dom. du **Grand Mouton**, 830

Ch. **Grand Ormeau,** 253
Sté Fermière du Ch. **Grand-Pontet,** 273
SC du Ch. **Grand-Puy Ducasse,** 352 373
Ch. **Grand-Puy-Lacoste,** 374
Dom. **Grand Roche,** 460
SCEA Ch. **Grands Champs,** 273
Cave des **Grands Crus blancs,** 586 593
EARL des **Grands Quintins,** 800
Cie des **Grands Vins du Jura,** 665 670 671
Germaine **Granger,** 175
EARL **Granier,** 700 1065
Françoise **Granier,** 959
Pierre **Granier,** 964 972
Dom. du **Granit,** 175
Alain **Gras,** 544
EARL Edmond et Yves **Gras,** 991
Bernard **Gratas,** 827
Daniel **Gratas,** 833 1050
EARL J. et M. **Gratian,** 1041
Champagne Alfred **Gratien, 625**
Mme H. **Gratiot-Alphandéry,** 277
Jean-Pierre et Catherine **Grau-Aymerich,** 725 1025
Cédric **Gravier,** 749
Christiane **Greffe,** 823 885 913
Marc **Greffet,** 590
EARL François **Greffier,** 212 305
Louis **Grelot,** 249
Caves de **Grenelle,** 822 870
Benoît **Grenetier,** 835
GFA du **Grès Saint-Paul, 700** 1030
Dom. André et Rémy **Gresser,** 124
Gresta, 263
Ch. de **Grézan,** 709
Joël et David **Griffe,** 423
GAEC Gilbert et Didier **Griffon,** 896
Les Vignerons de **Grimaud,** 737
Bernard **Gripa,** 980 988
Alain **Gripon,** 832
Jean-Louis **Grippat,** 981
Jean-Pierre et Philippe **Grisard,** 678
Dom. Robert et Serge **Groffier,** 412 469 472 **481** 484
Grognuz Frères, 1090
Gromand d'Evry, 352
Christian **Gros,** 495 498 502
Dom. A.-F. **Gros,** 433 481 488 492 517
Henri **Gros,** 433
Jean **Gros,** 670 **672** 672 1043
Michel **Gros,** 433
Grosbois, 904
Elie **Grosbot et Denis Barbara,** 932
Serge **Grosset,** 862
Corinne et Jean-Pierre **Grossot,** 453
Robert **Grossot,** 150
SARL Françoise **Grossot Sélection,** 170
Ch. **Gruaud-Larose,** 384
Nicolas **Gruère,** 412
Champagne **Gruet,** 626
SEV René **Gruet,** 318
Dominique **Gruhier,** 413
Jean-Marc **Grussaute,** 792
Henri **Gsell,** 125
Yves **Guégniard, 862** 869
Alain **Gueneau,** 946
Jérôme **Gueneau,** 946
SCEA Hubert **Guéneau,** 847
SCEA Hubert **Guéneau et Fils,** 822
Patrick **Guenescheau,** 900
SA Michel **Guérard,** 797
Jacques **Guérin,** 1027
Philippe **Guérin,** 830
Philippe et Nathalie **Guérin,** 176
Paul **Guertin** , 906
Pierre **Guéry,** 1051
Dom. **Gueugnon-Remond,** 429
Véronique **Guibert de La Vaissière,** 1067
SA I vini di **Guido Brivio,** 1109
Guigal, 975 977
M. **Guigard,** 166
Bruno, Dominique et Pascal **Guignard,** 323
GAEC Philippe et Jacques **Guignard,** 396
Vignerons-récoltants **Guignard,** 392
Charles de **Guigné,** 356
Bernard **Guignier,** 153
Michel **Guignier,** 152
Antoine **Guilbaud,** 827
Guilbaud Frères, 830
Guilbaud-Moulin, 833
SC **Guillard,** 469
SCEA Ch. **Guillaume,** 202
Vignoble **Guillaume,** 1078
SCE du Dom. Pierre **Guillemot, 412 518**
Jacques **Guillerault,** 948
Guillermier Frères, 805
Yvon **Guillet,** 837
Jean-Michel **Guillon,** 469
Philippe **Guillon,** 696
Guillon-Painturaud, 1037
Amélie **Guillot,** 660
Dom. Patrick **Guillot,** 570
SCEA **Guillot de Suduiraut,** 310
Benoît **Guinabert,** 325
Henri **Guinabert et Fils,** 400
Dom. **Guinand,** 701
Sylvie et Jacques **Guinaudeau,** 201 214 247
Jacques **Guindon,** 840
Marjorie **Guinet et Bernard Rondeau,** 679
Maison **Guinot,** 685
Stéphane **Guion,** 896
GFA Ch. **Guiot,** 694
SCA du Ch. **Guiraud,** 202 **395**
Jean **Guirouilh,** 791
Corinne **Guisez,** 270 298
Romain **Guistel,** 626
Jean **Guiton,** 502 525 530 535
Dom. **Guitton-Michel,** 453
Véronique **Günther-Chéreau,** 832
Alain **Guyard,** 463 465 469 489
Jean-Pierre **Guyard,** 465
Vignerons de **Guyenne,** 193 304
Dom. **Guyon,** 433 469 505 511 513
EARL Dom. **Guyon,** 469 **489** 496 505 518
SCEA DGM Jean **Guyon,** 344
Guyot, 984
EARL Olivier **Guyot,** 423 463 465 469
EARL Robert **Haag,** 104
Jean-Marie **Haag,** 83 131
Dom. Henri **Haeffelin et Fils,** 89 97
Bernard et Daniel **Haegi,** 89 111
Francis **Haerty,** 904
Patrice **Hahusseau, 920**
Dupond d' **Halluin,** 590
D' **Halluin-Boyer,** 311
EARL **Hamelin,** 444
Thierry **Hamelin,** 448
Champagne **Hamm,** 626
SA **Hammel,** 1087
H.-Y. et B. **Handtmann,** 740
Emile **Hanique,** 541
SA Ch. **Hanteillan,** 351
Béatrice et Dominique **Hardy, 828**
Harlin Père et Fils, 626
Dom. **Harmand-Geoffroy,** 469 475
André **Hartmann,** 89 97 105
Hartmann Weinbau, 1105
Alain **Hasard,** 429
Jean-Noël **Haton,** 626
Haton et Fils, 626
Louis et Claude **Hauller,** 89 111
J. **Hauller et Fils,** 89
Michel **Haury,** 312
SCA du Ch. **Haut-Bailly,** 329
SCEA Ch. **Haut Breton Larigaudière,** 222 364
SCEA Ch. **Haut Brisey,** 339
SCEA Ch. **Haut-Brisson,** 273
SARL du ch. **Haut-Canteloup,** 339
Les Vignerons de **Haute-Bourgogne,** 441
SCEA **Haute-Fontaine,** 689
Les Caves des **Hautes-Côtes,** 412 423 433 437
Ch. **Haut Gros Caillou,** 259
SCEA Ch. **Haut Lignières,** 709
SCEA de **Haut-Mazeris,** 239
Les Vignerons du **Haut-Minervois,** 714
SCEA Ch. **Haut Nadeau,** 305
SA Cave du **Haut-Poitou,** 926 927
Cellier d' **Hautpoul,** 712
SCEA Ch. **Haut Saint-Clair,** 295
Sté d'Exploitation du Ch. **Haut-Sarpe,** 261 287
Cave des **Hauts de Gironde,** 197 205 231
SA Cave des **Hauts de Seyr,** 1053
GFA Ch. **Haut-Vigneau,** 330
Dominique **Hauvette,** 757
SCA Ch. de **Haux,** 221
Dominique **Haverlan,** 324
Patrice **Haverlan,** 320
SCE Vignobles du **Hayot,** 393 395 399
H.D.V. Distribution, 445
Benoît **Hébert,** 1041
Jean-Paul **Hébrart,** 626
Marc **Hébrart,** 626
Louis **Hegg et Fils,** 1090
Heidsieck & Co Monopole, 626
EARL d' **Heilly-Huberdeau,** 568
Heim, 97
Philippe **Heitz,** 111
Léon **Heitzmann,** 89 112
SARL des Vignobles J.-P. **Hembise,** 801
D. **Henriet-Bazin,** 627
Champagne **Henriot,** 627
J.-P. **Henriquès, 726**
Marie-Cécile et Patrick **Henry,** 1072
SCA **Henry de Vézelay,** 412 421
GAEC **Henry Frères,** 412 424
Champagne Paul **Hérard, 627**
Hérard et Fluteau, 621
GAEC **Hérault,** 904
Brice **Herbeau,** 753
Didier **Herbert,** 627
Dom. **Heresztyn,** 469 476 **479**
Pierre et Jean-Daniel **ring,** 112
Joël **Hérissé,** 1051
EARL Bernard **Hérivault,** 919
Philippe **Hermouet,** 221 239
Marc **Heroult,** 205
Guy **Hersard,** 900
Dom. Victor **Hertz,** 112
EARL Sylvain **Hertzog,** 97 105
Jean-Noël **Hervé,** 241
Jean-Marc **Héry,** 842 851 1046
Emile **Herzog,** 97
Dominique **Hessel,** 371
Stéphane **Heurlier,** 199
Roger **Heyberger et Fils,** 97
Vins d'Alsace Lucien **Heydmann,** 112
EARL **Hillau,** 789
SCEA Dom. d' **Homs,** 771
Victor **Honoré,** 834
Honoré Lavigne, 424
Ernest **Horcher et Fils,** 124 128
Raoul **Hortala,** 1068
Hospices de Beaujeu, 178
Hospices de Dijon, 437
Hospices de Saumur, 877
Paul **Hostein,** 360
Ch. **Hostens-Picant,** 308
M. **Hostomme et ses Fils,** 627
Jean-Luc **Houblin,** 413
Dominique **Houdebert, 924**
Charles **Hours,** 792
B. et G. **Hubau,** 238 239
Daniel **Huber,** 1109
Huber et Bléger, 84
Dom. **Huber-Verdereau,** 424 531 535
EARL Bernard **Hubschwerlin, 627**
Gilles **Hue,** 339
Sté **Huet,** 195 202
Huet-L'Echansonne, 914 916
Laurent **Hug,** 1096
Hugel et Fils, 97
Vins O. **Hugentobler Hoirie,** 1096
Romuald **Hugot,** 450
SCEA Jacques **Hugot et Jean Michaut,** 446
Benoît **Huguenot,** 627
SCE Dom. **Huguenot Père et Fils, 463** 465 470
Anne **Hugues,** 1071
Francis et Patrick **Huguet, 921**
Dom. **Humbert Frères,** 470
EARL Claude et Georges **Humbrecht,** 120
Jean-Bernard **Humbrecht,** 105 120
SCEA Marcel **Humbrecht,** 120
Jean-Marie **Humeau,** 820
Cave vinicole de **Hunawihr,** 119 126
EARL Bruno **Hunold** , 90 130
Jean-Marie **Huré,** 803
Jean-Pierre **Husson,** 627
Huteau-Hallereau, 836 1050
EARL Jean **Huttard,** 90
Famille André **Iché,** 713
IDV France, 343
Cave coop. des Vignerons d' **Igé,** 424 582
Dom. **Ilarria,** 789
Jean-René **Imbeau,** 929
Christian **Imbert,** 765
EARL **Imbert,** 960 969
GAEC **Imbert,** 1007
SA Vins Sierre **Imesch,** 1100

PRODUCTEURS

Institut Pasteur, 161
Michel **Isaïe**, 429 568 575
Jean-François **Izarn et Cathy Planes**, 715
Alain **Jabiol**, 266
Paul **Jaboulet Aîné**, 986
Dom. Lucien **Jacob**, 518 525
Dom. Robert et Raymond **Jacob**, 502 513
Frédéric **Jacob**, 424
Caveau des **Jacobins**, 667 670 1043
Hubert **Jacob-Mauclair**, 437
Pierre **Jacolin**, 936
SA **Jacquart**, 628
André **Jacquart et Fils**, 628
Champagne Yves **Jacques**, 628
Ch. des **Jacques**, 413
Marc **Jacquet**, 693
Jacquinet-Dumez, 628
Maison Louis **Jadot**, 511 590
Jaffelin, 535 541 544 580 594
Roger **Jaffelin et Fils**, 508
André **Jaffre**, 151
Champagne E. **Jamart et Cie**, 628
Annie et René **Jambon**, 165
Dominique **Jambon**, 178
EARL M.-France et Gabriel **Jambon**, 159
Dom. Jean-Paul et Jean-Luc **Jamet**, 975
Francis **Jamet**, 902
Guy **Jamet**, 905
SCE Les Vignobles **Jander**, 361
Madeleine et Jacques **Janin**, 181
Marie-Odile **Janin**, 587
Paul **Janin**, 174
Mas de **Janiny**, **1061**
Philippe **Janisson**, 628
Champagne **Janisson-Baradon**, 628
Janny, 414 582 595
François **Janoueix**, 293
Jean-François **Janoueix**, **247** 263
Jean-Philippe **Janoueix**, 253
SCE Vignobles Albert **Janoueix**, 245
SC Joseph **Janoueix**, **246** 247 249
Guido **Jansegers**, 690
Franck **Janvier**, 885
Bernard **Jany**, 687
Jard, 840
Elisabeth et Benoît **Jardin**, 909
René **Jardin**, 628
Daniel **Jarry**, 916
Ch. de **Jau**, 726 1026
Jaubert-Noury, 723
Sylvette **Jauffret**, 755
GAEC **Jauffrineau-Boulanger**, 838
Dom. **Jaume**, 958 968
EARL Alain **Jaume**, 996
Patrick **Jaume**, 995
SCE de **Javernand**, 164
GAEC Valoir **Javoy et Fils**, 935
Michel **Jean**, 286
Pierre **Jean**, 277
Champagne **Jean de La Fontaine**, 630
Jean de Moulinsart, 582
Dom. Guy-Pierre **Jean et Fils**, 531
Hubert **Jeanjean**, 704
Hugues **Jeanjean**, 698
Hugues et Bernard **Jeanjean**, 1030
SA **Jeanjean**, 709
Jeannin-Mongeard, **723** 1027
GAEC **Jeannot Père et Fils**, **940** 941
Francine **Jeante**, 799
Dom. Philippe **Jean-Trintignant**, 997
SCEA du Ch. **Jean Voisin**, 274
SA Champagne **Jeeper**, 629
EARL Mesdames de **Jessey**, 857
Dom. **Jessiaume Père et Fils**, 525 541 561
Vignobles **Jestin**, 810
SA Les vignobles Elie **Jeune**, 996
Dom. Emile **Jobard**, 547
Rémi **Jobard**, 413 429 539
René **Jobet et Fils**, 1037
Ets Raoul **Johnston**, 379
Jean-Luc **Joillot**, 424 437 525 531
Dom. **Joliette**, 527
Dom. **Jolivet**, 820 844
Pascal **Jolivet**, 947
Hervé **Jolly**, 629
Jolly Frères, 844 851
Claude **Joly**, 667 672
Nicolas **Joly**, 858 859
Bernard **Jomain**, 157
Pierre et Jean-Michel **Jomard**, 146
Jean-Hervé **Jonnier**, 565 575
GAEC Maria **Jonquères**, 1020
EARL **Jonquères d'Oriola**, 722 1026
F. **Jonquères d'Oriola**, 725
Les Vignerons de **Jonquières**, 694
SCA Les Vignerons de **Jonquières Saint-Vincent**, 696 1061
Bertrand **Jorez**, 629
EARL Michel et Mickaël **Joselon**, 842
Christian **Joseph**, 877
Dominique **Joseph**, **878**
EARL M.-C. et Dominique **Joseph**, 176
Josmeyer, 97 105 120
Jean-Pierre **Josselin**, 629
Gabriel **Jouard**, 555
EARL Dom. Gabriel **Jouard Père et Fils**, 562
Le Cellier de **Joudin**, 1074
Philippe **Joulin**, 878
Francis **Jourdain**, **925**
Pascal **Jousselin**, 890
SCEA **Jousset**, 845 854
Jouve-Férec, 749
Jean **Joyet**, 146
J. et P. **Joyeux**, 806
SC Vignobles **Jugla**, 372
Jean-Camille **Juilland**, 1096
EARL Michel **Juillard**, 152
Franck **Juillard**, 168
Dom. Michel **Juillot**, 513 576
Diane **Julhiet**, 159
Bernard **Julien**, **1059**
Eric **Julien**, 238
Julien de Savignac, 803
Guy **Jullian**, 996
Jullien, 959
Jean-Pierre **Jullien**, 698
Charles **Jumert**, 924
Patrick **Junet**, 268
Roger **Jung et Fils**, 129
Daniel **Junot**, 413
Philippe **Junquas**, 215
Cave des Producteurs de **Jurançon**, 788 791
Frédéric **Juvet**, 691
Keller Meinrad, **1105**
Jean-Charles **Kieffer**, 112 134
René **Kientz Fils**, 131
André **Kientzler**, 125
Antony **King et Andréa Gray**, 298
Olivier **Kirmann**, 90
Pierre **Kirschner**, 94
Famiglia **Klausener**, 1110
Klée Frères, 84 98
EARL Joseph et Jacky **Klein**, 85 132
EARL Ouahi et Rémy **Klein**, **960**
Françoise et Jean-Marie **Klein**, 105
Klein-Brand, 134
André **Kleinknecht**, 112 121
Alain **Klingenfus**, 117
Robert **Klingenfus**, 87 117
Dom. **Klipfel**, 122
Klur-Stoecklé, 130 134
GAEC René et Michel **Koch**, 125
Jean-Marie **Koehly**, 134
Veronica **Koellreuter**, 1105
Raymond **Kohll-Leuck**, 1083
Jan de **Kok**, 397
Gérard **Kopp**, 356 357
Famille **Kopp-von der Crone**, 1110
Dom. vitic. Laurent et Benoît **Kox**, 1083
Laurent **Kraft**, 917
Kressmann, 319 351
Dom. **Kressmann**, 332
Caves **Krier Frères**, **1083**
Dom. **Krier-Welbes**, **1083**
Krossfelder, 98 134
Krug Vins fins de Champagne, 629
Kuentz-Bas, 105 118 125
Gebrüder **Kümin**, 1106 **1107** 1107 1108
J.-C. **Kuntzer et Fils, succ. J.-Pierre Kuntzer**, 1103
La Cave de **L'Abbé Rous**, 728 1016 1017
Dom. de **L'Aigle**, 685
Dom. **L'Aiguelière**, 702
Michel **L'Amouller**, 226
Dom. de **L'Arjolle**, 1066
Ch. **L'Arnaude**, 739
Dom. de **L'Aumonier**, 887
Caves de **L'Echanson**, 427
Cellier de **L'Enclave des Papes**, 961 969 989 992 1006
Ch. **L'Enclos**, 249
SCEA Ch. **L'Enclos**, 309
SCEA **L'Enclouse des Vignes**, 1037
SCEA du Ch. de **L'Engarran**, **703** 1062
SCA Clos de **L'Epinay**, 915
Ch. **L'Ermitage**, 397
GFA Dom. de **L'Estello**, 740
Sté coop. **L'Etoile**, 729 **1016 1017**
SC Ch. **L'Evangile**, 249
GFA Dom. de **l'Evêque**, 173
L'Héritier-Guyot, **485**
Union de Vignerons de **L'île de Beauté**, 762 764 1069
Coop. des Vignerons de **L'île de Ré**, 1037
SCEA du Dom. de **L'Ile Margaux**, 218
Ch. de **L'Isolette**, 1011
GAEC de **L'Oriol**, 770
SCA Cave de **L'Ormarine**, 700
Dom. de **L'Orme**, 445 449
Coopérative vinicole **L'Union**, 631
Ch. **Labarde**, 351
Jacques de **La Bardonnie**, 806
SCV Les Producteurs de **La Barnède**, 1020 1026
Claude de **Labarre**, 277
Pascal **Labasse**, 790
SCEA **La Bassonnerie**, 246 255
Cave de **Labastide-de-Lévis**, 779
SCEA Dom. de **La Bastidonne**, 1008 1071
EARL des vignobles **Labat-Lapouge**, 390
Dom. de **La Baume**, 1061
Ch. **Labégorce**, 365
GFA **Labégorce-Zédé**, 365
Dom. **La Bégude**, 1061
Pierrette et Christian **Labeille**, 307
Caves de **La Béroche**, 1103
Alain **Labet**, **667** 668
Dom. Pierre **Labet**, **413** 518 525
SCV de **Lablachère**, 1076
Laborbe-Juillot, 572
SCI **La Borderie**, 808
SEP **Laboucarié**, 688
Vincent **Labouille**, 397
Alain **Labourdette**, 791
Labouré-Roi, 175 453 458 550 568 580
SCA **La Braulterie-Morisset**, 228
Lycée viticole Dom. de **La Brie**, 804
Roger et Marie-Hélène **Labruyère**, 177
Dom. André et Bernard **Labry**, 438 541
Gilles **Labry**, 438
SCEA Dom. de **La Cabanne**, 216
SCV **La Cadiérenne**, 749
SA **La Cappellaccia**, 1110
Cave coopérative **La Carignano**, 701
Dom. de **La Casa Blanca**, 1016
Ch. **Lacaussade-Saint-Martin**, 228
EARL Francis **Lacave**, 1040
SCV **La Cave de Gruissan**, **690**
La Cave du Connaisseur, 453
La Chablisienne, 413 441 444 448 458
Alfred de **La Chapelle**, 588
Dom. de **La Chapelle**, 429
SCEA du Ch. **La Chapelle**, 292
SCEA Ch. **La Chapelle Maillard**, 240
Dom. **Lacharme et Fils**, 582
Cave coop. de **Lachassagne**, 146
SA **Lacheteau**, 823 853 876
Thomas **La Chevalière**, 150
SCEA Ch. **La Chèze**, 202 312
Cave coop. **La Clairette d'Adissan**, 687
SARL Direct Wines (Castillon) **La Clarière Laithwaite**, 299
Vignobles de **La Cloche**, 758
Ch. de **La Colline**, 801
SARL **La Colombarie**, 778
SCI de **La Combe Morguière**, 152
Ch. **La Commanderie**, 379
La Compagnie rhodanienne, 693
Cave **La Comtadine**, 959
Dominique **Lacondemine**, 161
Jérôme **Lacondemine**, 151
Noël **Lacoque**, 172
Francis **Lacoste**, 1030
GFA du Ch. **La Coste**, 754
Jean-Louis **Lacoste**, 793
SCEA Ch. **La Courançonne**, 968
Cave coop. **La Courtoise**, 1008
Dom. de **La Créa**, 531 544
Dom. de **La Cressonnière**, 738
Champagne Jean **Lacroix**, 630
EARL **Lacroix**, 844

SCF Dom. de **La Croix,** 340
Ch. **La Croix Chabrière,** 959
Dom. de **La Croix d'Argis,** 660
Dom. de **La Croix Jacquelet,** 414
Ch. **La Croix Saint André,** 254
Dom. **La Croix Sainte Eulalie,** 716
Mas de **La Dame,** 754 757
SCEA de **La Dîme,** 896
GAEC Clos de **La Dorée,** 886
De **Ladoucette,** 939
EARL Ch. **La Dournie,** 715
EARL de **La Ducquerie,** 844
P.-H. de **La Fabrègue,** 724
GAEC Dom. **Lafage,** 1027
Jean-Louis **Lafage, 1023**
Claude **Lafaye,** 801
Vignobles **Lafaye Père et Fils,** 287 299 302
Dom. de **La Ferme Blanche,** 746
Hubert **Laferrère,** 588
Jean-Marc **Laffitte,** 797
SCA Vignobles **Laffourcade,** 869
Arnaud de **La Filolie,** 277
Ch. **Lafite-Rothschild, 374** 374
Charles **Lafitte,** 630
SCE Ch. **La Fleur Milon,** 375
Daniel **Lafoi,** 203
Dom. de **La Folie,** 572
Claude **Lafond,** 944
Jacques **Lafond,** 1000 1002
Dom. **Lafond Roc-Epine,** 1000 1002
SCEA **Lafon-Fauchey,** 340
EARL des Vignobles **Lafont,** 803
EARL Jean-Marc **Lafont,** 156
SCEA **La Font du Roc,** 807
Jean-Marc **Laforest,** 178
Dominique **Lafosse,** 316
Dom. Jean et Gilles **Lafouge,** 542
SCS Dom. **Lafragette,** 321
SCEA Ch. **La Franchaie,** 844 858
SC de **La Frérie,** 301
Dom. de **La Gabillière, 892** 892
GFA des vignobles Ph. de **Lagarcie,** 226
EARL Roland **Lagarde,** 691
Francis **Lagarde,** 810
SC du Ch. **La Garde,** 330
Serge **Lagarde,** 808
EARL de **La Gérade,** 738
SC de **La Gironville,** 348 350
EARL Dom. de **La Giscle,** 738
Gérard et Jeannine **Lagneau,** 152
SCEA **Lagneaux-Blaton,** 381
GFA **La Gomerie,** 276
SCEA Ch. **Lagorce,** 312
Les Maîtres Vignerons de **La Gourmandière,** 886
La Gouzotte d'Or, 508
Les Vignerons de **La Grand'Maison,** 935
SCEA **La Grande Pleyssade,** 801
Ch. de **La Grange,** 1036
Dom. de **La Grange Arthuis,** 931
Ch. **Lagrange SA,** 384 385
Michel **Laguna,** 1064
La Guyennoise, 222 357
Benoît **Lahaye,** 630
Lahaye Père et Fils, 531
Laherte Frères, 630
Jean-Pierre **Lahiteau,** 397
Jean-Pierre **Laisement,** 917
André **Laissus,** 179
Gérard **Lajonie,** 809
Ch. **La Lagune,** 352
SCEA Ch. **Lalande,** 385
GAEC **La Lande de Taleyran,** 221 305
EARL **Lalande et Fils,** 318 392 394
GAEC **Lalande et Fils,** 295
Alain **Lalanne,** 1041
Jean-Charles **Lalaurie,** 1062
SARL Dom. de **La Lauzade Kinu-Ito,** 738
Dom. **Laleure-Piot,** 498 508 511 514 518 521
Alain **Lallement,** 630
Lallement-Deville, 618
Les Caves de **la Loire,** 852
Serge **Laloue,** 947
GAEC Dom. de **La Mabillière,** 917
La Maison des Vignerons, 164
Cave **La Malepère,** 719
Ch. de **La Maltroye,** 414 562
Michel **Lamanthe,** 549 555
Cave coopérative de **La Marana,** 764 **1069** 1069
Dom. François **Lamarche,** 486 488
Ch. **La Margillière,** 759
Ch. **Lamargue,** 694
Dom. de **La Marquise,** 728 1016
SCEA Ch. **Lamartine,** 773
Pascal **Lambert,** 905
Patrick **Lambert,** 905
SCEA Yves **Lambert, 879**
EARL Dom. des **Lambertins,** 992
Lamblin et Fils, 454
Sté Nlle du Dom. des **Lambrays,** 476 480 550
EARL **Lamé-Delisle-Boucard,** 895
Vignerons de **La Méditerranée,** 1031
GAEC de **La Merlatière,** 151
SARL Dom. de **La Métairie,** 812
Champagne **Lamiable,** 630
Dom. **La Monardière,** 960 992
C. **Lamon et Cie,** 1099
Cave coop. **La Montagnacoise,** 708
Cave **La Montagne Rouge,** 1008
Dom. **La Montagnette,** 969
Dom. de **La Mordorée,** 960 997 1000
Les Caves du Ch. **Lamothe,** 388
SC Ch. **Lamothe,** 352
Robert **Lamothe et Fils,** 392 396
CAT **Lamothe-Poulin,** 1054
Dom. de **La Motte,** 444 454
Pierre **Lamotte,** 547
EARL Jean-Jacques **Lamoureux,** 630 656
Vincent **Lamoureux,** 630
Dom. de **La Moutonne,** 458
Dom. Hubert **Lamy,** 555 558 562
Dom. **Lamy-Pillot,** 550 555 558
Fondation **La Navarre,** 739
Claude **Lancelot,** 631
A. **Lancelot-Pienne,** 631
EARL P. **Lancelot-Royer,** 631
SCEA Dom. Pierre **Lançon,** 997
GAEC de **Lancyre,** 702
François **Landais,** 215
Vignobles **Landeau,** 219
GFA de **Landeron,** 197 206
SCA Les Vignerons de **Landerrouat-Duras,** 815
Armand **Landmann,** 83
Seppi **Landmann,** 131
Dom. **Landrat-Guyollot,** 939
Christian **Landreau,** 1038
SCEA **Landrodie Père et Fille,** 274
Pierre **Landron et Fils,** 832
Marie-Christiane **Landry,** 323
Jean-Marc **Landureau,** 338
SCEA Ch. de **La Négly, 702**
SCA Ch. **La Nerthe,** 997
Domaines Edmond **Laneyrie,** 168
Dom. Edmond **Laneyrie,** 586
Ch. **Langlade,** 702
Michel **Langlois,** 931
Langlois-Château, 872
Sylvain **Langoureau,** 555 558
Sté Alain **Lanneau,** 340
Les Vignerons de **La Noëlle,** 826 1051
Dom. **Lanoix,** 928
Dominique **Lanot,** 1055
Les Vignerons de la Cave de **Lansac,** 234
Lanson, 631
SCEA Henri de **Lanzac,** 1002
La P'tiote Cave, 572
Maurice **Lapalus, 585**
Pascal **Lapeyre** , 788
Lapeyronie, 300 302
Dom. de **La Pierre,** 175
Gérard **Lapierre,** 162
Michel **Lapierre,** 590
GAEC de **La Pinsonnière,** 917
Dom. de **La Pinte, 660** 661 1043
Ch. d'Aydie et vignobles **Laplace,** 793
Jean-Luc **Laplace,** 160
Michel et Pascale **Laplace,** 182
Dom. **La Pléiade,** 726 1024
SCE Ch. **La Pointe-Pomerol, 248**
Jean **Laponche,** 738
Laporte, 947
Dom. **Laporte, 722** 1027 1067
Olivier **Laporte,** 291
Henri **Lapouble-Laplace,** 792
Dom. de **La Poulette,** 490 496
SCE Dom. **La Pousse d'Or,** 535
Maîtres vignerons de **La Presqu'île de Saint-Tropez,** 739
Dom. de **La Prévôté,** 892
SC du Ch. **La Prioulette,** 312 321
Stéphane **Lapute,** 179
CDEF de **Laquenexy,** 137
Ch. **Laquirou,** 703 1062
GAEC **Lardière,** 228
SCEA Dom. de **La Reynardière,** 709
Dom. **Large,** 160
Ghyslaine et Jean-Louis **Large,** 145
Michel et Alain **Large,** 205 306
Daniel **Largeot,** 506 521 525
SCEA **La Rivalerie,** 208 228
SA Ch. de **La Rivière,** 240
SCE du Ch. **Larmande,** 278
EARL Champagne Guy **Larmandier,** 631 654
Champagne **Larmandier-Bernier,** 631 654
Ch. de **La Roche,** 887
Claude **Laroche,** 454
Dom. **Laroche,** 448 454 458
SCI Mme **Laroche,** 859
Daniel **Larochette,** 595
EARL Jean-Yves **Larochette,** 148
Fabrice **Larochette,** 586
SC du Dom. de **La Romanée-Conti, 492 493 551**
Marc **Laroppe,** 137
Marcel et Michel **Laroppe,** 137
La Roque, 749
La Rose Pauillac, 375
Vignoble de **La Roseraie,** 897
SA Ch. **Larose-Trintaudon,** 353
SCEA **La Rouillère,** 739
Daniel **Larrieu,** 391
Jean-Bernard **Larrieu,** 792
SNC du Ch. **Larrivet Haut-Brion,** 331
SCEA Vignobles **Larroque,** 311 387
EARL du dom. **Larroudé,** 792
Bernard **Lartigue,** 360 371
GAEC **Lartigue,** 352
Jean-Claude **Lartigue,** 1057
Dom. **Larue,** 549 550 555 558
SCV **La Saint-Cyrienne,** 1073
SCEA Ch. de **La Salle,** 208 228
SCEA Dom. de **La Sauveuse,** 739
Sté viticole de Ch. **Lascombes,** 365
GFA Dom. de **La Sensive,** 834
EARL Dom. de **La Serizière,** 307
Cave coop. **La Siranaise,** 713
Champagne J. **Lassalle,** 632
Champagne P. **Lassalle-Hanin,** 632
Roger **Lassarat,** 590 595
Jean-Claude **Lasseignou,** 1041
Pierre **Lasserre et Jean-Marie Garde,** 251
C.A.T. Ch. de **Lastours,** 690
Dom. de **La Taille aux Loups,** 912
Laurence **Lataste,** 319
GFA de **La Terrière et du Souzy,** 158
SA **Lateyron,** 224
Jean **Lathuilière,** 158
Bruno **Latil,** 759
La Tornale, Vincent Favre, 1096
GAEC des Vignobles **Latorse,** 207
Eric et Bernard **Latouche, 234**
Bernard **Latour,** 970
Ch. de **La Tour,** 486
Maison Louis **Latour,** 493 506 514 525 553 562 578 595 1074 1077
SCV de Ch. **Latour, 375**
Caves de **La Tourangelle,** 887
Ch. **La Tour Blanche,** 397
SCEA Ch. **La Tour Carnet, 353**
SCEA Ch. **La Tour de Mons,** 365
Henri **Latour et Fils,** 542
SC Ch. **La Tour Figeac,** 279
Dom. Jean **Latour-Labille Fils,** 547
Groupe de producteurs **La Tour Mont d'Or,** 291
Dom. de **La Tournelle,** 661
EARL **La Tour Rouge,** 198
Dom. **La Tour Vieille, 729** 729 1016
Sté Domaines **Latrille,** 791
SCEA Dom. **Latrille-Bonnin,** 317
Roland **Lattaud,** 150
SCEA Lisa **Latz,** 732
Noël **Laudet,** 1055
Les Vignerons de **Laudun,** 954 969
Joseph **Launais,** 833
Dom. Raymond **Launay,** 531
François **Launay,** 181
Champagne **Launois Père et Fils,** 632 652

Cellier de **Lauran Cabaret,** 713
Philippe **Laure,** 839
Cave coop. de **Laurens,** 709
GAEC Famille **Laurent,** 933
Champagne **Laurent-Perrier,** 632 654
Dom. des **Lauriers,** 703 1062
Ville de **Lausanne, 1088**
SCEA Famille **Laval,** 245
Cave de **La Valdaine,** 1075
Lavallée, 448
Lavanceau, 351
Ch. **La Varière, 845** 868 869
GAEC Jean **Lavau,** 269 300
Pierre **Lavau,** 282
SCEA de **Lavaux,** 251
EARL **Lavergne,** 808
GAEC **La Verrière, 309**
SCEA de **La Vieille Croix,** 240
SNC Ch. **La Vieille Cure,** 240
GAEC de **La Vieille Fontaine,** 573
SCA **Lavigne,** 878
SCEA **Lavigne,** 259 272
EARL du Ch. **Laville,** 397
Jean-Hubert **Laville,** 198
Serge **Laville,** 143
Cave de **La Ville-Dieu-du-Temple,** 784
Cave coopérative **La Vinsobraise,** 961 969
La Voie des Loups, 637
Dom. Hervé de **Lavoreille,** 562
Bernard **Laydis,** 293
GAEC Maurice et Maxime **Lazzarini,** 767
EARL Philippe et Pascal **Leblanc,** 848 1052
EARL Jean-Claude **Leblanc et Fils,** 842 **867**
Ch. **Le Boscq,** 380
SC Ch. **Le Bourdieu,** 358
EARL Patrick et Odile **Le Bourlay,** 153
EARL J.-Y. A. **Lebreton, 852**
Victor et Vincent **Lebreton,** 852 **856**
EARL Louis **Lebrin,** 839
Albert **Le Brun,** 632
Sté Coop. vinicole **Le Brun de Neuville,** 632
EARL **Le Brun-Servenay,** 633
Georges **Lecallier,** 380
EARL Dom. **Le Canton,** 309
Dom. **Le Capitaine,** 917
GAEC **Le Castela,** 770
GAEC Dom. **Leccia,** 767 1033
Jean **Lecellier,** 434
SARL **Le Cellier des Tiercelines,** 661
EARL **Lechat et Fils,** 1050
François **Leclair,** 887
Claude **Leclaire,** 633
Champagne **Leclerc Briant,** 633
Leclerc-Mondet, 633
EARL Chantal et Georges **Lecleve,** 837
Joël **Lecoffre,** 891
Marie-Jeanne et Vincent **Lecointre,** 849
SCEA David **Lecomte,** 854
Denis **Lecourt,** 222
Ch. **Le Crock,** 380
SCA du ch. **Lecusse,** 778
Cave coopérative **Le Dominicain,** 729 1015
SCEA **Le Doyenné,** 312
Marie-Noëlle **Ledru,** 633
Mme Georges **Leduc,** 845 864
André **Leenhardt,** 699
Hervé et Pascaline **Leferrer,** 689 1061
Etienne **Lefèvre,** 633
Olivier **Leflaive,** 424 544 550 552 553 556
SC Ch. **Le Fournas,** 348
EARL Philippe **Léger,** 865
Patrick **Léger,** 886
B. **Léger-Plumet,** 595
Dom. viticole **Legill et Fils,** 1083
Bernard **Légland,** 449 455
Anne-Marie **Léglise,** 397
Eric **Léglise,** 366
Dom. Catherine **Le Gœuil,** 969
Eric **Legrand,** 633
Champagne R. et L. **Legras,** 634
Legras et Haas, 634 656
SCEA Ph. et A. **Legrix de La Salle,** 217
Jacky **Legroux,** 935
Le Jan, 815 **815**
Dom. **Lejeune,** 414 425 531
SCEA **Le Joncal,** 801
Ch. **Le Jurat,** 279
Alain **Lelarge,** 912
Dominique **Lelarge,** 634
André et Roland **Lelièvre,** 137
SCEA **Le Lys,** 750
Patrice **Lemaire,** 634
Philippe **Lemaire,** 634
Le Manoir murisaltien, 576
Marthe et François **Lemarié,** 687
SCEA Ch. **Le Mas,** 740
GAEC **Lemoine,** 844 1050
Coopérative Vinicole **Le Mont Aurélien,** 741
SA **Le Muid Montsaugeonnais,** 1078
Toni **Lenggenhager,** 1097
Ginette **Lenier,** 295
Jean-Marie **Lenier,** 296
SA **Lenique et Fils,** 634
Champagne A. R. **Lenoble,** 629 634
Gilles **Lenoir,** 584
EARL **Lenoir Fils,** 157
Frédéric **Lenormand,** 441
Ch. **Léoville Poyferré,** 385
Fernand **Lepaumier,** 711
Christian **Leperchois,** 1001 1003
Le Plantis des Vallées , 1037
Louis **Lequin, 514** 552 556
René **Lequin-Colin,** 556
Jean-Michel **Leroy,** 864
SCEA Vignoble Bruno **Le Roy,** 199
SCEA **Les Abeillons,** 760 1073
Les Amis de la Chartreuse de Seillon, 317
Dom. **Le Sang des Cailloux,** 993
GFA du Ch. **Le Sartre,** 332
SCEV **Les Berry Curiens,** 942
EURL **Lescalle,** 218
Ch. **Les Carmes Haut-Brion,** 332
Patrice **Lescarret, 776**
GFA **Les Catalognes,** 703
Alain **Lescaut,** 816
Les Caves de la Brèche, 216
Les Caves du Chancelier, 481 490 535 562 580
GFA **Les Charmes-Godard,** 302
Dom. **Les Chenêts,** 984
Les Cordeliers, 224
Cave coop. **Les Costières,** 705
Cave **Les Costières de Pomérols,** 1067
Cave coop. **Les Coteaux,** 707
SCA **Les Coteaux d'Avignon,** 956
SCEA **Les Coteaux de Bellet,** 747
SCEA **Les Coteaux de Coiffy,** 1078
Les Coteaux de Fontanès, 1063
Cave **Les Coteaux de Visan,** 968 **970**
Cave **Les Coteaux du Brionnais,** 1077
Les Coteaux du Pic, 704
EARL **Les Coteaux Valentin,** 651
SARL H.L. Ch. **Les Crostes,** 740
Dom. Chantal **Lescure,** 429
Jean-Luc **Lescure,** 804
EARL **Les Deux Lay,** 1053
Les Domaines de Vinsmoselle, 1082 **1084** 1084 1085
SCEA **Les Ducs d'Aquitaine,** 215
SARL **Les Ferrandières,** 1062
Les Frères Philippoz, 1097
Dom. **Les Goubert,** 970
SC **Les Grandes Murailles,** 268 269 279
Les Grandes Serres, 998
Dom. **Les Grands Bois,** 970
Les Grands Caveaux de France, 846
SC **Les Grands Crus réunis,** 358 365 369
SCEA **Les Groies,** 1036
SARL **Les Hauts de Palette,** 195
EARL **Les Hauts Martins,** 289
Coop. **Les Maîtres Vignerons Nantais,** 835
EARL Ch. **Les Mangons,** 309
Ch. **Les Palais,** 690
GFA **Les Pillets,** 179
Jean-François **Lespinasse,** 316
Vte et Vtesse Patrick de **Lesquen,** 266
SCV **Lesquerde,** 727
Ch. **Lesquireau-Desse,** 353
Cave coop. **Les Roches blanches,** 1008 1071
SARL **Les Roches Blanches,** 912
Myriam de **Lesseps-Dorise,** 1054
Ch. **Lestage,** 360
SCA **Les Treilles,** 700
EARL **Les Treilles de Cézanne,** 755
SCA **Les Trois Collines,** 311
SCEA **Les Trois Croix, 241**
EARL Dom. **Les Vadons,** 1011
Dom. **Les Varennes,** 149
GAEC **Les Vaucorneilles,** 894
GFA **Les Vergers du Chayla,** 155
Cave **Les Vieux Colombiers,** 336
SCEA Ch. **Les Vignals,** 778
Les Vignerons des Terroirs Savoyards, 676
SICA **Les Vignerons du Milon,** 821
Les Vignerons foréziens, 930
Les Vignes Blanches, 1063
Dom. **Les Vignes Blanches,** 427
SCEA Ch. **Le Tap,** 813
Le Tarral, 1064
GFA du Ch. **Le Tuquet,** 320
SCEA Dom. **Le Van,** 1009
Claude **Levasseur,** 912
Françoise et Henri **Lévêque,** 317
Luc **Lévêque,** 887
EARL **Lévêque et Fils,** 1010
Bernard **Levet,** 975
Joël **Lévi,** 872
Hélène **Levieux - GFA Leclerc,** 215 221
Le Vigneron Savoyard, 676
Dom. **Le Vignoble de Grevenmacher,** 1082
Ch. **Le Virou,** 229
Denis **Levraud,** 235
SCEA des vignobles **Leydet,** 279
Jean-Pierre **Leymarie,** 330
SARL **Leymarie-CECI,** 476 482 484 486
Jean-Marie **Leynier,** 293 296
Leyrat, 1037
Pierre-Luc **Leyvraz, 1091**
Dom. de **Lezin,** 211
André **Lhéritier,** 415 570
Henri **Lhéritier,** 727 1021
Gilles **Lhoste, 1040**
EARL Joël et Jean-Louis **Lhumeau,** 820 844 852 1047
Michel **Libeau,** 832
Geneviève **Libes-Coste,** 704
Dom. François **Lichtlé,** 84 **112**
Liébart-Régnier, 635
Véronique et Jean-Marie **Liénard,** 1078
Cave des Vignerons de **Liergues,** 147
Familien **Liesch,** 1106
Pierre et Chantal **Lieubeau,** 831
SARL Ch. **Lieujean,** 353
Ligier Père et Fils, 661
Suzette **Lignères,** 689
Dom. **Lignier-Michelot,** 470 476 482
Christian **Lihour,** 792
Georges **Lilbert ,** 635
SA Ch. **Lilian Ladouys,** 381
Patrice **Limousin et Freya Skoda,** 790
Jean **Linden-Heinisch,** 1083
Gabriel **Liogier,** 970 990
Jean-Yves **Liotaud,** 1075
EARL Serge **Liotaud et Fils,** 1075
Cave des vins de cru de **Lirac,** 1001
Cave de vinification de **Listrac-Médoc,** 360
Jean-Jacques **Litaud, 592** 596
Litre Père et Fils, 1056
SCEA Ch. **Liversan,** 354
Ch. **Livran,** 343
Françoise **Lladères,** 286
Dom. Joseph **Loberger,** 105 128
EARL Jean-Pierre et Paulette **Lobre,** 203
Champagne **Locret-Lachaud,** 635
Etienne **Loew,** 106
Weinbaugenossenschaft **Löhningen,** 1107
Léone **Loiret,** 825
EARL Christian **Loizeau,** 1038
SCEA **Lombardo,** 1000
Dom. **Long-Depaquit,** 454
Jean-Luc et Régine **Longère,** 153
Philippe **Loquineau,** 921 923
SCEV Michel **Lorain,** 415
Gustave **Lorentz,** 116 121
Jérôme **Lorentz,** 90
Michel **Lorenzon,** 802
André **Loretz,** 301
René et Christiane **Lorgues,** 737
Loriene SA, 266 270
EARL Pascal et Alain **Lorieux,** 906
Joseph **Loriot,** 635
Michel **Loriot,** 635
Louis **Lorne,** 739
Ets **Loron et Fils,** 181 584 586 591 593
Gilbert **Louche,** 954
Cave Pierre **Louet,** 888

SCEA Dom. **Lou Fréjau,** 998
Johannes **Louis,** 1104
EARL Michel **Louison,** 708
EARL Raymond et Jean-Louis **Loup,** 902
SCA Cave **Lourmarin-Cadenet,** 1010
Yves **Louvet,** 635
Champagne Philippe de **Lozey,** 635
Francis **Lubat,** 1059
GAEC **Lubiato,** 300
Niccolo e Lisetta **Lucchini, 1109**
Henri **Lüddecke,** 209
Cave de **Lugny,** 441 583 587
Union de producteurs de **Lugon,** 207 238
Cave de **Lumières,** 1009
Dom. François **Lumpp,** 578
Christian et Pascale **Luneau,** 827
Gilles **Luneau,** 828
Rémy **Luneau,** 834
Pierre **Luneau-Papin,** 826
Lupé-Cholet, 415 482 495
Richard **Luquet,** 591
SCEA Vignobles **Luquot,** 245
Comte Alexandre de **Lur-Saluces,** 395 400
Béatrice **Lurton,** 193
Bérénice **Lurton,** 212 304
Gonzague **Lurton, 364** 364
Jacques et François **Lurton,** 204 710 1063
Louis **Lurton,** 330
Marc **Lurton,** 306
SCEA Vignobles André **Lurton,** 191 193 304 327 331 334
EARL **Lusoli,** 815
SCEA Dom. de **Lusqueneau,** 894
Maurice **Lutz,** 934
A. de **Luze et Fils,** 201
Lycée viticole de Mâcon-Davayé, 596
Michel **Lydoire,** 298
GFA de **Lyon,** 195 203
Dom. Laurent **Mabileau,** 897
EARL Jacques et Vincent **Mabileau,** 901
EARL Jean-Paul **Mabileau,** 899
Frédéric **Mabileau,** 901
Lysiane et Guy **Mabileau,** 901
EARL Jean-Claude **Mabileau et Didier Rezé,** 900
Madeleine et Jean-Yves **Mabillard-Fuchs,** 1098
Bernard **Mabille,** 918
Daniel **Mabille,** 918
Francis **Mabille,** 918
Alain **Mabillot,** 944
Dom. **Maby,** 1001 1003
Bertrand **Machard de Gramont,** 490 496
SCEA Dom. **Machard de Gramont,** 490 496 **518**
Gaëlle **Maclou,** 741
Lycée viticole de **Mâcon-Davayé,** 583
Hubert **Macquigneau,** 840
GAEC **Madeleineau Père et Fils,** 834 1051
EARL Jean-Luc **Mader, 85**
Gilles **Madrelle,** 918
Michel **Maës,** 314
Magdeleine, 232 **235**
EARL du Ch. **Magence,** 321
Dom. du Duc de **Magenta, Marquis de Mac-Mahon,** 415 556
Henri **Magistrini,** 1095
Daniel **Magliocco,** 1098
Sylvio-Gérald **Magliocco,** 1098
SCEA Vignobles **Magnaudeix,** 287
Jean-Paul **Magnien,** 476 482
Dom. Michel **Magnien et Fils,** 470 476 479
Louis **Magnin,** 676
Luc et Daniel **Magnollay,** 1092
SCEV Ch. **Magondeau,** 241
Bernard **Magrez,** 342
Mähler-Besse, 211 275 346
Christophe **Maillard,** 839
Dom. **Maillard Père et Fils,** 503 506 511 518 521 526
Michel **Maillart,** 636
Cave **Maillefaud & Fils,** 1005
Pascal **Maillet,** 959 968
Champagne **Mailly Grand Cru,** 636
Henri **Maire,** 668
Serge **Maire,** 518 521
Dom. de **Maison Blanche,** 942
Maison Mâconnaise des Vins, 162 595
EARL **Maison Père et Fils,** 921
Chantal **Malabre,** 954
Dom. des **Malandes,** 445 449 454
Champagne Jean-Louis **Malard,** 636
SC du Ch. **Malartic-Lagravière,** 333
EARL Guy **Malbète,** 944
Dom. Françoise **Maldant,** 506
Ch. **Malescasse,** 354
SCEA Ch. **Malescot-Saint-Exupéry,** 210 366
Léo de **Malet Roquefort,** 276 284 285
Jean-Claude **Malidain,** 1051
Michel **Malidain,** 838 1050
Danièle **Mallard,** 209 260 396
Dom. Michel **Mallard et Fils,** 499 503 506 512 519
Mallard-Gaulin, 512
SCEA Ch. de **Malleret,** 354
Jean **Mallet,** 1101
SCEA **Mallet Frères,** 233
EARL Frédéric **Mallo et Fils,** 98 124
Ch. **Malromé,** 219
Dom. **Maltoff,** 415
Cave des Vignerons de **Mancey,** 415 425 587
Jean-Christophe **Mandard,** 888
Thierry **Mandard,** 888
Champagne Henri **Mandois,** 636
A. **Mandres,** 100
Denis **Manent,** 1012 1076
Dom. Albert **Mann,** 106 119 120
Manoir de l'Emmeillé, 778
EARL du **Manoir de Versillé,** 846
Thierry **Manoncourt,** 270
SCEA **Manzagol-Billard,** 905
Maurice **Maratray,** 512
Dom. **Maratray-Dubreuil,** 521
Patrice **Marc,** 636
EARL Alain **Marcadet,** 883
Jérôme **Marcadet,** 921
Dom. de **Marcelin,** 1092
SCEA B. **Marchal-Grossat,** 845 849 863
Dom. Jean-Philippe **Marchand,** 434 470 476 482
Florent et Fabien **Marchand,** 158
René **Marchand,** 147
Dom. **Marchand-Grillot,** 470
de **Marcillac,** 300
P. de **Marcilly,** 169 556 562
Dom. **Mardon,** 942
Guy et Jean-Luc **Mardon,** 889
EARL Catherine et Claude **Maréchal,** 415 503 519 531 **542**
Jean-François **Maréchal,** 676
Ghislaine et Bernard **Maréchal-Caillot,** 415 425 519 521
Nouveaux Ets **Maréchal et Cie,** 888
Michel **Maret,** 992 996
Jean-Luc **Marette,** 276
Pierre **Marey et Fils,** 508 514
Toussaint **Marfisi,** 768 1033
Champagne A. **Margaine,** 636
EARL Jean-Pierre et Martine **Margan,** 1010
SC du Ch. **Margaux, 205 366** 367
Jean-Pierre **Margerand,** 153
Champagne **Marie Stuart,** 636
SCEA **Marin Audra,** 253
SCEA Vignobles Louis **Marinier,** 194 234
Marinot-Verdun, 438
Henry **Marionnet,** 886
J-P. **Marmin,** 806
Marne et Champagne, 622 646
Sté **Marnier-Lapostolle,** 949
Roland **Maroslavac-Léger,** 550 556 558
Jean **Marot,** 1008
Marquis de Saint-Estèphe, 381
SCA Ch. **Marquis de Terme,** 366
Cellier de **Marrenon,** 1010
SC du Ch. **Marsac-Séguineau,** 366
SCEA **Marsalette,** 333
Ch. de **Marsannay,** 463 470 486 490
Ch. **Marsau,** 302
Gérard **Marsault,** 926
SCEV **Marsaux-Donze,** 235
Jacky **Marteau,** 888
Champagne G.H. **Martel,** 636
SCEA **Martel-Lassechère,** 738 1070
SCEA Dom. J. **Martellière,** 909 925
François **Martenot,** 415
Ch. **Martet,** 309
Cédric **Martin,** 147
Domaines **Martin,** 346 384 **386**
Dominique **Martin,** 831 873 876
GAEC Luc et Fabrice **Martin, 864**
Jean-Claude **Martin,** 449 455
Jean-Jacques **Martin,** 181 593
Paul-Louis **Martin,** 655
SCEA **Martin-Comps,** 715
Dom. **Martin-Dufour,** 496 522
Evelyne et François **Martineau,** 888
Sté Fermière du Ch. **Martinens,** 367
GAEC Maurice **Martin et Fils,** 586
Martin-Luneau, 835
Daniel et Annie **Martinot,** 588
Martin-Pierrat, 701
Marie-Odile **Marty,** 741
EARL Champagne **Marx-Barbier,** 636
Mary, 878
Christophe **Mary,** 531
EARL **Mary,** 891
Nelly **Marzelleau,** 834
GAEC **Marzolf,** 113
Mas Cristine, 1020
GFA **Mas Sainte-Berthe,** 755 757
Dominique **Massin,** 637
Thierry **Massin,** 637
Champagne Rémy **Massin et Fils,** 637
Jean-Michel **Masson, 940**
Marie-France **Masson,** 966 **1031**
Martine **Masson,** 416
Nadine **Masson,** 416 441
François **Masson-Regnault,** 205 209 223 310
Jean-Luc **Matha,** 787
Hervé **Mathelin,** 637
Raymond **Mathelin,** 164
Dom. **Mathes et Cie,** 1083
Béatrice et Gilles **Mathias,** 147
Dom. Béatrice et Gilles **Mathias,** 441 593
Adrian **Mathier,** 1098
SA Albert **Mathier et Fils,** 1099
Champagne Serge **Mathieu,** 637
Dom. **Mathieu,** 998
Jean-Louis **Mathieu,** 1100
Daniel **Mathon,** 161
EARL Yves **Matignon,** 849 864
GAEC Daniel et Lilian **Matray,** 169
Hoirie **Matringe,** 1093
SA Yvon **Mau,** 192 266 289 292 307 313 353 365
Dom. **Maubernard,** 750
Jacques **Maubert,** 1008 1071
Ch. **Maucaillou,** 370 **370**
Ch. **Maucamps,** 354
Ch. **Maucoil,** 998
Prosper **Maufoux,** 556
Jean et Alain **Maufras,** 333 334
EARL Jean-Paul **Mauler,** 106
GAEC **Maulin et Fils,** 213
Benoît **Maulun et Nicole Dupuy,** 304
Jacques **Maumus,** 795
Pierre **Maunier,** 739
EARL de **Mauperthuis,** 416
Jean **Maupertuis,** 929
Alain **Maurel,** 718
Philippe et Thérèse **Maurel,** 716
Albert **Maurer,** 106
Jean-Michel **Maurice,** 519
Michel **Maurice,** 137 138
Jean-Paul **Maurin,** 1038
EARL **Mauroy-Gauliez,** 938
SCAV Les Vignerons de **Maury,** 727 1024
Louis **Max,** 509 531 556
Didier **May,** 321
Jean-Luc **Mayard,** 995
Carlo et Joël **Maye et Fils,** 1097
Simon **Maye et Fils,** 1098
Marlène et Alain **Mayet,** 805
Maynadier, 711
Les Vignobles du **Mayne,** 806
Ch. **Mayne-Guyon,** 230
SCEA du **Mayne-Vieil,** 241
Annie et Jean-Pierre **Mazard,** 692
Pascal **Mazet,** 637
SC Ch. **Mazeyres,** 250
SCEA **Mazeyres,** 243
Anne **Mazille,** 183
Mazilly Père et Fils, 532
Patrick et Véronique **Mazoyer,** 568
Mazzoleni, 1072
Claude **Méa,** 637
Jean-Pierre **Méchineau,** 829
François **Médard,** 903
Christian **Médeville,** 323 **398**

PRODUCTEURS

SCEA Jean **Médeville et Fils,** 201 322 387
Méditerroirs, 1016
Compagnie **Médocaine des Grands Crus,** 377 379
Christian **Meffre,** 963
EARL Jean-Pierre et Martine **Meffre,** 991
Gabriel **Meffre,** 959 961 970 983 990 1003 1064
Jack et Christian **Meffre,** 999
SCEA des Dom. Jack **Meffre et Fils,** 957
EARL **Mège Frères,** 225
SCEA **Mejan-Taulier,** 1001
Pascal **Méli,** 232
Françoise et Nicolas **Melin,** 587 590
Jean-Jacques et Liliane **Melinand,** 166
Alphonse **Mellot,** 947
Jean-Claude **Mellot,** 932
SA Joseph **Mellot,** 947 1047
EARL **Ménager,** 260
EARL Dom. **Menand,** 576
Joël **Ménard,** 866
SCEA Vignobles **Ménard,** 196 204 389
SC **Ménard-Gaborit,** 836
Christian **Menaut, 438** 526
Menaut-Larcher, 438
Meneuvrier, 233
SCEA des Vignobles **Menguin,** 208 306 313
Gustave et Yann **Menthonnex,** 1090
Ch. de **Mercey,** 562 575
Champagne **Mercier,** 638
EARL **Mercier,** 722 1020 1026
Jean-Michel **Mercier,** 838
Vignobles **Mercier,** 840
Guy de **Mercurio, 696** 696
Méric et Fils, 311 390
Jacky **Mérieau,** 882
Alain **Merillier,** 813
SCV les Vignerons **mérinvillois,** 713
Alain **Merlaud,** 832
Jean-Michel **Merlaud,** 837
Mathilde **Merle,** 738
Bernard **Mermoud,** 1098
Roger **Mesange,** 193
Dom. **Mesliand,** 892
Famille **Meslier,** 398
Famille **Meslin,** 278
Robert **Meslin,** 431
Ch. de **Messey,** 580
Jean-Claude **Mestre et Yannick Gasparri,** 996
GAEC **Mestreguilhem,** 194 283
Mestre Père et Fils, 563
EARL Hermine et Lionel **Métaireau,** 837
GAEC **Métivier,** 918
Jacques **Métral,** 674
Arthur **Metz,** 113
Dom. Gérard **Metz,** 98
Hubert **Metz,** 90
Olivier **Metzinger,** 313
Meulnart Père et Fils, 737
Didier **Meuneveaux,** 512
EARL Max **Meunier,** 888
Jean-Baptiste **Meunier,** 990
SCEA Dom. **Meunier,** 1075
Ch. **Meunier Saint-Louis,** 691
Ch. de **Meursault,** 410 519 524 535
Denis **Meyer,** 94 105
François **Meyer,** 98
Gilbert **Meyer,** 106
Ernest **Meyer et Fils,** 106
Meyer-Fonné, 106 130
GAEC des Vignobles **Meynard et Fils,** 299
SCA **Meynard et Fils,** 199 211
André et Marylenn **Meyran,** 173
Alain **Meyre,** 359
Ch. **Meyre SA,** 354 366
Méziat Père et Fils, 178
Vignobles E.-F. **Miailhe,** 357
Dom. **Michaud,** 888
Jean-Claude **Michaut, 416**
Bruno **Michel,** 638
G. **Michel,** 638
José **Michel,** 638
Robert **Michel,** 987
EARL **Michel et Fils,** 956
Louis **Michel et Fils,** 449 458
SCEV G. **Michel et Fils,** 638
Jean-Louis **Michelland,** 754
Willy **Michellod et Romaine Blaser,** 1097
Dom. **Michelot,** 416 548
EARL **Migliore,** 740
Pierre **Mignon,** 638
Jean-Paul **Migot,** 804
Champagne **Milan,** 639
Philippe **Milan et Fils,** 573
SCEV Jean **Milhade,** 221 256 290
Xavier **Milhade,** 213
Ch. **Milhau-Lacugue,** 716
GAEC **Millet,** 449
Gérard **Millet, 948**
Albane et Bertrand **Minchin,** 936
Xavier **Minvielle,** 258
Marie-Thérèse **Miquel,** 1031
Camille **Mirambaud,** 880
SCEA Vignobles **Mirande,** 278
Maison **Mirault,** 918
SA Ch. **Miraval,** 741 759 1073
SC Ch. **Mirefleurs,** 220
Ch. **Mire L'Etang,** 704
Maison P. **Misserey,** 482 496
Gilbert et Danielle **Mistral-Monnier, 1101**
Dom. **Mittnacht Frères, 126**
Miyamoto, 744
Frédéric **Mochel,** 98
Madame Michel **Mocquet,** 1038
EARL Vignobles Claude **Modet,** 196 313
SCEA Jos. **Moellinger et Fils,** 90 129 134
Moët et Chandon, 639
Moillard, 523 548
Moillard-Grivot, 416
Jean-Bernard **Moindrot,** 937
Moingeon, 441
EARL Elie **Moirin,** 877
Dom. des **Moirots,** 581
Dom. **Moissenet-Bonnard,** 532
EARL Armelle et Jean-Michel **Molin,** 466 475
SCEA **Molinari et Fils,** 322 325
Annie **Molinier,** 695
GAEC Dom. Antoine **Moltès et Fils,** 106 129
Mommessin, 154 478 480 588 589
Cave coopérative de **Monbazillac,** 801
SA Ch. **Monbousquet,** 281
SA vignoble Ch. **Moncontour,** 889 918
Champagne Pierre **Moncuit,** 639
Champagne **Mondet,** 639
Alain **Monestié,** 779
Dom. **Mongeard-Mugneret,** 416 490
Dom. Hubert et Philippe **Monin,** 679
Dom. de **Monluc,** 1058
SA **Monmousseau,** 823 889
SCEA A. **Monmousseau,** 916
J.-M. **Monnet,** 169
Dom. René **Monnier,** 526 532 536 539 548 551 565
Edmond **Monnot,** 565
Dom. **Monnot-Roche,** 565
SARL Ch. **Monplaisir,** 803
SCEA du dom. **Monrozier,** 166
Dom. de **Mons,** 1041
SA **Mons-Maleret,** 224
Thomas **Montagne,** 1009
Jean et Michel **Montagnier,** 1072
Jean-Pierre et Philippe **Montanié,** 688
Champagne **Montaudon,** 639
Isabelle et Pascal **Montaut,** 229
Pascal **Montaut,** 231
SCI de **Montauzan,** 148
Les Vignerons de **Montblanc,** 1066
Dom. du **Mont d'Or SA-Sion,** 1099
Jean de **Monteil,** 298
Jean-Luc et Claude **Monteillet,** 1006
Dom. Bernard et Geneviève **Monteiro,** 596
Yannick **Montel,** 1055
Bruno **Montels,** 779
EARL Dom. de **Monterrain,** 583
Champagne de **Montespan et Cie,** 639
Vins et Dom. H. de **Montesquieu,** 205 322
Claire de **Montesquiou,** 1055
Vignobles **Montez,** 977 981
SCEA Baron de **Montfort,** 284
SCEA Ch. de **Montgueret,** 821 846 874
Dom. de **Montmain,** 434
Dom. E. de **Montmollin Fils,** 1103
Les Vignerons de **Mont-près-Chambord,** 922 923
Cave coop. des Producteurs de **Montravel et Sigoulès,** 802
Lycée prof. agricole de **Montreuil-Bellay,** 874
Les Producteurs du **Mont Tauch,** 688 **710** 1023 1027
SCA Les Vignerons du **Mont-Ventoux,** 1008
SCA Ch. **Montviel,** 250
Alice et Olivier de **Moor,** 416
Guy et Jean-Pierre **Morandière,** 1037
Gérôme et Dolorès **Morand-Monteil,** 812
Guillaume **Mordacq,** 849 863
Catherine **Moreau,** 823
Daniel **Moreau,** 639
EARL **Moreau,** 279 290
EARL Dominique **Moreau,** 898
Jean **Moreau,** 532 562
Louis **Moreau,** 455
Michel **Moreau,** 578 1064
SCEV **Moreau,** 250
J. **Moreau et Fils,** 455 460
GAEC **Moreau-Naudet et Fils,** 455
Dominique **Morel,** 151
Pascal **Morel,** 639
Dom. **Morel-Thibaut,** 668
GAEC Jean **Moreteaux et Fils,** 565
Patrice **Moreux,** 745
Sté nouvelle André **Morey,** 442
Dom. Michel **Morey-Coffinet,** 556
Gilles et Brigitte **Morgeau,** 927
Vignoble communal de **Morges, 1092**
Caveau de **Morgon,** 172
Eric **Morin,** 164
Guy **Morin,** 164
Michel **Morin,** 416
Nelly **Morin,** 158
Raymond **Morin,** 845 849
Morin Père et Fils, 438 463 478 506
Didier **Morion,** 977 981 1075
Dom. Claude **Moritz,** 107
Morize Père et Fils, 640
Champagne Pierre **Morlet,** 640
Dino **Moro,** 810
Régis **Moro,** 302
EARL **Moron,** 864
GAEC **Moron,** 851
Veuve Henri **Moroni,** 427 551
Chantal **Morot-Gaudry,** 563
Dom. Thierry **Mortet,** 425 470 482
Dom. du **Mortier,** 981 982
De **Mortillet,** 702
Sylvain **Mosnier, 445** 455
Daniel **Mosny,** 910
Jacques **Mossé,** 723 **1021**
GAEC Le Clos des **Motèles,** 821
C. **Motheron,** 823 1047
Isabelle **Motte,** 252 255
Ets Jean-Pierre **Moueix,** 237 240 244 247 248 249 **251** 280
SC Dom. viticoles Armand **Moueix,** 250 254 271
SC Vignoble Bernard **Moueix,** 251 285
M.-C. **Moulin,** 319
Ch. du **Moulin à Vent,** 176
GAEC du **Moulin Borgne,** 228
SARL Ch. **Moulin de Ciffre,** 716
SC du Ch. **Moulin du Cadet,** 281
SC Ch. du **Moulin Noir,** 290 293
Dom. **Mounié,** 1021
Jean Mourat et Jean Larzelier, 840
Michel **Mourier,** 983
EARL Cyril et Jacques **Mousset,** 1071
SA Louis **Mousset,** 954 970 990
Vignobles Guy **Mousset et Fils,** 995
SARL Champagne **Moutard-Diligent,** 640
SA Champagne Jean **Moutardier,** 640
André et Jean-Claude **Mouton,** 977
SCEA du Ch. **Mouton,** 220
SCEA Gérard **Mouton,** 579
Ch. **Mouton Rothschild, 376**
SCEA Daniel **Mouty,** 193 196 221 285 311
Yvon **Mouzon,** 640
EARL **Mouzon-Leroux,** 640
EARL **Moyer,** 912
Jean-Marie **Moyer,** 910
Luc et Elisabeth **Moynier,** 701
Patrick **Moze-Berthon,** 245
Jean **Muchada,** 790
Denis et Dominique **Mugneret,** 486 488 490 492 496
EARL Jean-Pierre **Mugneret,** 442
Jacques-Frédéric **Mugnier,** 482

G.-H. **Mumm et Cie,** 640
Bernard **Munier,** 417 482
René **Muré,** **107** 130
Régis **Mureau,** 897
SCA de **Muret,** 355
SCEA du **Muscat de Lunel,** 1030
Musset, 262
Jacques-Charles de **Musset,** 314
Vignobles Jean-Pierre **Musset,** 252
SC du Ch. **Musset-Chevalier,** 269 277 281
Vignoble **Musset-Roullier,** 849 **857** 857
Jean et Geno **Musso,** 429
Hubert **Mussotte,** 398
Dom. **Mussy,** 532 536
Lucien **Muzard et Fils,** 563
Naigeon-Chauveau, 449
Ch. **Nairac,** 392
Dom. de **Nalys,** 999
Champagne **Napoléon,** 641
Roger et Michèle **Narjoux,** 575
Michel **Nartz,** **113**
Michelle **Nasles,** 754
Dom. Henri **Naudin-Ferrand,** 425 438 442 500
Nau Frères, 898
Thierry **Navarre,** 716
SARL Régis **Neau,** 874 879
Serge **Nebout,** 933
Cave coop. de **Neffiès,** 697
Guy **Négrel,** 733
Henri **Negrier,** 355
SCEA des coteaux de **Nénine,** 313
Jean-Paul **Nérot,** 932
Dom. Gérard **Neumeyer,** 117
Jean-François **Nevers,** 661
Jean-François **Neyroud-Fonjallaz,** **1091**
Christian **Neys,** 314
Famille **Nicolas,** 246
SCA **Nicolas et Fils,** 877
EARL **Nicolas Père et Fils,** 425 438
Robert **Nicolle,** 449 455
Pascal **Nigay,** 179
Dom. P.-M. **Ninot,** 573 576
Ch. **Noaillac,** 343
SCEA Dom. Michel **Noëllat et Fils,** 483 488 490 496
SCEA **Noël Père et Fils,** 236
SA Louis **Nogue et Fils,** 829
EARL Charles **Noll,** 124
Jean-Pierre **Nony,** 272
Vignobles Léon **Nony SA,** 253
SCA Union de producteurs du **Nord Fronsadais,** 201 216
GAEC **Norguet,** 924 1047
Alain **Normand,** 587
Jean-Claude et Pierre-Yves **Nouet,** 836
Alain **Nouhant,** 357
Daniel **Nouhen,** 587
EARL Dom. Claude **Nouveau,** 439 565
Patrick **Nouvel,** 778
Ch. des **Noyers,** 865 **865**
Dom. André et J.-René **Nudant,** 503 506 519
Dom. André **Nudant et Fils,** 514
Cave vinicole d' **Obernai,** 90 98 134
Dom. des **Obiers,** 536
SA **Obrist,** 1089
Yves **Odasso,** 758
Vincent **Ogereau,** 846 850 854 **865**
Dom. Michel **Ogier,** 975
Ogier-Caves des Papes, 958 975 981 **986**
Confrérie des vignerons de **Oisly et Thésée,** 922
EARL Alain **Olivier,** 1051
EARL Dom. **Olivier,** 901
Famille Jean **Olivier,** 1000 1002
Dom. **Olivier-Gard,** 425 434
Olivier Père et Fils, 563
Ollet-Fourreau, 245 254
Dom. **Ollier-Taillefer,** 710
Coop. Les Vignerons d' **Olt,** 786
Bernard **Omasson,** 898
Oosterlinck-Bracke, 862
Gérard **Opérie,** 197
Champagne Charles **Orban,** 641
Orenga de Gaffory, 768 1033
Jean **Orliac,** 704 **1066**
Jérôme d' **Ormesson,** 1063
Jean-Pierre **Orosquette,** 713
Caves **Orsat SA,** 1099
Ortal, 1019 1025
Patricia **Ortelli,** 758
Jacques **Ortet,** 759
SCEA **Ortola,** 705
Dom. **Ott,** 751
Dom. François **Otter et Fils,** 91 98
Oudin, 886
Champagne **Oudinot,** 641
Alain **Oulie,** 796
Jean-Yves et Pierre-André **Ournac,** 712
Pascal **Oury,** 138
Dom. Roger **Pabiot et ses Fils,** 940 941
Raymond **Paccot,** **1090**
Gérard **Padiou,** 1052
Marc **Pagès,** 341 719
Dom. **Pages Huré,** 723
EARL James **Paget,** 893 906
Champagne Bruno **Paillard,** 641
Pierre **Paillard,** 641 655
Dom. Charles **Pain,** 906
Georges **Paire,** 934
Pallaruelo et Fils, 195
Ch. **Palmer,** 367
Palmer et C, 641
Panisseau SA, 807
Remy **Pannier,** 821 1051
Christian **Pantaléon,** 901
Thierry **Pantaléon,** 901
Fabien et Cathy **Paolini,** 762
Ch. **Pape Clément,** 333
Odile **Papiau,** 850
Claude **Papin,** 848 850 869
EARL Agnès et Christian **Papin,** 844 **851** 855
Catherine **Papon-Nouvel,** 301
EARL **Paquereau,** 835
Jean-Paul **Paquet,** 586 591
Michel **Paquet,** **596**
EARL A. **Parcé,** 723
SCA **Parcé et Fils,** **729**
François de **Pardieu,** 235
GFA **Pardon des Labourons,** 166
Pardon et Fils, 154
Parent, 536 539
Dom. **Parent,** 526 532
Alain **Paret,** 982
Bernadette **Paret,** 292 294
Paul **Pariaud,** 153
Dom. **Parigot Père et Fils,** 439 519 526 536
Marie-Louise **Parisot,** 429 470 576
Gérard et Laurent **Parize,** 579
Franck et Viviane **Pasbeau-Couaillac,** 772
Pascal, 971 991 992
Achille **Pascal,** 750
Pascal-Delette, 642
Michel **Pascaud,** 319
Marc **Pasquet,** **230** 233
SCA Les Vignerons de **Passa,** 1021
Hervé **Passama,** 1022
Daniel **Passot,** 162
Jacky **Passot,** 172
Rémy **Passot,** 179
Yves **Pastourel et Fils,** 1028
GAEC **Pastricciola,** 768 1033
GAEC **Pastureaud et Fils,** 229
SA Ch. **Patache d'Aux,** 343
SCE du Ch. **Patarabet,** 262
Eric **Patour,** 642
Denis **Patoux,** 642
Alain **Patriarche,** 417 548
Aline et Joël **Patriarche,** 548
Patriarche Père et Fils, 417 474
J. **Pauchard et Fils,** 424 438
Arnaud **Pauchet,** 217
Pascal **Pauget,** **583**
Caves des **Paulands,** 434 470 503 512
Ph. **Paul-Cavallier,** 755 757
GAEC de **Pauliac,** 775
Les Clos de **Paulilles,** 729 1017
SC J. et J. **Pauly,** 395 396
SCA de la Romède **Pautier,** 1038
Alain **Pautré,** 449
Jacques **Pautrizel,** 233
Guy **Pauvert,** 814
SCEA **Pauvif,** 229
Jean-Marc **Pavelot,** 519
SCA **Pavie-Decesse,** 282
SCEA Ch. **Pavie Macquin,** 282
Dom. du **Pavillon,** 506 529
SCEA Ch. du **Pavillon,** 389
SCAV **Pavillon de Bellevue,** 343
Les Vignerons du **Pays Basque,** 789
Patrick **Péchard,** 179
Jocelyne **Pécou,** 811
GAEC de **Pécoula,** 809
SCEA des Dom. **Pedro,** 380
Champagne **Pehu-Simonet,** 642
Daniel et Dominique **Peigné,** 1051
Robert et Dali **Peigneaux,** 146
GFA **Pein,** 148
Jean-François **Pein,** 148
Jean **Peitavy,** 1063
Dom. **Pélaquié,** 962 971 1001 **1003**
Jacques **Pélichet,** **1092**
Patrick **Pelisson,** 1009
Dom. Henry **Pellé,** **936** 948
Pelletier, 169
Bruno **Pelletier,** 169
Jean-Christophe **Pelletier,** 902
Jean-Michel **Pelletier,** 642
Pelon-Ribeiro, 355
Jean-Pierre **Pelou,** 1025
Du **Peloux,** 964 1011
Vincent **Peltier,** 919
Patrick **Penaud,** 225
Olivier **Penel,** 757
EARL Dom. Jean-Marie **Penet,** 887
François **Péquin,** 891
Vincent **Péquin,** 892
Dom. **Percher,** 854
Jean-Pierre **Perdriau,** 893
Père Anselme, 961
SCEA Dom. du **Père Pape,** 995
De **Peretti della Rocca,** **763** 763
Gilles **Perez,** 147
SC Ch. **Périn de Naudine,** 322
Champagne Jean **Pernet,** 642
Vignobles **Pernette,** 196
EARL Paul **Pernot et ses Fils,** 417 526
Frédéric **Pérol,** 148
GFA de **Perponcher,** 200 210 304
Jacques **Perrachon,** 176
Laurent **Perrachon,** 169
Dom. René **Perraton,** 593
Jean-François **Perraud,** 154
André **Perret,** 978 982
Maurice **Perret,** 168
Christophe **Perrier,** 676
SA Champagne Joseph **Perrier,** 642
Jean **Perrier et Fils,** 676
Champagne **Perrier-Jouët,** 642
Alain-Dominique **Perrin,** 773
Christian **Perrin,** 503 506
Daniel **Perrin,** 676
Domaines **Perrin,** 962
Dom. Roger **Perrin,** 962
EARL Champagne Daniel **Perrin,** 642
Michel **Perrin,** 1090
Philibert **Perrin,** 330
Robert et Bernard **Perrin,** 148
Véronique **Perrin,** 503
EARL Jacques et Guillaume **Perromat,** 393
Jacques **Perromat,** 316
Jean-Xavier **Perromat,** 391
Suzanne **Perromat-Daune,** 390
Henri **Perrot-Minot,** 474 475 478 483
Gilles **Perroud,** **177**
Robert **Perroud,** 158
Ch. de **Persanges,** 672
Gérard **Perse,** 275 282
Gérard **Persenot,** 417 425 460
Isabelle et Benoist **Perseval,** 643
Les vins des **Personnets,** 589
Dominique **Pertois,** 643
GAEC Ch. **Pesquié,** 1009
EARL Luc **Pétard,** 833
Jean-Paul **Pétard,** 832
Champagne Pierre **Peters,** 643
Jean-Louis **Pétillat,** 932
Désiré **Petit,** 661 662 664 1044
Jack **Petit,** 844
Jean-Michel **Petit,** 661 **1043**
Vignobles Jean **Petit,** 280 299
Vignobles Marcel **Petit,** 271
EARL **Petiteau-Gaubert,** 834
André **Petit et Fils,** 1038
Petit-Le Brun, 643
Dom. Jean **Petitot et Fils,** 500
Yves du **Petit Thouars,** 889
SC du Ch. **Petrus,** **250**
SARL Ch. **Peyrabon,** 355 375
GAEC de **Peyres-Combe,** 779

PRODUCTEURS

François **Peyrondet,** 389
Jean-Pierre et Michèle **Peyrondet,** 198
SCEA domaines **Peyronie,** 373
Christophe **Peyrus,** 704
SCV Les Vignerons de **Pézilla,** 721 727 1021 1027
CVPG **Pfaffenheim,** 98 107
Ch. **Phélan Ségur,** 379 381
Gilles **Phetisson,** 961
Maison Denis **Philibert,** 417 434 471
Eric **Philip,** 963
SARL SEA **Philippe,** 258
Champagne **Philipponnat,** 643
Serge **Pialat,** 802
Piat, 213
EARL Pascal **Pibaleau,** 893
Ch. de **Pibarnon,** 751
Les Vignerons du **Pic,** 699
Michel **Picard,** 144 169 429 439 566 579
SCEV Champagne Jacques **Picard,** 643
SCEV **Picard et Boyer,** 643
Picard Père et Fils, 577
Dom. **Piccinini,** 713
Jean-Marc **Pichard,** 417
Bernard **Piche,** 746
EARL Jean-Marc **Pichet,** 898
EARL Ch. **Pichon Bellevue,** 308
SCI **Pichon Longueville Comtesse de Lalande,** 376
EARL Jean-Claude et Christophe **Pichot,** 918
SCEA Daniel **Picot,** 397
GFA Ch. **Picque Caillou,** 334
GAEC Bruno et Jean-Michel **Pieaux,** 918
Ch. **Piéguë,** 846 865
GFA Philippe **Pieraerts,** 310
EARL Ch. **Pierrail,** 209
Marie-Josée **Pierre-Bravo,** 394
Pierre-Jean, 338
SA **Pierrel et Associés,** 638
Dom. des **Pierres Rouges,** 596
Cave des vignerons de **Pierrevert,** 1013
GAEC de Montgrignon **Pierson Frères,** 1078
Dom. de **Pietri,** 764
Maguy et Laetitia **Piétri-Géraud,** 729
Pignier Père et Fils, 668 670
SCA Ch. **Pigoudet,** 755
Max **Piguet,** 542
Jean-Marc **Pillot,** 552
Vignobles **Pilotte-Audier SCEA,** 277
Dom. de **Pimpéan,** 846
Daniel **Pineau,** 836
François **Pinon,** 919
Michel **Pinon,** 917
Rodolphe de **Pins,** 962
SCEA Dom. **Pinson,** 458
GAEC Georges et Thierry **Pinte,** 532
Philippe **Pion,** 907
Piper-Heidsieck, 644
Dom. Pierre et Franck **Piquemal,** 723 1027 1068
SNC Ch. **Pique-Sègue,** 811
Jacky **Piret,** 179
François et Jacqueline **Pironneau,** 894
Auguste **Pirou,** 668 671
SCEA Edouard **Pisani-Ferry,** 880
Louis **Pistre,** 716
EARL **Pitault-Landry et Fils,** 897
Jean-Luc **Piva,** 197
Piva Père et Fils, 197
Jean-Charles **Pivot,** 154
SCEA Dom. Château de **Pizay,** 148
SCEA di **Placido,** 759
Les vins de Robert **Plageoles et Fils, 781**
GAEC du **Plai Faisant,** 774
Producteurs **Plaimont,** 795 798
EARL de **Plaisance,** 784
SARL Dom. des **Plantades,** 1062
Michel **Planteur,** 226
Daniel **Plantey,** 234
Jacques **Plasse,** 934
Emmanuel **Plauchut,** 737
SCEA Vignobles **Plisson,** 230
EARL **Plou et Fils,** 892
François **Plouzeau,** 886
SA **Plouzeau,** 889 905
N.I. **Pocci-Le Menn,** 296
Dom. **Pochon,** 983
Albert **Poilane,** 831
Dom. Jean **Poiron et Fils,** 836
SA Henri **Poiron et Fils,** 829
Dom. **Poirrotte-Vaudoisey,** 536
EARL André **Poitevin,** 168
Poivert Frères, 292
Philippe **Poivey,** 803
Ange **Poli,** 764
SA **Pol Roger Cie,** 644
Cave Coopérative de **Pomérols,** 701
Jean-François **Pommeraud,** 228
Pommery, 644
Denis **Pommier,** 446
Michel **Pommier,** 306
SCEA Andéol et Raphaël **Pommier,** 1012
Philippe Edmond **Poniatowski,** 913
Albert **Ponnelle,** 509 519
Pierre **Ponnelle,** 512
Josette et Jean-Claude **Pons et Fils,** 1054
SCEA **Pons-Massenot,** 740
Patrick **Ponsolle,** 794
Pascal **Ponson,** 644
Ponson-Nicot, 705
SCEA Ch. de **Pont,** 889
Vincent **Pont,** 536 542
Jacques de **Pontac,** 398
J.-F. de **Pontac,** 318
Bernard **Pontaud,** 961
GFA du Ch. **Pontey,** 344
Dom. Guy **Pontonnier,** 901
GFA Henri **Ponz,** 225
Philippe **Porcheron,** 369
Serge **Portal,** 740
Dom. Marc **Portaz,** 676
Dom. Philippe **Portier,** 942
Union de viticulteurs de **Port-Sainte-Foy,** 802
Pothier-Tavernier, 417
SCEA de **Potiron,** 311
François **Pottier,** 1068
Pouey International SA, 323
Roger **Pouillon et Fils,** 644 655
Caves de **Pouilly-sur-Loire,** 939 941
Poulet Père et Fils, 455 583
Dom. **Poulleau Père et Fils,** 527
Claude **Poullet,** 446
EARL **Poupard et Fils,** 847 866
Poupat et Fils, 932
Gérard **Poupineau,** 899
SCEA des vignobles Claude **Pourreau,** 342
A. **Pousse et M. Pessonnier,** 234
Dom. **Pouverel,** 742
Patrick **Pouvreau,** 225
Pradel, 737
GAEC **Pradelle,** 984
GAEC Jean-Pierre et Marc **Pradier,** 929
Frédéric **Prain,** 448
SCEA Dom. de **Pratavone,** 767
Dom. **Prats,** 381
SA Dom. **Prats,** 378 **378**
Catherine et Jean-François **Prax,** 713
SCEA **Preignes le Vieux, 1064**
SARL **Preiss-Zimmer,** 87 107
Dom. du Ch. de **Premeaux,** 417 496 500
GFA Ch. de **Pressac,** 283
Michel **Prévot,** 816
Gérald **Prévoteau,** 644
Dom. Jacky **Preys et Fils,** 926
Dom. Jacques **Prieur,** 526 536 551 552
Pierre **Prieur,** 906
Dom. **Prieur-Brunet,** 532 537 548 556 563
Caves du **Prieuré,** 1104
SCEA du **Prieuré,** 937
GAFF **Prieuré de Montézargues,** 1003
SCA **Prieuré-Lescours,** 283
SA Ch. **Prieuré-Lichine,** 205 367
SCA Ch. **Prieuré Malesan,** 230
SCI **Prieuré Sainte-Anne,** 314
Dom. Paul **Prieur et Fils,** 948
SA Pierre **Prieur et Fils,** 949
Dom. **Prin,** 507
GAEC du **Priorat,** 803
SCEA du **Priourat,** 297
Groupement des Producteurs de **Prissé-Sologny-Verzé,** 418 429 442 584 596
Eric **Prissette,** 284
Union **Prodiffu,** 804
Producta SA, 204 209 338 343 800 802
SA **Producteurs réunis,** 795
Proffit-Longuet, 842 853
Jean-Luc **Prolange,** 180
Dom. Maurice **Protheau et Fils,** 425 575
Henriette **Protot,** 418
Christian **Provin,** 901
Provins Valais, 1096
EARL Yves **Provost et Fils,** 837
Bernard **Prudhon,** 558
EARL Henri **Prudhon et Fils,** 558
Dom. Jean-Pierre et Laurent **Prunier,** 542
Michel **Prunier,** 542
Pascal **Prunier,** 527 542
Vincent **Prunier,** 542 559
Philippe **Prunier-Damy,** 539 543 544
Christine et Jean-Louis **Puech,** 706
Ch. **Puech-Haut, 706**
GAEC **Pueyo Frères,** 265
Jacques **Puffeney,** 662
Union de producteurs de **Pugnac,** 233
GAEC Ch. de **Puisseguin-Curat, 296**
Cave coop. de **Puisseguin-Lussac-Saint-Emilion,** 290 296
Les Vignerons de **Puisserguier,** 706
GAEC du **Puits Fleuri,** 418
Jean-Luc **Pujol,** 722 1022
José **Pujol, 723**
Bernard **Pujol et H. de Bouard,** 319
SCEA Dom. du Ch. de **Puligny-Montrachet,** 410 539 559
Fruitière vinicole de **Pupillin,** 662
Dom. de **Putille,** 850
EARL Ch. de **Putille,** 857
SCE Ch. **Puy Castéra,** 355
Sté **Puy Gaudin,** 1037
SC Ch. **Puygueraud,** 303
SCEA Ch. **Puy Guilhem,** 241
Cave de **Puyloubier,** 742
GAEC Jean **Puyol et Fils,** 257
EARL Dom. du **Puy Rigault,** 907
SCEA **Puy-Servain-Calabre,** 810
Puzio-Lesage, 269
André **Quancard-André,** 195 231 258 259 291 336 342 348 351
Clos des **Quarterons-Amirault,** 900
Cave des **Quatre-Chemins,** 961 970
Cellier des **Quatre Tours,** 755
SARL Dom. de **Quattre,** 1058
André et Michel **Quénard,** 677
Jean-Pierre et Jean-François **Quénard,** 677
Champagne **Quenardel et Fils,** 644
EARL Claude **Quénard et Fils,** 677
Daniel **Quentin,** 280
GFA du Ch. **Quercy,** 273 283
Vignerons du **Quercy,** 1057
Michel **Querre,** 281
SCE J.-C. et J.-P. **Quet,** 291
Jean-Michel **Quié,** 348 372
Vignobles Jérôme **Quiot,** 999
Gérard **Quivy,** 471
Jacques **Rabanier,** 210
Cave de **Rabastens,** 779
Rabiega Vin, 737 742
EARL Vignobles **Rabiller,** 352 **380**
EARL Didier et Sylvie **Raboutet,** 228 233
Denis **Race,** 456 458
EARL Jacques **Raffaitin,** 948
EARL Jean-Maurice **Raffault,** 907
Julien **Raffault,** 907
SARL Dom. Olga **Raffault,** 907
Pierre **Ragon,** 943
Dom. **Ragot,** 579
EARL **Raguenot-Lallez,** 231
GAEC Jean et Ghislain **Raimbault,** 919
Philippe **Raimbault,** 940 948
Noël et Jean-Luc **Raimbault - Loiret Frères,** 948
Dom. **Raimbault-Pineau,** 932 949
SCI **Ramage La Batisse,** 355
François **Rambeaud,** 291
Henri **Ramonteu,** 791
GAEC Michel **Rampon et Fils,** 173
Eric **Ramu et Fils,** 1102
Ch. de **Raousset,** 173
SCEA Héritiers de **Raousset,** 164
Michel **Raoust,** 762 763
Isabelle **Raoux,** 1026
EARL François **Rapet et Fils,** 430 543
Dom. **Rapet Père et Fils,** 507 **509** 512 520 527
François **Raquillet,** 576
Michel **Raquillet,** 576
EARL Georges **Raspail,** 1004
Jean-Claude **Raspail, 1005**

SCEA Ch. **Rasque**, 742
Didier **Rassat**, 942
Georges et Denis **Rasse**, 1074
SCEV **Rasselet Père et Fils**, 645
Cave de **Rasteau**, 1032
Les Vignerons de **Rasteau et de Tain-l'Hermitage**, 968 984 987 988 1003 1032
Lucien **Rateau**, 439
SCEA Ch. **Ratouin**, 255
SCI du **Raux**, 355
Union des producteurs de **Rauzan**, 196 203 214
SCA du Ch. **Rauzan-Gassies**, 367
Ch. **Rauzan-Ségla**, 368
EARL Olivier **Ravier**, 160
Philippe **Ravier**, 677
Cave François **Ray**, 933
Yves **Raymond**, 361
SC du Ch. de **Rayne Vigneau**, 324 399
Cave du **Razès**, **719**
SCEA **Razungles**, 721 725
SCEA Jean-Pierre **Rebeilleau**, **875**
Jean **Rebeyrolle**, 806
Michel **Rebourgeon**, 418
Daniel **Rebourgeon-Mure**, 418 527 533 537
MSE Dom. Henri **Rebourseau**, 471 474 487
SA Michel **Redde et Fils**, 939 941
Alain **Reder**, 707
Pascal **Redon**, 645
EARL Ch. **Redortier**, 962 971
Olivier **Refait**, 420
Bernard **Réglat**, 319 397
Guillaume **Réglat**, 397
SCEA Yvan Maurice **Réglat**, 388
Vignobles Laurent **Réglat**, 322
Regnard, 450 456 458 854
Bernard **Regnaudot**, 418 563 566
Jean-Claude **Regnaudot**, 563 566
GAEC Vignobles **Reich**, 341
Reine Pédauque, 490 497 514 537 548 557
SA Paul **Reitz**, 434 563
Philippe et Damien **Remaury**, 714
Henri et Gilles **Remoriquet**, 434 497
Gabriel **Remuet**, 173
Bernard **Rémy**, 645
Dom. Louis **Rémy**, 472 473 479 483
SCEA Roger et Joël **Rémy**, 522
Rémy Martin, 1038
Dom. Jacky **Renard**, 425 **446** 460
Alain et Elie **Renardat-Fache**, 679
Pascal et Mireille **Renaud**, 591
Jacques **Renaudat**, **944**
SCEV Champagne R. **Renaudin**, 645
EARL Raymond **Renck**, 99 107
J.-L. et M.-P. **Rendu**, **1020**
Evelyne **Rénier**, 207
SCEA René **Renon**, 363
Claude **Renou**, 901
René **Renou**, **868**
GAEC Joseph **Renou et Fils**, 858 865 869
Renou Frères, 840
Bernard **Renucci**, 764
Ch. **Réquier**, 743
Resses et Fils, 773
GAEC **Retailleau**, 842
Vincent **Reuiller**, 868
SCE Dom. de **Reuilly**, 944
Damien **Reulier**, 821 854
Olivier et Florence **Reumaux**, 313
Muriel et Patrick **Revaire**, 227
Xavier **Reverchon**, 668 1044
Pascal et Nicolas **Reverdy**, 949
Patrick **Reverdy**, 690
Roger **Reverdy-Cadet et Fils**, 950
Bernard **Reverdy et Fils**, 949
Jean **Reverdy et Fils**, 950
Jean-Guy **Révillon**, 181
Jean **Revol**, 804
EARL les Héritiers de Marcel **Rey**, 1009
Michel **Rey**, 591
Josianne **Reyes**, 377
Jean-Yves **Reynou**, 811
Christophe **Reynouard**, 1076
Guillaume **Reynouard**, 873
SARL du Ch. **Reysson**, 351 356
Cave des Vignerons **Rhodaniens**, 978 982
Cave vinicole de **Ribeauvillé**, 122
GAEC **Ribes**, 784
Bernadette **Ricard**, 198 391
Ch. de **Ricaud**, 389
SCEA Vignobles Y. **Ricaud-Lafosse**, 391
Hervé et Marie-Thérèse **Richard**, 978 981 982
Jean-Pierre **Richard**, 840
Philippe **Richard**, 907
Pierre **Richard**, 669 671
SCE Dom. Henri **Richard**, 471 474
Richard et Fils, 275
Richard et Jooris, 1057
Dom. des **Richards**, 993 1029
Pierre **Richarme**, 764
Jean-Pierre **Richarte**, 1054
EARL Ch. **Richelieu**, 242
Dom. **Richou**, 852 855
Dominique et Bénédicte **Ricome**, 696
GAEC Pascal **Ricotier**, 1052
Dom. Joseph **Rieflé**, **99** 113
Dom. **Riere Cadene**, 1027
Pierre et Jean-Pierre **Rietsch**, **91**
Les Coteaux du **Rieu Berlou**, 715 1059
Ch. **Rieussec**, **399**
Jean et Marie-José **Riffaud**, 353
EARL Vignobles **Rigal**, 214 802
SARL F.L.B. **Rigal**, 689
SCEA **Rigord**, 735
SA Dom. de **Rimauresq**, 743
Jean-Marie **Rimbert**, 716
Ringenbach-Moser, 99
Dom. Armelle et Bernard **Rion**, 483 487 491
SCE Michèle et Patrice **Rion**, 418
Caves de **Riondaz**, 1099
Dom. Daniel **Rion et Fils**, 491 **497**
Thérèse et Michel **Riouspeyrous**, 789
Pierre **Rique**, 963
Bernard **Rivals**, 281
Les Vignobles du **Rivesaltais**, 723 727 **1018** 1022 1024 1065
François **Rivière**, 830
SCE Vignobles **Rivière**, 268
Ch. **Rivière-le-Haut**, 706
Claude **Robert**, 1062
EARL **Robert**, 745
GFA **Robert**, **686**
Régis **Robert**, 645
Stéphane **Robert**, 988
Vignobles **Robert**, 198
Dom. **Robert-Denogent**, 591
EARL Louis et Claude **Robin**, 868
Gilles **Robin**, 984
Guy **Robin**, 459
Jean-Jacques **Robin**, 585 594
Jean-Loup **Robin**, 295
SCEA Ch. **Robin**, 301
Robin-Bretault, 844 861
Jean-Louis **Robin-Diot**, 848 861
Louis **Robineau**, 847
Michel **Robineau**, 850 1052
Dom. **Roblet-Monnot**, 418 533
Caves **Rocbère**, 689
SARL **Roc de Boissac**, 289 296
Pascale **Roc-Fonvieille**, 1056
Guy **Rochais**, 858 **866** 869
Christian **Roche**, 809
SCEA des Dom. **Roche**, 772
Cave des Vignerons de **Rochegude**, 963
Dominique **Rocher**, 963 971
Jean-Claude **Rocher**, 294
SC **Rocher Bellevue Figeac**, 284
Vignobles **Rocher-Cap-de-Rive**, 296 339 367
SCE du Ch. **Rocher Corbin**, 293
Michel et Didier **Roches**, 812
Antonin **Rodet**, 418 483 581 591
Jacques **Rodet**, 232
Eric **Rodez**, 645 655
Champagne Louis **Roederer**, 645
Lucien **Rogé**, 711
Dominique **Roger**, 946
SARL des Vignobles **Roger**, 716
Michel **Rogué**, 646
Marc et Serge **Roh**, 1100
J.-N. **Roi**, 288
Cave du **Roi Dagobert**, 107
Ets **Rolandeau SA**, 839
SCEA Ch. **Roland La Garde**, 230
Michel **Rolaz**, 1088
SCA Ch. **Rol de Fombrauge**, 284
SCEA **Rolet Jarbin**, 196 220 304
Rolet Père et Fils, 662 **671**
Michel et Dany **Rolland**, 239
SCEA Fermières des domaines **Rolland**, 249 252
EARL Patrick **Rollet**, 148
Georges **Rollet**, 168
Jean-Pierre **Rollet**, 271 287
Pascal **Rollet**, 588
Rollin Père et Fils, 509
Rolly Gassmann, 113
Jean-Claude **Romain**, 1055
Philippe et Thierry **Romain**, 1059
SC du Dom. **Romanée-Conti**, **493**
SCEA Ch. **Romanin**, 757
Ch. **Rombeau**, 1028
André **Roméro**, 969
Christophe **Romeuf**, 929
Eric **Rominger**, 131
Jean-Pierre **Rompillon**, 821 866
Dominique **Romy**, 149
SCEA Dom. du **Roncée**, 907
Yves **Ronchi**, 1010
Gilbert et Kathy **Rondonnier**, 799
EARL Claudius **Rongier et Fils**, 587
Ropiteau Frères, 426 548
Catherine **Roque**, 687 1060
Cave Les Vins de **Roquebrun**, 717
Alalande-Ch. de **Roquebrune SCV**, 255
SCE du Ch. **Roquefort**, 206
Alain **Roses**, 351
N. **Roskam-Brunot**, 290
Philippe **Rosset**, 1093
Georgette **Rossi**, 163
Christian **Rossignol**, 533 537
EARL Michel et Marc **Rossignol**, 419 537
Régis **Rossignol**, 419
GAEC **Rossignol et Gendre**, 227
Dom. **Rossignol-Trapet**, 473
Alex **Roten**, 1099
Cie vin. barons Ed. et B. de **Rothschild**, 355 359 370
Baron Philippe de **Rothschild SA**, 316 372
Rötiberg-Kellerei, Lanz & Co, 1107
Dom. **Rotier**, 780
Dom. de **Rotisson**, 442
Jacques **Rouanet**, 319
Noë **Rouballay**, 889
Pierre **Roubineau**, 306
R. **Rouchon**, 1039
Les Vignerons de **Roueïre**, 716 1065
Ch. du **Rouët**, 743
Dom. des **Rouet**, 908
Louis-Philippe et Philippe **Rouge**, 1091
SCEA Dom. **Rouge Garance**, 958
Michel et Roland **Rougeyron**, 930
René **Rougier**, 752
Maison **Rouiller**, 873 876 878
Jean-Pierre **Roulet**, 808
EARL Dominique et Françoise **Roullet**, 851
Jean-Louis **Roumage**, 195 218
Odile **Roumazeilles-Cameleyre**, 395
Hervé **Roumier**, 484 487
GAEC Ch. **Rouquette**, 775
Pierre **Rouquette**, 699
Jean-Claude du **Roure**, 588 591
Wilfrid **Rousse**, 908
EARL Christian et Anne **Rousseau**, 867
Jean-Marie **Rousseau**, 254 290
Rousseau Frères, 890
Jacques **Rousseaux**, 646
Rousseaux-Batteux, 646
EARL **Roussel**, 958
EARL du Ch. de **Rousselet**, 235
Rémy **Rousselot**, 240 255
Claude **Rousselot-Pailley**, 669 671 1044
Cave de **Rousset**, 736
Daniel **Rousset**, 584
EARL du Vignoble **Rousset**, 300
Fabrice **Rousset**, 979 1077
Rousset-Rouard, 1010
M. **Roussille**, 771
Roustan-Fontanel, 1027
Ch. **Routas**, 759
Marc et Dominique **Rouvière**, 979
Vins **Rouvinez**, 1098
Françoise **Roux**, 238 240
GFA Vignobles Alain **Roux**, 237 238
Gilles et Cécile **Roux**, 153
Pascal **Roux**, 999
SCEA Yvan **Roux**, 341

Dom. **Roux Père et Fils**, 485 514 **551** 557 559
Dom. Jacques **Rouzé**, 943
Sylvie **Rouzé-Lavault**, 942
Jean-Marie **Rouzier**, 908
Jeannine **Rouzier-Meslet**, 895
Alain **Roy**, 580
Georges **Roy**, 522
Jean-François **Roy**, 890 926
Michel **Roy**, 890
Geneviève **Royer-Moretti**, 483
Champagne **Royer Père et Fils**, 646
GFA **Roylland**, 284
Les Vignerons du **Roy René**, 756 1072
SCEV **Roy-Trocard**, 239
Indivision **Rozier**, 210
Paul de **Rozières**, 340
Michel **Ruelle-Pertois**, 646
Dom. **Ruet**, 159
Champagne **Ruffin et Fils**, 646
Ruhlmann, 91
Ruhlmann-Dirringer, 85
Gilbert **Ruhlmann Fils**, 135
Champagne **Ruinart**, 647
Philippe **Rullaud**, 311
Michel **Rullier**, 239
Dom. du Ch. de **Rully**, 573
Dom. de **Rully Saint-Michel**, 573
Henri **Ruppert**, 1084
Champagne René **Rutat**, 647
Rutishauser Weinkellerei AG, 1107 1108
SA **Ryman**, 804
GAEC **Sabaté-Zavan**, 299
EARL Aimé **Sabon**, 959 996 997
Les Fils de Joseph **Sabon**, 998
Jean-Bernard **Saby**, 273 284
Sack-Zafiropulo, 746
GAEC du **Sacré-Cœur**, 717 1031
Champagne Louis de **Sacy**, 647
Sadi-Malot, 647
SCEA Vignobles Pierre **Sadoux**, 813
Guy **Saget**, 861
SA Guy **Saget**, 870 878 940
Abel **Sahuc**, 959
Cave de Vignerons réunis de **Sain-Bel**, 183
Dom. **Saint-Amant**, **971**
Cave de **Saint-Antoine**, 762
Sté **Saint-Bénézet**, 696
Cave **Saint-Brice**, 339 341 342
Cave des Vignerons de **Saint-Chinian**, **717**
SCIA **Saint-Christophe**, 967 989
Cave de **Saint-Désirat**, 978 982
SCEA Ch. **Saint-Didier-Parnac**, 775
Dom. de **Sainte-Anne**, **848**
EARL Dom. **Sainte-Anne**, 972
GFA Dom. **Sainte-Béatrice**, 743
SCEA Ch. **Sainte-Catherine**, 388
SA Dom. de **Sainte-Marie**, 744
Cave de **Sainte-Marie-la-Blanche**, 442 533 537 1079
Union de producteurs de **Saint-Emilion**, 258 259 261 262 263 272 273
GFA Ch. de **Saint-Estève**, 691
Ch. **Saint-Estève d'Uchaux**, 963
Cellier des **Saint-Etienne**, 159
Comtesse F. de **Saint-Exupéry**, 812
Cave des vignerons de **Saint-Félix**, 707
GAEC Clos **Saint-Fiacre**, 935
Cave des Vignerons de **Saint-Gervais**, 972
Les Vignerons de **Saint-Hilaire-d'Ozilhan**, 964
Cave **Saint-Jean**, 340 344
SA Dom. **Saint-Jean**, 744
SCA Ch. **Saint-Jean**, 964
EARL **Saint-Jean-de-l'Arbousier**, 707
Dom. **Saint-Jean de Villecroze**, 760 1073
GAEC Dom. **Saint-Jean-le-Vieux**, 760
Dom. **Saint-Jemms**, 984
Cave Coop. de **Saint-Julien**, 154
Dom. de **Saint-Julien-les-Vignes**, 756
SA du Ch. **Saint-Lô**, 285
Cave coopérative **Saint-Marc**, 1009
Dom. **Saint-Marc**, 563
SCEA **Saint-Martin de la Garrigue**, 707 1065
Saint Martinskellerei, 1100
SCA Ch. **Saint-Maurice**, 972
Vignobles **Saint-Nabor**, 972
Bruno **Saintout**, 344 384
Cave coop. de **Saint-Pantaléon-les-Vignes**, 972
SC du Ch. **Saint-Paul**, 356
SCV Les Vignerons de **Saint-Paul**, 727 **1022**
Union de prod. de **Saint-Pey-de-Castets**, 224
SA Cave **Saint-Pierre**, 1099
Union des vignerons de **Saint-Pourçain**, 932
SARL Caves **Saint-Rémy-Desom**, 1082 1084
Cave des vignerons de **Saint-Sardos**, 1057
Les Vins de **Saint-Saturnin**, 708
SCV **Saint-Sauveur-Cruzières-Rochegude**, 1076
Dom. de **Saint-Ser**, 744
SCA Cellier **Saint-Sidoine**, 736
La Cave de **Saint-Tropez**, 739
SA Cave **Saint-Verny**, 930
Hocquard - SCEA **Saint-Vincent**, 750
Viticulteurs réunis de **Saint-Vivien et Bonneville**, 801
René **Salasar**, 684
Caves **Salavert**, 972
SCEA **Salette**, 979
EARL Alain et Philippe **Sallé**, 890
EARL R. et G. **Sallet**, 588
Denis **Salomon**, 647
Champagne **Salon**, 647
Caveau de **Salquenen**, 1100
Dom. **Salvat Père et Fils**, 724 1028 1067
Salzmann-Thomann, 123 127
Elisabeth **Samalens-Bourdens**, 1040
Gérard **Samson**, 1046
Cave des vins de **Sancerre**, 947
P. Sandoz, 669
Jean-Louis **Sanfourche**, 199
EARL Dom. **San-Michele**, 765
EARL du Dom. **San Quilico**, 768 1033
Dom. de **Santa Maria**, 761
Bernard **Santé**, 163
Ch. de **Santenay**, 439 532 576
Pierre **Santenero**, 810
Jean-Pierre **Santini**, 746
Didier **Sanzay**, 876
René de **Saqui de Sannes**, 748
Jean-Jacques **Sard**, 890
Dom. **Sarda-Malet**, 724
Charles **Sardou**, 756
Ch. **Sardy**, 807
SE du Ch. Haut **Sarpe SA**, 274
SCA Cave de **Sarras**, 979
Michel **Sarrazin et Fils**, 566 579
Bernard **Sartron**, 196
Dom. **Sauger et Fils**, 922
Robert **Saumade**, 1065
Guy **Saumaize**, 591 595
Cave des Vignerons de **Saumur**, 875 880
Sylvaine **Sauron**, 744
GFA **Sautarel**, 256
SA Marcel **Sautejeau**, 833
Thierry **Sauvaire**, 702
Claude et Annie **Sauvat**, 930
Dom. Vincent **Sauvestre**, 450 533
Dom. **Sauvète**, 890
SCE **Sauvion Fils**, 828
Savary, 1065
Francine et Olivier **Savary**, 419
Camille **Savès**, 648
Christophe **Savoye**, 165
René **Savoye**, 164
A. et A. **Saxer**, 1108
SCAMARK, 167
Martin **Schaetzel**, 99 124
EARL Joseph **Schaffar**, 121
Edgard **Schaller et Fils**, 94
Bruno et Fabienne **Schenck**, 688
EARL Joseph et André **Scherb**, 99
Michel **Scherb**, 91 107 135
Vignoble A. **Scherer**, 85
EARL Paul **Scherer et Fils**, 107
Thierry **Scherrer**, 135
Dom. Pierre **Schillé et Fils**, 123
EARL Lucien **Schirmer et Fils**, 99 108 131
Dom. **Schlegel-Boeglin**, 132
Domaines **Schlumberger**, 121 122
Schmit-Fohl, 1084
EARL Roland **Schmitt**, 115
Paul **Schneider et Fils**, **118** 135
Albert **Schoech**, 123 130
Maurice **Schoech et Fils**, 108 113
Jean-Louis **Schoepfer**, 99
Michel **Schoepfer**, 85 108
Dom. **Schoffit**, 126
Peter **Schott-Tranchant**, 1105
Maison **Schröder et Schyler**, 198 206 364
Robert et Agnès **Schulte**, 785
Dom. **Schumacher-Lethal et Fils**, 1084
Armand **Schuster de Ballwil**, 220
Christian **Schwartz**, 100 135
Emile **Schwartz et Fils**, 108 113 125
Sécher, 839
Roland **Sécher**, 828
François **Secondé**, 648
Bruno **Secret**, 336
Segond, 343
SCEA Ch. **Segonzac**, 230
Claude **Seguin**, 419 426
Rémi **Seguin**, 478 483 491
SC du Ch. de **Seguin**, 221
Dom. **Seguin-Manuel**, 520
SCEA Daniel **Seguinot**, 450 456
SCA Ch. **Ségur**, 356
Dom. des **Seigneurs**, 890
Dom. **Seilly**, 94 100 113
Robert **Seize**, 289
SARL Jean-Michel **Selig**, 108
EARL Pierre **Selle**, 783
Sellier de Brugière, 308
Albert **Seltz**, 83
Cave du **Séminaire**, 1097
SCA du Ch. **Sénailhac**, 221
Dom. du Comte **Sénard**, 507 512
Jean-Baptiste **Senat**, 714
EARL Hubert **Sendra**, 692
SCEA **Sendrey Frères et Fils**, 396
Champagne Cristian **Senez**, 648
Cave des **Sept Monts**, 1054
Louis **Serex**, 1102
Sylvie et Claude **Sergenton**, 801
Joseph **Sergi et Roland Sicardi**, 747
Jean-Pierre **Serguier**, 964 973 999 1070
SCAV les Vignerons de **Sérignan**, 706
EARL Jean-Marie et Patricia **Sermier**, 669
Robert **Sérol et Fils**, 934
Serge **Serris**, 714
Dom. B. **Serveau et Fils**, 419
Pascal **Serveaux**, 648
SCE Dom. **Servin**, **450** 456 459
Ch. du **Seuil**, 324
SCE Vignobles **Sévenet**, 324
SGVP Ch. Rouget, 251
Carles **Sibille**, 216
SICA des Caves des Vins de Rabelais, 904
Maison **Sichel**, 344
Maison **Sichel-Coste**, 191 223 362 371 373 382
GFA Robert **Sicre et Enfants**, 212
Bernard **Sierra**, 285
SCEA Dom. **Siffert**, 91 114
Ch. **Sigalas-Rabaud**, 399
SCA Ch. **Signac**, 972
Marc **Signerin**, 170
La Cave de **Sigolsheim**, 123
Pascal **Simart**, 648
Charles **Simon**, 353
Christine **Simon**, 717
Françoise **Simon**, 962
Monique **Simon**, 648
R. et S. **Simon**, 921 **923**
Antoine **Simoneau**, 887
Guy **Simon et Fils**, 426 434
Jeanne **Simon-Hollerich**, 138
Dom. **Simonin**, 583 591 596
EARL Jean-Paul **Simonis et Fils**, 91 100
Simonnet-Febvre, 419 446 456
Champagne **Simon-Selosse**, 648
SCEA Ch. **Singleyrac**, 802
Hubert **Sinson**, 926
Dom. Jean **Sipp**, 122
Louis **Sipp Grands Vins d'Alsace**, 122
Dom. **Sipp-Mack**, 91
SC du Ch. **Siran**, 362 368
Pascal **Sirat**, 209 220
Jacques **Sire**, 727 1022
Jean-Marie **Sire**, 727
Françoise **Sirot-Soizeau**, 394
Robert **Sirugue**, 426 430 483 **491**
Gilberte **Siutat**, 774
Skalli Fortant de France, 1061
GAEC Patrick et Vincent **Soard**, 968 1007
GFA Bernard **Solane et Fils**, 192 390
Domaines du **Soleil**, 712 1059

Hôpital de **Soleure,** 1104
Hubert **Somm,** 1072
Jean-Michel **Sorbe,** 944
Dom. Bruno **Sorg,** 118
Marlène **Soria, 706**
Dom. **Sorin,** 745 751
EARL Gilles **Sorin,** 849
Jean-Pierre **Sorin,** 419 426
Marylène et Philippe **Sorin,** 419
Dom. **Sorin-Defrance,** 460
Dom. **Sorine et Fils,** 563
Jean-Pierre **Soubie,** 218
Philippe **Souciou,** 894
EARL Pierre **Soulez,** 858 859
Yves **Soulez, 863**
Soulier Père et Fils, 961
Albert **Sounit,** 442 568 574
Roland **Sounit,** 574
Jean-Bernard **Sourdais,** 906
Pierre **Sourdais,** 908
SA Vignobles **Sourice,** 831
Ch. de **Sours,** 206 209
Erick de **Sousa,** 648
Albert de **Sousa-Bouley,** 548
Patrick **Soutiran,** 649
Soutiran-Pelletier, 649 655
Michel **Souveton,** 770
SCEA Dom. de **Souviou,** 751
SARL **SOVIFA,** 260
Rémy et Eugène **Spannagel,** 100
GFA des domaines **Sparre,** 175
SA Pierre **Sparr et ses Fils,** 114 123
Georges **Spay,** 182
Dom. **Spelty,** 906
Pierre **Speyer,** 794
Janie **Spinasse,** 293
Spitz et Fils, 85 135
Michael et Susan **Spring,** 772
Bernard **Staehlé,** 92 121
Thomas et Marianne **Stamm,** 1107
Dom. **Steinmetz-Jungers,** 1085
André **Stentz,** 114 129
Fernand **Stentz,** 126
Jean-Jacques **Stentz-Buecher,** 129
Dom. Aimé **Stentz et Fils,** 121
Stéphane et Fils, 649
Patrice **Sterlin,** 781
Weingut zum **Sternen, 1105**
Martine et Vincent **Stoeffler,** 92 114
Antoine **Stoffel,** 100 108
GAEC du Ch. de **Stony,** 1029
Jean-Marie **Straub,** 100 131
Joseph **Straub Fils,** 112
EARL Hugues **Strohm,** 114
André **Struss et Fils,** 92 135
Henri **Stuart,** 800
Thomas et Barbara **Studach Weinbau,** 1106
Francis **Suard,** 908
Champagne **Sugot-Feneuil,** 649
Michel **Suire,** 875
Daniel **Sulliger,** 1101
Vignobles **Sulzer,** 275
Famille Elie **Sumeire,** 741 745
Régine **Sumeire,** 739
EARL Eric de **Suremain, 539** 573
Hugues et Yves de **Suremain,** 577
Jean-Paul **Suss,** 649
SCA **Suteau Ollivier,** 825
Etienne **Suzzoni,** 762
Jean-Paul et Hubert **Tabit,** 420 460
Yvon et Pascal **Tabordet,** 940 949
Frédéric **Tach,** 320
René et Marie-Claire **Tachon,** 153
André **Tailhades,** 714
GAF du **Taillanet,** 336
EARL **Tailleurguet,** 795
Cave de **Tain-l'Hermitage,** 982 **986** 988
Taittinger, 649
Josette **Taïx,** 296
Ch. **Talbot,** 206 386
EARL Gérald et Philibert **Talmard,** 588
EARL **Taluau-Foltzenlogel,** 902
SA Eredi Carlo **Tamborini,** 1109
Jacques **Tanneux,** 649
Vignobles Raymond **Tapon,** 276
SCA Les Vignerons de **Taradeau,** 740
SCV **Tarérach Roc de Maure,** 724
Guillaume et Louis **Tari,** 749
Ch. du **Tariquet,** 1041 1058
Champagne **Tarlant,** 649
Roland **Tarroux,** 707
Emmanuel **Tassin,** 650 655
Dom. Bernard **Tatraux-Juillet,** 579
Dom. Pierre **Taupenot,** 426 543
Jean **Taupenot-Merme,** 426 474 478 483
Les Maîtres Vignerons de **Tautavel,** 728 1022
Ch. de **Tauziès,** 780
Les Vignerons de **Tavel,** 1001 1003
Jean **Techenet,** 214
Cave de **Técou,** 777
Dom. Jean **Teiller,** 937
Jean-Marie **Teillet,** 805
Champagne J. de **Telmont,** 650
Marc **Tempé,** 123 127
SCEA Dom. du **Temple,** 708
Jean-Yves **Templier,** 837
Cellier des **Templiers,** 728 730 1017 **1018**
François **Tereygeol,** 355
SCV Les Vignerons de **Terrats,** 724 1022
Dom. de **Terrebrune,** 824 868
SCA du Ch. de **Terrefort-Quancard,** 222
Dom. des **Terregelesses,** 520
SA **Terreni alla Maggia,** 1109
SCEA Dom. de **Terres Blanches,** 757
GAEC des **Terres Noires,** 890
Yves **Terrien,** 826
GAEC **Terrigeol et Fils,** 229
SEV Ch. du **Tertre,** 368
Famille **Tesseron,** 377 379
Christian **Tessier,** 921 922
EARL Philippe **Tessier,** 922 923
Michel **Tessier,** 846 865
Champagne V. **Testulat,** 650
Michel **Tête,** 168
Philippe **Teulier,** 787
Heinz **Teutsch,** 1104
Daniel **Tévenot,** 922
Daniel **Texier,** 146
Ch. **Teynac,** 386
Ch. **Teyssier,** 294
EARL Gilles **Teyssier,** 271
Jean-François **Tézenas,** 733
SCEA **Theil-Roggy,** 346
Jean **Theil SA, 371**
SCEA Ch. **Thénac,** 808
Bernard **Therasse,** 782
SCEA Dom. du **Théron,** 775
SCEA **Théron-Portets,** 322
Jacky **Therrey,** 650
EARL N. et J.-C. **Theulot,** 576
André **Théveneau,** 950
Jean-Claude **Thévenet,** 583 595
Michèle **Thévenet,** 650
Florence et Martial **Thévenot,** 570
Richard **Thévenot,** 577
Dom. **Thévenot-Le Brun et Fils,** 426 435 439
Les Vignerons de **Thézac-Perricard,** 1055
GAEC **Thibault,** 932
Pierre et Jean-Baptiste **Thibaut,** 420
SCEV Guy **Thibaut,** 650
Jean-Marc **Thibert,** 587 593
Pierre **Thibert,** 522
GAEC Dom. **Thibert Père et Fils,** 588 592 593
Jean-Claude **Thiellin,** 913
Alain **Thienot,** 323 **650**
Christian **Thierry,** 919
Jean-François **Thierry,** 816
Jean-Louis **Thiers,** 988
Dom. **Thill Frères,** 1084
Gérard **Thirot,** 950
Christian **Thirot-Fournier,** 950
Gilbert et Isabelle **Thivend,** 160
GAEC du Dom. du **Thizy,** 173
Robert et Patrice **Thollet,** 183
Christian **Thomas,** 361
Dom. **Thomas,** 487 491 497 520
GAEC Yves et Eric **Thomas,** 919
Lucien **Thomas,** 429 582 590 595
SCEA Vignobles **Thomas,** 200
André **Thomas et Fils,** 92 100 **108**
Dom. **Thomas et Fils,** 950
EARL **Thomas-Labaille,** 950
Dom. **Thomas-Moillard,** 435 439
SA Bernard **Thomassin,** 328
Laurent **Thomières,** 776
Christophe **Thorigny,** 919
Dom. du **Thouar,** 745
EARL du Ch. **Thouramme,** 1011
Ets **Thunevin,** 286
SA Richard **Thury et Fils,** 1093
Mme Brasier de **Thuy,** 874
SARL Jean **Tigana,** 358
EARL **Tijou et Fils,** 847 860
Pierre-Yves **Tijou et Fils,** 866
Annick **Tinel-Blondelet,** 941
Jean-Marie **Tinon,** 390
GIE Diogène **Tissier et fils,** 650
Roland **Tissier et Fils,** 950
André et Mireille **Tissot,** 663 671 **1044**
Jacques **Tissot,** 663 669
Jean-Louis **Tissot,** 662 663
Cave du **Tivoli,** 928
Olivier **Tixier,** 651
Laetitia **Tola,** 766 1069
Dom. du **Tonkin,** 943
Françoise **Torné,** 742
Dom. **Tortochot,** 471 472 474 475
Jean-Claude **Toublanc, 826**
Luc **Touchais,** 346
Comte de **Toulgoët,** 158
Olivier **Toulouse,** 787
SCEA Ch. **Tour Baladoz,** 285
Ch. **Tour Blanche,** 344
SA Ch. **Tour de Pez,** 382
SCEA Ch. **Tour du Haut-Moulin,** 357
SCEA Ch. **Tour du Moulin,** 242
Gilles **Tournant,** 634
Tournier, 751
Jean-Pierre **Tournier,** 262
Mme **Tourtin-Sansone,** 968
Gérard **Toyer,** 926
Dom. du **Traginer,** 730
Dom. des **Trahan,** 821 855
GAEC Patrick et Jacky **Tranchand,** 181
Dom. **Trapet Père et Fils,** 464 471 472 473
Philippe **Trébignaud,** 583
Dom. Jacques **Tremblay,** 420
Gérard **Tremblay,** 453 458
Dom. **Trémeaux Père et Fils,** 577
Trénel Fils, 165
Jean **Trésy et Fils,** 669
Sébastien **Treuillet,** 941
Dom. de **Trians,** 760
Tribaut-Schlœsser, 651
Bernard **Trichard,** 159
Bernard et Marie-Claire **Trichard,** 180
Dom. Benoît **Trichard,** 176
Frédéric **Trichard,** 159
Georges **Trichard,** 162
Gérard et Jacqueline **Trichard,** 154
Jacques **Trichard,** 178
Raymond **Trichard,** 163
Olivier **Tricon,** 420
Dom. de **Triennes,** 1073
Ch. du **Trignon,** 964 973 991
F.E. **Trimbach,** 108
Ch. de **Trinquevedel,** 1003
Didier **Tripoz,** 430 442 583 588
Alfred **Tritant, 651**
SCEA Vignobles Jean-Louis **Trocard,** 222 249 254 256 271 289
GAEC du Dom. des **Trois Fontaines,** 685
Ch. **Tronquoy-Lalande,** 382
GAEC **Trotignon et Fils,** 882
SCEA Dom. des **Trottières,** 822 847 850
SCV Le Cellier de **Trouillas,** 724 1022
Frédéric **Trouillet,** 443
Jean-Pierre **Trouvé,** 913
Jean-Pierre **Truchetet,** 430 500
Jean-Marc **Truchot,** 146
Lionel **Truet,** 892
Jacques **Tupinier et Manuel Bautista,** 577
SCEA du Ch. **Turon,** 222
GAEC **Turpin,** 937
Bernard **Turquaud,** 803
Vignerons du **Tursan,** 797 1056
Guy **Tyrel de Poix,** 763 766
Ulysse Cazabonne, 340
Uni-Médoc, 336
Union auboise prod. de vin de Champagne, 652
Union Champagne, 641
EARL Dom. Pierre **Usseglio et Fils,** 999
SICA **UVAL,** 761 1069
Uvavins, 1092
Cave des vignerons de **Vacqueyras, 993**
EARL Patrick **Vadé,** 875 879
GAEC **Vaillant,** 864
EARL Paul **Valade,** 300

PRODUCTEURS

Christophe **Valat,** 1000
SCEA J.-C. **Valayer et Fils,** 968
Cellier **Val de Durance,** 741 1011
SCE viticole du **Val de Loir,** 909
Dom. du **Val des Roches,** 592
SCEA du **Val du Cel,** 656
Cave des Vignerons réunis de **Valençay,** 926
Dom. de **Valensac,** 1065
Valentin, 736 1070
Christine **Valette,** 286
Ch. **Val Joanis,** 1011
Jean-François **Vallat,** 704
Martine **Vallette,** 370
Jean-Claude **Vallois,** 651
Les Vignerons du **Vallon,** 787
François **Vallot,** 956 967
Valot Père et Fils, 427
SCEA Ch. **Valrose,** 382
SA **Valsangiacomo Fu Vittore,** 1110
Vandelle et Fils, 670 672
Ch. **Vannières,** 745 752
Dom. Bernard **Vaquer,** 1023
Pierre **Varenne,** 989
Champagne **Varnier-Fannière,** 651
Vins Frédéric **Varone,** 1100
Arielle **Vatan,** 1053
Philippe et Georges **Vatan,** 871 877
SARL Paul **Vattan,** 949
SC des Vignobles de **Vaudieu,** 998
Christophe **Vaudoisey,** 537
Vaudoisey-Creusefond, 533
Dom. Bernard **Vaudoisey-Mutin,** 537
SCEA Ch. de **Vaugaudry,** 908
Pierre **Vaurabourg,** 396
Producteurs réunis Chais de **Vaure,** 207 305
SCEA Dom. de **Vauroux,** 456
Thierry **Vaute,** 1029
C. et A. **Vauthier,** 263 281
M. et F. **Vauthier,** 290
F. **Vauversin,** 651
EARL Patrick **Vauvy,** 882
Xavier **Vayron,** 244
GAEC Dom. de **Vayssette,** 780
Champagne **Velut,** 651
Françoise **Vély,** 651
Cave coop. du **Vendômois,** 924
Paul **Vendran,** 1008
Jacques **Venes,** 713
Champagne de **Venoge,** 652
GAEC **Venot,** 426 430 570
Venture, 703
Lina **Venturi-Pieretti,** 764 1033
Pieter **Verbeek,** 212
Jean-Hubert **Verdaguer,** 1022
Verdeau, 969
Andrée **Verdeille, 1019** 1025
Alain **Verdet,** 435
François et Denise **Verdier,** 310
Sté Joseph **Verdier,** 886
Odile **Verdier et Jacky Logel,** 931
EARL **Verdier Père et Fils,** 866
SC Ch. **Verdignan,** 357
Ch. **Verez,** 745
Robert **Verger,** 161
Stéphane **Verger,** 897
Vignobles **Vergnes,** 684 686 1068
Verhaeghe Fils, 771
Jacques et Marie-Ange de **Vermont,** 155
Dom. Georges **Vernay,** 978 982
Jean-Paul **Verneau,** 897
Armand **Vernus,** 164
Dom. **Verret,** 420 426 431 460
Christophe **Verronneau,** 893
GAEC J. et J.-P. **Versino,** 994
SCEA du Ch. **Vert,** 745
Philippe **Verzier,** 977 979
Champagne Jean **Vesselle,** 655
Georges **Vesselle,** 652 655
Maurice **Vesselle,** 652
SCEV Alain **Vesselle,** 652
Dom. **Vessigaud Père et Fils,** 588
Cellier des **Vestiges romains,** 697
Veuve Ambal, 443
Veuve Amiot, 875
Veuve Clicquot-Ponsardin, 652
Veuve Maurice Lepitre, 653
Jacques **Veux,** 894
La cave **Vevey-Montreux,** 1093
SCEV Champagne Marcel **Vézien et Fils,** 653 656
GAEC **Vial,** 934
Jean-Louis **Vial,** 758
SCEA **Viale,** 985
Maison Philippe **Viallet,** 678
Dom. **Vial-Magnères,** 730 1017
SCEA Ch. de **Viaud,** 253 256
Vincent **Viaud,** 833
SCEA Dom. **Vico,** 765
Jean-Philippe **Victor,** 744
Bernard **Vidal,** 709
Dominique **Vidal,** 809
Dom. J. **Vidal-Fleury,** 976
Françoise **Vidal-Leguénédal,** 226
Cave vinicole du **Vieil-Armand,** 100
Vieilles Caves de Bourgogne et de Bordeaux, 525
SCEA Ch. de **Viella,** 797
Charles **Vienot,** 500 559
SC du **Vieux Château Certan,** 248 252
Dom. du **Vieux Chêne,** 1023
SCE Ch. **Vieux Robin,** 345
Alain **Vigier,** 255
Richard **Vigne,** 1012
EARL **Vigneau-Chevreau,** 919
Ch. **Vignelaure,** 756
Les **Vignerons ardéchois,** 1012 1075
Champagne **Vignier-Lebrun SA,** 632
Vignobles de Bordeaux, 316
Alain **Vignot,** 420
Dom. Fabrice **Vigot,** 491
Dom. Madame Roland **Vigot,** 491
Claude **Vigouroux,** 783
Georges **Vigouroux,** 770
Bernard **Viguier,** 1011
Jean-Marc **Viguier,** 786
Robert **Vila,** 1025
Claude **Villain,** 920
Ch. de **Villambis,** 358
SA Henri de **Villamont,** 456 488 544 548 583
Philippe **Villard,** 1102
Claire **Villars-Lurton,** 349 **349** 349 364 365 **369** 369 374
Hervé **Villemade,** 823 922
André et Frédéric **Villeneuve,** 933
Xavier de **Villeneuve Bargemon,** 741
EARL Raimond de **Villeneuve Flayosc,** 743
Cave pilote de **Villeneuve-les-Corbières,** 711
Société viticole **Villeneuvoise,** 210 231
SCEA Ch. de **Villers-la-Faye,** 435
Elise **Villiers,** 420
Champagne **Vilmart et Cie,** 653
SA **Vinattieri Ticinesi,** 1111
Jacques **Vincent,** 944
Jean-Paul **Vincent,** 157
SC Vignobles JBC **Vincent,** 194 208
GFA L. **Vincent-Dalloz,** 300
Vincent-Lamoureux, 656
Vinival, 831 877
Cie des **Vins d'Autrefois,** 562
Vins et Vignobles, 167
Denis **Vinson,** 971
Paul-Hervé **Vintrou,** 855
Dom. Louis **Violland,** 522
Christophe **Violot-Guillemard,** 527 544
Thierry **Violot-Guillemard,** 527 533
Georges **Viornery,** 159
GFA de **Viranel,** 717
GFA du Dom. de **Vires,** 708
Alain **Vironneau,** 204 219
SCEA des Vignobles **Visage,** 260 297
Roger **Visonneau,** 816
Gérard **Vitteaut-Alberti,** 443
Christian **Vivier-Merle,** 147
Dom. du château de **Viviers,** 450
SCEA Dom. Michel **Voarick,** 512
SCV Dom. Emile **Voarick,** 527 570 577
Joseph **Vocat et Fils Vins SA,** 1095
Yvon **Vocoret,** 450
Dom. **Vocoret et Fils,** 456 **459**
Alain **Voegeli,** 471
Christa **Vogel et Hans Hürlimann,** 1060
Joseph **Voillot,** 537
SCEV **Voirin-Desmoulins,** 653
Fruitière vinicole de **Voiteur,** 664 669
Jean **Volerit,** 842
Volg Weinkellereien, 1105 1106
Champagne **Vollereaux,** 653
Paule de **Volontat,** 1023
EARL Jean-Pierre **Vorburger et Fils,** 114 135
Cave des producteurs de **Vouvray,** 917
Vranken Monopole, 617 653
Jean **Vullien,** 678
Guy **Wach,** 121 125
André **Wantz,** 92
SA Charles **Wantz,** 82 136
Warion, 278
GAEC Jean-Paul et Marc **Wassler,** 92
Bernard **Weber,** 83 114
Jean **Weingand,** 92
EARL Gérard **Weinzorn et Fils,** 117
Alain de **Welle,** 742
Jean-Michel **Welty,** 101
Nadine **Wendling,** 343
Sylvie et Werner **Wichelhaus,** 808
Ludwig **Willenborg,** 776
Alsace **Willm SA,** 93
Albert **Winter,** 101 109
François **Wischlen,** 132
EARL André **Wittmann et Fils,** 83
Wolfberger, 90 136
Wunsch et Mann, 101
GAEC Willy **Wurtz et Fils,** 124
Dom. Xavier **Wymann,** 109
Vignobles F. et A. **Xans,** 262 276
SCEA Vignobles Daniel **Ybert,** 286
EARL Vignobles Albert **Yung,** 318
SCEA Charles **Yung et Fils,** 197
SCEA Pierre **Yung et Fils,** 311
Association viticole d' **Yvorne,** 1087
Commune d' **Yvorne,** 1088
Yannick **Zausa,** 317
Yves **Zen Ruffinen,** 1096
SARL G. **Zeyssolff,** 101
EARL Albert **Ziegler,** 85
EARL Fernand **Ziegler et Fils,** 93
EARL **Ziegler-Fugler,** 101
EARL J.-J. **Ziegler-Mauler et Fils,** 101 127
EARL A. **Zimmermann Fils, 101** 126
Paul **Zinck,** 109 114 118
Pierre-Paul **Zink,** 115
GAEC Maison **Zoeller,** 93 115
Nicolas **Zufferey,** 1098
Jean-Claude **Zuger,** 366

INDEX DES VINS

Les folios en gras signalent les vins trois étoiles

CUVEE ANTOINE **ABBATUCCI,** Ajaccio, 765
ABBAYE DE THOLOMIES, Minervois, 711
ABBAYE DE VALBONNE, Collioure, 728
ABBAYE DE VALMAGNE, Coteaux du languedoc, 697
DOM. DES **ABEILLES D'OR,** Canton de Genève, 1101
HENRI **ABELE,** Champagne, 603
CH. DES **ABELLES,** Collioure, 728
JACQUES **ABONNAT,** Côtes d'auvergne AOVDQS, 928
DOM. **ABOTIA,** Irouléguy, 788
ACHILLE PRINCIER, Champagne, 603
ACKERMAN, Crémant de loire, 822
DOM. PIERRE **ADAM,** Alsace tokay-pinot gris, 102
J.B. **ADAM,** • Alsace riesling, 86 • Alsace gewurztraminer, 94
ADAM-GARNOTEL, Champagne, 603
ADISSAN, Clairette du languedoc, 687
CH. DES **ADOUZES,** Faugères, 708
DOM. D' **AERIA,** Côtes du rhône-villages, 965
CH. D' **AGASSAC,** Haut-médoc, 345
AGRAPART ET FILS, Champagne, 603
AIGLE D'OR, Vouvray, 913
CH. **AIGUILLOUX,** Corbières, 687
AIMERY, Blanquette de limoux, **684** • Crémant de limoux, **685**
DOM. DES **AIRELLES,** Chablis premier cru, 451
A L'ANCIENNE FORGE, Alsace pinot noir, 109
STEPHANE **ALADAME,** Montagny, 579
DOM. DANIEL ET DENIS **ALARY,** • Côtes du rhône, 954 • Côtes du rhône-villages, 965
LUCIEN **ALBRECHT,** Alsace gewurztraminer, 94
DOM. **ALEXANDRE PERE ET FILS,** • Bourgogne hautes-côtes de beaune, 436 • Santenay, 559 • Maranges, 564
VIGNOBLE D' **ALFRED,** Bordeaux côtes de francs, 302
FRANCOIS D' **ALLAINES,** • Auxey-duresses, 540 • Puligny-montrachet, 549 • Santenay, 559 • Bourgognecôte chalonnaise, 567 • Rully, 571
DOM. DES **ALLEGRETS,** Côtes de duras, **814**
DOM. **ALLEMAND,** Hautes-Alpes, 1073
DOM. JEAN **ALLEXANT,** Beaune, 522
DOM. CHARLES **ALLEXANT ET FILS,** Pommard, 528
ALLIANCE DES GENERATIONS, Touraine, 882
DOM. **ALLIAS,** Vouvray, 913
DOM. **ALLIMANT-LAUGNER,** Alsace muscat, 93
CLOS **ALPHONSE DUBREUIL,** Côtes de bourg, 231
DOM. **ALQUIER,** Côtes du roussillon, 720
CLOS D' **ALZETO,** Ajaccio, 766
DOM. D' **ALZIPRATU,** Vins de corse, 761
AMBERG, • Alsace riesling, 86 • Alsace gewurztraminer, **95** • Alsace tokay-pinot gris, 102
DOM. D' **AMBINOS,** Coteaux du layon, **860**
DOM. **AMBLARD,** Côtes de duras, 814
BERTRAND **AMBROISE,** • Bourgogne, 408 • Bourgogne hautes-côtes de nuits, 432 • Côte de nuits-villages, 497 • Ladoix, 501 • Saint-romain, 543
DOM. **AMIOT-SERVELLE,** Chambolle-musigny, 480
YANNICK **AMIRAULT,** • Bourgueil, 894 • Saint-nicolas-de-bourgueil, 899
CH. D' **AMOUR,** Muscadet sèvre-et-maine, 826
DOM. JEAN **AMOUROUX,** • Côtes du roussillon, 721 Muscat de rivesaltes, 1024
AMPELIDAE, Vienne, 1053
AMPELIO, Canton du Tessin, 1108
ANDRE **ANCEL,** • Alsace riesling, 86 • Alsace gewurztraminer, 95
CAVE VINICOLE D' **ANDLAU-BARR,** Alsace tokay-pinot gris, 102
COMTE D' **ANDLAU-HOMBOURG,** Alsace gewurztraminer, 95
CH. **ANDOYSE DU HAYOT,** Sauternes, 393
PIERRE **ANDRE,** • Bourgogne, 408 • Gevrey-chambertin, 466 • Ladoix, 501 • Savigny-lès-beaune, 515 • Meursault, 545
CH. **ANDRON BLANQUET,** Saint-estèphe, 377
DOM. BERNARD **ANGE,** Crozes-hermitage, 983
ANGELOT, Bugey AOVDQS, 678
DOM. DES **ANGES,** • Côtes du ventoux, 1006 • Vaucluse, 1071
CH. **ANGLADE-BELLEVUE,** Premières côtes de blaye, 225
CH. D' **ANGLUDET,** Margaux, 362
ANNE G., Vouvray, 913
CH. DES **ANNEREAUX,** Lalande de pomerol, 252
ANSTOTZ ET FILS, • Alsace gewurztraminer, 95 • Alsace pinot noir, 109
ANTECH, Crémant de limoux, 685
CH. **ANTHONIC,** Moulis-en-médoc, 369
E. ET PH. **ANTOINE,** Meuse, 1078
CH. D' **AQUERIA,** • Lirac, 1000 • Tavel, 1002
CH. D' **ARAGON,** Cabardès, 718
FREDERIC **ARBOGAST,** • Alsace riesling, 86 • Alsace gewurztraminer, 95
FRUITIERE VINICOLE D' **ARBOIS,** • Arbois, **658 659** • Macvin du jura, **1042**
DOM. **ARCELIN,** • Bourgogne passe-toutgrain, 427 • Mâcon, 581
CH. D' **ARCHE,** Haut-médoc, 346
ARCHE DE LA GANOLIERE, Muscadet sèvre-et-maine, 827
CH. **ARCHE ROBIN,** • Bordeaux sec, 200 • Bordeaux supérieur, 210
CH. D' **ARCIE,** Saint-émilion grand cru, 263
LES VIGNERONS **ARDECHOIS,** Coteaux de l'Ardèche, 1075
CH. D' **ARDENNES,** Graves, 315
CAVE **ARDEVAZ,** Canton du Valais, 1094
DOM. DES **ARDOISES,** Fitou, 710
ANDRE **ARDOUIN,** Pineau des charentes, **1035**
ARISTON FILS, Champagne, 603
DOM. **ARLAUD PERE ET FILS,** • Morey-saint-denis, 475 • Clos saint-denis, 479 • Bonnes-mares, 484
CH. D' **ARLAY,** • Côtes du jura, 664 • Macvin du jura, 1042
CH. D' **ARMAILHAC,** Pauillac, 372
CH. D' **ARMAJAN DES ORMES,** Sauternes, 393
DOM. **ARNAL,** Coteaux du languedoc, 697
CH. **ARNAUD DE JACQUEMEAU,** Saint-émilion grand cru, 263
ARNAUD DE NEFFIEZ, Coteaux du languedoc, 697
ARNAUD DE VILLENEUVE, • Rivesaltes, **1018** • Muscat de rivesaltes, 1024
PASCAL ET CORINNE **ARNAUD-PONT,** Auxey-duresses, 540
CH. **ARNAULD,** Haut-médoc, 346
PIERRE **ARNOLD,** Alsace grand cru frankstein, 118
MICHEL **ARNOULD ET FILS,** Champagne, 603
ARNOUX PERE ET FILS, • Aloxe-corton, 504 • Corton, 509 • Savigny-lès-beaune, 515 • Beaune, 522
DOM. **ARNOUX PERE ET FILS,** • Bourgogne côte chalonnaise, 567 • Montagny, 580
ARPENTS DU SOLEIL, Calvados, 1046
CH. DES **ARRAS,** Bordeaux supérieur, 210
DOM. **ARRETXEA,** Irouléguy, 789
CH. D' **ARRICAUD,** • Graves, 316 • Cérons, 391
CH. DES **ARROUCATS,** Sainte-croix-du-mont, 390
DOM. D' **ARTOIS,** • Touraine, 882 • Touraine-mesland, 893
CH. D' **ARVOUET,** Montagne saint-émilion, 290
DOM. DES **ASPRAS,** Côtes de provence, 732
DOM. **ASSERAY,** Cabernet d'anjou, 853
BRUNO **ASTRUC,** Hauts de Badens, 1067
ATLANTIS, Saint-pourçain AOVDQS, 932
REGINE ET DOMINIQUE **AUBAREAU,** Beaujolais-villages, 149
AUBERSON ET FILS, Canton de Berne, 1104
DOM. MAX **AUBERT,** Côtes du rhône-villages, 965
JEAN-CLAUDE ET DIDIER **AUBERT,** Vouvray, 913
AUBERT LA CHAPELLE, Coteaux du loir, 909
JEAN **AUBINEAU,** Pineau des charentes, 1035
L. **AUBRY FILS,** Champagne, 603 604
DOM. DES **AUBUISIERES,** Vouvray, **914**
DOM. **AUCHERE,** Sancerre, 945
DOM. **AUCŒUR,** Morgon, 170
HUBERT **AUDEBERT,** Bourgueil, 895
MAISON **AUDEBERT ET FILS,** Bourgueil, 895 • Saint-nicolas-de-bourgueil, 899
DOM. CHARLES **AUDOIN,** • Bourgogne aligoté, 422 • Marsannay, 462 • Gevrey-chambertin, 466
DOM. HONORE **AUDRAN,** Coteaux du languedoc, 697
CH. D' **AUGAN,** Entre-deux-mers, 304
DOM. **AUGIER,** Bellet, 747
JACKY ET PHILIPPE **AUGIS,** • Touraine, 882 • Valençay AOVDQS, 925
CHRISTOPHE **AUGUSTE,** Bourgogne, 408
BERNARD **AUJARD,** Reuilly, 943
MAS D' **AUREL,** Gaillac, 776
CH. D' **AURILHAC,** Haut-médoc, 346
DOM. **AURORE DE BEAUFORT,** Montlouis, 910
CH. **AUSONE,** Saint-émilion grand cru, 263
DOM. PAUL **AUTARD,** Châteauneuf-du-pape, 994
AUTREAU DE CHAMPILLON, Champagne, 604
AUTREAU-LASNOT, Champagne, 604
CH. D' **AUVERNIER,** Canton de Neuchâtel, 1103
AUVIGUE, Saint-véran, 594
ANDRE **AUVIGUE,** Pouilly-fuissé, 589
CH. DES **AVEYLANS,** Costières de nîmes, 692
LUCIEN **AVIET,** Arbois, 659
VINCENT **AVIET,** Arbois, 659
AYALA, Champagne, 604
CH. D' **AYDIE,** Madiran, 793
DOM. **AYMARD,** Côtes du ventoux, 1006
CLOS **AYMERICH,** Côtes du roussillon-villages, 725
CAVE COOP. D' **AZE,** • Bourgogne, 408 • Crémant de bourgogne, 440 • Mâcon, 581 • Mâcon-villages, 584
BRUT D' **AZENAY,** Crémant de bourgogne, 440

DOM. DE **BABLUT,** • Anjou-villages-brissac, 851 • Coteaux de l'aubance, 855
JEAN **BABOU,** Crémant de limoux, 685
JEAN-CLAUDE **BACHELET,** • Puligny-montrachet, 549 • Chassagne-montrachet, 553

VINS

DOM. B. **BACHELET ET SES FILS,** • Chassagne-montrachet, 553 • Maranges, 564
DOM. **BACHELET-RAMONET PERE ET FILS,** • Bienvenues-bâtard-montrachet, 552 • Chassagne-montrachet, 553
DOM. DE **BACHELLERY,** Oc, **1059**
CH. DE **BACHEN,** Tursan AOVDQS, 797
CH. **BADER-MIMEUR,** Chassagne-montrachet, 554
BADOZ, Macvin du jura, 1042
BADREBEN, • Canton de Schaffhouse, **1106** • Canton de Schaffhouse, 1106
CH. DE **BAGATELLE,** Muscadet côtes de grand lieu, 837
FABIEN **BAILLAIS,** Fleurie, 165
DOM. DE **BAILLAURY,** Collioure, 728
JEAN-PIERRE **BAILLY,** Pouilly-fumé, 937
MICHEL **BAILLY,** • Pouilly-fumé, 937 • Pouilly-sur-loire, 941
CH. DONA **BAISSAS,** Côtes du roussillon-villages, 725
CH. **BALAC,** Haut-médoc, 346
DOM. DE **BALAGES,** Gaillac, 776
BALANDOT, Beaune, 523
DOM. DU **BALARDIN,** Bordeaux supérieur, 210
CH. **BALESTARD LA TONNELLE,** Saint-émilion grand cru, 263
DOM. JEAN-PAUL **BALLAND,** Sancerre, 945
JOSEPH **BALLAND-CHAPUIS,** • Coteaux du giennois, 931 • Sancerre, 945
JEAN-LOUIS **BALLARIN,** Crémant de bordeaux, 223
BALLOT-MILLOT ET FILS, • Pommard, 528 • Volnay, 534
DOM. DE **BALMES,** Beaujolais, 143
BANCET, Bugey AOVDQS, 678
CHRISTIAN **BANNIERE,** Champagne, 604
LAURENT **BANNWARTH,** • Alsace sylvaner, 83 • Alsace gewurztraminer, 95
DOM. DE **BAPTISTE,** Coteaux du lyonnais, 183
PAUL **BARA,** • Champagne, 604 • Coteaux champenois, 654
DOM. **BARAT,** • Chablis, 446 • Chablis premier cru, 451
CH. **BARATEAU,** Haut-médoc, 346
L. ET CL. **BARAUT,** Anjou, 841
CH. **BARBANAU,** Côtes de provence, **732**
CHAPELLE DE **BARBE,** Bordeaux supérieur, 210
CH. DE **BARBE,** Côtes de bourg, 231
CH. **BARBEBELLE,** Coteaux d'aix, 753
CH. DE **BARBE BLANCHE,** Lussac saint-émilion, 288
DENIS ET HELENE **BARBELET,** Saint-amour, 180
CH. **BARBEROUSSE,** Saint-émilion, 257
ANDRE **BARBIER,** Reuilly, 943
CH. **BARDE-HAUT,** Saint-émilion grand cru, 265
DOM. DENIS **BARDON,** Valençay AOVDQS, 925
BARDOUX PERE ET FILS, Champagne, 604
DOM. GILLES **BARGE,** • Côte rôtie, 973 • Condrieu, 976
DOM. **BARMES-BUECHER,** • Savigny-lès-beaune, 515 • Côte de beaune-villages, 566 • Alsace gewurztraminer, 95 • Alsace tokay-pinot gris, 102
EDMOND **BARNAUT,** Champagne, 604
ROGER **BARNIER,** Champagne, 605
ARTHUR **BAROLET,** • Bourgogne hautes-côtes de nuits, 432 • Savigny-lès-beaune, 515 • Côtes de beaune-villages, 566
MICHEL **BARON,** Pineau des charentes, 1035
BARON ALBERT, Champagne, 605
CUVEE DU **BARON CHARLES,** Graves de vayres, 307
BARON DE HOEN, Alsace grand cru sonnenglanz, 128
DOM. **BARON DE L'ECLUSE,** Côte de brouilly, 159
BARON DE L'IF, Pineau des charentes, 1035
BARON DES REAUX, Bergerac sec, 804
BARON-FUENTE, Champagne, 605
CH. **BARON GEORGES,** Côtes de provence, 732
JEAN **BARONNAT,** • Brouilly, 155 • Mâcon-villages, 584
BARON NATHANIEL, Pauillac, 372
BARONNE DU CHATELARD, Morgon, 170
BARON PHILIPPE, Graves, 316
BARON THOMIERES, Gaillac, 776
EMMANUEL **BAROU,** • Saint-joseph, 978 • Collines rhodaniennes, 1075
CH. **BARRABAQUE,** Canon-fronsac, 236
DOM. **BARREAU-LA-GRAVE,** Premières côtes de blaye, 225
CH. **BARRE GENTILLOT,** Graves de vayres, 307
CH. **BARREJAT,** Pacherenc du vic-bilh, 796
CRU **BARREJATS,** Sauternes, 394
CH. **BARREYRE,** Bordeaux supérieur, 210
ANTOINE **BARRIER,** • Juliénas, 167 • Bourgogne passetoutgrain, 427
DOM. DE **BARROUBIO,** Muscat de saint-jean de minervois, 1031
DOM. **BART,** • Marsannay, 462 • Fixin, 464 • Santenay, 560
RENE **BARTH,** • Alsace grand cru marckrain, 124 • Crémant d'alsace, 133
BARTON ET GUESTIER, Margaux, 362
DOM. DU **BARVY,** Brouilly, 155
CH. **BAS,** Coteaux d'aix, 753
CH. DU **BASCOU,** Floc de gascogne, 1039
FRANCIS **BASSEPORTE,** Bourgogne, 408
DOM. MATHIS **BASTIAN,** Moselle luxembourgeoise, 1081
BASTIDE DES BERTRANDS, Côtes de provence, 733
CH. **BASTOR-LAMONTAGNE,** Sauternes, 394
CH. DU **BASTY,** Régnié, **177**
CH. **BATAILLEY,** Pauillac, **372**
BAUCHET PERE ET FILS, Champagne, 605
BAUD, • Château-chalon, 663 • Côtes du jura, 664 • Crémant du jura, 670 • L'étoile, 671 • Macvin du jura, **1042**
CH. **BAUDAN,** Listrac-médoc, 358
CH. **BAUDARE,** Côtes du frontonnais, 783
CH. **BAUDRON,** Montagne saint-émilion, 291
CH. **BAUDUC,** Bordeaux sec, 200
BAUGET-JOUETTE, Champagne, 605
MICHEL **BAUJEAN,** Champagne, 605
BAUMANN, Canton de Schaffhouse, 1107
DOM. **BAUMANN,** Alsace grand cru schoenenbourg, 127
DOM. DES **BAUMARD,** Savennières, 857
CH. DES **BAUMELLES,** Bandol, 748
A.L. **BAUR,** • Alsace pinot ou klevner, 84 • Alsace grand cru hatschbourg, 120
LEON **BAUR,** Alsace grand cru eichberg, 117
FRANCOIS **BAUR PETIT-FILS,** Alsace grand cru brand, 116
JEAN-NOEL **BAZIN,** Bourgogne hautes-côtes de beaune, 436
DOM. DES **BEATES,** Coteaux d'aix, 753
CH. **BEAUBOIS,** Costières de nîmes, 692
CH. **BEAUCHENE,** • Pomerol, 243 • Châteauneuf-du-pape, 994
PAUL **BEAUDET,** Mâcon supérieur, 584
CH. **BEAUFERAN,** Coteaux d'aix, 753
ANDRE **BEAUFORT,** Champagne, 605
HERBERT **BEAUFORT,** Champagne, 605
JEAN-MAURICE **BEAUFRETON,** Touraine, 882
CELLIER DU **BEAUJARDIN,** Touraine, 882
CH. DE **BEAULIEU,** • Bordeaux supérieur, 210 • Côtes du marmandais, 785
CHRISTIAN **BEAULIEU,** Bugey AOVDQS, 679
DOM. DE **BEAULIEU,** Bouches-du-Rhône, 1072
CH. **BEAULIEU-BERGEY,** Bordeaux, 191
DOM. DE **BEAUMALRIC,** • Côtes du rhône-villages, 965 • Muscat de beaumes-de-venise, 1029
BEAU MAYNE, Bordeaux, 191
VIGNERONS DE **BEAUMES-DE-VENISE,** • Côtes du rhône-villages, 966 • Muscat de beaumes-de-venise, 1029
BEAUMET, Champagne, 605
DOM. DE **BEAUMET,** Côtes de provence, 733
DOM. **BEAU MISTRAL,** • Côtes du rhône, 954 • Côtes du rhône-villages, 966 • Rasteau, 1031
CH. **BEAUMONT,** Haut-médoc, 346
DOM. DES **BEAUMONT,** • Gevrey-chambertin, 467 • Charmes-chambertin, 473 • Morey-saint-denis, 475
BEAUMONT DES CRAYERES, Champagne, 606
CAVE DE **BEAUMONT-DU-VENTOUX,** Côtes du ventoux, 1007
LYCEE VITICOLE DE **BEAUNE,** • Bourgogne hautes-côtes de beaune, 436 • Beaune, 523
CH. **BEAUPORTAIL,** Pécharmant, 811
CH. DE **BEAUPRE,** Coteaux d'aix, 753
CH. **BEAUREGARD,** Pomerol, 243
CH. DE **BEAUREGARD,** Saumur, 870
CLOS DE **BEAUREGARD,** Muscadet sèvre-et-maine, 827
DOM. DE **BEAUREGARD,** Côtes de bergerac, 805
LE BENJAMIN DE **BEAUREGARD,** Pomerol, 243
CH. **BEAUREGARD-DUCASSE,** Graves, 316
CH. DE **BEAUREGARD-DUCOURT,** • Bordeaux, 191 • Entre-deux-mers, 304
DOM. DE **BEAURENARD,** • Côtes du rhône, 954 • Châteauneuf-du-pape, 994
DOM. DE **BEAUREPAIRE,** Muscadet sèvre-et-maine, 827
CH. **BEAUSEJOUR,** Saint-émilion grand cru, 265
CH. **BEAUSEJOUR,** Montagne saint-émilion, 291
DOM. **BEAUSEJOUR,** Touraine, 882
DOM. LUDOVIC DE **BEAUSEJOUR,** Argens, 1070
CH. **BEAU-SEJOUR BECOT,** Saint-émilion grand cru, 265
CH. **BEAU SITE,** Saint-estèphe, 377
CH. **BEAU-SITE HAUT-VIGNOBLE,** Saint-estèphe, 378
CH. **BEAU SOLEIL,** Pomerol, 243
CAVE DU **BEAU VALLON,** Beaujolais, 144
BEAUVENT, Canton de Genève, 1101
CH. **BEAUVILLAIN-MONPEZAT,** Cahors, 770
CH. **BECHEREAU,** Lalande de pomerol, 252
BERNARD **BECHT,** Alsace riesling, 87
PIERRE **BECHT,** • Alsace pinot noir, 109 • Crémant d'alsace, 133
DOM. JEAN-PIERRE **BECHTOLD,** • Alsace grand cru engelberg, 118 • Alsace tokay-pinot gris, 102
HUBERT **BECK,** Alsace gewurztraminer, 96
BECK DOMAINE DU REMPART, Alsace pinot noir, 110
JEAN **BECKER,** • Alsace grand cru froehn, 119 • Crémant d'alsace, 133
GASTON **BECK-FRANK,** Moselle luxembourgeoise, 1081
YVETTE ET MICHEL **BECK-HARTWEG,** Alsace pinot noir, 110
ALAIN **BEDEL,** Champagne, 606
CHARLES **BEDUNEAU,** Anjou, 841
DOM. CHARLES **BEDUNEAU,** Coteaux du layon, 860
FREDY **BEETSCHEN,** Canton de Vaud, 1087
DOM. DES **BEGAUDIERES,** Gros-plant AOVDQS, 838
CH. **BEGOT,** Côtes de bourg, 231
DOM. **BEGUE-MATHIOT,** Chablis premier cru, 451
DOM. DES **BEGUINERIES,** Chinon, 902
CAVE **BEL-AIR,** Bordeaux, 191
CAVE DES VIGNERONS DE **BEL-AIR,** Côte de brouilly, 159
CH. **BEL AIR,** Haut-médoc, 346
CH. **BEL AIR,** Sainte-croix-du-mont, 390
CH. **BEL AIR,** Entre-deux-mers, 304
CH. **BEL AIR,** Côtes de castillon, 297
CH. **BEL AIR,** Saint-estèphe, 378
CH. **BEL AIR,** Puisseguin saint-émilion, 294
CH. **BEL AIR,** Côtes de bourg, 231
CH. **BEL AIR,** Lussac saint-émilion, 288
CH. DE **BEL-AIR,** Lalande de pomerol, 252
DOM. **BEL AIR,** Muscadet sèvre-et-maine, 827
DOM. DE **BEL-AIR,** Brouilly, 156
DOM. DE **BEL-AIR,** Muscadet côtes de grand lieu, 837
DOM. DE **BEL-AIR,** Chinon, 902
DOM. DE **BEL-AIR,** Pouilly-fumé, 938
DOM. DE **BEL-AIR,** Jardin de la France, 1046
DOM. DU **BEL AIR,** Bourgueil, 895
CH. **BELAIR-COUBET,** Côtes de bourg, 232
CH. **BEL AIR PERPONCHER,** • Bordeaux sec, 200 • Bordeaux supérieur, 210
CH. **BELAIR SAINT-GEORGES,** Saint-georges saint-émilion, 296
CH. DE **BELCIER,** Côtes de castillon, 297
CH. **BELGRAVE,** Haut-médoc, 348
JULES **BELIN,** Côte de nuits-villages, 497

CH. **BELINGARD,** Côtes de bergerac, 805
JEAN-CLAUDE **BELLAND,** • Corton, 509 • Chassagne-montrachet, 554
ROGER **BELLAND,** • Pommard, 528 • Volnay, 534 • Chassagne-montrachet, 554 • Santenay, 560 • Maranges, 564
MICHEL **BELLARD,** Côtes d'auvergne AOVDQS, 928
CH. **BELLECOMBE,** Saint-émilion, 257
DOM. DE **BELLE-FEUILLE,** Côtes du rhône, 954
CH. **BELLEFONT-BELCIER,** Saint-émilion grand cru, 265
CH. **BELLEGARDE,** • Bordeaux, 191 • Bordeaux sec, 200
CH. **BELLEGARDE,** Margaux, 362
DOM. **BELLEGARDE,** Jurançon, 790
CH. **BELLEGRAVE,** Pomerol, 243
CH. **BELLEGRAVE,** Médoc, 336
CH. **BELLERIVE,** Médoc, 336
BELLERUCHE, Coteaux du tricastin, 1006
CH. DE **BELLES EAUX,** Coteaux du languedoc, 698
CH. DE **BELLET,** Bellet, 747
DOM. **BELLEVILLE,** Rully, 571
CH. **BELLE-VUE,** Bordeaux supérieur, 211
CH. **BELLE-VUE,** Saint-émilion grand cru, 265
CH. **BELLE-VUE,** Côtes de castillon, 298
CH. **BELLE-VUE,** Haut-médoc, 348
CH. DE **BELLEVUE,** Lussac saint-émilion, 288
CH. DE **BELLEVUE,** Anjou-gamay, 847
CH. DE **BELLEVUE,** Coteaux du layon, 860
CLOS **BELLEVUE,** Jurançon, 790
CLOS **BELLEVUE,** Muscat de lunel, 1030
DOM. **BELLEVUE,** Touraine, 882
DOM. DE **BELLEVUE,** Saint-pourçain AOVDQS, 932
CH. **BELLEVUE FIGEAC,** Saint-émilion, 258
CH. **BELLEVUE LA FORET,** Côtes du frontonnais, 783
CH. **BELLEVUE LA MONGIE,** • Bordeaux clairet, 199 • Bordeaux supérieur, 211
VINCENT **BELLIVIER,** Chinon, 902
CH. **BELLONNE,** Saint-georges saint-émilion, 296
DOM. **BELLUARD FILS,** Vin de savoie, 675
CH. **BEL ORME,** Haut-médoc, 348
CH. **BELREGARD-FIGEAC,** Saint-émilion grand cru, 265
BELVEDERE DES PIERRES DOREES, Beaujolais, 144
CH. **BELVIZE,** Minervois, 712
L. **BENARD-PITOIS,** Champagne, 606
PAUL ET JEAN-PIERRE **BENETIERE,** Côte roannaise, 933
BENJAMIN DU PREVOST, Bordeaux clairet, 199
PATRICE **BENOIT,** Montlouis, 910
PAUL **BENOIT,** Arbois, 659
MICHEL **BENON ET FILS,** Saint-amour, 180
CH. DE **BENSSE,** Médoc, 336
CH. DE **BERBEC,** Cadillac, 387
BERECHE ET FILS, Champagne, 606
CH. **BERGAT,** Saint-émilion grand cru, 266
DOM. DES **BERGEONNIERES,** Saint-nicolas-de-bourgueil, 899
ETIQUETTE NOIRE DE L'UV **BERGERAC-LE FLEIX,** Pécharmant, 811
BERGER FRERES, Crémant de loire, 822
BERGERIE DE LUNES, Coteaux du languedoc, 698
JEAN-FRANCOIS **BERGERON,** Beaujolais-villages, 149
DOM. DE **BERGIRON,** Côte de brouilly, 160
CH. **BERLIQUET,** Saint-émilion grand cru, 266
BERLOUP COLLECTION, Oc, 1059
BERLOUP SCHISTEIL, Saint-chinian, 715
CH. **BERNADOTTE,** Haut-médoc, 348
GUY ET FREDERIC **BERNARD,** Côte rôtie, 974
MICHEL **BERNARD,** • Côtes du rhône, 954 • Côtes du rhône-villages, 966 • Côte rôtie, 973 • Tavel, 1002
BERNARD FRERES, Côtes du jura, **664**
CLOS DE **BERNARDI,** Muscat du cap corse, 1032
CLAUDE **BERNARDIN,** Beaujolais, 144
BERNARD-MASSARD, Moselle luxembourgeoise, 1081
CH. DE **BERNE,** Côtes de provence, 733
DOM. **BERNET,** Madiran, 793
DOM. PIERRE **BERNHARD,** Alsace tokay-pinot gris, 102
JEAN-MARC **BERNHARD,** Alsace grand cru mambourg, 122
DOM. **BERTAGNA,** Vougeot, 484
VINCENT ET DENIS **BERTHAUT,** • Fixin, 464 • Gevrey-chambertin, 467 • Côte de nuits-villages, 498
PAUL **BERTHELOT,** Champagne, 606
CH. **BERTHENON,** Premières côtes de blaye, 225
DOM. **BERTHET-BONDET,** • Château-chalon, 663 • Côtes du jura, 664
DOM. **BERTHET-RAYNE,** • Côtes du rhône-villages, 966 • Châteauneuf-du-pape, 994
DOM. DES **BERTHIERS,** Pouilly-fumé, 938
DOM. **BERTHOUMIEU,** Madiran, 793
CH. DE **BERTIAC,** Bordeaux, 191
CH. **BERTINEAU SAINT-VINCENT,** Lalande de pomerol, 252
BERTIN ET FILS, Champagne, 606
DOM. **BERTRAND,** Brouilly, 156
DOM. **BERTRAND-BERGE,** • Fitou, 710 • Rivesaltes, 1018 • Muscat de rivesaltes, 1025
CH. **BERTRAND BRANEYRE,** Haut-médoc, 348
DOM. DES **BERTRANOUX,** Pécharmant, 811
THIERRY **BESARD,** Touraine-azay-le-rideau, 893
BESSERAT DE BELLEFON, Champagne, 606
BESSEY DE BOISSY, Coteaux du Quercy, 1057
JEAN-CLAUDE **BESSIN,** • Chablis, 446 • Chablis premier cru, 451 • Chablis grand cru, 457
GUILLEMETTE ET XAVIER **BESSON,** Givry, 577
FRANCK **BESSONE,** Chénas, 162
DOM. DES **BESSONS,** Touraine-amboise, 891
BESTHEIM, • Alsace riesling, **87** • Crémant d'alsace, 133
CH. DU **BEUGNON,** Rosé de loire, 820
AMIRAL DE **BEYCHEVELLE,** Saint-julien, 383
CH. **BEYCHEVELLE,** Saint-julien, 383
EMILE **BEYER,** • Alsace grand cru eichberg, 118 • Crémant d'alsace, 133
CLOS DE **BEYLIERE,** Châtillon-en-diois, 1005
CH. **BEYNAT,** Côtes de castillon, 298
CH. DU **BIAC,** Cadillac, 387
CH. **BIBIAN TIGANA,** Listrac-médoc, 358
DOM. DU **BICHERON,** Mâcon-villages, 584
CH. **BICHON CASSIGNOLS,** Graves, 316
CLOS DU **BIEN-AIME,** Muscadet sèvre-et-maine, 827
CAVES **BIENVENU,** Bourgogne irancy, 430
MARIE-THERESE ET JOSEPH **BILLANDON,** Beaujolais, 144
DOM. GABRIEL **BILLARD,** • Bourgogne, 408 • Pommard, 528
DOM. **BILLARD ET FILS,** • Auxey-duresses, 540 • Bourgogne hautes-côtes de beaune, 436
DOM. **BILLARD-GONNET,** Pommard, 528
DOM. DES **BILLARDS,** Saint-amour, 181
DOM. **BILLAUD-SIMON,** • Chablis premier cru, 451 • Chablis grand cru, 457
BILLECART-SALMON, Champagne, 606
CH. **BILLEROND,** Saint-émilion, 258
CH. **BINASSAT,** Bergerac, 799
BINET, Champagne, 606
JOSEPH ET CHRISTIAN **BINNER,** • Alsace riesling, 87 • Alsace pinot noir, 110
DOM. DES **BIOLLES,** Canton de Vaud, 1087
CH. **BIRE,** Bordeaux supérieur, 211
CAVE DE **BISSEY,** Bourgognecôte chalonnaise, 567
CH. **BISTON-BRILLETTE,** Moulis-en-médoc, 369
PIERRE **BITOUZET,** Corton-charlemagne, 513
BITOUZET-PRIEUR, • Beaune, 523 • Meursault, 546
CH. **BLANC,** Vaucluse, 1071
GEORGES **BLANC,** Mâcon-villages, 584
CHARLY **BLANC ET FILS,** Canton de Vaud, 1087
DOM. G. **BLANC ET FILS,** • Vin de savoie, 675 • Roussette de savoie, 677
DOM. ERIC **BLANCHARD,** Coteaux de l'aubance, 855
CH. **BLANCHET,** Bordeaux supérieur, 211
GILLES **BLANCHET,** Pouilly-fumé, 938
ANDRE **BLANCK,** • Alsace tokay-pinot gris, 103 • Alsace grand cru furstentum, 119 • Alsace grand cru schlossberg, 127
DOM. PAUL **BLANCK,** Alsace grand cru schlossberg, 127
ROBERT **BLANCK,** • Alsace tokay-pinot gris, 103 • Crémant d'alsace, **133**
CH. DE **BLANES,** Côtes du roussillon, 721
CH. **BLANZAC,** Côtes de castillon, 298
BLARD ET FILS, Vin de savoie, 675
BLASONS DE BOURGOGNE, Chablis, 446
FRANCOIS **BLEGER,** • Alsace riesling, 87 • Alsace gewurztraminer, 96 • Alsace pinot noir, 110
CLAUDE **BLEGER DOM. WINDMUEHL,** Alsace pinot ou klevner, 84
DOM. DES **BLEUCES,** • Anjou, 842 • Cabernet d'anjou, 853
CH. DE **BLIGNY,** • Pommard, 528 • Puligny-montrachet, 550
R. **BLIN ET FILS,** Champagne, 607
BLONDEAU ET FILS, Côtes du jura, 665
TH. **BLONDEL,** Champagne, 607
DOM. MICHEL **BLOUIN,** Cabernet d'anjou, 853
CH. DU **BLOY,** Côtes de bergerac, 805
DOM. **BOBE,** Muscat de rivesaltes, 1025
DOM. GUY **BOCARD,** Meursault, 546
DOM. **BODINEAU,** Anjou, 842
BOECKEL, Alsace grand cru zotzenberg, 132
LEON **BOESCH ET FILS,** Alsace grand cru zinnkoepflé, 131
DOM. DES **BOHUES,** Anjou, 842
LUC **BOILLEY,** Côtes du jura, **665**
DOM. ALBERT **BOILLOT,** Bourgogne, 408
DOM. DES **BOIS,** Régnié, 177
CH. DE **BOIS-BRINCON,** Coteaux du layon, 860
CH. **BOIS CARDINAL,** Saint-émilion, 258
DOM. DE **BOISCHAMPT,** Juliénas, 167
BOIS D'ELEINS, Coteaux du languedoc, 698
DOM. **BOIS DE BOURSAN,** Châteauneuf-du-pape, 994
CAVE DU **BOIS DE LA SALLE,** Juliénas, 167
DOM. DU **BOIS DE POURQUIE,** Côtes de bergerac, 805
CH. **BOIS DE ROC,** Médoc, 336
DOM. DU **BOIS DE SAINT-JEAN,** Côtes du rhône, 954
DOM. DU **BOIS DES DAMES,** Côtes du rhône-villages, 966
CH. **BOIS DU MONTEIL,** Haut-médoc, 348
BOIS FARDEAU, Crozes-hermitage, 983
BOIS GALANT, Médoc, 336
CLOS DES **BOIS GAUTIER,** Muscadet sèvre-et-maine, 827
DOM. DU **BOIS JOLI,** Saumur-champigny, 877
DOM. DU **BOIS-JOLY,** Muscadet sèvre-et-maine, 827
MAS DE **BOISLAUZON,** Châteauneuf-du-pape, 994
DOM. DU **BOIS MALINGE,** Muscadet sèvre-et-maine, 827
CH. **BOIS-MALOT,** • Bordeaux clairet, 199 • Bordeaux supérieur, 211
DOM. DU **BOIS MARGUERITTE,** Côtes du rhône, 954
DOM. DE **BOIS MOZE,** Anjou-villages, 848
BOISSEAUX-ESTIVANT, • Bourgogne hautes-côtes de nuits, 432 • Chorey-lès-beaune, 520 • Beaune, 523
JEAN-CLAUDE **BOISSET,** • Bourgogne passetoutgrain, 427 • Chambolle-musigny, 480 • Clos de vougeot, 485
DE **BOISSEYT-CHOL,** Côte rôtie, 974
JEAN-PIERRE **BOISTARD,** Vouvray, 914
CH. **BOIS-VERT,** Premières côtes de blaye, 225
BOIZEL, Champagne, 607
BOLLINGER, Champagne, 607
CH. **BONALGUE,** Pomerol, 243
CELLIER DU **BONDAVIN,** Costières de nîmes, 693
CH. **BONFORT,** Montagne saint-émilion, 291
BONGARS, Vouvray, 914
CH. DE **BONHOSTE,** • Bordeaux sec, 200 • Bordeaux rosé, 207
CH. **BONICE,** Costières de nîmes, 693
CH. **BONIERES,** Montravel, 810

BONNAIRE, Champagne, 607
BONNARD FILS, Bugey AOVDQS, 679
BONNEAU DU MARTRAY, • Corton, 510 • Corton-charlemagne, 513
PATRICK ET CHRISTOPHE **BONNEFOND,** • Côte rôtie, 974 • Condrieu, 976
DOM. DES **BONNES GAGNES,** • Anjou, 842 • Anjou-villages-brissac, 851 • Jardin de la France, 1046
ALEXANDRE **BONNET,** • Champagne, 607 • Rosé des riceys, 656
CH. **BONNET,** • Bordeaux, 191 • Entre-deux-mers, 304
J. **BONNET ET A. AZOUG,** Bourgogne-côte chalonnaise, 567
BONNET-PONSON, Champagne, 607
CAVE COOPERATIVE DE **BONNIEUX,** Côtes du ventoux, 1007
DOM. DU **BON REMEDE,** Côtes du ventoux, 1007
DOM. DE **BONSERINE,** • Côte rôtie, 974 • Saint-joseph, 979
FRANCK **BONVILLE,** Champagne, 607
DOM. **BORDE-LUBAT,** Pyrénées-Atlantiques, 1059
DOM. P. **BORDENAVE,** Jurançon, 790
BORDENEUVE-ENTRAS, • Floc de gascogne, 1039 • Côtes de Gascogne, 1057
CH. DE **BORDES,** Lussac saint-émilion, 288
DOM. **BORGEOT,** Santenay, 560
DOM. **BORGNAT,** Bourgogne, 408
CH. **BORIE DE L'ANGLAIS,** Puisseguin saint-émilion, 294
DOM. **BORIE DE MAUREL,** Minervois, **712**
BORIE LA VITARELE, Saint-chinian, 715
DOM. JOSEPH **BORY,** • Rivesaltes, **1019** • Muscat de rivesaltes, 1025
DOM. DE **BOSC LONG,** Gaillac, 776
BOSQUET DES PAPES, Châteauneuf-du-pape, 994
DOM. GILBERT **BOSSARD,** Muscadet sèvre-et-maine, 827
RAYMOND **BOSSIS,** Pineau des charentes, 1036
CH. DU **BOST,** Beaujolais-villages, 149
DOM. **BOTT-GEYL,** • Alsace grand cru mandelberg, 123 • Alsace grand cru sonnenglanz, 128
HENRY **BOUACHON,** • Côtes du rhône-villages, 966 • Crozes-hermitage, 983 • Tavel, 1002
DOM. REGIS **BOUCABEILLE,** Côtes du roussillon-villages, 725
CH. **BOUCARUT,** Lirac, 1000
J.-P. **BOUCHACOURT,** Moulin à vent, 174
DOM. GABRIEL **BOUCHARD,** • Beaune, 523 • Pommard, 528 • Saint-romain, 543
JEAN **BOUCHARD,** • Bourgogne passetoutgrain, 427 • Mâcon supérieur, 584
PASCAL **BOUCHARD,** • Bourgogne, 408 • Chablis, 447 • Petit chablis, 443 • Chablis premier cru, 451
BOUCHARD AINE ET FILS, • Fixin, 464 • Savigny-lès-beaune, 515 • Beaune, 523 • Pommard, 529 • Chassagne-montrachet, 554 • Mercurey, 574
DOM. **BOUCHARD PERE ET FILS,** • Corton, 510 • Beaune, 523 • Monthélie, 538 • Meursault, 546
CH. DE **BOUCHASSY,** Lirac, 1000
PIERRE-LUC **BOUCHAUD,** Muscadet sèvre-et-maine, 827
DOM. **BOUCHE,** Vaucluse, 1071
BOUCHER, Saint-joseph, 979
DOM. **BOUCHEZ-CRETAL,** Monthélie, 538
DOM. **BOUDAU,** • Côtes du roussillon-villages, 725 • Rivesaltes, 1019 • Muscat de rivesaltes, 1025
BOUDIER PERE ET FILS, Pernand-vergelesses, 507
THIERRY **BOUDINAUD,** Oc, 1059
JEAN-CLAUDE **BOUHEY ET FILS,** • Bourgogne aligoté, 422 • Bourgogne hautes-côtes de nuits, 432
DOM. **BOUHIER,** Anjou, 842
DOM. DE **BOUILLEROT,** Bordeaux supérieur, 211
LOUIS **BOUILLOT,** Crémant de bourgogne, 440
CH. **BOUISSEL,** Côtes du frontonnais, 783
DOM. JEAN-PAUL **BOULAND,** Morgon, 170
DOM. PATRICK **BOULAND,** Morgon, 170
RAYMOND **BOULAND,** Morgon, 171
RAYMOND **BOULARD,** Champagne, 608
DOM. DU **BOULAS,** Côtes du rhône, 954
DAVID **BOULET,** Juliénas, 167
DOM. JEAN-MARC **BOULEY,** • Bourgogne hautes-côtes de beaune, 436 • Volnay, 534
REYANE ET PASCAL **BOULEY,** • Bourgogne passetoutgrain, 428 • Volnay, 534
DOM. DE **BOULLERY,** Bouches-du-Rhône, 1072
JEAN-PAUL **BOULONNAIS,** Champagne, 608
DOM. DES **BOUQUERRIES,** Chinon, 902
CH. **BOUQUEYRAN,** Moulis-en-médoc, 369
HENRI **BOURCHEIX,** Côtes d'auvergne AOVDQS, 929
R. **BOURDELOIS,** Champagne, 608
DOM. **BOURDIC,** Oc, 1060
CH. **BOURDICOTTE,** Entre-deux-mers, 304
CH. **BOURDIEU LA VALADE,** Fronsac, 238
FRANCOIS **BOURDON,** Mâcon-villages, 585
DOM. DU **BOURDONNAT,** Reuilly, 943
PIERRE **BOUREE FILS,** Beaune, 523
CH. DU **BOURG,** Fleurie, 165
CLOS DU **BOURG,** Vouvray, 914
DOM. DU **BOURG,** Saint-nicolas-de-bourgueil, 899
CLOS **BOURGELAT,** Graves, 316
BOURGEOIS, Champagne, 608
HENRI **BOURGEOIS,** • Pouilly-fumé, 938 • Sancerre, 945
BOURGEOIS-BOULONNAIS, Champagne, 608
RENE **BOURGEON,** • Bourgogne côte chalonnaise, 567 • Givry, 578
DOM. DU **BOURG-NEUF,** Saumur-champigny, 877
CH. **BOURGNEUF-VAYRON,** Pomerol, 244
DOM. **BOURILLON-DORLEANS,** Vouvray, 914
DOM. DE **BOURJAC,** Côtes de millau AOVDQS, 787
CH. **BOURNAC,** Médoc, 336
DOM. DE **BOURNET,** Coteaux de l'Ardèche, **1076**
LOUIS **BOURON,** Pineau des charentes, 1036
CH. DE **BOURSAULT,** Champagne, 608
CH. **BOURSEAU,** Lalande de pomerol, 252
DOM. DES **BOUSCAILLOUS,** Gaillac, 776
CH. **BOUSCASSE,** Madiran, 794
CH. **BOUSCAUT,** Pessac-léognan, 325 326
CH. DE **BOUSSARGUES,** Côtes du rhône, 954
DENIS **BOUSSEY,** • Volnay, 534 • Monthélie, 538
BOUTET-SAULNIER, Vouvray, 914
DOM. J.-FRANCOIS **BOUTHENET,** • Bourgogne hautes-côtes de beaune, 436 • Maranges, 564
DOM. MARC **BOUTHENET,** Maranges, 564
BOUTILLEZ-GUER, Champagne, 608
G. **BOUTILLEZ-VIGNON,** Champagne, 608
BOUTILLIER-BAUCHET, Champagne, 608
CH. **BOUTISSE,** Saint-émilion grand cru, 266
GILLES **BOUTON,** • Blagny, 549 • Puligny-montrachet, 550 • Saint-aubin, 557
DOM. REGIS **BOUVIER,** • Marsannay, 462 • Fixin, 464 • Morey-saint-denis, 475
RENE **BOUVIER,** • Bourgogne, 409 • Marsannay, 462 • Gevrey-chambertin, 467
DOM. DU **BOUXHOF,** Alsace pinot noir, 110
CH. **BOUYOT,** Sauternes, 394
DOM. **BOUZERAND-DUJARDIN,** Monthélie, 538
DOM. JEAN-MARIE **BOUZEREAU,** Meursault, 546
DOM. VINCENT **BOUZEREAU,** • Bourgogne, 409 • Bourgogne aligoté, 422 • Volnay, 534 • Meursault, 546
MICHEL **BOUZEREAU,** Beaune, 523
MICHEL **BOUZEREAU ET FILS,** Meursault, 546
LOUIS **BOVARD,** Canton de Vaud, 1087
ALBERT **BOXLER,** • Alsace grand cru brand, 116 • Alsace grand cru sommerberg, 128
JUSTIN **BOXLER,** Alsace tokay-pinot gris, **103**
CH. **BOYD-CANTENAC,** Margaux, 362
YVES **BOYER-MARTENOT,** • Auxey-duresses, 540 • Meursault, 546
AGNES ET DOMINIQUE **BRAILLON,** Beaujolais-villages, 150
CH. **BRANAIRE,** Saint-julien, 383
MAXIME **BRAND,** Crémant d'alsace, 133
CH. **BRANDA,** Puisseguin saint-émilion, 294
CH. **BRANDEAU,** Côtes de castillon, 298
CH. **BRANDE BERGERE,** Bordeaux supérieur, 211
LE BARON DE **BRANE,** Margaux, 362
CH. **BRANE-CANTENAC,** Margaux, **362**
CHRISTELLE ET THIERRY **BRANGEON,** Jardin de la France, 1046
CAMILLE **BRAUN,** Alsace tokay-pinot gris, 103
FRANCOIS **BRAUN ET SES FILS,** • Alsace muscat, 93 • Alsace grand cru vorbourg, 130
DOM. DES **BRAVES,** Régnié, 177
JEAN **BRECQ,** Saint-nicolas-de-bourgueil, 900
CH. DE **BREGANCON,** Côtes de provence, 733
A. **BREGEON,** Muscadet sèvre-et-maine, 828
CH. **BREHAT,** Côtes de castillon, 298
JEAN-CLAUDE **BRELIERE,** Rully, 571
REMY **BREQUE,** Crémant de bordeaux, 223
CH. **BRESSAC DE LEZIN,** Bordeaux supérieur, 211
DOM. **BRESSY MASSON,** • Côtes du rhône-villages, 966 • Rasteau, **1031**
CH. **BRETHOUS,** Premières côtes de bordeaux, 310
CATHERINE ET PIERRE **BRETON,** Chinon, 903
BRETON FILS, Champagne, 609
DOM. **BRETONNIERE,** Muscadet sèvre-et-maine, **828**
CH. DU **BREUIL,** Coteaux du layon, 860
YVES **BREUSSIN,** Vouvray, 914
CH. DE **BRIACE,** Gros-plant AOVDQS, 838
CH. **BRIAND,** Bergerac, 799
CH. DE **BRIANTE,** Côte de brouilly, 160
BRICE, Champagne, 609
BRICOUT, Champagne, 609
DOM. MICHEL **BRIDAY,** • Rully, 571 • Mercurey, 574
CH. **BRILLETTE,** Moulis-en-médoc, 369
DOM. DU **BRINDIN,** Muscadet côtes de grand lieu, 837
DOM. **BRINTET,** Mercurey, 574
ALBERT **BRIOLLAZ,** Canton du Valais, 1094
VIGNOBLES **BRISEBARRE,** Vouvray, 914
CH. DE **BRISSAC,** Anjou-villages-brissac, 851
DOMINIQUE **BRISSET,** Pouilly-fumé, 938
JOAN **BRISSON,** Pineau des charentes, 1036
CH. DE **BRIZAY,** Haut-poitou AOVDQS, 926
DOM. DE **BRIZE,** • Anjou, 842 • Saumur, 870
JEAN-MARC **BROCARD,** • Chablis premier cru, 451 • Chablis grand cru, 457
JEAN **BROCARD-GRIVOT,** Bourgogne hautes-côtes de nuits, 432
DOM. HUBERT **BROCHARD,** Sancerre, 945
BROCHET-HERVIEUX, Champagne, 609
ANDRE **BROCHOT,** Champagne, 609
MARC **BROCOT,** Marsannay, 462
CH. DE **BROSSAY,** • Anjou, 842 • Coteaux du layon, 860
LAURENT CHARLES **BROTTE,** • Hermitage, 985 • Gigondas, 989 • Châteauneuf-du-pape, 994
BROUETTE PETIT-FILS, Crémant de bordeaux, 223
MAS DES **BROUSSES,** Coteaux du languedoc, 698
CH. DU **BROUSTARET,** Premières côtes de bordeaux, 310
CH. **BROWN,** Pessac-léognan, 326
CH. **BROWN-LAMARTINE,** Bordeaux supérieur, 212
PAUL **BROYER,** Pouilly-fuissé, 589
DOM. **BRU-BACHE,** Jurançon, 790
M. **BRUGNON,** Champagne, 609
MAS **BRUGUIERE,** Coteaux du languedoc, 698
CH. **BRULESECAILLE,** Côtes de bourg, 232
DOM. DE **BRULLY,** • Bourgogne aligoté, 422 • Chambolle-musigny, 481 • Saint-aubin, 557

ALAIN **BRUMONT,** Pacherenc du vic-bilh, 796
CAVE **BRUNEAU DUPUY,** Saint-nicolas-de-bourgueil, 900
DOM. **BRUNELY,** Vacqueyras, 992
DOM. PASCAL **BRUNET,** Chinon, 903
CH. **BRUNET-CHARPENTIERE,** Bergerac rosé, 803
EDOUARD **BRUN ET CIE,** Champagne, 609
DOM. **BRUSSET,** Gigondas, 989
LAURENT **BRUSSET,** • Côtes du rhône, 954 • Côtes du rhône-villages, 967
DOM. DES **BRUYERES,** Beaujolais, 144
DOM. DES **BRUYERES,** Mâcon-villages, **585**
G. **BRZEZINSKI,** • Savigny-lès-beaune, 515 • Monthélie, 538
CLAUDE **BUCHOT,** • Côtes du jura, 665 • Macvin du jura, 1042
MAISON JOSEPH DE **BUCY,** Saint-aubin, 557
PAUL **BUECHER ET FILS,** • Alsace tokay-pinot gris, 103 • Crémant d'alsace, 134
DOM. FRANCOIS **BUFFET,** Volnay, 534
CAVEAU **BUGISTE,** Bugey AOVDQS, 679
PAUL **BUISSE,** Crémant de loire, 822
CHRISTOPHE **BUISSON,** • Savigny-lès-beaune, 515 • Auxey-duresses, 540
DOM. DU **BUISSON,** Gros-plant AOVDQS, 839
DOM. HENRI ET GILLES **BUISSON,** Saint-romain, 543
CH. **BUISSON DE FLOGNY,** Bergerac, 800
CH. **BUJAN,** Côtes de bourg, 232
COLETTE ET CLAUDE **BULABOIS,** Arbois, 659
NOEL **BULLIAT,** Morgon, 171
LES VIGNERONS DE LA CAVE DE **BULLY,** Beaujolais, 144
ERIC **BUNEL,** Champagne, 609
BERNARD **BURGAUD,** Côte rôtie, 974
JEAN-MARC **BURGAUD,** Morgon, 171
DOM. **BURNOT-LATOUR,** Régnié, 177
CHRISTIAN **BUSIN,** Champagne, 610
JACQUES **BUSIN,** Champagne, 610
PHILIPPE **BUTIN,** • Château-chalon, 664 • Côtes du jura, 665 • Macvin du jura, 1043
CAVE DES VIGNERONS DE **BUXY,** Mâcon-villages, 585
LES VIGNERONS DE **BUZET,** Buzet, **781**
CAVEAU DES **BYARDS,** • Côtes du jura, **665** • Macvin du jura, 1043

CLOS DES **CABANES,** Bergerac rosé, 803
CH. **CABANNIEUX,** Graves, 316
CH. **CABARIEU SAINT ANDRE,** Bordeaux supérieur, 212
DOM. DE **CABARROUY,** Jurançon, 790
DOM. DE **CABASSE,** Côtes du rhône-villages, 967
CABEL, Pineau des charentes, 1036
MARCEL **CABELIER,** • Côtes du jura, 665 • Crémant du jura, 670 • L'étoile, 671
CH. **CABLANC,** Bordeaux, 192
CH. **CABRIERES,** Coteaux du languedoc, 698
DOM. **CABROL,** Cabardès, 718
DOM. **CACHAT-OCQUIDANT ET FILS,** • Bourgogne, 409 • Aloxe-corton, 504 • Pernand-vergelesses, 507 • Corton, 510 • Chorey-lès-beaune, 520
GUY **CADEL,** Champagne, 610
MAS DE **CADENET,** Côtes de provence, 733
CH. **CADET-BON,** Saint-émilion grand cru, **266**
CH. **CADET BRAGARD,** Saint-émilion grand cru, 266
CH. **CADET-PIOLA,** Saint-émilion grand cru, 266
DOM. DE **CADIS,** Saint-Sardos, 1057
DOM. **CADY,** • Anjou, **842** • Coteaux du layon, 860
DOM. DU **CAGUELOUP,** Bandol, 748
CH. **CAHUZAC,** Côtes du frontonnais, 783
DOM. A. **CAILBOURDIN,** • Pouilly-fumé, 938 • Pouilly-sur-loire, 941
DOM. DES **CAILLATTES,** Canton de Vaud, 1087
CH. **CAILLAVEL,** Côtes de bergerac, 805
CH. DE **CAILLAVET,** Premières côtes de bordeaux, 310
CH. **CAILLETEAU BERGERON,** Bordeaux rosé, 207
CH. **CAILLEVET,** Côtes de bergerac, 805
DANIEL **CAILLEZ,** Champagne, 610
CAILLEZ-LEMAIRE, Champagne, 610
DOM. **CAILLOL,** Cassis, 746
DOMINIQUE **CAILLOT,** Monthélie, 538
DOM. DES **CAILLOTS,** Touraine, 882
CH. **CAILLOU,** Sauternes, 394
DOM. DES **CAILLOUX,** Entre-deux-mers, 304
CH. DE **CAIX,** Cahors, 770
CH. DE **CALADROY,** Côtes du roussillon, 721
CH. DE **CALASSOU,** Cahors, 770
CH. DE **CALAVON,** Coteaux d'aix, 753
MAS **CAL DEMOURA,** Coteaux du languedoc, 698
CH. **CALISSANNE,** Coteaux d'aix, **754**
MICHEL **CALLEMENT,** Chablis, 447
PIERRE **CALLOT,** Champagne, 610
DOM. **CALOT,** Morgon, 171
BERTRAND ET MONIQUE **CALOZ-EVEQUOZ,** Canton du Valais, 1094
DOM. DU **CALVAIRE DE ROCHE GRES,** Morgon, 171
CALVET, • Bordeaux rosé, 207 • Listrac-médoc, 358 • Saint-estèphe, 378
CH. **CAMAIL,** • Crémant de bordeaux, 223 • Premières côtes de bordeaux, 310
DOM. **CAMAISSETTE,** Coteaux d'aix, 754
CH. DE **CAMARSAC,** • Bordeaux supérieur, 212 • Entre-deux-mers, 304
CH. **CAMENSAC,** Haut-médoc, **348**
LA CLOSERIE DE **CAMENSAC,** Haut-médoc, 348
DOM. DE **CAMPAGNOL,** Costières de nîmes, 693
CH. **CAMP-D'AURIOL,** Cahors, 770
CH. **CAMPEROS,** Sauternes, 394
CH. DE **CAMPUGET,** Costières de nîmes, 693
DOM. **CAMU,** • Petit chablis, **444** • Chablis premier cru, 451
CH. **CAMUS,** Graves, 316
DOM. **CAMUS-BRUCHON,** • Savigny-lès-beaune, 515 • Beaune, 524
BERNARD ET JOSIANE **CANARD,** Moulin à vent, 174
CANARD-DUCHENE, Champagne, 610
MARIE-THERESE **CANARD ET JEAN-MICHEL AUBINEL,** Bourgogne, 409
CANCAILLAU, Jurançon, 790
CH. DE **CANCERILLES,** Coteaux varois, 758
CH. **CANDELEY,** Entre-deux-mers, 304
CH. **CANET,** Minervois, 712
CANET VALETTE, Saint-chinian, 715
CH. **CANON,** Saint-émilion grand cru, 266
CLOS **CANON,** Saint-émilion, 258
CH. **CANON CHAIGNEAU,** Lalande de pomerol, 253
CH. **CANON MOUEIX,** Canon-fronsac, 237
DOM. DES **CANTARELLES,** Costières de nîmes, 693
DOM. DE **CANTEAU,** Graves, 316
CH. **CANTEGRIC,** Médoc, 336
CH. **CANTELAUZE,** Pomerol, 244
CH. **CANTELYS,** Pessac-léognan, 326
CH. **CANTEMERLE,** Haut-médoc, 349
CH. **CANTENAC-BROWN,** Margaux, 362
CANUET, Margaux, 363
CH. **CAP D'OR,** Saint-georges saint-émilion, 296
CH. **CAP DE FAUGERES,** Côtes de castillon, 298
CH. **CAP DE FOUSTE,** • Côtes du roussillon, 721 • Muscat de rivesaltes, 1025
CH. **CAP DE MERLE,** Bordeaux supérieur, 212
CAP DE MOURLIN, Saint-émilion grand cru, 267
DOM. **CAPDEVIELLE,** Jurançon, 790
CH. **CAPET BEGAUD,** Canon-fronsac, 237
CAPITAIN-GAGNEROT, • Ladoix, 502 • Aloxe-corton, 504 • Corton, 510 • Corton-charlemagne, 513
CLOS **CAPITORO,** Ajaccio, 766
CH. DE **CAPITOUL,** Coteaux du languedoc, 698
CUVEE DES **CAPITOULS,** Lavilledieu AOVDQS, 784
CH. **CAPLANE,** Sauternes, 394
CH. **CAP LEON VEYRIN,** Listrac-médoc, 359
DOM. **CAPMARTIN,** Pacherenc du vic-bilh, 796
CAPRICE DU TEMPS, Canton du Valais, 1094
NICOLE ET JEAN-MARIE **CAPRON-CHARCOUSSET,** Savigny-lès-beaune, 515
DOM. **CAPUANO-FERRERI ET FILS,** Santenay, 560
CH. **CAPULLE,** Bergerac sec, 804
CH. **CARAGUILHES,** Corbières, 688
CARAMANY, Côtes du roussillon-villages, 725
CH. **CARBON D'ARTIGUES,** Graves, 316
DOM. DE **CARBONNIEU,** Sauternes, 394
CH. **CARBONNIEUX,** Pessac-léognan, 326
CH. **CARCANIEUX,** Médoc, 337
CH. **CARIGNAN,** Premières côtes de bordeaux, 310
CH. DE **CARLES,** Fronsac, 239
CH. **CARPE DIEM,** Côtes de provence, 733
DENIS **CARRE,** • Bourgogne hautes-côtes de beaune, 436 • Savigny-lès-beaune, 516 • Pommard, 529 • Auxey-duresses, 540 • Saint-romain, 543
CARREFOUR, • Touraine, 882 • Touraine-amboise, 891
EUGENE **CARREL ET FILS,** Vin de savoie, 675
CARRELOT DES AMANTS, Côtes du brulhois AOVDQS, 785
DOM. DU **CARROIR,** Coteaux du vendômoisAOVDQS, 923
MICHEL **CARRON,** Beaujolais, 144
DOM. DU **CARROU,** Sancerre, 946
PHILIPPE **CARROUE,** Coteaux du giennois, 931
CH. DU **CARRUBIER,** Côtes de provence, 733
JEAN ET FLORENCE **CARRUPT,** Canton du Valais, 1094
CH. **CARSIN,** • Premières côtes de bordeaux, 310 • Cadillac, 387
CH. **CARTEAU COTES DAUGAY,** Saint-émilion grand cru, 267
CH. DE **CARY POTET,** Montagny, 580
DOM. J.-B. **CASABIANCA,** Vins de corse, 761
LES MAITRES VIGNERONS DE **CASCASTEL,** Fitou, 710
CH. **CASSAGNE HAUT-CANON,** Canon-fronsac, 237
DOM. DE **CASSAGNOLE,** Coteaux de l'Ardèche, 1076
DOM. DES **CASSAGNOLES,** • Floc de gascogne, 1039 • Côtes de Gascogne, 1058
CH. DE **CASSAIGNE,** Floc de gascogne, 1040
DOM. DE **CASSAN,** • Côtes du rhône-villages, 967 • Gigondas, 989
DOM. **CASTAN,** Coteaux du languedoc, 699
DOM. **CASTAN,** • Côtes du rhône, 955 • Côtes du rhône-villages, 967
CASTANAR, Canton du Tessin, **1109**
CH. **CASTEGENS,** Côtes de castillon, 298
CH. DE **CASTELA,** Cahors, 770
LES VIGNERONS DU **CASTELAS,** Côtes du rhône, 955
CASTEL FRERES, Jardin de la France, 1047
CASTELLANE, Champagne, 611
DOM. DU **CASTELLAT,** Bergerac sec, 804
CASTELL DES HOSPICES, • Collioure, 728 • Banyuls grand cru, 1017
DOM. **CASTELL-REYNOARD,** Bandol, 748
CASTELMAURE BOIS, Corbières, 688
DOM. DE **CASTEL OUALOU,** Lirac, 1000
CH. **CASTENET-GREFFIER,** • Bordeaux supérieur, 212 • Entre-deux-mers, 305
CH. **CASTERA,** Médoc, 338
DOM. **CASTERA,** Jurançon sec, 792
CLOS **CASTET,** Jurançon, 791
CH. DE **CASTETS,** Premières côtes de blaye, 225
CH. DE **CASTILLON,** Bandol, 748
VIGNERONS **CATALANS,** Côtes du roussillon-villages, 725
DOM. DE **CATARELLI,** Muscat du cap corse, 1032
SYLVAIN **CATHIARD,** • Chambolle-musigny, 481 • Vosne-romanée, 488 • Nuits-saint-georges, 494
PHILIPPE **CATROUX,** Touraine-amboise, 891
CATTIER, Champagne, 611
DOM. JOSEPH **CATTIN,** Alsace grand cru hatschbourg, 120
THEO **CATTIN ET FILS,** Alsace grand cru hatschbourg, 120
DOM. **CAUHAPE,** Jurançon, 791
DOM. DE **CAUMONT,** Floc de gascogne, 1040
DOM. DE **CAUNETTES HAUTES,** Cabardès, 718

DOM. DE **CAUQUELLE,** Coteaux du Quercy, 1057
DOM. DE **CAUSE,** Cahors, 770
DOM. DE **CAUSSE,** Oc, 1060
CH. **CAVALIER,** Côtes de provence, 733
DOM. DES **CAVES,** • Moulin à vent, 174 • Mâcon-villages, 585 • Saint-véran, 594
CLAUDE **CAZALS,** • Champagne, 611 • Coteaux champenois, 654
CH. **CAZAL-VIEL,** Saint-chinian, 715
DOM. **CAZAL-VIEL,** Oc, 1060
CHARLES DE **CAZANOVE,** • Champagne, 611 • Coteaux champenois, 654
CH. **CAZEAU,** Bordeaux, 192
CH. **CAZEBONNE,** Graves, 316
CH. **CAZELON,** Montagne saint-émilion, 291
CH. DE **CAZENEUVE,** Coteaux du languedoc, 699
CH. DE **CAZENOVE,** Bordeaux supérieur, 212
DOM. **CAZES,** • Rivesaltes, **1019** • Muscat de rivesaltes, 1025 • Côtes catalanes, **1068**
FRANCOIS **CAZIN,** Crémant de loire, 822
CH. DU **CEDRE,** Cahors, 771
CH. DES **CEDRES,** • Premières côtes de bordeaux, 311 • Cadillac, 387
DOM. **CELINGUET,** Coteaux du languedoc, 699
CELLER D'AL MOULI, Muscat de rivesaltes, 1025
DOM. DU **CENTAURE,** Haut-poitou AOVDQS, 926
CEP D'OR, Moselle luxembourgeoise, 1081
DOM. DU **CERBERON,** Meursault, 547
DOM. DE **CERCY,** Beaujolais, 144
DOM. DE **CERENS,** Minervois, 712
CH. DE **CERONS,** Cérons, 391
CH. **CERTAN DE MAY DE CERTAN,** Pomerol, 244
CH. **CERTAN-GIRAUD,** Pomerol, 244
DOM. DE **CESAR,** Costières de nîmes, 693
CH. DE **CESSERAS,** Minervois, 712
DOM. DE **CEZIN,** • Coteaux du loir, 909 • Jasnières, 909
DOM. DE **CHABASSIERE,** Côtes du rhône, 955
DOM. **CHABBERT-FAUZAN,** Minervois, 712
DOM. DES **CHABERTS,** Coteaux varois, 758
CH. **CHABIRAN,** Bordeaux supérieur, 212
DOM. **CHABOUD,** Cornas, 986
FRANCOIS **CHABRE,** Côte roannaise, 933
DOM. DU **CHAILLOT,** Châteaumeillant AOVDQS, 928
DOMINIQUE **CHAINIER,** Pineau des charentes, 1036
CAVE DE **CHAINTRE,** • Mâcon-villages, 585 • Saint-véran, 594
DANIEL ET PASCAL **CHALANDARD,** • Côtes du jura, **665** • L'étoile, 672
DOM. DU **CHALET,** Saumur, 870
FRANCK **CHALMEAU,** Bourgogne, 409
MADAME EDMOND **CHALMEAU,** Bourgogne aligoté, 422
PATRICK ET CHRISTINE **CHALMEAU,** Bourgogne, 409
CH. DE **CHAMBERT,** Cahors, 771
CH. **CHAMBERT-MARBUZET,** Saint-estèphe, 378
CH. DE **CHAMBOUREAU,** Savennières roche-aux-moines, 859
CH. DE **CHAMBRUN,** Lalande de pomerol, 253
CH. DE **CHAMILLY,** • Bourgogne aligoté, 422 • Bourgogne passetoutgrain, 428 • Mercurey, 574
CH. DE **CHAMIREY,** Mercurey, 574
CH. DE **CHAMPAGNY,** Côte roannaise, 933
CHAMPALOU, Vouvray, 915
CH. **CHAMPAREL,** Pécharmant, 811
CH. **CHAMPCENET,** Premières côtes de bordeaux, 311
DOM. DU **CHAMP CHAPRON,** Muscadet des coteaux de la loire sur lie, 825
DOM. **CHAMPEAU,** • Pouilly-fumé, 938 • Pouilly-sur-loire, 941
PAUL **CHAMPIER,** Brouilly, 156
DOM. DE **CHAMPIERRE,** Anjou, 842
CH. **CHAMPION,** Saint-émilion grand cru, 267
MICHEL **CHAMPION,** Bourgogne passetoutgrain, 428
DOM. DE **CHAMP-LONG,** • Côtes du rhône, 955 • Côtes du ventoux, 1007
DOM. DE **CHAMP MARTIN,** Quincy, 942
DOM. DES **CHAMPS GRILLES,** Saint-amour, 181
DOM. **CHAMPS PERDRIX,** Bourgogne-côte chalonnaise, 567
CHAMPTENAUD, Saint-joseph, 979
CHAMPY PERE ET CIE, • Pernand-vergelesses, 507 • Savigny-lès-beaune, 516 • Chassagne-montrachet, 554
CHAMPY PERE ET FILS, Bourgogne, 409
DOM. DE **CHANABAS,** Côtes du rhône, 955
CH. PIERRE **CHANAU,** Sauternes, 394
PIERRE **CHANAU,** • Bourgogne passetoutgrain, 428 • Chassagne-montrachet, 554
PIERRE **CHANAU,** Bergerac, 800
SIMONE **CHANAY,** Beaujolais-villages, 150
EMILE **CHANDESAIS,** • Volnay, 534 • Côte de beaune-villages, 566 • Mercurey, 574
DOM. **CHANDON DE BRIAILLES,** • Pernand-vergelesses, 507 • Corton, 510
CHANOINE, Champagne, 611
DOM. DES HERITIERS PAUL **CHANSON,** Corton, 510
CHANSON PERE ET FILS, • Charmes-chambertin, 473 • Pernand-vergelesses, 507 • Beaune, 524 • Pouilly-fuissé, 589
DOM. DES **CHANSSAUD,** Châteauneuf-du-pape, 995
VIGNOBLE DU **CHANT D'OISEAUX,** L'Orléanais AOVDQS, 935
CHANT DES RESSES, Canton de Vaud, 1087
CH. **CHANTE ALOUETTE,** Saint-émilion grand cru, 267
CHANTECOTES, • Côtes du rhône, 955 • Côtes du rhône-villages, 967
DOM. DE **CHANTEGRILLET,** Côtes du ventoux, 1007
CH. DE **CHANTEGRIVE,** Graves, 317
CH. **CHANTELOISEAU,** Graves, 317
DOM. DE **CHANTEMERLE,** • Chablis, 447 • Chablis premier cru, 451
CAVE DE **CHANTE-PERDRIX,** • Condrieu, 977 • Saint-joseph, 979
CHANTET BLANET, Entre-deux-mers, 305
CHANZY, Bourgogne, 409
DOM. **CHANZY,** Bouzeron, **570**
CH. DES **CHAPELAINS,** Sainte-foy-bordeaux, 308
CH. **CHAPELLE DE MALENGIN,** Montagne saint-émilion, 291
CHAPELLE LENCLOS, Madiran, **794**
CHAPELLE SAINT-BENOIT, Côtes du marmandais, 785
CHAPELLE SAINT-HEYRIES, Côtes du ventoux, 1007
DOM. DU **CHAPITRE,** • Fleurie, 165 • Touraine, 883
M. **CHAPOUTIER,** • Côte rôtie, 974 • Hermitage, 985
DOM. DES **CHAPPES,** Beaujolais-villages, 150
ALEXANDRE **CHAPPUIS ET FILS,** Canton de Vaud, 1088
MAURICE **CHAPUIS,** Corton, 510
JACQUES **CHAPUT,** Champagne, 611
THIERRY **CHAPUT,** Montlouis, 910
CHAPUY, Champagne, 612
ERIC **CHAPUZET,** Cheverny, 920
RENE **CHARACHE-BERGERET,** • Bourgogne passetoutgrain, 428 • Pernand-vergelesses, 507
DOM. DIDIER **CHARAVIN,** • Côtes du rhône, 955 • Rasteau, 1031
DOM. **CHARBONNIER,** Touraine, 883
DOM. DES **CHARBOTIERES,** Coteaux de l'aubance, 855
DOM. DU **CHARDONNAY,** • Petit chablis, **444** • Chablis premier cru, 452
DOM. DES **CHARDONNERETS,** Montlouis, 910
GUY **CHARLEMAGNE,** Champagne, 612
ROBERT **CHARLEMAGNE,** Champagne, 612
CHARLES AINE, Brouilly, 156
MAURICE **CHARLEUX,** Santenay, 560
CHARLIER ET FILS, Champagne, 612
PATRICK **CHARLIN,** Bugey AOVDQS, 679
DOM. PHILIPPE **CHARLOPIN-PARIZOT,** • Marsannay, 462 • Gevrey-chambertin, 468 • Charmes-chambertin, 473 • Mazis-chambertin, 474 • Clos saint-denis, 479 • Echézeaux, 487
PHILIPPE **CHARLOPIN POUR JOCELYNE BARON,** Chambertin, 471
CH. **CHARMAIL,** Haut-médoc, 349
CH. **CHARMANT,** Margaux, 363
ANDRE **CHARMENSAT,** Côtes d'auvergne AOVDQS, 929
DOM. DES **CHARMERIES,** Muscadet sèvre-et-maine, 828
CAVE DE **CHARNAY,** Mâcon, 581
J. **CHARPENTIER,** Champagne, 612
JEAN-MARC ET CELINE **CHARPENTIER,** Champagne, 612
VIGNOBLE **CHARRIER-MASSOTEAU,** Saumur, 870
CH. **CHARRON,** Premières côtes de blaye, 225
CHARTOGNE-TAILLET, Champagne, 612
JEAN-PIERRE **CHARTON,** Mercurey, 575
CELLIER DES **CHARTREUX,** Côtes du rhône, 955
CLOS DES **CHARTREUX,** Alsace riesling, 87
DOM. JEAN **CHARTRON,** • Puligny-montrachet, 550 • Chevalier-montrachet, 552 • Saint-aubin, 557
CHARTRON ET TREBUCHET, • Pernand-vergelesses, 508 • Chassagne-montrachet, 554
DOM. JEAN-PAUL **CHARVET,** Chiroubles, 163
DOM. **CHARVIN,** Châteauneuf-du-pape, 995
CHRISTOPHE **CHASLE,** Bourgueil, 895
CH. DE **CHASSAGNE-MONTRACHET,** Saint-aubin, 557
JEAN-GILLES **CHASSELAY,** Beaujolais, 144
CH. DE **CHASSELOIR,** Muscadet sèvre-et-maine, 828
CH. **CHASSE-SPLEEN,** Moulis-en-médoc, **369**
L'ERMITAGE DE **CHASSE-SPLEEN,** Haut-médoc, 349
L'ORATOIRE DE **CHASSE-SPLEEN,** Moulis-en-médoc, 369
GUY DE **CHASSEY,** Champagne, 612
DOM. DE **CHASSORNEY,** Saint-romain, 543
CH. DE **CHASTELET,** Premières côtes de bordeaux, 311
CLOS **CHATART,** • Collioure, 728 • Banyuls, 1015
DOM. DU **CHATEAU DE MERCEY,** Mercurey, 575
DOM. DU **CHATEAU DE MEURSAULT,** Beaune, 524
CLOS DU **CHATEAU DE VALENCAY,** Valençay AOVDQS, 925
DOM. DU **CHATEAU VIEUX,** • Saint-joseph, 979 • Drôme, 1077
CHATELAIN PRESTIGE, Pouilly-fumé, 938
CH. DU **CHATELARD,** Beaujolais-villages, 150
LAURENT **CHATENAY,** Montlouis, 910
DOM. DE **CHATENOY,** Menetou-salon, 936
ODILE **CHAUDAT,** Côte de nuits-villages, 498
DOM. DE **CHAUDE ECUELLE,** • Bourgogne grand ordinaire, 421 • Chablis premier cru, 452
DOM. **CHAUMARD,** Côtes du ventoux, 1007
DOM. **CHAUME-ARNAUD,** Côtes du rhône, 955
DOM. **CHAUMONT PERE ET FILS,** • Bourgogne côte chalonnaise, 568 • Mercurey, 575
CH. DE **CHAUSSE,** Côtes de provence, 734
DOM. DE **CHAUSSE,** Var, 1072
DOM. DES **CHAUSSELIERES,** Muscadet sèvre-et-maine, 828
CAVE DE **CHAUTAGNE,** Vin de savoie, 675
DOM. **CHAUVEAU,** Pouilly-fumé, 939
DOM. DANIEL **CHAUVEAU,** Chinon, 903
DOM. JEAN **CHAUVENET,** Nuits-saint-georges, 494
F. **CHAUVENET,** • Nuits-saint-georges, 494 • Oc, 1060
CHAUVENET-CHOPIN, Nuits-saint-georges, 494
A. **CHAUVET,** Champagne, 613
MARC **CHAUVET,** Champagne, 613
H. **CHAUVET ET FILS,** Champagne, 613
CH. **CHAUVIN,** Saint-émilion grand cru, 267
DOM. PIERRE **CHAUVIN,** Coteaux du layon, 861
DOM. BERNARD **CHAVE,** Crozes-hermitage, 983
DOM. JEAN-LOUIS **CHAVE,** Hermitage, **985**
CORINNE ET ANDRE **CHAVEL,** Beaujolais-villages, 150
G. **CHAVET ET FILS,** Menetou-salon, 936

CYRILLE **CHAVY,** Morgon, 171
LOUIS **CHAVY,** • Bourgogne hautes-côtes de nuits, 432 • Savigny-lès-beaune, 516 • Rully, 571
DOM. DU **CHAZELAY,** Régnié, 177
ANDRE **CHEMIN,** Champagne, 613
CH. **CHEMIN ROYAL,** Moulis-en-médoc, 369
CAVE DU CH. DE **CHENAS,** Chénas, 162
DOM. DU **CHENE,** Saint-joseph, 979
LE CLOS DU **CHENE,** Cahors, 771
DOM. DE **CHENEPIERRE,** Chénas, 162
DOM. DES **CHENES,** • Côtes du roussillon, 721 • Côtes du roussillon-villages, 725
CH. DE **CHENONCEAU,** Touraine, 883
LOUIS **CHENU,** Savigny-lès-beaune, 516
MAURICE **CHENU,** • Bourgogne passetoutgrain, 428 • Fixin, 464 • Aloxe-corton, 504
CH. **CHERCHY-DESQUEYROUX,** Graves supérieures, 325
DOMINIQUE **CHERMETTE,** Beaujolais, 145
DOM. DES **CHESNAIES,** Bourgueil, 895
CHESNEAU ET FILS, Cheverny, 920
RICHARD **CHEURLIN,** Champagne, 613
CHEURLIN-DANGIN, Champagne, 613
CHEURLIN ET FILS, Champagne, 613
DOM. **CHEVAIS,** Coteaux du vendômoisAOVDQS, 924
CH. **CHEVAL BLANC,** Saint-émilion grand cru, 267
DOM. DE **CHEVALIER,** Pessac-léognan, 327
L'ESPRIT DE **CHEVALIER,** Pessac-léognan, 327
CHEVALIER PERE ET FILS, Aloxe-corton, 504
CHEVALIERS, Canton du Valais, 1094
CH. **CHEVALIER SAINT GEORGES,** Montagne saint-émilion, 291
DOM. **CHEVALIERS D'HOMS,** Cahors, 771
CHEVALIERS DE BELLEVUE, Bordeaux sec, 201
CHEVALIERS DU ROI SOLEIL, Haut-médoc, 349
DOM. **CHEVALLIER,** Chablis, 447
MARIE ET DENIS **CHEVASSU,** • Château-chalon, 664 • Côtes du jura, 666 • Macvin du jura, 1043
DOM. MICHEL **CHEVILLON,** Nuits-saint-georges, 494
DOM. **CHEVROT,** • Bourgogne aligoté, 422 • Bourgogne hautes-côtes de beaune, 436 • Santenay, 560 • Maranges, 564
JEROME **CHEZEAUX,** Bourgogne passetoutgrain, 428
DOM. DES **CHEZELLES,** Touraine, 883
MAS **CHICHET,** Pyrénées-Orientales, 1068
GEORGES **CHICOTOT,** Nuits-saint-georges, 494
YVES **CHIDAINE,** Montlouis, 911
MICHEL **CHIGNARD,** Fleurie, **166**
GASTON **CHIQUET,** Champagne, 613
GILBERT **CHIRAT,** Condrieu, 977
CHRISTIAN **CHOLET-PELLETIER,** • Auxey-duresses, 540 • Meursault, 547
HENRI ET VINCENT **CHOLLET,** Canton de Vaud, 1088
CLAUDE **CHONION,** • Bourgogne aligoté, 422 • Bourgogne hautes-côtes de beaune, 436
LOUIS-NOEL **CHOPIN,** Régnié, 177
A. **CHOPIN ET FILS,** • Bourgogne, 409 • Chambolle-musigny, 481 • Nuits-saint-georges, 494 • Côte de nuits-villages, 498
CHOPIN-GESSEAUME, Nuits-saint-georges, 494
CH. DE **CHOREY-LES-BEAUNE,** Chorey-lès-beaune, 520
DANIEL **CHOTARD,** Sancerre, 946
CHUPIN PRESTIGE, Coteaux du layon, 861
DOM. DE **CIBADIES,** Oc, 1060
PAUL **CINQUIN,** Brouilly, 156
CH. **CISSAC,** Haut-médoc, 349
CH. DE **CITEAUX,** • Auxey-duresses, 541 • Chassagne-montrachet, 554
CH. **CITRAN,** Haut-médoc, **349**
MOULINS DE **CITRAN,** Haut-médoc, 349
DOM. BRUNO **CLAIR,** • Marsannay, 462 • Morey-saint-denis, 476 • Chambolle-musigny, 481
FRANCOISE ET DENIS **CLAIR,** • Saint-aubin, 557 • Santenay, 560
DOM. DE **CLAIRANDRE,** Beaujolais-villages, 150
CLAIRDIE, Clairette de die, 1004
CH. **CLAIRE ABBAYE,** Sainte-foy-bordeaux, 308
DOM. **CLAPE,** Cornas, **987**
CH. DE **CLAPIER,** Côtes du luberon, 1009
CH. DE **CLAPIERS,** Coteaux varois, 758
CH. **CLARETTES,** Côtes de provence, 734
CH. **CLARKE,** Listrac-médoc, 359
DOM. **CLAVEL,** • Côtes du rhône, 955 • Côtes du rhône-villages, 967
MAISON **CLAVELIER,** Savigny-lès-beaune, 516
CLAVELIER ET FILS, Gevrey-chambertin, 468
CLAUDY **CLAVIEN,** Canton du Valais, 1094
CH. **CLAYMORE,** Lussac saint-émilion, 288
DOM. DE **CLAYOU,** Anjou-villages, 848
CAVE DE **CLEEBOURG,** • Alsace pinot ou klevner, 84 • Alsace tokay-pinot gris, 103
ANTOINE **CLEMENT,** Morgon, 171
CHARLES **CLEMENT,** Champagne, 613
CH. **CLEMENT TERMES,** Gaillac, 776
CLERAMBAULT, Champagne, 614
CH. DU **CLERAY,** Muscadet sèvre-et-maine, 828
ELISABETH ET BERNARD **CLERC,** Côtes du jura, 666
GABRIEL **CLERC,** Côtes du jura, 666
DOM. HENRI **CLERC ET FILS,** • Bourgogne, 410 • Bourgogne grand ordinaire, 421 • Clos de vougeot, 485 • Blagny, 549 • Bienvenues-bâtard-montrachet, 553 • Santenay, 560
CH. **CLERC MILON,** Pauillac, 372
RAOUL **CLERGET,** • Bourgognegrand ordinaire, 421 • Bourgogne passetoutgrain, 428
DOM. DES **CLOSAILLES,** Saint-amour, 181
CLOS AYMERICH, Muscat de rivesaltes, 1025
CLOS BOURBON, Premières côtes de bordeaux, 311
DOM. DU **CLOS DE L'EPINAY,** Vouvray, 915
CLOS DE L'HERMITAGE, Bourgogne, **410**
CLOS DE L'OMBREN, Canton de Vaud, 1088
CLOS DE LA CURE, Saint-émilion grand cru, 267
CLOS DE LA SENAIGERIE, Muscadet côtes de grand lieu, 837
CLOS DE LA VIEILLE EGLISE, Côtes de castillon, 298
DOM. DU **CLOS DES AUMONES,** Vouvray, 915
CLOS DES BLANCHAIS, Menetou-salon, **936**
CLOS DES COCUS, Coteaux du layon, 861
DOM. DU **CLOS DES GOHARDS,** Anjou, 842
CH. **CLOS DES JACOBINS,** Saint-émilion grand cru, 268
CLOS DES MENUTS, Saint-émilion grand cru, 268
CLOS DES MOINES, Canton de Vaud, **1088**
CLOS DES PAPES, Châteauneuf-du-pape, 995
DOM. **CLOS DES ROCHERS,** Moselle luxembourgeoise, **1082**
CLOS DES ROSIERS, Gros-plant AOVDQS, 839
CLOS DES VIEUX MARRONNIERS, Beaujolais, 145
CLOS DU CADARET, • Côtes de duras, 815 • Côtes de duras, **815**
CLOS DU CALVAIRE, Châteauneuf-du-pape, 995
CLOS DU CHATEAU, Bourgogne, 410
CLOS DU CLOCHET, Coteaux du layon, 861
DOM. DU **CLOS DU FIEF,** Juliénas, 168
CLOS DU GRAND HAME, Savennières, 857
CLOS DU JONCUAS, Gigondas, 989
CLOS DU MOULIN AUX MOINES, Auxey-duresses, 541
DOM. **CLOS DU PAVILLON,** Pommard, 529
CLOS DU PELERIN, Pomerol, 244
CLOS DU PONTET, Montagne saint-émilion, 291
DOM. DU **CLOS DU ROI,** Bourgogne, 410
CLOS DU ROY, Fronsac, 239
CLOS DU ROY, Sauternes, 394
CLOS DU ROY, Sancerre, 946
CLOS DU TREMBLAY, Moulin à vent, 174
DOM. DU **CLOSEL,** Savennières, 857
CLOS FOURTET, Saint-émilion grand cru, 268
DOM. DU **CLOS FRANTIN,** Vosne-romanée, 488
DOM. DES **CLOS GODEAUX,** Chinon, 903
CH. **CLOS HAUT-PEYRAGUEY,** Sauternes, 395
DOM. DES **CLOSIERS,** Saumur-champigny, 877
DOM. DES **CLOSIERS DE SAINT HILAIRE,** Chinon, 903
CH. **CLOS JUNET,** Saint-émilion grand cru, 268
CH. **CLOS-MIGNON,** Côtes du frontonnais, 783
CLOS PARADIS, Sancerre, 946
CLOS SAINTE ANNE, Cadillac, 387
CH. **CLOS SAINT-EMILION PHILIPPE,** Saint-émilion, 258
CLOS SAINT GEORGES, • Rivesaltes, 1019 • Muscat de rivesaltes, 1025
DOM. DU **CLOS SAINT-LOUIS,** • Fixin, 464 • Côte de nuits-villages, 498
CLOS SAINT-MARTIN, Saint-émilion grand cru, 268
CLOS SAINT MICHEL, Châteauneuf-du-pape, 995
DOM. DU **CLOS SAINT-PAUL,** Régnié, 177
CLOS SALOMON, Givry, 578
DOM. DES **CLOSSERONS,** • Anjou, 842 • Bonnezeaux, **867**
JOEL **CLOSSON,** Champagne, 614
CLOS-TOUMALIN, Canon-fronsac, 237
CLOT DOU BAILE, Bellet, 747
ANDRE **CLOUET,** Champagne, 614
PAUL **CLOUET,** Champagne, 614
DOM. DE **CLOVALLON,** • Clairette du languedoc, 687 • Oc, 1060
CLOS DU **COCHET,** Anjou-villages, 848
MICHEL **COCTEAUX,** Champagne, 614
CAVE DE **COCUMONT,** Côtes du marmandais, 785 786
JEAN-YVES **COGNARD,** Crémant de bourgogne, 440
LYDIE ET MAX **COGNARD-TALUAU,** • Saint-nicolas-de-bourgueil, 900 • Bourgueil, 895
LA CAVE DES VIGNERONS DE **COGOLIN,** Côtes de provence, 735
BERNARD **COILLOT PERE ET FILS,** Marsannay, 462
CH. DE **COINTES,** Côtes de la malepère AOVDQS, 719
DOM. DE **COLETTE,** Régnié, 177
COLIN, Champagne, 614
PATRICE **COLIN,** Coteaux du vendômoisAOVDQS, 924
BERNARD **COLIN ET FILS,** • Chassagne-montrachet, 554 • Saint-aubin, 558
COLLARD-CHARDELLE, Champagne, 614
COLLECTION ROYALE, Jurançon, 791
RAOUL **COLLET,** Champagne, 614
DOM. **COLLIN,** Blanquette de limoux, 684
DOM. FRANCOIS **COLLIN,** Bourgogne, 410
CH. **COLLIN DU PIN,** Bordeaux supérieur, 212
COLLON, Champagne, 615
DOM. **COLLONGE,** • Saint-joseph, 979 • Crozes-hermitage, 983
DOM. **COLLOTTE,** • Marsannay, 462 • Fixin, 465
CHRISTIAN **COLLOVRAY ET JEAN-LUC TERRIER,** Pouilly-fuissé, 589
CH. **COLOMBE PEYLANDE,** Haut-médoc, 350
DOM. DU **COLOMBIER,** • Chablis, 447 • Chablis premier cru, 452 • Chablis grand cru, 457
DOM. DU **COLOMBIER,** • Muscadet sèvre-et-maine, 828 • Jardin de la France, 1047
DOM. DU **COLOMBIER,** Hermitage, 985
CH. **COLOMBIER-MONPELOU,** Pauillac, 372
DOM. DE **COLONAT,** Morgon, 171
DOM. ANDRE **COLONGE ET FILS,** Beaujolais-villages, 150
COMANO, Canton du Tessin, 1109
DOM. DE **COMBELONGE,** • Côtes du vivarais AOVDQS, 1012 • Coteaux de l'Ardèche, 1076
JEAN-MICHEL **COMBIER,** Mâcon, 581
COMMANDERIE DE PEYRASSOL, Côtes de provence, 735
DOM. **COMPS,** Saint-chinian, 715
COMTE D'ANDLAU-HOMBOURG, • Alsace edelzwicker, 86 • Alsace riesling, 87
COMTE DE BEAUMONT, Alsace riesling, 87

COMTE DE MONTMORENCY, • Crémant de loire, 822 • Saumur, 870
COMTE DE NEGRET, Côtes du frontonnais, 783
COMTE DE NOIRON, Champagne, 615
COMTESSE DE DIE, Clairette de die, 1004
CH. **COMTESSE DU PARC,** Haut-médoc, 350
DOM. DE LA **CONDAMINE,** Fitou, **710**
CH. **CONDAMINE BERTRAND,** Clairette du languedoc, 687
LES PRODUCTEURS DE LA CAVE DE **CONDOM EN ARMAGNAC,** Floc de gascogne, 1040
CONFIDENTIEL, Côtes du marmandais, 786
J. **CONFURON-COTETIDOT,** Vosne-romanée, 489
FRANCOIS **CONFURON-GINDRE,** Echézeaux, 487
CH. **CONILH HAUTE-LIBARDE,** Côtes de bourg, 232
DOM. **CONSTANT,** Bergerac, 800
THIERRY **CONSTANTIN,** Canton du Valais, **1094**
CH. **CONSTANTIN-CHEVALIER,** Côtes du luberon, 1010
Y. ET C. **CONTAT-GRANGE,** • Santenay, 560 • Maranges, 564
CH. DE **CONTEVALL,** Costières de nîmes, 693
MICHEL **CONTOUR,** Cheverny, 920
GILLES **COPERET,** Régnié, 178
JACQUES **COPINET,** Champagne, 615
GUY **COQUARD,** Chambolle-musigny, 481
OLIVIER **COQUARD,** Beaujolais, 145
STEPHANE **COQUILLETTE,** Champagne, 615
DOM. DE **COQUIN,** Menetou-salon, 936
CORBASSIERE, Canton du Valais, 1095
DOM. DES **CORBILLIERES,** Touraine, 883
CH. **CORBIN,** Saint-émilion grand cru, 268
CH. **CORBIN,** Montagne saint-émilion, 291
CH. **CORBIN MICHOTTE,** Saint-émilion grand cru, 269
CH. **CORCONNAC,** Haut-médoc, 350
CH. **CORDEILLAN-BAGES,** Pauillac, 372
CORDEUIL PERE ET FILS, Champagne, 615
CORDIER, • Bordeaux, 192 • Bordeaux sec, 201 • Pauillac, 372
DOM. **CORDIER PERE ET FILS,** • Mâcon, **582** • Pouilly-fuissé, 589 • Pouilly loché, 592
DOM. DU **CORIANCON,** • Côtes du rhône, 956 • Côtes du rhône-villages, 967
CH. **CORMEIL-FIGEAC,** Saint-émilion grand cru, 269
GILDAS **CORMERAIS,** Muscadet sèvre-et-maine, 828
DOM. **CORNE-LOUP,** • Lirac, 1000 • Tavel, 1002
CH. DE **CORNEMPS,** Bordeaux supérieur, 213
DOM. DU **CORNILHAC,** Saint-joseph, 979
DIDIER **CORNILLON,** Crémant de die, 1004
DOM. **CORNU,** • Bourgogne hautes-côtes de nuits, 432 • Savigny-lès-beaune, 516
ROLAND **CORNU,** Beaujolais, 145
PIERRE **CORNU-CAMUS,** • Bourgogne hautes-côtes de beaune, 437 • Savigny-lès-beaune, 516
EDMOND **CORNU ET FILS,** Aloxe-corton, 504
CAVE **CORONELLE,** Canton du Valais, 1095
CORON PERE ET FILS, • Chablis, 447 • Chablis premier cru, 452 • Santenay, 560 • Pouilly vinzelles, 593
CH. **CORPS DE LOUP,** Premières côtes de blaye, 226
CORSICAN, Vins de corse, 761
DOM. **CORSIN,** • Pouilly-fuissé, 589 • Saint-véran, 594
LES PAGODES DE **COS,** Saint-estèphe, 378
COS D'ESTOURNEL, Saint-estèphe, **378**
CH. **COS LABORY,** Saint-estèphe, 378
THIERRY **COSME,** Vouvray, **915**
ROSE **COSTA SERENA,** Vins de corse, 762
COSTE BRULADE, Côtes de provence, 735 736
DOM. **COSTEPLANE,** Oc, 1060
DOM. DES **COSTES,** Pécharmant, 811
DOM. DU **COTEAU DE BEL-AIR,** Chiroubles, 164
COTEAU DES VIGNES, Juliénas, 168
DOM. DU **COTEAU DES FOUILLOUSES,** Beaujolais-villages, 150
DOM. DU **COTEAU DE VALLIERES,** Beaujolais-villages, 151
DOM. DES **COTEAUX BLANCS,** Anjou, 843
LES VIGNERONS DES **COTEAUX D'AVIGNON,** Côtes du rhône, 956
LES PRODUCTEURS DES **COTEAUX DE SAINT MAURICE,** Côtes du rhône-villages, 967
COTEAUX DES CARBONNIERES, Bordeaux sec, 201
DOM. DES **COTEAUX DES TRAVERS,** Côtes du rhône-villages, 967
LES VIGNERONS DES **COTEAUX ROMANAIS,** Touraine, 884
CH. **COTE DE BALEAU,** Saint-émilion grand cru, 269
CH. **COTE MONTPEZAT,** Côtes de castillon, 299
LES VIGNERONS DES **COTES D'AGLY,** Muscat de rivesaltes, 1026
COTES DES OLIVIERS, Agenais, 1054
LES VIGNERONS DE **COTIGNAC,** Côtes de provence, 736
DOM. **COTON,** Chinon, 903
COTTINELLI, Canton des Grisons, 1105
CH. **COUAILLAC,** Cahors, 772
COUCHE PERE ET FILS, Champagne, 615
CH. **COUDERT-PELLETAN,** Saint-émilion grand cru, 269
BERNARD **COUDRAY,** Canton du Valais, 1095
DOM. **COUET,** Coteaux du giennois, 931
CH. **COUFRAN,** Haut-médoc, 350
CH. **COUHINS-LURTON,** Pessac-léognan, 327
DOM. **COUILLAUD,** Jardin de la France, 1047
CH. DE **COULAINE,** Chinon, 903
CLOS DE **COULAINE,** Anjou-villages, 848
PATRICK **COULBOIS,** • Pouilly-fumé, 939 • Pouilly-sur-loire, 941
CH. DES **COULDRAIES,** Touraine, 884
CH. DES **COULINATS,** Sainte-croix-du-mont, 390
ROGER **COULON,** Champagne, 615
COULY-DUTHEIL, Chinon, 904
CH. **COUPE ROSES,** Minervois, 712
CH. **COURAC,** Côtes du rhône, 956
CH. **COURBIAN,** Médoc, 338
DOM. DE **COURCEL,** Pommard, 530
CH. DU **COURLAT,** Lussac saint-émilion, **289**
CH. **COURONNEAU,** Bordeaux supérieur, 213
DOM. **COURONNE DE CHARLEMAGNE,** Cassis, 746
DOM. ALAIN **COURREGES,** Ajaccio, 766
CH. DU **COURROS,** Bordeaux supérieur, 213
DOM. DES **COURS,** Côtes de duras, 815
DOM. DE **COURSAC,** Coteaux du languedoc, 699
PIERRE **COURSODON,** Saint-joseph, 980
DOM. JEAN-CLAUDE **COURTAULT,** • Petit chablis, 444 • Chablis, 447
FREDERIC **COURTEMANCHE,** Montlouis, 911
PIERRE **COURTEMANCHE,** Montlouis, 911
JEAN-MICHEL **COURTIOUX,** • Crémant de loire, 823 • Cheverny, 920
CH. **COURT LES MUTS,** Saussignac, 813
DOM. **COUSIN LEDUC,** Coteaux du layon, **861**
DOM. DE **COUSSERGUES,** Oc, 1060
DOM. **COUSTELLIER,** Oc, 1060
DOM. DE **COUSTILLE,** Meuse, 1078
CH. **COUSTOLLE,** Canon-fronsac, 237
DOM. DE **COUTANCIE,** Rosette, 813
CH. **COUTELIN-MERVILLE,** Saint-estèphe, 378
CH. **COUTET,** Barsac, 392
CH. **COUTINEL,** Côtes du frontonnais, 783
DOM. DES **COUTURES,** Saumur-champigny, 877
CAVES REUNIES DU **COUVENT DES CORDELIERS,** • Gevrey-chambertin, 468 • Pommard, 530
ALAIN **COUVREUR,** Champagne, 615
CH. DU **COY,** Sauternes, 395
CH. **CRABITAN-BELLEVUE,** • Bordeaux, 192 • Sainte-croix-du-mont, 390
CH. **CRABITEY,** Graves, 317
CH. DE **CRAIN,** Bordeaux supérieur, 213
DOM. DU **CRAMPILH,** Pacherenc du vic-bilh, 796
DOM. DE **CRAY,** Touraine, 884
DOM. DU **CRAY,** Mercurey, 575
DOM. VICTOR **CREDOZ,** Côtes du jura, 666
CRESPERA, Canton du Tessin, 1109
DOMINIQUE **CRETE ET FILS,** Champagne, 615
DOM. DES **CRETES,** Canton du Valais, 1095
CRETES DE TILLAN, Côtes de saint-mont AOVDQS, 798
LYCEE AGRICOLE DE **CREZANCY,** Champagne, 616
CAVE DES **CRIOTS,** Pouilly-fumé, 939
CLOS **CRISTAL,** Saumur-champigny, 877
CRISTAL BUISSE, Touraine, 884
DOM. DU **CROC DU MERLE,** Cheverny, **920**
DOM. DE **CROCHET,** Canton de Vaud, 1088
DOM. DES **CROIX,** Quincy, 942
CH. **CROIX BEAURIVAGE,** Bordeaux supérieur, 213
CH. **CROIX-BEAUSEJOUR,** Montagne saint-émilion, 291
DOM. **CROIX-CHARNAY,** Beaujolais-villages, 151
CH. **CROIX DE BERN,** Premières côtes de bordeaux, 311
CH. **CROIX DE CABALEYRAN,** Haut-médoc, 350
CH. **CROIX DE LABRIE,** Saint-émilion grand cru, 269
CROIX DE LA VARENNE, Rosé d'anjou, 852
CH. **CROIX DE RAMBEAU,** Lussac saint-émilion, 289
CLOS DE LA **CROIX MARIE,** Chinon, 904
DOM. **CROIX MARO,** Coteaux du languedoc, 699
CH. **CROIX MUSSET,** Saint-émilion grand cru, 269
CH. **CROIZET-BAGES,** Pauillac, 372
CH. **CROQUE MICHOTTE,** Saint-émilion grand cru, 269
BERNARD ET ODILE **CROS,** • Bourgogne aligoté, 422 • Bourgogne passetoutgrain, 428 • Bourgognecôte chalonnaise, 568
CH. DU **CROS,** Bordeaux, 192
DOM. **CROS,** Minervois, 712
DOM. DU **CROS,** Vins de marcillac, 787
DOM. **CROS DE LA MURE,** Côtes du rhône, 956
CAVE DE **CROUSEILLES,** Pacherenc du vic-bilh, 796
DOM. NICOLAS **CROZE,** Côtes du rhône, 956
CH. **CROZE DE PYS,** Cahors, 772
DOM. MICHEL **CROZET,** Chénas, 162
REMY **CROZIER,** Régnié, 178
ALAIN **CRUCHET,** Vouvray, 915
HENRI **CRUCHON,** Canton de Vaud, 1088
CH. **CRUSQUET DE LAGARCIE,** Premières côtes de blaye, 226
CH. DE **CRUZEAU,** Pessac-léognan, 327
CH. **CUCHOUS,** Côtes du roussillon-villages, 725
CLOS **CULOMBU,** Vins de corse, 762
CH. **CURE-BON,** Saint-émilion grand cru, 270
CURE D'ATTALENS, Canton de Vaud, 1089
CH. **CURSON,** Crozes-hermitage, 983
CUVAGE DES BROUILLY, Côte de brouilly, 160
DOM. **CYROT-BUTHIAU,** • Bourgogne aligoté, 422 • Pommard, 530 • Maranges, 565

CH. **DALEM,** Fronsac, 239
CH. **DAMASE,** Bordeaux supérieur, 213
DOM. DE **DAMAZAC,** Bordeaux rosé, 207
DOM. DES **DAMES,** Fiefs vendéens AOVDQS, 840
DOM. **DAMIENS,** Pacherenc du vic-bilh, 796
CH. DE **DAMIS,** Bordeaux rosé, 207
COMTE AUDOIN DE **DAMPIERRE,** Champagne, 616
DANIEL **DAMPT,** Chablis, **447**
ERIC **DAMPT,** Bourgogne, 410
VINCENT **DANCER,** • Pommard, 530 • Meursault, 547
DANTAN OUDIT, Champagne, 616
JEAN-LOUIS **DARDE,** Touraine, 884
REMY **DARGAUD,** Brouilly, 156
DOM. **DARNAT,** Meursault, 547
MAISON **DARRAGON,** Vouvray, 915

DOM. DES **DARREZES**, Saint-amour, 181
DOM. YVES **DARVIOT**, Beaune, 524
CH. **DASSAULT**, Saint-émilion grand cru, 270
DOM. **DAULNY**, Sancerre, 946
MAS DE **DAUMAS-GASSAC**, Hérault, 1067
DAUNY, Sancerre, 946
CELLIER DES **DAUPHINS**, Côtes du rhône, 956
JEAN **DAUVISSAT**, • Chablis, 447 • Chablis premier cru, 452
RENE ET VINCENT **DAUVISSAT**, • Chablis, 447 • Chablis premier cru, 452
CH. **DAUZAC**, Margaux, 363
LA BASTIDE **DAUZAC**, Margaux, 363
CH. **DAUZAN LA VERGNE**, Haut-montravel, 811
DANIEL **DAVANTURE ET FILS**, • Bourgognecôte chalonnaise, 568 • Givry, 578
CH. DE **DAVENAY**, • Rully, 571 • Montagny, 580
DOM. ARMAND **DAVID**, Saumur, 870
DOM. MICHEL **DAVID**, Muscadet sèvre-et-maine, 828
HENRI **DAVID-HEUCQ**, Champagne, 616
ANNE-SOPHIE **DEBAVELAERE**, • Bouzeron, 570 • Rully, 571
MARCEL **DECHAUME**, Bourgogne, 410
DOM. CHARLES **DECKER**, Moselle luxembourgeoise, 1082
DOM. DANIEL-ETIENNE **DEFAIX**, Chablis premier cru, 452
CH. **DEFFENDS**, Côtes de provence, 736
DOM. **DEFORGE**, Côtes du rhône, 957
JACQUES **DEFRANCE**, • Champagne, 616 • Rosé des riceys, 656
JOCELYNE ET PHILIPPE **DEFRANCE**, • Bourgogne, **410** • Bourgogne, 411
MICHEL **DEFRANCE**, Fixin, 465
DEHOURS, Champagne, 616
DEHU PERE ET FILS, Champagne, 616
DOM. MARCEL **DEISS**, Alsace grand cru altenberg de bergheim, 116
DELABARRE, Champagne, 616
DOM. BERNARD **DELAGRANGE**, Volnay, 535
HENRI **DELAGRANGE ET FILS**, Bourgogne, 411
DELAHAIE, Champagne, 616
JEAN-FRANCOIS **DELALEU**, Vouvray, 915
ROGER **DELALOGE**, Bourgogne, 411
DELAS, • Crozes-hermitage, 983 • Hermitage, 986 • Cornas, 987
DELAUNAY, Bourgogne hautes-côtes de nuits, 432
DANIEL **DELAUNAY**, Touraine, 884
DOM. JOEL **DELAUNAY**, Touraine, 884
EDOUARD **DELAUNAY ET SES FILS**, Rully, 571
RICHARD **DELAY**, • Côtes du jura, 666 • Macvin du jura, 1043
DELBECK, Champagne, 617
JACKIE **DELECHENEAU**, Touraine, 884
DELICE DE VY GRANGES, Canton de Vaud, 1089
DELIRES D'AUTOMNE, Gaillac, **776**
DOM. **DELMAS**, Limoux, 686
ANDRE **DELORME**, Crémant de bourgogne, 440
DOM. MICHEL **DELORME**, Saint-véran, 594
DELOUVIN NOWACK, Champagne, 617
CH. **DEL RANQ**, Coteaux du languedoc, 699
CELLIER DU **DELTA**, Costières de nîmes, 693
DEMESSEY, Montagny, 580
MARIE **DEMETS**, Champagne, 617
DOM. **DEMIANE**, Brouilly, 156
SERGE **DEMIERE**, Champagne, 617
DEMOISELLE, Champagne, 617
CELLIER DES **DEMOISELLES**, Corbières, 688
DOM. DES **DEMOISELLES**, Muscat de rivesaltes, 1026
RODOLPHE **DEMOUGEOT**, • Savigny-lès-beaune, 516 • Beaune, 524 • Pommard, 530 • Monthélie, 538
DOM. **DENIS PERE ET FILS**, • Crémant de bourgogne, 440 • Corton-charlemagne, 513 • Savigny-lès-beaune, 516
DOM. **DENIZOT**, Crémant de bourgogne, 440
DOM. DES **DEOUX**, Coteaux varois, 758
ANDRE **DEPARDON**, Fleurie, 166
MICHEL **DERAIN**, Givry, 578
DEREY FRERES, • Bourgogne aligoté, 422 • Marsannay, 462 • Fixin, 465
MICHEL **DERVIN**, Champagne, 617
DOM. **DESACHY**, Côtes de provence, 736
DESBORDES-AMIAUD, Champagne, 617
DOM. CLAUDINE **DESCHAMPS**, Gevrey-chambertin, 468
PHILIPPE **DESCHAMPS**, Beaujolais-villages, 151
MICHEL **DESCOTES**, Coteaux du lyonnais, 183
REGIS **DESCOTES**, Coteaux du lyonnais, 183
ETIENNE **DESCOTES ET FILS**, Coteaux du lyonnais, 183
DESERTAUX-FERRAND, Côte de nuits-villages, 498
DESFAYES-CRETTENAND, Canton du Valais, 1095
DOM. **DESHENRYS**, • Coteaux du languedoc, 699 • Côtes de Thongue, 1066
FRANCOIS ET MONIQUE **DESIGAUD**, Régnié, 178
LAURENT **DESMAZIERES**, Champagne, 617
CH. **DESMIRAIL**, Margaux, 364
DESOM, Moselle luxembourgeoise, 1082
DOM. **DESPERRIER PERE ET FILS**, Moulin à vent, 174
DOM. **DESROCHES**, Touraine, 884
PASCAL **DESROCHES**, Reuilly, 944
DOM. **DESSUS-BON-BOIRE**, Bourgogne, 411
DESTIAC, Bordeaux, 192
CH. **DESTIEUX**, Saint-émilion grand cru, 270
DESTINEA, Jardin de la France, 1047
LOUIS-CL. **DESVIGNES**, Morgon, 171
PROPRIETE **DESVIGNES**, Givry, 578
PAUL **DETHUNE**, Champagne, 617
DOM. DE **DEURRE**, Côtes du rhône-villages, 968
DEUTZ, Champagne, 618
DOM. DES **DEUX ARCS**, Cabernet d'anjou, 853
CAVEAU DES **DEUX CLOCHERS**, Régnié, 178
DOM. DES **DEUX LAY**, Vendée, 1053
DOM. DES **DEUX ROCHES**, Saint-véran, 594
DOM. DE **DEVEZE**, Costières de nîmes, 693
JEAN-FRANCOIS **DICONNE**, • Bourgogne aligoté, 422 • Auxey-duresses, **541**
DOM. GUY **DIDIER**, Côte de beaune-villages, 566
CLAUDE **DIETRICH**, Alsace tokay-pinot gris, 103
DANY **DIETRICH**, Alsace riesling, 87
JEAN **DIETRICH**, Alsace gewurztraminer, 96
LAURENT ET MICHEL **DIETRICH**, Alsace riesling, 88
DOM. DE **DIEUMERCY**, Côtes du rhône, 957
CH. **DILLON**, Haut-médoc, 350
DIRINGER, Alsace gewurztraminer, 96
DIRLER, Alsace grand cru spiegel, 128
DOM. J.-L. **DIRRINGER**, Alsace gewurztraminer, 96
DISCHLER, • Alsace riesling, 88 • Alsace grand cru altenberg de wolxheim, 116
DOM. **DITTIERE**, • Anjou, 843 • Anjou-villages-brissac, 851
CH. DE **DIUSSE**, Madiran, 794
ANDRE **DOCK**, Alsace klevener de heiligenstein, 82
CH. **DOISY DAENE**, Sauternes, 395
CH. **DOISY-VEDRINES**, Sauternes, 395
CHRISTIAN **DOLDER**, Alsace pinot noir, 110
DOM BASLE, Champagne, 618
DOM BRIAL, • Côtes du roussillon-villages, 726 • Rivesaltes, **1019** • Rivesaltes, 1019 • Muscat de rivesaltes, 1026
MAS **DOMERGUE**, Coteaux du languedoc, 700
CH. **DOMEYNE**, Saint-estèphe, 379
DOMINICAIN, Banyuls, 1015
CH. **DONAT**, Gaillac, 776
DONTENVILLE, Alsace pinot noir, 110
DOM. **DONZEL**, Morgon, 172
DOPFF AU MOULIN, Alsace grand cru brand, 117
DOQUET-JEANMAIRE, Champagne, 618
JOSEPH **DORBON**, Arbois, 659
GASTON **DORLEANS**, Vouvray, 915
DOUCEUR MALICIEUSE, Canton du Valais, 1095
DOM. PASCAL **DOUDEAU-LEGER**, Sancerre, 946
DOM. **DOUDET**, • Aloxe-corton, 504 • Pernand-vergelesses, 508 • Beaune, 524
DOUDET-NAUDIN, • Savigny-lès-beaune, 517 • Maranges, 565
ETIENNE **DOUE**, Champagne, 618
DOURTHE, • Bordeaux sec, 201 • Saint-émilion, 260 • Entre-deux-mers, 305 • Médoc, 338
JEAN **DOUSSOUX**, Pineau des charentes, 1036
DOYARD-MAHE, Champagne, 618
CH. DE **DRACY**, Monthélie, 538
DRAPPIER, Champagne, 619
DREYER, Alsace riesling, 88
DRIANT-VALENTIN, Champagne, 619
JEAN-PAUL **DROIN**, • Petit chablis, **444** • Chablis premier cru, 452 • Chablis grand cru, 457
CHRISTOPHE **DROUARD**, Muscadet sèvre-et-maine, 828
JOSEPH **DROUHIN**, • Bourgogne, 411 • Chablis premier cru, 453 • Chablis grand cru, 457 • Saint-romain, 544 • Saint-aubin, 558
DOM. **DROUHIN-LAROZE**, • Chambertin-clos de bèze, 472 • Clos de vougeot, 485
DAVID **DUBAND**, • Bourgogne hautes-côtes de nuits, 432 • Nuits-saint-georges, 494
GEORGES **DUBŒUF**, • Chénas, 162 • Mâcon-villages, 585 • Pouilly-fuissé, 590 • Saint-véran, 594 • Coteaux de l'Ardèche, 1076
DOM. **DUBOIS**, Saumur-champigny, 877
GERARD **DUBOIS**, Champagne, **619**
JEAN-PIERRE **DUBOIS-CACHAT**, • Ladoix, 502 • Chorey-lès-beaune, 520
DOM. **DUBOIS D'ORGEVAL**, • Aloxe-corton, 505 • Savigny-lès-beaune, 517 • Chorey-lès-beaune, 521 • Beaune, 524
BERNARD **DUBOIS ET FILS**, • Aloxe-corton, **505** • Savigny-lès-beaune, 517 • Chorey-lès-beaune, 521 • Beaune, 524
R. **DUBOIS ET FILS**, • Bourgogne hautes-côtes de nuits, 433 • Bourgogne hautes-côtes de beaune, 437 • Nuits-saint-georges, 494 •
DUBOIS FILS, Canton de Vaud, 1089
MICHEL **DUBRAY**, Vouvray, 916
PHILIPPE **DUBREUIL-CORDIER**, Savigny-lès-beaune, 517
DOM. P. **DUBREUIL-FONTAINE PERE ET FILS**, • Pernand-vergelesses, 508 • Corton-charlemagne, 513
GUY **DUBUET**, Monthélie, 539
DOM. DES **DUC**, • Saint-amour, 181 • Pouilly loché, 592
DUC DE BERTICOT, Côtes de duras, 815
DUC DE MORNY, Coteaux du languedoc, 700
ERIC **DUCHEMIN**, Maranges, 565
CH. **DUCLA**, Bordeaux, 192
EDMOND ET DAVID **DUCLAUX**, Côte rôtie, 974
XAVIER **DUCLERT**, Clos de vougeot, 485
CH. **DUCLUZEAU**, Listrac-médoc, 359
FABRICE **DUCROUX**, Brouilly, 156
GERARD **DUCROUX**, Morgon, 172
CH. **DUCRU-BEAUCAILLOU**, Saint-julien, **383**
DOLE DES **DUCS**, Canton du Valais, 1095
CH. **DUDON**, Premières côtes de bordeaux, 311
DOM. BRUNO **DUFEU**, Bourgueil, 895
DOM. GUY **DUFOULEUR**, • Fixin, 465 • Nuits-saint-georges, 495 • Santenay, 560
DOM. LOIS **DUFOULEUR**, • Beaune, 524 • Côte de beaune, 527
DOM. YVAN **DUFOULEUR**, • Bourgogne hautes-côtes de nuits, 433 • Nuits-saint-georges, 495
DUFOULEUR PERE ET FILS, • Morey-saint-denis, 476 • Corton, **510** • Pommard, 530 • Rully, 572
LIONEL **DUFOUR**, Petit chablis, 444
ROBERT **DUFOUR ET FILS**, Champagne, 619
DANIEL **DUGOIS**, • Arbois, 660 • Macvin du jura, 1043
CHRISTIAN **DUGON**, Canton de Vaud, **1090**
CH. MOULIN DE **DUHART**, Pauillac, 373
CH. **DUHART-MILON**, Pauillac, 373
DOM. MME **DUHR**, Moselle luxembourgeoise, 1082
DOM. **DUJAC**, Clos saint-denis, 479
DOM. **DULOQUET**, • Coteaux du layon, 861 • Coteaux du layon, **861**

VINS

CH. **DULUC,** Saint-julien, 384
J. **DUMANGIN FILS,** Champagne, 619
CH. **DUMAS-CENOT,** Bordeaux, 192
DUMAS-SAPIN, Beaujolais, 145
DANIEL **DUMONT,** Champagne, 619
R. **DUMONT ET FILS,** Champagne, 619
DOM. **DUPASQUIER,** Roussette de savoie, 677
DUPERRIER-ADAM, Chassagne-montrachet, 554
CH. **DUPLESSIS,** Moulis-en-médoc, 369
GERARD **DUPLESSIS,** Chablis premier cru, 453
CH. **DUPLESSIS FABRE,** Moulis-en-médoc, 370
PIERRE **DUPOND,** Mâcon-villages, 585
DUPOND D'HALLUIN, Pouilly-fuissé, 590
DOM. **DUPONT-FAHN,** Meursault, 547
DOM. **DUPONT-TISSERANDOT,** • Gevrey-chambertin, 468 • Mazis-chambertin, 474 • Corton, 510
DUPORT ET DUMAS, Bugey AOVDQS, 679
DOM. **DUPRE,** Beaujolais, 145
DUPUY, Pineau des charentes, **1036**
DOM. CHRISTINE ET JEAN-MARC **DURAND,** Bourgogne hautes-côtes de beaune, 437
DOM. DE **DURAND,** Côtes de duras, 815
ERIC ET JOEL **DURAND,** • Saint-joseph, 980 • Cornas, 987
GUY **DURAND,** Touraine-amboise, 891
DOM. **DURAND-CAMILLO,** Coteaux du languedoc, 700
CH. **DURAND-LAPLAGNE,** Puisseguin saint-émilion, 294
JACQUES ET BARBARA **DURAND-PERRON,** Côtes du jura, 666
RAYMOND **DUREUIL-JANTHIAL,** Rully, 572
VINCENT **DUREUIL-JANTHIAL,** Rully, 572
SEGOND DE **DURFORT,** Margaux, 364
CH. **DURFORT-VIVENS,** Margaux, **364**
BERNARD **DURY,** Crémant de bourgogne, 441
RENE **DUSSAUGE,** Mâcon-villages, 585
DOM. ANDRE **DUSSOURT,** • Alsace riesling, 88 • Alsace pinot noir, 110
DOM. **DUTERTRE,** Touraine-amboise, 891
CH. **DUTRUCH GRAND POUJEAUX,** Moulis-en-médoc, 370
DUVAL-LEROY, Champagne, 620
CH. **DUVERGER,** Graves, 317

MARCEL **EBELMANN ET FILS,** Alsace tokay-pinot gris, 103
EBLIN-FUCHS, Alsace sylvaner, 83
DOM. MAURICE **ECARD ET FILS,** Savigny-lès-beaune, 517
JEAN-PAUL **ECKLE,** • Alsace pinot noir, 110 • Alsace grand cru wineck-schlossberg, 130
HENRI **EHRHART,** Alsace gewurztraminer, 96
DOM. ANDRE **EHRHART ET FILS,** • Alsace riesling, 88 • Alsace tokay-pinot gris, 104 • Alsace tokay-pinot gris, **104**
DOM. **EINHART,** • Alsace pinot ou klevner, 84 • Alsace tokay-pinot gris, 104
CH. **ELGET,** Muscadet sèvre-et-maine, 828
DOM. D' **ELISE,** Chablis, 448
CHARLES **ELLNER,** Champagne, 620
DOM. **ELLUL-FERRIERES,** Oc, 1060
DOM. **ELOY,** • Bourgogne, 411 • Mâcon-villages, 585
CH. D' **EMERINGES,** Beaujolais-villages, 151
DOM. **ENGEL,** Alsace riesling, 88
FERNAND **ENGEL ET FILS,** Alsace tokay-pinot gris, 104
LES VIGNERONS DU PAYS D' **ENSERUNE,** Oc, 1061
DESSUS DES **ENTREFAUX,** Crozes-hermitage, 983
DOM. D' **EOLE,** Coteaux d'aix, 754
DOM. DES **EPINAUDIERES,** • Anjou-villages, 848 • Coteaux du layon, 862 • Coteaux du layon, **862**
ERANTHIS EXCELSOS, Canton du Valais, 1095
DAVID **ERMEL,** Alsace pinot noir, 111
DOM. D' **ESCAUSSES,** Gaillac, 777
FRANCK **ESCOFFIER,** Ladoix, 502
CH. D' **ESCOT,** Médoc, 338
CH. D' **ESCURAC,** Médoc, 338
DOM. D' **ESPERANCE,** Landes, 1055
DOM. DES **ESPIERS,** Gigondas, 989
CH. DES **ESTANILLES,** Faugères, 708
DOM. **ESTOURNEL,** • Côtes du rhône, 957 • Côtes du rhône-villages, 968

CHRISTIAN **ETIENNE,** Champagne, 620
JEAN-MARIE **ETIENNE,** Champagne, 620
CH. **ETIENNE LA DOURNIE,** Saint-chinian, 715
CH. D' **ETROYES,** Mercurey, 575
DOM. **ETXEGARAYA,** Irouléguy, 789
CH. **EUGENIE,** Cahors, 772
EUSTACHE DESCHAMPS, Champagne, 620
EXPRESSION, Côtes de duras, 815
CH. D' **EYRAN,** Pessac-léognan, 327
DOM. D' **EYSSAC,** Floc de gascogne, **1040**
CH. DES **EYSSARDS,** Bergerac, 800

LOUIS **FABRE,** Oc, 1061
FRANCOIS **FAGOT,** Champagne, 620
DOM. **FAILLENC SAINTE-MARIE,** Corbières, 688
FAIVELEY, • Gevrey-chambertin, 468 • Chambertin-clos de bèze, 472 • Latricières-chambertin, 473 • Mazis-chambertin, 474 • Nuits-saint-georges, 495 • Rully, 572 • Mercurey, 575
CLOS DES CORTONS **FAIVELEY,** Corton, 511
CH. **FAIZEAU,** Montagne saint-émilion, 292
CH. **FALFAS,** Côtes de bourg, 232
ANDRE **FALLER,** Alsace riesling, 88
ALBERT **FALLER ET FILS,** Alsace gewurztraminer, 96
FALLET-DART, Champagne, 620
FANIEL-FILAINE, Champagne, 620
CLOS **FANTINE,** Faugères, 709
CH. DE **FARGUES,** Sauternes, 395
CH. **FARLURET,** Barsac, 392
FASCINATION, Gaillac, 777
CH. DU **FAUGA,** Montravel, 810
CH. **FAUGERES,** Saint-émilion grand cru, 270
DOM. DES **FAUNES,** Canton de Genève, **1101**
JACQUES **FAURE,** Crémant de die, 1004
BERNARD **FAURIE,** • Saint-joseph, 980 • Hermitage, 986
DOM. **FAURMARIE,** Coteaux du languedoc, 700
JACQUES **FAUROIS,** • Clos de vougeot, 486 • Vosne-romanée, 489
PHILIPPE **FAURY,** • Condrieu, 977 • Saint-joseph, 980
LAURENT **FAUVY,** Bourgueil, 895
CH. **FAVRAY,** Pouilly-fumé, 939
CH. **FAYARD,** Côtes de bordeaux saint-macaire, 314
CH. **FAYAU,** Cadillac, 387
SERGE **FAYE,** Champagne, 620
CH. **FAYOL,** Bordeaux supérieur, 213
CH. DE **FELINES,** Minervois, 712
FELIX ET FILS, • Bourgogne, 411 • Bourgogne aligoté, 423 • Bourgogne irancy, 431
DOM. DE **FENOUILLET,** • Faugères, 709 • Côtes du rhône-villages, 968 • Côtes du ventoux, 1007
M. **FERAT ET FILS,** Champagne, 621
DOM. DES **FERAUD,** Côtes de provence, 736
FERDINAND DE LAYE, Côtes du rhône-villages, 968
FERME DES ARDILLERS, Fiefs vendéens AOVDQS, 840
CH. **FERNON,** Graves, 317
CH. DES **FERRAGES,** Côtes de provence, 736
CH. **FERRAN,** Pessac-léognan, 328
CH. **FERRAN,** Côtes du frontonnais, 783
CH. **FERRAND,** Pomerol, 244
DOM. DE **FERRAND,** Châteauneuf-du-pape, 995
JACQUES **FERRAND,** Beaujolais, 145
CH. **FERRAND LARTIGUE,** Saint-émilion grand cru, 270
PIERRE **FERRAUD ET FILS,** Beaujolais, 145
DOM. **FERRER-RIBIERE,** Côtes du roussillon, 722
DOM. **FERRI ARNAUD,** Coteaux du languedoc, 700
CH. **FERRIERE,** Margaux, 364
CH. **FERRY LACOMBE,** Côtes de provence, 736
DOM. JEAN **FERY ET FILS,** • Vosne-romanée, 489 • Côte de nuits-villages, 498 • Pernand-vergelesses, 508
CH. DE **FESLES,** • Anjou-villages, 848 • Bonnezeaux, **867**
HENRY **FESSY,** Beaujolais, 145
DOM. DES **FEUILLEES,** Côte de brouilly, 160
BERNARD **FEVRE,** • Auxey-duresses, **541** • Saint-romain, 544

WILLIAM **FEVRE,** • Bourgogne, 411 • Petit chablis, 444
CH. **FEYTIT-CLINET,** Pomerol, 244
MICHEL **FEZAS,** Floc de gascogne, 1040
FICHET, • Bourgogne passetoutgrain, 428 • Mâcon-villages, 585
DOM. FRANCIS **FICHET ET FILS,** • Bourgogne, 411 • Bourgogne aligoté, 423 • Crémant de bourgogne, 441 • Mâcon-villages, 586
CH. DU **FIEF,** Mâcon-villages, 586
FIEF DE LA CHAPELLE, Muscadet sèvre-et-maine, 829
DOM. DU **FIEF DE LA COUR,** Muscadet sèvre-et-maine, 829
FIEF DE LA TEGRIE, Muscadet, 825
DOM. DE **FIERVAUX,** Saumur, 871
CH. DE **FIEUZAL,** • Pessac-léognan, **328** • Pessac-léognan, 328
L'ABEILLE DE **FIEUZAL,** Pessac-léognan, 328
CH. **FIGEAC,** Saint-émilion grand cru, 270
ANDRE ET EDMOND **FIGEAT,** Pouilly-fumé, 939
DOM. **FILLIATREAU,** • Saumur, 871 • Saumur-champigny, 877
GERARD **FIOU,** Sancerre, 946
DOM. **FIUMICICOLI,** Vins de corse, 762
DOM. GILLES **FLACHER,** • Condrieu, 977 • Saint-joseph, 980
RENE **FLECK,** Alsace tokay-pinot gris, 104
FRANCOIS **FLESCH ET FILS,** Crémant d'alsace, 134
DOM. DE **FLEURAY,** Crémant de loire, 823
CH. **FLEUR CARDINALE,** Saint-émilion grand cru, 270
FLEUR DE BRUYERE, Corbières, 688
CH. **FLEUR DE LISSE,** Saint-émilion, 258
FLEUR DE LUZE, Bordeaux sec, 201
FLEUR DES LANDES, Landes, 1055
CAVEAU DES **FLEURIERES,** • Gevrey-chambertin, 468 • Ladoix, 502
CH. **FLEUR MINVIELLE,** Saint-émilion, 258
FLEURY PERE ET FILS, Champagne, 621
DOM. DE **FLINES,** • Crémant de loire, 823 • Jardin de la France, 1047
FLORENBELLE, Côtes de Gascogne, 1058
CLOS **FLORIDENE,** Graves, 317
G. **FLUTEAU,** Champagne, 621
FRANCK **FOLLIN-ARBELET,** Aloxe-corton, 505
CH. **FOMBRAUGE,** Saint-émilion grand cru, 271
CH. **FONBADET,** Pauillac, 373
FONDATION DONATIEN BAHUAUD 1929, Muscadet sèvre-et-maine, 829
DOM. DE **FOND CHATONNE,** Morgon, 172
DOM. **FOND CROZE,** Principauté d'Orange, 1070
DOM. DE **FONDRECHE,** Côtes du ventoux, 1008
CH. **FONGABAN,** Puisseguin saint-émilion, 295
CH. **FONGIRAS,** Médoc, 338
CH. **FONGRENIER-STUART,** Bergerac, 800
CH. **FONMOURGUES,** Monbazillac, 809
CH. **FONPLEGADE,** Saint-émilion grand cru, 271
CH. **FONRAZADE,** Saint-émilion grand cru, 271
CH. **FONREAUD,** Listrac-médoc, 359
CH. DE **FONSCOLOMBE,** Coteaux d'aix, 754
DOM. DES **FONTAGNEUX,** Moulin à vent, 174
FONTAILLY, Crémant de die, 1004
VINCENT **FONTAINE,** Beaujolais, 146
DOM. **FONTAINE DU CLOS,** Vaucluse, 1071
DOM. DES **FONTAINES,** Moulin à vent, 174
DOM. **FONTANEL,** • Côtes du roussillon-villages, 726 • Rivesaltes, 1019
DOM. DE **FONTAVIN,** • Côtes du rhône, 958 • Muscat de beaumes-de-venise, 1029
CH. **FONTBAUDE,** Côtes de castillon, 299
CH. DE **FONTCRENNE,** Morgon, 172
CH. DE **FONTCREUSE,** Cassis, 746
DOM. DE **FONT-CURE,** Brouilly, 156
DOM. **FONT DE MICHELLE,** • Châteauneuf-du-pape, 995 • Côtes du rhône, 958
CH. **FONTENIL,** Fronsac, 239

DOM. DE **FONTENILLE,** Côtes du luberon, 1010
CAVEAU DES **FONTENILLES,** Bourgogne, **411**
CH. **FONTESTEAU,** Haut-médoc, 350
CH. **FONTIS,** Médoc, 338
FONTJUANE, Côtes de provence, 736
DOM. DE **FONTPOURQUIERE,** Côtes du luberon, 1010
CH. **FONTPUDIERE,** Bergerac sec, 804
DOM. DE **FONTRIANTE,** Morgon, 172
DOM. DE **FONTSAINTE,** Corbières, 688
FONT SIMIAN, Principauté d'Orange, 1070
DOM. DE **FONT-VIVE,** Bandol, 748
DOM. **FORÇA REAL,** Rivesaltes, 1020
LES VIGNERONS DE **FORÇA REAL,** Muscat de rivesaltes, 1026
DOM. DES **FORCHETS,** Régnié, **178**
DOM. **FORET,** Arbois, 660
GUY DE **FOREZ,** Rosé des riceys, 656
LES VIGNERONS **FOREZIENS,** Côtes du forez AOVDQS, 930
FORGEOT PERE ET FILS, • Bourgogne, 411 • Bourgogne aligoté, 423 • Bourgogne hautes-côtes de nuits, 433 • Côte de beaune-villages, 567 • Mâcon, 582
DOM. DES **FORGES,** • Savennières, 858 • Coteaux du layon, 862 • Bourgueil, 895
FORGET-BRIMONT, Champagne, 621
FORGET-CHEMIN, Champagne, 621
DIDIER **FORNEROL,** Côte de nuits-villages, 498
FORTANT DE FRANCE, Oc, 1061
DOM. DES **FORTIERES,** Beaujolais, 146
REGIS **FORTINEAU,** Vouvray, 916
CAVE DE **FORUM,** Canton du Valais, 1095
VIN DES **FOSSILES,** Saône-et-Loire, 1077
ANDRE **FOUASSIER,** Valençay AOVDQS, 925
CAVES DE **FOUCHAULT,** Touraine-azay-le-rideau, 893
CH. **FOUCHE,** Premières côtes de blaye, 226
DOM. **FOUET,** Saumur-champigny, 877
CH. **FOUGAS,** Côtes de bourg, 232
DOM. **FOUGERAY DE BEAUCLAIR,** • Marsannay, 463 • Fixin, 465 • Bonnes-mares, 484 • Vosne-romanée, 489
MARC **FOUQUERAND ET FILS,** • Bourgogne hautes-côtes de beaune, 437 • Saint-aubin, 558
DOM. DU **FOUR A CHAUX,** • Coteaux du vendômoisAOVDQS, 924 • Jardin de la France, 1047
CH. **FOURCAS-DUMONT,** Listrac-médoc, 359
CH. **FOURCAS DUPRE,** Listrac-médoc, 359
CH. **FOURCAS HOSTEN,** Listrac-médoc, 359
CH. **FOURCAS LOUBANEY,** Listrac-médoc, 360
FOURNAISE-THIBAUT, Champagne, 621
CH. **FOURNEY,** Saint-émilion grand cru, 271
JEAN **FOURNIER,** Marsannay, 463
TH. **FOURNIER,** Champagne, 621
LES VIGNERONS DE **FOURQUES,** • Côtes du roussillon, 722 • Rivesaltes, 1020
DOM. DES **FOURQUIERES,** Beaujolais-villages, 151
CH. **FRANC BIGAROUX,** Saint-émilion grand cru, 271
CH. DE **FRANCE,** Pessac-léognan, 328
CH. **FRANC LA ROSE,** Saint-émilion grand cru, 271
CH. **FRANC LARTIGUE,** Saint-émilion grand cru, 271
CH. **FRANC LE MAINE,** Saint-émilion, 258
CH. **FRANC-MAYNE,** Saint-émilion grand cru, 272
LES CEDRES DE **FRANC-MAYNE,** Saint-émilion grand cru, 272
DOM. ANDRE **FRANCOIS,** Côte rôtie, 974
CH. **FRANC PINEUILH,** Saint-émilion, 259
CH. DU **FRANDAT,** Buzet, 781
FRANK-PHELAN, Saint-estèphe, 379
FRANOIS-BROSSOLETTE, Champagne, 621
CH. **FRAPPE-PEYROT,** • Bordeaux, 192 • Cadillac, 387
CH. **FREDIGNAC,** Premières côtes de blaye, 226
DOM. DE **FREGATE,** Bandol, 748
FREROT ET DYON, Mâcon, 582
DOM. DU **FRESCHE,** • Anjou, 843 • Anjou-coteaux de la loire, 856
DOM. ANDRE **FRESLIER,** Vouvray, 916
CH. DU **FRESNE,** Anjou, 844
LE VIGNOBLE DU **FRESNE,** Saint-nicolas-de-bourgueil, 900
FRESNET-BAUDOT, • Champagne, 621 • Coteaux champenois, 654
FRESNET-JUILLET, Champagne, 622
MARCEL **FREYBURGER,** Alsace gewurztraminer, 96
DOM. LOUIS **FREYBURGER ET FILS,** Alsace pinot noir, 111
CH. **FREYNEAU,** Bordeaux supérieur, 213
DOM. MARCEL ET BERNARD **FRIBOURG,** • Bourgogne aligoté, 423 • Bourgogne hautes-côtes de nuits, 433
PIERRE **FRICK,** • Alsace gewurztraminer, 97 • Alsace pinot noir, 111
XAVIER **FRISSANT,** • Crémant de loire, 823 • Touraine-amboise, 891
DOM. **FRITSCH,** • Alsace grand cru steinklotz, 129
GERARD **FRITSCH,** Alsace grand cru mambourg, 122
JOSEPH **FRITSCH,** • Alsace grand cru furstentum, 119 • Alsace pinot noir, 111
DOM. DES **FROMANGES,** Rully, 572
CH. DE **FROMENTEAU,** Muscadet sèvre-et-maine, 829
CH. **FRONTENAC,** Bordeaux, 193
FRONTIGNAN, Muscat de frontignan, 1028
CH. **FUISSE,** Pouilly-fuissé, 590
RAPHAEL **FUMEY ET ADELINE CHATELAIN,** Arbois, 660
MICHEL **FURDYNA,** Champagne, 622
DOM. DE **FUSSIACUS,** Mâcon-villages, 586

DOM. DE **GABELAS,** Saint-chinian, 716
CH. DE **GACHE,** Buzet, 781
DOM. DE **GACHET,** Lalande de pomerol, 253
DOM. **GACHOT-MONOT,** • Bourgogne passetoutgrain, 428 • Nuits-saint-georges, 495 • Côte de nuits-villages, 498
GADAIS PERE ET FILS, Muscadet sèvre-et-maine, 829
DOM. DE **GAGNEBERT,** Anjou-villages-brissac, 851
DOM. DES **GAGNERIES,** Bonnezeaux, 867
JEAN **GAGNEROT,** • Vosne-romanée, 489 • Auxey-duresses, 541 • Mercurey, 575
LUC **GAIDOZ,** Champagne, 622
GAIDOZ-FORGET, Champagne, 622
GAILANDE, Landes, 1056
CH. **GAILLARD,** Touraine-mesland, 894
PIERRE **GAILLARD,** Côte rôtie, 974
PIERRE **GAILLARD,** Pineau des charentes, 1036
CH. DE **GAILLAT,** Graves, 317
DOM. LOU **GAILLOT,** Agenais, 1054
CH. **GALAU,** Côtes de bourg, 232
CAVES **GALES,** Moselle luxembourgeoise, 1082
DOM. DU **GALET DES PAPES,** Châteauneuf-du-pape, 995
GALIUS, Saint-émilion grand cru, 272
GALLIFFET, Côtes du rhône, 958
GALLIMARD PERE ET FILS, Champagne, 622
CHRISTIAN **GALLIOT,** Montlouis, 911
PHILIPPE **GALLIOT,** Montlouis, 911
DOM. DES **GALLOIRES,** Muscadet des coteaux de la loire sur lie, 826
DOM. DOMINIQUE **GALLOIS,** Gevrey-chambertin, 468
DOM. **GALVESSES GRAND MOINE,** Lalande de pomerol, 253
DOM. **GALY,** Côtes du roussillon, 722
CH. **GAMAGE,** Bordeaux supérieur, 214
DOM. **GANDREY,** Nuits-saint-georges, 495
CH. DES **GANFARDS,** Bergerac sec, 804
LUCIEN **GANTZER,** • Alsace riesling, 88 • Alsace grand cru goldert, 119
GARANCES, Côtes du rhône, 958
PAUL **GARAUDET,** Monthélie, 539
DOM. DE **GARBELLE,** • Coteaux varois, 758 • Var, 1073
CH. DES **GARCINIERES,** Côtes de provence, 736
CH. **GARDEROSE,** Montagne saint-émilion, 292
DOM. **GARDIES,** • Côtes du roussillon-villages, **726** • Muscat de rivesaltes, 1026
PRESTIGE DES **GARENNES,** Châteaumeillant AOVDQS, 928
DOM. DU **GARINET,** Cahors, 772
CH. **GARRAUD,** Lalande de pomerol, 253
CH. **GARREAU,** • Premières côtes de blaye, 226 • Floc de gascogne, 1040
VIGNOBLE **GASNIER,** Chinon, 904
CLOS **GASSIOT,** Jurançon sec, 792
CH. **GASTON-RENA,** Haut-médoc, 350
DOM. DES **GATILLES,** Chiroubles, 164
DOM. DE **GATINES,** • Anjou, 844 • Cabernet d'anjou, 853 • Jardin de la France, 1047
GATINOIS, • Champagne, 622 • Coteaux champenois, 654
DOM. **GAUBY,** Côtes du roussillon-villages, **726**
DOM. **GAUDARD,** Cabernet d'anjou, 854
GAUDINAT-BOIVIN, Champagne, 622
CH. DE **GAUDOU,** Cahors, 772
CH. **GAUDRELLE,** Vouvray, 916
DOM. SYLVAIN **GAUDRON,** Vouvray, 916
CH. JEAN-PIERRE **GAUSSEN,** Bandol, 748
RAOUL **GAUTHERIN ET FILS,** Chablis grand cru, 457
ALAIN **GAUTHERON,** • Chablis, **448** • Chablis premier cru, 453
GAUTHEROT, Champagne, 622
GAUTHIER, Champagne, 622
CH. **GAUTHIER,** Médoc, 338
GERARD ET JEAN-PAUL **GAUTHIER,** Beaujolais-villages, 151
BENOIT **GAUTIER,** Vouvray, 916
PHILIPPE **GAVIGNET,** Nuits-saint-georges, 495
DOM. **GAVOTY,** Côtes de provence, 736
FRANCOIS **GAY,** • Ladoix, 502 • Corton, 511 • Savigny-lès-beaune, 517 • Chorey-lès-beaune, 521
MICHEL **GAY,** • Aloxe-corton, 505 • Corton, 511
DOM. **GAY-COPERET,** Moulin à vent, 175
CH. **GAYON,** Bordeaux supérieur, 214
CH. **GAZIN,** Pomerol, **245**
L'HOSPITALET DE **GAZIN,** Pomerol, 245
CH. **GAZIN ROCQUENCOURT,** Pessac-léognan, 328
G. DE BARFONTARC, Champagne, 622
DOM. DES **GEAIS,** Côtes du marmandais, 786
HENRI **GEFFARD,** Pineau des charentes, 1037
GEIGER-KOENIG, • Alsace muscat, 93 • Alsace tokay-pinot gris, 104
JEAN **GEILER,** Alsace riesling, 89
GEISWEILER, • Gevrey-chambertin, 468 • Nuits-saint-georges, 495
DOM. DES **GELERIES,** Bourgueil, 895
DOM. PIERRE **GELIN,** • Bourgogne, 412 • Gevrey-chambertin, 469 • Chambertin-clos de bèze, 472
CH. DES **GEMEAUX,** Pauillac, 373
DOM. DES **GENAUDIERES,** Muscadet des coteaux de la loire sur lie, 826
DOM. MICHEL **GENELETTI,** Macvin du jura, 1043
MICHEL **GENET,** Champagne, 623
LOUIS **GENILLON,** Morgon, 172
CH. **GENOT-BOULANGER,** • Aloxe-corton, 505 • Corton, 511 • Pommard, 530 • Volnay, 535 • Chassagne-montrachet, 555
CAVE DES VIGNERONS DE **GENOUILLY,** Bourgognecôte chalonnaise, 568
MADAME ALEXIS **GENOUX,** Vin de savoie, 675
DOM. **GENTILE,** • Patrimonio, 767 • Muscat du cap corse, 1032
GENTILHOMME, Côtes du rhône, 958
MADAME ARTHUR **GEOFFROY,** Morgon, 172
RENE **GEOFFROY,** Champagne, 623
CH. **GEORGES DE GUESTRES,** Bordeaux supérieur, 214
JEAN **GEORGES ET FILS,** Moulin à vent, 175
FRANCOIS **GERARD,** Côte rôtie, 975
PIERRE **GERBAIS,** Champagne, 623
DOM. DES **GERBEAUX,** • Mâcon-villages, 586 • Pouilly-fuissé, 590
ALAIN **GERBER,** Canton de Neuchâtel, 1103
DOM. FRANCOIS **GERBET,** • Clos de vougeot, 486 • Echézeaux, 487 • Vosne-romanée, 489
J.-M. **GERIN,** Côte rôtie, 975
DOM. **GERMAIN,** Pernand-vergelesses, 508
GILBERT ET PHILIPPE **GERMAIN,** Bourgogne hautes-côtes de beaune, 437
H. **GERMAIN,** Champagne, **623**
PIERRE **GERMAIN,** Côte de brouilly, 160

GERMAIN PERE ET FILS, • Beaune, 524 • Pommard, 530 • Saint-romain, 544
DOM. **GERON,** Saumur, 871
CH. JEAN **GERVAIS,** Graves, 318
DOM. ROLAND **GEYER,** Alsace riesling, 89
FREDERIC **GIACHINO,** Vin de savoie, 675
CH. **GIBALAUX-BONNET,** Minervois, 713
CH. ET P. **GIBAULT,** Touraine, 885
DOM. **GIBAULT,** • Touraine, **884** • Touraine, 885
EMMANUEL **GIBOULOT,** Bourgogne hautes-côtes de nuits, 433
DOM. DE **GIBRALTAR,** Muscat de mireval, 1030
CH. **GIGOGNAN,** • Côtes du rhône, 958 • Châteauneuf-du-pape, 995
PHILIPPE **GILARDEAU,** • Bonnezeaux, 867 • Bonnezeaux, **867**
CAVES **GILBERT,** Menetou-salon, 936
ARMAND **GILG,** • Alsace sylvaner, 83 • Alsace pinot noir, 111
DOM. ANNE-MARIE **GILLE,** Corton, 511
CH. DES **GILLIERES,** Muscadet sèvre-et-maine, 829
PIERRE **GIMONNET ET FILS,** Champagne, 623
GIMONNET-GONET, Champagne, 623
GINESTET, Bordeaux, 193
PAUL **GINGLINGER,** Alsace grand cru pfersigberg, 125
HERVE **GIRARD,** • Bourgogne hautes-côtes de beaune, **437** • Maranges, 565
DOM. MICHEL **GIRARD ET FILS,** Sancerre, 946
BERNARD **GIRARDIN,** Champagne, 623
DOM. **GIRARD-VOLLOT ET FILS,** • Pernand-vergelesses, 508 • Savigny-lès-beaune, 517
HENRI **GIRAUD,** Champagne, 623
DOM. DES **GIRAUDIERES,** Anjou-villages-brissac, 851
HENRI ET BERNARD **GIRIN,** Beaujolais, 146
CH. DE **GIRONVILLE,** Haut-médoc, 350
DOM. **GIROUX,** Pouilly loché, 592
W. **GISSELBRECHT,** Alsace riesling, 89
DOM. **GIUDICELLI,** Muscat du cap corse, 1032
CH. DU **GLANA,** Saint-julien, 384
BERNARD ET LOUIS **GLANTENAY,** Volnay, 535
DOM. GEORGES **GLANTENAY ET FILS,** Volnay, 535
DOM. DES **GLAUGES,** • Coteaux d'aix, 754 • Les baux-de-provence, 757
PHILIPPE **GLAVIER,** Champagne, 623
HERBERT ET JOSEF **GLENZ,** Canton du Valais, 1095
CH. **GLEON MONTANIE,** Corbières, 688
CH. **GLORIA,** Saint-julien, 384
DOM. **GOBET-JEANNET,** Chiroubles, 164
PAUL **GOBILLARD,** Champagne, 624
PIERRE **GOBILLARD,** Champagne, 624
J.-M. **GOBILLARD ET FILS,** Champagne, 624
CH. **GOBLANGEY,** Premières côtes de blaye, 226
GOCKER, Alsace tokay-pinot gris, 104
CH. **GODARD-BELLEVUE,** Bordeaux côtes de francs, 302
GERARD ET MARIE-CLAIRE **GODEFROY,** Bourgueil, 896
JEAN-PAUL **GODINAT,** Menetou-salon, 936
GODME PERE ET FILS, Champagne, 624
PAUL **GOERG,** Champagne, 624
ANDRE **GOICHOT ET FILS,** • Vosne-romanée, 489 • Beaune, 525 • Meursault, 547
PIERRE **GOIGOUX,** Côtes d'auvergne AOVDQS, 929
GOILLOT-BERNOLLIN, Marsannay, 463
DOM. ANNE ET ARNAUD **GOISOT,** • Bourgogne, 412 • Bourgogne aligoté, 423 • Sauvignon desaint-bris AOVDQS, 459
GHISLAINE ET JEAN-HUGUES **GOISOT,** • Bourgogne, **412** • Bourgogne aligoté, 423 • Sauvignon desaint-bris AOVDQS, 459
CUVEE DU **GOLFE DE SAINT-TROPEZ,** Côtes de provence, 737
CH. **GOMBAUDE-GUILLOT,** Pomerol, 245
J. **GONARD ET FILS,** Brouilly, 156
DOM. **GONDRAN,** Gigondas, 989
FRANCOIS **GONET,** Champagne, 624
MICHEL **GONET,** Champagne, 624
PHILIPPE **GONET,** Bourgogne hautes-côtes de nuits, 433
PHILIPPE **GONET ET FILS,** Champagne, 624
GONET-SULCOVA, Champagne, 625
CHARLES **GONNET,** • Vin de savoie, 675 • Roussette de savoie, 678
DOM. **GONON,** Saint-véran, 594
PIERRE **GONON,** Saint-joseph, 980
CH. **GONTET,** Puisseguin saint-émilion, 295
DOM. FRANCOIS **GORE,** Bourgueil, 896
VINCENT **GORNY,** Côtes de toul, 137
GOSSET, Champagne, 625
GOSSET-BRABANT, Champagne, 625
CH. **GOSSIN,** Bordeaux supérieur, 214
DOM. MICHEL **GOUBARD ET FILS,** • Bourgognecôte chalonnaise, 568 • Givry, 578
DOM. **GOUFFIER,** Mercurey, 575
DOM. HENRI **GOUGE,** Nuits-saint-georges, 495
DOM. **GOUILLON,** Beaujolais-villages, 151
GEORGE **GOULET,** Champagne, 625
DOM. JEAN **GOULLEY ET FILS,** • Petit chablis, 444 • Chablis premier cru, 453
CH. **GOUPRIE,** Pomerol, 245
DOM. DU **GOUR DE CHAULE,** Gigondas, 989
DOM. DES **GOURDINS,** Saint-émilion, 259
CH. DE **GOURGAZAUD,** Minervois la livinière, 714
DOM. DU **GOURGET,** Côtes du rhône-villages, 968
DOM. DE **GOURNIER,** Cévennes, 1068
GOURON ET FILS, Chinon, 904
GOUSSARD ET DAUPHIN, Champagne, 625
HENRI **GOUTORBE,** Champagne, 625
DOM. **GOUYARDE,** Châtillon-en-diois, 1005
DOM. JEAN **GOYON,** Saint-véran, 594
DOM. DE **GRABIEOU,** Madiran, 794
GRAIN DE CIEL, Canton de Vaud, 1090
CH. DU **GRAND ABORD,** Graves, 318
DOM. DU **GRAND ARC,** Corbières, 688
CH. **GRAND BARAIL,** Montagne saint-émilion, 292
CH. **GRAND BERT,** • Saint-émilion, 259 • Saint-émilion grand cru, 272
CH. **GRAND BIREAU,** • Bordeaux, 193 • Bordeaux clairet, 199 • Entre-deux-mers, 305
CH. DU **GRAND BOS,** Graves, 318
DOM. DU **GRAND BOURJASSOT,** Gigondas, 989
CH. **GRAND CASSAT,** Pomerol, 245
CH. DU **GRAND CAUMONT,** Corbières, 689
CH. DU **GRAND CHAMBELLAN,** Lalande de pomerol, 253
DOM. DU **GRAND CHEMIN,** Oc, **1061**
CH. **GRAND CHENE,** Côtes du brulhois AOVDQS, 785
DOM. DU **GRAND CHENE,** Beaujolais-villages, 151
CH. **GRAND CLAUSET,** Bordeaux, 193
DOM. DU **GRAND CLOS,** Bourgueil, 896
GRAND CLOS DE BRIANTE, Brouilly, 157
CH. **GRAND-CORBIN-DESPAGNE,** Saint-émilion grand cru, 272
DOM. DU **GRAND CRES,** • Corbières, 689 • Oc, 1061
DOM. DU **GRAND CROS,** Côtes de provence, 737
CH. **GRANDE CASSAGNE,** Costières de nîmes, 694
GRANDE GARDE, Muscadet sèvre-et-maine, 829
GRANDE MAISON, Monbazillac, **809**
DOM. DES **GRANDES MARQUISES,** Minervois, 713
CH. DES **GRANDES NOELLES,** Muscadet sèvre-et-maine, 829
DOM. DES **GRANDES PERRIERES,** Sancerre, 946
GRANDES VERSANNES, Bordeaux rosé, 207
GRANDE TOQUE, Côtes du luberon, 1010
CH. **GRAND FAURIE LA ROSE,** Saint-émilion grand cru, 272
GRAND FIEF DE L'AUDIGERE, Muscadet sèvre-et-maine, 829
DOM. **GRAND FRERES,** • Côtes du jura, 666 • Crémant du jura, 670
CH. **GRANDIS,** Haut-médoc, 350
DOM. DU **GRAND JAURE,** Pécharmant, 812
CH. **GRAND-JEAN,** Bordeaux supérieur, 214
CH. **GRAND-JOUR,** Côtes de bourg, 232
DOM. **GRAND LAFONT,** Haut-médoc, 351
CH. **GRAND LAUNAY,** Côtes de bourg, 232
GRAND LAVERGNE, Bordeaux supérieur, 214
GRAND LISTRAC, Listrac-médoc, 360
DOM. DE **GRANDMAISON,** Pessac-léognan, 328
PATRICK **GRANDMAISON,** Côtes du jura, 667
CH. **GRAND MAYNE,** Saint-émilion grand cru, 272
DOM. DU **GRAND MAYNE,** Côtes de duras, 815
GRAND METRAL, Canton du Valais, 1096
CH. **GRAND MONTEIL,** Bordeaux supérieur, 214
CH. DU **GRAND MOUEYS,** • Bordeaux sec, 201 • Premières côtes de bordeaux, 311
CH. **GRAND MOULIN,** Corbières, 689
CH. **GRAND MOULINET,** Pomerol, 245
GRAND MOUTON, Muscadet sèvre-et-maine, 830
GRAND OPERA, Corbières, 689
CH. **GRAND ORMEAU,** Lalande de pomerol, 253
CH. DU **GRAND PLANTIER,** Bordeaux sec, 201
CH. **GRAND-PONTET,** Saint-émilion grand cru, 273
DOM. DE **GRANDPRE,** Côtes de provence, 737
DOM. DU **GRAND PRE,** Mâcon-villages, 586
CH. **GRAND-PUY DUCASSE,** Pauillac, 373
PRELUDE A **GRAND-PUY DUCASSE,** Pauillac, 373
CH. **GRAND-PUY-LACOSTE,** Pauillac, 374
CH. **GRAND RIGAUD,** Puisseguin saint-émilion, 295
DOM. **GRAND ROCHE,** • Chablis, 448 • Sauvignon desaint-bris AOVDQS, 460
DOM. **GRAND ROMANE,** Gigondas, 990
GRAND SAINT-BRICE, Médoc, 339
DOM. DES **GRANDS BUISSONS,** Canton de Genève, 1101
CH. **GRANDS-CHAMPS,** Saint-émilion grand cru, 273
CAVE DES **GRANDS CRUS BLANCS,** • Mâcon-villages, 586 • Pouilly loché, 593 • Pouilly vinzelles, 593
CH. **GRAND SEUIL,** Coteaux d'aix, 754
DOM. DES **GRANDS ORMES,** Bordeaux, 193
DOM. DES **GRANDS-PRIMEAUX,** Marches de Bretagne, 1053
DOM. DES **GRANDS QUINTINS,** Bergerac, 800
CH. DU **GRAND TALANCE,** Beaujolais, 146
DOM. DU **GRAND TINEL,** Châteauneuf-du-pape, 996
DOM. **GRAND VENEUR,** Châteauneuf-du-pape, 996
CH. DU **GRAND VERNAY,** Côte de brouilly, 160
CH. **GRAND VILLAGE,** • Bordeaux sec, 201 • Bordeaux supérieur, 214
DOM. DE **GRANGENEUVE,** Coteaux du tricastin, 1006
DOM. DU **GRANGEON,** Coteaux de l'Ardèche, 1076
CLOS **GRANGEOTTE-FREYLON,** Bordeaux supérieur, 214
PASCAL **GRANGER,** Moulin à vent, 175
DOM. DES **GRANGES,** Nièvre, 1054
MAS **GRANIER,** Coteaux du languedoc, 700
CH. **GRANINS GRAND POUJEAUX,** Moulis-en-médoc, 370
DOM. DU **GRANIT,** Moulin à vent, 175
DOM. DU **GRANIT BLEU,** Beaujolais-villages, 151
DOM. DU **GRANIT DORE,** Juliénas, 168
DOM. DES **GRANITS BLEUS,** Brouilly, 157
DOM. DE **GRANOUPIAC,** • Coteaux du languedoc, 700 • Oc, 1061
CLOS **GRAOUERES,** Graves, 318
ALAIN **GRAS,** Saint-romain, 544
CH. **GRATE-CAP,** Pomerol, 245
ALFRED **GRATIEN,** Champagne, **625**
DOM. DES **GRAVALOUS,** Cahors, 772
CH. **GRAVAS,** Barsac, 392
CH. **GRAVES DE PEYROUTAS,** Saint-émilion grand cru, 273

CH. **GRAVETTES-SAMONAC,** Côtes de bourg, 232
CH. **GRAVEYRON,** Graves, 318
CH. **GRAVIER-FIGEAC,** Saint-émilion, 259
CH. **GRAVILLAC,** Côtes de bergerac, 806
CH. **GREA,** Côtes du jura, 667
CHRISTIANE **GREFFE,** • Crémant de loire, 823 • Touraine, 885
DOM. MARC **GREFFET,** Pouilly-fuissé, 590
CH. **GRENOUILLE,** Chablis grand cru, 458
CH. DU **GRES DES OLIVIERS,** Costières de nîmes, 694
CH. **GRES SAINT-PAUL,** • Coteaux du languedoc, **700** • Muscat de lunel, 1030
ANDRE ET REMY **GRESSER,** Alsace grand cru moenchberg, 124
CH. **GRETEAU-MEDEVILLE,** Bordeaux sec, 201
CAVES DE **GREVENMACHER,** Moselle luxembourgeoise, 1082
LE VIGNOBLE DE **GREVENMACHER,** Moselle luxembourgeoise, 1082
CH. **GREYSAC,** Médoc, 339
CH. **GREZAN,** Faugères, 709
JOEL ET DAVID **GRIFFE,** Bourgogne aligoté, 423
DOM. DU **GRIFFON,** Brouilly, 157
CH. **GRILLON,** Sauternes, 395
CH. **GRIMONT,** Premières côtes de bordeaux, 311
CH. **GRINOU,** Bergerac, 800
BERNARD **GRIPA,** • Saint-joseph, 980 • Saint-péray, 988
DOM. J.-L. **GRIPPAT,** Saint-joseph, 981
CH. **GRIS,** Nuits-saint-georges, 495
JEAN-PIERRE ET PHILIPPE **GRISARD,** Roussette de savoie, 678
CH. DE **GRISSAC,** Côtes de bourg, 232
CLOS DES **GRIVES,** Côtes du jura, 667
CH. **GRIVIERE,** Médoc, 339
VIGNOBLE **GROBOIS,** Chinon, 904
ROBERT **GROFFIER PERE ET FILS,** • Chambertin-clos de bèze, 472 • Bourgogne, 412 • Gevrey-chambertin, 469 • Chambolle-musigny, **481** • Bonnes-mares, 484
GROGNUZ FRERES, Canton de Vaud, **1090**
CH. **GROLEAU,** Côtes de bourg, 233
BLANCHE ET HENRI **GROS,** Bourgogne hautes-côtes de nuits, 433
CHRISTIAN **GROS,** • Nuits-saint-georges, 495 • Côte de nuits-villages, 498 • Ladoix, 502
DOM. A.-F. **GROS,** • Bourgogne hautes-côtes de nuits, 433 • Chambolle-musigny, 481 • Echézeaux, 488 • Richebourg, 492 • Savigny-lès-beaune, 517
MICHEL **GROS,** Bourgogne hautes-côtes de nuits, 433
ELIE **GROSBOT ET DENIS BARBARA,** Saint-pourçain AOVDQS, 932
CH. **GROS CAILLOU,** Saint-émilion grand cru, 273
DOM. DU **GROS PATA,** Côtes du rhône, 958
DOM. **GROSSET,** Coteaux du layon, 862
CH. **GROSSOMBRE,** Bordeaux, 193
JEAN-PIERRE **GROSSOT,** Chablis premier cru, 453
CH. **GRUAUD-LAROSE,** Saint-julien, 384
SARGET DU CHATEAU **GRUAUD-LAROSE,** Saint-julien, 384
GRUERE, Bourgogne, 412
GRUET, Champagne, 626
DOM. DE **GRY-SABLON,** Beaujolais-villages, 151
HENRI **GSELL,** Alsace grand cru pfersigberg, 125
DOM. **GUENAULT,** Touraine, 885
ALAIN **GUENEAU,** Sancerre, 946
CH. DES **GUERCHES,** Muscadet sèvre-et-maine, 830
PHILIPPE **GUERIN,** Muscadet sèvre-et-maine, 830
GUERIN FRERES, Pineau des charentes, 1037
DOM. **GUEUGNON-REMOND,** Bourgogne passetoutgrain, 429
GUEULE DE LOUP, Canton de Genève, 1101
CH. DE **GUEYDON,** Graves, 318
CH. **GUEYROSSE,** Saint-émilion grand cru, 273
CH. DE **GUEYZE,** Buzet, 782
CH. **GUIBON,** Bordeaux, 193
I VINI DI **GUIDO BRIVIO,** Canton du Tessin, 1109
E. **GUIGAL,** • Côte rôtie, 975 • Condrieu, 977
MICHEL **GUIGNIER,** Beaujolais-villages, 152
GUILBAUD FRERES, Muscadet sèvre-et-maine, 830
CELLIER DE **GUILHEM,** Coteaux du languedoc, 700
DOM. **GUILHEMAS,** Béarn, 788
CH. **GUILLAMBOIS,** Buzet, 782
GUILLARD, Gevrey-chambertin, 469
DOM. DE **GUILLAU,** Coteaux du Quercy, 1057
VIGNOBLE **GUILLAUME,** Franche-Comté, 1078
CH. **GUILLAUME BLANC,** Bordeaux sec, 202
GUILLAUME DE GUERSE, Coteaux du languedoc, 701
DOM. PIERRE **GUILLEMOT,** • Bourgogne, 412 • Savigny-lès-beaune, **518**
JEAN-MICHEL **GUILLON,** Gevrey-chambertin, 469
GUILLON-PAINTURAUD, Pineau des charentes, 1037
CH. **GUILLOT,** Pomerol, 245
DOM. AMELIE **GUILLOT,** Arbois, 660
PATRICK **GUILLOT,** Bouzeron, 570
CH. **GUILLOT CLAUZEL,** Pomerol, 245
DOM. **GUINAND,** Coteaux du languedoc, 701
JACQUES **GUINDON,** Coteaux d'ancenis AOVDQS, 840
MARJORIE **GUINET ET BERNARD RONDEAU,** Bugey AOVDQS, 679
GUINOT, Crémant de limoux, 685
DOM. **GUION,** Bourgueil, 896
CH. **GUIOT,** Costières de nîmes, 694
CH. **GUIRAUD,** Côtes de bourg, 233
CH. **GUIRAUD,** Sauternes, **395**
G DE CH. **GUIRAUD,** Bordeaux sec, 202
CLOS **GUIROUILH,** Jurançon, 791
ROMAIN **GUISTEL,** Champagne, 626
CH. **GUITERONDE DU HAYOT,** Sauternes, 395
JEAN **GUITON,** • Ladoix, 502 • Beaune, 525 • Pommard, 530 • Volnay, 535
DOM. **GUITONNIERE,** Muscadet sèvre-et-maine, 830
DOM. **GUITTON-MICHEL,** Chablis premier cru, 453
CH. **GUITTOT-FELLONNEAU,** Haut-médoc, 351
ALAIN **GUYARD,** • Marsannay, 463 • Fixin, 465 • Gevrey-chambertin, 469 • Vosne-romanée, 489
JEAN-PIERRE **GUYARD,** Fixin, 465
DOM. **GUYON,** • Gevrey-chambertin, 469 • Vosne-romanée, **489** • Nuits-saint-georges, 496 • Aloxe-corton, 505 • Savigny-lès-beaune, 518
DOM. ANTONIN **GUYON,** • Gevrey-chambertin, 469 • Aloxe-corton, 505 • Corton, 511 • Corton-charlemagne, 513
DOM. DOMINIQUE **GUYON,** Bourgogne hautes-côtes de nuits, 433
DOM. DES **GUYONS,** Saumur, 871
DOM. OLIVIER **GUYOT,** • Bourgogne aligoté, 423 • Marsannay, 463 • Fixin, 465 • Gevrey-chambertin, 469

JEAN-MARIE **HAAG,** • Alsace sylvaner, 83 • Alsace grand cru zinnkoepflé, 131
ROBERT **HAAG,** Alsace tokay-pinot gris, 104
CLOS **HABERT,** Montlouis, 911
DOM. HENRI **HAEFFELIN ET FILS,** • Alsace riesling, 89 • Alsace gewurztraminer, 97
BERNARD ET DANIEL **HAEGI,** • Alsace riesling, 89 • Alsace pinot noir, 111
DOM. FRANCIS **HAERTY,** Chinon, 904
DOM. **HAMELIN,** Petit chablis, 444
THIERRY **HAMELIN,** Chablis, 448
HAMM, Champagne, 626
CH. **HANTEILLAN,** Haut-médoc, 351
DOM. DES **HARDONNIERES,** Chinon, 904
HARLIN PERE ET FILS, Champagne, 626
DOM. **HARMAND-GEOFFROY,** • Gevrey-chambertin, 469 • Mazis-chambertin, 475
ANDRE **HARTMANN,** • Alsace riesling, 89 • Alsace gewurztraminer, 97 • Alsace tokay-pinot gris, 105
HARTMANN WEINBAU, Canton d'Argovie, **1105**
JEAN-NOEL **HATON,** Champagne, 626
HATON ET FILS, Champagne, 626
HAU COULOBRE, Côtes du luberon, 1010
HAULLER, Alsace riesling, 89
LOUIS **HAULLER,** • Alsace riesling, 89 • Alsace pinot noir, 111
DOM. DU **HAURET LALANDE,** Graves, 318
CH. **HAUT-BAGES AVEROUS,** Pauillac, 374
CH. **HAUT-BAGES LIBERAL,** Pauillac, 374
CH. **HAUT-BAGES MONPELOU,** Pauillac, 374
DOM. DU **HAUT-BAIGNEUX,** Touraine-azay-le-rideau, 893
CH. **HAUT-BAILLY,** Pessac-léognan, 329
LA PARDE DE **HAUT-BAILLY,** Pessac-léognan, 329
CH. **HAUT-BAJAC,** Côtes de bourg, 233
CH. **HAUT-BALIRAC,** Médoc, 339
CH. **HAUT-BATAILLEY,** Pauillac, 374
CH. **HAUT-BAYLE,** Bordeaux, 193
CH. **HAUT-BELLEVUE,** Haut-médoc, 351
CH. **HAUT-BERGERON,** Sauternes, 396
CH. **HAUT-BERGEY,** Pessac-léognan, 329
CH. **HAUT BERNASSE,** Monbazillac, 809
CH. **HAUT-BERNAT,** Puisseguin saint-émilion, 295
CH. **HAUT-BERTINERIE,** Premières côtes de blaye, 226
CH. **HAUT-BLAIGNAN,** Médoc, 339
CH. **HAUT BOMMES,** Sauternes, 396
CH. **HAUT-BREGA,** Haut-médoc, 351
CH. **HAUT BRETON LARIGAUDIERE,** Margaux, 364
CH. **HAUT-BRION,** Pessac-léognan, **329**
LE BAHANS DE **HAUT-BRION,** Pessac-léognan, 329
HAUT-BRIONNAIS, Saône-et-Loire, 1077
CH. **HAUT BRISEY,** Médoc, 339
CH. **HAUT-BRISSON,** Saint-émilion grand cru, 273
CH. **HAUT-CALENS,** Graves, 318
CH. **HAUT-CANTELOUP,** Premières côtes de blaye, 226
CH. **HAUT-CANTELOUP,** Médoc, 339
CH. **HAUT CANTONNET,** Bordeaux supérieur, 214
HAUT-CARLES, Fronsac, 239
CH. **HAUT CARMAIL,** Haut-médoc, 351
CH. **HAUT-CHAIGNEAU,** Lalande de pomerol, 253
CH. **HAUT-CHARDON,** Bordeaux, 194
CH. **HAUT-CLAVERIE,** Sauternes, 396
CH. **HAUT-D'ARZAC,** • Bordeaux, 194 • Bordeaux supérieur, 215
CH. **HAUT DU PEYRAT,** Premières côtes de blaye, 227
DOM. **HAUTE BARRE,** Coteaux du vendômoisAOVDQS, 924
LES VIGNERONS DE **HAUTE-BOURGOGNE,** Crémant de bourgogne, 441
CH. **HAUTE BRANDE,** Bordeaux supérieur, 215
HAUTE-COUR DE LA DEBAUDIERE, Muscadet sèvre-et-maine, 830
CH. **HAUTE-FONTAINE,** Corbières, 689
CH. **HAUTE-NAUVE,** Saint-émilion grand cru, 273
DOM. DE **HAUTE PERCHE,** • Anjou, 844 • Anjou-villages-brissac, **851** • Coteaux de l'aubance, 855
CH. **HAUTERIVE,** Médoc, 339
DOM. DE **HAUTERIVE,** Cahors, 772
CH. **HAUTE-ROCHE,** Muscadet des coteaux de la loire sur lie, 826
DOM. DES **HAUTES CHARPENTIERES,** Jardin de la France, 1047
DOM. DES **HAUTES-CORNIERES,** • Chassagne-montrachet, 555 • Santenay, 561
CAVES DES **HAUTES-COTES,** • Bourgogne, 412 • Bourgogne aligoté, 423 • Bourgogne hautes-côtes de nuits, 433 • Bourgogne hautes-côtes de beaune, 437
DOM. DES **HAUTES-NOELLES,** Muscadet sèvre-et-maine, 830
DOM. DES **HAUTES OUCHES,** • Rosé de loire, 820 • Anjou, 844 • Rosé d'anjou, 852 • Jardin de la France, 1047
DOM. DES **HAUTES REBOURGERES,** Muscadet sèvre-et-maine, 830
DOM. DES **HAUTES VIGNES,** Saumur, 871
CH. **HAUT FERRAND,** Pomerol, 246
CH. **HAUT-FONGRIVE,** Côtes de bergerac moelleux, 808
DOM. DU **HAUT FRESNE,** Coteaux d'ancenis AOVDQS, 840
CH. **HAUT-GARDERE,** Pessac-léognan, 329 330
CH. **HAUT-GARIN,** Médoc, 339
CH. **HAUT-GARRIGA,** • Bordeaux sec, 202 • Bordeaux rosé, 207
CH. **HAUT-GAYAT,** Graves de vayres, 307

CH. **HAUT-GOUJON,** Lalande de pomerol, 254
CH. **HAUT-GRAVAT,** Médoc, 340
CH. **HAUT-GRAVIER,** Côtes de bourg, 233
CH. **HAUT-GRELOT,** Premières côtes de blaye, 227
CH. **HAUT GROS CAILLOU,** Saint-émilion, 259
CH. **HAUT GUILLEBOT,** Bordeaux rosé, 207
CH. **HAUT-GUIRAUD,** Côtes de bourg, 233
CH. **HAUT LA GRACE DIEU,** Saint-émilion grand cru, 273
CH. **HAUT LAGRANGE,** Pessac-léognan, 330
CH. **HAUT LARIVEAU,** Fronsac, 239
CH. **HAUT-LAVALLADE,** Saint-émilion grand cru, 274
CH. **HAUT LIGNIERES,** Faugères, 709
CH. **HAUT-MACO,** Côtes de bourg, 233
CH. **HAUT-MAILLET,** Pomerol, 246
CH. **HAUT-MARBUZET,** Saint-estèphe, 379
CH. **HAUT MAURIN,** Bordeaux clairet, 199
CH. **HAUT-MAZERIS,** Fronsac, 239
CH. **HAUT MINZAC,** Bergerac, 800
CH. **HAUT-MONDESIR,** Côtes de bourg, 233
CH. **HAUT-MONGEAT,** • Bordeaux clairet, 199 • Graves de vayres, 307
CH. **HAUT-MOUREAUX,** Saint-émilion, 259
CH. **HAUT-MOUSSEAU,** Côtes de bourg, 233
CH. **HAUT NADEAU,** Entre-deux-mers, 305
CH. **HAUT NIVELLE,** Bordeaux supérieur, 215
CH. **HAUT-NOUCHET,** Pessac-léognan, 330
DOM. DU **HAUT-PECHARMANT,** Pécharmant, 812
DOM. DU **HAUT PERRON,** Touraine, 885
CH. **HAUT-PIGEONNIER,** Bordeaux supérieur, 215
CH. **HAUT-PLANTEY,** Saint-émilion grand cru, 274
CAVE DU **HAUT-POITOU,** Haut-poitou AOVDQS, 927
DOM. DU **HAUT-PONCIE,** Saint-amour, 181
CH. **HAUT-PONTET,** Saint-émilion grand cru, 274
CH. **HAUT-POTIRON,** Premières côtes de bordeaux, 311
CH. **HAUT-RENAISSANCE,** Saint-émilion, **259**
CH. **HAUT-RIAN,** • Bordeaux sec, 202 • Bordeaux rosé, 208 • Entre-deux-mers, 305
CH. **HAUT SAINT-CLAIR,** Puisseguin saint-émilion, 295
CH. **HAUT-SARPE,** Saint-émilion grand cru, 274
CH. LES **HAUTS-CONSEILLANTS,** Lalande de pomerol, 254
DOM. DES **HAUTS DE SEYR,** Coteaux charitois, 1053
CH. **HAUT-SEGOTTES,** Saint-émilion grand cru, 274
CH. **HAUT SELVE,** Graves, 318
DOM. DU **HAUT-SENCY,** Muscadet sèvre-et-maine, 830
CH. **HAUT-SURGET,** Lalande de pomerol, 254
CH. **HAUT-TERRE-FORT,** Entre-deux-mers haut-benauge, 307
CH. **HAUT-TERRIER,** Premières côtes de blaye, 227
CH. **HAUT-TROPCHAUD,** Pomerol, 246
CLOS **HAUT-TROQUART,** Saint-georges saint-émilion, 296
CH. **HAUT-TUQUET,** Côtes de castillon, 299
CH. **HAUT-VIGNEAU,** Pessac-léognan, 330
DOM. **HAUVETTE,** Les baux-de-provence, 757
DOM. DU **HAY,** Touraine, 885
DOM. DES **HAYES,** Beaujolais-villages, 152
JEAN-PAUL **HEBRART,** Champagne, 626
MARC **HEBRART,** Champagne, 626
LOUIS **HEGG ET FILS,** Canton de Vaud, 1090
HEIDSIECK & CO MONOPOLE, Champagne, 626
PIERRE D' **HEILLY ET MARTINE HUBERDEAU,** Bourgognecôte chalonnaise, 568
HEIM, Alsace gewurztraminer, 97
HEIMBERGER, Alsace grand cru schoenenbourg, 127
PHILIPPE **HEITZ,** Alsace pinot noir, 111
LEON **HEITZMANN,** • Alsace riesling, 89 • Alsace pinot noir, 112
CH. **HELENE,** Corbières, 689
D. **HENRIET-BAZIN,** Champagne, 627
HENRIOT, Champagne, 627
DOM. **HENRI PERROT-MINOT,** Mazoyères-chambertin, 475
HENRY DE BRIERES, • Saumur, 871 • Touraine, 885
HENRY DE VEZELAY, • Bourgogne, 412 • Bourgogne grand ordinaire, 421
HENRY FRERES, • Bourgogne, 412 • Bourgogne aligoté, 424
PAUL **HERARD,** Champagne, 627
DOM. **HERAULT,** Chinon, 904
DOM. DES **HERBAUGES,** Jardin de la France, 1050
DIDIER **HERBERT,** Champagne, 627
DOM. **HERESZTYN,** • Gevrey-chambertin, 469 • Morey-saint-denis, 476 • Clos saint-denis, **479**
DOM. **HERING,** Alsace pinot noir, 112
CH. **HERMITAGE DES BRUGES,** Bordeaux, 194
DOM. GUY **HERSARD,** Saint-nicolas-de-bourgueil, 900
VICTOR **HERTZ,** Alsace pinot noir, 112
HERTZOG, • Alsace gewurztraminer, 97 • Alsace tokay-pinot gris, 105
EMILE **HERZOG,** Alsace gewurztraminer, 97
ROGER **HEYBERGER,** Alsace gewurztraminer, 97
LUCIEN **HEYDMANN,** Alsace pinot noir, 112
HONORE LAVIGNE, Bourgogne aligoté, 424
HOPITAL DE LA BEROCHE, Canton de Neuchâtel, 1103
E. **HORCHER ET FILS,** • Alsace grand cru mandelberg, 124 • Alsace grand cru sporen, 128
DOM. **HORTALA,** Côtes de Perpignan, 1068
HOSPICE D'AUGE, Les baux-de-provence, 757
HOSPICES DE BEAUJEU, Régnié, 178
HOSPICES DE DIJON, Bourgogne hautes-côtes de beaune, 437
CH. DES **HOSPITALIERS,** Coteaux du languedoc, 701
CH. **HOSTENS-PICANT,** Sainte-foy-bordeaux, 308
M. **HOSTOMME ET SES FILS,** Champagne, 627
JEAN-LUC **HOUBLIN,** Bourgogne, 413
DOM. DES **HUARDS,** • Cheverny, 920 • Cour-cheverny, 922
HUBER ET BLEGER, Alsace pinot ou klevner, 84
DOM. **HUBERT,** Bourgueil, 896
HUBERT DE ROUEYRE, Coteaux de Fontcaude, 1065
DOM. **HUBER-VERDEREAU,** • Bourgogne aligoté, 424 • Pommard, 531 • Volnay, 535
BERNARD **HUBSCHWERLIN,** Champagne, **627**
HUET, Vouvray, 916
RAYMOND **HUET,** Bordeaux sec, 202
LAURENT **HUG,** Canton du Valais, 1096
HUGEL ET FILS, Alsace gewurztraminer, 97
O. **HUGENTOBLER,** Canton du Valais, 1096
DOM. **HUGUENOT PERE ET FILS,** • Marsannay, **463** • Fixin, 465 • Gevrey-chambertin, 470
HUGUENOT-TASSIN, Champagne, 627
HUGUES DE BEAUVIGNAC, • Coteaux du languedoc, 701 • Côtes de Thau, 1067
FRANCIS ET PATRICK **HUGUET,** Cheverny, **921**
DOM. **HUMBERT FRERES,** Gevrey-chambertin, 470
BERNARD **HUMBRECHT,** • Alsace tokay-pinot gris, 105 • Alsace grand cru goldert, 120
CLAUDE ET GEORGES **HUMBRECHT,** Alsace grand cru goldert, 120
MARCEL **HUMBRECHT,** Alsace grand cru goldert, 120
CAVE VINICOLE DE **HUNAWIHR,** • Alsace grand cru froehn, 119 • Alsace grand cru rosacker, 126
HUNOLD, • Alsace riesling, 90 • Alsace grand cru vorbourg, 130
CH. **HURADIN,** Cérons, 391
CH. DU **HUREAU,** • Saumur, 871 • Saumur-champigny, 877
HUSSON, Champagne, 627
HUTEAU-HALLEREAU, Jardin de la France, 1050
JEAN **HUTTARD,** Alsace riesling, 90

CLOS D' **IERE,** Côtes de provence, 737
LES VIGNERONS D' **IGE,** • Bourgogne aligoté, 424 • Mâcon, 582
DOM. **ILARRIA,** Irouléguy, 789
DOM. DES **ILES,** • Chablis premier cru, 453 • Chablis grand cru, 458
IL QUERCETO, Canton du Tessin, 1109
ILRHEA, Pineau des charentes, 1037
DOM. **IMBEAU,** Côtes d'auvergne AOVDQS, 929
IMPERIAL PRADEL, Côtes de provence, 737
IM PETER, Canton de Schaffhouse, **1107**
DOM. DES **IRIS,** Anjou, 844
MICHEL **ISAIE,** • Bourgogne passetoutgrain, 429 • Bourgognecôte chalonnaise, 568 • Mercurey, 575
CH. D' **ISENBOURG,** Alsace riesling, 90
CH. D' **ISSAN,** Margaux, 364
MOULIN D' **ISSAN,** Bordeaux supérieur, 215

PAUL **JABOULET AINE,** Hermitage, 986
DOM. LUCIEN **JACOB,** • Savigny-lès-beaune, 518 • Beaune, 525
DOM. ROBERT ET RAYMOND **JACOB,** • Ladoix, 502 • Corton-charlemagne, 513
FREDERIC **JACOB,** Bourgogne aligoté, 424
CAVEAU DES **JACOBINS,** • Côtes du jura, 667 • Crémant du jura, 670 • Macvin du jura, 1043
HUBERT **JACOB-MAUCLAIR,** Bourgogne hautes-côtes de beaune, 437
JACQUART, Champagne, 628
ANDRE **JACQUART ET FILS,** Champagne, 628
CH. DES **JACQUES,** Bourgogne, 413
YVES **JACQUES,** Champagne, 628
JACQUINET-DUMEZ, Champagne, 628
LOUIS **JADOT,** • Corton, 511 • Pouilly-fuissé, 590
JAFFELIN, • Volnay, 535 • Auxey-duresses, 541 • Saint-romain, 544 • Saint-véran, 594
ROGER **JAFFELIN,** Pernand-vergelesses, 508
CH. **JAMARD BELCOUR,** Lussac saint-émilion, 289
CHAMPAGNE E. **JAMART ET CIE,** Champagne, 628
DOM. DOMINIQUE **JAMBON,** Régnié, 178
JEAN-PAUL ET JEAN-LUC **JAMET,** Côte rôtie, 975
CH. **JANDILLE,** Entre-deux-mers, 305
PH. **JANISSON,** Champagne, 628
JANISSON-BARADON ET FILS, Champagne, 628
DOM. **JANVIER,** Touraine, 885
RENE **JARDIN,** Champagne, 628
DANIEL **JARRY,** Vouvray, 916
DOM. DU **JAS D'ESCLANS,** Côtes de provence, 737
DOM. DE **JASSERON,** Brouilly, 157
CH. DE **JASSON,** Côtes de provence, **737**
CH. DE **JAU,** • Côtes du roussillon-villages, 726 • Muscat de rivesaltes, 1026
CH. DES **JAUBERTES,** Graves, 318
DOM. **JAUME,** • Côtes du rhône, 958 • Côtes du rhône-villages, 968
DOM. DE **JAVERNIERE,** Morgon, 172
JEAN DE LETTES, Coteaux du languedoc, 701
CH. **JEANDEMAN,** Fronsac, 239
JEAN DE MOULINSART, Mâcon, 582
JEAN DE ROUEYRE, Saint-chinian, 716
CH. **JEAN DU ROY,** Cadillac, 388
DOM. GUY-PIERRE **JEAN ET FILS,** Pommard, 531
CH. **JEAN VOISIN,** Saint-émilion grand cru, 274
JEEPER, Champagne, 629
DOM. **JESSIAUME PERE ET FILS,** • Beaune, 525 • Auxey-duresses, 541 • Santenay, 561
CH. **JOANNY,** Côtes du rhône, 958
DOM. EMILE **JOBARD,** Meursault, 547
DOM. REMI **JOBARD,** • Bourgogne, 413 • Bourgogne passetoutgrain, 429 • Monthélie, 539
R. **JOBET ET FILS,** Pineau des charentes, 1037
RAOUL **JOHNSTON,** Saint-estèphe, 379

JEAN-LUC **JOILLOT,** • Bourgogne aligoté, 424 • Bourgogne hautes-côtes de beaune, 437 • Beaune, 525 • Pommard, 531
CH. **JOININ,** Bordeaux, 194
CH. **JOLIET,** Côtes du frontonnais, 784
DOM. **JOLIETTE,** • Côtes du roussillon, 722 • Rivesaltes, 1020 • Muscat de rivesaltes, 1026
DOM. **JOLIVET,** • Rosé de loire, 820 • Anjou, 844
RENE **JOLLY,** Champagne, 629
CLAUDE **JOLY,** • Côtes du jura, 667 • L'étoile, 672
NICOLAS **JOLY,** • Savennières, 858 • Savennières roche-aux-moines, 859 • Savennières coulée-de-serrant, 859
CH. **JOLYS,** Jurançon, 791
BERNARD **JOMAIN,** Brouilly, 157
PIERRE ET JEAN-MICHEL **JOMARD,** Beaujolais, 146
CH. **JONCHET,** Premières côtes de bordeaux, 311
DOM. DES **JONCIERS,** Côtes du rhône, 958
JEAN-HERVE **JONNIER,** • Maranges, 565 • Mercurey, 575
DOM. **JONQUERES D'ORIOLA,** • Côtes du roussillon, 722 • Muscat de rivesaltes, 1026
JONQUIERES SAINT VINCENT, Oc, 1061
CH. **JORDY-D'ORIENT,** Premières côtes de bordeaux, 312
BERTRAND **JOREZ,** Champagne, 629
JOSMEYER, • Alsace gewurztraminer, 97 • Alsace tokay-pinot gris, 105 • Alsace grand cru hengst, 120
JEAN **JOSSELIN,** Champagne, 629
GABRIEL **JOUARD,** • Chassagne-montrachet, 555 • Santenay, 562
CH. **JOUCLARY,** Cabardès, **718**
LE CELLIER DE **JOUDIN,** Allobrogie, 1074
DOM. **JOULIN,** Saumur-champigny, 878
FRANCIS **JOURDAIN,** Valençay AOVDQS, **925**
CH. **JOUVENTE,** Graves, 318
JEAN **JOYET,** Beaujolais, 146
DOM. DE **JUCHEPIE,** Coteaux du layon, 862
CH. DU **JUGE,** • Bordeaux sec, 202 • Premières côtes de bordeaux, 312
CH. **JUGUET,** Saint-émilion grand cru, 274
JEAN-CAMILLE **JUILLAND,** Canton du Valais, 1096
FRANCK **JUILLARD,** Juliénas, 168
MICHEL **JUILLARD,** Beaujolais-villages, 152
DOM. EMILE **JUILLOT,** Mercurey, 576
DOM. MICHEL **JUILLOT,** • Corton-charlemagne, 513 • Mercurey, 576
JULIEN DE SAVIGNAC, Bergerac rosé, 803
JULIEN FRERES, Oc, **1061**
DOM. **JULLIAN,** Châteauneuf-du-pape, 996
CHARLES **JUMERT,** Coteaux du vendômoisAOVDQS, 924
ROGER **JUNG ET FILS,** Alsace grand cru sporen, 129
DANIEL **JUNOT,** Bourgogne, 413
CH. **JUPILLE CARILLON,** Saint-émilion, 260
CAVE DES PRODUCTEURS DE **JURANCON,** Jurançon, 791

KARTAEUSER, Canton de Thurgovie, 1107
DOM. **KEHREN-DENIS MEYER,** • Alsace muscat, 94 • Alsace tokay-pinot gris, 105
MEINRAD **KELLER,** Canton d'Argovie, **1105**
KIEFFER, • Alsace pinot noir, 112 • Crémant d'alsace, 134
RENE **KIENTZ FILS,** Alsace grand cru winzenberg, 131
KIENTZLER, Alsace grand cru osterberg, 125
CHARLES **KINDLER,** Champagne, 629
L. **KIRMANN,** Alsace riesling, 90
KIRSCHNER, Alsace muscat, 94
CH. **KIRWAN,** Margaux, 364
KLEE FRERES, • Alsace pinot ou klevner, 84 • Alsace gewurztraminer, 98
KLEIN AUX VIEUX REMPARTS, Alsace tokay-pinot gris, 105
KLEIN-BRAND, Crémant d'alsace, 134
ANDRE **KLEINKNECHT,** • Alsace pinot noir, 112 • Alsace grand cru kirchberg de Barr, 121
ALAIN **KLINGENFUS,** Alsace grand cru bruderthal, 117
ANTOINE ET ROBERT **KLINGENFUS,** Alsace grand cru bruderthal, 117
KLIPFEL, Alsace grand cru kirchberg de Barr, 122
KLUR-STOECKLE, • Alsace grand cru wineck-schlossberg, 130 • Crémant d'alsace, 134
FRITZ **KOBUS,** Crémant d'alsace, 134
RENE **KOCH ET FILS,** Alsace grand cru muenchberg, 125
KOEHLY, Crémant d'alsace, 134
VERONICA **KOELLREUTER,** Canton de Bâle, 1105
CAVES R. **KOHLL-LEUCK,** Moselle luxembourgeoise, 1083
DOM. L. ET B. **KOX,** Moselle luxembourgeoise, 1083
KRESSMANN, • Graves, 319 • Haut-médoc, 351
KRIER FRERES, Moselle luxembourgeoise, **1083**
DOM. **KRIER-WELBES,** Moselle luxembourgeoise, **1083**
KROSSFELDER, • Alsace gewurztraminer, 98 • Crémant d'alsace, 134
KRUG, Champagne, 629
KUENTZ-BAS, • Alsace tokay-pinot gris, 105 • Alsace grand cru eichberg, 118 • Alsace grand cru pfersigberg, 125
KUMIN, • Canton de Saint-Gall, 1106 • Canton de Schaffhouse, 1107 • Canton de Zurich, 1108
J.-C. **KUNTZER ET FILS,** Canton de Neuchâtel, 1103

CH. **L'ABBAYE,** Premières côtes de blaye, 227
CH. DE **L'ABBAYE,** Haut-médoc, 351
CLOS DE **L'ABBAYE,** • Saumur, 872 • Bourgueil, 896
DOM. DE **L'ABBAYE DU PETIT QUINCY,** Bourgogne, 413
CLOS DE **L'ABBE DUBOIS,** Côtes du vivarais AOVDQS, 1012
DOM. DE **L'ABBE DUMONT,** Mâcon, 582
LA CAVE DE **L'ABBE ROUS,** Banyuls, 1016
CH. **L'AGNET LA CARRIERE,** Sauternes, 396
DOM. DE **L'AIGLE,** Crémant de limoux, 685
DOM. **L'AIGUELIERE,** Coteaux du languedoc, 702
DOM. DE **L'ALOUETTE,** Muscadet sèvre-et-maine, 832
DOM. DE **L'AMANDINE,** Côtes du rhône-villages, 969
L'AME DU TERROIR, Bordeaux supérieur, 216
L'AME DU TERROIR, Muscadet sèvre-et-maine, 833
DOM. DE **L'ANCIENNE CURE,** Monbazillac, 809
CH. **L'ANCIENNE TUILERIE,** Bordeaux supérieur, 216
CH. **L'ANCIEN ORME,** Bordeaux, 195
DOM. DE **L'ANCIEN RELAIS,** Juliénas, 168
DOM. DE **L'ANGUEIROUN,** Côtes de provence, 739
CH. DE **L'ANNONCIATION,** Saint-émilion grand cru, 277
CLOS DE **L'ARBALESTRIER,** Saint-joseph, 981
VIGNOBLE DE **L'ARCISON,** • Rosé de loire, 821 • Cabernet d'anjou, 854
DE **L'ARGENTAINE,** Champagne, 631
CH. **L'ARGENTEYRE,** Médoc, 341
CH. **L'ARGILUS DU ROI,** Saint-estèphe, 380
DOM. DE **L'ARJOLLE,** Côtes de Thongue, 1066
CH. **L'ARNAUDE,** Côtes de provence, 739
CH. DE **L'AUBRADE,** Bordeaux sec, 203
CH. DE **L'AUCHE,** Champagne, 632
CH. DE **L'AUJARDIERE,** Gros-plant AOVDQS, 839
DOM. DE **L'AUMONIER,** Touraine, 887
DOM. DE **L'ECETTE,** Rully, 573
DOM. DE **L'ECHALIER,** Coteaux du layon, 864
CH. DE **L'ECHARDERIE,** Quarts de chaume, 869
DOM. DE **L'ECHASSERIE,** Muscadet sèvre-et-maine, 834
CH. DE **L'ECLAIR,** Beaujolais, 147
CH. **L'ENCLOS,** • Pomerol, 249 • Sainte-foy-bordeaux, 309
L'ENCLOS DE LA CROIX, Oc, 1062
L'ENCLOS MAUCAILLOU, Margaux, 366
L'ENCLOUSE DES VIGNES, Pineau des charentes, 1037
CH. DE **L'ENGARRAN,** Coteaux du languedoc, **703**
DOM. DE **L'ENGARRAN,** Oc, 1062
L'ENJOUE, Sancerre, 947
DOM. DE **L'ENTRE-CŒURS,** Montlouis, 912
CH. **L'ERMITAGE,** Médoc, 342
CH. **L'ERMITAGE,** Sauternes, 397
CLOS DE **L'ERMITAGE,** Saint-véran, 595
DOM. DE **L'ERRIERE,** • Muscadet sèvre-et-maine, 834 • Jardin de la France, 1051
CH. **L'ESCADRE,** Premières côtes de blaye, 229
CLOS DE **L'ESCANDIL,** Minervois la livinière, **715**
CH. DE **L'ESCARELLE,** Coteaux varois, 759
DOM. DE **L'ESPARRON,** Côtes de provence, 740
CH. **L'ESPARROU,** Rivesaltes, **1020**
DOM. DE **L'ESPIGOUETTE,** Côtes du rhône-villages, 970
L'ESPINOSE, Muscadet sèvre-et-maine, 835
CLOS **L'ESQUIROL,** Minervois, 713
L'ESTANDON, Côtes de provence, 740
L'ESTELLO, Côtes de provence, 740
L'ETOILE, • Collioure, 729 • Banyuls, **1016** • Banyuls grand cru, **1017**
CH. DE **L'ETOILE,** • Crémant du jura, 670 • L'étoile, 672
CH. **L'EVANGILE,** Pomerol, 249
DOM. **L'EVEQUE,** Morgon, 173
MONOPOLE **L'HERITIER-GUYOT,** Vougeot, **485**
DOM. DE **L'HERMITAGE,** Bandol, 750
CH. **L'HERMITAGE-LESCOURS,** Saint-émilion grand cru, 280
DOM. DE **L'HOPITAL DE SOLEURE,** Canton de Berne, 1104
CH. DE **L'HORTE,** Corbières, 690
DOM. DE **L'HORTUS,** • Coteaux du languedoc, 704 • Val de Montferrand, **1066**
CH. DE **L'HOSPITAL,** Graves, 321
CH. **L'HOSTE-BLANC,** Bordeaux supérieur, 218
DOM. DE **L'ILE MARGAUX,** Bordeaux supérieur, 218
DOM. DE **L'ILE SAINT PIERRE,** Bouches-du-Rhône, 1072
L'ILIADE, Côtes du rhône-villages, **970**
CH. DE **L'ILLE,** Corbières, 690
L'IMAGINAIRE, Jardin de la France, 1051
L'INSPIRATION, Jardin de la France, 1051
CH. DE **L'ISOLETTE,** Côtes du luberon, 1011
DOM. DE **L'OISILLON,** Beaujolais-villages, 153
DOM. DE **L'OLIVETTE,** Bandol, 750
CUVEE DE **L'OPPIDUM,** Côtes de provence, 740
DOM. DE **L'ORATOIRE SAINT-MARTIN,** • Côtes du rhône, 961 • Côtes du rhône-villages, 970
CH. DE **L'ORDONNANCE,** Graves, 321
L'OR DU VENT, Canton du Valais, 1098
L'OR DU VIEUX PAYS, Pacherenc du vic-bilh, 797
DOM. DE **L'ORIGAN,** Châteauneuf-du-pape, 998
DOM. DE **L'ORME,** • Petit chablis, 445 • Chablis, 449
L'ORMEOLE, Coteaux de saumur, **876**
L'ORMY, Canton du Valais, 1098
DOM. DE **L'OUCHE GAILLARD,** Montlouis, 912
DOM. DE **L'OVAILLE,** Canton de Vaud, 1092
CH. **LABADIE,** • Côtes de bourg, 233 • Médoc, 340
DOM. DE **LABAIGT,** Terroirs landais, 1055
DOM. DE **LABALLE,** Terroirs landais, 1055
DOM. **LA BANIERE,** Cahors, 772
MAS DE **LA BARBEN,** Coteaux du languedoc, 701
CH. **LABARDE,** Haut-médoc, 351
CLOS **LABARDE,** Saint-émilion grand cru, 274
CH. **LA BARDE-LES TENDOUX,** Côtes de bergerac, 806
CH. **LA BARDONNE,** Bordeaux, 194
LA BAREILLE, Beaujolais, 146
LE CELLIER DE **LA BARNEDE,** • Côtes du roussillon, 722 • Muscat de rivesaltes, 1026 • Rivesaltes, 1020
CH. **LA BARONNE,** Corbières, 689
CH. **LA BASSONNERIE,** Pomerol, 246
LABASTIDE, Gigondas, 990
LA BASTIDE BLANCHE, Bandol, 749

VINS

LA **BASTIDE-SAINT-DOMINIQUE,** Châteauneuf-du-pape, 996
LA BASTIDE SAINT-VINCENT, • Côtes du rhône, 959 • Gigondas, 990 • Vacqueyras, 992
DOM. DE **LA BASTIDONNE,** • Côtes du ventoux, 1008 • Vaucluse, 1071
CH. **LABATUT,** Bordeaux supérieur, 215
DOM. DE **LA BAUME,** Oc, 1061
CH. DE **LA BEAUZE,** Bordeaux supérieur, 215
CH. **LA BECASSE,** Pauillac, 374
DOM. DE **LA BECHE,** Morgon, 172
CH. **LABEGORCE,** Margaux, 365
CH. **LABEGORCE ZEDE,** Margaux, 365
LA BEGUDE, Oc, 1061
DOM. DE **LA BEGUDE,** Bandol, 749
DOM. DE **LA BELLE,** Côtes du Tarn, 1056
DOM. DE **LA BELLE ANGEVINE,** Coteaux du layon, 862
DOM. DE **LA BERGEONNIERE,** Touraine, 885
DOM. DE **LA BERGERIE,** • Coteaux du layon, **862** • Quarts de chaume, 869
LA BERLANDE, Margaux, 365
DOM. **LA BERNARDE,** Côtes de provence, 737
LA BERNARDINE, Châteauneuf-du-pape, 996
DOM. DE **LA BERTHETE,** • Côtes du rhône, 959 • Côtes du rhône-villages, 968
CH. **LA BERTRANDE,** • Premières côtes de bordeaux, 312 • Cadillac, 388
DOM. DE **LA BESNERIE,** Touraine-mesland, 894
CH. **LA BESSANE,** Margaux, 365
CH. **LABESSE,** Côtes de castillon, 299
CH. DE **LA BESSONNE,** Coteaux varois, 758
ALAIN **LABET,** • Côtes du jura, **667** • Côtes du jura, 668
DOM. PIERRE **LABET,** • Bourgogne, **413** • Savigny-lès-beaune, 518 • Beaune, 525
DOM. DE **LA BIGOTIERE,** Muscadet sèvre-et-maine, 830
CH. DE **LA BIZOLIERE,** Savennières, 858
CAVE DE **LABLACHERE,** Coteaux de l'Ardèche, 1076
CH. **LA BLANCHERIE,** Graves, 319
DOM. **LA BLAQUE,** • Coteaux de pierrevert, 1012 • Alpes-de-Haute-Provence, 1074
DOM. DE **LA BLOTIERE,** Vouvray, 916
DOM. DE **LA BOFFELINE,** Crémant de bourgogne, 441
DOM. DE **LA BOISSERELLE,** Côtes du vivarais AOVDQS, 1012
CH. DE **LA BONNELIERE,** Chinon, 905
DOM. **LA BONNELIERE,** • Saumur, 872 • Saumur-champigny, 878
CH. **LA BONNELLE,** Saint-émilion grand cru, 275
LABORBE-JUILLOT, Rully, 572
CH. **LA BORDERIE,** Côtes de bergerac moelleux, 808
CH. **LA BORDERIE-MONDESIR,** Lalande de pomerol, 254
CH. **LABORY DE TAYAC,** Margaux, 365
CH. DE **LA BOTINIERE,** Muscadet sèvre-et-maine, 830
LABOTTIERE, Bordeaux sec, 202
DOM. DE **LA BOTTIERE PAVILLON,** Juliénas, 168
DOM. DE **LA BOUGRIE,** Coteaux du layon, 862
DOM. DE **LA BOUISSE,** Côtes de provence, 738
DOM. **LA BOUISSIERE,** Gigondas, 990
DOM. DE **LA BOULIE,** Bouches-du-Rhône, 1072
CH. DE **LA BOURDINIERE,** Muscadet sèvre-et-maine, 831
LABOURE-ROI, • Moulin à vent, 175 • Chablis premier cru, 453 • Chablis grand cru, 458 • Puligny-montrachet, 550 • Bourgognecôte chalonnaise, 568 • Montagny, 580
CH. **LA BOURREE,** Côtes de castillon, 299
DOM. DE **LA BOURRELIERE,** • Anjou, 844 • Anjou-villages-brissac, 851
DOM. DE **LA BOUVERIE,** Côtes de provence, 738
CH. **LA BRANDE,** • Fronsac, 239 • Côtes de castillon, 299
CH. **LA BRAULTERIE DE PEYRAUD,** Premières côtes de blaye, 228
DOM. **LA BRETAUCHE,** Chablis, 448
CH. **LA BRETONNIERE,** Bordeaux clairet, 199
CH. **LA BRIDANE,** Saint-julien, 384
CLOS DE **LA BRIDERIE,** Touraine-mesland, 894
CH. **LA BRIE,** Bergerac sec, 804
CH. DE **LA BRUYERE,** • Bourgogne, 413 • Mâcon, 582
DOM. ANDRE ET BERNARD **LABRY,** • Bourgogne hautes-côtes de beaune, 438 • Auxey-duresses, 541
GILLES **LABRY,** Bourgogne hautes-côtes de beaune, 438
DOM. DE **LA BUISSIERE,** Santenay, 562
DOM. DE **LA BUTTE,** Bourgueil, 896
LA BUXYNOISE, • Bourgogne, 413 • Bourgogne aligoté, 424
CH. **LA CABANNE,** Pomerol, 246
CH. **LA CABANNE-DUVIGNEAU,** Puisseguin saint-émilion, 295
CH. DE **LA CADENETTE,** Costières de nîmes, 694
CH. **LA CADERIE,** Bordeaux supérieur, 215
LA CADIERENNE, Bandol, 749
CH. **LA CALISSE,** Coteaux varois, 758
CH. **LA CAMINADE,** Cahors, 773
CH. **LA CANORGUE,** Côtes du luberon, 1010
CH. **LA CAPELLE,** Bordeaux supérieur, 216
CH. **LA CARDONNE,** Médoc, 340
DOM. DE **LA CASA BLANCA,** Banyuls, 1016
CH. **LA CAUSSADE,** • Bordeaux sec, 202 • Médoc, 340
CH. **LACAUSSADE SAINT MARTIN,** Premières côtes de blaye, 228
DOM. DE **LA CAVALE,** Côtes du luberon, 1010
DOM. DE **LACAVE,** Madiran, 794
LA CAVE DES VALLEES, Touraine-azay-le-rideau, 893
LA CAVE DU CONNAISSEUR, Chablis premier cru, 453
LA CAVE DU PRIEURE, Vin de savoie, 676
CH. **LA CAZE BELLEVUE,** Saint-émilion, 260
LA CELESTE, Canton de Vaud, 1090
DOM. DE **LA CERISAIE,** Saint-véran, 595
LA CHABLISIENNE, • Bourgogne, 413 • Crémant de bourgogne, 441 • Petit chablis, 444 • Chablis, 448
DOM. DE **LA CHAIGNEE,** Fiefs vendéens AOVDQS, 840
CH. DE **LA CHAISE,** Coteaux du giennois, 931
DOM. DE **LA CHAISE,** Touraine, 886
DOM. DE **LA CHAMBARDE,** Beaujolais, 146
DOM. DE **LA CHANTELEUSERIE,** Bourgueil, 896
CH. **LA CHAPELLE,** Montagne saint-émilion, 292
DOM. DE **LA CHAPELLE,** Bourgogne passetoutgrain, 429
CH. **LA CHAPELLE AUX MOINES,** Saint-émilion, 260
DOM. DE **LA CHAPELLE DES BOIS,** Fleurie, 166
CH. **LA CHAPELLE MAILLARD,** Fronsac, 240
DOM. **LA CHARADE,** Côtes du rhône, 959
DOM. DE **LA CHARBONNIERE,** • Vacqueyras, 992 • Châteauneuf-du-pape, 996
DOM. DE **LA CHARLOTTERIE,** Coteaux du vendômoisAOVDQS, **924**
DOM. **LACHARME,** Mâcon, 582
DOM. DE **LA CHARMOISE,** Touraine, 886
LA CHARPENTERIE, Bourgueil, 897
CH. DE **LA CHARRIERE,** • Chassagne-montrachet, 555 • Santenay, 562
CAVE COOPERATIVE DE **LACHASSAGNE,** Beaujolais, 146
LA CHASSE DU PAPE, Côtes du rhône, 959
LA CHATELLIERE, Pouilly-fumé, 939
DOM. **LA CHENAIE,** Rivesaltes, 1020
DOM. DE **LA CHENAIE,** Muscadet sèvre-et-maine, 831
CH. **LACHESNAYE,** Haut-médoc, 351
CH. **LA CHEZE,** • Bordeaux sec, 202 • Premières côtes de bordeaux, 312
DOM. DE **LA CIGALETTE,** Côtes du rhône-villages, 968
DOM. DE **LA CITADELLE,** Côtes du luberon, 1010
CH. **LA CLARE,** Médoc, 340
CH. **LA CLARIERE LAITHWAITE,** Côtes de castillon, 299
CADET DU CH. **LA CLAYMORE,** Lussac saint-émilion, 289
DOM. **LA CLE DE SOL,** Canton de Genève, 1101
LA CLOSIERE DE MAY, Graves, 319
CH. **LA CLOTTE SAINT-JACQUES,** Premières côtes de bordeaux, 312
CH. **LA CLUSIERE,** Saint-émilion grand cru, 275
CH. **LA CLYDE,** • Premières côtes de bordeaux, 312 • Cadillac, 388
CH. DE **LA COLLINE,** Bergerac, 801
DOM. DE **LA COLLINE,** Touraine, 886
LA COLOMBE, Canton de Vaud, **1090**
CH. **LA COLOMBIERE,** Côtes du frontonnais, 784
CAVE DE **LA COMBE,** Canton du Valais, 1096
DOM. DE **LA COMBE,** Bergerac, 801
DOM. DE **LA COMBE AU LOUP,** Régnié, 178
CH. **LACOMBE CADIOT,** Bordeaux supérieur, 216
LA COMBE D'UVRIER, Canton du Valais, 1096
DOM. DE **LA COMBE MORGUIERE,** Beaujolais-villages, 152
CH. **LA COMMANDERIE,** • Saint-émilion grand cru, 275 • Saint-estèphe, 379
CH. **LA COMMANDERIE DE QUEYRET,** • Bordeaux sec, 203 • Bordeaux rosé, 208 • Bordeaux supérieur, 216 • Entre-deux-mers, 305
CUVEE DE **LA COMMANDERIE DU BONTEMPS,** Médoc, 340
LA COMTADINE, Côtes du rhône, 959
DOM. DE **LA CONCIERGERIE,** • Chablis, 448 • Chablis premier cru, 454
DOM. **LA CONDAMINE L'EVEQUE,** Côtes de Thongue, 1066
DOM. DE **LA CONFRERIE,** • Bourgogne aligoté, 424 • Bourgogne hautes-côtes de beaune, 438
CH. **LA CONSEILLANTE,** Pomerol, 246
LACOSTE, Muscat de lunel, 1030
CH. **LA COSTE,** Coteaux d'aix, 754
DOM. DE **LA COSTE,** Coteaux du languedoc, 701
DOM. DE **LA COTE DE BESSAY,** Juliénas, 168
DOM. DE **LA COTE DE L'ANGE,** Châteauneuf-du-pape, 996
DOM. DE **LA COTE DES CHARMES,** Régnié, 178
DOM. DE **LA COUME DU ROY,** Maury, 1023
CH. DE **LA COUR,** • Saint-émilion, 260 • Saint-émilion grand cru, 275
DOM. DE **LA COUR DU CHATEAU DE LA POMMERAIE,** Muscadet sèvre-et-maine, 831
CH. **LACOUR JACQUET,** Haut-médoc, 352
CH. **LA COURONNE,** Saint-émilion grand cru, 275
LA COURTOISE, Côtes du ventoux, 1008
CH. **LA COUSPAUDE,** Saint-émilion grand cru, 275
CLOS **LA COUTALE,** Cahors, 773
DOM. DE **LA CRAS,** Bourgogne, 414
DOM. DE **LA CREA,** • Pommard, 531 • Saint-romain, 544
DOM. DE **LA CRESSONNIERE,** Côtes de provence, 738
LACROIX, Champagne, 630
CH. **LA CROIX,** Pomerol, **246**
CH. DE **LA CROIX,** Médoc, 340
DOM. DE **LA CROIX,** Bordeaux rosé, 208
DOM. DE **LA CROIX,** Buzet, 782
DOM. **LA CROIX-BELLE,** Côtes de Thongue, 1066
CH. **LA CROIX BELLEVUE,** Lalande de pomerol, 254
LA CROIX BONIS, Saint-estèphe, 379
CH. **LA CROIX BOUEY,** • Bordeaux sec, 203 • Cadillac, 388
DOM. DE **LA CROIX BOUQUIE,** Touraine, 886
CH. **LA CROIX CANON,** Canon-fronsac, 237
CH. **LA CROIX CANTENAC,** Saint-émilion grand cru, 275
CH. **LA CROIX CHABRIERE,** Côtes du rhône, 959
DOM. DE **LA CROIX D'ARGIS,** Arbois, 660
DOM. DE **LA CROIX D'OR,** Saint-pourçain AOVDQS, 933
CH. **LA CROIX-DAVIDS,** Côtes de bourg, 233
LA CROIX DE BEAUCAILLOU, Saint-julien, 384
CH. **LA CROIX DE SAINT-GEORGES,** Saint-georges saint-émilion, 297
DOM. DE **LA CROIX DES LOGES,** Cabernet d'anjou, 854
DOM. **LA CROIX DES MARCHANDS,** Gaillac, 777
CH. **LA CROIX DES MOINES,** Lalande de pomerol, 254

CH. **LA CROIX DES PINS,** Côtes du ventoux, 1008
DOM. DE **LA CROIX DES VAINQUEURS,** Vouvray, 917
CH. **LA CROIX DU CASSE,** Pomerol, 247
LA CROIX DU ROY, Sancerre, 947
CH. **LA CROIX FOURCHE MALLARD,** Saint-émilion, 260
DOM. DE **LA CROIX JACQUELET,** Bourgogne, 414
DOM. DE **LA CROIX MULINS,** Morgon, 172
DOM. DE **LA CROIX RONDE,** Haute vallée de l'Orb, 1068
CH. **LA CROIX SAINT-ANDRE,** Lalande de pomerol, 254
DOM. **LA CROIX SAINTE EULALIE,** Saint-chinian, 716
CH. **LA CROIX SAINT GEORGES,** Pomerol, 247
DOM. DE **LA CROIX SAUNIER,** Beaujolais-villages, 152
DOM. DE **LA CROIX SENAILLET,** Mâcon-villages, 586
CH. **LA CROIX-TOULIFAUT,** Pomerol, **247**
CH. DE **LACROUX,** Gaillac, 777
DOM. DE **LA CROZE,** Côtes du rhône, 959
DOM. DE **LA CUNE,** Saumur-champigny, 878
MAS DE **LA DAME,** • Coteaux d'aix, 754 • Les baux-de-provence, 757
LA DAME DE MONTROSE, Saint-estèphe, 379
CH. DE **LA DAUPHINE,** Fronsac, 240
LA DEGAULTIERE, Saint-joseph, 981
DOM. DE **LA DESOUCHERIE,** • Cheverny, 921 • Cour-cheverny, 922
DOM. DE **LA DEVEZE,** Oc, 1062
CH. DE **LA DIMERIE,** Muscadet sèvre-et-maine, 831
LA DOMELIERE, Côtes du rhône-villages, 968
CH. **LA DOMINIQUE,** Saint-émilion grand cru, 276
CLOS DE **LA DOREE,** Touraine, 886
DE **LADOUCETTE,** Pouilly-fumé, 939
DOM. **LA DOUNIERE,** Anjou, 844
DOM. DE **LADRECHT,** Vins de marcillac, 787
MLLE **LADUBAY,** Saumur, 872
DOM. DE **LA DUCQUERIE,** Anjou, 844
CH. DE **LA DURANDIERE,** Saumur, 872
CAVE JEAN-LOUIS **LAFAGE,** Maury, **1023**
DOM. **LAFAGE,** Muscat de rivesaltes, 1027
DOM. DE **LAFAGE,** Coteaux du Quercy, 1057
LA FAGOTIERE, Châteauneuf-du-pape, 996
CH. **LA FAGOTTE,** Haut-médoc, 352
CH. **LAFARGUE,** Pessac-léognan, 330
CH. **LA FAUCONNERIE,** Montagne saint-émilion, 292
CH. **LAFAURIE,** Puisseguin saint-émilion, 295
LA CHAPELLE DE **LAFAURIE,** Sauternes, 396
CH. **LA FAURIE MAISON NEUVE,** Lalande de pomerol, 254
CH. **LAFAURIE-PEYRAGUEY,** Sauternes, 396
CH. **LA FAVIERE,** Bordeaux supérieur, 216
DOM. DE **LA FAVIERE,** Saint-joseph, 981
CH. DE **LA FECUNIERE,** Muscadet sèvre-et-maine, 831
DOM. **LA FERME BLANCHE,** Cassis, 746
LA FERME SAINT PIERRE, Côtes du ventoux, 1008
DOM. DE **LA FERRANDIERE,** Oc, 1062
DOM. DE **LA FERRIERE,** Maury, 1024
DOM. DE **LA FEUILLARDE,** • Bourgogne passetoutgrain, 429 • Mâcon, 582 • Pouilly-fuissé, 590 • Saint-véran, 595
CH. **LAFFITTE-TESTON,** Pacherenc du vic-bilh, 797
DOM. **LAFFONT,** Madiran, 794
DOM. DE **LA FIGARELLA,** Vins de corse, 762
DOM. DE **LA FIGUEIRASSE,** Sables du Golfe du Lion, 1065
DOM. **LA FIGUIERE,** Coteaux du tricastin, 1006
LA FINE GOUTTE, Canton de Vaud, 1091
LA FIOLE DU CHEVALIER D'ELBENE, Côtes du rhône-villages, 968
CARRUADES DE **LAFITE,** Pauillac, 374
CH. **LAFITE-ROTHSCHILD,** Pauillac, **374**
CHARLES **LAFITTE,** Champagne, 630
CH. **LAFLEUR,** Pomerol, 247
PENSEES DE **LAFLEUR,** Pomerol, 247
CH. **LA FLEUR CAILLEAU,** Canon-fronsac, 238
CH. **LA FLEUR CLEMENCE,** Graves, 319
CH. **LA FLEUR CRAVIGNAC,** Saint-émilion grand cru, 276
CH. **LA FLEUR DE JAUGUE,** Saint-émilion grand cru, 276
CH. **LA FLEUR DES AMANDIERS,** Montagne saint-émilion, 292
LA FLEUR DU CLOS DE LA HAUTE CARIZIERE, Muscadet sèvre-et-maine, 831
CH. **LAFLEUR-GAZIN,** Pomerol, 247
CH. **LAFLEUR GRANGENEUVE,** Pomerol, 247
CH. **LA FLEUR JONQUET,** Graves, 319
CH. **LA FLEUR MILON,** Pauillac, 375
CH. **LA FLEUR PEREY,** Saint-émilion grand cru, 276
CH. **LA FLEUR PETRUS,** Pomerol, 248
CH. **LA FLEUR PEYRABON,** Pauillac, 375
CH. **LA FLEUR SAINT-GEORGES,** Lalande de pomerol, 254
CH. **LA FLEUR VACHON,** Saint-émilion grand cru, 276
DOM. DE **LA FOLIE,** Rully, 572
CH. **LAFON,** • Médoc, 340 • Sauternes, 396
JEAN **LAFON,** Blanquette de limoux, 684
CLAUDE **LAFOND,** Reuilly, 944
DOM. **LAFOND ROC-EPINE,** • Lirac, 1000 • Tavel, 1002
CH. **LA FON DU BERGER,** Haut-médoc, 352
CH. **LAFON-ROCHET,** Saint-estèphe, 379
LA CHAPELLE DE **LAFON-ROCHET,** Saint-estèphe, 379
JEAN DE **LA FONTAINE,** Champagne, 630
LA FONT BOISSIERE, Gigondas, 990
CH. **LA FONT DE JONQUIER,** Côtes du rhône-villages, 969
LA FONT DE PAPIER, Vacqueyras, 992
CH. **LA FONT DU PARC,** Montravel, 810
CH. **LAFONT MENAUT,** Pessac-léognan, 330
JEAN-MARC **LAFOREST,** Régnié, 178
DOM. DE **LA FORET,** Sauternes, 396
DOM. JEAN ET GILLES **LAFOUGE,** Auxey-duresses, 542
DOM. **LA FOURMONE,** Gigondas, 990
DOM. **LA FRAIRIE DE LA MOINE,** Muscadet sèvre-et-maine, 831
CH. **LA FRANCHAIE,** • Anjou, 844 • Savennières, 858
DOM. **LAFRAN-VEYROLLES,** Bandol, 749
CH. **LA FREYNELLE,** • Bordeaux clairet, 199 • Bordeaux sec, 203
DOM. DE **LA FRUITIERE,** Muscadet sèvre-et-maine, 831
DOM. **LA GABETTERIE,** Bonnezeaux, 868
DOM. DE **LA GABILLIERE,** • Touraine-amboise, **892** • Touraine-amboise, 892
DOM. DE **LA GACHERE,** • Anjou, 844 • Jardin de la France, 1050
CH. **LA GAFFELIERE,** Saint-émilion grand cru, 276
CLOS **LA GAFFELIERE,** Saint-émilion grand cru, 276
DOM. DE **LAGAJAN,** Floc de gascogne, 1040
DOM. DE **LA GALINIERE,** Vouvray, 917
DOM. DE **LA GALOPIERE,** • Bourgogne, 414 • Bourgogne aligoté, 424 • Ladoix, 503 • Aloxe-corton, 505 • Savigny-lès-beaune, 518
CH. **LA GANNE,** Pomerol, 248
CH. **LA GARDE,** Pessac-léognan, 330
DOM. DE **LA GARDE,** Coteaux du Quercy, 1057
CH. **LAGARDE BELLEVUE,** Saint-émilion, 260
VIGNOBLE DE **LA GARDIERE,** Saint-nicolas-de-bourgueil, 900
CH. DE **LA GARDINE,** Châteauneuf-du-pape, 996
CLOS DE **LA GARDIOLE,** Muscat de frontignan, 1028
CH. **LA GARELLE,** Saint-émilion grand cru, 276
DOM. DE **LA GARENNE,** Bourgogne, 414
DOM. DE **LA GARENNE,** Touraine, 886
DOM. DE **LA GARNAUDE,** • Côtes de provence, 738 • Maures, 1070
DOM. DE **LA GARNIERE,** Muscadet sèvre-et-maine, 831
DOM. DE **LA GARRELIERE,** Touraine, 886
CH. **LA GARRICQ,** Moulis-en-médoc, 370
DOM. DE **LA GAUCHERIE,** Bourgueil, 897
DOM. DE **LA GAUDINIERE,** Jasnières, 909
DOM. DE **LA GAUDRONNIERE,** • Cheverny, 921 • Cour-cheverny, 923
DOM. DE **LA GAVERIE,** Vouvray, 917
CH. DE **LA GENAISERIE,** Coteaux du layon, **863**
DOM. **LA GENESTIERE,** Tavel, 1003
DOM. DE **LA GERADE,** Côtes de provence, 738
LA GEYNALE, Cornas, 987
DOM. DE **LA GIRARDIERE,** Touraine, 886
DOM. DE **LA GIRARDRIE,** Saumur, 872
DOM. DE **LA GISCLE,** Côtes de provence, 738
GERARD ET JEANNINE **LAGNEAU,** Beaujolais-villages, 152
CH. **LA GOMERIE,** Saint-émilion grand cru, 276
CH. **LA GORCE,** • Premières côtes de bordeaux, 312 • Médoc, 340
CH. **LAGORCE BERNADAS,** Moulis-en-médoc, 370
LES MAITRES VIGNERONS DE **LA GOURMANDIERE,** Touraine, 886
LA GOUZOTTE D'OR, Pernand-vergelesses, 508
CH. **LA GRACE DIEU LES MENUTS,** Saint-émilion grand cru, 277
LES VIGNERONS DE **LA GRAND'MAISON,** L'Orléanais AOVDQS, 935
DOM. DE **LA GRAND'RIBE,** Côtes du rhône, 959
CH. **LA GRANDE BORIE,** Bergerac, 801
CAVES DE **LA GRANDE BROSSE,** Touraine, 886
LA GRANDE COMTADINE, Vacqueyras, 992
DOM. DE **LA GRANDE FOUCAUDIERE,** Touraine-amboise, 892
CH. **LA GRANDE MAYE,** Côtes de castillon, 300
CH. **LA GRANDE PLEYSSADE,** Bergerac, 801
CH. **LAGRANGE,** Pomerol, 248
CH. **LAGRANGE,** Saint-julien, 384
CH. DE **LA GRANGE,** Muscadet côtes de grand lieu, 838
LES FIEFS DE **LAGRANGE,** Saint-julien, 385
DOM. DE **LA GRANGE ARTHUIS,** Coteaux du giennois, 931
CH. **LA GRANGE CLINET,** Premières côtes de bordeaux, 312
CAVE DE **LA GRAPPE,** Coteaux de l'Ardèche, 1076
CH. **LA GRAVE,** Fronsac, 240
CH. **LA GRAVE,** Sainte-croix-du-mont, 390
CH. **LA GRAVE,** Minervois, 713
CH. DE **LA GRAVE,** Côtes de bourg, 234
CH. **LA GRAVE FIGEAC,** Saint-émilion grand cru, 277
CH. DE **LA GRAVELIERE,** Graves, 319
CH. DE **LA GRAVELLE,** Muscadet sèvre-et-maine, 832
CH. **LA GRAVE TRIGANT DE BOISSET,** Pomerol, 248
LA GRAVETTE DE CERTAN, Pomerol, 248
CH. DE **LA GRENIERE,** Lussac saint-émilion, 289
DOM. DE **LA GRETONNELLE,** • Anjou, 845 • Jardin de la France, 1050
CH. **LAGREZETTE,** Cahors, 773
CH. DE **LA GRILLE,** Chinon, 905
LA GROLE, Canton de Genève, 1101
LA GRUYRE, Canton de Vaud, 1091
CH. **LAGUE,** Fronsac, 240
DOM. DE **LA GUILLOTERIE,** Saumur-champigny, 878
CH. DE **LA GUIMONIERE,** • Anjou, 845 • Coteaux du layon, 863
CH. **LA GURGUE,** Margaux, 365
CH. **LA HAUTE BORIE,** Monbazillac, 809
CH. **LA HAUTE CLAYMORE,** Lussac saint-émilion, 289
DOM. **LA HAUTE FEVRIE,** Muscadet sèvre-et-maine, 832
LA HAUTE RUCHELIERE, Jardin de la France, 1050
CH. **LA HAYE,** Saint-estèphe, 380

VINS

DOM. **LAHAYE PERE ET FILS,** Pommard, 531
LAHAYE-WAROQUIER, Champagne, 630
LA HERPINIERE, Touraine-azay-le-rideau, 893
LAHERTE FRERES, Champagne, 630
CH. **LA HOURCADE,** Médoc, 341
JEAN-PIERRE **LAISEMENT,** Vouvray, 917
ANDRE **LAISSUS,** Régnié, 179
DOM. DE **LA JANASSE,** • Côtes du rhône, 959 • Châteauneuf-du-pape, 996 997
DOM. DE **LA JARNOTERIE,** Saint-nicolas-de-bourgueil, 900
CH. DE **LA JAUBERTIE,** Bergerac sec, 804
LA JOLIVODE, Bourgogne hautes-côtes de beaune, **438**
RESERVE **LAJONIE,** Monbazillac, 809
CH. **LA LAGUNE,** Haut-médoc, 352
DOM. DE **LA LAIDIERE,** Bandol, 749
CH. **LALANDE,** • Listrac-médoc, 360 • Saint-julien, 385
DOM. DE **LALANDE,** • Mâcon-villages, 586 • Saint-véran, 595
CH. **LALANDE-BORIE,** Saint-julien, 385
CH. **LA LANDE DE TALEYRAN,** Entre-deux-mers, 305
CH. **LALANDE DE TAYAC,** Bordeaux côtes de francs, 302
DOM. DE **LA LANDELLE,** Muscadet sèvre-et-maine, 832
DOM. **LALAURIE,** Oc, 1062
DOM. DE **LA LAUZADE,** Côtes de provence, 738
CH. **LA LAUZETTE-DECLERCQ,** Listrac-médoc, 360
LALEURE PERE ET FILS, Corton-charlemagne, 514
DOM. **LALEURE-PIOT,** • Côte de nuits-villages, 498 • Pernand-vergelesses, 508 • Corton, 511 • Savigny-lès-beaune, 518 • Chorey-lès-beaune, 521
DOM. DE **LA LEVRATIERE,** Morgon, 173
DOM. DE **LA LEVRAUDIERE,** Muscadet sèvre-et-maine, 832
CH. **LA LEZARDIERE,** Bordeaux, 194
CH. **LA LIEUE,** Coteaux varois, 758
DOM. DE **LA LINOTTE,** Côtes de toul, 137
CH. DE **LA LIQUIERE,** Faugères, 709
ALAIN **LALLEMENT,** Champagne, 630
SERGE **LALOUE,** Sancerre, 947
DOM. DE **LA LOUVETRIE,** Muscadet sèvre-et-maine, 832
CH. **LA LOUVIERE,** Pessac-léognan, 331
L. DE **LA LOUVIERE,** Pessac-léognan, 331
DOM DE **LA MABILLIERE,** Vouvray, 917
CAVE **LA MADELEINE,** Canton du Valais, 1096
DOM. DE **LA MADONE,** • Beaujolais-villages, 152 • Fleurie, 166
DOM. DE **LA MAINERIE,** Muscadet sèvre-et-maine, 832
DOM. **LA MAISON,** Beaujolais-villages, 152
LA MAISON BLEUE, • Bourgogne, 414 • Mâcon, 582 • Saint-véran, 595
LA MAISON DES VIGNERONS, Chiroubles, 164
DOM. DE **LA MAISON GERMAIN,** Beaujolais-villages, 153
DOM. DE **LA MAISON ROSE,** Brouilly, 157
LA MAISON VIEILLE, Gros-plant AOVDQS, 839
DOM. DE **LA MALADIERE,** • Chablis premier cru, 454 • Chablis grand cru, 458
CH. DE **LA MALTROYE,** Bourgogne, 414
LA MANTELLIERE, Beaujolais, 146
MICHEL **LAMANTHE,** • Blagny, 549 • Chassagne-montrachet, 555
CH. **LAMARCHE,** Bordeaux supérieur, 216
DOM. FRANCOIS **LAMARCHE,** • Clos de vougeot, 486 • Echézeaux, 488
CH. **LAMARCHE CANON,** Canon-fronsac, 238
CH. DE **LA MARECHAUDE,** Lalande de pomerol, 254
CH. **LAMARGUE,** Costières de nîmes, 694
LA MARIGONNERIE, Jardin de la France, 1050
CH. DE **LAMARQUE,** Haut-médoc, 352
DOM. DE **LA MARQUISE,** • Collioure, 728 • Banyuls, 1016
CH. **LAMARTINE,** Cahors, 773
CH. **LA MAURIGNE,** Saussignac, 813
BEATRICE ET PASCAL **LAMBERT,** Chinon, 905
PATRICK **LAMBERT,** Chinon, 905
DOM. DES **LAMBERTINS,** Vacqueyras, 992
LAMBLIN ET FILS, Chablis premier cru, 454
DOM. DES **LAMBRAYS,** • Morey-saint-denis, 476 • Clos des lambrays, 480 • Puligny-montrachet, 550
DOM. DE **LA MECHINIERE,** Touraine, 887
CELLIER DE **LA MERLATIERE,** Beaujolais-villages, 153
DOM. DE **LA MERLETTE,** Beaujolais-villages, 153
DOM. DE **LA MEULIERE,** Chablis premier cru, 454
LAMIABLE, Champagne, 630
DOM. DE **LA MILLETIERE,** Montlouis, 911
DOM. DE **LA MIRAVINE,** Costières de nîmes, 694
CH. **LA MISSION HAUT-BRION,** Pessac-léognan, **331**
LA CHAPELLE DE **LA MISSION HAUT-BRION,** Pessac-léognan, 331
CH. **LAMOIGNON,** Graves, 319
DOM. DE **LA MOMENIERE,** Muscadet sèvre-et-maine, 833
DOM. **LA MONARDIERE,** • Côtes du rhône, 960 • Vacqueyras, 992
LA MONTAGNE ROUGE, Côtes du ventoux, 1008
LA MONTAGNETTE, Côtes du rhône-villages, 969
DOM. DE **LA MORDOREE,** • Côtes du rhône, 960 • Châteauneuf-du-pape, 997 • Lirac, 1000
CH. **LA MORINIERE,** Muscadet sèvre-et-maine, 833
CH. **LAMOTHE,** Côtes de bourg, 234
CLOS **LAMOTHE,** Graves, 319
CH. **LAMOTHE BERGERON,** Haut-médoc, 352
CH. **LAMOTHE-CISSAC,** Haut-médoc, 352
CH. **LA MOTHE DU BARRY,** • Bordeaux, 194 • Bordeaux rosé, 208 • Entre-deux-mers, 306
CH. **LAMOTHE-GAILLARD,** Bordeaux sec, 203
CH. **LAMOTHE GUIGNARD,** Sauternes, 396
CH. **LAMOTHE VINCENT,** • Bordeaux, 194 • Bordeaux rosé, 208
CH. DE **LA MOTTE,** Graves, 319
CH. DE **LA MOTTE,** Madiran, 794
DOM. DE **LA MOTTE,** • Petit chablis, 444 • Chablis premier cru, 454 • Anjou-villages, 849
PIERRE **LAMOTTE,** Meursault, 547
CH. **LA MOULIERE,** Côtes de duras, 816
CH. **LA MOULINE,** Moulis-en-médoc, 370
CH. **LAMOURETTE,** Sauternes, 397
JEAN-JACQUES **LAMOUREUX,** • Champagne, 630 • Rosé des riceys, 656
VINCENT **LAMOUREUX,** Champagne, 630
DOM. **LA MOUSSIERE,** Sancerre, 947
CH. **LA MOUTTE,** Côtes de provence, 739
LA MOYNERIE, Pouilly-sur-loire, 941
CH.DE **LA MULONNIERE,** • Anjou, 845 • Anjou-villages, 849 • Coteaux du layon, 863
DOM. DE **LA MURE,** Crémant de die, **1005**
DOM. DE **LA MUSE,** Vacqueyras, 992
DOM. HUBERT **LAMY,** • Puligny-montrachet, 550 • Chassagne-montrachet, 555 • Saint-aubin, 558 • Santenay, 562
DOM. **LAMY-PILLOT,** • Chassagne-montrachet, 555 • Saint-aubin, 558
DOM. DE **LA NAVARRE,** Côtes de provence, 739
LANCELOT FILS, Champagne, 631
LANCELOT-PIENNE, Champagne, 631
P. **LANCELOT-ROYER,** Champagne, 631
CH. DE **LANCYRE,** Coteaux du languedoc, 702
CH. **LANDEREAU,** • Bordeaux supérieur, 216 • Crémant de bordeaux, 224
DOM. **LANDMANN,** Alsace sylvaner, 83
SEPPI **LANDMANN,** Alsace grand cru zinnkoepflé, 131
DOM. **LANDRAT-GUYOLLOT,** Pouilly-fumé, 939
DOM. DU **LANDREAU,** • Anjou, 845 • Anjou-villages, 849
CLOS **LANDRY,** Vins de corse, 762
CH. DE **LA NEGLY,** Coteaux du languedoc, **702**
CH. **LA NERE,** Loupiac, 389
CH. **LA NERTHE,** Châteauneuf-du-pape, 997
CH. **LANESSAN,** Haut-médoc, 352
DOM. **LANEYRIE,** Mâcon-villages, 586
DOMAINES ED. **LANEYRIE,** Juliénas, 168
LANG-BIEMONT, Champagne, 631
CH. **LANGE,** Sauternes, 397
CH. **LANGE-REGLAT,** Sauternes, 397
CH. **LANGLADE,** Coteaux du languedoc, 702
MICHEL **LANGLOIS,** Coteaux du giennois, 931
DOM. **LANGLOIS-CHATEAU,** Saumur, **872**
CH. **LANGOA BARTON,** Saint-julien, 385
SYLVAIN **LANGOUREAU,** • Chassagne-montrachet, 555 • Saint-aubin, 558
CH. DE **LANGRANNE,** Saint-émilion grand cru, 277
CLOS DES **LANGRES,** Côte de nuits-villages, 499
CH. DE **LANGUISSAN,** Bordeaux supérieur, 216
CH. **LANIOTE,** Saint-émilion grand cru, 277
DOM. DE **LA NOBLAIE,** Chinon, 905
DOM. DE **LA NOE,** Muscadet sèvre-et-maine, 833
DOM. **LANOIX,** Châteaumeillant AOVDQS, 928
DOM. DE **LA NOUZILLETTE,** Premières côtes de blaye, 228
DOM. DU GRAND MAS DE **LANSAC,** Bouches-du-Rhône, 1072
LANSON, Champagne, 631
DOM. **LAOUGUE,** Pacherenc du vic-bilh, 797
LA P'TIOTE CAVE, Rully, 572
DOM. DE **LA PALEINE,** Saumur, 872
CH. **LA PAPETERIE,** Montagne saint-émilion, 292
DOM. DE **LA PAROISSE,** Côte roannaise, 934
CH. **LAPELLETRIE,** Saint-émilion grand cru, 277
CH. **LA PELOUE,** Sauternes, 397
DOM. DE **LA PERDRIELLE,** Touraine-amboise, 892
CAVE DE **LA PERRIERE,** Gros-plant AOVDQS, 839
CH. **LA PERRIERE,** Bordeaux sec, 203
DOM. DE **LA PERRIERE,** Coteaux du languedoc, 702
DOM. DE **LA PERRIERE,** Chinon, 905
DOM. DE **LA PERRUCHE,** • Saumur, 873 • Coteaux de saumur, 876 • Saumur-champigny, 878
CH. **LA PETITE BERTRANDE,** Côtes de duras, 816
LA PETITE CHARDONNE, Côtes de bourg, 234
DOM. DE **LA PETITE CROIX,** Rosé d'anjou, 853
LA PETITE FOLIE, Brouilly, 157
DOM. DE **LA PETITE GALLEE,** Coteaux du lyonnais, 183
CH. DE **LA PEYRADE,** Muscat de frontignan, 1028
CH. **LA PEYRE,** • Haut-médoc, 352 • Saint-estèphe, **380**
CLOS **LAPEYRE,** Jurançon sec, 792
CH. **LAPEYRONIE,** Côtes de castillon, 300
DOM. DE **LA PEYROUSE,** Corbières, 690
CH. **LA PEYRUCHE,** Cadillac, 388
DOM. **LAPIERRE,** Pouilly-fuissé, 590
DOM. DE **LA PIERRE,** Moulin à vent, 175
DOM. DE **LA PIERRE BLEUE,** Côte de brouilly, 160
DOM. DE **LA PIERRE LATINE,** Canton de Vaud, 1091
DOM. DE **LA PIERRE NOIRE,** Côtes du forez AOVDQS, 930
CH. **LA PIERRIERE,** Côtes de castillon, 300
DOM. DE **LA PIGEADE,** Muscat de beaumes-de-venise, 1029
CH. DE **LA PINGOSSIERE,** Muscadet sèvre-et-maine, 833
DOM. DE **LA PINTE,** • Arbois, **660** • Arbois, 661 • Macvin du jura, 1043
CH. **LA PIROUETTE,** Médoc, 341
DOM. DE **LA PISSEVIEILLE,** Brouilly, 157
CH. **LAPLAGNOTTE-BELLEVUE,** Saint-émilion grand cru, 277
DOM. DE **LA PLAIGNE,** Beaujolais-villages, 153
DOM. **LA PLEIADE,** • Côtes du roussillon-villages, 726 • Maury, 1024
DOM. DE **LA PLEIADE,** Muscadet des coteaux de la loire sur lie, 826
CH. **LA POINTE,** Pomerol, **248**

DOM. **LAPORTE,** • Côtes du roussillon, **722** • Muscat de rivesaltes, 1027 • Catalan, 1067
LA PORTE DE NOVEMBRE, Canton du Valais, 1096
DOM. DE **LA POTERIE,** • Anjou-villages, 849 • Coteaux du layon, 863
DOM. DE **LA POTERNE,** Chinon, 905
DOM. DE **LA POULETTE,** • Vosne-romanée, 490 • Nuits-saint-georges, 496
DOM. DE **LA POULTIERE,** Vouvray, 917
DOM. **LA POUSSE D'OR,** Volnay, 535
DOM. DE **LA PRESIDENTE,** Côtes du rhône, 960
DOM. DE **LA PRESLE,** Touraine, 887
LES VIGNERONS DE **LA PRESQU'ILE DE SAINT-TROPEZ,** Côtes de provence, 739
DOM. DE **LA PREVOTE,** Touraine-amboise, 892
DOM. DE **LA PRINTANIERE,** Canton de Genève, 1101
CH. **LA PRIOULETTE,** Premières côtes de bordeaux, 312
DOM. DE **LA PROSE,** Coteaux du languedoc, 702
DOM. **LA PROVENQUIERE,** Oc, 1062
STEPHANE **LAPUTE,** Régnié, 179
DOM. DE **LA PYRONNIERE,** Muscadet sèvre-et-maine, 833
CDEF DE **LAQUENEXY,** Moselle AOVDQS, 137
CH. **LAQUIROU,** • Coteaux du languedoc, 703 • Oc, 1062
DOM. DE **LA RABLAIS,** Touraine, 887
CH. **LA RAGOTIERE,** Muscadet sèvre-et-maine, 833
CH. **LA RAME,** Sainte-croix-du-mont, **391**
LES CAVES DE **LA RAMEE,** Touraine, 887
CH. **LA RAYRE,** Bergerac sec, 804
CH. **LA RAZ CAMAN,** Premières côtes de blaye, 228
CH. **LARCIS DUCASSE,** Saint-émilion grand cru, 277
CH. **LARDIERE,** Premières côtes de blaye, 228
DOM. DE **LA REALTIERE,** Coteaux d'aix, 754
DOM. DE **LA REBOURGERE,** Muscadet sèvre-et-maine, 833
DOM. **LA REMEJEANNE,** Côtes du rhône, **960**
DOM. DE **LA RENADIERE,** • Arbois, 661 • Macvin du jura, **1043**
VIGNOBLE DE **LA RENAISSANCE,** Bourgueil, 897
DOM. DE **LA RENARDE,** • Bouzeron, 570 • Montagny, 580
CH. **LA RENAUDIE,** Pécharmant, 812
DOM. DE **LA RENAUDIE,** Touraine, 887
DOM. DE **LA RENIERE,** Saumur, 873
CH. **LA RENJARDIERE,** Côtes du rhône, 960
DOM. DE **LA RENOUERE,** Muscadet sèvre-et-maine, 833
LA RESERVE D'EPICURE, Graves, 319
LA RESERVE DU VIGNERON, Canton de Vaud, 1091
CH. **LA RESSAUDIE,** Côtes de bergerac, 806
DOM. DE **LA REVELLERIE,** Muscadet côtes de grand lieu, 838
LA REVISCOULADO, Châteauneuf-du-pape, 997
DOM. DE **LA REYNARDIERE,** Faugères, 709
DOM. **LARGE,** Côte de brouilly, 160
DANIEL **LARGEOT,** • Aloxe-corton, 506 • Chorey-lès-beaune, 521 • Beaune, 525
CH. **LARIBOTTE,** Sauternes, 397
CH. **LA RIVALERIE,** • Bordeaux rosé, 208 • Premières côtes de blaye, 228
CH. **LA RIVIERE,** Sauternes, 397
CH. DE **LA RIVIERE,** Fronsac, 240
CH. **LARMANDE,** Saint-émilion grand cru, 278
GUY **LARMANDIER,** • Champagne, 631 • Coteaux champenois, 654
LARMANDIER-BERNIER, • Champagne, 631 • Coteaux champenois, 654
CH. DE **LA ROCHE,** Touraine, 887
DOM. **LAROCHE,** • Chablis, 448 • Chablis premier cru, 454 • Chablis grand cru, 458
DOM. DE **LA ROCHE AIRAULT,** Coteaux du layon, 863
CH. **LA ROCHE BEAULIEU,** Côtes de castillon, 300
DOM. DE **LA ROCHE BLANCHE,** Jardin de la France, 1050
DOM. DE **LA ROCHELIERRE,** Fitou, **711**
DOM. DE **LA ROCHELLE,** Moulin à vent, 175
DOM. DE **LA ROCHE MOREAU,** Coteaux du layon, 863
DOM. DE **LA ROCHEPINAL,** Montlouis, 911
DOM. **LA ROCHE RENARD,** Grosplant AOVDQS, 839
DOM. DE **LA ROCHERIE,** • Muscadet sèvre-et-maine, 833 • Jardin de la France, 1050
DOM. DE **LA ROCHE ROSE,** Régnié, 179
DOM. DE **LA ROCHE ST MARTIN,** Brouilly, 157
DOM. DE **LA ROCHE THULON,** Régnié, 179
DANIEL **LAROCHETTE,** Saint-véran, 595
DOM. DE **LA ROCHETTE,** Touraine, 887
FABRICE **LAROCHETTE,** Mâcon-villages, 586
LA ROCLANDE, Crozes-hermitage, 984
DOM. DE **LA ROMANEE-CONTI,** • Richebourg, **492** • La romanée-conti, **492** • Romanée-saint-vivant, **493** • La tâche, **493** • Montrachet, **551**
LAROPPE, Côtes de toul, 137
LA ROQUE, Bandol, 749
CH. **LAROQUE,** Coteaux du languedoc, 703
CH. **LAROQUE,** Côtes de bergerac, 806
CH. **LA ROSE BELLEVUE,** Premières côtes de blaye, 228
CH. **LA ROSE COTES ROL,** Saint-émilion grand cru, 278
DOM. **LA ROSE DES VENTS,** Coteaux varois, 759
CH. **LA ROSE FIGEAC,** Pomerol, 248
CH. **LA ROSE METAIRIE,** Haut-médoc, 353
LA ROSE PAUILLAC, Pauillac, 375
CH. **LAROSE PERGANSON,** Haut-médoc, 353
CH. **LA ROSE-POURRET,** Saint-émilion grand cru, 278
VIGNOBLE DE **LA ROSERAIE,** Bourgueil, 897
CH. **LA ROSE SARRON,** Graves, 320
CH. **LA ROSE TREMIERE,** Lalande de pomerol, 255
DOM. DE **LA ROSE TREMIERE,** Côtes de provence, 739
CH. **LA ROSE TRIMOULET,** Saint-émilion grand cru, 278
CH. **LAROSE-TRINTAUDON,** Haut-médoc, 353
DOM. **LA ROSIERE,** Coteaux des Baronnies, 1075
DOM. DE **LA ROSSIGNOLE,** Sancerre, 947
DOM. DE **LA ROTISSERIE,** Haut-poitou AOVDQS, 927
DOM. DE **LA ROUILLERE,** Côtes de provence, 739
CH. DE **LA ROULERIE,** Coteaux du layon, **864**
CH. DE **LA ROULIERE,** Muscadet côtes de grand lieu, 838
DOM. **LA ROUREDE,** Côtes du roussillon, 722
CH. **LA ROUSSELLE,** Fronsac, 240
CH. **LA ROUVIERE,** Bandol, 749
DOM. DE **LA ROYERE,** Vaucluse, 1071
CH. **LAROZE,** Saint-émilion grand cru, 278
DOM. **LARREDYA,** Jurançon sec, 792
CH. **LARRIVET HAUT-BRION,** Pessac-léognan, 331
CH. **LARROQUE,** Bordeaux, 195
DOM. DE **LARROQUE,** Gaillac, 778
DOM. **LARROUDE,** Jurançon, 792
CH. **LARROZE,** Gaillac, 778
CH. **LARRUAU,** Margaux, 365
DOM. DE **LARTIGUE,** Floc de gascogne, 1040
DOM. **LARUE,** • Blagny, 549 • Puligny-montrachet, 550 • Chassagne-montrachet, 555 • Saint-aubin, 558
LA SABAROTTE, Cornas, **987**
CH. **LA SABLIERE,** Saint-émilion, 260
DOM. DE **LA SAIGNE,** Brouilly, 157
CH. **LA SALARGUE,** Bordeaux clairet, 199
DOM. DE **LA SALINE,** Côtes du roussillon-villages, 726
CAVES DE **LA SALLE,** Chinon, 905
CH. DE **LA SALLE,** Bordeaux rosé, 208
DE **LA SALLE,** Premières côtes de blaye, 228
DOM. DE **LA SALLE,** Beaune, 525
DOM. DE **LA SARAZINIERE,** Mâcon, 583
CH. DE **LA SAULE,** Montagny, 580
DOM. DE **LA SAULZAIE,** Muscadet sèvre-et-maine, 833
CH. **LA SAUVEGARDE,** Bordeaux, 195
DOM. DE **LA SAUVEUSE,** Côtes de provence, 739
DOM. **LAS BRUGUES-MAU MICHAU,** Côtes de duras, 816
DOM. DE **LASCAMP,** • Côtes du rhône, 960 • Côtes du rhône-villages, 969
CH. **LAS COLLAS,** Côtes du roussillon, 722
CH. **LASCOMBES,** Margaux, 365
CH. DE **LASCOURS,** Coteaux du languedoc, 703
LA SEIGNERE, Saumur, 873
DOM. DE **LA SEIGNEURIE DES TOURELLES,** Saumur, 873
DOM. DE **LA SENSIVE,** Muscadet sèvre-et-maine, 834
MAS DE **LA SERANNE,** Coteaux du languedoc, 703
LA SERINE, Côte rôtie, 975
DOM. DE **LA SERIZIERE,** Entre-deux-mers haut-benauge, 307
CH. **LA SERRE,** Saint-émilion grand cru, 278
DOM. DE **LA SOLITUDE,** Pessac-léognan, 331
DOM. DE **LA SOLITUDE,** Châteauneuf-du-pape, 997
DOM. DE **LA SOLLE,** Côtes de duras, 816
DOM. **LA SOUFRANDISE,** • Mâcon-villages, 587 • Pouilly-fuissé, 590
DOM. **LA SOUMADE,** Côtes du rhône-villages, 969
J. **LASSALLE,** Champagne, 632
P. **LASSALLE-HANIN,** Champagne, 632
ROGER **LASSARAT,** • Pouilly-fuissé, 590 • Saint-véran, 595
CH. **LASSEGUE,** Saint-émilion grand cru, 278
CH. DE **LASTOURS,** Corbières, 690
DOM. **LA SUFFRENE,** Bandol, 749
DOM. DE **LA TAILLE AUX LOUPS,** Montlouis, 912
CH. DE **LA TERRIERE,** Brouilly, 158
JEAN **LATHUILIERE,** Brouilly, 158
CH. **LA TILLE CAMELON,** Médoc, 341
CH. **LA TILLERAIE,** Pécharmant, 812
CH. **LA TOMAZE,** Anjou-villages, 849
DOM. DE **LA TONNELLERIE,** Touraine-amboise, 892
LA TORNALE, Canton du Valais, **1096**
DOM. DE **LA TOUQUETIERE,** Muscadet côtes de grand lieu, 838
CH. **LATOUR,** Pauillac, **375**
CH. DE **LA TOUR,** Clos de vougeot, 486
DOM. **LATOUR,** Aloxe-corton, 506
DOM. DE **LA TOUR,** Alsace pinot noir, 112
DOM. DE **LA TOUR,** Chinon, 905
LES FORTS DE **LATOUR,** Pauillac, 375
DOM. LOUIS **LATOUR,** • Romanée-saint-vivant, 493 • Corton-charlemagne, 514
LOUIS **LATOUR,** • Beaune, 525 • Criots-bâtard-montrachet, 553 • Santenay, 562 • Givry, 578 • Saint-véran, 595 • Coteaux de l'Ardèche, 1077
CAVES DE **LA TOURANGELLE,** Touraine, 887
CH. **LATOUR A POMEROL,** Pomerol, 248
DOM. **LA TOUR BEAUMONT,** Haut-poitou AOVDQS, 927
LA TOUR BLONDEAU, Beaune, 525
CH. **LA TOUR CARNET,** Haut-médoc, **353**
CH. DE **LA TOUR D'AIGUES,** Côtes du luberon, 1010
CH. **LA TOUR DE BESSAN,** Margaux, 365
CH. **LA TOUR DE BY,** Médoc, 341
CH. **LA TOUR DE L'EVEQUE,** Côtes de provence, 739
CH. **LA TOUR DE MONS,** Margaux, 365
DOM. DE **LA TOUR DES BANS,** Beaujolais, 147
DOM. DE **LA TOUR DES BOURRONS,** Beaujolais-villages, 153
DOM. DE **LA TOUR DU BON,** Bandol, 750
LA TOUR DU PRIEURE, Bourgogne aligoté, 424
HENRI **LATOUR ET FILS,** Auxey-duresses, 542
CH. **LA TOUR FIGEAC,** Saint-émilion grand cru, 279
CH. **LA TOUR GRISE,** Saumur, 873
CH. **LATOUR HAUT-BRION,** Pessac-léognan, 331
JEAN **LATOUR-LABILLE,** Meursault, 547
DOM. DE **LA TOURLAUDIERE,** Muscadet sèvre-et-maine, 834

CH. **LA TOUR LEOGNAN,** Pessac-léognan, 332
CH. **LATOUR-MARTILLAC,** Pessac-léognan, 332
DOM. DE **LA TOURNELLE,** Arbois, 661
LA TOUR PENET, Mâcon-villages, 587
CH. DE **LA TOUR PENET,** Mâcon-villages, 587
DOM. **LA TOURRAQUE,** Côtes de provence, 740
CH. **LA TOUR SAINT-HONORE,** Côtes de provence, 740
LA TOUR SAINT-MARTIN, Menetou-salon, 936
DOM. **LA TOUR VIEILLE,** • Collioure, **729** • Collioure, 729 • Banyuls, 1016
DOM. DE **LA TREILLE,** Fleurie, 166
CH. **LATREZOTTE,** Sauternes, 397
CH. DE **LA TUILERIE,** Costières de nîmes, 694
CH. **LA TUILIERE,** Côtes de bourg, 234
DOM. **LA TUQUE BEL-AIR,** Côtes de castillon, 300
CH. **LAUBAREDE COURVIELLE,** Graves, 320
CH. **LAUDUC,** Bordeaux clairet, 200
LES VIGNERONS DE **LAUDUN,** Côtes du rhône-villages, 969
CH. DE **LAUGA,** Haut-médoc, 353
DOM. DE **LAULAN,** Côtes de duras, 816
CH. **LAULAN DUCOS,** Médoc, 341
CH. **LAULERIE,** Bergerac, 801
DOM. RAYMOND **LAUNAY,** Pommard, 531
FRANCOIS **LAUNAY,** Saint-amour, 181
CH. DES **LAUNES,** Côtes de provence, 740
LAUNOIS PERE ET FILS, Champagne, 632
LAURAN CABARET, Minervois, 713
LAURENT, Saint-pourçain AOVDQS, 933
LAURENT-PERRIER, • Champagne, 632 • Coteaux champenois, 654
DOM. DES **LAURIERS,** • Coteaux du languedoc, 703 • Faugères, 709 • Oc, 1062
DOM. DES **LAURIERS,** Vouvray, 917
DOM. DE **LAUROUX,** Floc de gascogne, 1041
CAVE DE **LA VALDAINE,** Comté de Grignan, 1075
DOM. DE **LA VALERIANE,** Côtes du rhône, 960
DOM. DU CH. DE **LA VALETTE,** Côte de brouilly, 160
CH. **LAVALLADE,** Saint-émilion grand cru, 279
DOM. DE **LA VALLEE,** Coteaux d'ancenis AOVDQS, 840
CAVE DES PRODUCTEURS DE **LA VALLEE COQUETTE,** Vouvray, 917
DOM. DE **LA VALLONGUE,** • Coteaux d'aix, 755 • Les baux-de-provence, 757
DOM. DE **LA VALMALE,** Oc, 1062
CH. **LA VARIERE,** • Anjou, **845** • Anjou-villages-brissac, 852 • Bonnezeaux, 868 • Quarts de chaume, 869
CH. DE **LA VELLE,** • Bourgogne, 414 • Beaune, 526 • Meursault, 547
CH. **LA VENELLE,** Fronsac, 240
CH. **LA VERRIERE,** • Bordeaux sec, 203 • Bordeaux supérieur, 217 • Sainte-foy-bordeaux, **309**
DOM. DE **LA VERRIERE,** • Côtes du ventoux, 1008 • Vaucluse, 1071
CH. **LA VIEILLE CROIX,** Fronsac, 240
CH. **LA VIEILLE CURE,** Fronsac, 240
CLOS DE **LA VIEILLE EGLISE,** Pomerol, 249
LA VIEILLE FONTAINE, Rully, 573
CH. **LA VIEILLE FRANCE,** Graves, 320
DOM. DE **LA VIEILLE JULIENNE,** Châteauneuf-du-pape, 997
DOM. DE **LA VIEILLE RIBOULERIE,** Fiefs vendéens AOVDQS, 840
CLOS DE **LA VIERGE,** Jurançon sec, 792
DOM. **LAVIGNE,** Saumur-champigny, 878
CH. **LAVIGNERE,** Saint-émilion, 261
LA VIGNIERE, Côtes du jura, 668
CH. **LAVILLE,** Sauternes, 397
CH. **LAVILLE BERTROU,** Minervois la livinière, 714
CH. **LAVILLE HAUT-BRION,** Pessac-léognan, 332
CH. **LAVILLOTTE,** Saint-estèphe, 380
LA VINSOBRAISE, • Côtes du rhône-villages, 969 • Côtes du rhône, 961
DOM. DE **LA VIVONNE,** Bandol, 750
HERVE DE **LAVOREILLE,** Santenay, 562
CH. **LA VOULTE-GASPARETS,** Corbières, 690
CH. **LA VOUTE,** Saint-émilion grand cru, 279
DOM. DE **LA VOUTE DES CROZES,** Côte de brouilly, 160
DOM. **LAZZARINI,** Patrimonio, 767
CAVE **LE BANNERET,** Canton du Valais, 1097
LE BERCEAU DU CHARDONNAY, Mâcon-villages, 587
CH. **LE BERNARDOT,** Médoc, 341
CH. **LE BONDIEU,** Montravel, 810
CH. **LE BON PASTEUR,** Pomerol, 249
CH. **LE BOSCQ,** Saint-estèphe, 380
LE BOSSET, Canton du Valais, 1097
LE BOUQUET DU CHAMP DORE, Muscadet sèvre-et-maine, 834
CH. **LE BOURDIEU,** Médoc, 341
CH. **LE BOURDILLOT,** Graves, 320
PATRICK ET ODILE **LE BOURLAY,** Beaujolais-villages, 153
CLOS **LE BREGNET,** Saint-émilion, 261
CH. **LE BREUIL,** Côtes de bourg, 234
CH. **LE BREUIL RENAISSANCE,** Médoc, 341
ALBERT **LE BRUN,** Champagne, 632
PAUL **LEBRUN,** Champagne, 632
LE BRUN DE NEUVILLE, Champagne, 632
LE BRUN-SERVENAY, Champagne, 633
DOM. **LE CAPITAINE,** Vouvray, 917
CH. **LE CARILLON,** Pomerol, 249
LE CASOT DES MAILLOLES, Collioure, 729
DOM. **LECCIA,** • Patrimonio, 767 • Muscat du cap corse, 1033
JEAN **LECELLIER,** Bourgogne hautes-côtes de nuits, 434
CH. **LE CHABRIER,** Côtes de bergerac, 806
LE CHAI DU PICARD, Bourgueil, 897
DOM. **LE CHALET,** Crépy, 674
DOM. **LE CHAPON,** Juliénas, 168
CH. **LE CHAY,** Premières côtes de blaye, 228
CH. **LE CHEC,** Graves, 320
LE CHENE MARCHAND, Sancerre, 947
LECLAIRE-THIEFAINE, Champagne, 633
DOM. **LE CLAUD,** Oc, 1062
LECLERC BRIANT, Champagne, 633
LECLERC-MONDET, Champagne, 633
LE CLOS ARMAND, Muscadet sèvre-et-maine, 834
DOM **LE CLOS DES CAZAUX,** • Gigondas, 990 • Vacqueyras, **993**
LE CLOS DES MOTELES, • Rosé de loire, 821 • Anjou, 845 • Saumur, 873
DOM. **LE CLOS DU BAILLY,** Côtes du rhône, 961
LE CLOS DU FIEF, Juliénas, 168
CH. **LE COMTE,** Bordeaux supérieur, 217
LE COMTE DE BEAUCHESNE, Châtillon-en-diois, 1005
CH. **LE CONE,** Premières côtes de blaye, 228
LE CONFRADOR, Canton de Vaud, 1091
CH. **LE COTEAU,** Margaux, 366
DOM. **LE COTOYON,** Saint-amour, 181
LE COUVENT DES DAMES, Arbois, 661
CH. **LE CROCK,** Saint-estèphe, 380
CH. **LECUSSE,** Gaillac, 778
LE DEMI-BŒUF, • Muscadet côtes de grand lieu, 838 • Jardin de la France, 1050
CH. **LE DEVOY MARTINE,** Lirac, 1000
LE DOM BALAQUERE, Côtes du ventoux, 1008
CELLIER **LE DOMINICAIN,** Collioure, 729
CH. **LE DOYENNE,** Premières côtes de bordeaux, 312
MARIE-NOELLE **LEDRU,** Champagne, 633
DOM. **LEDUC-FROUIN,** • Anjou, 845 • Coteaux du layon, 864
CH. **LE FAGE,** Bergerac sec, 804
ETIENNE **LEFEVRE,** Champagne, 633
OLIVIER **LEFLAIVE,** • Bourgogne aligoté, 424 • Saint-romain, 544 • Puligny-montrachet, 550 • Bâtard-montrachet, 552 • Bienvenues-bâtard-montrachet, 553 • Criots-bâtard-montrachet, 553 • Chassagne-montrachet, 556
DOM. **LE FORT,** Côtes de la malepère AOVDQS, 719
LE GALANTIN, Bandol, 750
CH. **LE GAY,** Pomerol, 249
CAVES **LEGILL,** Moselle luxembourgeoise, 1083
DOM. CATHERINE **LE GŒUIL,** Côtes du rhône-villages, 969
ERIC **LEGRAND,** Champagne, 633
CH. **LE GRAND BOIS,** Lussac saint-émilion, 289
CH. **LE GRAND MOULIN,** • Bordeaux sec, 203 • Premières côtes de blaye, 229
LE GRAND R DE LA GRANGE, Muscadet sèvre-et-maine, 834
LE GRAND ROCHOY, Sancerre, 947
CH. **LE GRAND VERDUS,** Bordeaux supérieur, 217
R. ET L. **LEGRAS,** Champagne, 634
LEGRAS ET HAAS, • Champagne, 634 • Rosé des riceys, 656
CH. **LEHOUL,** • Graves, 320 • Graves supérieures, 325
DOM. **LEJEUNE,** • Bourgogne, 414 • Bourgogne aligoté, 425 • Pommard, 531
CLOS **LE JONCAL,** Bergerac, 801
CH. **LE JURAT,** Saint-émilion grand cru, 279
LELARGE-PUGEOT, Champagne, 634
ANDRE ET ROLAND **LELIEVRE,** Côtes de toul, 137
LE LOGIS DU PRIEURE, • Anjou, 845 • Cabernet d'anjou, 854
LE MAGISTRAT, Canton de Vaud, **1091**
CH. **LE MAINE MARTIN,** Bordeaux supérieur, 217
CLAUDE **LEMAIRE,** Champagne, 634
PHILIPPE **LEMAIRE,** Champagne, 634
R.C. **LEMAIRE,** Champagne, 634
CH. **LE MANOIR,** Lalande de pomerol, 255
LE MANOIR MURISALTIEN, Mercurey, 576
CH. **LE MAS,** Côtes de provence, 740
CH. **LE MAYNE,** Côtes de bergerac, 806
CH. **LE MENAUDAT,** Premières côtes de blaye, 229
LE MILLEPERTUIS, Crozes-hermitage, 984
LE MOULIN COUDERC, Faugères, 710
LE MOULIN DE LA TOUCHE, Jardin de la France, 1051
LE MUID MONTSAUGEONNAIS, Haute-Marne, 1078
DOM. **LE MURMURIUM,** Côtes du ventoux, 1008
LE MUSCADET DE BARRE, Muscadet sèvre-et-maine, 834
TONI **LENGGENHAGER,** Canton du Valais, 1097
MICHEL **LENIQUE,** Champagne, 634
A.R. **LENOBLE,** Champagne, 634
CH. **LENORMAND,** Premières côtes de bordeaux, 313
DOM. **LE NOUVEAU MONDE,** Coteaux du languedoc, 703
CH. **LEOVILLE-BARTON,** Saint-julien, 385
CH. **LEOVILLE POYFERRE,** Saint-julien, 385
LE PAJOT, Bergerac, 801
CH. **LE PARVIS DE DOM TAPIAU,** Premières côtes de bordeaux, 313
LE PASSE AUTHENTIQUE, Côtes de saint-mont AOVDQS, 798
DOM. **LE PASSELYS,** Cahors, 774
LE PATOISAN, Pineau des charentes, 1037
DOM. **LEPAUMIER,** Fitou, 711
CH. **LE PAVILLON DE BOYREIN,** Graves, 320
LE PETIT CHAMBORD, • Cheverny, 921 • Cour-cheverny, 923
LE PETIT CHEVAL, Saint-émilion grand cru, 279
LE PETIT SAINT VINCENT, Saumur-champigny, **878**
CH. **LE PIN BEAUSOLEIL,** Bordeaux supérieur, 217
LE PLANTIS DES VALLEES, Pineau des charentes, 1037
LE PRESSOIR FLANIERE, Bourgueil, 897
CH. **LE PRIEUR,** Bordeaux supérieur, 217
LE PRIEURE DE SAINT-CEOLS, Menetou-salon, 936
CH. **LE PUCH,** Bergerac, 801
LOUIS **LEQUIN,** • Corton-charlemagne, **514** • Bâtard-montrachet, 552 • Chassagne-montrachet, 556
RENE **LEQUIN-COLIN** , Chassagne-montrachet, 556
CH. **LE RAZ,** Côtes de bergerac, 806
CH. **LE REYSSE,** Médoc, 341
CH. **LE ROC,** Côtes du frontonnais, 784
CH. **LE ROC DE TROQUARD,** Saint-georges saint-émilion, 297
LE ROI DU MAQUIS, Vins de corse, 762
CH. **LE RONDAILH,** Bordeaux, 195
DOM. **LEROY,** Coteaux du layon, 864
DOM. DE **LERY,** Cheverny, 921
LES AGUETS, Coteaux du tricastin, 1006
LE SAINT-ANTOINE, Juliénas, 169
LES ALMANACHS, Champagne, 635
LES AMARINES, Tavel, 1003

LES ANDEGAVES, Anjou-villages-brissac, 852
DOM. **LE SANG DES CAILLOUX**, Vacqueyras, 993
CH. **LE SARTRE**, Pessac-léognan, 332
CH. **LES BASMONTS**, Sainte-foy-bordeaux, 309
LES BERRY CURIENS, Quincy, 942
CH. **LES BERTRANDS**, Premières côtes de blaye, 229
LES BLASSINGES, Canton de Vaud, **1091**
LES BUGADELLES, Côtes du luberon, 1011
CH. **LESCALLE**, Bordeaux supérieur, 218
LES CAPUCINS, Santenay, 562
CH. **LES CARMES HAUT-BRION**, Pessac-léognan, 332
MAS **LES CATALOGNES**, Coteaux du languedoc, 703
LES CAVES DU CHANCELIER, • Chambolle-musigny, 481 • Vosne-romanée, 490 • Volnay, 535 • Santenay, 562 • Montagny, 580
CH. **LES CHALETS**, Médoc, 342
LES CHAMPS DE L'ABBAYE, Bourgogne passetoutgrain, 429
CH. **LES CHARMES-GODARD**, Bordeaux côtes de francs, 302
LES CHARMILLES, Côtes du rhône, 961
LES CHARMILLES DES HAUTS DE PALETTE, Bordeaux, 195
LES CHARMILLES DE TOUR BLANCHE, Sauternes, 397
CH. **LES CHAUMES**, Lalande de pomerol, 255
LES CHAUNODIERES, Montlouis, 912
DOM. **LES CHENETS**, Crozes-hermitage, 984
CH. **LES CLAUZOTS**, Graves, 320
DOM. **LES COINS**, Jardin de la France, 1051
LES COLOMBAGES, Alsace riesling, 90
DOM. **LES COMBELIERES**, Mâcon-villages, 587
LES CORDELIERS, Crémant de bordeaux, 224
LES CORNILLAUDS, Saint-véran, 595
LES COTEAUX DE BELLET, Bellet, 747
LES COTEAUX DE COIFFY, Coteaux de Coiffy, 1078
LES COTEAUX DE FONTANES, Oc, 1063
LES COTEAUX DU PIC, Coteaux du languedoc, 704
LES COUDRIERS, Côtes du rhône, 961
CH. **LES COUZINS**, Lussac saint-émilion, 289
CH. **LES CROSTES**, Côtes de provence, 740
LES CULTES, Côtes du rhône-villages, 969
DOM. CHANTAL **LESCURE**, Bourgogne passetoutgrain, 429
DOM. **LES DEUX TERRES**, Minervois, 713
LES DOMANIALES, Châteauneuf-du-pape, 997
LES DOMINICAINS, Moselle AOVDQS, 137
DOM. **LES DURANDES**, Coteaux du vendômoisAOVDQS, 924
LE SEGUR, Côtes du rhône-villages, 970
LE SEMILLANT, Canton de Vaud, 1091
LE SERRE DE BERNON, Côtes du rhône, 961
LES ESPERELLES, Tavel, 1003
CH. **LES FENALS**, Muscat de rivesaltes, 1027
LES FERS DE LANCE, Canton du Valais, 1097
LES FOLIES SIFFAIT, Muscadet des coteaux de la loire sur lie, 826
LES FRERES PHILIPPOZ, Canton du Valais, **1097**
DOM. **LES GARMINS**, Chablis, 448
DOM. **LES GOUBERT**, Côtes du rhône-villages, 970
CH. **LES GRANDES LANDES**, Bordeaux, 195
CH. **LES GRANDES MURAILLES**, Saint-émilion grand cru, 279
LES GRANDES VIGNES, Coteaux du layon, 864
DOM. **LES GRANDS BOIS**, Côtes du rhône-villages, 970
LES GRANDS CAVEAUX DE FRANCE, Anjou, 846
CH. **LES GRANDS CHENES**, Médoc, 342
LES GRANDS DOMAINES, Canton du Valais, 1097
LES GRANDS PRESBYTERES, Muscadet sèvre-et-maine, 834
CH. **LES GRANDS THIBAUDS**, Côtes de bourg, 234
LES GRANGES DE CIVRAC, Médoc, 342
DOM. **LES GRANGETTES**, Pécharmant, 812
CH. **LES GRAVES**, Premières côtes de blaye, 229
DOM. **LES GRAVES**, Moulin à vent, 175
CH. **LES GRAVES D'ARMENS**, Saint-émilion, 261
CH. **LES GRAVIERES**, Saint-émilion grand cru, 279
CH. **LES GRAVIERES DE LA BRANDILLE**, Bordeaux supérieur, 218
CH. **LES GRIMARD**, Côtes de bergerac, 806
DOM. **LES HAUTES CANCES**, Côtes du rhône-villages, 970
DOM. **LES HAUTES NOELLES**, Muscadet côtes de grand lieu, 838
LES HAUTS CLOS CASLOT, Saint-nicolas-de-bourgueil, 900
LES HAUTS DE FORÇA REAL, Côtes du roussillon-villages, **726**
CH. **LES HAUTS-DE-GRANGES**, Côtes de castillon, 300
LES HAUTS DE MONTESQUIOU, Jurançon sec, 793
CH. **LES HAUTS DE PEZ**, Saint-estèphe, 380
CLOS **LES HAUTS MARTINS**, Lussac saint-émilion, 289
CH. **LES IFS**, Cahors, 774
DOM. **LES JARDINS DE LA MENARDIERE**, Muscadet sèvre-et-maine, 835
CH. **LES JONQUEYRES**, Premières côtes de blaye, 229
CH. **LES JUSTICES**, Sauternes, **398**
LES LARMES DE BACCHUS, Vouvray, 918
LES LAUZERAIES, Lirac, 1001
LES LIGERIENS, Jardin de la France, 1051
DOM. **LES LUQUETTES**, Bandol, 750
LES MAISONS ROUGES, Coteaux du loir, 909
CH. **LES MANGONS**, Sainte-foy-bordeaux, 309
CH. **LES MARNIERES**, Côtes de bergerac, 807
CH. **LES MAUBATS**, Bordeaux supérieur, 218
CH. **LES MERITZ**, Gaillac, 778
LES MILLE VIGNES, Muscat de rivesaltes, 1027
CH. **LES MOINES**, Médoc, 342
LES MOULINS DE COUSSILLON, Côtes de castillon, 300
LES MOULINS DU HAUT-LANSAC, Côtes de bourg, 234
CH. **LES ORMES DE PEZ**, Saint-estèphe, 380
CH. **LES ORMES SORBET**, Médoc, 342
CH. **LE SOULEY-SAINTE CROIX**, Haut-médoc, 353
CH. **LES PALAIS**, Corbières, 690
LES PANISSIERES, Canton de Vaud, 1091
CH. **LESPARRE**, Graves de vayres, 308
CH. **LESPAULT**, Pessac-léognan, 332
LES PERDRIGOLLES, Crozes-hermitage, 984
CH. **LES PINS**, • Côtes du roussillon-villages, 727 • Rivesaltes, 1020
DOM. **LES PINS**, Bourgueil, 897
LES POLYPHONIES DE CEPAGES, Ile de Beauté, 1069
CH. **LES PUJOTS**, Corbières, **690**
LES QUARTERONS, Saint-nicolas-de-bourgueil, 900
LES QUATRE CHEMINS, Côtes du rhône-villages, 970
LES QUATRE CLOCHERS, Beaujolais-villages, 153
LESQUERDE, Côtes du roussillon-villages, 727
LES QUEYRADES, Lirac, 1001
CH. **LESQUIREAU-DESSE**, Haut-médoc, 353
DOM. **LES REYNES**, Saint-joseph, 981
LES RICHARDS, Vacqueyras, 993
CH. **LES RIGALETS**, Cahors, 774
LES ROCHES BLANCHES, • Montlouis, 912 • Côtes du ventoux, 1008 • Vaucluse, 1071
LES ROCHES BLEUES, Côte de brouilly, 161
CH. **LES ROCHES DE FERRAND**, Fronsac, 240
CH. **LES ROQUES**, Loupiac, 389
LES SALESSES, Côtes du Tarn, 1056
LES SALICES, Oc, 1063
CH. **LESTAGE**, Listrac-médoc, 360
CH. **LESTAGE SIMON**, Haut-médoc, 353
LES TERRES BLANCHES, Châteauneuf-du-pape, 998
DOM. **LES TEYSSONNIERES**, Gigondas, 990
CH. DE **LESTIAC**, Premières côtes de bordeaux, 313
DOM. **LES TONNELIERES**, Beaujolais, 147
DOM. **LES TOULONS**, Coteaux d'aix, 755
LES TOURELLES DE LONGUEVILLE, Pauillac, 375
CH. **LES TOURS DES VERDOTS**, Côtes de bergerac, 807
CH. **LESTRILLE**, Bordeaux, 195
CH. **LESTRILLE CAPMARTIN**, Bordeaux supérieur, 218
LES TROIS CHENES, Var, 1073
CH. **LES TROIS CROIX**, Fronsac, **241**
LES TROIS DEMOISELLES, Coteaux de l'aubance, 855
LES TROIS NOCTURNES, Canton du Valais, 1097
CH. **LES TUILERIES**, Médoc, 342
CH. **LES TUILERIES DU DEROC**, Graves de vayres, 308
DOM. **LES VADONS**, Côtes du luberon, 1011
CH. **LES VALENTINES**, Côtes de provence, 740
LES VALLIERES, Canton de Genève, 1102
LES VAUCORNEILLES, Touraine-mesland, 894
LES VENDANGEURS, Bourgogne, 414
CH. **LES VIEILLES TUILERIES**, • Bordeaux rosé, 208 • Entre-deux-mers, 306
LES VIEILLOTTES, Pouilly-fumé, 939
CH. **LES VIEUX MAURINS**, Saint-émilion, 261
LES VIEUX MURS, Pouilly-fuissé, 591
DOM. **LES VIEUX MURS**, Pouilly-fuissé, 591
CH. **LES VIGNALS**, Gaillac, 778
LES VIGNERONS DES TERROIRS SAVOYARDS, Vin de savoie, 676
LES VIGNERONS DU MILON, Rosé de loire, 821
LES VIGNERONS DU VENDOMOIS, Coteaux du vendômoisAOVDQS, 924
LES VIGNES DE L'ALMA, • Rosé de loire, 821 • Anjou-gamay, 848
LES VIGNES DE L'ARQUE, Oc, **1063**
LES VILLAGES DE JAFFELIN, Montagny, 580
LES VILLAGES DES PAPES, Côtes du rhône-villages, 970
DOM. **LES VILLIERS**, Beaujolais-villages, 153
LES VINS DU TROUBADOUR, Vacqueyras, **993**
DOM. **LES YEUSES**, Oc, 1063
CH. **LE TAP**, Saussignac, 813
CH. **LE TEMPLE**, Médoc, 342
CH. **LE TERTRE DE LEYLE**, Côtes de bourg, 234
CH. **LE TOURON**, Bergerac, 801
CH. **LE TREBUCHET**, Bordeaux, 195
LE TREILLANT, Canton de Vaud, 1092
CH. **LE TUQUET**, Graves, 320
DOM. **LE VAN**, Côtes du ventoux, 1009
CLAUDE **LEVASSEUR**, Montlouis, 912
DOM. **LEVEQUE**, Touraine, 887
B. **LEVET**, Côte rôtie, 975
LE VIEUX DOMAINE, Moulin à vent, 176
LE VIGNERON SAVOYARD, Vin de savoie, 676
CH. **LE VIROU**, Premières côtes de blaye, 229
CH. **LEYDET-FIGEAC**, Saint-émilion grand cru, 279
DOM. **LEYMARIE-CECI**, • Morey-saint-denis, 476 • Chambolle-musigny, 482 • Vougeot, 484 • Clos de vougeot, 486
CH. DE **LEYNES**, • Beaujolais, 147 • Mâcon-villages, 587
LEYRAT, Pineau des charentes, 1037
DOM. ANDRE **LHERITIER**, • Bourgogne, 415 • Bouzeron, 570
DOM. DES **LIARDS**, Montlouis, 912
CH. **LICHTEN**, Canton du Valais, 1098
DOM. FRANCOIS **LICHTLE**, Alsace pinot ou klevner, 84
FRANCOIS **LICHTLE**, Alsace pinot noir, **112**
LIEBART-REGNIER, Champagne, 635
CAVE DES VIGNERONS DE **LIERGUES**, Beaujolais, 147
FAMILIEN **LIESCH**, Canton des Grisons, 1106
CH. **LIEUJEAN**, Haut-médoc, 353
CH. **LIGASSONNE**, Premières côtes de bordeaux, 313
DOM. **LIGIER PERE ET FILS**, Arbois, 661

LIGNIER-MICHELOT, • Gevrey-chambertin, 470 • Morey-saint-denis, 476 • Chambolle-musigny, 482
CH. DE **LIGRE,** Chinon, 906
LILBERT-FILS, Champagne, 635
CH. **LILIAN LADOUYS,** Saint-estèphe, 381
DOM. **LILOU,** • Brouilly, 158 • Côte de brouilly, 161
DOM. DE **LIMBARDIE,** Coteaux de Murviel, 1067
CH. **LIMBOURG,** Pessac-léognan, 333
JEAN **LINDEN-HEINISCH,** Moselle luxembourgeoise, 1083
CH. **LION BEAULIEU,** • Bordeaux, 195 • Bordeaux sec, 203
DOM. DE **LIONS,** Thézac-Perricard, 1055
CH. **LIOT,** Sauternes, 398
CAVE DES VINS DE CRU DE **LIRAC,** Lirac, 1001
DOM. DE **LISCHETTO,** Ile de Beauté, 1069
CH. DE **LISENNES,** Bordeaux supérieur, 218
CLOS DES **LITANIES,** Pomerol, 249
CH. **LIVERSAN,** Haut-médoc, 354
CH. **LIVRAN,** Médoc, 343
LOBERGER, • Alsace tokay-pinot gris, 105 • Alsace grand cru spiegel, 128
LOCRET-LACHAUD, Champagne, 635
DOM. **LOEW,** Alsace tokay-pinot gris, 106
LOGIS DE MONTIFAUD, Pineau des charentes, 1038
COOPERATIVE **LOHNINGEN,** Canton de Schaffhouse, 1107
CH. **LOISEAU,** Bordeaux supérieur, 218
CHRISTIAN **LOIZEAU,** Pineau des charentes, 1038
CH. **LONDON,** Mâcon-villages, 587
DOM. **LONG-DEPAQUIT,** • Chablis premier cru, 454 • Chablis grand cru, 458
DOM. **LONGERE,** Beaujolais-villages, 153
DOM. DE **LONG PECH,** Gaillac, 778
DOM. DU **LOOU,** Coteaux varois, 759
PHILIPPE **LOQUINEAU,** Cour-cheverny, 923
MICHEL **LORAIN,** Bourgogne, 415
LORENTZ, • Alsace grand cru altenberg de bergheim, 116 • Alsace grand cru kanzlerberg, 121
JEROME **LORENTZ FILS,** Alsace riesling, 90
ALAIN **LORIEUX,** Chinon, 906
MICHEL **LORIOT,** Champagne, 635
JOSEPH **LORIOT-PAGEL,** Champagne, 635
LORON ET FILS, Mâcon supérieur, 584
LOU BASSAQUET RASCAILLES, Côtes de provence, 741
CH. **LOUDENNE,** Médoc, **343**
JACQUELINE **LOUET,** Touraine, 888
DOM. DES **LOUETTIERES,** Jardin de la France, 1051
DOM. **LOU FREJAU,** Châteauneuf-du-pape, 998
JOHANNES **LOUIS,** Canton de Berne, 1104
CH. **LOUSTEAUNEUF,** Médoc, 343
YVES **LOUVET,** Champagne, 635
DOM. DE **LOYE,** Menetou-salon, 937
PHILIPPE DE **LOZEY,** Champagne, 635
CH. **LUCAS,** Lussac saint-émilion, 290
LUCCIOS, Crémant de bordeaux, 224
CH. **LUCIE,** Saint-émilion grand cru, 280
CH. **LUDEMAN LA COTE,** Graves, 321
CH. DE **LUGAGNAC,** Bordeaux supérieur, 219
CH. **LUGAUD,** Graves, 321
CAVE DE **LUGNY,** • Crémant de bourgogne, 441 • Mâcon, 583 • Mâcon-villages, 587
DOM. DE **LUMIAN,** Côtes du rhône, 961
LUMIERES, Côtes du ventoux, 1009
DOM. FRANCOIS **LUMPP,** Givry, 578
CLOS DE **LUPE,** Bourgogne, 415
LUPE-CHOLET, Chambolle-musigny, 482
RICHARD **LUQUET,** Pouilly-fuissé, 591
SAUVIGNON DE JACQUES ET FRANCOIS **LURTON,** Bordeaux sec, 204
DOM. DE **LUSQUENEAU,** Touraine-mesland, 894
CH. **LUSSAN,** Premières côtes de blaye, 229
DOM. DU **LUX EN ROC,** Fiefs vendéens AOVDQS, 840
BLANC DE **LYNCH-BAGES,** Bordeaux sec, 204
CH. **LYNCH-BAGES,** Pauillac, 375
CH. **LYNCH MOUSSAS,** Pauillac, 376
CH. DE **LYNE,** • Bordeaux, 195 • Bordeaux clairet, 200
CH. **LYONNAT,** Lussac saint-émilion, 290
DOM. DU **LYS PICOTS,** Bergerac, 802

DOM. LAURENT **MABILEAU,** Bourgueil, 897
FREDERIC **MABILEAU,** Saint-nicolas-de-bourgueil, 901
JACQUES ET VINCENT **MABILEAU,** Saint-nicolas-de-bourgueil, 901
LYSIANE ET GUY **MABILEAU,** Saint-nicolas-de-bourgueil, 901
MABILLARD-FUCHS, Canton du Valais, 1098
BERNARD **MABILLE,** Vouvray, 918
DANIEL **MABILLE,** Vouvray, 918
FRANCIS **MABILLE,** Vouvray, 918
ALAIN **MABILLOT,** Reuilly, 944
DOM. **MABY,** • Lirac, 1001 • Tavel, 1003
CH. **MACAY,** Côtes de bourg, **234**
DOM. **MACHARD DE GRAMONT,** • Vosne-romanée, 490 • Nuits-saint-georges, 496 • Savigny-lès-beaune, **518**
DOM. BERTRAND **MACHARD DE GRAMONT,** • Vosne-romanée, 490 • Nuits-saint-georges, 496
MARQUIS DE **MAC-MAHON,** • Bourgogne, 415 • Chassagne-montrachet, 556
MADER, Alsace pinot ou klevner, **85**
CH. **MADRELLE,** Premières côtes de bordeaux, 313
GILLES **MADRELLE,** Vouvray, 918
DOM. **MAESTRACCI,** Vins de corse, 762 763
CH. **MAGDELAINE,** Saint-émilion grand cru, 280
CH. **MAGENCE,** Graves, 321
DANIEL **MAGLIOCCO,** Canton du Valais, 1098
SYLVIO **MAGLIOCCO,** Canton du Valais, 1098
CH. **MAGNAN,** Saint-émilion grand cru, 280
CH. **MAGNEAU,** Graves, 321
JEAN-PAUL **MAGNIEN,** • Morey-saint-denis, 476 • Chambolle-musigny, 482
DOM. MICHEL **MAGNIEN ET FILS,** • Gevrey-chambertin, 470 • Morey-saint-denis, 476 • Clos de la roche, 479 • Clos saint-denis, 479
LOUIS **MAGNIN,** Vin de savoie, 676
CH. **MAGNOL,** Haut-médoc, 354
DANIEL ET LUC **MAGNOLLAY,** Canton de Vaud, 1092
CH. **MAGONDEAU,** Fronsac, 241
CH. **MAHON-LAVILLE,** Bordeaux, 196
DOM. **MAILLARD PERE ET FILS,** • Ladoix, 503 • Aloxe-corton, 506 • Corton, 511 • Savigny-lès-beaune, 518 • Chorey-lès-beaune, 521 • Beaune, 526
M. **MAILLART,** Champagne, 636
MARCEL **MAILLEFAUD ET FILS,** Crémant de die, 1005
CH. DES **MAILLES,** Sainte-croix-du-mont, 391
DOM. DES **MAILLETTES,** • Pouilly-fuissé, 591 • Saint-véran, 595
DOM. DES **MAILLOCHES,** Bourgueil, 897
MAILLY GRAND CRU, Champagne, 636
CH. **MAINE-PASCAUD,** Premières côtes de bordeaux, 313
DOM. DE **MAIRAN,** Oc, 1063
SERGE **MAIRE,** • Savigny-lès-beaune, 518 • Chorey-lès-beaune, 521
CH. **MAISON BLANCHE,** Montagne saint-émilion, 292
DOM. DE **MAISON BLANCHE,** Quincy, 942
MAISON MACONNAISE DES VINS, • Chénas, 162 • Saint-véran, 595
CH. DE **MAISON NEUVE,** Montagne saint-émilion, 292
CH. **MAISON NOBLE,** Bordeaux, 196
DOM. **MAISON PERE ET FILS,** Cheverny, 921
MAITRES VIGNERONS NANTAIS, Muscadet sèvre-et-maine, 835
CUVEE **MAJORUM,** Pouilly-fumé, 939
CH. **MAJUREAU-SERCILLAN,** • Bordeaux sec, 204 • Bordeaux supérieur, 219
CLOS **MALABUT,** Médoc, 343
DOM. DES **MALANDES,** • Petit chablis, 445 • Chablis, 449 • Chablis premier cru, 454
JEAN-LOUIS **MALARD,** Champagne, 636
CH. **MALARTIC-LAGRAVIERE,** Pessac-léognan, 333
DOM. DE **MALAVIEILLE,** Oc, 1063
CH. **MALBEC LARTIGUE,** Listrac-médoc, 360
GUY **MALBETE,** Reuilly, 944
DOM. FRANCOISE **MALDANT,** Aloxe-corton, 506
CH. **MALESCASSE,** Haut-médoc, 354
CH. **MALESCOT SAINT-EXUPERY,** Margaux, 366
DOM. MICHEL **MALLARD ET FILS,** • Côte de nuits-villages, 499 • Ladoix, 503 • Aloxe-corton, 506 • Corton, 512 • Savigny-lès-beaune, 519
MAISON **MALLARD-GAULIN,** Corton, 512
CH. DE **MALLE,** Sauternes, 398
CH. TOURS DE **MALLE,** Graves, 321
CH. DE **MALLERET,** Haut-médoc, 354
FREDERIC **MALLO ET FILS,** • Alsace gewurztraminer, 98 • Alsace grand cru mandelberg, 124
CH. **MALMAISON,** Moulis-en-médoc, 370
CH. **MALROME,** Bordeaux supérieur, 219
MALTOFF, Bourgogne, 415
CH. DE LA **MALTROYE,** Santenay, 562
DOM. DES **MANANTS,** Chablis, 449
CAVE DES VIGNERONS DE **MANCEY,** • Bourgogne, 415 • Bourgogne aligoté, 425 • Mâcon-villages, 587
CH. **MANDAGOT,** Coteaux du languedoc, 704
JEAN-CHRISTOPHE **MANDARD,** Touraine, 888
THIERRY **MANDARD,** Touraine, 888
HENRI **MANDOIS,** Champagne, 636
MANGOT, Saint-émilion grand cru, 280
ALBERT **MANN,** • Alsace tokay-pinot gris, 106 • Alsace grand cru furstentum, 119 • Alsace grand cru hengst, 120
MANOIR DE L'EMMEILLE, Gaillac, 778
MANOIR DE L'HOMMELAIS, Loire-Atlantique, 1053
MANOIR DE LA GRELIERE, Muscadet sèvre-et-maine, 835
MANOIR DE LA TETE ROUGE, Saumur, 873
MANOIR DE MERCEY, • Crémant de bourgogne, 441 • Rully, 573 • Mercurey, 576
MANOIR DE VERSILLE, Anjou, 846
MANOIR MURISALTIEN, Bourgogne, 415
MANON, Côtes de provence, 741
CH. **MANOS,** Cadillac, 388
CH. **MANSENOBLE,** Corbières, 690
DOM. DE **MAOUHUM,** Floc de gascogne, 1041
CH. **MARAC,** Bordeaux supérieur, 219
MAURICE **MARATRAY,** Corton, 512
DOM. **MARATRAY-DUBREUIL,** Chorey-lès-beaune, 521
CH. **MARAVENNE,** Côtes de provence, 741
CH. **MARBUZET,** Saint-estèphe, 381
PATRICE **MARC,** Champagne, 636
JEROME **MARCADET,** Cheverny, 921
DOM. DE **MARCAULT,** Chablis, 449
DOM. DE **MARCE,** Touraine, 888
CH. **MARCEAU,** Bordeaux, 196
DOM. DE **MARCELIN,** Canton de Vaud, 1092
DOM. JEAN-PHILIPPE **MARCHAND,** • Bourgogne hautes-côtes de nuits, 434 • Gevrey-chambertin, 470 • Morey-saint-denis, 476 • Chambolle-musigny, 482
FLORENT ET FABIEN **MARCHAND,** Brouilly, 158
RENE **MARCHAND,** Beaujolais, 147
DOM. **MARCHAND-GRILLOT,** Gevrey-chambertin, 470
DOM. DE **MARCHANDISE,** Côtes de provence, 741
P. DE **MARCILLY,** • Juliénas, 169 • Chassagne-montrachet, 556 • Santenay, 562
DOM. DE **MARCONIL,** Côtes du luberon, 1011
DOM. **MARDON,** Quincy, 942
MARECHAL, Touraine, 888
CATHERINE ET CLAUDE **MARECHAL,** • Bourgogne, 415 • Ladoix, 503 • Savigny-lès-beaune, 519 • Pommard, 531 • Auxey-duresses, **542**
J.-F. **MARECHAL,** Vin de savoie, 676
GHISLAINE ET BERNARD **MARECHAL-CAILLOT,** • Bourgogne, 415 • Bourgogne aligoté, 425 • Savigny-lès-beaune, 519 • Chorey-lès-beaune, 521
PIERRE **MAREY ET FILS,** • Pernand-vergelesses, 508 • Corton-charlemagne, 514
CLOS **MARFISI,** • Patrimonio, 768 • Muscat du cap corse, 1033
A. **MARGAINE,** Champagne, 636
DOM. DU **MARGALLEAU,** Vouvray, 918

CH. **MARGAUX,** Margaux, **366**
DOM. JEAN-PIERRE **MARGERAND,** Beaujolais-villages, 153
CH. **MARGILLIERE,** Coteaux varois, 759
RÉSERVE DU **MARGIS,** Canton de Vaud, **1092**
CLOS **MARIE,** Coteaux du languedoc, 704
DOM. **MARIE-BLANCHE,** Côtes du rhône, 961
MARIE DE BEAUREGARD, Saumur-champigny, 878
MARIE JADES, Crémant de bordeaux, 224
CH. **MARIE PLAISANCE,** Saussignac, 813
MARIE STUART, Champagne, 636
MARINOT-VERDUN, Bourgogne hautes-côtes de beaune, 438
CH. DE **MARJOLET,** Côtes du rhône, 961
ROLAND **MAROSLAVAC-LEGER,** • Puligny-montrachet, 550 • Chassagne-montrachet, 556 • Saint-aubin, 558
CH. **MAROUINE,** Côtes de provence, 741
CH. **MARQUISAT DE BINET,** Montagne saint-émilion, 293
MARQUIS D'ALBAN, • Bordeaux sec, 204 • Bordeaux supérieur, 219
CH. **MARQUIS D'ALESME BECKER,** Margaux, 366
MARQUIS D'ORIAC, Gaillac, 779
MARQUIS DE CHASSE, Bordeaux rosé, 209
MARQUIS DE GOULAINE, • Gros-plant AOVDQS, 839 • Jardin de la France, 1051
CH. **MARQUIS DE LA CROIX LANDOL,** Saint-émilion grand cru, 280
MARQUIS DE LA PLANTE D'OR, Cheverny, 921
TRADITION DU **MARQUIS DE SAINT-ESTEPHE,** Saint-estèphe, 381
CH. **MARQUIS DE TERME,** Margaux, 366
MARQUIS DU GREZ, Buzet, 782
DOM. VITICOLE DU **MARQUISON,** Beaujolais, 147
DOM. DES **MARRANS,** Fleurie, 166
DOM. DU **MARRONNIER ROSE,** Beaujolais-villages, 154
DOM. DES **MARRONNIERS,** • Chablis, 449 • Chablis premier cru, 455
CH. **MARSAC SEGUINEAU,** Margaux, 366
CLOS **MARSALETTE,** Pessac-léognan, 333
CH. DE **MARSANNAY,** • Marsannay, 463 • Gevrey-chambertin, 470 • Clos de vougeot, 486 • Vosne-romanée, 490
CH. **MARSAU,** Bordeaux côtes de francs, 302
DOM. JACKY **MARTEAU,** Touraine, 888
G. H. **MARTEL & C,** Champagne, 636
DOM. J. **MARTELLIERE,** • Jasnières, 909 • Coteaux du vendômois AOVDQS, 925
FRANCOIS **MARTENOT,** Bourgogne, 415
CH. **MARTET,** Sainte-foy-bordeaux, 309
DOM. DE **MARTIALIS,** Saint-émilion grand cru, 280
CEDRIC **MARTIN,** Beaujolais, 147
DOMINIQUE **MARTIN,** • Saumur, 873 • Cabernet de saumur, 876 • Coteaux de saumur, 876
DOM. JEAN-CLAUDE **MARTIN,** • Chablis, 449 • Chablis premier cru, 455
JEAN-JACQUES ET SYLVAINE **MARTIN,** • Saint-amour, 181 • Pouilly vinzelles, 593
LUC ET FABRICE **MARTIN,** Coteaux du layon, **864**
PAUL-LOUIS **MARTIN,** Coteaux champenois, 655
CH. **MARTINAT,** Côtes de bourg, 235
DOM. **MARTIN-DUFOUR,** • Nuits-saint-georges, 496 • Chorey-lès-beaune, 522
EVELYNE ET FRANCOIS **MARTINEAU,** Touraine, 888
CH. **MARTINENS,** Margaux, 367
CLOS DU **MARTINET,** Chinon, 906
VIGNOBLE DU **MARTINET,** Anjou, 846
DOM. **MARTIN-LUNEAU,** Muscadet sèvre-et-maine, 835
DOM. DE **MARTINOLLES,** • Blanquette de limoux, 684 • Limoux, 686 • Aude, 1068
MARX-BARBIER ET FILS, Champagne, 636
CHRISTOPHE **MARY,** Pommard, 531
MARZOLF, Alsace pinot noir, 113
DOM. **MAS AMIEL,** Maury, **1024**
DOM. DU **MAS BLANC,** Collioure, **729**
DOM. DU **MAS CARLOT,** Clairette de bellegarde, 687
MAS CHAMPART, Saint-chinian, 716
DOM. DU **MAS CREMAT,** • Côtes du roussillon, **723** • Muscat de rivesaltes, 1027
MAS CRISTINE, Rivesaltes, 1020
MAS D'EN BADIE, Rivesaltes, 1021
DOM. DU **MAS DE LA TOUR,** Costières de nîmes, 694
MAS DE REY, Bouches-du-Rhône, 1072
MAS GRANGE BLANCHE, Vaucluse, 1071
CH. **MAS NEUF,** Costières de nîmes, 695
DOM. DU **MAS PIGNOU,** Gaillac, 779
DOM. DU **MAS ROUS,** Côtes du roussillon, **723**
MAS SAINTE-BERTHE, • Coteaux d'aix, 755 • Les baux-de-provence, 757
CH. **MASSAMIER LA MIGNARDE,** Minervois, 713
DOM. DES **MASSES,** Côtes du rhône, 961
D. **MASSIN,** Champagne, 637
THIERRY **MASSIN,** Champagne, 637
REMY **MASSIN ET FILS,** Champagne, 637
LOUIS **MASSING,** Champagne, 637
MADAME **MASSON,** Crémant de bourgogne, 441
MARTINE **MASSON,** Bourgogne, 416
MAURICE **MASSON,** Bourgogne, 416
DOM. **MASSON-BLONDELET,** Pouilly-fumé, **940**
CH. DES **MATARDS,** Premières côtes de blaye, 229
JEAN-LUC **MATHA,** Vins de marcillac, 787
HERVE **MATHELIN,** Champagne, 637
CREMANT **MATHES,** Moselle luxembourgeoise, 1083
DOM. **MATHIAS,** • Beaujolais, 147 • Crémant de bourgogne, 441 • Pouilly vinzelles, 593
SYRAH DIEGO **MATHIER,** Canton du Valais, 1098
DOM. **MATHIEU,** Châteauneuf-du-pape, 998
SERGE **MATHIEU,** Champagne, 637
DOM. DES **MATHURINS,** Saint-chinian, 716
DOM. **MATIGNON,** • Anjou-villages, 849 • Coteaux du layon, 864
DOM. DU **MATINAL,** Moulin à vent, 176
DOM. DES **MATINES,** Saumur, 874
DOM. **MATRAY,** Juliénas, 169
CH. DE **MATTES-SABRAN,** Corbières, 691
DOM. **MAUBERNARD,** Bandol, 750
CH. **MAUCAILLOU,** Moulis-en-médoc, **370**
CH. **MAUCAMPS,** Haut-médoc, 354
CH. **MAUCOIL,** Châteauneuf-du-pape, 998
PROSPER **MAUFOUX,** Chassagne-montrachet, 556
JEAN-PAUL **MAULER,** Alsace tokay-pinot gris, 106
CH. DE **MAUPAGUE,** Côtes de provence, 741
DOM. DE **MAUPAS,** Châtillon-en-diois, 1005
DOM. DE **MAUPERTHUIS,** Bourgogne, 416
JEAN **MAUPERTUIS,** Côtes d'auvergne AOVDQS, 929
CH. **MAURAC-MAJOR,** Haut-médoc, 354
CH. **MAUREL FONSALADE,** Saint-chinian, 716
ALBERT **MAURER,** Alsace tokay-pinot gris, 106
MICHEL **MAURICE,** Moselle AOVDQS, 137 138
DOM. DES **MAURIERES,** Coteaux du layon, 864
JEAN-PAUL **MAURIN,** Pineau des charentes, 1038
CH. **MAURINE,** Bordeaux, 196
LES VIGNERONS DE **MAURY,** • Côtes du roussillon-villages, 727 • Maury, 1024
DOM. DE **MAUVAN,** Côtes de provence, 741
CH. **MAUVEZIN,** Saint-émilion grand cru, 280
DOM. DE **MAUZAC,** Coteaux du languedoc, 704
LOUIS **MAX,** • Pernand-vergelesses, 509 • Pommard, 531 • Chassagne-montrachet, 556
SIMON **MAYE ET FILS,** Canton du Valais, 1098
DOM. **MAYNADIER,** Fitou, 711
CH. **MAYNE BLANC,** Lussac saint-émilion, 290
CH. **MAYNE D'IMBERT,** Graves, 321
MAYNE D'OLIVET, Bordeaux sec, 204
CH. **MAYNE DE COUTUREAU,** Graves, 321
CH. **MAYNE DU CROS,** Graves, 321
CH. **MAYNE-GUYON,** Premières côtes de blaye, 230
CH. **MAYNE LALANDE,** Listrac-médoc, 360
CH. **MAYNE-VIEIL,** Fronsac, 241
DOM. DE **MAYOL,** Côtes du luberon, 1011
CH. DE **MAYRAGUES,** Gaillac, 779
CH. **MAZARIN,** Loupiac, 389
CH. **MAZERIS,** Canon-fronsac, 238
PASCAL **MAZET,** Champagne, 637
DOM. **MAZET DE CASSAN,** Bandol, 750
CH. **MAZEYRES,** Pomerol, 250
ANNE **MAZILLE,** Coteaux du lyonnais, 183
DOM. **MAZILLY PERE ET FILS,** Pommard, 532
CH. **MAZOUET,** Saint-émilion, 261
DOM. **MAZOYER,** Bourgognecôte chalonnaise, 568
DOM. DE **MAZUC,** Coteaux du Quercy, 1057
CLAUDE **MEA,** Champagne, 637
GUY **MEA,** Champagne, 637
MEDITERROIRS, Banyuls, 1016
LES GRANDES CUVEES DE GABRIEL **MEFFRE,** Côtes du rhône, 961
CELLIER **MEIX GUILLAUME,** • Rully, 573 • Mercurey, 576
CH. **MELIN,** Premières côtes de bordeaux, 313
DOM. BERNARD PAUL **MELINAND,** Chiroubles, 164
CH. **MELIN CADET-COURREAU,** Bordeaux, 196
JEAN-CLAUDE **MELLOT,** Coteaux du giennois, 932
JOSEPH **MELLOT,** Sancerre, 947
CH. **MEMOIRES,** • Bordeaux, 196 • Bordeaux sec, 204 • Loupiac, 389
DOM. **MENAND PERE ET FILS,** Mercurey, 576
CHRISTIAN **MENAUT,** Beaune, 526
MENAUT-LARCHER, Bourgogne hautes-côtes de beaune, 438
DOM. DES **MENIGOTTES,** Touraine-amboise, 892
DOM. DU CH. DE **MERCEY,** Santenay, 562
MERCIER, Champagne, 638
CH. **MERCIER,** Côtes de bourg, 235
CH. DE **MEREVILLE,** Muscat de frontignan, 1028
DE **MERIC,** Champagne, 638
CELLIER DE **MERINVILLE,** Minervois, 713
CH. **MERISSAC,** Saint-émilion, 261
DOM. DU **MERLE,** Bourgogne, 416
DOM. DE **MERMES,** Côtes du vivarais AOVDQS, 1012
MERRAIN ROUGE, Médoc, 343
CH. DES **MESCLANCES,** Côtes de provence, 741
DOM. **MESLIAND,** Touraine-amboise, 892
CH. **MESLIERE,** Muscadet des coteaux de la loire sur lie, **826**
ROBERT **MESLIN,** Bourgogne irancy, 431
DOM. **MESSIRE DE VERY,** Côtes du rhône-villages, 970
CH. **MESTE JEAN,** Bordeaux supérieur, 219
MESTRE PERE ET FILS, Santenay, 563
DOM. DU **METEORE,** Coteaux du languedoc, 704
METIVIER, Vouvray, 918
ARTHUR **METZ,** Alsace pinot noir, 113
GERARD **METZ,** Alsace gewurztraminer, 98
HUBERT **METZ,** Alsace riesling, 90
DIDIER **MEUNEVEAUX,** Corton, 512
DOM. **MEUNIER,** Balmes dauphinoises, 1075
DOM. MAX **MEUNIER,** Touraine, 888
CH. **MEUNIER SAINT-LOUIS,** Corbières, 691
MEURGIS, Crémant de bourgogne, 441
DOM. DU CH. DE **MEURSAULT,** • Savigny-lès-beaune, 519 • Volnay, 535
FRANCOIS **MEYER,** Alsace gewurztraminer, 98
GILBERT **MEYER,** Alsace tokay-pinot gris, 106
ERNEST **MEYER ET FILS,** Alsace tokay-pinot gris, 106

VINS

MEYER-FONNE, • Alsace tokay-pinot gris, **106** • Alsace grand cru wineck-schlossberg, 130
CH. **MEYNEY,** Saint-estèphe, 381
CH. **MEYRAND-LACOMBE,** Bergerac, 802
CH. **MEYRE,** Haut-médoc, 354
CH. **MIAUDOUX,** Saussignac, 814
CH. **MICALET,** Haut-médoc, 354
DOM. **MICHAUD,** Touraine, 888
JEAN-CLAUDE **MICHAUT,** Bourgogne, **416**
G. **MICHEL,** Champagne, 638
J.B. **MICHEL,** Champagne, 638
GUY **MICHEL ET FILS,** Champagne, 638
JOSE **MICHEL ET FILS,** Champagne, 638
LOUIS **MICHEL ET FILS,** • Chablis, 449 • Chablis grand cru, 458
DOM. **MICHELOT,** • Bourgogne, 416 • Meursault, 548
DOM. DE **MIGNABERRY,** Irouléguy, 789
PIERRE **MIGNON,** Champagne, 638
MIGNON ET PIERREL, Champagne, 638
DOM. DE **MIHOUDY,** • Anjou, 846 • Bonnezeaux, 868
JEAN **MILAN,** Champagne, 639
PHILIPPE **MILAN ET FILS,** Rully, 573
CLOS **MILELLI,** Vins de corse, 763
CH. **MILHAU-LACUGUE,** Saint-chinian, 716
DOM. DE **MILHOMME,** Beaujolais, 148
DOM. DES **MILLARGES,** Chinon, 906
MILLE ET UNE PIERRES, Corrèze, 1058
CH. **MILLE SECOUSSES,** Bordeaux supérieur, 219
DOM. GERARD **MILLET,** Sancerre, **948**
CLOS **MIRABEL,** Béarn, 788
CH. **MIRAMBEAU PAPIN,** Bordeaux supérieur, 219
MAISON **MIRAULT,** Vouvray, 918
CH. **MIRAVAL,** • Côtes de provence, 741 • Coteaux varois, 759
DOM. **MIRAVAL,** Var, 1073
CH. **MIREFLEURS,** Bordeaux supérieur, 220
CH. **MIRE L'ETANG,** Coteaux du languedoc, 704
P. **MISSEREY,** • Chambolle-musigny, 482 • Nuits-saint-georges, 496
MISSION SAINT VINCENT, • Bordeaux sec, 204 • Bordeaux rosé, 209
MITIS, Canton du Valais, **1098**
DOM. **MITTNACHT FRERES,** Alsace grand cru rosacker, **126**
FREDERIC **MOCHEL,** Alsace gewurztraminer, 98
MADAME MICHEL **MOCQUET,** Pineau des charentes, 1038
JOS **MOELLINGER ET FILS,** • Alsace riesling, 90 • Alsace grand cru steingrübler, 129 • Crémant d'alsace, 134
MOET ET CHANDON, Champagne, 639
MOILLARD, Meursault, 548
MOILLARD-GRIVOT, Bourgogne, 416
DOM. AUX **MOINES,** Savennières roche-aux-moines, 859
MOINGEON, Crémant de bourgogne, 441
DOM. DES **MOIROTS,** • Bourgogne aligoté, 425 • Crémant de bourgogne, 442 • Givry, 578 • Montagny, 581
DOM. **MOISSENET-BONNARD,** Pommard, 532
CH. DE **MOLE,** Puisseguin saint-émilion, 295
CLOS **MOLEON,** Graves, 322
ARMELLE ET JEAN-MICHEL **MOLIN,** • Fixin, 466 • Mazis-chambertin, 475
DOM. DE **MOLINES,** Oc, 1063
ANTOINE **MOLTES ET FILS,** • Alsace tokay-pinot gris, 106 • Alsace grand cru steinert, 129
MOMMESSIN, • Beaujolais-villages, 154 • Morey-saint-denis, 478 • Clos de tart, 480 • Viré-clessé, 589
MONASTERE DE SAINT-MONT, Côtes de saint-mont AOVDQS, 798
CH. **MONBOUSQUET,** Saint-émilion grand cru, 281
CH. **MONBRISON,** Margaux, 367
CH. **MONCONTOUR,** • Touraine, 889 • Vouvray, 918
FATTORIA **MONCUCCHETTO,** Canton du Tessin, **1109**
PIERRE **MONCUIT,** Champagne, 639
CH. **MONDESIR-GAZIN,** Premières côtes de blaye, [illegible]
MONDET, Champagne, 639
DOM. **MONGEARD-MUGNERET,** • Bourgogne, 416 • Vosne-romanée, 490
DOM. **MONIN,** Bugey AOVDQS, 679
CH. **MONLOT CAPET,** Saint-émilion grand cru, 281
DOM. DE **MONLUC,** Côtes de Gascogne, 1058
MONMOUSSEAU, Crémant de loire, 823
J.-M. **MONMOUSSEAU,** Touraine, 889
DOM. J.M. **MONNET,** Juliénas, 169
DOM. RENE **MONNIER,** • Beaune, 526 • Pommard, 532 • Volnay, 536 • Monthélie, 539 • Meursault, 548 • Puligny-montrachet, 551 • Maranges, 565
EDMOND **MONNOT,** Maranges, 565
DOM. **MONNOT-ROCHE,** Maranges, 565
CH. **MONPLAISIR,** Bergerac rosé, 803
DOM. DE **MONREPOS,** Bordeaux supérieur, 220
DOM. **MONROZIER,** Fleurie, 166
CH. DE **MONS,** Floc de gascogne, 1041
DOM. DE **MONSEPEYS,** Beaujolais-villages, 154
CH. DU **MONT,** • Graves, 322 • Sainte-croix-du-mont, 391 • Sauternes, 398
MONTAGNA MAGICA, Canton du Tessin, 1109
CH. **MONTAIGUILLON,** Montagne saint-émilion, 293
CH. **MONTAIGUT,** Côtes de bourg, 235
DOM. DES **MONTARELS,** Côtes de Thongue, 1066
MONTAUDON, Champagne, 639
CH. **MONTAURONE,** Coteaux d'aix, 755
CH. DE **MONTAUZAN,** Beaujolais, 148
MONTBAIL, Valençay AOVDQS, 926
CH. DE **MONTBAZIN,** Coteaux du languedoc, 705
LES VIGNERONS DE **MONTBLANC,** Côtes de Thongue, 1066
DOM. DE **MONTBOURGEAU,** • Crémant du jura, 670 • L'étoile, **672** • L'étoile, 672 • Macvin du jura, 1043
DOM. DE **MONTBRIAND,** Brouilly, 158
CH. DE **MONTCLAR,** Côtes de la malepère AOVDQS, **719**
DOM. DE **MONTCY,** • Cheverny, 921 • Cour-cheverny, **923**
DOM. DE **MONT D'HORTES,** Oc, 1063
DOM. DU **MONT D'OR,** Canton du Valais, 1099
MONTE CARASSO, Canton du Tessin, 1110
DOM. DU **MONTEILLET,** • Condrieu, 977 • Saint-joseph, 981
GENEVIEVE ET BERNARD **MONTEIRO,** Saint-véran, 596
MAS **MONTEL,** Gard, 1065
CH. **MONTELS,** Gaillac, 779
DOM. DE **MONTELS,** Coteaux et terrasses de Montauban, 1059
DOM. DE **MONTERRAIN,** Mâcon, 583
DE **MONTESPAN,** Champagne, 639
HENRY BARON DE **MONTESQUIEU,** • Bordeaux sec, 205 • Graves, 322
M. **MONTESSUY,** Beaujolais, 148
CH. DE **MONTFAUCON,** Côtes du rhône, 962
DOM. DE **MONTGILET,** • Anjou-villages-brissac, 852 • Coteaux de l'aubance, **856**
DOM. DE **MONTGRIGNON,** Meuse, 1078
CH. DE **MONTGUERET,** • Rosé de loire, 821 • Anjou, 846 • Saumur, 874
CH. DE **MONTHELIE,** • Monthélie, **539** • Rully, 573
DOM. DE **MONTINE,** Coteaux du tricastin, 1006
CH. **MONTLAU,** Bordeaux supérieur, 220
DOM. DE **MONTMAIN,** Bourgogne hautes-côtes de nuits, 434
CH. DE **MONTMAL,** Fitou, 711
DOM. E. DE **MONTMOLLIN FILS,** Canton de Neuchâtel, 1103
CH. **MONTNER,** • Côtes du roussillon-villages, 727 • Rivesaltes, 1021
CLOS DU **MONT-OLIVET,** Châteauneuf-du-pape, 998
LES VIGNERONS DE **MONTPEYROUX,** Coteaux du languedoc, 705
CH. DE **MONTPEZAT,** Coteaux du languedoc, 705
MONTPLAISIR, Côte roannaise, 934
LES VIGNERONS DE **MONT-PRES-CHAMBORD,** • Cheverny, 922 • Cour-cheverny, 923
CH. **MONT-REDON,** • Côtes du rhône, 962 • Châteauneuf-du-pape, 998 • Lirac, 1001
DOM. DE **MONT REDON,** Côtes de provence, 742
CH. **MONTREUIL-BELLAY,** Saumur, 874
LYCEE VITICOLE DE **MONTREUIL-BELLAY,** Saumur, 874
CH. **MONTROSE,** Saint-estèphe, 381
DOM. **MONTROSE,** Oc, 1063
DOM. DU **MONTRU,** Muscadet sèvre-et-maine, 835
LES PRODUCTEURS DU **MONT TAUCH,** Muscat de rivesaltes, 1027
DOM. **MONTVAC,** Vacqueyras, 993
MONTVERMEIL, Crémant de loire, 823
CH. **MONTVIEL,** Pomerol, 250
ALICE ET OLIVIER DE **MOOR,** Bourgogne, 416
MOREAU, Sauvignon de saint-bris AOVDQS, 460
DANIEL **MOREAU,** Champagne, 639
DOM. **MOREAU,** Crémant de loire, 823
DOMINIQUE **MOREAU,** Bourgueil, 898
DOM. JEAN **MOREAU,** Pommard, 532
DOM. LOUIS **MOREAU,** Chablis premier cru, 455
DOM. MICHEL **MOREAU,** Givry, 578
J. **MOREAU ET FILS,** Chablis premier cru, 455
MOREAU-NAUDET ET FILS, Chablis premier cru, 455
MOREL PERE ET FILS, Champagne, 639
DOM. **MOREL-THIBAUT,** Côtes du jura, 668
JEAN **MORETEAUX ET FILS,** Maranges, 565
ANDRE **MOREY,** Crémant de bourgogne, 442
MICHEL **MOREY-COFFINET,** Chassagne-montrachet, 556
DOM. DE LA VILLE DE **MORGES,** Canton de Vaud, **1092**
CLOS DES **MORIERS,** Fleurie, 166
DOM. **MORIN,** Chiroubles, 164
ERIC **MORIN,** Chiroubles, 164
NELLY **MORIN,** Brouilly, 158
DOM. DES **MORINIERES,** Muscadet sèvre-et-maine, 835
MORIN PERE ET FILS, • Bourgogne hautes-côtes de beaune, 438 • Marsannay, 463 • Morey-saint-denis, 478 • Aloxe-corton, 506
DIDIER **MORION,** • Condrieu, 977 • Saint-joseph, 981 • Collines rhodaniennes, 1075
CLAUDE **MORITZ,** Alsace tokay-pinot gris, 107
MORIZE PERE ET FILS, Champagne, 640
PIERRE **MORLET,** Champagne, 640
VEUVE HENRI **MORONI,** Puligny-montrachet, 551
CH. **MOROT-GAUDRY,** Santenay, 563
DOM. THIERRY **MORTET,** • Bourgogne aligoté, 425 • Gevrey-chambertin, 470 • Chambolle-musigny, 482
DOM. DU **MORTIER,** Saint-joseph, 981 982
DOM. DES **MORTIERS GOBIN,** Muscadet sèvre-et-maine, 836
MORTIES, Coteaux du languedoc, **705**
SYLVAIN **MOSNIER,** • Petit chablis, **445** • Chablis premier cru, 455
CH. **MOSSE,** • Côtes du roussillon, 723 • Rivesaltes, **1021**
DOM. DES **MOUILLES,** Juliénas, 169
DOM. DU **MOULIE,** Madiran, 795
DOM. DU **MOULIN,** Petit chablis, 445
DOM. DU **MOULIN,** • Côtes du roussillon-villages, 727 • Rivesaltes, 1021
DOM. DU **MOULIN,** • Crémant de loire, 823 • Cheverny, 922
DOM. DU **MOULIN,** Muscadet côtes de grand lieu, 838
DOM. DU **MOULIN,** Saumur, 874
DOM. DU **MOULIN,** Côtes du rhône-villages, 971
DOM. DU **MOULINAS,** Muscat de mireval, 1030
CH. **MOULIN A VENT,** Moulis-en-médoc, 371
CH. DU **MOULIN A VENT,** Moulin à vent, 176
DOM. DU **MOULIN BERGER,** Saint-amour, 182
DOM. DU **MOULIN CAMUS,** Muscadet sèvre-et-maine, 836
CH. **MOULIN CARESSE,** Bergerac, 802
DOM. DU **MOULIN D'EOLE,** Moulin à vent, 176
CH. **MOULIN DE BLANCHON,** Haut-médoc, 355
CH. **MOULIN DE CIFFRE,** Saint-chinian, 716
CH. **MOULIN DE CLOTTE,** Côtes de castillon, 300

CH. **MOULIN DE CORNEIL,** Premières côtes de bordeaux, 313
CH. **MOULIN DE GRENET,** Lussac saint-émilion, 290
DOM. DU **MOULIN DE L'HORIZON,** Saumur, 874
MOULIN DE LA GARDETTE, Gigondas, 990
CH. **MOULIN DE LAGNET,** Saint-émilion, 261
DOM. **MOULIN DE LA MINIERE,** Muscadet sèvre-et-maine, 836
CH. **MOULIN DE LA ROSE,** Saint-julien, 385
MOULIN DE MERIENNE, Pineau des charentes, 1038
CH. **MOULIN DE PILLARDOT,** • Bordeaux, 196 • Bordeaux supérieur, 220
CH. **MOULIN DE SALES,** Lalande de pomerol, 255
MOULIN DE SARPE, Saint-émilion, 261
MOULIN DES COSTES, Bandol, 750
CH. **MOULIN DES GRAVES,** Côtes de bourg, 235
CH. **MOULIN DES GRAVES,** Saint-émilion, 262
CH. **MOULIN DU BOURG,** Listrac-médoc, 360
CH. **MOULIN DU CADET,** Saint-émilion grand cru, 281
DOM. **MOULIN DU POURPRE,** Côtes du rhône, 962
CH. **MOULINET,** Pomerol, 250
CH. **MOULINET-LASSERRE,** Pomerol, 250
DOM. DU **MOULIN-FAVRE,** Chiroubles, 164
CH. **MOULIN HAUT-LAROQUE,** Fronsac, 241
CH. DU **MOULIN NOIR,** • Lussac saint-émilion, 290 • Montagne saint-émilion, 293
CH. **MOULIN PEY-LABRIE,** Canon-fronsac, 238
CH. **MOULIN RICHE,** Saint-julien, 385
CH. DU **MOULIN ROUGE,** Haut-médoc, 355
CH. **MOULIN SAINT-GEORGES,** Saint-émilion grand cru, 281
CH. **MOULINS-LISTRAC,** Puisseguin saint-émilion, 295
MOURBASE, Côtes de provence, 742
DOM. DE **MOURCHETTE,** Madiran, 795
CH. **MOURESSE,** Côtes de provence, 742
CH. **MOURGUES DU GRES,** Costières de nîmes, 695
CH. **MOUSSENS,** Gaillac, 779
JEAN **MOUTARDIER,** Champagne, 640
MOUTARD PERE ET FILS, Champagne, 640
CH. **MOUTIN,** Graves, 322
CH. **MOUTON,** Bordeaux supérieur, 220
DOM. **MOUTON,** Condrieu, 977
GERARD **MOUTON,** Givry, 579
CH. **MOUTON ROTHSCHILD,** Pauillac, **376**
DANIEL **MOUTY,** Bordeaux, 196
R. **MOUZON-JUILLET,** Champagne, 640
Y. **MOUZON-LECLERE,** Champagne, 640
PH. **MOUZON-LEROUX,** Champagne, 640
MOYER, Montlouis, 912
JEAN-PIERRE **MUGNERET,** Crémant de bourgogne, 442
DENIS **MUGNERET ET FILS,** • Clos de vougeot, 486 • Echézeaux, 488 • Vosne-romanée, 490 • Richebourg, 492 • Nuits-saint-georges, 496
JACQUES-FREDERIC **MUGNIER,** Chambolle-musigny, 482
G.-H. **MUMM ET CIE,** Champagne, 640
BERNARD **MUNIER,** • Bourgogne, 417 • Chambolle-musigny, 482
RENE **MURE,** Alsace tokay-pinot gris, **107**
CH. **MURET,** Haut-médoc, 355
DOM. DES **MURETINS,** Lirac, **1001**
CH. DE **MUSSET,** Lalande de pomerol, 255
CH. **MUSSET-CHEVALIER,** Saint-émilion grand cru, 281
GILLES **MUSSET ET SERGE ROULLIER,** • Anjou-villages, 849 • Anjou-coteaux de la loire, **857** • Anjou-coteaux de la loire, 857
JEAN ET GENO **MUSSO,** Bourgogne passetoutgrain, 429
DOM. **MUSSY,** • Pommard, 532 • Volnay, 536
LUCIEN **MUZARD ET FILS,** Santenay, 563
DOM. DE **MUZY,** Meuse, 1078

CH. **MYLORD,** • Bordeaux sec, 205 • Entre-deux-mers, 306
CH. **MYON DE L'ENCLOS,** Moulis-en-médoc, 371
CH. DE **MYRAT,** Sauternes, 398
DOM. DES **MYRTES,** Côtes de provence, 742

CH. DE **NAGES,** Costières de nîmes, 695
NAIGEON-CHAUVEAU, Chablis, 449
CH. **NAIRAC,** Barsac, 392
DOM. DE **NALYS,** Châteauneuf-du-pape, 999
NAPOLEON, Champagne, 641
MICHEL **NARTZ,** Alsace pinot noir, **113**
DOM. HENRI **NAUDIN-FERRAND,** • Bourgogne aligoté, 425 • Bourgogne hautes-côtes de beaune, 438 • Crémant de bourgogne, 442 • Côte de nuits-villages, 500
CH. **NAUDONNET PLAISANCE,** Bordeaux rosé, 209
NAU FRERES, Bourgueil, 898
DOM. **NAVARRE,** Saint-chinian, 716
NEBOUT, Saint-pourçain AOVDQS, 933
NECTAR DU PRIEURE, Rivesaltes, 1021
NEMROD, Saumur, 874
CH. **NENINE,** Premières côtes de bordeaux, 313
DOM. DE **NERLEUX,** • Saumur, 874 • Saumur-champigny, 879
JEAN-PAUL **NEROT,** Coteaux du giennois, 932
CLOS DE **NEUILLY,** Chinon, 906
GERARD **NEUMEYER,** Alsace grand cru bruderthal, 117
JEAN-FRANCOIS **NEVERS,** Arbois, 661
NICOLAS PERE ET FILS, • Bourgogne aligoté, 425 • Bourgogne hautes-côtes de beaune, 438
DOM. ROBERT **NICOLLE,** Chablis, 449
NORBERT **NICOLLE,** Chablis premier cru, 455
CH. **NICOT,** Bordeaux sec, 205
DOM. DE **NIDOLERES,** • Côtes du roussillon, 723 • Muscat de rivesaltes, 1027
DOM. **NIGRI,** Jurançon sec, 793
CH. **NINON,** Entre-deux-mers, 306
CH. **NOAILLAC,** Médoc, 343
DOM. DU **NOBLE,** Loupiac, 389
CH. **NODOZ,** Côtes de bourg, **235**
DOM. MICHEL **NOELLAT ET FILS,** • Chambolle-musigny, 483 • Echézeaux, 488 • Vosne-romanée, 490 • Nuits-saint-georges, 496
DOM. DES **NOES-BIGEARD,** Muscadet sèvre-et-maine, 836
CHARLES **NOLL,** Alsace grand cru mandelberg, 124
ALAIN **NORMAND,** Mâcon-villages, 587
CH. **NOTRE-DAME,** Montagne saint-émilion, 293
DOM. **NOTRE-DAME,** Côtes de la malepère AOVDQS, 719
NOTRE DAME D'AUBUNE, Côtes du rhône-villages, 971
DOM. **NOTRE DAME DE COUSIGNAC,** Côtes du vivarais AOVDQS, 1012
CH. **NOTRE-DAME DU QUATOURZE,** Coteaux du languedoc, 705
NOUET, Muscadet sèvre-et-maine, 836
DOM. CLAUDE **NOUVEAU,** • Bourgogne hautes-côtes de beaune, 439 • Maranges, 565
CAVE **NOUVEAU SAINT-CLEMENT,** Canton du Valais, 1099
NOUVELLE CONQUETE, Sainte-foy-bordeaux, 309
CH. DE **NOUVELLES,** Rivesaltes, **1021**
CH. DES **NOYERS,** • Coteaux du layon, 865 • Coteaux du layon, **865**
DOM. DU **NOZAY,** Sancerre, 948
DOM. **NUDANT,** • Ladoix, 503 • Aloxe-corton, 506 • Corton-charlemagne, 514 • Savigny-lès-beaune, 519
DOM. DES **NUGUES,** Beaujolais-villages, 154

CAVE D' **OBERNAI,** • Alsace riesling, 90 • Alsace gewurztraminer, 98
DOM. DES **OBIERS,** Volnay, 536
DOM. **OCTAVIE,** Touraine, 889
DOM. **OGEREAU,** • Anjou, 846 • Anjou-villages, 850 • Cabernet d'anjou, 854 • Coteaux du layon, **865**
MICHEL **OGIER,** Côte rôtie, 975
DOM. DES **OISEAUX,** • Lirac, 1001 • Tavel, 1003
LES VIGNERONS DE **OISLY ET THESEE,** Cheverny, 922

BERNARD ET PATRICK **OLIVIER,** Saint-nicolas-de-bourgueil, 901
CH. **OLIVIER,** Pessac-léognan, 333
DIANA ET ALAIN **OLIVIER,** Jardin de la France, 1051
MICHEL **OLIVIER,** Crémant de limoux, 685
DOM. **OLIVIER-GARD,** • Bourgogne aligoté, 425 • Bourgogne hautes-côtes de nuits, 434
OLIVIER PERE ET FILS, Santenay, 563
DOM. **OLLIER TAILLEFER,** Faugères, 710
LES VIGNERONS D' **OLT,** Vins d'estaing AOVDQS, 786
BERNARD **OMASSON,** Bourgueil, 898
ORATORIO, Hermitage, **986**
CHARLES **ORBAN,** Champagne, 641
ORENGA DE GAFFORY, • Patrimonio, 768 • Muscat du cap corse, 1033
DOM. D' **ORFEUILLES,** Vouvray, 919
ORGNAC L'AVEN, Côtes du vivarais AOVDQS, 1012
CH. **ORISSE DU CASSE,** Saint-émilion grand cru, 281
L'ENCLOS D' **ORMESSON,** Oc, 1063
ORNASCA, Ile de Beauté, 1069
CLOS **ORNASCA,** Ajaccio, 766
DE SAINT GALL CUVEE **ORPALE,** Champagne, 641
DOM. **OTTER,** • Alsace riesling, 91 • Alsace gewurztraminer, 98
DOM. DES **OUCHES,** Bourgueil, 898
OUDINOT, Champagne, 641
DOM. DES **OULLIERES,** Coteaux d'aix, 755
DOM. **OUMPRES,** Béarn, 788
CH. D' **OUPIA,** Minervois, 713
OURY-SCHREIBER, Moselle AOVDQS, 138

DOM. DU **P'TIT ROY,** Sancerre, 948
DOM. ROGER **PABIOT ET SES FILS,** • Pouilly-fumé, 940 • Pouilly-sur-loire, 941
DOM. **PAGES HURE,** Côtes du roussillon, 723
JAMES **PAGET,** • Touraine-azay-le-rideau, 893 • Chinon, 906
CH. **PAGNAC,** Saint-émilion, 262
CH. **PAGNON,** Montravel, 810
BRUNO **PAILLARD,** Champagne, 641
PIERRE **PAILLARD,** • Champagne, 641 • Coteaux champenois, 655
DOM. **PAILLERE ET PIED GU,** Gigondas, 990
DOM. DE **PAIMPARE,** • Anjou, 846 • Coteaux du layon, 865
DOM. CHARLES **PAIN,** Chinon, 906
DOM. DE **PALLUS,** Chinon, 906
PALMER, Champagne, 641
CH. **PALMER,** Margaux, 367
CH. **PANCHILLE,** • Bordeaux rosé, 209 • Bordeaux supérieur, 220
CH. DE **PANISSEAU,** Côtes de bergerac, 807
PANNIER, Champagne, 642
REMY **PANNIER,** • Rosé de loire, 821 • Jardin de la France, 1051
SYLVIE ET CHRISTIAN **PANTALEON,** Saint-nicolas-de-bourgueil, 901
THIERRY **PANTALEON,** Saint-nicolas-de-bourgueil, 901
CH. **PAPE CLEMENT,** Pessac-léognan, 333
PARADIS, Canton du Valais, 1099
CRU DU **PARADIS,** Madiran, 795
DOM. DU **PARADIS,** • Touraine-mesland, 894 • Canton de Genève, 1102
DOM. DU **PARC,** Jardin de la France, 1052
CLOS DU **PARC DE SAINT-LOUANS,** Chinon, 906
DOM. **PARCE,** Côtes du roussillon, 723
DOM. **PARDON,** Fleurie, 166
LOUIS **PARDON,** Beaujolais-villages, 154
CH. DE **PARENCHERE,** Bordeaux supérieur, 220
DOM. **PARENT,** • Beaune, 526 • Pommard, 532
DOM. J. **PARENT,** • Volnay, 536 • Monthélie, 539
ALAIN **PARET,** Saint-joseph, 982
DOM. **PARIGOT PERE ET FILS,** • Bourgogne hautes-côtes de beaune, 439 • Savigny-lès-beaune, 519 • Beaune, 526 • Volnay, 536
DOM. DES **PARISES,** Gaillac, 779
MARIE-LOUISE **PARISOT,** • Bourgogne passetoutgrain, 429 • Gevrey-chambertin, 470 • Mercurey, 576
PARIZE PERE ET FILS, Givry, 579
PASCAL, • Côtes du rhône-villages, 971 • Gigondas, 991
PASCAL-DELETTE, Champagne, 642

CH. **PASQUET,** Bordeaux, 196
CH. DE **PASSAVANT,** • Rosé de loire, 821 • Anjou, 846 • Cabernet d'anjou, 854
DANIEL **PASSOT,** Chénas, 162
DOM. **PASSOT LES RAMPAUX,** Régnié, 179
DOM. **PASTRICCIOLA,** • Patrimonio, 768 • Muscat du cap corse, 1033
CH. **PATACHE D'AUX,** Médoc, 343
CH. **PATARABET,** Saint-émilion, 262
DOM. DU **PATERNEL,** Cassis, 746
ERIC **PATOUR,** Champagne, 642
DENIS **PATOUX,** Champagne, 642
PATRIARCHE, • Bourgogne, 417 • Charmes-chambertin, 474
ALAIN ET CHRISTIANE **PATRIARCHE,** • Bourgogne, 417 • Meursault, 548
CH. **PATRIS,** Saint-émilion grand cru, 281
PASCAL **PAUGET,** Mâcon, **583**
CAVES DES **PAULANDS,** • Bourgogne hautes-côtes de nuits, 434 • Corton, 512 • Gevrey-chambertin, 470 • Ladoix, 503
CH. **PAUL BLANC,** Costières de nîmes, 695
PAULIAN, Crémant de bordeaux, 224
LES CLOS DE **PAULILLES,** • Collioure, 729 • Banyuls, 1017
PAUTIER, Pineau des charentes, 1038
DOM. ALAIN **PAUTRE,** Chablis, 449
JEAN-MARC **PAVELOT,** Savigny-lès-beaune, 519
CH. **PAVIE,** Saint-émilion grand cru, 282
CH. **PAVIE-DECESSE,** Saint-émilion grand cru, 282
CH. **PAVIE MACQUIN,** Saint-émilion grand cru, 282
DOM. DU **PAVILLON,** Aloxe-corton, 506
DOM. DU **PAVILLON,** Côte roannaise, 934
PAVILLON BLANC DU CHATEAU MARGAUX, Bordeaux sec, **205**
PAVILLON DE BELLEVUE, Médoc, 343
CH. **PAVILLON FIGEAC,** Saint-émilion grand cru, 282
PAVILLON ROUGE, Margaux, 367
DOM. TANO **PECHARD,** Régnié, 179
DOM. DE **PECH BELY,** Coteaux du Quercy, 1057
CH. **PECH REDON,** Coteaux du languedoc, 705
CH. **PECOT,** Cahors, 774
DOM. DE **PECOULA,** Monbazillac, 809
PEHU-SIMONET, Champagne, 642
DOM. DES **PEIRECEDES,** Côtes de provence, 742
DOM. **PELAQUIE,** • Côtes du rhône, 962 • Côtes du rhône-villages, 971 • Lirac, 1001 • Tavel, **1003**
JACQUES **PELICHET,** Canton de Vaud, **1092**
DOM. **PELISSON,** Côtes du ventoux, 1009
DOM. HENRY **PELLE,** Sancerre, 948
BRUNO **PELLETIER,** Juliénas, 169
DOM. M. **PELLETIER,** Juliénas, 169
JEAN-MICHEL **PELLETIER,** Champagne, 642
VINCENT **PELTIER,** Vouvray, 919
CH. **PENIN,** • Bordeaux clairet, 200 • Bordeaux supérieur, 220
COMTE **PERALDI,** • Vins de corse, 763 • Ajaccio, 766
CH. **PERAYNE,** Bordeaux rosé, 209
DOM. **PERCHER,** Cabernet d'anjou, 854
DOM. DES **PERDRIX,** • Echézeaux, 488 • Vosne-romanée, 490 • Nuits-saint-georges, 496
CAVES DU **PERE AUGUSTE,** Touraine, 889
DOM. DES **PERELLES,** • Beaujolais, 148 • Moulin à vent, 176 • Mâcon-villages, 587 • Pouilly vinzelles, 593
DE **PERETTI DELLA ROCCA,** • Vins de corse, **763** • Vins de corse, 763
CH. **PEREY-GROULEY,** Saint-émilion, 262
CH. DU **PERIER,** Médoc, 344
CH. **PERIN DE NAUDINE,** Graves, 322
PERLE D'AMOUR, Gaillac, 779
JEAN **PERNET,** Champagne, 642
PAUL **PERNOT ET SES FILS,** • Bourgogne, 417 • Beaune, 526
DOM. **PEROL,** Beaujolais, 148
DOM. **PERO LONGO,** Vins de corse, 764
RENE **PERRATON,** Pouilly vinzelles, 593
JEAN-FRANCOIS **PERRAUD,** Beaujolais-villages, 154
DOM. DE **PERREAU,** Côtes de montravel, 811
CH. **PERREAU BEL-AIR,** Côtes de castillon, 300
ANDRE **PERRET,** • Condrieu, 978 • Saint-joseph, 982
CHRISTOPHE **PERRIER,** Vin de savoie, 676
JOSEPH **PERRIER,** Champagne, 642
CAVES DES **PERRIERES,** Rosé d'anjou, 853
DOM. DES **PERRIERES,** Muscadet sèvre-et-maine, 836
JEAN **PERRIER ET FILS,** Vin de savoie, 676
PERRIER-JOUET, Champagne, 642
PERRIN, Côtes du rhône, 962
DANIEL **PERRIN,** Champagne, 642
DOM. CHRISTIAN **PERRIN,** • Ladoix, 503 • Aloxe-corton, 506
DOM. DANIEL **PERRIN,** Vin de savoie, 676
DOM. ROGER **PERRIN,** Côtes du rhône, 962
VERONIQUE **PERRIN,** Ladoix, 503
DOM. HENRI **PERROT-MINOT,** • Charmes-chambertin, 474 • Morey-saint-denis, 478 • Chambolle-musigny, 483
ROBERT **PERROUD,** Brouilly, 158
CH. **PERRY,** Coteaux du languedoc, 705
CH. DE **PERSANGES,** L'étoile, 672
DOM. GERARD **PERSENOT,** • Bourgogne, 417 • Bourgogne aligoté, 425 • Sauvignon desaint-bris AOVDQS, 460
PERSEVAL-FARGE, Champagne, 643
PERTOIS-MORISET, Champagne, 643
CH. **PERVENCHE PUY-ARNAUD,** Côtes de castillon, 301
CH. **PESQUIE,** Côtes du ventoux, 1009
PIERRE **PETERS,** Champagne, 643
ANDRE **PETIT,** Pineau des charentes, 1038
CH. **PETIT BOCQ,** Saint-estèphe, 381
DOM. DU **PETIT BONDIEU,** Bourgueil, 898
DOM. DU **PETIT CLOCHER,** • Crémant de loire, 824 • Anjou-villages, 850
CH. **PETIT CLOS DU ROY,** Montagne saint-émilion, 293
DOM. DES **PETITES GROUAS,** Coteaux du layon, 865
DESIRE **PETIT ET FILS,** • Arbois, 661 662 • Château-chalon, 664 • Macvin du jura, 1044
CH. **PETIT FAURIE DE SOUTARD,** Saint-émilion grand cru, 282
CH. **PETIT-FIGEAC,** Saint-émilion grand cru, 282
CH. **PETIT FOMBRAUGE,** Saint-émilion grand cru, 282
PETIT-LE BRUN ET FILS, Champagne, 643
DOM. DU **PETIT MALROME,** Côtes de duras, 816
DOM. DU **PETIT METRIS,** • Savennières, 858 • Coteaux du layon, 865 • Quarts de chaume, 869
CH. DU **PETIT MONTIBEAU,** Sainte-foy-bordeaux, 309
DOM. JEAN **PETITOT ET FILS,** Côte de nuits-villages, 500
DOM. DU **PETIT PRESSOIR,** Côte de brouilly, 161
DOM. DES **PETITS QUARTS,** • Coteaux du layon, 865 • Bonnezeaux, **868**
CH. DU **PETIT THOUARS,** Touraine, 889
CH. **PETIT VAL,** Saint-émilion grand cru, 283
DOM. DU **PETIT VAL,** • Cabernet d'anjou, 854 • Bonnezeaux, 868
CH. **PETIT VILLAGE,** Pomerol, 250
CH. **PETRARQUE,** Fronsac, 241
PETRUS, Pomerol, **250**
CH. **PEUY-SAINCRIT,** • Bordeaux sec, 205 • Bordeaux supérieur, 221
CH. **PEYCHAUD,** Côtes de bourg, 235
CH. **PEYMELON,** Premières côtes de blaye, 230
DOM. DU **PEY-NEUF,** • Bandol, 750 • Mont-Caume, 1070
CH. **PEYRABON,** Haut-médoc, 355
CH. CRU **PEYRAGUEY,** Sauternes, 398
CH. **PEYREBLANQUE,** Graves, 322
CH. **PEYREDON LAGRAVETTE,** Listrac-médoc, 360
CH. DES **PEYREGRANDES,** Faugères, 710
CH. **PEYRE-LEBADE,** Haut-médoc, 355
DOM. **PEYRE-ROSE,** Coteaux du languedoc, **706**
PEYRES-COMBE, Gaillac, 779
CH. **PEYRIAC DE MER,** Corbières, 691
DOM. DU **PEYRIE,** Cahors, 774
CH. **PEYROT-MARGES,** • Loupiac, 389 • Sainte-croix-du-mont, 391
CH. **PEYROU,** Côtes de castillon, 301
CH. **PEYRUCHET,** Cadillac, 388
LES VIGNERONS DE **PEZILLA,** • Côtes du roussillon-villages, 727 • Rivesaltes, 1021 • Muscat de rivesaltes, 1027
LES VIGNERONS DE **PFAFFENHEIM ET GUEBERSCHWIHR,** • Alsace gewurztraminer, 98 • Alsace tokay-pinot gris, 107
CH. **PHELAN SEGUR,** Saint-estèphe, 381
DOM. DENIS **PHILIBERT,** • Bourgogne, 417 • Bourgogne hautes-côtes de nuits, 434 • Gevrey-chambertin, 471
PHILIPPE DE VALOIS, Bourgueil, 898
CH. **PHILIPPE-LE-HARDI,** • Bourgogne hautes-côtes de beaune, 439 • Pommard, 532 • Mercurey, 576
PHILIPPONNAT, Champagne, 643
CH. **PIADA,** Barsac, 392
DOM. DE **PIANA,** Vins de corse, 764
PASCAL **PIBALEAU,** Touraine-azay-le-rideau, 893
CH. DE **PIBARNON,** Bandol, 751
CH. **PIBRAN,** Pauillac, 376
CH. DE **PIC,** • Bordeaux sec, 205 • Bordeaux rosé, 209
JACQUES **PICARD,** Champagne, 643
MICHEL **PICARD,** • Juliénas, 169 • Bourgogne passetoutgrain, 429 • Bourgogne hautes-côtes de beaune, 439 • Maranges, 566 • Givry, 579
PICARD ET BOYER, Champagne, 643
DOM. **PICCININI,** Minervois, 713
JEAN-MARC **PICHARD,** Bourgogne, 417
CH. **PICHON BELLEVUE,** Graves de vayres, 308
CH. **PICHON-LONGUEVILLE BA-** Pauillac, **376**
CH. **PICHON LONGUEVILLE COMTESSE DE LALANDE,** Pauillac, 376
CH. **PICQUE CAILLOU,** Pessac-léognan, 334
CH. **PIEGUE,** • Anjou, 846 • Coteaux du layon, 865
DOM. **PIERETTI,** • Vins de corse, 764 • Muscat du cap corse, 1033
CH. **PIERRAIL,** Bordeaux rosé, 209
DOM. DE **PIERRE-BELLE,** Oc, 1064
CH. **PIERRE-BISE,** • Anjou-villages, 850 • Quarts de chaume, 869
DOM. DE **PIERREDON,** Côtes du rhône, 962
DOM. DES **PIERRES,** Chénas, 162
DOM. DES **PIERRES BLANCHES,** Côte de beaune, 527
DOM. DES **PIERRES ROUGES,** Saint-véran, 596
CH. DE **PIERREUX,** Brouilly, 158
CAVE DES VIGNERONS DE **PIERREVERT,** Coteaux de pierrevert, 1013
CH. **PIERROUSSELLE,** Bordeaux, 196
DOM. DE **PIETRI,** Vins de corse, 764
DOM. **PIETRI-GERAUD,** Collioure, 729
VIGNERONS DES **PIEVE,** • Vins de corse, 764 • Ile de Beauté, **1069**
PIGNIER, Crémant du jura, 670
PIGNIER PERE ET FILS, Côtes du jura, 668
CH. **PIGOUDET,** Coteaux d'aix, 755
MAX **PIGUET,** Auxey-duresses, 542
DOM. DES **PILLETS,** Régnié, 179
DOM. JEAN-MARC **PILLOT,** Chevalier-montrachet, 552
CH. DE **PIMPEAN,** Anjou, 846
DOM. **PINCHINAT,** Côtes de provence, 742
CH. **PINERAIE,** Cahors, 774
FRANCOIS **PINON,** Vouvray, 919
DOM. DES **PINS,** Canton de Genève, 1102
DOM. **PINSON,** Chablis grand cru, 458
GEORGES ET THIERRY **PINTE,** Pommard, 532
CH. **PIPEAU,** Saint-émilion grand cru, 283
PIPER-HEIDSIECK, Champagne, 644
A **PIQUELIOUDA,** Canton de Neuchâtel, 1103
DOM. **PIQUEMAL,** • Côtes du roussillon, 723 • Muscat de rivesaltes, 1027 • Côtes catalanes, 1068
CH. **PIQUE-PERLOU,** Minervois, 714
JACKY **PIRET,** Régnié, 179
CH. **PIRON,** Graves, 322
AUGUSTE **PIROU,** • Côtes du jura, 668 • Crémant du jura, 671
DOM. DE **PISSE-LOUP,** • Petit chablis, 446 • Chablis, 450
CH. **PITRAY,** Côtes de castillon, 301
DOM. DES **PIVOINES,** Juliénas, 169
DOMAINES JEAN-CHARLES **PIVOT,** Beaujolais-villages, 154

CH. DE **PIZAY,** Beaujolais, 148
COLLECTION **PLAIMONT,** Madiran, 795
CH. **PLAISANCE,** Premières côtes de bordeaux, 314
CH. **PLAISANCE,** Côtes du frontonnais, 784
CH. DE **PLAISANCE,** • Savennières, 858 • Coteaux du layon, **866** • Quarts de chaume, 869
CH. **PLANERES,** Côtes du roussillon, 723
CH. DE **PLASSAN,** Premières côtes de bordeaux, 314
JACQUES **PLASSE,** Côte roannaise, 934
CH. DU **PLAT FAISANT,** Cahors, 774
LES CAVES DU **PLESSIS,** Saint-nicolas-de-bourgueil, 901
CH. **PLINCE,** Pomerol, 250
JEAN-CLAUDE **PLISSON,** Premières côtes de blaye, 230
PIERRE **PLOUZEAU,** Touraine, 889
DOM. DU **POETE,** Saint-véran, 596
DOM. DU **POINT DU JOUR,** Fleurie, 167
JEAN **POIRON ET FILS,** Muscadet sèvre-et-maine, 836
D. **POIRROTTE-VAUDOISEY,** Volnay, 536
DOM. DE **POLIGNAC,** Floc de gascogne, 1041
CH. **POLIN,** Bordeaux supérieur, 221
CREMANT **POLL-FABAIRE,** Moselle luxembourgeoise, **1084**
POL ROGER, Champagne, 644
CH. DE **POMES-PEBERERE,** Floc de gascogne, 1041
POMMERY, Champagne, 644
DENIS **POMMIER,** Petit chablis, 446
CH. **POMYS,** Saint-estèphe, 382
DOM. DES **PONCETYS,** • Mâcon, 583 • Saint-véran, 596
DOM. DE **PONCHON,** Régnié, 179
ALBERT **PONNELLE,** • Pernand-vergelesses, 509 • Savigny-lès-beaune, 519
DOM. PIERRE **PONNELLE,** Corton, 512
PASCAL **PONSON,** Champagne, 644
CH. DE **PONT,** Touraine, 889
VINCENT **PONT,** • Volnay, 536 • Auxey-duresses, 542
CH. **PONTAC MONPLAISIR,** Pessac-léognan, 334
CH. **PONT DE BRION,** • Graves, 322 • Graves supérieures, 325
DOM. **PONT DE GUESTRES,** Lalande de pomerol, 255
DOM. DU **PONT DU RIEU,** Vacqueyras, 993
CH. **PONTET-CANET,** Pauillac, 377
CH. **PONTET-CHAPPAZ,** Margaux, 367
CH. **PONTET-FUMET,** Saint-émilion grand cru, 283
CH. **PONTEY,** Médoc, 344
CH. **PONTOISE-CABARRUS,** Haut-médoc, 355
DOM. **PONTONNIER,** Saint-nicolas-de-bourgueil, 901
DOM. DE **PONT-PERRAULT,** Anjou-villages, 850
CH. **PONT-ROYAL,** Coteaux d'aix, 755
DOM. MARC **PORTAZ,** Vin de savoie, 676
PORT CAILLAVET, Saint-julien, 385
CH. DE **PORTE PERES,** Graves, 322
CH. DE **PORTETS,** Graves, 322
PHILIPPE **PORTIER,** Quincy, 942
CAVE DE **PORT SAINTE-FOY,** Bergerac, 802
DOM. DE **POSQUIERES,** Costières de nimes, 695
DOM. DES **POTHIERS,** Côte roannaise, 934
POTHIER-TAVERNIER, Bourgogne, 417
CH. **POUCHAUD-LARQUEY,** Bordeaux, 197
CH. **POUGET,** Margaux, 367
ROGER **POUILLON ET FILS,** • Champagne, 644 • Coteaux champenois, 655
CH. **POUJEAUX,** Moulis-en-médoc, **371**
DOM. DU **POUJOL,** Coteaux du languedoc, 706
POULET PERE ET FILS, • Chablis premier cru, 455 • Mâcon, 583
DOM. **POULLEAU PERE ET FILS,** Côte de beaune, 527
MICHELE ET CLAUDE **POULLET,** Petit chablis, 446
PHILIPPE **POUPAT,** Coteaux du giennois, 932
CH. DE **POURCIEUX,** Côtes de provence, 742
DOM. **POUVEREL,** Côtes de provence, 742
CH. DU **POYET,** Muscadet sèvre-et-maine, 836
DOM. DU **POYET,** Côtes du forez AOVDQS, 930
DOM. **PRADELLE,** Crozes-hermitage, 984
JEAN-PIERRE ET MARC **PRADIER,** Côtes d'auvergne AOVDQS, 929
DOM. DE **PRATAVONE,** Ajaccio, 767
DOM. DU **PRE BARON,** Touraine, 889
DOM. **PREIGNES LE VIEUX,** Oc, **1064**
PREISS-ZIMMER, Alsace tokay-pinot gris, 107
CH. DE **PREMEAUX,** • Bourgogne, 417 • Nuits-saint-georges, 496 • Côte de nuits-villages, 500
CH. DE **PRESSAC,** Saint-émilion grand cru, 283
PRESTIGE DES SACRES, Champagne, 644
PRESTIGE DU PRESIDENT, Vins de corse, 764
CH. **PREVOST,** Bordeaux, 197
YANNICK **PREVOTEAU,** Champagne, 644
DOM. JACKY **PREYS ET FILS,** Valençay AOVDQS, 926
DOM. DES **PRIES,** Jardin de la France, 1052
DOM. JACQUES **PRIEUR,** • Beaune, 526 • Volnay, 536 • Puligny-montrachet, 551 • Montrachet, 552
PIERRE **PRIEUR,** Chinon, 906
DOM. **PRIEUR-BRUNET,** • Pommard, 532 • Volnay, 537 • Meursault, 548 • Chassagne-montrachet, 556 • Santenay, 563
DOM. DES CAVES DU **PRIEURE,** Sancerre, 948
DOM. DU **PRIEURE,** Savigny-lès-beaune, 519
DOM. DU **PRIEURE,** Touraine, 889
DOM. DU **PRIEURE,** Menetou-salon, 937
DOM. DU **PRIEURE D'AMILHAC,** Côtes de Thongue, 1066
CAVES DU **PRIEURE DE CORMONDRECHE,** Canton de Neuchâtel, 1104
PRIEURE DE MONTEZARGUES, Tavel, 1003
CH. DU **PRIEURE DES MOURGUES,** Saint-chinian, 716
CH. **PRIEURE-LESCOURS,** Saint-émilion grand cru, 283
BLANC DU CH. **PRIEURE-LICHINE,** Bordeaux sec, 205
CH. **PRIEURE-LICHINE,** Margaux, 367
CH. **PRIEURE MALESAN,** Premières côtes de blaye, 230
CH. **PRIEURE SAINTE-ANNE,** Premières côtes de bordeaux, 314
PRIEURE SAINTE-MARIE D'ALBAS, Corbières, 691
PAUL **PRIEUR ET FILS,** Sancerre, 948
CH. **PRIEURS DE LA COMMANDERIE,** Pomerol, 251
PRIMUS CLASSICUS, Canton du Valais, 1099
DOM. **PRIN,** Aloxe-corton, 507
DOM. DU **PRINCE,** Cahors, 775
CH. DU **PRIORAT,** Bergerac rosé, 803
GROUPEMENT DES PRODUCTEURS DE **PRISSE,** • Bourgogne, 418 • Crémant de bourgogne, 442 • Bourgogne passetoutgrain, 429 • Mâcon supérieur, 584 • Saint-véran, 596
JEAN-LUC ET MURIELLE **PROLANGE,** Régnié, 180
DOM. MAURICE **PROTHEAU,** Bourgogne aligoté, 425
HENRIETTE **PROTOT,** Bourgogne, 418
DOM. DES **PROVENCHERES,** Mâcon, 583
DOM. CHRISTIAN **PROVIN,** Saint-nicolas-de-bourgueil, 901
BERNARD **PRUDHON,** Saint-aubin, 558
HENRI **PRUDHON ET FILS,** Saint-aubin, 558
DOM. JEAN-PIERRE ET LAURENT **PRUNIER,** Auxey-duresses, 542
DOM. VINCENT **PRUNIER,** • Auxey-duresses, 542 • Saint-aubin, 559
MICHEL **PRUNIER,** Auxey-duresses, 542
PASCAL **PRUNIER,** • Beaune, 527 • Auxey-duresses, 542
PRUNIER-DAMY, • Monthélie, 539 • Auxey-duresses, 543 • Saint-romain, 544
DOM. **PUECH,** Coteaux du languedoc, 706
CH. **PUECH-HAUT,** Coteaux du languedoc, **706**
JACQUES **PUFFENEY,** Arbois, 662
CH. DE **PUISSEGUIN-CURAT,** Puisseguin saint-émilion, **296**
LES VIGNERONS DE **PUISSERGUIER,** Coteaux du languedoc, 706
DOM. DU **PUITS FLEURI,** Bourgogne, 418
PUJOL, Rivesaltes, 1022
CH. DE **PULIGNY-MONTRACHET,** • Monthélie, 539 • Saint-aubin, 559
FRUITIERE VINICOLE A **PUPILLIN,** Arbois, 662
PURPURATUM, Canton du Tessin, 1110
CH. DE **PUTILLE,** • Crémant de loire, 824 • Anjou, **847** • Anjou-coteaux de la loire, 857
DOM. DE **PUTILLE,** Anjou-villages, 850
DOM. DU **PUY,** Chinon, 907
CH. **PUYANCHE,** Bordeaux côtes de francs, 302
CH. **PUY CASTERA,** Haut-médoc, 355
DOM. **PUY DE GRAVE,** Pécharmant, 812
CH. **PUYGUERAUD,** Bordeaux côtes de francs, 303
CH. **PUY GUILHEM,** Fronsac, 241
CAVE DE **PUYLOUBIER,** Côtes de provence, 742
CH. **PUYMONTANT,** Bordeaux sec, 205
DOM. DU **PUY RIGAULT,** Chinon, 907
CH. **PUY-SERVAIN,** Montravel, 810

DOM. DES **QUARRES,** Anjou, 847
CELLIER DES **QUATRE TOURS,** Coteaux d'aix, 755
DOM. DES **QUATRE VENTS,** Chinon, 907
DOM. DE **QUATTRE,** Lot, 1058
ANDRE ET MICHEL **QUENARD,** Vin de savoie, 677
CLAUDE **QUENARD ET FILS,** Vin de savoie, 677
JEAN-PIERRE ET JEAN-FRANCOIS **QUENARD,** Vin de savoie, 677
QUENARDEL ET FILS, Champagne, 644
CH. **QUERCY,** Saint-émilion grand cru, 283
CH. **QUINCARNON,** Graves, 323
QUINTET, • Bordeaux, 197 • Bordeaux sec, 205
CH. DE **QUINTIGNY,** • Côtes du jura, 668 • L'étoile, 673 • Macvin du jura, 1044
GERARD **QUIVY,** Gevrey-chambertin, 471

DOM. **RABASSE-CHARAVIN,** Côtes du rhône-villages, 971
CHEMIN DE **RABELAIS,** Touraine, 889
DENIS **RACE,** • Chablis premier cru, 456 • Chablis grand cru, 458
DOM. ANDRE **RAFFAITIN,** Sancerre, 948
JEAN-MAURICE **RAFFAULT,** Chinon, 907
OLGA **RAFFAULT,** Chinon, 907
DOM. **RAGOT,** Givry, 579
CH. **RAHOUL,** Graves, 323
DOM. DU **RAIFAULT,** Chinon, 907
J.G. **RAIMBAULT,** Vouvray, 919
NOEL ET JEAN-LUC **RAIMBAULT,** Sancerre, 948
PHILIPPE **RAIMBAULT,** • Pouilly-fumé, 940 • Sancerre, 948
DOM. **RAIMBAULT-PINEAU,** • Coteaux du giennois, 932 • Sancerre, 949
CH. **RAMAFORT,** Médoc, 344
CH. **RAMAGE LA BATISSE,** Haut-médoc, 355
DOM. DE **RAMATUELLE,** Coteaux varois, 759
CH. **RAMBAUD,** Bordeaux supérieur, 221
DOM. DES **RAMIERES,** • Côtes du rhône, 962 • Lirac, 1002
MICHEL **RAMPON ET FILS,** Morgon, 173
RANCY, Rivesaltes, 1022
CH. DE **RAOUSSET,** • Chiroubles, 164 • Morgon, 173
FRANCOIS **RAPET ET FILS,** • Bourgogne passetoutgrain, 430 • Auxey-duresses, 543
DOM. **RAPET PERE ET FILS,** • Aloxe-corton, 507 • Pernand-vergelesses, **509** • Corton, 512 • Savigny-lès-beaune, 520 • Beaune, 527
FRANCOIS **RAQUILLET,** Mercurey, 576
MICHEL **RAQUILLET,** Mercurey, 576
RASPAIL, Clairette de die, 1004
DOM. **RASPAIL-AY,** Gigondas, 991
CH. **RASQUE,** Côtes de provence, 742
GEORGES ET DENIS **RASSE,** Alpes-Maritimes, 1074
RASSELET PERE ET FILS, Champagne, 645
CAVE DE **RASTEAU,** Rasteau, 1032

CH. **RASTOUILLET LESCURE,** Saint-émilion, 262
LUCIEN **RATEAU,** Bourgogne hautes-côtes de beaune, 439
CH. DE **RATY,** Costières de nîmes, 695
CH. **RAULY MARSALET,** Côtes de bergerac moelleux, 808
CH. DU **RAUX,** Haut-médoc, 355
CH. **RAUZAN DESPAGNE,** • Bordeaux, 197 • Bordeaux sec, 206
CH. **RAUZAN-GASSIES,** Margaux, 367
CH. **RAUZAN-SEGLA,** Margaux, 368
CH. DES **RAVATYS,** Côte de brouilly, 161
LE VIN VIVANT DE BERNARD **RAVET,** Canton de Vaud, 1092
PHILIPPE **RAVIER,** Vin de savoie, 677
DOM. DES **RAVINETS,** Saint-amour, 182
FRANCOIS **RAY,** Saint-pourçain AOVDQS, 933
CH. **RAYMOND-LAFON,** Sauternes, 398
MADAME DE **RAYNE,** Sauternes, 399
CH. DE **RAYNE VIGNEAU,** Sauternes, 399
DOM. DES **RAYNIERES,** Saumur, **875**
CH. **REBOUQUET LA ROQUETTE,** Premières côtes de blaye, 230
MICHEL **REBOURGEON,** Bourgogne, 418
DANIEL **REBOURGEON-MURE,** • Bourgogne, 418 • Pommard, 533 • Volnay, 537 • Beaune, 527
DOM. HENRI **REBOURSEAU,** • Chambertin, 471 • Charmes-chambertin, 474 • Clos de vougeot, 487
CH. **RECOUGNE,** Bordeaux supérieur, 221
CHAMPAGNE DU **REDEMPTEUR,** Champagne, 645
CH. **REDON,** Saint-émilion, 262
PASCAL **REDON,** Champagne, 645
CH. **REDORTIER,** • Côtes du rhône, 962 • Côtes du rhône-villages, 971
REGNARD, • Chablis, 450 • Chablis premier cru, 456 • Chablis grand cru, 458
BERNARD **REGNAUDOT,** • Bourgogne, 418 • Santenay, 563 • Maranges, 566
JEAN-CLAUDE **REGNAUDOT,** • Santenay, 563 • Maranges, 566
CH. **REGUSSE,** Coteaux de pierrevert, 1013
CH. **REILLANNE,** Côtes de provence, 743
REINE PEDAUQUE, • Vosne-romanée, 490 • Nuits-saint-georges, 497 • Corton-charlemagne, 514 • Volnay, 537 • Meursault, 548 • Chassagne-montrachet, 557
PAUL **REITZ,** • Bourgogne hautes-côtes de nuits, 434 • Santenay, 563
CLOS DES **RELIGIEUSES,** Puisseguin saint-émilion, 296
CH. **REMAURY,** Minervois, 714
CAVES DU SUD **REMERSCHEN,** Moselle luxembourgeoise, 1084
DOM. DES **REMIZIERES,** • Crozes-hermitage, **984** • Crozes-hermitage, 984 • Hermitage, 986
HENRI ET GILLES **REMORIQUET,** • Bourgogne hautes-côtes de nuits, 434 • Nuits-saint-georges, 497
CAVE DES **REMPARTS,** Canton du Valais, 1099
DOM. GABRIEL **REMUET,** Morgon, 173
BERNARD **REMY,** Champagne, 645
DOM. LOUIS **REMY,** • Chambertin, 472 • Latricières-chambertin, 473 • Clos de la roche, 479 • Chambolle-musigny, 483
ROGER ET JOEL **REMY,** Chorey-lès-beaune, 522
REMY MARTIN, Pineau des charentes, 1038
CUVEE **RENAISSANCE,** • Lussac saint-émilion, 290 • Puisseguin saint-émilion, 296
DOM. JACKY **RENARD,** • Bourgogne aligoté, 425 • Petit chablis, **446** • Sauvignon desaint-bris AOVDQS, 460
ALAIN **RENARDAT-FACHE,** Bugey AOVDQS, 679
CH. **RENARD MONDESIR,** Fronsac, 242
LA CAVE DES **RENARDS,** Alsace grand cru mambourg, 123
PASCAL **RENAUD,** Pouilly-fuissé, 591
R. **RENAUDIN,** Champagne, 645
RAYMOND **RENCK,** • Alsace gewurztraminer, 99 • Alsace tokay-pinot gris, 107
CLOS **RENE,** Pomerol, 251
DOM. **RENGOUER,** Madiran, 795
RENOMMEE SAINT-PIERRE, Canton du Valais, 1099
CH. **RENON,** • Premières côtes de bordeaux, 314 • Cadillac, 388
DOM. RENE **RENOU,** Bonnezeaux, **868**
DOM. **RENUCCI,** Vins de corse, 764
CH. **REPENTY,** Côtes de bergerac moelleux, 808
CH. **REQUIER,** Côtes de provence, 743
RESERVE DES ADMINISTRATEURS, Canton du Valais, 1099
CH. **RESPIDE-MEDEVILLE,** Graves, 323
RESSAC, Côtes de Thau, 1067
CH. DU **RETOUT,** Haut-médoc, 356
DOM. DE **REUILLY,** Reuilly, 944
CH. **REVELETTE,** Coteaux d'aix, 755
XAVIER **REVERCHON,** • Côtes du jura, 668 • Macvin du jura, 1044
CH. **REVERDI,** Listrac-médoc, 361
PASCAL ET NICOLAS **REVERDY,** Sancerre, 949
DOM. BERNARD **REVERDY ET FILS,** Sancerre, 949
MICHEL **REY,** Pouilly-fuissé, 591
CH. **REYNAUD,** Fronsac, 242
CH. **REYNIER,** Entre-deux-mers, 306
CH. **REYNON,** Bordeaux sec, 206
DOM. DU **REYS,** Graves, 323
CH. **REYSSON,** Haut-médoc, 356
CAVE DES VIGNERONS **RHODANIENS,** • Condrieu, 978 • Saint-joseph, 982
CH. DE **RHODES,** Gaillac, 780
RHONEBLUT, Canton du Valais, 1099
DOM. DE **RIAUX,** • Pouilly-fumé, **940** • Pouilly-sur-loire, 941
CAVE VINICOLE DE **RIBEAUVILLE,** Alsace grand cru kirchberg de Ribeauvillé, 122
DOM. DE **RIBONNET,** Comté tolosan, 1056
CH. DE **RICAUD,** Loupiac, 389
DOM. DE **RICAUD,** Bordeaux sec, 206
CH. **RICAUDET,** Médoc, 344
CH. **RICHARD,** Côtes de bergerac, 807
DOM. HENRI **RICHARD,** • Gevrey-chambertin, 471 • Charmes-chambertin, 474
DOM. PIERRE **RICHARD,** • Côtes du jura, 669 • Crémant du jura, 671
HERVE ET MARIE-THERESE **RICHARD,** • Condrieu, 978 • Saint-joseph, 982
PHILIPPE **RICHARD,** Chinon, 907
DOM. DES **RICHARDS,** Muscat de beaumes-de-venise, 1029
CH. **RICHELIEU,** Fronsac, 242
RICHESSE DU FOREZ, Côtes du forez AOVDQS, 930
DOM. **RICHOU,** Anjou-villages-brissac, 852
PASCAL **RICOTIER,** Jardin de la France, 1052
RIEFLE, • Alsace gewurztraminer, **99** • Alsace pinot noir, 113
DOM. **RIERE CADENE,** Muscat de rivesaltes, 1027
PIERRE ET JEAN-PIERRE **RIETSCH,** Alsace riesling, **91**
DOM. DU **RIEU FRAIS,** Coteaux des Baronnies, 1075
CH. **RIEUSSEC,** Sauternes, **399**
DOM. RENE **RIEUX,** Gaillac, 780
CH. **RIGAUD,** Puisseguin saint-émilion, 296
RIMAURESQ, Côtes de provence, 743
DOM. **RIMBERT,** Saint-chinian, 716
DOM. DU **RIN DU BOIS,** Touraine, 890
RINGENBACH-MOSER, Alsace gewurztraminer, 99
ARMELLE ET BERNARD **RION,** • Chambolle-musigny, 483 • Clos de vougeot, 487 • Vosne-romanée, 491
DOM. MICHELE ET PATRICE **RION,** Bourgogne, 418
CAVE DE **RIONDAZ,** Canton du Valais, 1099
DOM. DANIEL **RION ET FILS,** • Vosne-romanée, 491 • Nuits-saint-georges, **497**
RIVES DU BISSE, Canton du Valais, 1099
CH. **RIVIERE-LE-HAUT,** Coteaux du languedoc, 706
ROBERT, Crémant de limoux, **686**
ROBERT ALLAIT, Champagne, 645
DOM. **ROBERT-DENOGENT,** Pouilly-fuissé, 591
CH. **ROBIN,** Côtes de castillon, 301
DOM. GILLES **ROBIN,** Crozes-hermitage, 984
DOM. GUY **ROBIN,** Chablis grand cru, 459
DOM. LOUIS ET CLAUDE **ROBIN,** Bonnezeaux, 868
MICHEL **ROBINEAU,** • Anjou-villages, 850 • Jardin de la France, 1052
DOM. **ROBINEAU CHRISLOU,** Anjou, 847
DOM. **ROBLET-MONNOT,** • Bourgogne, 418 • Pommard, 533
DOM. DU **ROC,** Bordeaux, 197
CH. **ROC DE BERNON,** Puisseguin saint-émilion, 296
CH. **ROC DE BOISSAC,** Puisseguin saint-émilion, 296
CH. **ROC DE CALON,** Montagne saint-émilion, 293
CH. **ROC DE CANON,** Canon-fronsac, 238
ROC DU GOUVERNEUR, • Côtes du roussillon, 723 • Côtes du roussillon-villages, 727 • Rivesaltes, 1022
DOM. DE **ROCFONTAINE,** • Saumur, 875 • Saumur-champigny, 879
DOM. DE **ROCHAMBEAU,** • Anjou, 847 • Coteaux de l'aubance, 856
CH. **ROCHEBELLE,** Saint-émilion grand cru, 283
DOM. DE **ROCHEBONNE,** Beaujolais, 148
CH. DE **ROCHEFORT,** Sauternes, 399
CAVE DES VIGNERONS DE **ROCHEGUDE,** Côtes du rhône, 963
DOM. DE **ROCHE-GUILLON,** Fleurie, 167
DOM. DES **ROCHELLES,** Anjou-villages-brissac, **852**
DOM. DE **ROCHEMOND,** Côtes du rhône, 963
CH. DE **ROCHEMORIN,** Pessac-léognan, 334
DOM. DE **ROCHE NOIRE,** Chénas, 162
CH. DU **ROCHER,** Saint-émilion grand cru, 284
DOMINIQUE **ROCHER,** • Côtes du rhône, 963 • Côtes du rhône-villages, 971
CH. **ROCHER BELLEVUE FIGEAC,** Saint-émilion grand cru, 284
CH. **ROCHER CORBIN,** Montagne saint-émilion, 293
DOM. **ROCHE REDONNE,** Bandol, 751
CH. **ROCHER-FIGEAC,** Saint-émilion, 262
CH. **ROCHER LIDEYRE,** Côtes de castillon, 301
CH. **ROCHE-ROUSSEAU,** Cabernet d'anjou, 854
CH. DES **ROCHERS,** Lussac saint-émilion, 290
DOM. DES **ROCHES FORTES,** Côtes du rhône, 963
DOM. DES **ROCHES NEUVES,** Saumur-champigny, 879
CH. DES **ROCHETTES,** • Coteaux du layon, 866 • Coteaux du layon, **866**
FLEURON DES **ROCHETTES,** • Muscadet sèvre-et-maine, 836 • Jardin de la France, 1052
DOM. DU **ROCHOUARD,** • Bourgueil, 899 • Saint-nicolas-de-bourgueil, 902
CH. **ROC MEYNARD,** Bordeaux supérieur, 221
CAVE PRIVEE D'ANTONIN **RODET,** • Bourgogne, 418 • Chambolle-musigny, 483 • Montagny, 581 • Pouilly-fuissé, 591
ERIC **RODEZ,** • Champagne, 645 • Coteaux champenois, 655
LOUIS **ROEDERER,** Champagne, 645
MICHEL **ROGUE,** Champagne, 646
MARC ET SERGE **ROH,** Canton du Valais, 1100
LA CAVE DU **ROI DAGOBERT,** Alsace tokay-pinot gris, 107
CH. **ROLAND LA GARDE,** Premières côtes de blaye, 230
CH. **ROL DE FOMBRAUGE,** Saint-émilion grand cru, 284
ROLET PERE ET FILS, • Arbois, 662 • Crémant du jura, **671**
CH. DE **ROLLAND,** Barsac, 392
CH. **ROLLAN DE BY,** Médoc, 344
PASCAL **ROLLET,** Mâcon-villages, 588
PATRICK **ROLLET,** Beaujolais, 148
DOM. **ROLLIN PERE ET FILS,** Pernand-vergelesses, 509
ROLLY GASSMANN, Alsace pinot noir, 113
CH. **ROL VALENTIN,** Saint-émilion grand cru, 284
CH. **ROMAIN,** Rosette, 813
CH. **ROMANIN,** Les baux-de-provence, 757
CH. **ROMASSAN-DOMAINES OTT,** Bandol, 751
CH. **ROMBEAU,** • Côtes du roussillon, 724 • Muscat de rivesaltes, 1028
CH. **ROMER DU HAYOT,** Sauternes, 399

CHRISTOPHE **ROMEUF,** Côtes d'auvergne AOVDQS, 929
ERIC **ROMINGER,** Alsace grand cru zinnkoepflé, 131
ROMPIDEE, Canton du Tessin, 1110
DOM. **ROMPILLON,** • Rosé de loire, 821 • Coteaux du layon, 866
DOM. DU **RONCEE,** Chinon, 907
RONCO BALINO, Canton du Tessin, 1110
CH. **RONDILLON,** Loupiac, 389
ROPITEAU, • Bourgogne aligoté, 426 • Meursault, 548
CH. **ROQUEBERT,** Premières côtes de bordeaux, 314
LES VINS DE **ROQUEBRUN,** Saint-chinian, 717
CH. DE **ROQUEBRUNE,** Lalande de pomerol, 255
DOM. DE **ROQUEBRUNE,** Côtes du rhône, 963
CH. **ROQUEFORT,** Bordeaux sec, 206
CH. DE **ROQUEFORT,** Saint-émilion grand cru, 284
CH. DE **ROQUEFORT,** Côtes de provence, 743
CH. DE **ROQUENEGADE,** Corbières, 691
ROQUE SESTIERE, Corbières, 691
CH. **ROQUES MAURIAC,** Bordeaux supérieur, 221
CH. **ROQUETAILLADE LA GRANGE,** Graves, 323
CH. **ROSE D'ORION,** Montagne saint-émilion, 293
ROSE DE SIGOULES, Bergerac, 802
CH. **ROSE LA BICHE,** Haut-médoc, 356
ROSE MARINE, Coteaux du languedoc, 706
DOM. DE **ROSIERS,** Côte rôtie, **975**
DOM. DES **ROSIERS,** Chénas, 163
DOM. DES **ROSIERS,** Premières côtes de blaye, 230
CH. DE **ROSNAY,** Fiefs vendéens AOVDQS, 840
GEORGES **ROSSI,** Chénas, 163
MICHEL ET MARC **ROSSIGNOL,** • Bourgogne, 419 • Volnay, 537
REGIS **ROSSIGNOL-CHANGARNIER,** Bourgogne, 419
CH. **ROSSIGNOL-JEANNIARD,** • Pommard, 533 • Volnay, 537
DOM. **ROSSIGNOL-TRAPET,** Chapelle-chambertin, 473
ROSSO DI SERA, Canton du Tessin, 1110
ALFRED **ROTHSCHILD ET CIE,** Champagne, 646
BARONS DE **ROTHSCHILD LAFITE,** Bordeaux, 197
ROTIBERG, Canton de Schaffhouse, 1107
DOM. **ROTIER,** Gaillac, 780
DOM. DE **ROTISSON,** Crémant de bourgogne, 442
DOM. **ROTONDE CAVALIER,** Oc, 1064
DOM. DES **ROUAUDIERES,** Muscadet sèvre-et-maine, 836
CH. **ROUBAUD,** Costières de nîmes, 695
ROUCAILLAT, Coteaux du languedoc, 707
CH. **ROUDIER,** Montagne saint-émilion, 293
DOM. DU **ROUDIER,** Montagne saint-émilion, 294
CH. DU **ROUET,** Côtes de provence, 743
DOM. DES **ROUET,** Chinon, 908
ROUGE D'ANTAGNES, Canton de Vaud, 1093
CH. **ROUGET,** Pomerol, 251
MICHEL ET ROLAND **ROUGEYRON,** Côtes d'auvergne AOVDQS, 930
CH. **ROUMAGNAC LA MARECHALE,** Fronsac, 242
HERVE **ROUMIER,** • Bonnes-mares, 484 • Clos de vougeot, 487
CH. **ROUMIEU,** Barsac, 392
CH. **ROUMIEU-LACOSTE,** Barsac, 393
CH. **ROUQUETTE,** Cahors, 775
CH. **ROUQUETTE-SUR-MER,** Coteaux du languedoc, 707
DOM. DU **ROURE DE PAULIN,** • Mâcon-villages, 588 • Pouilly-fuissé, 591
WILFRID **ROUSSE,** Chinon, 908
ROUSSEAU FRERES, Touraine, 890
JACQUES **ROUSSEAUX,** Champagne, 646
ROUSSEAUX-BATTEUX, Champagne, 646
CH. DE **ROUSSELET,** Côtes de bourg, 235
CLAUDE **ROUSSELOT-PAILLEY,** Crémant du jura, 671
CH. DE **ROUSSET,** Coteaux de pierre-vert, 1013
LES CHAIS DES VIGNERONS DE **ROUSSET-LES-VIGNES,** Côtes du rhône-villages, 971
DOM. DES **ROUSSOTS,** Côtes du jura, 669
CH. **ROUTAS,** Coteaux varois, 759
DOM. DU **ROUVRE,** Côtes du roussillon-villages, 727
CH. DE **ROUX,** Côtes de provence, 743
DOM. **ROUX PERE ET FILS,** • Vougeot, 485 • Corton-charlemagne, 514 • Puligny-montrachet, **551** • Chassagne-montrachet, 557 • Saint-aubin, 559
DOM. DE **ROUZAN,** Vin de savoie, 677
DOM. JACQUES **ROUZE,** Quincy, 943
JEAN-MARIE **ROUZIER,** Chinon, 908
GEORGES **ROY,** Chorey-lès-beaune, 522
JEAN-FRANCOIS **ROY,** • Touraine, 890 • Valençay AOVDQS, 926
MICHEL **ROY,** Touraine, 890
DOM. DU **ROYAUME,** Muscadet sèvre-et-maine, 836
PAUL **ROYER,** Champagne, 646
GENEVIEVE **ROYER-MORETTI,** Chambolle-musigny, 483
ROYER PERE ET FILS, Champagne, 646
CH. **ROYLLAND,** Saint-émilion grand cru, 284
LES VIGNERONS DU **ROY RENE,** • Coteaux d'aix, 756 • Bouches-du-Rhône, 1072
DOM. **ROZES,** Muscat de rivesaltes, 1028
CH. **ROZIER,** Saint-émilion grand cru, 284
CH. **RUAT PETIT POUJEAUX,** Moulis-en-médoc, 371
RUBRO, Canton du Tessin, 1110
RUELLE-PERTOIS, Champagne, 646
DOM. **RUERE-LENOIR,** Mâcon supérieur, 584
DOM. **RUET,** Brouilly, 159
RUFFIN ET FILS, Champagne, 646
RUHLMANN, Alsace riesling, 91
RUHLMANN-DIRRINGER, Alsace pinot ou klevner, 85
GILBERT **RUHLMANN FILS,** Crémant d'alsace, 135
DOM **RUINART,** Champagne, 647
CH. **RUINE DE BELAIR,** Bergerac, 802
CH. DE **RULLY,** Rully, 573
DOM. DE **RULLY SAINT-MICHEL,** Rully, 573
HENRI **RUPPERT,** Moselle luxembourgeoise, 1084
RENE **RUTAT,** Champagne, 647
CH. DE **RUTH,** Côtes du rhône, 963
RUTISHAUSER, Canton de Thurgovie, 1108

CH. DE **SABAZAN,** Côtes de saint-mont AOVDQS, 798
DOM. DES **SABINES,** Lalande de pomerol, 255
DOM. DU **SABLE,** Saint-émilion, 262
DOM. DES **SABLONNETTES,** Coteaux du layon, 866
DOM. DES **SABLONS,** Touraine, 890
DOM. DU **SACRE-CŒUR,** • Saint-chinian, 717 • Muscat de saint-jean de minervois, 1031
LOUIS DE **SACY,** Champagne, 647
SADI-MALOT, Champagne, 647
GUY **SAGET,** Pouilly-fumé, 940
CAVE DE **SAIN-BEL,** Coteaux du lyonnais, 183
CH. **SAINT-AGREVES,** Graves, 323
CH. **SAINT-AHON,** Haut-médoc, 356
DOM. **SAINT-AMANT,** Côtes du rhône-villages, **971**
CH. **SAINT-ANDRE CORBIN,** Saint-georges saint-émilion, 297
DOM. DE **SAINT-ANTOINE,** Costières de nîmes, 695
DOM. **SAINT-ARNOUL,** • Anjou, 847 • Coteaux du layon, 866
CH. **SAINT-AUBIN,** Médoc, 344
DOM. **SAINT-AUBIN-DU-PLA,** Fitou, 711
SAINT AVIT, L'Orléanais AOVDQS, 935
CH. **SAINT-BENAZIT,** Madiran, 795
DOM. **SAINT-BENEZET,** Costières de nîmes, 696
CHAMPAGNE **SAINT-CHAMANT,** Champagne, 647
CH. **SAINT-CHRISTOPHE,** Médoc, 344
DOM. **SAINT-CLAUDE,** Côtes du rhône, 963
SAINT-COSME, • Côtes du rhône, 963 • Côte rôtie, 976 • Gigondas, 991
CH. **SAINT-CYRGUES,** • Costières de nîmes, **696** • Costières de nîmes, 696
DOM. **SAINT -DENIS,** Mâcon-villages, 588
CAVE DE **SAINT-DESIRAT,** • Condrieu, 978 • Saint-joseph, 982
CH. **SAINT-DIDIER-PARNAC,** Cahors, 775
DOM. **SAINTE-ANNE,** Côtes du rhône-villages, 972
DOM. DE **SAINTE-ANNE,** • Anjou-gamay, **848** • Coteaux de l'aubance, 856
CH. **SAINTE-BEATRICE,** Côtes de provence, 743
LES LARMES DE **SAINTE-CATHERINE,** Cadillac, 388
DOM. **SAINTE-COLOMBE ET LES RAMEAUX,** Costières de nîmes, 696
SAINTE-DOMINIQUE, Vin de savoie, 677
DOM. **SAINTE HELENE,** Muscat de rivesaltes, 1028
DOM. **SAINT-ELOI,** Côtes de provence, 743
CLOS **SAINTE-MAGDELEINE,** Cassis, 746
CH. **SAINTE-MARGUERITE,** Côtes de provence, 743
CH. **SAINTE-MARIE,** • Bordeaux rosé, 209 • Entre-deux-mers, 306
DOM. DE **SAINTE-MARIE,** Côtes de provence, 744
CAVE DE **SAINTE-MARIE-LA-BLANCHE,** • Crémant de bourgogne, 442 • Pommard, 533 • Volnay, 537 • Sainte-Marie-la-Blanche, 1079
DOM. DE **SAINT-ENNEMOND,** Brouilly, 159
CH. **SAINT-ESTEPHE,** Saint-estèphe, 382
CH. **SAINT-ESTEVE,** Corbières, 691
CH. **SAINT-ESTEVE,** Coteaux varois, 759
CH. **SAINT-ESTEVE D'UCHAUX,** Côtes du rhône, 963
CELLIER DES **SAINT-ETIENNE,** Brouilly, 159
DOM. **SAINT ETIENNE,** • Côtes du rhône, 964 • Côtes du rhône-villages, 972
CLOS **SAINT-FIACRE,** L'Orléanais AOVDQS, 935
DOM. **SAINT-FIACRE,** Meursault, 548
DOM. **SAINT-FRANCOIS,** Côtes du roussillon-villages, 727
DOM. **SAINT GAYAN,** Gigondas, 991
CAVE DES VIGNERONS DE **SAINT-GELY-DU-FESC,** Coteaux du languedoc, 707
CH. **SAINT-GEORGES,** Saint-georges saint-émilion, 297
DOM. **SAINT-GEORGES D'IBRY,** Oc, **1064**
DOM. **SAINT-GERMAIN,** Bourgogne irancy, 431
LES VIGNERONS DE **SAINT-GERVAIS,** Côtes du rhône-villages, 972
LES VIGNERONS DE **SAINT-HILAIRE D'OZILHAN,** Côtes du rhône, 964
CH. **SAINT-HUBERT,** Saint-émilion grand cru, 284
DOM. **SAINT-JACQUES,** Rully, **573**
CAVE **SAINT-JEAN,** Médoc, 344
CH. **SAINT-JEAN,** Coteaux d'aix, 756
CH. **SAINT-JEAN,** Côtes du rhône, 964
DOM. **SAINT-JEAN,** Côtes de provence, 744
DOM. **SAINT-JEAN,** Saumur-champigny, 879
CH. **SAINT-JEAN DE CONQUES,** • Saint-chinian, 717 • Oc, 1064
DOM. **SAINT-JEAN-DE-L'ARBOUSIER,** Coteaux du languedoc, 707
DOM. **SAINT-JEAN DE LA GINESTE,** Corbières, 692
CH. **SAINT-JEAN DE LAVAUD,** Lalande de pomerol, 255
LES VIGNERONS DE LA CAVE DE **SAINT-JEAN DE MINERVOIS,** Muscat de saint-jean de minervois, 1031
DOM. **SAINT-JEAN DE VILLECROZE,** • Coteaux varois, 760 • Var, 1073
DOM. DE **SAINT-JEAN-LE-VIEUX,** Coteaux varois, 760
DOM. **SAINT-JEMMS,** Crozes-hermitage, 984
CAVE DE **SAINT-JULIEN,** Beaujolais-villages, 154
DOM. DE **SAINT JULIEN LES VIGNES,** Coteaux d'aix, 756
DOM. DE **SAINT-JUST,** Saumur-champigny, **879**
CLOS **SAINT-LANDELIN,** Alsace grand cru vorbourg, 130
DOM. DE **SAINT-LANNES,** Côtes de Gascogne, 1058
DOM. **SAINT-LAURENT,** Côtes du rhône, 964

MAS **SAINT-LAURENT,** Coteaux du languedoc, 707
CH. **SAINT-LEON,** Minervois, **714**
CH. **SAINT-LO,** Saint-émilion grand cru, 285
CH. DE **SAINT-LOUAND,** Chinon, 908
CH. **SAINT-MAMBERT,** Pauillac, 377
CAVE **SAINT-MARC,** Côtes du ventoux, 1009
DOM. **SAINT-MARC,** • Sauvignon desaint-bris AOVDQS, 460 • Santenay, 563
DOM. DE **SAINT-MARC,** Côtes de provence, 744
CH. **SAINT-MARTIN,** Côtes du roussillon, 724
SAINT-MARTIN DE JOCUNDAZ, Côtes du rhône, 964
CH. **SAINT-MARTIN DE LA GARRIGUE,** • Coteaux du languedoc, 707 • Coteaux de Bessilles, 1065
SAINT MARTINSKELLEREI, Canton du Valais, 1100
CH. **SAINT-MAURICE,** Côtes du rhône-villages, 972
DOM. **SAINT-MEEN,** Muscadet des coteaux de la loire sur lie, 826
DOM. **SAINT-MICHEL,** Muscadet sèvre-et-maine, 837
CH. **SAINT NABOR,** Côtes du rhône-villages, 972
CH. **SAINTONGEY,** Bordeaux, 197
CH. **SAINT-OURENS,** Premières côtes de bordeaux, 314
CAVE DE **SAINT-PANTALEON-LES-VIGNES,** Côtes du rhône-villages, 972
CH. **SAINT-PAUL,** Haut-médoc, 356
LES VIGNERONS DE **SAINT-PAUL,** • Côtes du roussillon-villages, 727 • Rivesaltes, **1022**
CH. DE **SAINT-PHILIPPE,** Côtes de castillon, 301
CH. **SAINT-PIERRE,** Pomerol, 251
CH. **SAINT-PIERRE,** Saint-julien, **386**
CH. **SAINT-PIERRE,** Côtes de provence, 744
DOM. DE **SAINT-PIERRE,** Sancerre, 949
DOM. DE **SAINT-PIERRE DE PARADIS,** Muscat de lunel, 1030
CH. **SAINT-PIERRE LA MITRE,** Bordeaux supérieur, 221
DOM. **SAINT-PRIX,** • Bourgogne, 419 • Bourgogne aligoté, 426 • Bourgogne irancy, 431
DOM. DE **SAINT-QUINIS,** Côtes de provence, 744
DOM. **SAINT-REMY,** Alsace grand cru brand, 117
CAVES **SAINT-REMY-DESOM,** Moselle luxembourgeoise, 1084
CH. **SAINT-ROBERT,** Graves, 323
DOM. DE **SAINT-ROMBLE,** Sancerre, 949
LES CELLIERS **SAINT-ROMBLE,** Sancerre, 949
CH. **SAINT-SAUVEUR,** Côtes du ventoux, 1009
DOM. DE **SAINT-SER,** Côtes de provence, 744
DOM. **SAINT SERNIN,** Minervois, 714
DOM. DE **SAINT SIFFREIN,** Châteauneuf-du-pape, 999
CLOS **SAINT-THEOBALD,** Alsace grand cru rangen de thann, 126
CAVE **SAINT-VERNY,** Côtes d'auvergne AOVDQS, 930
CH. **SAINT VINCENT,** Sauternes, 399
CLOS **SAINT-VINCENT,** Bellet, 747
DOM. **SAINT-VINCENT,** • Saumur, 875 • Saumur-champigny, 879
CLOS **SAINT-VINCENT DES RONGERES,** Muscadet sèvre-et-maine, 837
SALASAR, Blanquette de limoux, 684
ANDEOL **SALAVERT,** Côtes du rhône-villages, 972
CH. **SALELLES,** Coteaux du languedoc, 707
CH. **SALETTES,** Bandol, 751
DOM. DE **SALINE,** Ile de Beauté, 1069
CH. **SALITIS,** Cabardès, **718**
ALAIN ET PHILIPPE **SALLE,** Touraine, 890
CH. DE **SALLES,** Floc de gascogne, 1041
RAPHAEL ET GERARD **SALLET,** Mâcon-villages, 588
CH. **SALMONIERE,** Muscadet sèvre-et-maine, 837
DENIS **SALOMON,** Champagne, 647
SALON, Champagne, 647
CAVE DE **SALQUENEN,** Canton du Valais, 1100
DOM. DU **SALVARD,** Cheverny, 922
DOM. **SALVAT,** • Côtes du roussillon, 724 • Muscat de rivesaltes, 1028 • Coteaux des Fenouillèdes, 1067
SALZMANN, • Alsace grand cru mambourg, 123 • Alsace grand cru schlossberg, 127
CH. **SAMION,** Lalande de pomerol, 256
SAN-CERI, Var, 1073
CH. DE **SANCERRE,** Sancerre, 949
DOM. DE **SANCET,** Floc de gascogne, 1041
DOM. **SANCORDO,** Minervois, 714
DOM. **SAN DE GUILHEM,** Floc de gascogne, 1041
SANGER, Champagne, 647
DOM. DE **SAN-MICHELE,** Vins de corse, 765
DOM. **SAN QUILICO,** • Patrimonio, 768 • Muscat du cap corse, 1033
CH. DE **SANSARIC,** Graves, 324
DOM. **SANTA DUC,** Gigondas, 991
BERNARD **SANTE,** Chénas, 163
DOM. DES **SANZAY,** Cabernet de saumur, 876
CH. **SARANSOT-DUPRE,** Listrac-médoc, 361
JEAN-JACQUES **SARD,** Touraine, 890
DOM. **SARDA-MALET,** Côtes du roussillon, 724
CH. **SARDY,** Côtes de bergerac, 807
CH. DE **SARPE,** Saint-émilion, 263
MICHEL **SARRAZIN ET FILS,** • Maranges, 566 • Givry, 579
SASSI GROSSI, Canton du Tessin, **1110**
CH. DE **SAU,** Rivesaltes, 1022
DOM. **SAUGER ET FILS,** Cheverny, 922
DOM. DES **SAULAIES,** • Anjou-gamay, 848 • Jardin de la France, 1052
CAVE DES VIGNERONS DE **SAUMUR,** • Saumur, 875 • Saumur-champigny, 880
CH. DE **SAURS,** Gaillac, 780
CH. **SAUVAGNERES,** Buzet, 782
SAUVAT, Côtes d'auvergne AOVDQS, 930
SAUVEROY, Anjou-villages, 850
DOM. VINCENT **SAUVESTRE,** • Chablis, 450 • Pommard, 533
DOM. **SAUVETE,** Touraine, 890
DOM. DE **SAVAGNY,** • Côtes du jura, 669 • Macvin du jura, 1044
FRANCINE ET OLIVIER **SAVARY,** Bourgogne, 419
DOM. **SAVARY DE BEAUREGARD,** Coteaux de Bessilles, 1065
CAMILLE **SAVES,** Champagne, 648
CHRISTOPHE **SAVOYE,** Chiroubles, 165
RENE **SAVOYE,** Chiroubles, 164
A. ET A. **SAXER,** Canton de Thurgovie, 1108
MARTIN **SCHAETZEL,** • Alsace gewurztraminer, 99 • Alsace grand cru marckrain, 124
JOSEPH **SCHAFFAR,** Alsace grand cru hengst, 121
SCHALLER, Alsace muscat, 94
CH. DE **SCHENGEN,** Moselle luxembourgeoise, 1084
ANNICK ET MICHEL **SCHERB,** • Alsace riesling, 91 • Alsace tokay-pinot gris, 107
MICHEL **SCHERB,** Crémant d'alsace, 135
LOUIS **SCHERB ET FILS,** Alsace gewurztraminer, 99
SCHERER, Alsace pinot ou klevner, 85
PAUL **SCHERER,** Alsace tokay-pinot gris, 107
THIERRY **SCHERRER,** Crémant d'alsace, 135
DOM. PIERRE **SCHILLE,** Alsace grand cru mambourg, 123
DOM. **SCHIRMER,** • Alsace gewurztraminer, 99 • Alsace tokay-pinot gris, 108 • Alsace grand cru zinnkoepflé, 131
DOM. DES **SCHISTES,** • Côtes du roussillon-villages, 727 • Rivesaltes, 1022
DOM. **SCHLEGEL-BOEGLIN,** Alsace grand cru zinnkoepflé, 132
SCHLOSSLIWY, Canton de Berne, 1104
DOM. **SCHLUMBERGER,** • Alsace grand cru kessler, 121 • Alsace grand cru kitterlé, 122
SCHMIT-FOHL, Moselle luxembourgeoise, 1084
ROLAND **SCHMITT,** Alsace grand cru altenberg de bergbieten, 115
PAUL **SCHNEIDER,** • Alsace grand cru eichberg, **118** • Crémant d'alsace, 135
ALBERT **SCHOECH,** • Alsace grand cru mambourg, 123 • Alsace grand cru wineck-schlossberg, 130
DOM. MAURICE **SCHOECH,** • Alsace tokay-pinot gris, 108 • Alsace pinot noir, 113
JEAN-LOUIS **SCHOEPFER,** Alsace gewurztraminer, 99
MICHEL **SCHOEPFER,** • Alsace pinot ou klevner, 85 • Alsace tokay-pinot gris, 108
PETER **SCHOTT-TRANCHANT,** Canton de Berne, 1105
DOM. **SCHUMACHER-LETHAL ET FILS,** Moselle luxembourgeoise, 1084
CHRISTIAN **SCHWARTZ,** • Alsace gewurztraminer, 100 • Crémant d'alsace, 135
EMILE **SCHWARTZ ET FILS,** • Alsace pinot noir, 113 • Alsace tokay-pinot gris, 108 • Alsace grand cru pfersigberg, 125
FRANCOIS **SECONDE,** Champagne, 648
SEGLA, Margaux, 368
CH. **SEGONZAC,** Premières côtes de blaye, 230
CH. DE **SEGRIES,** Lirac, 1002
CH. DE **SEGUIN,** Bordeaux supérieur, 221
CLAUDE **SEGUIN,** • Bourgogne, 419 • Bourgogne aligoté, 426
REMI **SEGUIN,** • Morey-saint-denis, 478 • Chambolle-musigny, 483 • Vosne-romanée, 491
DOM. **SEGUIN-MANUEL,** Savigny-lès-beaune, 520
DANIEL **SEGUINOT,** • Chablis, 450 • Chablis premier cru, 456
CH. **SEGUR,** Haut-médoc, 356
CH. **SEGUR DE CABANAC,** Saint-estèphe, 382
CH. **SEIGNEUR DE GANEAU,** Côtes de castillon, 301
SEIGNEUR DE MAUGIRON, Cote rôtie, 976
SEIGNEUR DES DEUX VIERGES, Coteaux du languedoc, 708
SEIGNEURIE DE FONTANGE, Gigondas, 991
DOM. DES **SEIGNEURS,** Touraine, 890
CH. DES **SEIGNEURS DE POMMYERS,** Bordeaux, 197
SEILLY, • Alsace muscat, 94 • Alsace gewurztraminer, 100 • Alsace pinot noir, 113
SELIG, Alsace tokay-pinot gris, 108
CH. DE **SELLIERES,** Côtes du jura, 669
ALBERT **SELTZ,** Alsace sylvaner, 83
CH. **SEMEILLAN MAZEAU,** Listrac-médoc, 361
CH. **SENAILHAC,** Bordeaux supérieur, 221
COMTE **SENARD,** • Aloxe-corton, 507 • Corton, 512
DOM. DES **SENECHAUX,** Châteauneuf- du-pape, 999
CH. **SENEJAC,** Haut-médoc, 356
CRISTIAN **SENEZ,** Champagne, 648
CH. **SENTOUT LA GRANGE,** Bordeaux supérieur, 222
CAVE DES **SEPT MONTS,** Agenais, 1054
DOM. DU **SERBAT,** Agenais, 1054
DOM. DE **SERESNES,** Reuilly, **944**
CH. **SERGANT,** Lalande de pomerol, 256
DOM. **SERGENT,** Madiran, 795
DOM. DE **SERMEZY,** Beaujolais-villages, 154
SERMIER, Côtes du jura, 669
ROBERT **SEROL,** Côte roannaise, 934
DOM. DE **SERREAUX-DESSUS,** Canton de Vaud, 1093
DOM. DU **SERRE-BIAU,** Côtes du rhône-villages, 972
DOM. **SERRES-MAZARD,** Corbières, 692
DOM. DE **SERVANS,** • Côtes du rhône, 964 • Côtes du rhône-villages, 972
DOM. BERNARD **SERVEAU ET FILS,** Bourgogne, 419
SERVEAUX FILS, Champagne, 648
DOM. **SERVIN,** • Chablis, **450** • Chablis premier cru, 456 • Chablis grand cru, 459
CH. DU **SEUIL,** Graves, 324
CH. DU **SEUIL,** Coteaux d'aix, 756
CAVE DE **SEZENOVE,** Canton de Genève, 1102
SIEUR D'ARQUES, Blanquette de limoux, 684
SIFFERT, • Alsace riesling, 91 • Alsace pinot noir, 114
CH. **SIGALAS-RABAUD,** Sauternes, 399
LE CADET DE **SIGALAS-RABAUD,** Sauternes, 399
CH. **SIGNAC,** Côtes du rhône-villages, 972
SIGNATURES, Bordeaux, 198
SIGNATURES EN BORDEAUX, Bordeaux sec, 206
MARC **SIGNERIN,** Juliénas, 170
CAVE DE **SIGOLSHEIM,** Alsace grand cru mambourg, 123

DOM. DU **SILLON COTIER,** Jardin de la France, 1052
SIMART-MOREAU, Champagne, 648
CH. **SIMIAN,** • Côtes du rhône-villages, 973 • Châteauneuf-du-pape, 999
CH. **SIMON,** • Graves, 324 • Barsac, 393
SIMON-DEVAUX, Champagne, 648
CH. **SIMONE,** Palette, 752
GUY **SIMON ET FILS,** • Bourgogne aligoté, 426 • Bourgogne hautes-côtes de nuits, 434
JEANNE **SIMON-HOLLERICH,** Moselle AOVDQS, 138
DOM. **SIMONIN,** • Mâcon, 583 • Pouilly-fuissé, 591 • Saint-véran, 596
JEAN-PAUL **SIMONIS ET FILS,** • Alsace riesling, 91 • Alsace gewurztraminer, 100
SIMONNET-FEBVRE, • Bourgogne, 419 • Petit chablis, 446 • Chablis premier cru, 456
SIMON-SELOSSE, Champagne, 648
SINFONIA, Canton du Tessin, 1110
CH. **SINGLEYRAC,** Bergerac, 802
HUBERT **SINSON,** Valençay AOVDQS, 926
DOM. **SIOUVETTE,** Côtes de provence, 744
JEAN **SIPP,** Alsace grand cru kirchberg de Ribeauvillé, 122
LOUIS **SIPP,** Alsace grand cru kirchberg de Ribeauvillé, 122
DOM. **SIPP-MACK,** Alsace riesling, 91
CH. **SIRAN,** Margaux, 368
DOM. ROBERT **SIRUGUE,** • Bourgogne aligoté, 426 • Bourgogne passetoutgrain, 430 • Chambolle-musigny, 483 • Vosne-romanée, **491**
CH. **SMITH HAUT LAFITTE,** Pessac-léognan, 334
CH. **SOCIANDO-MALLET,** Haut-médoc, **357**
LA DEMOISELLE DE **SOCIANDO-MALLET,** Haut-médoc, 357
SOLEIL DE SIERRE, Canton du Valais, 1100
DOM. DU **SOLEIL ROMAIN,** • Côtes du rhône, 964 • Côtes du rhône-villages, 973
DOM. DU **SONNENBERG,** Alsace gewurztraminer, 100
JEAN-MICHEL **SORBE,** Reuilly, 944
BRUNO **SORG,** Alsace grand cru florimont, 118
DOM. **SORIN,** • Côtes de provence, 745 • Bandol, 751
JEAN-PIERRE **SORIN,** • Bourgogne, 419 • Bourgogne aligoté, 426
MARYLENE ET PHILIPPE **SORIN,** Bourgogne, 419
DOM. **SORIN-DEFRANCE,** Sauvignon desaint-bris AOVDQS, 460
SORINE ET FILS, Santenay, 563
DOM. DES **SORNAY,** Morgon, 173
DOM. **SORTEILHO,** Saint-chinian, **717**
CH. DE **SOUCHE,** Muscadet côtes de grand lieu, 838
CH. **SOUCHERIE,** Coteaux du layon, 866
DOM. DES **SOUCHONS,** Morgon, 173
CH. **SOUDARS,** Haut-médoc, 357
DOM. DU **SOULIER,** Brouilly, 159
ALBERT **SOUNIT,** • Crémant de bourgogne, 442 • Bourgognecôte chalonnaise, 568 • Rully, 574
ROLAND **SOUNIT,** Rully, 574
PIERRE **SOURDAIS,** Chinon, 908
CH. DE **SOURS,** • Bordeaux sec, 206 • Bordeaux rosé, 209
DE **SOUSA-BOULEY,** Meursault, 548
DE **SOUSA ET FILS,** Champagne, 648
SOUS LA DOLLE, Canton de Vaud, 1093
DOM. **SOUS-TOURNOEL,** Côtes d'auvergne AOVDQS, 930
DOM. DES **SOUTERRAINS,** Touraine, 890
A. **SOUTIRAN,** Coteaux champenois, 655
PATRICK **SOUTIRAN,** Champagne, 649
A. **SOUTIRAN-PELLETIER,** Champagne, 649
DOM. DE **SOUVIOU,** Bandol, 751
EUGENE **SPANNAGEL ET FILS,** Alsace gewurztraminer, 100
PIERRE **SPARR,** • Alsace pinot noir, 114 • Alsace grand cru mambourg, 123
SPITZ ET FILS, • Alsace pinot ou klevner, 85 • Crémant d'alsace, 135
VON **STAATSREBGUT,** Canton de Schaffhouse, 1107
CAVES DE **STADTBREDIMUS,** Moselle luxembourgeoise, 1085
BERNARD **STAEHLE,** • Alsace riesling, 92 • Alsace grand cru hengst, 121
STAMM, Canton de Schaffhouse, 1107
DOM. **STEINMETZ-JUNGERS,** Moselle luxembourgeoise, 1085
ANDRE **STENTZ,** • Alsace pinot noir, 114 • Alsace grand cru steingrübler, 129
FERNAND **STENTZ,** Alsace grand cru pfersigberg, 126
STENTZ-BUECHER, Alsace grand cru steingrübler, 129
DOM. AIME **STENTZ ET FILS,** Alsace grand cru hengst, 121
STEPHANE ET FILS, Champagne, 649
ZUM **STERNEN,** Canton d'Argovie, **1105**
CHARLES **STOEFFLER,** • Alsace riesling, 92 • Alsace pinot noir, 114
ANTOINE **STOFFEL,** • Alsace gewurztraminer, 100 • Alsace tokay-pinot gris, 108
CH. DE **STONY,** Muscat de frontignan, 1029
STRAUB, • Alsace gewurztraminer, 100 • Alsace grand cru winzenberg, 131
HUGUES **STROHM,** Alsace pinot noir, 114
STRUSS, • Alsace riesling, 92 • Crémant d'alsace, 135
BARBARA ET THOMAS **STUDACH,** Canton des Grisons, 1106
FRANCIS **SUARD,** Chinon, 908
CH. **SUAU,** • Cadillac, 388 • Barsac, 393
CH. **SUDUIRAUT,** Sauternes, 400
SUGOT-FENEUIL, Champagne, 649
MICHEL **SUIRE,** Saumur, 875
DOM. ELIE **SUMEIRE,** Côtes de provence, 745
DOM. DE **SUREMAIN,** Mercurey, 577
CH. DE **SURVILLE,** Costières de nîmes, 696
JEAN-PAUL **SUSS,** Champagne, 649
DOM. DES **SYLPHES,** Oc, 1064

HUBERT ET JEAN-PAUL **TABIT,** • Bourgogne, 420 • Sauvignon de saint-bris AOVDQS, 460
DOM. **TABORDET,** • Pouilly-fumé, 940 • Sancerre, 949
DOM. **TAILHADES MAYRANNE,** Minervois, 714
CH. DU **TAILLAN,** Haut-médoc, 357
CH. **TAILLEFER,** Pomerol, 251
DOM. **TAILLEURGUET,** Madiran, 795
CAVE DE **TAIN-L'HERMITAGE,** • Saint-joseph, 982 • Hermitage, **986** • Saint-péray, 988
LES VIGNERONS REUNIS A **TAIN-L'HERMITAGE,** • Cornas, 987 • Saint-péray, 988
TAITTINGER, Champagne, 649
CAILLOU BLANC DE CH. **TALBOT,** Bordeaux sec, 206
CH. **TALBOT,** Saint-julien, 386
DOM. GERALD ET PHILIBERT **TALMARD,** Mâcon-villages, 588
JOEL **TALUAU,** Saint-nicolas-de-bourgueil, 902
TANNEUX-MAHY, Champagne, 649
LES VIGNERONS DE **TARERACH,** Côtes du roussillon, 724
CH. DE **TARGE,** Saumur-champigny, 880
CH. DU **TARIQUET,** Floc de gascogne, 1041
DOM. DU **TARIQUET,** Côtes de Gascogne, 1058
TARLANT, Champagne, 649
TARRAL, Oc, **1064**
EMMANUEL **TASSIN,** • Champagne, 650 • Coteaux champenois, 655
DOM. DU **TASTET,** Terroirs landais, 1055
DOM. BERNARD **TATRAUX JUILLET,** Givry, 579
PIERRE **TAUPENOT,** • Bourgogne aligoté, 426 • Auxey-duresses, 543
DOM. **TAUPENOT-MERME,** • Bourgogne aligoté, 426 • Charmes-chambertin, 474 • Morey-saint-denis, 478 • Chambolle-musigny, 483
ETIENNE DE **TAURIAC,** Côtes de bourg, 235
LES MAITRES VIGNERONS DE **TAUTAVEL,** Côtes du roussillon-villages, 728
CH. DE **TAUZIES,** Gaillac, 780
CH. **TAUZINAT L'HERMITAGE,** Saint-émilion grand cru, 285
LES VIGNERONS DE **TAVEL,** Tavel, 1003
CH. **TAYAC-PLAISANCE,** Margaux, 368
CH. **TAYET,** Bordeaux supérieur, 222
CH. **TEIGNEY,** Graves, 324
DOM. JEAN **TEILLER,** Menetou-salon, 937
J. DE **TELMONT,** Champagne, 650
MARC **TEMPE,** • Alsace grand cru mambourg, 123 • Alsace grand cru schoenenbourg, 127
DOM. DU **TEMPLE,** Coteaux du languedoc, 708
JEAN-YVES **TEMPLIER,** Muscadet sèvre-et-maine, 837
CELLIER DES **TEMPLIERS,** • Collioure, 730 • Banyuls, 1017 • Banyuls grand cru, **1018**
TENIMENTO DELL'OR, Canton du Tessin, 1111
DOM. DU **TERME,** Gigondas, 991
TERRASSES DE SAUMUR, Cabernet de saumur, 876
TERRASSOUS, • Côtes du roussillon, 724 • Rivesaltes, 1022
TERRA VECCHIA, Ile de Beauté, **1070**
CH. **TERRE-BLANQUE,** Premières côtes de blaye, 230
DOM. DE **TERREBRUNE,** Bandol, 751
DOM. DE **TERREBRUNE,** • Crémant de loire, 824 • Bonnezeaux, 868
CH. **TERREFORT,** Loupiac, 389
CH. DE **TERREFORT-QUANCARD,** Bordeaux supérieur, 222
DOM. DES **TERREGELESSES,** Savigny-lès-beaune, 520
DOM. DE **TERRE MEGERE,** Oc, 1064
TERRE ROUGE, Médoc, 344
DOM. **TERRES BLANCHES,** Les baux-de-provence, 757
TERRES DE GALETS, Oc, 1064
DOM. DES **TERRES DOREES,** Beaujolais, 149
DOM. DE **TERRES MUNIERS,** Beaujolais-villages, 154
DOM. DES **TERRES NOIRES,** Touraine, 890
TERRES ROUGES, Coteaux du languedoc, 708
CH. **TERRE VIEILLE,** Pécharmant, 812
CH. **TERREY GROS CAILLOUX,** Saint-julien, 386
DOM. DES **TERRISSES,** Gaillac, 780
DOM. DU **TERROIR DE JOCELYN,** Mâcon-villages, 588
CH. DU **TERTRE,** Margaux, 368
CH. **TERTRE DAUGAY,** Saint-émilion grand cru, 285
DOM. PHILIPPE **TESSIER,** • Cheverny, 922 • Cour-cheverny, 923
CH. **TESTAVIN,** Côtes de provence, 745
V. **TESTULAT,** Champagne, 650
DANIEL **TEVENOT,** Cheverny, 922
CH. **TEYNAC,** Saint-julien, 386
CH. **TEYSSIER,** Montagne saint-émilion, 294
CH. DE **THAUVENAY,** Sancerre, 950
CH. **THENAC,** Côtes de bergerac moelleux, 808
CH. **THEOBON,** Bergerac, 802
DOM. DES **THERMES,** Côtes de provence, 745
DOM. DU **THERON,** Cahors, 775
JACKY **THERREY,** Champagne, 650
CH. **THEULET,** Bergerac sec, 805
ANDRE **THEVENEAU,** Sancerre, 950
JEAN-CLAUDE **THEVENET,** Mâcon, 583
LUCIEN **THEVENET,** Champagne, 650
DOM. RICHARD **THEVENOT,** Mercurey, 577
FLORENCE ET MARTIAL **THEVENOT,** Bourgognecôte chalonnaise, 570
DOM. **THEVENOT LE BRUN ET FILS,** • Bourgogne aligoté, 426 • Bourgogne hautes-côtes de nuits, 435 • Bourgogne hautes-côtes de beaune, 439
DOM. **THIBAULT,** Pouilly-fumé, 940
DOM. **THIBAUT,** Bourgogne, 420
GUY **THIBAUT,** Champagne, 650
CH. DES **THIBEAUD,** Sainte-foy-bordeaux, 309
CH. **THIBEAUD-MAILLET,** Pomerol, 251
PIERRE **THIBERT,** Chorey-lès-beaune, 522
DOM. **THIBERT PERE ET FILS,** • Mâcon-villages, 588 • Pouilly-fuissé, 592 • Pouilly vinzelles, 593
JEAN-CLAUDE **THIELLIN,** Montlouis, 913
ALAIN **THIENOT,** Champagne, **650**
CHRISTIAN **THIERRY,** Vouvray, 919
JEAN-LOUIS ET FRANCOISE **THIERS,** Saint-péray, 988
CH. **THIEULEY,** Bordeaux supérieur, 222
GERARD ET HUBERT **THIROT,** Sancerre, 950
DOM. DU **THIZY,** Morgon, 173
DOM. **THOMAS,** • Clos de vougeot, 487 • Vosne-romanée, 491 • Nuits-saint-georges, 497 • Savigny-lès-beaune, 520 • Sancerre, 950

YVES ET ERIC **THOMAS,** Vouvray, 919
ANDRE **THOMAS ET FILS,** • Alsace riesling, 92 • Alsace gewurztraminer, 100 • Alsace tokay-pinot gris, **108**
CLAUDE ET FLORENCE **THOMAS-LABAILLE,** Sancerre, 950
THOMAS-MOILLARD, • Bourgogne hautes-côtes de beaune, 439 • Bourgogne hautes-côtes de nuits, 435
CHRISTOPHE **THORIGNY,** Vouvray, 919
THORIN, Mâcon-villages, 588
CLOS **THOU,** Jurançon, 792
CH. **THOURAMME,** Côtes du luberon, 1011
CH. **THUERRY,** Coteaux varois, 760 • Var, 1073
DOM. DE **THULON,** Chiroubles, 165
RICHARD **THUY ET FILS,** Canton de Vaud, 1093
CH. **TIMBERLAY,** Bordeaux sec, 206
F. **TINEL-BLONDELET,** Pouilly-fumé, 941
CH. **TIRECUL LA GRAVIERE,** Monbazillac, 809
CH. DE **TIREGAND,** Pécharmant, 812
CH. **TIRE PE,** Bordeaux, 198
DIOGENE **TISSIER ET FILS,** Champagne, 650
ROLAND **TISSIER ET FILS,** Sancerre, 950
ANDRE ET MIREILLE **TISSOT,** • Arbois, 663 • Crémant du jura, 671 • Macvin du jura, **1044**
JACQUES **TISSOT,** • Arbois, 663 • Côtes du jura, 669
JEAN-LOUIS **TISSOT,** Arbois, 662 663
GUY **TIXIER,** Champagne, 651
CH. **TOINET FOMBRAUGE,** Saint-émilion grand cru, 285
TONELUM, Pouilly-fumé, 941
DOM. DU **TONKIN,** Quincy, 943
CH. **TONNERET,** Saint-émilion, 263
TOQUES ET CLOCHERS, • Limoux, **686** • Limoux, 686
DOM. DE **TORRACCIA,** Vins de corse, 765
TORRE DEL FAR, Rivesaltes, 1022
DOM. **TORTOCHOT,** • Gevrey-chambertin, 471 • Chambertin, 472 • Charmes-chambertin, 474 • Mazis-chambertin, 475
DOM. DES **TOUCHES,** Anjou, 847
CH. **TOUMALIN,** Canon-fronsac, 238
CH. **TOUMALIN SAINT-CRIC,** Canon-fronsac, 238
CH. **TOUMILON,** Graves, 324
CH. **TOUR BALADOZ,** Saint-émilion grand cru, 285
CH. **TOUR BICHEAU,** Graves, 324
CH. **TOUR BLANCHE,** Médoc, 344
CH. **TOUR BLANQUET,** Saint-estèphe, 382
CH. **TOUR CAILLET,** Bordeaux supérieur, 222
CH. **TOUR DE BIOT,** Bordeaux, 198
CH. **TOUR DE CALENS,** Graves, 324
CH. **TOUR DE COLLIN,** Côtes de bourg, 235
CH. **TOUR DE FARGES,** Muscat de lunel, 1030
CH. **TOUR DE GRANGEMONT,** Côtes de bergerac moelleux, 808
CH. **TOUR DE MARCHESSEAU,** Lalande de pomerol, 256
CH. **TOUR DE MIRAMBEAU,** • Bordeaux, 198 • Bordeaux sec, 206 • Bordeaux supérieur, 222
CH. **TOUR DE PEZ,** Saint-estèphe, 382
CH. **TOUR DES COMBES,** Saint-émilion grand cru, 285
CH. **TOUR DES GENDRES,** Côtes de bergerac, 807
CH. **TOUR DES GRAVES,** Côtes de bourg, 235
CH. **TOUR DES TERMES,** Saint-estèphe, 382
CH. **TOUR DU HAUT-MOULIN,** Haut-médoc, 357
CH. **TOUR DU MOULIN,** Fronsac, 242
CH. **TOUR DU MOULIN,** Haut-médoc, 357
TOUR DU ROY, Crémant de bordeaux, 224
CH. DES **TOURELLES,** Costières de nîmes, 696
CH. **TOUR GALINEAU,** Premières côtes de blaye, 231
CH. **TOUR GRAND COLOMBIER,** Lalande de pomerol, 256
CH. **TOUR GRAND FAURIE,** Saint-émilion grand cru, 285
CH. **TOUR HAUT-CAUSSAN,** Médoc, **345**
CH. **TOURMENTINE,** Bergerac, 803
CH. **TOUR MONTBRUN,** Bergerac rosé, 803
CH. **TOURNEFEUILLE,** Lalande de pomerol, 256
DOM. **TOUR PARADIS,** Côtes du rhône, 964
CH. **TOUR PIBRAN,** Pauillac, 377
CH. **TOUR RENAISSANCE,** Saint-émilion grand cru, 285
CH. **TOUR SAINT JOSEPH,** Haut-médoc, 357
CH. **TOURTEAU CHOLLET,** Graves, 324
DOM. DES **TOURTERELLES,** Montlouis, 913
CH. DES **TOURTES,** Premières côtes de blaye, 231
GERARD **TOYER,** Valençay AOVDQS, 926
DOM. DU **TRAGINER,** • Collioure, 730 • Banyuls, **1017**
DOM. DES **TRAHAN,** • Rosé de loire, 821 • Cabernet d'anjou, 855
DOM. **TRAPET PERE ET FILS,** • Marsannay, 464 • Gevrey-chambertin, 471 • Chambertin, 472 • Chapelle-chambertin, 473
DOM. DES **TREILLES,** Beaujolais, 149
JACQUES **TREMBLAY,** Bourgogne, 420
DOM. **TREMEAUX PERE ET FILS,** Mercurey, 577
TREMOINE DE RASIGUERES, Côtes du roussillon, 724
TRENEL FILS, Chiroubles, 165
JEAN **TRESY ET FILS,** Côtes du jura, 669
SEBASTIEN **TREUILLET,** Pouilly-sur-loire, 941
CH. **TRIANS,** Coteaux varois, 760
TRIBAUT-SCHLŒSSER, Champagne, 651
BERNARD **TRICHARD,** Brouilly, 159
DOM. BENOIT **TRICHARD,** Moulin à vent, 176
FREDERIC **TRICHARD,** Brouilly, 159
RAYMOND **TRICHARD,** Chénas, 163
OLIVIER **TRICON,** Bourgogne, 420
CH. **TRICOT,** Montagne saint-émilion, 294
DOM. DE **TRIENNES,** Var, 1073
CH. DU **TRIGNON,** • Côtes du rhône, 964 • Côtes du rhône-villages, 973 • Gigondas, 991
CLOS **TRIGUEDINA,** Cahors, 775
F.E. **TRIMBACH,** Alsace tokay-pinot gris, 108
CH. **TRIMOULET,** Saint-émilion grand cru, 286
CH. DE **TRINQUEVEDEL,** Tavel, 1003
DIDIER **TRIPOZ,** • Bourgogne passetoutgrain, 430 • Crémant de bourgogne, 442 • Mâcon, 583 • Mâcon-villages, 588
ALFRED **TRITANT,** Champagne, **651**
CH. **TROCARD,** Bordeaux supérieur, 222
CH. DES **TROIS CHARDONS,** Margaux, 368
DOM. DES **TROIS ETOILES,** Canton de Genève, 1102
CH. **TROIS FONDS,** Sainte-foy-bordeaux, 309
DOM. DES **TROIS FONTAINES,** Blanquette de limoux, 685
DOM. **TROIS FRERES,** Jardin de la France, 1052
DOM. DES **TROIS MONTS,** • Rosé de loire, 822 • Anjou, 847
CH. **TROIS MOULINS,** Haut-médoc, 357
DOM. DES **TROIS NOYERS,** Sancerre, 950
DOM. DES **TROIS-PIERRES,** Costières de nîmes, 696
DOM. DES **TROIS TILLEULS,** Pouilly-fuissé, 592
CH. **TRONQUOY-LALANDE,** Saint-estèphe, 382
CH. **TROPLONG MONDOT,** Saint-émilion grand cru, 286
CH. **TROTANOY,** Pomerol, **251**
DOM. **TROTEREAU,** Quincy, 943
CH. **TROTTEVIEILLE,** Saint-émilion grand cru, 286
DOM. DES **TROTTIERES,** • Rosé de loire, 822 • Anjou, 847 • Anjou-villages, 850
LE CELLIER DE **TROUILLAS,** • Côtes du roussillon, 724 • Rivesaltes, 1022
FREDERIC **TROUILLET,** Crémant de bourgogne, 443
DOM. JEAN-PIERRE **TRUCHETET,** • Bourgogne passetoutgrain, 430 • Côte de nuits-villages, 500
VIN DU **TSAR,** Thézac-Perricard, 1055
DOM. DE **TUDERY,** Saint-chinian, 717
TUFFEAU MONT-VEILLON, Coteaux du loir, 909
DOM. DES **TUILERIES,** Muscadet sèvre-et-maine, 837
DOM. DU **TUNNEL,** • Cornas, 988 • Saint-péray, 988
DOM. JACQUES **TUPINIER,** Mercurey, 577
CH. DES **TUQUETS,** Bordeaux, 198
CH. **TURCAUD,** Bordeaux, 198
DOM. **TURENNE,** Côtes de provence, 745
CH. **TURON,** Bordeaux supérieur, 222
CHRISTOPHE ET GUY **TURPIN,** Menetou-salon, 937
BERNARD **TURQUAUD,** Bergerac rosé, 803
LES VIGNERONS DE **TURSAN,** Tursan AOVDQS, 797
CHAPELLE DE **TUTIAC,** Premières côtes de blaye, 231

CLOS **UROULAT,** Jurançon, 792
DOM. PIERRE **USSEGLIO ET FILS,** Châteauneuf-du-pape, 999
CH. D' **UXELLES,** Mâcon-villages, 588

CH. DE **VACQUES,** Sainte-foy-bordeaux, 309
DOM. DU **VADOT,** Côte de brouilly, 161
CH. DE **VALANDRAUD,** Saint-émilion grand cru, 286
DOM. DES **VALANGES,** Saint-véran, **596**
CLOS **VAL BRUYERE,** Cassis, 747
CH. **VALCOMBE,** Côtes du ventoux, 1009
CH. DE **VALCOMBE,** Costières de nîmes, 696
CH. DU **VAL D'OR,** Saint-émilion grand cru, 286
DOM. DU **VAL DES ROCHES,** Pouilly-fuissé, 592
DOM. DE **VALDITION,** Bouches-du-Rhône, 1072
VAL DONNADIEU, Saint-chinian, 717
CAVE DES VIGNERONS REUNIS DE **VALENCAY,** Valençay AOVDQS, 926
DOM. DE **VALENSAC,** Oc, 1065
VALENTIN, Maures, 1070
JEAN **VALENTIN ET FILS,** Champagne, 651
CH. **VAL JOANIS,** Côtes du luberon, 1011
DOM. DES **VALLETTES,** Saint-nicolas-de-bourgueil, 902
DOM. DE **VALLIERES,** Régnié, 180
JEAN-CLAUDE **VALLOIS,** Champagne, 651
LES VIGNERONS DU **VALLON,** Vins de marcillac, 787
DOM. DE **VALMOISSIME,** Coteaux du Verdon, 1074
DOM. DE **VALMONT,** Canton de Vaud, 1093
CH. **VALMORE SALLE D'OR,** Bordeaux supérieur, 223
VALMY DUBOURDIEU-LANGE, Côtes de castillon, 301
DOM. DE **VALORI,** Châteauneuf-du-pape, 999
CH. **VALROSE,** Saint-estèphe, 382
CH. **VANNIERES,** • Côtes de provence, 745 • Bandol, 752
VAQUER, Rivesaltes, 1023
DOM. DES **VARENNES,** Beaujolais, 149
CH. **VARI,** Monbazillac, 810
DOM. DES **VARINELLES,** • Saumur, 875 • Saumur-champigny, 880
VARNIER-FANNIERE, Champagne, 651
VARONE, Canton du Valais, 1100
ARIELLE **VATAN,** Cher, 1053
CHRISTOPHE **VAUDOISEY,** Volnay, 537
VAUDOISEY-CREUSEFOND, Pommard, 533
DOM. BERNARD **VAUDOISEY-MUTIN,** Volnay, 537
DOM. DE **VAUDON,** Chablis, 450
CH. DE **VAUGAUDRY,** Chinon, 908
CLOS DE **VAULICHERES,** Bourgogne, 420
DOM. DU CHATEAU **VAUMARCUS,** Canton de Neuchâtel, 1104
CH. DE **VAURE,** Bordeaux sec, 207
DOM. DE **VAUROUX,** Chablis premier cru, 456
F. **VAUVERSIN,** Champagne, 651
CH. DE **VAUX,** Beaujolais-villages, 155
CH. DE **VAUXONNE,** Beaujolais-villages, 155
DOM. DE **VAYSSETTE,** Gaillac, 780
JEAN **VELUT,** Champagne, 651
VELY-RASSELET, Champagne, 651
DE **VENOGE,** Champagne, 652

VENOT, • Bourgogne aligoté, 426 • Bourgogne passetoutgrain, 430 • Bourgognecôte chalonnaise, 570
CH. **VENTENAC,** Cabardès, 718
DOM. ALAIN **VERDET,** Bourgogne hautes-côtes de nuits, 435
DOM. **VERDIER,** Coteaux du layon, 866
ODILE **VERDIER ET JACKY LOGEL,** Côtes du forez AOVDQS, 931
CH. **VERDIGNAN,** Haut-médoc, 357
CH. **VEREZ,** Côtes de provence, 745
ROBERT **VERGER,** Côte de brouilly, 161
CH. DES **VERGERS,** Beaujolais-villages, 155
GEORGES **VERNAY,** • Condrieu, 978 • Saint-joseph, 982
DOM. DE **VERNUS,** Régnié, 180
DOM. **VERRET,** • Bourgogne, 420 • Bourgogne aligoté, 426 • Bourgogne irancy, 431 • Sauvignon de saint-bris AOVDQS, 460
DOM. **VERRIER,** Saint-joseph, 983
CH. **VERT,** Côtes de provence, 745
CH. DE **VERTHEUIL,** • Bordeaux, 198 • Sainte-croix-du-mont, 391
VERTIGES, Canton du Valais, 1100
CH. DE **VESPEILLES,** Côtes du roussillon, 724
ALAIN **VESSELLE,** Champagne, 652
B. **VESSELLE,** Champagne, 652
GEORGES **VESSELLE,** • Champagne, 652 • Coteaux champenois, 655
JEAN **VESSELLE,** Coteaux champenois, 655
MAURICE **VESSELLE,** Champagne, 652
DOM. **VESSIGAUD,** Mâcon-villages, 588
CELLIER DES **VESTIGES ROMAINS,** Costières de nîmes, 697
VEUVE A. DEVAUX, Champagne, 652
VEUVE AMBAL, Crémant de bourgogne, 443
VEUVE AMIOT, Saumur, 875
VEUVE CLEMENCE, Champagne, 652
VEUVE CLICQUOT-PONSARDIN, Champagne, **652**
VEUVE FOURNY ET FILS, Champagne, 652
VEUVE HENRI MORONI, Bourgogne aligoté, 427
VEUVE MAURICE LEPITRE, Champagne, 653
JACQUES **VEUX,** Touraine-mesland, 894
LA CAVE **VEVEY-MONTREUX,** Canton de Vaud, 1093
CH. **VEYRAN,** Saint-chinian, 717
MARCEL **VEZIEN,** • Champagne, 653 • Rosé des riceys, 656
PHILIPPE ET JEAN-MARIE **VIAL,** Côte roannaise, 934
PHILIPPE **VIALLET,** Roussette de savoie, 678
CH. **VIALLET-NOUHANT,** Haut-médoc, 357
DOM. **VIAL-MAGNERES,** • Collioure, 730 • Banyuls, 1017
CH. DE **VIAUD,** Lalande de pomerol, 256
DOM. **VICO,** Vins de corse, 765
VICOMTE DE MORLY, Bordeaux supérieur, 223
CH. **VICTORIA,** Haut-médoc, 358
J. **VIDAL-FLEURY,** Côte rôtie, 976
CH. **VIDAL LA MARQUISE,** Minervois, 714
vide **vide,** vide, 683
CAVE DU **VIEIL-ARMAND,** Alsace gewurztraminer, 100
DOM. DES **VIEILLES PIERRES,** • Pouilly-fuissé, **592** • Saint-véran, 596
CH. **VIEILLE TOUR,** Cadillac, 388
CH. **VIEILLE TOUR LA ROSE,** Saint-émilion grand cru, 286
CH. **VIEILLE TOUR MONTAGNE,** Montagne saint-émilion, 294
DOM. DU **VIEIL ORME,** Bordeaux, 198
CH. DE **VIELLA,** Pacherenc du vic-bilh, 797
DOM. DES **VIENAIS,** Bourgueil, 899
CHARLES **VIENOT,** • Côte de nuits-villages, 500 • Saint-aubin, 559
DOM. DU **VIEUX BOURG,** Côtes de duras, 816
DOM. DU **VIEUX BOURG,** Saumur-champigny, 880
VIEUX CHATEAU CERTAN, Pomerol, 252
VIEUX CHATEAU CHAMBEAU, Lussac saint-émilion, 290
VIEUX CHATEAU CHAMPS DE MARS, Côtes de castillon, 302
VIEUX CHATEAU DES COMBES, Saint-émilion grand cru, 286
VIEUX CHATEAU DES ROCHERS, Montagne saint-émilion, 294
VIEUX CHATEAU FERRON, Pomerol, 252
VIEUX CHATEAU GAUBERT, Graves, 324
VIEUX CHATEAU L'ABBAYE, Saint-émilion grand cru, 286
VIEUX CHATEAU LAMOTHE, Bordeaux sec, 207
VIEUX CHATEAU LANDON, Médoc, 345
VIEUX CHATEAU PELLETAN, Saint-émilion grand cru, 287
DOM. DU **VIEUX CHENE,** Rivesaltes, 1023
VIEUX CLOCHER, Vacqueyras, 993
VIEUX CLOS CHAMBRUN, Lalande de pomerol, 256
CH. **VIEUX DOMINIQUE,** Bordeaux supérieur, 223
CH. **VIEUX GRAND FAURIE,** Saint-émilion grand cru, 287
CH. DU **VIEUX GUINOT,** Saint-émilion grand cru, 287
CH. **VIEUX LABARTHE,** Saint-émilion, 263
CH. **VIEUX LARMANDE,** Saint-émilion grand cru, 287
DOM. DU **VIEUX LAZARET,** Châteauneuf-du-pape, 999
CH. **VIEUX MAILLET,** Pomerol, 252
VIEUX MANOIR DE MARANSAN, Côtes du rhône, 964
CH. DU **VIEUX MOULIN,** Montagne saint-émilion, 294
CH. DU **VIEUX MOULIN,** Loupiac, 390
DOM. DU **VIEUX POIRIER,** Touraine, 891
CH. **VIEUX POURRET,** Saint-émilion grand cru, 287
DOM. DU **VIEUX PRESSOIR,** Touraine, 891
DOM. DES **VIEUX PRUNIERS,** Sancerre, 950
CH. **VIEUX ROBIN,** Médoc, 345
DOM. DU **VIEUX SAPIN,** Pécharmant, 813
CH. **VIEUX SARPE,** Saint-émilion grand cru, 287
DOM. DE **VIGIER,** • Côtes du vivarais AOVDQS, 1012 • Coteaux de l'Ardèche, 1077
CH. DES **VIGIERS,** Côtes de bergerac, 807
DOM. DU **VIGNEAU,** Saumur-champigny, 880
DOM. **VIGNEAU-CHEVREAU,** Vouvray, 919
DOM. DU **VIGNEAUD,** Côtes de bergerac moelleux, 808
LA SOURCE DE **VIGNELAURE,** Coteaux d'aix, 756
CH. **VIGNE-LOURAC,** Gaillac, 781
DOM. DES **VIGNES BICHE,** Saumur, 875
DOM. DES **VIGNES BLANCHES,** Bourgogne aligoté, 427
DOM. DES **VIGNES DES DEMOISELLES,** • Bourgogne aligoté, 427 • Bourgogne passetoutgrain, 430 • Bourgogne hautes-côtes de beaune, 439 • Santenay, 564
DOM. DES **VIGNES SOUS LES OUCHES,** Mercurey, 577
CH. **VIGNOL,** Bordeaux supérieur, 223
ALAIN **VIGNOT,** Bourgogne, 420
DOM. FABRICE **VIGOT,** Vosne-romanée, 491
MADAME ROLAND **VIGOT,** Vosne-romanée, 491
CH. **VIGUERIE DE BEULAYGUE,** Côtes du frontonnais, **784**
JEAN-MARC **VIGUIER,** Vins d'entraygues et du fel AOVDQS, 786
VILLA BEL-AIR, Graves, 325
CLAUDE **VILLAIN,** Vouvray, 920
CH. DE **VILLAMBIS,** Haut-médoc, 358
HENRI DE **VILLAMONT,** • Chablis premier cru, 456 • Grands-échézeaux, 488 • Saint-romain, 544 • Meursault, 548 • Mâcon, 583
VILLA PASSANT, Rivesaltes, 1023
DOM. **VILLARD ET FILS,** Canton de Genève, 1102
DOM. DE **VILLARGEAU,** Coteaux du giennois, 932
CH. **VILLARS,** Fronsac, 242
CH. DE **VILLECLARE,** Côtes du roussillon, 725
GH. **VILLEFRANCHE,** • Graves, 325 • Sauternes, 400
CH. DE **VILLEGEORGE,** Haut-médoc, 358
DOM. DE **VILLEGRON,** Chinon, 908
LE BLANC DE **VILLEMAJOU,** Corbières, 692
ARNAUD DE **VILLENEUVE,** Oc, 1065
CH. DE **VILLENEUVE,** Saumur-champigny, 880
DOM. DE **VILLENEUVE,** Coteaux du languedoc, 708
VILLEROSE, Côtes du frontonnais, 784
CH. DE **VILLERS-LA-FAYE,** • Bourgogne aligoté, 427 • Bourgogne hautes-côtes de nuits, 435
DOM. ELISE **VILLIERS,** Bourgogne, 420
DOM. DES **VILLOTS,** Sancerre, 950
VILMART, Champagne, 653
VINATTIERI, Canton du Tessin, 1111
JACQUES **VINCENT,** Reuilly, 944
VINCENT-LAMOUREUX, Rosé des riceys, 656
VIN D'AUTAN DE ROBERT PLAGEOLES ET FILS, Gaillac, **781**
DOM. DES **VINGTINIERES,** Côtes de provence, 745
VINS ET VIGNOBLES, Fleurie, 167
CH. DE **VINZELLES,** Pouilly vinzelles, 593
DOM. LOUIS **VIOLLAND,** Chorey-lès-beaune, 522
CHRISTOPHE **VIOLOT-GUILLEMARD,** • Beaune, 527 • Saint-romain, 544
THIERRY **VIOLOT-GUILLEMARD,** • Beaune, 527 • Pommard, 533
GEORGES **VIORNERY,** Brouilly, 159
CH. **VIRAMON,** Saint-émilion grand cru, 287
CH. **VIRANEL,** Saint-chinian, 717
CH. DE **VIRES,** Coteaux du languedoc, 708
CH. **VITALLIS,** Pouilly-fuissé, 592
VITTEAUT-ALBERTI, Crémant de bourgogne, 443
CH. DE **VIVIERS,** Chablis, 450
DOM. EMILE **VOARICK,** • Beaune, 527 • Bourgognecôte chalonnaise, 570 • Mercurey, 577
DOM. MICHEL **VOARICK,** Corton, 512
RESERVE DES **VOCONCES,** Côtes du rhône-villages, 973
DOM. YVON **VOCORET,** Chablis, 450
DOM. **VOCORET ET FILS,** • Chablis premier cru, 456 • Chablis grand cru, **459**
ALAIN **VOEGELI,** Gevrey-chambertin, 471
JOSEPH **VOILLOT,** Volnay, 537
VOIRIN-DESMOULINS, Champagne, 653
FRUITIERE VINICOLE DE **VOITEUR,** • Château-chalon, 664 • Côtes du jura, 669
VOLG WEINKELLEREIN, • Canton d'Argovie, 1105 • Canton des Grisons, 1106
VOLLEREAUX, Champagne, 653
VORBURGER, • Alsace pinot noir, 114 • Crémant d'alsace, 135
DOM. DU CHATEAU DE **VOSNE-ROMANEE,** La romanée, 492
CH. **VRAI CAILLOU,** Entre-deux-mers, 306
CH. **VRAI-CANON-BOUCHE,** Canon-fronsac, 238
VRANKEN, Champagne, 653
DOM. JEAN **VULLIEN,** Roussette de savoie, 678
DOM. DE **VURIL,** Brouilly, 159

GUY **WACH,** • Alsace grand cru kastelberg, 121 • Alsace grand cru moenchberg, 125
CH. **WAGENBOURG,** • Alsace pinot ou klevner, 85 • Alsace grand cru zinnkoepflé, 132
ANDRE **WANTZ,** Alsace riesling, 92
CH. **WANTZ,** • Alsace klevener de heiligenstein, 82 • Crémant d'alsace, 136
JEAN-PAUL **WASSLER,** Alsace riesling, 92
BERNARD **WEBER,** • Alsace sylvaner, 83 • Alsace pinot noir, 114
DOM. **WEINBACH,** • Alsace riesling, 92 • Alsace gewurztraminer, 101 • Alsace grand cru schlossberg, 127
JEAN **WEINGAND,** Alsace riesling, 92
GERARD **WEINZORN,** Alsace grand cru brand, 117
CAVES DE **WELLENSTEIN,** Moselle luxembourgeoise, 1085
JEAN-MICHEL **WELTY,** Alsace gewurztraminer, 101
ALSACE **WILLM,** Alsace riesling, 93
WINTER, • Alsace gewurztraminer, 101 • Alsace tokay-pinot gris, 109
A **WISCHLEN,** Alsace grand cru zinnkoepflé, 132
A. **WITTMANN ET FILS,** Alsace sylvaner, 83

VINS

WOLFBERGER, Crémant d'alsace, 136
CAVES DE **WORMELDANGE,** Moselle luxembourgeoise, 1085
WUNSCH ET MANN, Alsace gewurztraminer, 101
W. **WURTZ,** Alsace grand cru mandelberg, 124
DOM. XAVIER **WYMANN,** Alsace tokay-pinot gris, 109

CH. **YON-FIGEAC,** Saint-émilion grand cru, 287
CLOS DES **YONNIERES,** Muscadet sèvre-et-maine, **837**
CH. D' **YQUEM,** Sauternes, 400
YVECOURT, Entre-deux-mers, 307
CLOS D' **YVIGNE,** • Côtes de bergerac, 807 • Saussignac, **814**

ZEYSSOLFF, Alsace gewurztraminer, 101
ALBERT **ZIEGLER,** Alsace pinot ou klevner, 85
FERNAND **ZIEGLER,** Alsace riesling, 93
ZIEGLER-FUGLER, Alsace gewurztraminer, 101
ZIEGLER-MAULER, • Alsace gewurztraminer, 101 • Alsace grand cru schlossberg, 127
ZIMMERMANN, • Alsace gewurztraminer, **101** • Alsace grand cru praelatenberg, 126
PAUL **ZINCK,** • Alsace tokay-pinot gris, 109 • Alsace pinot noir, 114 • Alsace grand cru eichberg, 118
PIERRE-PAUL **ZINK,** Alsace pinot noir, 115
MAISON **ZOELLER,** • Alsace riesling, 93 • Alsace pinot noir, 115
ZWAA, Canton de Schaffhouse, 1107

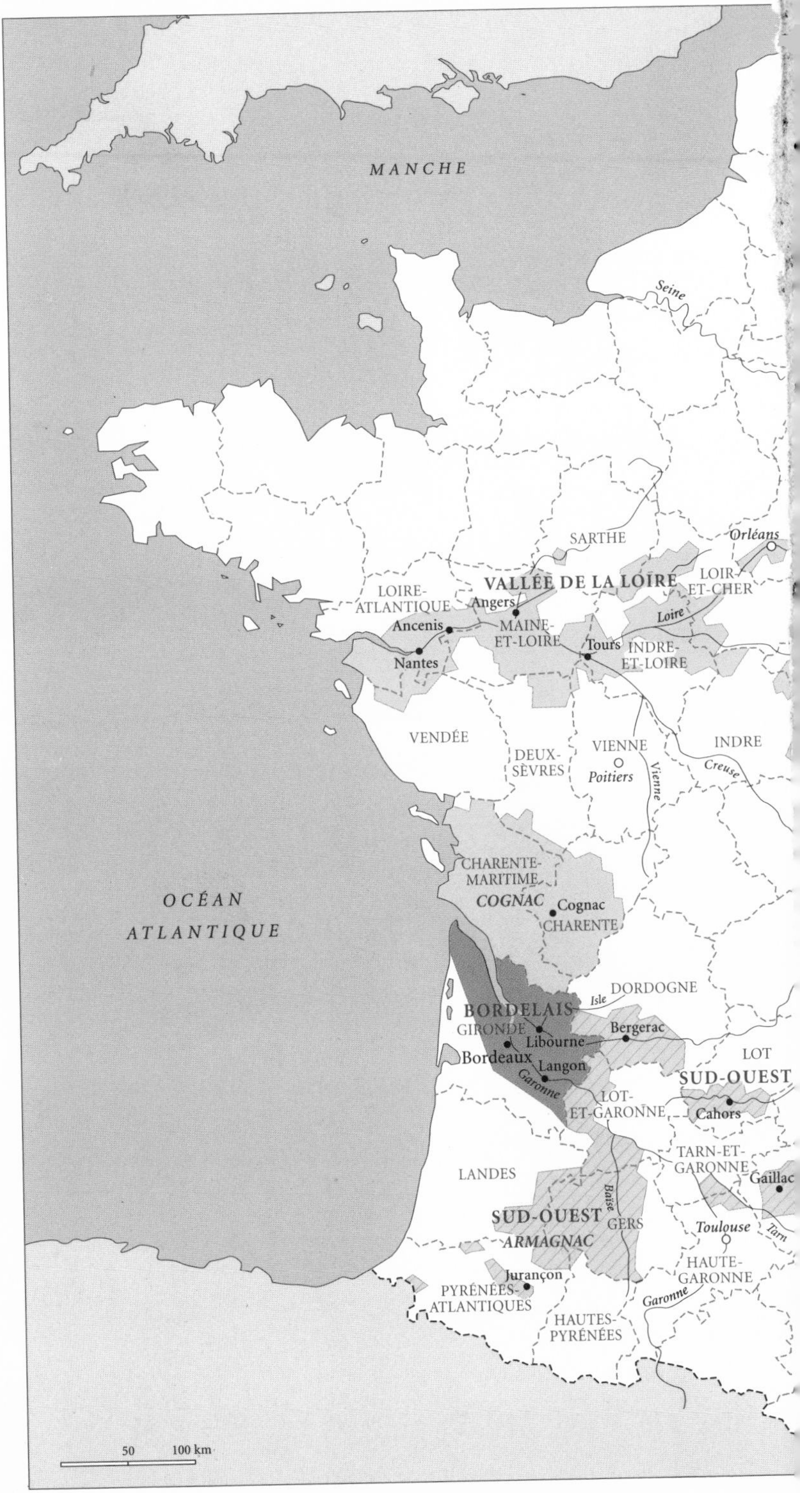
MANCHE
Seine
SARTHE
Orléans
VALLÉE DE LA LOIRE
LOIRE-ATLANTIQUE
Angers
LOIR-ET-CHER
MAINE-ET-LOIRE
Ancenis
Loire
Nantes
Tours
INDRE-ET-LOIRE
VENDÉE
DEUX-SÈVRES
VIENNE
Poitiers
Vienne
INDRE
Creuse
CHARENTE-MARITIME
COGNAC
Cognac
CHARENTE
OCÉAN
ATLANTIQUE
DORDOGNE
Isle
BORDELAIS
GIRONDE
Libourne
Bergerac
Bordeaux
Langon
Garonne
LOT
SUD-OUEST
LOT-ET-GARONNE
Cahors
TARN-ET-GARONNE
Gaillac
LANDES
Baïse
SUD-OUEST
GERS
ARMAGNAC
Toulouse
Tarn
Jurançon
HAUTE-GARONNE
PYRÉNÉES-ATLANTIQUES
Garonne
HAUTES-PYRÉNÉES
50
100 km